Hoffnung für alle · Die Bibel

Hoffnung für alle®
Copyright © 1983, 1996, 2002 by International Bible Society®
Used by permission. All rights reserved worldwide.

Hoffnung für alle

Die Bibel

Brunnen Verlag · Basel und Gießen

Der Text dieser Bibelausgabe darf gerne in jeder Form zitiert werden (gedruckt, visuell, elektronisch oder auf Tonträgern), sofern es sich um nicht mehr als maximal 250 Verse handelt, der zitierte Text kein ganzes biblisches Buch bildet und die zitierten Texte gesamthaft nicht mehr als 25 Prozent des Werkes darstellen, in dem die Bibelverse verwendet werden.

Dafür ist zwar keine schriftliche Genehmigung des Verlages notwendig, doch muss auf der Impressums- oder Copyrightseite oder an anderer geeigneter Stelle der folgende Hinweis erscheinen:

»Die Bibelstellen sind der Übersetzung **Hoffnung für alle**® entnommen, Copyright © 1983, 1996, 2002 by International Bible Society®. Verwendet mit freundlicher Genehmigung des Verlags.«

Sollten Sie Bibelverse in einem größeren Umfang zitieren wollen, als es oben beschrieben ist, so richten Sie Ihre Anfrage bitte an den Brunnen Verlag Basel, Wallstraße 6, CH-4051 Basel, Schweiz. E-Mail: info@brunnen-verlag.ch. In diesem Fall muss vom Verlag zwingend eine schriftliche Genehmigung eingeholt werden.

Alle weiteren Rechte, insbesondere des Nachdrucks, der Übersetzung, der Speicherung auf Datenträger beziehungsweise der Einspeisung in öffentliche und nichtöffentliche Datennetze in jeglicher umfangreicherer Form, der Funksendung, der Mikroverfilmung oder der Vervielfältigung auf anderen Wegen sind ausdrücklich vorbehalten.

Die (gemäßigte) Neue Deutsche Rechtschreibung in dieser Bibel orientiert sich an den Vorgaben der deutschen Wochenzeitung »DIE ZEIT«.

Bibliografische Information der Deutschen Bibliothek
Die Deutsche Bibliothek verzeichnet diese Publikation in der
Deutschen Nationalbibliografie; detaillierte bibliografische Daten sind im Internet über
http://dnb.ddb.de abrufbar.

»Hoffnung für alle« – Die Bibel

© 1983, 1996, 2002 by International Bible Society, Colorado Springs, USA
Herausgegeben durch: Brunnen Verlag Basel, Schweiz

9. Auflage der revidierten Fassung
Brunnen Verlag Basel 2007

Satz: SatzWeise, D-Föhren
Umschlaggestaltung: Ralf Simon, Brunnen Verlag, D-Gießen
Bild: MEV, D-Augsburg
Druck und Bindung: C.H. Beck, D-Nördlingen
Printed in Germany

Gedruckt auf 34 g/qm OP OPAQUE

ISBN 978-3-7655-6051-4

Die Bücher des Alten Testaments

Die Geschichte Gottes mit seinem Volk

Die Weisheitsbücher und die Psalmen

Die Bücher der Propheten

Die Bücher des Neuen Testaments

Die übrigen Briefe

Das prophetische Buch

Anhang

Die Bibel ist da …

... nur lesen musst

Cartoon: Thees Carstens

du sie noch selber!

Ich hab' keine Ahnung, wer du bist …

… aber schön, dass du reinschaust in die Bibel und in dieses Vorwort. Vielleicht hast du noch nie in der Bibel gelesen und keinen Schimmer, was dich hier erwartet. Vielleicht kennst du die Bibel auch schon und findest manche oft gehörten Geschichten sogar langweilig.

Egal, so oder so: Das Lesen der Bibel kann für dich zu einer aufregenden Entdeckungsreise werden. Nicht nur, weil die (wahren!) Stories in der Bibel voller Action und Spannung sind. Sondern vor allem, weil sich die Bibel in einem Punkt vom Krimi neben deinem Bett und allen anderen Büchern unterscheidet:

In der Bibel spricht Gott zu dir! Ja, genau, der Gott, der dich total liebt! Vielleicht zuckst du jetzt in Gedanken ungläubig mit den Schultern: »Zu mir? Ich hab' beim Lesen noch nie eine Stimme gehört!«

Wie spricht Gott

Mir ist es auch noch nicht passiert, dass ich beim Bibellesen eine Stimme gehört hätte. Was aber ist dann damit gemeint, dass »Gott durch die Bibel redet«? Eins vorneweg: Das mit der Stimme gibt's wirklich, ist aber auch in der Bibel die große Ausnahme. In 1. Samuel, Kapitel 3 (Seite 302 dieser Ausgabe) findest du eine solche. Aber meistens ist es eine der folgenden Arten, wie Gott durch die Bibel zu dir redet:

- Wenn du keine Ahnung hast, was an der Sache mit Gott und Jesus wirklich dran ist, dann findest du in der Bibel (vielleicht nach einigem Suchen) ziemlich klare Antworten. Zum Beispiel Gottes größtes Angebot an die Menschheit: Er schickte seinen Sohn Jesus auf die Erde, der hier lebte, starb und – das ist die Sensation – wieder vom Tod auferstand. Aber Vorsicht:

durch die Bibel?

Wenn du kapierst, was das für dich bedeutet – nämlich dass dir deine Fehler vergeben sind und dass sie nicht mehr länger zwischen Gott und dir stehen –, dann könnte das dein Leben komplett auf den Kopf stellen!

Vielleicht hast du diese grundlegende Frage für dich geklärt und bist schon Christ. Auch dann will Gott durch die Bibel zu dir reden. Wenn du liest, was Gott seinem Volk verspricht, kannst du dich darauf verlassen, dass das auch für *dich* gilt. Denn du gehörst ja zu seinen Leuten. Oder du liest, was Jesus von seinen Nachfolgern erwartet. Wenn du dich zu letzteren zählst, dann bist auch du gemeint. Dieses Reden Gottes ist oft sehr konkret. Wenn Jesus zum Beispiel sagt: »Du Heuchler! Entferne zuerst den Balken aus deinem Auge, dann kannst du klar sehen, um auch den Splitter aus dem Auge deines Bruders zu ziehen« (Matthäus 7, Vers 5), dann gibt es nicht mehr viel zu diskutieren. Andererseits ist es doch beruhigend, wenn Jesus sagt: »Wer mir nachfolgt, irrt nicht mehr in der Dunkelheit umher, sondern folgt dem Licht, das ihn zum Leben führt« (Johannes 8, Vers 12). Oder nicht?

Wie spricht Gott

Wenn ihr zusammen in der Bibel lest (zum Beispiel im Jugendkreis), kommen anderen vielleicht ganz andere Gedanken als dir. Niemand bekommt alle Einsichten im Alleingang. Durch das, was anderen beim Bibellesen klar wird, kann Gott auch zu dir sprechen. Ob das nun dein Nachbar im Jugendkreis oder der Pastor auf der Kanzel ist – das macht eigentlich keinen Unterschied.

Ein Letztes: Wenn du in der Bibel liest (und von Gott erwartest, dass er zu dir spricht), wirst du vielleicht noch ein anderes Reden Gottes erleben. Ein Vers, der dir gerade eben noch »ganz normal« vorkam, geht dir plötzlich richtig unter die Haut. Du verstehst nicht nur, was Gott will, sondern bist plötzlich ganz begeistert oder geschockt, wie direkt Gott zu dir spricht. Mir ist das zuletzt mit Johannes 15, Vers 15 passiert. Ich hatte den Vers

durch die Bibel?

garantiert schon ein paarmal gelesen: »Ich nenne euch nicht mehr Knechte, denn einem Knecht sagt der Herr nicht, was er vorhat. Ihr aber seid meine Freunde …« Und plötzlich das Aha-Erlebnis: »Wow! Freunde von Jesus! Nicht mehr Sklaven, die nicht wissen, was sie machen, sondern: Freunde! Ich kann ihm erzählen, was mich beschäftigt, oder mich auch mal richtig ausheulen bei ihm. Ist das nicht super!« So was erlebe ich nicht jeden Tag, aber doch immer wieder mal …

Wie es zu einem solchen Aha-Erlebnis kommt?

Ja … das hat mit dem Heiligen Geist zu tun. Du wirst ihn beim Bibellesen ganz sicher immer wieder an verschiedenen Stellen treffen.

Die Bibel

Bevor du verstehst, was Gott durch die Bibel sagen will, musst du dir aber die Mühe machen, den jeweiligen Text gründlich zu lesen. Versuche nicht vorschnell, den Bibeltext in deine Situation zu übertragen. Finde zunächst raus, was wer warum in welcher Situation gesagt hat. Bei vielen Texten muss das Umfeld mit berücksichtigt werden.

Ein Beispiel: In Johannes, Kapitel 9, heilt Jesus einen Blinden am Sabbat, dem jüdischen Ruhetag. Die Aufregung, die das verursacht, kann man aber nur verstehen, wenn man weiß, dass es für diesen Ruhetag im jüdischen Gesetz ganz bestimmte Regelungen gab (und dass einige Oberfromme noch einige dazuerfunden hatten …).

verstehen

Kein Stress: Niemand kann alles über das Drumherum eines Textes wissen (und manchmal ist es auch gar nicht so wichtig), aber oft kommt ein Aha-Erlebnis zu einem Bibeltext auch erst, wenn man sich ein bisschen über das Umfeld informiert. Wenn du mit einem Text nicht zurechtkommst, frage am besten andere Bibelleser, oder schlag in schlauen Büchern nach.

Praxistip Ein »Lexikon zur Bibel« hilft dir, das Umfeld der biblischen Geschichten zu verstehen. Ich finde es wichtig, die Hintergründe und die Kultur so gut wie möglich zu kennen – gerade um die für uns seltsamen Bilder und Vergleiche entschlüsseln zu können. So ein Lexikon findest du in jeder christlichen Buchhandlung.

Wie und wann

Da gibt es nur einen Tipp: Ausprobieren! Manche lesen die Bibel am Morgen, noch vor dem Frühstück. Andere abends vor dem Einschlafen. Manche lesen lieber allein, andere lieber zusammen mit guten Freunden. Wahrscheinlich musst du ein bisschen rumprobieren, bis du die für dich geeignete Zeit und einen guten Ort gefunden hast. Aber: Gib nicht zu schnell auf. Und sei nicht frustriert, wenn nicht alles so klappt, wie du es dir vorgenommen hast …

die Bibel lesen?

Praxistip Es gibt jede Menge Bibellesepläne, die dir helfen, die Bibel in überschaubare Häppchen zu »zerlegen« und schwer Verständliches zu erklären (auf Seite XXII findest du einen solchen Plan. Jede christliche Buchhandlung wird dir noch weitere anbieten können). Das hat den Vorteil, dass man jeden Tag in kurzer Zeit ein paar Verse liest. Trotzdem würde ich dir raten: Lies auch ab und zu mehrere Kapitel am Stück. Nur so verstehst du die »großen Linien«.

Wo anfangen?

Alles, was in diesem Buch drinsteht, gehört zur Bibel, ist also gleich wichtig (außer diesem Vorwort natürlich und ein paar anderen Randerscheinungen!). Aber nicht alles ist gleich gut zu verstehen.

Auf jeden Fall würde ich im Neuen Testament anfangen, am ehesten mit einem der so genannten Evangelien. Hier sind die Jesus-Geschichten von seiner Geburt bis zu seiner Auferstehung niedergeschrieben. Manche empfehlen, mit dem Johannes-Evangelium anzufangen (Seite 1193 im zweiten Teil, der Neues Testament heißt). Ich persönlich würde den Start mit dem Lukas-Evangelium machen (Seite 1142 im Neuen Testament).

Der beste Ort,

Es gibt ganz verschiedene Möglichkeiten, wo und wann du in der Bibel lesen kannst. Am besten suchst du dir selbst Ort und Zeit aus, wo du entspannt und konzentriert sein kannst. Ein paar Möglichkeiten:

- Bibel unterwegs: Nimm mal die Bibel mit an einen anderen Ort. Manchmal ist es leichter, an einem ruhigen Plätzchen mitten im Wald zu lesen, als in deinem Zimmer, wo dauernd jemand reinkommt oder ständig das Telefon klingelt.

- Bibel vor dem Frühstück: Bevor irgendetwas anderes deine Gedanken in Beschlag nimmt, reservierst du dir eine Zeit zum Bibellesen und Beten. Wenn's klappt, sicher ein optimaler Zeitpunkt. Morgenmuffel können das stattdessen am Abend nachholen (Glotze rechtzeitig ausschalten, sonst droht beim Lesen akute Einschlafgefahr!).

die beste Zeit

■ Bibeltagebuch: Schreib das, was dir beim Bibellesen wichtig geworden ist, in ein Tagebuch. Ein normaler Spiralblock tut's auch. Schreib auf, was dich ermutigt und was dich herausfordert. Schreib, was dir Angst macht und was du dir erträumst. Vor allem: Sei ehrlich! Vor Gott und vor dir selbst. Du musst das Aufgeschriebene ja niemandem zeigen (obwohl es manchmal sehr schön ist, gerade diese Gedanken mit einem guten Freund oder einer guten Freundin zu teilen).

■ Wenn du es nicht jeden Tag schaffst, in der Bibel zu lesen, dann nimm es dir einmal in der Woche vor. Oder triff dich dafür einmal wöchentlich mit einem Freund …

Praxistip Egal, was ich mir vornehme – bei mir haben solche Versuche erfahrungsgemäß nur dann eine Überlebenschance, wenn ich sie fest in meinen Wochenplan hineinnehme. Wie ist es bei dir?

Einige Gedanken

Eins will ich zum Schluss unbedingt noch loswerden: So wichtig die Bibel auch ist – es geht nicht um einen Glauben an die Bibel. Sondern um eine Beziehung zu Gott.

In der Bibel kannst du eine Menge über ihn erfahren. Aber mit ihm zu leben, ist noch mal was ganz anderes. Wie in einer Beziehung zwischen Freunden geht es auch in dieser Beziehung zu Gott darum, zusammen Zeit zu verbringen, einander seine Wertschätzung auszudrücken und seine Pläne mitzuteilen.

Es geht nicht in erster Linie um Bibelwissen, sondern darum, das in der Bibel Erkannte auch umzusetzen und einen neuen Lebensstil im Sinne von Jesus einzuüben.

zum Schluss …

Wie dieser Jesus-Stil konkret aussieht? Das kannst du selbst nachlesen. Klar, in der Bibel – wo sonst? Vielleicht auch in guten Büchern und Zeitschriften, die sich mit der Bibel befassen. Oder in Bibelleseplänen. Vor allem aber in der Bibel selbst. Ich wünsche dir dabei viel Freude und Durchhaltevermögen, aber auch die Erfahrung, dass der Gott der Bibel bei dir ist und sich um dich sorgt und kümmert, wie nur ein guter Vater es kann.

Dein
Martin Gundlach

(Martin Gundlach ist Redaktionsleiter der Zeitschrift »Family« vom Bundes-Verlag, D-Witten.)

Bibelleseplan

☑ Hier kannst du das Gelesene ankreuzen:

Die Bücher des Alten Testaments

1. Mose ❑ 1 ❑ 2 ❑ 3 ❑ 4 ❑ 5 ❑ 6 ❑ 7 ❑ 8 ❑ 9 ❑ 10 ❑ 11 ❑ 12 ❑ 13 ❑ 14 ❑ 15 ❑ 16 ❑ 17 ❑ 18 ❑ 19 ❑ 20 ❑ 21 ❑ 22 ❑ 23 ❑ 24 ❑ 25 ❑ 26 ❑ 27 ❑ 28 ❑ 29 ❑ 30 ❑ 31 ❑ 32 ❑ 33 ❑ 34 ❑ 35 ❑ 36 ❑ 37 ❑ 38 ❑ 39 ❑ 40 ❑ 41 ❑ 42 ❑ 43 ❑ 44 ❑ 45 ❑ 46 ❑ 47 ❑ 48 ❑ 49 ❑ 50

2. Mose ❑ 1 ❑ 2 ❑ 3 ❑ 4 ❑ 5 ❑ 6 ❑ 7 ❑ 8 ❑ 9 ❑ 10 ❑ 11 ❑ 12 ❑ 13 ❑ 14 ❑ 15 ❑ 16 ❑ 17 ❑ 18 ❑ 19 ❑ 20 ❑ 21 ❑ 22 ❑ 23 ❑ 24 ❑ 25 ❑ 26 ❑ 27 ❑ 28 ❑ 29 ❑ 30 ❑ 31 ❑ 32 ❑ 33 ❑ 34 ❑ 35 ❑ 36 ❑ 37 ❑ 38 ❑ 39 ❑ 40

3. Mose ❑ 1 ❑ 2 ❑ 3 ❑ 4 ❑ 5 ❑ 6 ❑ 7 ❑ 8 ❑ 9 ❑ 10 ❑ 11 ❑ 12 ❑ 13 ❑ 14 ❑ 15 ❑ 16 ❑ 17 ❑ 18 ❑ 19 ❑ 20 ❑ 21 ❑ 22 ❑ 23 ❑ 24 ❑ 25 ❑ 26 ❑ 27

4. Mose ❑ 1 ❑ 2 ❑ 3 ❑ 4 ❑ 5 ❑ 6 ❑ 7 ❑ 8 ❑ 9 ❑ 10 ❑ 11 ❑ 12 ❑ 13 ❑ 14 ❑ 15 ❑ 16 ❑ 17 ❑ 18 ❑ 19 ❑ 20 ❑ 21 ❑ 22 ❑ 23 ❑ 24 ❑ 25 ❑ 26 ❑ 27 ❑ 28 ❑ 29 ❑ 30 ❑ 31 ❑ 32 ❑ 33 ❑ 34 ❑ 35 ❑ 36

5. Mose ❑ 1 ❑ 2 ❑ 3 ❑ 4 ❑ 5 ❑ 6 ❑ 7 ❑ 8 ❑ 9 ❑ 10 ❑ 11 ❑ 12 ❑ 13 ❑ 14 ❑ 15 ❑ 16 ❑ 17 ❑ 18 ❑ 19 ❑ 20 ❑ 21 ❑ 22 ❑ 23 ❑ 24 ❑ 25 ❑ 26 ❑ 27 ❑ 28 ❑ 29 ❑ 30 ❑ 31 ❑ 32 ❑ 33 ❑ 34

Josua ❑ 1 ❑ 2 ❑ 3 ❑ 4 ❑ 5 ❑ 6 ❑ 7 ❑ 8 ❑ 9 ❑ 10 ❑ 11 ❑ 12 ❑ 13 ❑ 14 ❑ 15 ❑ 16 ❑ 17 ❑ 18 ❑ 19 ❑ 20 ❑ 21 ❑ 22 ❑ 23 ❑ 24

Richter ❑ 1 ❑ 2 ❑ 3 ❑ 4 ❑ 5 ❑ 6 ❑ 7 ❑ 8 ❑ 9 ❑ 10 ❑ 11 ❑ 12 ❑ 13 ❑ 14 ❑ 15 ❑ 16 ❑ 17 ❑ 18 ❑ 19 ❑ 20 ❑ 21

Ruth ❑ 1 ❑ 2 ❑ 3 ❑ 4

1. Samuel ❑ 1 ❑ 2 ❑ 3 ❑ 4 ❑ 5 ❑ 6 ❑ 7 ❑ 8 ❑ 9 ❑ 10 ❑ 11 ❑ 12 ❑ 13 ❑ 14 ❑ 15 ❑ 16 ❑ 17 ❑ 18 ❑ 19 ❑ 20 ❑ 21 ❑ 22 ❑ 23 ❑ 24 ❑ 25 ❑ 26 ❑ 27 ❑ 28 ❑ 29 ❑ 30 ❑ 31

2. Samuel ❑ 1 ❑ 2 ❑ 3 ❑ 4 ❑ 5 ❑ 6 ❑ 7 ❑ 8 ❑ 9 ❑ 10 ❑ 11 ❑ 12 ❑ 13 ❑ 14 ❑ 15 ❑ 16 ❑ 17 ❑ 18 ❑ 19 ❑ 20 ❑ 21 ❑ 22 ❑ 23 ❑ 24

1. Könige ❑ 1 ❑ 2 ❑ 3 ❑ 4 ❑ 5 ❑ 6 ❑ 7 ❑ 8 ❑ 9 ❑ 10 ❑ 11 ❑ 12 ❑ 13 ❑ 14 ❑ 15 ❑ 16 ❑ 17 ❑ 18 ❑ 19 ❑ 20 ❑ 21 ❑ 22

2. Könige ❑ 1 ❑ 2 ❑ 3 ❑ 4 ❑ 5 ❑ 6 ❑ 7 ❑ 8 ❑ 9 ❑ 10 ❑ 11 ❑ 12 ❑ 13 ❑ 14 ❑ 15 ❑ 16 ❑ 17 ❑ 18 ❑ 19 ❑ 20 ❑ 21 ❑ 22 ❑ 23 ❑ 24 ❑ 25

1. Chronik ❑ 1 ❑ 2 ❑ 3 ❑ 4 ❑ 5 ❑ 6 ❑ 7 ❑ 8 ❑ 9 ❑ 10 ❑ 11 ❑ 12 ❑ 13 ❑ 14 ❑ 15 ❑ 16 ❑ 17 ❑ 18 ❑ 19 ❑ 20 ❑ 21 ❑ 22 ❑ 23 ❑ 24 ❑ 25 ❑ 26 ❑ 27 ❑ 28 ❑ 29

2. Chronik ❑ 1 ❑ 2 ❑ 3 ❑ 4 ❑ 5 ❑ 6 ❑ 7 ❑ 8 ❑ 9 ❑ 10 ❑ 11 ❑ 12 ❑ 13 ❑ 14 ❑ 15 ❑ 16 ❑ 17 ❑ 18 ❑ 19 ❑ 20 ❑ 21 ❑ 22 ❑ 23 ❑ 24 ❑ 25 ❑ 26 ❑ 27 ❑ 28 ❑ 29 ❑ 30 ❑ 31 ❑ 32 ❑ 33 ❑ 34 ❑ 35 ❑ 36

Esra ❑ 1 ❑ 2 ❑ 3 ❑ 4 ❑ 5 ❑ 6 ❑ 7 ❑ 8 ❑ 9 ❑ 10

Nehemia ❑ 1 ❑ 2 ❑ 3 ❑ 4 ❑ 5 ❑ 6 ❑ 7 ❑ 8 ❑ 9 ❑ 10 ❑ 11 ❑ 12 ❑ 13

Esther ❑ 1 ❑ 2 ❑ 3 ❑ 4 ❑ 5 ❑ 6 ❑ 7 ❑ 8 ❑ 9 ❑ 10

Hiob ❑ 1 ❑ 2 ❑ 3 ❑ 4 ❑ 5 ❑ 6 ❑ 7 ❑ 8 ❑ 9 ❑ 10 ❑ 11 ❑ 12 ❑ 13 ❑ 14 ❑ 15 ❑ 16 ❑ 17 ❑ 18 ❑ 19 ❑ 20 ❑ 21 ❑ 22 ❑ 23 ❑ 24 ❑ 25 ❑ 26 ❑ 27 ❑ 28 ❑ 29 ❑ 30 ❑ 31 ❑ 32 ❑ 33 ❑ 34 ❑ 35 ❑ 36 ❑ 37 ❑ 38 ❑ 39 ❑ 40 ❑ 41 ❑ 42

Die Psalmen ❑ 1 ❑ 2 ❑ 3 ❑ 4 ❑ 5 ❑ 6 ❑ 7 ❑ 8 ❑ 9 ❑ 10 ❑ 11 ❑ 12 ❑ 13 ❑ 14 ❑ 15 ❑ 16 ❑ 17 ❑ 18 ❑ 19 ❑ 20 ❑ 21 ❑ 22 ❑ 23 ❑ 24 ❑ 25 ❑ 26 ❑ 27 ❑ 28 ❑ 29 ❑ 30 ❑ 31 ❑ 32 ❑ 33 ❑ 34 ❑ 35 ❑ 36 ❑ 37 ❑ 38 ❑ 39 ❑ 40 ❑ 41 ❑ 42 ❑ 43 ❑ 44 ❑ 45 ❑ 46 ❑ 47 ❑ 48 ❑ 49 ❑ 50 ❑ 51 ❑ 52 ❑ 53 ❑ 54 ❑ 55 ❑ 56 ❑ 57 ❑ 58 ❑ 59 ❑ 60 ❑ 61 ❑ 62 ❑ 63 ❑ 64 ❑ 65 ❑ 66 ❑ 67 ❑ 68 ❑ 69 ❑ 70 ❑ 71 ❑ 72 ❑ 73 ❑ 74 ❑ 75 ❑ 76 ❑ 77 ❑ 78 ❑ 79 ❑ 80 ❑ 81 ❑ 82 ❑ 83 ❑ 84 ❑ 85 ❑ 86 ❑ 87 ❑ 88 ❑ 89 ❑ 90 ❑ 91 ❑ 92 ❑ 93 ❑ 94 ❑ 95 ❑ 96 ❑ 97 ❑ 98 ❑ 99 ❑ 100 ❑ 101 ❑ 102 ❑ 103 ❑ 104 ❑ 105 ❑ 106 ❑ 107 ❑ 108 ❑ 109 ❑ 110 ❑ 111 ❑ 112 ❑ 113 ❑ 114 ❑ 115 ❑ 116 ❑ 117 ❑ 118 ❑ 119 ❑ 120 ❑ 121 ❑ 122 ❑ 123 ❑ 124 ❑ 125 ❑ 126 ❑ 127 ❑ 128 ❑ 129 ❑ 130 ❑ 131 ❑ 132 ❑ 133 ❑ 134 ❑ 135 ❑ 136 ❑ 137 ❑ 138 ❑ 139 ❑ 140 ❑ 141 ❑ 142 ❑ 143 ❑ 144 ❑ 145 ❑ 146 ❑ 147 ❑ 148 ❑ 149 ❑ 150

Sprüche ❑ 1 ❑ 2 ❑ 3 ❑ 4 ❑ 5 ❑ 6 ❑ 7 ❑ 8 ❑ 9 ❑ 10 ❑ 11 ❑ 12 ❑ 13 ❑ 14 ❑ 15 ❑ 16 ❑ 17 ❑ 18 ❑ 19 ❑ 20 ❑ 21 ❑ 22 ❑ 23 ❑ 24 ❑ 25 ❑ 26 ❑ 27 ❑ 28 ❑ 29 ❑ 30 ❑ 31

Prediger ❑ 1 ❑ 2 ❑ 3 ❑ 4 ❑ 5 ❑ 6 ❑ 7 ❑ 8 ❑ 9 ❑ 10 ❑ 11 ❑ 12

Das Hohelied ❑ 1 ❑ 2 ❑ 3 ❑ 4 ❑ 5 ❑ 6 ❑ 7 ❑ 8

Jesaja ❑ 1 ❑ 2 ❑ 3 ❑ 4 ❑ 5 ❑ 6 ❑ 7 ❑ 8 ❑ 9 ❑ 10 ❑ 11 ❑ 12 ❑ 13 ❑ 14 ❑ 15 ❑ 16 ❑ 17 ❑ 18 ❑ 19 ❑ 20 ❑ 21 ❑ 22 ❑ 23 ❑ 24 ❑ 25 ❑ 26 ❑ 27 ❑ 28 ❑ 29 ❑ 30 ❑ 31 ❑ 32 ❑ 33 ❑ 34 ❑ 35 ❑ 36 ❑ 37 ❑ 38 ❑ 39 ❑ 40 ❑ 41 ❑ 42 ❑ 43 ❑ 44 ❑ 45 ❑ 46 ❑ 47 ❑ 48 ❑ 49 ❑ 50 ❑ 51 ❑ 52 ❑ 53 ❑ 54 ❑ 55 ❑ 56 ❑ 57 ❑ 58 ❑ 59 ❑ 60 ❑ 61 ❑ 62 ❑ 63 ❑ 64 ❑ 65 ❑ 66

Jeremia ❑ 1 ❑ 2 ❑ 3 ❑ 4 ❑ 5 ❑ 6 ❑ 7 ❑ 8 ❑ 9 ❑ 10 ❑ 11 ❑ 12 ❑ 13 ❑ 14 ❑ 15 ❑ 16 ❑ 17 ❑ 18 ❑ 19 ❑ 20 ❑ 21 ❑ 22 ❑ 23 ❑ 24 ❑ 25 ❑ 26 ❑ 27 ❑ 28 ❑ 29 ❑ 30 ❑ 31 ❑ 32 ❑ 33 ❑ 34 ❑ 35 ❑ 36 ❑ 37 ❑ 38 ❑ 39 ❑ 40 ❑ 41 ❑ 42 ❑ 43 ❑ 44 ❑ 45 ❑ 46 ❑ 47 ❑ 48 ❑ 49 ❑ 50 ❑ 51 ❑ 52

Die Klagelieder ❑ 1 ❑ 2 ❑ 3 ❑ 4 ❑ 5

Hesekiel ❑ 1 ❑ 2 ❑ 3 ❑ 4 ❑ 5 ❑ 6 ❑ 7 ❑ 8 ❑ 9 ❑ 10 ❑ 11 ❑ 12 ❑ 13 ❑ 14 ❑ 15 ❑ 16 ❑ 17 ❑ 18 ❑ 19 ❑ 20 ❑ 21 ❑ 22 ❑ 23 ❑ 24 ❑ 25 ❑ 26 ❑ 27 ❑ 28 ❑ 29 ❑ 30 ❑ 31 ❑ 32 ❑ 33 ❑ 34 ❑ 35 ❑ 36 ❑ 37 ❑ 38 ❑ 39 ❑ 40 ❑ 41 ❑ 42 ❑ 43 ❑ 44 ❑ 45 ❑ 46 ❑ 47 ❑ 48

Daniel ❑ 1 ❑ 2 ❑ 3 ❑ 4 ❑ 5 ❑ 6 ❑ 7 ❑ 8 ❑ 9 ❑ 10 ❑ 11 ❑ 12

Hosea ❑ 1 ❑ 2 ❑ 3 ❑ 4 ❑ 5 ❑ 6 ❑ 7 ❑ 8 ❑ 9 ❑ 10 ❑ 11 ❑ 12 ❑ 13 ❑ 14

Joel ❑ 1 ❑ 2 ❑ 3 ❑ 4

Amos ❑ 1 ❑ 2 ❑ 3 ❑ 4 ❑ 5 ❑ 6 ❑ 7 ❑ 8 ❑ 9

Obadja ❑ 1

Jona ❑ 1 ❑ 2 ❑ 3 ❑ 4

Micha ❑ 1 ❑ 2 ❑ 3 ❑ 4 ❑ 5 ❑ 6 ❑ 7

Nahum ❑ 1 ❑ 2 ❑ 3

Habakuk ❑ 1 ❑ 2 ❑ 3

Zefanja ❑ 1 ❑ 2 ❑ 3

Haggai ❑ 1 ❑ 2

Sacharja ❑ 1 ❑ 2 ❑ 3 ❑ 4 ❑ 5 ❑ 6 ❑ 7 ❑ 8 ❑ 9 ❑ 10 ❑ 11 ❑ 12 ❑ 13 ❑ 14

Maleachi ❑ 1 ❑ 2 ❑ 3

Die Bücher des Neuen Testaments

Matthäus ❑ 1 ❑ 2 ❑ 3 ❑ 4 ❑ 5 ❑ 6 ❑ 7 ❑ 8 ❑ 9 ❑ 10 ❑ 11 ❑ 12 ❑ 13 ❑ 14 ❑ 15 ❑ 16 ❑ 17 ❑ 18 ❑ 19 ❑ 20 ❑ 21 ❑ 22 ❑ 23 ❑ 24 ❑ 25 ❑ 26 ❑ 27 ❑ 28

Markus ❑ 1 ❑ 2 ❑ 3 ❑ 4 ❑ 5 ❑ 6 ❑ 7 ❑ 8 ❑ 9 ❑ 10 ❑ 11 ❑ 12 ❑ 13 ❑ 14 ❑ 15 ❑ 16

Lukas ❑ 1 ❑ 2 ❑ 3 ❑ 4 ❑ 5 ❑ 6 ❑ 7 ❑ 8 ❑ 9 ❑ 10 ❑ 11 ❑ 12 ❑ 13 ❑ 14 ❑ 15 ❑ 16 ❑ 17 ❑ 18 ❑ 19 ❑ 20 ❑ 21 ❑ 22 ❑ 23 ❑ 24

Johannes ❑ 1 ❑ 2 ❑ 3 ❑ 4 ❑ 5 ❑ 6 ❑ 7 ❑ 8 ❑ 9 ❑ 10 ❑ 11 ❑ 12 ❑ 13 ❑ 14 ❑ 15 ❑ 16 ❑ 17 ❑ 18 ❑ 19 ❑ 20 ❑ 21

Apostelgeschichte ❑ 1 ❑ 2 ❑ 3 ❑ 4 ❑ 5 ❑ 6 ❑ 7 ❑ 8 ❑ 9 ❑ 10 ❑ 11 ❑ 12 ❑ 13 ❑ 14 ❑ 15 ❑ 16 ❑ 17 ❑ 18 ❑ 19 ❑ 20 ❑ 21 ❑ 22 ❑ 23 ❑ 24 ❑ 25 ❑ 26 ❑ 27 ❑ 28

Römer ❑ 1 ❑ 2 ❑ 3 ❑ 4 ❑ 5 ❑ 6 ❑ 7 ❑ 8 ❑ 9 ❑ 10 ❑ 11 ❑ 12 ❑ 13 ❑ 14 ❑ 15 ❑ 16

1. Korinther ❑ 1 ❑ 2 ❑ 3 ❑ 4 ❑ 5 ❑ 6 ❑ 7 ❑ 8 ❑ 9 ❑ 10 ❑ 11 ❑ 12 ❑ 13 ❑ 14 ❑ 15 ❑ 16

2. Korinther ❑ 1 ❑ 2 ❑ 3 ❑ 4 ❑ 5 ❑ 6 ❑ 7 ❑ 8 ❑ 9 ❑ 10 ❑ 11 ❑ 12 ❑ 13

Galater ❑ 1 ❑ 2 ❑ 3 ❑ 4 ❑ 5 ❑ 6

Epheser ❑ 1 ❑ 2 ❑ 3 ❑ 4 ❑ 5 ❑ 6

Philipper ❑ 1 ❑ 2 ❑ 3 ❑ 4

Kolosser ❑ 1 ❑ 2 ❑ 3 ❑ 4

1. Thessalonicher ❑ 1 ❑ 2 ❑ 3 ❑ 4 ❑ 5

2. Thessalonicher ❑ 1 ❑ 2 ❑ 3

1. Timotheus ❑ 1 ❑ 2 ❑ 3 ❑ 4 ❑ 5 ❑ 6

2. Timotheus ❑ 1 ❑ 2 ❑ 3 ❑ 4

Titus ❑ 1 ❑ 2 ❑ 3

Philemon ❑ 1

Hebräer ❑ 1 ❑ 2 ❑ 3 ❑ 4 ❑ 5 ❑ 6 ❑ 7 ❑ 8 ❑ 9 ❑ 10 ❑ 11 ❑ 12 ❑ 13

Jakobus ❑ 1 ❑ 2 ❑ 3 ❑ 4 ❑ 5

1. Petrus ❑ 1 ❑ 2 ❑ 3 ❑ 4 ❑ 5

2. Petrus ❑ 1 ❑ 2 ❑ 3

1. Johannes ❑ 1 ❑ 2 ❑ 3 ❑ 4 ❑ 5

2. Johannes ❑ 1

3. Johannes ❑ 1

Judas ❑ 1

Die Offenbarung ❑ 1 ❑ 2 ❑ 3 ❑ 4 ❑ 5 ❑ 6 ❑ 7 ❑ 8 ❑ 9 ❑ 10 ❑ 11 ❑ 12 ❑ 13 ❑ 14 ❑ 15 ❑ 16 ❑ 17 ❑ 18 ❑ 19 ❑ 20 ❑ 21 ❑ 22

Vorwort

Die Bibel ist das meistgelesene Buch der Welt. Ihre verschiedenartigen Texte erzählen, wie Gott Menschen begegnet ist und in dieser Welt gehandelt hat. Weil die Verfasser der Texte in dieser Begegnung das entscheidende Ereignis ihres Lebens erkannten, berichten sie von Gott, der die Menschen sucht und ihnen in Jesus Christus nahe gekommen ist. Obwohl von Menschen geschrieben und über Jahrhunderte hinweg entstanden, ist die Bibel kein Buch wie jedes andere. Sie birgt ein Geheimnis: Was ihre Verfasser schrieben, hatte Gottes Geist ihnen eingegeben. So hat Gott durch dieses Buch zu allen Zeiten geredet und will es auch heute tun.

Die biblischen Texte sind ursprünglich in hebräischer (Altes Testament) und griechischer Sprache (Neues Testament) verfasst worden. Sie müssen für uns heute also übersetzt werden. Die Schwierigkeit einer solchen Übersetzung besteht in den großen Unterschieden zwischen den Ausgangssprachen und der Zielsprache. Nicht nur die Wörter sind verschieden – jede Sprache hat auch ihren eigenen Stil, eigene Redewendungen und einen typischen Satzbau. Dazu kommt, dass uns die Welt des Alten und Neuen Testaments fremd ist. Der große zeitliche Abstand und die kulturellen Unterschiede bewirken, dass wir manche Ausdrücke und Eigenheiten der Ausgangssprachen nicht unmittelbar verstehen. Wie also kann eine gute Übersetzung gelingen? Wie können die alten und doch bedeutsamen Texte für uns heute verständlich und lebendig werden?

»Man muss den Leuten aufs Maul schauen!« – so hat Martin Luther seinerzeit anschaulich beschrieben, wie er bei seiner Bibelübersetzung vorging. Bis heute ist sein Motto für jede gute Übersetzung wegweisend geblieben. Eine gelungene Übersetzung soll nicht nur die Botschaft des Originaltextes zuverlässig wiedergeben, sie muss auch verständlich sein, natürlich und lebendig klingen – so wie wir uns in unserer Sprache ausdrücken. Kurzum: Sie soll auf ihre Leser möglichst die gleiche Wirkung haben, wie sie das Original auf die damaligen Leser hatte!

»Hoffnung für alle« will genau dies erreichen und folgt dabei modernen sprachwissenschaftlichen Erkenntnissen und Übersetzungsmethoden. Da sich nun die hebräische und die griechische Sprache in Satzbau und Redewendungen sehr von der deutschen Sprache unterscheiden, kann man die Ziele Zuverlässigkeit und Verständlichkeit nicht dadurch erreichen, dass man den Ausgangstext Wort für Wort übersetzt. Dann würden die Sätze im Deutschen unnatürlich, schwierig und kaum verständlich. Auch kann ein Wort oder eine Redewendung der Ausgangssprache nicht in allen Fällen mit demselben Wort oder derselben Redewendung in der Zielsprache wiedergegeben werden. Ein solches Vorgehen würde bisweilen sogar den Sinn entstellen. Der Sinn eines Wortes erschließt sich häufig erst durch den Zusammenhang, in dem das Wort gebraucht wird.

Darum bestand die Aufgabe der Übersetzerinnen und Übersetzer darin, den Sinn des hebräischen bzw. griechischen Grundtextes genau zu erfassen und ihn dann in verständlicher deutscher Sprache wiederzugeben. Dies erforderte manchmal Um- und Neuformulierungen. Zuverlässigkeit und Verständlichkeit der Übersetzung sollen also dadurch gewährleistet werden, dass man sich so eng wie möglich an den Sinn des Ausgangstextes hält, sich aber in Grammatik, Satzbau und Redewendungen der in unserer Sprache üblichen Ausdrucksweise bedient.

Der Übersetzung des Alten Testaments liegt der so genannte »Masoretische Text« zugrunde. Dieser hebräische Text ist sowohl für die jüdische Glaubensgemeinschaft als auch für die christliche Kirche gültig. An einzelnen Stellen wurden die im 3. Jahrhundert v. Chr. entstandene griechische Übersetzung (Septuaginta) und andere alte Übersetzungen mit herangezogen, die dort wahrscheinlich eine ursprünglichere Fassung des hebräischen Textes als Vorlage hatten. Solche Fälle werden jeweils mit einer Fußnote gekennzeichnet. Der Übersetzung des Neuen Testaments liegt der griechische Text in der Bearbeitung von Nestle-Aland zugrunde.

An Stellen, die zwei gleichwertige, aber sinnverschiedene Übersetzungsmöglichkeiten zulassen, wird dies durch eine Fußnote (»Oder: ...«) zum Ausdruck gebracht. Wenn sich die deutsche Übersetzung zugunsten der Verständlichkeit weit von der wörtlichen Fassung des hebräischen oder griechischen Textes entfernt hat, wird die wörtliche Version ebenfalls in einer Fußnote wiedergegeben.

Die Formulierung »andere Textzeugen fügen hinzu« in einigen Fußnoten des Neuen Testaments bedeutet: An dieser Stelle werden Wörter oder ganze Verse wiedergegeben, die sich nicht in den ältesten und in der Regel zuverlässigsten Überlieferungen des griechischen Textes finden.

Zu vielen Versen wurden unterhalb der Fußnoten andere Bibelverse angegeben, die ein ähnliches Thema behandeln (Parallelstellen). Diese Parallelstellen bieten zusätzliche Informationen, die zu einem besseren Verständnis des Bibeltextes beitragen. Auch werden dadurch Zusammenhänge zwischen Altem und Neuem Testament erhellt. Manche Verweisstellen sind mit einem Sternchen gekennzeichnet. Das bedeutet: Der Leser wird zu einer Verweisstelle hingeleitet, an der mehrere Bibelverse aufgeführt werden, die das Thema weiter entfalten.

Nach dem biblischen Text folgt ein Anhang mit Sacherklärungen, einer Zeittafel und – in einzelnen Ausgaben – verschiedenen Landkarten.

Die Arbeit an einer Bibelübersetzung kann nie als endgültig abgeschlossen betrachtet werden. Für die Neuauflage wurden das Neue Testament und die Sacherklärungen gründlich durchgesehen und überarbeitet. Das Ziel der Revision war, die Qualität der Übersetzung im Blick auf Zuverlässigkeit und Verständlichkeit weiter zu verbessern.

Den Herausgebern sind Verbesserungsvorschläge immer willkommen. Deshalb sei allen gedankt, die ihre Anregungen weitergegeben haben. Vieles davon wurde bei dieser Revision berücksichtigt.

Die Herausgabe der vorliegenden Bibel geschah in enger Zusammenarbeit zwischen dem Brunnen Verlag Basel und Gießen und der International Bible Society, die auf der ganzen Welt Bibeln übersetzt und verbreitet.

Mit der Veröffentlichung von »Hoffnung für alle« verbinden die Herausgeber den Wunsch, dass die Leserinnen und Leser durch die Botschaft in diesem Buch Gottes Liebe und Gegenwart erfahren und neue Hoffnung für ihr Leben finden.

Das Gras verdorrt, die Blumen verwelken,
aber das Wort unseres Gottes bleibt gültig für immer und ewig.
Jesaja 40,8

Basel und Gießen, im Oktober 2002 — Die Herausgeber

② **Johannes der Täufer ruft: »Kehrt um zu Gott!«**
(Markus 1,2–8; Lukas 3,1–18; Johannes 1,19–28)

③ **3** In dieser Zeit fing Johannes der Täufer an, in der judäischen Wüste zu predigen. [2] Er rief: »Kehrt um zu Gott! Denn jetzt beginnt seine neue Welt.« [3] Der Prophet Jesaja hatte die Aufgabe des Johannes so beschrieben: »Ein Bote wird in der Wüste rufen: ›Macht den Weg frei für den Herrn! Räumt alle Hindernisse weg!‹[a]«

[4] Johannes trug ein aus Kamelhaar gewebtes Gewand, das von einem Lederriemen zusammengehalten wurde. Er ernährte sich von Heuschrecken und wildem Honig. [5] Viele Menschen aus Jerusalem, aus dem Jordantal und aus der ganzen Provinz Judäa kamen zu ihm. ④ [6] Sie bekannten ihre Sünden und ließen sich von ihm im Jordan taufen.

[7] Als er aber sah, dass auch viele Pharisäer und Sadduzäer kamen, um sich taufen zu lassen, wies er sie ab: »Ihr Schlangenbrut! Wer hat euch eingeredet, dass ihr dem kommenden Gericht Gottes entrinnen werdet? [8] Zeigt erst einmal durch Taten, dass ihr wirklich zu Gott umkehren wollt! [9] Bildet euch nur nicht ein, ihr könntet euch damit herausreden: ›Abraham ist unser Vater!‹ Ich sage euch: Gott kann selbst aus diesen Steinen hier Nachkommen Abrahams hervorbringen.

[10] Schon ist die Axt erhoben, um die Bäume an der Wurzel abzuschlagen. Jeder Baum, der keine guten Früchte bringt, wird umgehauen und ins Feuer geworfen. [11] Wer umkehrt zu Gott, den taufe ich mit Wasser. Aber nach mir wird einer kommen, der viel mächtiger ist als ich. Ich bin nicht einmal würdig, ihm die Schuhe nachzutragen. Er wird euch mit dem Heiligen Geist und mit Feuer taufen. [12] Schon hat er die Schaufel in seiner Hand, mit der er die Spreu vom Weizen trennt. Den Weizen wird er in seine Scheunen bringen, die Spreu aber wird er verbrennen, und niemand kann dieses Feuer löschen.«

Jesus lässt sich taufen
(Markus 1,9–11; Lukas 3,21–22; Johannes 1,32–34)

[13] Auch Jesus kam aus seiner Heimat in Galiläa an den Jordan, um sich von Johannes taufen zu lassen. [14] Aber Johannes versuchte, ihn davon abzubringen: »Ich müsste eigentlich von dir getauft werden, und du kommst zu mir?« [15] Jesus erwiderte: »Lass es so geschehen, denn wir müssen alles tun, was Gott will[b].« Da gab Johannes nach.

[16] Gleich nach der Taufe stieg Jesus wieder aus dem Wasser. Der Himmel öffnete sich über ihm, und er sah den Geist Gottes wie eine Taube auf sich herabkommen. [17] Gleichzeitig sprach eine Stimme vom Himmel: »Dies ist mein geliebter Sohn, der meine ganze Freude ist.«

Wenn du Gottes Sohn bist, beweise es!
(Markus 1,12–13; Lukas 4,1–13)

4 Danach wurde Jesus vom Geist Gottes in die Wüste geführt, wo er den Versuchungen des Teufels ausgesetzt sein sollte. [2] Vierzig Tage und Nächte lang aß er nichts. Der Hunger quälte ihn. [3] Da kam der Teufel und stellte ihn auf die Probe. Er forderte ihn heraus: »Wenn du Gottes Sohn bist, dann mach aus diesen Steinen Brot!« [4] Aber Jesus wehrte ab: »Nein, denn es steht in der Heiligen Schrift: ›Der Mensch lebt nicht allein von Brot, sondern von allem, was Gott ihm zusagt!‹[c]«

⑤ [a] Jesaja 40,3
[b] Wörtlich: denn so ist es für uns richtig, alle Gerechtigkeit zu erfüllen.
[c] 5. Mose 8,3

⑥ **3,2** 4,17 **3,4** 2 Kön 1,8 **3,7** 12,34; 23,33 **3,8** Lk 3,10–14 **3,9** Joh 8,33–39; Röm 2,28–29; 4,12 **3,10** 7,19; Lk 13,6–9 **3,11** Apg 1,5 **3,12** 13,30 **3,13** 2,22–23 **3,14** Joh 13,6 **3,16** Jes 11,2 **3,17** 17,5; Ps 2,7; Jes 42,1 **4,1** Hebr 4,15 **4,2** 2 Mo 34,28; 1 Kön 19,8

Hilfen zum praktischen Gebrauch

① **Kolumnentitel**
Der Kolumnentitel dient dem schnellen Auffinden eines bestimmten Textes. Angegeben wird der Name des Buches, das letzte Kapitel auf der entsprechenden Seite sowie die Seitenzahl in durchgehender Nummerierung.

② **Zwischentitel**
Die Zwischentitel gehören nicht zum ursprünglichen Text. In wenigen Worten fassen sie aber den Inhalt des darunter stehenden Abschnitts zusammen und helfen so, einen schnellen Überblick zu erhalten. Unter den Zwischentiteln stehen gelegentlich in Klammern Stellenangaben. Diese verweisen auf andere Bücher, in denen vom selben Ereignis berichtet wird.

③ **Kapitelzahlen**
Die Kapitelzahlen gliedern den Text in größere Einheiten.

④ **Verszahlen**
Die Verszahlen dienen der Feinsortierung. Zusammen mit den Kapitelzahlen ermöglichen sie es, eine bestimmte Stelle ganz genau festzuhalten. Bei Büchern, die nur aus einem Kapitel bestehen, werden nur die Verszahlen angegeben.

⑤ **Fußnoten**
Die Fußnoten werden auf jeder Seite in alphabethischer Reihenfolge aufgeführt. Durch hoch gestellte Buchstaben im Text wird darauf hingewiesen, dass es zu dem entsprechenden Vers unten auf der Seite noch Zusatzinformationen gibt. Es existieren dabei sechs verschiedene Kategorien:
1. eingeleitet mit »wörtlich«: Fußnoten, in denen der Vers nochmals ganz wörtlich wiedergegeben wird,
2. eingeleitet mit »oder«: Fußnoten, in denen auf andere Übersetzungsmöglichkeiten hingewiesen wird,
3. eingeleitet mit »andere Textzeugen« (o. ä.): Fußnoten, in denen angegeben wird, wo die Handschriften einen unterschiedlichen Text überliefern,
4. eingeleitet mit »vgl.«: Fußnoten, in denen auf Stellen verwiesen wird, die für das Verständnis des Textes sehr wichtig sind,
5. Stellenangaben ohne »vgl.«: Fußnoten, in denen die Quelle des vorliegenden Zitats angegeben wird,
6. Fußnoten, die eine allgemeine Erklärung zum Text geben.

⑥ **Parallelstellen**
Zuunterst auf der Seite werden Bibelverse angegeben, die ein ähnliches Thema behandeln. Auf diese Parallelstellen wird zugunsten einer besseren Lesbarkeit im Text oben nicht extra verwiesen. Mit Fettdruck wird angegeben, zu welchem Kapitel und Vers die dahinter stehenden Parallelstellen gehören. Die Stellenangaben selbst sind in der Regel gemäß der Reihenfolge der biblischen Bücher sortiert. Wo diese Logik durchbrochen wird, folgen sie ganz bestimmten Einzelaspekten des Verses, zu dem sie gehören. Gelegentlich sind die Parallelstellen-Angaben mit einem Sternchen versehen. Das bedeutet: Der Leser wird zu einer Verweisstelle hingeleitet, an der noch weitere Bibelstellen zum Thema gefunden werden können.

Abkürzungen der biblischen Bücher

Für den Parallelstellenapparat

Altes Testament:

1 Mo	Das erste Buch Mose (Genesis)
2 Mo	Das zweite Buch Mose (Exodus)
3 Mo	Das dritte Buch Mose (Leviticus)
4 Mo	Das vierte Buch Mose (Numeri)
5 Mo	Das fünfte Buch Mose (Deuteronomium)
Jos	Das Buch Josua
Ri	Das Buch über die Richter
Ruth	Das Buch Ruth
1 Sam	Das erste Buch Samuel
2 Sam	Das zweite Buch Samuel
1 Kön	Das erste Buch über die Könige
2 Kön	Das zweite Buch über die Könige
1 Chr	Das erste Buch der Chronik
2 Chr	Das zweite Buch der Chronik
Esr	Das Buch Esra
Neh	Das Buch Nehemia
Est	Das Buch Esther
Hiob	Das Buch Hiob (Ijob)
Ps	Die Psalmen
Spr	Die Sammlung der Sprüche
Pred	Der Prediger Salomo
Hld	Das Lied von der Liebe (Das Hohelied)
Jes	Der Prophet Jesaja
Jer	Der Prophet Jeremia
Klgl	Die Klagelieder des Jeremia
Hes	Der Prophet Hesekiel (Ezechiel)
Dan	Das Buch Daniel
Hos	Der Prophet Hosea
Joel	Der Prophet Joel
Am	Der Prophet Amos
Obd	Der Prophet Obadja
Jona	Der Prophet Jona
Mi	Der Prophet Micha
Nah	Der Prophet Nahum
Hab	Der Prophet Habakuk
Zef	Der Prophet Zefanja
Hag	Der Prophet Haggai
Sach	Der Prophet Sacharja
Mal	Der Prophet Maleachi

Neues Testament:

Mt	Matthäus berichtet von Jesus
Mk	Markus berichtet von Jesus
Lk	Lukas berichtet von Jesus
Joh	Johannes berichtet von Jesus
Apg	Die Taten der Apostel
Röm	Der Brief des Paulus an die Christen in Rom
1 Kor	Der erste Brief des Paulus an die Christen in Korinth
2 Kor	Der zweite Brief des Paulus an die Christen in Korinth
Gal	Der Brief des Paulus an die Christen in Galatien
Eph	Der Brief des Paulus an die Christen in Ephesus
Phil	Der Brief des Paulus an die Christen in Philippi
Kol	Der Brief des Paulus an die Christen in Kolossä
1 Thess	Der erste Brief des Paulus an die Christen in Thessalonich
2 Thess	Der zweite Brief des Paulus an die Christen in Thessalonich
1 Tim	Der erste Brief des Paulus an Timotheus
2 Tim	Der zweite Brief des Paulus an Timotheus
Tit	Der Brief des Paulus an Titus
Phlm	Der Brief des Paulus an Philemon
Hebr	Der Brief an die Hebräer
Jak	Der Brief des Jakobus
1 Petr	Der erste Brief des Petrus
2 Petr	Der zweite Brief des Petrus
1 Joh	Der erste Brief des Johannes
2 Joh	Der zweite Brief des Johannes
3 Joh	Der dritte Brief des Johannes
Jud	Der Brief des Judas
Offb	Die Offenbarung an Johannes

Für Fußnoten:

vgl.	vergleiche

Das Alte Testament

Das erste Buch Mose (Genesis)

Gott erschafft die Welt

1 Am Anfang schuf Gott Himmel und Erde. [2]Noch war die Erde leer und ohne Leben, von Wassermassen bedeckt. Finsternis herrschte, aber über dem Wasser schwebte der Geist Gottes.

[3]Da sprach Gott: »Licht soll entstehen!«, und es wurde hell. [4]Gott sah, dass es gut war. Er trennte das Licht von der Dunkelheit [5]und nannte das Licht »Tag« und die Dunkelheit »Nacht«. Es wurde Abend und wieder Morgen: Der erste Tag war vergangen.

[6]Und Gott befahl: »Im Wasser soll sich ein Gewölbe bilden, das die Wassermassen voneinander trennt!« [7]So geschah es: Er machte ein Gewölbe und trennte damit das Wasser darüber von dem Wasser, das die Erde bedeckte. [8]Das Gewölbe nannte er »Himmel«. Es wurde Abend und wieder Morgen: Der zweite Tag war vergangen.

[9]Dann sprach Gott: »Die Wassermassen auf der Erde sollen zusammenfließen, damit das Land zum Vorschein kommt!« So geschah es. [10]Gott nannte das trockene Land »Erde« und das Wasser »Meer«. Was er sah, gefiel ihm, denn es war gut. [11]Und Gott sprach: »Auf der Erde soll es grünen und blühen: Alle Arten von Pflanzen und Bäumen sollen wachsen und Samen und Früchte tragen!« So geschah es. [12]Die Erde brachte Pflanzen und Bäume in ihrer ganzen Vielfalt hervor. Gott sah es und freute sich, denn es war gut. [13]Es wurde Abend und Morgen: Der dritte Tag war vergangen.

[14]Da befahl Gott: »Am Himmel sollen Lichter entstehen, die den Tag und die Nacht voneinander trennen und nach denen man die Jahreszeiten und auch die Tage und Jahre bestimmen kann! [15]Sie sollen die Erde erhellen.« Und so geschah es. [16]Gott schuf zwei große Lichter, die Sonne für den Tag und den Mond für die Nacht, dazu alle Sterne. [17]Er setzte sie an den Himmel, um die Erde zu erhellen, [18]Tag und Nacht zu bestimmen und Licht und Finsternis zu unterscheiden. Gott sah es und freute sich, denn es war gut. [19]Wieder wurde es Abend und Morgen: Der vierte Tag war vergangen.

[20]Dann sprach Gott: »Im Wasser soll es von Leben wimmeln, und Vögel sollen am Himmel fliegen!« [21]Er schuf die großen Seetiere und alle anderen Lebewesen im Wasser, dazu die Vögel. Gott sah, dass es gut war. [22]Er segnete sie und sagte: »Vermehrt euch, und füllt die Meere, und auch ihr Vögel, vermehrt euch!« [23]Es wurde Abend und wieder Morgen: Der fünfte Tag war vergangen.

[24]Darauf befahl er: »Die Erde soll Leben hervorbringen: Vieh, wilde Tiere und Kriechtiere!« So geschah es. [25]Gott schuf alle Arten von Vieh, wilden Tieren und Kriechtieren. Auch daran freute er sich, denn es war gut.

[26]Dann sagte Gott: »Jetzt wollen wir den Menschen machen, unser Ebenbild, das uns ähnlich ist. Er soll über die ganze Erde verfügen: über die Tiere im Meer, am Himmel und auf der Erde.« [27]So schuf Gott den Menschen als sein Ebenbild, als Mann und Frau schuf er sie. [28]Er segnete sie und sprach: »Vermehrt euch, bevölkert die Erde, und nehmt sie in Besitz! Ihr sollt Macht haben über alle Tiere: über die Fische, die Vögel und alle anderen Tiere auf der Erde! [29]Ihr dürft die Früchte aller Pflanzen und Bäume essen; [30]den Vögeln und Landtieren gebe ich

---

1,1–2 Hiob 26,7; 38; Ps 8; 33,6–9; 104; Joh 1,1–4; Kol 1,15–17; Hebr 11,3; Offb 4,11; 21,1
1,3 2 Kor 4,6 **1,26** Ps 8,6–9 **1,27** 9,6; Mt 19,4; Kol 3,10 **1,28** 9,7 **1,29** 9,2–3

Gras und Blätter zur Nahrung.« [31] Dann betrachtete Gott alles, was er geschaffen hatte, und es war sehr gut! Es wurde Abend und wieder Morgen: Der sechste Tag war vergangen.

2 So waren nun Himmel und Erde erschaffen, und nichts fehlte mehr. [2/3] Am siebten Tag hatte Gott sein Werk vollendet und ruhte von seiner Arbeit aus. Darum segnete er den siebten Tag und sagte: »Dies ist ein ganz besonderer, heiliger Tag! Er gehört mir.«

[4] So entstanden Himmel und Erde, so wurden sie geschaffen.

Im fruchtbaren Garten

Als Gott, der Herr, Himmel und Erde gemacht hatte, [5] wuchsen zunächst keine Gräser und Sträucher, denn Gott hatte es noch nicht regnen lassen. Außerdem war niemand da, der den Boden bebauen konnte. [6] Nur aus der Tiefe der Erde stieg Wasser auf und tränkte den Boden. [7] Da nahm Gott Erde, formte daraus den Menschen und blies ihm den Lebensatem in die Nase. So wurde der Mensch lebendig.

[8] Dann legte Gott, der Herr, einen Garten im Osten an, in der Landschaft Eden, und brachte den Menschen, den er geformt hatte, dorthin. [9] Viele verschiedene Bäume ließ er im Garten wachsen. Sie sahen prachtvoll aus und trugen köstliche Früchte. In der Mitte des Gartens standen zwei Bäume: der Baum, dessen Frucht Leben schenkt, und der Baum, der Gut und Böse erkennen lässt. [10] Ein Fluss entsprang in Eden und bewässerte den Garten. Dort teilte er sich in vier Arme: [11/12] Der erste Fluss heißt Pischon, er fließt rund um das Land Hawila. Dort gibt es reines Gold, wertvolles Harz und den Edelstein Karneol. [13] Der zweite ist der Gihon, er fließt rund um das Land Äthiopien. [14] Der dritte heißt Tigris, er fließt östlich von Assyrien. Der vierte ist der Euphrat.

[15] Gott, der Herr, setzte den Menschen in den Garten von Eden. Er gab ihm die Aufgabe, den Garten zu bearbeiten und zu schützen. [16] Dann schärfte er ihm ein: »Von allen Bäumen im Garten darfst du essen, [17] nur nicht von dem Baum, der dich Gut und Böse erkennen lässt. Sobald du davon isst, musst du sterben!«

[18] Gott, der Herr, dachte sich: »Es ist nicht gut, dass der Mensch allein lebt. Er soll eine Gefährtin bekommen, die zu ihm passt!« [19] Er formte aus dem Erdboden die Landtiere und die Vögel und brachte sie zu dem Menschen, um zu sehen, wie er sie nennen würde. Genauso sollten sie dann heißen. [20] Der Mensch betrachtete die Tiere und benannte sie. Für sich selbst aber fand er niemanden, mit dem er leben konnte und der zu ihm passte.

[21] Da ließ Gott, der Herr, einen tiefen Schlaf über ihn kommen, entnahm ihm eine Rippe und verschloss die Stelle wieder mit Fleisch. [22] Aus der Rippe formte er eine Frau und brachte sie zu dem Menschen. [23] Da rief dieser: »Endlich gibt es jemanden wie mich! Sie wurde aus einem Teil von mir gemacht – wir gehören zusammen!«[a] [24] Darum verlässt ein Mann seine Eltern und verbindet sich so eng mit seiner Frau, dass die beiden eins sind mit Leib und Seele. [25] Der Mann und die Frau waren nackt, sie schämten sich aber nicht.

Der Mensch zerstört die Gemeinschaft mit Gott

3 Die Schlange war listiger als alle anderen Tiere, die Gott, der Herr, gemacht hatte. »Hat Gott wirklich gesagt, dass ihr von keinem Baum die Früchte

---

[a] Wörtlich: Diese ist endlich Gebein von meinem Gebein und Fleisch von meinem Fleisch. Darum soll sie Männin heißen, weil sie vom Mann genommen wurde. – Im Hebräischen ist dies ein Wortspiel: Isch = Mann, Ischah = Frau.

1,31 1 Tim 4,4 **2,2–3** 2 Mo 20,8–11*; 31,16–17; Hebr 4,9–10 **2,7** 3,19; Hiob 34,14–15; Ps 139,13–16; 1 Kor 15,47–49 **2,9** 3,22; Offb 2,7; 22,14.19 **2,17** Röm 6,23 **2,24** Mt 19,5–6; 1 Kor 6,16; Eph 5,28.31–32 **3,1** Offb 12,9; 20,2

essen dürft?«, fragte sie die Frau. [2]»Natürlich dürfen wir«, antwortete die Frau, [3]»nur von dem Baum in der Mitte des Gartens nicht. Gott hat gesagt: ›Esst nicht von seinen Früchten, ja – berührt sie nicht einmal, sonst müsst ihr sterben!‹« [4]»Unsinn! Ihr werdet nicht sterben«, widersprach die Schlange, [5]»aber Gott weiß: Wenn ihr davon esst, werden eure Augen geöffnet – ihr werdet sein wie Gott und wissen, was Gut und Böse ist.«

[6]Die Frau schaute den Baum an. Er sah schön aus! Seine Früchte wirkten verlockend, und klug würde sie davon werden! Sie pflückte eine Frucht, biss hinein und reichte sie ihrem Mann, und auch er aß davon. [7]Plötzlich gingen beiden die Augen auf, und ihnen wurde bewusst, dass sie nackt waren. Hastig flochten sie Feigenblätter zusammen und machten sich einen Lendenschurz.

[8]Am Abend, als ein frischer Wind aufkam, hörten sie, wie Gott, der Herr, im Garten umherging. Ängstlich versteckten sie sich vor ihm hinter den Bäumen. [9]Aber Gott rief: »Adam[a], wo bist du?« [10]Adam antwortete: »Ich hörte dich im Garten und hatte Angst, weil ich nackt bin. Darum habe ich mich versteckt.« [11]»Wer hat dir gesagt, dass du nackt bist?«, fragte Gott. »Hast du etwa von den verbotenen Früchten gegessen?« [12]»Ja«, gestand Adam, »aber die Frau, die du mir gegeben hast, reichte mir eine Frucht – deswegen habe ich davon gegessen!« [13]»Warum hast du das getan?«, wandte der Herr sich an die Frau. »Die Schlange hat mich dazu verführt!«, verteidigte sie sich.

[14]Da sagte Gott, der Herr, zur Schlange: »Das ist deine Strafe: Verflucht sollst du sein – verstoßen von allen anderen Tieren! Du wirst auf dem Bauch kriechen und Staub schlucken, solange du lebst! [15]Von nun an werden du und die Frau Feinde sein, auch zwischen deinem und ihrem Nachwuchs soll Feindschaft herrschen. Er wird dir den Kopf zertreten, und du wirst ihn in die Ferse beißen!«

[16]Dann wandte Gott sich zur Frau: »Du wirst viel Mühe haben in der Schwangerschaft. Unter Schmerzen wirst du deine Kinder zur Welt bringen. Du wirst dich nach deinem Mann sehnen, aber er wird dein Herr sein!« [17]Zu Adam sagte er: »Deiner Frau zuliebe hast du mein Verbot missachtet. Deshalb soll der Ackerboden verflucht sein! Dein ganzes Leben lang wirst du dich abmühen, um dich von seinem Ertrag zu ernähren. [18]Du bist auf ihn angewiesen, um etwas zu essen zu haben, aber er wird immer wieder mit Dornen und Disteln übersät sein. [19]Du wirst dir dein Brot mit Schweiß verdienen müssen, bis du stirbst. Dann wirst du zum Erdboden zurückkehren, von dem ich dich genommen habe. Denn du bist Staub von der Erde, und zu Staub musst du wieder werden!«

[20]Adam gab seiner Frau den Namen Eva (»Leben«), denn sie sollte die Stammmutter aller Menschen werden. [21]Gott, der Herr, machte für die beiden Kleider aus Fell. [22]Dann sagte er: »Nun ist der Mensch geworden wie wir, weil er Gut und Böse erkennen kann. Auf keinen Fall darf er jetzt von dem Baum essen, dessen Frucht Leben schenkt – sonst lebt er für immer!« [23]Darum schickte er die beiden aus dem Garten Eden fort und gab ihnen den Auftrag, den Ackerboden zu bebauen, aus dem er sie gemacht hatte. [24]An der Ostseite des Gartens stellte er Engel mit flammenden Schwertern auf. Sie sollten den Weg zu dem Baum bewachen, dessen Frucht Leben schenkt.

Neid und seine Folgen

4 Adam schlief mit seiner Frau Eva, sie wurde schwanger und brachte einen Sohn zur Welt. »Mit Hilfe des Herrn habe ich einen Sohn geboren!«, rief sie aus. Darum nannte sie ihn Kain (»Gewinn«). [2]Ihren zweiten Sohn nannte sie Abel (»Ver-

---

[a] Adam ist das hebräische Wort für »Mensch«, hier gleichzeitig Eigenname des ersten Menschen.
3,8 Ps 139,7–10; Jer 23,24 **3,16** Eph 5,22–23 **3,19** Ps 103,14; Pred 3,20; 12,7

gänglichkeit«). Abel wurde ein Hirte, Kain ein Bauer. Die beiden wuchsen heran.

[3]Zur Zeit der Ernte opferte Kain dem Herrn von dem Ertrag seines Feldes. [4]Abel schlachtete eines von den ersten Lämmern seiner Herde und brachte die besten Fleischstücke dem Herrn als Opfer dar. Abels Opfer nahm der Herr an, [5]das von Kain aber nicht. Darüber wurde Kain zornig und starrte mit finsterer Miene vor sich hin. [6]»Warum bist du so zornig und blickst so grimmig zu Boden?«, fragte ihn der Herr. [7]»Wenn du Gutes im Sinn hast, kannst du doch jedem offen ins Gesicht sehen. Wenn du jedoch Böses planst, dann lauert die Sünde dir auf. Sie will dich zu Fall bringen, du aber beherrsche sie!«

[8]Kain schlug seinem Bruder vor: »Komm, wir gehen zusammen aufs Feld!«[a] Als sie dort ankamen, fiel er über Abel her und schlug ihn tot.

[9]Da fragte der Herr: »Wo ist dein Bruder Abel?« »Woher soll ich das wissen?«, wich Kain aus. »Ist es etwa meine Aufgabe, ständig auf ihn aufzupassen?« [10]Aber der Herr entgegnete: »Warum hast du das getan? Das vergossene Blut deines Bruders schreit von der Erde zu mir! [11]Darum bist du von nun an verflucht: Weil du in diesem Land einen Mord begangen hast, musst du von hier fort. [12]Und wenn du ein Feld bebauen willst, wird es dir keinen Ertrag mehr bringen. Gejagt und gehetzt musst du von jetzt an umherirren!« [13]»Meine Strafe ist zu hart – ich kann sie nicht ertragen!«, erwiderte Kain. [14]»Du verstößt mich aus meiner Heimat, und auch vor dir muss ich mich verstecken! Gejagt und gehetzt werde ich umherirren, und jeder, der mich sieht, kann mich ungestraft töten!« [15]»Nein«, sagte der Herr, »wenn dich jemand tötet, wird er dafür siebenfach bestraft werden!« Er machte ein Zeichen an Kain, damit jeder, der ihm begegnete, wusste: Kain darf man nicht töten. [16]Dann verließ Kain die Nähe des Herrn und wohnte im Land Nod (»Land des ruhelosen Lebens«), östlich von Eden.

Kains Nachkommen

[17]Kains Frau wurde schwanger und bekam einen Sohn: Henoch (»Gründung«). Kain baute eine Stadt und benannte sie nach ihm. [18]Henoch hatte einen Sohn namens Irad, Irads Sohn war Mehujaël, dessen Sohn hieß Metuschaël, der war der Vater von Lamech. [19]Lamech hatte zwei Frauen: Ada und Zilla. [20]Ein Sohn Adas war Jabal – von ihm stammen alle ab, die mit ihren Herden umherziehen und in Zelten wohnen. [21]Sein Bruder hieß Jubal – auf ihn gehen alle die zurück, die Zither und Flöte spielen. [22]Auch Zilla bekam einen Sohn: Tubal-Kain; er war der Erste, der Bronze- und Eisengeräte benutzte. Seine Schwester hieß Naama.

[23]Lamech sagte zu seinen Frauen: »Ada und Zilla, meine Frauen, hört mich an: Wenn ein Mann mich verwundet, erschlage ich ihn – sogar einen Jungen töte ich für eine einzige Strieme! [24]Wenn schon ein Mord an Kain siebenfach bestraft wird – für Lamech wird alles siebenundsiebzigmal gerächt!«

Set und Enosch

[25]Adam und Eva bekamen noch einen Sohn. Eva nannte ihn Set (»Ersatz«). »Gott hat mir einen anderen Sohn geschenkt!«, sagte sie. »Er wird mir Abel ersetzen, den Kain erschlagen hat!« [26]Auch Set bekam später einen Sohn und nannte ihn Enosch (»Mensch«). Zu dieser Zeit begannen die Menschen, zum Herrn zu beten.

---

[a] »Komm … Feld!« ist nach der griechischen, syrischen und lateinischen Übersetzung ergänzt. Im hebräischen Text fehlt dieser Satz.

4,4 Hebr 11,4 **4,7** Röm 6,12 **4,8** 1 Joh 3,12–15 **4,10** Hebr 12,24 **4,11** 4 Mo 35,33 **4,23** 3 Mo 24,19–20

Von Adam bis Noah

5 Dies ist das Verzeichnis der Nachkommen Adams:

Als Gott die Menschen schuf, machte er sie nach seinem Ebenbild. [2]Er schuf sie als Mann und Frau, segnete sie und nannte sie »Mensch«.

[3]Adam war 130 Jahre alt, als er einen Sohn zeugte, der ihm in jeder Hinsicht ähnlich war. Er nannte ihn Set. [4]Danach lebte er noch 800 Jahre; ihm wurden noch weitere Söhne und Töchter geboren, [5]bis er im Alter von 930 Jahren starb.

[6]Set war 105 Jahre alt, als er Enosch zeugte. [7]Danach lebte er noch 807 Jahre; ihm wurden noch weitere Söhne und Töchter geboren, [8]bis er im Alter von 912 Jahren starb.

[9]Enosch war 90 Jahre alt, als er Kenan zeugte. [10]Danach lebte er noch 815 Jahre; ihm wurden noch weitere Söhne und Töchter geboren, [11]bis er im Alter von 905 Jahren starb.

[12]Kenan war 70 Jahre alt, als er Mahalalel zeugte. [13]Danach lebte er noch 840 Jahre; ihm wurden noch weitere Söhne und Töchter geboren, [14]bis er im Alter von 910 Jahren starb.

[15]Mahalalel war 65 Jahre alt, als er Jered zeugte. [16]Danach lebte er noch 830 Jahre; noch weitere Söhne und Töchter wurden ihm geboren, [17]bis er im Alter von 895 Jahren starb.

[18]Jered war 162 Jahre alt, als er Henoch zeugte. [19]Danach lebte er noch 800 Jahre; noch weitere Söhne und Töchter wurden ihm geboren, [20]bis er im Alter von 962 Jahren starb.

[21]Henoch war 65 Jahre alt, als er Metuschelach zeugte. [22]Danach lebte er noch 300 Jahre; ihm wurden noch weitere Söhne und Töchter geboren. [23/24]Henoch lebte in enger Gemeinschaft mit Gott. Er wurde 365 Jahre alt. Dann war er plötzlich nicht mehr da – Gott hatte ihn zu sich genommen!

[25]Metuschelach war 187 Jahre alt, als er Lamech zeugte. [26]Danach lebte er noch 782 Jahre; ihm wurden noch weitere Söhne und Töchter geboren, [27]bis er im Alter von 969 Jahren starb.

[28]Lamech war 182 Jahre alt, als er einen Sohn zeugte. [29]»Der wird uns Trost bringen bei all der harten Arbeit auf dem Acker, den Gott verflucht hat!«, sagte er. Darum nannte er ihn Noah (»Trost«). [30]Danach lebte er noch 595 Jahre; ihm wurden noch weitere Söhne und Töchter geboren, [31]bis er im Alter von 777 Jahren starb.

[32]Noah war 500 Jahre alt, als er Sem, Ham und Jafet zeugte.

Gott greift ein

6 [1/2]Die Menschen wurden immer zahlreicher und breiteten sich auf der Erde aus. Da bemerkten die Engel[a], wie schön die Töchter der Menschen waren. Sie wählten die Schönsten aus und nahmen sie zu Frauen. [3]Da sagte der Herr: »Die Menschen sollen nicht mehr so alt werden, ich werde ihnen meinen Lebensatem nicht für immer geben. Sie lassen sich immer wieder zum Bösen verleiten. Ich werde ihre Lebenszeit auf hundertzwanzig Jahre begrenzen.« [4]Aus der Verbindung der Engel mit den Menschentöchtern gingen die Riesen hervor. Sie lebten damals – und auch später noch – auf der Erde und waren als die berühmten Helden bekannt.

[5]Der Herr sah, dass die Menschen voller Bosheit waren. Jede Stunde, jeden Tag ihres Lebens hatten sie nur eines im Sinn: Böses planen, Böses tun. [6]Der Herr war bekümmert und wünschte, er hätte die Menschen nie erschaffen. [7]»Ich werde die Menschen und mit ihnen die Tiere wieder vernichten!«, sagte er. »Es wäre besser, ich hätte sie gar nicht erst erschaffen.«

---

[a] Wörtlich: Gottessöhne.

5,23–24 Hebr 11,5 **6,5** 8,21; Ps 14,3; 51,7; Mt 24,37–39; Röm 1,28–32; 3,23

Noah soll verschont werden

[8]Nur Noah fand Gnade beim Herrn. [9]Dies ist seine Geschichte:

Noah lebte so, wie es Gott gefiel, und hörte auf ihn. Er tat nur, was in Gottes Augen gut war. Die Menschen, die ihn kannten, wussten, dass er ein vorbildliches Leben führte. [10]Er hatte drei Söhne: Sem, Ham und Jafet. [11/12]Die übrige Menschheit aber war vollkommen verdorben. Keiner wollte von Gott etwas wissen, niemand beachtete das Recht und die Gesetze. Es gab nur ein Gesetz: Grausamkeit.

[13]Da sprach Gott zu Noah: »Ich habe beschlossen, die gesamte Menschheit zu vernichten, denn wo man auch hinsieht, herrscht Grausamkeit. Darum werde ich alles auslöschen! [14–16]Bau dir ein Schiff aus Holz, und dichte es außen und innen mit Pech ab! Drei Stockwerke soll es haben und jedes Stockwerk mehrere Räume. Es muss 150 Meter lang, 25 Meter breit und 15 Meter hoch sein. Setz ein Dach darauf, das einen halben Meter hoch ist, und bau an einer Schiffsseite eine Tür ein! [17]Mit einer großen Wasserflut werde ich die Erde überschwemmen. Kein Lebewesen soll verschont bleiben. [18]Nur dir gebe ich ein Versprechen: Du sollst überleben. Geh mit deiner Frau, deinen Söhnen und Schwiegertöchtern ins Schiff! [19]Nimm von allen Tieren ein Männchen und ein Weibchen mit, damit keine Tierart ausstirbt. [20]Jede Art der Vögel, des Viehs und aller anderen Landtiere soll mit ins Schiff kommen, damit sie alle erhalten bleiben. [21]Leg genug Vorräte an, dass es für euch und die Tiere ausreicht!«

[22]Noah führte alles so aus, wie Gott es ihm aufgetragen hatte.

7 Dann sagte der Herr zu ihm: »Geh nun mit deiner ganzen Familie in das Schiff! Denn du bist der Einzige, der noch vor mir bestehen kann! [2]Nimm von allen reinen Tieren je sieben Paare mit und von allen unreinen nur je ein Männchen und ein Weibchen! [3]Bring auch je sieben Paare von allen Vogelarten mit! So können sich die verschiedenen Tierarten nach der Flut wieder vermehren und weiterbestehen. [4]Noch eine Woche, dann werde ich es vierzig Tage und vierzig Nächte regnen lassen, damit alle Lebewesen umkommen, die ich geschaffen habe!«

Die große Flut

[5]Noah befolgte alles genau so, wie der Herr es befohlen hatte. [6]Er war 600 Jahre alt, als die Wasserflut über die Erde hereinbrach.

[7]Noah und seine Frau, seine Söhne und Schwiegertöchter gingen in das Schiff, um sich vor den Wassermassen in Sicherheit zu bringen. [8]Sie nahmen die verschiedenen Tierarten mit – die reinen und unreinen –, von den Vögeln bis zu den Kriechtieren. [9]Paarweise kamen sie in das Schiff, so wie Gott es angeordnet hatte. [10]Nach sieben Tagen brach die Flut herein.

[11]Es war im 600. Lebensjahr Noahs, am 17. Tag des 2. Monats. Alle Quellen in der Tiefe brachen auf, und die Schleusen des Himmels öffneten sich. [12]Vierzig Tage und vierzig Nächte regnete es in Strömen. [13]Aber Noah und seine Frau, seine Söhne und Schwiegertöchter waren genau an diesem Tag in das Schiff gegangen, [14]zusammen mit den verschiedenen Tieren. [15/16]Sie waren paarweise gekommen, ein Männchen und ein Weibchen. Niemand fehlte, alle waren an Bord, genau wie Gott es befohlen hatte, und der Herr schloss hinter ihnen zu.

[17]Vierzig Tage lang fiel das Wasser vom Himmel. Die Flut stieg ständig an und hob das Schiff vom Boden ab. [18]Die Wassermassen nahmen immer mehr zu, bis das Schiff auf dem Wasser schwimmen konnte. [19]Bald waren sämtliche Berge bedeckt, [20]das Wasser stand sieben Meter über ihren höchsten Gipfeln. [21/22]Alle Lebewesen ertranken: das Vieh,

---

6,8 Hebr 11,7 **6,13** 9,11 **6,18** 9,9–11 **7,2–3** 3 Mo 11; 5 Mo 14,3–21 **7,7** 1 Petr 3,20 **7,9** 6,19–20

die wilden Tiere, Vögel, Kriechtiere und auch die Menschen. [23]Gott löschte das Leben auf der Erde aus. Niemand konnte sich retten. Nur Noah und seine Familie kamen mit dem Leben davon.

[24]Hundertfünfzig Tage lang blieb das Wasser auf seinem höchsten Stand[a].

Gott denkt an Noah

8 Aber Gott hatte Noah und die Tiere auf dem Schiff nicht vergessen. Er sorgte dafür, dass ein Wind aufkam, der das Wasser zurückgehen ließ. [2]Die Quellen in der Tiefe versiegten, und die Schleusen des Himmels wurden verschlossen, so dass kein Regen mehr fiel. [3]Nach den hundertfünfzig Tagen ging das Wasser allmählich zurück, [4]und plötzlich – am 17. Tag des 7. Monats – saß das Schiff auf einem der Berge von Ararat fest. [5]Schon bis zum 1. Tag des 10. Monats war das Wasser so weit gesunken, dass die Berggipfel sichtbar geworden waren.

[6]Nach weiteren vierzig Tagen öffnete Noah das Fenster [7]und ließ einen Raben hinaus. Der flog so lange ein und aus, bis das Wasser abgeflossen war. [8]Noah ließ eine Taube fliegen, um zu sehen, ob das Wasser versickert war. [9]Aber die Taube fand keinen Platz zum Ausruhen, denn die Flut bedeckte noch das ganze Land. Darum kehrte sie zu Noah zurück. Er streckte seine Hand aus und holte sie wieder ins Schiff.

[10]Dann wartete er noch weitere sieben Tage und ließ die Taube erneut hinaus. [11]Sie kam gegen Abend zurück, mit dem frischen Blatt eines Ölbaums im Schnabel. Da wusste Noah, dass das Wasser fast versickert war.

[12]Eine Woche später ließ er die Taube zum dritten Mal fliegen, und diesmal kehrte sie nicht mehr zurück.

[13]Im 601. Lebensjahr Noahs, am 1. Tag des 1. Monats, war das Wasser abgeflossen. Noah entfernte das Dach vom Schiff und hielt Ausschau. Tatsächlich – das Wasser war verschwunden! [14]Am 27. Tag des 2. Monats war der Erdboden wieder trocken.

Wieder auf festem Boden

[15]Da sagte Gott zu Noah: [16]»Verlass mit deiner Frau, deinen Söhnen und Schwiegertöchtern das Schiff! [17]Lass alle Tiere frei, die bei dir sind: die Vögel und alle großen und kleinen Landtiere. Sie sollen sich vermehren und sich auf der Erde ausbreiten!« [18/19]Also verließ Noah mit seiner Familie und allen Tieren das Schiff.

[20]Dann baute er für den Herrn einen Altar und brachte von allen reinen Vögeln und den anderen reinen Tieren je eines als Brandopfer dar. [21]Der Herr wurde durch das Opfer gnädig gestimmt und sagte sich: »Nie mehr will ich wegen der Menschen die Erde vernichten, obwohl sie von frühester Jugend an voller Bosheit sind. Nie wieder will ich alles Leben auslöschen, wie ich es getan habe! [22]Solange die Erde besteht, soll es immer Saat und Ernte, Kälte und Hitze, Sommer und Winter, Tag und Nacht geben.«

Gottes Bund mit Noah

9 Gott segnete Noah und seine Söhne und sprach: »Vermehrt euch, damit die Erde wieder bevölkert wird! [2]Alle Tiere werden sich vor euch fürchten müssen, denn ich gebe sie in eure Hand. [3]Von jetzt an könnt ihr euch von ihrem Fleisch ernähren, nicht nur von Obst und Getreide. [4]Aber esst kein Fleisch, in dem noch Blut ist, denn im Blut ist das Leben.

[5]Niemand darf einen anderen Menschen ermorden! Wer dies tut – ob Mensch oder Tier –, muss mit dem Tod dafür büßen. Ich selbst werde ihn zur Rechenschaft ziehen. [6]Wer einen Menschen

---

[a] Wörtlich: schwoll das Wasser an.

7,23 2 Petr 2,5; 3,5–6 **8,17** 1,22 **8,21** 6,5* **9,1–3** 1,28–29 **9,4** 3 Mo 17,11–14; Apg 15,20–21; Kol 2,16 **9,5–6** 2 Mo 20,13*; 1 Mo 1,27

tötet, darf selbst nicht am Leben bleiben; er soll hingerichtet werden. Denn ich habe den Menschen als mein Ebenbild geschaffen.

[7] So seht nun zu, dass eure Nachkommen zahlreich sind. Bevölkert die Erde, und nehmt sie in Besitz!«

[8] Dann sagte Gott zu Noah und seinen Söhnen: [9] »Ich schließe einen Bund mit euch und mit allen euren Nachkommen, [10] dazu mit allen Tieren, die auf dem Schiff waren. [11] Das ist mein Versprechen: Nie wieder werde ich durch eine Wasserflut die Erde und was auf ihr lebt vernichten. [12/13] Das gilt für alle Zeiten. Ich schließe diesen Bund mit euch und allen Lebewesen. Der Regenbogen soll ein Zeichen für dieses Versprechen sein. [14] Wenn er in den Wolken erscheint, [15] dann werde ich an meinen Bund denken, den ich mit euch und den anderen Lebewesen geschlossen habe: Nie wieder eine Wasserflut! Nie wieder soll das Leben vernichtet werden! [16/17] Diese Zusage bleibt für alle Zeiten bestehen, der Regenbogen ist das Erinnerungszeichen. Wenn er zu sehen ist, werde ich daran denken.«

Noahs Söhne

[18] Zusammen mit Noah hatten auch seine drei Söhne Sem, Ham und Jafet das Schiff verlassen. Ham wurde der Stammvater der Kanaaniter. [19] Von diesen dreien stammen alle Völker der Erde ab.

[20] Noah bebaute die Felder, legte aber auch einen Weinberg an. [21] Als er von dem Wein trank, wurde er betrunken und lag nackt in seinem Zelt. [22] Ham, der Stammvater der Kanaaniter, entdeckte ihn so und lief sofort nach draußen, um es seinen beiden Brüdern zu erzählen. [23] Da nahmen Sem und Jafet einen Mantel, legten ihn über ihre Schultern und gingen rückwärts ins Zelt. Sie ließen ihn mit abgewandtem Gesicht über ihren Vater fallen, um ihn nicht nackt zu sehen.

[24] Als Noah aus seinem Rausch aufwachte, erfuhr er, was sein zweiter Sohn ihm angetan hatte. [25] »Verflucht sei Kanaan!«, rief er. »Er soll für seine Brüder der niedrigste aller Knechte sein!«

[26] Weiter sagte er: »Gelobt sei der Herr, der Gott Sems! Er mache Kanaan zu Sems Knecht! [27] Gott gebe Jafet viel Land, damit er sich ausbreiten kann. Sein eigenes Gebiet soll sich in das Gebiet Sems erstrecken! Er mache Kanaan zu Jafets Knecht!«

[28] Noah lebte nach der Flut noch 350 Jahre [29] und starb im Alter von 950 Jahren.

Völker entstehen aus Noahs Nachkommen

10 Dies ist der Stammbaum der drei Söhne Noahs, Sem, Ham und Jafet. Ihre Söhne wurden nach der Flut geboren.

[2] Jafets Söhne hießen: Gomer, Magog, Madai, Jawan, Tubal, Meschech und Tiras. [3] Von Gomer stammen Aschkenas, Rifat und Togarma ab; [4] von Jawan: Elischa, Tarsis, die Kittäer und die Rodaniter. [5] Jawans Nachkommen breiteten sich in den Küstenländern und auf den Inseln aus. Sie wuchsen zu Völkern heran, die in Sippen zusammenlebten. Jedes Volk hatte sein eigenes Gebiet und redete eine eigene Sprache.

[6] Hams Söhne waren: Kusch, Mizrajim, Put und Kanaan. [7] Von Kusch stammen ab: Seba, Hawila, Sabta, Ragma und Sabtecha; von Ragma: Saba und Dedan.

[8] Kusch hatte noch einen Sohn mit Namen Nimrod. Er war der erste Herrscher, der sich andere Völker mit Gewalt unterwarf. [9] Vor dem Herrn galt er als ein unerschrockener Jäger. Darum gibt es noch heute das Sprichwort: »Er gilt vor dem Herrn als ein unerschrockener Jäger wie Nimrod.« [10] Den Ausgangspunkt seines Reiches bildeten die Städte Babylon, Erech, Akkad und Kalne, die im Land Schinar liegen. [11] Von da aus drang er

---

9,7 1,28 **9,9–11** 6,18 **9,26** Ri 1,28

nach Assyrien vor und vergrößerte sein Reich. Dort ließ er die große Stadt Ninive bauen sowie Rehobot-Ir, Kelach [12]und Resen, das zwischen Ninive und Kelach liegt.

[13]Von Mizrajim stammen ab: die Luditer, die Anamiter, die Lehabiter, die Naftuhiter, [14]die Patrositer, die Kasluhiter, auf die die Philister zurückgehen, und die Kaftoriter.

[15]Kanaans ältester Sohn hieß Sidon, außerdem stammen von ihm ab: Het [16]sowie die Jebusiter, Amoriter, Girgaschiter, [17]Hiwiter, Arkiter, Siniter, [18]Arwaditer, Zemariter und die Hamatiter. Später breiteten sich die Sippen der Kanaaniter immer mehr aus, [19]so dass ihr Gebiet von Sidon südwärts bis nach Gerar und Gaza reichte und ostwärts bis nach Sodom und Gomorra, Adma, Zebojim und Lescha.

[20]Diese alle sind Hams Nachkommen. Sie wuchsen zu Völkern heran, die in Sippen zusammenlebten. Jedes Volk hatte sein eigenes Gebiet und eine eigene Sprache.

[21]Auch Sem, der ältere Bruder Jafets, hatte Söhne. Er ist der Stammvater aller Nachkommen Ebers. [22]Sems Söhne hießen: Elam, Assur, Arpachschad, Lud und Aram. [23]Von Aram stammen Uz, Hul, Geter und Masch ab. [24]Arpachschads Sohn hieß Schelach, und Schelach war der Vater Ebers. [25]Eber hatte zwei Söhne: Der eine hieß Peleg (»Teilung«), weil sich damals die Menschen auf der Erde verteilten; der andere hieß Joktan. [26]Von Joktan stammen ab: Almodad, Schelef, Hazarmawet, Jerach, [27]Hadoram, Usal, Dikla, [28]Obal, Abimaël, Saba, [29]Ofir, Hawila und Jobab. Sie alle sind seine Söhne. [30]Ihr Gebiet erstreckte sich von Mescha über Sefar bis zum Gebirge im Osten.

[31]Diese alle sind Sems Nachkommen. Sie wuchsen zu Völkern heran, die in Sippen zusammenlebten. Jedes Volk hatte sein eigenes Gebiet und eine eigene Sprache.

[32]Die genannten Männer sind Nachkommen Noahs. Von ihnen stammen alle Völker ab, die nach der großen Flut auf der Erde lebten.

Der Wunsch nach Unabhängigkeit

11 Damals sprachen die Menschen noch eine einzige Sprache, die allen gemeinsam war.

[2]Als sie von Osten weiterzogen, fanden sie eine Talebene im Land Schinar. Dort ließen sie sich nieder [3]und fassten einen Entschluss. »Los, wir formen und brennen Ziegelsteine!«, riefen sie einander zu. Die Ziegel wollten sie als Bausteine benutzen und Teer als Mörtel. [4]»Auf! Jetzt bauen wir uns eine Stadt mit einem Turm, dessen Spitze bis zum Himmel reicht!«, schrien sie. »Dadurch werden wir überall berühmt. Wir werden nicht über die ganze Erde zerstreut, weil der Turm unser Mittelpunkt ist und uns zusammenhält[a]!«

[5]Da kam der Herr vom Himmel herab, um sich die Stadt und das Bauwerk anzusehen, das sich die Menschen errichteten. [6]Er sagte: »Sie sind ein einziges Volk mit einer gemeinsamen Sprache. Was sie gerade tun, ist erst der Anfang, denn durch ihren vereinten Willen wird ihnen von jetzt an jedes Vorhaben gelingen! [7]Wir werden hinuntersteigen und ihre Sprache verwirren, damit keiner mehr den anderen versteht!«

[8]So zerstreute der Herr die Menschen über die ganze Erde; den Bau der Stadt mussten sie abbrechen. [9]Darum wird die Stadt Babylon (»Verwirrung«) genannt, weil dort der Herr die Sprache der Menschheit verwirrte und alle über die ganze Erde zerstreute.

Von Sem bis Abram

[10]Dies ist das Verzeichnis von Sems Nachkommen:

Sem war 100 Jahre alt, als er Arpach-

[a] »weil … zusammenhält« ist sinngemäß ergänzt.

schad zeugte. Das war zwei Jahre nach der Wasserflut. [11]Danach lebte er noch 500 Jahre und bekam weitere Söhne und Töchter.

[12]Arpachschad war 35 Jahre alt, als er Schelach zeugte. [13]Danach lebte er noch 403 Jahre und bekam weitere Söhne und Töchter.

[14]Schelach war 30 Jahre alt, als er Eber zeugte. [15]Danach lebte er noch 403 Jahre und bekam weitere Söhne und Töchter.

[16]Eber war 34 Jahre alt, als er Peleg zeugte. [17]Danach lebte er noch 430 Jahre und bekam weitere Söhne und Töchter.

[18]Peleg war 30 Jahre alt, als er Regu zeugte. [19]Danach lebte er noch 209 Jahre und bekam weitere Söhne und Töchter.

[20]Regu war 32 Jahre alt, als er Serug zeugte. [21]Danach lebte er noch 207 Jahre und bekam weitere Söhne und Töchter.

[22]Serug war 30 Jahre alt, als er Nahor zeugte. [23]Danach lebte er noch 200 Jahre und bekam weitere Söhne und Töchter.

[24]Nahor war 29 Jahre alt, als er Terach zeugte. [25]Danach lebte er noch 119 Jahre und bekam weitere Söhne und Töchter.

[26]Terach war 70 Jahre alt, als er Abram, Nahor und Haran zeugte.

[27]Dies ist das Verzeichnis von Terachs Nachkommen: Terachs Söhne waren Abram, Nahor und Haran. Haran war der Vater Lots, [28]er starb noch vor seinem Vater Terach in seiner Heimat Ur in Babylonien.

[29]Abram heiratete Sarai, und Nahor heiratete Milka, die Tochter Harans und Schwester Jiskas. [30]Sarai bekam keine Kinder.

[31]Terach verließ mit seinem Sohn Abram, seinem Enkel Lot und seiner Schwiegertochter Sarai Ur in Babylonien, um in das Land Kanaan auszuwandern. Sie kamen nach Haran und schlugen dort ihre Zelte auf. [32]Dort starb Terach im Alter von 205 Jahren.

Gott erwählt Abram

12 Der Herr sagte zu Abram: »Geh fort aus deinem Land, verlass deine Heimat und deine Verwandtschaft, und zieh in das Land, das ich dir zeigen werde! [2]Deine Nachkommen sollen zu einem großen Volk werden; ich werde dir viel Gutes tun; deinen Namen wird jeder kennen und mit Achtung aussprechen. Durch dich werden auch andere Menschen am Segen teilhaben. [3]Wer dir Gutes wünscht, den werde ich segnen. Wer dir aber Böses wünscht, den werde ich verfluchen! Alle Völker der Erde sollen durch dich gesegnet werden.«

[4]Abram gehorchte und machte sich auf den Weg. Er war zu diesem Zeitpunkt 75 Jahre alt. [5]Mit ihm kamen seine Frau Sarai, sein Neffe Lot, alle Knechte und Mägde und ihr ganzer Besitz. Sie erreichten Kanaan [6]und durchzogen das Land, das damals von den Kanaanitern bewohnt wurde. Bei Sichem ließen sie sich nieder, in der Nähe des Orakelbaums.

[7]An dieser Stätte zeigte der Herr sich Abram und versprach ihm: »Ich werde dieses Land deinen Nachkommen geben!« Abram schichtete Steine auf als Opferstätte für Gott, dort, wo der Herr ihm erschienen war. [8]Dann zog er weiter nach Süden zu dem Gebirge östlich von Bethel. Zwischen Bethel im Westen und Ai im Osten schlugen Abram und die Seinen ihre Zelte auf, und auch hier schichtete er Steine auf als Opferstätte für den Herrn. Dort betete er den Herrn an.

[9]Abram blieb nicht lange, weil er weiter nach Süden wollte.

Abram fürchtet um sein Leben

[10]Im Land Kanaan brach eine Hungersnot aus. Abram zog nach Ägypten, um während dieser Zeit dort zu leben.

11,30 16,1–2; 17,15–17 **11,31** Jos 24,2; Neh 9,7 **12,1** Apg 7,3; Hebr 11,8 **12,2** 13,16; 15,5; 17,2.4–6; 22,17; 26,4; 28,14*; 2 Mo 32,13; 5 Mo 1,10; Röm 4,17–18; Hebr 11,12 **12,3** 18,18; 28,14; 4 Mo 24,9; Apg 3,25; Gal 3,8 **12,7** 13,15; 15,18–21; 17,8; 26,2–3; 28,13*; 2 Mo 6,8; Jos 21,43 **12,10–20** 20,1–18; 26,7–11

[11] Kurz vor der ägyptischen Grenze sagte er zu seiner Frau Sarai: »Weil du so schön bist, wirst du bei den Männern Aufsehen erregen. [12] Wenn dich die Ägypter sehen, sagen sie bestimmt: ›Das ist seine Frau. Wenn wir ihn töten, haben wir sie für uns!‹ [13] Sag doch einfach, du seist meine Schwester, dann werden sie mich bestimmt gut behandeln und leben lassen!«

[14] Tatsächlich zog Sarai die Aufmerksamkeit der Ägypter auf sich. [15] Selbst die Beamten des Pharaos waren beeindruckt und lobten Sarais Schönheit vor ihm. Da ließ er Sarai in seinen Palast holen [16] und überhäufte Abram ihretwegen mit Geschenken: Diener, Schafe, Ziegen, Rinder, Esel und Kamele.

[17] Aber der Herr bestrafte den Pharao und seine Familie mit Krankheiten, weil er sich Sarai zur Frau genommen hatte. [18] Da rief der Pharao Abram zu sich und stellte ihn zur Rede: »Was hast du mir da angetan? Warum hast du mir nicht gesagt, dass sie deine Frau ist? [19] Warum hast du behauptet, sie sei deine Schwester, so dass ich sie mir zur Frau nahm? Hier, nimm sie zurück! Macht, dass ihr wegkommt!« [20] Er beauftragte Soldaten, die Abram und seine Frau mit ihrem ganzen Besitz zur ägyptischen Grenze zurückbrachten.

Abram und Lot trennen sich

13 Abram kehrte in den Süden des Landes Kanaan zurück und mit ihm seine Frau und sein Neffe Lot. Ihren ganzen Besitz führten sie mit sich.

[2] Abram war sehr reich. Er besaß viele Viehherden, dazu Silber und Gold. [3] Sie blieben aber nicht im Süden, sondern zogen in Tagesmärschen nach Bethel – zu jener Stelle, wo sie ihr Zelt zuerst aufgeschlagen hatten, zwischen Bethel und Ai. [4] Bei der Opferstätte, die Abram damals aus Steinen erbaut hatte, betete er nun zum Herrn.

[5] Wie Abram war auch Lot sehr reich: Er besaß viele Schafe, Ziegen und Rinder und eine große Anzahl Diener und Mägde. [6] Darum gab es nicht genug Weideplätze für alle Viehherden. Sie konnten unmöglich zusammenbleiben, [7] zumal die Kanaaniter und die Perisiter noch im Land wohnten. Immer wieder gerieten Abrams und Lots Hirten aneinander. [8] Abram besprach das mit Lot: »Es soll kein böses Blut zwischen unseren Hirten geben! Wir sind doch Verwandte und sollten uns nicht streiten! [9] Es ist besser, wenn wir uns trennen. Das Land ist groß genug. Entscheide du, wo du dich niederlassen möchtest! Wenn du den Westen wählst, gehe ich nach Osten. Wenn du lieber nach Osten ziehst, gehe ich nach Westen.«

[10] Lot betrachtete das Land genau und sah die fruchtbare Jordanebene – überall reich bewässert, bis nach Zoar hin. Später veränderte sich die Landschaft, nachdem der Herr Sodom und Gomorra vernichtet hatte. Die Jordanebene sah aus wie der Garten des Herrn oder das Niltal in Ägypten. [11] Darum wählte Lot diese Gegend. Er verabschiedete sich von Abram und machte sich auf den Weg nach Osten. [12] Abram blieb im Land Kanaan, während Lot sich bei den Städten in der Jordanebene aufhielt und mit seinen Zelten umherzog, bis er an die Stadt Sodom herankam. [13] Die Menschen in dieser Stadt waren schlecht. Was sie taten, verabscheute der Herr.

Gott wiederholt seine Zusage

[14] Nachdem die beiden sich getrennt hatten, sagte der Herr zu Abram: »Schau dich nach allen Seiten um! [15] Das ganze Land, alles, was du jetzt siehst, will ich dir und deinen Nachkommen geben – für immer! [16] Ich will dir so viele Nachkommen schenken, dass sie unzählbar sind wie der Staub auf der Erde! [17] Mach dich auf den Weg, und durchziehe das Land nach allen Richtungen, denn dir will ich es geben!«

[18] Abram zog also weiter und schlug seine Zelte bei den Terebinthen von

---

13,3 12,8 **13,10** 19,24–25 **13,15** 12,7* **13,16** 12,2*

Mamre auf, nahe bei Hebron. Dort baute er aus Steinen eine Anbetungsstätte für den Herrn.

Abram setzt sich für Lot ein

14 Im Land Kanaan brach Krieg aus: Amrafel, König von Schinar, Arjoch, König von Ellasar, Kedor-Laomer, König von Elam, und Tidal, König von Gojim, [2]kämpften gegen Bera, König von Sodom, Birscha, König von Gomorra, Schinab, König von Adma, Schemeber, König von Zebojim, und gegen den König von Bela, das später Zoar hieß.

[3]Diese zuletzt genannten fünf Könige hatten sich verbündet und zogen mit ihren Truppen zum Tal Siddim, wo später das Tote Meer entstand. [4]Zwölf Jahre lang hatte Kedor-Laomer die Oberherrschaft über sie ausgeübt, aber im dreizehnten Jahr lehnten sie sich gegen ihn auf.

[5]Jetzt, ein Jahr später, marschierten Kedor-Laomer und seine Verbündeten auf, und der Krieg begann. Zuerst schlugen sie folgende Völkerstämme: die Refaïter bei Aschterot-Karnajim, die Susiter bei Ham, die Emiter in der Ebene von Kirjatajim [6]und die Horiter im Gebirge Seïr bis nach El-Paran am Rande der Wüste. [7]Danach kehrten sie zurück nach En-Mischpat, dem späteren Kadesch. Sie verwüsteten das ganze Gebiet der Amalekiter und auch die Gegend um Hazezon-Tamar, die von den Amoritern bewohnt wurde. [8]Doch dann stellten sich ihnen im Tal Siddim die Heere der abtrünnigen Könige entgegen: der Könige von Sodom, von Gomorra, von Adma, von Zebojim und von Bela, dem späteren Zoar. [9]Diese kämpften nun gegen Kedor-Laomer und seine Verbündeten, vier Könige gegen fünf. [10]Das Tal war voller Asphaltgruben. Als die Könige von Sodom und Gomorra in die Flucht geschlagen wurden, stürzten sie hinein, die anderen entkamen ins Gebirge. [11]Die Sieger plünderten Sodom und Gomorra, sie raubten wertvolle Gegenstände und die Lebensmittelvorräte. [12]Auch Lot, den Neffen Abrams, der in Sodom wohnte, verschleppten sie, dazu seinen gesamten Besitz.

[13]Ein Flüchtling aber konnte sich zu Abram[a] durchschlagen, der zu der Zeit bei den Terebinthen des Amoriters Mamre wohnte. Mamre und seine Brüder Eschkol und Aner waren mit Abram verbündet. [14]Als Abram erfuhr, dass Lot verschleppt worden war, bewaffnete er alle kampferprobten Leute, die in seinem Lager geboren waren – 318 Männer –, und jagte den vier Königen hinterher. Bei Dan im Norden holte er sie ein, [15]teilte seine Leute in zwei Gruppen auf und überfiel die Feinde bei Nacht. Er schlug sie in die Flucht und verfolgte sie bis nach Hoba, nördlich von Damaskus. [16]Das Erbeutete nahm er ihnen wieder ab; er befreite Lot, die Frauen und alle anderen Gefangenen.

Begegnung mit dem König von Salem

[17]Als Abram von seiner siegreichen Schlacht gegen Kedor-Laomer und dessen Verbündete zurückkehrte, zog ihm der König von Sodom ins Schawetal entgegen, das jetzt Königstal genannt wird. [18]Ebenso kam Melchisedek, der König von Salem, dorthin und brachte Brot und Wein mit. Er war Priester des höchsten Gottes. [19]Melchisedek sagte zu Abram: »Der höchste Gott, der Himmel und Erde geschaffen hat, schenke dir seinen Segen, Abram! [20]Gepriesen sei der höchste Gott, denn er gab dir Macht über deine Feinde.« Da gab Abram Melchisedek den zehnten Teil von allen Gütern, die er den Königen abgenommen hatte.

[21]Der König von Sodom bat Abram: »Gib mir nur meine Leute zurück – alles andere kannst du behalten!« [22]Abram entgegnete ihm: »Ich schwöre bei dem Herrn, dem höchsten Gott, der Himmel und Erde geschaffen hat: [23]Nicht einmal einen Schuhriemen behalte ich von dem,

---

[a] Wörtlich: zu Abram, dem Hebräer.

14,18–20 Ps 110,4; Hebr 5,6.10; 7,1–10 **14,20** 28,22; 3 Mo 27,30–33*

was dir gehört! Du sollst niemals sagen können: ›Ich habe Abram reich gemacht!‹ [24] Nur was meine Männer verzehrt haben, gebe ich dir nicht zurück. Außerdem sollen meine Verbündeten Aner, Eschkol und Mamre ihren Beuteanteil bekommen. Ich aber will nichts davon!«

Gottes Bund mit Abram

15 Danach redete der Herr zu Abram in einer Vision: »Hab keine Angst, Abram, ich selbst beschütze dich, ich werde dich auch reich belohnen!«

[2/3] Aber Abram entgegnete: »Ach Herr, mein Gott, was willst du mir denn schon geben? Ich habe keinen Sohn, und ohne einen Nachkommen sind alle Geschenke wertlos. Ein Diener meines Hauses – Eliëser von Damaskus – wird meinen ganzen Besitz erben.« [4] »Nein«, erwiderte der Herr, »nicht dein Diener, sondern dein eigener Sohn wird den ganzen Besitz übernehmen!« [5] Er führte Abram aus dem Zelt nach draußen und sagte zu ihm: »Schau dir den Himmel an, und versuche, die Sterne zu zählen! Genauso werden deine Nachkommen sein – unzählbar!«

[6] Abram nahm dieses Versprechen ernst. Er setzte sein ganzes Vertrauen auf den Herrn, und so fand er Gottes Anerkennung.

[7] Daraufhin sagte der Herr zu ihm: »Ich bin der Herr, der dich aus der Stadt Ur in Babylonien herausgeführt hat, um dir dieses Land zu geben.« [8] »Herr, mein Gott«, erwiderte Abram, »woher kann ich wissen, dass dieses Land einmal mir gehört?« [9/10] Da sagte der Herr: »Bring mir eine dreijährige Kuh, eine dreijährige Ziege, einen dreijährigen Schafbock, eine Turteltaube und eine junge Taube; schneide sie mittendurch, und lege die Hälften einander gegenüber. Nur die Tauben zerteile nicht!« Abram tat, was der Herr ihm befohlen hatte; [11] und als Raubvögel sich auf die Tiere stürzten, verscheuchte er sie.

[12] Bei Sonnenuntergang wurde Abram müde und fiel in einen tiefen Schlaf. Eine schreckliche Angst überkam ihn, und dunkle Vorahnungen beunruhigten ihn sehr. [13] Da sagte Gott zu ihm: »Ich vertraue dir jetzt etwas an, das in der Zukunft geschehen wird: Deine Nachkommen werden in einem fremden Land unterdrückt. Sie arbeiten dort als Sklaven – vierhundert Jahre lang. [14] Aber ich werde das Volk bestrafen, das sie dazu gezwungen hat. Mit großen Reichtümern werden sie von dort wegziehen; [15/16] nach vier Generationen kehren sie in das Land Kanaan zurück. Bis dahin leben die Amoriter in diesem Land, denn sie sind noch nicht reif für das Gericht. Du selbst wirst ein hohes Alter erreichen, in Frieden sterben und begraben werden.«

[17] Die Sonne war inzwischen untergegangen, und es war dunkel geworden. Da sah Abram einen rauchenden Ofen, und eine Feuerflamme fuhr zwischen den Fleischstücken hindurch.

[18] So schloss der Herr einen Bund mit Abram und versprach ihm: »Ich gebe deinen Nachkommen dieses Land, von der ägyptischen Grenze bis zum Euphrat – [19] das ganze Land, in dem jetzt die Keniter, Kenasiter und die Kadmoniter, [20] die Hetiter, Perisiter und die Refaïter, [21] die Amoriter, Kanaaniter, Girgaschiter und die Jebusiter wohnen.«

Abram und Sarai werden ungeduldig

16 [1/2] Abram und Sarai bekamen keine Kinder. Da schlug Sarai ihrem Mann vor: »Der Herr hat mir keine Kinder geschenkt. Aber nach den geltenden Gesetzen kannst du mir durch eine Sklavin Kinder schenken.[a] Ich habe doch eine ägyptische Sklavin, die heißt Hagar.

[a] »Aber … schenken« ist sinngemäß ergänzt.

15,5 12,2* **15,6** Röm 4,3; Gal 5,6; Jak 2,23 **15,9–10** Jer 34,18–19 **15,13** 2 Mo 1,11–14* **15,14** 2 Mo 12,35–36; Ps 105,37 **15,15–16** 25,7; 5 Mo 9,4–5 **15,17** Jer 34,18–19 **15,18–21** 12,7* **16,1–2** 30,3

Ich überlasse sie dir, vielleicht wird mir durch sie ein Kind geboren!«

Abram war einverstanden, [3]und Sarai gab ihm Hagar zur Nebenfrau. Sie lebten zu der Zeit schon zehn Jahre im Land Kanaan. [4]Er schlief mit Hagar, und sie wurde schwanger. Als Hagar wusste, dass sie schwanger war, sah sie auf ihre Herrin herab. [5]Da beklagte Sarai sich bei Abram: »Jetzt, wo Hagar weiß, dass sie ein Kind bekommt, verachtet sie mich – dabei war ich es, die sie dir überlassen hat! Du bist schuld, dass ich jetzt so gedemütigt werde! Der Herr soll darüber urteilen!« [6]»Sie ist dein Eigentum«, erwiderte Abram, »ich lasse dir freie Hand – mach mit ihr, was du willst!«

In der folgenden Zeit behandelte Sarai Hagar so schlecht, dass sie davonlief. [7]Der Engel des Herrn fand sie an einer Quelle in der Wüste auf dem Weg nach Schur [8]und fragte sie: »Hagar, Sklavin Sarais, woher kommst du, und wohin gehst du?« »Ich bin meiner Herrin Sarai davongelaufen«, antwortete sie. [9]Da sagte der Engel zu ihr: »Geh zu ihr zurück. Bleib ihre Sklavin! [10]Der Herr wird dir so viele Nachkommen schenken, dass man sie nicht mehr zählen kann! [11]Du wirst einen Sohn bekommen. Nenne ihn Ismael[a], denn der Herr hat gehört, wie du gelitten hast. [12]Dein Sohn wird wie ein wildes Tier sein, das niemand bändigen kann. Er wird mit jedem kämpfen und jeder mit ihm. Aber niemand kann ihn wegjagen. Er wird in der Nähe seiner Verwandten wohnen.«

[13]Da rief Hagar aus: »Den, der mich angeschaut hat, habe ich tatsächlich hier gesehen!« Darum gab sie dem Herrn, der mit ihr gesprochen hatte, den Namen: »Der Gott, der mich anschaut.« [14]Seitdem wurde diese Quelle »Quelle des Lebendigen, der mich anschaut« genannt. Sie liegt zwischen Kadesch und Bered.

[15]Hagar ging wieder zurück. Sie bekam einen Sohn, und Abram nannte ihn Ismael. [16]Abram war zu der Zeit 86 Jahre alt.

Das Zeichen des Bundes: Die Beschneidung

17 Als Abram 99 Jahre alt war, erschien ihm der Herr und sagte zu ihm: »Ich bin Gott, der Macht hat über alles. Wo du auch bist, lebe mit mir, und tu, was recht ist. [2]Ich will einen Bund mit dir schließen, und ich sichere dir zu: Du wirst unzählbar viele Nachkommen haben.«

[3]Da warf sich Abram zu Boden, und Gott sprach weiter zu ihm: [4/5]»Du wirst Stammvater vieler Völker werden. Darum sollst du von nun an nicht mehr Abram[b] heißen, sondern Abraham[c]. [6]Ich werde dir so viele Nachkommen geben, dass zahlreiche Völker daraus entstehen – sogar Könige sollen von dir abstammen! [7]Dieser Bund gilt für alle Zeiten, für dich und für deine Nachkommen. Es ist ein Versprechen, das niemals gebrochen wird: Ich bin dein Gott und der Gott deiner Nachkommen, [8]und ich gebe euch das ganze Land Kanaan, wo ihr bisher nur Fremde seid. Ihr werdet es für immer besitzen, und ich werde euer Gott sein.

[9]Doch auch du, Abraham, musst dich bei unserem Bund zu etwas verpflichten, und deine Nachkommen sollen sich ebenfalls daran halten: [10/11]Alle Männer unter euch sollen an der Vorhaut ihres Gliedes beschnitten werden – als Zeichen dafür, dass ich mit euch einen Bund geschlossen habe. [12/13]Bei allen männlichen Neugeborenen soll die Beschneidung am achten Tag durchgeführt werden. Das gilt auch für Sklaven, die ihr von den Ausländern gekauft habt, und für Sklaven, die bei euch geboren wurden. So tragt ihr an eurem Körper das Zeichen des Bundes, der nie aufhören wird. [14]Wer sich nicht beschneiden lassen

---

[a] Ismael bedeutet »Gott hört«.
[b] Abram bedeutet »erhabener Vater«.
[c] Abraham bedeutet »Vater der Völkermenge«.

16,4 30,23; 1 Sam 1,6; Jes 4,1 **16,10–12** 17,20; 21,13; 25,12–18 **17,2** 12,2* **17,4–6** 12,2* **17,8** 12,7* **17,9–14** 21,4; 3 Mo 12,3; Jos 5,2–3; Lk 2,21; Röm 4,10–12

will, der muss aus dem Volk ausgeschlossen werden und sterben, denn er hat den Bund mit mir gebrochen.«

[15] Dann sagte Gott: »Auch deine Frau soll einen anderen Namen erhalten: Nenne sie nicht mehr Sarai, denn von nun an heißt sie Sara[a]. [16] Ich werde sie reich beschenken, sie soll einen Sohn von dir empfangen. Mein Segen bedeutet noch mehr: Sie soll die Stammmutter zahlreicher Völker werden, und Könige werden von ihr abstammen!«

[17] Da warf Abraham sich erneut zu Boden – aber im Stillen lachte er in sich hinein. Er dachte: »Wie kann ich mit hundert Jahren noch einen Sohn zeugen? Und Sara ist schon neunzig, wie kann sie da noch Mutter werden?« [18] Laut sagte er dann zu Gott: »Ja, erhalte doch Ismael am Leben!«

[19] »Du hast mich nicht verstanden«, entgegnete Gott, »deine Frau Sara wird einen Sohn bekommen! Gib ihm den Namen Isaak[b]! Mit ihm werde ich meinen Bund aufrechterhalten, und für seine Nachkommen wird der Bund ebenfalls gelten. [20] Aber auch deine Bitte für Ismael will ich erfüllen. Ich werde ihn segnen und ihm viele Nachkommen schenken. Zwölf Fürsten sollen von ihm abstammen, und er wird der Stammvater eines großen Volkes werden. [21] Trotzdem werde ich meinen Bund mit Isaak schließen; nächstes Jahr um diese Zeit wird Sara Mutter werden.«

[22] Nachdem Gott dies gesagt hatte, erhob er sich zum Himmel.

[23] Kurz darauf, noch am selben Tag, beschnitt Abraham seinen Sohn Ismael und alle männlichen Sklaven, die bei ihm geboren oder von Ausländern gekauft worden waren – so wie Gott es ihm aufgetragen hatte. [24] Auch Abraham ließ sich beschneiden. Er war 99 Jahre alt [25] und Ismael 13 Jahre. [26] Beide wurden am selben Tag beschnitten, [27] zusammen mit allen, die bei ihnen wohnten.

»Nächstes Jahr wirst du einen Sohn haben«

18 Abraham wohnte bei den Terebinthen von Mamre, da erschien ihm der Herr wieder. Abraham saß in der heißen Mittagszeit am Eingang seines Zeltes, [2] als er plötzlich drei Männer bemerkte, die auf ihn zukamen. Sofort sprang er auf, lief ihnen entgegen, verneigte sich bis zur Erde und bat: [3–5] »Mein Herr, bitte schenk mir deine Aufmerksamkeit, und geh nicht einfach weiter! Ich lasse Wasser holen für eure Füße, ruht euch solange unter dem Baum aus; ich sorge für das Essen, damit ihr gestärkt weitergehen könnt! Ihr sollt nicht umsonst bei mir vorbeigekommen sein!« »Einverstanden«, sagten die drei, »tu, was du dir vorgenommen hast!«

[6] Abraham lief ins Zelt zurück und rief Sara zu: »Schnell! Nimm eine große Schüssel vom besten Mehl, das wir haben, und backe davon einige Brotfladen!« [7] Er lief weiter zu seiner Rinderherde, wählte ein zartes, gesundes Kalb aus und befahl seinem Knecht, es so schnell wie möglich zuzubereiten. [8] Den fertigen Braten bot er dann seinen Gästen mit Sauerrahm und Milch an. Sie saßen im Schatten des Baumes, und während sie aßen, bediente Abraham sie.

[9] »Wo ist denn deine Frau Sara?«, fragten sie ihn. »Hier im Zelt«, antwortete Abraham. [10] Da sagte der Herr: »Nächstes Jahr um diese Zeit komme ich wieder zu euch, und dann wird Sara einen Sohn haben.«

Sara stand hinter ihnen im Zelteingang und lauschte. [11/12] Sie lachte heimlich. Denn Abraham und sie waren beide sehr alt, und Sara konnte gar keine Kinder mehr bekommen. Darum dachte sie: »Ich bin verbraucht, und meinem Mann geht es genauso – er ist kraftlos geworden. Nein, die Zeit der Liebe ist längst vorbei!«

---

[a] Sara bedeutet »Fürstin«.
[b] Isaak bedeutet »Gelächter«.

17,17 18,10–15; 21,3.6–7 **17,20** 21,13.18; 25,12–18 **17,21** 21,12 **18,10–15** 17,17; 21,3.6–7

[13] Da sagte der Herr zu Abraham: »Warum lacht Sara? Warum zweifelt sie an meinen Worten, dass sie noch ein Kind bekommen wird? [14] Für mich ist nichts unmöglich! Nächstes Jahr um diese Zeit komme ich wieder zu euch – dann hat Sara ihren Sohn!« [15] Sara fürchtete sich und log: »Ich habe nicht gelacht!« Aber der Herr erwiderte ihr: »Doch, du hast gelacht!«

Abraham bittet für Sodom und Gomorra

[16] Danach machten sich die drei auf den Weg nach Sodom, und Abraham begleitete sie noch ein Stück. [17] »Soll ich wirklich vor Abraham verbergen, was ich mit Sodom und Gomorra vorhabe?«, dachte der Herr. [18] »Wenn er durch mich zum Stammvater eines großen und mächtigen Volkes wird, dann kann ich es ihm nicht vorenthalten. Schließlich soll sogar allen Völkern der Erde durch ihn Gutes zuteil werden. [19] Ich selbst habe ihn auserwählt; und er soll seine Nachkommen auffordern, so zu leben, wie es mir gefällt. Sie sollen das Recht achten und Gerechtigkeit üben, damit ich meine Zusage einlösen kann, die ich Abraham gegeben habe.«

[20] Darum sagte der Herr laut: »Harte Anschuldigungen habe ich über die Menschen von Sodom und Gomorra vernommen: Sie sollen ein abscheuliches Leben führen. [21] Ich gehe jetzt dorthin, um selbst nachzusehen, ob die schweren Vorwürfe wirklich zutreffen.«

[22] Die zwei anderen Männer gingen weiter in Richtung Sodom, nur der Herr blieb noch mit Abraham zurück. [23] Abraham trat näher heran und fragte: »Willst du wirklich Unschuldige und Schuldige zusammen vernichten? [24] Vielleicht findest du ja fünfzig Leute in der Stadt, die nichts Böses getan haben und dir dienen. Willst du die Stadt nicht um ihretwillen verschonen? [25] Es wäre unrecht von dir, Sodom ganz zu vernichten! Denn dann tötest du ohne Unterschied den Schuldlosen und den Schuldigen und behandelst beide gleich. Das wäre nicht recht! Du bist der Richter der ganzen Welt und willst gegen die Gerechtigkeit verstoßen?«

[26] Da erwiderte der Herr: »Wenn ich in Sodom fünfzig Unschuldige finde, werde ich um ihretwillen den ganzen Ort verschonen.«

[27] Abraham aber ließ nicht locker: »Ich habe es nun einmal gewagt, mit dem Herrn zu sprechen, obwohl ich nur ein vergänglicher Mensch bin. [28] Angenommen, es gibt bloß fünfundvierzig Menschen, die kein Unrecht getan haben – willst du wegen der fehlenden fünf die ganze Stadt zerstören?« »Nein«, sagte der Herr, »wenn ich fünfundvierzig finde, verschone ich die Stadt.«

[29] Abraham tastete sich noch weiter vor: »Und wenn es nur vierzig sind?« Der Herr versprach: »Auch dann vernichte ich die Stadt nicht.«

[30] »Bitte werde nicht zornig, wenn ich weiterrede«, bat Abraham, »vielleicht gibt es nur dreißig dort?« »Selbst dann werde ich es nicht tun.«

[31] Abraham setzte zum fünften Mal an: »Ich habe es nun einmal gewagt, Herr, mit dir zu reden! Angenommen, es sind nur zwanzig?« Und der Herr sprach: »Dann werde ich die Stadt trotzdem verschonen.«

[32] »Mein Herr«, sagte Abraham, »bitte werde nicht zornig, wenn ich zum Schluss noch einmal spreche: Was wirst du tun, wenn dort nur zehn unschuldige Menschen wohnen?« Wieder antwortete der Herr: »Die zehn werden verschont bleiben und ebenso die ganze Stadt.«

[33] Nachdem er dies gesagt hatte, ging er weiter, und Abraham kehrte zu seinem Zelt zurück.

Sodom und Gomorra werden ausgelöscht

19 Am Abend kamen die beiden Engel nach Sodom. Lot saß gerade beim Stadttor. Als er sie sah, ging er

---

18,14 21,1; Hiob 42,2* **18,18** 12,3* **18,23–26** 4 Mo 16,22; Jes 65,8 **18,32** Jer 5,1

ihnen entgegen, verneigte sich tief und sagte: [2]»Ich bin euer Diener! Kommt doch mit in mein Haus, und seid meine Gäste! Ruht euch aus,[a] und bleibt über Nacht! Morgen könnt ihr dann eure Reise fortsetzen.« »Nein danke, wir möchten lieber im Freien übernachten«, antworteten die beiden. [3]Aber Lot drängte sie mitzukommen, bis sie schließlich einwilligten. Zu Hause brachte er ihnen ein gutes Essen und frisches Brot.

[4]Danach wollten sie sich schlafen legen, doch in der Zwischenzeit waren alle Männer Sodoms, junge und alte, herbeigelaufen und hatten Lots Haus umstellt. [5]Sie brüllten: »Lot, wo sind die Männer, die heute Abend zu dir gekommen sind? Gib sie raus, wir wollen sie vergewaltigen!«

[6]Lot zwängte sich durch die Tür nach draußen und schloss sofort wieder hinter sich zu. [7]»Freunde, ich bitte euch, begeht doch nicht so ein schweres Verbrechen!«, rief er. [8]»Ich habe zwei unverheiratete Töchter, die gebe ich euch heraus. Mit ihnen könnt ihr machen, was ihr wollt! Nur lasst die Männer in Ruhe, sie stehen unter meinem Schutz, denn sie sind meine Gäste!«

[9]»Hau ab!«, schrien sie. »Du bist nur ein Ausländer und willst uns Vorschriften machen? Pass bloß auf, mit dir werden wir es noch schlimmer treiben als mit den beiden anderen!« Sie überwältigten Lot und wollten gerade die Tür aufbrechen, [10]da streckten die beiden Männer die Hand aus, zogen Lot ins Haus und verschlossen die Tür. [11]Sie schlugen die Männer von Sodom mit Blindheit, so dass sie die Tür nicht mehr finden konnten.

[12]Zu Lot sagten sie: »Hast du irgendwelche Verwandte hier in der Stadt? Seien es Schwiegersöhne, Söhne, Töchter oder sonst jemand von deiner Familie – bring sie alle von hier fort! [13]Der Herr hat uns nämlich geschickt, die Stadt zu vernichten, er hat von dem abscheulichen Verhalten der Einwohner Sodoms gehört. Deshalb werden wir diese Stadt zerstören.«

[14]Sofort eilte Lot zu den Verlobten seiner Töchter und rief ihnen zu: »Schnell, verschwindet aus dieser Stadt, denn der Herr wird sie vernichten!« Aber sie lachten ihn nur aus.

[15]Bei Tagesanbruch drängten die Männer Lot zur Eile: »Schnell, nimm deine Frau und deine beiden Töchter, bevor ihr in den Untergang der Stadt mit hineingerissen werdet!« [16]Weil er noch zögerte, fassten die Engel ihn, seine Frau und seine beiden Töchter bei der Hand, führten sie hinaus und ließen sie erst außerhalb der Stadt wieder los, denn der Herr wollte sie verschonen.

[17]»Lauft um euer Leben!«, sagte einer der beiden Engel. »Schaut nicht zurück, bleibt nirgendwo stehen, sondern flieht ins Gebirge! Wer zurückbleibt, muss sterben!«

[18]»Ach bitte nicht, Herr«, flehte Lot, [19]»du warst so gnädig und hast uns das Leben gerettet! Aber bis ins Gebirge schaffen wir es nicht mehr, bevor das Unglück auch uns packt und vernichtet. [20]Die kleine Stadt dort ist nah genug, die können wir noch gut erreichen. Bitte lass uns dorthin laufen, dann sind wir gerettet. Verschone sie – siehst du nicht, wie klein sie ist?«

[21]»Gut«, sagte der Engel, »auch diesen Wunsch will ich dir erfüllen. Ich zerstöre die Stadt nicht. [22]Flieht schnell dorthin, denn ich kann nichts tun, bevor ihr dort in Sicherheit seid!« Von da an wurde die Stadt Zoar genannt, was »kleine Stadt« bedeutet.

[23]Die Sonne ging auf, als Lot in Zoar ankam. [24]Da ließ der Herr Feuer und Schwefel vom Himmel auf Sodom und Gomorra herabfallen. [25]Er vernichtete sie völlig, zusammen mit den anderen Städten der Jordanebene. Er löschte alles Leben aus – Menschen, Tiere und Pflanzen. [26]Lots Frau drehte sich auf der

---

[a] Wörtlich: Lasst euch die Füße waschen.
19,9 2 Petr 2,6–8 **19,24–25** 5 Mo 29,21–25; Ps 11,6; Jes 1,9–10; Am 4,11; Lk 17,28–29; 2 Petr 2,6

Flucht um und schaute zurück. Sofort erstarrte sie zu einer Salzsäule.

[27] Am selben Morgen stand Abraham früh auf und eilte zu der Stelle, wo er mit dem Herrn geredet hatte. [28] Er sah hinunter auf die Jordanebene: Dort, wo Sodom und Gomorra einmal standen, stiegen dichte Rauchwolken auf, wie aus einem großen Ofen.

[29] Gott hatte an Abrahams Bitte gedacht: Er zerstörte zwar die Städte, in denen Lot gewohnt hatte, Lot selbst aber brachte er vorher in Sicherheit.

Lots Töchter

[30] Lot hatte Angst, länger in Zoar zu bleiben. Er ging mit seinen beiden Töchtern ins Gebirge hinauf; dort fanden sie eine Höhle, in der sie von nun an lebten.

[31/32] Eines Tages sagte die ältere Tochter zur jüngeren: »In dieser verlassenen Gegend gibt es keinen Mann, der uns heiraten könnte. Und unser Vater ist schon so alt, dass er bestimmt nicht mehr heiraten wird. Wenn unser Geschlecht nicht aussterben soll, dann müssen wir etwas unternehmen. Deshalb habe ich mir einen Plan ausgedacht: Wir machen ihn mit Wein betrunken und legen uns zu ihm.«

[33] Noch am selben Abend machten sie ihren Vater betrunken, und die ältere Tochter legte sich zu ihm. Lot schlief mit seiner Tochter. In seiner Trunkenheit merkte er nichts, und am nächsten Morgen konnte er sich nicht mehr erinnern. [34] Die ältere Schwester ging zur jüngeren und sagte: »Ich habe diese Nacht mit unserem Vater geschlafen. Das Beste ist, wir machen ihn heute wieder betrunken, und du schläfst auch mit ihm, damit es sicher ist, dass unsere Familie erhalten bleibt.« [35] Am Abend gaben sie ihrem Vater erneut viel Wein zu trinken, und die Jüngere ging zu ihm. Lot bemerkte wieder nichts.

[36] So wurden beide Töchter von ihrem eigenen Vater schwanger. [37] Die Ältere bekam einen Sohn und nannte ihn Moab (»von meinem Vater«). Er wurde der Stammvater der Moabiter. [38] Auch die Jüngere bekam einen Sohn und nannte ihn Ben-Ammi (»Sohn meines Verwandten«). Er wurde der Stammvater der Ammoniter.

Abraham und der Philisterkönig Abimelech

20 Abraham zog südwärts in die Landschaft Negev und wohnte eine Zeit lang zwischen dem Brunnengebiet Kadesch und der Wüste Schur. Danach ließ er sich in der Stadt Gerar nieder. [2] Dort gab er seine Frau als seine Schwester aus.

Abimelech, der König von Gerar, fand Gefallen an Sara und ließ sie in sein Haus holen. [3] In der Nacht erschien Gott Abimelech im Traum und sagte: »Du musst sterben! Die Frau, die du dir genommen hast, ist verheiratet!«

[4] Abimelech aber hatte noch nicht mit Sara geschlafen. Er entgegnete: »Herr, willst du mich wirklich töten? Ich bin unschuldig! [5] Abraham hat zu mir gesagt, sie sei seine Schwester, und sie hat es bestätigt. Also habe ich es nicht anders wissen können, ich bin unschuldig!« [6] »Ja, ich weiß«, antwortete Gott, »deshalb habe ich dich auch davor zurückgehalten, an mir schuldig zu werden. Ich habe dafür gesorgt, dass du keine Gelegenheit hattest, mit ihr zu schlafen. [7] Und nun gib sie ihrem Mann zurück! Er ist ein Prophet; er soll für dich beten, dann wirst du am Leben bleiben. Wenn du sie ihm aber nicht zurückgibst, musst du auf jeden Fall sterben, und alle, die zu dir gehören, werden umkommen.«

[8] Am nächsten Morgen stand Abimelech früh auf, rief alle seine Untergebenen zusammen und erzählte ihnen, was vorgefallen war. Die Männer bekamen große Angst. [9] Dann rief er Abraham zu sich und stellte ihn zur Rede: »Warum hast du uns das angetan? Was haben wir verbrochen, dass du mich und mein Volk in solch gro-

---

20,1-18 12,10-20; 26,7-11

ße Schuld hineinziehst? Ich verstehe dein hinterhältiges Verhalten nicht. [10] Was hast du dir nur dabei gedacht?«

[11] Abraham erwiderte: »Ich glaubte, die Leute in dieser Stadt hätten keine Ehrfurcht vor Gott und kümmerten sich nicht um Gut und Böse. Ich dachte: ›Sie wollen bestimmt meine Frau haben und werden mich deshalb töten!‹ [12] Außerdem ist sie wirklich meine Schwester: Wir haben nämlich beide denselben Vater, nur nicht dieselbe Mutter – darum konnte ich sie heiraten. [13] Als Gott mir befahl, meine Heimat zu verlassen, sagte ich zu ihr: ›Tu mir den Gefallen und gib dich überall als meine Schwester aus!‹«

[14] Da gab Abimelech Abraham seine Frau zurück und ließ ihm großzügige Geschenke zukommen: Knechte, Mägde, Schafe, Ziegen und Rinder. [15] »Mein Land steht dir offen – du kannst wohnen, wo es dir gefällt!«, bot er Abraham an. [16] Danach wandte er sich an Sara: »Ich gebe deinem Bruder tausend Silberstücke als Entschädigung. Daran können die Leute sehen, dass deine Ehre nicht geraubt worden ist. Niemand soll dir etwas nachsagen können!«

[17/18] Dann betete Abraham für Abimelech. Gott, der Herr, erhörte ihn und hob die Strafe wieder auf, die er über das ganze Haus Abimelechs verhängt hatte. Abimelechs Frau und alle seine Sklavinnen waren nämlich unfruchtbar geworden, weil er Abrahams Frau zu sich geholt hatte. Aber nun konnten sie wieder Kinder bekommen.

Isaak

21 Der Herr hielt sein Versprechen, das er Sara gegeben hatte: [2] Sie wurde schwanger und bekam einen Sohn. Abraham wurde trotz seines hohen Alters Vater, genau zu der Zeit, die Gott angegeben hatte.

[3] Abraham nannte seinen Sohn Isaak (»Gelächter«). [4] Als Isaak acht Tage alt war, beschnitt Abraham ihn, so wie Gott es ihm aufgetragen hatte. [5] Er war zur Zeit der Geburt 100 Jahre alt. [6] Sara rief: »Gott lässt mich wieder lachen! Jeder, der das erfährt, wird mit mir lachen! [7] Denn kein Mensch konnte sich vorstellen, dass ich in meinem Alter noch Mutter werde! Abraham hat Jahrzehnte darauf warten müssen, aber jetzt habe ich ihm einen Sohn geboren!«

[8] Isaak wuchs heran, und als Sara aufhörte, ihn zu stillen, feierte Abraham mit seinen Leuten ein großes Fest.

Hagar und Ismael müssen gehen

[9] Eines Tages bemerkte Sara, wie Ismael – der Sohn, den die Ägypterin Hagar für Sara geboren hatte – sich über Isaak lustig machte. [10] Darüber wurde sie sehr zornig und bedrängte Abraham: »Jag diese Sklavin und ihren Sohn fort! Ich will nicht, dass mein Sohn Isaak mit ihm das Erbe teilen muss!«

[11] Abraham war damit gar nicht einverstanden, denn schließlich war auch Ismael sein Sohn. [12] Aber Gott sagte zu ihm: »Sträube dich nicht dagegen, den Jungen und die Sklavin wegzuschicken! Tu alles, was Sara von dir fordert, denn nur die Nachkommen deines Sohnes Isaak werden das auserwählte Volk sein! [13] Aber auch Ismaels Nachkommen werde ich zu einem großen Volk machen, weil er von dir abstammt!«

[14] Am nächsten Morgen stand Abraham früh auf. Er holte etwas zu essen und einen Ledersack voll Wasser, hängte Hagar alles über die Schulter und schickte sie mit ihrem Sohn weg. Hagar irrte ziellos in der Wüste von Beerscheba umher. [15] Bald ging ihnen das Wasser aus. Da ließ sie den Jungen unter einem Strauch zurück [16] und setzte sich etwa hundert Meter davon entfernt auf die Erde. »Ich kann nicht mit ansehen, wie das Kind stirbt!«, weinte sie.

21,2 18,10 **21,3** 17,17; 18,10–15 **21,4** 17,10–13 **21,6–7** 17,17; 18,10–15 **21,12** 17,19.21 **21,13** 17,20 **21,14–19** 16,6–12

[17] Aber Gott hörte den Jungen schreien. Der Engel Gottes rief Hagar vom Himmel herab zu: »Warum weinst du, Hagar? Hab keine Angst – Gott hat das Schreien des Kindes dort unter dem Strauch gehört! [18] Geh zu dem Jungen, und heb ihn auf, denn aus seinen Nachkommen will ich ein großes Volk machen!«

[19] Dann ließ Gott sie einen Brunnen sehen. Sie füllte ihren Ledersack mit Wasser und gab dem Jungen zu trinken.

[20/21] Gott kümmerte sich auch weiterhin um Ismael. Er wuchs heran und wurde ein guter Bogenschütze. Er lebte in der Wüste Paran, und seine Mutter gab ihm eine Ägypterin zur Frau.

Abraham und Abimelech schließen einen Vertrag

[22] Um diese Zeit kam Abimelech mit seinem Heerführer Pichol zu Abraham und sagte zu ihm: »Gott lässt dir alles, was du tust, gelingen. [23] Darum schwöre jetzt bei Gott, dass du weder mich noch meine Nachkommen hintergehen wirst! Ich habe dir nur Gutes getan, darum erweise mir deine Freundschaft – mir und dem ganzen Land, in dem du zu Gast bist!«

[24] »Ich schwöre«, antwortete Abraham. [25] Er beschwerte sich aber bei Abimelech darüber, dass dessen Knechte einen seiner Brunnen weggenommen hatten. [26] »Das höre ich jetzt zum ersten Mal!«, erwiderte Abimelech. »Auch du hast mir bisher nichts davon erzählt! Ich weiß nicht, wer das getan hat!«

[27] Abraham gab Abimelech Schafe, Ziegen und Rinder, und sie schlossen einen Vertrag miteinander. [28] Dann wählte Abraham noch sieben Lämmer von seiner Herde aus. [29] »Was soll das bedeuten?«, fragte Abimelech. [30] »Die sollst du von mir annehmen. Damit bestätigst du, dass der Brunnen mir gehört«, antwortete Abraham. [31] Seit dieser Zeit wurde der Ort Beerscheba (»Brunnen des Schwörens«) genannt, weil Abraham und Abimelech dort ihren Vertrag mit einem Schwur bekräftigt hatten.

[32] Danach kehrten Abimelech und sein Heerführer Pichol wieder in das Land der Philister zurück. [33] Abraham pflanzte in Beerscheba eine Tamariske und betete dort zum Herrn, dem ewigen Gott. [34] Noch lange Zeit hielt er sich im Land der Philister auf.

Eine schwere Prüfung für Abraham

22 Nach diesen Ereignissen vergingen einige Jahre. Da stellte Gott Abraham auf die Probe. »Abraham!«, rief er. »Ja, Herr?« [2] »Geh mit deinem einzigen Sohn Isaak, den du liebst, in das Land Morija. Dort zeige ich dir einen Berg. Auf ihm sollst du deinen Sohn Isaak töten und als Opfer für mich verbrennen!«

[3] Am nächsten Morgen stand Abraham früh auf und spaltete Holz für das Opferfeuer. Dann belud er seinen Esel und nahm seinen Sohn Isaak und zwei seiner Knechte mit. Gemeinsam zogen sie los zu dem Berg, den Gott Abraham genannt hatte. [4] Nach drei Tagesreisen war er in der Ferne zu sehen. [5] »Ihr bleibt hier und passt auf den Esel auf!«, sagte Abraham zu den beiden Knechten. »Der Junge und ich gehen auf den Berg, um Gott anzubeten; wir sind bald wieder zurück.«

[6] Abraham legte das Holz auf Isaaks Schultern, er selbst nahm das Messer und eine Schale, in der Holzstücke glühten. Gemeinsam bestiegen sie den Berg. [7] »Vater?«, fragte Isaak. »Ja, mein Sohn.« »Feuer und Holz haben wir – aber wo ist das Lamm für das Opfer?« [8] »Gott wird schon dafür sorgen, mein Sohn!« – Schweigend gingen sie weiter.

[9] Als sie die Stelle erreichten, die Gott angegeben hatte, errichtete Abraham aus Steinen einen Altar und schichtete das Brandholz auf. Er fesselte Isaak und legte ihn oben auf den Holzstoß. [10] Dann griff er nach dem Messer, um seinen

---

21,17 2 Mo 2,23* **21,18** 17,20 **22,1** 2 Mo 16,4; 20,20; 5 Mo 8,2; 13,4; Ri 2,22; Ps 81,8; Jak 1,13
22,10 Hebr 11,17–19

Sohn zu töten. [11]»Abraham, Abraham!«, rief da der Engel des Herrn vom Himmel. »Ja, Herr?« [12]»Leg das Messer beiseite, und tu dem Jungen nichts! Jetzt weiß ich, dass du Gott gehorsam bist – du bist sogar bereit, deinen geliebten Sohn für mich zu opfern!«

[13]Plötzlich entdeckte Abraham einen Schafbock, der sich mit den Hörnern im Dickicht verfangen hatte. Er tötete das Tier und opferte es anstelle seines Sohnes auf dem Altar. [14]Den Ort nannte er: »Der Herr versorgt.« Noch heute sagt man darum: »Auf dem Berg des Herrn ist vorgesorgt.«

[15]Noch einmal rief der Engel des Herrn vom Himmel Abraham zu: [16]»Ich, der Herr, schwöre bei mir selbst: Weil du gehorsam warst und mir deinen einzigen Sohn als Opfer geben wolltest, [17]werde ich dich überreich beschenken und dir so viele Nachkommen geben, wie es Sterne am Himmel und Sand am Meer gibt. Sie werden ihre Feinde besiegen. [18]Alle Völker der Erde werden mich bitten, sie so zu segnen, wie ich dich segnen werde. Das alles werde ich dir geben, weil du bereit warst, meinen Willen zu tun.«

[19]Danach verließen sie den Berg, holten die Diener ab und machten sich auf den Weg zurück nach Beerscheba. Dort blieb Abraham wohnen.

[20]Bald darauf erreichte ihn die Nachricht, dass Milka, die Frau seines Bruders Nahor, acht Söhne geboren hatte: [21–23]Uz, den ältesten, Bus, Kemuël (Vater von Aram), Kesed, Haso, Pildasch, Jidlaf und Betuël (Vater von Rebekka). [24]Rëuma, die Nebenfrau Nahors, hatte vier Söhne geboren: Tebach, Gaham, Tahasch und Maacha.

Abraham kauft Grundbesitz in Kanaan

23 [1/2]Als Sara 127 Jahre alt war, starb sie in Hebron, das damals Kirjat-Arba hieß. Abraham trauerte um sie und weinte an ihrem Totenbett. [3]Dann ging er zu den Hetitern und bat sie: [4]»Ich bin nur ein Fremder bei euch und besitze kein eigenes Land. Überlasst mir ein kleines Grundstück für ein Familiengrab, ich will es euch bezahlen!« [5]»Natürlich«, antworteten die Hetiter, [6]»du bist ein Mann, vor dem wir Achtung haben, denn Gott ist mit dir, und er hat dich reich und mächtig gemacht. Darum ist es für uns alle eine Ehre, wenn du dir das beste unserer Gräber aussuchst und dort deine Frau beerdigst!«

[7]Abraham stand auf und verneigte sich vor ihnen. [8]»Wenn ihr also damit einverstanden seid«, sagte er, »dann legt bei Efron, dem Sohn Zohars, ein gutes Wort für mich ein, [9]dass er mir die Höhle von Machpela verkauft, die am Ende seines Grundstücks liegt. Ich bezahle, was er verlangt, damit ich in eurem Land ein Familiengrab besitze.«

[10]Efron saß nun gerade unter den Hetitern, die sich beim Stadttor versammelt hatten. Vor allen Anwesenden sagte er zu Abraham: [11]»Herr, bitte höre mich an! Ich schenke dir das Grundstück und die Höhle. Alle Anwesenden sind Zeugen: Du brauchst nichts zu bezahlen. Begrabe deine Frau in der Höhle von Machpela!«

[12]Erneut verneigte sich Abraham vor den Hetitern und sagte zu Efron: [13]»Ich bitte dich – lass mich für das Grundstück bezahlen! Nimm das Geld von mir an, dann werde ich dort meine Frau beerdigen!« [14/15]»Mein Herr, das Land ist vierhundert Silberstücke wert«, antwortete Efron, »aber für dich ist das ja nicht viel! Du kannst deine Frau dort begraben!«

[16]Abraham wog die Geldmenge ab, die Efron ihm vor allen Hetitern genannt hatte – vierhundert Silberstücke nach dem damals üblichen Gewicht. [17/18]Von da an gehörte ihm das Grundstück bei Machpela, östlich von Mamre, und die Höhle am Ende des Grundstücks sowie alle Bäume, die dort standen. Die anwesenden Männer waren Zeugen dafür,

---

22,16 Hebr 6,13–14 **22,17** 12,2* **22,18** Jak 2,21 **23,4** Hebr 11,9.13 **23,17–20** 25,9–10; 49,29–32; 50,12–13; Apg 7,15–16

dass das Land rechtmäßig in den Besitz Abrahams überging. [19] In dieser Höhle begrub er seine Frau Sara. [20] Seitdem war es von den Hetitern als Familiengrab anerkannt.

Eine Frau für Isaak

24 Abraham war mittlerweile sehr alt geworden. Der Herr hatte sein Leben gesegnet und ihm in jeder Hinsicht Gutes getan. [2] Eines Tages sagte Abraham zu seinem Hausverwalter, der sein ältester Knecht war: »Als Zeichen des Schwures lege die Hand auf meinen Unterleib, [3] und schwöre bei Gott, dem Herrn, der Himmel und Erde geschaffen hat, dass du meinen Sohn Isaak nicht mit einer Kanaaniterin verheiratest! Er soll keine Frau aus dieser Gegend nehmen. [4] Geh in meine Heimat, und such in meiner Verwandtschaft eine Frau für ihn aus!« [5] »Aber was ist, wenn die Frau nicht mitkommen will?«, fragte der Knecht. »Soll ich dann deinen Sohn in deine Heimat zurückbringen?« [6] »Auf keinen Fall!«, erwiderte Abraham. [7] »Denn der Herr des Himmels hat mir aufgetragen, meine Heimat und mein Elternhaus zu verlassen, und er hat mir versprochen, meinen Nachkommen dieses Land zu geben. Er wird seinen Engel vor dir herschicken und dafür sorgen, dass du eine Frau für meinen Sohn findest. [8] Nur wenn die Frau unter gar keinen Umständen mitkommen will, bist du nicht mehr an diesen Schwur gebunden. Niemals aber darfst du Isaak in meine Heimat zurückbringen!«

[9] Da legte der Knecht seine Hand auf Abrahams Unterleib und schwor ihm, alles zu tun, was Abraham gesagt hatte. [10] Er belud zehn Kamele Abrahams mit wertvollen Geschenken und ritt nach Mesopotamien in die Stadt, in der die Familie von Abrahams Bruder Nahor lebte.

[11] Als er ankam, hielt er an einem Brunnen kurz vor der Stadt und ließ dort die Kamele lagern. Es war gegen Abend – etwa die Zeit, in der die Frauen aus der Stadt kommen, um Wasser zu schöpfen. [12] »Ach, Herr, du Gott meines Herrn Abraham«, betete er, »du bist immer gut zu Abraham gewesen, erfülle auch diesmal den Wunsch meines Herrn, und lass meinen Plan gelingen! [13] Ich stehe hier am Brunnen, und gleich kommen die Mädchen aus der Stadt, um Wasser zu holen. [14] Ich werde eine von ihnen fragen, ob sie mir zu trinken gibt. Wenn sie dann antwortet: ›Natürlich, trink nur; ich will auch deinen Kamelen Wasser geben!‹, dann bin ich überzeugt, dass sie es ist, die du für Isaak ausgesucht hast! So weiß ich, dass du den Wunsch meines Herrn erfüllt hast.«

[15/16] Kaum hatte er das Gebet zu Ende gesprochen, da kam ein Mädchen aus der Stadt mit einem Wasserkrug auf der Schulter und füllte ihn am Brunnen. Es war Rebekka, die Tochter Betuëls und Enkelin Milkas, der Frau von Abrahams Bruder Nahor. Sie war noch unverheiratet und sehr schön.

[17] Rasch ging der Knecht auf sie zu und bat sie um einen Schluck Wasser. [18] »Natürlich, Herr!«, antwortete sie, nahm sofort den Krug von der Schulter und gab ihm zu trinken. [19] Dann sagte sie: »Ich will auch deinen Kamelen Wasser geben, bis sie sich satt getrunken haben.« [20] Sie goss das Wasser aus ihrem Krug in die Tränkrinne, lief zum Brunnen und schöpfte so lange, bis alle Kamele genug hatten.

[21] Schweigend stand der Knecht daneben und beobachtete sie. Er war gespannt, ob der Herr sein Gebet erhört hatte und ob seine Reise erfolgreich sein würde. [22] Als Rebekka die Kamele versorgt hatte, schenkte er ihr einen wertvollen goldenen Nasenring, der 6 Gramm wog, und zwei goldene Armreife zu je 120 Gramm.

[23] »Wer ist dein Vater?«, fragte er. »Habt ihr in eurem Haus noch Platz für uns zum Übernachten?« [24] »Mein Vater ist Betuël, seine Eltern heißen Milka und Nahor«, antwortete sie. [25] »Ja, wir ha-

---

24,3-4 26,34-35; 27,46; 28,1-2.6-9; 5 Mo 7,3-4* **24,7** 12,1.7*

ben genug Platz für euch, und Futter für eure Kamele ist auch vorhanden.« [26] Da warf sich der Knecht zu Boden und betete: [27] »Danke, Herr, du Gott meines Herrn Abraham, danke, dass du so gut zu ihm bist und all das erfüllst, was du ihm versprochen hast! Du hast mich direkt zu den Verwandten meines Herrn geführt!«

[28] Rebekka lief nach Hause und erzählte, was vorgefallen war. [29/30] Als ihr Bruder Laban den Ring und die Armreife an seiner Schwester sah und ihre Geschichte hörte, lief er sofort hinaus zum Brunnen.

Der Knecht stand immer noch bei seinen Kamelen. [31] Laban rief ihm zu: »Dich schickt der Herr! Warum stehst du noch hier draußen? In unserem Haus habe ich schon alles für dich vorbereitet. Auch für deine Kamele ist genug Platz!« [32] Da ging der Knecht mit. Man sattelte die Kamele ab und gab ihnen Stroh und Futter. Den Gästen wurde Wasser gebracht, damit sie sich die Füße waschen konnten.

[33] Vor dem Abendessen aber sagte der Knecht: »Ich esse erst, wenn ich erzählt habe, warum ich hier bin!« »Einverstanden«, sagte Laban, »erzähl!« [34] »Ich bin Abrahams Knecht«, stellte er sich ihnen vor. [35] »Der Herr hat meinen Herrn reich beschenkt. Er ist sehr wohlhabend geworden: Ihm gehören Schafe, Ziegen und Rinder, Kamele und Esel, dazu Silber und Gold und viele Sklaven. [36] Seine Frau Sara bekam noch im hohen Alter einen Sohn. Dieser wird einmal den ganzen Besitz erben. [37] Nun will mein Herr, dass sein Sohn Isaak keine Kanaaniterin zur Frau nimmt. Ich musste ihm schwören, dass ich das nicht zulassen werde. [38] Er hat mich hierher geschickt, um aus seiner Verwandtschaft eine Frau zu suchen. [39] ›Aber was ist, wenn sie nicht mitkommen will?‹, fragte ich ihn. [40] ›Sie wird mitkommen‹, antwortete er, ›denn Gott, der Herr, dem mein Leben gehört, wird dir seinen Engel vorausschicken, so dass dir alles gelingt. Du wirst eine Frau aus dem Haus meines Vaters finden. [41] Falls meine Familie ihr nicht erlaubt mitzukommen, dann – und nur dann – bist du von deinem Schwur entbunden!‹ [42] Ja, und so kam ich heute zu eurem Brunnen vor der Stadt; dort betete ich: Herr, du Gott meines Herrn Abraham! Wenn du willst, dass ich meinen Auftrag erfolgreich ausführe, dann lass meinen Plan gelingen: [43] Ich warte hier am Brunnen. Gleich werden die Mädchen kommen, um Wasser zu schöpfen. Ich werde auf eine von ihnen zugehen und sie bitten, mir einen Schluck Wasser aus ihrem Krug zu geben. [44] Wenn sie dann antwortet: ›Natürlich – und auch deinen Kamelen will ich Wasser geben!‹, dann ist sie es, die du für den Sohn meines Herrn ausgesucht hast!

[45] Kaum hatte ich dies Gebet gesprochen, da kam Rebekka mit einem Krug auf ihrer Schulter. Sie lief zum Brunnen hinunter und füllte den Krug mit Wasser. ›Bitte gib mir etwas zu trinken!‹, bat ich sie. [46] Sofort nahm sie den Krug von ihrer Schulter und sagte: ›Trink, mein Herr, – und auch deinen Kamelen will ich Wasser geben!‹ Als sie damit fertig war, [47] fragte ich sie nach ihrem Vater. ›Mein Vater ist Betuël‹, antwortete sie, ›seine Eltern heißen Nahor und Milka!‹ Da schenkte ich ihr den Ring und die Armreife. [48] Ich warf mich zu Boden und lobte den Gott meines Herrn Abraham, weil er mich direkt zum Bruder meines Herrn gebracht hatte.

Und jetzt bitte ich euch: Gebt eure Rebekka dem Sohn Abrahams zur Frau! [49] Wenn mein Herr euer Vertrauen und euer Wohlwollen gefunden hat, dann willigt in diese Heirat ein; wenn ihr aber nicht wollt, sagt es mir nur, dann werde ich anderswo suchen.«

[50] Laban und Betuël antworteten: »Das hat der Herr so geführt. Wie er will, so soll es geschehen! [51] Wir geben dir Rebekka, sie soll den Sohn deines Herrn heiraten, wie der Herr es bestimmt hat!« [52] Als der Knecht das hörte, warf er sich zu Boden und dankte dem Herrn. [53] Dann holte er aus den Satteltaschen die mitgebrachten Geschenke hervor. Rebekka gab er Silber- und Goldschmuck und schöne Kleider, und auch ihrem Bruder und ihrer Mutter überreichte er viele wertvolle Geschenke.

[54] Danach begann das Abendessen. Als die Gäste gegessen und getrunken hatten, legten sie sich schlafen. Am nächsten Morgen sagte der Knecht: »Ich möchte zurück zu meinem Herrn. Mit eurer Erlaubnis wollen wir schon heute aufbrechen.« [55] »So plötzlich trennen wir uns nicht gern von Rebekka, lass sie noch zehn Tage bei uns bleiben, dann kann sie mit dir kommen!«, baten ihr Bruder und ihre Mutter. [56] Er entgegnete: »Haltet mich nicht auf! Der Herr hat meine Reise gelingen lassen, und jetzt möchte ich so schnell wie möglich zu meinem Herrn zurück!« [57] »Am besten, sie entscheidet selbst«, sagten die beiden.

[58] Sie riefen Rebekka herbei und fragten: »Bist du einverstanden, heute schon mit diesem Mann fortzuziehen?« »Ja, das bin ich!«, antwortete sie. [59] Da willigten sie ein und ließen Rebekka gehen. Der Knecht, seine Leute, Rebekka und ihr früheres Kindermädchen machten sich für die Reise fertig. [60] Der Bruder und die Mutter verabschiedeten sich von ihr mit einem Segenswunsch: »Unsere Schwester, du sollst die Stammmutter eines großen und mächtigen Volkes werden! Mögen deine Nachkommen alle ihre Feinde besiegen!« [61] Danach bestiegen Rebekka und ihre Dienerinnen die Kamele und machten sich mit Abrahams Knecht auf den Weg.

[62] Isaak wohnte zu der Zeit im Süden des Landes. Er kam gerade zurück von dem Brunnen, der den Namen »Brunnen des Lebendigen, der mich sieht« trägt, [63] und machte abends noch einen Spaziergang, um nachzudenken und zu beten. Da sah er auf einmal Kamele kommen. [64] Auch Rebekka hatte Isaak entdeckt. Schnell sprang sie vom Kamel herunter und fragte den Knecht: [65] »Wer ist dieser Mann, der uns da entgegenkommt?« »Er ist der Sohn meines Herrn«,[a] antwortete er. Da verhüllte sie ihr Gesicht mit dem Schleier.

[66] Der Knecht erzählte Isaak vom Verlauf der Reise. [67] Isaak brachte Rebekka in das Zelt, in dem seine Mutter gelebt hatte. Er nahm sie zur Frau und gewann sie sehr lieb. So wurde er über den Verlust seiner Mutter getröstet.

Weitere Nachkommen Abrahams

25 Abraham heiratete noch einmal; seine Frau hieß Ketura. [2] Sie bekamen viele Söhne: Simran, Jokschan, Medan, Midian, Jischbak und Schuach. [3] Jokschans zwei Söhne hießen Saba und Dedan. Von Dedan stammen die Aschuriter, die Letuschiter und die Lëummiter ab. [4] Midians Söhne waren Efa, Efer, Henoch, Abida und Eldaa. Sie alle sind die Nachkommen von Abraham und Ketura.

[5] Abraham vermachte Isaak seinen ganzen Besitz; [6] den anderen Söhnen, die er von den Nebenfrauen hatte, gab er Geschenke und schickte sie noch zu seinen Lebzeiten in den Osten, damit sie sich nicht in Isaaks Nähe ansiedelten.

Abrahams Tod

[7] Abraham wurde 175 Jahre alt; [8] dann starb er nach einem erfüllten Leben. [9/10] Seine Söhne Isaak und Ismael begruben ihn in der Höhle von Machpela, östlich von Mamre. Es war das Grundstück, das Abraham von dem Hetiter Efron, dem Sohn Zohars, gekauft hatte. Er wurde neben Sara begraben.

[11] Nach Abrahams Tod segnete Gott Isaak. Ihm galt jetzt, was Gott Abraham versprochen hatte. Isaak wohnte bei dem Brunnen, der den Namen trägt: »Brunnen des Lebendigen, der mich sieht.«

Ismaels Nachkommen

[12] Es folgt der Stammbaum Ismaels, des Sohnes Abrahams und der Ägypterin Hagar. [13] Die Namen der Söhne sind nach

---

[a] Wörtlich: Er ist mein Herr.

24,60 26,4 **24,62** 16,14 **25,9–10** 23,17–20* **25,11** 12,2*.7*; 17,19; 16,14 **25,12–18** 16,10–12; 21,13.18

der Geburtsfolge angegeben: Nebajot, Kedar, Adbeel, Mibsam, [14] Mischma, Duma, Massa, [15] Hadad, Tema, Jetur, Nafisch und Kedma.

[16] Diese zwölf Söhne waren die Begründer von zwölf Stämmen, die nach ihnen benannt wurden. [17] Ismael starb im Alter von 137 Jahren. [18] Seine Nachkommen wohnten in dem Gebiet von Hawila bis Schur, das östlich der ägyptischen Grenze in Richtung Assyrien liegt. Was Gott über Ismael gesagt hatte, traf auch auf sie zu: Niemand konnte sie vertreiben. Sie wohnten in der Nähe ihrer Verwandten.

Esau und Jakob

[19] Hier beginnt die Familiengeschichte Isaaks:

Isaak war Abrahams Sohn. [20] Er war 40 Jahre alt, als er Rebekka heiratete. Sie war die Tochter des Aramäers Betuël, die Schwester Labans, und sie stammte aus Mesopotamien. [21] Rebekka blieb kinderlos. Isaak betete für sie zum Herrn, und der Herr erhörte seine Bitte. Rebekka wurde schwanger. [22] Als sie merkte, dass es Zwillinge waren, die sich im Mutterleib stießen, seufzte sie: »Jetzt bin ich endlich schwanger. Und warum bekämpfen sich nun meine Kinder?« Sie fragte den Herrn, [23] und er antwortete ihr: »Von den zwei Söhnen in deinem Leib werden einmal zwei verfeindete Völker abstammen. Eins wird mächtiger sein als das andere, der Ältere wird dem Jüngeren dienen!«

[24] Und tatsächlich – als die Stunde der Geburt kam, brachte Rebekka Zwillinge zur Welt. [25] Der Erste war am ganzen Körper mit rötlichen Haaren bedeckt, wie ein Tierfell. Darum nannten ihn seine Eltern Esau (»der Behaarte«). [26] Dann kam sein Bruder; er hielt bei der Geburt Esau an der Ferse fest, und so nannten sie ihn Jakob (»Fersenhalter«). Isaak war 60 Jahre alt, als die beiden geboren wurden.

[27] Die Jungen wuchsen heran. Esau wurde ein erfahrener Jäger, der gern im Freien herumstreifte. Jakob dagegen war ein ruhiger Mann, der lieber bei den Zelten blieb. [28] Isaak mochte Esau mehr als Jakob, weil er gern sein gebratenes Wild aß; Jakob war Rebekkas Lieblingssohn.

Esau verkauft sein Vorrecht als ältester Sohn

[29] Eines Tages – Jakob hatte gerade ein Linsengericht gekocht – kam Esau erschöpft von der Jagd nach Hause. [30] »Lass mich schnell etwas von der roten Mahlzeit da essen, ich bin ganz erschöpft!«, rief er. Darum bekam er auch den Beinamen Edom (»Roter«). [31] »Nur wenn du mir dafür dein Vorrecht als ältester Sohn überlässt!«, forderte Jakob. [32] »Was nützt mir mein Vorrecht als ältester Sohn, wenn ich am Verhungern bin!«, rief Esau. [33] Jakob ließ nicht locker. »Schwöre erst!«, sagte er. Esau schwor es ihm und verlor damit das Erbe und den besonderen Segen seines Vaters.

[34] Jakob gab ihm das Brot und die Linsensuppe. Esau schlang es hinunter, trank noch etwas und ging wieder weg. So gleichgültig war ihm sein Vorrecht als ältester Sohn.

Isaak fürchtet um sein Leben

26 Wieder einmal brach eine Hungersnot im Land aus, wie schon damals zur Zeit Abrahams. Darum zog Isaak in die Stadt Gerar, wo der Philisterkönig Abimelech lebte. [2/3] Dort erschien ihm der Herr. »Geh nicht nach Ägypten«, sagte er, »sondern bleib in diesem Land! Ich werde dir immer beistehen und dich reich beschenken. Du bist hier ein Fremder, aber deinen Nachkommen werde ich das ganze Land Kanaan schenken, denn ich halte mein Versprechen, das ich deinem Vater Abraham gegeben habe. [4] Ich mache deine Nachkommen so

25,20 24,2–67 **25,23** Mal 1,2–3; Röm 9,10–13 **25,33** Hebr 12,16 **26,2–3** 12,7*; 28,13* **26,4** 26,24; 24,60; 12,2*; 28,14*; 22,18

zahlreich wie die Sterne am Himmel und überlasse ihnen dieses Land. Alle Völker der Erde werden mich bitten, sie so zu segnen, wie ich dich segnen werde. [5]Das will ich tun, weil Abraham auf mich gehört hat und meinen Geboten und Weisungen gehorsam war.« [6]So blieb Isaak in Gerar.

[7]Als die Männer aus der Stadt Rebekka sahen und sich nach ihr erkundigten, sagte er: »Sie ist meine Schwester.« Er hatte Angst, ihnen die Wahrheit zu sagen, denn er dachte: »Rebekka ist sehr schön. Am Ende töten die Männer mich, nur um sie zu bekommen!«

[8]Als Isaak schon längere Zeit in Gerar lebte, schaute der Philisterkönig Abimelech eines Tages zufällig zum Fenster hinaus und sah, wie Isaak und Rebekka sich küssten und zärtlich miteinander waren. [9]Sofort rief er Isaak zu sich: »Sie ist ja deine Frau!«, fuhr er ihn an. »Wie kannst du nur behaupten, sie sei deine Schwester?« »Ich hatte Angst, ihr würdet mich töten, um sie zu bekommen«, antwortete Isaak. [10]Abimelech brauste auf: »Kein Grund, uns anzulügen! Wie leicht hätte einer meiner Männer mit Rebekka schlafen können, dann hättest du große Schuld auf uns geladen!« [11]Abimelech ließ dem ganzen Volk bekannt geben: »Jeder, der diesem Mann oder seiner Frau etwas zuleide tut, wird zum Tod verurteilt!«

Streit mit den Philistern

[12]In jenem Jahr erntete Isaak das Hundertfache von dem, was er ausgesät hatte, denn der Herr segnete ihn. [13]Sein Besitz wuchs ständig, so dass er bald ein sehr reicher Mann war. [14]Er besaß große Rinderherden, zahlreiche Schafe und Ziegen und viele Knechte. Darum beneideten ihn die Philister. [15]Sie schütteten alle Brunnen, die Abrahams Knechte einmal gegraben hatten, mit Erde zu.

[16]Sogar Abimelech forderte Isaak auf, wegzuziehen. »Siedle dich woanders an, denn du bist uns zu mächtig geworden!«, sagte er.

[17]Also verließ Isaak die Stadt und schlug sein Lager im Tal von Gerar auf. [18]Dort hatten die Philister nach Abrahams Tod alle Brunnen, die er graben ließ, mit Erde zugeschüttet. Isaak ließ die Brunnen wieder ausgraben und gab ihnen dieselben Namen, die sein Vater ihnen damals gegeben hatte.

[19]Während die Knechte Isaaks im Tal gruben, stießen sie auf eine unterirdische Quelle. [20]Sofort waren die Hirten von Gerar zur Stelle und beanspruchten sie für sich. »Das Wasser gehört uns!«, riefen sie. Darum nannte Isaak den Brunnen Esek (»Streit«). [21]Seine Leute gruben an einer anderen Quelle einen Brunnen, und erneut gerieten sie mit den Hirten von Gerar aneinander. Darum nannte Isaak den Brunnen Sitna (»Anfeindung«). [22]Danach zog er weiter und ließ zum dritten Mal einen Brunnen ausheben. Diesmal gab es keinen Streit. »Jetzt können wir uns ungehindert ausbreiten, denn der Herr hat uns genug Raum gegeben«, sagte er. Deshalb nannte er den Brunnen Rechobot (»freier Raum«).

[23]Von dort zog Isaak weiter nach Beerscheba. [24]In der Nacht nach seiner Ankunft erschien ihm der Herr und sprach: »Ich bin der Gott deines Vaters Abraham. Hab keine Angst, denn ich bin bei dir! Ich will dich segnen und dir viele Nachkommen geben, weil ich es meinem Diener Abraham so versprochen habe!«

[25]An dieser Stelle baute Isaak aus Steinen einen Altar und betete den Herrn an. Er schlug dort auch seine Zelte auf, und seine Knechte gruben einen Brunnen.

Ein Bündnis mit dem König

[26]Eines Tages kam König Abimelech von Gerar zu ihm, zusammen mit seinem Berater Ahusat und seinem Heerführer Pichol. [27]»Was wollt ihr?«, fragte Isaak. »Ihr habt mich doch wie einen Feind fort-

26,5 Jak 2,21 **26,7–11** 12,10–20; 20,1–18 **26,24** 12,2*

gejagt!« [28]»Wir haben erkannt, dass der Herr auf deiner Seite steht«, antworteten sie. »Darum wollen wir gerne mit dir in Frieden leben. Lass uns ein Bündnis schließen und es mit einem Schwur bekräftigen. [29]Versprich uns, dass du uns nichts Böses tust, so wie wir dir nichts angetan haben. Wir haben dich immer gut behandelt und dich in Frieden wegziehen lassen. Wir wissen ja, dass du ein Mann bist, dem der Herr sehr viel Gutes tut.«

[30]Da ließ Isaak ein Festessen zubereiten, und sie aßen und tranken zusammen. [31]Früh am nächsten Morgen schworen sie sich gegenseitig: »Wir wollen einander keinen Schaden zufügen.« So trennten sie sich in Frieden.

[32]Am selben Tag kamen Isaaks Knechte und meldeten: »Wir haben Wasser gefunden!« [33]Isaak nannte den Brunnen Schiba (»Schwur«). Darum heißt die Stadt bis heute Beerscheba (»Brunnen des Schwurs«).

Esaus Frauen

[34]Als Esau 40 Jahre alt war, heiratete er zwei Hetiterinnen: Jehudit, die Tochter Beeris, und Basemat, die Tochter Elons. [35]Das bereitete Isaak und Rebekka großen Kummer.

Jakob gebraucht eine List

27 Isaak war alt geworden und konnte nichts mehr sehen. Eines Tages rief er seinen ältesten Sohn Esau zu sich. »Was ist, Vater?«, fragte Esau. [2]»Ich bin alt und weiß nicht, wie lange ich noch lebe«, sagte Isaak. [3]»Deshalb erfülle mir noch einen Wunsch: Nimm deinen Bogen, und jage ein Stück Wild für mich! [4]Du weißt ja, wie ich es gern habe – bereite es mir so zu, und bring es her! Ich möchte davon essen, und bevor ich sterbe, will ich dich segnen.«

[5]Rebekka aber hatte das Gespräch der beiden belauscht. Kaum war Esau zur Jagd hinausgegangen, [6/7]da rief sie Jakob herbei und erzählte ihm, was sie gehört hatte. [8]»Jetzt pass genau auf, was ich dir sage!«, forderte sie ihn auf. [9]»Lauf schnell zur Herde, und such zwei schöne Ziegenböckchen aus! Ich bereite sie dann so zu, wie dein Vater es gern hat. [10]Und du bringst ihm den Braten, damit er davon isst und dir vor seinem Tod den Segen gibt.«

[11]»Hast du denn nicht daran gedacht, dass Esaus Haut behaart ist, aber meine ganz glatt?«, entgegnete Jakob. [12]»Wenn mein Vater mich berührt, merkt er den Unterschied. Der Betrug fliegt auf, und er verflucht mich, anstatt mich zu segnen!« [13]Rebekka aber ließ sich nicht beirren: »Dann soll der Fluch mich treffen!«, erwiderte sie. »Jetzt tu, was ich dir gesagt habe! Hol mir die Ziegenböckchen!«

[14]Jakob brachte sie, und Rebekka bereitete ein schmackhaftes Essen zu, so wie Isaak es gern hatte. [15]Sie nahm die besten Kleider Esaus, die sie im Haus aufbewahrte, und befahl Jakob, sie anzuziehen. [16]Die Felle der Böckchen wickelte sie ihm um die Hände und um den glatten Hals. [17]Dann gab sie ihm den Braten und frisch gebackenes Brot.

[18]Jakob ging damit zu seinem Vater und begrüßte ihn. Isaak fragte: »Wer ist da, Esau oder Jakob?« [19]»Ich bin dein ältester Sohn Esau«, antwortete Jakob. »Ich habe getan, worum du mich gebeten hast. Komm, setz dich auf und iss, damit du mir nachher den Segen geben kannst!« [20]Verwundert fragte Isaak: »Wie konntest du nur so schnell ein Stück Wild erlegen, mein Sohn?« »Der Herr, dein Gott, hat es mir über den Weg laufen lassen!«, erwiderte Jakob.

[21]»Komm näher«, forderte Isaak ihn auf, »ich will mich davon überzeugen, ob du wirklich mein Sohn Esau bist oder nicht!« [22]Jakob ging zu ihm hin, und Isaak betastete ihn. »Die Stimme ist zwar die von Jakob«, sagte er, »aber den Händen nach ist es Esau!« [23]Er erkannte Jakob nicht, weil er behaarte Hände hatte wie Esau. Darum entschloss er sich, ihn

---

26,34–35 24,3–4* **27,3** 25,27–28 **27,11** 25,25

zu segnen, [24]doch vorher fragte er noch einmal nach: »Bist du wirklich mein Sohn Esau?« »Ja, ich bin's!«, log Jakob. [25]»Dann gib mir das Essen, damit ich von dem Wild esse und dir den Segen gebe!«, sagte Isaak. Jakob reichte es ihm, und sein Vater aß; dann gab er ihm Wein, und Isaak trank. [26]»Komm und küss mich, mein Sohn!«, bat Isaak. [27]Jakob ging zu ihm und küsste ihn. Als Isaak den Duft der Kleider roch, sprach er den Segen:

»Mein Sohn, deine Kleider tragen den Geruch der Felder, die der Herr mit Regen getränkt hat!

[28]Gott gebe dir viel Regen und mache dein Land fruchtbar, Getreide und Wein sollst du im Überfluss ernten!

[29]Viele Völker und Volksstämme sollen dir dienen. Herrsche über deine Brüder; in Ehrfurcht müssen sie sich vor dir beugen! Verflucht sei, wer dir Böses tut; wer dir aber wohlgesinnt ist, soll gesegnet werden!«

[30]Isaak hatte gerade diesen Segen ausgesprochen und Jakob war weggegangen, da kam Esau von der Jagd zurück. [31]Auch er bereitete das Essen zu, wie es sein Vater so gerne aß, und brachte es ihm. »Setz dich auf, und iss von meinem Wild, Vater, damit du mir den Segen geben kannst!«, sagte er. [32]»Wer bist denn du?«, fragte Isaak verwundert. »Dein ältester Sohn Esau!«, bekam er zur Antwort.

[33]Da erschrak Isaak heftig und fing an zu zittern. »Aber gerade eben hat mir jemand schon einmal gebratenes Wild zu essen gegeben!«, rief er. »Ich habe alles gegessen und ihn gesegnet, bevor du kamst. Ich kann mein Wort nicht mehr rückgängig machen!«

[34]Als Esau das hörte, schrie er voll Bitterkeit laut auf. »Segne mich, Vater, segne mich!«, flehte er. [35]Aber Isaak entgegnete: »Dein Bruder hat dich betrogen und um den Segen gebracht.« [36]»Ja, nicht umsonst trägt er den Namen Jakob[a]«, sagte Esau. »Jetzt hat er mich schon zum zweiten Mal überlistet! Zuerst hat er sich meine Rechte als ältester Sohn erschlichen, und jetzt bringt er mich auch noch um den Segen, der mir zusteht! Hast du denn keinen Segen mehr für mich übrig?« [37]Isaak antwortete: »Ich habe ihn zum Herrscher über dich gemacht, und alle seine Stammesverwandten müssen ihm dienen. Getreide und Wein habe ich ihm versprochen – was kann ich dir da noch geben, mein Sohn?« [38]Aber Esau ließ nicht locker: »Hast du wirklich nur diesen einen Segen, Vater? Segne doch auch mich!« Er fing laut an zu weinen. [39]Da sagte Isaak:

»Dort wo du wohnst, wird es keine fruchtbaren Felder geben, kein Regen wird dein Land bewässern!

[40]Durch dein Schwert musst du dich ernähren, und deinem Bruder wirst du dienen. Doch eines Tages wirst du sein Joch abschütteln!«

Jakob muss fliehen

[41]Esau hasste Jakob, weil dieser ihn betrogen hatte. Er nahm sich vor: »Wenn mein Vater gestorben ist und die Trauertage vorbei sind, dann werde ich Jakob umbringen!«

[42]Aber Rebekka erfuhr von seinem Plan und ließ Jakob zu sich rufen. »Dein Bruder will sich an dir rächen und dich umbringen!«, flüsterte sie ihm zu. [43]»Darum befolge meinen Rat: Flieh zu meinem Bruder nach Haran, [44]und bleib so lange dort, bis sich Esaus Zorn wieder gelegt hat. [45]Wenn er nicht mehr daran denkt, was du ihm angetan hast, schicke ich dir diese Nachricht: ›Du kannst zurückkommen.‹ Schließlich will ich nicht beide Söhne an einem Tag verlieren!«

[46]Dann ging sie zu Isaak. »Ich habe keine Freude mehr am Leben, weil Esau

---

[a] Jakob bedeutet »der Fersenhalter« (Kapitel 25,26), dann aber auch sinnbildlich »der Hinterlistige«, weil man beim Ringen den Gegner zu Fall bringen wollte, indem man seine Ferse packte.

27,29 25,23; Mal 1,2–3; Röm 9,10–13 **27,35** Hebr 11,20 **27,38** Hebr 12,17 **27,46** 24,3–4*

diese Hetiterinnen geheiratet hat!«, klagte sie. »Wenn ich auch noch mit ansehen muss, dass Jakob eine solche Frau heiratet, möchte ich lieber sterben!«

28 Da ließ Isaak seinen Sohn Jakob zu sich kommen. Er segnete ihn und schärfte ihm ein: »Heirate niemals eine Einheimische, nimm dir keine Kanaaniterin zur Frau! [2]Es ist besser, du gehst nach Mesopotamien zur Familie deines Großvaters Betuël und heiratest eine Tochter deines Onkels Laban! [3]Gott, der alle Macht besitzt, wird dich reich beschenken und dir so viele Nachkommen geben, dass von dir viele Völker abstammen werden. [4]Gott segnete Abraham; dieser Segen ging auf mich über, und jetzt gilt er dir und deinen Nachkommen: Ihr werdet das Land in Besitz nehmen, in dem du jetzt noch ein Fremder bist. Das hat Gott deinem Großvater Abraham versprochen!«

[5]Mit diesen Worten verabschiedete Isaak seinen Sohn. So ging Jakob nach Mesopotamien zu Laban, dem Bruder seiner Mutter, der ein Sohn des Aramäers Betuël war.

[6/7]Esau hörte davon; die Leute sagten ihm: »Dein Vater hat Jakob gesegnet und nach Mesopotamien geschickt, um dort eine Frau zu suchen. Jakob soll keine Kanaaniterin heiraten. Er hat auf seine Eltern gehört und ist zu seinem Onkel nach Mesopotamien gegangen.« [8]Da begriff Esau, dass sein Vater die Kanaaniterinnen als Ehefrauen ablehnte. [9]Darum ging er zu seinem Onkel Ismael und nahm sich zu seinen beiden Frauen noch eine dritte dazu. Sie hieß Mahalat und war die Tochter Ismaels, des Sohnes Abrahams, und die Schwester Nebajots.

Gott begegnet Jakob

[10]Jakob verließ Beerscheba und machte sich auf den Weg nach Haran. [11]Als die Sonne unterging, blieb er an dem Ort, wo er gerade war, um zu übernachten. Unter seinen Kopf legte er einen der Steine, die dort herumlagen.

[12]Während er schlief, hatte er einen Traum: Er sah eine Treppe, die auf der Erde stand und bis zum Himmel reichte. Engel Gottes stiegen hinauf und herab. [13]Oben auf der Treppe stand der Herr und sagte zu ihm: »Ich bin der Herr, der Gott Abrahams und Isaaks. Das Land, auf dem du liegst, werde ich dir und deinen Nachkommen geben! [14]Sie werden unzählbar sein wie der Staub auf der Erde, sich in diesem Land ausbreiten und alle Gebiete bevölkern. Und durch dich soll allen Völkern der Erde Gutes zuteil werden. [15]Ich stehe dir bei; ich behüte dich, wo du auch hingehst, und bringe dich heil wieder in dieses Land zurück. Niemals lasse ich dich im Stich; ich stehe zu meinem Versprechen, das ich dir gegeben habe.«

[16/17]Jakob erwachte. Entsetzt blickte er um sich. »Tatsächlich – der Herr wohnt hier, und ich habe es nicht gewusst!«, rief er. »Wie furchterregend ist dieser Ort! Hier ist die Wohnstätte Gottes und das Tor zum Himmel!«

[18]Am nächsten Morgen stand er früh auf. Er nahm den Stein, auf den er seinen Kopf gelegt hatte, stellte ihn als Gedenkstein auf und goss Öl darüber, um ihn Gott zu weihen. [19]Er nannte den Ort Bethel (»Haus Gottes«). Früher hieß er Lus. [20]Dann legte Jakob ein Gelübde ab: »Wenn der Herr mir beisteht und mich auf dieser Reise beschützt, wenn er mir genug Nahrung und Kleidung gibt [21]und mich wieder heil zu meiner Familie zurückbringt, dann soll er mein Gott sein! [22]An der Stelle, wo ich den Stein aufgestellt habe, soll der Herr verehrt und angebetet werden. Von allem, was er mir schenkt, will ich ihm den zehnten Teil zurückgeben!«

28,1–2 24,3–4* **28,3** 28,14*; 12,2*; 26,4 **28,4** 12,7* **28,5** 24,10; 27,43 **28,6–9** 24,3–4* **28,12** Joh 1,51 **28,13** 35,12; 12,7*; 26,2–3 **28,14** 28,3; 35,11; 46,3; 47,27; 12,2*; 26,4 **28,18–22** 31,13; 35,1.14–15 **28,20** 31,3 **28,22** 14,20; 3 Mo 27,30–33*

Jakob in Haran

29 Danach brach Jakob auf und ging weiter nach Osten zu dem Gebiet, aus dem seine Mutter stammte. [2/3] Eines Tages erreichte er einen Brunnen mitten in der Steppe. Die Hirten dieser Gegend tränkten daraus ihre Schafe und Ziegen. Schon drei Herden lagerten bei dem Brunnen, aber der große Stein auf dem Brunnenloch war noch nicht weggeschoben worden. Es war üblich, dass man so lange wartete, bis alle Hirten mit ihrem Vieh da waren; dann erst wälzten die Hirten gemeinsam den Stein vom Loch, tränkten das Vieh und verschlossen die Brunnenöffnung wieder mit dem Stein.

[4] »Woher kommt ihr?«, fragte Jakob die Hirten. »Von Haran«, war die Antwort. [5] »Kennt ihr dann vielleicht Laban, den Sohn Nahors?« »Sicher, den kennen wir«, erwiderten sie. [6] »Geht es ihm gut?«, wollte Jakob wissen. »Es geht ihm gut. Da vorne kommt gerade seine Tochter Rahel mit ihrer Herde!« [7] »Weshalb wartet ihr eigentlich hier?«, fragte Jakob weiter. »Es ist doch noch viel zu früh, um die Schafe und Ziegen zusammenzutreiben! Tränkt sie, und lasst sie wieder auf die Weide!« [8] »Nein, das geht nicht«, entgegneten sie. »Wir warten so lange, bis alle Hirten mit ihren Herden eingetroffen sind. Dann wälzen wir den Stein gemeinsam vom Brunnenloch und tränken unsere Tiere.«

[9] Inzwischen war Rahel mit den Schafen und Ziegen ihres Vaters herangekommen, denn auch sie war eine Hirtin. [10] »Das ist also die Tochter meines Onkels, und das ist sein Vieh«, dachte Jakob. Er ging zum Brunnen, wälzte den Stein vom Loch und tränkte Labans Herde. [11] Dann küsste er Rahel und weinte laut vor Freude. [12] »Ich bin mit deinem Vater verwandt«, erklärte er ihr, »deine Tante Rebekka ist meine Mutter!« Als sie das hörte, lief sie zu ihrem Vater und erzählte es ihm.

[13] Da eilte Laban Jakob entgegen. Er umarmte und küsste ihn und nahm ihn mit in sein Haus. Dort erzählte Jakob seinem Onkel, weshalb er von zu Hause weggegangen war und was er unterwegs erlebt hatte. [14] »Es ist wahr – du bist mein Blutsverwandter!«, sagte Laban.

Jakob muss sich seine Frauen verdienen

Jakob blieb bei seinem Onkel und half mit bei der Arbeit. Nach einem Monat [15] sagte Laban zu ihm: »Du bist mein Verwandter, aber deshalb sollst du nicht umsonst für mich arbeiten! Sag mir, welchen Lohn willst du haben?« [16] Laban hatte zwei Töchter; die ältere hieß Lea und ihre jüngere Schwester Rahel. [17] Lea hatte glanzlose Augen, Rahel aber war eine sehr schöne Frau. [18] Jakob liebte sie. Darum antwortete er: »Ich will sieben Jahre für dich arbeiten, wenn du mir Rahel gibst!« [19] »Einverstanden«, sagte Laban, »ich gebe sie lieber dir als einem fremden Mann. Bleib solange bei mir!«

[20] Die sieben Jahre vergingen für Jakob wie im Flug. Dass er so lange für Rahel arbeiten musste, störte ihn nicht, weil er sie sehr liebte. [21] Danach ging er zu Laban: »Die Zeit ist um! Gib mir Rahel, für die ich gearbeitet habe!« [22] Laban lud alle Leute des Ortes zu einer großen Hochzeitsfeier ein. [23] Am Abend, als es dunkel war, brachte er aber nicht Rahel, sondern Lea zu Jakob, und er schlief mit ihr. [24] Laban gab ihr seine Magd Silpa zur Dienerin.

[25] Am nächsten Morgen entdeckte Jakob entsetzt, dass Lea neben ihm lag. Sofort stellte er Laban zur Rede: »Was hast du mir da angetan? Warum hast du mich betrogen? Ich habe doch für dich gearbeitet, um Rahel zu bekommen!« [26] »Es ist bei uns nicht Sitte, die jüngere Tochter vor der älteren zu verheiraten«, entgegnete Laban. [27] »Verbring mit Lea die Hochzeitswoche, dann bekommst du Rahel noch dazu – allerdings musst du weitere sieben Jahre für mich arbeiten!«

29,1 24,10

[28] Jakob willigte ein. Eine Woche später bekam er auch Rahel zur Frau. [29] Ihr wurde die Magd Bilha als Dienerin mitgegeben. [30] Jakob schlief auch mit Rahel, und er liebte sie mehr als Lea. Er blieb noch einmal sieben Jahre bei Laban.

Jakobs Kinder

[31] Als der Herr sah, dass Lea nicht geliebt wurde, schenkte er ihr Kinder, während Rahel kinderlos blieb.

[32] Lea nannte ihren ersten Sohn Ruben (»Seht, ein Sohn«), denn sie sagte sich: »Der Herr hat mein Elend gesehen; jetzt wird mein Mann mich lieben, weil ich ihm einen Sohn geboren habe.«

[33] Danach brachte Lea den zweiten Sohn zur Welt. »Der Herr hat gehört, dass ich nicht geliebt werde. Darum hat er mir noch einen Sohn geschenkt!«, rief sie und gab ihm den Namen Simeon (»Der Herr hat gehört«).

[34] Sie wurde wieder schwanger und brachte erneut einen Sohn zur Welt. »Jetzt wird sich Jakob mir endlich zuwenden, weil ich ihm drei Söhne geboren habe!«, sagte sie. Deshalb nannte sie ihn Levi (»Zuwendung«).

[35] Schließlich wurde ihr vierter Sohn geboren. »Ich will den Herrn preisen!«, sagte sie und nannte ihn Juda (»Lobpreis«). Danach bekam sie keine Kinder mehr.

30 Weil Rahel keine Kinder bekam, wurde sie eifersüchtig auf ihre Schwester. Sie bestürmte Jakob mit Vorwürfen: »Verschaff mir endlich Kinder, sonst will ich nicht länger leben!« [2] Jakob wurde wütend und rief: »Bin ich denn Gott? Er hat dir Kinder versagt und dich unfruchtbar gemacht, nicht ich!« [3] »Dann gebe ich dir eben meine Magd Bilha«, entgegnete Rahel. »Geh zu ihr, und mach sie schwanger! Wenn es so weit ist, soll sie das Kind auf meinem Schoß gebären, dann ist es wie mein eigenes.«[a]

[4] Jakob war einverstanden, und Rahel gab ihm Bilha zur Nebenfrau. Er schlief mit ihr, [5] sie wurde schwanger und brachte einen Sohn zur Welt. [6] Da sagte Rahel: »Gott hat mir Recht gegeben! Er hat auf meine Bitte gehört und mir einen Sohn geschenkt!« Darum nannte sie ihn Dan (»Einer, der zum Recht verhilft«).

[7] Bilha wurde erneut schwanger und bekam einen zweiten Sohn. [8] »Ich habe mit meiner Schwester einen Kampf ausgefochten, bei dem Gott mir geholfen hat – und ich habe gewonnen!«, sagte Rahel und gab ihm den Namen Naftali (»mein Erkämpfter«).

[9] Als Lea merkte, dass sie keine Kinder mehr bekam, gab sie ihre Magd Silpa Jakob zur Nebenfrau. [10] Silpa wurde schwanger und brachte einen Sohn zur Welt. [11] »Mein Glück kehrt zurück!«, freute sich Lea und nannte ihn Gad (»Glück«).

[12] Als Silpa Jakob einen zweiten Sohn gebar, sagte Lea: [13] »Ich Glückliche! Alle Frauen werden mich beglückwünschen!« Darum nannte sie ihn Asser (»glücklich«).

[14] Zur Zeit der Weizenernte fand Ruben auf einem Feld Alraunfrüchte, auch Liebesäpfel[b] genannt; er nahm sie mit nach Hause und gab sie seiner Mutter Lea. Rahel sah das und bat Lea: »Gib mir ein paar davon ab!« [15] Aber Lea fuhr sie an: »Reicht es dir nicht, dass du mir meinen Mann weggenommen hast? Musst du mir auch noch die Liebesäpfel wegnehmen, die mein Sohn gefunden hat?« »Ich mache dir einen Vorschlag«, entgegnete Rahel, »du gibst mir die Liebesäpfel, und dafür schläft Jakob diese Nacht bei dir.«

[16] Am Abend, als Jakob vom Feld nach Hause kam, ging Lea ihm entgegen. »Du schläfst heute Nacht bei mir«, sagte sie,

---

[a] Eine damalige Sitte: Wenn eine Magd auf den Knien ihrer Herrin ein Kind zur Welt brachte, galt es als das Kind der Herrin.

[b] Die Früchte wurden auch »Liebesäpfel« genannt, weil sie als Mittel zur Förderung der Fruchtbarkeit angesehen wurden.

30,3 16,1–2

»ich habe mir dieses Vorrecht von Rahel erkauft. Sie hat dafür die Liebesäpfel bekommen, die Ruben gefunden hat.«

Jakob verbrachte die Nacht mit ihr, [17] und Gott erhörte Leas Gebete; sie wurde schwanger und bekam ihren fünften Sohn. [18] Da sagte sie: »Gott hat mich dafür belohnt, dass ich meinem Mann die Magd gegeben habe!« Darum nannte sie ihn Issaschar (»Belohnung«).

[19] Als Lea erneut schwanger wurde und ihren sechsten Sohn bekam, [20] rief sie: »Gott hat mich reich beschenkt! Jetzt wird mich mein Mann anerkennen und bei mir wohnen, weil ich ihm sechs Söhne geboren habe!« Sie gab ihm den Namen Sebulon (»Wohnung«).

[21] Danach brachte sie eine Tochter zur Welt, die nannte sie Dina.

[22] Gott dachte nun auch an Rahel und erhörte ihre Gebete. [23] Sie wurde schwanger und bekam einen Sohn. »Endlich hat Gott die Schande von mir genommen! [24] Hoffentlich gibt der Herr mir noch einen Sohn dazu!«, sagte sie und nannte ihn Josef (»hinzufügen«).

Jakobs Handel mit Laban

[25] Nach der Geburt Josefs ging Jakob zu seinem Onkel Laban. »Lass mich in meine Heimat zurückkehren!«, bat er. [26] »Überlass mir meine Frauen und meine Kinder; um sie zu bekommen, habe ich hart für dich gearbeitet. Du weißt ja selbst, was ich geleistet habe – jetzt lass mich bitte gehen!«

[27] Aber Laban erwiderte: »Tu mir doch den Gefallen und bleib hier! Vor einiger Zeit sagte mir jemand die Zukunft voraus. Durch ihn weiß ich, dass der Herr mir nur deshalb so viel Besitz geschenkt hat, weil du bei mir bist. [28] Bleib und bestimm den Lohn – ich gebe dir alles, was du verlangst!«

[29] Aber Jakob entgegnete: »Du weißt genau, wie viel ich für dich getan habe und wie deine Herden in dieser Zeit gewachsen sind. [30] Als ich kam, hattest du nur eine kleine Herde, aber inzwischen sind deine Viehbestände sehr gewachsen. Der Herr wollte, dass mir alles gelang, was ich für dich unternahm; er hat dich reich gemacht. Aber was habe ich davon? Ich muss jetzt endlich einmal für meine eigene Familie sorgen!«

[31] »Nenn mir deinen Lohn!«, wiederholte Laban. »Ich will keinen Lohn«, sagte Jakob und schlug vor: »Ich werde mich sogar wieder um dein Vieh kümmern, wenn du mir diese eine Bedingung erfüllst: [32] Ich gehe heute durch deine Herden und sondere für mich alle schwarz gefleckten, schwarz gesprenkelten und schwarzen Schafe aus sowie alle weiß gefleckten und weiß gesprenkelten Ziegen. [33] Und alle Tiere mit diesen Farben, die in Zukunft geworfen werden, sollen ebenfalls mir gehören. An der Farbe meiner Tiere kannst du dann jederzeit prüfen, ob ich dir gegenüber ehrlich bin oder ob ich dich betrüge.« [34] »Abgemacht«, sagte Laban, »ich bin mit deinem Vorschlag einverstanden.«

[35] Am selben Tag noch sonderte Laban alle Ziegen aus, an denen etwas Weißes war, und alle Schafe, an denen etwas Schwarzes war, und schickte seine Söhne mit ihnen fort. [36] Sie sollten so weit wegziehen, dass sie von Jakob drei Tagesreisen entfernt waren. Dann gab er seine Herde Jakob zur Aufsicht.

[37] Jakob holte sich frische Zweige von Weißpappeln, Mandelbäumen und Platanen und schälte einige Streifen von ihrer Rinde ab. [38] Die weiß gestreiften Stäbe stellte er in die Tränkrinnen, so dass die Tiere sie vor sich sahen, wenn sie zum Trinken kamen. Dies war nämlich der Ort, an dem sie sich paarten; [39] dabei hatten sie die Stäbe vor Augen.[a] In der folgenden Zeit wurden gestreifte, gefleckte und gesprenkelte Junge geworfen. [40] Jakob sonderte sie aus und ließ sie im

---

[a] Hier lag die Ansicht zugrunde, dass sichtbare Eindrücke im Augenblick der Empfängnis bei Tieren großen Einfluss auf das Aussehen der Jungen hätten.

30,23 16,4; 1 Sam 1,6; Jes 4,1 **30,26** 29,20.30

Blickfeld der übrigen Herde weiden. Wenn nun die Tiere der Herde brünstig wurden und sich paarten, hatten sie Jakobs Herde vor Augen. Deshalb warfen auch sie gestreifte, gefleckte und gesprenkelte Jungtiere. Daraus bildete er seine eigene Herde. [41] Die gestreiften Stäbe legte er aber nur dann in die Tränkrinnen, wenn die kräftigen Tiere sich paarten. [42] Bei den schwachen ließ er es sein. Dadurch bekam Laban die schwachen und Jakob die kräftigen Jungtiere.

[43] So wurde Jakobs Viehbestand stark vergrößert, außerdem besaß er Kamele und Esel sowie Sklaven und Sklavinnen.

Die Flucht

31 Eines Tages erfuhr Jakob, dass Labans Söhne über ihn schimpften: »Der Kerl ist ein Dieb! Alles hat er sich vom Vater unter den Nagel gerissen. Auf unsere Kosten ist er reich geworden!« [2] An Labans finsterer Miene bemerkte Jakob, dass auch sein Onkel nicht mehr so auf seiner Seite stand wie früher. [3] Da sprach der Herr zu Jakob: »Geh wieder zurück in das Land deiner Väter und zu deinen Verwandten! Ich bin mit dir, ich werde dich beschützen!«

[4] Daraufhin ließ Jakob Rahel und Lea zu sich auf die Weide holen. [5] Er sagte zu ihnen: »Ich merke es eurem Vater an, er ist nicht mehr so freundlich zu mir wie früher. Aber der Gott meiner Väter hält zu mir! [6] Ihr wisst, wie ich für euren Vater gearbeitet habe; meine ganze Kraft habe ich für ihn eingesetzt. [7] Trotzdem hat er mich betrogen und mir immer wieder einen anderen Lohn gegeben, als wir vereinbart hatten. Aber Gott hat nicht zugelassen, dass er mir Schaden zufügen konnte. [8] Wenn Laban zu mir sagte: ›Die Gesprenkelten sind dein Lohn‹, dann warf die ganze Herde gesprenkelte Tiere. Und wenn er dann sagte: ›Du bekommst doch lieber die Gestreiften‹ – dann gab es nur Gestreifte! [9] Dadurch hat Gott eurem Vater die Tiere genommen und sie mir gegeben. [10] Zu der Zeit, als die Tiere brünstig waren, hatte ich einen Traum. Ich sah, dass nur gestreifte, gesprenkelte und gescheckte Böcke die Tiere besprangen. [11] Ich hörte auch eine Stimme. Der Engel Gottes rief meinen Namen, und als ich ihm antwortete, [12] sagte er: ›Sieh zur Herde! Alle Böcke, die die Tiere bespringen, sind gestreift, gesprenkelt oder gescheckt. Das habe ich für dich bewirkt, denn ich habe gesehen, wie Laban dich betrügen wollte. [13] Ich bin der Gott, der dir in Bethel erschienen ist; du hast dort den Gedenkstein mit Öl begossen und mir ein Gelübde abgelegt. Verlass jetzt dieses Land, und kehr in deine Heimat zurück!‹«

[14] Rahel und Lea erwiderten: »Wir bekommen ja doch kein Erbe mehr von unserem Vater! [15] Er hat das Familienrecht verletzt und uns wie Fremde behandelt! Denn alles Geld, das er damals für uns bekam, hat er für sich allein verbraucht; er hat uns also verkauft! [16] Der ganze Reichtum, den Gott unserem Vater weggenommen hat, gehört rechtmäßig uns und unseren Kindern! Wir halten zu dir! Tu alles, was Gott dir gesagt hat!«

[17] Da setzte Jakob seine beiden Frauen und seine Kinder auf die Kamele [18] und zog Richtung Kanaan, in das Land seines Vaters Isaak. Er nahm mit, was er sich in Mesopotamien erarbeitet hatte: seinen ganzen Besitz und alle seine Viehherden. [19] Kurz bevor sie aufbrachen, nutzte Rahel die Gelegenheit und stahl die kleinen Götterfiguren ihres Vaters. Laban war nicht zu Hause, er war mit der Schafschur beschäftigt.

[20] Ohne Laban zu benachrichtigen, [21] floh Jakob mit seinem ganzen Besitz. Er überquerte den Euphrat und zog in Richtung Gilead.

[22] Erst nach drei Tagen erfuhr Laban von der Flucht; [23] sofort rief er alle Männer aus der Verwandtschaft zusammen und jagte Jakob hinterher. Sieben Tage dauerte die Verfolgungsjagd, dann stellte er Jakob im Gebirge Gilead. [24] In der

---

31,3 28,20 **31,13** 28,19–22; 35,1.14–15 **31,19** 35,2

Nacht davor aber hatte Laban einen Traum: Er sah, wie Gott zu ihm kam und ihn warnte: »Hüte dich davor, Jakob zu bedrohen!«

[25] Laban holte Jakob ein, als dieser seine Zelte im Gebirge Gilead aufgeschlagen hatte. Laban und seine Verwandten schlugen dort ebenfalls ihre Zelte auf. [26] Dann stellte er Jakob zur Rede: »Warum hast du mich hinters Licht geführt und meine Töchter wie Kriegsgefangene fortgeschleppt? [27] Warum hast du dich heimlich davongeschlichen? Du hättest doch ruhig etwas sagen können, dann wären wir fröhlich auseinander gegangen. Mit Gesang und mit Musik hätten wir euch verabschiedet und wären noch ein Stück Weg mitgegangen. [28] Aber du hast mir nicht einmal erlaubt, meine Töchter und Enkel zum Abschied zu küssen. Das war dumm von dir! [29] Ich könnte es euch heimzahlen, aber der Gott eures Vaters hat letzte Nacht zu mir gesagt: ›Hüte dich davor, Jakob zu bedrohen!‹ [30] Na schön, du bist losgezogen, weil das Heimweh dich nach Hause treibt. Aber warum hast du meine Götterfiguren gestohlen?«

[31] »Ich habe dich heimlich verlassen, weil ich Angst hatte, du würdest deine Töchter nicht mit mir gehen lassen«, antwortete Jakob. [32] »Und was deine Götterfiguren betrifft: Bei wem du sie findest, der soll sterben! Durchsuch alles, und nimm, was dir gehört – die Männer hier sind Zeugen!« Jakob wusste nämlich nicht, dass Rahel die Götterfiguren gestohlen hatte.

[33] Laban durchsuchte zuerst das Zelt Jakobs, danach Leas Zelt und das der beiden Mägde. [34/35] In der Zwischenzeit hatte Rahel die Götterfiguren unter ihren Kamelsattel gestopft und sich darauf gesetzt. Als ihr Vater in das Zelt kam, sagte sie zu ihm: »Sei mir nicht böse, Vater, es ist kein Mangel an Respekt, dass ich vor dir nicht aufstehe; ich habe gerade meine Tage.« Laban durchsuchte alles, fand aber nichts.

[36] Da packte Jakob der Zorn, und er überhäufte Laban mit Vorwürfen: »Was habe ich dir getan, dass du mir nachhetzt wie einem Verbrecher? [37] Du hast meinen ganzen Besitz durchwühlt. Und? – Hast du irgendetwas gefunden, was dir gehört? Dann leg es hier in die Mitte, damit es alle Männer sehen und beurteilen können, wer von uns beiden im Recht ist! [38] Zwanzig Jahre bin ich bei dir gewesen, und in dieser Zeit habe ich so gut für deine Herden gesorgt, dass weder deine Schafe noch deine Ziegen Fehlgeburten hatten. Ich habe nie ein Tier aus deiner Herde gestohlen und für mich geschlachtet. [39] Wenn ein Schaf von einem Raubtier gerissen wurde, dann hast du keine Entschuldigung gelten lassen; ich musste für den Schaden aufkommen – es war dir ganz egal, ob das Tier bei Tag oder bei Nacht geraubt worden war! [40] Ich bekam die ganze Härte des Hirtenlebens zu spüren: am Tag die Hitze und in der Nacht die Kälte, und oft konnte ich nicht schlafen. [41] Insgesamt bin ich zwanzig Jahre bei dir gewesen; davon habe ich vierzehn Jahre für deine beiden Töchter gearbeitet und dann noch einmal sechs Jahre, um die Herde zu bekommen. Doch du hast mir immer wieder einen anderen Lohn gegeben, als wir vereinbart hatten. [42] Du hättest mir sogar jetzt alles weggenommen und mich mit leeren Händen davongejagt, wenn mir nicht der Gott meines Großvaters Abraham geholfen hätte, dem auch mein Vater Isaak mit Ehrfurcht gedient hat. Gott hat mit angesehen, wie ich mich für dich abgearbeitet habe und wie schlecht du mich behandelt hast. Darum hat er mir letzte Nacht zu meinem Recht verholfen!«

Jakob und Laban einigen sich

[43] Laban entgegnete: »Die Frauen sind meine Töchter und ihre Kinder meine Kinder, die Herde ist meine Herde, und alles, was du hier siehst, gehört mir! Aber jetzt kann ich doch nichts mehr für meine Töchter und Enkelkinder tun! [44] Komm,

31,41 29,20.30; 30,31-34

wir schließen ein Abkommen miteinander und stellen ein Zeichen auf, das uns beide daran erinnert!«

[45] Jakob wälzte einen großen Stein heran und richtete ihn als Gedenkstein auf. [46] Er befahl seinen Dienern, Steine zu sammeln und sie zu einem Hügel aufzuschütten. Auf dem Steinhügel versammelten sie sich und aßen gemeinsam. [47] Laban nannte den Ort Jegar-Sahaduta, und Jakob nannte ihn Gal-Ed.[a] [48] »Dieser Hügel ist jetzt Zeuge für unser Abkommen«, sagte Laban. Deswegen nannte auch er ihn Gal-Ed. [49] Man gab dem Gedenkstein noch einen anderen Namen: Mizpa (»Wachturm«), denn Laban sagte zu Jakob: »Der Herr soll darüber wachen, dass wir unsere Abmachung einhalten, wenn wir uns getrennt haben. [50] Niemals darfst du meine Töchter schlecht behandeln oder dir noch andere Frauen dazunehmen! Ich werde es zwar nicht erfahren, aber Gott ist unser Zeuge!«

[51/52] Laban fuhr fort: »Dieser Hügel und dieser Gedenkstein, die ich errichtet habe, sind Zeugen für unsere gegenseitige Übereinkunft: Keiner von uns darf diese Grenze je in feindlicher Absicht überschreiten! [53] Der Gott Abrahams und der Gott Nahors – der Gott ihres gemeinsamen Vaters – soll jeden bestrafen, der sich nicht daran hält!«

Jakob schwor bei dem Gott, dem sein Vater Isaak mit Ehrfurcht diente, sich an dieses Abkommen zu halten. [54] Danach schlachtete er ein Opfertier und lud seine Verwandten zum Opfermahl ein. Dort im Bergland blieben sie auch über Nacht.

Jakob bereitet sich auf die Begegnung mit Esau vor

32 Früh am nächsten Morgen küsste Laban seine Töchter und seine Enkel zum Abschied und segnete sie. Dann kehrte er wieder nach Hause zurück.

[2] Auch Jakob setzte seine Reise fort. Unterwegs begegnete ihm eine Schar von Engeln. [3] »Das ist ein Heer Gottes!«, rief er erstaunt. Darum nannte er den Ort Mahanajim (»Doppelheer«)[b].

[4] Jakob schickte Boten zu seinem Bruder Esau, der sich gerade in Edom im Land Seïr aufhielt. [5] Sie sollten Esau diese Nachricht überbringen: »Ich, Jakob, dein Diener, bin bis jetzt bei Laban gewesen. [6] Dort habe ich mir viele Rinder, Esel, Schafe und Ziegen sowie Sklaven und Sklavinnen erworben. Jetzt sende ich dir, meinem Herrn, diese Nachricht und hoffe, dass du uns großzügig aufnimmst!«

[7] Die Boten kamen zurück und meldeten: »Esau ist schon auf dem Weg zu dir! Vierhundert Mann begleiten ihn!«

[8] Jakob wurde von Angst gepackt. Schnell teilte er seine Leute und das Vieh in zwei Gruppen ein, [9] weil er sich dachte: »Wenn Esau eine Gruppe angreift und alles niedermacht, können wenigstens die anderen entkommen!« [10] Dann betete er: »Du Gott meines Großvaters Abraham und meines Vaters Isaak, du hast zu mir gesagt: ›Kehr zurück in deine Heimat zu deinen Verwandten, ich werde dafür sorgen, dass es dir gut geht!‹ [11] Ich habe es nicht verdient, dass du so viel für mich getan und immer wieder deine Versprechen eingehalten hast! Als ich damals den Jordan hier überquerte, besaß ich nur einen Wanderstock – und nun komme ich mit zwei großen Herden an! [12] Bitte rette mich vor meinem Bruder Esau! Ich habe große Angst, dass er uns alle umbringt, die Frauen und auch die Kinder! [13] Du hast mir doch versprochen: ›Ich will dafür sorgen, dass es dir gut geht, und dir viele Nachkommen schenken, unzählbar wie der Sand am Meer!‹«

---

[a] »Jegar-Sahaduta« ist aramäisch, »Gal-Ed« hebräisch; beides bedeutet: »Hügel, der als Zeuge dient.«

[b] »Doppelheer« wahrscheinlich, weil das Heer Gottes zu Jakobs Heer dazukam, um ihn zu schützen.

31,48 Jos 24,27 **32,5** 31,38 **32,10** 31,3.13 **32,13** 28,14*

[14]Über Nacht blieb Jakob noch im Lager. Er bereitete ein Geschenk für Esau vor, um es vorauszuschicken: [15]200 Ziegen, 20 Ziegenböcke, 200 Schafe, 20 Schafböcke, [16]30 säugende Kamele mit ihren Jungen, 40 Kühe, 10 Stiere, 20 Eselinnen und 10 Esel. [17]Er stellte sie in Herden zusammen und übergab jedem seiner Knechte eine. Sie sollten vorausziehen und zwischen den einzelnen Herden Abstand lassen.

[18]Dem, der die erste anführte, befahl er: »Wenn du Esau begegnest und er dich fragt: ›Wer ist dein Herr? Wohin willst du? Wem gehört das Vieh, das du vor dir hertreibst?‹, [19]dann antworte: ›Es gehört deinem Diener Jakob. Er hat es als Geschenk vorausgeschickt für dich, Esau, seinen Herrn; er selbst kommt auch schon hinter uns her!‹«

[20]Dasselbe sagte Jakob zu allen übrigen, die eine Herde anführten. Er schärfte ihnen ein: »Haltet euch an das, was ihr Esau antworten sollt. [21]Sagt ihm: ›Dein Knecht Jakob kommt auch gleich!‹« Jakob dachte nämlich: »Ich will ihn milde stimmen mit dem Geschenk, das ich vorausschicke, erst dann will ich ihn selbst sehen. Vielleicht nimmt er mich freundlich auf!« [22]Er schickte also die Viehherden schon voraus, blieb aber selbst über Nacht im Lager.

Jakob muss kämpfen

[23]Mitten in der Nacht stand Jakob auf und überquerte den Jabbokfluss an einer seichten Stelle, zusammen mit seinen beiden Frauen, den beiden Mägden und den elf Kindern. [24]Auch seinen Besitz brachte er auf die andere Seite. [25]Nur er blieb noch allein zurück.

Plötzlich stellte sich ihm ein Mann entgegen und kämpfte mit ihm bis zum Morgengrauen. [26]Als der Mann merkte, dass er Jakob nicht besiegen konnte, gab er ihm einen so harten Schlag auf das Hüftgelenk, dass es ausgerenkt wurde. [27]Dann bat er: »Lass mich los, der Morgen dämmert schon!«

Aber Jakob erwiderte: »Ich lasse dich nicht eher los, bis du mich gesegnet hast!« [28]»Wie heißt du?«, fragte der Mann. Als Jakob seinen Namen nannte, [29]sagte der Mann: »Von jetzt an sollst du nicht mehr Jakob heißen. Du hast schon mit Gott und mit Menschen gekämpft und immer gesiegt. Darum heißt du von jetzt an Israel[a].«

[30]»Wie ist denn dein Name?«, fragte Jakob zurück. »Warum fragst du?«, entgegnete der Mann nur, dann segnete er ihn.

[31]»Ich habe Gott gesehen, und trotzdem lebe ich noch!«, rief Jakob. Darum nannte er den Ort Pnuël (»Gesicht Gottes«). [32]Die Sonne ging gerade auf, als Jakob weiterzog. Er hinkte, weil seine Hüfte ausgerenkt war.

[33]Bis heute essen die Israeliten bei geschlachteten Tieren nicht den Muskel über dem Hüftgelenk, weil Jakob auf diese Stelle geschlagen wurde.

Die Versöhnung

33 Kaum war Jakob weitergezogen, da sah er auch schon Esau, wie er mit vierhundert Mann anrückte. Sofort stellte er seine Kinder zu ihren Müttern. [2]Die beiden Mägde mit ihren Kindern mussten vorangehen, dahinter kam Lea mit ihren und ganz zum Schluss Rahel mit Josef. [3]Er selbst lief an die Spitze des Zuges und verbeugte sich siebenmal, bis sie seinen Bruder erreicht hatten. [4]Der rannte Jakob entgegen, fiel ihm um den Hals und küsste ihn. Beide weinten.

[5]Dann betrachtete Esau die Frauen und die Kinder. »Wer sind sie?«, fragte er. »Das sind die Kinder, die Gott deinem

---

[a] Israel bedeutet »Gotteskämpfer«. – Von hier an wird Jakob im hebräischen Text gelegentlich Israel genannt.

32,29 35,10 **32,30** Ri 13,17–18 **32,31** 2 Mo 33,20–23*

Diener geschenkt hat«, antwortete Jakob. [6] Die beiden Mägde mit ihren Kindern kamen näher und verbeugten sich vor Esau, [7] ebenso Lea mit ihren Kindern und schließlich Rahel mit Josef.

[8] »Warum hast du mir diese großen Herden entgegengeschickt?«, fragte Esau. »Sie sind ein Geschenk für dich, meinen Herrn, damit du dich mit mir versöhnst«, erklärte Jakob. [9] Aber Esau erwiderte: »Ach, mein Bruder, ich habe schon selbst genug, behalte es doch!« [10] »Nein, bitte nimm mein Geschenk an«, bat Jakob, »als Zeichen, dass du auch mich wieder annimmst. Als ich dir ins Gesicht schaute, war es, als würde ich Gott selbst sehen, so freundlich bist du mir begegnet! [11] Nimm es also an! Ich habe es von Gott geschenkt bekommen, und ich habe wirklich alles, was ich brauche!«

So drängte Jakob, und Esau gab schließlich nach. [12] »Jetzt können wir zusammen weiterziehen«, schlug Esau vor, »ich gehe mit meinen Leuten voraus und zeige euch den Weg.« [13] Aber Jakob entgegnete: »Mein Herr, du siehst, dass ich kleine Kinder bei mir habe. Auch bei meinen Herden gibt es viele säugende Schafe, Ziegen und Rinder. Wenn ich die Tiere nur einen Tag überanstrenge, sterben sie! [14] Darum ist es besser, wenn du schon vorausziehst und wir später nachkommen. Dann kann ich mich nach dem langsamen Tempo der Kinder und der Jungtiere richten und dich in Seïr wiedertreffen!« [15] »Aber ich lasse wenigstens einige meiner Männer zum Schutz bei dir!«, erwiderte Esau. »Nein, das ist nicht nötig!«, wehrte Jakob ab. »Wichtig ist für mich nur, dass du mich wieder angenommen hast!«

[16] Dann machten sich beide auf den Weg: Esau kehrte nach Seïr zurück, [17] und Jakob zog nach Sukkot. Dort baute er ein Haus, und für seine Herden fertigte er Hütten an. Darum trägt der Ort den Namen Sukkot (»Hütten«).

Jakob in Sichem

[18] Schließlich kam Jakob nach Sichem im Land Kanaan. Die lange Reise, die in Mesopotamien begonnen hatte, war nun zu Ende. Vor der Stadt schlug er seine Zelte auf [19] und kaufte den Lagerplatz für hundert Silberstücke von der Familie Hamors, des Gründers der Stadt[a]. [20] Dort errichtete er einen Altar und nannte ihn »Gott ist Israels Gott«.

Ein Verbrechen wird gerächt

34 Eines Tages wollte Dina, die Tochter Leas und Jakobs, die kanaanitischen Mädchen kennen lernen und verließ das Zeltlager. [2] Als Sichem, der Sohn des Hiwiters Hamor, sie sah, fiel er über sie her und vergewaltigte sie. [3] Er verliebte sich in sie und redete ihr freundlich zu, um sie für sich zu gewinnen. [4] Dann ging er zu seinem Vater Hamor. »Sorg dafür, dass ich dieses Mädchen heiraten kann!«, bat er ihn.

[5] Sehr bald erfuhr auch Jakob, dass Dina vergewaltigt worden war. Er wollte sofort etwas unternehmen, aber weil seine Söhne noch auf dem Feld bei seiner Herde waren, hielt er sich zurück und wartete ab, bis sie wiederkamen.

[6] In der Zwischenzeit kam Sichems Vater Hamor zu ihm, um über die Sache zu reden. [7] Kaum war er dort, da kehrten auch schon Jakobs Söhne vom Feld zurück. Als sie hörten, was geschehen war, tobten sie vor Wut. Sie fühlten sich in ihrer Familienehre gekränkt, denn eine solche Tat galt bei den Israeliten als Schande. [8] Hamor wollte sie besänftigen: »Mein Sohn Sichem hat sich in Dina verliebt. Erlaubt doch, dass er sie heiratet! [9] Lasst uns ein Abkommen schließen: Unsere Völker sollen sich durch gegenseitige Heirat verbinden. [10] Ihr könnt euch bei uns niederlassen – unser Land steht euch

---

[a] Oder: des Vaters Sichems.

33,8 32,14–17 **33,19** Jos 24,32

offen! Ihr könnt euch ansiedeln und Besitz erwerben.« [11] Auch Sichem bat Dinas Vater und ihre Brüder: »Erfüllt mir meinen Wunsch – ich gebe euch dafür alles, was ihr verlangt! [12] Hochzeitsgeld und Brautpreis können so hoch sein, wie ihr wollt, ich werde alles bezahlen. Nur lasst mich Dina heiraten!«

[13] Jakobs Söhne aber wollten sich an Sichem und seinem Vater rächen. Sie antworteten scheinheilig: [14] »Darauf können wir uns nicht einlassen! In unserem Volk gilt es als eine Schande, wenn wir unsere Schwester einem Mann geben, der nicht beschnitten ist! [15] Nur unter einer Bedingung könnten wir sie dir geben: Ihr müsst alle männlichen Einwohner beschneiden. [16] Nur dann können wir uns bei euch ansiedeln und durch gegenseitige Heirat zu einem Volk werden. [17] Wenn ihr davon nichts wissen wollt, nehmen wir Dina und gehen!«

[18] Der Vorschlag gefiel Hamor und Sichem. [19] Sichem verlor keine Zeit: Er kümmerte sich um alles, denn er liebte Dina, und in seiner Familie hatte er das letzte Wort. [20] Hamor und Sichem gingen zum Versammlungsplatz beim Stadttor, um die Männer der Stadt von der Sache zu überzeugen. [21] »Diese Männer sind friedlich«, sagten sie, »wir sollten sie bei uns wohnen lassen, dann können sie selbst Besitz erwerben. Unser Land ist doch groß genug. Wir können uns durch gegenseitige Heirat mit ihnen verbinden. [22] Allerdings stellen sie eine Bedingung: Wir müssen alle männlichen Einwohner beschneiden, so wie es bei ihnen üblich ist. [23] Überlegt doch mal: Ihr ganzer Besitz würde uns gehören! Lasst uns auf ihren Vorschlag eingehen, damit sie bei uns bleiben!«

[24] Die Männer der Stadt stimmten zu, und alle männlichen Einwohner wurden beschnitten. [25] Drei Tage später lagen sie im Wundfieber. Da nahmen Dinas Brüder Simeon und Levi ihr Schwert und überfielen die Stadt, ohne auf Widerstand zu stoßen. Sie brachten alle männlichen Einwohner um, [26] auch Hamor und Sichem. Dina holten sie aus Sichems Haus, dann verschwanden sie wieder.

[27] Die anderen Söhne Jakobs plünderten die Stadt aus. Sie rächten sich dafür, dass Sichem ihre Schwester dort vergewaltigt hatte. [28] Alles Vieh – Schafe, Ziegen, Esel und Rinder – nahmen sie mit und was sie sonst in der Stadt oder auf dem Feld fanden. [29] Auch die Frauen und Kinder sowie allen Besitz aus den Häusern schleppten sie fort.

[30] Als Jakob davon erfuhr, warf er Simeon und Levi vor: »Ihr stürzt mich ins Unglück! Jetzt bin ich allen Bewohnern des Landes verhasst! Die Zahl unserer Leute ist verschwindend klein gegen die Menge der Kanaaniter und der Perisiter. Wenn sie sich zusammentun, ist es aus mit uns! Dann wird keiner von uns am Leben bleiben!« [31] Aber Simeon und Levi erwiderten nur: »Konnten wir es zulassen, dass Sichem unsere Schwester wie eine Hure behandelt hat?«

Jakob in Bethel

35 Gott sprach zu Jakob: »Mach dich auf, und zieh wieder nach Bethel! Bleib dort, und bau mir einen Altar. Denn an diesem Ort bin ich dir erschienen, als du auf der Flucht vor deinem Bruder Esau warst.« [2] Jakob befahl seiner Familie und denen, die zu ihm gehörten: »Werft alle Götterfiguren weg, die ihr noch bei euch habt! Wascht euch, und zieht saubere Kleidung an! [3] Wir gehen jetzt nach Bethel. Dort will ich für Gott einen Altar bauen, denn er hat in der Not meine Gebete erhört. Während meiner ganzen Reise bis hierher hat er mir immer geholfen!« [4] Sie gaben Jakob alle Götterfiguren und Ohrringe[a], und er vergrub sie unter der Terebinthe bei Sichem. [5] Dann machte die ganze Familie sich auf den Weg. Gott versetzte die Einwohner der Städte ringsum in so große Angst,

---

[a] Wahrscheinlich wurden die Ohrringe als Amulette getragen.

34,14 17,9–14* **35,1** 28,19–22; 31,13 **35,2** 31,19

dass sie es nicht wagten, Jakob und seine Söhne anzugreifen.

[6] So erreichten sie Lus im Land Kanaan, das heute Bethel heißt. [7] Dort baute Jakob einen Altar. Er nannte ihn »Gott von Bethel«, weil Gott ihm an dieser Stelle erschienen war, als er vor seinem Bruder Esau fliehen musste.

[8] Während sie dort waren, starb Debora, die früher Rebekkas Kindermädchen war. Sie wurde unter der Eiche im Tal von Bethel begraben, die seitdem »Träneneiche« heißt.

[9] Gott erschien Jakob erneut. Es war das zweite Mal seit seiner Rückkehr aus Mesopotamien. [10] »Von jetzt an sollst du nicht mehr Jakob heißen, sondern Israel. Das ist dein neuer Name!«, sagte er. [11] »Ich bin Gott, der alle Macht besitzt. Ich werde dir so viele Nachkommen schenken, dass nicht nur ein Volk, sondern zahlreiche Völker daraus entstehen – sogar Könige sollen von dir abstammen! [12] Dir und deinen Nachkommen gebe ich das Land, das ich Abraham und Isaak versprochen habe.«

[13] Nachdem Gott dies gesagt hatte, erhob er sich wieder zum Himmel, [14] und Jakob errichtete an der Stelle einen Gedenkstein. Er schüttete Wein als ein Trankopfer darüber und begoss ihn mit Öl, um ihn Gott zu weihen. [15] Weil Gott an diesem Ort zu ihm gesprochen hatte, nannte er ihn Bethel (»Haus Gottes«).

Rahels Tod

[16] Danach verließen sie Bethel und zogen weiter. Als sie nur noch ein kurzes Stück von Efrata entfernt waren, setzten bei Rahel starke Geburtswehen ein. [17] Sie krümmte sich vor Schmerzen, doch die Hebamme rief ihr zu: »Nur Mut, du hast wieder einen Sohn!« [18] Aber Rahel spürte, dass sie sterben musste. Darum nannte sie den Jungen Benoni (»Schmerzenskind«), Jakob jedoch gab ihm den Namen Benjamin (»Glückskind«). [19] Rahel starb, und Jakob begrub sie an der Straße nach Efrata, das jetzt Bethlehem heißt. [20] Er errichtete einen Gedenkstein auf ihrem Grab, der heute noch als Rahels Grabmal bekannt ist.

[21] Von dort zog Jakob mit seiner Familie weiter und schlug seine Zelte hinter Migdal-Eder auf. [22] Damals schlief Ruben mit Bilha, der Nebenfrau seines Vaters, und Jakob erfuhr davon.

Jakobs Söhne

Inzwischen hatte Jakob zwölf Söhne: [23] Von Lea stammten der älteste Sohn Ruben sowie Simeon, Levi, Juda, Issaschar und Sebulon; [24] Rahel brachte Josef und Benjamin zur Welt; [25] Rahels Magd Bilha bekam Dan und Naftali, [26] und von Leas Magd Silpa stammten Gad und Asser. Alle wurden in Mesopotamien geboren.

Isaaks Tod

[27] Jakob zog weiter zu seinem Vater Isaak nach Mamre bei Kirjat-Arba, das heute Hebron heißt. Dort hatte schon Abraham gewohnt. [28/29] Isaak starb im Alter von 180 Jahren nach einem langen und erfüllten Leben. Esau und Jakob begruben ihn.

Esaus Nachkommen

36 Es folgt der Stammbaum von Esau, der auch Edom genannt wird:

[2/3] Esau hatte drei Frauen aus Kanaan geheiratet: Ada, eine Tochter des Hetiters Elon; Oholibama, eine Tochter Anas und Enkelin des Horiters Zibon, und Basemat, eine Tochter Ismaels und Schwester Nebajots. [4] Ada hatte einen Sohn mit Namen Elifas; Basemats Sohn hieß Reguël, [5] und Oholibamas Söhne waren Jëusch, Jalam und Korach. Alle wurden im Land Kanaan geboren.

35,10 32,29 **35,11** 28,14*; 12,2* **35,12** 28,13*; 12,7*; 26,2–3 **35,14–15** 28,18–19 **35,27** 13,18 **35,28–29** 25,7–10 **36,1** 25,30

[6]Später verließ Esau das Land. Seine Frauen, Kinder und alle, die zu ihm gehörten, nahm er mit; dazu seine Viehherden und den Besitz, den er in Kanaan erworben hatte. Er zog in das Land Seïr, fort von seinem Bruder Jakob. [7]Sie besaßen beide so große Viehherden, dass es im Land Kanaan nicht genug Weidefläche für sie gab. [8]Deshalb ließ sich Esau, der Stammvater der Edomiter, im Bergland Seïr nieder.

[9]Dies ist die Liste der Nachkommen Esaus; es sind die Edomiter, die im Land Seïr leben. [10]Die Söhne Esaus: Von seinen beiden Frauen Ada und Basemat hatte Esau je einen Sohn; Ada brachte Elifas zur Welt und Basemat Reguël. [11]Die Söhne des Elifas waren Teman, Omar, Zefo, Gatam, Kenas [12]und Amalek. Amalek war der Sohn von Elifas' Nebenfrau Timna. [13]Reguël hatte vier Söhne: Nahat, Serach, Schamma und Misa. [14]Oholibama, die Tochter Anas und Enkelin Zibons, bekam drei Söhne: Jëusch, Jalam und Korach.

[15/16]Esaus Söhne wurden zu Oberhäuptern verschiedener Stämme. Von Esaus ältestem Sohn Elifas stammen die Fürsten Teman, Omar, Zefo, Kenas, Korach, Gatam und Amalek. Sie gehen auf Esaus Frau Ada zurück. [17]Von Esaus Sohn Reguël stammen die Fürsten Nahat, Serach, Schamma und Misa. Sie gehen auf Esaus Frau Basemat zurück. [18]Von Esaus Frau Oholibama stammen die Fürsten Jëusch, Jalam und Korach. [19]Diese Fürsten sind Nachkommen Esaus und bilden das Volk der Edomiter.

Seïrs Nachkommen

[20/21]Die Einwohner im Land Edom gehen auf den Horiter Seïr zurück. Seine Söhne waren: Lotan, Schobal, Zibon, Ana, Dischon, Ezer und Dischan. Sie waren die Oberhäupter von den verschiedenen Stämmen der Horiter.

[22]Lotans Söhne hießen Hori und Hemam, seine Schwester hieß Timna. [23]Schobals Söhne waren Alwan, Manahat, Ebal, Schefi und Onam. [24]Zibons Söhne waren Aja und Ana. Ana fand eine heiße Quelle in der Wüste, als er dort die Esel seines Vaters Zibon weidete. [25]Ana hatte einen Sohn namens Dischon und eine Tochter mit Namen Oholibama. [26]Dischons Söhne hießen Hemdan, Eschban, Jitran und Keran. [27]Ezers Söhne waren Bilhan, Saawan und Akan. [28]Dischans Söhne hießen Uz und Aran.

[29/30]Aus diesen entstanden die Stämme der Horiter, denen die Stammesfürsten Lotan, Schobal, Zibon, Ana, Dischon, Ezer und Dischan als Oberhäupter vorstanden.

Könige und Stämme der Edomiter

[31]Noch bevor die Israeliten einen König hatten, regierten im Land Edom nacheinander folgende Könige:

[32]König Bela, der Sohn Beors, in der Stadt Dinhaba; [33]König Jobab, der Sohn Serachs, in der Stadt Bozra; [34]König Huscham aus dem Gebiet der Temaniter; [35]König Hadad, der Sohn Bedads, in der Stadt Awit; sein Heer schlug die Midianiter im Gebiet von Moab; [36]König Samla in der Stadt Masreka; [37]König Schaul in der Stadt Rehobot am Fluss; [38]König Baal-Hanan, der Sohn Achbors; [39]König Hadar in der Stadt Pagu; seine Frau hieß Mehetabel, eine Tochter Matreds und Enkelin Me-Sahabs.

[40–43]Folgende Oberhäupter der Edomiter stammen von Esau ab: Timna, Alwa, Jetet, Oholibama, Ela, Pinon, Kenas, Teman, Mibzar, Magdiël und Iram. Nach ihnen werden die verschiedenen Stämme und ihre Gebiete benannt.

Josef und seine Brüder

37 Jakob wurde im Land Kanaan sesshaft, in dem auch schon sein

---

36,7 13,5–6 **36,20–21** 5 Mo 2,12.22

Vater Isaak gelebt hatte, [2]und so geht seine Geschichte weiter:

Jakobs Sohn Josef war inzwischen 17 Jahre alt. Seine Aufgabe war es, die Schaf- und Ziegenherden seines Vaters zu hüten, zusammen mit seinen Halbbrüdern, den Söhnen Bilhas und Silpas. Hinter ihrem Rücken verleumdete er sie bei seinem Vater und verriet ihm alles, was sie trieben.

[3]Jakob liebte Josef mehr als die anderen Söhne, weil er ihn noch im hohen Alter bekommen hatte. Darum ließ er für ihn ein besonders vornehmes und prächtiges Gewand anfertigen. [4]Natürlich merkten Josefs Brüder, dass ihr Vater ihn bevorzugte. Sie hassten ihn deshalb und redeten kein freundliches Wort mehr mit ihm.

[5]Eines Nachts hatte Josef einen Traum, den er gleich am nächsten Morgen seinen Brüdern erzählte. Das machte sie nur noch zorniger. [6]»Hört mal, was ich geträumt habe!«, rief er. [7]»Wir waren auf dem Feld und banden das Getreide in Garben zusammen. Da richtete meine sich auf und blieb aufrecht stehen. Eure dagegen bildeten einen Kreis darum und verbeugten sich tief vor meiner Garbe.« [8]»Was, du willst also König werden und dich als Herrscher über uns aufspielen?«, schrien seine Brüder. Sie hassten ihn nun noch mehr, weil er ihnen von diesem Traum berichtet hatte.

[9]Bald darauf hatte Josef wieder einen Traum, und auch diesen erzählte er seinen Brüdern. »Ich sah, wie die Sonne, der Mond und elf Sterne sich tief vor mir verbeugten«, beschrieb er. [10]Diesmal erzählte er den Traum auch seinem Vater. »Was soll das?«, schimpfte der. »Bildest du dir etwa ein, dass wir alle – dein Vater, deine Mutter und deine Brüder – uns dir unterwerfen?« [11]Josefs Brüder waren eifersüchtig auf ihn, aber seinem Vater ging der Traum nicht mehr aus dem Kopf.

Josef soll verschwinden

[12]Eines Tages trieben Josefs Brüder die Viehherden ihres Vaters nach Sichem, um sie dort weiden zu lassen. [13/14]Da sagte Jakob zu Josef: »Geh zu deinen Brüdern nach Sichem, und erkundige dich, wie es ihnen und dem Vieh geht! Dann komm wieder, und berichte mir!« »Gut«, sagte Josef. Er verließ das Tal von Hebron und machte sich auf den Weg nach Sichem.

[15]Dort irrte er auf den Weideplätzen umher, bis er einen Mann traf. »Wen suchst du?«, fragte der. [16]»Meine Brüder mit ihren Herden. Hast du sie vielleicht gesehen?«, entgegnete Josef. [17]»Ja, sie sind von hier weitergezogen«, antwortete der Mann, »ich habe gehört, wie sie sagten, sie wollten nach Dotan ziehen.« Josef ging nach Dotan und fand sie dort.

[18]Seine Brüder erkannten ihn schon von weitem. Noch bevor er sie erreichte, beschlossen sie, ihn umzubringen. [19]»Da kommt ja der Träumer!«, spotteten sie untereinander. [20]»Los, wir erschlagen ihn und werfen ihn in einen tiefen Brunnen! Unserem Vater erzählen wir, ein wildes Tier hätte ihn gefressen. Dann werden wir ja sehen, was aus seinen Träumen wird!«

[21]Nur Ruben wollte ihn retten. »Wir dürfen ihn nicht töten!«, rief er. [22]»Vergießt kein Blut! Werft ihn doch lebend in den Brunnen hier in der Steppe!« Ruben wollte ihn später heimlich wieder herausziehen und zu seinem Vater zurückbringen.

[23]Kaum hatte Josef sie erreicht, da entrissen sie ihm sein vornehmes Gewand [24]und warfen ihn in den leeren Brunnenschacht. [25]Dann setzten sie sich, um zu essen. Auf einmal bemerkten sie eine Karawane mit ismaelitischen Händlern. Ihre Kamele waren beladen mit wertvollen Gewürzen und Harzsorten[a]. Sie kamen von Gilead und waren unterwegs nach Ägypten. [26]Da sagte Juda: »Was haben

---

[a] Wörtlich: mit Tragakant, Balsamharz und Ladanum.

37,12 33,18–19 **37,21–22** 42,22

wir davon, wenn wir unseren Bruder töten und den Mord auch noch verheimlichen? Nichts! [27] Los, wir verkaufen ihn an die Ismaeliter! Schließlich ist er immer noch unser Bruder!«

Die anderen stimmten zu, [28] und so holten sie Josef aus dem Brunnen und verkauften ihn für zwanzig Silberstücke an die ismaelitischen Händler, die ihn mit nach Ägypten nahmen.[a]

[29] Ruben aber war nicht dabei gewesen. Als er nun zum Brunnen zurückkam und bemerkte, dass Josef verschwunden war, erschrak er und zerriss entsetzt seine Kleider. [30] »Der Junge ist weg!«, schrie er auf. »Wie kann ich jetzt noch meinem Vater in die Augen schauen?« [31] Sie schlachteten einen Ziegenbock, wälzten Josefs Gewand in dem Blut [32] und gingen damit zu ihrem Vater. »Das haben wir unterwegs gefunden«, sagten sie, »kannst du es erkennen? Ist es Josefs Gewand oder nicht?«

[33] Jakob erkannte es sofort. »Das Gewand meines Sohnes!«, rief er. »Ein wildes Tier hat ihn gefressen! Josef ist tot!« [34] Er zerriss seine Kleider, wickelte als Zeichen der Trauer ein grobes Tuch um seine Hüften und weinte viele Tage um Josef. [35] Alle seine Söhne und Töchter kamen, um ihn zu trösten, aber keinem gelang es. »Bis zu meinem Tod werde ich um ihn trauern!«, weinte er.

[36] Die Händler[b] verkauften Josef in Ägypten an Potifar, einen Hofbeamten des Pharaos, den Oberbefehlshaber der königlichen Leibwache.

Tamar kämpft um ihr Recht

38 Um diese Zeit ging Juda von zu Hause fort. Er zog hinunter zur Stadt Adullam und wohnte bei einem Mann namens Hira. [2] Dort lernte er die Tochter des Kanaaniters Schua kennen und heiratete sie. [3–5] Die beiden bekamen drei Söhne: Er, Onan und Schela. Bei Schelas Geburt wohnten sie gerade in Kesib.

[6] Als der Älteste erwachsen war, verheiratete Juda ihn mit einem Mädchen namens Tamar. [7] Aber der Herr verabscheute, wie dieser sein Leben führte, darum ließ er ihn sterben. [8] Da ging Juda zu seinem Sohn Onan. »Du musst Tamar heiraten!«, forderte er ihn auf. »Das ist deine Pflicht als ihr Schwager, damit sie noch einen Sohn bekommt. Er soll als der Sohn deines Bruders gelten!« [9] Aber Onan wollte keinen Sohn zeugen, der nicht ihm gehörte. Jedes Mal, wenn er mit Tamar schlief, ließ er seinen Samen zu Boden fallen. [10] Aber das missfiel dem Herrn, und er ließ auch ihn sterben. [11] Da sagte Juda zu seiner Schwiegertochter: »Geh in dein Elternhaus zurück, und bleib so lange Witwe, bis Schela erwachsen ist!« Weil er aber befürchtete, dass auch Schela sterben könnte wie seine Brüder, dachte er gar nicht daran, die beiden zu verheiraten. Tamar ging in ihr Elternhaus zurück.

[12] Einige Zeit später starb Judas Frau, die Tochter Schuas. Als die Trauerzeit vorüber war, ging Juda mit seinem Freund Hira nach Timna, wo gerade seine Schafe geschoren wurden. [13] Tamar erfuhr, dass ihr Schwiegervater auf dem Weg nach Timna war, [14] und fasste einen Plan. Denn inzwischen hatte sie gemerkt, dass Schela, der längst erwachsen war, sie nicht heiraten sollte. Sie zog ihre Witwenkleider aus, verhüllte sich mit einem Schleier und setzte sich an den Ortseingang von Enajim, das auf dem Weg nach Timna liegt.

[15] Als Juda vorbeikam, hielt er sie für eine Prostituierte, weil ihr Gesicht verhüllt war. [16] Er ging zu ihr an den Wegrand. »Lass mich mit dir schlafen!«, forderte er sie auf – ohne zu wissen, wen er vor sich hatte. »Was bekomme ich da-

---

[a] Wörtlich: Als midianitische Händler kamen, zogen sie Josef aus dem Brunnen und verkauften ihn an die ismaelitischen Händler, die ihn mit sich nach Ägypten nahmen.
[b] Wörtlich: Die Midianiter.

38,2 24,3–4* **38,8** 5 Mo 25,5–6 **38,16** 3 Mo 18,15

für?«, wollte Tamar wissen. [17]»Ich werde dir einen Ziegenbock aus meiner Herde bringen«, versprach Juda. »Nur wenn du mir ein Pfand dalässt, bis du ihn bringst!«, bekam er zur Antwort. [18]»Gut, was soll ich dir geben?«, fragte er. »Deinen Siegelring mit der Schnur und deinen Stab!« Er gab ihr, was sie verlangte. Dann schlief er mit ihr, und sie wurde von ihm schwanger. [19]Danach ging Tamar nach Hause, legte ihren Schleier ab und zog die Witwenkleider wieder an.

[20]Juda schickte seinen Freund Hira, um der Frau den Ziegenbock zu bringen und das Pfand zurückzuholen. Aber Hira konnte sie nicht finden. [21]Er fragte die Leute in Enajim: »Wo ist die Hure, die an der Straße saß?« »Hier gibt es keine Huren!«, antworteten sie.

[22]Da ging er zu Juda zurück und erzählte ihm alles. [23]»Dann soll sie das Pfand eben behalten!«, sagte Juda. »Wir setzen uns nur dem Gespött der Leute aus, wenn wir noch weiter nachforschen. Schließlich habe ich mein Bestes versucht!«

[24]Etwa drei Monate später wurde Juda berichtet: »Deine Schwiegertochter Tamar ist schwanger. Sie hat sich mit einem Mann eingelassen!« »Bringt sie sofort aus dem Dorf heraus!«, schrie Juda. »Sie soll verbrannt werden!« [25]Als man sie hinausschleppte, ließ sie Juda ausrichten: »Der Mann, dem dieser Siegelring und dieser Stab gehören, ist der Vater meines Kindes. Erkennst du sie wieder?« [26]Juda erkannte seine Sachen sofort. »Tamar ist mir gegenüber im Recht«, gab er zu, »ich hätte sie meinem Sohn Schela zur Frau geben müssen!« Juda schlief nie mehr mit ihr.

[27]Kurz vor der Entbindung stellte sich heraus, dass Tamar Zwillinge bekam. [28]Bei der Geburt streckte ein Kind die Hand heraus. Die Hebamme hielt sie fest und band einen roten Faden um das Handgelenk. [29]Aber das Kind zog seine Hand wieder zurück, und der andere kam zuerst. »Warum erzwingst du dir den Durchbruch?«, rief die Hebamme. Darum wurde er Perez (»Durchbruch«) genannt. [30]Dann erst wurde sein Bruder mit dem roten Faden ums Handgelenk geboren. Er bekam den Namen Serach (»Rotglanz«).

Josef bei Potifar

39 Die Ismaeliter hatten Josef nach Ägypten gebracht. Sie verkauften ihn an den Ägypter Potifar, den Hofbeamten des Pharaos und Oberbefehlshaber der königlichen Leibwache. [2]Der Herr half Josef: Ihm glückte alles, was er unternahm. Er durfte im Haus arbeiten, [3]und Potifar sah, dass der Herr ihm Erfolg schenkte. [4]Deshalb bevorzugte er ihn vor allen anderen Sklaven und machte ihn zu seinem persönlichen Diener. Er setzte Josef zum Hausverwalter ein und vertraute ihm seinen ganzen Besitz an. [5]Von da an ließ der Herr bei Potifar alles besonders gut gelingen. Die Arbeiten im Haus waren erfolgreich, es gab eine gute Ernte, und die Viehherden vergrößerten sich. [6]Potifars Vertrauen wuchs: Er ließ Josef freie Hand und kümmerte sich selbst um nichts mehr, außer um seine eigenen Speisen.

Josef sah sehr gut aus. [7]Das bemerkte auch Potifars Frau. »Schlaf mit mir!«, forderte sie ihn auf. [8]Aber Josef weigerte sich: »Mein Herr braucht sich im Haus um nichts zu kümmern – alles hat er mir anvertraut. [9]Ich habe genauso viel Macht wie er. Nur dich hat er mir vorenthalten, weil du seine Frau bist. Wie könnte ich da ein so großes Unrecht tun und gegen Gott sündigen?«

[10]Potifars Frau ließ nicht locker. Jeden Tag redete sie auf Josef ein, er aber hörte nicht darauf und ließ sich nicht von ihr verführen.

[11]Einmal kam Josef ins Haus, um wie gewöhnlich seine Arbeit zu tun. Von den Sklaven war gerade niemand anwesend. [12]Da packte sie ihn am Gewand. »Komm mit mir ins Bett!«, drängte sie. Josef riss sich los, ließ sein Gewand in ihrer Hand und floh nach draußen. [13/14]Potifars Frau schrie auf, rief nach ihren Dienern und zeigte ihnen Josefs Gewand. »Seht«, rief

sie, »mein Mann hat uns einen Hebräer ins Haus gebracht, der jetzt mit uns umspringt, wie er will! Er wollte mich vergewaltigen, aber ich habe laut geschrien. [15] Da lief er schnell davon, doch dieses Gewand hat er bei mir zurückgelassen!« [16] Sie behielt Josefs Gewand und wartete, bis ihr Mann nach Hause kam. [17/18] Ihm erzählte sie dieselbe Geschichte.

Im Gefängnis

[19] Als Potifar das hörte, geriet er in Zorn [20] und ließ Josef ins Staatsgefängnis werfen. [21] Aber der Herr war auf Josefs Seite und sorgte dafür, dass der Gefängnisverwalter ihm wohlgesinnt war. [22] Josef wurde zum Aufseher über die Gefangenen ernannt; er war nun verantwortlich für alles, was im Gefängnis geschah. [23] Der Verwalter brauchte sich um nichts mehr zu kümmern. Er vertraute Josef völlig, weil er sah, dass der Herr ihm half und ihm Erfolg schenkte.

Josef deutet Träume

40 Einige Zeit später hatten zwei Beamte des Königs ihren Herrn verärgert: der Mundschenk und der oberste Bäcker. [2] Der Pharao war zornig auf sie. [3] Er warf sie in das Gefängnis, dem der Oberbefehlshaber der königlichen Leibwache vorstand und in dem sich Josef aufhielt. [4] Der Oberbefehlshaber beauftragte Josef damit, sie zu versorgen.

Nach einiger Zeit [5] hatten beide in derselben Nacht einen besonderen Traum. [6] Als Josef am nächsten Morgen zu ihnen kam, fielen ihm ihre niedergeschlagenen Gesichter auf. [7] »Was ist los mit euch? Warum seid ihr so bedrückt?«, fragte er. [8] »Wir haben beide einen seltsamen Traum gehabt, aber hier gibt es niemanden, der uns die Träume deuten kann!«, klagten sie. »Nur Gott kann Träume deuten«, entgegnete Josef, »doch wenn ihr wollt, erzählt sie mir!«

[9] Der Mundschenk begann: »Ich sah einen Weinstock [10] mit drei Ranken. Als er Knospen trieb, waren sofort die Blüten da, und dann auch schon die reifen Trauben. [11] In meiner Hand hielt ich den Becher des Pharaos. Ich nahm die Trauben, presste ihren Saft in den Becher und gab dem König zu trinken.«

[12] »Ich weiß, was der Traum bedeutet!«, sagte Josef. »Die drei Ranken sind drei Tage. [13] In drei Tagen wird der Pharao dich aus dem Gefängnis herausholen und dich wieder in dein Amt als Mundschenk einsetzen. [14] Aber denk an mich, wenn es dir wieder gut geht! Erzähl dem Pharao von mir, und bitte ihn, mich hier herauszuholen! [15] Ich wurde aus dem Land der Hebräer entführt, und auch hier in Ägypten habe ich nichts Verbotenes getan. Ich sitze unschuldig im Gefängnis!«

[16] Als der oberste Bäcker merkte, dass der Traum des Mundschenks eine gute Bedeutung hatte, fasste er Mut. »In meinem Traum trug ich drei Brotkörbe auf dem Kopf«, erzählte er. [17] »Im obersten Korb lag viel feines Gebäck für den Pharao, aber Vögel kamen und fraßen alles auf.«

[18] »Die drei Körbe bedeuten drei Tage«, erklärte Josef. [19] »In drei Tagen wird der Pharao dich aus dem Gefängnis herausholen und an einem Baum erhängen. Die Vögel werden dein Fleisch fressen!«

[20] Drei Tage später hatte der Pharao Geburtstag. Er gab ein großes Fest für seine Hofbeamten und ließ den Mundschenk und den obersten Bäcker aus dem Gefängnis holen. [21] Den Mundschenk setzte er wieder in sein Amt ein, [22] aber den obersten Bäcker ließ er aufhängen – genau wie Josef es vorausgesagt hatte.

[23] Doch der Mundschenk dachte nicht mehr an Josef, er vergaß ihn einfach.

Der Pharao weiß nicht weiter

41 Zwei Jahre waren inzwischen vergangen. Eines Nachts hatte der

40,15 37,27-28

Pharao einen Traum: Er stand am Nilufer, [2]als sieben schöne, dicke Kühe aus dem Wasser stiegen und im Ufergras weideten. [3]Danach kamen sieben magere und hässliche Kühe aus dem Fluss und stellten sich neben die anderen. [4]Plötzlich stürzten die mageren sich auf die dicken Kühe und verschlangen sie. Der Pharao wachte auf, [5]schlief aber sofort wieder ein und hatte einen zweiten Traum: Sieben volle, reife Ähren wuchsen an einem Halm. [6]Danach wuchsen sieben kümmerliche Ähren, die vom heißen Wüstenwind verdorrt waren. [7]Die dürren fielen über die vollen her und fraßen sie auf. Der Pharao erwachte und merkte, dass es nur ein Traum gewesen war.

[8]Aber auch am nächsten Morgen ließen die Träume ihn nicht los. Beunruhigt rief er alle Wahrsager und Gelehrten Ägyptens zu sich. Er erzählte ihnen, was er geträumt hatte, aber keiner konnte es deuten.

[9]Da meldete sich der Mundschenk beim König: »Heute muss ich mich an ein Unrecht erinnern, das ich begangen habe. [10]Vor einiger Zeit warst du, Pharao, zornig über den obersten Bäcker und über mich. Darum hast du uns ins Gefängnis geworfen. [11]Dort hatte jeder von uns einen seltsamen Traum. [12]Wir erzählten ihn einem jungen Hebräer, der mit uns im Gefängnis saß, einem Sklaven von Potifar, dem Oberbefehlshaber der königlichen Leibwache. Er konnte unsere Träume für jeden richtig deuten. [13]Was er vorausgesagt hatte, traf ein: Ich wurde wieder in mein Amt eingesetzt, und der oberste Bäcker wurde erhängt.«

Josef kann helfen

[14]Sofort ließ der Pharao Josef aus dem Gefängnis holen. Josef ließ sich die Haare schneiden, zog schöne Kleider an und trat vor den Pharao.

[15]»Letzte Nacht hatte ich einen Traum«, begann der König, »und keiner kann ihn deuten. Aber ich habe erfahren, dass du Träume auslegen kannst, sofort nachdem du sie gehört hast.« [16]»Ich selbst kann das nicht«, erwiderte Josef, »aber Gott wird dir sicher etwas Gutes ankündigen!«

[17]Der Pharao begann: »In meinem Traum stand ich am Nilufer. [18]Da stiegen sieben schöne, dicke Kühe aus dem Fluss. Sie weideten im Ufergras. [19]Nach ihnen kamen sieben hässliche Kühe aus dem Nil. Sie waren dürr und abgemagert – noch nie habe ich in Ägypten so hässliche Kühe gesehen! [20]Die mageren fraßen die dicken auf, [21]aber hinterher sahen sie noch genauso dünn aus! Ich wachte auf, [22]dann schlief ich wieder ein und träumte, dass an einem Halm sieben volle, reife Ähren wuchsen. [23]Danach wuchsen sieben kümmerliche heran, vom heißen Wüstenwind verdorrt. [24]Sie verschlangen die sieben vollen Ähren. Ich erzählte alles meinen Wahrsagern, aber keiner wusste eine Deutung.«

[25]»Beide Träume bedeuten dasselbe«, erklärte Josef, »Gott sagt dir, was er vorhat: [26]Sowohl die sieben dicken Kühe als auch die sieben vollen Ähren bedeuten sieben Jahre, in denen es eine überreiche Ernte gibt. [27]Die sieben mageren Kühe und die sieben verdorrten Ähren bedeuten sieben Jahre Missernte und Hunger. [28]Gott lässt dich wissen, was er tun will: [29]In den nächsten sieben Jahren wird es in ganz Ägypten mehr als genug zu essen geben. [30/31]Aber danach kommen sieben Jahre Hungersnot. Dann ist der Überfluss schnell vergessen, der Hunger wird das Land auszehren. [32]Dass du sogar zwei Träume hattest, zeigt dir: Gott hat dies fest beschlossen! [33]Darum empfehle ich dir, einen klugen Mann zu suchen, der fähig ist, ganz Ägypten zu regieren. [34]Setz noch weitere Verwalter ein, die in den fruchtbaren Jahren ein Fünftel der Ernte als Steuern erheben. [35]Den Ertrag sollen sie in den Städten in Kornspeichern sammeln, damit er dir zur Verfügung steht. [36]So haben wir genug Vorrat für die sie-

41,16 40,8 **41,34** 47,26

ben dürren Jahre und müssen nicht verhungern.«

Josef wird der Stellvertreter des Pharaos

[37] Josefs Vorschlag gefiel dem Pharao und seinen Hofbeamten. [38] »Wir finden für diese Aufgabe keinen besseren Mann als Josef«, sagte der König, »denn in ihm wohnt Gottes Geist!« [39] Er wandte sich an Josef: »Gott hat dir dies gezeigt, darum bist du der Klügste und für die Aufgabe am besten geeignet. [40] Meine Hofbeamten und das ganze Volk sollen auf dein Wort hören, nur ich selbst stehe noch über dir. [41] Ich ernenne dich zu meinem Stellvertreter, der über ganz Ägypten herrscht!«

[42] Er nahm den Siegelring mit dem königlichen Wappen von seinem Finger und steckte ihn Josef an. Dann gab er ihm kostbare Kleidung und legte eine goldene Kette um seinen Hals. [43] Er ließ ihn den Wagen des zweiten Staatsoberhaupts besteigen. Wo immer Josef sich sehen ließ, wurde vor ihm ausgerufen: »Werft euch vor ihm nieder, und ehrt ihn!«

So setzte der Pharao ihn zu seinem Stellvertreter über ganz Ägypten ein. [44] »Ich bin der König«, sagte er zu ihm, »und ich bestimme, dass ohne deine Einwilligung niemand etwas unternehmen darf!« [45] Er gab Josef den ägyptischen Namen Zafenat-Paneach (»Gott lebt, und er redet«) und verheiratete ihn mit Asenat. Sie war eine Tochter Potiferas, des Priesters von Heliopolis.

[46] Josef war 30 Jahre alt, als der Pharao ihn zu seinem Stellvertreter machte. Er verließ den Königshof und reiste durch ganz Ägypten.

Die Regierungsmaßnahmen Josefs

[47] Die folgenden sieben Jahre brachten dem Land überreiche Ernten. [48] Josef verlangte, dass das überflüssige Getreide abgegeben und in den Städten gesammelt wurde. In jede Stadt ließ er den Ertrag der sie umgebenden Felder bringen. [49] Die Getreideberge waren nicht mehr zu wiegen – ja, nicht einmal mehr schätzen konnte man die riesigen Mengen!

[50] In den Jahren vor der Hungersnot bekamen Josef und Asenat zwei Söhne. [51] »Gott hat mich mein Elternhaus und meine Sorgen vergessen lassen!«, rief Josef und nannte den ältesten Manasse (»Der vergessen lässt«). [52] Den zweiten nannte er Ephraim (»Kindersegen«), denn er sagte: »Gott hat mir im Ausland Kinder geschenkt!«

[53] Nach den sieben fruchtbaren Jahren [54] begann die Hungersnot – wie Josef es vorausgesagt hatte. Alle Länder ringsum waren betroffen, nur Ägypten besaß genug Vorräte. [55] Doch auch hier hungerten die Menschen und flehten den Pharao um Brot an. »Wendet euch an Josef«, antwortete er ihnen, »und tut, was er euch sagt!« [56/57] Als die Hungersnot immer drückender wurde, öffnete Josef die Kornspeicher und verkaufte Getreide an die Ägypter und an Leute aus anderen Ländern.

Josefs Brüder in Ägypten

42 Auch Jakob erfuhr, dass es in Ägypten Getreide zu kaufen gab. »Warum zögert ihr noch?«, fragte er seine Söhne. [2] »In Ägypten gibt es Getreide zu kaufen! Los, beeilt euch, und besorgt etwas, bevor wir verhungern!«

[3] Alle Brüder Josefs machten sich auf den Weg; [4] nur sein jüngster Bruder Benjamin blieb zu Hause, weil Jakob befürchtete, ihm könnte etwas zustoßen. [5] Zusammen mit vielen anderen kamen sie nach Ägypten, denn die Hungersnot wütete überall.

[6] Weil Josef über ganz Ägypten regierte, mussten alle zu ihm kommen, die Getreide kaufen wollten. Als seine Brüder vor ihn traten, verbeugten sie sich tief.

41,38 2 Mo 28,3; 31,3; 4 Mo 11,25–26; 24,2; 5 Mo 34,9; Ri 3,10* **41,39** Apg 7,10 **41,42** Est 8,2; Dan 5,29 **41,46** 37,2 **42,6** 37,7

[7/8] Josef erkannte sie sofort, ließ sich aber nichts anmerken. »Woher kommt ihr?«, fuhr er sie an. »Aus Kanaan, um Getreide zu kaufen«, gaben sie ahnungslos zur Antwort. [9] Josef erinnerte sich an seine Träume von damals. »Ihr seid Spione!«, beschuldigte er sie. »Ihr seid nur gekommen, um zu erkunden, wo unser Land schwach ist!« [10] »Nein, nein, Herr!«, riefen sie. »Wir möchten nur Getreide kaufen! [11] Wir sind Brüder und ehrliche Leute. Wir sind keine Spione!« [12] »Das glaube ich nicht«, entgegnete Josef, »ihr wollt unser Land ausforschen!«

[13] »Herr«, antworteten sie, »unser Vater lebt in Kanaan. Wir waren zwölf Brüder. Der jüngste ist bei ihm geblieben, und einer von uns lebt nicht mehr.« [14] Aber Josef wiederholte: »Ich bleibe bei dem, was ich gesagt habe – Spione seid ihr! [15] Ich werde eure Aussage überprüfen. Beim Leben des Pharaos schwöre ich: Ihr kommt hier nicht eher heraus, bis ich euren jüngsten Bruder gesehen habe! [16] Einer von euch soll ihn holen. Die anderen bleiben in Haft, bis ich weiß, ob man sich auf eure Worte verlassen kann. Wenn nicht, dann seid ihr Spione – beim Leben des Pharaos!«

[17] Er sperrte sie alle für drei Tage ein. [18] Am dritten Tag sagte er zu ihnen: »Ich bin ein Mann, der Ehrfurcht vor Gott hat. Darum lasse ich euch unter einer Bedingung am Leben: [19] Um eure Ehrlichkeit zu beweisen, bleibt einer von euch hier in Haft. Ihr anderen geht zurück, damit eure Familien nicht mehr hungern müssen. [20] Aber bringt mir euren jüngsten Bruder herbei! Dann weiß ich, dass ihr die Wahrheit gesagt habt, und lasse euch am Leben.«

Die Brüder willigten ein. [21] Sie sagten zueinander: »Jetzt müssen wir das ausbaden, was wir Josef angetan haben! Wir sahen seine Angst, als er uns um sein Leben anflehte, aber wir haben nicht gehört.« [22] »Habe ich euch damals nicht gesagt, ihr solltet den Jungen in Ruhe lassen?«, warf Ruben den anderen vor. »Aber ihr habt nicht gehört. Jetzt müssen wir für seinen Tod büßen!«

[23] Sie ahnten nicht, dass Josef sie verstand, denn vorher hatte er durch einen Dolmetscher mit ihnen geredet. [24] Josef verließ den Raum, damit sie nicht merkten, dass er weinen musste. Als er sich wieder gefasst hatte, kam er zurück und ließ Simeon festnehmen. [25] Dann befahl er seinen Dienern, die Säcke der anderen mit Getreide zu füllen und ihnen Verpflegung mitzugeben. Heimlich gab er die Anweisung, jedem auch sein Geld oben in den Sack zu stecken. [26] Die Brüder beluden ihre Esel mit den Getreidesäcken und machten sich auf den Weg.

[27] Über Nacht blieben sie in einer Herberge. Als einer von ihnen seinen Sack öffnete, um seinen Esel zu füttern, bemerkte er das Geld. [28] »Ich habe mein Geld gefunden!«, rief er. »Seht, hier im Sack!« Da bekamen sie es mit der Angst zu tun. »Was hat Gott uns angetan?«, riefen sie.

[29] Zu Hause in Kanaan erzählten sie alles ihrem Vater Jakob: [30] »Der ägyptische Herrscher war sehr unfreundlich und nannte uns Spione, die das Land auskundschaften wollen. [31] Wir versicherten ihm, dass wir ehrliche Menschen und keine Spione sind. [32] ›Wir waren zwölf Brüder‹, erzählten wir ihm, ›aber einer ist tot und der jüngste zu Hause bei unserem Vater.‹ [33] Da antwortete er: ›Ich werde überprüfen, ob ihr die Wahrheit sagt. Lasst einen von euch bei mir zurück, und nehmt das Getreide mit zu euren Familien nach Hause. [34] Aber ihr müsst euren jüngsten Bruder zu mir bringen! Daran will ich erkennen, dass ihr keine Spione, sondern ehrliche Menschen seid. Ich werde euch euren Bruder zurückgeben, und ihr könnt euch im Land frei bewegen!‹«

[35] Als die Brüder ihre Säcke ausleeren wollten, entdeckten sie die anderen Geldbeutel. Sie erstarrten vor Schreck. [36] »Ihr raubt mir meine Kinder!«, rief Jakob verzweifelt. »Josef lebt nicht mehr, Simeon ist zurückgeblieben, und Benja-

---

42,9 37,5–11 **42,22** 37,21–22

min wollt ihr mir auch noch nehmen! Nichts bleibt mir erspart!« [37] Da griff Ruben ein: »Wenn ich dir Benjamin nicht zurückbringe, kannst du meine beiden Söhne töten«, sagte er. »Ich übernehme die Verantwortung!« [38] »Nein«, rief Jakob, »das kommt nicht in Frage! Sein Bruder Josef ist schon tot, und er ist der letzte von Rahels Söhnen. Ich bin schon ein alter Mann, und wenn ihm unterwegs etwas zustößt, würde mich das ins Grab bringen! Daran wärt allein ihr schuld!«

Zweite Reise nach Ägypten

43 Die Hungersnot wurde immer drückender. [2] Bald war das Getreide aufgebraucht, das sie aus Ägypten mitgebracht hatten. »Geht wieder nach Ägypten, und kauft etwas!«, bat Jakob seine Söhne. [3–5] Juda erwiderte: »Der Mann hat uns ausdrücklich gesagt: ›Lasst euch nicht mehr hier blicken, außer ihr bringt euren Bruder mit!‹ Wir können also nur gehen und Getreide kaufen, wenn du Benjamin mit uns kommen lässt! Sonst hat unsere Reise keinen Sinn.« [6] »Warum habt ihr dem Mann überhaupt erzählt, dass ihr noch einen Bruder habt? Musstet ihr mir das antun?«, fragte Jakob. [7] »Der Mann hat sich genau nach unserer Familie erkundigt«, entgegneten sie. »Er wollte wissen, ob unser Vater noch lebt und ob wir noch einen Bruder haben. Konnten wir denn ahnen, dass er sagen würde: ›Bringt euren Bruder mit!‹?« [8] Juda schlug vor: »Vertrau mir den Jungen an! Dann können wir losziehen, und keiner von uns muss verhungern. [9] Ich übernehme für ihn die volle Verantwortung. Wenn ich ihn dir nicht gesund zurückbringe, will ich mein Leben lang die Schuld dafür tragen! [10] Wir könnten schon zweimal wieder hier sein, wenn wir nicht so lange gezögert hätten!«

[11] Da gab Jakob nach: »Wenn es sein muss, dann nehmt Benjamin mit. Bringt dem Mann etwas von den besten Erzeugnissen unseres Landes: kostbare Harze,[a] außerdem Honig, Pistazien und Mandeln. [12] Nehmt doppelt so viel Geld mit, wie ihr braucht, und gebt den Betrag zurück, der oben in euren Säcken lag. Vielleicht war es ja nur ein Versehen. [13] Macht euch mit Benjamin auf den Weg. [14] Gott besitzt Macht über alles. Ich bete zu ihm, dass der ägyptische Herrscher Mitleid mit euch hat und Simeon und Benjamin freigibt. Und wenn ich meine Kinder verliere, dann muss es wohl so sein!«

[15] Die Brüder nahmen die Geschenke und den doppelten Geldbetrag und zogen mit Benjamin nach Ägypten. Dort meldeten sie sich bei Josef. [16] Als Josef sah, dass Benjamin dabei war, sagte er zu seinem Hausverwalter: »Diese Männer werden heute Mittag mit mir essen. Führe sie in meinen Palast, schlachte ein Tier, und bereite ein gutes Essen vor!«

[17] Als der Verwalter die Brüder aufforderte, ihm in Josefs Palast zu folgen, [18] erschraken sie. »Sicher werden wir dort hineingeführt, weil das Geld in unseren Säcken war!«, dachten sie. »Jetzt werden sie uns überwältigen, die Esel wegnehmen und uns zu Sklaven machen!«

[19] Am Eingang zum Palast sagten sie zu dem Verwalter: [20] »Herr, wir waren schon einmal hier, um Getreide zu kaufen. [21] Auf dem Rückweg übernachteten wir in einer Herberge. Als wir dort unsere Getreidesäcke öffneten, lag in jedem das Geld, mit dem wir bezahlt hatten. Jetzt haben wir es wieder mitgebracht, [22] zusammen mit neuem Geld, um noch einmal Getreide zu kaufen. Wir können wirklich nicht sagen, wer das Geld in unsere Säcke gelegt hat!«

[23] »Macht euch keine Sorgen«, beruhigte sie der Hausverwalter, »euer Gott muss es heimlich hineingelegt haben, denn ich habe euer Geld bekommen!«

Dann brachte er Simeon zu ihnen [24] und führte sie in den Palast. Dort gab er ihnen Wasser, damit sie sich die Füße

---

[a] Wörtlich: Balsamharz, Tragakant und Ladanum.

43,3–5 42,15.34 **43,23** 42,25

waschen konnten, und fütterte ihre Esel. [25]Sie nutzten die Zeit, um ihre Geschenke für Josef zurechtzulegen; inzwischen hatten sie nämlich erfahren, dass sie mit ihm essen würden.

[26]Als Josef eintrat, überreichten sie ihm die Geschenke und warfen sich vor ihm nieder. [27]Er erkundigte sich, wie es ihnen ging. »Was macht euer alter Vater, von dem ihr mir erzählt habt?«, fragte er. »Lebt er noch?« [28]»Ja«, antworteten sie, »und es geht ihm gut.« Dann warfen sie sich erneut vor ihm nieder.

[29]Josef sah seinen Bruder Benjamin an, den Sohn seiner eigenen Mutter, und fragte: »Das ist also euer jüngster Bruder, von dem ihr mir erzählt habt? Gott segne dich!« [30]Der Anblick Benjamins bewegte ihn so sehr, dass ihm die Tränen kamen. Er lief hinaus und weinte in seinem Zimmer. [31]Dann wusch er sein Gesicht und ging wieder zurück. Mühsam beherrschte er sich und befahl seinen Dienern, das Essen aufzutragen.

[32]Josef hatte einen eigenen Tisch, die Brüder aßen an einem anderen, und an einem dritten saßen die Ägypter, die mit dabei waren. Es war nämlich streng verboten, als Ägypter mit Hebräern an einem Tisch zu essen. [33]Josefs Brüder saßen ihm gegenüber. Jeder hatte seinen Platz zugewiesen bekommen, und zwar genau nach der Reihenfolge ihres Alters. Sie blickten sich erstaunt an. [34]Als Zeichen der besonderen Ehre ließ Josef ihnen von den Gerichten auftragen, die auf seinem Tisch standen. Benjamin bekam einen sehr großen Anteil – fünfmal so viel wie seine Brüder! Dazu tranken sie Wein. Es war eine fröhliche Feier.

Der verhängnisvolle Becher

44 Nach dem Essen gingen die Brüder in ihre Unterkunft. Als sie fort waren, sagte Josef zu seinem Hausverwalter: »Füll jeden Sack mit so viel Getreide, wie sie tragen können. Dann leg heimlich bei jedem das Geld wieder hinein. [2]Meinen silbernen Becher verstau in Benjamins Sack, zusammen mit seinem Geld!« Der Verwalter führte den Befehl aus.

[3]Früh am nächsten Morgen reisten die Brüder mit ihren voll bepackten Eseln wieder ab. [4]Sie waren noch nicht lange fort, da befahl Josef seinem Hausverwalter: »Schnell, jag den Männern hinterher! Wenn du sie eingeholt hast, frag sie: ›Warum habt ihr dieses Unrecht begangen, obwohl ihr so gut behandelt worden seid? [5]Warum habt ihr den silbernen Trinkbecher meines Herrn gestohlen, mit dessen Hilfe er die Zukunft voraussagt? Das ist ein Verbrechen!‹«

[6]Der Verwalter eilte den Brüdern nach, und als er sie erreicht hatte, wiederholte er die Worte seines Herrn. [7]»Wie kannst du so etwas behaupten!«, antworteten sie entrüstet. »Niemals würden wir das tun! [8]Du weißt doch, dass wir das Geld zurückgebracht haben, das wir nach unserer ersten Reise in den Säcken fanden. Warum sollten wir jetzt Silber oder Gold aus dem Palast deines Herrn stehlen? [9]Wenn du bei einem von uns den Becher findest, dann soll er sterben! Und wir anderen werden für immer deinem Herrn als Sklaven dienen!«

[10]»Gut«, erwiderte der Verwalter, »aber nur der wird ein Sklave, bei dem der Becher gefunden wird, die anderen sind frei.« [11]Hastig stellte jeder seinen Sack auf die Erde und öffnete ihn. [12]Der Verwalter durchsuchte alle Säcke sorgfältig, er ging der Reihe nach vom Ältesten bis zum Jüngsten, und schließlich fand er den Becher bei Benjamin. [13]Da zerrissen die Brüder ihre Kleider vor Verzweiflung, beluden ihre Esel und kehrten in die Stadt zurück.

[14]Josef war noch in seinem Palast, als sie dort ankamen. Sie warfen sich vor ihm nieder. [15]»Warum habt ihr das versucht?«, stellte Josef sie zur Rede. »Ihr hättet wissen müssen, dass ein Mann wie ich den Schuldigen herausfindet!« [16]Juda antwortete: »Was sollen wir jetzt noch zu

---

44,1 42,25 **44,8** 43,21

unserer Verteidigung vorbringen? Gott hat eine Schuld von uns bestraft. Darum sind wir alle deine Sklaven – *nicht nur* der, bei dem dein Becher gefunden wurde!« [17]»Nein, auf keinen Fall!«, entgegnete Josef. »Nur der ist mein Sklave, der den Becher gestohlen hat, ihr anderen seid frei und könnt zu eurem Vater zurückkehren!«

[18]Da trat Juda vor und sagte: »Herr, bitte höre mich an! Ich weiß, dass man dir nicht widersprechen darf, weil du der Stellvertreter des Pharaos bist. Bitte werde nicht zornig, wenn ich es trotzdem wage! [19]Herr, du hattest uns gefragt, ob wir noch einen Vater oder einen anderen Bruder haben. [20]Wir antworteten: ›Wir haben einen alten Vater und einen Bruder, der ihm noch im hohen Alter geboren wurde. Er ist der Jüngste von uns. Sein Bruder ist gestorben. Ihre Mutter war die Lieblingsfrau unseres Vaters und hatte nur diese zwei Söhne. Darum liebt unser Vater den Jüngsten besonders!‹ [21]Da hast du von uns verlangt, ihn herzubringen, um ihn mit eigenen Augen zu sehen. [22]Wir entgegneten: ›Herr, sein Vater würde sterben, wenn er ihn verließe!‹ [23]Du gingst nicht darauf ein und sagtest: ›Ohne ihn dürft ihr euch nicht mehr hier sehen lassen!‹ [24]Wir kehrten zu unserem Vater zurück und erzählten ihm alles. [25]Als er uns einige Zeit später aufforderte, wieder Getreide zu kaufen, [26]antworteten wir: ›Das geht nur, wenn du unseren jüngsten Bruder mitkommen lässt. Sonst können wir dem ägyptischen Herrscher nicht unter die Augen treten!‹ [27]Da sagte mein Vater zu uns: ›Ihr wisst doch, dass meine Lieblingsfrau nur zwei Söhne bekommen hat. [28]Der eine ist verschwunden – ich habe ihn nie wieder gesehen. Sicher hat ein wildes Tier ihn zerrissen! [29]Jetzt wollt ihr mir den anderen auch noch wegnehmen. Wenn ihm etwas zustößt, bringt ihr mich ins Grab!‹

[30]Darum, Herr«, fuhr Juda fort, »wenn wir jetzt zu unserem Vater kommen ohne den Jungen, an dem er so hängt, [31]dann wird er vor Kummer sterben – und wir sind schuld daran! [32]Herr, ich habe bei *meinem Vater die volle* Verantwortung für den Jungen übernommen und gesagt: ›Wenn ich ihn dir nicht gesund zurückbringe, will ich mein Leben lang die Schuld dafür tragen!‹ [33]Darum bitte ich dich, Herr: Lass mich an seiner Stelle als dein Sklave hier bleiben, und lass ihn mit seinen Brüdern zurückziehen! [34]Wie soll ich ohne den Jungen meinem Vater begegnen? Ich könnte seinen Schmerz nicht mit ansehen!«

Josef gibt sich zu erkennen

45 Da konnte Josef sich nicht länger beherrschen. »Verlasst den Raum!«, befahl er seinen Hofbeamten erregt. Nun war er mit seinen Brüdern allein. [2]Er brach in Tränen aus und weinte so laut, dass die Ägypter es hörten. Auch am Hof des Pharaos sprachen bald alle davon. [3]»Ich bin Josef!«, sagte er zu seinen Brüdern. »Lebt mein Vater noch?«

Fassungslos standen die Brüder vor ihm. Sie brachten keinen Ton heraus.

[4]»Kommt doch näher!«, sagte Josef. Sie kamen zu ihm heran, und er wiederholte: »Ich bin euer Bruder Josef, den ihr nach Ägypten verkauft habt. [5]Aber ihr braucht euch nicht zu fürchten. Macht euch keine Vorwürfe, dass ihr mich hierher verkauft habt, denn Gott wollte es so! Er hat mich vorausgeschickt, um euch zu retten. [6]Schon seit zwei Jahren hungern die Menschen, und auch in den nächsten fünf Jahren wird man kein Feld bestellen und keine Ernte einbringen können. [7]Gott hat mich euch vorausgesandt, damit ihr mit euren Familien überlebt. Nur so kann ein großes Volk aus euren Nachkommen entstehen. [8]Nicht ihr habt mich hierher geschickt, sondern Gott! Er hat mir diese hohe Stellung gegeben: Ich bin der Berater des Pharaos, und ganz Ägypten hört auf das, was ich sage. [9]Schnell, kehrt zu meinem Vater zurück! Sagt ihm: ›Dein Sohn Josef lässt dir ausrichten:

44,23 42,15.34 **44,27** 35,24 **44,28** 37,33 **44,29** 42,38 **44,32** 43,9 **45,5–8** 50,20; Ps 105,17 **45,8** 41,41

Gott hat mich zum Herrn über ganz Ägypten gemacht. Komm sofort zu mir! [10] Du kannst im Gebiet Goschen wohnen, dann bist du ganz in meiner Nähe. Bring deine Familie, deinen Besitz und dein Vieh mit! [11] Die Hungersnot wird noch fünf Jahre dauern. Ich werde für euch sorgen, und keiner wird mehr hungern müssen.‹ [12] Ihr seht doch mit eigenen Augen, dass ich wirklich euer Bruder bin«, fuhr Josef fort. »Benjamin, auch du hast mich gesehen. [13] Darum erzählt meinem Vater von meiner hohen Stellung und von allem, was ihr erlebt habt, und bringt ihn schnell hierher!«

[14] Er fiel Benjamin um den Hals und weinte. Auch Benjamin begann zu weinen. [15] Dann umarmte er die anderen und küsste sie. Endlich fanden die Brüder ihre Sprache wieder und redeten mit ihm.

[16] Bald wusste jeder am Hof des Pharaos: »Josefs Brüder sind gekommen!« Der Pharao und seine Beamten freuten sich. [17] Er sagte zu Josef: »Richte deinen Brüdern aus, sie sollen ihre Tiere beladen und nach Kanaan ziehen. Sag ihnen: [18] ›Holt euren Vater und eure Familien hierher! Ihr könnt in unserem fruchtbarsten Gebiet wohnen und das Beste essen, was es in Ägypten gibt!‹ [19] Sie sollen einige Wagen mitnehmen und damit euren Vater, die Frauen und die Kinder holen. [20] Ihrem Besitz zu Hause brauchen sie nicht nachzutrauern. Hier bekommen sie das Beste, was wir haben!«

[21] Josef gab seinen Brüdern die Wagen und Verpflegung für die Reise. [22] Jedem schenkte er ein schönes Gewand, nur Benjamin gab er fünf Gewänder und dreihundert Silberstücke. [23] Seinem Vater schickte er zehn Esel mit den besten Waren Ägyptens sowie zehn Eselinnen mit Getreide und anderen Nahrungsmitteln für die Reise. [24] Dann schickte er seine Brüder los und ermahnte sie: »Streitet euch nicht unterwegs!«

[25] Kaum waren die Brüder bei ihrem Vater angekommen, [26] da riefen sie: »Josef lebt! Er ist sogar Herrscher über ganz Ägypten!« Jakob war wie betäubt – er glaubte ihnen kein Wort. [27] Sie bestürmten ihn und erzählten alles, was Josef ihnen aufgetragen hatte. Sie zeigten ihm die Wagen, die Josef geschickt hatte, um ihn zu holen. Da kam wieder Leben in ihn. [28] »Tatsächlich – mein Sohn Josef lebt noch!«, rief er. »Ich will zu ihm und ihn sehen, bevor ich sterbe!«

Jakobs Familie zieht nach Ägypten

46 Jakob packte seinen ganzen Besitz zusammen und machte sich auf den Weg. Als er nach Beerscheba kam, schlachtete er ein Tier und opferte es dem Gott seines Vaters Isaak. [2] Nachts hörte er Gottes Stimme: »Jakob! Jakob!« »Ja, Herr?« [3] »Ich bin Gott«, antwortete die Stimme, »der Gott deines Vaters. Hab keine Angst davor, nach Ägypten zu ziehen! Dort will ich deine Nachkommen zu einem großen Volk machen. [4] Ich gehe mit dir nach Ägypten, und deine Nachkommen bringe ich wieder hierher zurück. Josef wird bei dir sein und dir die Augen zudrücken, wenn du stirbst.«

[5] Danach setzten Jakobs Söhne ihn und ihre Familien in die Wagen, die sie vom Pharao bekommen hatten. [6/7] Ihr Vieh und ihren Besitz nahmen sie mit. So erreichte Jakob mit allen Verwandten Ägypten.

[8] Es folgt das Verzeichnis der Familie Jakobs, die mit ihm nach Ägypten zog.

Nachkommen von Jakob und Lea: Ruben, der Älteste, [9] und seine Söhne Henoch, Pallu, Hezron und Karmi; [10] Simeon und seine Söhne Jemuël, Jamin, Ohad, Jachin, Zohar und Schaul; Schauls Mutter war eine Kanaaniterin; [11] Levi und seine Söhne Gerschon, Kehat und Merari; [12] Juda und seine Söhne Er, Onan, Schela, Perez und Serach; Er und Onan waren schon in Kanaan gestorben; Perez hatte zwei Söhne: Hezron und Hamul; [13] Issaschar und seine Söhne Tola, Puwa, Jaschub und Schimron; [14] Sebulon

---

46,1 26,23–25 **46,3** 28,14*; 47,27; 2 Mo 1,7

und seine Söhne Sered, Elon und Jachleel. [15]Männliche Nachkommen von Jakob und Lea: 33; dazu kommt ihre Tochter Dina.

[16–18]Nachkommen von Jakob und der Magd Silpa – Laban hatte sie damals seiner Tochter Lea gegeben –: Gad und seine Söhne Zifjon, Haggi, Schuni, Ezbon, Eri, Arod und Areli; Asser und seine Söhne Jimna, Jischwa, Jischwi und Beria sowie seine Tochter Serach; Beria hatte zwei Söhne: Heber und Malkiël. Nachkommen von Jakob und Silpa: 16.

[19–22]Nachkommen von Jakob und Rahel: Josef und seine Söhne Manasse und Ephraim. Sie wurden ihm in Ägypten von Asenat geboren. Asenat war die Tochter Potiferas, des Priesters von Heliopolis. Benjamin und seine Söhne Bela, Becher, Aschbel, Gera, Naaman, Ehi, Rosch, Muppim, Huppim und Ard. Nachkommen von Jakob und Rahel: 14.

[23–25]Nachkommen von Jakob und der Magd Bilha – Laban hatte sie damals seiner Tochter Rahel mitgegeben –: Dan und sein Sohn Schuham; Naftali und seine Söhne Jachzeel, Guni, Jezer und Schillem. Nachkommen von Jakob und Bilha: 7.

[26]Insgesamt zogen 66 Kinder und Enkel mit Jakob nach Ägypten – dazu noch die Frauen seiner Söhne. [27]Zählt man Jakob, Josef und dessen zwei Söhne hinzu, die ihm in Ägypten geboren wurden, so kamen 70 männliche Familienangehörige nach Ägypten.[a]

Das Wiedersehen

[28]Jakob schickte Juda voraus. Er sollte Josef ausrichten, dass sie nach Goschen ziehen würden. [29]Josef ließ sofort seinen Wagen anspannen und fuhr ihnen entgegen. Er fiel seinem Vater um den Hals und weinte lange. [30]Jakob sagte: »Jetzt bin ich bereit zu sterben! Ich habe dich gesehen und weiß, dass du lebst!«

[31]Josef wandte sich an die ganze Familie: »Ich gehe zum Pharao und erzähle ihm, dass ihr von Kanaan hierher gekommen seid. [32]Ich sage ihm: ›Diese Männer sind Viehhirten. Sie haben ihre Rinder, Schafe und Ziegen sowie ihren ganzen Besitz mitgebracht!‹ [33]Wenn der Pharao euch nach eurem Beruf fragt, [34]dann antwortet: ›Schon seit vielen Generationen sind wir Viehhirten.‹ Wenn ihr ihm das sagt, wird er euch hier in Goschen wohnen lassen!« Die Ägypter wollten nämlich mit Viehhirten nichts zu tun haben, weil dieser Beruf bei ihnen verachtet war.

Jakob beim Pharao

47 [1/2]Zusammen mit fünf seiner Brüder ging Josef zum Pharao. »Mein Vater und meine Brüder sind von Kanaan hierher gekommen«, sagte er, »ihren Besitz und ihre Viehherden haben sie mitgebracht. Jetzt sind sie in Goschen.« Er stellte seine Brüder vor. [3]»Welchen Beruf übt ihr aus?«, fragte der Pharao. »Wir sind Hirten – wie schon unsere Vorfahren«, antworteten sie. [4]»Wir möchten uns gern vorübergehend in Ägypten niederlassen. Die Hungersnot in Kanaan wird immer unerträglicher, alle Weideplätze für unsere Herden sind vertrocknet. Bitte gib deine Zustimmung, dass wir in Goschen wohnen können!«

[5/6]Der Pharao wandte sich an Josef: »Goschen ist der beste Teil unseres Landes. Gern dürfen dein Vater und deine Brüder dort wohnen bleiben! Und wenn unter ihnen geschickte Männer sind, kannst du sie zu Aufsehern über meine Herden ernennen.«

[7]Dann brachte Josef seinen Vater Jakob herein. Jakob begrüßte den Pharao mit einem Segenswunsch. [8]»Wie alt bist du?«, fragte der Pharao. [9]»Ich lebe nun 130 Jahre als Gast auf dieser Erde«, antwortete Jakob, »das ist keine lange Zeit –

---

[a] Wörtlich: Die Söhne Josefs, die ihm in Ägypten geboren wurden, waren zwei. Insgesamt kamen von Jakobs Familie 70 Personen nach Ägypten.

46,16–25 29,31 – 30,24; 35,16–18; 38,6–30; 41,45 **46,27** 2 Mo 1,1–5 **46,30** 45,28 **47,3** 46,33–34

meine Vorfahren sind viel älter geworden –, und es waren harte Jahre.« [10] Dann verabschiedete Jakob sich wieder mit einem Segenswunsch.

[11] Josef gab seinem Vater und seinen Brüdern Grundbesitz im fruchtbarsten Gebiet Ägyptens, wie der Pharao gesagt hatte. Es war die Gegend nahe bei der Stadt Ramses. [12] Er versorgte jede Familie nach der Zahl ihrer Kinder mit so viel Lebensmitteln, wie sie brauchten.

Die Verwaltung des Landes

[13] Die Hungersnot wurde immer drückender, weil auf den Feldern nichts mehr wuchs. Nicht nur in Kanaan, auch in Ägypten litten die Menschen schwer darunter.

[14] Josef verkaufte Getreide und übergab dem Pharao das Geld. Er nahm so gut wie alles Geld ein, das es in Kanaan und Ägypten gab. [15] Deshalb hatten die Ägypter auch nichts mehr, womit sie bezahlen konnten. Sie kamen zu Josef und flehten: »Sollen wir sterben, nur weil wir kein Geld mehr haben? Bitte gib uns Brot!« [16] »Gebt mir euer Vieh«, entgegnete Josef, »dann bekommt ihr Brot dafür!« [17] Sie brachten ihr Vieh zu ihm, und er gab ihnen Getreide. Bald waren alle Pferde, Schafe, Ziegen, Rinder und Esel Ägyptens im Besitz des Pharaos.

[18] Ein Jahr später kamen die Ägypter wieder zu Josef und sagten: »Herr, wir haben kein Geld mehr, und das Vieh gehört auch schon dir! Wir können dir nur noch uns selbst und unsere Felder geben! [19] Lass uns nicht sterben! Kauf uns und unser Land, wir wollen uns mitsamt unserem Grundbesitz dem Pharao als Leibeigene zur Verfügung stellen. Nur gib uns Getreide zum Leben und Saatgut, damit unsere Felder nicht verwildern!«

[20] Josef kaufte das ganze Land auf. Weil die Hungersnot so groß war, musste jeder seinen Grundbesitz dem König überlassen. [21] Alle Bewohner Ägyptens wurden zu Sklaven des Pharaos.[a] [22] Nur das Eigentum der Priester kaufte Josef nicht. Sie bekamen ein festes Einkommen vom Pharao und brauchten deshalb ihren Besitz nicht zu verkaufen.

[23] Josef ließ allen Ägyptern melden: »Ich habe euch und eure Felder an den König verkauft. Ihr bekommt Saatgut, das ihr aussäen sollt. [24] Wenn die Ernte kommt, gehört der fünfte Teil davon ihm. Vom Rest könnt ihr euch und eure Familien ernähren und wieder neue Saat aufsparen.« [25] »Du hast uns das Leben gerettet«, antworteten sie, »wir sind gerne Diener des Pharaos.«

[26] Josef machte es zu einem Gesetz in Ägypten, dass ein Fünftel der Ernte dem Pharao gehören sollte. Diese Verordnung gilt dort noch heute. Nur der Grundbesitz der Priester wurde nicht Eigentum des Pharaos.

Jakobs letzter Wunsch

[27] Die Israeliten[b] ließen sich in Goschen nieder. Sie wurden zu einem großen Volk.

[28] Jakob lebte noch siebzehn Jahre in Ägypten. Er wurde 147 Jahre alt. [29] Als er merkte, dass er bald sterben würde, rief er Josef zu sich. »Bitte erfüll mir meinen letzten Wunsch!«, bat er. »Leg die Hand auf meinen Unterleib, und versprich mir, dass du mich nicht in Ägypten begräbst! [30] Wenn ich gestorben bin, bring mich von hier fort, und begrab mich neben meinen Vorfahren!« »Das verspreche ich dir!«, antwortete Josef. [31] »Schwöre!«, bat Jakob. Josef schwor. Da betete Jakob auf seinem Bett Gott an.

---

[a] So mit der griechischen Übersetzung. Der hebräische Text lautet: Das Volk ließ er in die Städte ziehen, von einem Ende Ägyptens zum anderen.

[b] Wörtlich: Israel. – Der neue Name Jakobs steht hier für seine Nachkommen, die später das Volk Israel bildeten.

47,26 41,34 **47,29** 24,2 **47,30** 23,17–20; 25,9–10; 49,29–32; 50,12–13; Apg 7,15–16

Jakob segnet Ephraim und Manasse

48 Kurze Zeit später erhielt Josef die Nachricht: »Dein Vater ist krank.« Sofort eilte er mit seinen Söhnen Ephraim und Manasse zu ihm.

[2] Als Jakob hörte, dass Josef gekommen war, setzte er sich mit letzter Kraft im Bett auf. [3] Er sagte zu Josef: »Der allmächtige Gott ist mir bei Lus im Land Kanaan erschienen. [4] Er hat mich gesegnet und mir versprochen: ›Aus dir wird ein großes Volk entstehen. Deinen Nachkommen gebe ich dieses Land für immer.‹ [5] Josef, ich möchte Ephraim und Manasse als meine Söhne annehmen!«, fuhr Jakob fort. »Sie wurden in Ägypten geboren, bevor ich hierher kam, und werden nun Ruben und Simeon gleichgestellt. [6] Die Söhne aber, die du nach ihnen bekommen hast, gelten als deine eigenen. Sie sollen kein Erbe bekommen, sondern zu Ephraim und Manasse gezählt werden. [7] Dies tue ich, weil ich deine Mutter Rahel immer besonders geliebt habe[a]. Als wir aus Mesopotamien zurückkamen, starb sie in Kanaan, nicht weit von Efrata, dem heutigen Bethlehem. Dort begrub ich sie.«

[8] Jakob blickte Ephraim und Manasse an. »Wer sind sie?«, fragte er. [9] »Das sind die beiden Söhne, die Gott mir in Ägypten geschenkt hat«, antwortete Josef. »Bring sie zu mir, ich will sie segnen!«, bat Jakob. [10] Jakobs Augen waren im Alter schwach geworden, er konnte kaum noch sehen. Darum brachte Josef die beiden nah an ihn heran. Jakob umarmte und küsste sie. [11] Dann wandte er sich wieder an Josef und sagte: »Ich hätte nicht geglaubt, dich jemals wiederzusehen. Jetzt lässt Gott mich sogar deine Kinder noch erleben!«

[12] Josef nahm Ephraim und Manasse von Jakobs Knien und verbeugte sich tief vor ihm. [13] Dann nahm er die beiden an die Hand und stellte Ephraim an Jakobs linke, Manasse an seine rechte Seite. [14] Aber Jakob kreuzte seine Hände und legte seine rechte Hand auf Ephraims Kopf, obwohl er der Jüngere war; seine linke legte er auf Manasses Kopf, obwohl er der Ältere war. [15] Er segnete Josef und seine Söhne und sagte: »Gott, dem meine Väter Abraham und Isaak dienten, hat mein Leben lang für mich gesorgt. [16] Sein Engel hat mich aus vielen Gefahren gerettet. Dieser Gott erweise Ephraim und Manasse Gutes! Sie sollen weitertragen, was er mit Abraham, Isaak und mir begonnen hat![b] Ihre Nachkommen sollen zahlreich werden und das verheißene Land bevölkern!«

[17] Josef gefiel es nicht, dass Jakob seine rechte Hand auf Ephraims Kopf gelegt hatte. Er nahm sie, um sie auf Manasse zu legen. [18] »Er ist der Älteste!«, sagte er. »Leg deine rechte Hand auf ihn!« [19] Aber sein Vater ging nicht darauf ein. »Ich weiß, mein Sohn, ich weiß!«, erwiderte er. »Auch von Manasse wird ein großes Volk abstammen, aber Ephraims Nachkommen sollen noch zahlreicher und mächtiger werden!«

[20] Schließlich segnete Jakob die beiden: »Euer Name soll sprichwörtlich sein, wenn man sich in Israel Gutes wünscht. Dann wird man sagen: ›Gott erweise dir Gutes wie Ephraim und Manasse!‹« [21] Zu Josef sagte er: »Ich muss sterben. Gott wird euch helfen und euch nach Kanaan zurückbringen, in das Land eurer Vorfahren. [22] Du sollst deinen Brüdern etwas voraushaben: Ich verspreche dir das Bergland, das ich den Amoritern im Kampf mit Schwert und Bogen abgenommen habe.«

Jakobs Segen für seine Söhne

49 Danach ließ Jakob alle seine Söhne herbeirufen. »Kommt an mein

---

[a] »weil … habe« ist sinngemäß ergänzt.

[b] Wörtlich: In ihnen soll mein Name weiterleben und der von Abraham und Isaak.

48,3 28,12–19 **48,4** 28,13*.14* **48,7** 35,19–20 **48,16** 28,13*.14* **48,19** 4 Mo 1,32–43; 5 Mo 33,17; Jos 17,14; Jer 31,20; 1 Mo 27,1–33 **48,22** Joh 4,5

Bett«, forderte er sie auf, »ich sage euch, was in Zukunft mit euch geschehen wird. [2] Hört, was euer Vater Israel sagt!

[3] Ruben, du bist mein erster Sohn, geboren in der Zeit meiner größten Kraft. Du nimmst den höchsten Rang ein, genießt das größte Ansehen. [4] Aber du kannst dich nicht im Zaum halten – darum wirst du nicht der Erste bleiben. Mit einer meiner Frauen hast du geschlafen und mich dadurch beleidigt.

[5] Simeon und Levi, sie beide verfolgen dieselben Ziele:[a] Ihre Schwerter haben sie zu Mord und Totschlag missbraucht. [6] Mit ihren finsteren Plänen will ich nichts zu tun haben, von ihren Vorhaben halte ich mich fern. In blinder Wut brachten sie Menschen um, mutwillig schnitten sie Stieren die Sehnen durch. [7] Weil sie im Zorn so hart und grausam waren, müssen sie die Folgen tragen: Ihre Nachkommen erhalten kein eigenes Gebiet, sondern wohnen verstreut in ganz Israel.

[8] Juda, dich loben deine Brüder! Deine Feinde schlägst du in die Flucht, darum verehren dich alle Söhne deines Vaters. [9] Mein Sohn, du bist wie ein junger Löwe, der gerade seine Beute gerissen hat. Majestätisch legt er sich daneben, und niemand wagt es, ihn zu stören. [10] Juda, immer behältst du das Zepter in der Hand, Könige gehen aus deinem Stamm hervor – bis ein großer Herrscher kommt,[b] dem alle Völker dienen. [11] Juda wäscht sein Gewand in Wein – im Überfluss kann er ihn genießen; er bindet seinen Esel am Weinstock an – denn es wächst genug davon in seinem Land.[c] [12] Seine Augen sind dunkler als Wein und seine Zähne weißer als Milch.

[13] Sebulon – nah beim Meer wird er wohnen, sein Ufer ist ein Hafen für Schiffe. Bis nach Sidon erstreckt sich sein Gebiet.

[14] Issaschar gleicht einem knochigen Esel, der träge zwischen den Satteltaschen ruht. [15] Sein schönes Land und seine Ruhe möchte er nicht verlieren. Darum lässt er sich unterjochen und gibt seine Freiheit auf, anstatt für sie zu kämpfen.

[16] Dan verhilft seinem Volk zum Recht – darum wird er geachtet, obwohl er nur ein kleiner Stamm ist. [17] Listig ist er wie eine kleine, aber gefährliche Schlange, die am Wegrand liegt. Sie greift ein Pferd an, und nach ihrem Biss fällt der Reiter zu Boden.

[18] O Herr, ich warte darauf, dass du uns rettest!

[19] Gad wird von plündernden Horden bedrängt, aber er treibt sie zurück und schlägt sie in die Flucht.

[20] Assers Land bringt reiche Ernte; köstliche Früchte wachsen dort, es sind wohlschmeckende Speisen sogar für Könige.

[21] Naftali gleicht einer Hirschkuh, die leichtfüßig umherläuft und schöne Kälber wirft.

[22] Josef, du bist wie ein fruchtbarer Baum, der an einer Quelle wächst und dessen Zweige eine Mauer überragen. [23] Feindliche Truppen greifen dich an, verfolgen dich mit Pfeil und Bogen, [24] aber dein Bogen bleibt unzerbrechlich. Deine Arme und Hände sind stark, weil Jakobs mächtiger Gott dir hilft. Er sorgt für Israel wie ein Hirte, gibt dem Volk Sicherheit wie ein starker Fels. [25] Der Gott, dem schon dein Vater gedient hat, wird dir beistehen. Er ist allmächtig und wird dir seinen Segen schenken: Regen bewässert dein Land von oben, und das Wasser aus den Tiefen der Erde macht deine Felder fruchtbar; Menschen und Tiere vermehren sich und breiten sich aus. [26] Stell dir die Berge vor, deren Gip-

---

[a] Wörtlich: Simeon und Levi, die Brüder.

[b] Wörtlich: bis Schilo kommt. – Das Wort ist nicht sicher zu deuten, wahrscheinlich bezeichnet es einen großen Herrscher.

[c] Wörtlich: Er bindet seinen Esel an den Weinstock, an die Rebe das Junge der Eselin; er wäscht sein Gewand in Wein, sein Kleid im Blut der Trauben.

49,4 35,22 **49,5–6** 34,24–26 **49,7** 5 Mo 18,1; Jos 19,1–9; 21,1–42 **49,8** Ri 1,1–2 **49,10** 1 Chr 5,2; 2 Sam 7,16; Hebr 7,14; Offb 5,5

fel bis in den Himmel ragen: Dein Wohlstand wird noch viel größer sein![a] Dies steht dir zu, denn du nimmst einen besonderen Platz unter deinen Brüdern ein.

[27] Benjamin gleicht einem reißenden Wolf, der morgens seine Feinde verschlingt und abends seine Beute teilt.«

[28] Jedem seiner zwölf Söhne sagte Jakob ein besonderes Segenswort. Es galt zugleich für die zwölf Stämme Israels, die von ihnen abstammen sollten. [29/30] »Ich muss bald sterben«, sagte er dann zu seinen Söhnen, »begrabt mich in unserem Familiengrab! Es ist die Höhle in Kanaan, bei Machpela, östlich von Mamre. Abraham hat sie dem Hetiter Efron abgekauft. [31] Dort sind schon Abraham und Sara, Isaak und Rebekka begraben, und dort habe ich Lea beigesetzt. [32] Die Höhle mit dem Grundstück gehört uns. Begrabt auch mich dort!«

[33] Nachdem Jakob seinen letzten Willen erklärt hatte, legte er sich aufs Bett zurück und starb.

Trauer um Jakob

50 Josef warf sich über seinen Vater, küsste ihn und weinte laut. [2] Er beauftragte seine Ärzte, den Körper einzubalsamieren. [3] Das dauerte wie gewohnt vierzig Tage, und ganz Ägypten trauerte siebzig Tage lang um Jakob.

[4] Als die Trauerzeit vorüber war, bat Josef die königlichen Hofbeamten, dem Pharao auszurichten: [5] »Ich habe meinem Vater geschworen, ihn in Kanaan zu bestatten. Dort ist unser Familiengrab. Lass mich meinen Vater nach Kanaan bringen! Danach komme ich wieder zurück!« [6] Der Pharao ließ ihm sagen: »Du kannst deinen Vater bestatten, wie du es ihm versprochen hast.«

[7] Josef machte sich auf den Weg. Mit ihm zogen die obersten Beamten Ägyptens, [8] seine eigene Familie und die Familien seiner Brüder sowie alle anderen Angehörigen Jakobs. Nur die kleinen Kinder und das Vieh ließen sie in Goschen zurück. [9] Zu ihrem Schutz wurden sie von Kriegswagen und Reitern begleitet. Es war ein sehr großer Trauerzug.

[10] Als sie nach Goren-Atad östlich des Jordan kamen, ließ Josef die Totenklage für seinen Vater halten, sieben Tage lang. [11] Die einheimischen Kanaaniter beobachteten sie und staunten: »Seht, wie groß die Trauer der Ägypter ist!« Darum heißt der Ort Abel-Mizrajim (»Trauer der Ägypter«). [12/13] Jakobs Söhne erfüllten den Wunsch ihres Vaters und brachten ihn nach Kanaan. Sie bestatteten ihn in der Höhle bei Machpela, östlich von Mamre, in dem Familiengrab, das Abraham damals von dem Hetiter Efron gekauft hatte.

[14] Danach kehrten Josef und seine Brüder mit dem Trauerzug nach Ägypten zurück.

Was Gott beschlossen hat, das steht fest

[15] Weil ihr Vater nun tot war, bekamen Josefs Brüder Angst. »Was ist, wenn Josef sich jetzt doch noch rächen will und uns alles Böse heimzahlt, was wir ihm angetan haben?« [16] Sie schickten einen Boten zu Josef mit der Nachricht: »Bevor dein Vater starb, beauftragte er uns, dir zu sagen: [17] ›Vergib deinen Brüdern das Unrecht von damals!‹ Darum bitten wir dich jetzt: Verzeih uns! Wir dienen doch demselben Gott wie du und unser Vater!«

Als Josef das hörte, musste er weinen. [18] Danach kamen die Brüder selbst zu ihm, warfen sich zu Boden und sagten: »Wir sind deine Diener!« [19] Aber Josef erwiderte: »Habt keine Angst! Ich maße mir doch nicht an, euch an Gottes Stelle zu richten! Was er beschlossen hat, das steht fest! [20] Ihr wolltet mir Böses tun, aber Gott hat Gutes daraus entstehen lassen. Durch meine hohe Stellung konnte

---

[a] So mit der griechischen Übersetzung. Der hebräische Text lautet: Die Segnungen deines Vaters sind reicher als die Segnungen meiner Erzeuger der Urzeit.

49,29–32 23,17–20* **50,5** 47,29–31 **50,12–13** 23,17–20* **50,15** 27,41

ich vielen Menschen das Leben retten. [21] Ihr braucht also nichts zu befürchten. Ich werde für euch und eure Familien sorgen.«

So beruhigte Josef seine Brüder, und sie vertrauten ihm.

Josefs Tod

[22] Josef, seine Brüder und ihre Familien blieben in Ägypten wohnen. Josef wurde 110 Jahre alt. [23] Er sah noch Ephraims Kinder und Enkel. Auch erlebte er noch die Kinder von Machir, dem Sohn Manasses, und nahm sie in seine Familie auf.[a]

[24] Als Josef merkte, dass er bald sterben würde, sagte er zu seinen Brüdern: »Gott sorgt für euch. Er wird euch aus Ägypten herausführen und in das Land bringen, das er Abraham, Isaak und Jakob versprochen hat. [25] Schwört mir, dass ihr meine Gebeine mitnehmt, wenn Gott euch nach Kanaan bringt!« Die Brüder schworen es.

[26] Josef starb im Alter von 110 Jahren. Sein Körper wurde einbalsamiert und in einen Sarg gelegt.

---

[a] Wörtlich: Die Kinder von Manasses Sohn Machir wurden auf Josefs Knien geboren. – Wahrscheinlich ist gemeint, dass Machirs Söhne von Josef adoptiert wurden. Vgl. Kapitel 30,3

50,24–25 2 Mo 13,19; Jos 24,32; Apg 7,15–16; Hebr 11,22

Das zweite Buch Mose (Exodus)

Das Volk Israel in Ägypten

1 Dies sind die Namen der Israeliten, die mit ihrem Vater Jakob und ihren Familien nach Ägypten gekommen waren: [2–4] Ruben, Simeon, Levi, Juda, Issachar, Sebulon, Benjamin, Dan, Naftali, Gad und Asser. [5] Insgesamt waren es siebzig Personen, und alle stammten von Jakob ab. Josef, auch ein Sohn Jakobs, hatte bereits vorher in Ägypten gelebt.

[6] Nach und nach waren Josef und seine Brüder gestorben, und schließlich lebte von ihrer Generation niemand mehr. [7] Ihre Nachkommen aber wurden zu einem großen Volk und ließen sich überall in Ägypten nieder.

[8] Dann trat ein neuer König die Herrschaft an, der Josef nicht mehr kannte. [9] Er sagte zu den Ägyptern: »Ihr seht, dass die Israeliten zahlreicher und mächtiger sind als wir. [10] Wir müssen etwas dagegen unternehmen! Denn wenn dieses Volk weiter wächst, laufen sie im Krieg womöglich zu unseren Feinden über, kämpfen gegen uns und bringen dann das Land in ihre Gewalt[a].«

[11] So zwang man die Israeliten zur Sklavenarbeit und setzte Aufseher über sie ein. Sie mussten für den Pharao die Vorratsstädte Pitom und Ramses bauen. [12] Doch je mehr die Israeliten unterdrückt wurden, desto zahlreicher wurden sie. Sie breiteten sich im ganzen Land aus, so dass die Ägypter Angst bekamen. [13] Darum zwangen sie die Israeliten erbarmungslos zu harter Arbeit [14] und machten ihnen das Leben schwer: Sie mussten aus Lehm Ziegel herstellen und auf den Feldern arbeiten. Mit Gewalt wurden sie dazu gezwungen.

[15] Den israelitischen Hebammen Schifra und Pua befahl der ägyptische König: [16] »Wenn ihr von den hebräischen Frauen zur Geburt gerufen werdet und seht, dass ein Junge zur Welt kommt, dann tötet ihn sofort! Ist es ein Mädchen, könnt ihr es am Leben lassen!« [17] Aber aus Ehrfurcht vor Gott hielten sich die Hebammen nicht an den königlichen Befehl, sondern ließen die Jungen am Leben.

[18] Als der König sie deswegen zur Rede stellte, [19] erklärten sie: »Die hebräischen Frauen sind viel kräftiger als die Ägypterinnen. Ehe wir zu ihnen kommen, haben sie ihr Kind schon geboren!«

[20/21] Weil die Hebammen Ehrfurcht vor Gott hatten, tat er ihnen Gutes und schenkte ihnen viele Kinder. Das Volk Israel wurde immer größer und mächtiger.

[22] Schließlich befahl der Pharao den Ägyptern: »Werft alle neugeborenen Jungen der Hebräer in den Nil, nur die Mädchen lasst am Leben!«

Mose wird geboren

2 Ein Mann vom Stamm Levi heiratete eine Frau aus demselben Stamm. [2] Sie wurde schwanger und bekam einen Sohn. Als sie sah, wie schön der Junge war, hielt sie ihn drei Monate lang versteckt. [3] Doch schließlich konnte sie ihn nicht mehr verbergen. Sie nahm einen Korb aus Schilfrohr und dichtete ihn mit Erdharz und Pech ab. Dann legte sie das Kind hinein und setzte es im Schilf am Nilufer aus. [4] Die Schwester des Jungen blieb in einiger Entfernung stehen, um zu beobachten, was mit ihm geschehen würde.

[5] Irgendwann kam die Tochter des Pharaos zum Baden an den Fluss. Ihre Dienerinnen gingen am Ufer hin und her und

---

[a] Oder: kämpfen gegen uns und verlassen dann das Land.

1,5 1 Mo 46,8–27 **1,11–14** 12,40; 1 Mo 15,13; Apg 7,6 **1,12** Apg 7,17 **2,1** 6,20 **2,2** Hebr 11,23

warteten. Plötzlich entdeckte die Tochter des Pharaos den Korb im Schilf. Sie schickte eine Dienerin hin und ließ ihn holen. [6] Als sie den Korb öffnete, sah sie den weinenden Jungen darin liegen. Sie bekam Mitleid und sagte: »Das ist bestimmt eins von den hebräischen Kindern.«

[7] Da ging die Schwester des Jungen zu ihr und erzählte: »Ich kenne eine hebräische Frau, die gerade stillt. Soll ich sie rufen? Dann kann sie das Kind für dich stillen.« [8] »Ja, ruf sie her!«, antwortete die Tochter des Pharaos. Und so lief das Mädchen los und holte seine Mutter. [9] Die Tochter des Pharaos forderte die Frau auf: »Nimm dieses Kind mit, und still es für mich! Ich werde dich dafür bezahlen.« Da nahm die Frau ihren Sohn wieder zu sich und stillte ihn.

[10] Als das Kind größer wurde, brachte sie es zur Tochter des Pharaos, die es als ihren eigenen Sohn annahm. »Ich habe ihn aus dem Wasser geholt«, sagte sie, und darum nannte sie ihn Mose[a].

Mose flieht nach Midian

[11] Mose war erwachsen geworden. Einmal ging er los, um zu sehen, wie seine israelitischen Brüder zu harter Arbeit gezwungen wurden. Dabei wurde er Zeuge, wie ein Ägypter einen Hebräer schlug, einen Mann aus seinem Volk! [12] Mose sah sich nach allen Seiten um, und als er sich überzeugt hatte, dass außer ihnen niemand in der Nähe war, schlug er den Ägypter tot und verscharrte ihn im Sand.

[13] Am nächsten Tag ging er wieder dorthin und sah zwei Hebräer miteinander streiten. »Warum schlägst du einen Mann aus deinem eigenen Volk?«, fragte Mose den, der im Unrecht war. [14] Der Mann erwiderte: »Was geht dich das an? Bist du unser Aufseher oder Richter? Willst du mich jetzt auch umbringen wie gestern den Ägypter?« Mose erschrak. »Es ist also doch herausgekommen!«, dachte er.

[15] Als der Pharao von Moses Tat erfuhr, wollte er ihn hinrichten lassen. Doch Mose flüchtete nach Midian. Dort machte er an einem Brunnen Rast. [16] In Midian gab es einen Priester, der sieben Töchter hatte. Sie hüteten seine Schafe und Ziegen und kamen gerade zum Brunnen, um Wasser zu schöpfen. Als sie die Tränkrinnen für die Tiere gefüllt hatten, [17] kamen andere Hirten und drängten die Mädchen weg. Da stand Mose auf und half den Mädchen, ihre Herde zu tränken.

[18] Als sie wieder nach Hause zu ihrem Vater Reguël kamen, fragte er erstaunt: »Warum kommt ihr heute schon so früh zurück?« [19] Die Töchter erzählten: »Ein Ägypter hat uns gegen die anderen Hirten verteidigt. Er half uns sogar, Wasser zu schöpfen und die Tränkrinnen zu füllen.« [20] »Wo ist er denn?«, fragte Reguël. »Warum habt ihr ihn nicht mitgebracht? Bittet ihn, hereinzukommen und mit uns zu essen!«

[21] So kam Mose zu Reguël. Der lud ihn ein, bei ihnen zu bleiben, und Mose willigte ein.

Reguël gab ihm seine Tochter Zippora zur Frau.[b] [22] Sie brachte einen Sohn zur Welt. Bei seiner Geburt sagte Mose: »Er soll Gerschom (›ein Fremder dort‹) heißen, weil ich hier in einem fremden Land Schutz gesucht habe.«

[23] Viele Jahre später starb der König von Ägypten. Aber die Israeliten stöhnten weiter unter der Zwangsarbeit und schrien zu Gott um Hilfe. [24] Er hörte ihr Klagen und dachte an den Bund, den er einst mit Abraham, Isaak und Jakob geschlossen hatte. [25] Ja, Gott hatte die Israeliten nicht vergessen, er kam ihnen zu Hilfe.

---

[a] Der Name Mose klingt im Hebräischen so ähnlich wie das Wort für »herausziehen«.
[b] Moses Schwiegervater Reguël wird im Folgenden Jitro genannt.

2,11–15 Apg 7,23–29.35; Hebr 11,24–27 **2,21–22** 18,1–3; 4 Mo 12,1 **2,23–25** 3,16; 4,31; 6,5; 1 Mo 21,17; Ri 2,18 **2,24** 1 Mo 15,13–14

Gott gibt Mose einen Auftrag

3 Mose hütete damals die Schafe und Ziegen seines Schwiegervaters Jitro, des Priesters von Midian. Eines Tages trieb er die Herde von der Steppe hinauf in die Berge und kam zum Horeb, dem Berg Gottes. [2] Dort erschien ihm der Engel des Herrn in einer Flamme, die aus einem Dornbusch schlug. Als Mose genauer hinsah, bemerkte er, dass der Busch zwar in Flammen stand, aber nicht niederbrannte. [3] »Merkwürdig«, dachte Mose, »warum verbrennt der Busch nicht? Das muss ich mir aus der Nähe ansehen.«

[4] Der Herr sah, dass Mose sich dem Feuer näherte, um es genauer zu betrachten. Da rief er ihm aus dem Busch zu: »Mose, Mose!« »Ja, Herr«, antwortete er. [5] »Komm nicht näher!«, befahl Gott. »Zieh deine Sandalen aus, denn du stehst auf heiligem Boden! [6] Ich bin der Gott deiner Vorfahren, der Gott Abrahams, Isaaks und Jakobs.« Mose verhüllte sein Gesicht, denn er hatte Angst davor, Gott anzuschauen.

[7] Der Herr sagte: »Ich habe gesehen, wie schlecht es meinem Volk in Ägypten geht, und ich habe auch gehört, wie sie über ihre Unterdrückung klagen. Ich weiß, was sie dort erleiden müssen. [8] Darum bin ich gekommen, um sie aus der Gewalt der Ägypter zu retten. Ich will sie aus diesem Land herausführen und in ein gutes, großes Land bringen, in dem Milch und Honig fließen. Jetzt leben dort noch die Kanaaniter, Hetiter, Amoriter, Perisiter, Hiwiter und Jebusiter. [9] Ja, ich habe die Hilfeschreie der Israeliten gehört; ich habe gesehen, wie die Ägypter sie quälen. [10] Darum geh nach Ägypten, Mose! Ich sende dich zum Pharao, denn du sollst mein Volk Israel aus Ägypten herausführen!«

[11] Aber Mose erwiderte: »Ich soll zum Pharao gehen und die Israeliten aus Ägypten herausführen? Wer bin ich schon?« [12] Der Herr antwortete: »Ich stehe dir bei und gebe dir ein Zeichen, an dem du erkennst, dass ich dich gesandt habe: Wenn du mein Volk aus Ägypten herausgeführt hast, werdet ihr mir an diesem Berg hier Opfer darbringen!« [13] Mose entgegnete: »Wenn ich zu den Israeliten komme und ihnen sage, dass der Gott ihrer Vorfahren mich zu ihnen gesandt hat, werden sie mich nach seinem Namen fragen. Was sage ich dann?«

[14] Gott antwortete: »Ich bin euer Gott, der für euch da ist.[a] Darum sag den Israeliten: ›Ich bin für euch da‹ hat mich zu euch gesandt. [15] Ja, der Herr hat mich geschickt, der Gott eurer Vorfahren, der Gott Abrahams, Isaaks und Jakobs. – Denn das ist mein Name für alle Zeiten. Alle kommenden Generationen sollen mich mit diesem Namen anreden, wenn sie zu mir beten.

[16] Geh nun nach Ägypten, versammle die Oberhäupter der Sippen Israels, und sag ihnen: Der Herr ist mir erschienen, der Gott eurer Vorfahren, der Gott Abrahams, Isaaks und Jakobs. Er lässt euch ausrichten: Ich habe euch nicht vergessen und habe gesehen, was man euch in Ägypten antut. [17] Darum verspreche ich, dass ich eurem Elend ein Ende mache: Ich werde euch aus Ägypten herausführen und in das Land der Kanaaniter, Hetiter, Amoriter, Perisiter, Hiwiter und Jebusiter bringen, ein Land, in dem Milch und Honig fließen. [18] Die Sippenoberhäupter Israels werden auf dich hören. Du sollst dann mit ihnen zum Pharao gehen und sagen: Der Herr, der Gott der Hebräer, ist uns erschienen. Bitte erlaube uns, drei Tagesreisen weit in die Wüste zu ziehen, um ihm dort Opfer darzubringen!

[19] Ich weiß aber: Der König von Ägypten wird euch das nie erlauben, wenn ihn nicht eine starke Hand dazu zwingt[b]!

---

[a] Wörtlich: Ich bin, der ich bin.

[b] So mit der griechischen Übersetzung. Der hebräische Text lautet: selbst dann nicht, wenn ihn eine starke Hand dazu zwingt.

3,1–10 Apg 7,30–35 **3,5** Jos 5,15 **3,6** 1 Mo 17,1; 28,4; 28,13; 2 Mo 33,20–23*; Mk 12,26 **3,7** 2,23–25* **3,8** 4 Mo 13,27* **3,10** Jer 1,4–19 **3,11–12** Jer 1,6–8 **3,14** 6,2–3; Offb 1,8 **3,16** 2,25; 4,31; 6,5 **3,18** 5,1*

[20] Darum werde ich meine Hand erheben und die Ägypter strafen. Mit gewaltigen Taten werde ich ihnen zusetzen, bis der Pharao euch ziehen lässt. [21] Ich will euch bei den Ägyptern Achtung verschaffen. Ihr werdet das Land nicht mit leeren Händen verlassen. [22] Jede Israelitin soll von ihrer Nachbarin Gold- und Silberschmuck und schöne Kleider verlangen. Eure Kinder sollen dies alles bekommen; es wird eure Beute sein.«

Moses Einwände

4 Mose wandte ein: »Die Israeliten werden mir nicht glauben und nicht auf mich hören. Sie werden sagen: ›Der Herr ist dir gar nicht erschienen!‹« [2] Da fragte ihn der Herr: »Was hast du da in der Hand?« »Einen Stab«, erwiderte Mose. [3] »Wirf ihn auf den Boden!«, befahl der Herr. Mose gehorchte, und sofort verwandelte sich der Stab in eine Schlange. Voller Entsetzen lief Mose weg. [4] Der Herr aber forderte ihn auf: »Pack die Schlange beim Schwanz!« Mose griff nach ihr, und sie wurde in seiner Hand wieder zum Stab.

[5] Der Herr sagte: »Tu dies vor den Augen der Israeliten! Dann werden sie dir glauben, dass ich, der Herr, dir erschienen bin, der Gott ihrer Vorfahren, der Gott Abrahams, Isaaks und Jakobs. [6] Und nun steck deine Hand in den Bausch deines Gewandes!« Mose gehorchte, und als er die Hand wieder herauszog, war sie schneeweiß – sie war aussätzig. [7] »Steck die Hand noch einmal in den Bausch!«, befahl der Herr. Als Mose sie dann wieder herauszog, war sie gesund.

[8] Der Herr sagte: »Wenn die Israeliten dir nicht glauben und das erste Zeichen nicht beachten, werden sie sicher nach dem zweiten Zeichen auf dich hören. [9] Wollen sie dir aber trotz dieser beiden Zeichen nicht glauben und deine Botschaft nicht beachten, dann schöpfe Wasser aus dem Nil, und gieß es auf das Land. Dieses Wasser wird zu Blut werden!«

[10] »Ach Herr«, entgegnete Mose, »ich bin noch nie ein guter Redner gewesen. Auch jetzt, wo du mit mir sprichst, hat sich daran nichts geändert. Ich rede nicht gerne, die Worte kommen mir nur schwer über die Lippen.« [11] Aber der Herr sagte: »Habe nicht ich, der Herr, den Menschen einen Mund gegeben? Kann ich sie nicht stumm oder taub, sehend oder blind machen? [12] Geh jetzt! Ich bin bei dir und sage dir, was du reden sollst.«

[13] Doch Mose bat: »Herr, sende doch lieber einen anderen!«

[14] Da wurde der Herr zornig und erwiderte: »Ich weiß, dass dein Bruder Aaron vom Stamm Levi sehr gut reden kann. Er ist schon unterwegs und kommt dir entgegen. Er wird sich von Herzen freuen, wenn er dich wiedersieht. [15] Sag ihm, was er den Israeliten ausrichten soll. Ich will bei euch sein, wenn ihr reden müsst, und ich werde euch zeigen, was ihr tun sollt. [16] Aaron soll an deiner Stelle zu den Israeliten sprechen. Was du ihm aufträgst, soll er ausrichten, als hätte ich selbst es ihm gesagt. [17] Vergiss auch deinen Stab nicht, denn mit ihm wirst du die Zeichen tun, die deinen Auftrag bestätigen!«

Mose kehrt nach Ägypten zurück

[18] Mose ging zu seinem Schwiegervater Jitro und sagte: »Ich möchte gerne zu meinen Verwandten nach Ägypten ziehen, um zu sehen, ob sie noch leben.« Jitro antwortete: »Geh nur, ich wünsche dir alles Gute!«

[19] Noch während Mose in Midian war, sagte der Herr: »Du kannst jetzt ohne Gefahr nach Ägypten zurückkehren, denn inzwischen sind alle gestorben, die dich töten wollten!« [20] Mose ließ seine Frau und die Söhne auf einen Esel steigen und machte sich auf den Weg zurück nach Ägypten; den Stab Gottes nahm er mit.

3,21–22 12,35–36; 1 Mo 15,14 **4,3–4** 7,10 **4,9** 7,17–21 **4,10** 6,12.30; Jer 1,6 **4,11** Hes 33,22; Mt 12,22; Lk 1,19–22 **4,16** 7,1–2 **4,20** 2,21–22

[21] Der Herr sprach zu ihm: »Wenn du in Ägypten bist, dann sollst du alle Zeichen vor dem Pharao tun, zu denen ich dich bevollmächtigt habe! Aber ich werde dafür sorgen, dass der Pharao unnachgiebig bleibt und mein Volk nicht ziehen lässt. [22] Dann sollst du ihm ausrichten: So spricht der Herr: Das Volk Israel ist mein erstgeborener Sohn. [23] Ich befehle dir: Lass meinen Sohn ziehen, denn er soll mir dienen! Weigerst du dich, werde ich deinen ältesten Sohn töten!«

[24] Als Mose und seine Familie unterwegs in einer Herberge übernachteten, fiel der Herr über Mose her und wollte ihn töten. [25] Da nahm Zippora rasch einen scharfen Stein, schnitt die Vorhaut am Glied ihres Sohnes ab und berührte damit Moses Füße. Dann sagte sie zu ihm: »Du bist mein Blutsbräutigam!« [26] Da verschonte Gott Moses Leben. Zippora hatte Mose »Blutsbräutigam« genannt, weil sie ihren Sohn beschnitten hatte.

[27] Inzwischen hatte der Herr auch zu Aaron geredet: »Geh Mose entgegen in die Wüste!« Da brach Aaron auf. Er begegnete Mose am Berg Gottes und begrüßte ihn mit einem Kuss. [28] Mose berichtete Aaron, was der Herr zu ihm gesagt hatte, und erzählte ihm von den Wundern, die er tun sollte.

[29] Gemeinsam zogen sie dann nach Ägypten; dort versammelten sie die Sippenoberhäupter der Israeliten. [30] Aaron teilte ihnen Wort für Wort mit, was der Herr zu Mose gesagt hatte, und Mose tat die Wunder vor aller Augen. [31] Die versammelten Israeliten glaubten ihnen. Als sie hörten, dass der Herr ihr Elend gesehen hatte und ihnen helfen wollte, warfen sie sich nieder und beteten ihn an.

Mose und Aaron vor dem Pharao

5 Mose und Aaron gingen zum König von Ägypten und sagten: »So spricht der Herr, der Gott Israels: ›Lass mein Volk ziehen! Es soll mir zu Ehren ein Fest in der Wüste feiern!‹« [2] »Wer ist denn dieser ›Herr‹?«, fragte der Pharao. »Weshalb sollte ich ihm gehorchen und Israel gehen lassen? Ich kenne den Herrn nicht und lasse sein Volk nicht frei!«

[3] Mose und Aaron erwiderten: »Der Herr ist der Gott der Hebräer. Er ist uns begegnet. Erlaube uns, dass wir drei Tagesreisen weit in die Wüste ziehen und dort dem Herrn, unserem Gott, Opfer darbringen! Sonst straft er uns mit Seuchen und Krieg.«

[4] Doch der ägyptische König blieb unnachgiebig: »Warum wollt ihr beide, Mose und Aaron, das Volk von seinen Pflichten abhalten? Was soll das? Geht zurück an die Arbeit! [5] In meinem Land gibt es sowieso schon genug von euch Israeliten. Wollt ihr sie jetzt auch noch von ihren Aufgaben abhalten?«

[6] Noch am selben Tag gab der Pharao den ägyptischen Aufsehern und ihren israelitischen Vorarbeitern folgenden Befehl: [7] »Ab sofort wird den Israeliten kein Stroh mehr für die Herstellung von Lehmziegeln geliefert! Schickt sie los, sie sollen selbst Stroh sammeln! [8] Trotzdem müssen sie täglich genauso viele Ziegel abliefern wie bisher. Diese Leute sind faul geworden, nur deshalb jammern sie nach einem Opferfest für ihren Gott! [9] Lasst sie noch härter arbeiten, und haltet sie auf Trab! Dann haben sie keine Zeit mehr, auf falsche Versprechungen zu hören.«

Die Unterdrückung wird härter

[10] Die Aufseher und ihre israelitischen Vorarbeiter gingen zu den Israeliten und gaben den Erlass des Pharaos bekannt: »Ihr erhaltet ab sofort kein Stroh mehr. [11] Zieht selbst los, und seht zu, wo ihr es herbekommt! Aber lasst euch ja nicht einfallen, heute Abend weniger Ziegel abzuliefern!«

[12] Daraufhin zogen die Israeliten durch

4,21 7,13*; 9,12* **4,22** 5 Mo 1,31; 14,1; 32,6; Jes 63,16; Jer 3,19; Hos 11,1; Mal 1,6 **4,23** 12,29* **4,31** 2,25; 3,16; 6,5 **5,1** 3,18; 10,7; 6,11; 7,16.26; 8,16; 9,1.13; 10,3; 12,33 **5,3** 3,18; 8,23

das ganze Land, um Stroh für die Herstellung von Ziegeln zu sammeln. [13]Die Aufseher trieben sie unerbittlich an: »Beeilt euch, denn ihr müsst genauso viele Ziegel abliefern wie früher, als ihr noch Stroh bekommen habt!« [14]Die ägyptischen Aufseher prügelten die israelitischen Vorarbeiter, die sie eingesetzt hatten, und schrien sie an: »Warum habt ihr gestern und heute nicht genug Ziegel hergestellt?«

[15]Darauf gingen die israelitischen Vorarbeiter zum Pharao und beschwerten sich: »Herr, weshalb behandelst du uns so? [16]Wir bekommen kein Stroh mehr geliefert, und gleichzeitig verlangt man von uns die gleiche Menge an Ziegeln wie früher! Das schaffen wir nicht und werden zur Strafe auch noch geschlagen. Dein Volk tut uns großes Unrecht!« [17]Der Pharao aber rief: »Faul seid ihr und arbeitsscheu! Nur deshalb wollt ihr wegziehen und dem Herrn Opfer darbringen! [18]Und jetzt geht wieder an die Arbeit! Alles bleibt, wie es ist: Ihr bekommt kein Stroh mehr und müsst trotzdem so viele Lehmziegel abliefern wie früher.«

[19]Da merkten die israelitischen Vorarbeiter, in welch auswegloser Lage sie sich befanden: Die Arbeit wurde ihnen nicht erleichtert, sie mussten Tag für Tag die frühere Menge an Ziegeln herstellen. [20]Als sie den Königspalast verließen, trafen sie Mose und Aaron, die draußen auf sie warteten. [21]»Das soll euch der Herr heimzahlen!«, schimpften die Vorarbeiter. »Ihr habt den Pharao und seine Beamten gegen uns aufgebracht. Ihr habt ihnen das Schwert in die Hand gegeben, mit dem sie uns töten werden!«

[22]Da rief Mose zum Herrn: »Ach, Herr, warum hast du meinem Volk das angetan? Und warum hast du mich überhaupt hierher gesandt? [23]Denn seit ich in deinem Auftrag mit dem Pharao geredet habe, unterdrückt er mein Volk nur noch härter. Und du unternimmst nichts, um uns zu helfen!«

6 Der Herr antwortete Mose: »Bald wirst du sehen, was ich mit dem Pharao mache! Ich werde ihn dazu zwingen, mein Volk gehen zu lassen. Wenn er meine Macht spürt, wird er sogar froh sein, euch loszuwerden!«

Gott wiederholt seinen Auftrag an Mose

[2]Gott sprach noch einmal zu Mose: »Ich bin der Herr! [3]Euren Vorfahren Abraham, Isaak und Jakob bin ich als ›der allmächtige Gott‹ erschienen, aber meinen Namen ›der Herr‹ habe ich ihnen nicht offenbart. [4]Ich habe mit ihnen meinen Bund geschlossen und versprochen, ihnen das Land Kanaan zu geben, in dem sie als Fremde gelebt haben. [5]Nun habe ich gehört, wie die Israeliten als Sklaven der Ägypter stöhnen. Ich habe an meinen Bund mit ihnen gedacht. [6]Darum richte den Israeliten aus: Ich bin der Herr! Ich will euch von eurer schweren Arbeit erlösen und euch von der Unterdrückung durch die Ägypter befreien. Mit starker Hand werde ich die Ägypter strafen und mein Urteil an ihnen vollstrecken. Euch aber werde ich retten. [7]Ich nehme euch als mein Volk an, und ich will euer Gott sein. Ja, ihr sollt erkennen, dass ich der Herr, euer Gott, bin, der euch aus der Sklaverei Ägyptens befreit! [8]Ich bringe euch in das Land, das ich Abraham, Isaak und Jakob mit einem Eid versprochen habe. Ich will es euch für immer schenken, denn ich bin der Herr!«

[9]Mose berichtete den Israeliten, was der Herr gesagt hatte, aber sie hörten nicht auf ihn. Sie waren erschöpft von der schweren Arbeit. Ihr Mut war gebrochen, ihre Hoffnung erloschen. [10]Da sagte der Herr zu Mose: [11]»Geh zum Pharao, dem König von Ägypten! Er soll die Israeliten aus dem Land ziehen lassen!« [12]»Ach, Herr«, wandte Mose ein, »wenn mir schon die Israeliten nicht geglaubt

---

6,1 11,1.8; 12,31–33; Ps 105,38 **6,3** 3,14 **6,4** 1 Mo 12,7*; 26,2–3; 28,13*; 15,18–21 **6,5** 2,25; 3,16; 4,31 **6,6–8** 5 Mo 4,34*; Hes 20,5–6 **6,12** 4,10; Jer 1,6

haben, wie sollte dann der Pharao auf mich hören? Ich bin einfach ein zu schlechter Redner!«

[13] Doch der Herr sprach erneut mit Mose und Aaron und beauftragte sie, noch einmal mit den Israeliten und dem ägyptischen König zu reden; denn sie sollten das Volk Israel aus Ägypten herausführen.

Moses und Aarons Herkunft

[14] Dies sind die Sippenoberhäupter Israels, die in Ägypten lebten: Ruben, der älteste Sohn Jakobs, war der Vater von Henoch, Pallu, Hezron und Karmi. Von ihnen stammten vier Sippen ab, die sich nach ihnen nannten.

[15] Die Sippen des Stammes Simeon gingen auf Simeons Söhne zurück: Jemuël, Jamin, Ohad, Jachin, Zohar und Schaul, dessen Mutter eine Kanaaniterin war.

[16] Die Söhne Levis – in der Reihenfolge ihrer Geburt – waren: Gerschon, Kehat und Merari. Ihr Vater Levi wurde 137 Jahre alt.

[17] Gerschon hatte zwei Söhne: Libni und Schimi; von ihnen stammen die gleichnamigen Sippen ab. [18] Kehats Söhne hießen Amram, Jizhar, Hebron und Usiël. Kehat wurde 133 Jahre alt. [19] Merari hatte zwei Söhne: Machli und Muschi. Dies waren die Sippen des Stammes Levi, nach ihrer Herkunft geordnet.

[20] Amram heiratete Jochebed, die Schwester seines Vaters; sie hatten zwei Söhne: Aaron und Mose. Amram wurde 137 Jahre alt. [21] Jizhars Söhne hießen Korach, Nefeg und Sichri. [22] Usiëls Söhne waren Mischaël, Elizafan und Sitri.

[23] Aaron heiratete Elischeba, eine Tochter Amminadabs und Schwester Nachschons. Sie hatten vier Söhne: Nadab, Abihu, Eleasar und Itamar. [24] Korachs Söhne waren Assir, Elkana und Abiasaf. Nach ihnen wurden die Sippen der Korachiter benannt. [25] Aarons Sohn Eleasar heiratete eine Tochter Putiëls; sie hatten einen Sohn namens Pinhas.

Dies waren die Familienoberhäupter der Leviten, nach Sippen geordnet. [26] Mose und Aaron, die Söhne Amrams, waren es, denen der Herr befahl: »Führt die Israeliten aus Ägypten heraus, nach Stammesverbänden geordnet!« [27] Diese beiden Männer redeten mit dem König von Ägypten, damit er die Israeliten freiließ.

Gott sendet Mose und Aaron

[28/29] Der Herr sprach zu Mose in Ägypten: »Ich bin der Herr! Richte dem Pharao, dem König von Ägypten, alles aus, was ich dir sage!« [30] Mose wandte ein: »Ach, Herr, ich bin so ein schlechter Redner! Wie sollte da der Pharao auf mich hören?«

7 Doch der Herr entgegnete: »Ich habe dich als meinen Botschafter eingesetzt. Wenn du zum Pharao gehst, ist das so, als würde ich selbst zu ihm sprechen! Außerdem wird dein Bruder Aaron für dich reden. [2] Sag Aaron alles, was ich dir befohlen habe! Er soll den Pharao auffordern, die Israeliten aus seinem Land ziehen zu lassen. [3] Aber ich werde dafür sorgen, dass der Pharao unnachgiebig bleibt, und dann will ich meine Macht durch viele Wunder zeigen! [4] Weil der Pharao nicht auf mich hört, strafe ich die Ägypter mit starker Hand und vollstrecke mein Urteil an ihnen. Dann werde ich mein Volk Israel wie ein siegreiches Heer aus dem Land herausführen. [5] Wenn ich meine Hand gegen die Ägypter erhebe und Israel aus ihrem Land befreie, werden sie erkennen, dass ich der Herr bin.«

[6] Mose und Aaron taten, was ihnen der Herr befohlen hatte. [7] Als sie mit dem Pharao redeten, war Mose 80 Jahre und Aaron 83 Jahre alt.

Der Pharao bleibt hart

[8] Der Herr sagte zu Mose und Aaron: [9] »Wenn euch der Pharao auffordert, euch durch ein Wunder auszuweisen, dann soll

---

6,14–16 1 Mo 46,9–11 **6,20** 2,1 **6,30** 4,10; Jer 1,6 **7,3** 7,13* **7,5** 5 Mo 4,34*

Aaron seinen Stab vor dem König auf den Boden werfen, und der Stab wird zu einer Schlange werden.«

[10]Mose und Aaron taten, was der Herr ihnen befohlen hatte. Sie gingen zum Pharao, und Aaron warf seinen Stab vor ihm und den Hofbeamten auf den Boden. Der Stab verwandelte sich in eine Schlange. [11]Da ließ der Pharao seine weisen Männer und Zauberer rufen. Mit Hilfe ihrer Magie vollbrachten sie genau dasselbe: [12]Jeder warf seinen Stab hin, und sofort wurden Schlangen daraus. Doch Aarons Schlange fraß alle anderen auf.

[13]Der König aber zeigte sich unbeeindruckt und hörte nicht auf Mose und Aaron. So hatte der Herr es vorausgesagt.

Das erste Strafgericht: Wasser wird zu Blut

[14]Da sagte der Herr zu Mose: »Das Herz des Pharaos ist verhärtet. Er weigert sich, mein Volk ziehen zu lassen. [15]Darum geh morgen früh zu ihm, wenn er zum Nil hinunterkommt. Nimm deinen Stab mit, der zu einer Schlange geworden ist, und warte am Flussufer auf den König! [16]Dann sollst du ihm sagen: Der Herr, der Gott der Hebräer, hat mich zu dir gesandt; schon oft hat er dir befohlen, sein Volk ziehen zu lassen, damit es ihm in der Wüste Opfer darbringen kann. Doch bis heute hast du nicht auf ihn gehört. [17]Darum sollst du an dem, was nun geschieht, erkennen, dass er der Herr ist: Ich schlage jetzt mit diesem Stab in den Nil, und das Wasser wird zu Blut werden. [18]Die Fische sterben, und das Nilwasser wird eine stinkende Brühe, so dass dein Volk nicht mehr davon trinken kann.«

[19]Der Herr sagte zu Mose: »Aaron soll seinen Stab nehmen und ihn über alle Gewässer in Ägypten ausstrecken – über alle Flüsse, Kanäle, Sümpfe und Wasserstellen. Dann wird das Wasser in ihnen zu Blut werden. Ja, im ganzen Land soll Blut sein, sogar in den Wasserkrügen aus Holz und Stein!«

[20]Mose und Aaron gehorchten: Vor den Augen des Pharaos und seiner Hofbeamten erhob Aaron seine Hand mit dem Stab und schlug in den Nil. Da wurde das Wasser zu Blut. [21]Die Fische starben, und der Fluss wurde eine stinkende Brühe, so dass die Ägypter sein Wasser nicht mehr trinken konnten. Überall in Ägypten war das Wasser zu Blut geworden.

[22]Doch die ägyptischen Zauberer konnten mit ihrer Magie dasselbe bewirken, und so blieb der Pharao starrsinnig. Er hörte nicht auf Mose und Aaron, wie der Herr es vorausgesagt hatte. [23]Er drehte sich um und ging in den Palast zurück, ohne die Warnung ernst zu nehmen. [24]Die Ägypter gruben am Ufer des Flusses nach Grundwasser; denn sie konnten das Nilwasser nicht mehr trinken, [25]das der Herr in Blut verwandelt hatte. So vergingen sieben Tage.

Das zweite Strafgericht: Frösche

[26]Der Herr sprach zu Mose: »Geh zum Pharao, und sag ihm: Der Herr befiehlt dir: Lass mein Volk ziehen, es soll mir dienen! [27]Wenn du dich weigerst, werde ich dein ganzes Reich mit einer Froschplage strafen. [28]Der Nil wird von Fröschen wimmeln. Sie werden an Land kriechen und in deinen Palast kommen; bis in dein Schlafzimmer und auf dein Bett werden sie hüpfen. Sie werden in die Häuser deiner Hofbeamten und deines ganzen Volkes eindringen, in Backöfen und Schüsseln werdet ihr sie finden. [29]Du, deine Beamten und dein ganzes Volk – ihr alle werdet unter ihnen leiden!«

8 Der Herr sagte zu Mose: »Aaron soll seinen Stab über die Flüsse, Kanäle und Sümpfe ausstrecken! Dann werden unzählige Frösche über Ägypten herfallen.« [2]Aaron streckte seinen Arm mit

7,10 4,3–4 **7,11** 7,22; 8,3.14; 2 Tim 3,8 **7,13** 4,21; 7,3; 8,11.15.28; 9,7.34–35; 14,5; Ps 95,8; 2 Mo 9,12* **7,16** 5,1* **7,17–21** Offb 11,6 **7,22** 7,11; 8,3.14; 2 Tim 3,8 **7,26** 5,1*

dem Stab über die Wasserläufe in ganz Ägypten aus; da kamen von überallher Frösche und breiteten sich im ganzen Land aus. [3] Doch den Zauberern des Königs gelang mit ihrer Magie dasselbe: Auch sie ließen Frösche über Ägypten kommen.

[4] Nun rief der König Mose und Aaron zu sich und sagte: »Bittet den Herrn, dass er mich und mein Volk von den Fröschen befreit! Dann will ich die Israeliten ziehen lassen, damit sie dem Herrn Opfer darbringen können.«

[5] Mose erwiderte: »Bestimme die Zeit, wann ich für dich, deine Beamten und dein ganzes Volk beten soll! Dann wird die Froschplage aufhören, und die Frösche werden nur noch im Nil zu finden sein.« [6] »Bete morgen für mich«, antwortete der Pharao. Mose sagte: »Ich will deine Bitte erfüllen. Du sollst erkennen, dass keiner dem Herrn, unserem Gott, gleich ist! [7] Die Frösche werden aus deinem Palast verschwinden, sie werden dich, deine Beamten und dein ganzes Volk in Ruhe lassen. Nur im Fluss werden sie noch zu finden sein.«

[8] Mose und Aaron verließen den Pharao, und Mose flehte den Herrn an, der Froschplage ein Ende zu machen. [9] Der Herr erhörte seine Bitte. In den Häusern, Gehöften und auf den Feldern starben die Frösche. [10] Man kehrte sie zu großen Haufen zusammen, und das ganze Land stank nach Verwesung.

[11] Sobald der Pharao sah, dass er die Frösche los war, änderte er seine Meinung und hörte nicht auf Mose. Genau so hatte es der Herr vorausgesagt.

Das dritte Strafgericht: Stechmücken

[12] Der Herr sprach zu Mose: »Aaron soll seinen Stab ausstrecken und damit in den Staub schlagen. Dann wird der Staub im ganzen Land zu Stechmücken.«

[13] Mose und Aaron gehorchten: Aaron streckte seinen Arm mit dem Stab aus und schlug ihn auf die Erde. Da wurde der Staub im ganzen Land zu Stechmücken, die Menschen und Tiere plagten. [14] Die ägyptischen Zauberer versuchten, mit Hilfe ihrer Magie ebenfalls Stechmücken hervorzubringen, aber sie hatten keinen Erfolg. Sie konnten auch nichts dagegen unternehmen, dass Menschen und Tiere unter der Plage litten. [15] »Da hat Gott seine Hand im Spiel«, warnten die Zauberer den Pharao. Doch er blieb stur und ließ sich nichts sagen, wie der Herr es angekündigt hatte.

Das vierte Strafgericht: Fliegen

[16] Der Herr befahl Mose: »Mach dich morgen früh auf den Weg, und tritt dem Pharao entgegen, wenn er zum Fluss hinuntergeht! Richte ihm in meinem Namen aus: Lass mein Volk ziehen, es soll mir dienen! [17] Wenn du dich weigerst, werde ich Schwärme von Fliegen auf dich und deine Beamten loslassen. Sie werden dein Volk plagen und kein Haus verschonen. Ja, eure Häuser werden voller Fliegen sein, und das ganze Land ist von ihnen übersät! [18] Nur die Provinz Goschen, in der mein Volk wohnt, werde ich verschonen. Dort wird keine einzige Fliege zu finden sein. Daran sollst du erkennen, dass ich der Herr bin, auch hier in diesem Land! [19] Ich werde mein Volk von den Fliegenschwärmen verschonen, die dein Volk plagen werden. Schon morgen soll dies geschehen!«

[20] Der Herr tat, was er gesagt hatte. Er ließ riesige Fliegenschwärme kommen, die den Königspalast, die Häuser der Hofbeamten und ganz Ägypten überzogen und schweren Schaden anrichteten.

[21] Da rief der Pharao Mose und Aaron zu sich und sagte: »Ihr dürft losziehen und eurem Gott Opfer darbringen – bleibt aber hier im Land!« [22] »Das geht nicht«, erwiderte Mose, »es wäre für die

---

8,3 7,11.22; 2 Tim 3,8 **8,4** 8,24; 9,28; 10,17; 12,31–33 **8,11** 7,13* **8,14** 7,11.22; 2 Tim 3,8 **8,15** 7,13* **8,16** 5,1* **8,18** 9,4.7.26; 10,23; 11,7; 12,23; 5 Mo 4,34*

Ägypter unerträglich und abscheulich zu sehen, wie wir dem Herrn, unserem Gott, opfern. Sie würden uns vor Empörung steinigen! [23]Darum wollen wir drei Tagesreisen weit in die Wüste ziehen, dort Tiere schlachten und sie dem Herrn, unserem Gott, als Opfer darbringen. Das hat er uns befohlen!« [24]»Gut«, lenkte der Pharao ein, »ihr dürft in die Wüste gehen und dort dem Herrn, eurem Gott, opfern. Nur entfernt euch nicht zu weit, und betet auch für mich!« [25]Mose versprach: »Sobald ich den Palast verlassen habe, werde ich zum Herrn beten. Ab morgen werden die Fliegenschwärme euch nicht mehr quälen, weder dich noch deine Beamten, noch dein Volk. Doch täusche uns nicht wieder! Du hast uns erlaubt, loszuziehen und dem Herrn Opfer darzubringen. Das darfst du nicht wieder zurücknehmen!«

[26]Mose verließ den Pharao und betete zum Herrn. [27]Der Herr erhörte seine Bitte und befreite den Pharao, seine Hofbeamten und das ganze ägyptische Volk von der Plage. Nicht eine Fliege blieb übrig.

[28]Doch auch dieses Mal änderte der Pharao seine Meinung und ließ die Israeliten nicht gehen.

Das fünfte Strafgericht: Viehpest

9 Der Herr sprach zu Mose: »Geh noch einmal zum Pharao, und sag ihm: Der Herr, der Gott der Hebräer, verlangt, dass du sein Volk freilässt; es soll ihm dienen! [2]Wenn du die Israeliten weiter festhältst und dich weigerst, sie ziehen zu lassen, [3]bekommst du seine mächtige Hand zu spüren: Er wird eine schlimme Seuche unter euren Viehherden ausbrechen lassen, die Pferde, Esel, Kamele, Rinder, Schafe und Ziegen dahinrafft. [4]Und auch hier wird er zwischen euch und den Israeliten unterscheiden: Ihr Vieh wird er verschonen, kein einziges Tier werden sie verlieren. [5]Bereits morgen kommt der Zeitpunkt, an dem der Herr die Viehpest ausbrechen lässt!«

[6]Am nächsten Morgen machte der Herr seine Drohung wahr: Das Vieh der Ägypter begann zu sterben, doch die Israeliten verloren kein einziges Tier. [7]Der Pharao sandte Diener los, die sich davon überzeugen sollten. Sie stellten fest, dass in den Herden der Israeliten nicht ein einziges Tier fehlte! Doch der Pharao blieb unnachgiebig und ließ das Volk nicht ziehen.

Das sechste Strafgericht: Geschwüre

[8]Der Herr befahl Mose und Aaron: »Nehmt ein paar Hand voll Ruß aus einem Ofen! Mose soll den Ruß vor den Augen des Pharaos in die Luft werfen. [9]Der Ruß wird zu einer schwarzen Wolke, die sich über Ägypten ausbreitet! Der Staub wird im ganzen Land an Menschen und Tieren bösartige Geschwüre ausbrechen lassen.«

[10]Mose und Aaron holten Ruß aus einem Ofen und traten vor den Pharao. Mose warf den Ruß in die Luft, und nach kurzer Zeit litten Menschen und Tiere an bösartigen Geschwüren. [11]Die königlichen Zauberer konnten Mose nicht mehr entgegentreten, denn auch sie waren von Geschwüren befallen wie alle anderen Ägypter. [12]Doch der Herr ließ den Pharao starrsinnig bleiben. Er hörte nicht auf Mose und Aaron, wie der Herr es vorausgesagt hatte.

Das siebte Strafgericht: Hagel

[13]Der Herr sprach zu Mose: »Geh morgen früh zum Pharao, und richte ihm aus: So spricht der Herr, der Gott der Hebräer: Lass mein Volk ziehen, es soll mir dienen! [14]Wenn du nicht auf mich hörst, werde ich solche Strafen über dich, deine Hofbeamten und dein ganzes Volk verhängen, dass du einsehen musst: Niemand auf der Welt ist so mächtig wie ich!

8,23 3,18; 5,3 **8,24** 8,4; 9,28; 10,17; 12,31–33 **8,28** 7,13* **9,1** 5,1* **9,4** 8,18* **9,7** 7,13* **9,10** 5 Mo 28,27 **9,12** 4,21; 7,3; 10,1.20.27; 11,9–10; 14,4.8.17.27; Röm 9,17–23; 2 Mo 7,13* **9,13** 5,1*

[15] Es wäre leicht für mich, jetzt schon meine Hand auszustrecken, dich und dein ganzes Volk mit der Pest zu bestrafen und vom Erdboden zu vertilgen! [16] Aber ich habe dich am Leben gelassen, um dir meine Macht zu zeigen und meinen Namen in der ganzen Welt bekannt zu machen. [17] Immer noch bist du hochmütig und weigerst dich, mein Volk ziehen zu lassen. [18] Darum schicke ich morgen um diese Zeit den schlimmsten Hagel, den Ägypten in seiner Geschichte je gesehen hat! [19] Sorg dafür, dass deine Knechte sich selbst und deine Viehherden draußen auf dem Land in Sicherheit bringen! Alle Menschen und Tiere, die nicht in Häusern oder Ställen Schutz gesucht haben, werden vom Hagel erschlagen.«

[20] Einige der ägyptischen Hofbeamten nahmen die Drohung des Herrn ernst. Sie ließen ihre Knechte und das Vieh schleunigst in die Häuser und Ställe bringen. [21] Andere dagegen beachteten die Warnung nicht; ihre Knechte und ihr Vieh blieben draußen auf den Weiden.

[22] Der Herr sprach zu Mose: »Streck deine Hand zum Himmel aus – dann wird ein Hagelsturm auf ganz Ägypten niedergehen, auf Menschen, Tiere und Pflanzen!« [23] Als Mose seinen Stab zum Himmel ausstreckte, schickte der Herr ein gewaltiges Gewitter; es hagelte, blitzte und donnerte. [24] Der Hagel prasselte auf das Land nieder, und überall schlugen Blitze ein. Es war das schlimmste Unwetter, das Ägypten in seiner Geschichte je erlebt hatte; [25] es hatte im ganzen Land furchtbar gewütet: Auf den Feldern waren Menschen und Tiere vom Hagel erschlagen worden, die Äcker waren verwüstet, die Bäume zerschmettert. [26] Nur das Gebiet Goschen, in dem die Israeliten wohnten, war verschont geblieben.

[27] Da ließ der Pharao Mose und Aaron rufen. »Diesmal habe ich mich schuldig gemacht«, gab er zu. »Der Herr ist im Recht, ich und mein Volk sind im Unrecht. [28] Bittet den Herrn, dass er Gewitter und Hagel aufhören lässt! Ich verspreche euch: Ihr dürft aus meinem Land fortziehen! Niemand wird euch zurückhalten.«

[29] Mose antwortete: »Sobald ich die Stadt verlassen habe, will ich meine Hände erheben und zum Herrn beten. Dann werden Donner und Hagel aufhören. So sollst du erkennen, dass die Erde dem Herrn allein gehört. [30] Aber ich weiß: Du und deine Hofbeamten, ihr habt immer noch keine Ehrfurcht vor Gott, dem Herrn!«

[31] Das Unwetter hatte Flachs und Gerste vernichtet, denn die Gerste stand in Ähren, und der Flachs blühte. [32] Aber Weizen und Emmer[a] blieben unbeschädigt, weil sie später gesät und geerntet werden.

[33] Mose verließ den Pharao, ging zur Stadt hinaus und betete dort mit erhobenen Händen zum Herrn. Da hörten Regen, Donner und Hagel auf. [34/35] Als der Pharao sah, dass das Unwetter vorüber war, änderte er seinen Entschluss und blieb starrsinnig, ebenso seine Beamten. Er weigerte sich, die Israeliten ziehen zu lassen, und lud so weiter Schuld auf sich. Genau so hatte es Mose im Auftrag des Herrn vorausgesagt.

Das achte Strafgericht: Heuschrecken

10 Der Herr befahl Mose: »Geh zum Pharao! Ich habe dafür gesorgt, dass er und seine Hofbeamten unnachgiebig bleiben. Denn ich will mitten unter ihnen Wunder und Zeichen vollbringen, [2] damit ihr euren Kindern und Enkeln erzählen sollt, wie ich mit den Ägyptern umgegangen bin und welche Wunder ich unter ihnen getan habe. So werdet ihr erkennen, dass ich der Herr bin!«

[3] Mose und Aaron gingen wieder zum Pharao und sagten: »So spricht der Herr, der Gott der Hebräer: ›Wie lange weigerst du dich noch, dich mir zu unterwer-

---

[a] Das hebräische Wort ist nicht sicher zu deuten. Emmer ist eine dem Dinkel verwandte Weizenart.

9,26 8,18* **9,28** 8,4.24; 10,17; 12,31-33 **9,34-35** 7,13* **10,1** 9,12* **10,2** 5 Mo 4,9* **10,3** 5,1*

fen? Lass mein Volk ziehen, es soll mir dienen! [4]Sonst lasse ich morgen Heuschreckenschwärme über dein Land herfallen. [5]Dann wird man vor lauter Heuschrecken den Boden nicht mehr sehen! Sie werden alles kahl fressen, was den Hagel überstanden hat, auch die Bäume. [6]Sie dringen in deinen Palast ein, in die Häuser deiner Hofbeamten und in alle anderen Häuser in Ägypten. Diese Heuschreckenplage wird die schlimmste sein, die ihr Ägypter je erlebt habt, seit ihr in diesem Land wohnt!‹« Mose drehte sich um und verließ den Palast.

[7]Da drängten die Hofbeamten den Pharao: »Wie lange soll uns dieser Mann noch Schaden zufügen? Lass die Leute doch gehen und dem Herrn, ihrem Gott, dienen! Merkst du nicht, dass unser Land Ägypten zugrunde geht?«

[8]Der Pharao ließ Mose und Aaron zurückholen und sagte: »Zieht los, und opfert dem Herrn, eurem Gott! Wer von euch soll denn mitgehen?« [9]Mose antwortete: »Wir wollen mit Jung und Alt losziehen, mit unseren Söhnen und Töchtern, mit unseren Schaf-, Ziegen- und Rinderherden, um ein Fest zu Ehren des Herrn zu feiern!«

[10]Da spottete der Pharao: »O ja, geht nur mit dem Segen des Herrn! Ich werde euch aber niemals mit euren Familien ziehen lassen. Ihr führt Böses im Schilde! [11]Nein, nur ihr Männer dürft das Land verlassen, um dem Herrn, eurem Gott, zu opfern. Das ist es doch, was ihr wollt!« Darauf ließ der König Mose und Aaron hinauswerfen.

[12]Der Herr befahl Mose: »Streck deine Hand über Ägypten aus! Dann werden Heuschrecken über das Land herfallen und alle Pflanzen kahl fressen, die vom Hagel verschont geblieben sind.«

[13]Mose streckte seinen Stab aus, und der Herr ließ einen Ostwind aufkommen, der den ganzen Tag und die folgende Nacht wehte. Am nächsten Morgen hatte der Wind riesige Schwärme von Heuschrecken herangetrieben. [14]Sie fielen über ganz Ägypten her und ließen sich in allen Teilen des Landes nieder. Es war eine Heuschreckenplage, wie sie vorher noch nie da gewesen war und auch nicht wieder auftreten sollte. [15]Die Heuschrecken verfinsterten den Himmel und bedeckten den Erdboden im ganzen Land. Sie fraßen alles Grüne am Boden und an den Bäumen ab, alles, was vom Hagel verschont geblieben war. In ganz Ägypten fand sich an den Bäumen kein einziges grünes Blatt und auf den Feldern kein einziger Halm.

[16]Schnell ließ der Pharao Mose und Aaron zu sich rufen. »Ich habe gegen den Herrn, euren Gott, gesündigt und auch gegen euch«, gab er zu. [17]»Vergebt mir noch dieses eine Mal meine Schuld! Betet zum Herrn, eurem Gott, und bittet ihn, dass er uns von dieser tödlichen Plage befreit!«

[18]Mose verließ den Palast und betete zum Herrn. [19]Da ließ der Herr einen starken Westwind aufkommen, der die Heuschrecken wegblies und ins Schilfmeer trieb. Im ganzen Land blieb keine einzige mehr übrig. [20]Doch auch dieses Mal sorgte der Herr dafür, dass der Pharao hart blieb und die Israeliten nicht ziehen ließ.

Das neunte Strafgericht: Finsternis

[21]Der Herr sprach zu Mose: »Streck deine Hand zum Himmel aus! Dann wird sich eine Dunkelheit über Ägypten ausbreiten, die man mit Händen greifen kann.« [22]Mose erhob seine Hand zum Himmel, und eine völlige Finsternis kam über ganz Ägypten. Drei Tage lang blieb es so dunkel, [23]dass keiner den anderen sehen und niemand sein Haus verlassen konnte. Nur wo die Israeliten wohnten, war es hell.

[24]Wieder ließ der Pharao Mose zu sich rufen und sagte: »Zieht los, und dient dem Herrn, eurem Gott! Ihr dürft auch eure Familien mitnehmen. Nur eure Schafe, Ziegen und Rinder sollen hier bleiben.« [25]Aber Mose widersprach:

10,9 5,1* **10,12** 9,32; Joel 1,1 – 2,11 **10,17** 8,4.24; 9,28; 12,31–33 **10,20** 9,12* **10,23** 8,18*

»Selbst wenn du uns Tiere mitgeben würdest, die wir dem Herrn, unserem Gott, als Schlacht- und Brandopfer darbringen könnten, [26] muss unser Vieh trotzdem mit uns gehen. Kein einziges Tier darf zurückbleiben! Denn wir müssen die Opfertiere für den Herrn, unseren Gott, aus unseren Herden nehmen. Und solange wir noch nicht in der Wüste sind, wissen wir gar nicht, welche Tiere wir für das Opfer brauchen.«

[27] Doch der Herr ließ den Pharao starrsinnig werden, so dass er den Israeliten die Erlaubnis verweigerte. [28] »Verschwinde von hier!«, rief der König. »Ich will dich nicht mehr sehen. Wenn du mir noch einmal unter die Augen kommst, bist du ein toter Mann!« [29] Da antwortete Mose: »Du hast Recht, ich werde nie wieder vor dir erscheinen!«

Das zehnte Strafgericht wird angekündigt

11 Der Herr sprach zu Mose: »Nun werde ich den Pharao und sein Volk noch ein letztes Mal strafen. Danach wird er euch von hier wegziehen lassen, ja, er wird euch regelrecht fortjagen! [2] Sag den Israeliten: Jeder Mann und jede Frau soll die Nachbarn um silberne und goldene Schmuckstücke und Gefäße bitten.« [3] Der Herr hatte den Israeliten hohes Ansehen bei den Ägyptern verschafft. Auch Mose war in Ägypten hoch geachtet, bei den Hofbeamten des Pharaos wie bei der Bevölkerung.

[4] Mose sagte zum Pharao: »So spricht der Herr: ›Um Mitternacht werde ich durch dein Land gehen [5] und alle ältesten Söhne der Ägypter töten – angefangen bei deinem Sohn, der dir auf den Thron folgen soll, bis hin zum ältesten Sohn einer Sklavin, die mit der Handmühle Korn mahlt. Auch jedes erstgeborene Tier wird sterben. [6] Überall im Land soll man die Menschen klagen und weinen hören, wie es noch nie war und auch nie wieder sein wird. [7] Die Israeliten und ihre Tiere aber werden verschont bleiben, nicht einmal ein Hund bellt sie an. Daran wirst du erkennen, dass ich die Israeliten anders behandle als die Ägypter.‹ [8] Wenn der Herr dies tut, werden alle deine Beamten zu mir kommen, vor mir niederfallen und mich anflehen, zusammen mit den Israeliten das Land zu verlassen. Und dann werden wir fortziehen!« Glühend vor Zorn verließ Mose den Pharao.

[9] Der Herr hatte zu Mose gesagt: »Ich will den Pharao dazu bringen, dass er nicht auf euch hört, damit ich in Ägypten mächtige Wunder tun kann.« [10] Mose und Aaron hatten all diese Wunder vor den Augen des Pharaos vollbracht. Aber der Herr ließ den König hart bleiben, so dass die Israeliten das Land nicht verlassen durften.

Das Passahfest

12 Noch in Ägypten sagte der Herr zu Mose und Aaron:

[2] »Dieser Monat soll für euch von nun an der erste Monat des Jahres sein. [3] Richtet den Israeliten aus: Am 10. Tag dieses Monats soll jeder für seine Familie ein Lamm auswählen. [4] Wenn eine Familie aber für ein ganzes Lamm zu klein ist, soll sie sich mit ihren nächsten Nachbarn zusammentun. Es sollen so viele Menschen von dem Lamm essen, dass es für alle reicht und nichts davon übrig bleibt. [5] Sucht einjährige, männliche Tiere ohne Fehler aus; es können Schafe oder Ziegen sein.

[6] Bis zum 14. Tag des 1. Monats müsst ihr sie gesondert halten. Dann sollen alle, die zur Gemeinschaft der Israeliten gehören, die Passahlämmer in der Abenddämmerung schlachten. [7] Sie sollen etwas vom Blut der Tiere in einer Schale auffangen und es an die Pfosten und oberen Türbalken der Häuser streichen, in de-

---

10,27 9,12* **11,1** 6,1; 11,8; 12,31–33; Ps 105,38 **11,2–3** 12,35–36 **11,4–5** 12,29* **11,6** 12,30 **11,7** 8,18* **11,8** 6,1; 11,1; 12,31–33; Ps 105,38 **11,9–10** 9,12* **12,1–14** 4 Mo 9,5; 5 Mo 16,1–7; 2 Chr 35,18; Lk 22,15–16 **12,5** 5 Mo 17,1

nen sie das Lamm essen. [8]Noch in derselben Nacht müssen sie das Fleisch über dem Feuer braten. Dazu sollen sie bittere Kräuter essen und Brot, das ohne Sauerteig gebacken ist. [9]Ihr dürft das Fleisch nicht roh oder gekocht essen; es muss über dem Feuer gebraten sein, und zwar das ganze Tier mit Kopf, Unterschenkeln und Eingeweiden. [10]Lasst nichts bis zum nächsten Morgen übrig, sondern verbrennt das restliche Fleisch! [11]Beeilt euch beim Essen! Ihr sollt für die Reise angezogen sein, Sandalen tragen und eure Wanderstäbe in der Hand halten. So sollt ihr das Passahfest für mich, den Herrn, feiern.

[12]In dieser Nacht werde ich durch Ägypten gehen und jeden ältesten Sohn einer Familie töten und auch jedes erstgeborene Tier. Ich werde mein Urteil an allen Göttern Ägyptens vollstrecken, denn ich bin der Herr! [13]Das Blut an den Türpfosten eurer Häuser aber wird ein Zeichen sein, das euch schützt. Wenn ich das Blut sehe, will ich euch verschonen. Ich werde die Ägypter strafen, doch an euch wird das Unheil vorübergehen. [14]Diesen Tag sollt ihr niemals vergessen! Feiert an ihm jedes Jahr ein Fest für mich, den Herrn! Dies gilt jetzt und für alle kommenden Generationen.«

Das Fest der ungesäuerten Brote

[15]»Esst sieben Tage lang nur Brot, das ohne Sauerteig gebacken wurde! Bereits am ersten Tag sollt ihr alle Sauerteigreste aus euren Häusern entfernen. Wer in diesen sieben Tagen doch Sauerteigbrot isst, muss aus dem Volk Israel ausgeschlossen werden und sterben. [16]Versammelt euch am ersten und am siebten Tag zu einem heiligen Fest! An diesen beiden Tagen sollt ihr nicht arbeiten; ihr dürft nur eure Mahlzeiten zubereiten. [17]So müsst ihr das Fest der ungesäuerten Brote feiern, denn genau an diesem Tag habe ich euch wie ein siegreiches Heer aus Ägypten herausgeführt. Darum sollt ihr diesen Tag Jahr für Jahr feiern, jetzt und in allen kommenden Generationen. [18]Esst im 1. Monat vom Abend des 14. bis zum Abend des 21. Tages nur ungesäuertes Brot! [19]Sieben Tage lang dürft ihr keinen Sauerteig in euren Häusern haben. Wer mit Sauerteig gebackenes Brot isst, muss aus der Gemeinschaft der Israeliten ausgeschlossen werden und sterben, ganz gleich, ob er ein Fremder oder Einheimischer ist. [20]Esst also kein Brot, das mit Sauerteig gebacken ist, sondern nur ungesäuertes, wo immer ihr wohnt!«

Das zehnte Strafgericht: die Tötung der Erstgeborenen

[21]Dann rief Mose die Sippenoberhäupter der Israeliten und befahl: »Geht los, sucht euch je nach der Größe eurer Familien eines oder mehrere Lämmer aus, und schlachtet sie als Passahopfer! [22]Fangt das Blut in einer Schale auf, taucht ein Büschel Ysop hinein, und streicht das Blut an den oberen Balken und an die beiden Pfosten eurer Haustüren. Bis zum nächsten Morgen darf niemand von euch sein Haus verlassen! [23]Wenn der Herr durchs Land geht, um die Ägypter zu töten, und das Blut an den Pfosten und Balken sieht, wird er an diesen Türen vorübergehen; er wird dem Todesengel nicht erlauben, in eure Häuser einzudringen und euch zu töten.

[24]Haltet euch für immer an den Brauch dieses Festes; er gilt für euch und alle eure Nachkommen! [25]Wenn ihr in das Land kommt, das euch der Herr versprochen hat, sollt ihr auch dort diesen Brauch bewahren. [26]Eure Kinder werden euch einst fragen, was dieses Fest bedeutet; [27]dann erklärt ihnen: ›Dies ist das Passahopfer, das wir dem Herrn darbringen. Denn als er damals die Ägypter tötete, ging er an unseren Häusern vorüber und verschonte uns.‹«

Da warfen sich die Israeliten nieder

12,10 29,34; 3 Mo 7,15 **12,11** Jes 52,12 **12,12** 4 Mo 33,4 **12,13** Hebr 11,28 **12,15–20** 13,3–7; 23,15; 34,18; 4 Mo 28,17–25; 5 Mo 16,8 **12,23** Hebr 11,28 **12,26–27** 5 Mo 4,9*; 6,20–25

und beteten den Herrn an. [28]Dann gingen sie nach Hause und bereiteten alles vor, wie der Herr es ihnen durch Mose und Aaron befohlen hatte.

[29]Um Mitternacht tötete der Herr alle ältesten Söhne der Ägypter, angefangen vom Sohn des Pharaos, der ihm auf den Thron folgen sollte, bis hin zum ältesten Sohn eines Häftlings im Gefängnis; auch jedes erstgeborene Tier ließ er sterben. [30]Der Pharao wachte auf, seine Hofbeamten fuhren aus dem Schlaf, ja, ganz Ägypten schreckte hoch in dieser Nacht. Überall im Land hörte man lautes Klagen und Weinen. In jeder Familie gab es einen Toten!

[31]Noch in derselben Nacht ließ der Pharao Mose und Aaron rufen und sagte zu ihnen: »Zieht so schnell wie möglich los, und verlasst unser Land, ihr und die anderen Israeliten! Geht, und opfert dem Herrn, wie ihr es verlangt habt! [32]Nehmt eure Ziegen- und Schafherden mit, auch eure Rinder, ganz wie ihr wollt! Nur zieht los, und bittet euren Gott auch um Segen für mich!« [33]Die Ägypter drängten die Israeliten zur Eile, damit sie schleunigst das Land verließen. »Wenn ihr noch länger hier bleibt«, sagten sie, »kommen wir alle um!«

Die Israeliten verlassen Ägypten

[34]Die Israeliten nahmen ihre Backschüsseln mit dem ungesäuerten Teig, schlugen sie in ihre Gewänder ein und trugen sie auf den Schultern. [35]Auf Moses Befehl hatten sie sich von den Ägyptern silberne und goldene Schmuckstücke und Gefäße sowie Gewänder geben lassen. [36]Der Herr hatte dem Volk Israel ein so großes Ansehen bei den Ägyptern verschafft, dass sie auf ihre Bitten eingegangen waren. So nahmen die Israeliten von den Ägyptern reiche Beute mit.

[37]Sie brachen auf und zogen zu Fuß von Ramses nach Sukkot; es waren etwa 600 000 Männer mit ihren Frauen und Kindern. [38]Auch viele Nichtisraeliten verließen mit ihnen das Land. Die Israeliten nahmen ihre großen Ziegen-, Schaf- und Rinderherden mit. [39]Unterwegs backten sie aus dem ungesäuerten Teig, den sie mitgenommen hatten, Fladenbrote. Weil man sie so plötzlich aus Ägypten vertrieben hatte, war keine Zeit geblieben, den Teig durchsäuern zu lassen und sich mit Proviant zu versorgen.

[40]Insgesamt hatten die Israeliten 430 Jahre in Ägypten gelebt. [41]Auf den Tag genau nach 430 Jahren zogen sie wie ein siegreiches Heer aus Ägypten fort. [42]In dieser Nacht hielt der Herr selbst Wache, um sein Volk sicher aus Ägypten herauszuführen. Darum sollen alle kommenden Generationen der Israeliten in der Passahnacht dem Herrn zu Ehren wachen.

Vorschriften für das Passahfest

[43]Der Herr sagte zu Mose und Aaron: »Für das Passahfest gebe ich euch folgende Anordnungen:

Kein Ausländer darf am Passahmahl teilnehmen. [44]Wenn ihr einen Sklaven gekauft habt, darf er nur von dem Lamm essen, wenn ihr ihn vorher beschnitten habt; [45]Fremde, die nur vorübergehend bei euch leben, und ausländische Lohnarbeiter dürfen jedoch nicht an der Mahlzeit teilnehmen. [46]Ihr müsst das Passahlamm in demselben Haus essen, in dem ihr es zubereitet habt. Bringt nichts von seinem Fleisch nach draußen, und zerbrecht keinen einzigen Knochen! [47]Die ganze Gemeinschaft der Israeliten soll das Passahfest feiern. [48]Und wenn ein Fremder, der bei euch lebt, mir zu Ehren mitfeiern will, soll er jeden Mann und jeden Jungen in seinem Haus beschneiden lassen. Dann kann er am Fest teilnehmen wie jeder, der zu eurem Volk gehört. Ein Unbeschnittener aber darf auf keinen Fall vom Passahlamm essen. [49]Für die

---

12,29 1,22; 4,22–23; 11,5; 13,15–16; 4 Mo 8,17–18; 33,4 **12,30** 2,24; 11,6 **12,31–33** 6,1; 11,1.8; Ps 105,38 **12,32** 10,24 **12,35–36** 3,21–22; 11,2–3; 1 Mo 15,14; Ps 105,37 **12,40** 1 Mo 15,13 **12,46** 4 Mo 9,12; Joh 19,36 **12,48** 1 Mo 17,10–14 **12,49** 3 Mo 24,22*

Einheimischen und für die Fremden, die bei euch leben, soll ein und dasselbe Recht gelten.«

[50] Die Israeliten folgten den Weisungen, die Mose und Aaron vom Herrn empfangen hatten. [51] An diesem Tag führte der Herr die Israeliten wie ein siegreiches Heer aus Ägypten fort.

Ein Fest zur Erinnerung an die Befreiung

13 Der Herr sprach zu Mose: [2] »Die Israeliten sollen mir ihre ältesten Söhne weihen und jedes männliche Tier, das zuerst geboren wird. Sie gehören mir!«

[3] Mose sagte zum Volk: »Behaltet diesen Tag in Erinnerung, denn heute werdet ihr aus der Sklaverei in Ägypten befreit! Der Herr führt euch mit starker Hand hinaus. Esst darum kein Brot, das mit Sauerteig gebacken wurde! [4] Heute, im Monat Abib, zieht ihr aus Ägypten fort. [5] Der Herr hat euren Vorfahren geschworen, euch das Land der Kanaaniter, Hetiter, Amoriter, Hiwiter und Jebusiter zu geben. Wenn er euch in dieses reiche und fruchtbare Land gebracht hat, sollt ihr auch weiterhin im ersten Monat diesen Brauch beibehalten: [6] Esst sieben Tage lang nur Brot, das ohne Sauerteig gebacken wurde, und am siebten Tag feiert ein Fest zu Ehren des Herrn. [7] Ja, sieben Tage lang sollt ihr nur ungesäuertes Brot essen! Im ganzen Land darf es kein Sauerteigbrot und keinen Sauerteig mehr geben!

[8] Erklärt zu Beginn des Festes euren Söhnen, dass ihr es feiert, weil der Herr euch geholfen und euch aus Ägypten herausgeführt hat. [9] Das Fest soll euch wie ein Zeichen an eurer Hand oder ein Band um eure Stirn daran erinnern, dass ihr stets die Weisungen des Herrn befolgen sollt. Denn er hat euch mit starker Hand aus Ägypten befreit. [10] Feiert das Fest Jahr für Jahr zur festgesetzten Zeit, und haltet euch dabei an diese Vorschriften!«

Die Erstgeborenen gehören dem Herrn

[11] »Der Herr wird euch ins Land der Kanaaniter bringen und es euch für immer schenken. So hat er es euch und euren Vorfahren geschworen. Wenn er euch das Land gegeben hat, [12] dann sollt ihr dem Herrn eure ältesten Söhne weihen und ihm jedes männliche Tier opfern, das von seiner Mutter als erstes zur Welt gebracht wird. [13] Anstelle jedes zuerst geborenen Esels sollt ihr ein Lamm opfern und ihn so auslösen. Wollt ihr das nicht, dann brecht dem jungen Esel das Genick! Eure ältesten Söhne aber müsst ihr auf jeden Fall auslösen.

[14] Wenn eure Söhne eines Tages fragen, was dieser Brauch bedeutet, dann erklärt ihnen: ›Der Herr hat uns mit starker Hand aus der Sklaverei in Ägypten befreit. [15] Als der Pharao sich hartnäckig weigerte, uns ziehen zu lassen, hat der Herr jeden ältesten Sohn und jedes erstgeborene männliche Tier in Ägypten getötet. Darum opfern wir dem Herrn unsere erstgeborenen männlichen Tiere, unsere ältesten Söhne aber kaufen wir frei. [16] Dieser Brauch soll uns wie ein Zeichen an der Hand oder ein Band um die Stirn daran erinnern, dass der Herr uns mit starker Hand aus Ägypten befreit hat.‹«

Der Herr führt sein Volk

[17] Nachdem der Pharao die Israeliten hatte ziehen lassen, führte Gott sie nicht auf der Straße in Richtung des Philisterlandes, obwohl das der kürzeste Weg gewesen wäre. Gott dachte: »Das Volk könnte seinen Sinn ändern und nach Ägypten zurückkehren, wenn es merkt, dass ihm Kämpfe bevorstehen!« [18] Darum ließ Gott sie einen Umweg machen, auf der Wüstenstraße, die zum Schilfmeer führt.

13,2 13,12–16* **13,3** 5 Mo 4,34* **13,5** 1 Mo 12,7* **13,8** 5 Mo 4,9* **13,12–16** 13,2; 22,28–29; 34,19–20; 3 Mo 18,21*; 4 Mo 3,12–13; 8,16–18; 18,15–17; 5 Mo 15,19; Lk 2,23 **13,15–16** 12,29*

So zogen die Israeliten zum Kampf gerüstet aus Ägypten fort. [19]Mose nahm den Sarg mit den Gebeinen Josefs mit. Josef hatte nämlich den Israeliten ein Versprechen abgenommen und gesagt: »Gott wird euch bestimmt eines Tages aus Ägypten herausführen und nach Hause bringen. Dann nehmt auch meine Gebeine von hier mit!«[a]

[20]Nachdem die Israeliten von Sukkot aufgebrochen waren, lagerten sie bei Etam am Rande der Wüste. [21]Tagsüber zog der Herr in einer Wolkensäule vor ihnen her, um ihnen den Weg zu zeigen, und nachts war er in einer Feuersäule bei ihnen, die ihren Weg erhellte. So konnten sie bei Tag und Nacht wandern. [22]Tagsüber sahen sie die Wolkensäule vor sich und nachts die Feuersäule.

Gott bahnt einen Weg durchs Meer

14 Der Herr sprach zu Mose: [2]»Sag den Israeliten, sie sollen ihre Richtung ändern und bei Pi-Hahirot Halt machen, zwischen Migdol und dem Meer. Schlagt das Lager direkt am Ufer des Roten Meeres auf, gegenüber von Baal-Zefon! [3]Der Pharao wird denken, ihr irrt ziellos im Land umher und habt euch in der Wüste verlaufen. [4]Ich werde dafür sorgen, dass er seine Meinung wieder ändert und euch verfolgt. Doch dann werde ich ihn und sein Heer besiegen und zeigen, wie mächtig und erhaben ich bin. So werden die Ägypter erkennen, dass ich der Herr bin!« Die Israeliten befolgten den Befehl des Herrn.

[5]Als der König von Ägypten erfuhr, dass die Israeliten wirklich geflohen waren, änderten er und seine Hofbeamten ihre Meinung: »Was haben wir bloß getan? Warum haben wir die Israeliten aus der Sklaverei entlassen?«

[6]Der Pharao ließ seine Streitwagen anspannen und zog mit seinen Soldaten los. [7]600 seiner besten Streitwagen bot er auf, dazu noch zahlreiche andere aus ganz Ägypten. Auf jedem Wagen fuhr neben dem Wagenlenker und dem Bogenschützen auch noch ein Schildträger mit. [8]Der Herr hatte den König wieder starrsinnig gemacht. Darum jagte der Pharao den Israeliten nach, die Ägypten ungehindert verlassen hatten. [9]Die Soldaten des Pharaos mit ihren Streitwagen holten die Israeliten ein, während diese bei Pi-Hahirot am Meer, gegenüber von Baal-Zefon, lagerten.

[10]Als die Israeliten den Pharao und seine Truppen heranziehen sahen, packte sie das Entsetzen, und sie schrien zum Herrn um Hilfe. [11]Zugleich machten sie Mose bittere Vorwürfe: »Gibt es etwa in Ägypten nicht genug Gräber für uns? Warum führst du uns hierher? Wir sollen wohl hier in der Wüste sterben! Was hast du uns nur angetan! Warum hast du uns aus Ägypten herausgeholt? [12]Haben wir dir nicht schon dort gesagt, du solltest uns in Ruhe lassen? Wir hätten bleiben und den Ägyptern dienen sollen. Lieber wären wir ihre Sklaven geblieben, als hier in der Wüste umzukommen!«

[13]Doch Mose antwortete: »Habt keine Angst! Verliert nicht den Mut! Ihr werdet erleben, wie der Herr euch heute rettet. Die Ägypter werden euch nie wieder bedrohen. [14]Der Herr selbst wird für euch kämpfen, wartet ihr nur ruhig ab!«

[15]Der Herr aber sagte zu Mose: »Warum schreist du zu mir um Hilfe? Sag den Israeliten lieber, dass sie aufbrechen sollen! [16]Heb deinen Stab hoch, und streck ihn aus über das Meer! Es wird sich teilen, und ihr könnt trockenen Fußes mitten hindurchziehen. [17]Ich werde die Ägypter so starrsinnig machen, dass sie euch auch dort noch verfolgen. Ich will meine Macht und Herrlichkeit zeigen und den Pharao und sein Heer mit den Streitwagen und Reitern vernichten.

---

[a] 1. Mose 50,24–25

13,19 1 Mo 50,24–25* **13,21–22** 40,34–38; 4 Mo 9,15–23; 1 Kor 10,1 **14,4.8** 9,12* **14,11–12** 15,24; 16,2–3.7; 17,2–3; 4 Mo 11,1–6; 14,1–4; 20,2–5; 21,5; Ps 78,40–42 **14,14** 15,3; 5 Mo 1,29–30; 9,3; 20,1–4; 1 Sam 17,45; 2 Chr 20,15.20.29 **14,17** 9,12*

[18]Die Ägypter sollen erkennen, dass ich der Herr bin. Ja, mein Sieg über den Pharao, seine Streitwagen und Reiter wird mir Ehre bringen!«

[19]Der Engel Gottes, der bisher den Israeliten vorangezogen war, stellte sich nun ans Ende des Zuges. Auch die Wolkensäule, die sonst vor ihnen herzog, stand jetzt hinter ihnen, [20]genau zwischen den Ägyptern und den Israeliten. Sie versperrte dem ägyptischen Heer wie eine dunkle Wand die Sicht, für die Israeliten aber leuchtete sie die ganze Nacht. So kamen die Ägypter während der Nacht nicht an die Israeliten heran.

[21]Mose streckte seine Hand über das Wasser aus; da ließ der Herr einen starken Ostwind aufkommen, der das Meer die ganze Nacht hindurch zurücktrieb und den Meeresboden zu trockenem Land machte. Das Wasser teilte sich, [22]und die Israeliten konnten trockenen Fußes mitten durchs Meer ziehen. Links und rechts von ihnen türmten sich die Wassermassen wie Mauern auf.

[23]Die Ägypter jagten den Israeliten nach. Mit allen Streitwagen, Pferden und Reitern stürmten sie ins Meer hinein. [24]Kurz vor Tagesanbruch blickte der Herr aus der Wolken- und Feuersäule auf das ägyptische Heer hinab und brachte es in Verwirrung. [25]Er ließ die Räder ihrer Streitwagen abspringen, so dass sie nur mühsam vorankamen. »Der Herr steht auf der Seite der Israeliten«, riefen die Ägypter, »er kämpft gegen uns! Kehrt um! Flieht!«

[26]Da sprach der Herr zu Mose: »Streck deine Hand noch einmal über das Meer aus, damit das Wasser zurückkehrt und die Wagen und Reiter der Ägypter überflutet!« [27]Mose gehorchte: Bei Tagesanbruch streckte er seine Hand über das Meer aus. Da strömte das Wasser wieder zurück, den fliehenden Ägyptern entgegen. So trieb der Herr die Ägypter mitten ins Meer hinein. [28]Die Wassermassen flossen zurück und überfluteten die Streitwagen und Reiter des Pharaos, die den Israeliten ins Meer hinein gefolgt waren. Kein einziger Ägypter blieb am Leben! [29]Die Israeliten aber waren trockenen Fußes durchs Meer gezogen, während das Wasser wie eine Mauer zu beiden Seiten stand.

[30]So rettete der Herr die Israeliten an diesem Tag vor den Ägyptern; sie sahen, wie die Leichen ihrer Feinde ans Ufer geschwemmt wurden. [31]Als die Israeliten erkannten, dass der Herr die Ägypter mit großer Macht besiegt hatte, wurden sie von Ehrfurcht ergriffen. Sie vertrauten ihm und seinem Diener Mose.

Das Lied Moses

15 Damals sangen Mose und die Israeliten dieses Lied zu Ehren des Herrn:

»Ich will dem Herrn singen, denn er ist mächtig und erhaben, Pferde und Reiter warf er ins Meer!

[2]Der Herr hat mir Kraft gegeben und mich froh gemacht; nun kann ich wieder singen. Er hat mich gerettet! Er ist mein Gott, ihn will ich preisen! Er ist der Gott meines Vaters, ihn allein will ich ehren.
[3]Der Herr ist ein mächtiger Kämpfer; sein Name ist ›der Herr‹.
[4]Die Streitwagen des Pharaos und sein Heer hat er ins Meer geschleudert. Die besten Wagenkämpfer sind im Schilfmeer ertrunken.
[5]Wasserfluten haben sie bedeckt, wie Steine sind sie in der Tiefe versunken.

[6]Herr, deine Hand tut große Wunder, ja, deine gewaltige Hand zerschmettert den Feind!
[7]Du bist mächtig und erhaben. Du stürzt zu Boden, die sich gegen dich erheben. Dein glühender Zorn trifft sie und verbrennt sie wie Stroh.

14,21–22 14,29; Jos 4,22–23; Ps 66,6; 77,20; 106,9; 114,3; Hebr 11,29 **14,24–25** 23,27–28* **14,27** 14,17 **14,28** Jes 43,17 **15,1** Offb 15,3 **15,3** 14,14*

[8] Zornerfüllt hast du aufs Meer geblasen, da türmten sich die Wassermassen, die Fluten standen wie ein Wall, die Meerestiefen wie eine Mauer!
[9] Der Feind prahlte: ›Los, wir verfolgen sie! Wir holen sie ein und machen reiche Beute! Jeder bekommt, was er haben will. Wir ziehen das Schwert und rotten sie aus!‹
[10] Aber als dein Atem blies, verschlang sie das Meer. Wie Blei versanken sie in den mächtigen Wogen.

[11] Herr, wer unter allen Göttern ist dir gleich? Wer ist wie du, herrlich und heilig? Wer vollbringt so große, furchterregende Taten? Wer tut Wunder – so wie du?
[12] Als du deinen rechten Arm ausstrecktest, verschlang die Erde unsere Feinde.
[13] Voller Liebe hast du uns geführt, dein Volk, das du gerettet hast! Mit großer Macht hast du uns geleitet bis zu dem heiligen Ort, an dem du wohnst.
[14] Als die anderen Völker hörten, was geschehen war, erschraken sie. Angst überfiel die Philister,
[15] und die Fürsten Edoms waren entsetzt. Moabs Herrscher fingen an zu zittern, und die Bewohner Kanaans verloren allen Mut.
[16] Furcht und Schrecken packte sie.
Sie sahen deine große Macht und standen wie versteinert da, bis dein Volk vorbeigezogen war, ja, bis das Volk, das dir gehört, vorbeigezogen war!
[17] Du bringst sie zu deinem Berg und pflanzt sie dort ein, an dem Ort, den du dir als Wohnung gewählt hast. Dort ist dein Heiligtum, o Herr, das du mit eigener Hand errichtet hast!
[18] Der Herr ist König für immer und ewig!«

[19] Die Soldaten des Pharaos waren den Israeliten mit Pferden und Streitwagen ins Meer gefolgt. Da hatte der Herr das Wasser zurückfluten lassen, und die Wogen hatten sie verschlungen. Die Israeliten aber waren trockenen Fußes mitten durchs Meer gezogen. [20] Die Prophetin Mirjam, Aarons Schwester, nahm ihr Tamburin zur Hand. Auch die anderen Frauen schlugen ihr Tamburin, und zusammen tanzten sie im Reigen. [21] Mirjam sang ihnen vor:

»Singt dem Herrn, denn er ist mächtig und erhaben! Pferde und Reiter warf er ins Meer!«

Ich bin der Herr, der euch heilt!

[22] Mose ließ die Israeliten vom Schilfmeer aufbrechen. Sie zogen los und kamen in die Wüste Schur. Drei Tage lang waren sie hier unterwegs, ohne Wasser zu finden. [23] Als sie endlich die Oase von Mara erreichten, war das Wasser dort so bitter, dass sie es nicht trinken konnten. Darum heißt dieser Ort Mara (»Bitterkeit«).

[24] »Was sollen wir nun trinken?«, fragten die Leute Mose vorwurfsvoll. [25] Mose flehte den Herrn um Hilfe an, und der Herr zeigte ihm ein Stück Holz. Als Mose es ins Wasser warf, wurde das Wasser genießbar.

In Mara gab der Herr seinem Volk Gesetze, nach denen sie leben sollten, und stellte sie auf die Probe. [26] Er sagte zu ihnen: »Hört auf mich, den Herrn, euren Gott, und lebt so, wie es mir gefällt! Haltet euch an meine Gebote und Weisungen! Wenn ihr das tut, werdet ihr keine der Krankheiten bekommen, mit denen ich die Ägypter bestraft habe. Denn ich bin der Herr, der euch heilt!«

[27] Dann brachen die Israeliten wieder auf und erreichten Elim, eine Oase mit zwölf Quellen und siebzig Palmen. Dort schlugen sie ihr Lager auf.

Gott sorgt für sein Volk

16 Die Israeliten zogen von Elim weiter. Am 15. Tag des 2. Monats

15,11 8,6; 18,11; 5 Mo 3,24; Mi 7,18–19 **15,14–16** 23,27–28*; Jos 2,9–11 **15,24** 14,11–12* **15,25** 1 Mo 22,1* **15,26** 5 Mo 32,39; Hos 6,1

nachdem sie Ägypten verlassen hatten, erreichten sie die Wüste Sin, die zwischen Elim und dem Berg Sinai liegt. [2] Bald fingen die Israeliten wieder an, sich bei Mose und Aaron zu beschweren. [3] Sie stöhnten: »Ach, hätte der Herr uns doch in Ägypten sterben lassen! Dort hatten wir wenigstens Fleisch zu essen und genug Brot, um satt zu werden. Ihr habt uns doch nur in diese Wüste gebracht, damit wir alle verhungern!«

[4] Da sprach der Herr zu Mose: »Ich lasse Brot vom Himmel für euch regnen! Die Israeliten sollen morgens losgehen und so viel einsammeln, wie sie für den Tag brauchen, mehr nicht. Denn ich will sie auf die Probe stellen und herausfinden, ob sie mir gehorchen. [5] Wenn sie am sechsten Tag die eingesammelte Nahrung zubereiten, werden sie entdecken, dass es doppelt so viel ist wie sonst.«

[6] Darauf sagten Mose und Aaron zu den Israeliten: »Heute Abend werdet ihr erfahren, dass der Herr es war, der euch aus Ägypten herausgeführt hat, [7] und morgen früh werdet ihr seine Macht und Herrlichkeit sehen. Er hat eure Vorwürfe gehört. Denn mit eurem Klagen lehnt ihr euch nicht gegen uns auf, sondern gegen ihn! [8] Trotzdem wird er euch abends Fleisch zu essen geben und am Morgen Brot genug. Er hat gehört, wie ihr ihn anklagt! Euer Murren richtet sich ja nicht gegen uns, sondern gegen den Herrn!«

[9] Mose beauftragte Aaron: »Ruf die ganze Gemeinschaft der Israeliten zusammen! Sie sollen vor den Herrn treten, denn er hat ihre Vorwürfe gehört.« [10] Aaron richtete dies den Israeliten aus. Als sie sich versammelt hatten und zur Wüste hinüberschauten, erschien von dort die Herrlichkeit des Herrn in einer Wolke. [11] Der Herr sprach zu Mose: [12] »Ich habe die Klagen der Israeliten gehört. Darum sag ihnen: Heute Abend werdet ihr Fleisch zu essen bekommen und morgen früh so viel Brot, wie ihr braucht. Daran werdet ihr erkennen, dass ich der Herr, euer Gott, bin!«

[13] Am selben Abend zogen Schwärme von Wachteln heran und ließen sich überall im Lager nieder. Und am nächsten Morgen lag Tau rings um das Lager. [14] Als er verdunstet war, blieben auf dem Wüstenboden feine Körner zurück, die aussahen wie Reif. [15] Die Israeliten entdeckten sie und fragten sich: »Was ist das bloß?« Nie zuvor hatten sie so etwas gesehen. Mose erklärte ihnen: »Dies ist das Brot, das euch der Herr zu essen gibt. [16] Der Herr hat angeordnet: Jeder von euch soll so viel sammeln, wie er für seine Familie braucht, ein Krug von zweieinhalb Litern für jede Person, die in seinem Zelt lebt.«

[17] Die Israeliten hielten sich daran und lasen die Körner auf, einer mehr, der andere weniger. [18] Doch als sie es zu Hause maßen, hatte der nicht zu viel, der viel eingesammelt hatte, und wer nur wenig aufgelesen hatte, dem fehlte nichts. Jeder hatte genauso viel, wie er brauchte. [19] Mose befahl: »Hebt nichts davon bis zum nächsten Morgen auf!«

[20] Einige Israeliten aber hielten sich nicht daran und ließen etwas übrig. Am nächsten Morgen war es voller Würmer und stank. Mose wurde zornig auf sie.

[21] So lasen die Israeliten jeden Morgen die Körner auf, jeder so viel, wie er zum Essen brauchte. Später, wenn es heiß wurde, schmolz der Rest am Boden und verschwand.

[22] Als sie am sechsten Tag die eingesammelte Nahrung zubereiten wollten, war es doppelt so viel wie sonst – fünf Liter für jeden. Die führenden Männer Israels gingen zu Mose und berichteten ihm davon. [23] Mose erklärte ihnen: »Der Herr hat angeordnet: Morgen sollt ihr den Sabbat feiern, den Ruhetag, der ganz dem Herrn geweiht ist. Backt heute aus den Körnern Brot, oder kocht sie, ganz wie ihr wollt. Was übrig bleibt, hebt für morgen auf!«

16,2–3 14,11–12* **16,4** 1 Mo 22,1* **16,7–8** 14,11–12* **16,13** 4 Mo 11,18–34 **16,14–15** 16,31; 4 Mo 11,7–9; 5 Mo 8,3.16; Joh 6,30–35 **16,18** 2 Kor 8,15 **16,23** 20,8–11*

[24] Das taten die Israeliten. Und diesmal war die Speise nicht verdorben wie sonst und enthielt auch keine Würmer. [25] Mose befahl: »Esst heute, was von gestern übrig ist, denn heute halten wir den Ruhetag, der dem Herrn geweiht ist. In der Wüste werdet ihr nichts finden! [26] Sechs Tage lang könnt ihr die Körner sammeln, aber am siebten Tag, dem Sabbat, wird nichts da sein.«

[27] Trotzdem versuchten einige Israeliten, am siebten Tag Körner zu sammeln. Doch sie fanden nichts. [28] Da sagte der Herr zu Mose: »Wie lange weigert ihr euch noch, meine Gebote und Weisungen zu befolgen? [29] Ich habe euch den siebten Tag als Ruhetag gegeben; darum versorge ich euch am sechsten Tag mit der doppelten Menge Nahrung. Geht also am Sabbat nicht los, um Körner zu sammeln! Bleibt in euren Zelten!«

[30] Daraufhin hielt das Volk den siebten Tag als Ruhetag ein.

[31] Die Israeliten nannten die Körner »Manna«. Sie waren weiß wie Koriandersamen und schmeckten gebacken wie Honigkuchen.

[32] Mose sagte zu den Israeliten: »Der Herr hat befohlen, einen Krug voll Manna für eure Nachkommen aufzubewahren. Sie sollen sehen, womit der Herr euch in der Wüste ernährt hat, nachdem er euch aus Ägypten befreit hatte.« [33] Dann wies er Aaron an: »Füll zweieinhalb Liter Manna in einen Krug, und bewahre es im Heiligtum des Herrn auf, damit es für die kommenden Generationen erhalten bleibt!« [34] Aaron gehorchte und stellte den Krug mit dem Manna ins Heiligtum vor die Bundeslade.

[35] Die Israeliten lebten vierzig Jahre lang von Manna, bis sie an der Grenze Kanaans besiedeltes Land erreichten. [36] Damals benutzte man als Hohlmaß ein Fass von fünfundzwanzig Litern und einen Krug, in den ein Zehntel davon passte – zweieinhalb Liter.

Wasser aus dem Felsen
(4. Mose 20,2–13)

17 Die Israeliten brachen aus der Wüste Sin auf und zogen von einem Lagerplatz zum nächsten, wie der Herr es ihnen befahl. Als sie in Refidim ihr Lager aufschlugen, fanden sie kein Trinkwasser. [2] Da machten sie Mose bittere Vorwürfe und verlangten: »Gib uns Wasser zum Trinken!« Mose erwiderte: »Warum beschwert ihr euch bei mir? Warum stellt ihr den Herrn auf die Probe?« [3] Aber die Israeliten quälte der Durst, und sie klagten Mose an: »Warum hast du uns nur aus Ägypten herausgeholt? Willst du uns mit unseren Kindern und all unseren Herden hier verdursten lassen?«

[4] Da rief Mose zum Herrn: »Was soll ich jetzt mit diesem Volk tun? Es fehlt nicht viel, und sie steinigen mich!« [5] Der Herr antwortete: »Ruf einige von den Sippenoberhäuptern Israels, und geh mit ihnen dem Volk voran! Nimm den Stab in die Hand, mit dem du in den Nil geschlagen hast! [6] Am Berg Horeb werde ich vor dir auf einem Felsen stehen. Schlag mit dem Stab an den Felsen! Dann wird Wasser aus dem Stein herausströmen, und das Volk kann trinken.«

Vor den Augen der Sippenoberhäupter Israels tat Mose, was der Herr ihm befohlen hatte. [7] Er nannte diesen Ort Massa und Meriba (»Herausforderung« und »Vorwurf«), weil die Israeliten dort dem Herrn Vorwürfe gemacht und ihn herausgefordert hatten. Denn sie hatten gefragt: »Kümmert sich der Herr um uns oder nicht?«

Der Kampf gegen die Amalekiter

[8] Als die Israeliten bei Refidim lagerten, rückten die Amalekiter an, um Israel anzugreifen. [9] Mose befahl Josua: »Wähle kampferprobte Männer aus, und zieh mit ihnen in die Schlacht gegen die Ama-

16,35 4 Mo 14,34; Jos 5,12 **17,2–3** 14,11–12* **17,4** 4 Mo 14,10 **17,6** 1 Kor 10,4 **17,7** 5 Mo 6,16; Ps 95,8–9 **17,8** 17,14–16* **17,9** 4 Mo 27,18–23

lekiter! Ich selbst werde mich morgen auf den Hügel stellen, den Stab Gottes in der Hand.«

[10] Josua gehorchte und zog mit seinen Soldaten in den Kampf, wie Mose es befohlen hatte. Mose, Aaron und Hur stiegen auf den Hügel. [11] Solange Mose seine Hände mit dem Stab erhoben hatte, behielten die Israeliten im Kampf die Oberhand; ließ er die Hände sinken, waren die Amalekiter überlegen. [12] Mit der Zeit wurden Mose die Arme schwer. Da holten Aaron und Hur einen großen Stein, auf den er sich setzen konnte; sie selbst stellten sich links und rechts neben ihn und stützten seine Arme, bis die Sonne unterging. [13] So konnte Josua das Heer der Amalekiter besiegen.

[14] Danach sagte der Herr zu Mose: »Schreib zur Erinnerung auf, was heute geschehen ist, und präge Josua die Worte ein! Denn ich werde die Amalekiter völlig vernichten, niemand wird sich mehr an sie erinnern.« [15] Mose errichtete einen Altar und nannte ihn: »Der Herr ist mein Feldzeichen.« [16] Er sagte: »Kommt her, und schwört dem Herrn Treue![a] Der Herr führt Krieg gegen die Amalekiter für alle Zeiten!«

Jitro besucht Mose

18 Moses Schwiegervater Jitro, der Priester von Midian, hörte, dass Gott Mose und dem ganzen Volk Israel geholfen und sie aus Ägypten herausgeführt hatte. [2] Da machte er sich auf den Weg, gemeinsam mit Moses Frau Zippora, die Mose zu ihm zurückgesandt hatte, [3] und mit ihren beiden Söhnen. Der ältere hieß Gerschom (»ein Fremder dort«), weil Mose bei seiner Geburt gesagt hatte: »Wir wollen ihn Gerschom nennen, denn ich habe hier in einem fremden Land Schutz gesucht.« [4] Der zweite Sohn hieß Eliëser (»Mein Gott ist Hilfe«), denn Mose hatte gesagt: »Der Gott meines Vaters ist meine Hilfe gewesen. Er hat mich vor dem Schwert des Pharaos gerettet.«

[5] Nun kam Jitro mit Zippora und ihren beiden Söhnen zu Mose. Die Israeliten lagerten in der Wüste, am Berg Gottes. [6] Jitro ließ Mose ausrichten: »Dein Schwiegervater Jitro ist zusammen mit deiner Frau und deinen beiden Söhnen angekommen.«

[7] Da ging Mose seinem Schwiegervater entgegen, verneigte sich vor ihm und küsste ihn. Sie fragten einander nach ihrem Wohlergehen und gingen dann in Moses Zelt. [8] Mose erzählte Jitro, was der Herr mit dem Pharao und den Ägyptern getan hatte, um die Israeliten zu retten. Er verschwieg nicht die vielen Schwierigkeiten auf ihrer Reise, berichtete aber auch, wie der Herr ihnen immer wieder geholfen hatte.

[9] Jitro freute sich sehr, dass der Herr den Israeliten so viel Gutes getan und sie aus Ägypten herausgeführt hatte. [10] Er rief: »Gelobt sei der Herr, der euch aus der Gewalt der Ägypter und ihres Königs gerettet hat! Ja, er hat dieses Volk aus der Sklaverei befreit! [11] Jetzt weiß ich: Der Herr ist größer als alle anderen Götter. Als die Ägypter sich besonders stark fühlten, hat er ihnen seine Macht gezeigt.« [12] Dann brachte Jitro ein Brand- und ein Schlachtopfer für Gott dar. Aaron und die Sippenoberhäupter der Israeliten nahmen an der Opfermahlzeit teil, um den Herrn zu ehren.

Mose bekommt Hilfe
(5. Mose 1,9–17)

[13] Am nächsten Tag setzte Mose sich hin, um Streitigkeiten zu schlichten und Recht zu sprechen. Die Leute drängten sich um ihn vom Morgen bis zum Abend. [14] Als Jitro sah, wie viel Mose zu tun hatte, sagte er: »Du hast so viel Arbeit mit den Leuten! Du sitzt den ganzen Tag da,

---

[a] Wörtlich: Die Hand an den Thron des Herrn!

17,10–13 4 Mo 14,41–45 **17,14–16** 1 Mo 36,12; 4 Mo 24,20; 5 Mo 25,17–19; 1 Sam 15,2–3
17,14 24,4* **18,1–3** 2,21–22

um Streitfälle zu schlichten, und die Leute stehen um dich herum, vom Morgen bis zum Abend. Warum tust du das alles allein?«

[15] Mose antwortete: »Die Leute kommen zu mir, um Weisung von Gott zu erhalten. [16] Wenn sie einen Rechtsstreit haben, fragen sie mich um Rat, und ich muss zwischen ihnen schlichten. Ich teile ihnen Gottes Weisungen und Entscheidungen mit.«

[17] Sein Schwiegervater entgegnete: »So wie du es machst, ist es nicht gut! [18] Die Aufgabe ist für dich allein viel zu groß. Du reibst dich nur auf, und auch die Leute sind überfordert. [19] Hör zu! Ich gebe dir einen guten Rat, und Gott möge dir helfen: Du sollst das Volk vor Gott vertreten und ihre Streitfälle vor ihn bringen. [20] Schärf ihnen Gottes Gebote und Weisungen ein, sag ihnen, wie sie ihr Leben führen und was sie tun sollen! [21] Sieh dich aber zugleich in deinem Volk nach zuverlässigen Männern um. Sie müssen Ehrfurcht vor Gott haben, die Wahrheit lieben und unbestechlich sein. Übertrag ihnen die Verantwortung für jeweils tausend, hundert, fünfzig oder zehn Personen. [22] Sie sollen die alltäglichen kleineren Streitigkeiten schlichten. Zu dir sollen sie nur mit den größeren Fällen kommen. So helfen sie dir, die Verantwortung zu tragen, und du wirst entlastet.

[23] Wenn mein Rat Gottes Willen entspricht und du dich daran hältst, wirst du deine Aufgabe bewältigen; die Leute können in Frieden nach Hause gehen, weil ihre Streitfälle geschlichtet sind.«

[24] Mose nahm den Rat seines Schwiegervaters an und setzte ihn in die Tat um: [25] Er wählte unter den Israeliten zuverlässige Männer aus und übertrug ihnen die Verantwortung für jeweils tausend, hundert, fünfzig oder zehn Personen. [26] Von nun an konnten sie jederzeit Recht sprechen und die einfachen Streitigkeiten selbst schlichten. Nur mit den schwierigen Fällen kamen sie zu Mose.

[27] Danach verabschiedete Mose seinen Schwiegervater, und Jitro kehrte wieder in seine Heimat zurück.

Die Ankunft am Berg Sinai

19 Genau am 1. Tag des 3. Monats nachdem die Israeliten Ägypten verlassen hatten, erreichten sie die Wüste Sinai. [2] Sie waren von Refidim aufgebrochen und schlugen nun in der Wüste, am Fuß des Berges Sinai, ihr Lager auf.

[3] Mose bestieg den Berg, um Gott zu begegnen. Der Herr rief ihm vom Berg aus zu: »Richte den Israeliten, den Nachkommen Jakobs, diese Botschaft von mir aus: [4] Ihr habt selbst gesehen, was ich mit den Ägyptern gemacht habe. Ich habe euch sicher hierher zu mir gebracht, wie ein Adler, der seine Jungen trägt. [5] Wenn ihr nun auf mich hört und euch an den Bund haltet, den ich mit euch schließen will, dann werde ich euch aus allen Völkern auserwählen. Mir gehört die ganze Welt, aber ihr seid in besonderer Weise mein Eigentum. [6] Ja, ihr sollt ein heiliges Volk sein, das allein mir gehört. Als königliche Priester sollt ihr mir dienen! Sag dies den Israeliten weiter!«

[7] Mose ging zurück, rief die Sippenoberhäupter des Volkes zusammen und erzählte ihnen, was der Herr ihm aufgetragen hatte. [8] Das ganze Volk Israel war sich einig: »Wir wollen alles tun, was der Herr befiehlt!« Mose überbrachte ihre Entscheidung dem Herrn. [9] Nachdem er berichtet hatte, was die Israeliten geantwortet hatten, sagte der Herr zu Mose: »Ich werde in einer dichten Wolke zu dir kommen und so mit dir sprechen, dass auch das Volk es hört. Es soll nie wieder einen Zweifel geben, dass du in meinem Auftrag redest.

[10] Geh nun wieder zurück! Die Israeliten sollen sich heute und morgen darauf vorbereiten, mir zu begegnen. Sie sollen ihre Kleider waschen [11] und sich am dritten Tag bereithalten. Denn dann werde

---

19,4 5 Mo 32,11–12 **19,5–6** 3 Mo 19,2*; 20,26; 5 Mo 7,6–8; Jos 24,19; Jes 61,6; 1 Petr 2,9; Offb 5,10
19,5 5 Mo 7,6–8; Ps 135,4 **19,8** 24,3; Jos 24,15–18 **19,10** Jos 3,5

ich vor aller Augen auf den Berg Sinai herabkommen. [12]Zieh eine Grenze rings um den Berg, und warne die Leute davor, sie zu überschreiten! Sie dürfen ihn nicht besteigen und sich auch nicht am Fuß des Berges aufhalten. Wer dem Berg zu nahe kommt, muss sterben: [13]Man soll diesen Menschen steinigen oder mit Pfeilen erschießen. Das Gleiche gilt für die Tiere, sie dürfen nicht am Leben bleiben! Erst wenn das Widderhorn lang anhaltend ertönt, dürfen die Israeliten auf den Berg kommen.«

[14]Wieder stieg Mose vom Berg herunter; er sorgte dafür, dass die Leute ihre Kleider wuschen und sich darauf vorbereiteten, dem Herrn zu begegnen. [15]»Haltet euch am dritten Tag bereit«, befahl er ihnen, »und so lange soll niemand von euch mit seiner Frau schlafen!«

Der Herr erscheint

[16]Früh am Morgen des dritten Tages begann es zu donnern und zu blitzen. Dichte Wolken umhüllten den Berg, und man hörte den lauten Klang eines Widderhorns. Die Israeliten im Lager zitterten vor Angst. [17]Mose führte sie aus dem Lager, Gott entgegen, und sie stellten sich am Fuß des Berges auf. [18]Der Berg Sinai war in dichten Rauch gehüllt, denn der Herr war im Feuer herabgekommen. Rauch stieg auf wie aus einem Schmelzofen, und der ganze Berg bebte. [19]Das Horn ertönte immer lauter. Mose redete, und Gott antwortete ihm mit lauter Stimme.

[20]So kam der Herr herab auf den Gipfel des Berges Sinai. Von dort rief er Mose zu sich, und Mose stieg auf den Berg. [21]Doch der Herr befahl ihm: »Geh sofort wieder hinunter, und schärfe dem Volk ein, sie sollen ja nicht die Grenze überschreiten, um mich zu sehen! Wenn sie es trotzdem tun, werden viele von ihnen sterben. [22]Auch die Priester sollen sich reinigen, bevor sie sich mir nähern, sonst ist ihr Leben in Gefahr!«

[23]Mose erwiderte: »Das Volk kann gar nicht auf den Berg Sinai steigen. Du hast uns ja schon gewarnt und befohlen, eine Grenze um den Berg zu ziehen, weil er heilig ist.« [24]Doch der Herr befahl: »Steig trotzdem hinunter, und komm zusammen mit Aaron wieder herauf. Die Priester und das Volk dürfen die Grenze nicht überschreiten, sonst bricht mein Zorn gegen sie los!«

[25]Da stieg Mose vom Berg hinunter und erklärte dem Volk, was der Herr gesagt hatte.

Die Zehn Gebote
(5. Mose 5,1–33)

20 Dann redete Gott. Er sprach: [2]»Ich bin der Herr, dein Gott; ich habe dich aus der Sklaverei in Ägypten befreit. [3]Du sollst außer mir keine anderen Götter verehren!

[4]Fertige dir keine Götzenstatue an, auch kein Abbild von irgendetwas am Himmel, auf der Erde oder im Meer. [5]Wirf dich nicht vor solchen Götterfiguren nieder, bring ihnen keine Opfer dar! Denn ich bin der Herr, dein Gott. Ich dulde keinen neben mir! Wer mich verachtet, den werde ich bestrafen. Sogar seine Kinder, Enkel und Urenkel werden die Folgen spüren! [6]Doch denen, die mich lieben und sich an meine Gebote halten, bin ich gnädig. Über Tausende von Generationen werden auch ihre Nachkommen meine Liebe erfahren.

[7]Du sollst meinen Namen nicht missbrauchen, denn ich bin der Herr, dein Gott! Ich lasse keinen ungestraft, der das tut!

19,12–13 Hebr 12,20 **19,20** Apg 7,38 **20,2** 6,6–7; 29,45–46; 3 Mo 11,45; 26,13.45 **20,3–5** 23,24; 32,1–4; 5 Mo 4,15–19; 6,4.14; Jes 45,5–6; Jer 25,6; 35,15; Hos 13,4; 1 Kor 8,5–6 **20,5–6** 34,7; 4 Mo 14,18; 5 Mo 5,9–10; 7,9; Hiob 21,19; Jer 31,29–30; Hes 18,20 **20,7** 22,27; 3 Mo 19,12; 24,10–16

[8]Achte den Sabbat als einen Tag, der mir allein geweiht ist! [9]Sechs Tage sollst du deine Arbeit verrichten, [10]aber der siebte Tag ist ein Ruhetag, der mir, dem Herrn, deinem Gott, gehört. An diesem Tag sollst du nicht arbeiten, weder du noch deine Kinder, weder dein Knecht noch deine Magd, auch nicht deine Tiere oder der Fremde, der bei dir lebt. [11]Denn in sechs Tagen habe ich, der Herr, den Himmel, die Erde und das Meer geschaffen und alles, was lebt. Aber am siebten Tag ruhte ich. Darum habe ich den Sabbat gesegnet und für heilig erklärt.

[12]Ehre deinen Vater und deine Mutter, dann wirst du lange in dem Land leben, das ich, der Herr, dein Gott, dir gebe.

[13]Du sollst nicht töten!

[14]Du sollst nicht die Ehe brechen!

[15]Du sollst nicht stehlen!

[16]Sag nichts Unwahres über deinen Mitmenschen!

[17]Begehre nicht, was deinem Mitmenschen gehört: weder sein Haus noch seine Frau, seinen Knecht oder seine Magd, Rinder oder Esel oder irgendetwas anderes, was ihm gehört.«

[18]Als die Israeliten den Donner und den Klang des Horns hörten, als sie die Blitze und den rauchenden Berg sahen, zitterten sie vor Angst und zogen sich vom Fuß des Berges zurück. [19]Sie sagten zu Mose: »Rede nur du mit uns, wir wollen auf dich hören! Gott selbst aber soll nicht mehr zu uns sprechen, sonst sterben wir noch!«

[20]Doch Mose beruhigte sie: »Habt keine Angst! Gott ist gekommen, um euch auf die Probe zu stellen. Er will, dass ihr Ehrfurcht vor ihm habt und keine Schuld auf euch ladet.« [21]Das Volk blieb in einiger Entfernung vom Berg stehen. Nur Mose näherte sich der dunklen Wolke, in der Gott war.

Vorschriften für das Errichten von Altären

[22]Der Herr sprach zu Mose: »Sag den Israeliten: Ihr habt selbst gesehen, wie ich vom Himmel her zu euch geredet habe. [23]Macht euch keine Götterfiguren aus Silber oder Gold, die ihr außer mir noch anbetet! [24]Errichtet für mich einen Altar aus Erde, und bringt auf ihm Schafe, Ziegen oder Rinder als Brand- und Dankopfer dar! Ich werde euch zeigen, wo ihr mir zu Ehren opfern sollt. Dann will ich zu euch kommen und euch segnen.

[25]Wenn ihr mir einen Altar aus Steinen errichtet, so verwendet dazu nur unbehauene Feldsteine. Denn ihr würdet den Altar entweihen, sobald ihr ihn mit dem Meißel bearbeitet. [26]Baut den Altar ohne Stufen, damit man euch nicht unter das Gewand sehen kann, wenn ihr hinaufsteigt!«

Rechte israelitischer Sklaven und Sklavinnen
(5. Mose 15,12–18)

21 »Gib den Israeliten folgende Gesetze weiter:

[2]Wenn ein Israelit sich wegen seiner Armut als Sklave an einen anderen Israeliten verkauft hat, soll er sechs Jahre lang für ihn arbeiten. Im siebten Jahr soll er freigelassen werden, ohne dass ihn jemand freikaufen muss.

[3]Ist er unverheiratet gekommen, soll er auch als Lediger wieder gehen. Ist er als Verheirateter gekommen, soll er zusammen mit seiner Frau wieder gehen. [4]Hat ihm jedoch sein Herr während dieser Zeit eine Frau gegeben, mit der er nun Kinder hat, dann bleiben die Frau und die Kinder Eigentum des Herrn. Nur der Sklave selbst wird im siebten Jahr wieder frei.

[5]Doch wenn er an seinem Herrn hängt,

20,8–11 16,23–26; 23,12; 31,13–17; 4 Mo 15,32–36; Mt 12,1–13; Mk 2,27 **20,11** 1 Mo 2,2–3 **20,12–17** Röm 13,7–10 **20,12** 21,15.17; 5 Mo 21,18–21; 27,16; Mt 15,4–6; Lk 2,51; Eph 6,1–3 **20,13** 21,12–14; 1 Mo 9,5–6; 3 Mo 24,17–18; Mt 5,21–22 **20,14** 3 Mo 20,10; Mt 5,27–28 **20,15** Eph 4,28 **20,16** 23,1–3; 3 Mo 19,15–16; 5 Mo 1,16–17; 19,16–19 **20,17** Mi 2,2 **20,18–21** Hebr 12,18–21 **20,20** 1 Mo 22,1* **20,26** 28,42 **21,2** 3 Mo 25,39–43.54–55; 5 Mo 15,12–18; Jer 34,13–17

wenn er seine Frau und die Kinder liebt und darum nicht frei sein will, [6]soll sein Herr mit ihm zum Heiligtum kommen und die Entscheidung dort bestätigen lassen. Danach soll er den Sklaven an den Türpfosten stellen und einen Pfriem durch sein Ohrläppchen ins Holz bohren. Nun muss der Sklave auf Lebenszeit bei seinem Herrn bleiben.

[7]Wenn jemand seine Tochter als Sklavin verkauft hat, darf sie im siebten Jahr nicht zu denselben Bedingungen freigelassen werden wie ein Sklave. [8]Wenn ihr Herr sie für sich als Ehefrau bestimmt hatte, sie ihm aber nicht gefällt, muss er ihren Verwandten anbieten, sie freizukaufen. Er hat nicht das Recht, sie an Ausländer weiterzuverkaufen, denn er hat sein Eheversprechen nicht gehalten.

[9]Hat er sie für seinen Sohn als Frau bestimmt, muss er sie rechtlich einer Tochter gleichstellen.

[10]Wenn er nach ihr noch eine zweite Frau heiratet, darf er die erste nicht benachteiligen. Er muss ihr Nahrung und Kleidung geben und darf den ehelichen Verkehr nicht verweigern. [11]Wenn er diese drei Verpflichtungen ihr gegenüber nicht erfüllt, muss er sie freilassen, ohne Geld für sie zu bekommen.«

Strafen für schwere Verbrechen

[12]»Wer einen Menschen vorsätzlich so schwer verletzt, dass er stirbt, muss mit dem Tod bestraft werden. [13]Hat er ihn aber nicht mit Absicht getötet, sondern es geschah durch einen Zufall, den ich, der Herr, geschehen ließ, dann soll er an einen Ort fliehen, den ich bestimmen werde. [14]Doch wer einen Menschen vorsätzlich und heimtückisch umbringt, muss sterben. Selbst wenn er an meinem Altar Schutz sucht, sollt ihr ihn von dort wegholen und töten.

[15]Wer seinen Vater oder seine Mutter schlägt, soll mit dem Tod bestraft werden.

[16]Wer einen Menschen entführt, muss ebenfalls getötet werden, ganz gleich, ob der Entführte schon als Sklave verkauft wurde oder sich noch in der Gewalt des Entführers befindet.

[17]Wer seinen Vater oder seine Mutter verflucht, soll sterben.«

Körperverletzungen

[18]»Wenn ein Mann einen anderen im Streit mit einem Stein oder der Faust so verletzt, dass er zwar nicht stirbt, aber bettlägerig wird, dann soll der Schuldige bestraft werden. [19]Er kann nur dann straffrei bleiben, wenn der Verletzte wieder aufstehen und am Stock umhergehen kann. Er muss ihn aber gesund pflegen lassen und für die Zeit entschädigen, in der er nicht arbeiten konnte.

[20/21]Schlägt ein Herr seinen Sklaven mit einem Stock so sehr, dass er auf der Stelle stirbt, muss der Besitzer bestraft werden. Bleibt der Sklave aber noch ein bis zwei Tage am Leben, soll der Besitzer nicht bestraft werden; der Verlust seines Eigentums ist Strafe genug. Dasselbe gilt für Sklavinnen.

[22]Wenn sich Männer streiten und dabei eine schwangere Frau so stoßen, dass sie eine Fehlgeburt[a] hat, aber sonst nichts weiter erleidet, soll dem Schuldigen eine Geldstrafe auferlegt werden. Die Höhe der Strafe wird vom Ehemann festgelegt und muss durch ein Gericht bestätigt werden.

[23]Wenn die Frau aber noch weiteren Schaden erleidet, dann wird die Strafe nach dem Grundsatz festgelegt: Leben um Leben, [24]Auge um Auge, Zahn um Zahn, Hand um Hand, Fuß um Fuß, [25]Brandmal um Brandmal, Wunde um Wunde, Strieme um Strieme.

[26]Wenn ein Herr seinen Sklaven so schlägt, dass er dabei ein Auge verliert, soll er ihn zur Entschädigung freilassen. [27]Schlägt er ihm einen Zahn aus, soll er

---

[a] Oder: Frühgeburt.

21,12 20,13* **21,13–14** 4 Mo 35,10–15* **21,15.17** 20,12* **21,23–25** 1 Mo 4,23–24; 3 Mo 24,17–22; 5 Mo 19,16–21; Mt 5,38–39

ihn dafür ebenfalls freilassen. Dasselbe gilt für Sklavinnen.«

Schadenersatz

[28]»Wenn ein Rind einen Mann oder eine Frau so stößt, dass sie sterben, muss das Rind gesteinigt werden, und niemand darf von seinem Fleisch essen; der Besitzer aber geht straffrei aus. [29]Falls aber das Rind schon vorher auf Menschen losgegangen ist und der Besitzer es trotz Warnung nicht eingesperrt hat, muss das Tier gesteinigt werden, und auch der Besitzer soll sterben. [30]Ihr könnt ihm aber die Möglichkeit geben, sich durch ein Sühnegeld freizukaufen. Dieses Geld muss er in voller Höhe zahlen.

[31]Das gilt auch dann, wenn das Tier einen Jungen oder ein Mädchen tödlich verletzt hat. [32]Tötet das Rind einen Sklaven oder eine Sklavin, muss der Besitzer ihrem Herrn 30 Silberstücke bezahlen, und das Tier soll gesteinigt werden.

[33]Wenn jemand die Abdeckung von einer Zisterne wegnimmt oder eine Zisterne neu aushebt und die Öffnung nicht zudeckt, und ein Rind oder Esel fällt hinein, [34]dann muss der Besitzer der Zisterne Schadenersatz leisten. Er soll dem Besitzer des Tieres den Wert erstatten, das tote Tier aber gehört ihm.

[35]Wenn ein Rind das eines anderen niederstößt und tötet, sollen beide Besitzer das lebende Rind verkaufen und sich den Erlös teilen; ebenso sollen sie das tote Tier unter sich aufteilen. [36]Wenn aber das Rind schon vorher auf andere Tiere losgegangen ist und sein Besitzer es trotz Warnung nicht eingesperrt hat, dann muss er das tote Rind durch eines seiner Tiere ersetzen; das getötete Tier aber gehört ihm.«

Gesetze zum Schutz des Eigentums

[37]»Hat jemand ein Rind oder Schaf gestohlen und es geschlachtet oder verkauft, dann soll er für ein gestohlenes Rind fünf Rinder erstatten und für ein gestohlenes Schaf vier Schafe.

22 Wenn ein Einbrecher bei Nacht auf frischer Tat ertappt und so geschlagen wird, dass er stirbt, dann ist der, der ihn getötet hat, kein Mörder. [2]Wenn es aber schon hell war, gilt die Tat als Mord.

Ein Dieb muss das Gestohlene erstatten; besitzt er nichts, soll er als Sklave verkauft werden. Das Geld steht dem Bestohlenen als Entschädigung zu.

[3]Wenn sich ein gestohlenes Tier – ob Rind, Esel, Schaf oder Ziege – noch lebend im Besitz des Diebes befindet, muss er doppelten Ersatz leisten.

[4]Wenn jemand sein Feld oder seinen Weinberg abweiden lässt und das Vieh nicht beaufsichtigt, so dass es das Feld eines anderen abgrast, soll er den Schaden ersetzen: Die besten Früchte seines Weinbergs und das beste Getreide von seinen Feldern muss er dem Geschädigten geben.

[5]Entzündet sich durch ein Feuer Gestrüpp, und die Flammen greifen auf ein benachbartes Feld über und vernichten dort Garben, stehendes Getreide oder junge Ähren, dann muss der Schadenersatz leisten, der das Feuer angezündet hat.

[6]Wenn jemand einem anderen Geld oder wertvolle Gegenstände zur Aufbewahrung anvertraut und sie aus dessen Haus gestohlen werden, soll der Dieb – falls er gefasst wird – das Gestohlene doppelt ersetzen. [7]Wird der Dieb nicht gefasst, muss derjenige, der die Wertgegenstände aufbewahrte, vor mir, dem Herrn, erscheinen, damit herauskommt, ob er selbst die ihm anvertrauten Dinge unterschlagen hat.

[8]Wenn sich zwei Leute um etwas Wertvolles streiten – ganz gleich, ob um ein Rind, einen Esel, ein Schaf oder eine Ziege, um Kleider oder um etwas anderes – und jeder behauptet, dass es ihm gehört, dann soll ihr Streitfall vor mich gebracht werden. Wen ich für schuldig erkläre, der

21,28 1 Mo 9,5 **21,37** 2 Sam 12,6

soll dem rechtmäßigen Besitzer sein Eigentum doppelt zurückerstatten.

[9] Wenn jemand einem anderen Israeliten einen Esel, ein Rind, ein Schaf, eine Ziege oder sonst ein Tier anvertraut und es dort stirbt, sich verletzt oder gestohlen wird, ohne dass es Zeugen gibt, [10] dann soll der Streit zwischen beiden durch einen Eid vor mir, dem Herrn, geschlichtet werden: Der Beschuldigte soll schwören, dass er sich nicht selbst am Eigentum des anderen vergriffen hat. Der Besitzer muss diese Erklärung gelten lassen, und der Beschuldigte braucht keinen Ersatz zu leisten. [11] Wenn ihm das Tier aber nachweislich gestohlen wurde, soll er es dem Besitzer ersetzen. [12] Hat ein wildes Tier es gerissen, soll er die Überreste als Beweis herbringen; dann muss er keinen Schadenersatz leisten.

[13] Wenn sich jemand ein Arbeitstier ausleiht, und es verletzt sich oder stirbt, muss er Schadenersatz leisten, sofern der Besitzer nicht dabei gewesen ist. [14] War der Besitzer dabei, braucht derjenige, der das Tier geliehen hat, keinen Ersatz zu leisten. Hatte er das Tier gemietet, so ist der Schaden mit dem Mietpreis abgegolten.«

Verführung eines Mädchens

[15] »Wenn ein Mann ein Mädchen, das noch nicht verlobt ist, verführt und mit ihr schläft, muss er den Brautpreis für sie bezahlen und sie heiraten. [16] Falls sich ihr Vater aber weigert, sie ihm zur Frau zu geben, muss der Mann ihm dennoch den Brautpreis bezahlen, der einer Jungfrau angemessen ist.«

Vergehen, die mit dem Tod bestraft werden

[17] »Eine Zauberin sollt ihr nicht am Leben lassen!

[18] Jeder, der mit einem Tier verkehrt, muss mit dem Tod bestraft werden.

[19] Wer anderen Göttern Opfer darbringt und nicht mir, dem Herrn, allein, soll aus dem Volk Israel ausgestoßen werden und sterben.«

Schutzbestimmungen für die Schwachen

[20] »Unterdrückt die Fremden nicht, und beutet sie nicht aus! Denn ihr selbst seid einmal Fremde in Ägypten gewesen.

[21] Benachteiligt die Witwen und Waisen nicht! [22] Wenn ihr es doch tut und sie zu mir um Hilfe schreien, werde ich sie ganz sicher erhören. [23] Mein Zorn wird losbrechen, und ich lasse euch von euren Feinden töten. Dann werden eure Frauen Witwen sein und eure Kinder Waisen!

[24] Wenn ihr einem Armen aus meinem Volk Geld leiht, sollt ihr euch nicht daran bereichern. Verlangt keine Zinsen von ihm!

[25] Wenn ihr den Mantel eures Schuldners als Pfand nehmt, müsst ihr ihn vor Sonnenuntergang zurückgeben, [26] denn er ist seine einzige Decke für die Nacht. Womit soll er sich sonst zudecken? Wenn ihr den Mantel nicht zurückgebt und der Mann zu mir um Hilfe ruft, werde ich ihn erhören, denn ich bin barmherzig.«

Verpflichtungen gegenüber Gott

[27] »Mich, den Herrn, sollt ihr nicht verhöhnen, und einen Fürsten aus eurem Volk sollt ihr nicht verfluchen!

[28] Gebt mir rechtzeitig die Opfergaben vom Ertrag eurer Getreidefelder und Weingärten! Auch eure ältesten Söhne sollt ihr mir weihen. [29] Eure erstgeborenen Rinder, Schafe und Ziegen dürfen sieben Tage lang bei ihrer Mutter blei-

---

22,17 3 Mo 19,31; 20,6–7.27 **22,18** 3 Mo 18,23 **22,19** 20,3–5* **22,20** 23,9; 3 Mo 19,33–34; 5 Mo 10,18–19; 14,28–29; 24,17–22 **22,21–22** 5 Mo 10,18–19; 24,17–22; 27,19; Ps 68,6; Jes 1,17; Jer 49,11; Jak 1,27 **22,25–26** 5 Mo 24,10–13; Am 2,8 **22,27** 1 Kön 21,10.13; Mt 26,65–66; Joh 18,22; Apg 23,5 **22,28–29** 13,12–16*

ben; am achten Tag sollt ihr sie mir als Opfer darbringen.

[30] Ihr seid heilige Menschen, die allein mir gehören. Esst darum kein Fleisch von einem Tier, das von Raubtieren gerissen wurde! Wenn ihr einen Kadaver findet, werft ihn den Hunden vor!«

Gerechtigkeit vor Gericht und Feindesliebe

23 »Verbreite kein falsches Gerücht! Weißt du aber sicher, dass jemand Unrecht getan hat, dann darfst du ihn nicht durch eine falsche Aussage entlasten. [2] Folge nicht der Mehrheit, wenn sie im Unrecht ist! Musst du vor Gericht aussagen, sollst du nicht der Mehrheit nach dem Mund reden und so ein gerechtes Urteil verhindern. [3] Du darfst aber auch einen Armen vor Gericht nicht begünstigen!

[4] Wenn du ein Rind oder einen Esel deines Feindes umherirren siehst, dann bring das Tier auf jeden Fall zurück! [5] Wenn der Esel eines Menschen, der dich hasst, unter einer Last zusammengebrochen ist, dann geh nicht einfach vorüber! Hilf deinem Feind, das Tier wieder auf die Beine zu bringen.[a]

[6] Verweigere einem Armen vor Gericht nicht sein Recht! [7] Wenn vor Gericht gelogen wird, beteilige dich nicht daran! Verurteile den Unschuldigen nicht zum Tode, denn ich sorge dafür, dass der Schuldige kein Recht bekommt. [8] Nimm keine Bestechungsgeschenke an, denn sie machen die Sehenden blind und verleiten dazu, das Recht zu beugen.

[9] Unterdrückt die Fremden nicht! Ihr wisst ja, wie ihnen zumute sein muss, denn ihr seid selbst einmal Fremde in Ägypten gewesen.«

Sabbatgebote

[10] »Sechs Jahre lang sollt ihr eure Felder bewirtschaften und die Ernte einbringen. [11] Aber im siebten Jahr lasst sie brachliegen, sät und erntet nicht! Was dann noch auf ihnen wächst, soll den Armen gehören, und den Rest mag das Wild fressen. Dasselbe gilt für eure Weinberge und Olivenhaine.

[12] Sechs Tage lang sollt ihr eure Arbeit tun, aber am siebten Tag sollt ihr ruhen, damit eure Rinder und Esel sich erholen und auch eure Sklaven und die Fremden bei euch sich ausruhen können.

[13] Haltet euch an alles, was ich euch befohlen habe! Betet nicht zu anderen Göttern, ich will ihre Namen aus eurem Mund nicht hören!«

Die drei Jahresfeste

[14] »Dreimal im Jahr sollt ihr mir zu Ehren ein Fest feiern: [15] Feiert als erstes das Fest der ungesäuerten Brote! Sieben Tage im Monat Abib sollt ihr Brot essen, das ohne Sauerteig gebacken wurde, wie ich es euch befohlen habe. Denn in diesem Monat seid ihr aus Ägypten fortgezogen. Keiner soll mit leeren Händen zu meinem Heiligtum kommen! [16] Feiert dann das Erntefest, wenn ihr das erste Getreide einbringt, das ihr ausgesät habt. Als drittes sollt ihr das Fest der Wein- und Obsternte am Ende des Jahres[b] feiern, wenn ihr die Früchte aus den Weinbergen und Gärten geerntet habt. [17] Dreimal im Jahr sollen sich alle Männer Israels vor mir, dem Herrn, versammeln.

[18] Wenn ihr ein Tier schlachtet und opfert, dürft ihr sein Blut nicht zusammen mit Brot darbringen, das Sauerteig enthält. Vom Fett der Tiere, die ihr mir an den Festtagen opfert, darf nichts bis zum nächsten Morgen übrig bleiben.

---

[a] So mit der griechischen Übersetzung. Der hebräische Text lautet: Du musst ihn auf jeden Fall bei ihm lassen.

[b] Gemeint ist das Ende des landwirtschaftlichen Jahres im September/Oktober.

22,30 5 Mo 14,21 **23,1-3** 20,16* **23,4-5** Spr 25,21-22; Lk 6,27 **23,9** 22,20* **23,10-11** 3 Mo 25,1-7* **23,13** 20,3-5* **23,14-17** 34,18-24; 3 Mo 23; 5 Mo 16,1-17 **23,16** 4 Mo 28,26-31* **23,18** 29,34; 3 Mo 7,15

[19]Bringt das Beste vom Ertrag eurer Felder als Gabe in mein Heiligtum!

Kocht ein Ziegenböckchen nicht in der Milch seiner Mutter!«

Der Engel des Herrn wird Israel führen

[20]»Ich werde einen Engel vor euch hersenden, der euch auf dem Weg bewahrt und in das versprochene Land bringt. [21]Hört zu, und achtet auf seine Worte! Widersetzt euch ihm nicht! Er wird euch nicht vergeben, wenn ihr euch gegen ihn auflehnt, denn ich selbst bin in ihm gegenwärtig. [22]Wenn ihr aber bereitwillig auf das hört, was ich euch durch ihn mitteile, dann werden eure Feinde auch meine Feinde sein und eure Gegner meine Gegner.

[23]Denn mein Engel wird vor euch herziehen und euch in das Land der Amoriter, Hetiter, Perisiter, Kanaaniter, Hiwiter und Jebusiter bringen. Diese Völker werde ich ausrotten. [24]Werft euch nicht vor ihren Götterstatuen nieder, und betet sie nicht an! Übernehmt auch nicht die heidnischen Bräuche dieser Völker! Ihr müsst ihre Götterfiguren zerstören und ihre heiligen Steinsäulen zerschlagen. [25]Dient mir, dem Herrn, eurem Gott! Dann werde ich euch reichlich Essen und Trinken geben und alle Krankheiten von euch fern halten. [26]In eurem Land wird keine Frau Fehlgeburten haben, keine wird unfruchtbar sein; ich werde euch ein langes Leben schenken.

[27]Den Völkern, zu denen ihr kommt, werde ich Angst und Schrecken einjagen; aus lauter Verwirrung werden eure Feinde Hals über Kopf vor euch fliehen. [28]Wohin ihr auch kommt, wird die Angst herrschen; die Hiwiter, Kanaaniter und Hetiter werden entsetzt davonlaufen, wenn ihr heranzieht. [29]Aber ich werde sie nicht alle auf einmal vertreiben, sonst ist das Land menschenleer und öde, und die wilden Tiere vermehren sich so sehr, dass sie euch schaden. [30]Ich werde die Bewohner des Landes nach und nach vertreiben, bis euer Volk so groß geworden ist, dass ihr ganz Kanaan in Besitz nehmen könnt.

[31]Euer Land wird vom Roten Meer bis zum Mittelmeer reichen und von der Wüste im Süden bis zum Euphrat. Die Menschen, die jetzt dort wohnen, gebe ich in eure Hand. Ihr werdet sie vertreiben, während ihr immer weiter vordringt. [32]Schließt keinen Bund mit ihnen und ihren Göttern! [33]Sie dürfen nicht in eurem Land bleiben, sonst verführen sie euch noch zum Götzendienst. Denn wenn ihr ihre Götter verehrt, geratet ihr in eine tödliche Falle!«

Der Herr schließt einen Bund mit Israel

24 Der Herr sprach zu Mose: »Steig zu mir auf den Berg, zusammen mit Aaron, Nadab, Abihu und siebzig von den Sippenoberhäuptern Israels. Bleibt in einiger Entfernung stehen, und werft euch vor mir nieder! [2]Nur du allein darfst dich mir nähern, die anderen müssen sich fern halten. Das Volk darf auf keinen Fall mit dir den Berg besteigen!«

[3]Mose trat vor die Israeliten und teilte ihnen die Gebote und Bestimmungen des Herrn mit. Sie antworteten einmütig: »Wir wollen alles tun, was der Herr befohlen hat!«

[4]Danach schrieb Mose die Worte des Herrn auf. Früh am nächsten Morgen errichtete er einen Altar am Fuß des Berges, dazu zwölf Steinsäulen, je eine für jeden Stamm Israels. [5]Dann rief er einige junge Israeliten zu sich und befahl ihnen, dem Herrn zu opfern. Sie brachten Brandopfer dar und schlachteten junge Stiere für das Dankopfer. [6]Mose fing die

---

23,19 4 Mo 18,8–19*; Neh 10,36 **23,20–21** 33,2–3 **23,24** 20,3–5*; 5 Mo 12,2–3* **23,25–26** 15,26 **23,27–28** 14,24–25; 5 Mo 2,25; 7,20; 11,25; Jos 2,9; 10,10; 24,12; Ri 4,15; 1 Sam 5,11; 7,10; 14,15 **23,30** 5 Mo 7,22; Ri 2,1–3 **23,31** 1 Mo 12,7* **23,32–33** 20,3–5* **24,2** 19,12 **24,4** 17,14; 34,27–28; 4 Mo 33,1–2; 5 Mo 31,9.24

Hälfte des Blutes der Opfertiere in Schalen auf, die andere Hälfte goss er an den Altar.

[7]Dann nahm er die Buchrolle, in der er die Gesetze des Bundes aufgeschrieben hatte, und las sie den Israeliten vor. Sie antworteten: »Alles, was der Herr befohlen hat, wollen wir tun! Wir wollen ihm gehorchen!« [8]Da besprengte Mose das Volk mit dem Blut aus den Schalen und sagte: »Das Blut besiegelt den Bund, den der Herr mit euch geschlossen hat. Dieser Bund beruht auf seinen Zusagen und Geboten.«

[9]Mose, Aaron, Nadab, Abihu und die siebzig Sippenoberhäupter stiegen auf den Berg Sinai, [10]und sie sahen den Gott Israels. Der Boden unter seinen Füßen leuchtete wie mit Saphiren bedeckt, blau und klar wie der Himmel. [11]Die ausgewählten Männer, die mit Mose auf dem Berg waren, durften Gott sehen, ohne dass er sie tötete. Dann aßen und tranken sie in seiner Gegenwart.

Gott spricht mit Mose auf dem Berg

[12]Nachdem sie wieder hinabgestiegen waren,[a] sagte der Herr zu Mose: »Komm noch einmal zu mir auf den Berg, und bleib einige Zeit hier! Ich will dir zwei Steintafeln geben, auf denen meine Gebote stehen. Ich selbst habe das Gesetz aufgeschrieben, um Israel zu unterweisen.«

[13]Mose und sein Diener Josua machten sich auf den Weg, und Mose bestieg den Berg Gottes. [14]Vorher hatte er zu den Sippenoberhäuptern Israels gesagt: »Wartet hier auf uns, bis wir zu euch zurückkehren! Aaron und Hur bleiben bei euch. Wer einen Streitfall hat, soll sich an sie wenden!«

[15/16]Als Mose hinaufstieg, kam die Herrlichkeit des Herrn in einer dichten Wolke auf den Berg Sinai herab. Sechs Tage lang bedeckte sie den Berg. Am siebten Tag rief der Herr aus der Wolke Mose zu sich. [17]Die Herrlichkeit des Herrn auf dem Berg erschien den Israeliten wie ein loderndes Feuer. [18]Mose aber ging weiter hinauf zum Gipfel, mitten in die Wolke hinein. Vierzig Tage und Nächte blieb er dort.

Gott will bei seinem Volk wohnen

25 Der Herr sprach zu Mose: [2]»Sag den Israeliten, sie sollen für mich eine Abgabe entrichten! Jeder, der es gerne tut, soll mir etwas geben. [3]Sammle von den Israeliten ein, was sie dir bringen: Gold, Silber und Bronze, [4]violette, purpurrote und karmesinrote Wolle, feines Leinen, Ziegenhaar, [5]rot gefärbte Felle von Schafböcken, Tachasch-Leder[b], Akazienholz, [6]Öl für den Leuchter, wohlriechende Gewürze für das Salböl und die Weihrauchmischung, [7]Onyx-Steine und andere Edelsteine, die auf dem Schurz und der Brusttasche des Priesters eingesetzt werden können. [8]Die Israeliten sollen mir aus diesen Materialien ein Heiligtum bauen, denn ich will bei ihnen wohnen. [9]Fertigt das heilige Zelt und alles, was dazugehört, genau so an, wie ich es dir jetzt zeigen werde!«

Die Bundeslade

[10]»Die Israeliten sollen einen Kasten aus Akazienholz bauen, eineinviertel Meter lang, einen drei viertel Meter breit und ebenso hoch. [11]Innen und außen sollen sie ihn mit reinem Gold überziehen und auf der Oberseite ringsum eine goldene Zierleiste anbringen. [12]Lass vier Ringe aus massivem Gold gießen und sie an den vier unteren Ecken des Kastens befestigen, je zwei Ringe an jeder Längssei-

---

[a] »Nachdem … waren« ist sinngemäß ergänzt.

[b] Vermutlich handelt es sich beim Tachasch um einen Meeressäuger wie Delphin, Seehund oder Seekuh.

24,7–8 19,5; 34,10–17; Jos 24,25–27; 2 Kön 23,2–3; Mt 26,27–28; Lk 22,20; Hebr 9,15–22
24,11 33,20–23* **24,12** 31,18* **24,17** 3 Mo 9,23; 5 Mo 4,24; 9,3; Hebr 12,29 **25,2** 35,21–29; 36,3–7; 2 Chr 31,4–8; Esr 2,68–69; 2 Kor 9,7 **25,7** 28,17–21 **25,9** 26,30; Apg 7,44; Hebr 8,5 **25,10–20** 37,1–9

te. [13]Dann sollen Tragstangen aus Akazienholz angefertigt und mit Gold überzogen werden. [14]Sie werden durch die Ringe an den Längsseiten des Kastens gesteckt, damit man ihn daran tragen kann. [15]Die Tragstangen müssen stets an ihrem Ort bleiben und dürfen nicht mehr aus den Ringen herausgezogen werden. [16]In die Bundeslade sollst du die beiden Steintafeln legen, die ich dir geben werde. Auf ihnen sind meine Gebote und Weisungen niedergeschrieben.

[17]Lass eine Deckplatte aus reinem Gold für den Kasten gießen, eineinviertel Meter lang und einen drei viertel Meter breit. [18/19]Dann sollen zwei Engelfiguren aus massivem Gold geschmiedet werden, die an den beiden Enden der Deckplatte stehen. Die Platte und die beiden Engel sollen aus einem Stück gearbeitet sein. [20]Die Engel breiten ihre Flügel nach oben aus und beschirmen die Deckplatte, die Gesichter sind einander zugewandt und ihre Augen auf die Platte gerichtet.

[21]Die Deckplatte soll die Bundeslade verschließen, in der die beiden Steintafeln mit den Geboten liegen, die ich dir geben werde. [22]An dieser Stelle, über der Bundeslade zwischen den beiden Cherub-Engeln, will ich mich dir offenbaren und dir alles sagen, was du den Israeliten weitergeben sollst.«

Der Tisch für die Gott geweihten Brote

[23]»Lass einen Tisch aus Akazienholz anfertigen, einen Meter lang, einen halben Meter breit und einen drei viertel Meter hoch. [24]Er soll mit reinem Gold überzogen sein und ringsum eine goldene Zierleiste haben. [25]Auf die Tischplatte soll eine acht Zentimeter hohe Umrandung aus Gold aufgesetzt werden, die auch wieder ringsum mit einer goldenen Leiste verziert wird. [26]Lass vier Ringe aus massivem Gold gießen und sie an den vier Seiten anbringen, wo die Tischbeine anfangen. [27]Die Ringe sollen unterhalb der Goldumrandung befestigt sein; sie müssen die Stangen halten, mit denen man den Tisch trägt. [28]Auch die Stangen sollen aus Akazienholz gefertigt und mit Gold überzogen sein.

[29]Lass Schüsseln und Schalen, Kannen und Opferschalen machen, alles aus reinem Gold. Aus ihnen soll man das Trankopfer ausgießen. [30]Auf dem Tisch sollen stets die Brote liegen, die mir geweiht sind.«

Der siebenarmige Leuchter

[31]»Lass einen Leuchter aus reinem Gold anfertigen. Fuß und Schaft sollen geschmiedet sein, und aus dem Schaft sollen Kelche – Knospen und Blüten – hervorgehen, ebenfalls aus massivem Gold. [32]Vom Schaft gehen sechs Seitenarme aus, drei nach jeder Seite. [33]Jeder Arm soll mit drei Kelchen verziert sein, die wie Knospen und Blüten des Mandelbaumes aussehen, [34]der Schaft selbst mit vier Kelchen. [35]Drei davon sollen jeweils unter den Ansätzen der Seitenarme angebracht werden. [36]Die Seitenarme und Kelche sollen wie der ganze Leuchter aus einem einzigen Stück reinem Gold geschmiedet sein.

[37]Lass sieben Lampen anfertigen und sie mit dem Docht nach vorne auf die Arme des Leuchters setzen, damit sie den Raum erhellen. [38]Die Dochtscheren und Schalen für das Öl sollen ebenfalls aus reinem Gold sein. [39]Aus 36 Kilogramm reinem Gold sollst du den Leuchter und alle diese Gegenstände herstellen lassen. [40]Achte genau darauf, dass alles nach dem Vorbild angefertigt wird, das ich dir hier auf dem Berg zeige!«

Decken und Wände für das heilige Zelt

26 »Für das heilige Zelt sollst du zehn Bahnen Zelttuch weben lassen.

25,16.21 31,18; 1 Kön 8,9 **25,22** 3 Mo 16,2; 4 Mo 7,89; 1 Sam 4,4 **25,23–30** 37,10–16 **25,30** 3 Mo 24,5–9; 1 Sam 21,7 **25,31–39** 37,17–24 **25,40** 26,30; Apg 7,44; Hebr 8,5 **26,1** 25,4

Verwendet dazu violette, purpurrote und karmesinrote Wolle sowie feines Leinen. Auf den Zeltbahnen sollen Engelfiguren dargestellt sein. [2]Die einzelnen Bahnen müssen 14 Meter lang und 2 Meter breit sein. [3]Jeweils fünf von ihnen sollen an den Längsseiten aneinander genäht werden, so dass zwei große Zeltdecken entstehen. [4]Um diese beiden Decken verbinden zu können, müssen an einer Längsseite jeder Decke 50 Schlaufen aus violett gefärbter Wolle angebracht werden, [5]also 50 Schlaufen an der einen und ebenso viele an der anderen Zeltdecke. Legt die beiden Decken so aneinander, dass die Schlaufen einander gegenüberstehen. [6]Dann lass 50 goldene Haken schmieden, die jeweils zwei gegenüberliegende Schlaufen verbinden und so die beiden Decken zu einem Stück zusammenfügen.

[7/8]Lass außerdem elf Zeltbahnen aus Ziegenhaar weben, 15 Meter lang und 2 Meter breit! Sie sollen über das erste Zelt gelegt werden und es überdachen. [9]Fünf dieser Bahnen werden an den Längsseiten zu einem Stück verbunden, die übrigen sechs zu einem zweiten. Die sechste Bahn des zweiten Zeltstücks soll doppelt gelegt werden. Sie bildet später an der Vorderseite des Zeltes die Überdachung des Eingangs.

[10]Um die beiden Zeltstücke verbinden zu können, müssen jeweils an einer Längsseite 50 Schlaufen angebracht werden. [11]Dann lass 50 Bronzehaken herstellen und mit ihnen die beiden Zeltstücke zusammenfügen. [12]Diese zweite Zeltdecke reicht an der Rückwand des Heiligtums einen Meter über die erste Decke hinaus. [13]An den Längsseiten überragt die Ziegenhaardecke die darunter liegende wollene Decke jeweils um einen halben Meter.

[14]Als Schutz für die beiden Zeltdecken sollst du ein Dach aus rot gefärbten Fellen von Schafböcken nähen lassen und darüber legen. Über dieses Felldach muss noch eine Schutzdecke aus Tachasch-Leder gespannt werden.

[15]Lass Platten aus Akazienholz fertigen, die – aufrecht gestellt – die Wände des Heiligtums bilden sollen. [16]Jede Platte soll fünf Meter lang und einen drei viertel Meter breit sein. [17]Alle Platten müssen an der kurzen Seite zwei Zapfen haben, die parallel angeordnet sind. [18]Es werden 20 Platten für die südliche Längsseite des Zeltes benötigt, [19]dazu 40 silberne Sockel, auf denen die Platten stehen. Zwei Sockel gehören unter jede Platte, für jeden Zapfen einer. [20]Für die nördliche Längsseite des Zeltes werden ebenfalls 20 Platten benötigt [21]und 40 silberne Sockel, auf denen die Platten stehen, je zwei Sockel unter jeder Platte. [22]Für die schmale Rückseite im Westen sollst du 6 Platten fertigen lassen, [23]2 weitere Wandteile werden für die Ecken an der Rückseite des Zeltes gebraucht. [24]Sie sollen auf ganzer Länge gewinkelt und an ihrem oberen Ende durch Ringe befestigt sein, um so die Eckkonstruktion der Wände zu bilden. [25]Die Rückseite besteht also insgesamt aus 8 Platten mit 16 silbernen Sockeln, jeweils zwei Sockel unter einer Platte.

[26/27]Lass außerdem Querbalken aus Akazienholz anfertigen, jeweils fünf Stück für jede Längsseite und die westliche Querseite. Diese Balken sollen die aufrecht stehenden Platten zusammenhalten. [28]Der mittlere Balken soll genau auf halber Höhe an der ganzen Wand entlanglaufen, von vorn bis hinten. [29]Die Querbalken werden durch goldene Ringe gesteckt, die in den Platten verankert sind. Platten und Querbalken müssen vollständig mit Gold überzogen sein.

[30]Aus all diesen Platten, Sockeln, Ringen und Stoffen sollst du mein Heiligtum, in dem ich wohnen will, errichten, ganz so, wie ich es dir hier auf dem Berg zeige.«

26,1–29 36,8–34 **26,30** 25,9.40; Apg 7,44; Hebr 8,5

Vorhänge für das heilige Zelt

[31] »Lass einen Vorhang weben aus violetter, purpurroter und karmesinroter Wolle und feinem Leinen, kunstvoll verziert mit Engelfiguren. [32] Er soll mit goldenen Haken an vier Säulen aus Akazienholz aufgehängt werden. Die Säulen müssen mit Gold überzogen sein und auf silbernen Sockeln stehen. [33] Der Vorhang trennt den heiligen Vorraum vom Allerheiligsten, in dem die Bundeslade stehen soll.

Sobald der Vorhang an den Haken aufgehängt ist, bring die Bundeslade mit den Steintafeln hinein. [34] Wenn sie im Allerheiligsten steht, dann lass die Deckplatte darauf legen.

[35] Der Tisch mit den Broten, die mir geweiht sind, soll vor dem Vorhang im heiligen Vorraum an der Nordseite des Zeltes aufgestellt werden. Gegenüber, an der Südseite im Vorraum, hat der goldene Leuchter seinen Platz.

[36] Ein weiterer Vorhang wird für den Zelteingang benötigt, ebenfalls aus violetter, purpurroter und karmesinroter Wolle sowie aus feinem Leinen, bunt und kunstvoll gewebt. [37] Lass diesen Vorhang mit goldenen Haken an fünf Akazienholzsäulen aufhängen, die mit Gold überzogen sind und auf Bronzesockeln stehen.«

Der Brandopferaltar

27 »Lass einen Altar aus Akazienholz anfertigen; er soll quadratisch sein: zweieinhalb Meter lang und ebenso breit. Die Höhe beträgt eineinhalb Meter. [2] An den vier oberen Ecken sollen Hörner hervorragen. Die Hörner dürfen nicht aufgesetzt, sondern müssen Teil der Seitenwände sein. Der ganze Altar soll mit Bronze überzogen werden. [3] Auch die dazugehörigen Gefäße und Werkzeuge müssen aus Bronze sein: die Aschenkübel, Schaufeln, Fleischgabeln, Feuerbecken und Schalen zum Auffangen des Blutes.

[4] Lass einen Gitterrahmen aus Bronze anfertigen, und bring an den vier Ecken je einen Ring aus Bronze an. [5] Der Gitterrahmen soll unter dem Altar befestigt werden können und ihn ringsum bis zur halben Höhe umschließen. [6] Dazu müssen noch Akazienholzstangen angefertigt werden, die mit Bronze überzogen sind. [7] Die Stangen sollen für den Transport durch die Ringe an beiden Seiten des Altars gesteckt werden.

[8] Der Altar soll ganz aus Holz sein, aber innen hohl. Die Handwerker müssen ihn genau so bauen, wie ich es dir hier auf dem Berg zeige.«

Der Vorhof

[9] »Um das heilige Zelt herum soll ein Vorhof abgegrenzt werden. Die Abgrenzung an der Südseite muss 50 Meter lang sein und aus Vorhängen von feinem Leinen bestehen. [10] Die Vorhänge werden mit silbernen Haken und Stangen an 20 Holzpfosten befestigt, die auf Bronzesockeln stehen. [11] Die Abgrenzung auf der Nordseite soll ebenfalls 50 Meter lang sein; sie besteht aus den gleichen Vorhängen, die mit silbernen Haken und Stangen an 20 Holzpfosten mit Bronzesockeln hängen. [12] An der Westseite des Vorhofs sollen auf einer Breite von 25 Metern die Vorhänge an 10 Holzpfosten hängen, deren Sockel aus Bronze bestehen.

[13] Auch auf der Ostseite, in Richtung Sonnenaufgang, soll der Vorhof 25 Meter breit sein. [14–16] An dieser Seite befindet sich sein Eingang. Links und rechts vom Eingang hängen Vorhänge auf einer Breite von je 7,5 Metern an jeweils drei Holzpfosten auf Bronzesockeln. Vor dem Eingang hängt ebenfalls ein Vorhang, 10 Meter breit, bunt und kunstvoll gewebt aus violetter, purpurroter und karmesinroter Wolle und feinem Leinen.

26,31–32 36,35–36 **26,33** 2 Chr 3,14; Mt 27,51; Hebr 6,19 **26,36–37** 36,37–38 **27,1–8** 38,1–7 **27,2** 30,10; 3 Mo 16,18; 1 Kön 1,50 **27,8** 25,9.40; 26,30 **27,9–19** 38,9–20 **27,14–16** 35,23

Ihn halten vier Holzpfosten auf Bronzesockeln.

[17] Alle Pfosten stehen auf Sockeln aus Bronze, und die Vorhänge sind mit silbernen Haken und Stangen an den Pfosten befestigt. [18] Die Länge des Vorhofs beträgt 50 Meter, seine Breite 25 Meter. Die Vorhänge sind 2,5 Meter hoch, als Vorhangstoff soll feines Leinen verwendet werden. Die Sockel der Pfosten müssen aus Bronze sein. [19] Alle Gefäße und Werkzeuge für den Dienst im heiligen Zelt sollen aus Bronze hergestellt sein, auch die Pflöcke für das heilige Zelt und für die Vorhänge des Vorhofs.«

Das Öl für den Leuchter
(3. Mose 24,1–4)

[20] »Sag den Israeliten, sie sollen dir reines Öl aus gepressten Oliven für den Leuchter bringen, damit die Lampen ständig brennen. [21] Im heiligen Zelt, vor dem Vorhang zum Allerheiligsten und der Bundeslade, müssen Aaron und seine Söhne den Leuchter aufstellen. Sie sollen immer wieder Öl nachfüllen, damit er vom Abend bis zum Morgen brennt und mein Heiligtum erhellt. Diese Weisung gilt für euch und alle kommenden Generationen!«

Die Kleidung der Priester

28 »Ruf deinen Bruder Aaron und seine Söhne Nadab, Abihu, Eleasar und Itamar herbei! Von allen Israeliten habe ich sie ausgewählt, mir als Priester zu dienen. [2] Lass für deinen Bruder Aaron Kleider anfertigen, würdevoll und prächtig, seinem heiligen Priesteramt angemessen! [3] Gib diesen Auftrag an alle aus deinem Volk weiter, die ich dazu begabt und mit Weisheit erfüllt habe. Sie sollen die Gewänder anfertigen, in denen Aaron zum Priester geweiht wird und mir dient.

[4] Die Priesterkleidung besteht aus folgenden Teilen: der Brusttasche, dem Priesterschurz, dem Obergewand, dem gewebten Untergewand, dem Turban und dem Gürtel. Diese heiligen Kleidungsstücke sollen für deinen Bruder Aaron und seine Nachfolger angefertigt werden. Dann kann er mir als Priester dienen. [5] Die Stoffe für die Priesterkleidung sind die gleichen wie für das Zelt: violette, purpurrote und karmesinrote Wolle, feines Leinen und Goldfäden.«

Der Priesterschurz

[6] »Der Priesterschurz soll aus Goldfäden, aus violetter, purpurroter und karmesinroter Wolle sowie aus feinem Leinen angefertigt werden, bunt und kunstvoll gewebt. [7] Er soll zwei Bänder haben, die über die Schultern gelegt und vorn und hinten an ihm befestigt werden. [8] Lass außerdem einen Gürtel weben, mit dem der Schurz zusammengebunden wird; er soll aus den gleichen Stoffen sein: aus Goldfäden, violetter, purpurroter und karmesinroter Wolle sowie aus feinem Leinen.

[9] Dann such zwei kostbare Onyx-Steine aus, und lass die Namen der zwölf Stämme Israels darauf eingravieren: [10] jeweils sechs Namen auf einen Stein, in der Reihenfolge, in der die Stammväter geboren wurden. [11] So wie man ein Siegel in Stein eingraviert, sollen die Namen der Stämme in die Edelsteine eingraviert werden. Dann lass die Steine in Gold fassen [12] und auf die Schulterstücke des Priesterschurzes aufsetzen. Wenn Aaron in das Heiligtum geht, trägt er die Namen der Israeliten auf seinen Schultern, und ich, der Herr, werde dann stets an sie denken.

[13] Lass zwei goldene Spangen schmieden, [14] dazu zwei Kettchen aus reinem Gold, wie Schnüre gedreht. Die Kettchen sollen mit den Spangen verbunden werden.«

27,21 25,31–39 **28,1** 6,23 **28,3** 1 Mo 41,38* **28,6–14** 39,1–7 **28,9** 28,21; 35,27 **28,10** 1 Mo 29,32–30,24; 35,18

Die Brusttasche

[15]»Lass eine Brusttasche anfertigen; in ihr sollen die Lose aufbewahrt werden, mit denen ihr meinen Willen erfragt. Sie soll aus den gleichen Stoffen gewebt werden wie der Priesterschurz: aus Goldfäden, violetter, purpurroter und karmesinroter Wolle sowie aus feinem Leinen. [16]Die Tasche soll quadratisch sein, jede Seite 25 Zentimeter lang; der Stoff muss doppelt gelegt sein.

[17]Lass sie mit vier Reihen goldgefasster Edelsteine besetzen. Die erste Reihe besteht aus einem Karneol, Topas und Smaragd, [18]die zweite Reihe aus einem Rubin, Saphir und Jaspis, [19]die dritte Reihe aus einem Hyazinth, Achat und Amethyst, [20]die vierte Reihe aus einem Türkis, Onyx und Nephrit. [21]Die zwölf Steine stehen für die zwölf Stämme Israels; auf jedem Stein soll ein Stammesname eingraviert werden, auf dieselbe Art, wie man ein Siegel herstellt.

[22]An der Brusttasche sollen die goldenen, gedrehten Kettchen angebracht werden. [23/24]Zur Befestigung dienen zwei goldene Ringe an den beiden oberen Ecken der Tasche. [25]Die anderen Enden der beiden Kettchen führen zu den goldenen Spangen vorn an den Schulterbändern des Priesterschurzes. [26]Auch an den unteren Ecken der Tasche sollen zwei goldene Ringe befestigt werden, und zwar auf der Innenseite, die dem Priesterschurz zugewandt ist. [27]Zwei weitere Ringe werden mit den Schulterstücken des Priesterschurzes verbunden, an deren unterem Ende, dicht bei dem Gürtel, der den Priesterschurz hält. [28]Die Ringe der Brusttasche sollen mit Schnüren aus violettem Purpur mit den Ringen am Priesterschurz verbunden werden. So liegt die Brusttasche oberhalb des Gürtels und kann nicht verrutschen.

[29]Wenn Aaron dann ins Heiligtum geht, trägt er die Steine mit den Namen der Stämme Israels an seinem Herzen. So werde ich immer an mein Volk erinnert.

[30]In der Brusttasche sollen die beiden Lose ›Urim‹ und ›Tummim‹ aufbewahrt werden. Aaron soll sie an seinem Herzen tragen, wenn er zu mir in das Heiligtum kommt. Mit diesen Losen soll er meinen Willen erfragen; darum soll er sie bei sich haben, wenn er vor mich tritt.«

Das Obergewand

[31]»Lass ein Obergewand aus violetter Wolle weben, das der Priester unter dem Priesterschurz tragen soll! [32]Der Saum der Halsöffnung muss mit einem gewebten Kragen verstärkt werden, damit er nicht einreißt, ähnlich wie bei einem ledernen Panzerhemd. [33/34]Am unteren Saum des Gewandes werden ringsum Granatäpfel aus violettem, purpurrotem und karmesinrotem Stoff angebracht und dazwischen kleine goldene Glöckchen, immer abwechselnd.

[35]Aaron soll das Gewand tragen, wenn er seinen Dienst ausübt. Man soll das Klingeln hören, wenn er zu mir ins Heiligtum hereinkommt und wenn er wieder hinausgeht. Dann wird er nicht sterben.«

Das Schild auf der Stirn, das Untergewand und der Turban

[36]»Lass auch ein kleines Schild aus reinem Gold anfertigen und die Worte eingravieren: ›Dem Herrn geweiht‹! [37]Mit einer Schnur aus violettem Purpur soll es vorn am Turban befestigt werden, [38]so dass es auf Aarons Stirn liegt. Er soll es immer tragen, wenn er in das Heiligtum geht. Wenn die Israeliten die Gaben bringen, die sie mir weihen, und dabei Gebote übersehen und Schuld auf sich laden, dann soll Aaron mit dem Schild auf der Stirn vor mich treten, damit ich ihre Schuld vergebe.

[39]Das Untergewand soll aus feinem

28,15–30 39,8–21 **28,21** 28,9–12; Offb 21,12–21 **28,30** 4 Mo 27,21; 1 Sam 10,20–21; 14,41; 28,6; Esr 2,63; Neh 7,65 **28,31–35** 39,22–26 **28,35** 30,20–21; 3 Mo 16,2 **28,36–39** 39,27–31 **28,36** 29,6; Sach 14,20

Leinen gewebt werden, ebenfalls der Turban. Schließlich sollst du noch den bunten Gürtel machen lassen.«

Die Ausstattung der Priester

[40] »Auch Aarons Söhne erhalten Gewänder, Gürtel und Turbane, damit sie würdevoll und schön aussehen. [41] Leg deinem Bruder Aaron und seinen Söhnen ihre Gewänder an! Salbe sie, indem du Öl auf ihren Kopf gießt! Setze sie so in ihr Amt ein! Sie allein sollen mir als Priester dienen.

[42] Lass noch leinene Hosen für sie anfertigen, die von der Hüfte bis zu den Oberschenkeln hinabreichen, damit sie unter ihrem Gewand nicht nackt sind. [43] Aaron und seine Söhne sollen die Hosen tragen, wenn sie in das heilige Zelt oder zum Altar kommen, um mir zu opfern. Dann werden sie keine Schuld auf sich laden und müssen nicht sterben. Diese Ordnung gilt Aaron und seinen Nachkommen für alle Zeiten!«

Anweisungen für die Einsetzung der Priester

29 »Wenn Aaron und seine Söhne in ihr Amt eingesetzt werden, um mir als Priester zu dienen, sollst du Folgendes tun:

Such einen jungen Stier und zwei fehlerlose Schafböcke aus! [2] Lass ungesäuertes Brot aus feinem Weizenmehl backen, Kuchen aus ungesäuertem Teig, mit Öl vermengt, außerdem Fladenbrot, das mit Öl bestrichen ist. [3] Leg die Brote und Kuchen in einen Korb, und bring sie zusammen mit dem Stier und den Schafböcken zum heiligen Zelt! [4] Führe Aaron und seine Söhne an den Eingang des Heiligtums, und wasche sie dort mit Wasser! [5] Dann leg Aaron die Priestergewänder an: das Untergewand, das Obergewand und den Priesterschurz mit der Brusttasche. Binde ihm den Gürtel um, der den Priesterschurz hält, [6] setz ihm den Turban auf, und befestige daran das goldene Schild. [7] Nimm das Salböl, und weihe Aaron, indem du es über seinen Kopf gießt!

[8] Dann hol auch seine Söhne herbei, und lass sie ihre Gewänder anziehen, [9] leg ihnen den Gürtel an, und binde ihnen die Turbane um! So sollst du Aaron und seine Söhne in ihr Amt einsetzen; sie und ihre Nachkommen sollen mir für alle Zeiten als Priester dienen.

[10] Dann bring den jungen Stier zum Eingang des heiligen Zeltes! Aaron und seine Söhne sollen ihre Hände auf seinen Kopf legen. [11] Schlachte den Stier am Altar vor dem Eingang zum Heiligtum. [12] Fang das Blut in einer Schale auf, und streich etwas davon mit dem Finger an die vier Hörner des Altars! Das restliche Blut sollst du an den Fuß des Altars gießen. [13] Das Fett, das die Eingeweide bedeckt, den Fettlappen über der Leber und die beiden Nieren mit ihrem Fett sollst du auf dem Altar verbrennen. [14] Das Fleisch des Stieres, sein Fell und die Innereien samt Inhalt musst du außerhalb des Lagers verbrennen. Dieses Opfer ist ein Sündopfer.

[15] Danach hol den ersten Schafbock! Aaron und seine Söhne sollen wieder die Hände auf seinen Kopf legen. [16] Schlachte den Schafbock, fang das Blut in einer Schale auf, und spreng etwas davon ringsum an den Altar! [17] Zerleg den Schafbock, und wasch seine Eingeweide und Schenkel. Leg sie zu den Fleischstücken und dem Kopf. [18] Dann verbrenn den ganzen Schafbock auf dem Altar! Dies ist ein Brandopfer, das mir, dem Herrn, geweiht ist. Über ein solches Opfer freue ich mich.

[19] Danach hol den zweiten Schafbock! Auch auf seinen Kopf sollen Aaron und seine Söhne die Hände legen. [20] Schlachte den Schafbock, und fang das Blut in einer Schale auf! Streich ein wenig davon Aaron und seinen Söhnen auf ihr rechtes Ohrläppchen, den rechten Daumen und die rechte große Zehe. Dann spreng das

---

28,42 20,26 **29,1–37** 3 Mo 8,1–36 **29,7** 30,23–25 **29,13** 3 Mo 7,23–25* **29,14** 3 Mo 4,3 – 5,13 **29,18** 3 Mo 1,2–17

Blut ringsum an den Altar, [21]vermisch einen Teil davon mit dem Salböl, und bespreng Aaron und seine Kleider damit! Tu das Gleiche mit Aarons Söhnen und ihren Kleidern. So werden sie mit ihren Kleidern für ihren Dienst geweiht.

[22]Der Schafbock ist für das Einsetzungsopfer bestimmt. Du sollst ihn zerlegen und das Fett herauslösen: den Fettschwanz, das Fett über den Eingeweiden, den Lappen an der Leber, die beiden Nieren und ihr Fett, dazu die rechte Keule. [23]Hol aus dem Korb am Eingang des Heiligtums ein ungesäuertes Brot, einen Ölkuchen und einen Fladen! [24]Leg das Fett, die Keule, das Brot und den Kuchen Aaron und seinen Söhnen in die Hände; sie sollen es vor dem heiligen Zelt hin- und herschwingen und mir, dem Herrn, weihen. [25]Dann nimm alles wieder an dich, und verbrenn es auf dem Altar! Dieses Opfer ist ein Brandopfer, das mir, dem Herrn, gefällt.

[26]Dann nimm das Bruststück des Schafbocks, der für Aarons Amtseinsetzung dargebracht wird, und schwing es vor dem heiligen Zelt hin und her! Dieses Stück ist dein Anteil. [27]Jedes Mal, wenn ein Priester in sein Amt eingesetzt wird, soll das Bruststück des Schafbocks vor dem Heiligtum hin- und hergeschwungen und die Keule vor mir hochgehoben und so mir geweiht werden. Sie sind der Anteil, den die Priester erhalten. [28]Auch wenn die Israeliten mir künftig ihre Dankopfer darbringen, gehören diese beiden Stücke Aaron und seinen Söhnen. Diese Ordnung gilt für alle Zeiten!

[29/30]Aarons heilige Gewänder sollen nach seinem Tod einem seiner Söhne übergeben werden, und zwar dem, der das Priesteramt Aarons übernimmt und mir im Heiligtum dient. Sieben Tage lang soll er sie tragen. Dann wird er mit Öl gesalbt und in sein Amt eingesetzt.

[31]Das Fleisch des Schafbocks, der zur Einsetzung geschlachtet wurde, musst du beim Heiligtum kochen. [32]Am Eingang zum heiligen Zelt sollen Aaron und seine Söhne das Fleisch sowie die Brote und Kuchen aus dem Korb essen. [33]Außer ihnen darf niemand von diesem Fleisch essen, denn es ist heilig. Durch das Opfer werden sie mit mir, dem Herrn, versöhnt und in ihr Amt eingesetzt. [34]Was vom Brot oder Fleisch noch bis zum nächsten Morgen übrig bleibt, muss verbrannt werden. Es ist heilig und darf nicht mehr gegessen werden.

[35]Halte dich bei der Amtseinführung Aarons und seiner Söhne ganz genau an meine Anweisungen! Die Einsetzungsfeier soll sieben Tage lang dauern! [36]Jeden Tag sollst du einen jungen Stier als Sündopfer schlachten und mit seinem Blut den Altar von aller Schuld reinigen, die auf ihm lastet. Besprenge ihn außerdem mit Salböl, und weihe ihn so mir, dem Herrn! [37]Sieben Tage lang musst du den Altar mit Blut und Salböl besprengen. Dann wird er in besonderem Maße heilig sein, und jeder, der ihn berührt, ist ebenfalls heilig.«

Das tägliche Opfer
(4. Mose 28,3–8)

[38]»Lass täglich zwei einjährige Lämmer auf dem Altar verbrennen, [39]eins am Morgen, das andere am Abend! [40]Mit dem ersten Lamm soll ein Speiseopfer von eineinhalb Kilogramm Mehl dargebracht werden, vermengt mit einem Liter bestem Olivenöl, dazu als Trankopfer ein Liter Wein. [41]Für das zweite Lamm, das abends verbrannt wird, sollen dieselben Speise- und Trankopfer dargebracht werden. Ein solches Opfer gefällt mir, dem Herrn.

[42]Alle künftigen Generationen sollen mir dieses Brandopfer regelmäßig am Eingang zum heiligen Zelt darbringen. Dort werde ich euch begegnen und mit euch reden. [43]Ja, ich selbst will euch begegnen und mein Heiligtum mit meiner Herrlichkeit erfüllen! [44]Darum wird dieses Zelt heilig sein, ebenso der Altar. Auch Aaron und seine Söhne werden

29,29–30 4 Mo 20,25–28 **29,34** 12,10; 3 Mo 7,15 **29,37** 30,29; 2 Sam 6,6–8 **29,43** 1 Kön 8,10–11

durch meine Gegenwart zu heiligen Priestern, die mir dienen.

[45] Ich will bei euch Israeliten wohnen und euer Gott sein. [46] Ihr werdet erkennen, dass ich der Herr, euer Gott, bin. Ich habe euch aus Ägypten herausgeführt, um bei euch zu wohnen. Ja, ich bin der Herr, euer Gott!«

Der Räucheropferaltar

30 »Lass einen Altar aus Akazienholz bauen, auf dem man das Räucheropfer darbringen kann. [2] Er soll quadratisch sein: einen halben Meter lang und ebenso breit. Seine Höhe beträgt einen Meter. An den vier oberen Ecken sollen Hörner hervorragen. Die Hörner sollen nicht aufgesetzt, sondern Teil der Seitenwände sein. [3] Die obere Platte, die Seitenwände und die vier Hörner sollen mit reinem Gold überzogen werden, und an der Oberseite soll ringsum eine Goldleiste verlaufen. [4] Lass zwei Paar goldene Ringe schmieden, die an beiden Seiten des Altars unterhalb der Zierleiste angebracht werden! Durch diese Ringe werden Stangen gesteckt, damit man den Altar tragen kann. [5] Lass die Stangen aus Akazienholz anfertigen und mit Gold überziehen!

[6] Stell den Altar im heiligen Zelt auf, vor dem Vorhang, hinter dem sich die Bundeslade mit den Gesetzestafeln und der Deckplatte befindet, wo ich euch begegne. [7] Jeden Morgen, wenn Aaron die Lampen des Leuchters mit Öl füllt, soll er auf dem Altar eine wohlriechende Weihrauchmischung verbrennen. [8] In der Abenddämmerung, wenn er wiederum die Lampen versorgt, soll er ebenfalls Weihrauch verbrennen. Die Räucheropfer sollen regelmäßig im Heiligtum verbrannt werden. Dies gilt für alle Zeiten!

[9] Auf dem Altar dürfen nur die von mir erlaubten Duftstoffe verbrannt werden – keine anderen! Auch Tieropfer sowie Speise- und Trankopfer dürft ihr dort nicht darbringen. [10] Einmal im Jahr, am großen Versöhnungstag, muss Aaron den Altar von aller Schuld reinigen, die auf ihm lastet: Er soll etwas von dem Blut des Opfertieres an die Hörner des Altars streichen. Auch diese Anweisung gilt für alle künftigen Generationen. Der Altar ist in besonderem Maße heilig, er gehört mir, dem Herrn!«

Eine Abgabe für das Heiligtum

[11] Der Herr sagte zu Mose: [12] »Wenn du die wehrfähigen Männer in Israel zählst, sollen alle Gemusterten mir, dem Herrn, ein Lösegeld für ihr Leben geben, damit ich sie nicht durch eine Seuche sterben lasse. [13] Jeder, der bei der Musterung erfasst wird, soll ein halbes Silberstück geben, gewogen nach dem Gewicht, das im Heiligtum gilt. Ein Silberstück wiegt zwölf Gramm; die Abgabe für mich beträgt also sechs Gramm Silber. [14] Sie muss von allen entrichtet werden, die zwanzig Jahre und älter sind. [15] Ein Reicher soll nicht mehr als ein halbes Silberstück geben und ein Armer nicht weniger; denn es ist ein Lösegeld, das ihr für euer Leben zahlt und das mir geweiht wird. [16] Dieses Geld sollst du für den Dienst im heiligen Zelt verwenden. Dann werde ich stets an euch Israeliten denken und euer Leben bewahren.«

Das bronzene Wasserbecken

[17] Der Herr sprach zu Mose: [18] »Lass ein Gestell mit einem Becken darauf aus Bronze für die Waschungen anfertigen! Stell es zwischen dem heiligen Zelt und dem Brandopferaltar auf! Füll es mit Wasser, [19] damit Aaron und seine Söhne sich die Hände und Füße waschen können. [20/21] Bevor sie das heilige Zelt betreten oder auf dem Brandopferaltar ein Opfer darbringen, müssen sie sich die

---

29,45–46 1 Kön 8,27; Hes 37,27; Offb 21,3 **30,1–5** 37,25–28 **30,6** 25,21–22 **30,10** 3 Mo 16,18–19 **30,12–13** 38,25–26; 2 Sam 24,1–14 **30,17–19** 38,8

Hände und Füße waschen, damit sie nicht sterben. Dies ist eine ewige Ordnung für Aaron und alle seine Nachkommen.«

Das heilige Salböl

[22]Der Herr sagte zu Mose: [23]»Lass dir kostbare Gewürze und Duftstoffe bringen: 6 Kilogramm Myrrhe, 3 Kilogramm wohlriechenden Zimt, 3 Kilogramm Kalmus, [24]6 Kilogramm Kassia – alles gewogen nach dem Gewicht, das im Heiligtum gilt –, dazu 5 Liter Olivenöl. [25]Lass daraus ein wohlriechendes Öl zubereiten. Es soll heilig sein und nur dann gebraucht werden, wenn ein Gegenstand oder eine Person mir geweiht wird.

[26]Besprenge damit die Bundeslade und das heilige Zelt, [27]den Tisch mit allen seinen Gegenständen, den Leuchter und die Öllampen, den Räucheropferaltar, [28]den Brandopferaltar mit allen Gefäßen und Werkzeugen und das Wasserbecken mit dem Untergestell. [29]So sollst du alle diese Dinge weihen. Sie werden dann besonders heilig sein, und jeder, der sie berührt, wird heilig werden.

[30]Auch Aaron und seine Söhne sollst du mit dem Öl besprengen. Dadurch werden sie heilig und können mir als Priester dienen. [31]Erkläre den Israeliten, dass dieses Öl heilig ist und für immer ausschließlich mir, dem Herrn, gehört. [32]Darum darf niemand es für sich selbst oder für einen anderen Menschen verwenden! Ihr dürft auch kein Öl für euren eigenen Gebrauch zusammenmischen, das aus den gleichen Zutaten besteht. Dieses Öl ist heilig, und darum soll es auch euch als heilig gelten. [33]Wer dennoch ein solches Öl herstellt oder irgendeinen Menschen mit diesem Öl salbt, muss aus meinem Volk ausgestoßen werden und sterben.«

Das Räucheropfer

[34/35]Der Herr sagte zu Mose: »Besorge dir wohlriechendes Harz, Galbanum, reinen Weihrauch und würzige Räucherklaue! Misch alles zu gleichen Teilen zusammen, und gib etwas Salz dazu; verwende nur reine Zutaten! Von dieser Mischung sollst du mir immer das Räucheropfer darbringen. [36]Zerstoße etwas davon zu feinem Pulver, und streu es im heiligen Zelt vor die Bundeslade, wo ich dir begegne!

Diese Weihrauchmischung ist besonders heilig. [37]Ich habe sie allein für mich, den Herrn, bestimmt, und deshalb soll sie auch euch heilig sein. Darum dürft ihr keine solche Weihrauchmischung für euch selbst zusammenstellen. [38]Wer es doch tut, um sich an dem Duft zu erfreuen, soll aus meinem Volk ausgestoßen werden und sterben.«

Die Kunsthandwerker

31 Dann sprach der Herr zu Mose: [2]»Ich habe Bezalel, den Sohn Uris und Enkel Hurs vom Stamm Juda, ausgewählt, den Bau des heiligen Zeltes zu leiten. [3]Mit meinem Geist habe ich ihn erfüllt; ich habe ihm Weisheit und Verstand gegeben und ihn befähigt, alle für den Bau erforderlichen handwerklichen und künstlerischen Arbeiten auszuführen. [4]Er kann Pläne entwerfen und nach ihnen Gegenstände aus Gold, Silber oder Bronze anfertigen; [5]er hat die Fähigkeit, Edelsteine zu schleifen und in Gold zu fassen; er versteht sich auf das Bearbeiten von Holz und auf viele andere Arten von Kunsthandwerk.

[6]Ich habe Oholiab, den Sohn Ahisamachs vom Stamm Dan, ausgesucht, ihm bei allen Arbeiten zu helfen. Auch allen anderen Kunsthandwerkern, die am heiligen Zelt arbeiten, habe ich Weisheit und Verstand gegeben, damit alles nach meinem Befehl angefertigt wird: [7]das heilige Zelt, die Bundeslade für die steinernen Gesetzestafeln und ihre Deckplatte, die heiligen Gefäße und Werkzeuge, die im Zelt gebraucht werden, [8/9]den Tisch für die Brote, den goldenen Leuchter, den Räucheropferaltar und den Brandopferaltar mit allem, was zu ihnen

30,25–30 3 Mo 8,10–12 **30,29** 29,37; 2 Sam 6,6–8 **31,1–6** 35,30–35

gehört, das Wasserbecken und sein Untergestell, [10] die heilige Amtskleidung für Aaron, die Priestergewänder für seine Söhne, [11] das heilige Salböl und die wohlriechende Weihrauchmischung für das Heiligtum. Die Kunsthandwerker sollen alles genau so anfertigen, wie ich es dir befohlen habe.«

Der Sabbat

[12] Der Herr sagte zu Mose: [13] »Schärfe den Israeliten ein, dass sie jeden Sabbat als Ruhetag achten! Denn er ist ein Zeichen: Jeder soll daran erkennen, dass ich der Herr bin und dass ich euch dazu auserwählt habe, mir allein zu dienen. Dieses Zeichen zwischen mir und euch bleibt für alle Generationen bestehen. [14] Darum achtet den Sabbat als einen heiligen Tag! Wer ihn entweiht, muss sterben. Jeder, der am Sabbat irgendeine Arbeit verrichtet, soll aus meinem Volk ausgestoßen und getötet werden. [15] Sechs Tage könnt ihr arbeiten, aber der siebte Tag ist ein Ruhetag, der mir, dem Herrn, geweiht ist. Wer an diesem Tag arbeitet, muss sterben.

[16] Alle Israeliten – heute und in allen künftigen Generationen – sollen sich daran halten. Sie sollen den Sabbat feiern als Zeichen des Bundes, den ich mit ihnen geschlossen habe. [17] Dieses Zeichen bleibt bestehen, für alle Zeiten! Denn in sechs Tagen habe ich, der Herr, den Himmel und die Erde geschaffen. Doch am siebten Tag habe ich mich von meiner Arbeit ausgeruht.«

Die Übergabe der Gesetzestafeln (5. Mose 9,9–11)

[18] Nachdem der Herr dies alles zu Mose gesagt hatte, übergab er ihm auf dem Berg Sinai die Steintafeln, auf denen die Gesetze des Bundes festgehalten waren. Gott selbst hatte alle seine Worte auf diese Tafeln geschrieben.

Das goldene Kalb

32 Als Mose so lange Zeit nicht vom Berg herabkam, versammelten sich die Israeliten bei Aaron und forderten ihn auf: »Mach uns eine Götterfigur, die uns den Weg zeigt! Wer weiß, was diesem Mose zugestoßen ist, der uns aus Ägypten herausgeführt hat!«

[2] Aaron schlug vor: »Eure Frauen und Kinder sollen ihre goldenen Ohrringe abziehen und zu mir bringen!« [3] Da nahmen alle Israeliten ihre Ohrringe ab und brachten sie Aaron. [4] Er nahm den Schmuck entgegen, schmolz ihn ein und goss daraus ein goldenes Kalb. Anschließend gab er ihm mit dem Meißel die endgültige Form. Als es fertig war, schrien die Israeliten: »Das ist unser Gott, der uns aus Ägypten befreit hat!«

[5] Daraufhin errichtete Aaron einen Altar vor der Götterfigur und ließ bekannt geben: »Morgen feiern wir ein Fest zu Ehren des Herrn!« [6] Am nächsten Morgen standen alle früh auf und brachten Brand- und Dankopfer dar. Danach ließen sie sich nieder, um zu essen und zu trinken. Sie feierten ein rauschendes, ausschweifendes Fest.

Mose bittet für sein Volk (5. Mose 9,12–14.25–29)

[7] Da sprach der Herr zu Mose: »Steig schnell hinab, denn dein Volk, das du aus Ägypten herausgeführt hast, hat etwas Abscheuliches getan! [8] Wie schnell haben sie sich von meinen Geboten abgewandt! Sie haben sich ein goldenes Kalb gegossen, sie sind vor ihm niedergefallen, haben ihm Opfer dargebracht und gerufen: ›Das ist unser Gott, der uns aus Ägypten befreit hat!‹ [9] Ich kenne dieses Volk genau und weiß, wie stur es ist. [10] Versuch mich jetzt nicht aufzuhalten, denn ich will meinem Zorn freien Lauf lassen und sie vernichten! An ihrer Stelle

---

31,12–17 20,8–11* **31,18** 24,12; 25,21; 32,15–16.19; 34,1.28; 2 Kor 3,3 **32,1–4** Ps 106,19–23; 1 Kön 12,26–30*; Hos 8,5 **32,7–8** 20,2*.3–5* **32,9–10** 33,3–5; 34,9; 4 Mo 14,11–12; 5 Mo 9,6; 31,27; Jer 7,26

werde ich deine Nachkommen zu einem großen Volk machen.«

[11] Doch Mose flehte: »Herr, mein Gott, du hast dein Volk aus Ägypten befreit und dabei deine ganze Macht gezeigt! Warum willst du es jetzt im Zorn vernichten? [12] Sollen die Ägypter etwa sagen: ›Der Herr hat die Israeliten nur aus unserem Land geholt, um sie in den Bergen zu töten und vom Erdboden verschwinden zu lassen!‹? Sei nicht länger zornig über dein Volk! Lass das Unheil nicht über sie hereinbrechen! [13] Denk daran, dass du deinen Dienern Abraham, Isaak und Jakob bei deinem Namen geschworen hast: ›Ich lasse eure Nachkommen so zahlreich werden wie die Sterne am Himmel. Sie werden das Land, das ich euch versprochen habe, für immer in Besitz nehmen!‹«

[14] Da lenkte der Herr ein und ließ das angedrohte Unheil nicht über sie hereinbrechen.

Die Folgen des Götzendienstes (5. Mose 9,15–21)

[15] Mose wandte sich um und stieg vom Berg herab. In seinen Händen hielt er die beiden Steintafeln mit den Gesetzen, die Gott dem Volk beim Bundesschluss gegeben hatte. Sie waren auf beiden Seiten beschrieben. [16] Gott selbst hatte die Tafeln gemacht und die Schrift eingemeißelt.

[17] Als Josua das Volk lärmen hörte, sagte er zu Mose: »Unten im Lager muss ein Kampf ausgebrochen sein!« [18] Mose erwiderte: »Das klingt weder wie Siegesgeschrei noch wie die Klage nach einer Niederlage; nein, es ist ein lautes Singen!«

[19] Als Mose sich dem Lager näherte, sah er das Volk um das goldene Kalb tanzen. Da packte ihn der Zorn, er schleuderte die Tafeln fort und zerschmetterte sie am Fuß des Berges. [20] Das goldene Kalb, das die Israeliten gemacht hatten, schmolz er ein und zerrieb es zu Staub; den Staub streute er ins Wasser und gab es den Israeliten zu trinken.

[21] Dann stellte er Aaron zur Rede: »Was hat dir dieses Volk getan, dass du sie zu einer so großen Sünde verführt hast?« [22] Aaron verteidigte sich: »Sei nicht zornig, mein Herr, du weißt doch selbst, dass dieses Volk immer auf Böses aus ist! [23] Sie forderten mich auf: ›Mach uns eine Götterfigur, die uns den Weg zeigt! Wer weiß, was diesem Mose zugestoßen ist, der uns aus Ägypten herausgeführt hat!‹ [24] Ich fragte sie: ›Wer hat Gold?‹ Da haben sie ihren Schmuck abgenommen und ihn mir gegeben. Ich habe das Gold eingeschmolzen, und dabei ist dann dieses Kalb entstanden.«

[25] Mose sah, dass die Israeliten jede Beherrschung verloren hatten, denn Aaron ließ sie tun, was sie wollten. Nun hatten Israels Feinde Grund zum Spott. [26] Mose stellte sich an den Eingang des Lagers und rief: »Wer noch zum Herrn gehört, soll zu mir kommen!« Da versammelten sich alle Leviten bei ihm. [27] Er sagte zu ihnen: »Der Herr, der Gott Israels, befiehlt euch: ›Legt eure Schwerter an, und geht durch das ganze Lager, von einem Ende zum anderen. Jeder soll seinen Bruder, seinen Freund oder Verwandten töten!‹«

[28] Die Leviten gehorchten, und an diesem Tag starben etwa dreitausend Männer. [29] Mose sagte zu den Leviten: »Heute seid ihr für den Dienst des Herrn geweiht worden,[a] denn ihr wart sogar bereit, eure eigenen Söhne und Brüder zu töten. Darum wird der Herr euch segnen!«

[30] Am nächsten Tag sprach Mose zu den Israeliten: »Ihr habt große Schuld auf euch geladen. Doch ich will noch einmal zum Herrn auf den Berg steigen; vielleicht kann ich erreichen, dass er euch vergibt.«

[31] Mose ging zum Herrn zurück und sagte: »Ach, dieses Volk hat eine schwere Sünde begangen! Einen Gott aus Gold

[a] Oder: Weiht euch heute für den Dienst des Herrn!

32,11–14 4 Mo 14,13–20 **32,13** 1 Mo 12,2*; 26,4; 28,14* **32,16** 31,18* **32,29** 5 Mo 33,9

haben sie sich gemacht! [32]Bitte, vergib ihnen! Wenn du ihnen aber nicht vergeben willst, dann streich auch mich aus deinem Buch, in dem du die Namen der Menschen aufgeschrieben hast, die zu dir gehören[a].« [33]Der Herr erwiderte: »Ich streiche nur den aus meinem Buch, der gegen mich sündigt. [34]Und nun geh wieder! Führe das Volk in das Land, von dem ich gesprochen habe! Mein Engel wird vor dir hergehen. Ich werde die Israeliten für ihre Schuld zur Rechenschaft ziehen, wenn die Zeit dazu gekommen ist.«

[35]Der Herr ließ eine Seuche unter den Israeliten ausbrechen, denn sie hatten das Kalb verehrt, das Aaron gemacht hatte.

Ohne Gott ins verheißene Land?

33 Der Herr befahl Mose: »Verlass diesen Ort! Geh mit dem Volk, das du aus Ägypten herausgeführt hast, in das Land, das ich Abraham, Isaak und Jakob versprochen habe! Damals habe ich ihnen geschworen: ›Euren Nachkommen werde ich das Land geben!‹ [2]Und nun will ich einen Engel vor euch hersenden und die Kanaaniter, Amoriter, Hetiter, Perisiter, Hiwiter und Jebusiter vertreiben. [3]Ja, zieht nur in das Land, in dem Milch und Honig fließen! Ich aber werde nicht mit euch kommen, weil ihr ein so starrsinniges Volk seid; ich würde euch sonst unterwegs vernichten!«

[4]Als die Israeliten diese harten Worte hörten, trauerten sie, und keiner von ihnen legte mehr Schmuck an. [5]Denn der Herr hatte Mose befohlen, ihnen zu sagen: »Ihr seid ein starrsinniges Volk! Wenn ich auch nur einen Augenblick mit euch käme, würde ich euch vernichten! Legt nun euren Schmuck ab, dann will ich entscheiden, was mit euch geschehen soll!«

[6]Da legten die Israeliten am Berg Horeb ihren Schmuck ab.

Das Zelt der Begegnung

[7]Wenn die Israeliten irgendwo ihr Lager aufschlugen, stellte Mose jedes Mal außerhalb des Lagers ein Zelt auf. Er nannte es: »Zelt der Begegnung.« Jeder Israelit, der den Herrn befragen wollte, musste dorthin gehen. [8]Immer wenn Mose das Lager verließ und zum Zelt ging, traten alle Israeliten an die Eingänge ihrer Zelte und blieben dort stehen. Sie schauten Mose nach, bis er im Zelt der Begegnung verschwunden war.

[9]Kaum hatte Mose es betreten, kam die Wolkensäule herab und blieb über dem Eingang stehen, während der Herr mit Mose sprach. [10]Sobald die Israeliten die Wolkensäule beim Zelteingang sahen, standen sie auf und warfen sich vor ihren Zelten nieder. [11]Der Herr sprach mit Mose von Angesicht zu Angesicht, wie Freunde miteinander reden. Danach kehrte Mose wieder ins Lager zurück. Doch sein junger Diener Josua, der Sohn Nuns, verließ das Zelt der Begegnung nicht.

Mose tritt für sein Volk ein

[12]Mose sagte zum Herrn: »Du befiehlst mir, dieses Volk nach Kanaan zu bringen, aber du hast mir noch nicht gezeigt, wen du mit mir senden willst. Du hast gesagt, dass du mich ganz genau kennst und ich deine Gunst gefunden habe. [13]Wenn du nun wirklich mit mir bist, dann lass mich deine Pläne erkennen! Ich möchte dich besser verstehen und weiter deine Hilfe erfahren. Denke doch daran: Dieses Volk ist dein Volk!«

[14]Der Herr antwortete: »Ich selbst werde dir vorangehen und dich in ein Land bringen, in dem du in Frieden leben kannst!« [15]Mose erwiderte: »Wenn du nicht selbst voranziehst, dann schick uns

---

[a] »in dem du … gehören« ist sinngemäß ergänzt.

32,32 Röm 9,3 **33,1** 1 Mo 12,7*; 26,2–3; 28,13* **33,2–3** 23,20–23 **33,3** 4 Mo 13,27* **33,4–5** 32,9–10* **33,9** 13,21–22* **33,11** 4 Mo 12,8; 5 Mo 34,10

nicht von hier fort! [16] Woran soll man denn erkennen, dass du zu mir und diesem Volk hältst? Doch nur daran, dass du mit uns gehst! Was sonst sollte uns unterscheiden von allen Völkern auf der Erde?«

[17] Der Herr antwortete Mose: »Auch diesen Wunsch, den du gerade ausgesprochen hast, will ich erfüllen, denn ich habe dich gnädig angenommen und kenne dich ganz genau!«

[18] Mose bat: »Lass mich dich in deiner Herrlichkeit sehen!« [19] Der Herr erwiderte: »Ich will an dir vorüberziehen, damit du sehen kannst, wie gütig und barmherzig ich bin. Meinen eigenen Namen ›der Herr‹ werde ich vor dir aussprechen. Ich erweise meine Güte, wem ich will. Und über wen ich mich erbarmen will, über den werde ich mich erbarmen. [20] Mein Gesicht darfst du nicht sehen, denn kein Mensch, der mich gesehen hat, bleibt am Leben! [21] Aber du kannst hier bei mir auf dem Felsen stehen. [22] Wenn ich dann in meiner Herrlichkeit vorüberziehe, stelle ich dich in eine Felsspalte und halte meine Hand schützend über dich, bis ich vorübergegangen bin. [23] Dann ziehe ich meine Hand zurück, und du kannst mir hinterherschauen; mein Gesicht aber darf niemand sehen!«

Gott erneuert den Bund mit seinem Volk
(5. Mose 10,1–5; 7,1–5.25–26)

34 Der Herr befahl Mose: »Meißle dir zwei Steintafeln zurecht wie die ersten beiden, die du zerschmettert hast! Dann will ich noch einmal dieselben Worte darauf schreiben. [2] Mach dich bereit, morgen früh auf den Berg Sinai zu steigen! Stell dich dort auf dem Gipfel vor mich hin! [3] Keiner darf dich begleiten, auf dem ganzen Berg darf sich niemand sonst sehen lassen. Auch keine Schafe, Ziegen oder Rinder dürfen am Fuß des Berges weiden.«

[4] Mose fertigte zwei neue Steintafeln an, die wie die ersten aussahen. Früh am Morgen stand er auf und stieg auf den Berg Sinai, wie der Herr es ihm befohlen hatte. In seinen Händen hielt er die beiden Steintafeln. [5] Da kam der Herr in der Wolke herab, trat zu Mose und rief seinen Namen »der Herr« aus. [6] Er zog an Mose vorüber und rief: »Ich bin der Herr, der barmherzige und gnädige Gott. Meine Geduld ist groß, meine Liebe und Treue kennen kein Ende! [7] Ich lasse Menschen meine Liebe erfahren über Tausende von Generationen. Ich vergebe die Schuld und die Bosheit derer, die sich gegen mich aufgelehnt haben, doch ich strafe auch. Wenn jemand mich verachtet, dann muss er die Folgen tragen, und nicht nur er, sondern auch seine Kinder, Enkel und Urenkel!«

[8] Schnell warf Mose sich zu Boden und betete den Herrn an: [9] »Herr, wenn ich wirklich in deiner Gunst stehe, dann zieh bitte mit uns, obwohl dieses Volk so starrsinnig ist! Vergib uns unsere Schuld, und lass uns wieder zu dir gehören!«

[10] Der Herr antwortete: »Ich schließe einen Bund mit euch. Vor den Augen deines ganzen Volkes will ich Wunder vollbringen, wie sie bisher bei keinem Volk auf der Welt geschehen sind. Wenn die Israeliten sehen, was ich mit dir tue, werden sie große Ehrfurcht vor mir haben! [11] Merkt euch genau, was ich euch heute befehle! Ich werde die Amoriter, Kanaaniter, Hetiter, Perisiter, Hiwiter und Jebusiter vertreiben und euch ihr Gebiet geben. [12] Schließt keinen Bund mit den Bewohnern des Landes, in das ihr kommt! Ihr geratet sonst durch sie in eine tödliche Falle. [13] Reißt ihre Altäre nieder, zertrümmert ihre heiligen Steinsäulen, und schlagt die Pfähle ihrer Göttin Aschera um!

[14] Betet keinen anderen Gott an, denn ich, der Herr, dulde keinen neben mir! Ihr sollt mir allein gehören. [15] Schließt

---

33,18 2 Kor 3,18 **33,20–23** 3,6; 24,11; Ri 13,22–23; 1 Kön 19,11–13; Joh 1,18; 6,46; 1 Tim 6,16 **34,1** 31,18* **34,3** 19,12–13 **34,5** 3,14–15 **34,6–7** 20,5–6*; 4 Mo 14,18; Klgl 3,22–23* **34,13** 5 Mo 12,2–3*

niemals einen Bund mit den Bewohnern des Landes! Denn sie haben sich ihren Götzen an den Hals geworfen und bringen ihnen Opfer dar. Sie könnten euch einladen, an ihren Opfermahlzeiten teilzunehmen. [16]Ihr würdet vielleicht eure Söhne mit ihren Töchtern verheiraten, und diese Frauen würden eure Söhne dazu verführen, den anderen Göttern nachzulaufen.

[17]Gießt euch keine Götterfiguren aus Metall!«

Die jährlichen Feste

[18]»Feiert das Fest der ungesäuerten Brote! Sieben Tage im Monat Abib sollt ihr ungesäuertes Brot essen, wie ich es euch befohlen habe. Denn in diesem Monat seid ihr aus Ägypten fortgezogen.

[19]Eure ältesten Söhne sollt ihr mir weihen, ebenso jedes männliche Tier, das zuerst geboren wird – ob Rind, Schaf oder Ziege. [20]Anstelle jedes zuerst geborenen Esels sollt ihr ein Lamm opfern und ihn so auslösen. Wollt ihr dies nicht, dann brecht dem jungen Esel das Genick. Eure ältesten Söhne aber müsst ihr auf jeden Fall auslösen. Zum Fest soll keiner mit leeren Händen zu meinem Heiligtum kommen!

[21]Ihr sollt sechs Tage arbeiten und am siebten Tag ruhen! Das gilt auch für die Zeit, in der ihr pflügt und erntet.

[22]Feiert das Erntefest, wenn ihr den ersten Weizen einbringt, und schließlich das Fest der Wein- und Obsternte am Ende des Jahres[a]! [23]Dreimal im Jahr sollen sich alle Männer Israels vor mir, dem Herrn, eurem Gott, versammeln. [24]Ich will ganze Völker vertreiben und euer Gebiet immer größer werden lassen. Niemand wird in euer Land einfallen, während ihr dreimal jährlich zum Heiligtum kommt, um mir, dem Herrn, eurem Gott, zu begegnen.

[25]Wenn ihr ein Tier schlachtet und opfert, dürft ihr sein Blut nicht zusammen mit Brot darbringen, das Sauerteig enthält! Vom Fleisch der Tiere, die ihr am Passahfest opfert, darf nichts bis zum nächsten Morgen übrig bleiben.

[26]Bringt das Beste vom Ertrag eurer Felder als Gabe in mein Heiligtum!

Kocht ein Ziegenböckchen nicht in der Milch seiner Mutter!«

Der Glanz auf Moses Gesicht

[27]Der Herr befahl Mose: »Schreib alles auf, was ich dir gesagt habe, denn es ist die Grundlage für den Bund, den ich mit dir und den Israeliten schließe!«

[28]Vierzig Tage und Nächte blieb Mose auf dem Berg in der Gegenwart des Herrn. Während dieser Zeit aß und trank er nichts. Er schrieb auf die Steintafeln die Zehn Gebote, auf die sich der Bund des Herrn mit den Israeliten gründete.

[29]Als Mose mit den beiden Tafeln in der Hand vom Berg Sinai herabstieg, lag ein Glanz auf seinem Gesicht, denn er hatte mit dem Herrn gesprochen; Mose selbst merkte nichts davon. [30]Aaron und die anderen Israeliten aber sahen sein leuchtendes Gesicht und fürchteten sich, in seine Nähe zu kommen. [31]Doch Mose rief sie zu sich. Da traten Aaron und die führenden Männer des Volkes zu ihm, und Mose redete mit ihnen. [32]Danach kamen auch die anderen Israeliten, und Mose gab ihnen alle Gebote weiter, die ihm der Herr auf dem Berg Sinai mitgeteilt hatte.

[33]Als Mose ihnen alles gesagt hatte, verhüllte er sein Gesicht mit einem Tuch. [34]Immer wenn Mose ins Zelt der Begegnung ging, um mit dem Herrn zu reden, nahm er das Tuch ab, bis er das Zelt wieder verließ. Draußen teilte er den Israeliten mit, was ihm der Herr aufgetragen hatte,

---

[a] Gemeint ist das Ende des landwirtschaftlichen Jahres im September/Oktober.

34,18–23 23,14–17 **34,18** 12,15–20* **34,19–20** 13,12–16* **34,21** 20,8–11* **34,22** 4 Mo 28,26–31* **34,25** 29,34; 3 Mo 7,15 **34,26** 4 Mo 18,8–19*; Neh 10,36 **34,27–28** 24,4* **34,28** 31,18* **34,33–35** 2 Kor 3,13 **34,34** 33,8–9

[35] und sie sahen den Glanz auf seinem Gesicht. Dann verhüllte er sich wieder mit dem Tuch, bis er das nächste Mal das Lager verließ, um mit dem Herrn zu reden.

Der Sabbat als Ruhetag

35 Mose versammelte alle Israeliten und sagte zu ihnen: »Der Herr hat euch befohlen: [2] Sechs Tage sollt ihr eure Arbeit verrichten, aber den siebten Tag sollt ihr als einen heiligen Tag achten. Er ist der Sabbat, der Ruhetag, der allein dem Herrn geweiht ist. Wer am Sabbat arbeitet, muss sterben! [3] An diesem Tag dürft ihr noch nicht einmal ein Feuer anzünden, wo auch immer ihr lebt!«

Freiwillige Gaben für den Bau des Heiligtums

[4] Mose sagte zu den Israeliten: »Der Herr hat uns befohlen, [5] eine Abgabe für ihn zu entrichten. Jeder, der es gerne tut, soll etwas geben: Gold, Silber und Bronze, [6] violette, purpurrote und karmesinrote Wolle, feines Leinen, Ziegenhaar, [7] rot gefärbte Felle von Schafböcken, Tachasch-Leder[a], Akazienholz, [8] Öl für den Leuchter, wohlriechende Gewürze für das Salböl und die Weihrauchmischung, [9] Onyx und andere Edelsteine, die auf dem Schurz und der Brusttasche des Priesters eingesetzt werden sollen.

[10] Wer von euch dazu begabt ist, soll mitarbeiten, damit wir alles anfertigen können, was der Herr uns aufgetragen hat: [11] das heilige Zelt mit seinen verschiedenen Dächern, Haken, Platten, Querbalken, Säulen und Sockeln, [12] die Bundeslade mit den Tragstangen, die Deckplatte und den Vorhang vor der Bundeslade, [13] den Tisch für die Gott geweihten Brote mit seinen Tragstangen und allem, was dazugehört, [14] den Leuchter mit seinen Gefäßen und Werkzeugen, die Lampen und das Öl, [15] den Räucheropferaltar mit den Tragstangen, das Salböl, die Weihrauchmischung, den Vorhang für den Eingang zum heiligen Zelt, [16] den Brandopferaltar mit seinem Bronzegitter, seinen Tragstangen und allen Gefäßen und Werkzeugen, das Wasserbecken und sein Untergestell, [17] die Vorhänge, die den Vorhof abgrenzen, mit ihren Pfosten und Sockeln, den Vorhang für den Eingang zum Vorhof, [18] die Pflöcke und Seile für das heilige Zelt und für die Abgrenzung des Vorhofs [19] sowie die gewobenen Priestergewänder für den Dienst im Heiligtum, die Aaron und seine Söhne tragen sollen.«

[20] Daraufhin gingen die Israeliten wieder auseinander. [21] Alle, die gern etwas geben wollten, kamen mit einer Opfergabe für das heilige Zelt, seine Ausstattung und die Priestergewänder. [22] Männer und Frauen holten bereitwillig ihre Spangen, Ohrringe, Ringe, Halsketten und anderen Goldschmuck als Gabe für den Herrn. [23] Wer violette, purpurrote und karmesinrote Wolle besaß, feines Leinen, Ziegenhaar, rot gefärbte Felle von Schafböcken oder Tachasch-Leder[a], der brachte es ebenfalls zu Mose. [24] Auch Silber, Bronze und Akazienholz wurden als Gabe für das Heiligtum gespendet. [25/26] Alle Frauen, die dazu begabt waren, spannen Ziegenhaarfäden, Leinenfäden und Wolle, die mit violettem und rotem Purpur oder mit Karmesin gefärbt war. [27] Die führenden Männer des Volkes brachten Onyx und andere Edelsteine für den Schurz und die Brusttasche des Priesters, [28] außerdem Balsamöl und Olivenöl für den Leuchter, für das Salböl und die Weihrauchmischung.

[29] So kamen die israelitischen Männer und Frauen mit ihren freiwilligen Gaben für den Herrn herbei. Sie alle wollten etwas zum Bau des Heiligtums beitragen. Der Herr hatte sie durch Mose dazu aufgefordert.

---

[a] Vermutlich handelt es sich beim Tachasch um einen Meeressäuger wie Delphin, Seehund oder Seekuh.

35,1–3 20,8–11* **35,3** 16,23.25 **35,4–9** 25,1–7 **35,5** 25,2* **35,21–29** 25,2*

Die Kunsthandwerker Bezalel und Oholiab

[30] Mose sagte zu den Israeliten: »Hört mir genau zu! Der Herr hat Bezalel, den Sohn Uris und Enkel Hurs vom Stamm Juda, ausgewählt, den Bau des heiligen Zeltes zu leiten. [31] Er hat ihn mit seinem Geist erfüllt und ihm Weisheit und Verstand gegeben; er hat ihn befähigt, alle für den Bau erforderlichen handwerklichen und künstlerischen Arbeiten auszuführen. [32] Bezalel kann Pläne entwerfen und nach ihnen Gegenstände aus Gold, Silber oder Bronze anfertigen; [33] er hat die Fähigkeit, Edelsteine zu schleifen und in Gold zu fassen; er versteht sich auf das Bearbeiten von Holz und auf viele andere Arten von Kunsthandwerk. [34] Der Herr hat ihn und Oholiab, den Sohn Ahisamachs vom Stamm Dan, dazu begabt, andere anzuleiten. [35] Er hat die beiden mit Weisheit erfüllt und sie fähig gemacht, alle Arbeiten eines Kunsthandwerkers, Stickers oder Buntwebers auszuführen. Sie können mit violettem, purpurrotem und karmesinrotem Stoff und mit feinem Leinen umgehen, sie können weben und auch alles selbst entwerfen und ausführen.

36 Bezalel, Oholiab und die anderen Kunsthandwerker, denen der Herr Weisheit und Verstand für den Bau des Heiligtums gegeben hat, sollen alles genau so machen, wie es der Herr befohlen hat!«

Die Opferbereitschaft der Israeliten

[2] Mose rief Bezalel, Oholiab und alle anderen Kunsthandwerker zu sich, denen Gott Weisheit und Geschick gegeben hatte. Sie waren bereit, ans Werk zu gehen, [3] und nahmen von Mose entgegen, was das Volk für den Bau des Heiligtums herbeigebracht hatte.

Morgen für Morgen kamen die Israeliten mit weiteren freiwilligen Gaben. [4] Da ließen die Kunsthandwerker, die das Heiligtum errichten sollten, ihre Arbeit liegen, [5] gingen zu Mose und sagten: »Die Leute bringen zu viel! Wir haben mehr als genug Material für die Arbeit, die der Herr uns aufgetragen hat.« [6] Mose ließ im ganzen Lager ausrufen: »Ihr Männer und Frauen, ihr braucht nichts mehr für den Bau des Heiligtums herzubringen!«

Da brachten die Israeliten keine weiteren Gaben. [7] Denn es war bereits mehr als genug Material für die Arbeiten vorhanden, die getan werden mussten.

Decken und Wände für das heilige Zelt

[8] Die Kunsthandwerker fertigten das heilige Zelt an: Unter der Leitung von Bezalel webten sie zehn Bahnen Zelttuch und verwendeten dazu violette, purpurrote und karmesinrote Wolle sowie feines Leinen. Auf die Zeltbahnen stickten sie Engelfiguren. [9] Die einzelnen Bahnen waren 14 Meter lang und 2 Meter breit. [10] Jeweils fünf von ihnen wurden an den Längsseiten aneinander genäht, so dass zwei große Zeltdecken entstanden. [11] Um diese beiden Decken verbinden zu können, ließ Bezalel an einer Längsseite jeder Decke 50 Schlaufen aus violett gefärbter Wolle anbringen, [12] also 50 Schlaufen an der einen und ebenso viele an der anderen Zeltdecke. Die Decken wurden so aneinander gelegt, dass die Schlaufen einander gegenüberstanden. [13] Dann schmiedete Bezalel 50 goldene Haken, die jeweils zwei gegenüberliegende Schlaufen verbanden und so die beiden Decken zu einem Stück zusammenfügten.

[14/15] Außerdem ließ er elf Zeltbahnen aus Ziegenhaar weben, 15 Meter lang und 2 Meter breit. Sie sollten als Dach über das erste Zelt gelegt werden. [16] Fünf dieser Bahnen wurden an den Längsseiten zu einem Stück verbunden, die übrigen sechs zu einem zweiten. [17] Um die beiden Zeltstücke verbinden zu können,

35,30–35 31,1–6 **36,3–7** 25,2* **36,8–34** 26,1–29

brachte Bezalel jeweils an einer Längsseite 50 Schlaufen aus violett gefärbter Wolle an. [18]Er stellte 50 Bronzehaken her und fügte mit ihnen die beiden Zeltstücke zu einem zusammen.

[19]Als Schutz für die beiden Zeltdecken ließ er ein Dach aus rot gefärbten Fellen von Schafböcken nähen. Über dieses Felldach wurde noch eine Schutzdecke aus Tachasch-Leder gespannt.

[20]Als Nächstes ließ Bezalel Platten aus Akazienholz zusägen, die als Wände für das Zelt dienen sollten. [21]Jede Platte war fünf Meter lang und einen drei viertel Meter breit. [22]Alle Platten hatten an der kurzen Seite zwei Zapfen, die parallel angeordnet waren. [23]Für die südliche Längsseite des Zeltes wurden 20 Platten angefertigt, [24]dazu 40 silberne Sockel, auf denen die Platten stehen sollten. Zwei Sockel gehörten unter jede Platte, für jeden Zapfen einer. [25]Für die nördliche Längsseite des Zeltes ließ Bezalel ebenfalls 20 Platten fertigen [26]und 40 silberne Sockel gießen, auf denen die Platten stehen sollten, je zwei Sockel unter jeder Platte. [27]Für die schmale Rückseite im Westen wurden 6 Platten gefertigt [28/29]und 2 weitere Wandteile für die Ecken an der Rückseite des Zeltes. Sie waren auf ganzer Länge gewinkelt und an ihrem oberen Ende durch einen Ring befestigt, um so die Eckkonstruktion der Wände zu bilden. [30]Die Rückseite bestand also insgesamt aus 8 Platten mit 16 silbernen Sockeln, jeweils zwei Sockel unter einer Platte.

[31/32]Nun fertigte Bezalel Querbalken aus Akazienholz an, jeweils fünf Stück für jede Längsseite und die westliche Querseite. Diese Balken sollten die aufrecht stehenden Platten zusammenhalten. [33]Der mittlere Balken verlief genau auf halber Höhe an der ganzen Wand entlang. [34]Alle Platten und Querbalken wurden vollständig mit Gold überzogen. Schließlich schmiedete Bezalel noch die goldenen Ringe, die in den Platten verankert werden sollten. Durch sie wurden später die Querbalken gesteckt.

Vorhänge für das heilige Zelt

[35]Bezalel ließ einen Vorhang weben aus violetter, purpurroter und karmesinroter Wolle und feinem Leinen, kunstvoll verziert mit Engelfiguren. [36]Dann wurden unter seiner Leitung für den Vorhang vier Säulen aus Akazienholz angefertigt, außerdem goldene Haken und silberne Sockel. Die Säulen wurden mit Gold überzogen.

[37]Einen weiteren Vorhang ließ Bezalel für den Zelteingang herstellen, ebenfalls aus violetter, purpurroter und karmesinroter Wolle sowie aus feinem Leinen, bunt und kunstvoll gewebt. [38]Der Vorhang wurde mit Haken an fünf Akazienholzsäulen befestigt, deren Kapitelle und Verbindungsstangen mit Gold überzogen waren. Sie standen auf bronzenen Sockeln.

Die Bundeslade

37 Bezalel fertigte einen Kasten aus Akazienholz an, eineinviertel Meter lang, einen drei viertel Meter breit und ebenso hoch. [2]Innen und außen überzog er ihn mit reinem Gold und brachte auf der Oberseite ringsum eine goldene Zierleiste an. [3]Dann goss er vier Ringe aus massivem Gold und befestigte sie an den vier unteren Ecken des Kastens, je zwei Ringe an jeder Längsseite. [4]Außerdem fertigte er Tragstangen aus Akazienholz an und überzog sie mit reinem Gold. [5]Sie wurden durch die Ringe an den Längsseiten des Kastens gesteckt, damit man ihn daran tragen konnte.

[6]Bezalel stellte auch die Deckplatte aus reinem Gold für den Kasten her, eineinviertel Meter lang und einen drei viertel Meter breit. [7/8]Er schmiedete zwei Engelfiguren aus massivem Gold, die an den beiden Enden der Deckplatte stehen soll-

36,35–36 26,31–32 **36,37–38** 26,36–37 **37,1–9** 25,10–22

ten. Die Platte und die beiden Engel waren aus einem Stück gearbeitet. [9] Die Engel breiteten ihre Flügel nach oben aus und beschirmten die Deckplatte, ihre Gesichter waren einander zugewandt.

Der Tisch für die Gott geweihten Brote

[10] Als Nächstes fertigte Bezalel einen Tisch aus Akazienholz an: einen Meter lang, einen halben Meter breit und einen drei viertel Meter hoch. [11] Er überzog ihn mit reinem Gold und brachte ringsum eine goldene Zierleiste an. [12] An die Tischplatte setzte er eine 8 Zentimeter hohe Umrandung aus Gold, die auch ringsum mit einer goldenen Leiste verziert war. [13] Nun goss er vier Ringe aus massivem Gold und brachte sie an den vier Seiten an, wo die Tischbeine anfingen. [14] Er befestigte sie unterhalb der Goldumrandung. Die Ringe sollten die Stangen halten, mit denen man den Tisch trug. [15] Auch die Stangen fertigte Bezalel aus Akazienholz an und überzog sie mit Gold.

[16] Schließlich stellte er noch die Gefäße her, die auf dem Tisch stehen sollten: die Schüsseln, Schalen, Opferschalen und Kannen, alle ebenfalls aus reinem Gold. Sie sollten beim Trankopfer verwendet werden.

Der siebenarmige Leuchter

[17] Dann fertigte Bezalel den Leuchter aus reinem Gold an. Fuß und Schaft waren geschmiedet, und aus dem Schaft gingen Kelche – Knospen und Blüten – hervor, ebenfalls aus massivem Gold. [18] Vom Schaft gingen sechs Seitenarme aus, drei nach jeder Seite. [19] Jeder Arm war mit drei Kelchen verziert, die wie Knospen und Blüten des Mandelbaumes aussahen, [20] der Schaft selbst mit vier Kelchen. [21] Drei davon waren jeweils unter den Ansätzen der Seitenarme angebracht. [22] Die Seitenarme und Kelche waren wie der ganze Leuchter aus einem Stück reinem Gold geschmiedet.

[23] Aus reinem Gold fertigte Bezalel auch die sieben Lampen, die Dochtscheren und die Schalen für das Öl an. [24] Für diese Gegenstände und den Leuchter brauchte er 36 Kilogramm Gold.

Der Räucheropferaltar, das Salböl und die Weihrauchmischung

[25] Nun baute Bezalel den Räucheropferaltar aus Akazienholz. Der Altar war quadratisch: einen halben Meter lang und ebenso breit. Seine Höhe betrug einen Meter. An den vier oberen Ecken ragten Hörner hervor. Sie waren nicht aufgesetzt, sondern Teil der Seitenwände. [26] Die obere Platte, die Seitenwände und die vier Hörner überzog Bezalel mit reinem Gold, und an der Oberseite brachte er ringsum eine Goldleiste an. [27] Er schmiedete zwei Paar goldene Ringe und befestigte sie an beiden Seiten des Altars unterhalb der Zierleiste. Durch diese Ringe wurden Stangen gesteckt, damit man den Altar tragen konnte. [28] Die Stangen wurden aus Akazienholz angefertigt und mit Gold überzogen.

[29] Bezalel bereitete auch die wohlriechende Weihrauchmischung für das Räucheropfer zu sowie das Salböl, das gebraucht wurde, wenn ein Gegenstand oder eine Person dem Herrn geweiht wurde.

Der Brandopferaltar und das bronzene Wasserbecken

38 Bezalel fertigte den Brandopferaltar aus Akazienholz an; der Altar war quadratisch: zweieinhalb Meter lang und ebenso breit. Die Höhe betrug eineinhalb Meter. [2] An den vier oberen Ecken ragten Hörner hervor. Sie waren nicht aufgesetzt, sondern Teil der Seitenwände. Der ganze Altar wurde mit Bronze überzogen. [3] Auch die dazugehörigen Gefäße und Werkzeuge ließ Bezalel aus

---

37,10–16 25,23–30 **37,17–24** 25,31–39 **37,25–28** 30,1–5 **38,1–7** 27,1–8

Bronze herstellen: die Aschenkübel, Schaufeln, Fleischgabeln, Feuerbecken und Schalen zum Auffangen des Blutes.

[4]Er fertigte einen Gitterrahmen aus Bronze an, der unter dem Altar befestigt wurde und ihn ringsum bis zur halben Höhe umschloss. [5]Dann goss er vier bronzene Ringe und brachte sie jeweils an den vier Ecken des Gitters an. Sie sollten als Halterung für die Tragstangen dienen. [6]Die Stangen fertigte Bezalel aus Akazienholz und überzog sie mit Bronze. [7]Er steckte sie durch die Ringe an den Seiten des Altars, damit man den Altar tragen konnte. Der Brandopferaltar war ganz aus Holz, aber innen hohl.

[8]Bezalel fertigte auch das Wasserbecken mit seinem Gestell aus Bronze an. Dazu verwendete er die Bronze aus den Spiegeln der Frauen, die am Eingang des Zeltes der Begegnung ihren Dienst taten.

Der Vorhof

[9]Dann ließ Bezalel die Vorhänge aus feinem Leinen nähen, die als Abgrenzung des Vorhofs dienen sollten. Die Abgrenzung an der Südseite sollte 50 Meter lang werden. [10]Außerdem wurden silberne Haken und Stangen angefertigt sowie 20 Holzpfosten mit Bronzesockeln, an denen die Vorhänge befestigt werden sollten. [11]Für die 50 Meter lange Nordseite wurden die gleichen Vorhänge, silberne Haken und Stangen sowie 20 Holzpfosten mit Bronzesockeln hergestellt. [12]Für die Westseite des Vorhofs ließ Bezalel Vorhänge mit insgesamt 25 Metern Breite nähen, hinzu kamen 10 Holzpfosten und ebenso viele Bronzesockel sowie die dazugehörigen silbernen Haken und Stangen. [13]Auch auf der Ostseite, in Richtung Sonnenaufgang, wurden Vorhänge für eine Breite von 25 Metern benötigt. [14/15]Links und rechts vom Eingang im Osten sollten die Vorhänge auf einer Breite von je 7,5 Metern an jeweils drei Holzpfosten hängen, die auf Bronzesockeln standen. [16]Für alle diese Vorhänge wurde feines Leinen verwendet, [17]die Pfosten standen auf Sockeln aus Bronze, und die Vorhänge waren mit silbernen Haken und Stangen an den Pfosten befestigt. Auch die Kapitelle der Pfosten waren mit Silber überzogen.

[18]Für den Eingang selbst ließ Bezalel einen 10 Meter breiten Vorhang machen, bunt und kunstvoll gewebt aus violetter, purpurroter und karmesinroter Wolle und feinem Leinen. Wie die anderen Vorhänge des Vorhofs war er 2,5 Meter hoch. [19]Für ihn wurden vier Holzpfosten mit Bronzesockeln sowie silberne Haken und Stangen angefertigt. Das obere Ende dieser Pfosten war mit Silber überzogen. [20]Die Pflöcke für das heilige Zelt und für die Vorhänge des Vorhofs ließ Bezalel aus Bronze herstellen.

Das Baumaterial

[21]Es folgt eine Liste des Materials, das für den Bau des Heiligtums verwendet wurde. Mose hatte den Priester Itamar, den Sohn Aarons, beauftragt, die Liste zusammen mit den Leviten aufzustellen. [22]Bezalel, der Sohn Uris und Enkel Hurs vom Stamm Juda, hatte alle Arbeiten so ausgeführt, wie der Herr es befohlen hatte, [23]und Oholiab, der Sohn Ahisamachs vom Stamm Dan, hatte ihn dabei unterstützt. Oholiab war ein Kunsthandwerker, der sticken und weben konnte. Er verarbeitete violetten, purpurroten und karmesinroten Stoff und feines Leinen.

[24]Das Gold aus den freiwilligen Opfergaben, das zur Arbeit am Heiligtum verwendet wurde, wog etwa 1000 Kilogramm, nach dem Gewicht, das im Heiligtum gilt.

[25]Das Silber war durch eine Abgabe zusammengekommen, die jeder gemusterte Israelit zu entrichten hatte. Es wog rund 3620 Kilogramm, nach dem Gewicht, das im Heiligtum gilt. [26]Alle wehrfähigen Männer, die zwanzig Jahre und älter waren, mussten ein halbes Silber-

---

38,8 30,17–19 **38,9–20** 27,9–19 **38,25–26** 30,11–16

stück geben; insgesamt waren es 603550 Männer. [27] Aus dem Silber wurden 100 Sockel für die Wandplatten und für die Säulen des heiligen Zeltes gegossen, an denen die Vorhänge befestigt wurden; jeder Sockel wog 36 Kilogramm. [28] Aus den restlichen 20 Kilogramm Silber wurden die Haken und Stangen für die Vorhangpfosten des Vorhofs gegossen und die Kapitelle der Pfosten versilbert.

[29] Die Bronze, die durch die freiwilligen Gaben zusammenkam, wog etwa 2550 Kilogramm. [30] Daraus ließ Bezalel die Sockel für den Eingang des heiligen Zeltes herstellen, den Brandopferaltar mit seinem Gitterrahmen und den dazugehörigen Gefäßen und Werkzeugen, [31] die Sockel für die Abgrenzung des Vorhofs, die Sockel für den Eingang zum Vorhof sowie alle Pflöcke für das heilige Zelt und für die Vorhänge des Vorhofs.

Der Priesterschurz

39 Aus violetter, purpurroter und karmesinroter Wolle fertigten die Kunsthandwerker die bunt gewebten, heiligen Gewänder an, die Aaron beim Dienst im Heiligtum tragen sollte. Sie hielten sich dabei an alle Weisungen, die Mose vom Herrn empfangen hatte. [2] Den Priesterschurz webten sie aus Goldfäden, aus violetter, purpurroter und karmesinroter Wolle und feinem Leinen. [3] Sie hämmerten Goldbleche zurecht, zerschnitten sie zu Fäden und arbeiteten die Fäden in den violetten, purpurroten und karmesinroten Stoff und in das Leinen ein. [4] Dann fertigten sie zwei Bänder an, die über die Schultern gelegt und vorn und hinten am Schurz befestigt werden konnten. [5] Der Gürtel, mit dem der Schurz zusammengebunden wurde, war aus den gleichen Stoffen gewebt: aus Goldfäden, violetter, purpurroter und karmesinroter Wolle sowie aus feinem Leinen. So hatte der Herr es Mose befohlen. [6] Als Nächstes fassten sie zwei Onyx-Steine in Gold und gravierten die Namen der zwölf Stämme Israels ein, so wie man ein Siegel in Stein eingraviert. [7] Die Steine wurden auf die Schulterstücke des Priesterschurzes aufgesetzt und sollten den Herrn an sein Volk Israel erinnern. So hatte der Herr es Mose befohlen.

Die Brusttasche

[8] Dann fertigten die Kunsthandwerker die Brusttasche an. Sie war aus denselben Stoffen gemacht wie der Priesterschurz: aus Goldfäden, violetter, purpurroter und karmesinroter Wolle sowie aus feinem Leinen. [9] Die Tasche war quadratisch, jede Seite 25 Zentimeter lang, und der Stoff war doppelt gelegt. [10] Die Kunsthandwerker besetzten sie mit vier Reihen von Edelsteinen. Die erste Reihe bestand aus einem Karneol, Topas und Smaragd, [11] die zweite Reihe aus einem Rubin, Saphir und Jaspis, [12] die dritte Reihe aus einem Hyazinth, Achat und Amethyst, [13] die vierte Reihe aus einem Türkis, Onyx und Nephrit. Alle Steine waren in Gold eingefasst. [14] Sie standen für die zwölf Stämme Israels; auf jedem Stein war ein Stammesname eingraviert, auf dieselbe Art, wie man ein Siegel herstellt.

[15] Nun fertigten die Kunsthandwerker für die Brusttasche zwei Kettchen aus reinem Gold an, wie Stricke gedreht, [16] dazu zwei goldene Spangen und zwei goldene Ringe. Sie befestigten die Ringe an den beiden oberen Ecken der Brusttasche. [17] Dann wurden die Kettchen mit den Ringen verbunden. [18] Die Spangen brachte man vorn an den Schulterbändern des Priesterschurzes an und befestigte die anderen Enden der beiden Kettchen daran. [19] Auch an den unteren Ecken der Tasche wurden zwei goldene Ringe angebracht, und zwar auf der Innenseite, die dem Priesterschurz zugewandt war. [20] Zwei weitere Ringe wurden mit den Schulterstücken des Priesterschurzes verbunden, an deren unterem Ende, dicht bei dem Gürtel, der den

39,1–7 28,6–14 **39,8–21** 28,15–30

Priesterschurz hielt. [21] Die Ringe der Brusttasche verbanden die Kunsthandwerker mit Schnüren aus violettem Purpur mit den Ringen am Priesterschurz. So lag die Brusttasche direkt oberhalb des Gürtels und konnte nicht verrutschen. Genau so hatte der Herr es angeordnet.

Das Obergewand

[22] Aus violetter Wolle webten die Kunsthandwerker das Obergewand, das der Priester unter dem Priesterschurz tragen sollte. [23] Den Saum der Halsöffnung verstärkten sie mit einem gewebten Kragen, damit er nicht einriss, ähnlich wie bei einem ledernen Panzerhemd. [24–26] Am unteren Saum des Gewandes brachten sie ringsum Granatäpfel aus violettem, purpurrotem und karmesinrotem gezwirntem Stoff an, und dazwischen kleine goldene Glöckchen, immer abwechselnd. Dieses Gewand sollte Aaron tragen, wenn er seinen Dienst ausübte. So hatte der Herr es Mose befohlen.

Die Ausstattung der Priester

[27] Als Nächstes fertigten die Kunsthandwerker die Leinengewänder für Aaron und seine Söhne an, [28] dazu die leinenen Turbane und Hosen [29] und den bunt gewebten Gürtel aus feinem Leinen, violetter, purpurroter und karmesinroter Wolle. Alles war so, wie der Herr es Mose befohlen hatte.

[30] Dann fertigten sie ein kleines Schild aus reinem Gold an, das heilige Diadem, und gravierten darauf die Worte ein: »Dem Herrn geweiht.« [31] Sie befestigten es mit einer Schnur aus violettem Purpur vorne an Aarons Turban, wie der Herr es angeordnet hatte.

Die Arbeit am Heiligtum ist beendet

[32] Schließlich waren die Arbeiten am Heiligtum beendet. Die Israeliten hatten alles genau so ausgeführt, wie der Herr es Mose befohlen hatte. [33] Sie brachten die einzelnen Teile zu Mose: das heilige Zelt mit allem, was dazugehörte, die Haken, Wandplatten, Querbalken, Säulen und Sockel, [34] die Zeltdächer aus rot gefärbten Fellen von Schafböcken und aus Tachasch-Leder, den Vorhang vor der Bundeslade, [35] die Bundeslade für die Gesetzestafeln, die Tragstangen und die Deckplatte, [36] den Tisch für die Gott geweihten Brote mit allem, was zu ihm gehörte, [37] den goldenen Leuchter mit seinen Gefäßen und Werkzeugen, die Lampen und das Öl, [38] den goldenen Altar, das Salböl, die wohlriechende Weihrauchmischung, den Vorhang für den Eingang zum heiligen Zelt, [39] den Bronzealtar mit seinem Gitterrahmen, seinen Tragstangen und allen Gefäßen und Werkzeugen, das Wasserbecken und sein Untergestell, [40] die Vorhänge, die den Vorhof abgrenzen sollten, mit ihren Pfosten und Sockeln, den Vorhang für den Eingang zum Vorhof, die Seile und Zeltpflöcke sowie alle übrigen Gegenstände, die für den Dienst im Heiligtum gebraucht wurden. [41] Außerdem brachten die Israeliten die heiligen gewobenen Priestergewänder für den Dienst im Heiligtum, die Aaron und seine Söhne tragen sollten.

[42] Die gesamte Arbeit war nach dem Befehl des Herrn ausgeführt worden. [43] Mose überprüfte die einzelnen Teile und sah, dass alles so war, wie der Herr es angeordnet hatte. Da segnete Mose die Israeliten.

Anweisungen für die Errichtung des Heiligtums

40 Der Herr sprach zu Mose: [2] »Am 1. Tag des 1. Monats sollst du das heilige Zelt errichten. [3] Stell die Bundeslade mit den Gesetzestafeln hinein, und häng den Vorhang davor! [4] Dann bring den Tisch für die geweihten Brote hinein, und stell die Gefäße darauf, die zu ihm

---

39,22–26 28,31–35 **39,27–31** 28,36–39

gehören. Auch den Leuchter sollst du hineintragen und die Lampen darauf setzen. [5]Stell den goldenen Räucheropferaltar vor die Bundeslade, und häng den Vorhang vor den Zelteingang! [6]Der Brandopferaltar muss draußen vor dem Eingang zum heiligen Zelt stehen. [7]Das Wasserbecken sollst du zwischen dem heiligen Zelt und dem Altar aufstellen und mit Wasser füllen. [8]Lass die Abgrenzung des Vorhofs errichten, und häng den Vorhang am Eingang des Vorhofs auf!

[9]Dann sollst du mit dem Salböl das heilige Zelt und alle Gegenstände darin besprengen. So werden sie mir geweiht und sind heilig. [10]Besprenge außerdem den Brandopferaltar und alles, was dazugehört! Dann wird er besonders heilig sein. [11]Auch das Wasserbecken und sein Untergestell soll auf diese Weise mir geweiht werden.

[12]Nun führe Aaron und seine Söhne an den Eingang des Heiligtums, und wasche sie dort mit Wasser! [13]Leg Aaron die heiligen Priestergewänder an, und salbe ihn, damit er mir geweiht wird und mir als Priester dient. [14]Dann lass seine Söhne herantreten und ihre Leinengewänder anziehen. [15]Auch sie müssen gesalbt werden wie Aaron, um ihr Priesteramt ausüben zu können. Durch die Salbung werden sie und später auch alle ihre Nachkommen für immer zu Priestern geweiht!«

Das Heiligtum wird errichtet

[16]Mose führte alles so aus, wie der Herr es ihm befohlen hatte. [17]Am 1. Tag des 1. Monats, genau ein Jahr nachdem die Israeliten Ägypten verlassen hatten, wurde das heilige Zelt errichtet. [18]Mose ließ die Sockel aufstellen und die Platten darauf setzen. Dann brachte man die Querbalken an und stellte die Säulen für die Vorhänge auf. [19]Die Zeltdecke wurde über die Wände gespannt und mit den anderen Decken überdacht, genau nach der Anweisung des Herrn.

[20]Mose legte die Gesetzestafeln in die Bundeslade, steckte die Tragstangen durch die Ringe und legte die Deckplatte darauf. [21/22]Er ließ die Bundeslade ins Zelt bringen und hängte den Vorhang davor, wie der Herr es angeordnet hatte. An die Nordseite des Zeltes, vor den Vorhang, der die Bundeslade verdeckte, stellte man den Tisch. [23]Mose legte die Brote, die dem Herrn geweiht waren, auf den Tisch, wie der Herr es befohlen hatte. [24]Gegenüber, an der Südseite, stellte er den Leuchter auf [25]und setzte die Lampen darauf, ganz nach der Anweisung des Herrn. [26]Den goldenen Altar ließ er im Zelt vor dem Vorhang aufstellen [27]und verbrannte ein wohlriechendes Räucheropfer darauf. So hatte es der Herr angeordnet.

[28]Dann hängte Mose den Vorhang am Zelteingang auf. [29]Draußen vor den Eingang stellte man den Brandopferaltar, und Mose brachte auf ihm ein Brand- und ein Speiseopfer dar, wie der Herr es befohlen hatte.

[30]Zwischen dem heiligen Zelt und dem Altar ließ Mose das Becken aufstellen und goss Wasser hinein, [31]damit er, Aaron und dessen Söhne sich darin die Hände und Füße waschen konnten. [32]Jedes Mal wenn sie das Zelt betreten oder auf dem Altar ein Opfer darbringen wollten, wuschen sie sich. Sie befolgten damit die Weisung des Herrn.

[33]Schließlich wurde auch noch die Abgrenzung des Vorhofs rings um das heilige Zelt und den Altar errichtet, und Mose hängte den Vorhang am Eingang zum Vorhof auf. So vollendete Mose den Bau des Heiligtums.

Gottes Herrlichkeit erfüllt das Heiligtum

[34/35]Da kam die Wolke auf das heilige Zelt herab, und die Herrlichkeit des Herrn erfüllte das Heiligtum, so dass Mose nicht hineingehen konnte.

[36]Immer wenn sich die Wolke vom Zelt

40,9–11 29,36–37 **40,34–35** 1 Kön 8,10–11 **40,36–38** 14,19–20; 4 Mo 9,15–23

erhob, brachen die Israeliten auf. [37] Erhob sie sich nicht, blieben die Israeliten, wo sie waren, bis die Wolke weiterzog. [38] Tagsüber stand die Wolke über dem heiligen Zelt, und nachts leuchtete sie vor den Augen aller Israeliten wie Feuer. So blieb es während der ganzen Zeit, in der das Volk Israel umherzog.

Das dritte Buch Mose (Leviticus)

Das Brandopfer

1 Der Herr rief Mose zum heiligen Zelt und sprach dort mit ihm. [2]Er befahl ihm, den Israeliten diese Botschaft auszurichten:

»Wenn jemand von euch mir, dem Herrn, ein Opfer darbringen will, dann soll er dafür ein Rind, ein Schaf oder eine Ziege aussuchen.

[3]Wählt er ein Rind für ein Brandopfer, muss er ein männliches, fehlerloses Tier nehmen, damit mir seine Gabe gefällt. Er soll es zum Eingang des heiligen Zeltes bringen [4]und dort seine Hand auf den Kopf des Tieres legen. Dann werde ich, der Herr, seine Gabe annehmen und ihm seine Schuld vergeben. [5]Vor meinem Heiligtum muss er das Rind schlachten. Die Priester, die Nachkommen Aarons, sollen das Blut auffangen und ringsum an den Altar sprengen, der am Eingang zum heiligen Zelt steht. [6]Der Israelit, der das Tier gebracht hat, zieht ihm das Fell ab und zerlegt es. [7]Die Priester zünden auf dem Altar ein Feuer an und schichten Holz darüber. [8]Dann legen sie die Fleischstücke, den Kopf und das Fett des Tieres auf den brennenden Holzstoß. [9]Die Eingeweide und Unterschenkel muss der Opfernde vorher mit Wasser abwaschen, und der Priester verbrennt das ganze Tier auf dem Altar. Ein solches Brandopfer gefällt mir, dem Herrn, gut.

[10]Will jemand ein Schaf oder eine Ziege als Brandopfer darbringen, dann muss er ein männliches, fehlerloses Tier aussuchen [11]und es an der nördlichen Altarseite vor dem Heiligtum schlachten. Die Priester sprengen das Blut ringsum an den Altar. [12/13]Der Opfernde zerlegt das Tier und wäscht die Eingeweide und Unterschenkel mit Wasser ab. Die Priester legen die Fleischstücke, den Kopf und das Fett auf einen brennenden Holzstoß auf dem Altar. So wird das ganze Tier verbrannt. Dies ist ein Brandopfer, das mir, dem Herrn, gefällt.

[14]Will mir jemand einen Vogel als Brandopfer darbringen, dann soll er eine Turteltaube oder eine andere Taube nehmen. [15]Der Priester bringt sie zum Altar, trennt ihren Kopf ab und verbrennt ihn. Das Blut lässt er an der Altarwand auslaufen. [16]Er entfernt ihren Kropf mitsamt Inhalt und wirft ihn auf den Aschenhaufen an der Ostseite des Altars. [17]Ihre Flügel soll er nur einreißen, nicht ganz abtrennen. Dann verbrennt der Priester die Taube auf dem Holzstoß oben auf dem Altar. Ein solches Brandopfer gefällt mir, dem Herrn, gut.«

Das Speiseopfer

2 »Wenn jemand mir, dem Herrn, ein Speiseopfer darbringen will, dann soll er feines Weizenmehl nehmen, Olivenöl darüber gießen und auch etwas Weihrauch bereithalten. [2]Er bringt es den Priestern, den Nachkommen Aarons. Einer von ihnen nimmt eine Hand voll vom Mehl und vom Öl sowie den ganzen Weihrauch. Dieser Teil gehört mir, und der Priester verbrennt ihn auf dem Altar. Ein solches Opfer gefällt mir, dem Herrn, gut. [3]Das restliche Mehl und Öl steht den Priestern zu. Auch ihr Anteil ist besonders heilig, denn er gehört zum Opfer, das mir dargebracht wurde.

[4]Will jemand ein Speiseopfer darbringen, das im Ofen gebacken wird, dann soll es aus feinem Mehl zubereitet sein: mit Olivenöl gebackene Kuchen oder mit Olivenöl bestrichene Brotfladen. Dabei dürft ihr keinen Sauerteig verwenden.

1,1 2 Mo 33,7–11 **2,3.10** 4 Mo 18,8–19*

[5] Wird die Opfergabe auf einem Backblech zubereitet, dann soll ungesäuertes feines Mehl mit Olivenöl vermengt werden. [6] Brecht den fertigen Kuchen in Stücke, und übergießt ihn mit Olivenöl! So ist auch dies ein Speiseopfer.

[7] Wenn das Speiseopfer in der Pfanne gebacken wird, muss ebenfalls feines Weizenmehl und Olivenöl verwendet werden.

[8] Bereitet das Speiseopfer immer so zu, und bringt es dann mir, dem Herrn, dar! Überreicht es dem Priester, damit er es zum Altar bringt. [9] Den Teil, der mir gehört, soll er dort verbrennen. Dies ist ein Opfer, das mir, dem Herrn, gefällt. [10] Der Rest steht den Priestern zu. Auch ihr Anteil ist besonders heilig, denn er gehört zum Opfer, das mir dargebracht wurde.

[11] Kein Speiseopfer für mich darf mit Sauerteig gebacken sein; ihr dürft weder Sauerteig noch Honig auf meinem Altar verbrennen! [12] Zwar könnt ihr sie mir zusammen mit den Gaben der ersten Feldfrüchte bringen, aber sie dürfen nicht auf meinem Altar verbrannt werden! [13] Jedes Speiseopfer muss mit Salz gewürzt sein! Niemals darf das Salz fehlen, denn es ist ein Zeichen für meinen bleibenden Bund mit euch! Verwendet Salz bei jeder Opfergabe!

[14] Wenn ihr mir, dem Herrn, ein Speiseopfer von den ersten Feldfrüchten bringt, dann nehmt dafür am Feuer geröstete Ähren oder zerriebene Körner. [15] Gießt noch Olivenöl darüber, und legt etwas Weihrauch dazu! So ist es ein Speiseopfer. [16] Der Priester soll von den Körnern und vom Öl den Anteil, der mir gehört, zusammen mit dem ganzen Weihrauch auf dem Altar verbrennen als Opfer für mich, den Herrn.«

Das Dankopfer

3 »Will jemand mir, dem Herrn, ein Dankopfer darbringen und wählt er ein Rind dafür aus, so muss es ein fehlerloses Tier sein, männlich oder weiblich. Er soll es zum heiligen Zelt bringen, [2] seine Hand auf den Kopf des Tieres legen und es am Zelteingang schlachten. Die Priester, die Nachkommen Aarons, sprengen das Blut ringsum an den Altar. [3] Zum Anteil, der mir als Opfer dargebracht wird, gehören die Fettstücke über den Eingeweiden, alles Fett an den Eingeweiden, [4] die Nieren mit dem Fett, das sie bedeckt und an den Lenden sitzt, sowie das Fettstück an der Leber. Dieses Fett soll bei den Nieren abgetrennt werden. [5] Die Priester schichten auf dem Altar einen Holzstoß auf und verbrennen das ganze Fett zusammen mit dem Brandopfer. Dies ist ein Opfer, das mir, dem Herrn, gefällt.

[6] Wählt jemand für sein Dankopfer ein Schaf oder eine Ziege aus, dann muss es ein fehlerloses Tier sein, männlich oder weiblich.

[7] Opfert er ein Schaf, soll er es zum heiligen Zelt bringen, [8] seine Hand auf den Kopf des Tieres legen und es am Zelteingang schlachten. Die Priester sprengen das Blut ringsum an den Altar. [9] Zum Anteil, der mir als Opfer dargebracht wird, gehört alles Fett des Schafes: der Fettschwanz, dicht beim Schwanzwirbel abgetrennt, die Fettstücke über den Eingeweiden, alles Fett an den Eingeweiden, [10] die Nieren mit dem Fett, das sie bedeckt und an den Lenden sitzt, sowie das Fettstück an der Leber. Dieses Fett soll bei den Nieren abgetrennt werden. [11] Der Priester verbrennt alles auf dem Altar; es ist mein Anteil am Opfer.

[12] Will jemand eine Ziege opfern, dann soll er sie ebenfalls zum heiligen Zelt bringen, [13] ihr die Hand auf den Kopf legen und sie am Zelteingang schlachten. Die Priester sprengen das Blut ringsum an den Altar. [14] Zum Anteil, der mir, dem Herrn, als Opfer dargebracht wird, gehören die Fettstücke über den Eingeweiden, alles Fett an den Eingeweiden, [15] die Nieren mit dem Fett, das sie bedeckt und an den Lenden sitzt, sowie das Fettstück an der Leber. Dieses Fett soll

---

2,12 4 Mo 18,12–13 **3,14–17** 7,23–25*

bei den Nieren abgetrennt werden. [16] Der Priester verbrennt alles auf dem Altar, denn dieser Anteil gehört mir, dem Herrn. Es ist ein Opfer, das mir gefällt.

Von den Opfertieren, die ihr darbringt, müsst ihr alles Fett für mich verbrennen! [17] Ihr selbst dürft kein Fett und kein Blut verzehren! Dies ist eine ewige Ordnung, die für euch und all eure Nachkommen gilt. Wo ihr auch wohnt, sollt ihr euch daran halten.«

Das Sündopfer

4 Der Herr sprach zu Mose: [2] »Richte den Israeliten aus:

Wenn jemand unabsichtlich gegen eines meiner Gebote verstößt, dann muss ein Opfer dargebracht werden.«

Das Sündopfer für den Priester

[3] »Wenn der Hohepriester gegen mich sündigt und so Schuld über das ganze Volk bringt, dann muss er einen jungen, fehlerlosen Stier als Opfer für seine Sünden darbringen. [4] Er soll den Stier zum Eingang des heiligen Zeltes führen, seine Hand auf den Kopf des Tieres legen und es dort schlachten. [5] Dann nimmt er etwas von dem Blut und bringt es in das Heiligtum. [6] Er taucht seinen Finger hinein und sprengt siebenmal etwas davon gegen den Vorhang zum Allerheiligsten. [7] Anschließend streicht er Blut an die vier Hörner des Räucheropferaltars im heiligen Zelt. Alles restliche Blut gießt er draußen an den Fuß des Brandopferaltars beim Zelteingang. [8] Dann entnimmt er dem Stier alles Fett: die Fettstücke über den Eingeweiden, alles Fett an den Eingeweiden, [9] die Nieren mit dem Fett, das sie bedeckt und an den Lenden sitzt, sowie das Fettstück an der Leber. Dieses Fett soll bei den Nieren abgetrennt werden. [10] Es sind genau die gleichen Fettstücke, die dem Rind beim Dankopfer entnommen werden. Der Priester soll alles auf dem Brandopferaltar verbrennen. [11] Das Fell des Stieres, sein ganzes Fleisch, Kopf und Schenkel, die Eingeweide und den Darminhalt [12] muss man aus dem Lager entfernen. An einem abgesonderten Ort, wo man auch die Asche vom Opfer hinschüttet, soll alles auf einem Holzfeuer verbrannt werden.«

Das Sündopfer für das Volk

[13] »Wenn das ganze Volk Israel unabsichtlich gegen eines meiner Gebote verstößt, dann lädt es Schuld auf sich, selbst wenn es sich dessen nicht bewusst ist. [14] Erkennen sie dann aber ihre Sünde, sollen sie einen jungen Stier zum heiligen Zelt bringen. [15] Dort legen die führenden Männer Israels ihre Hände auf den Kopf des Tieres und schlachten es. [16] Der Hohepriester bringt etwas von dem Blut in das heilige Zelt, [17] taucht seinen Finger hinein und sprengt siebenmal etwas davon gegen den Vorhang zum Allerheiligsten. [18] Anschließend streicht er Blut an die Hörner des Räucheropferaltars im heiligen Zelt. Alles restliche Blut gießt er draußen an den Fuß des Brandopferaltars beim Zelteingang. [19/20] Dann entnimmt er dem Stier alles Fett und geht dabei genauso vor wie bei dem Opfer für die Schuld des Priesters. Er verbrennt alles Fett auf dem Brandopferaltar. So soll der Priester das Volk mit mir, dem Herrn, versöhnen, und ich werde ihnen die Schuld vergeben. [21] Was von dem Stier übrig bleibt, muss – wie beim Sündopfer für den Priester – aus dem Lager gebracht und verbrannt werden. Dies ist das Sündopfer für das Volk.«

Das Sündopfer für ein Stammesoberhaupt

[22] »Wenn das Oberhaupt eines Stammes unabsichtlich gegen eines meiner Gebote verstößt und so Schuld auf sich lädt, [23] dann soll er, sobald ihm seine Sünde bewusst wird, einen fehlerlosen Ziegenbock

3,17 1 Mo 9,4* **4,2** 5,17–19 **4,8–10** 7,23–25* **4,11–12** 6,23 **4,12** 6,4 **4,19–20** 7,23–25* **4,21** 4,11–12

als Opfer darbringen. [24]Er legt seine Hand auf den Kopf des Bockes und schlachtet ihn dort, wo auch die Tiere für das Brandopfer geschlachtet werden: am Eingang des Heiligtums. Dies ist ein Sündopfer. [25]Der Priester taucht seinen Finger in das Blut des Ziegenbocks und streicht es an die Hörner des Brandopferaltars. Das restliche Blut gießt er an den Fuß des Altars. [26]Alles Fett des Tieres verbrennt er wie beim Dankopfer auf dem Altar. So versöhnt er das Oberhaupt des Stammes mit mir, dem Herrn, und ich werde seine Schuld vergeben.«

Das Sündopfer für den Einzelnen aus dem Volk

[27]»Wenn sonst jemand unabsichtlich gegen eines meiner Gebote verstößt und so Schuld auf sich lädt, [28]dann soll er, sobald er seine Sünde erkannt hat, eine fehlerlose Ziege als Opfer für seine Sünde darbringen. [29]Er legt seine Hand auf den Kopf der Ziege und schlachtet sie vor dem heiligen Zelt, wo auch die Tiere für das Brandopfer geschlachtet werden. [30]Wieder taucht der Priester seinen Finger in das Blut und streicht es an die Hörner des Brandopferaltars, das restliche Blut gießt er an den Fuß des Altars. [31]Dann löst er alles Fett des Tieres ab – genau wie beim Dankopfer – und verbrennt es auf dem Brandopferaltar. So versöhnt der Priester den Schuldigen mit mir, dem Herrn, und ich werde ihm vergeben. Ein solches Opfer gefällt mir, dem Herrn, gut.

[32]Will der Mann ein Schaf als Sündopfer darbringen, dann soll er ein fehlerloses, weibliches Tier aussuchen. [33]Er muss die Hand auf den Kopf des Schafes legen und es dann vor dem heiligen Zelt schlachten, wo auch die Tiere für das Brandopfer geschlachtet werden. [34]Der Priester taucht seinen Finger in das Blut und streicht es an die Hörner des Brandopferaltars, alles übrige Blut gießt er an den Fuß des Altars. [35]Dann löst er alles Fett des Tieres ab – wie bei einem Schaf, das als Dankopfer dargebracht wird – und verbrennt es zusammen mit den anderen Opfern auf dem Altar. So versöhnt der Priester den Schuldigen mit mir, dem Herrn, und ich werde ihm vergeben.«

Besondere Bestimmungen für das Sündopfer

5 »Ein Sündopfer muss dargebracht werden, wenn jemand auf folgende Weise Schuld auf sich lädt:

Jemand hört, wie ein Verbrecher verflucht wird, und er meldet sich nicht als Zeuge, obwohl er das Verbrechen gesehen oder davon erfahren hat;

[2]jemand berührt unbeabsichtigt den Kadaver eines wilden oder zahmen Tieres oder eines Kriechtieres und verunreinigt sich so vor mir, dem Herrn;

[3]jemand bemerkt zu spät, dass er einen Menschen berührt hat, der aus irgendeinem Grund unrein ist;

[4]jemand spricht unüberlegt einen Schwur aus – so wie man schnell einmal etwas unbedacht sagt und erst später die Folgen merkt –, ganz gleich, ob er mit dem Schwur etwas Gutes oder Schlechtes bewirken wollte.

[5]In allen diesen Fällen muss der Betreffende zuerst seine Schuld bekennen. [6]Dann soll er ein weibliches Schaf oder eine Ziege als Sündopfer darbringen, und der Priester soll ihn mit mir, dem Herrn, versöhnen.

[7]Wenn er sich ein Schaf oder eine Ziege nicht leisten kann, soll er mir zwei Turteltauben oder zwei andere Tauben als Opfer darbringen, eine als Sündopfer und die andere als Brandopfer. [8]Er soll sie dem Priester geben. Der Priester bringt die erste Taube als Sündopfer dar. Er bricht ihr das Genick, ohne den Kopf abzutrennen. [9]Etwas von ihrem Blut spritzt er an die Altarwand, den Rest lässt er am Fuß des Altars auslaufen.

4,26 7,23–25* **4,27–28** 4 Mo 15,27–29 **4,31.35** 7,23–25* **5,2** 11,10–31.39–44 **5,3** 12,2–5; 13,45–46; 15,2–28

Dies ist das Sündopfer. [10] Die zweite Taube bringt er als Brandopfer dar, so wie es vorgeschrieben ist. Auf diese Weise soll der Priester den Schuldigen mit mir, dem Herrn, versöhnen, und ich werde ihm vergeben.

[11] Wenn der Betreffende sich auch zwei Turteltauben oder zwei andere Tauben nicht leisten kann, darf er als Opfergabe für seine Sünde eineinhalb Kilogramm feines Mehl darbringen. Er soll aber weder Öl noch Weihrauch dazugeben, denn es ist ein Sündopfer. [12] Er bringt das Mehl dem Priester; dieser nimmt eine Hand voll als meinen Anteil und verbrennt ihn mit den anderen Opfern auf dem Altar. Auch dies ist ein Sündopfer. [13] So versöhnt der Priester den Schuldigen mit mir, dem Herrn, und ich werde ihm vergeben. Das übrige Mehl soll wie beim Speiseopfer dem Priester gehören.«

Das Schuldopfer

[14] Der Herr sprach zu Mose: [15] »Wenn jemand ohne Absicht versäumt, die Abgaben für das Heiligtum zu entrichten, dann soll er einen fehlerlosen Schafbock als Schuldopfer darbringen. Das Opfertier muss einen angemessenen Wert haben. Als Maßstab gelten Silberstücke, gewogen nach dem Gewicht, das im Heiligtum gilt. [16] Der Schuldige muss erstatten, was er dem Heiligtum vorenthalten hat. Außerdem soll er ein Fünftel des Wertes zusätzlich bezahlen und alles dem Priester geben. Dieser bringt den Schafbock als Schuldopfer dar und versöhnt den Schuldigen mit mir, dem Herrn; dann werde ich ihm vergeben.

[17] Wenn jemand unabsichtlich gegen eines meiner Gebote verstößt, so ist er doch schuldig und muss sich für seine Schuld verantworten. [18] Er soll einen fehlerlosen Schafbock als Schuldopfer zum Priester bringen. Vorher wird bestimmt, welchen Wert das Tier haben soll. Dann soll der Priester den Schuldigen mit mir, dem Herrn, versöhnen, und ich werde ihm vergeben, was er unabsichtlich getan hat. [19] Dies ist ein Schuldopfer für jemanden, der an mir schuldig geworden ist.«

[20] Der Herr sprach zu Mose: [21] »Jeder, der einem anderen Israeliten Schaden zufügt, sündigt gegen mich, den Herrn. Wer etwas als seinen Besitz beansprucht, was ein anderer ihm anvertraut oder ausgeliehen hat, wer einen anderen beraubt oder ihn durch Erpressung zwingt, ihm sein Eigentum zu überlassen, [22] wer etwas findet und es unrechtmäßig behält oder wer einen Meineid schwört, um seine Lügen glaubhaft zu machen, der lädt Schuld auf sich. [23] Wenn einer auf solche Weise sündigt, muss er alles zurückgeben: was er geraubt oder durch Erpressung gewonnen hat, was ihm anvertraut wurde, was er gefunden hat [24] oder was er durch einen Meineid an sich gebracht hat. Alles muss er vollständig erstatten und noch ein Fünftel dazugeben. An dem Tag, an dem er sein Schuldopfer darbringt, soll er alles dem rechtmäßigen Besitzer zurückgeben. [25] Als Schuldopfer für mich, den Herrn, bringt er dem Priester einen fehlerlosen Schafbock. Vorher wird bestimmt, welchen Wert das Tier haben soll. [26] Der Priester versöhnt den Schuldigen mit mir, dem Herrn, und ihm wird alles vergeben, was er getan hat.«

Weitere Anweisungen für das Brandopfer

6 Der Herr sprach zu Mose: [2] »Richte Aaron und seinen Söhnen diese Anweisungen für das Brandopfer aus:

Ein Brandopfer muss die ganze Nacht hindurch bis zum Morgen auf der Feuerstelle des Altars bleiben, und das Feuer darf nicht verlöschen. [3] Am Morgen soll der Priester ein Gewand und Hosen aus Leinen anziehen und die Asche wegräumen, die vom Brandopfer übrig geblieben ist. Er schüttet sie neben den Altar, [4] wechselt dann die Kleider und bringt die Asche aus dem Lager hinaus an einen abgesonderten, reinen Ort. [5] Das Feuer auf

5,13 4 Mo 18,8–19* **5,24** 4 Mo 5,6–8

dem Brandopferaltar muss immer brennen, es darf niemals verlöschen! Jeden Morgen soll der Priester Holz nachlegen. Darauf soll er das Brandopfer zurichten und die Fettstücke der Dankopfer verbrennen. [6]Das Feuer auf dem Altar darf nicht verlöschen!«

Weitere Anweisungen für das Speiseopfer

[7]»Dieses Gesetz gilt für das Speiseopfer:

Der Priester, ein Nachkomme Aarons, soll das Speiseopfer auf dem Altar mir, dem Herrn, darbringen. [8]Er nimmt eine Hand voll feines Mehl, mit einer Hand voll Öl vermengt, und den ganzen Weihrauch, der zum Speiseopfer dazugegeben wurde. Dieser Anteil gehört mir, und der Priester verbrennt ihn auf dem Altar. Es ist ein Opfer, das mir, dem Herrn, gefällt. [9]Alles Übrige dürfen die Priester verzehren; mit ungesäuertem Teig gebacken, sollen sie es an heiliger Stätte essen: im Vorhof des Heiligtums. [10]Es darf kein Sauerteig verwendet werden! Ich habe diesen Anteil für sie bestimmt. Er gehört zum Opfer, das mir dargebracht wird, und ist deshalb besonders heilig, genauso wie das Fleisch des Sünd- und Schuldopfers. [11]Jeder männliche Nachkomme Aarons darf davon essen. Diese Ordnung gilt für alle Generationen. Wer die Opfergaben berührt, ist heilig.«

Das Speiseopfer der Priester

[12]Weiter sprach der Herr zu Mose: [13]»Wenn ein Nachkomme Aarons zum Priester geweiht wird, soll er mir von da an jeden Tag eineinhalb Kilogramm feines Mehl als Speiseopfer darbringen, die eine Hälfte am Morgen, die andere am Abend. [14]Die Opfergabe soll auf einem Backblech zubereitet werden, dazu wird Olivenöl in das Mehl gerührt. Die Fladen sollen in Stücke gebrochen und dann als Speiseopfer dargebracht werden. So gefällt es mir, dem Herrn. [15]Der Priester, der sein Amt antritt, muss das Opfer selbst darbringen, es soll ganz verbrannt werden. Diese Ordnung gilt für alle Zeiten. [16]Jedes Speiseopfer eines Priesters gehört vollständig mir, man darf nichts davon essen.«

Weitere Anweisungen für das Sündopfer

[17]Der Herr sprach zu Mose: [18]»Gib Aaron und seinen Söhnen diese Anweisungen für das Sündopfer:

Das Tier für das Sündopfer soll wie die Tiere für das Brandopfer am Eingang des heiligen Zeltes geschlachtet werden. Das Fleisch des Opfertieres ist besonders heilig. [19]Der Priester, der es darbringt, darf es an heiliger Stätte, im Vorhof des Heiligtums, essen. [20]Wer das Fleisch berührt, ist heilig. Wenn Blut vom Opfertier auf ein Gewand spritzt, muss man es an einem reinen Ort wieder auswaschen. [21]Wurde das Fleisch in einem Tontopf gekocht, dann soll dieser zerbrochen werden; wenn es ein Bronzetopf war, muss man ihn scheuern und mit Wasser ausspülen. [22]Alle männlichen Angehörigen der Priester dürfen von dem Fleisch essen, das besonders heilig ist. [23]Aber kein Opfertier, von dessen Blut etwas ins Heiligtum gebracht worden ist, um dort die Schuld zu sühnen, darf verzehrt werden; man muss das Fleisch verbrennen!«

Weitere Anweisungen für das Schuldopfer

7 »Dieses Gesetz gilt für das besonders heilige Schuldopfer:

[2]Das Tier für das Schuldopfer soll an derselben Stelle wie die Tiere für das Brandopfer geschlachtet werden. Sein Blut wird ringsum an den Altar gesprengt. [3]Alles Fett muss mir, dem Herrn, dargebracht werden: der Fettschwanz, das Fett über den Eingeweiden, [4]die Nieren

---

6,9.11 4 Mo 18,8–19* **6,11** 2 Mo 29,37; 30,10.29 **6,19.22** 4 Mo 18,8–19* **6,20** 2 Mo 29,37; 30,10.29 **7,3–5** 7,23–25*

mit dem Fett, das sie bedeckt und an den Lenden sitzt, sowie das Fettstück an der Leber. Dieses Fett soll bei den Nieren abgetrennt werden. [5]Der Priester verbrennt alles auf dem Altar, es ist ein Schuldopfer für mich, den Herrn. [6]Alle männlichen Angehörigen der Priester dürfen von dem Fleisch essen. Sie sollen es im Bereich des Heiligtums verzehren, denn es gehört zum Opfer und ist darum besonders heilig.

[7]Für das Sünd- und für das Schuldopfer gilt ein und dasselbe: Der Priester bringt das Opfer dar, um die Schuld zu sühnen. Ihm gehört das Fleisch. [8]Darüber hinaus steht ihm das Fell jedes Tieres zu, das er als Brandopfer für jemanden darbringt. [9]Alle Speiseopfer, die im Ofen gebacken, im Topf oder auf dem Backblech zubereitet werden, sollen dem Priester gehören, der sie darbringt. [10]Jedes andere Speiseopfer – ganz gleich, ob das Mehl mit oder ohne Öl dargebracht wird – sollen alle Priester, die Nachkommen Aarons, unter sich aufteilen.«

Weitere Anweisungen für das Dankopfer

[11]»Dieses Gesetz gilt für das Dankopfer, das jemand mir, dem Herrn, darbringt:

[12]Ist es ein Dankopfer, dann sollen außer dem Tier noch Kuchen dargebracht werden, ohne Sauerteig und mit Öl vermengt gebacken, dazu ungesäuerte, mit Öl bestrichene Brotfladen sowie feines Mehl, ebenfalls mit Öl vermengt. [13]Dazu kommen noch Brotkuchen aus Sauerteig. [14]Von jeder Gabe soll der Opfernde einen Teil zurückhalten, ihn mir, dem Herrn, weihen und dann dem Priester geben. Ihm soll es gehören. Der Priester sprengt das Blut des Opfertieres an den Altar. [15]Das Fleisch muss noch am selben Tag verzehrt werden, an dem das Tier geschlachtet wurde; nichts davon darf bis zum nächsten Morgen übrig bleiben.

[16]Nur wenn das Opfer freiwillig dargebracht wird oder um ein Gelübde einzulösen, kann das Fleisch auch noch am nächsten Tag gegessen werden. [17]Am dritten Tag aber müssen die Fleischreste verbrannt werden. [18]Wer am dritten Tag doch noch davon isst, wird meine Gnade nicht erfahren, denn ich, der Herr, werde sein Opfer nicht annehmen. Es ist dann unrein, und wer davon isst, lädt Schuld auf sich. [19]Kommt das Fleisch mit irgendetwas Unreinem in Berührung, darf es nicht verzehrt werden; man soll es verbrennen. Doch sonst darf jeder davon essen, der rein ist. [20]Wenn jemand, der vor mir als unrein gilt, vom Fleisch des Dankopfers isst, das mir, dem Herrn, geweiht ist, muss er aus der Gemeinschaft der Israeliten ausgestoßen werden und sterben. [21]Wenn jemand mit etwas Unreinem in Berührung gekommen ist – mit einem unreinen Menschen, einem unreinen Tier oder mit irgendetwas, das ich, der Herr, verabscheue – und dann vom Fleisch des Dankopfers isst, muss er aus der Gemeinschaft der Israeliten ausgestoßen werden und sterben.«

Verbot von Fett- und Blutgenuss

[22]Weiter sagte der Herr zu Mose: [23]»Richte den Israeliten aus:

Ihr dürft kein Fett von Rindern, Schafen oder Ziegen essen! [24]Das Fett verendeter oder gerissener Tiere könnt ihr zu jedem Zweck verwenden, nur verzehren dürft ihr es nicht! [25]Wer das Fett von Tieren isst, die man mir, dem Herrn, als Opfer darbringt, verdient den Tod. [26]Ihr dürft auch kein Blut verzehren, weder vom Vieh noch von Vögeln, wo immer ihr auch wohnt. [27]Jeder, der das Blut isst, muss aus der Gemeinschaft der Israeliten ausgestoßen werden und sterben!«

7,6–10 4 Mo 18,8–19* **7,15–17** 2 Mo 29,34 **7,18** 19,6–8 **7,21** 5,2–3; 12,2–5; 15,2–28 **7,23–25** 3,14–17; 4,8–10; 4,19–20; 4,26.31.35; 7,3–5; 2 Mo 29,13; 1 Sam 2,12–17 **7,26–27** 1 Mo 9,4*

Der Anteil der Priester an den Opfergaben

[28]Der Herr befahl Mose, [29]den Israeliten dies weiterzusagen:

»Wer ein Dankopfer darbringt, soll einen Teil davon mir, dem Herrn, weihen: [30]das Fett des Tieres und das Bruststück. Beides muss er zum Altar bringen und dort hin- und herschwingen. [31]Das Bruststück überlässt er den Priestern. Dann verbrennt ein Priester das Fett auf dem Altar. [32]Ihm soll die rechte hintere Keule des Opfertieres gehören. [33]Sie ist sein festgesetzter Anteil, wenn er das Blut und Fett des Tieres darbringt.

[34]Von allen Dankopfern der Israeliten habe ich das Bruststück und die rechte hintere Keule den Priestern gegeben. Dieser Anteil steht ihnen für alle Zeiten zu, [35]und zwar vom Tag ihrer Priesterweihe an. [36]Ich, der Herr, habe befohlen, dass sie von den Israeliten diese Abgabe bekommen sollen, sobald sie ihren Dienst als Priester beginnen. Das gilt für alle Generationen.«

[37]Dies sind die Bestimmungen für das Brand-, Speise-, Sünd- und Schuldopfer, das Einweihungs- und Dankopfer. [38]Der Herr gab sie Mose auf dem Berg Sinai in der Wüste und forderte die Israeliten auf, ihre Opfergaben ihm, dem Herrn, zu bringen.

Mose weiht Aaron und seine Söhne zum Priesterdienst

8 Der Herr sprach zu Mose: [2/3]»Lass Aaron und seine Söhne zum Eingang des heiligen Zeltes kommen. Bringt die Priesterkleider mit, das Salböl, einen jungen Stier für das Sündopfer, zwei Schafböcke und einen Korb mit Broten, die ohne Sauerteig gebacken sind. Das ganze Volk soll sich beim Heiligtum versammeln.«

[4]Mose gehorchte, und als die Israeliten zusammengekommen waren, [5]sagte er zu ihnen: »Nun werde ich tun, was der Herr befohlen hat.« [6]Mose ließ Aaron und seine Söhne herantreten und sich waschen. [7]Dann zog er Aaron das leinene Gewand an und band ihm den Gürtel um; darüber kamen das Obergewand und der Priesterschurz, der mit dem gewebten Gürtel zusammengebunden wurde. [8]Anschließend hängte er Aaron die Brusttasche um und legte die beiden Lose »Urim« und »Tummim« hinein. [9]Er setzte ihm den Turban auf und befestigte an dessen Vorderseite ein goldenes Schild, das heilige Diadem. So hatte der Herr es ihm befohlen.

[10]Dann nahm Mose das Salböl, besprengte damit das Heiligtum und alle Gegenstände darin und weihte es so dem Herrn. [11]Er sprengte etwas vom heiligen Salböl siebenmal an den Brandopferaltar, an die dazugehörigen Gefäße und Werkzeuge, an das Wasserbecken und sein Untergestell, um alles dem Herrn zu weihen. [12]Dann goss er Salböl auf Aarons Kopf und setzte ihn dadurch zum Priester ein.

[13]Als Nächstes ließ Mose die Söhne Aarons herantreten, er bekleidete sie mit dem leinenen Gewand und band ihnen den Gürtel um. Jedem setzte er einen Turban auf, so wie der Herr es angeordnet hatte.

[14]Nun ließ er den jungen Stier für das Sündopfer herbeiführen; Aaron und seine Söhne legten ihm die Hände auf den Kopf. [15]Mose schlachtete den Stier und strich mit dem Finger etwas von seinem Blut an die vier Hörner des Altars; so reinigte er den Altar von aller Schuld, die auf ihm lastete. Das restliche Blut schüttete er am Fuß des Altars aus, um ihn dem Herrn zu weihen und von aller Unreinheit zu befreien. [16]Alle Fettstücke des Opfertieres, das Fett an den Eingeweiden, das Fettstück an der Leber und die Nieren mit ihrem Fett verbrannte Mose auf dem Altar. [17]Die Überreste – das Fell, das Fleisch und die Eingeweide – ließ er außerhalb des Lagers ver-

---

7,34–36 4 Mo 18,8–19* **8,1–36** 2 Mo 29,1–37 **8,2–3** Hebr 5,4 **8,8** 2 Mo 28,30* **8,9** 2 Mo 28,36–39 **8,10–12** 2 Mo 30,25.30 **8,17** 6,23

brennen, so wie der Herr es ihm befohlen hatte.

[18]Als Nächstes wurde der Schafbock für das Brandopfer geholt. Aaron und seine Söhne legten ihre Hände auf den Kopf des Schafbocks. [19]Mose schlachtete ihn und sprengte das Blut ringsum an den Altar. [20]Er zerlegte den Schafbock und verbrannte die Stücke samt dem Kopf und dem Fett. [21]Er wusch die Eingeweide und Schenkel mit Wasser ab und verbrannte auch sie auf dem Altar, wie der Herr es angeordnet hatte. Dieses Brandopfer gefiel dem Herrn, und er nahm es an.

[22]Dann ließ Mose den zweiten Schafbock holen, der als Opfer für die Einsetzung der Priester bestimmt war. Wieder legten Aaron und seine Söhne ihre Hände auf den Kopf des Tieres. [23]Mose schlachtete es, nahm etwas von dem Blut und strich es auf Aarons rechtes Ohrläppchen, seinen rechten Daumen und die rechte große Zehe. [24]Anschließend ließ er Aarons Söhne herantreten. Auch ihnen strich er Blut auf das rechte Ohrläppchen, den rechten Daumen und die rechte große Zehe. Das übrige Blut sprengte er ringsum an den Altar. [25]Er entnahm das Fett des Schafbocks: den Fettschwanz, die Fettstücke über den Eingeweiden, das Fettstück an der Leber, die Nieren mit ihrem Fett sowie die rechte hintere Keule. [26]Aus dem Korb am Eingang des heiligen Zeltes nahm er ein ungesäuertes Brot, einen Ölkuchen und einen Brotfladen; diese legte er auf die Fettstücke und auf die rechte Keule. [27]Dann gab er alles Aaron und seinen Söhnen, und sie schwangen es vor dem Heiligtum hin und her, um es dem Herrn zu weihen. [28]Danach nahm Mose es wieder zurück und verbrannte alles auf dem Altar, wo vorher das Brandopfer dargebracht worden war. Dieses Opfer zur Priesterweihe gefiel dem Herrn, und er nahm es an.

[29]Mose nahm das Bruststück des Schafbocks und schwang es vor dem Heiligtum hin und her, um es dem Herrn zu weihen. Es war sein Anteil am Einsetzungsopfer. So hatte es der Herr befohlen.

[30]Dann nahm Mose Salböl und Blut vom Altar und besprengte damit Aaron, seine Söhne und ihre Kleider. So weihte er sie und ihre Kleider dem Herrn.

[31]Mose sagte ihnen: »Kocht das Opferfleisch am Eingang zum heiligen Zelt, und esst es dort mit dem Brot, das ihr im Korb für das Einsetzungsopfer findet! Denn so hat der Herr es mir befohlen. [32]Was vom Fleisch und Brot übrig bleibt, sollt ihr verbrennen! [33]Verlasst sieben Tage lang nicht den Eingangsbereich des Zeltes, bis zu dem Tag, an dem eure Priesterweihe beendet ist! [34/35]Der Herr will, dass an allen sieben Tagen dieselben Opfer dargebracht werden, damit ihr von aller Schuld befreit werdet. Bleibt in dieser Zeit Tag und Nacht im Eingangsbereich des heiligen Zeltes! Folgt den Anweisungen des Herrn, dann werdet ihr nicht sterben. So hat er es mir gesagt.«

[36]Aaron und seine Söhne befolgten alles, was ihnen der Herr durch Mose aufgetragen hatte.

Aaron opfert für sich und das Volk

9 Nachdem die sieben Tage der Priesterweihe vorüber waren, rief Mose Aaron, seine Söhne und die führenden Männer Israels zusammen. [2]Er befahl Aaron: »Hol ein junges Kalb für das Sündopfer und einen Schafbock für das Brandopfer, beides fehlerlose Tiere, und bring sie dem Herrn dar! [3]Sag den Israeliten, sie sollen einen Ziegenbock für das Sündopfer sowie ein einjähriges Kalb und ein einjähriges Schaf für das Brandopfer holen, ebenfalls fehlerlose Tiere! [4]Als Dankopfer müssen sie dem Herrn einen Stier und einen Schafbock darbringen. Auch ein Speiseopfer, mit Öl vermengt, soll dargebracht werden. Denn heute wird euch der Herr erscheinen.«

[5]Die Israeliten brachten alles, was Mo-

8,32 7,15–18; 2 Mo 29,34 **9,1** 8,33

se verlangt hatte, zum Eingang des heiligen Zeltes. Das ganze Volk kam und versammelte sich vor dem Heiligtum. [6] Mose sagte zu ihnen: »Heute wird euch der Herr in seiner Herrlichkeit erscheinen. Darum tut, was er euch befohlen hat.«

[7] Dann forderte er Aaron auf: »Tritt an den Altar, und bring dein Sündopfer und dein Brandopfer dar, damit deine Sünden und die des Volkes vergeben werden! Bring dann die Opfergaben des Volkes dar zur Vergebung ihrer Schuld, wie der Herr es befohlen hat.«

[8] Aaron trat an den Altar und schlachtete das Kalb, das als Sündopfer für ihn selbst bestimmt war. [9] Seine Söhne reichten ihm das Blut, er tauchte den Finger hinein und bestrich damit die Hörner des Altars, das übrige Blut goss er an den Fuß des Altars. [10] Das Fett, die Nieren und das Fettstück an der Leber verbrannte er auf dem Altar, wie der Herr es Mose befohlen hatte. [11] Das Fleisch und das Fell verbrannte er außerhalb des Lagers.

[12] Dann schlachtete er den Schafbock für das Brandopfer. Seine Söhne gaben ihm das Blut, und er sprengte es ringsum an den Altar. [13] Sie brachten ihm die einzelnen Stücke des Schafbocks, zusammen mit dem Kopf, und Aaron verbrannte sie auf dem Altar. [14] Anschließend wusch er die Eingeweide und die Unterschenkel und verbrannte auch sie auf dem Altar.

[15] Nun brachte er die Opfergaben des Volkes dar: Er holte den Ziegenbock für das Sündopfer, schlachtete ihn und opferte ihn so dem Herrn, wie er es vorher bei seinem Sündopfer getan hatte. [16] Auch das Brandopfer brachte er nach der Weisung des Herrn dar. [17] Er holte das Speiseopfer, nahm eine Hand voll davon und verbrannte es auf dem Altar, zusätzlich zu dem Speiseopfer, das am Morgen zusammen mit dem Brandopfer dargebracht worden war. [18] Dann schlachtete er den Stier und den Schafbock für das Dankopfer des Volkes. Seine Söhne reichten ihm das Blut, und er sprengte es ringsum an den Altar. [19] Sie entnahmen die Fettstücke des Stieres und des Schafbocks – den Fettschwanz, das Fett über den Eingeweiden, die Nieren und das Fettstück an der Leber – [20] und legten sie zu den Bruststücken. Das Fett verbrannte Aaron auf dem Altar, [21] doch die Bruststücke und die rechten Hinterkeulen schwang er vor dem Heiligtum hin und her, um sie dem Herrn zu weihen. So hatte der Herr es Mose befohlen.

[22] Nachdem Aaron das Sündopfer, das Brandopfer und das Dankopfer dargebracht hatte, erhob er die Hände und segnete das Volk. Danach stieg er vom Brandopferaltar herab [23] und ging mit Mose in das heilige Zelt. Als sie wieder herauskamen, segneten sie die Israeliten. Da erschien der Herr in seiner Herrlichkeit dem ganzen Volk. [24] Feuer ging von ihm aus, es verzehrte das Brandopfer und die Fettstücke auf dem Altar. Als die Israeliten das sahen, jubelten sie und warfen sich voller Ehrfurcht zu Boden.

Das eigenmächtige Opfer Nadabs und Abihus

10 Zwei Söhne Aarons, Nadab und Abihu, nahmen ihre Räucherpfannen, legten glühende Holzkohle hinein und streuten Weihrauch darüber. Damit gingen sie ins heilige Zelt, um es dem Herrn darzubringen. Aber sie taten es eigenmächtig, denn der Herr hatte es ihnen nicht befohlen. [2] Da tötete der Herr die beiden durch ein Feuer. So starben sie dort im Heiligtum.

[3] Mose sagte zu Aaron: »Jetzt geht in Erfüllung, was der Herr gesagt hat:

›Denen, die meine Nähe suchen, zeige ich meine Heiligkeit, das ganze Volk sieht meine Hoheit und Macht.‹«

Aaron schwieg. [4] Mose rief Mischaël und Elizafan, die Söhne von Aarons Onkel Usiël, und forderte sie auf, ihre toten Verwandten aus dem Heiligtum hinaus

9,8 4,3–12; Hebr 7,26–28 **9,10.19–20** 7,23–25* **9,21** 7,34 **9,23** 2 Mo 24,17; 4 Mo 6,22–27 **9,24** 1 Kön 18,38; 1 Chr 21,26; 2 Chr 7,1 **10,1–2** 16,1–16 **10,4** 2 Mo 6,20–22

vor das Lager zu bringen. [5]Die beiden kamen und trugen die Leichen mitsamt ihren Priestergewändern hinaus vor das Lager.

[6]Mose sagte zu Aaron und dessen Söhnen Eleasar und Itamar: »Lasst nicht euer Haar als Zeichen eurer Trauer ungekämmt, und zerreißt auch nicht eure Kleider! Denn sonst werdet ihr sterben, und Gottes Zorn trifft das ganze Volk. Die übrigen Israeliten mögen die Toten beweinen, die der Herr durch das Feuer getötet hat! [7]Verlasst nicht den Eingang zum heiligen Zelt, sonst sterbt auch ihr, denn ihr seid mit dem heiligen Öl zu Priestern des Herrn geweiht worden!« Die drei befolgten, was Mose ihnen befohlen hatte.

Anweisungen für die Priester

[8]Der Herr sprach zu Aaron: [9]»Du und deine Nachkommen, ihr sollt weder Wein noch andere berauschende Getränke trinken, wenn ihr das heilige Zelt betretet; sonst werdet ihr sterben! Diese Ordnung gilt euch und euren Nachkommen für alle Zeiten. [10]Ihr müsst unterscheiden zwischen dem, was Gott geweiht ist und was nicht, was als rein und was als unrein gilt. [11]Erklärt den Israeliten alle Ordnungen, die ich euch durch Mose gegeben habe!«

[12]Mose sagte zu Aaron und dessen Söhnen Eleasar und Itamar, die ihm geblieben waren: »Was vom Speiseopfer nicht für den Herrn verbrannt wird, könnt ihr für euch nehmen und daraus ungesäuertes Brot backen. Es ist besonders heilig, darum esst es neben dem Brandopferaltar! [13]An diesem heiligen Ort dürft ihr es essen, denn es ist euer Anteil. Euch und euren Nachkommen steht er zu; so hat der Herr es mir gesagt. [14]Von den Opfern, bei denen das Bruststück und die rechte Hinterkeule des Tieres dem Herrn besonders geweiht werden, stehen euch Priestern diese beiden Stücke zu. Ihr dürft sie zusammen mit euren Familien essen. Verzehrt das Fleisch an einem reinen Ort! Es ist euer Anteil an den Dankopfern der Israeliten. [15]Vorher jedoch sollen die Priester die Keule und das Bruststück zusammen mit dem Fett vor dem Heiligtum hin- und herschwingen, um es dem Herrn zu weihen. Danach gehören diese Stücke euch und euren Nachkommen. Der Herr hat befohlen, dass dies für alle Zeiten gelten soll.«

[16]Mose erkundigte sich, was mit dem Fleisch des Ziegenbocks geschehen war, den man als Sündopfer dargebracht hatte. Als er hörte, dass auch das Fleisch verbrannt worden war, wurde er sehr zornig auf Aarons Söhne Eleasar und Itamar und stellte sie zur Rede: [17]»Warum habt ihr das Sündopferfleisch nicht im Heiligtum gegessen? Es ist doch euer Anteil, der besonders heilig ist. Der Herr hat es euch gegeben, damit ihr davon esst. Wenn ihr das nicht tut, ist das Opfer unvollständig! Ihr befreit das Volk dann nicht von seiner Schuld, es wird nicht mit Gott versöhnt! [18]Das gilt für jedes Tieropfer, bei dem kein Blut ins heilige Zelt gebracht wird. Ihr hättet also unbedingt von dem Fleisch essen müssen. Das hatte ich euch doch befohlen!«

[19]Aaron entgegnete: »Heute hat das Volk dem Herrn sein Sündopfer und sein Brandopfer dargebracht, und mir ist so etwas Schreckliches zugestoßen! Hätte es da dem Herrn gefallen, wenn wir heute vom Sündopfer gegessen hätten?« [20]Als Mose das hörte, gab er sich zufrieden.

Reine und unreine Tiere
(5. Mose 14,3–21)

11 Der Herr gab Mose und Aaron den Auftrag, [2]den Israeliten dies mitzuteilen:

»Das Fleisch von folgenden Tieren dürft ihr essen: Von den Landtieren [3]sind euch alle erlaubt, die vollständig gespaltene Hufe oder Pfoten haben und wiederkäuen. [4–6]Das Kamel, den Klippdachs

---

10,6–7 21,10–12 **10,11** 5 Mo 33,10 **10,12–18** 4 Mo 18,8–19* **10,16** 9,15 **11,1–23** 1 Mo 7,2–3

und den Hasen dürft ihr aber nicht essen. Denn sie sind zwar Wiederkäuer, haben aber keine gespaltenen Hufe oder Pfoten. Sie müssen bei euch als unrein gelten. [7]Das Schwein hat zwar vollständig gespaltene Hufe, aber es ist kein Wiederkäuer; darum ist es für euch unrein. [8]Esst das Fleisch dieser Tiere nicht, und berührt auch nicht ihre Kadaver! Sie sind für euch unrein!

[9]Von den Tieren im Meer, in den Flüssen und Seen dürft ihr alle essen, die Flossen und Schuppen haben. [10]Aber alle Lebewesen im Wasser ohne Flossen oder Schuppen sind unrein! [11/12]Ihr dürft sie nicht essen und auch nicht ihre Kadaver berühren. Von allem, was im Wasser lebt und keine Flossen oder Schuppen hat, sollt ihr euch voller Abscheu fern halten!

[13]Folgende Vögel sollt ihr nicht anrühren und erst recht nicht essen: Gänsegeier, Lämmergeier, Mönchsgeier, [14]Gabelweihe und die verschiedenen Arten der Königsweihe, [15]alle Arten des Raben, [16]Strauß, Falke, Seemöwe, alle Habichtarten, [17]Steinkauz, Fischeule, Waldohreule, [18]Schleiereule, Wüstenkauz, Aasgeier, [19]Storch, alle Reiherarten, Wiedehopf und Fledermaus.[a]

[20]Auch alle krabbelnden und fliegenden Insekten sollt ihr verabscheuen, [21]außer denen, die Sprungbeine haben und am Boden hüpfen. [22]Ihr dürft also alle Heuschreckenarten essen. [23]Aber alle anderen Insekten sollt ihr verschmähen!

[24–28]Folgende Tiere dürft ihr nicht berühren, wenn sie verendet sind: jedes Tier, das geteilte, aber nicht vollständig gespaltene Hufe oder Pfoten hat und nicht wiederkäut, sowie alle Vierbeiner mit Pfoten. Sie alle sind unrein, und wer ihren Kadaver berührt, wird unrein bis zum Abend. Wenn jemand ihren Kadaver wegträgt, muss er seine Kleider waschen und ist bis zum Abend unrein.

[29/30]Von den kleinen Tieren, die am Boden kriechen, sind für euch verboten: Maulwurf, Springmaus, alle Eidechsenarten, Gecko, Salamander und Chamäleon. [31]Sie alle sind unrein, und wer ihre Kadaver berührt, ist bis zum Abend unrein. [32]Jeder Gegenstand, auf den der Kadaver eines dieser Tiere fällt, wird unrein, ganz gleich, ob er aus Holz, Stoff, Fell oder Sackleinen gemacht ist, und ganz gleich, wofür er gebraucht wird. Legt ihn ins Wasser; bis zum Abend bleibt er unrein. [33]Fällt ein totes Tier dieser Art in einen Tontopf, wird alles darin unrein, und den Topf müsst ihr zerschlagen. [34]Jedes Essen, das mit Wasser aus solch einem Tonkrug zubereitet wurde, ist unrein, ebenso jedes Getränk aus solch einem Gefäß. [35]Alles, was mit einem Kadaver dieser Tiere in Berührung kommt, wird unrein. Handelt es sich um einen Backofen oder um einen kleinen Herd, muss er niedergerissen werden. [36]Nur eine Quelle oder eine Zisterne, in der man das Wasser sammelt, bleibt rein. Doch wer das tote Tier berührt, das hineingefallen ist, wird unrein. [37]Fällt der Kadaver eines dieser Kriechtiere auf Saatgut, das gerade ausgesät werden soll, so bleibt dies rein. [38]Wurden die Samen aber mit Wasser befeuchtet und es fällt dann ein totes Tier darauf, so werden sie unrein.

[39]Wenn ein Tier, das ihr essen dürft, verendet, wird jeder bis zum Abend unrein, der den Kadaver anfasst. [40]Wer von dem Fleisch isst oder den Tierkörper wegträgt, soll seine Kleider waschen und gilt bis zum Abend als unrein.

[41]Alle kleinen Tiere, die sich am Boden fortbewegen, sollt ihr verabscheuen und sie auf keinen Fall essen, [42]ganz gleich, ob sie auf dem Bauch kriechen oder auf vier oder mehr Füßen umherlaufen. [43]Hütet euch davor, sie zu essen, denn sonst verabscheue ich euch, weil ihr in meinen Augen unrein seid! [44]Ich bin der Herr, euer Gott. Ihr sollt heilig sein, denn ich bin heilig! Verunreinigt euch nicht durch diese kleinen Tiere, die am Boden kriechen! [45]Ich bin der Herr,

---

[a] Nicht alle der in den Versen 13–19 genannten Tiere sind eindeutig zu bestimmen.

11,22 Mt 3,4 **11,24–40** 5,2

ich habe euch aus Ägypten herausgeführt, um euer Gott zu sein! Ihr sollt heilig sein, weil ich heilig bin!

[46] Dies ist das Gesetz über das Vieh, die Vögel, die Wassertiere und die Kleintiere am Boden. [47] Mit seiner Hilfe sollt ihr unterscheiden können zwischen reinen Tieren, die man essen kann, und unreinen Tieren, die nicht gegessen werden dürfen.«

Reinheitsvorschriften für Wöchnerinnen

12 Der Herr befahl Mose, [2] den Israeliten diese Weisungen weiterzugeben:

»Wenn eine Frau einen Jungen zur Welt bringt, ist sie sieben Tage lang unrein wie bei ihrer monatlichen Blutung. [3] Am achten Tag soll der Junge beschnitten werden. [4] Die Mutter muss wegen ihrer Blutungen noch weitere 33 Tage zu Hause bleiben und als unrein gelten. In dieser Zeit darf sie nichts Heiliges anfassen und das Heiligtum nicht betreten.

[5] Hat sie ein Mädchen geboren, ist sie zwei Wochen unrein wie bei ihrer monatlichen Blutung. Danach soll sie weitere 66 Tage zu Hause bleiben und als unrein gelten.

[6] Wenn die Zeit vorüber ist – ganz gleich, ob sie einen Jungen oder ein Mädchen bekommen hat –, soll sie dem Priester ein einjähriges Lamm als Brandopfer und eine Turteltaube oder andere Taube als Sündopfer zum Eingang des heiligen Zeltes bringen. [7] Der Priester bringt ihr Opfer mir, dem Herrn, dar, damit die Unreinheit der Blutung von ihr genommen wird und sie wieder rein ist. Diese Weisung gilt für eine Frau, die einen Jungen oder ein Mädchen geboren hat.

[8] Wenn sie sich kein Lamm als Opfertier leisten kann, darf sie stattdessen zwei Turteltauben oder zwei andere Tauben nehmen, eine als Brandopfer und eine als Sündopfer. Damit soll der Priester sie von ihrer Unreinheit befreien, damit sie in Gottes Augen wieder rein ist.«

Gesetze über die Feststellung von Aussatz

13 Der Herr sagte zu Mose und Aaron: [2] »Wenn jemand auf seiner Haut eine Schwellung, einen Ausschlag oder einen hellen Fleck entdeckt und darum Verdacht auf Aussatz besteht, dann soll er zum Priester gebracht werden, zu Aaron oder zu einem seiner Söhne. [3] Der Priester untersucht die erkrankte Stelle: Ist das Haar dort weiß geworden und erscheint die Haut tiefer als ringsum, dann ist es Aussatz, und der Priester muss den Kranken für unrein erklären. [4] Wenn der Fleck zwar weiß ist, aber nicht tiefer liegt als die Haut ringsum und sich das Haar auch nicht weiß verfärbt hat, soll der Priester den Betreffenden für sieben Tage an einen abgesonderten Ort schicken. [5] Am Ende dieser Woche untersucht ihn der Priester erneut. Sieht er, dass der weiße Fleck sich auf der Haut nicht weiter ausgebreitet hat, soll er den Betreffenden ein weiteres Mal für sieben Tage an einen abgesonderten Ort schicken. [6] Danach begutachtet ihn der Priester noch einmal. Sieht er, dass die Haut wieder die normale Farbe angenommen und die Krankheit sich somit nicht weiter ausgebreitet hat, soll er ihn für rein erklären; denn der Fleck ist nur ein Hautausschlag. Der Kranke muss lediglich seine Kleider waschen, dann ist er wieder rein. [7] Wenn sich aber der Ausschlag wider Erwarten doch noch ausbreitet, nachdem der Priester ihn untersucht und für rein erklärt hat, soll der Mann sich erneut dem Priester zeigen. [8] Stellt dieser dann fest, dass der Ausschlag doch weiter um sich greift, muss er den Kranken für unrein erklären, weil es Aussatz ist.

[9] Wenn bei einem Menschen Verdacht auf Aussatz besteht, soll er zum Priester gebracht werden. [10] Sieht dieser eine wei-

---

12,2 15,19–23 **12,3** 1 Mo 17,9–14* **12,8** 5,8–10; Lk 2,22–24

ße Schwellung mit weiß verfärbten Haaren und wild wucherndem Fleisch, [11]dann ist es weit fortgeschrittener Aussatz. Der Priester muss den Kranken sofort für unrein erklären, ohne ihn vorher noch zur Beobachtung an einen abgesonderten Ort zu schicken. [12]Wenn sich aber der Aussatz rasch auf der Haut ausbreitet und den Kranken von Kopf bis Fuß bedeckt, [13]wenn also der Priester sieht, dass der Aussatz die Haut ganz erfasst hat, erklärt er den Betreffenden für rein. Weil die Haut dann ganz weiß ist, gilt er als rein. [14]Zeigt sich aber wucherndes Fleisch, ist er unrein. [15]Der Priester muss ihn, sobald er es sieht, für unrein erklären. Wild wucherndes Fleisch ist in jedem Fall unrein, denn es handelt sich um Aussatz. [16]Bildet sich aber das wuchernde Fleisch zurück und wird die Stelle wieder weiß, soll der Betreffende den Priester aufsuchen. [17]Sieht dieser, dass die Haut dort tatsächlich wieder weiß geworden ist, erklärt er ihn für rein.

[18]Wenn sich auf der Haut eines Menschen ein Geschwür bildet und wieder abheilt, [19]dann aber an dieser Stelle eine weiße Schwellung oder ein weißlich-roter Fleck entsteht, soll der Kranke sich dem Priester zeigen. [20]Stellt dieser eine Vertiefung der Haut und weiß gewordenes Haar fest, erklärt er den Kranken für unrein. Denn dann hat sich an der Stelle, wo vorher das Geschwür war, Aussatz gebildet. [21]Sieht der Priester aber, dass sich das Haar nicht weiß verfärbt hat, die Stelle nicht tiefer liegt als die Haut ringsum und auch die normale Farbe hat, dann schickt er den Betreffenden für sieben Tage an einen abgesonderten Ort. [22]Breitet sich der Hautausschlag in dieser Zeit weiter aus, erklärt der Priester den Kranken für unrein, denn es handelt sich um Aussatz. [23]Wird aber der Fleck nicht größer, dann ist es die Narbe des abgeheilten Geschwürs. Der Priester soll den Betreffenden für rein erklären.

[24]Wenn jemand eine Brandwunde hat und sich dort ein weiß-roter oder weißer Fleck bildet, [25]muss er den Priester aufsuchen. Stellt dieser fest, dass sich das Haar dort weiß verfärbt hat und die Stelle tiefer liegt als die Haut ringsum, dann handelt es sich um Aussatz, der in der Brandwunde ausgebrochen ist. Der Priester erklärt den Kranken für unrein, weil er aussätzig ist. [26]Bemerkt der Priester aber keine weißen Haare im Bereich des Flecks und auch keine Vertiefung oder Verfärbung der Haut, dann soll er den Kranken für sieben Tage an einen abgesonderten Ort schicken. [27]Stellt er am siebten Tag fest, dass sich der Fleck ausgebreitet hat, muss er den Kranken für unrein erklären, denn es handelt sich um Aussatz. [28]Wenn aber der Fleck nicht größer wird und die Haut wieder die normale Farbe angenommen hat, ist es nur die Narbe der Brandwunde. Darum erklärt der Priester ihn für rein.

[29]Bekommt jemand auf der Kopfhaut oder auf der Haut unter dem Bart einen Ausschlag, [30]soll der Priester die Stelle untersuchen. Sieht er eine Vertiefung der Haut mit schütterem, gelblichem Haar, erklärt er ihn für unrein. Es handelt sich um Aussatz an Kopf oder Kinn. [31]Stellt der Priester fest, dass die befallene Stelle nicht tiefer liegt als die umliegende Haut, die Haare sich aber trotzdem verfärbt haben, soll er den Kranken für sieben Tage an einen abgesonderten Ort schicken. [32]Sieht der Priester am siebten Tag, dass der Ausschlag sich nicht ausgebreitet hat, kein gelbliches Haar dort zu finden ist und die Stelle auch nicht tiefer liegt, [33]dann soll der Kranke sich rasieren, aber die befallene Stelle aussparen. Der Priester schickt ihn für weitere sieben Tage an einen abgesonderten Ort. [34]Stellt er danach fest, dass sich der Ausschlag nicht weiter ausgebreitet hat und die Haut dort auch nicht tiefer liegt als ringsum, soll er den Betreffenden für rein erklären. Dieser wäscht seine Kleider und gilt dann als rein. [35]Wenn sich der Ausschlag wider Erwarten doch noch ausbreitet, [36]soll der Priester den Kranken erneut untersuchen und ihn, sobald er es sieht, für unrein erklären. Er braucht gar nicht erst nach gelblichen Haaren zu suchen.

[37] Sieht er aber, dass der Ausschlag zum Stillstand gekommen und schwarzes Haar nachgewachsen ist, dann ist der Betreffende wieder gesund, und der Priester erklärt ihn für rein.

[38] Bilden sich auf der Haut eines Mannes oder einer Frau weiße Flecken, [39] soll der Priester sie untersuchen. Sind die Flecken nur weißlich-blass, dann handelt es sich um einen gutartigen Ausschlag, und der Betreffende ist rein.

[40/41] Verliert ein Mann die Haare auf seinem Kopf, sei es am Hinterkopf oder an der Stirnseite, bleibt er trotzdem rein. [42/43] Wenn aber an der Glatze ein weißrötlicher Ausschlag entsteht, muss der Priester den Mann gründlich untersuchen. Stellt er fest, dass sich eine weißrötliche Schwellung bildet, die genau wie Aussatz am Körper aussieht, [44] dann hat der Mann Aussatz, und der Priester soll ihn für unrein erklären.«

Das Verhalten von Aussätzigen

[45] »Ein Aussätziger soll zerrissene Kleider tragen, das Haar ungeschnitten und ungekämmt lassen, den Bart verhüllen und immer wieder rufen: ›Unrein, unrein!‹ [46] Solange er vom Aussatz befallen ist, gilt er als unrein. Er soll außerhalb des Lagers wohnen, abgesondert von allen anderen.«

Schimmelbefall an Kleidungsstücken

[47–49] »Wenn an einem Kleidungsstück oder Gewebe aus Wolle oder Leinen, an einem Stück Leder oder an irgendetwas anderem, das aus Leder gemacht ist, ein grünlicher oder rötlicher Fleck auftritt, dann ist das Kleidungsstück von Schimmel befallen, und man soll es dem Priester zeigen. [50] Dieser begutachtet die Stelle und schließt das Kleidungsstück sieben Tage lang ein. [51] Stellt er am siebten Tag fest, dass sich der Befall ausgebreitet hat, dann ist es fressender Schimmel. Das Kleidungsstück ist unrein [52] und muss verbrannt werden. Weil der Schimmel sich immer weiter ausbreiten würde, muss das betreffende Kleidungsstück restlos beseitigt werden, ganz gleich, ob es aus Wolle, Leinen oder Leder gemacht ist. [53] Stellt der Priester aber fest, dass der Schimmelfleck nicht größer geworden ist, [54] ordnet er an, dass man das Kleidungsstück wäscht und weitere sieben Tage einschließt. [55] Sieht der Priester nach dieser Zeit, dass der Fleck zwar nicht größer geworden ist, aber immer noch so aussieht wie vorher, ist das Kleidungsstück unrein und muss verbrannt werden. Denn der Schimmel hat sich tief eingefressen. Dabei spielt es keine Rolle, ob die Außenseite oder die Innenseite befallen ist. [56] Bemerkt der Priester aber, dass die Stelle durch das Waschen blass geworden ist, soll er sie aus dem Stoff oder Leder heraustrennen. [57] Falls nun wiederum Schimmel an einer anderen Stelle auftritt, muss das Kleidungsstück verbrannt werden, denn der Schimmel hat es bereits ganz befallen. [58] Ist der Schimmel jedoch nach dem Waschen verschwunden, wäscht man die Kleidung noch einmal. Danach ist sie rein.

[59] Dies ist das Gesetz über Schimmelbefall an einem Kleidungsstück oder Gewebe aus Wolle oder Leinen, an einem Stück Leder oder an irgendetwas anderem, das aus Leder gemacht ist. Mit Hilfe dieses Gesetzes soll entschieden werden, ob der befallene Gegenstand rein oder unrein ist.«

Reinigungsopfer für vom Aussatz Geheilte

14 Der Herr sprach zu Mose: [2] »Wenn ein Aussätziger gesund geworden ist und für rein erklärt werden will, dann gilt folgende Ordnung: Er muss zum Priester gebracht werden, [3] der ihn außerhalb des Lagers untersuchen soll. Ist der Kranke wirklich wieder gesund geworden, [4] lässt der Priester für ihn zwei lebende, reine Vögel bringen sowie Zedernholz, karmesinrote Wolle und ein

---

13,45–46 4 Mo 5,2–4; 2 Kön 7,3; Lk 17,12 **14,2–32** Mt 8,2–4 **14,4** 11,13–19

Büschel Ysop. [5] Auf Anweisung des Priesters wird ein Vogel über einem Tongefäß mit frischem Quellwasser getötet, um das Blut des Tieres aufzufangen. [6] Den lebenden Vogel nimmt der Priester in die Hand und taucht ihn zusammen mit dem Zedernholz, der karmesinroten Wolle und dem Ysop in das Blut des ersten Vogels, das sich mit dem frischen Quellwasser vermischt hat. [7] Siebenmal besprengt er mit dem blutvermischten Wasser den Geheilten und erklärt ihn für rein. Den lebenden Vogel lässt er fliegen. [8] Der Geheilte wäscht seine Kleider, rasiert alle seine Haare und wäscht sich; danach ist er rein. Er darf wieder ins Lager kommen, soll aber sieben Tage sein Zelt nicht betreten. [9] Am siebten Tag rasiert er noch einmal den Kopf, den Bart, die Augenbrauen und alle anderen Haare. Nachdem er seine Kleider gewaschen und selbst gebadet hat, ist er endgültig rein.

[10] Am achten Tag sucht er zwei männliche Lämmer und ein einjähriges weibliches Schaf aus, alles fehlerlose Tiere; zusätzlich bringt er für das Speiseopfer vier Kilogramm feines Mehl, mit Öl vermengt, sowie einen halben Liter Öl. [11] Der Priester führt den Mann mit seinen Opfergaben zum Eingang des heiligen Zeltes, in meine Gegenwart. [12] Eines der Lämmer und das Öl sind für das Schuldopfer bestimmt. Der Priester weiht sie mir, dem Herrn, indem er sie vor dem Heiligtum hin- und herschwingt. [13] Dann schlachtet er das Lamm am Eingang des heiligen Zeltes, wo auch die Tiere für das Sündopfer und für das Brandopfer geschlachtet werden. Wie das Sündopfer steht das Schuldopfer dem Priester zu; es ist besonders heilig. [14] Der Priester nimmt etwas vom Blut des Opfertieres und streicht es dem, der gereinigt werden möchte, an das rechte Ohrläppchen, den rechten Daumen und die rechte große Zehe. [15] Nun gießt er etwas Öl in die linke Hand, [16] taucht seinen rechten Zeigefinger hinein und besprengt damit siebenmal den Altar. [17] Von dem Öl in seiner Hand streicht er dem Geheilten etwas auf das rechte Ohrläppchen, den rechten Daumen und die rechte große Zehe, wo er zuvor das Blut des Opfertieres hingestrichen hat. [18] Das restliche Öl streicht der Priester auf den Kopf des Mannes. So soll er ihn mit mir, dem Herrn, versöhnen.

[19] Dann bringt er das Sündopfer dar, um den Geheilten von aller Schuld zu befreien. Anschließend schlachtet er das Tier für das Brandopfer [20] und verbrennt das Speise- und das Brandopfer auf dem Altar. So bewirkt er, dass der Betreffende in meinen Augen wieder rein ist.

[21] Wenn jemand zu arm ist und sich die Opfergaben nicht leisten kann, bringt er nur ein Lamm für das Schuldopfer. Es soll mir, dem Herrn, geweiht werden, damit ich dem Geheilten alle Schuld vergebe. Als Speiseopfer genügen in einem solchen Fall eineinhalb Kilogramm feines, mit Öl vermengtes Mehl sowie ein halber Liter Öl. [22] Wenn der Mann es aufbringen kann, kommen noch zwei Turteltauben oder zwei andere Tauben dazu, eine für das Sündopfer, die andere für das Brandopfer. [23] Am achten Tag, wenn er gereinigt werden möchte, bringt er diese Opfergaben zum Priester an den Eingang des heiligen Zeltes, in meine Gegenwart. [24] Der Priester nimmt das Lamm und den halben Liter Öl entgegen und schwingt sie vor dem Heiligtum hin und her, um sie mir, dem Herrn, zu weihen. [25] Dann schlachtet er das Lamm für das Schuldopfer und streicht dem Geheilten etwas von dem Blut an das rechte Ohrläppchen, den rechten Daumen und die rechte große Zehe. [26] Anschließend gießt er Öl in die linke Hand [27] und sprengt etwas davon mit seinem rechten Zeigefinger siebenmal an den Altar. [28] Von dem Öl in seiner Hand streicht er dem Geheilten etwas auf das rechte Ohrläppchen, den rechten Daumen und die rechte große Zehe, wo er zuvor das Blut des Opfertieres hingestrichen hat. [29] Das restliche Öl streicht der Priester auf den

14,12 5,15–26 **14,19** 5,1–13; 6,2–6

Kopf des Mannes. So soll er ihn mit mir, dem Herrn, versöhnen. [30/31] Dann bringt er eine der beiden Tauben als Sündopfer und die andere als Brandopfer dar, zusammen mit den Speiseopfergaben. So befreit der Priester ihn von seiner Unreinheit und sorgt dafür, dass ich, der Herr, ihm alle Schuld vergebe. [32] Diese Ordnung gilt für einen vom Aussatz Geheilten, der die volle Opfergabe für seine Reinigung nicht aufbringen kann.«

Schimmelpilzbefall an Häusern

[33] Der Herr sprach zu Mose und Aaron: [34] »Wenn ihr ins Land Kanaan kommt, das ich euch als euer Eigentum schenken will, und ich lasse dort an einem Haus einen Schimmelpilz entstehen, [35] dann soll der Besitzer seinen Verdacht dem Priester melden. [36] Dieser ordnet an, das Haus auszuräumen, ehe er kommt, um den Befall zu untersuchen. Denn sonst müsste, falls es ein Pilzbefall ist, der ganze Hausrat für unrein erklärt werden. Nun kommt der Priester, um sich das Haus anzusehen. [37] Entdeckt er im Mauerwerk rötliche oder grünliche Vertiefungen, [38] verlässt er das Haus und verschließt es für sieben Tage. [39] Wenn er am siebten Tag wiederkommt und sieht, dass sich der Befall am Mauerwerk ausgebreitet hat, [40] dann muss er anordnen, die befallenen Steine auszubrechen und außerhalb der Stadt an einen unreinen Ort zu werfen. [41] Die Innenwände des Hauses lässt er abkratzen und den Lehm ebenfalls außerhalb der Stadt an einen unreinen Ort schütten. [42] Dann werden die herausgebrochenen Steine durch andere ersetzt, und das Haus wird mit neuem Lehm verputzt. [43] Wenn aber der Befall wieder auftritt, nachdem man die alten Steine herausgebrochen, den Lehm abgekratzt und das Haus neu verputzt hat, [44] kommt der Priester und schaut es sich erneut an. Stellt er fest, dass sich der Befall ausgebreitet hat, dann handelt es sich um einen hartnäckigen Schimmelpilz, der nicht wieder verschwindet; das Haus bleibt unrein. [45] Man muss es abreißen und den Schutt – die Steine, die Balken und den Lehm – an einen unreinen Ort außerhalb der Stadt bringen.

[46] Wer das Haus betritt, während es verschlossen bleiben soll, ist unrein bis zum Abend. [47] Wer in dem Haus schläft oder isst, muss danach seine Kleider waschen. [48] Wenn aber der Priester sieht, dass sich der Pilzbefall am Haus nicht ausgebreitet hat, nachdem es neu verputzt wurde, soll er das Haus für rein erklären, denn der Schimmelpilz ist verschwunden. [49] Er holt dann zwei Vögel, Zedernholz, karmesinrote Wolle und ein Büschel Ysop, um das Haus von seiner Unreinheit zu befreien. [50] Den einen Vogel tötet er über einem Tongefäß mit frischem Quellwasser, um das Blut des Tieres aufzufangen. [51] Dann nimmt er das Zedernholz, den Ysop, die karmesinrote Wolle und den lebenden Vogel und taucht alles in das Blut des ersten Vogels, das sich mit dem Wasser vermischt hat. Siebenmal besprengt er mit dem blutvermischten Wasser das Haus. [52] So befreit er es von aller Unreinheit, die auf ihm lastet. [53] Den lebenden Vogel lässt er aus der Stadt hinaus ins Freie fliegen. So sorgt er dafür, dass das Haus in meinen Augen wieder rein ist.

[54–56] Dieses Gesetz gilt für jede Art von krankhaftem oder schädlichem Befall, nämlich für Hautkrankheiten wie Aussatz, Geschwüre, Ausschläge und Flecken sowie für Schimmelpilz an Kleidung und Häusern. [57] Mit Hilfe dieser Bestimmungen soll entschieden werden, wann ein Mensch oder Gegenstand unrein oder rein ist.«

Unreinheit bei Männern

15 Der Herr sprach zu Mose und Aaron: [2] »Richtet den Israeliten aus: Wenn ein Mann an einem krankhaften Ausfluss aus seinem Glied leidet, ist er unrein, [3] ganz gleich, ob der Ausfluss dickflüssig ist oder nicht. [4] Alles, worauf

---

15,2–3 4 Mo 5,2–4

der Kranke liegt oder sitzt, wird unrein. [5/6] Jeder, der sein Bett oder etwas, worauf er gesessen hat, berührt, muss sich und seine Kleidung waschen und bleibt bis zum Abend unrein. [7–11] Dasselbe gilt, wenn jemand den Kranken berührt, mit seinem Speichel in Kontakt kommt, etwas nimmt oder wegträgt, worauf dieser gesessen hat, oder wenn der Kranke jemanden anfasst, ohne sich vorher die Hände gewaschen zu haben. In allen diesen Fällen muss der Betreffende sich und seine Kleider waschen und ist bis zum Abend unrein. Auch jeder Sattel, auf dem der Kranke sitzt, ist unrein. [12] Jedes Tongefäß, das er berührt, muss zerbrochen werden, ein Holzgefäß soll ausgespült werden.

[13] Ist der Ausfluss abgeheilt, wartet der Genesene sieben Tage. Dann wäscht er seine Kleider und sich selbst mit frischem Wasser und gilt wieder als rein. [14] Am achten Tag geht er mit zwei Turteltauben oder zwei anderen Tauben zum Eingang des Heiligtums, in meine Gegenwart, und gibt sie dort dem Priester. [15] Dieser bringt die eine Taube als Sündopfer und die andere als Brandopfer dar und befreit den Mann so von der Unreinheit seines Ausflusses, damit er vor mir, dem Herrn, wieder als rein gilt.

[16] Wenn ein Mann einen Samenerguss hat, soll er seinen ganzen Körper waschen; bis zum Abend ist er unrein. [17] Alle Kleidung und jedes Stück Leder, das mit dem Samen in Berührung gekommen ist, muss gewaschen werden und ist bis zum Abend unrein. [18] Wenn ein Mann mit einer Frau schläft, sollen sich beide waschen; sie sind unrein bis zum Abend.«

Unreinheit bei Frauen

[19] »Wenn eine Frau ihre monatliche Blutung hat, ist sie sieben Tage unrein; wer sie berührt, ist ebenfalls bis zum Abend unrein. [20] Alles, worauf sie sich in dieser Zeit legt oder setzt, wird unrein. [21/22] Jeder, der ihr Bett oder etwas, worauf sie gesessen hat, berührt, muss sich und seine Kleider waschen; bis zum Abend bleibt er unrein. [23] Liegt etwas auf ihrem Bett oder Sitz und jemand fasst es an, so wird auch er unrein bis zum Abend. [24] Wenn ein Mann während dieser Zeit mit ihr schläft, so ist auch er sieben Tage unrein, ebenso jedes Bett, auf dem er liegt.

[25] Hat eine Frau Blutungen über die normale Zeit hinaus oder außerhalb ihrer monatlichen Regel, dann ist sie während dieser Tage unrein wie zur Zeit ihrer Monatsblutung. [26] Jedes Bett, auf dem sie liegt, und jeder Gegenstand, auf dem sie sitzt, wird unrein. [27] Wer eines dieser Dinge berührt, wird ebenfalls unrein. Er muss sich und seine Kleider waschen und bleibt bis zum Abend unrein. [28] Wenn die Blutungen aufgehört haben, wartet die Frau noch weitere sieben Tage, bis sie wieder rein ist. [29] Am achten Tag geht sie mit zwei Turteltauben oder zwei anderen Tauben zum Eingang des heiligen Zeltes und gibt sie dort dem Priester. [30] Dieser bringt die eine als Sündopfer und die andere als Brandopfer dar und befreit so die Frau von der Unreinheit ihrer Blutung, damit sie vor mir, dem Herrn, wieder als rein gilt.

[31] Ihr, Mose und Aaron, sollt die Israeliten davor warnen, sich zu verunreinigen und das Heiligtum, in dem ich mitten unter euch wohne, zu entweihen! Denn sonst müssen sie sterben!

[32] Dieses Gesetz gilt für Männer, die an einem krankhaften Ausfluss leiden oder einen Samenerguss haben, der sie unrein macht, [33] für Frauen, die ihre monatliche Blutung haben, und für einen Mann, der mit einer Frau schläft während ihrer monatlichen Regel.«

Der große Versöhnungstag

16 Nach dem Tod der beiden Söhne Aarons, die dem Herrn eigenmächtig ein Räucheropfer dargebracht hatten, [2] sprach der Herr zu Mose:

15,16–18 5 Mo 23,11–12 **15,25** Mt 9,20 **16,1** 10,1–2 **16,2** 2 Mo 25,22; 4 Mo 7,89; Hebr 9,6–7

»Sag deinem Bruder Aaron, dass er nur zu festgesetzten Zeiten das Allerheiligste im heiligen Zelt betreten und sich dort vor die Deckplatte der Bundeslade stellen darf. Hält er sich nicht daran, muss er sterben! Denn ich, der Herr, erscheine in einer Wolke über der Deckplatte. [3] Aaron darf nur ins Allerheiligste gehen, wenn er sich genau an folgende Anweisungen hält:

Er soll einen jungen Stier für das Sündopfer und einen Schafbock für das Brandopfer darbringen. [4] Vorher wäscht er sich und zieht heilige Priesterkleider an: ein Gewand, Hosen, einen Gürtel und einen Turban, alles aus Leinen. [5] Die Israeliten sollen ihm zwei Ziegenböcke für das Sündopfer und einen Schafbock für das Brandopfer geben. [6] Erst bringt er den jungen Stier als Sündopfer für sich selbst und für seine Familie dar, [7] dann führt er die beiden Ziegenböcke an den Eingang des heiligen Zeltes, in meine Gegenwart. [8] Durch das Los wird entschieden, welcher der beiden für mich, den Herrn, und welcher für Asasel bestimmt ist. [9] Den Ziegenbock, der mir gehört, bringt Aaron als Sündopfer dar. [10] Der andere Bock, der durch das Los dem Asasel zugefallen ist, wird zum Heiligtum gebracht. Von dort aus soll er in die Wüste zu Asasel geschickt werden, damit das Volk mit mir, dem Herrn, versöhnt wird.

[11] Zuvor aber muss Aaron den jungen Stier als Sündopfer darbringen, damit er und seine Familie von aller Schuld befreit werden. Wenn er das Tier geschlachtet hat, [12] nimmt er eine Räucherpfanne voll glühender Kohlen vom Altar im heiligen Zelt und zwei Hand voll zerstoßene, wohlriechende Weihrauchmischung. Dies alles bringt er hinter den inneren Vorhang des Zeltes ins Allerheiligste. [13] Dort, in meiner Gegenwart, legt er die Weihrauchmischung auf die glühenden Kohlen. Der aufsteigende Rauch verhüllt die Deckplatte auf der Bundeslade, so dass Aaron sie nicht sieht und nicht sterben muss. [14] Er taucht einen Finger in das Blut des jungen Stieres und sprengt etwas davon auf die Vorderseite der Deckplatte sowie siebenmal vor der Deckplatte auf den Boden. [15] Dann schlachtet er den Ziegenbock für das Sündopfer des Volkes, bringt das Blut ins Allerheiligste und sprengt es auf die Deckplatte und davor auf den Boden, wie er es mit dem Blut des jungen Stieres getan hat. [16] So befreit er das Allerheiligste von aller Unreinheit und von aller Schuld, die das Volk Israel auf sich geladen hat. Auch das heilige Zelt reinigt er auf diese Weise; denn es steht mitten im Lager, das die Israeliten durch ihre Sünden immer wieder unrein machen.

[17] Kein Mensch darf sich im heiligen Zelt aufhalten, wenn Aaron hineingeht, um sich, seine Familie und das ganze Volk mit mir, dem Herrn, zu versöhnen. [18] Anschließend verlässt Aaron das Allerheiligste, geht zum Altar im heiligen Zelt und befreit ihn von aller Schuld, die auf ihm lastet. Dazu streicht er etwas vom Blut des jungen Stieres und des Ziegenbocks an die Hörner des Altars. [19] Mit dem Finger sprengt er siebenmal Blut an den Altar und reinigt ihn von den Sünden der Israeliten, damit er wieder heilig ist.

[20] Wenn Aaron das Allerheiligste und das Heiligtum sowie den Altar gereinigt hat, holt er den zweiten Ziegenbock, [21] legt die Hände auf seinen Kopf und bekennt alle Vergehen und alle Schuld des Volkes. So lädt er die Sünden der Israeliten auf den Kopf des Ziegenbocks und lässt ihn durch einen Mann, den er dazu bestimmt hat, in die Wüste treiben. [22] Der Ziegenbock trägt alle Schuld mit sich hinaus in die Wüste.

[23] Aaron geht nun wieder ins heilige Zelt, zieht seine Leinengewänder aus, in denen er das Heiligtum betrat, und lässt sie dort zurück. [24] Er wäscht sich, zieht die Amtskleidung des Hohenpriesters an, geht hinaus und bringt das Brandopfer für sich und für das Volk dar. So wird ganz Israel wieder mit mir, dem Herrn, ver-

---

16,11 Hebr 7,26–27 **16,12** 2 Mo 30,34–37 **16,16** Hebr 13,11 **16,18–19** 2 Mo 30,1–2.10

söhnt. [25] Auch die Fettstücke der Sündopfertiere verbrennt er auf dem Altar.

[26] Der Mann, der den Sündenbock für Asasel fortgetrieben hat, darf erst wieder ins Lager zurückkehren, wenn er sich und seine Kleider gewaschen hat.

[27] Den jungen Stier und den Ziegenbock, die als Sündopfer dargebracht wurden und deren Blut versprengt wurde, um das Heiligtum von aller Unreinheit zu befreien, soll man hinaus vor das Lager bringen. Dort müssen sie vollständig verbrannt werden, mit Fell, Fleisch und Eingeweiden. [28] Jeder, der daran beteiligt ist, darf erst wieder ins Lager zurückkehren, wenn er sich und seine Kleider gewaschen hat.

[29] Dies alles soll am 10. Tag des 7. Monats geschehen. Zusätzlich gelten für diesen Tag noch folgende Ordnungen, die ihr stets einhalten müsst:

Ihr sollt fasten und keinerlei Arbeit verrichten, weder ihr noch die Ausländer, die bei euch wohnen. [30] Denn an diesem Tag werdet ihr mit mir, dem Herrn, versöhnt und von aller Schuld befreit, die auf euch lastet. [31] Der ganze Tag muss ein Ruhetag sein, an dem ihr fasten sollt. Haltet euch für alle Zeiten daran!

[32] Der Hohepriester, der als Nachfolger seines Vaters gesalbt und in sein Amt eingesetzt worden ist, soll euch an diesem Tag mit mir versöhnen. Dazu zieht er die heiligen Priestergewänder aus Leinen an. [33] Er befreit das Allerheiligste, das ganze heilige Zelt und den Altar von aller Schuld, ebenso die anderen Priester und das ganze Volk. [34] Diese Ordnung soll bei euch für alle Zeiten gelten. Einmal im Jahr sollen alle Israeliten von ihren Sünden befreit werden.«

Aaron führte alles so aus, wie der Herr es Mose befohlen hatte.

Alle Opfer gehören dem Herrn

17 Der Herr befahl Mose: [2] »Richte Aaron, seinen Söhnen und dem ganzen Volk aus:

[3] Jeder Israelit, der innerhalb oder außerhalb des Lagers ein Rind, ein Schaf oder eine Ziege schlachtet [4] und das Tier nicht zum Eingang des heiligen Zeltes bringt, um es mir, dem Herrn, als Gabe darzubringen, lädt Schuld auf sich. Er hat Blut vergossen, darum soll er aus seinem Volk ausgestoßen werden und sterben! [5] Diese Weisung dient dazu, dass die Israeliten ihre Opfertiere, die sie auf freiem Feld schlachten, von nun an mir, dem Herrn, darbringen. Sie sollen die Tiere zu meiner Ehre am Eingang des heiligen Zeltes dem Priester übergeben und sie dann als Dankopfer für mich schlachten. [6] Der Priester sprengt das Blut an den Brandopferaltar vor dem Eingang des heiligen Zeltes und verbrennt anschließend die Fettstücke auf dem Altar. Ein solches Opfer gefällt mir, dem Herrn. [7] Kein Israelit soll mir die Treue brechen, indem er weiterhin den Dämonen sein Schlachtopfer darbringt! Diese Ordnung gilt für alle Zeiten.

[8/9] Jeder Israelit und auch jeder Fremde, der bei euch wohnt, wird aus dem Volk ausgestoßen und muss sterben, wenn er seine Brand- oder Schlachtopfer nicht zum Eingang des heiligen Zeltes führt, um sie dort mir, dem Herrn, zu weihen.«

Verbot von Blutgenuss

[10] »Wenn ein Israelit oder ein Fremder unter euch Fleisch verzehrt, das nicht völlig ausgeblutet ist, werde ich, der Herr, mich gegen ihn wenden! Ich verstoße ihn aus seinem Volk und töte ihn. [11] Denn im Blut ist das Leben, und ich selbst habe angeordnet, dass es auf dem Altar dargebracht wird, um euch von eurer Schuld zu befreien. Weil im Blut das Leben ist, darum werdet ihr durch das Blut mit mir, dem Herrn, versöhnt. [12] Niemand darf es also verzehren, weder ein Israelit noch ein Fremder, der bei euch lebt!

[13] Wer auf der Jagd ein Stück Wild oder

16,27 6,23; Hebr 13,11–12 **16,29–31** 23,26–32 **16,34** Hebr 9,25–26 **17,10–14** 1 Mo 9,4*

einen Vogel erlegt – ein Tier, das man essen darf –, der soll es ausbluten lassen und das Blut mit Erde bedecken. [14] Denn im Blut ist das Leben eines jeden Tieres. Deshalb habe ich den Israeliten verboten, Blut zu verzehren. Alles Leben ist im Blut, und wer davon isst, muss getötet werden!

[15] Jeder, der Fleisch von einem verendeten oder gerissenen Tier isst, wird bis zum Abend unrein. Er soll sich und seine Kleider waschen; dann ist er wieder rein. [16] Wer sich nicht daran hält, muss die Folgen seiner Schuld tragen!«

Verbotene sexuelle Beziehungen

18 Der Herr befahl Mose, [2] den Israeliten dies weiterzusagen:

»Ich bin der Herr, euer Gott. [3] Lebt nicht nach den Sitten der Ägypter, in deren Land ihr gewohnt habt! Richtet euch auch nicht nach den Bräuchen der Bewohner Kanaans, wohin ich euch bringen werde! Nehmt sie nicht zum Vorbild! [4] Handelt nach meinen Weisungen, lebt nach meinen Ordnungen! Ich bin der Herr, euer Gott. [5] Richtet euch nach meinen Geboten! Jedem, der sie befolgt, bringen sie Leben. Ich bin der Herr.

[6] Niemand von euch darf mit einer Blutsverwandten schlafen. Dies sage ich, der Herr.

[7] Du sollst nicht mit deiner Mutter schlafen, denn dadurch entehrst du deinen Vater.[a] Darum tu es nicht, denn sie ist deine Mutter!

[8] Du sollst auch nicht mit einer anderen Frau deines Vaters schlafen, denn auch damit entehrst du deinen Vater.

[9] Schlaf nicht mit deiner Schwester, auch nicht mit deiner Halbschwester oder Stiefschwester![b]

[10] Du darfst nicht mit deiner Enkelin schlafen, dem Kind deines Sohnes oder deiner Tochter, denn dadurch entehrst du dich selbst.

[11] Auch sollst du nicht mit deiner Halbschwester schlafen, die von einer Frau deines Vaters geboren wurde.

[12/13] Das Gleiche gilt für Blutsverwandte deiner Eltern: Schlafe nie mit der Schwester deines Vaters oder der Schwester deiner Mutter!

[14] Du sollst einen Bruder deines Vaters nicht entehren, indem du mit seiner Frau schläfst, denn sie ist deine Tante.

[15] Auch mit deiner Schwiegertochter darfst du nicht schlafen, denn sie ist die Frau deines Sohnes.

[16] Du sollst nicht mit deiner Schwägerin schlafen, sonst entehrst du deinen Bruder.

[17] Wenn du mit einer Frau schläfst, darfst du nicht auch noch mit ihrer Tochter oder ihrer Enkelin schlafen. Dies wäre eine Schande, weil sie ihre Blutsverwandten sind.

[18] Heirate nicht die Schwester deiner Frau, solange deine Frau lebt.

[19] Du sollst nicht mit einer Frau schlafen, wenn sie ihre monatliche Blutung hat, denn in dieser Zeit ist sie unrein.

[20] Schlafe nicht mit der Frau eines anderen Mannes, denn damit machst du dich selbst unrein!

[21] Lass keines deiner Kinder für den Götzen Moloch als Opfer verbrennen, denn damit entweihst du meinen Namen! Ich bin der Herr, dein Gott.

[22] Ein Mann darf nicht mit einem anderen Mann schlafen, denn das verabscheue ich.

[23] Kein Mann und keine Frau darf mit einem Tier verkehren. Wer es tut, macht sich unrein und lädt große Schande auf sich.

---

[a] Oder: Keine Frau darf mit ihrem Vater und kein Mann mit seiner Mutter schlafen.

[b] Wörtlich: Schlaf nicht mit deiner Schwester, der Tochter deines Vaters oder der Tochter deiner Mutter, ob im Haus oder draußen geboren.

17,15 2 Mo 22,30 **18,3** 2 Mo 23,24 **18,5** Lk 10,25–28; Röm 10,5; Gal 3,10–12 **18,8** 1 Mo 49,4; 5 Mo 23,1; 27,20; 1 Kor 5,1 **18,9.11** 5 Mo 27,22 **18,16** 20,21; Mk 6,17–18 **18,17** 5 Mo 27,23 **18,18** 5 Mo 25,5–6 **18,21** 20,2–5; 2 Mo 13,12–16*; 5 Mo 18,10; 2 Kön 17,17; 23,10; Jer 19,5; Mi 6,7 **18,22** 20,13; 1 Mo 19,5; Ri 19,22; Röm 1,26–27; 1 Kor 6,9 **18,23** 2 Mo 22,18; 5 Mo 27,21

[24]Macht euch nicht unrein, indem ihr gegen diese Gebote verstoßt! Denn so haben sich die Völker Kanaans verunreinigt. Ich vertreibe sie und gebe euch das Land. [25]Sie haben ihr Land unrein gemacht; doch ich lasse sie nicht ungestraft davonkommen, sondern sorge dafür, dass das Land seine Bewohner ausspuckt. [26]Lebt nach meinen Weisungen und Geboten, tut nichts, was ich verabscheue! Das gilt für euch Israeliten und auch für alle Ausländer, die dann bei euch wohnen. [27]Die Bewohner des Landes, die vor euch dort lebten, haben alle diese abscheulichen Dinge getan und so das Land unrein gemacht. [28]Wenn auch ihr dies tut, wird das Land euch ausspucken – so wie die Völker, die vor euch dort wohnten. [29]Jeder, der eine dieser abscheulichen Sünden begeht, soll aus dem Volk Israel ausgestoßen werden und sterben. [30]Richtet euch nach meinen Geboten, und hütet euch davor, diese abscheulichen Bräuche zu übernehmen, die bei den anderen Völkern in diesem Land üblich sind. Verunreinigt euch nicht durch sie! Ich bin der Herr, euer Gott!«

Weisungen und Gebote für Gottes heiliges Volk

19 Der Herr befahl Mose, [2]dem ganzen Volk Israel dies mitzuteilen:

»Ihr sollt heilig sein, denn ich, der Herr, euer Gott, bin heilig!

[3]Jeder von euch soll seine Mutter und seinen Vater achten und den Sabbat als Ruhetag einhalten. Ich bin der Herr, euer Gott!

[4]Ihr sollt nicht anderen Göttern dienen und euch keine Götzenstatuen anfertigen, denn ich bin der Herr, euer Gott!

[5]Wenn ihr mir ein Dankopfer darbringt, dann tut es so, dass ich Gefallen an euch und eurem Opfer habe. [6]Das Fleisch des Opfertieres müsst ihr am selben oder am folgenden Tag verzehren. Was am dritten Tag noch übrig ist, muss verbrannt werden, [7]denn dann ist es unrein. Wenn doch noch jemand davon isst, nehme ich das Opfer nicht an. [8]Er muss die Folgen tragen, denn er hat etwas entweiht, das für mich, den Herrn, bestimmt war. Darum muss er aus seinem Volk ausgestoßen werden und sterben.

[9]Wenn ihr die Getreideernte einbringt, sollt ihr eure Felder nicht ganz bis an den Rand abmähen und keine Nachlese halten. [10]Auch in euren Weinbergen soll es keine Nachlese geben. Sammelt die Trauben am Boden nicht ein, sondern überlasst sie den Armen und Fremden! Ich bin der Herr, euer Gott.

[11]Ihr sollt nicht stehlen, nicht lügen und einander nicht betrügen!

[12]Ihr sollt meinen Namen nicht durch einen Meineid entweihen. Ich bin der Herr, euer Gott.

[13]Unterdrückt und beraubt einander nicht! Wenn ihr jemanden tageweise beschäftigt, müsst ihr ihm jeden Abend seinen Lohn auszahlen.

[14]Beschimpft einen Tauben nicht, und legt einem Blinden kein Hindernis in den Weg! Begegnet mir, eurem Gott, mit Ehrfurcht, denn ich bin der Herr.

[15]Vor Gericht dürft ihr das Recht nicht beugen! Begünstigt weder den Armen noch den Einflussreichen, wenn ihr ein Urteil fällt. Jeder soll zu seinem Recht kommen.

[16]Verleumdet einander nicht, und tut nichts, was das Leben anderer gefährdet! Ich bin der Herr.

[17]Hege keinen Hass gegenüber deinem Mitmenschen! Wenn du etwas gegen jemanden hast, dann weise ihn zurecht, sonst lädst du Schuld auf dich.

[18]Räche dich nicht, und sei nicht nachtragend! Liebe deinen Mitmenschen wie dich selbst! Ich bin der Herr.

[19]Haltet euch an das, was ich euch sage.

18,24–25 1 Mo 15,15–16; 5 Mo 9,4–5 **19,2** 2 Mo 19,5–6*; 5 Mo 26,19; Mt 5,48; 1 Petr 1,15–16 **19,3** 2 Mo 20,8–11*.12* **19,4** 2 Mo 20,3–5* **19,6–8** 7,15–18 **19,9–10** 2 Mo 22,21–22*; 5 Mo 24,19–21 **19,12** 24,10–16; 2 Mo 20,7; 22,27 **19,13** 5 Mo 24,14–15; Mt 20,8; Jak 5,4 **19,14** 5 Mo 27,18 **19,15–16** 2 Mo 20,16* **19,17–18** Mt 5,43–48 **19,19** 5 Mo 22,9–11

Kreuzt nicht verschiedene Arten eures Viehs miteinander; besät eure Felder nicht mit zweierlei Saatgut; tragt keine Kleidung aus Mischgewebe!

[20]Wenn ein Mann mit einer Sklavin schläft, die mit einem anderen Mann verlobt ist, aber noch nicht freigekauft oder freigelassen wurde, dann muss der Mann Schadenersatz leisten. Die beiden müssen aber nicht getötet werden, denn die Frau war nicht frei. [21]Der Mann soll einen Schafbock als Schuldopfer zu mir, dem Herrn, an den Eingang des heiligen Zeltes bringen. [22]Der Priester opfert das Tier, damit der Mann von seiner Schuld befreit wird. Dann werde ich, der Herr, seine Sünde vergeben. [23]Wenn ihr ins Land Kanaan kommt und Obstbäume pflanzt, dann sind ihre Früchte in den ersten drei Jahren für euch verboten; ihr dürft sie nicht essen. [24]Im vierten Jahr bringt ihr mir, dem Herrn, alle Früchte als Erntedankopfer dar. [25]Vom fünften Jahr an dürft ihr die Früchte essen. Wenn ihr euch daran haltet, wird eure Ernte umso reicher sein. Ich bin der Herr, euer Gott.

[26]Esst kein Fleisch, das nicht völlig ausgeblutet ist! Treibt keine Wahrsagerei und Zauberei!

[27/28]Wenn ihr um einen Toten trauert, dann schneidet nicht euer Haupthaar rundum ab; stutzt auch nicht eure Bärte, ritzt euch nicht in die Haut, und macht euch keine Tätowierungen! Ich bin der Herr.

[29]Entehrt eure Töchter nicht, indem ihr sie zur Prostitution anstiftet! Sonst wird das ganze Land zu einer Stätte des Treuebruchs, und ich verabscheue alles, was dort geschieht.

[30]Haltet den Sabbat als Ruhetag ein, und habt Ehrfurcht vor meinem Heiligtum! Ich bin der Herr.

[31]Sucht niemals Hilfe bei Totenbeschwörern und Wahrsagern, denn sonst seid ihr in meinen Augen unrein. Ich bin der Herr, euer Gott.

[32]Begegnet alten Menschen mit Achtung und Respekt, und ehrt mich, den Herrn, euren Gott!

[33]Unterdrückt die Fremden nicht, die bei euch leben, [34]sondern behandelt sie wie euresgleichen. Liebt sie wie euch selbst, denn auch ihr seid Fremde in Ägypten gewesen! Ich bin der Herr, euer Gott.

[35]Beugt nicht das Recht vor Gericht, betrügt nicht mit falschen Maßen und Gewichtsangaben, [36]verwendet genaue Waagen und richtige Gewichtssteine! Eure Hohlmaße für Getreide und Flüssigkeiten dürfen nicht gefälscht sein. Ich bin der Herr, euer Gott, der euch aus Ägypten befreit hat.

[37]Lebt nach allen meinen Ordnungen und Geboten, und befolgt sie! Ich bin der Herr.«

Strafen für schwere Vergehen

20 Der Herr befahl Mose, [2]den Israeliten dies weiterzusagen:

»Wer von euch oder von den Fremden, die bei euch leben, eines seiner Kinder dem Götzen Moloch opfert, muss sterben! Das Volk soll ihn steinigen. [3]Ich selbst werde mich gegen ihn wenden, ihn aus seinem Volk ausstoßen und töten. Denn er hat mein Heiligtum entweiht und meinen heiligen Namen beschmutzt, indem er eines seiner Kinder dem Götzen Moloch geopfert hat. [4]Wenn die Israeliten die Augen davor verschließen und ihn nicht hinrichten, [5]strafe ich selbst diesen Mann und seine Familie. Ich verstoße ihn aus seinem Volk und töte ihn – zusammen mit allen, die mir, dem Herrn, die Treue gebrochen und den Götzen Moloch angebetet haben.

[6]Mein Zorn trifft auch jeden, der bei Totenbeschwörern und Wahrsagern Hilfe sucht und mir so die Treue bricht: Ich verstoße ihn aus seinem Volk und lasse ihn sterben. [7]Dient nur mir allein, und lebt

---

19,26 1 Mo 9,4* **19,29** 5 Mo 23,18 **19,31** 2 Mo 22,17; 5 Mo 18,10–11 **19,33–34** 2 Mo 22,20* **19,35–36** Spr 16,11* **20,2–5** 18,21* **20,6–7.27** 2 Mo 22,17; 5 Mo 18,10–11; 1 Sam 28,3–19

als mein heiliges Volk, denn ich bin der Herr, euer Gott! [8] Richtet euch nach meinen Ordnungen, und befolgt sie! Ich bin der Herr, der euch heilig macht.

[9] Wer seinen Vater oder seine Mutter verflucht, muss getötet werden! Er hat für sein Verbrechen nichts anderes verdient.

[10] Wenn ein Mann mit der Frau eines anderen Israeliten die Ehe bricht, sollen beide getötet werden.

[11] Schläft ein Mann mit der Frau seines Vaters, dann entehrt er seinen Vater. Er und die Frau müssen sterben, sie sind selbst schuld an ihrem Tod.

[12] Wenn ein Mann mit seiner Schwiegertochter schläft, sollen beide mit dem Tod bestraft werden. Sie haben etwas Abscheuliches getan und müssen die Folgen tragen.

[13] Wenn ein Mann mit einem anderen Mann schläft, ist dies eine widerliche Tat. Beide sollen mit dem Tod bestraft werden, ihre Schuld fällt auf sie zurück.

[14] Heiratet ein Mann eine Frau und dann noch ihre Mutter, ist das ein schändliches Vergehen. Man soll ihn und die beiden Frauen verbrennen, damit so etwas nie wieder bei euch geschieht.

[15] Wenn ein Mann mit einem Tier verkehrt, soll er hingerichtet werden, und auch das Tier soll man töten. [16] Verkehrt eine Frau mit einem Tier, muss man die Frau und das Tier töten. Beide müssen sterben, denn ihre Schuld fällt auf sie zurück.

[17] Heiratet ein Mann seine Schwester oder Halbschwester, ist das eine Schande. Beide müssen öffentlich hingerichtet werden. Weil der Mann mit seiner Schwester geschlafen hat, ist er selbst schuld an seinem Tod.

[18] Wenn ein Mann mit einer Frau während der Zeit ihrer monatlichen Blutung schläft, so machen beide sich damit unrein. Sie müssen aus dem Volk ausgestoßen werden und sterben.

[19] Niemand darf mit der Schwester seiner Mutter oder seines Vaters schlafen. Das ist Blutschande, und beide müssen die Folgen tragen.

[20] Wer mit der Frau seines Onkels schläft, entehrt seinen Onkel. Er und die Frau werden die Folgen tragen und ohne Nachkommen sterben.

[21] Wenn ein Mann die Frau seines Bruders heiratet, ist das eine Schande. Weil er seinen Bruder damit entehrt, werden er und die Frau kinderlos bleiben.

[22] Haltet euch an meine Ordnungen, lebt nach meinen Geboten! Dann werdet ihr nicht aus dem Land Kanaan verstoßen, in das ich euch bringe und in dem ihr wohnen sollt. [23] Richtet euch nicht nach den Sitten und Bräuchen der Völker im Land! Ich werde sie verstoßen, weil sie alle diese Dinge getan haben, die in meinen Augen abscheulich sind. Darum werde ich euch das Land geben. [24] Ich habe es euch zugesagt und versprochen, dass ihr es in Besitz nehmen könnt, ein Land, in dem Milch und Honig fließen. Ich bin der Herr, euer Gott; euch habe ich unter allen Völkern zu einem besonderen Volk gemacht. [25] Deshalb müsst ihr unterscheiden zwischen reinem und unreinem Vieh, zwischen reinen und unreinen Vögeln. Verunreinigt euch nicht, indem ihr Vieh, Vögel oder Kriechtiere esst, die ich für unrein erklärt habe! [26] Ihr sollt heilig sein und mir allein dienen, denn ich, der Herr, bin heilig. Euch habe ich als einziges Volk zu meinem Eigentum erwählt.

[27] Ein Totenbeschwörer oder Wahrsager muss getötet werden, ganz gleich, ob Mann oder Frau. Man soll sie steinigen, sie sind selbst schuld an ihrem Tod.«

Anweisungen für die Priester

21 Der Herr befahl Mose, folgende Anweisungen den Priestern, den Nachkommen Aarons, weiterzugeben:

20,8 19,2* **20,10** 2 Mo 20,14; 5 Mo 22,22 **20,11** 1 Mo 49,4; 5 Mo 23,1; 27,20; 1 Kor 5,1 **20,12–21** 18,9–23 **20,23** 1 Mo 15,15–16; 5 Mo 9,4–5 **20,24** 4 Mo 13,27* **20,25** 11,2–30 **20,26** 19,2*; 2 Mo 19,5–6*

»Ein Priester darf sich nicht verunreinigen, indem er eine Leiche berührt. [2/3]Er darf sich nur unrein machen, wenn jemand von seinen engsten Familienangehörigen stirbt – der Vater, die Mutter, ein Sohn, eine Tochter, ein Bruder oder eine unverheiratete Schwester, die in seinem Haus gewohnt hat. [4]War seine Schwester aber verheiratet, darf er ihre Leiche nicht berühren, denn er würde sich sonst verunreinigen.[a]

[5]Kein Priester darf sich bei einem Trauerfall eine Glatze scheren, den Bart stutzen oder sich die Haut einritzen.

[6]Ein Priester soll mir allein dienen und meinen Namen nicht entweihen. Denn er bringt mir, dem Herrn, seinem Gott, die Opfer dar. Sie sind meine Speise, darum muss er darauf achten, dass er sich nicht verunreinigt. [7]Er darf weder eine Hure heiraten noch ein Mädchen, das keine Jungfrau mehr ist, noch eine geschiedene Frau. Denn er ist mir, seinem Gott, geweiht. [8]Ein Priester soll als ein heiliger Mann geachtet werden, denn er bringt die Opfer für mich dar. Betrachtet ihn als heilig, denn ich, der Herr, bin heilig, und ich habe euch dazu bestimmt, mir allein zu dienen.

[9]Wenn die Tochter eines Priesters zu einer Hure wird, entehrt sie sich und ihren Vater. Darum soll sie verbrannt werden.

[10]Der Hohepriester wurde mit Öl gesalbt und in sein Amt eingesetzt. Er trägt die heiligen Gewänder. Deshalb darf er nicht als Zeichen der Trauer seine Haare ungekämmt lassen oder seine Kleidung zerreißen. [11]Er darf keine Leiche berühren, nicht einmal die seines Vaters oder seiner Mutter. Denn sonst würde er sich verunreinigen. [12]Solange ein Toter in seinem Haus liegt, soll er den Bereich des Heiligtums nicht verlassen und nach Hause gehen. Er würde sonst das Heiligtum entweihen, denn er ist mit dem heiligen Öl zum Priester geweiht worden. Ich bin der Herr! [13]Der Hohepriester darf nur eine Jungfrau heiraten, [14]keine Witwe, keine Geschiedene und keine Hure, sondern nur ein Mädchen aus seinem Stamm. [15]Denn sonst würden seine Kinder unrein. Ich bin der Herr, und ich habe ihn dazu bestimmt, mir allein zu dienen!«

[16]Weiter sagte der Herr zu Mose: [17]»Dies sollst du Aaron ausrichten: Wenn einer seiner Nachkommen eine Krankheit oder eine Behinderung hat, darf er mir keine Opfergaben auf dem Altar darbringen. Dies gilt für alle Generationen. [18]Kein Blinder oder Gelähmter darf den Dienst im Heiligtum verrichten, auch kein Verstümmelter oder Entstellter, [19]niemand mit einem gebrochenen Fuß oder einer gebrochenen Hand, [20]mit Buckel oder Muskelschwund[b] oder einem weißen Fleck im Auge, niemand, der an Krätze oder an einer Hautkrankheit leidet oder verletzte Hoden hat. [21]Kein Nachkomme Aarons mit einer Krankheit oder Behinderung darf zum Altar treten, um mir, dem Herrn, die Opfer darzubringen, die meine Speise sind. [22]Er darf zwar von den heiligen, ja sogar von den besonders heiligen Opfergaben essen, die den Priestern zustehen, [23]aber er soll nicht an den Vorhang zum Allerheiligsten und an den Brandopferaltar treten! Er würde sonst mein Heiligtum entweihen. Ich bin der Herr, und mein Heiligtum soll heilig bleiben!«

[24]Mose gab diese Weisungen Aaron, seinen Söhnen und allen Israeliten weiter.

Anweisungen für das Essen von Opferfleisch

22 Der Herr sprach zu Mose: [2]»Sag Aaron und seinen Söhnen, sie sollen sorgfältig mit den Opfergaben der Israeliten umgehen, sonst entweihen sie meinen heiligen Namen. Ich bin der Herr. [3]Für alle künftigen Generationen soll gelten: Wenn ein Priester unrein ist und trotzdem die mir geweihten Opfer-

---

[a] Der hebräische Text ist nicht sicher zu deuten.
[b] Oder: Kleinwuchs.
21,10–12 10,6–7 **22,2** 10,16–18

gaben der Israeliten berührt, werde ich ihn verstoßen, und er muss sterben. Ich bin der Herr.

[4]Kein Nachkomme Aarons, der an Aussatz oder Ausfluss leidet, darf seinen Anteil an den heiligen Opfergaben essen, bevor er wieder rein ist. Hat er etwas berührt, das durch einen Toten verunreinigt worden ist, hat er einen Samenerguss gehabt, [5]ein unreines Kriechtier angefasst oder einen Menschen, der gerade unrein ist, [6]dann gilt er selbst als unrein bis zum Abend. Er kann erst wieder von den heiligen Opfergaben essen, wenn er sich gewaschen hat. [7]Erst nach Sonnenuntergang ist er wieder rein. Dann darf er seinen Anteil an den heiligen Opfergaben essen, denn sie sind sein Lebensunterhalt. [8]Er soll aber kein Fleisch von verendeten oder gerissenen Tieren verzehren, denn dadurch wird er unrein. Ich bin der Herr.

[9]Die Priester müssen meine Weisungen beachten. Sonst laden sie Schuld auf sich und müssen sterben, weil sie heilige Dinge entweiht haben. Ich bin der Herr, und ich habe sie dazu bestimmt, mir allein zu dienen.

[10]Nur wer zur Familie des Priesters gehört, darf von den heiligen Opfergaben essen. Wer lediglich in seinem Haus wohnt oder tageweise bei ihm Arbeit findet, darf dies nicht! [11]Ein Sklave aber, den ein Priester kauft, kann von den Gaben essen, ebenso jeder Sklave, der im Haus des Priesters geboren wurde. [12]Heiratet die Tochter eines Priesters einen Mann, der nicht zu den Nachkommen Aarons gehört, darf sie nicht mehr von den heiligen Abgaben essen. [13]Wenn sie aber als Witwe oder Geschiedene in das Haus ihres Vaters zurückkehrt und keine Kinder hat, darf sie von den Anteilen am Opfer essen, die ihr Vater erhält. Wer nicht zur Priesterfamilie gehört, darf auf keinen Fall davon essen!

[14]Wenn jemand versehentlich etwas vom Anteil eines Priesters isst, muss er ihm alles erstatten und noch ein Fünftel dazugeben. [15]Die Priester dürfen die heiligen Abgaben für den Herrn nicht entweihen, die sie von den Israeliten empfangen. [16]Wenn sie dem Volk erlauben, davon zu essen, würden sie zulassen, dass es große Schuld auf sich lädt. Ich bin der Herr, und die Opfergaben der Israeliten sind allein mir geweiht.«

Bestimmungen über die Opfertiere

[17]Der Herr befahl Mose: [18]»Sag Aaron, seinen Söhnen und allen Israeliten:

Wenn ein Israelit oder ein Fremder bei euch mir, dem Herrn, ein Brandopfer darbringen will – sei es freiwillig oder um ein Gelübde einzulösen –, [19]dann muss er ein fehlerloses, männliches Tier aussuchen, ein Rind, ein Schaf oder eine Ziege. Nur dann werde ich die Gabe gnädig annehmen. [20]Opfert kein Tier, das einen Fehler hat, denn ich, der Herr, werde es nicht annehmen! [21]Wer mir, dem Herrn, ein Dankopfer darbringt, weil er ein Gelübde erfüllen oder eine freiwillige Gabe bringen will, soll dafür ein fehlerloses Tier aussuchen, ein Rind, ein Schaf oder eine Ziege. Dann nehme ich das Opfer gnädig an. [22]Ihr dürft kein Tier auf dem Altar für mich, den Herrn, verbrennen, das blind ist, gebrochene Gliedmaßen hat, verstümmelt ist, Geschwüre, Krätze oder eine Flechte hat. [23]Ein Rind, ein Schaf oder eine Ziege mit einem überlangen oder unterentwickelten Körperteil könnt ihr als freiwillige Opfergabe bringen; ich nehme es aber nicht an, wenn ihr damit ein Gelübde erfüllen wollt. [24]Kastrierte Tiere, deren Hoden zerquetscht, zerstoßen, abgerissen oder abgeschnitten wurden, dürft ihr mir nicht darbringen! Ihr sollt in eurem Land weder Tiere kastrieren [25]noch solche Tiere von einem Ausländer kaufen, um sie mir, dem Herrn, zu opfern. Sie sind nicht unversehrt und makellos, deshalb werde ich ein solches Opfer nicht gnädig annehmen.«

[26]Weiter sagte der Herr zu Mose:

22,4–9 13,1–44; 15,2–3.16–17; 21,1–4 **22,10–16** 4 Mo 18,8–19* **22,18–25** Mal 1,6–14

[27]»Wenn ein Kalb, ein Lamm oder ein Zicklein geboren wird, soll es die ersten sieben Tage bei seiner Mutter bleiben. Erst vom achten Tag an nehme ich, der Herr, es als Opfergabe an. [28]Ihr dürft das Muttertier nicht am selben Tag wie das Junge schlachten. [29]Wenn ihr mir, dem Herrn, ein Dankopfer darbringen wollt, dann tut es so, dass ich es gnädig annehmen kann: [30]Das Fleisch muss noch am selben Tag gegessen werden, nichts darf bis zum nächsten Morgen übrig bleiben. Das befehle ich, der Herr.

[31]Haltet meine Gebote, lebt danach, denn ich bin der Herr! [32]Entweiht nicht meinen heiligen Namen! Alle Israeliten sollen mich als ihren heiligen Gott verehren. Ich bin der Herr, und ich habe euch dazu bestimmt, mir allein zu dienen. [33]Aus Ägypten habe ich euch befreit, um euer Gott zu sein, ich, der Herr!«

Der Sabbat

23 Der Herr befahl Mose, [2]den Israeliten Folgendes weiterzusagen: »Dies sind die Feste, an denen sich das ganze Volk zu meiner Ehre versammeln soll, um mich anzubeten.

[3]Sechs Tage sollt ihr arbeiten, aber der siebte Tag ist ein ganz besonderer Ruhetag. Dann sollt ihr euch zum Gottesdienst versammeln. Es ist der Sabbat, der mir, dem Herrn, geweiht ist. An diesem Tag dürft ihr keinerlei Arbeit verrichten, wo immer ihr auch wohnt.«

Das Passahfest und das Fest der ungesäuerten Brote (4. Mose 28,16–25)

[4]»Auch an den folgenden Festen, die ihr einmal im Jahr zu meiner Ehre feiert, sollt ihr euch versammeln, um mich anzubeten:

[5]Am 14. Tag des 1. Monats in der Abenddämmerung wird das Passahfest für mich, den Herrn, gefeiert. [6]Am darauf folgenden Tag beginnt das Fest der ungesäuerten Brote. Feiert es mir zu Ehren! Sieben Tage lang sollt ihr Brot essen, das ohne jeden Sauerteig gebacken wurde. [7]Am ersten dieser sieben Tage sollt ihr keine Arbeit verrichten, sondern gemeinsam mich, den Herrn, anbeten. [8]Bringt mir sieben Tage lang Opfer dar! Am letzten Tag sollt ihr euch wieder zum Gottesdienst versammeln; auch dann dürft ihr nicht arbeiten.«

Das Fest der ersten Garbe

[9]Der Herr sagte zu Mose: [10]»Wenn ihr in das Land kommt, das ich euch geben werde, und dort die Getreideernte einbringt, sollt ihr die erste Garbe dem Priester geben. [11]Dieser schwingt sie am Tag nach dem folgenden Sabbat vor dem heiligen Zelt hin und her. So weiht er eure Gabe mir, dem Herrn, und ich werde sie gnädig annehmen. [12]Am selben Tag müsst ihr mir ein fehlerloses, einjähriges Lamm als Brandopfer darbringen, [13]dazu als Speiseopfer zweieinhalb Kilogramm feines Mehl, mit Öl vermengt. Verbrennt alles für mich auf dem Altar; dann nehme ich es gnädig an. Gebt als Trankopfer noch einen Liter Wein dazu. [14]Erst wenn ihr mir, eurem Gott, diese Gaben dargebracht habt, dürft ihr die frischen Körner rösten, Brot daraus backen und von dem Getreide essen. Diese Ordnung gilt für alle Generationen, wo immer ihr auch wohnt.«

Das Wochenfest (4. Mose 28,26–31)

[15]»Vom Tag nach dem Sabbat, an dem ihr die ersten Ähren mir, dem Herrn, geweiht habt, zählt ihr genau sieben Wochen. [16]Am fünfzigsten Tag, nach dem siebten Sabbat, sollt ihr mir ein Speiseopfer von der neuen Ernte darbringen. [17]Jede Familie gibt zwei Brote, die jeweils aus zweieinhalb Kilogramm feinem Wei-

---

22,27 2 Mo 22,29 **22,30** 7,15–18 **22,32–33** 2 Mo 20,3–5* **23,3** 2 Mo 20,8–11* **23,5** 2 Mo 12,1–14* **23,6–8** 2 Mo 12,15–20* **23,15–21** 4 Mo 28,26–31*

zenmehl mit Sauerteig gebacken wurden. Diese Opfergaben, die ihr mir weihen sollt, müssen vom ersten Getreide genommen werden. [18] Zusätzlich bringt ihr sieben fehlerlose, einjährige Lämmer, einen Jungstier und zwei Schafböcke als Brandopfer dar. Dazu kommen noch die üblichen Speise- und Trankopfer. Ein solches Opfer gefällt mir, dem Herrn, gut, und ich nehme es an. [19] Sucht auch einen Ziegenbock für das Sündopfer und zwei einjährige Lämmer für das Brandopfer aus! [20] Der Priester weiht mir alle diese Opfergaben, zusammen mit dem Brot der ersten Ernte und den beiden Lämmern. Sie gehören mir, und der Priester darf sie als seinen Anteil am Opfer behalten. [21] An diesem Tag sollt ihr euch versammeln, um mich anzubeten. Ihr dürft dann keinerlei Arbeit verrichten! Diese Ordnung gilt für alle künftigen Generationen, wo immer ihr auch wohnt.

[22] Wenn ihr die Getreideernte einbringt, sollt ihr eure Felder nicht ganz bis an den Rand abmähen und auch keine Nachlese halten. Überlasst die Reste den Armen und Fremden! Ich bin der Herr, euer Gott.«

Das Neujahrsfest
(4. Mose 29,1–6)

[23] Weiter sagte der Herr zu Mose: [24] »Der 1. Tag des 7. Monats soll ein Ruhetag für euch sein, an dem ihr euch mir zu Ehren versammelt. Zur Erinnerung daran sollen die Posaunen laut geblasen werden. [25] Lasst an diesem Tag alle Arbeit ruhen, und bringt mir, dem Herrn, eure Opfer auf dem Altar dar!«

Der große Versöhnungstag
(4. Mose 29,7–11)

[26] Der Herr sagte zu Mose: [27] »Der 10. Tag des 7. Monats ist der Tag der Versöhnung. Dann sollt ihr fasten, euch zu meiner Ehre versammeln und eure Opfer auf dem Altar verbrennen. [28] Ihr dürft keinerlei Arbeit verrichten, denn an diesem Tag werdet ihr mit mir, dem Herrn, eurem Gott, versöhnt und von all euren Sünden befreit. [29] Wer an diesem Tag nicht fastet, muss aus seinem Volk ausgestoßen werden und sterben. [30] Ich selbst lasse jeden umkommen, der an diesem Tag irgendeine Arbeit verrichtet. [31] Arbeitet auf keinen Fall am Versöhnungstag! Diese Ordnung gilt für alle künftigen Generationen, wo immer ihr auch wohnt. [32] Der Versöhnungstag ist ein ganz besonderer Feiertag, an dem ihr fasten sollt und nicht arbeiten dürft. Er dauert vom Abend des 9. Tages bis zum folgenden Abend.«

Das Laubhüttenfest
(4. Mose 29,12–39)

[33] Der Herr sagte zu Mose: [34] »Am 15. Tag des 7. Monats beginnt das Laubhüttenfest, das sieben Tage dauert. Feiert es zu meiner Ehre! [35] Am ersten Tag sollt ihr euch versammeln, um mich, den Herrn, anzubeten. Dann dürft ihr nicht arbeiten. [36] Sieben Tage lang bringt ihr mir eure Opfer dar; am achten Tag kommt ihr wieder zu einem Festgottesdienst zusammen und opfert mir eure Gaben. Auch an diesem Tag dürft ihr keine Arbeit verrichten.

[37] Dies sind die jährlichen Feste zu meiner Ehre, an denen ihr euch zum Gottesdienst versammelt und mir eure Brand-, Speise-, Schlacht- und Trankopfer darbringt, wie es für den jeweiligen Tag vorgeschrieben ist. [38] Dazu kommen die wöchentlichen Sabbatfeiern, eure Geschenke sowie die versprochenen und freiwilligen Gaben, die ihr mir, dem Herrn, bringt.

[39] Am 15. Tag des 7. Monats, wenn ihr die Ernte eingebracht habt, sollt ihr sieben Tage lang das Laubhüttenfest zu meiner Ehre feiern. Der erste und der achte Tag sind Ruhetage. [40] Am ersten Tag sammelt ihr schöne Baumfrüchte, Palmwedel, Zweige von Laubbäumen und von

---

23,22 2 Mo 22,21–22* **23,26–32** 16,2–34 **23,33–43** 5 Mo 16,13–15; Neh 8,13–18; Sach 14,16–19; Joh 7,2

Bachpappeln. Feiert sieben Tage lang ein fröhliches Fest für mich, den Herrn, euren Gott. [41] Jedes Jahr sollt ihr im siebten Monat eine Woche lang feiern! Diese Ordnung gilt für alle Generationen, wo immer ihr auch lebt. [42] Während der Festwoche sollt ihr in Laubhütten wohnen; das gilt für alle Israeliten im Land. [43] So behalten eure Nachkommen für alle Zeiten im Gedächtnis, dass ich, der Herr, euch Israeliten in Laubhütten wohnen ließ, als ich euch aus Ägypten führte. Ich bin der Herr, euer Gott!«

[44] Mose gab den Israeliten alle Anweisungen für die jährlichen Feste weiter, die zur Ehre des Herrn gefeiert werden sollten.

Der Leuchter und die Gott geweihten Brote

24 Der Herr sprach zu Mose: [2] »Sag den Israeliten, sie sollen dir reines Öl aus zerstoßenen Oliven für den Leuchter bringen, damit die Lampen ständig brennen. [3] Aaron soll den Leuchter im heiligen Zelt aufstellen – vor dem Vorhang zum Allerheiligsten, in dem die Bundeslade steht. Vom Abend bis zum Morgen soll das Licht brennen und mein Heiligtum erhellen. Diese Weisung gilt für euch und alle kommenden Generationen. [4] Aaron muss dafür sorgen, dass die Lampen auf dem goldenen Leuchter im Heiligtum nicht verlöschen!

[5] Backt zwölf Fladenbrote, jedes aus zweieinhalb Kilogramm Weizenmehl, [6] und legt sie in zwei Stapeln zu je sechs Broten auf den goldenen Tisch in meinem Heiligtum! [7] Auf die Brote sollt ihr reinen Weihrauch streuen. Anschließend müsst ihr den Weihrauch – anstelle der Brote – auf dem Altar verbrennen. [8] An jedem Sabbat werden neue Brote im Heiligtum aufgeschichtet. Diese Weisung sollen die Israeliten für alle Zeiten beachten! [9] Nur Aaron und seine Söhne dürfen von den Broten im Bereich des Heiligtums essen. Sie stehen ihnen für alle Zeiten als Anteil an den besonders heiligen Gaben zu.«

Strafen für Gotteslästerung, Mord und Körperverletzung

[10/11] Im Lager der Israeliten lebte ein Mann, der eine israelitische Mutter und einen ägyptischen Vater hatte. Seine Mutter hieß Schelomit, sie war eine Tochter Dibris und gehörte zum Stamm Dan. Dieser Mann geriet eines Tages mit einem Israeliten in Streit. Dabei fluchte er und verhöhnte den Herrn. Man brachte ihn zu Mose [12] und nahm ihn dann in Gewahrsam, um auf eine Weisung des Herrn zu warten.

[13] Der Herr sprach zu Mose: [14] »Führe den Mann, der mich verhöhnt hat, aus dem Lager hinaus! Alle Zeugen, die sein Fluchen gehört haben, sollen ihm die Hand auf den Kopf legen. Dann müssen alle Versammelten ihn steinigen. [15] Sag den Israeliten: Jeder, der seinen Gott verflucht, muss die Folgen seiner Sünde tragen: [16] Wer den Namen des Herrn verhöhnt, muss mit dem Tod bestraft werden. Alle Israeliten sollen ihn steinigen, ganz gleich, ob er ein Fremder oder ein Einheimischer ist!

[17] Wer einen anderen Menschen umbringt, muss ebenfalls sterben. [18] Wer ein Stück Vieh tötet, muss es ersetzen. Es gilt der Grundsatz: Leben für Leben! [19] Wenn jemand seinem Mitmenschen Schaden zufügt und ihn verletzt, soll er dasselbe am eigenen Leib zu spüren bekommen. [20] Bei der Festlegung jeder Strafe sollt ihr euch nach dem Grundsatz richten: Auge um Auge, Zahn um Zahn, Knochenbruch um Knochenbruch. Was jemand einem anderen angetan hat, muss ihm selbst zugefügt werden. [21] Wer ein Stück Vieh tötet, soll es ersetzen. Wer einen Menschen umbringt, muss sterben. [22] Für alle, ob Einheimische oder Fremde, soll das gleiche Recht gelten. Ich bin der Herr, euer Gott.«

24,2–4 2 Mo 27,20–21 **24,5–8** 2 Mo 25,30 **24,9** 1 Sam 21,5–7 **24,10–16** 2 Mo 20,7; 22,27 **24,17–21** 2 Mo 20,13*; 21,23–25* **24,22** 2 Mo 12,49; 4 Mo 15,15–16; 5 Mo 24,17; 27,19; Jer 22,3; Röm 2,11

[23]Mose richtete den Israeliten alle Worte des Herrn aus. Daraufhin führten sie den Mann, der den Herrn verhöhnt hatte, aus dem Lager hinaus und steinigten ihn. So befolgten sie die Weisung, die Mose vom Herrn bekommen hatte.

Das Ruhejahr für Äcker und Weinberge

25 Auf dem Berg Sinai sprach der Herr zu Mose: [2/3]»Dies sollst du den Israeliten weitersagen:

Wenn ihr in das Land kommt, das ich euch schenken will, sollen nach jedem sechsten Jahr alle Äcker und Weinberge ein Jahr lang zu meiner Ehre brachliegen. Bestellt eure Felder, beschneidet eure Weinberge, und erntet die Früchte eurer Arbeit sechs Jahre lang! [4]Im siebten Jahr aber soll das Land ruhen und sich erholen. Dieses Jahr ist mir, dem Herrn, geweiht. Dann dürft ihr weder eure Felder bestellen noch eure Weinstöcke beschneiden. [5]Bringt auch keine Ernte ein, weder vom Getreide, das wild auf den Feldern wächst, noch von den Trauben an euren unbeschnittenen Weinstöcken! Das Land soll ein Ruhejahr haben. [6]Jeder darf aber einsammeln, was er für sich selbst zum Leben braucht, ihr, eure Sklaven und Sklavinnen, eure Lohnarbeiter und die Fremden, die bei euch leben. [7]Euer Vieh und die wilden Tiere finden genug zu essen.«

Das Erlassjahr

[8]»Nach sieben Ruhejahren, also nach 49 Jahren, [9]sollt ihr im 50. Jahr am Versöhnungstag, am 10. Tag des 7. Monats, die Signaltrompeten im ganzen Land blasen lassen. [10]Das 50. Jahr soll für euch ein heiliges Jahr sein! Es ist ein Erlassjahr. Gebt dann allen Bewohnern des Landes, die sich hoch verschuldet haben und so zu Sklaven wurden, ihre Freiheit wieder. Jeder erhält seinen verpfändeten Grundbesitz zurück und kann zu seiner Sippe zurückkehren. [11]Alle Schulden müssen in diesem Jahr erlassen werden. Streut kein Saatgut aus! Bringt keine Ernte ein – auch nicht von dem, was auf den Feldern von selbst nachwächst –, und haltet keine Weinlese! [12]Das Erlassjahr soll für euch heilig sein. Jeder darf täglich nur das einsammeln, was er zum Leben braucht. [13]In diesem Jahr soll auch jeder von euch seinen alten Grundbesitz zurückbekommen.

[14]Übervorteilt einander nicht beim Kauf oder Verkauf von Land! [15]Weil im Erlassjahr jedes Stück Land wieder dem alten Besitzer zufällt, soll beim Kaufpreis berücksichtigt werden, wie viele Jahre der Käufer das Land noch bewirtschaften kann: [16]Je höher die Anzahl der Ertragsjahre ist, desto höher ist auch der Kaufpreis. Umgekehrt mindert sich der Preis umso mehr, je näher das Erlassjahr kommt. Der Preis des Landes hängt ab von der Zahl der Ernten bis zum nächsten Erlassjahr.

[17]Betrügt einander nicht! Habt Ehrfurcht vor mir, denn ich bin der Herr, euer Gott!

[18]Haltet euch an meine Ordnungen, richtet euch nach meinen Geboten! Wenn ihr danach lebt, werdet ihr sicher in eurem Land wohnen. [19]Es wird reichen Ertrag bringen, und ihr habt genug zu essen. In Ruhe und Frieden könnt ihr dort leben. [20]Wenn ihr euch fragt, was ihr im siebten Jahr essen sollt, weil ihr nicht sät und erntet, [21]dann sollt ihr wissen: Ich schenke euch im sechsten Jahr genug Ertrag für drei Jahre. [22]Wenn ihr im achten Jahr wieder aussät, werdet ihr euch noch bis zur kommenden Ernte vom Ertrag des sechsten Jahres ernähren können.«

Verkauf und Rückgabe von Grundbesitz

[23]»Ihr dürft euren Grund und Boden nicht endgültig verkaufen, denn das Land

25,1–7 26,34–35; 2 Mo 23,10–11; 5 Mo 15,1–2; 31,10–11 **25,9** 16,29 **25,10** 27,16–24; 4 Mo 36,4; Jes 61,2; Lk 4,19 **25,20–22** 2 Mo 16,5.22–26 **25,23** 1 Chr 29,15; Eph 2,19; Hebr 11,13

gehört nicht euch, sondern mir! Ihr wohnt hier als Gäste. [24]Im ganzen Land sollt ihr ein Rückkaufsrecht auf Grund und Boden gewähren.

[25]Wenn ein Israelit verarmt und deshalb einen Teil seines Grundbesitzes verkauft, muss sein nächster Verwandter das Grundstück zurückerwerben. [26]Hat er keinen Verwandten, der es an seiner Stelle kauft, bringt aber selbst nach einiger Zeit die erforderliche Summe auf, [27]dann soll er die Jahre seit dem Verkauf auf den Wert anrechnen und den Restwert dem Käufer auszahlen. So kommt das Grundstück wieder in seinen Besitz. [28]Wenn er aber das Geld für den Rückkauf nicht aufbringen kann, bleibt das Grundstück bis zum nächsten Erlassjahr im Besitz des Käufers. Dann wird es wieder Eigentum des ursprünglichen Besitzers.

[29]Wenn jemand ein Wohnhaus in einer ummauerten Stadt verkauft, gilt das Rückkaufsrecht nur für ein volles Jahr vom Verkaufsdatum an. [30]Wird das Haus innerhalb dieses Jahres nicht zurückgekauft, bleibt es für immer im Besitz des Käufers und seiner Nachkommen und wird auch im Erlassjahr nicht zurückgegeben. Dies gilt nur für Wohnhäuser in ummauerten Städten.

[31]Wohnhäuser in Dörfern ohne Stadtmauern werden rechtlich wie Land behandelt: Man kann sie immer zurückkaufen, und im Erlassjahr müssen sie zurückgegeben werden.

[32]Die Leviten haben jederzeit das Recht, die Häuser in den ihnen zugeteilten Städten zurückzukaufen. [33]Nimmt ein Levit dies nicht in Anspruch, so fällt sein Eigentum im Erlassjahr wieder an ihn zurück. Denn die Häuser der Leviten in ihren Städten sind ihr einziger Besitz. [34]Das dazugehörige Weideland darf nie verkauft werden, denn es gehört ihnen für immer.

[35]Wenn ein Israelit, den du kennst, seinen Besitz verliert und verarmt, musst du ihn unterstützen, damit er weiterhin bei euch leben kann. Auch einem Fremden oder einem Gast, der vorübergehend bei euch wohnt, sollst du helfen. [36]Verlange keine Zinsen und keinen Aufpreis! Hab Ehrfurcht vor mir, deinem Gott, und hilf dem Verarmten in deiner Nachbarschaft! [37]Leih ihm zinslos Geld und Nahrungsmittel! [38]Ich bin der Herr, euer Gott, der euch aus Ägypten geführt hat, um euch das Land Kanaan zu geben. Ich will euer Gott sein!«

Die Rechte israelitischer Sklaven

[39]»Wenn ein Israelit aus deiner Nachbarschaft sich dir wegen Armut als Sklave verkauft, dann sollst du ihn keine Sklavenarbeit verrichten lassen! [40]Behandle ihn wie einen Lohnarbeiter oder wie einen Fremden, der vorübergehend bei dir lebt. Er darf höchstens bis zum nächsten Erlassjahr für dich arbeiten. [41]Dann schenk ihm und seinen Kindern die Freiheit! So können sie wieder zu ihrer Sippe und ihrem Land zurückkehren, das sie von ihren Vorfahren geerbt haben. [42]Denn die Israeliten sind mein Eigentum, ich habe sie aus Ägypten herausgeführt. Ist einer von ihnen dein Sklave geworden, dann darfst du ihn nicht verkaufen! [43]Du sollst keinen Israeliten mit Gewalt zum Sklavendienst zwingen. Hab Ehrfurcht vor mir, deinem Gott!

[44]Sklaven und Sklavinnen könnt ihr von den umliegenden Völkern kaufen, [45]ebenso die im Land geborenen Kinder der Fremden, die bei euch leben. Sie sind dann euer Eigentum, [46]und ihr könnt sie euren Kindern als bleibenden Besitz vererben. Fremde dürft ihr als Sklaven erwerben, aber die Israeliten – Menschen aus eurem eigenen Volk – dürft ihr nicht zu Sklaven machen!

[47]Wenn ein Fremder, der bei euch lebt, zu Wohlstand kommt und einen armen Israeliten für sich oder seine Nachkommen als Sklave kauft, [48]dann muss es für den israelitischen Sklaven ein Rückkaufsrecht geben. Einer seiner nächsten Verwandten soll ihn zurückkaufen, [49]entwe-

---

25,25 Ruth 4,1–6 **25,36–38** 2 Mo 22,24 **25,39–55** 2 Mo 21,2–11; 5 Mo 15,12–18; Jer 34,13–17

der sein Onkel, dessen Sohn oder ein anderer naher Verwandter aus seiner Sippe. Hat der Sklave selbst wieder Besitz erworben, kann er sich auch selbst freikaufen. [50] In diesem Fall muss er mit dem, der ihn gekauft hat, den Rückkaufspreis nach der Anzahl der Jahre berechnen, die zwischen dem Jahr des Kaufs und dem nächsten Erlassjahr liegen. Der Kaufpreis soll mit dem Lohn seiner Dienstjahre verrechnet werden, wobei die Arbeitszeit eines Lohnarbeiters zugrunde gelegt wird. [51] Wenn es bis zum nächsten Erlassjahr noch viele Jahre sind, muss er für seinen Loskauf einen entsprechend höheren Restanteil des ursprünglichen Kaufpreises zahlen. [52] Sind es nur wenige Jahre bis zum nächsten Erlassjahr, fällt der Loskaufpreis entsprechend niedriger aus. [53] Der israelitische Sklave soll von seinem Herrn den Lohn eines Arbeiters bekommen, solange er bei ihm ist. Sorgt dafür, dass er nicht wie ein Sklave behandelt wird! [54] Wenn er nun nicht losgekauft werden kann, muss er im Erlassjahr auf jeden Fall zusammen mit seinen Kindern freigelassen werden! [55] Denn ihr Israeliten seid mein Eigentum, ich habe euch aus Ägypten befreit. Ich bin der Herr, euer Gott.«

Segen und Fluch

26 »Ihr sollt euch keine Götzen machen, weder Götterstatuen noch geweihte Steinsäulen, noch Steine mit eingeritzten Bildern. Ihr dürft euch vor keinem Götzen niederwerfen und ihn anbeten, denn ich allein bin der Herr, euer Gott! [2] Haltet den Sabbat als Ruhetag ein, und habt Ehrfurcht vor meinem Heiligtum! Ich bin der Herr.

[3] Wenn ihr nach meinen Weisungen lebt und meine Gebote beachtet, [4] werde ich es zur rechten Zeit regnen lassen, damit das Land reichen Ertrag bringt und die Bäume viele Früchte tragen. [5] Dann dauert die Dreschzeit bis zur Weinlese und die Weinlese bis zur Aussaat. Ihr habt reichlich zu essen und wohnt sicher in eurem Land.

[6] Ich, der Herr, schenke euch Frieden. Wenn ihr euch zur Ruhe legt, braucht ihr nicht zu befürchten, dass euch jemand aufschreckt. Die wilden Tiere vertreibe ich aus dem Land, und kein feindliches Heer wird bei euch einfallen. [7] Ihr werdet eure Feinde vertreiben, ja, sie werden durch euer Schwert umkommen. [8] Fünf von euch schlagen hundert Feinde in die Flucht und hundert von euch ein Heer von zehntausend Soldaten. Ihr werdet sie mit dem Schwert töten.

[9] Ich sorge für euch, ich schenke euch viele Kinder und stehe für immer treu zu dem Bund, den ich mit euch geschlossen habe. [10] Ihr werdet zu Beginn einer neuen Ernte immer noch vom Getreide des Vorjahrs essen und noch so viel übrig haben, dass ihr altes Getreide wegwerfen müsst, um Platz für das neue zu bekommen. [11] Ich selbst werde in meinem Heiligtum unter euch wohnen und mich nie wieder von euch abwenden. [12] Ja, bei euch will ich leben, ich will euer Gott sein, und ihr sollt mein Volk sein.

[13] Ich bin der Herr, euer Gott. Aus Ägypten habe ich euch befreit, denn ich wollte nicht, dass ihr dort länger Sklaven seid. Das harte Joch, das dort auf euch lastete, habe ich zerbrochen. Aufrecht und frei dürft ihr nun gehen!

[14] Wenn ihr mir aber nicht gehorcht und euch nicht an alle diese Gebote haltet, [15] wenn ihr meine Ordnungen missachtet und meine Weisungen verabscheut, brecht ihr den Bund, den ich mit euch geschlossen habe. [16] Dann werdet ihr die Folgen zu spüren bekommen! Ich lasse plötzlich schweres Unheil über euch hereinbrechen, Fieber und unheilbare Krankheiten, die euch erblinden und zugrunde gehen lassen. Vergeblich werdet ihr eure Saat aussäen, denn die Feinde werden die ganze Ernte rauben. [17] Ich selbst werde mich gegen euch wenden,

---

26,1 2 Mo 20,3–5* **26,2** 2 Mo 20,8–11* **26,3–12** 5 Mo 7,12–15*; 11,13–15; 28,1–14
26,11–12 2 Kor 6,16 **26,13** 2 Mo 20,2*

ihr werdet von euren Feinden geschlagen und unterdrückt. Ständig seid ihr auf der Flucht, selbst wenn euch niemand verfolgt!

[18] Wenn ihr dann immer noch nicht auf mich hört, werde ich euch noch härter für eure Sünden bestrafen. [19] Euren unbeugsamen Stolz will ich dann brechen. Ich lasse es nicht mehr regnen; der Himmel über euch wird verschlossen sein, als wäre er aus Eisen, und der Ackerboden hart wie Stein[a]. [20] Vergeblich werdet ihr eure Kraft einsetzen: Die Felder bringen euch keinen Ertrag und die Bäume keine Frucht.

[21] Wenn ihr mir dann immer noch den Rücken kehrt und nicht auf mich hören wollt, werde ich euch noch härter bestrafen, so wie ihr es für eure Sünden verdient. [22] Ich lasse wilde Tiere auf euch los; sie fallen eure Kinder an, reißen euer Vieh und töten so viele von euch, dass die Straßen einsam und leer sind.

[23] Wenn ihr euch dadurch immer noch nicht zurechtbringen lasst, sondern weiterhin nichts von mir wissen wollt, [24] dann werde auch ich mich von euch abwenden und euch noch härter für eure Sünden bestrafen. [25] Ich lasse Krieg in eurem Land ausbrechen und räche mich dafür, dass ihr meinen Bund mit euch gebrochen habt. Wenn ihr dann in euren Städten Schutz sucht, schicke ich euch die Pest, und ihr fallt euren Feinden in die Hände. [26] Eure Lebensmittelvorräte lasse ich zu Ende gehen. Zehn Frauen werden ihr Brot in nur einem Ofen backen und es anschließend genau abwiegen und aufteilen. Von dem wenigen, das euch bleibt, werdet ihr nicht satt!

[27] Hört ihr danach immer noch nicht auf mich und kehrt mir weiter den Rücken, [28] dann werde ich mich voller Zorn gegen euch wenden und euch noch härter wegen eurer Sünden bestrafen. [29] Vor Hunger werdet ihr eure eigenen Kinder essen. [30] Ich lasse eure Höhenheiligtümer zerstören, eure Räucheropferaltäre zerschlagen und eure Leichen bei den leblosen Figuren eurer Götter verrotten. Ich werde euch verabscheuen, [31] eure Städte in Schutt und Asche legen und eure Heiligtümer zerstören! Kein Opfer wird euch mehr retten können. [32] Euer Land mache ich zu einer menschenleeren Wüste; sogar eure Feinde, die sich dort niederlassen, werden entsetzt darüber sein. [33] Euch selbst vertreibe ich in fremde Länder und ziehe noch dort mein Schwert, um euch zu vernichten. Euer Land wird zur Einöde und eure Städte zu Trümmerhaufen. [34] Während ihr im Land eurer Feinde wohnen müsst, liegt euer Land brach. Dann bekommt es endlich die Ruhejahre, [35] die ihr immer missachtet habt, solange ihr dort wohntet. Nun kann das Land endlich ausruhen.

[36] Diejenigen, die meine Strafen überleben und in fremden Ländern wohnen müssen, mache ich so verzagt, dass schon das Rascheln verwelkter Blätter sie davonlaufen lässt, als ginge es um ihr Leben. Sie werden fliehen und stürzen, auch wenn niemand sie verfolgt. [37] Einer stolpert über den anderen; sie fliehen, als jagte ein ganzes Heer ihnen nach. Euren Feinden werdet ihr nicht standhalten können. [38] Bei fremden Völkern werdet ihr zugrunde gehen, ja, das Land eurer Feinde bringt euch den Tod!

[39] Die Übriggebliebenen siechen in fernen Ländern dahin wegen ihrer Schuld und der Schuld ihrer Vorfahren. [40] Dann werden sie bekennen, dass sie und ihre Vorfahren mir die Treue gebrochen haben und nichts mehr von mir wissen wollten. [41] Darum habe auch ich mich von ihnen abgewandt und sie ins Land ihrer Feinde gebracht.

Doch wenn ihr stolzes Herz sich vor mir demütigt und ihre Schuld genug bestraft ist, [42] dann werde ich an meinen Bund mit Jakob, Isaak und Abraham den-

---

[a] Wörtlich: wie Bronze.

26,19–20 5 Mo 11,17; 1 Kön 17,1 **26,26** Jes 3,1 **26,29** 5 Mo 28,53; 2 Kön 6,28–29; Jer 19,9; Klgl 2,20; 4,10; Hes 5,10 **26,33–35** 2 Chr 36,21 **26,42** 1 Mo 12,7*; 26,2–3; 28,13*

ken. Ich will mich daran erinnern, dass ich ihren Nachkommen das Land für immer versprochen habe. [43] Vorher aber müssen die Israeliten das Land verlassen, damit es brachliegt und seine Ruhejahre bekommt. Alle Bewohner müssen für ihre Schuld bestraft werden, weil sie meine Gebote abgelehnt und meine Weisungen verworfen haben. [44] Doch selbst wenn sie im Land ihrer Feinde leben müssen, will ich mich nicht völlig von ihnen abwenden und sie nicht verabscheuen. Ich lasse sie nicht alle zugrunde gehen, meinen Bund mit ihnen breche ich nicht, denn ich bin der Herr, ihr Gott! [45] Nein, um ihretwillen denke ich an den Bund, den ich mit ihren Vorfahren geschlossen habe. Ich habe ihre Vorfahren vor den Augen aller Völker aus Ägypten befreit, um ihr Gott zu sein, ich, der Herr!«

[46] Dies sind die Gebote, Weisungen und Ordnungen, die der Herr den Israeliten durch Mose auf dem Berg Sinai gegeben hat.

Der Rückkauf von Gott geweihten Gaben

27 Der Herr befahl Mose: [2] »Sag den Israeliten:

Wenn jemand mir einen anderen Menschen mit einem Gelübde geweiht hat, kann er ihn mit einer bestimmten Summe wieder loskaufen.

[3] Für einen Mann zwischen 20 und 60 Jahren sind 50 Silberstücke zu zahlen, gemessen nach dem Gewicht, das im Heiligtum gilt; [4] für eine Frau im gleichen Alter müssen 30 Silberstücke gezahlt werden, [5] für einen Jungen zwischen 5 und 20 Jahren 20 Silberstücke und für ein Mädchen im gleichen Alter 10 Silberstücke. [6] Ein Kleinkind zwischen einem Monat und 5 Jahren kann mit 5 Silberstücken losgekauft werden, wenn es ein Junge ist; für ein kleines Mädchen sind 3 Silberstücke zu bezahlen. [7] Für einen Mann über 60 müssen 15, für eine Frau 10 Silberstücke entrichtet werden.

[8] Kann derjenige, der das Gelübde abgelegt hat, den festgesetzten Betrag nicht aufbringen, soll er mit dem Betreffenden zum Priester gehen. Dieser legt einen Schätzwert fest, den der Mann bezahlen kann.

[9] Hat jemand mir, dem Herrn, ein Tier geweiht, das auch als Opfergabe geeignet ist, dann gilt es als heilig [10] und darf nicht eingetauscht werden, weder ein gutes gegen ein schlechtes noch ein schlechtes gegen ein gutes Tier. Tauscht dennoch jemand ein Tier gegen ein anderes ein, dann sollen beide Tiere mir gehören!

[11] Wird mir ein unreines Tier geweiht, das nicht als Opfergabe geeignet ist, dann soll der Besitzer es dem Priester zeigen. [12] Dieser schätzt den Wert des Tieres nach dessen Vorzügen und Mängeln. An diesen festgelegten Preis soll man sich halten. [13] Will der Eigentümer das Tier wieder zurückkaufen, muss er zum Schätzwert noch ein Fünftel dazugeben.

[14] Wenn jemand mir sein Haus weihen will, soll zunächst der Priester den Wert feststellen. Diese Schätzung ist rechtsgültig. [15] Wenn der Besitzer sein Haus dann doch wieder zurückkaufen will, muss er zusätzlich zum Schätzwert ein Fünftel bezahlen. Dann gehört das Haus wieder ihm.

[16] Will jemand ein geerbtes Stück Land mir, dem Herrn, weihen, soll man den Wert nach dem erforderlichen Saatgut festlegen. Für ein Feld, auf dem man drei Zentner Gerste aussäen kann, müssen 50 Silberstücke gezahlt werden, [17] vorausgesetzt, der Besitzer weiht mir sein Feld vom Erlassjahr an. [18] Übereignet er das Grundstück erst danach, soll der Priester berechnen, wie viele Jahre noch bis zum nächsten Erlassjahr bleiben, und den Schätzwert entsprechend verringern. [19] Wenn aber der Besitzer sein Feld wieder zurückkaufen will, muss er ein Fünftel zum Schätzwert dazugeben. Dann gehört es wieder ihm. [20] Wenn er das Feld, das er mir, dem Herrn, geweiht hat, an einen anderen verkauft, ohne es vorher

26,44 Klgl 3,31–33 **26,45** 2 Mo 20,2* **27,16–24** 25,10*

von mir zurückzukaufen, dann verliert er für immer das Recht auf Rückkauf. [21] In diesem Fall wird das Feld im nächsten Erlassjahr frei und ist dann für alle Zeiten mir geweiht. Es bleibt mein Eigentum und ist somit auch Eigentum der Priester.

[22] Wenn jemand mir, dem Herrn, ein Stück Land weiht, das er nicht geerbt, sondern gekauft hat, [23] berechnet der Priester den Wert des Grundstücks nach der Zahl der Jahre bis zum nächsten Erlassjahr. Diesen Betrag zahlt der Betreffende noch am selben Tag als heilige Gabe für mich, den Herrn. [24] Im nächsten Erlassjahr fällt das Land wieder an den ursprünglichen Besitzer zurück, der es verkauft hatte.

[25] Die Silberstücke für den Rückkauf werden gewogen nach dem Gewicht, das im Heiligtum gilt. Ein Silberstück wiegt zwölf Gramm.

[26] Das erstgeborene Jungtier von allen Rindern, Schafen und Ziegen kann mir grundsätzlich nicht geweiht werden, weil es mir ohnehin gehört. [27] Die erstgeborenen Jungen von unreinen Tieren stehen mir ebenfalls zu. Der ursprüngliche Besitzer kann ein solches Tier jedoch loskaufen, wenn er ein Fünftel des Schätzwertes zusätzlich bezahlt. Erwirbt er es nicht zurück, soll es zum festgesetzten Preis an jemand anders verkauft werden.

[28] Hat jemand nun etwas von seinem Besitz unwiderruflich mir, dem Herrn, geweiht, ganz gleich, ob Mensch, Tier oder Land, darf er nichts davon zurückerwerben oder an einen anderen verkaufen. Alles, was mir unwiderruflich geweiht wurde, ist besonders heilig. [29] Werden mir Kriegsgefangene oder Verbrecher mit einem heiligen Bann übereignet, dann kann niemand sie loskaufen. Sie müssen getötet werden!

[30] Ein Zehntel jeder Ernte vom Getreide und von allen Früchten gehört mir, dem Herrn, und ist heilig. [31] Will jemand den zehnten Teil seines Ertrags zurückkaufen, muss er zum festgesetzten Preis noch ein Fünftel dazugeben. [32] Auch von den Rindern, Schafen und Ziegen gehört mir jedes zehnte Tier. Wenn die Tiere abgezählt werden, [33] darf der Hirte sie nicht so vorbeiziehen lassen, dass nur die schwachen ausgewählt werden. Er darf auch kein gesundes gegen ein krankes austauschen. Sonst gehören beide Tiere mir, dem Herrn.«

[34] Diese Gebote hat der Herr den Israeliten am Berg Sinai durch Mose gegeben.

27,26–27 2 Mo 13,12–16* **27,28** 4 Mo 18,14 **27,30–33** 1 Mo 14,20; 28,22; 4 Mo 18,21–24*; 5 Mo 14,22–23; Mal 3,10; Mt 23,23

Das vierte Buch Mose (Numeri)

Die Israeliten werden gemustert

1 Vor mehr als einem Jahr hatten die Israeliten Ägypten verlassen. Noch immer befanden sie sich in der Wüste Sinai. Am 1. Tag des 2. Monats sprach der Herr im heiligen Zelt zu Mose:

[2/3] »Zähle zusammen mit Aaron die ganze Gemeinschaft der Israeliten! Mustert ihre Truppen! Schreibt die Namen aller wehrfähigen Männer ab zwanzig Jahren auf, nach Sippen und Familien geordnet. [4] Aus jedem Stamm soll euch ein Sippenoberhaupt dabei helfen:
[5] Elizur, der Sohn Schedëurs vom Stamm Ruben,
[6] Schelumïel, der Sohn Zurischaddais vom Stamm Simeon,
[7] Nachschon, der Sohn Amminadabs vom Stamm Juda,
[8] Netanel, der Sohn Zuars vom Stamm Issaschar,
[9] Eliab, der Sohn Helons vom Stamm Sebulon,
[10] Elischama, der Sohn Ammihuds vom Stamm Ephraim, Gamliël, der Sohn Pedazurs vom Stamm Manasse – Ephraim und Manasse waren Söhne Josefs –,
[11] Abidan, der Sohn Gidonis vom Stamm Benjamin,
[12] Ahiëser, der Sohn Ammischaddais vom Stamm Dan,
[13] Pagiël, der Sohn Ochrans vom Stamm Asser,
[14] Eljasaf, der Sohn Deguëls vom Stamm Gad,
[15] und Ahira, der Sohn Enans vom Stamm Naftali.«

[16] Die ausgewählten Männer waren die Stammesfürsten und Oberhäupter des Volkes Israel. [17] Mose und Aaron holten sie herbei [18] und riefen noch am selben Tag das ganze Volk zusammen. Jeder Israelit ab zwanzig Jahren wurde in ein Verzeichnis eingetragen, das nach Sippen und Familien geordnet war.

[19] So ließ Mose das Volk in der Wüste Sinai mustern, wie der Herr es ihm aufgetragen hatte. [20–31] Und dies war das Ergebnis: Der Stamm Ruben, die Nachkommenschaft des ältesten Sohnes Israels, hatte 46500 Mann im wehrfähigen Alter. Sie wurden nach Sippen und Familien gemustert und in ein Verzeichnis eingetragen. Der Stamm Simeon hatte 59300 Mann, Gad 45650, Juda 74600, Issaschar 54400 und Sebulon 57400. [32–43] Der Stamm Ephraim zählte 40500, der Stamm Manasse 32200 Mann. Ephraim und Manasse waren Söhne Josefs gewesen. Benjamin hatte 35400, Dan 62700, Asser 41500 und Naftali 53400 Leute im wehrfähigen Alter.

[44] All diese Männer wurden von Mose, Aaron und den zwölf Stammesoberhäuptern Israels gemustert. [45] Die Gesamtzahl der wehrfähigen Israeliten ab zwanzig Jahren [46] betrug 603550 Mann.

Die Aufgabe des Stammes Levi

[47] Die wehrfähigen Männer des Stammes Levi wurden nicht mitgezählt, [48] denn der Herr hatte zu Mose gesagt: [49] »Die Leviten sollst du nicht mustern und sie nicht zu den anderen Israeliten dazurechnen. [50] Sie haben die Aufgabe, für das heilige Zelt zu sorgen, in dem das Bundesgesetz aufbewahrt wird, und für alles, was an Gefäßen, Werkzeugen und sonstigen Dingen noch dazugehört. Rings um das

---

1,1–46 26,2–51 **1,1** 2 Mo 13,4; 19,1 **1,2–3** 2 Mo 30,12–16 **1,32–43** 1 Mo 48,19; 5 Mo 33,17; Jos 17,14
1,46 2 Mo 12,37 **1,49** 3,14–15 **1,50–51** 4,1–49

Heiligtum sollen sie lagern und die Arbeit darin verrichten. [51] Wenn das Volk weiterzieht, sollen sie das Zelt abbauen. Unterwegs müssen sie es tragen, und wenn Halt gemacht wird, sollen sie es wieder aufstellen. Nur die Leviten dürfen sich dem Heiligtum nähern. Wer es sonst tut, muss getötet werden. [52] Die anderen Israeliten sollen jeweils bei dem Feldzeichen des Heeresverbands lagern, zu dem sie gehören. [53] Die Leviten aber sollen ihre Zelte rings um das Heiligtum aufschlagen, damit kein anderer zu nahe herankommt und meinen Zorn über euch alle herausfordert. Sie sind verantwortlich für den Dienst im heiligen Zelt, in dem das Bundesgesetz aufbewahrt wird.«

[54] Die Israeliten führten alles so aus, wie der Herr es Mose aufgetragen hatte.

Lager- und Marschordnung

2 Der Herr sprach zu Mose und Aaron: [2] »Die Israeliten sollen ihr Lager in einigem Abstand rings um das heilige Zelt aufschlagen, jeder bei den Feldzeichen seines Heeresverbands und seiner Sippe.«

[3] Im Osten sollte das Banner der Abteilung stehen, die vom Stamm Juda geführt wurde. Ihr Oberhaupt war Nachschon, der Sohn Amminadabs. [4] Seine Truppen zählten 74600 Mann. [5/6] Daneben lagerten die 54400 Mann des Stammes Issaschar unter dem Befehl von Netanel, dem Sohn Zuars, [7/8] und die 57400 Mann vom Stamm Sebulon mit ihrem Fürsten Eliab, dem Sohn Helons. [9] Zusammen waren das 186400 wehrfähige Männer. Sie alle gehörten zum Heeresverband von Juda. Sie sollten den Zug des Volkes anführen.

[10] Im Süden stand das Feldzeichen der Abteilung, die vom Stamm Ruben geführt wurde. Ihr Oberhaupt war Elizur, der Sohn Schedëurs. [11] Seine Truppen zählten 46500 Mann. [12/13] Neben ihnen schlugen die 59300 Mann des Stammes Simeon ihr Lager auf. Sie standen unter dem Befehl von Schelumiël, dem Sohn Zurischaddais. [14] Zu dieser Abteilung gehörte auch der Stamm Gad mit seinem Oberhaupt Eljasaf, dem Sohn Deguëls. [15] Seine Truppen zählten 45650 Mann. [16] Der Heeresverband von Ruben umfasste also insgesamt 151450 Mann. Sie brachen an zweiter Stelle auf.

[17] Ihnen folgten die Leviten mit dem heiligen Zelt, die sich in der Mitte des Lagers befanden. Die Stämme zogen in der Reihenfolge los, in der sie lagerten, jeder unter seinem Feldzeichen.

[18] Im Westen stand das Banner der Abteilung von Ephraim. Ihr Oberhaupt war Elischama, der Sohn Ammihuds. [19] Seine Truppen zählten 40500 Mann. [20/21] Daneben lagerten die 32200 Mann des Stammes Manasse unter dem Befehl von Gamliël, dem Sohn Pedazurs, [22/23] und die 35400 Mann vom Stamm Benjamin mit ihrem Oberhaupt Abidan, dem Sohn Gidonis. [24] Der Heeresverband von Ephraim umfasste 108100 Mann und brach als Dritter auf.

[25] Im Norden stand das Feldzeichen der Abteilung von Dan. Ihr Oberhaupt war Ahiëser, der Sohn Ammischaddais. [26] Seine Truppen zählten 62700 Mann. [27/28] Neben ihnen lagerten die 41500 Mann vom Stamm Asser unter dem Befehl von Pagiël, dem Sohn Ochrans, [29/30] und die 53400 Mann des Stammes Naftali mit ihrem Oberhaupt Ahira, dem Sohn Enans. [31] Der ganze Heeresverband Dans umfasste 157600 Mann und bildete das Ende des Zuges.

[32] Die Gesamtzahl der gemusterten Israeliten in allen Abteilungen und Lagern betrug 603550 Mann. [33] Nur die Leviten wurden nach der Anweisung des Herrn nicht dazugerechnet.

[34] Die Israeliten führten alles so aus, wie der Herr es Mose befohlen hatte: Ob sie lagerten oder weiterzogen, jeder von ihnen blieb bei seiner Familie, seiner Sippe und seiner Abteilung.

1,53 2,17; Jer 23,19 **2,32** 2 Mo 12,37 **2,33** 1,49

Gott bestimmt die Leviten zum Dienst am Heiligtum

3 Zu der Zeit, als der Herr am Berg Sinai mit Mose sprach, hatte Aaron[a] [2]vier Söhne. Der Älteste war Nadab, die anderen hießen Abihu, Eleasar und Itamar. [3]Sie waren zu Priestern gesalbt und in ihr Amt eingeführt worden. [4]Doch Nadab und Abihu starben im Heiligtum in der Wüste Sinai, weil sie dem Herrn ein unerlaubtes Opfer darbrachten. Sie hatten keine Söhne. So blieben nur noch Eleasar und Itamar, die zusammen mit Aaron den Priesterdienst versahen.

[5]Der Herr sprach zu Mose: [6]»Ruf die Männer vom Stamm Levi zusammen, und lass sie zu Aaron kommen. Ich möchte, dass sie ihm helfen. [7]Sie sollen für ihn und das ganze Volk der Israeliten die Arbeiten erledigen, die beim heiligen Zelt anfallen: [8]Sie haben die Aufgabe, die Werkzeuge und Gefäße in Ordnung zu halten und die Dienste zu verrichten, die ich den Israeliten aufgetragen habe. [9]Als einziger von allen Stämmen Israels sollen die Leviten Aaron und seinen Nachkommen zur Verfügung stehen. [10]Aber das Priesteramt selbst dürfen nur Aaron und seine Nachkommen ausüben. Jeder andere, der es eigenmächtig übernehmen will, muss getötet werden!«

[11]Weiter sagte der Herr zu Mose: [12]»Du siehst, ich habe von allen Stämmen die Leviten ausgesucht. Ich nehme sie anstelle eurer ältesten Söhne, damit sie ganz für mich da sind. [13]Denn eigentlich gehören mir alle Menschen und Tiere in Israel, die als Erste zur Welt kommen. Ich habe sie zu meinem Eigentum erklärt, als ich den ältesten Söhnen der Ägypter das Leben nahm. Eure Erstgeborenen gehören mir, dem Herrn!«

Die Leviten werden gezählt

[14]Dann sprach der Herr zu Mose in der Wüste Sinai: [15]»Zähle alle männlichen Leviten, die älter als einen Monat sind, und schreibe sie nach Sippen und Familien geordnet auf!«

[16]Mose tat, was der Herr ihm befohlen hatte.

[17]Der Stammvater Levi hatte drei Söhne gehabt: Gerschon, Kehat und Merari. [18]Gerschons Söhne waren Libni und Schimi, [19]Kehats Söhne hießen Amram, Jizhar, Hebron und Usiël, [20]und Meraris Söhne waren Machli und Muschi. Von ihnen allen stammen die Sippen der Leviten ab.

[21]Die Libniter und Schimiter, die Nachkommen Gerschons, [22]zählten 7500 Männer und Jungen, die älter als einen Monat waren. [23]Sie sollten im Westen hinter dem heiligen Zelt lagern. [24]Ihr Oberhaupt war Eljasaf, der Sohn Laëls. [25]Die Gerschoniter bekamen die Verantwortung für das heilige Zelt, für die Decke, den Vorhang am Zelteingang, [26]für die Vorhänge zur Abgrenzung des Vorhofs rings um Zelt und Altar, den Vorhang am Eingang des Vorhofs und die Seile. Ihnen wurden alle Arbeiten übertragen, die damit zusammenhingen.

[27]Von Levis Sohn Kehat stammen die Sippen Amram, Jizhar, Hebron und Usiël ab. [28]Die Zahl ihrer Männer und Jungen, die älter als einen Monat waren und im Heiligtum dienen sollten, betrug 8600. [29]Sie lagerten an der Südseite des heiligen Zeltes. [30]Ihr Oberhaupt war Elizafan, der Sohn Usiëls. [31]Den Kehatitern wurde die Verantwortung für die Bundeslade, den Tisch, den Leuchter und die Altäre übertragen, ebenso für den Vorhang zum Allerheiligsten und für die Gefäße und Werkzeuge, die im Heiligtum gebraucht wurden. Sie sollten alle Arbeiten erledigen, die damit zusammenhin-

---

[a] Wörtlich: … hatten Aaron und Mose diese Nachkommen: Die Namen der Söhne Aarons waren …

3,1 2 Mo 19,1–2 **3,3** 3 Mo 8,1–36 **3,4** 3 Mo 10,1–2 **3,10** 16,10–11; 18,7 **3,12–13** 2 Mo 13,12–16* **3,17** 2 Mo 6,16 **3,25–26** 4,21–28 **3,30–31** 4,1–20

gen. [32] Das höchste Oberhaupt der Leviten war Eleasar, der Sohn des Priesters Aaron. Er hatte die Aufsicht über alle, die im Heiligtum dienten.

[33] Von Levis Sohn Merari stammen die Sippen Machli und Muschi ab. [34] Sie zählten 6200 Jungen und Männer. [35] Ihr Oberhaupt war Zuriël, der Sohn Abihajils. Sie sollten an der Nordseite des Heiligtums lagern. [36/37] Den Nachkommen von Merari übertrug man die Verantwortung für die Holzplatten des Zeltes, die Querbalken, die Säulen, die Sockel, alle dazugehörigen Werkzeuge, für die Pfosten der Abgrenzung des Vorhofs, ihre Sockel, Pflöcke und Seile und für alle Arbeiten, die damit zusammenhingen.

[38] Vor dem Eingang des heiligen Zeltes im Osten lagerten Mose und Aaron mit seinen Söhnen. Sie sollten den Dienst im Heiligtum ausüben, wie der Herr es den Israeliten befohlen hatte. Wer sich aber dem heiligen Zelt unerlaubt näherte, musste sterben.

[39] Nach der Zählung, die Mose und Aaron im Auftrag des Herrn durchführten, gab es insgesamt 22000 männliche Leviten, die einen Monat und älter waren.

Die Leviten ersetzen die Erstgeborenen

[40] Dann sprach der Herr zu Mose: »Zähle alle ältesten Söhne in Israel, die älter als einen Monat sind, und schreib ihre Namen auf. [41] Du sollst an ihrer Stelle die Leviten zu meinem Eigentum erklären, und anstelle der erstgeborenen Tiere der Israeliten sollst du mir das Vieh der Leviten geben.« [42] Mose tat, was der Herr ihm befohlen hatte, und ließ alle erstgeborenen Israeliten zählen, [43] die einen Monat und älter waren. Ihre Zahl betrug 22273.

[44] Der Herr sprach zu Mose: [45] »Die Leviten und ihr Vieh gehören nun mir, dem Herrn – anstelle der erstgeborenen Söhne der anderen Israeliten und ihrer erstgeborenen Tiere. [46] Da es nun mehr Erstgeborene als Leviten gibt, sollen die 273 überzähligen Erstgeborenen freigekauft werden. [47] Nimm für jeden von ihnen fünf Silberstücke zu je 12 Gramm, nach dem Gewicht, das im Heiligtum gilt! [48] Dieses Geld, das aus dem Loskauf der überzähligen Erstgeborenen zusammenkommt, sollen Aaron und seine Söhne erhalten.«

[49/50] Mose ließ sich das Silber von den erstgeborenen Israeliten geben. Es waren 1365 Silberstücke, die zusammen etwa 16 Kilogramm wogen. [51] Er gab das Silber Aaron und seinen Söhnen, wie der Herr es ihm aufgetragen hatte.

Die Aufgabe der Kehatiter

4 Der Herr sprach zu Mose und Aaron: [2] »Zählt die Nachkommen Kehats vom Stamm Levi, und schreibt sie nach Sippen und Familien geordnet auf. [3] Alle Männer zwischen 30 und 50 Jahren sollen zur Arbeit im Heiligtum verpflichtet werden. [4] Sie sind für das Allerheiligste verantwortlich.

[5] Wenn das Lager abgebrochen wird, müssen Aaron und seine Söhne in das heilige Zelt gehen, den Vorhang zum Allerheiligsten abnehmen und ihn über die Bundeslade legen. [6] Dann sollen sie eine Decke aus Tachasch-Leder[a] und zuletzt ein Tuch aus violettem Purpur darüber breiten und die Tragstangen anbringen.

[7] Auch über den Tisch für die mir geweihten Brote sollen sie ein violettes Tuch legen. Darauf kommen die Brote, die Schüsseln, die Schalen und Opferschalen sowie die Kannen für das Trankopfer. [8] Über dies alles sollen Aaron und seine Söhne ein rotes Tuch und eine Decke aus Tachasch-Leder ausbreiten. Zum Schluss müssen auch hier Tragstangen angebracht werden.

[9] Weiter sollen sie den Leuchter und die Öllampen zusammen mit den Dochtscheren, den Pfannen und Schalen für das

---

[a] Vermutlich handelt es sich beim Tachasch um einen Meeressäuger wie Delphin, Seehund oder Seekuh.

3,36–37 4,29–33 **3,45–48** 2 Mo 13,12–16*

Öl in violetten Stoff hüllen, [10]in eine Tachasch-Decke einwickeln und auf eine Trage legen.

[11]Dann sollen Aaron und seine Söhne ein violettes Tuch über den goldenen Räucheropferaltar breiten, eine Tachasch-Decke darüber legen und die Tragstangen anbringen. [12]Alle Gefäße und Werkzeuge, die im Heiligtum verwendet werden, müssen Aaron und seine Söhne in violettes Tuch hüllen, mit Tachasch-Leder umwickeln und auf Tragen laden.

[13]Sie sollen die Asche vom Brandopferaltar fegen und ein purpurrotes Tuch über ihn breiten. [14]Darauf kommen die Gefäße und Werkzeuge, die am Altar verwendet werden: Feuerbecken, Fleischgabeln, Schaufeln und Schalen zum Auffangen des Blutes. Alles wird mit Tachasch-Leder bedeckt, und dann werden die Tragstangen befestigt.

[15]Diese Teile des heiligen Zeltes sollen die Kehatiter tragen. Sie dürfen aber erst kommen und sie mitnehmen, nachdem Aaron und seine Söhne alles, was zum heiligen Zelt gehört, verhüllt haben. Denn wenn die Kehatiter die heiligen Dinge selbst berühren, müssen sie sterben.

[16]Die Aufsicht über das heilige Zelt und alles, was darin ist, hat Eleasar, der Sohn des Priesters Aaron. Er ist auch verantwortlich für das Lampenöl, das Salböl, für die wohlriechende Weihrauchmischung und für die täglichen Speiseopfer.«

[17]Weiter sprach der Herr zu Mose und Aaron: [18]»Sorgt dafür, dass die Kehatiter vom Stamm Levi nicht sterben müssen, [19]wenn sie sich dem Allerheiligsten nähern! Aaron und seine Söhne sollen jeden Einzelnen von ihnen zu seiner Traglast führen und so verhindern, dass sie mit dem Tod bestraft werden. [20]Lasst sie nicht allein hineingehen! Denn wenn sie das Heilige nur einen Augenblick sehen, müssen sie sterben!«

Die Aufgabe der Gerschoniter

[21]Dann sprach der Herr zu Mose: [22]»Erstelle auch eine Liste von den Nachkommen Gerschons, geordnet nach Sippen und Familien. [23]Alle Männer zwischen 30 und 50 Jahren sollen zur Arbeit am Heiligtum verpflichtet werden. [24]Ihre Aufgabe ist es, [25]die Zeltdecken zu tragen: das Dach, die Schutzdecke aus Tachasch-Leder und den Vorhang vom Zelteingang, [26]außerdem die Vorhänge zur Abgrenzung des Vorhofs rings um das Zelt und den Altar, den Vorhang am Eingang des Vorhofs, die Seile und das dazugehörige Werkzeug. Sie sind für alle Arbeiten zuständig, die damit zusammenhängen. [27]Bei allem sollen sie sich an die Weisungen Aarons und seiner Söhne halten. Achtet darauf, dass sie ihren Dienst gewissenhaft ausüben. [28]Bei der Erfüllung dieser Aufgaben soll Itamar, der Sohn des Priesters Aaron, sie anleiten.«

Die Aufgabe der Merariter

[29]Der Herr befahl: »Zählt auch die Nachkommen Meraris, und schreibt sie nach Sippen und Familien geordnet auf. [30]Alle Männer zwischen 30 und 50 Jahren sollen mir im Heiligtum dienen. [31]Ihre Aufgabe ist es, folgende Teile des heiligen Zeltes zu tragen: die Wandplatten, die Querbalken, die Säulen und die Sockel, [32]außerdem die Pfosten und Sockel für die Abgrenzung des Vorhofs, die Pflöcke, Seile und das dazugehörige Werkzeug. Sagt jedem Einzelnen genau, was er zu tragen hat. [33]Die Merariter sollen unter der Leitung von Itamar arbeiten, dem Sohn des Priesters Aaron.«

[34]Mose, Aaron und die führenden Männer des Volkes zählten die Kehatiter mit ihren Familien und Sippen, [35]alle Männer zwischen 30 und 50 Jahren, die im Heiligtum dienen sollten: [36/37]Es waren 2750. [38–41]Bei den Gerschonitern waren es 2630 [42–45]und bei den Meraritern 3200 Mann. [46–48]Insgesamt zählten Mose, Aaron und die führenden Männer Israels 8580 Leviten, die im Heiligtum dienen und es tragen sollten, wenn das Volk unterwegs war.

[49]Unter der Aufsicht Moses erfuhr

jeder Einzelne genau, was er zu tun hatte und was er tragen sollte. So hatte der Herr es Mose befohlen.

Wer unrein ist, muss das Lager verlassen

5 Der Herr sprach zu Mose: [2]»Befiehl den Israeliten, jeden aus dem Lager zu schicken, der aussätzig ist, eine Hautkrankheit hat oder an einem Ausfluss leidet. Es darf auch niemand dableiben, der einen Toten berührt hat und dadurch unrein geworden ist. [3]Ganz gleich, ob es Männer oder Frauen sind, sie sollen das Lager verlassen, damit es nicht verunreinigt wird. Denn ich selbst wohne hier mitten unter euch!« [4]Die Israeliten gehorchten dem Herrn und schickten alle aus dem Lager, die nicht rein waren.

Rückgabe von fremdem Eigentum

[5]Der Herr sprach zu Mose: [6]»Ich gebe dir eine Anweisung, die für alle Israeliten gelten soll, ganz gleich, ob Männer oder Frauen: Wer einen anderen um sein Eigentum betrügt, lehnt sich gegen mich, den Herrn, auf und macht sich schuldig. [7]Er soll sein Vergehen zugeben und alles zurückerstatten, was er dem anderen schuldet, ja, sogar noch ein Fünftel des Wertes hinzufügen. [8]Wenn der Geschädigte aber inzwischen gestorben ist und keine Erben hat, die sein Eigentum an seiner Stelle zurücknehmen können, fällt es mir, dem Herrn, zu. Es soll den Priestern gehören, so wie der Schafbock, den der Priester für den Schuldigen opfern muss, damit ich seine Sünde vergebe. [9/10]Im Übrigen erhalten die Priester einen Anteil an allen Opfergaben, die von den Israeliten zum Heiligtum gebracht werden. Diese Anteile sollen allein den Priestern gehören.«

Bei Verdacht auf Ehebruch entscheidet Gott

[11]Der Herr befahl Mose: [12]»Sag den Israeliten: Stellt euch vor, eine verheiratete Frau gerät auf Abwege. Sie wird ihrem Mann untreu [13]und schläft mit einem anderen. So hat sie Schuld auf sich geladen. Ihr Mann hat sie nicht dabei gesehen, weil es heimlich geschehen ist. Niemand hat sie ertappt, es gibt keine Zeugen. [14]Aber der Mann hat eine böse Ahnung. Die Eifersucht packt ihn, weil er meint, dass seine Frau ihm untreu war. Doch weiß er es nicht sicher, sie könnte auch unschuldig sein.

[15]In einem solchen Fall soll der Mann seine Frau zum Priester bringen. Er soll für sie eine Opfergabe von eineinhalb Kilogramm Gerstenmehl mitnehmen. Das Mehl darf nicht mit Öl übergossen oder mit Weihrauch bestreut werden, denn es dient als Eifersuchtsopfer, das verborgene Schuld aufdeckt. [16]Der Priester lässt die Frau näher kommen und vor den Altar treten. [17]Er füllt geweihtes Wasser in ein Tongefäß und streut Erde vom Boden des Heiligtums hinein. [18]Dann löst er das Haar der Frau, die vor dem Altar steht, und legt das Eifersuchtsopfer in ihre Hände. Er selbst hält das Wasser, das Fluch und Qual bringt.

[19]Dann spricht der Priester eindringlich zu der Frau und sagt: ›Wenn du deinem Mann nicht untreu warst und nicht mit einem anderen geschlafen hast, soll dir dieses Wasser des Fluches und der Qual nichts anhaben. [20]Aber wenn du Schuld auf dich geladen und als verheiratete Frau mit einem anderen Mann geschlafen hast, [21/22]dann soll der Herr dich unfruchtbar machen[a] und deinen Unterleib anschwellen lassen! Dieses fluchbringende Wasser wird in deine Eingeweide eindringen. Es wird dich unfruchtbar machen und deinen Bauch aufblähen. Mit Schrecken und Abscheu werden die Leute auf dich zeigen!‹ So

---

[a] Wörtlich: deine Hüfte schwinden lassen. – So in den Versen 21, 22 und 27.

5,2–4 3 Mo 13,45–46; 15,2–6 **5,3** 35,34; 2 Mo 25,8; 1 Kön 9,3* **5,6–8** 3 Mo 5,24 **5,9–10** 18,21–24*

warnt der Priester die Frau vor der drohenden Strafe. Und die Frau soll antworten: ›Ja, so soll es sein!‹

[23] Dann schreibt der Priester den Fluch auf ein Blatt und taucht es in das Wasser, bis die Schrift sich auflöst. [24] Dieses Wasser muss die Frau später trinken, damit es in ihren Körper gelangt und der Fluch sie treffen kann. [25] Vorher nimmt der Priester das Eifersuchtsopfer aus ihren Händen. Er schwingt es vor dem heiligen Zelt hin und her, um zu zeigen, dass es mir, dem Herrn, gehören soll; dann geht er damit zum Altar. [26] Hier lässt er eine Hand voll Mehl in Rauch aufgehen. Schließlich gibt er der Frau das Wasser zu trinken. [27] Wenn sie schuldig ist und ihrem Mann untreu war, wird sie schwer erkranken. Das Wasser wird sie unfruchtbar machen und ihren Unterleib aufblähen. Voller Schrecken und Abscheu werden die Leute sich von ihr fern halten. [28] Hat die Frau aber keine Schuld auf sich geladen, dann wird das Fluchwasser ihr nicht schaden, und sie wird weiter Kinder bekommen können.

[29/30] Dieses Gesetz gilt für den Fall, dass ein Mann seine Frau des Ehebruchs verdächtigt. Wenn ihn die Eifersucht packt und er glaubt, dass seine Frau sich schuldig gemacht hat und ihm untreu geworden ist, soll er sie zum Heiligtum bringen. Dann soll der Priester alles so ausführen, wie dieses Gesetz es vorschreibt. [31] Den Mann trifft in einem solchen Fall keine Schuld. Hat aber die Frau tatsächlich die Ehe gebrochen, muss sie die Folgen tragen.«

Bestimmungen für Menschen, die sich Gott weihen

6 Der Herr sprach zu Mose: [2] »Sag den Israeliten: Wenn ein Mensch, gleich ob Mann oder Frau, ein Gelübde abgelegt hat, sich eine Zeit lang ganz mir, dem Herrn, zu weihen, [3] dann soll er weder Wein noch sonst ein berauschendes Getränk, noch Essig zu sich nehmen. Er darf auch keinen Traubensaft trinken und weder frische noch getrocknete Trauben essen. [4] Solange sein Versprechen gilt, soll er nichts verzehren, was aus Trauben zubereitet wird, auch nicht die Kerne oder die Haut der Trauben. [5] Während der ganzen Zeit, in der er sich mir geweiht hat, dient er allein mir. Als Zeichen dafür soll er sein Haar in dieser Zeit nicht schneiden, sondern frei wachsen lassen. [6] Er darf auch nicht in die Nähe eines Toten kommen, solange er mir geweiht ist. [7] Selbst wenn sein Vater, seine Mutter, sein Bruder oder seine Schwester stirbt, darf er sich nicht dadurch verunreinigen, dass er in ihre Nähe kommt. Denn er dient mir, dem Herrn, [8] und soll rein bleiben, solange sein Versprechen gilt.

[9] Wenn jemand unvorhergesehen stirbt, während er in der Nähe ist, wird er unrein und entweiht sein Haar, das er als Zeichen seiner Weihe wachsen ließ. Sieben Tage später soll er sich reinigen und die Haare abschneiden lassen. [10] Am achten Tag muss er mit zwei Turteltauben oder zwei anderen jungen Tauben zum Eingang des heiligen Zeltes gehen und sie dem Priester geben. [11] Dieser bringt die eine Taube als Sündopfer und die andere als Brandopfer dar. So erwirkt der Priester Sühne für den, der durch die Nähe eines Toten unrein geworden ist; noch am selben Tag soll der Priester ihn erneut weihen. [12] Dann soll der Geweihte ein einjähriges Lamm zur Vergebung seiner Schuld opfern. Die Zeit, die er mir versprochen hat, muss nun noch einmal von vorn beginnen. Die Tage vorher zählen nicht, weil er sich durch die Verunreinigung entweiht hat.«

Die Opfer am Ende der Weihe

[13] »Weiter gilt für den Menschen, der sich mir, dem Herrn, geweiht hat:

Wenn die Zeit um ist, in der er ganz für mich da war, soll man ihn zum Eingang des heiligen Zeltes führen. [14] Er soll mir drei gesunde, fehlerlose Tiere opfern: zwei einjährige Lämmer – ein männliches

---

6,2–8 Ri 13,3–5; 1 Sam 1,11; Lk 1,15; Apg 21,23–25 **6,9** 19,11–13 **6,10** 3 Mo 5,2.5–7

für das Brandopfer und ein weibliches für das Sündopfer – und einen Schafbock für das Dankopfer; [15] außerdem die dazugehörigen Speise- und Trankopfer sowie einen Korb voll Kuchen und Fladenbrote, die aus Feinmehl ohne Sauerteig gebacken sind. Die Kuchen sollen aus mit Öl vermengtem Mehl zubereitet und die Fladen mit Öl bestrichen sein.

[16] Der Priester nimmt alles mit zum Altar und bringt mir das Sündopfer und das Brandopfer dar. [17] Dann folgen der Schafbock als Dankopfer, der Korb mit den ungesäuerten Kuchen und Fladen sowie die übrigen Speise- und Trankopfer. [18] Während der Opferung soll der Gottgeweihte am Eingang des heiligen Zeltes sein langes Haar abschneiden lassen und ins Feuer unter dem Dankopfer werfen.

[19] Wenn dies geschehen ist, holt der Priester eine gekochte Schulter des Schafbocks, einen Kuchen und einen Fladen aus dem Korb und legt alles in die Hände des Geweihten. [20] Dann nimmt er es wieder zurück, hält es in Richtung des Altars hoch und schwingt es hin und her, um zu zeigen, dass es mir, dem Herrn, gehören soll. Dieses Schwingopfer behält der Priester. Er bekommt außerdem als seinen Anteil die Brust und einen Schenkel des Dankopfers, die er ebenfalls hin- und herschwingt. Wenn die Opfer dargebracht sind, darf der Geweihte wieder Wein trinken.

[21] Diese Bestimmungen gelten für jeden, der mir, dem Herrn, in besonderer Weise dienen will. Er muss alle Opfer darbringen, die dieses Gesetz vorschreibt. Er kann auch noch mehr geben. Auf jeden Fall aber soll er das einhalten, was er versprochen hat und was dieses Gesetz verlangt.«

Der priesterliche Segen

[22] Der Herr sprach zu Mose: [23] »Sag Aaron und seinen Söhnen, sie sollen die Israeliten mit diesen Worten segnen:

[24] ›Der Herr segne dich und bewahre dich!
[25] Der Herr wende sich dir in Liebe zu und zeige dir sein Erbarmen!
[26] Der Herr sei dir nah und gebe dir Frieden!‹

[27] So sollen sie in meinem Namen zu den Israeliten sprechen, und ich selbst werde mein Volk dann segnen.«

Geschenke zur Einweihung des Heiligtums

7 Als das Heiligtum fertig gestellt war, weihte Mose es ein. Er besprengte das Zelt und alles, was darin war, mit Salböl, dann den Altar und alle dazugehörigen Gefäße und Werkzeuge. So weihte er alles dem Herrn. [2/3] Danach kamen die zwölf führenden Männer Israels mit Geschenken für das Heiligtum. Es waren die Stammesoberhäupter, die Mose bei der Zählung der wehrfähigen Israeliten geholfen hatten. Sie brachten sechs Planwagen zum heiligen Zelt, die von zwölf Rindern gezogen wurden. Jedes Stammesoberhaupt schenkte ein Rind, und je zwei brachten zusammen einen Wagen.

[4] Der Herr forderte Mose auf: [5] »Nimm diese Geschenke an! In den Wagen soll das heilige Zelt transportiert werden. Gib sie jenen Leviten, die sie für ihre Aufgaben brauchen.« [6] Mose tat, was der Herr ihm befohlen hatte. [7] Den Gerschonitern gab er zwei Wagen und vier Rinder für ihren Dienst. [8] Die Merariter unter der Leitung von Itamar, dem Sohn des Priesters Aaron, hatten mehr zu tragen und erhielten deshalb vier Planwagen und acht Rinder. [9] Den Kehatitern gab Mose keinen Wagen; sie waren für jene Gegenstände verantwortlich, die nur auf den Schultern getragen werden durften.

[10] Zur Einweihung des Altars brachten die Stammesoberhäupter Geschenke und Opfertiere vor den Altar. [11] Der Herr wies Mose an: »Lass sie ihre Opfer nacheinander darbringen, an jedem Tag soll ein Stammesoberhaupt kommen!«

6,22–27 3 Mo 9,23 **6,25** 2 Mo 34,6–7; 5 Mo 7,7–8 **7,1** 2 Mo 40,1–11 **7,7** 4,22–26 **7,8** 4,31–33 **7,9** 4,2–15

[12] Am ersten Tag übergab Nachschon, der Sohn Amminadabs vom Stamm Juda, seine Geschenke: [13] eine silberne Schüssel, nach dem Gewicht, das im Heiligtum gilt, etwa eineinhalb Kilogramm schwer, und eine silberne Opferschale von etwa 800 Gramm; beide waren für das Speiseopfer mit feinem Mehl gefüllt, das mit Öl vermengt war; [14] weiter brachte Nachschon ein Schälchen aus 120 Gramm Gold voll wohlriechender Weihrauchmischung, [15] außerdem einen jungen Stier, einen Schafbock und ein einjähriges Lamm für das Brandopfer, [16] einen Ziegenbock für das Sündopfer, [17] dazu zwei Rinder, fünf Schafböcke, fünf Ziegenböcke und fünf einjährige Lämmer für das Dankopfer.

[18–23] Die anderen Stammesoberhäupter brachten an den nächsten elf Tagen die gleichen Geschenke zum Heiligtum. Auf Nachschon folgte Netanel, der Sohn Zuars vom Stamm Issaschar. [24–29] Am dritten Tag war Eliab, der Sohn Helons vom Stamm Sebulon, an der Reihe. [30–47] Dann kamen Elizur, der Sohn Schedëurs vom Stamm Ruben, Schelumiël, der Sohn Zurischaddais vom Stamm Simeon, und Eljasaf, der Sohn Deguëls vom Stamm Gad. [48–53] Am siebten Tag opferte Elischama, der Sohn Ammihuds vom Stamm Ephraim. [54–71] Darauf folgten Gamliël, der Sohn Pedazurs vom Stamm Manasse, Abidan, der Sohn Gidonis vom Stamm Benjamin, und Ahiëser, der Sohn Ammischaddais vom Stamm Dan. [72–83] Am Schluss kamen Pagiël, der Sohn Ochrans vom Stamm Asser, und Ahira, der Sohn Enans vom Stamm Naftali.

[84] Insgesamt stifteten die Stammesoberhäupter Israels zur Einweihung des Altars zwölf silberne Schüsseln, zwölf silberne Opferschalen und zwölf goldene Schälchen. [85] Die Schüsseln wogen je eineinhalb Kilogramm und die Opferschalen je 800 Gramm. Zusammen waren es etwa 28 Kilogramm Silber. [86] Die goldenen Schälchen für die Weihrauchmischung wogen je 120 Gramm, zusammen also fast eineinhalb Kilogramm. [87] Zum Brandopfer gaben die Stammesoberhäupter insgesamt zwölf Stiere, zwölf Schafböcke und zwölf einjährige Lämmer mit den dazugehörigen Speiseopfern; für das Sündopfer brachten sie zwölf Ziegenböcke [88] und für das Dankopfer vierundzwanzig Stiere, sechzig Schafböcke, sechzig Ziegenböcke und sechzig einjährige Lämmer. All diese Tiere wurden zur Einweihung des Altars geopfert.

Der Herr redet im Heiligtum

[89] Dann ging Mose in das heilige Zelt, um mit dem Herrn zu sprechen. Er hörte die Stimme Gottes zwischen den beiden Cherub-Engeln, die auf der Deckplatte der Bundeslade standen. Hier sprach der Herr von nun an zu Mose.

Das Licht im Heiligtum

8 [1/2] Der Herr ließ Aaron durch Mose sagen: »Wenn du die sieben Öllampen des Leuchters anzündest, achte darauf, dass sie zur vorderen Seite hin scheinen!«

[3] Aaron gehorchte dem Herrn und setzte die Lampen mit dem Docht nach vorn auf den Leuchter. [4] Der Leuchter war ganz aus Gold geschmiedet, vom Fuß bis hinauf zu den Blütenornamenten. Mose hatte ihn so anfertigen lassen, wie der Herr es ihm gezeigt hatte.

Die Leviten werden zum Dienst geweiht

[5] Der Herr sprach zu Mose: [6] »Versammle die Leviten an einem besonderen Ort, abseits vom übrigen Volk. Du sollst sie für ihren Dienst im Heiligtum reinigen [7] und dabei so vorgehen: Besprenge sie mit Wasser zur Reinigung von aller Schuld; lass sie ihren ganzen Körper rasieren und ihre Kleider waschen, damit sie rein werden. [8] Dann sollen sie einen

---

7,89 2 Mo 25,22; 3 Mo 16,2 **8,4** 2 Mo 25,31–40

jungen Stier bringen und dazu als Speiseopfer feines, mit Öl vermengtes Mehl, außerdem einen zweiten Jungstier zum Sündopfer.

[9]Ruf die Leviten zum heiligen Zelt, und versammle dort alle Israeliten! [10]Nun sollen sich die Leviten vor dem heiligen Zelt aufstellen, und die anderen Israeliten sollen die Hände auf sie legen. [11]Dann muss Aaron mir die Leviten weihen als ein Opfer[a], das die Israeliten mir bringen. Denn sie geben die Leviten aus ihrer Mitte her, damit sie mir im Heiligtum dienen. [12]Danach sollen die Leviten ihre Hände auf den Kopf der beiden Stiere legen. Lass den einen als Sündopfer, den anderen als Brandopfer darbringen. So wird den Leviten alle Schuld vergeben.

[13]Wenn du die Leviten zu Aaron bringst und er sie mir wie eine Opfergabe darbietet, [14]dann trennst du sie damit von den anderen Israeliten und übergibst sie mir. [15]Du reinigst sie und weihst sie mir wie ein Opfer, damit sie von jetzt an den Dienst im heiligen Zelt verrichten. [16]Von allen Israeliten sind sie nun ganz und gar mein Eigentum. Ich habe sie anstelle eurer ältesten Söhne ausgewählt. [17]Denn mir gehört jeder erstgeborene israelitische Sohn und jedes eurer Tiere, das als Erstes von seiner Mutter zur Welt gebracht wurde. Als ich die Erstgeborenen der Ägypter sterben ließ, habe ich die ältesten Söhne der Israeliten zu meinem Eigentum erklärt. [18]Doch nun nehme ich an ihrer Stelle die Leviten [19]und gebe sie Aaron und seinen Söhnen. Sie sollen die Dienste im Heiligtum verrichten, die ich den Israeliten aufgetragen habe, und sie sollen für das ganze Volk die Vergebung seiner Schuld erwirken. Die anderen Israeliten aber dürfen sich dem heiligen Zelt nicht nähern, sonst kommt Unheil über euer Volk.«

[20]Mose, Aaron und das ganze Volk Israel führten alles so aus, wie der Herr es befohlen hatte. [21]Die Leviten reinigten sich und wuschen ihre Kleider. Aaron bot sie dem Herrn als Gabe dar und opferte die Stiere zur Vergebung ihrer Sünde. [22]Dann begannen die Leviten unter der Leitung von Aaron und seinen Söhnen ihren Dienst am Heiligtum.

[23]Weiter sprach der Herr zu Mose: [24]»Die Leviten sollen ihren Dienst im heiligen Zelt mit 25 Jahren beginnen [25]und mit 50 Jahren beenden. Wer älter ist, soll nicht mehr zu den Arbeiten eingeteilt werden. [26]Er kann den jüngeren Leuten jederzeit helfen, soll aber keine Pflichten mehr haben. So sollst du den Dienst der Leviten ordnen!«

Das erste Passahfest in der Wüste

9 Im 1. Monat des 2. Jahres, nachdem die Israeliten Ägypten verlassen hatten, sprach der Herr in der Wüste Sinai zu Mose:

[2]»Ihr sollt das Passahfest zur vorgeschriebenen Zeit feiern: [3]am Abend des 14. Tages in diesem Monat. Haltet euch an alle Bestimmungen und Vorschriften für das Fest!« [4]Mose teilte es den Israeliten mit. [5]So feierten sie am Abend des 14. Tages im 1. Monat das Passahfest in der Wüste Sinai. Sie befolgten dabei alle Anweisungen des Herrn.

[6]Einige Männer aber hatten zuvor eine Leiche berührt. Dadurch waren sie am Tag des Passahfestes unrein und konnten nicht mitfeiern. Sie fragten daher Mose und Aaron um Rat: [7]»Wir haben einen Toten berührt und sind dadurch unrein geworden. Sollen wir deshalb vom Fest ausgeschlossen werden? Wir würden auch gerne dabei sein, wenn alle Israeliten dem Herrn ihre Opfer darbringen!« [8]Mose antwortete: »Wartet hier! Ich will hören, was der Herr dazu sagt.«

[9]Der Herr sprach zu Mose: [10]»Was ich dir jetzt sage, soll für immer gelten: Wer sich durch die Berührung eines Toten ver-

[a] Wörtlich: Schwingopfer. – So auch in den Versen 13, 15 und 21.

8,13–19 2 Mo 12,29*; 13,12–16* **9,6.10** 19,11–13

unreinigt hat oder auf einer Reise ist und deshalb nicht am Fest teilnehmen kann, [11] der soll es genau einen Monat später nachholen. Dann soll er das Passahlamm mit bitteren Kräutern essen und mit Brot, das ohne Sauerteig gebacken ist. [12] Er darf nichts davon bis zum nächsten Morgen übrig lassen und dem Lamm keinen Knochen brechen. Er muss alle Bestimmungen und Vorschriften für das Passahfest genau befolgen. [13] Aber wenn jemand das Fest im 1. Monat nicht feiert, obwohl er rein ist und sich auch nicht auf Reisen befindet, soll er getötet werden. Er hat mir, dem Herrn, sein Opfer nicht zur festgelegten Zeit dargebracht und muss die Folgen dieser Sünde tragen. [14] Wenn ein Ausländer, der bei euch wohnt, zu meiner Ehre das Passahfest feiern will, muss auch er dabei alle Vorschriften beachten. Für Einheimische und Ausländer soll dasselbe Recht gelten!«

Der Herr führt sein Volk

[15] Als man das heilige Zelt aufgestellt hatte, in dem die Gesetzestafeln aufbewahrt wurden, kam die Wolke des Herrn und bedeckte es. In der folgenden Nacht leuchtete sie wie Feuer. [16] Sie blieb von nun an über dem Heiligtum. Am Tag glich sie einer Wolke und nachts einem Feuer. [17] Wenn sie aufstieg, brachen die Israeliten auf und folgten ihr. Und wo sie sich niederließ, schlugen sie ihr Lager wieder auf. [18] Durch die Wolke gab ihnen der Herr das Zeichen zum Weiterziehen oder Haltmachen. Solange die Wolke auf dem Heiligtum ruhte, ließen die Israeliten ihre Zelte stehen. [19] Das dauerte manchmal sehr lange. Auch dann hielten sie sich an die Weisung des Herrn und brachen nicht auf. [20] Es kam auch vor, dass sie nur wenige Tage an einem Ort blieben, ganz wie der Herr es befahl. [21] Manchmal ließ die Wolke sich am Abend nieder und stieg schon am nächsten Morgen wieder auf. Dann zogen die Israeliten sofort los. Die Wolke konnte einen Tag und eine Nacht bleiben, [22] aber auch zwei Tage, einen Monat oder noch länger. Immer wenn die Wolke auf dem heiligen Zelt ruhte, schlugen die Israeliten ihre Zelte auf und blieben so lange, bis die Wolke sich wieder erhob. [23] Sie folgten bei ihrem Zug durch die Wüste den Weisungen des Herrn und taten, was er ihnen durch Mose sagte.

Die Signaltrompeten

10 Der Herr sprach zu Mose: [2] »Schmiede dir zwei Trompeten aus Silber! Mit ihnen sollst du das Volk zusammenrufen oder zum Aufbruch blasen. [3] Wenn beide Trompeten mit langen, kräftigen Stößen geblasen werden, soll sich die ganze Gemeinschaft der Israeliten bei dir am Eingang des heiligen Zeltes versammeln. [4] Wird eine allein geblasen, sollen nur die Stammesoberhäupter Israels zu dir kommen. [5] Erklingen aber beide Trompeten mit kurzen Tönen, ist dies das Zeichen zum Aufbruch. Beim ersten Signal ziehen die Stämme los, die im Osten lagern, [6] beim zweiten Signal brechen die Stämme im Süden auf. [7] Wenn ihr aber das Volk zusammenrufen wollt, sollt ihr – anders als beim Aufbruch – die Trompeten mit lang anhaltenden Tönen blasen.

[8] Für das Blasen der Trompeten sind die Nachkommen Aarons, die Priester, zuständig. So soll es für immer bleiben. [9] Das kurze Signal sollt ihr auch dann geben, wenn ihr gegen Feinde in den Kampf zieht, die euer Land angreifen. Ich, der Herr, euer Gott, werde es hören und euch vor ihnen retten.

[10] Blast die Trompeten außerdem bei euren Festen und Gottesdiensten, am Anfang jedes Monats und immer, wenn ihr eure Brandopfer und Dankopfer darbringt. Ich werde es hören und mich euch zuwenden, denn ich bin der Herr, euer Gott!«

9,12 2 Mo 12,46 **9,14** 2 Mo 12,48; 3 Mo 24,22* **9,15–23** 2 Mo 13,21–22*

Aufbruch vom Sinai

[11] Am 20. Tag des 2. Monats – die Israeliten hatten Ägypten vor gut einem Jahr verlassen – erhob sich die Wolke vom heiligen Zelt. [12] Da brachen die Stämme Israels der Reihe nach auf, verließen die Wüste Sinai und folgten der Wolke in die Wüste Paran. Dort machten sie Halt.

[13] Zum ersten Mal zogen sie in der Ordnung los, die der Herr durch Mose befohlen hatte. [14] An der Spitze gingen die Verbände des Stammes Juda unter der Leitung von Nachschon, dem Sohn Amminadabs. [15] Zu dieser Abteilung gehörten auch der Stamm Issaschar unter seinem Fürsten Netanel, dem Sohn Zuars, [16] und der Stamm Sebulon, geführt von Eliab, dem Sohn Helons. [17] Dann folgten die levitischen Sippen Gerschon und Merari mit dem heiligen Zelt, das sie vorher abgebaut hatten. [18] Hinter den Leviten kamen die Verbände des Stammes Ruben, die von Elizur, dem Sohn Schedëurs, geführt wurden. [19] Ihm unterstanden auch der Stamm Simeon mit seinem Fürsten Schelumiël, dem Sohn Zurischaddais, [20] und der Stamm Gad unter der Leitung von Eljasaf, dem Sohn Deguëls. [21] Dann brach die levitische Sippe Kehat auf. Sie trug die Gegenstände aus dem Inneren des heiligen Zeltes. Die Leviten aus den Sippen Gerschon und Merari waren bereits mit der Abteilung Juda vorangezogen, um das Heiligtum aufzubauen, bevor die anderen eintrafen. [22] Als Nächstes folgten die Verbände des Stammes Ephraim unter der Führung von Elischama, dem Sohn Ammihuds. [23] Dazu gehörten auch der Stamm Manasse mit seinem Fürsten Gamliël, dem Sohn Pedazurs, [24] und der Stamm Benjamin, dem Abidan, der Sohn Gidonis, vorstand. [25] Den Schluss bildeten die Verbände des Stammes Dan. Sie wurden von Ahiëser, dem Sohn Ammischaddais, angeführt [26] und umfassten neben Dan den Stamm Asser mit seinem Fürsten Pagiël, dem Sohn Ochrans, [27] und den Stamm Naftali unter der Leitung von Ahira, dem Sohn Enans. [28] In dieser Reihenfolge zogen die Verbände der Israeliten los.

Mose bittet Hobab mitzuziehen

[29] Mose sagte zu seinem Schwager Hobab, dem Sohn seines Schwiegervaters Reguël aus Midian: »Wir machen uns jetzt auf den Weg in das Land, das der Herr uns versprochen hat. Komm doch mit! Du wirst es gut bei uns haben, denn der Herr hat gesagt, dass es uns gut gehen wird.« [30] Aber Hobab lehnte ab: »Nein, ich möchte nicht mit euch gehen, sondern wieder zurück in meine Heimat, zu meinen Verwandten.« [31] Da bat ihn Mose: »Lass uns bitte nicht im Stich! Du weißt, wo man in der Wüste lagern kann. Wir brauchen dich, um uns zurechtzufinden! [32] Wenn du mit uns kommst, werden wir dich reich beschenken. Du sollst an dem Guten teilhaben, das der Herr uns geben wird.«

Die Wolke des Herrn geht den Israeliten voran

[33/34] Die Israeliten brachen vom Berg Sinai auf und zogen drei Tagesreisen lang durch die Wüste. An der Spitze des Zuges wurde die Bundeslade getragen, und die Wolke des Herrn war den ganzen Tag über ihnen. Sie führte das Volk bis zum nächsten Lagerplatz. [35] Immer wenn die Leviten mit der Bundeslade aufbrachen, rief Mose: »Steh auf, Herr! Schlag deine Feinde in die Flucht! Verjag alle, die dich hassen!« [36] Und wenn sie mit der Bundeslade Halt machten, rief er: »Komm zurück, Herr, zu den vielen tausend Menschen deines Volkes Israel!«

Das Volk ist unzufrieden

11 Die Israeliten waren wegen der Wanderung durch die Wüste unzufrieden und begannen sich zu beklagen. Als der Herr das hörte, wurde er sehr zor-

---

10,29 2 Mo 18,1–2.13–27 **10,33–34** 2 Mo 13,21–22* **11,1–3** 3 Mo 10,2

nig. Er ließ am Rand des Lagers ein Feuer ausbrechen, das Zelt um Zelt zerstörte. [2]Die Israeliten rannten zu Mose und schrien um Hilfe. Da betete er für sie zum Herrn, und das Feuer erlosch. [3]Den Ort nannte man Tabera (»Brand«).

[4]Doch das Jammern nahm kein Ende. Unter den Israeliten waren viele Fremde, die sich dem Volk angeschlossen hatten, als es Ägypten verließ. Sie forderten nun besseres Essen, und schon fingen auch die Israeliten wieder an zu klagen: »Niemand gibt uns Fleisch zu essen! [5]In Ägypten war das anders! Da bekamen wir umsonst so viel Fisch, wie wir wollten, da gab es Gurken, Melonen, Lauch, Zwiebeln und Knoblauch. [6]Aber hier haben wir nichts. Wir hungern! Alles, was es hier gibt, ist dieses Manna!«

[7]Das Manna bestand aus kleinen Körnern, ähnlich dem Koriandersamen, und war durchsichtig wie Bedellion-Harz. [8/9]Jede Nacht fiel es mit dem Tau auf das Lager. Die Israeliten sammelten es ein und zerkleinerten es mit Handmühlen oder Mörsern. Sie kochten es oder backten Fladenbrot davon, das wie Ölkuchen schmeckte.

Moses Klage

[10]Die israelitischen Familien saßen vor ihren Zelten und klagten. Als Mose das hörte, geriet er außer sich, denn er wusste, dass sie erneut den Zorn des Herrn herausforderten. [11]»Warum tust du mir das an?«, fragte er den Herrn. »Ich bin zwar dein Diener! Aber musst du mir wirklich die Verantwortung für dieses ganze Volk aufhalsen? Hast du denn kein Erbarmen mit mir? [12]Bin ich etwa die Mutter dieser Menschen? Habe ich sie zur Welt gebracht? Oder bin ich ihr Pflegevater? Soll ich sie wie einen Säugling auf meinen Armen in das Land tragen, das du ihren Vorfahren versprochen hast? [13]Sie weinen und flehen mich an: ›Gib uns Fleisch zu essen!‹ Woher soll ich denn Fleisch für Hunderttausende von Menschen nehmen? [14]Ich kann die Verantwortung für dieses Volk nicht länger allein tragen. Ich halte es nicht mehr aus! [15]Wenn es so weitergehen soll, bring mich lieber gleich um! Wenn dir aber etwas an mir liegt, dann erspar mir dieses Elend!«

Mose bekommt Hilfe

[16]Der Herr antwortete Mose: »Such unter den Ältesten Israels siebzig Männer aus! Nimm Leute, die als zuverlässige Anführer des Volkes bekannt sind. Bring sie zum heiligen Zelt, und stell dich mit ihnen dort auf! [17]Denn ich will herabkommen und mit dir sprechen. Ich werde etwas von meinem Geist, der auf dir ruht, nehmen und auf sie legen. Sie sollen von nun an die Last mit dir teilen. Du musst die Verantwortung für das Volk nicht mehr allein tragen. [18]Und dem Volk Israel sollst du sagen: ›Reinigt euch, und macht euch bereit! Denn morgen wird euch der Herr Fleisch zu essen geben. Er hat euer Gejammer gehört, mit dem ihr ihm in den Ohren liegt. Er weiß, dass ihr Fleisch essen wollt und am liebsten wieder in Ägypten wärt! Nun, morgen werdet ihr Fleisch bekommen! [19]Und das nicht nur ein, zwei Tage lang, auch nicht fünf oder zehn oder zwanzig Tage, [20]nein, einen ganzen Monat lang, bis es euch zum Hals heraushängt und ihr euch davor ekelt! Denn ihr habt den Herrn, der mitten unter euch wohnt, verachtet und ihm bittere Vorwürfe gemacht, weil er euch aus Ägypten befreit hat.‹«

[21]Mose erwiderte: »Dieses Volk hat allein 600 000 wehrfähige Männer, und du willst uns Fleisch für einen ganzen Monat geben? [22]Wie viele Schafe, Ziegen und Rinder sollen denn geschlachtet werden, damit es für alle reicht? Oder willst du alle Fische im Meer fangen, damit jeder etwas bekommt?«

[23]Der Herr entgegnete: »Traust du mir

11,4–6 2 Mo 14,11–12* **11,6–9** 2 Mo 16,14–15* **11,15** 2 Mo 32,32 **11,16** 2 Mo 24,1 **11,18–34** 2 Mo 16,13 **11,21** 2,32; 2 Mo 12,37

das etwa nicht zu? Du wirst bald sehen, ob ich mein Wort halte oder nicht!«

[24] Da berichtete Mose den Israeliten, was der Herr ihm aufgetragen hatte. Er suchte unter den Ältesten des Volkes siebzig Männer aus und befahl ihnen, sich im Halbkreis vor dem Heiligtum aufzustellen. [25] Dann sahen sie, wie der Herr in der Wolke herabkam. Er sprach mit Mose und legte etwas von dem Geist, der auf Mose ruhte, auf die siebzig Ältesten. Im selben Augenblick begannen sie zu reden, was der Herr ihnen eingab. Das geschah jedoch nur dieses eine Mal.

[26] Zwei der siebzig Männer, deren Namen Mose aufgeschrieben hatte, waren nicht zum heiligen Zelt gekommen, sondern im Lager geblieben. Der eine hieß Eldad, der andere Medad. Auch auf sie kam der Geist des Herrn, und auch sie begannen zu reden, was der Herr ihnen eingab. [27] Ein junger Mann lief zu Mose und meldete ihm: »Eldad und Medad führen sich mitten im Lager wie Propheten auf!«

[28] Das hörte Josua, der Sohn Nuns, ein Mann, der von Jugend an Mose gedient hatte. Er sagte zu Mose: »Verbiete es ihnen!« [29] Doch Mose erwiderte: »Hast du Angst, dass mir jemand meinen Platz streitig macht? Ich wünschte, der Herr würde seinen Geist auf das ganze Volk legen und alle wären Propheten!« [30] Dann ging er mit den Ältesten zurück ins Lager.

[31] Der Herr ließ einen starken Wind aufkommen und trieb gewaltige Schwärme Wachteln vom Meer herbei. Sie fielen in der Nähe des Lagers zu Boden und blieben im Umkreis von etwa dreißig Kilometern bis zu einem Meter hoch liegen. [32] Die Israeliten brauchten den ganzen Tag, die Nacht und auch noch den nächsten Tag, um die Vögel aufzulesen. Jeder hatte hinterher mindestens zehn große Körbe voll. Dann wurde das Fleisch der Vögel rings um das Lager ausgebreitet, damit es in der Sonne trocknen konnte.

[33] Doch kaum hatten die Israeliten sich die ersten Fleischstücke in den Mund geschoben, da entlud sich der Zorn des Herrn. Sehr viele starben [34] zur Strafe für ihre Gier. Man begrub die Toten in der Nähe des Lagers und nannte den Ort Kibrot-Hattaawa (»Gräber der Gier«).

[35] Dann zog das Volk Israel weiter nach Hazerot und schlug dort sein Lager auf.

Mirjam und Aaron lehnen sich gegen Mose auf

12 Mirjam und Aaron machten Mose Vorwürfe, weil er eine Äthiopierin geheiratet hatte. [2/3] Sie sagten auch: »Spricht der Herr etwa nur durch Mose? Hat er nicht auch durch uns geredet?«

Mose schwieg dazu. Er war ein zurückhaltender Mann, demütiger als alle anderen Menschen auf der Welt. Aber der Herr hatte gehört, was Aaron und Mirjam gesagt hatten. [4] Darum befahl er den beiden und Mose: »Geht zum heiligen Zelt!«

Die drei gehorchten. [5] Der Herr kam in der Wolkensäule herab und stellte sich an den Eingang des Zeltes. Er rief Aaron und Mirjam, und sie traten vor. [6] Dann wies er sie zurecht: »Hört, was ich euch sage! Wenn ich einem Propheten unter euch etwas mitteilen will, erscheine ich ihm in einer Vision oder spreche im Traum zu ihm. [7] Mit Mose aber rede ich anders. Denn er ist mein treuer Diener, ihm habe ich mein Volk anvertraut. [8] Ich rede mit ihm von Angesicht zu Angesicht, nicht in geheimnisvollen Bildern, sondern in klaren Worten. Er kann mich sogar sehen. Wie könnt ihr es da wagen, ihn anzugreifen?«

[9] Nach diesen Worten entfernte sich der Herr voller Zorn, [10] und die Wolke verschwand vom heiligen Zelt. Als Aaron sich zu Mirjam umdrehte, war ihre Haut weiß wie Schnee, denn sie war aussätzig geworden! [11] Aaron flehte Mose an: »Bitte, vergib uns! Wir haben unrecht gehandelt und Schuld auf uns geladen.

11,25 2 Mo 34,5 **11,26–27** 1 Mo 41,38*; 1 Sam 10,6.10 **11,28** 27,18–23* **11,33** Jer 23,19
12,1 2 Mo 2,15–21 **12,5** 2 Mo 34,5 **12,8** 5 Mo 34,10

[12]Aber lass Mirjam nicht wie eine Totgeburt aussehen, die halb verwest aus dem Mutterleib kommt!«

[13]Da rief Mose zum Herrn: »O Gott, mach sie bitte wieder gesund!« [14]Der Herr antwortete ihm: »Wenn ihr Vater ihr verächtlich ins Gesicht gespuckt hätte, würde sie sich da nicht eine Woche lang schämen? Deshalb soll sie sieben Tage außerhalb des Lagers festgehalten werden. Danach könnt ihr sie wieder bei euch aufnehmen.«

[15]So musste Mirjam eine Woche außerhalb des Lagers bleiben. In dieser Zeit zog das Volk nicht weiter. Erst als sie wieder zurückgekehrt war, [16]brachen die Israeliten von Hazerot auf und lagerten dann in der Wüste Paran.

Mose sendet Kundschafter nach Kanaan
(5. Mose 1,19–28)

13 Der Herr sprach zu Mose: [2]»Sende Kundschafter nach Kanaan! Sie sollen sich in dem Land umsehen, das ich euch Israeliten geben will. Such dazu aus jedem Stamm einen angesehenen Mann aus!«

[3]Mose tat, was der Herr ihm befohlen hatte. Alle, die er in der Wüste Paran auswählte, gehörten zu den führenden Männern ihrer Stämme.

[4]Es waren Schammua, der Sohn Sakkurs vom Stamm Ruben,
[5]Schafat, der Sohn Horis vom Stamm Simeon,
[6]Kaleb, der Sohn Jefunnes aus Juda,
[7]Jigal, der Sohn Josefs vom Stamm Issachar,
[8]Hoschea, der Sohn Nuns aus Ephraim,
[9]Palti, der Sohn Rafus aus Benjamin,
[10]Gaddiël, der Sohn Sodis vom Stamm Sebulon,
[11]Gaddi, der Sohn Susis vom Stamm Manasse,
[12]Ammiël, der Sohn Gemallis aus Dan,
[13]Setur, der Sohn Michaels aus Asser,
[14]Nachbi, der Sohn Wofsis vom Stamm Naftali,
[15]und Geüël, der Sohn Machis vom Stamm Gad.

[16]Diese Männer beauftragte Mose, das Land zu erkunden. Hoschea, dem Sohn Nuns, gab er einen neuen Namen: Josua (»Der Herr ist Rettung«).

[17]Bevor Mose die Kundschafter losschickte, sagte er zu ihnen: »Nehmt den Weg durch die Wüste Negev, und geht ins Gebirge hinauf! [18]Seht euch das Land an und die Menschen, die dort leben. Findet heraus, ob sie stark oder schwach sind, zahlreich oder wenig, [19]ob sie in ungeschützten Siedlungen oder in befestigten Städten wohnen. Seht, ob das Land gut oder schlecht ist, [20]fruchtbar oder karg, und ob es dort Bäume gibt. Habt keine Angst! Und bringt uns etwas von den Früchten mit, die dort wachsen.« Zu der Jahreszeit reiften nämlich gerade die ersten Trauben.

[21]Die Männer brachen auf und erkundeten das Land Kanaan von der Wüste Zin im Süden bis zur Stadt Rehob im Norden, die an der Straße nach Hamat liegt. [22]Zunächst durchquerten sie die Wüste Negev und erreichten Hebron. Dort lebten die Sippen Ahiman, Scheschai und Talmai vom Volk der Anakiter. Ihre Stadt war sieben Jahre früher als das ägyptische Zoan gegründet worden. [23]Dann kamen die Kundschafter ins Eschkoltal. Dort pflückten sie Granatäpfel und Feigen. Sie schnitten eine Weinrebe ab, die so schwer war, dass zwei Männer sie an einer Stange tragen mussten. [24]Darum nannte man dieses Tal später Eschkol (»Traube«).

[25]Vierzig Tage lang erkundeten die zwölf Männer das Land. Dann kehrten sie zurück. [26]Als die Kundschafter in Kadesch in der Wüste Paran eintrafen, berichteten sie Mose, Aaron und dem ganzen Volk, was sie gesehen hatten, und zeigten ihnen die Früchte aus Kanaan.

13,8 11,28

[27] Sie sagten zu Mose: »Wir sind in dem Land gewesen, in das du uns geschickt hast. Du hattest Recht: Dort fließen Milch und Honig. Sieh dir nur diese Früchte an! [28] Allerdings leben mächtige Völker dort, und ihre Städte sind gewaltige Festungen. Wir haben Anakiter gesehen. [29] Und in der Wüste Negev siedeln die Amalekiter, im Gebirge die Hetiter, Jebusiter und Amoriter. Außerdem wohnen am Mittelmeer und am Jordan die Kanaaniter.«

[30] Da machten die Israeliten Mose wieder Vorwürfe. Kaleb versuchte, sie zu beruhigen, und rief: »Wir sind stark genug, das Land zu erobern. Wir müssen nur losziehen und es in Besitz nehmen!« [31] Aber die anderen Kundschafter widersprachen: »Gegen diese Völker können wir auf keinen Fall antreten. Sie sind viel stärker als wir.« [32] Und sie erzählten den Israeliten die schlimmsten Geschichten über ihre Reise: »Wir haben das Land durchzogen, wir wissen, wie es dort aussieht. Glaubt uns, dort herrschen Mord und Totschlag! Alle Menschen, die wir gesehen haben, sind groß und kräftig. [33] Die Anakiter, die wir getroffen haben, sind Riesen. In deren Augen waren wir klein wie Heuschrecken, und so haben wir uns auch gefühlt!«

Die Israeliten wollen nicht nach Kanaan
(5. Mose 1,26–40)

14 Die Israeliten schrien entsetzt auf und weinten die ganze Nacht. [2] Alle schimpften auf Mose und Aaron. »Wären wir doch in Ägypten oder hier in der Wüste gestorben!«, riefen sie. [3] »Warum bringt uns der Herr in solch ein Land? Damit man uns tötet und unsere Frauen und Kinder als Gefangene verschleppt? Lieber kehren wir nach Ägypten zurück!« [4] Dann legten sie sich einen Plan zurecht: »Lasst uns einen neuen Anführer wählen und zurück nach Ägypten gehen!«

[5] Da warfen sich Mose und Aaron vor dem versammelten Volk zu Boden. [6] Josua, der Sohn Nuns, und Kaleb, der Sohn Jefunnes, zerrissen entsetzt ihre Gewänder [7] und riefen den Israeliten zu: »Das Land, das wir erkundet haben, ist sehr gut! [8] Dort gibt es alles im Überfluss! Wenn der Herr Gefallen an uns hat, wird er uns dorthin bringen und uns das Land schenken. [9] Lehnt euch nicht gegen ihn auf! Ihr müsst keine Angst vor den Leuten dort haben. Wir werden sie leicht überwältigen, denn sie haben keinen Schutz mehr. Ihr braucht euch nicht vor ihnen zu fürchten, der Herr ist auf unserer Seite!«

[10] Aber die Israeliten schrien: »Steinigt sie!« Da erschien der Herr in seiner Macht und Herrlichkeit am heiligen Zelt, so dass alle es sehen konnten. [11] Er sprach zu Mose: »Dieses Volk hört nicht auf, mich zu beleidigen. Wie viele Wunder habe ich vor ihren Augen getan, und sie vertrauen mir noch immer nicht! Doch damit ist jetzt Schluss, [12] denn ich werde sie durch eine Seuche ausrotten. An ihrer Stelle will ich deine Nachkommen zu einem Volk machen, das größer und mächtiger ist als sie.«

[13] Doch Mose wandte ein: »Wenn das geschieht, werden es die Ägypter erfahren. Sie haben erlebt, wie du unser Volk mit gewaltigen Taten aus ihrem Land befreit hast. [14] Auch die Bewohner von Kanaan haben gehört, dass du, Herr, mitten unter uns bist und dich uns sogar zeigst. Sie wissen, dass deine Wolke über uns steht, dass du uns bei Tag in der Wolkensäule vorangehst und bei Nacht in der Feuersäule. [15] Wenn du nun ganz Israel auf einen Schlag tötest, dann werden alle diese Völker, die schon so viel von dir gehört haben, davon erfahren und sagen: [16] ›Der Herr konnte dieses Volk nicht in das Land bringen, das er ihnen mit einem Eid versprochen hat. Er hat sie in der Wüste abgeschlachtet.‹ [17] Darum

---

13,27 14,8; 16,14; 2 Mo 3,8.17; 33,3; 3 Mo 20,24; 5 Mo 26,15; Jer 11,5; Hes 20,6 **13,30** 14,6–9.29–38; 26,63–65; 32,12; Jos 14,6–13 **14,1–4** 2 Mo 14,11–12* **14,6–9** 13,30*; 13,27* **14,10** 2 Mo 16,10; 17,4 **14,11–12** 2 Mo 32,9–10* **14,13–20** 2 Mo 32,11–14

bitte ich dich, Herr: Zeige deine Macht auf andere Weise. Du hast gesagt: [18]›Meine Geduld ist groß, und meine Liebe kennt kein Ende. Ja, ich vergebe die Schuld, doch ich strafe auch. Wer sündigt, muss die Folgen tragen, aber nicht nur er, sondern auch seine Kinder, Enkel und Urenkel!‹ [19]Herr, weil deine Liebe so groß ist, bitte ich dich: Vergib diesem Volk, wie du es auf dem ganzen Weg von Ägypten bis hierher immer wieder getan hast.«

[20]Da antwortete der Herr: »Ich will dem Volk vergeben, weil du mich darum bittest. [21]Aber ich sage dir: So wahr ich lebe und so wahr die ganze Welt meine Herrlichkeit erkennen wird: [22/23]Diese Leute hier werden das Land nicht sehen, das ich ihren Vorfahren versprochen habe. Keiner, der mich beleidigt hat, wird hineinkommen. Zehnmal haben sie mich nun schon herausgefordert. Obwohl sie meine Macht und die Wunder in Ägypten und hier in der Wüste mit eigenen Augen gesehen haben, wollen sie einfach nicht auf mich hören. [24]Nur eine Ausnahme gibt es: Kaleb, meinen Diener, der mir immer treu gefolgt ist. Ihn werde ich in das Land bringen, das er bereits gesehen hat. Seine Nachkommen sollen es besitzen. [25]Die Amalekiter und die Kanaaniter jedoch werden in der Ebene wohnen bleiben. Aber zuvor werdet ihr alle in die Wüste zurückkehren. Morgen sollt ihr wieder in Richtung Schilfmeer aufbrechen.«

Vierzig Jahre in der Wüste
(5. Mose 1,34–40)

[26]Der Herr sprach zu Mose und Aaron: [27]»Ich habe gehört, was die Israeliten mir vorwerfen. Soll ich ihre Bosheit noch weiter dulden? Sie haben sich lange genug gegen mich aufgelehnt! [28]Darum richtet ihnen aus: Ich habe genau gehört, was ihr gesagt habt. Ich schwöre, so wahr ich lebe, dass ich euren Wunsch erfüllen werde! [29]Hier in der Wüste werdet ihr sterben, und zwar jeder wehrfähige Mann, der heute zwanzig Jahre oder älter ist. Weil ihr euch gegen mich aufgelehnt habt, [30]werdet ihr niemals in das Land kommen, das ich euch mit einem Eid versprochen habe. Nur Kaleb, den Sohn Jefunnes, und Josua, den Sohn Nuns, [31]werde ich dorthin bringen, und auch eure Kinder, die ihr schon in der Gewalt eurer Feinde gesehen habt. Sie werden das Land kennen lernen, das ihr nicht haben wolltet. [32]Aber eure Leichen werden in der Wüste verwesen. [33]Eure Kinder sollen vierzig Jahre mit euch umherziehen, bis ihr alle tot seid. So lange müssen sie mit darunter leiden, dass ihr mir untreu wart. [34]Vierzig Tage lang habt ihr das Land erkundet – vierzig Jahre lang werdet ihr nicht hineinkommen. Für jeden Tag, den ihr dort unterwegs wart, werdet ihr ein Jahr lang die Folgen eurer Sünde tragen. Ihr sollt erleben, was es heißt, wenn ich mich abwende. [35]Das verspreche ich, der Herr, und ich werde es auch tun. Ja, ich schwöre euch: Alle, die sich gegen mich verbündet haben, werden in der Wüste umkommen. Dieses ganze boshafte Volk wird hier sterben!«

[36/37]Die Männer aber, die Mose als Kundschafter losgeschickt hatte, tötete der Herr sofort. Denn sie hatten die schlimmen Gerüchte über das Land verbreitet und das Volk in Aufruhr gebracht. [38]Nur zwei von ihnen blieben am Leben: Josua, der Sohn Nuns, und Kaleb, der Sohn Jefunnes.

Auf eigene Faust nach Kanaan
(5. Mose 1,41–44)

[39]Als Mose den Israeliten die Worte des Herrn ausgerichtet hatte, fingen sie an zu weinen und zu klagen. [40]Am nächsten Morgen machten sie sich bereit, ins nördliche Bergland vorzurücken. Sie sagten: »Wir wollen unseren Fehler wieder gutmachen! Wir gehorchen jetzt und ziehen hinauf in das Land, von dem der Herr gesprochen hat!«

14,18 2 Mo 20,5–6* **14,19** 2 Mo 34,6–7 **14,24** Jos 14,6–14 **14,25** Ri 1,19 **14,29–38** 13,30*

[41] Aber Mose rief: »Warum widersetzt ihr euch schon wieder dem Befehl des Herrn? Das kann nicht gut gehen! [42] Bleibt hier! Der Herr ist nicht mit euch, er schützt euch nicht vor euren Feinden. [43] Dort drüben erwarten euch die Amalekiter und Kanaaniter, und sie werden euch umbringen. Der Herr wird euch nicht helfen, denn ihr habt euch von ihm abgewandt!«

[44] Doch die Israeliten hörten in ihrem Stolz nicht zu, sondern zogen ins Bergland hinauf. Mose ging nicht mit, und auch die Bundeslade des Herrn blieb unten im Lager. [45] Da kamen ihnen die Amalekiter und Kanaaniter aus dem Bergland entgegen, besiegten die Israeliten und jagten sie bis nach Horma.

Vorschriften für die Opfer im Land Kanaan

15 Der Herr sprach zu Mose: [2] »Eines Tages werde ich diesem Volk das versprochene Land geben, und ihr werdet dort leben. Sag den Israeliten, dass sie dann diese Anweisungen beachten sollen:

[3/4] Immer wenn ihr mir ein Rind, eine Ziege oder ein Schaf als Brand- oder Schlachtopfer darbringt, dann sollt ihr eineinhalb Kilogramm Mehl, mit einem Liter Öl vermengt, als Speiseopfer dazugeben, ganz gleich, ob ihr damit ein Gelübde erfüllt, ob ihr es freiwillig darbringt oder bei euren Festen mir zur Freude opfert.

[5] Wer ein Schaf opfert, soll dazu ein Trankopfer von einem Liter Wein darbringen. [6] Wer einen Schafbock opfert, soll zweieinhalb Kilogramm Mehl dazutun, vermengt mit anderthalb Litern Öl. [7] Und als Trankopfer soll er eineinhalb Liter Wein geben. Dann wird sein Opfer mir gefallen.

[8–10] Wenn jemand von euch ein Rind darbringt, soll er ein Trankopfer von zwei Litern Wein dazugeben und ein Speiseopfer von vier Kilogramm Mehl, das mit zwei Litern Öl vermengt ist. So gefällt mir seine Gabe. Diese Vorschrift gilt unabhängig davon, ob er das Rind als Brand- oder Schlachtopfer darbringt und ob er damit ein Gelübde erfüllt oder ein Dankopferfest feiert. [11] Dies alles sollt ihr jedes Mal tun, wenn ihr ein Rind, einen Schafbock, ein Schaf oder eine Ziege opfert.

[12] Bringt ihr mehrere Tiere dar, dann gehören zu jedem Tier die entsprechenden Speise- und Trankopfer.

[13] Diese Vorschriften soll jeder Israelit beachten, der mir zu Ehren ein Feueropfer darbringt. [14] Auch die Ausländer, die unter euch leben oder bei euch zu Gast sind, sollen sich daran halten, wenn sie mir ein Tier opfern. [15] Für alle, die im Land Kanaan leben – ob Einheimische oder Ausländer –, sollen die gleichen Gesetze gelten. Denn vor mir sind alle Menschen gleich. Dies gilt für alle Zeiten und für alle eure Nachkommen. [16] Ausländer, die bei euch leben, haben dieselben Rechte und Pflichten wie ihr selbst.«

Dankopfer für die Ernte

[17] Der Herr befahl Mose: [18] »Sag den Israeliten: Wenn ich euch in das versprochene Land gebracht habe [19] und ihr dort Getreide erntet, sollt ihr mir einen Teil davon als Opfer darbringen. [20] Backt mir vom ersten gemahlenen Korn ein Brot, [21] und gebt mir auch etwas vom ersten gedroschenen Getreide! Diese Vorschrift soll für immer gelten.«

Das Sündopfer für unbeabsichtigte Vergehen

[22] Weiter sprach der Herr: »Es kann geschehen, dass ihr aus Versehen gegen meine Gebote verstoßt [23] und nicht alles beachtet, was ich euch bis heute durch Mose befohlen habe und was ich noch in Zukunft anordnen werde.

[24] Wenn dies ohne Absicht und unbewusst geschehen ist, soll das ganze Volk

---

14,41–45 2 Mo 17,10–13 **15,15–16** 3 Mo 24,22* **15,22–26** 3 Mo 4,13–21

Israel einen jungen Stier als Brandopfer darbringen, zusammen mit dem vorgeschriebenen Speise- und Trankopfer. Außerdem muss ein Ziegenbock als Sündopfer geschlachtet werden. [25]Der Priester soll die Opfer darbringen, um das Volk wieder mit mir zu versöhnen. Dann werde ich euch vergeben, weil ihr meine Gebote nicht absichtlich verletzt habt und weil ihr mir ein Brandopfer und ein Sündopfer dargebracht habt. [26]Dem ganzen Volk will ich vergeben, auch den Ausländern unter euch. Denn sie gehören zu eurer Gemeinschaft und sind für die Sünden mit verantwortlich, die ihr aus Versehen begeht.

[27]Wenn aber ein einzelner Mensch unabsichtlich meine Gebote übertritt, soll er eine einjährige Ziege als Sündopfer darbringen. [28]Der Priester soll dies für ihn tun und so seine Schuld sühnen. Dann werde ich ihm die Sünde vergeben. [29]Das gilt auch für die Ausländer unter euch: Wenn einer von ihnen unabsichtlich gesündigt hat, soll er das gleiche Opfer darbringen wie ein Einheimischer.«

Wer absichtlich sündigt, muss sterben

[30]»Wenn aber jemand aus eurem Volk oder ein Ausländer, der bei euch lebt, mit Absicht eins meiner Gebote übertritt, dann beleidigt er mich und muss sterben. [31]Er hat mein Wort verachtet und mein Gesetz gebrochen. Darum muss er die Folgen tragen und mit seinem Leben dafür bezahlen.«

[32]Während des Zuges durch die Wüste wurde einmal ein Israelit dabei gesehen, wie er am Sabbat Holz sammelte. [33/34]Man brachte ihn zu Mose und Aaron, und vor dem ganzen Volk wurde beraten, was mit ihm geschehen sollte. Da niemand genau wusste, welche Strafe er verdiente, wurde er zunächst eingesperrt. [35]Dann sprach der Herr zu Mose: »Dieser Mann muss sterben! Das ganze Volk soll ihn draußen vor dem Lager steinigen.« [36]Da führten die Israeliten ihn aus dem Lager und steinigten ihn, wie der Herr es durch Mose angeordnet hatte.

Gottes Gebote immer vor Augen

[37]Der Herr sprach zu Mose: [38]»Sag den Israeliten, dass sie und alle ihre Nachkommen an die Zipfel ihrer Gewänder Quasten nähen sollen, die mit einem Stück Schnur aus violettem Purpur zusammengebunden sind. [39]Die Quasten sollen euch daran erinnern, meinen Geboten zu gehorchen. Immer wenn ihr sie seht, sollt ihr an meine Weisungen denken. Das wird euch helfen, nicht mit euren Gedanken oder Blicken umherzuschweifen und eure eigenen Ziele zu verfolgen. [40]Ich möchte, dass ihr meine Gebote im Herzen bewahrt und sie befolgt. Ihr sollt ganz mir gehören. [41]Denn ich bin euer Gott. Ich habe euch aus Ägypten befreit, um euch zu zeigen: Ich, der Herr, bin euer Gott!«

Korach hetzt das Volk auf

16 [1/2]Der Levit Korach, ein Sohn Jizhars aus der Sippe Kehat, wollte das Volk gegen Mose aufhetzen. Drei Männer vom Stamm Ruben schlossen sich ihm an: Datan und Abiram, die Söhne Eliabs, und On, ein Sohn Pelets. Sie brachten 250 Israeliten auf ihre Seite, führende und einflussreiche Männer. [3]Gemeinsam gingen sie zu Mose und Aaron und sagten zu ihnen: »Wir haben jetzt genug von euch! Wer gibt euch das Recht, euch über die Gemeinde des Herrn zu stellen? Der Herr ist mitten unter uns! Wir alle sind heilig, nicht nur ihr!«

[4]Als Mose das hörte, warf er sich zu Boden und betete. [5–7]Dann sagte er zu Korach und den anderen: »Morgen wird der Herr zeigen, wer zu ihm gehört und

15,27–29 3 Mo 4,27–28 **15,32–36** 2 Mo 20,8–11* **15,40–41** 2 Mo 19,5–6* **16,1–2** 2 Mo 6,16; Ps 106,16–18 **16,4** 14,5

heilig ist. Darum kommt morgen zum Heiligtum, du, Korach, und alle deine Leute. Bringt Räucherpfannen mit, und zündet Weihrauch darin an. Dann werden wir sehen, wer heilig ist, denn der Herr wird nur den in die Nähe des Heiligtums lassen, den er dazu bestimmt hat. Reicht euch das, ihr Leviten?«

[8] Dann wandte er sich noch einmal an Korach und seine Leute und mahnte sie: »Hört zu, ihr Leviten! [9] Der Gott Israels hat aus diesem ganzen Volk allein euch dazu ausgewählt, in seine Nähe zu kommen. Er hat euch beauftragt, die Arbeiten an seinem Heiligtum zu verrichten und damit dem ganzen Volk zu dienen. Ist euch das noch zu wenig? [10] Du und deine Verwandten vom Stamm Levi, ihr dürft doch immer in der Nähe des Herrn sein! Aber das reicht euch offenbar nicht! Ihr wollt auch noch Priester werden. [11] Doch denkt daran: Wenn ihr Aaron sein Amt als Priester streitig macht, lehnt ihr euch gegen den Herrn auf! Ja, gegen ihn habt ihr euch zusammengerottet!«

[12] Dann ließ Mose Datan und Abiram zu sich rufen. Die beiden aber lehnten ab: »Wir kommen nicht! [13] Du hast uns aus einem schönen, fruchtbaren Land herausgeholt, damit wir in der Wüste verenden. Ist das noch nicht genug? Musst du dich auch noch als Herrscher aufspielen? [14] Wo ist denn das verheißene Land, in dem Milch und Honig fließen? Wo sind die Felder und Weinberge, die wir bekommen sollten? Du willst die Leute wohl für dumm verkaufen! Nein, wir kommen nicht!«

[15] Da wurde Mose sehr zornig und bat den Herrn: »Nimm ihr Opfer nicht an! Ich habe keinem von ihnen je etwas getan. Nicht einmal einen Esel habe ich ihnen weggenommen.«

Der Herr greift ein

[16] Dann forderte Mose Korach auf: »Morgen sollst du mit deinen 250 Leuten vor dem Herrn erscheinen! Auch Aaron wird da sein. [17] Jeder soll eine Pfanne mit Weihrauch für den Herrn mitbringen, auch du selbst und Aaron.« [18] So kamen die Männer Korachs am folgenden Tag mit ihren glühenden Räucherpfannen zum Eingang des heiligen Zeltes. Auch Mose und Aaron waren dort, [19] und die übrigen Israeliten versammelten sich ebenfalls. Es war Korach gelungen, das ganze Volk gegen Mose und Aaron aufzuwiegeln.

Da erschien der Herr in seiner Macht und Herrlichkeit, und alle Israeliten sahen es. [20] Er befahl Mose und Aaron: [21] »Verlasst dieses Volk, denn ich werde es auf einen Schlag vernichten!« [22] Doch die beiden warfen sich zu Boden und riefen: »O Gott, du hast doch alles, was lebt, geschaffen! Willst du ein ganzes Volk ausrotten, nur weil ein einziger Mann gesündigt hat?«

[23] Der Herr antwortete Mose: [24] »Dann befiehl den Israeliten, sich von den Zelten Korachs, Datans und Abirams zurückzuziehen!« [25] Mose stand auf und ging zu Datan und Abiram. Die Ältesten Israels folgten ihm. [26] Dann rief Mose den Israeliten zu: »Geht weg von den Zelten dieser gottlosen Menschen, und fasst nichts an, was ihnen gehört, sonst kommt ihr mit ihnen um!« [27] Da entfernten sich die Israeliten vom Lager der Aufrührer.

Als Datan und Abiram aus ihren Zelten kamen und mit ihren Frauen und Kindern davor standen, [28] rief Mose: »Nun sollt ihr sehen, dass der Herr mich gesandt hat und ich nicht tue, was ich will, sondern was er will. [29] Wenn diese Menschen in Frieden alt werden und sterben wie alle anderen, dann hat der Herr mich nicht gesandt. [30] Wenn er aber etwas tut, was es noch nie gab, dann werdet ihr merken, dass sie den Herrn beleidigt haben. Ich sage euch: Der Erdboden wird sich öffnen und sie mit allem, was sie haben, verschlingen. Der Herr wird sie mitten aus dem Leben ins Totenreich hinabreißen.«

[31] Kaum hatte Mose das gesagt, da spal-

16,9 1,47–53 **16,10–11** 3,10; 18,7 **16,13–14** 13,27* **16,21** 2 Mo 32,9–10* **16,22** 1 Mo 18,23; Jes 65,8

tete sich die Erde. [32]Der Boden öffnete sich und verschlang Datan, Abiram und alle Anhänger Korachs mit ihren Familien und ihrem ganzen Besitz. [33]Mitten aus dem Leben wurden sie ins Totenreich hinabgerissen und von der Erde begraben, die sich über ihnen wieder schloss. So verschwanden sie aus der Mitte ihres Volkes. [34]Als die anderen Israeliten ihre Todesschreie hörten, flohen sie nach allen Seiten und riefen: »Weg von hier! Sonst verschlingt die Erde auch uns!«

[35]Im selben Moment schickte der Herr Feuer und verbrannte die 250 Männer, die ihm Weihrauch darbringen wollten.

17 Dann sprach der Herr zu Mose: [2]»Befiehl dem Priester Eleasar, dem Sohn Aarons, dass er die Räucherpfannen aus der Asche sammeln und die Glut ausschütten soll. Diese Pfannen gehören mir, [3]weil man sie mir dargebracht hat. Ihr sollt Bleche daraus hämmern und den Brandopferaltar damit überziehen. Das wird die Israeliten in Zukunft daran erinnern, wie sich diese Menschen durch ihre Sünde selbst ins Verderben gestürzt haben.«

[4]Der Priester Eleasar sammelte die bronzenen Räucherpfannen der verbrannten Männer ein und ließ daraus eine Verkleidung für den Altar anfertigen, [5]wie der Herr es ihm durch Mose aufgetragen hatte. Diese Altarverkleidung sollte die Israeliten daran erinnern, dass nur Aaron und seine Nachkommen sich dem Heiligtum nähern und Räucheropfer darbringen durften. Jeder andere, der es versuchte, würde enden wie Korach und seine Leute.

Das Volk hat nichts begriffen

[6]Am nächsten Tag machten die Israeliten Mose und Aaron schwere Vorwürfe und riefen: »Ihr habt Menschen umgebracht, die der Herr erwählt hat!« [7]Das ganze Volk stellte sich gegen sie. Da drehten sich die beiden zum heiligen Zelt um. Im selben Augenblick wurde es von der Wolke Gottes bedeckt, und der Herr erschien in seiner Herrlichkeit. [8]Mose und Aaron traten vor den Eingang, [9]und der Herr sprach zu Mose: [10]»Geht weg von diesen Leuten! Ich werde sie auf einen Schlag vernichten!« Da warfen sich die beiden zu Boden, [11]und Mose sagte zu Aaron: »Nimm eine Räucherpfanne, fülle sie mit Glut vom Altar, und streu Weihrauch darüber! Bring es zu den Leuten, und versöhne sie mit dem Herrn! Beeil dich, denn der Herr ist zornig; er hat schon begonnen, die Menschen zu töten.«

[12]Aaron tat, was Mose gesagt hatte, und lief mit der Räucherpfanne mitten in die versammelte Menge. Viele Menschen waren bereits gestorben. Aaron verbrannte den Weihrauch und versöhnte durch dieses Opfer das Volk mit Gott. [13]So konnte er das Verderben aufhalten. Der Ort, an dem Aaron stand, war die Grenze zwischen den Toten und den Lebenden. [14]14700 Menschen waren umgekommen, die Leute Korachs nicht mitgerechnet.

[15]Als das Sterben aufgehört hatte, kehrte Aaron zurück zu Mose an den Eingang des heiligen Zeltes.

Der Herr bestätigt das Priesteramt der Familie Aarons

[16]Der Herr sprach zu Mose: [17]»Sag den Israeliten, dass jedes Stammesoberhaupt dir einen Stab geben soll, also insgesamt zwölf Stäbe, einen für jeden Stamm. Auf die Stäbe sollst du die Namen dieser Männer schreiben, [18]denn jeder Stab steht für das Oberhaupt eines Stammes. Aber auf den Stab des Stammes Levi schreib den Namen Aaron! [19]Leg die Stäbe im heiligen Zelt vor die Bundeslade, wo ich euch begegne! [20]Dann wird Folgendes geschehen: Der Stab des Mannes, den ich auswähle, wird Blätter treiben. So werde ich alle eure Widersacher zum Schweigen bringen.«

16,35 3 Mo 10,1–2 **17,5** 3,10 **17,6** 2 Mo 14,11–12* **17,7** 11,25; 2 Mo 34,5 **17,10** 16,21–22 **17,18** 2 Mo 6,16–20 **17,19** 2 Mo 25,22; 3 Mo 16,2

[21] Mose berichtete den Israeliten, was der Herr gesagt hatte, und die Oberhäupter der Stämme brachten jeder einen Stab, insgesamt zwölf. Darunter war auch der von Aaron. [22] Mose legte die Stäbe im heiligen Zelt vor der Bundeslade nieder. [23] Am nächsten Tag ging er wieder hinein, und tatsächlich: Aarons Stab hatte Blätter und Blüten getrieben und sogar Mandeln reifen lassen.

[24] Da brachte Mose die Stäbe aus dem Zelt und zeigte sie den Israeliten. Jedes Stammesoberhaupt erhielt seinen Stab zurück. [25] Dann sprach der Herr zu Mose: »Leg Aarons Stab wieder vor die Bundeslade, und bewahre ihn dort auf. Wenn sich die Israeliten wieder einmal gegen euch stellen, dann zeig ihnen den Stab, um sie von ihrer Auflehnung abzubringen und so ihr Leben zu retten.«

[26] Mose tat, was der Herr ihm befohlen hatte. [27] Die Israeliten aber riefen: »Es ist aus mit uns! Wir kommen um! Wir werden alle vernichtet! [28] Wer dem heiligen Zelt zu nahe kommt, der stirbt. Sollen wir denn völlig ausgelöscht werden?«

Die Verantwortung der Priester und Leviten

18 Der Herr sprach zu Aaron: »Du trägst zusammen mit deinen Söhnen und dem ganzen Stamm Levi* die Verantwortung für das heilige Zelt. Wenn dort gegen meine Gebote verstoßen wird, trifft euch die Schuld. Und wenn ihr beim Priesterdienst meine Anweisungen missachtet, ziehe ich euch dafür zur Rechenschaft. [2] Denn diese Aufgaben sind allein euch anvertraut. Die anderen Leviten dürfen sich zusammen mit euch dem Heiligtum nähern. Sie sollen euch begleiten und euch helfen, wenn ihr dort euren Dienst verrichtet. [3] Was ihr ihnen auftragt, sollen sie tun und alle Arbeiten erledigen, die beim heiligen Zelt anfallen. Nur den heiligen Gefäßen und Werkzeugen und dem Altar dürfen sie sich nicht nähern, sonst müssen sie sterben und ihr mit ihnen. [4] Sie sollen immer dicht bei euch bleiben, wenn sie ihre Arbeiten im Heiligtum ausführen. Außer ihnen darf niemand in den Vorhof kommen. [5/6] Eure levitischen Brüder sind mein Geschenk an euch. Ich habe sie aus allen Stämmen Israels ausgewählt, damit sie mir im Heiligtum dienen. Aber für den Altar und das heilige Zelt selbst seid allein ihr Priester zuständig. Wenn sich andere Israeliten in euer Amt einmischen, wird mein Zorn sie treffen. [7] Das Priestertum ist nur dir und deinen Söhnen anvertraut. Ihr allein dürft die Opfer auf dem Altar darbringen und das Allerheiligste hinter dem Vorhang betreten. Das sind ausschließlich eure Aufgaben. Das Priestertum ist mein Geschenk an euch. Jeder andere, der sich in euer Amt drängt, muss sterben.«

Der Anteil der Priester an den Opfern

[8] Weiter sprach der Herr zu Aaron: »Du weißt, dass ich euch Priestern von jedem Opfer einen Anteil als Lohn geben werde. Dies soll für alle Zeiten so bleiben. [9] Außerdem habe ich die heiligsten Gaben, die mir die Israeliten darbringen, für euch bestimmt: alle Speiseopfer, Sündopfer und Schuldopfer. Alles, was nicht auf dem Altar verbrannt wird, gehört dir und deinen Söhnen. Achtet es als etwas besonders Heiliges! [10] Ihr Männer sollt es im Vorhof des Heiligtums essen!

[11] Der Anteil, den ihr als Lohn für euren Dienst erhaltet, ist für alle eure Angehörigen bestimmt, Männer, Frauen und Kinder. Jeder aus eurer Sippe darf davon essen, wenn er rein ist. Euer Anspruch auf den Anteil am Opfer soll für immer bestehen bleiben. [12] Außerdem gebe ich euch das Beste von Öl, Most und Getreide, die erste Ernte, die man mir darbringt. [13] Auch die ersten Früchte, die

---

17,25 Hebr 9,4 **17,28** 1,51 **18,3** 17,5 **18,5–6** 3,12–13 **18,7** 3,10; 16,9–11 **18,8–19** 3 Mo 2,3; 6,9–11.22–23; 7,6–10.14; 10,12–18; 22,10–16; 5 Mo 18,3–5 **18,13** 2 Mo 23,19; Neh 10,36

im Land wachsen und die man im Heiligtum abgibt, gehören euch. Jeder aus eurer Sippe, der rein ist, darf davon essen. [14] Ihr erhaltet alles, was die Israeliten mir unwiderruflich weihen. [15] Darüber hinaus gehört euch jeder älteste Sohn in Israel und jedes männliche Tier, das als Erstes geboren und mir dargebracht wird. Allerdings sollt ihr die Kinder freikaufen lassen, ebenso die unreinen Tiere, die nicht als Opfer in Frage kommen.

[16] Sobald der älteste Sohn einer Familie einen Monat alt ist, sollen für ihn fünf Silberstücke zu je 12 Gramm bezahlt werden, nach dem im Heiligtum gültigen Gewicht. [17] Aber reine Tiere wie Rinder, Schafe und Ziegen sollt ihr nicht freikaufen lassen, denn sie gehören allein mir. Besprengt den Altar mit ihrem Blut, und lasst ihr Fett als Feueropfer in Rauch aufgehen, um mich damit zu ehren. [18] Das Fleisch dieser Tiere aber soll euch Priestern gehören, so wie bei den Opfern, wo ihr den rechten Hinterschenkel und die Brust vor dem Eingang des heiligen Zeltes hin- und herschwingt, um zu zeigen, dass sie mir geweiht sind.

[19] Alle diese Anteile an den Opfertieren gebe ich euch und euren Angehörigen, Männern, Frauen und Kindern. So soll es für alle Zeiten bleiben. Darauf gebe ich euch mein Wort, und ich werde es niemals brechen![a] «

Der Anteil der Leviten

[20] Dann sprach der Herr zu Aaron: »Dein Stamm wird in Kanaan kein Land erhalten und kein eigenes Gebiet besitzen wie die anderen Israeliten. Denn ich selbst bin euer Anteil und Erbe. [21] Als Lohn für euren Dienst gebe ich euch den zehnten Teil der Ernte, den die Israeliten zum Heiligtum bringen. [22] Außer euch Priestern und Leviten darf sich keiner dem heiligen Zelt nähern. Das wäre eine Sünde, für die er mit dem Leben bezahlen muss. [23] Nur ihr Leviten dürft die Arbeiten am Heiligtum verrichten, ihr allein seid dort für alles verantwortlich. So soll es immer bleiben, bei euch und bei euren Nachkommen. Ihr erhaltet also kein eigenes Stammesgebiet in Israel, [24] sondern bekommt stattdessen den zehnten Teil der Ernte, den die Israeliten mir als Abgabe bringen.«

Die Leviten sollen mit den Priestern teilen

[25/26] Weiter ließ der Herr den Leviten durch Mose ausrichten: »Ich habe euch den zehnten Teil von allem zugesagt, was in Israel geerntet wird. Davon sollt ihr mir wiederum den zehnten Teil geben. [27] Dieses Opfer zählt für mich genauso, als hättet ihr das Getreide selbst gedroschen und den Wein selbst gekeltert. [28] Wie die anderen Israeliten sollt auch ihr Leviten mir einen Teil von allem geben, was ihr bekommt. Bringt es dem Priester Aaron. [29] Das Beste von eurem Anteil sollt ihr mir überlassen, denn es ist heilig und gehört mir. [30] Wenn ihr das tut, dann nehme ich eure Gabe an, als hättet ihr Getreide und Wein aus eurer eigenen Ernte dargebracht. [31] Euren Anteil könnt ihr dann mit euren Familien essen, wo immer ihr wollt. Dies ist der Lohn für eure Arbeit am heiligen Zelt. [32] Wenn ihr vorher das Beste abgegeben habt, ladet ihr keine Schuld auf euch. So sorgt ihr dafür, dass die heiligen Gaben der Israeliten nicht entweiht werden und ihr nicht sterben müsst.«

Das Reinigungswasser

19 Der Herr sprach zu Mose und Aaron: [2] »Ich gebe euch jetzt eine besondere Anweisung: Lasst euch von den Israeliten eine junge, rotbraune Kuh

---

[a] Wörtlich: Es ist ein ewiger Salzbund zwischen dem Herrn und dir und deinen Nachkommen. – Bündnisse wurden durch das Essen von Salz besiegelt.

18,14 3 Mo 27,28 **18,15–17** 2 Mo 13,12–16* **18,20** 5 Mo 10,9; 12,12; 18,1–2; Jos 13,14; 18,7; Hes 44,28 **18,21–24** 5 Mo 14,28–29; 26,12–15; 3 Mo 27,30–33* **18,22–23** 1,51 **18,25–26** Neh 10,38–39

bringen, die gesund und ohne Fehler ist und noch kein Joch getragen hat. [3] Gebt sie dem Priester Eleasar. Er soll sie vor das Lager führen und dort schlachten lassen. [4] Dann soll er seinen Finger in ihr Blut tauchen und es siebenmal in Richtung der Vorderseite des heiligen Zeltes sprengen. [5] Die Kuh soll in seiner Gegenwart ganz verbrannt werden, mit Fell, Fleisch, Blut und Eingeweiden. [6] In das Feuer wirft der Priester etwas Zedernholz, ein Büschel Ysop und rote Wolle. [7] Danach wäscht er seine Kleidung und seinen Körper mit Wasser. Nun kann er ins Lager zurückkehren, ist aber bis zum Abend unrein.

[8] Auch der Mann, der die Kuh verbrannt hat, soll seine Kleider und sich selbst mit Wasser waschen. Er ist ebenfalls bis zum Abend unrein.

[9] Ein anderer Mann, der nicht unrein ist, soll die Asche der Kuh nehmen und an einen reinen Ort außerhalb des Lagers bringen. Dort soll sie aufbewahrt werden. Mit der Asche wird das Reinigungswasser zubereitet, das die Israeliten von Unreinheit befreit. [10] Auch der Mann, der die Asche getragen hat, soll seine Kleidung und seinen Körper waschen; er ist ebenfalls bis zum Abend unrein.

Was ich euch jetzt sage, gilt für alle Zeiten und für alle Menschen in Israel, für die Einheimischen ebenso wie für die Ausländer: [11] Wer einen Toten berührt, ist sieben Tage lang unrein, ganz gleich, wer der Verstorbene war. [12] Am dritten Tag soll er sich mit dem Reinigungswasser besprengen lassen, so dass er nach sieben Tagen wieder rein ist. Wenn er dies nicht tut, dann ist er nach einer Woche immer noch unrein. [13] Da er eine Leiche berührt hat und sich nicht reinigen lässt, beschmutzt er die Wohnung des Herrn. Er darf nicht weiter unter euch leben, sondern muss getötet werden.

[14] Wenn jemand in einem Zelt stirbt, dann ist jeder, der sich gerade dort aufhält oder hineingeht, sieben Tage lang unrein. [15] Auch jedes Gefäß im Zelt, das nicht fest verschlossen ist, wird unrein. [16] Sieben Tage unrein ist auch jeder, der im Freien einen Toten berührt, ganz gleich, ob dieser umgebracht wurde oder auf natürliche Weise gestorben ist. Dasselbe gilt, wenn jemand mit den Gebeinen oder dem Grab eines Menschen in Berührung kommt.

[17] In all diesen Fällen müsst ihr zur Reinigung die Asche der rotbraunen Kuh verwenden. Streut etwas davon in ein Gefäß, und gießt frisches Wasser dazu. [18] Dann soll ein Mann, der sich nicht verunreinigt hat, ein Büschel Ysop in das Wasser tauchen und damit alle Menschen und Gegenstände besprengen, die unrein geworden sind: das Zelt sowie die Leute und Gefäße, die darin gewesen sind, oder denjenigen, der einen Toten, menschliche Gebeine oder ein Grab berührt hat. [19] Die Besprengung soll am dritten und am siebten Tag nach der Verunreinigung geschehen. So wird der Mensch von seiner Unreinheit befreit. Er soll dann seine Kleidung und seinen Körper waschen und ist am Abend des siebten Tages wieder rein.

[20] Wer unrein geworden ist und sich nicht reinigen lässt, beschmutzt das Heiligtum des Herrn. Er muss aus eurer Gemeinschaft ausgeschlossen werden und sterben. Denn ohne die Besprengung mit dem Reinigungswasser bleibt er unrein. [21] Dies soll in Israel für alle Zeiten gelten. Auch der Mann, der das Reinigungswasser versprengt hat, muss seine Kleidung waschen. Denn wer mit dem Wasser in Berührung kommt, wird bis zum Abend unrein. [22] Ebenso ist alles, was ein unreiner Mensch berührt, und jeder, der in Kontakt mit ihm kommt, bis zum Abend unrein.«

Mirjam stirbt in Kadesch

20 Im 1. Monat des Jahres kam das Volk Israel in die Wüste Zin und schlug das Lager in Kadesch auf. Dort starb Mirjam und wurde begraben.

19,13 5,2–3 **19,17–19** Hebr 9,13

Mose und Aaron enttäuschen den Herrn (2. Mose 17,1–7)

[2]In Kadesch fanden die Israeliten kein Wasser. Darum gingen sie zu Mose und Aaron [3]und machten ihrem Unmut Luft: »Ach, wären wir doch auch ums Leben gekommen, als der Herr unsere Brüder getötet hat! [4]Wozu habt ihr das Volk des Herrn in diese Wüste geführt? Doch nur, um uns und unser Vieh verdursten zu lassen! [5]Warum habt ihr uns aus Ägypten geholt und an diesen schrecklichen Ort gebracht? Hier wächst nichts: kein Getreide, keine Feigen, keine Trauben und keine Granatäpfel. Nicht einmal Wasser gibt es!«

[6]Mose und Aaron verließen die versammelte Menge, gingen zum Eingang des heiligen Zeltes und warfen sich dort zu Boden. Da erschien ihnen der Herr in seiner Herrlichkeit. [7]Er sprach zu Mose: [8]»Nimm deinen Stab! Ruf mit deinem Bruder Aaron das Volk vor dem Felsen dort zusammen! Sprecht laut zu dem Stein, so dass alle es hören! Dann wird Wasser aus ihm herausfließen, und ihr könnt den Menschen und Tieren zu trinken geben.«

[9]Mose gehorchte und nahm den Stab, der im Heiligtum lag. [10]Gemeinsam mit Aaron versammelte er die Israeliten vor dem Felsen und rief: »Passt gut auf, ihr widerspenstigen Menschen! Sollen wir euch Wasser aus diesem Felsen holen?« [11]Er hob den Stab und schlug zweimal damit gegen das Gestein. Da strömte eine große Menge Wasser heraus. Das ganze Volk und alle Tiere konnten ihren Durst stillen.

[12]Aber der Herr sprach zu Mose und Aaron: »Ihr habt mir nicht vertraut und meinen heiligen Namen nicht geehrt, sondern euch selbst in den Mittelpunkt gestellt. Deshalb dürft ihr mein Volk nicht in das Land bringen, das ich ihnen geben werde.«

[13]Von nun an nannte man die Quelle Meriba (»Vorwurf«), denn die Israeliten hatten hier dem Herrn Vorwürfe gemacht, und er hatte ihnen seine Macht gezeigt.

Die Edomiter verweigern Israel den Durchzug

[14]Von Kadesch aus schickte Mose Boten zum König von Edom und ließ ihm sagen: »Wir Israeliten sind euer Brudervolk, darum hör uns an! Wie du weißt, haben wir viel Leid erlebt: [15]Unsere Vorfahren siedelten nach Ägypten über und lebten dort lange Zeit. Aber die Ägypter unterdrückten uns. [16]Da schrien wir zum Herrn um Hilfe, und er erhörte uns. Er sandte einen Engel und befreite uns aus Ägypten. Nun sind wir hier, bei der Stadt Kadesch an eurer Grenze. [17]Lass uns bitte durch euer Land ziehen. Wir werden keinen Acker und keinen Weinberg betreten, ja, nicht einmal Wasser aus euren Brunnen trinken. Wir versprechen, dass wir auf der großen Straße bleiben und sie an keiner Stelle verlassen, bis wir euer Gebiet durchquert haben.«

[18]Die Edomiter aber antworteten: »Ihr werdet nicht durch unser Land ziehen, sonst kommen wir euch mit Schwertern bewaffnet entgegen!« [19]Die Israeliten versicherten noch einmal: »Wir wollen wirklich nur die Straße durch euer Land benutzen. Und wenn wir oder unser Vieh von eurem Wasser trinken, dann werden wir es bezahlen. Wir möchten nur durch euer Land hindurch, weiter nichts.«

[20]Doch die Edomiter ließen nicht mit sich reden. Im Gegenteil: Sie zogen den Israeliten mit einer großen Streitmacht entgegen.

Aaron stirbt, und Eleasar wird Hoherpriester

[21]Weil die Edomiter den Weg nicht freigeben wollten, schlugen die Israeliten

---

20,2–5 2 Mo 14,11–12* **20,6** 2 Mo 15,25; 17,4 **20,9** 17,16–25 **20,10–12** 27,13–14; 5 Mo 1,37*; 32,49–52; Ps 106,32–33 **20,14** 1 Mo 36,6–8; 5 Mo 23,8

eine andere Richtung ein. [22/23] Sie brachen von Kadesch auf und zogen an der Grenze Edoms entlang zum Berg Hor. Dort sprach der Herr zu Mose und Aaron: [24] »An diesem Ort wird Aaron sterben. Er soll nicht in das Land kommen, das ich den Israeliten geben werde, denn ihr habt an der Meribaquelle gegen meine Anweisung gehandelt.«

[25] Dann sagte der Herr zu Mose: »Steig mit Aaron und seinem Sohn Eleasar auf den Berg Hor! [26] Nimm Aaron dort sein Priestergewand ab, und zieh es seinem Sohn an! Danach wird Aaron sterben.«

[27] Mose gehorchte und stieg mit den beiden vor den Augen der Israeliten auf den Berg Hor. [28] Als sie auf dem Gipfel angekommen waren, nahm er Aaron das Gewand des Hohenpriesters ab und zog es Eleasar an. Dann starb Aaron. Mose und Eleasar kamen ohne ihn zurück. [29] Als die Israeliten von Aarons Tod erfuhren, trauerten sie dreißig Tage lang um ihn.

Der König von Arad greift an

21 Der König von Arad im Süden Kanaans hörte, dass die Israeliten auf dem Weg nach Atarim herankamen. Er griff sie mit seinem Heer an und nahm etliche von ihnen gefangen. [2] Da schworen die Israeliten dem Herrn: »Wenn du dieses Volk in unsere Gewalt gibst, werden wir an ihren Städten dein Urteil vollstrecken.« [3] Der Herr erhörte sie und gab ihnen den Sieg über die Kanaaniter. Die Israeliten töteten ihre Feinde und zerstörten deren Städte. Den Ort des Kampfes nennt man daher Horma (»Vernichtung«).

Die bronzene Schlange

[4] Danach brachen die Israeliten vom Berg Hor auf und zogen zunächst wieder nach Süden in Richtung des Schilfmeers, um das Land Edom zu umgehen. Doch unterwegs verloren sie die Geduld [5] und klagten Gott und Mose an: »Warum habt ihr uns aus Ägypten geholt? Damit wir in der Wüste sterben? Es gibt kein Brot, es gibt kein Wasser, nur immer dieses armselige Manna. Das hängt uns zum Hals heraus!«

[6] Da schickte der Herr ihnen Schlangen, deren Gift wie Feuer brannte. Viele Menschen wurden gebissen und starben. [7] Die Israeliten liefen zu Mose und riefen: »Wir haben uns schuldig gemacht! Es war falsch, dass wir uns gegen dich und den Herrn aufgelehnt haben. Bitte den Herrn, uns von den Schlangen zu befreien!«

Da betete Mose für das Volk, [8] und der Herr antwortete ihm: »Mach dir eine bronzene Giftschlange, und befestige sie am Ende einer Stange. Dann sag den Israeliten: Jeder, der gebissen wird und sie ansieht, bleibt am Leben.« [9] Mose fertigte eine Schlange aus Bronze an und befestigte sie an einer Stange. Nun musste niemand mehr durch das Gift der Schlangen sterben. Wer gebissen wurde, brauchte nur auf die bronzene Schlange zu sehen und war gerettet.

Die Lagerplätze im Ostjordanland

[10] Die Israeliten setzten ihren Weg fort. Als Nächstes schlugen sie ihr Lager in Obot auf, [11] dann in Ije-Abarim, das in der Wüste östlich von Moab liegt. [12] Danach machten sie am Seredbach Halt. [13] Von dort ging es weiter in die Wüste südlich des Arnon. Dieser Fluss entspringt in dem Gebiet, wo die Amoriter lebten; er bildete die Grenze zwischen ihnen und den Moabitern, die weiter südlich wohnten. [14] Über den Vorstoß der Israeliten in diese Gegend[a] heißt es im »Buch der Kriege des Herrn«:

»… Waheb in Sufa und die Zuflüsse

---

[a] »Über … Gegend« ist sinngemäß ergänzt.

20,24 20,9–12 **20,25–29** 33,38–39; 2 Mo 29,29–30 **21,2–3** 14,45; 3 Mo 27,29 **21,5** 2 Mo 14,11–12* **21,6** 1 Kor 10,9–10 **21,8–9** 2 Kön 18,4; Joh 3,14–15

des Arnon, [15] die Wasser, die an Moabs Grenze zur Stadt Ar hinunterfließen.«
[16] Von dort zogen die Israeliten weiter zum Beerbrunnen. Hier sprach der Herr zu Mose: »Ruf das Volk zusammen! Ich will euch Wasser geben.« [17] Damals entstand dieses Lied:

»Brunnen, fülle dich mit Wasser! Dich besingen wir.
[18] Fürsten haben dich gegraben, Herrscher haben hier mit dem Zepter in der Hand dich gebohrt durch Stein und Sand.«

Von Beer in der Wüste ging es weiter nach Mattana. [19] Danach lagerten die Israeliten in Nahaliël und Bamot-Baal. [20] Schließlich erreichten sie die Ebene im Land der Moabiter, aus der sich der Berg Pisga erhebt. Von dort aus konnte man weit ins untere Jordantal hinabsehen.

Der Amoriterkönig Sihon greift Israel an
(5. Mose 2,24–36)

[21] Die Israeliten sandten Boten zu Sihon, dem König der Amoriter, und baten ihn: [22] »Lass uns durch euer Land ziehen. Wir werden eure Felder und Weinberge nicht betreten und kein Wasser aus euren Brunnen trinken. Wir bleiben auf der großen Straße, bis wir euer Gebiet wieder verlassen haben.« [23] Aber Sihon erlaubte es ihnen nicht, sondern rief sein Heer zusammen und zog Israel in der Wüste entgegen. Bei Jahaz kam es zur Schlacht. [24] Die Israeliten töteten die Amoriter mit dem Schwert und eroberten das ganze Land zwischen den Flüssen Arnon im Süden und Jabbok im Norden. Am Jabbok begann das Gebiet der Ammoniter, deren Grenze gut gesichert war. [25] Die Israeliten nahmen nach und nach alle Städte der Amoriter ein und ließen sich dort nieder, vor allem in Heschbon und den umliegenden Orten.
[26] Heschbon war die Stadt des amoritischen Königs Sihon gewesen. Er hatte einst den moabitischen König, dem das Land vorher gehörte, angegriffen und das ganze Gebiet bis hinunter zum Arnon besetzt. [27] Daher heißt es in einem Gedicht:

»Kommt nach Heschbon, zur Stadt Sihons! Baut sie wieder auf, errichtet ihre Mauern neu!
[28] Einst brachen Sihons Truppen aus Heschbon hervor wie ein Feuer, sie zerstörten die Stadt Ar-Moab hoch über dem Arnontal, die Stadt, in der die Herrscher Moabs lebten.
[29] Ihr seid verloren, ihr Moabiter! Es ist euch schlecht ergangen! Euer Gott Kemosch hat euch aus der Heimat vertrieben. Er hat eure Frauen und Mädchen in die Gewalt des Amoriterkönigs Sihon gegeben.
[30] Doch dann sind wir gekommen und haben die Amoriter besiegt. Jetzt ist Heschbon vernichtet, Dibon zerstört. Bis nach Nofach haben wir ihre Städte verwüstet, bis nach Medeba haben wir sie verbrannt.«

[31] So wohnten die Israeliten nun in dem Gebiet, das vorher den Amoritern gehört hatte. [32] Von hier aus ließ Mose Jaser erkunden, wo ebenfalls Amoriter lebten. Die Israeliten vertrieben auch sie und nahmen ihre Stadt und die umliegenden Orte ein.

Die Schlacht gegen König Og von Baschan
(5. Mose 3,1–11)

[33] Dann zogen die Israeliten nach Norden in Richtung Baschan. Auf dem Weg kam ihnen Og, der König von Baschan, mit seinem ganzen Heer entgegen. Bei Edreï trafen sie aufeinander. [34] Da sprach der Herr zu Mose: »Hab keine Angst vor ihm! Ich werde Og, sein ganzes Heer und sein Land in deine Gewalt geben. Vernichte ihn so wie Sihon, den Amoriterkönig aus Heschbon.« [35] Die Israeliten töteten den König, seine Söhne und das ganze Heer. Sie ließen niemanden entkommen und nahmen das Land Baschan ein.

22 Danach zogen sie ins Jordantal hinab und lagerten in der moabitischen Steppe gegenüber von Jericho.

Bileam soll Israel verfluchen

[2–4] Die Moabiter und ihr König Balak, der Sohn Zippors, hörten, wie die Israeliten die Amoriter vernichtet hatten. Da packte sie die Angst vor dem gewaltigen Heer der Israeliten. Sie berieten sich mit den führenden Männern von Midian und sagten zu ihnen: »Bald werden diese Horden auch unsere Ländereien abfressen, wie das Vieh die Weiden abgrast.«

[5] Balak sandte Boten nach Petor, einer Stadt am Euphrat im Land des Volkes Amaw[a]. Von dort sollten sie Bileam, den Sohn Beors, zu Hilfe holen. Balak ließ ihm ausrichten: »Ein Volk ist aus Ägypten gekommen und hat sich in unserer Gegend breit gemacht. Sein Heer steht an unserer Grenze und bedroht uns. [6] Wir sind ihm völlig unterlegen. Deshalb brauchen wir deine Hilfe. Komm doch und verfluche dieses Volk! Denn wir wissen: Wenn du jemanden segnest, dann gelingt ihm alles, und wenn du jemanden verfluchst, dann ist er verloren. Mit deiner Hilfe können wir sie vielleicht besiegen und aus dem Land vertreiben.«

[7] Die führenden Männer der Moabiter und Midianiter zogen also zu Bileam, und sie brachten seinen Lohn gleich mit. Als sie ihm Balaks Botschaft ausgerichtet hatten, [8] antwortete Bileam: »Bleibt heute Nacht hier. Morgen werde ich euch mitteilen, was der Herr mir sagt.« Da blieben die Fürsten aus Moab bis zum nächsten Tag in Petor.

[9] In der Nacht erschien Gott Bileam und fragte: »Was sind das für Männer bei dir?« [10] Bileam erwiderte: »Sie kommen vom moabitischen König Balak, dem Sohn Zippors. [11] Ein Volk aus Ägypten ist bei ihnen eingefallen und hat das ganze Land besetzt. Nun soll ich hingehen und diese Leute verfluchen. Balak hofft, dass er sie dann besiegen und vertreiben kann.« [12] Gott befahl Bileam: »Geh nicht mit! Verfluche dieses Volk nicht, denn ich habe es gesegnet!«

[13] Am Morgen stand Bileam auf und sagte zu den Abgesandten Balaks: »Ihr müsst allein in euer Land zurückkehren. Der Herr erlaubt mir nicht, mit euch zu gehen.« [14] So brachen die führenden Männer der Moabiter ohne ihn auf und trafen unverrichteter Dinge wieder bei Balak ein. Sie erklärten ihm: »Bileam wollte nicht mitkommen.« [15] Da sandte Balak wieder Boten nach Petor, diesmal noch mehr und noch bedeutendere Männer. [16] Sie reisten zu Bileam und sagten zu ihm: »Balak, der Sohn Zippors, bittet dich: Lass dich nicht abhalten, zu mir zu kommen. [17] Ich werde dich reich belohnen und alles tun, was du willst. Komm doch, und verfluche dieses Volk für mich!«

[18] Bileam erwiderte: »Selbst wenn Balak mir seinen Palast voll Gold und Silber gibt, kann ich nichts tun, was der Herr, mein Gott, mir verbietet, ganz gleich, wie wichtig oder unwichtig es ist. [19] Doch bleibt auch ihr über Nacht hier. Ich will sehen, was der Herr mir sagt.«

[20] In der Nacht erschien Gott Bileam wieder und forderte ihn auf: »Geh mit den Männern, die dich holen wollen! Aber tu nur das, was ich dir sage.«

Bileam und die sprechende Eselin

[21] Am Morgen stand Bileam auf, sattelte seine Eselin und zog mit den moabitischen Fürsten los. [22] Zwei Diener begleiteten ihn.

Gott aber war zornig, dass Bileam mitging, und der Engel des Herrn stellte sich ihm in den Weg, um ihn aufzuhalten. [23] Die Eselin sah den Engel, der mit dem Schwert in der Hand mitten auf der Straße stand. Sie brach zur Seite aus und lief ins Feld. Bileam schlug sie, um sie wieder auf den Weg zurückzubringen.

---

[a] Oder: einer Stadt am Euphrat in seinem Heimatland.

22,5 31,8; Jos 13,22; 24,9; Neh 13,2; Mi 6,5; 2 Petr 2,15–16 **22,18** 24,13 **22,20** 23,11–12

[24] Nun stellte sich der Engel des Herrn auf einen engen Weg, der zwischen Weinbergen hindurchführte. Die Straße war hier von Mauern eingefasst. [25] Wieder sah die Eselin den Engel und drängte sich ganz an die Seite, so dass Bileams Bein an die Mauer gedrückt wurde. Wieder schlug er sie.

[26] Der Engel des Herrn ging nochmals ein Stück weiter und versperrte Bileam nun an einer anderen Stelle den Weg, die so eng war, dass man weder rechts noch links vorbeikommen konnte. [27] Als die Eselin den Engel sah, legte sie sich auf den Boden. Bileam wurde wütend und schlug sie mit seinem Stock.

[28] Da ließ der Herr das Tier sprechen. Es sagte zu Bileam: »Was habe ich dir getan? Warum hast du mich jetzt schon zum dritten Mal geschlagen?« [29] Bileam schrie: »Weil du mich zum Narren hältst! Hätte ich nur ein Schwert zur Hand, ich würde dich töten!« [30] Das Tier erwiderte: »Bin ich nicht deine Eselin, auf der du schon immer geritten bist? Habe ich jemals so etwas getan wie heute?« Bileam sagte: »Nein.«

[31] Da öffnete der Herr ihm die Augen, und er sah den Engel mit dem Schwert in der Hand auf dem Weg stehen. Bileam verneigte sich vor ihm bis zum Boden. [32] Der Engel des Herrn sprach: »Warum hast du deine Eselin dreimal geschlagen? Ich war es, der dich aufgehalten hat, weil dein Weg sonst ins Verderben führt. [33] Deine Eselin hat mich gesehen und ist mir dreimal ausgewichen. Hätte sie es nicht getan, dann hätte ich dich mit dem Schwert getötet und sie am Leben gelassen.«

[34] Da sagte Bileam zum Engel des Herrn: »Ich habe Schuld auf mich geladen. Ich wusste nicht, dass du mir den Weg versperrt hast. Wenn du gegen diese Reise nach Moab bist, kehre ich sofort um.« [35] Doch der Engel des Herrn erwiderte: »Geh mit den Männern! Aber sag nur das, was ich dir auftrage!« So zog Bileam mit den Abgesandten Balaks weiter.

[36] Als Balak von Bileams Kommen erfuhr, ging er ihm bis zur Grenze Moabs entgegen und traf ihn in der Stadt Ar am Arnonfluss. [37] Balak machte Bileam Vorwürfe: »Warum bist du nicht sofort gekommen? Habe ich dir nicht gesagt, dass ich dich dringend brauche? Du meinst wohl, ich kann dich nicht angemessen belohnen?« [38] Bileam entgegnete: »Nun bin ich ja hier. Aber ich kann nicht einfach sagen, was ich will, sondern nur, was Gott mir eingibt.«

[39] Danach zogen Balak und Bileam nach Kirjat-Huzot. [40] Dort opferte der König Rinder, Schafe und Ziegen, und mit einem Teil des Fleisches ließ er Bileam und die führenden Männer der Moabiter bewirten. [41] Am nächsten Morgen führte Balak Bileam auf die Baal-Höhe. Von hier aus konnte man den Rand des israelitischen Lagers sehen.

Segen statt Fluch

23 Bileam forderte Balak auf: »Bau mir sieben Altäre, und bring mir sieben Stiere und sieben Schafböcke!« [2] Balak tat, was Bileam verlangte. Gemeinsam brachten sie auf jedem Altar einen Stier und einen Schafbock als Brandopfer dar. [3] Dann sagte Bileam zu Balak: »Bleib du hier bei deinen Opfern! Ich will gehen und sehen, ob der Herr zu mir kommt. Wenn er mir etwas zeigt, werde ich es dir berichten.«

Bileam stieg auf eine kahle Anhöhe, [4] und dort begegnete ihm Gott. Bileam sagte: »Ich habe sieben Altäre für dich aufgebaut und auf jedem einen Stier und einen Schafbock geopfert.« [5] Da ließ Gott ihn wissen, was er reden sollte, und forderte ihn auf: »Nun geh wieder zu Balak und richte ihm meine Botschaft aus.« [6] Bileam kehrte zu Balak zurück, der neben dem Brandopfer wartete. Bei ihm standen die führenden Männer der Moabiter. [7] Bileam fing an zu reden:

»Aus dem Land der Aramäer hat Balak

22,31 2 Kön 6,17 **22,35** 23,11–12

mich geholt, aus den Bergen im Osten hat mich der König Moabs gerufen: ›Komm, und verfluche für mich das Volk Israel, bring Unheil über die Nachkommen Jakobs.‹
[8] Aber wie kann ich jemanden verfluchen, den Gott nicht verflucht? Wie kann ich jemandem Unheil bringen, dem Gott nichts antun will?
[9] Von diesem Berg aus kann ich Israel sehen, ich habe es genau im Blick: Dieses Volk ist wirklich etwas Besonderes, es unterscheidet sich von allen anderen Völkern.
[10] Wer kann die unendliche Schar der Nachkommen Jakobs zählen? Nicht einmal ein Viertel von Israel lässt sich erfassen! Wenn ich nur eines Tages so in Frieden sterben könnte wie diese aufrichtigen Menschen, wenn mein Ende nur dem ihren gleichen würde!«

[11] Da rief Balak: »Was tust du mir an? Ich habe dich geholt, damit du meine Feinde verfluchst. Und nun segnest du sie!« [12] Bileam erwiderte: »Muss ich nicht genau das sagen, was der Herr mir aufträgt?«

[13] Balak forderte ihn auf: »Komm mit, wir gehen an einen anderen Ort. Von dort kannst du das Volk Israel auch sehen, aber nur den äußersten Rand des Lagers. Du sollst es von dort aus verfluchen.« [14] Er brachte Bileam auf den Gipfel des Berges Pisga, wo die Wachposten standen. Wieder baute er sieben Altäre und opferte auf jedem einen Stier und einen Schafbock. [15] Bileam sagte zu Balak: »Warte hier bei den Altären, ich will ein Stück weggehen, um dem Herrn zu begegnen.«

Der zweite Segen

[16] Wieder kam der Herr zu Bileam und ließ ihn wissen, was er sagen sollte. Dann schickte er ihn zu Balak zurück, [17] der mit den führenden Männern Moabs bei den Altären wartete. Balak fragte Bileam: »Was hat der Herr dir gesagt?« [18] Bileam antwortete:

»Steh auf, Balak, Sohn Zippors, und hör zu; achte auf meine Worte!
[19] Gott ist kein Mensch, der lügt. Er ist nicht wie einer von uns, der seine Versprechen bald wieder bereut. Was er sagt, das tut er, und was er ankündigt, das führt er aus.
[20] Darum habe ich den Auftrag zu segnen. Wenn Gott jemanden segnen will, kann ich es nicht verhindern.
[21] Er entdeckt keine Schuld bei den Nachkommen Jakobs, er findet nichts Schlechtes an den Israeliten. Der Herr, ihr Gott, ist bei ihnen, sie feiern ihn als ihren König.
[22] Er hat sie aus Ägypten hierher geführt, er macht sie stark wie einen wilden Stier.
[23] Gegen die Nachkommen Jakobs hilft keine Verwünschung, kein Zauberspruch kann Israel etwas anhaben. Gott spricht mit diesem Volk, wann er es will, und zeigt ihm, was er vorhat.
[24] Israel steht auf wie ein Löwe, es erhebt sich wie eine Löwin. Dieses Volk ruht nicht, bevor es seine Beute verzehrt und das Blut seiner Opfer getrunken hat.«

[25] Da rief Balak: »Jetzt ist es genug! Wenn du sie schon nicht verfluchst, dann hör wenigstens auf, sie zu segnen!« [26] Doch Bileam erwiderte: »Habe ich dir nicht erklärt, dass ich nur das weitergeben werde, was der Herr mir sagt?«

[27] Balak antwortete: »Komm, ich bringe dich an einen anderen Ort. Vielleicht gefällt er Gott besser, und er lässt dich den Fluch endlich aussprechen.« [28] Er nahm Bileam mit auf die Spitze des Berges Peor, von wo aus man die Jordanebene überblicken konnte. [29] Auch hier forderte Bileam den König auf, sieben Altäre zu bauen und ebenso viele Stiere und Schafböcke bereitzustellen. [30] Balak gehorchte und opferte die Tiere.

23,10 1 Mo 12,2* **23,11–12** 22,20.35 **23,19** 1 Sam 15,29; Mal 3,6; Röm 11,29 **23,21–22** 2 Mo 6,6–7; 5 Mo 4,34* **23,26** 22,20.35

Der dritte Segen

24 Bileam wusste nun, dass der Herr Israel segnen wollte. Deshalb versuchte er nicht, ihn durch Zauberei zu befragen, wie er es vorher getan hatte. Er wandte sich der Steppe zu [2]und richtete seinen Blick auf die Israeliten, die dort nach Stämmen geordnet lagerten. Der Geist Gottes kam über ihn, und er begann seine Rede:

[3]»Dies sagt Bileam, der Sohn Beors, dies sagt der, dem Gott die Augen öffnet, [4]der Gottes Worte hört. Der Allmächtige gibt ihm Visionen, und er fällt zu Boden und sieht verborgene Dinge.
[5]Wie schön sind eure Zelte, ihr Nachkommen Jakobs! Wie prächtig sind eure Wohnungen, ihr Israeliten!
[6]Wie weite Täler liegen sie da, wie Gärten am Fluss, sie stehen wie Aloebäume, die der Herr gepflanzt hat, und wie Zedern am Bach.
[7]Eure Brunnen werden stets voll Wasser sein, eure Saat wird auf fruchtbaren Feldern gedeihen. Euer König wird mächtiger sein als Agag, er herrscht über ein gewaltiges Reich.
[8]Gott hat euch aus Ägypten hierher geführt, er macht euch stark wie einen wilden Stier. Ihr verschlingt die Völker, die sich euch entgegenstellen; ihr zerbrecht ihnen die Knochen und tötet sie mit euren Pfeilen.
[9]Israel liegt da wie ein Löwe, es ruht wie eine Löwin. Wer wagt es, sie zu reizen? Wer euch segnet, wird selbst gesegnet, und wer euch verflucht, wird selbst verflucht.«

[10]Nun wurde Balak wütend auf Bileam. Er ballte die Fäuste und schrie: »Ich habe dich hierher geholt, damit du meine Feinde verfluchst! Und was tust du? Du segnest sie, und das gleich dreimal! [11]Verschwinde, mach, dass du nach Hause kommst! Ich hatte versprochen, dich reich zu belohnen. Doch daraus wird nichts. Der Herr hat es nicht gewollt.«
[12]Bileam erwiderte: »Du weißt, dass ich schon zu deinen Boten gesagt habe: [13]›Selbst wenn Balak mir seinen eigenen Palast voller Gold und Silber gibt, kann ich nichts tun, was der Herr mir verbietet. Ich kann nicht eigenmächtig einen Segen oder einen Fluch aussprechen, sondern nur das sagen, was der Herr mir aufträgt.‹ [14]So kehre ich jetzt wieder in meine Heimat zurück. Aber vorher will ich dir noch zeigen, was Israel schließlich mit deinem Volk machen wird. Komm und hör zu!«

Die vierte Rede Bileams

[15]Dann begann Bileam noch einmal:

»Dies sagt Bileam, der Sohn Beors, dies sagt der, dem Gott die Augen öffnet,
[16]der Gottes Worte hört und den Höchsten kennt. Der Allmächtige gibt ihm Visionen, und er fällt zu Boden und sieht verborgene Dinge:
[17]Ich sehe jemanden in weiter Ferne. Noch ist er nicht da, aber ich kann ihn schon erkennen. Ein Stern steigt auf von den Nachkommen Jakobs, ein Zepter erhebt sich in Israel. Es zerschmettert Moab den Schädel und zerschlägt sein wildes Kriegsvolk.
[18]Es unterwirft seine edomitischen Feinde und nimmt ihr Land Seïr in Besitz, ja, Israel vollbringt Gewaltiges!
[19]Ein Herrscher steht auf unter den Nachkommen Jakobs und vertreibt den Rest der Edomiter aus ihren Städten.«

[20]Dann sah Bileam die Amalekiter vor sich und sagte:

»Als erstes Volk trat Amalek den Israeliten entgegen, am Ende jedoch wird es für immer untergehen.«

[21]Nun sah Bileam die Keniter. Über sie sagte er:

24,2 2,1–34 **24,9** 1 Mo 12,3* **24,13** 22,18 **24,17–19** 1 Mo 49,10*; 2 Sam 8,2.13–14; Obd 17–18
24,20 2 Mo 17,14–16* **24,21** Ri 1,16; 1 Sam 15,6

»Eure Städte sind sicher wie ein Adlernest hoch oben in den Felsen.
[22] Und doch werdet ihr vernichtet werden, wenn die Assyrer euch gefangen fortschleppen.
[23] Wer wird am Leben bleiben, wenn Gott das alles tut?
[24] Kriegsschiffe kommen vom Mittelmeer, sie unterwerfen die Assyrer und die Nachkommen Ebers und werden dann selbst vernichtet.«

[25] Nach diesen Worten brach Bileam in seine Heimat auf, und auch Balak ging davon.

Die Moabiter und Midianiter verleiten Israel zum Götzendienst

25 Als die Israeliten in Schittim lagerten, ließen sie sich mit moabitischen Frauen ein. [2/3] Sie wurden von ihnen zu Opferfesten eingeladen, aßen dort das Fleisch der Opfertiere und beteten Baal-Peor an, den Gott der Moabiter. Ganz Israel verehrte ihn und warf sich vor ihm nieder. Da wurde der Herr zornig auf sein Volk. [4] Er sprach zu Mose: »Nimm die führenden Männer des Volkes gefangen, und häng sie am helllichten Tag auf! Sonst wird mein glühender Zorn das ganze Volk treffen.« [5] Mose befahl den Richtern Israels: »Tötet jeden von euren Leuten, der Baal-Peor als seinen Gott verehrt hat!«

[6] Das Volk hatte sich inzwischen bei Mose vor dem heiligen Zelt versammelt. Alle weinten und klagten. Da kam ein Israelit mit einer midianitischen Frau ins Lager. Vor aller Augen brachte er sie zu den Zelten seiner Sippe. [7] Als Pinhas, der Sohn Eleasars und Enkel des Priesters Aaron, das sah, stand er auf, verließ die versammelte Menge und nahm sich eine Lanze. [8] Er folgte den beiden in den hinteren Teil des Zeltes, in dem sie verschwunden waren; dort stieß er ihnen die Lanze durch den Unterleib. Da griff die Seuche nicht mehr weiter um sich, die unter den Israeliten ausgebrochen war. [9] 24 000 Menschen waren bereits tot.

[10] Der Herr sprach zu Mose: [11] »Pinhas, der Sohn Eleasars und Enkel des Priesters Aaron, hat die Israeliten vor meiner Strafe gerettet. Er hat sich mit aller Kraft für mich eingesetzt und so verhindert, dass ich die Israeliten in meinem Zorn vernichte. [12] Darum richte ihm aus: Ich will einen besonderen Bund mit ihm schließen: [13] Er und seine Nachkommen sollen für immer meine Priester sein. Das verspreche ich ihm, weil er sich für mich eingesetzt und das Volk Israel mit mir versöhnt hat.«

[14] Der Israelit, der zusammen mit der Midianiterin getötet worden war, hieß Simri. Er war ein Sohn Salus und das Oberhaupt einer Sippe vom Stamm Simeon. [15] Die Frau hieß Kosbi und war eine Tochter von Zur, dem Oberhaupt einer midianitischen Sippe.

[16] Der Herr befahl Mose: [17] »Greift die Midianiter an, und vernichtet sie! [18] Sie haben euch heimtückisch in die Falle gelockt mit ihrem Götzen Peor und ihrer Fürstentochter Kosbi, die getötet wurde, als ich euch wegen Peor ausrotten wollte.«

Die Israeliten werden zum zweiten Mal gezählt

[19] Als die Seuche vorüber war,

26 sprach der Herr zu Mose und zum Priester Eleasar, dem Sohn Aarons:

[2] »Zählt das ganze Volk Israel, alle wehrfähigen Männer ab zwanzig Jahren, und schreibt sie nach Sippen geordnet auf.«

[3/4] Mose und Eleasar berichteten den Israeliten, was der Herr ihnen befohlen hatte. In der moabitischen Steppe östlich des Jordan, gegenüber von Jericho, zähl-

---

25,4 5 Mo 21,22–23* **25,5** 2 Mo 32,27 **25,6–9** 31,14–16; 5 Mo 7,3–4*; Ps 106,28–29; 1 Kor 10,8
25,11–13 Esr 7,1–5; Ps 106,30–31 **25,16–18** 31,1–8 **26,2–51** 1,1–46; 2 Mo 30,12–16

ten sie alle wehrfähigen Männer ab zwanzig Jahren. Dies sind die Nachkommen der Israeliten, die einst aus Ägypten fortgezogen waren:

[5–7] Der Stamm Ruben umfasste 43 730 Männer und bestand aus den Sippen der Henochiter, Palluiter, Hezroniter und Karmiter. Sie waren die Nachkommen von Rubens Söhnen Henoch, Pallu, Hezron und Karmi. Ruben war der älteste Sohn Israels gewesen. [8] Rubens Sohn Pallu war der Vater von Eliab gewesen, [9] dessen Söhne Nemuël, Datan und Abiram hießen.

Datan und Abiram waren die Männer, die vom Volk zu Anführern ernannt worden waren und einen Aufruhr gegen Mose und Aaron angezettelt hatten. Als sie sich gemeinsam mit Korachs Leuten gegen den Herrn auflehnten, [10] öffnete sich die Erde und verschlang sie zusammen mit Korach. Die 250 Männer, die den Aufstand unterstützt hatten, verbrannten. Sie alle wurden für Israel zu einem abschreckenden Beispiel. [11] Die Söhne Korachs jedoch überlebten.

[12–14] Der Stamm Simeon zählte 22 200 Männer und teilte sich in die Sippen der Jemuëliter, Jaminiter, Jachiniter, Serachiter und Schauliter. Sie waren die Nachkommen von Simeons Söhnen Jemuël, Jamin, Jachin, Serach und Schaul.

[15–18] Der Stamm Gad hatte 40 500 Männer und bestand aus den Sippen der Zifjoniter, Haggiter, Schuniter, Osniter, Eriter, Aroditer und Areliter. Sie waren die Nachkommen von Gads Söhnen Zifjon, Haggi, Schuni, Osni, Eri, Arod und Areli.

[19–22] Zum Stamm Juda gehörten 76 500 Männer. Er setzte sich aus den Sippen der Schelaniter, Pereziter und Serachiter zusammen. Sie stammten von Judas Söhnen Schela, Perez und Serach ab.

Juda hatte noch zwei andere Söhne gehabt, Er und Onan. Sie waren noch in Kanaan gestorben. Perez hatte zwei Söhne gehabt, Hezron und Hamul, die Vorfahren der Hezroniter und Hamuliter.

[23–25] Der Stamm Issaschar zählte 64 300 Mann. Er bestand aus den Sippen der Tolaiter, Puwaniter, Jaschubiter und Schimroniter, den Nachkommen von Issaschars Söhnen Tola, Puwa, Jaschub und Schimron.

[26/27] Der Stamm Sebulon umfasste 60 500 Männer und setzte sich aus den Sippen der Serediter, Eloniter und Jachleeliter zusammen. Sie waren die Nachkommen von Sebulons Söhnen Sered, Elon und Jachleel.

[28] Josef hatte zwei Söhne gehabt: Manasse und Ephraim. Ihre Nachkommen bildeten zwei Stämme:

[29–34] Der Stamm Manasse zählte 52 700 Mann und bestand aus den Sippen der Machiriter, Gileaditer, Iëseriter, Helekiter, Asriëliter, Sichemiter, Schemidaiter und Heferiter. Machir war der Sohn Manasses und Vater Gileads gewesen. Gileads Söhne hießen Iëser, Helek, Asriël, Sichem, Schemida und Hefer. Hefer war der Vater von Zelofhad. Dieser hatte keinen Sohn, sondern fünf Töchter: Machla, Noa, Hogla, Milka und Tirza.

[35–37] Zum Stamm Ephraim gehörten 32 500 Männer. Er setzte sich aus den Sippen der Schutelachiter, Becheriter, Tahaniter und Eraniter zusammen. Schutelach, Becher und Tahan waren Söhne Ephraims gewesen, Eran war der Sohn von Schutelach.

[38–41] Der Stamm Benjamin zählte 45 600 Mann. Er bestand aus den Sippen der Belaiter, Aschbeliter, Ahiramiter, Schufamiter, Hufamiter, Arditer und Naamaniter. Bela, Aschbel, Ahiram, Schufam und Hufam waren Söhne Benjamins gewesen, Ard und Naaman Söhne Belas.

[42/43] Der Stamm Dan hatte 64 400 Mann. Sie stammten alle von Dans Sohn Schuham ab und bildeten die Sippe der Schuhamiter.

[44–47] Der Stamm Asser besaß 53 400 Männer und setzte sich aus den Sippen der Jimniter, Jischwiter, Beriiter, Heberiter und Malkiëliter zusammen. Jimna,

---

26,9–10 16,1–35

Jischwi und Beria waren Söhne Assers gewesen. Er hatte auch eine Tochter namens Serach gehabt. Beria war der Vater von Heber und Malkiël.

[48–50]Zum Stamm Naftali gehörten 45 400 Mann. Er bestand aus den Sippen der Jachzeeliter, Guniter, Jezeriter und Schillemiter. Sie waren die Nachkommen von Naftalis Söhnen Jachzeel, Guni, Jezer und Schillem.

[51]Die Gesamtzahl der israelitischen Männer betrug 601 730.

[52]Der Herr sprach zu Mose: [53]»Diese Zahlen sollst du zugrunde legen, wenn du das Land unter den Israeliten aufteilst. [54]Gib den großen Stämmen mehr Grundbesitz als den kleinen! Jeder Stamm soll so viel Land erhalten, wie es seiner Größe entspricht. [55/56]In welchem Gebiet ein Stamm Land erhält, soll das Los entscheiden. Aber die Ausdehnung des Gebiets soll sich nach der Größe des Stammes richten.«

Auch die Leviten werden gezählt

[57]Der Stamm Levi bestand aus den Sippen der Gerschoniter, Kehatiter und Merariter – sie waren die Nachkommen Gerschons, Kehats und Meraris – [58]und aus den Sippen der Libniter, Hebroniter, Machliter, Muschiter und Korachiter. Kehat war der Vater von Amram gewesen. [59]Dieser heiratete Jochebed, eine Levitin, die in Ägypten geboren worden war. Sie brachte drei Kinder zur Welt: Aaron, Mose und deren Schwester Mirjam. [60]Aarons Söhne hießen Nadab, Abihu, Eleasar und Itamar. [61]Nadab und Abihu mussten sterben, weil sie dem Herrn ein unerlaubtes Räucheropfer dargebracht hatten. [62]Die Zahl aller männlichen Leviten, die mindestens einen Monat alt waren, betrug 23 000. Sie wurden unabhängig von den anderen Israeliten gezählt, weil sie kein eigenes Stammesgebiet erhalten sollten.

Die erste Generation aus Ägypten ist tot

[63]Mose und der Priester Eleasar zählten die Israeliten in der moabitischen Ebene östlich des Jordan gegenüber von Jericho. [64]Dabei stellte sich heraus, dass niemand mehr lebte, der bei der ersten Volkszählung aufgeschrieben worden war. Alle Männer, die Mose und der Priester Aaron damals in der Wüste Sinai gemustert hatten, [65]waren inzwischen gestorben, wie der Herr es ihnen angekündigt hatte. Nur Kaleb, der Sohn Jefunnes, und Josua, der Sohn Nuns, lebten noch.

Wer erbt, wenn kein Sohn da ist?

27 [1/2]Als sich das Volk beim heiligen Zelt versammelte, kamen auch die Töchter Zelofhads. Sie gehörten zur Sippe Machir vom Stamm Manasse und hießen Machla, Noa, Hogla, Milka und Tirza. Ihr Vater war ein Sohn Hefers und Enkel Gileads gewesen. Die Frauen gingen zu Mose, zum Priester Eleasar und zu den Stammesoberhäuptern und sagten: [3]»Unser Vater ist in der Wüste gestorben. Er war nicht an dem Aufstand beteiligt, den Korach mit seinen Leuten gegen den Herrn angezettelt hat, und er war nicht schlechter als jeder andere. Nun hat unser Vater aber keine Söhne gehabt. [4]Soll unsere Familie deshalb kein Land erhalten und der Name unseres Vaters in Vergessenheit geraten? Wir möchten auch Land bekommen, so wie die Männer aus unserer Sippe.«

[5]Da sagte Mose dem Herrn, was die Frauen wollten, [6]und der Herr antwortete ihm: [7]»Die Töchter Zelofhads haben Recht. Sie sollen auf jeden Fall Grundbesitz erhalten, genauso wie die Männer aus ihrer Sippe. Ein Stück Land soll auf den Namen ihres Vaters eingetragen werden und ihnen als seinen Erben gehören. [8]Sag den Israeliten: Wenn jemand stirbt und keinen Sohn hinterlässt, soll seine

---

26,55–56 Jos 14,1–2 **26,57–62** 3,14–39 **26,61** 3 Mo 10,1–2 **26,63–65** 13,30* **27,1–7** Jos 17,3–6

Tochter das Erbe bekommen. [9]Hat er überhaupt keine Nachkommen, geht sein Eigentum auf seine Brüder über. [10]Sind auch keine Brüder da, so sollen die Brüder seines Vaters ihn beerben. [11]Hat der Vater keine Brüder, soll der nächste leibliche Verwandte aus der Sippe das Erbe erhalten.« Diese Vorschrift, die der Herr den Israeliten durch Mose mitgeteilt hatte, war von nun an geltendes Recht.

Josua wird Moses Nachfolger

[12]Der Herr sprach zu Mose: »Steig auf den Berg Abarim, und sieh dir von dort aus das Land an, das ich den Israeliten geben will! [13]Du wirst nicht mit hineingehen, sondern vorher sterben wie dein Bruder Aaron, [14]weil ihr in der Wüste Zin eigenmächtig und gegen meine Anordnung gehandelt habt. Als sich die Israeliten dort über ihre Lage beschwerten, habt ihr so getan, als könntet ihr ihnen Wasser geben; mich, den heiligen Gott, habt ihr nicht geehrt.« Das war an der Meribaquelle bei Kadesch in der Wüste Zin geschehen.

[15]Mose antwortete dem Herrn: [16]»Herr, alles Leben ist in deiner Hand. Beruf doch einen Mann, [17]der die Israeliten anführt, einen, der ihnen vorangeht und das Zeichen zum Aufbruch und zum Halt gibt. Lass nicht zu, dass sie wie Schafe ohne Hirten sind!«

[18/19]Der Herr erwiderte: »Hol Josua, den Sohn Nuns, denn mein Geist ist in ihm. Lass ihn vor den Priester Eleasar und vor das ganze Volk treten! Leg deine Hand auf ihn, und übertrag ihm seine Aufgabe vor aller Augen! [20]Sag den Israeliten, sie sollen ihn genauso achten wie dich. Alle haben ihm zu gehorchen. [21]Er selbst muss sich nach dem heiligen Los richten. Er soll den Priester Eleasar bitten, meinen Willen damit zu erfragen. Das Los bestimmt, wann das Volk aufbricht und wann es Halt macht. Josua und alle Israeliten sollen ihm gehorchen.«

[22]Mose tat, was der Herr ihm befohlen hatte. Er rief Josua und ließ ihn vor den Priester Eleasar und das versammelte Volk treten. [23]Dann legte er die Hände auf ihn und übertrug ihm seine Aufgabe, wie der Herr es befohlen hatte.

Die täglichen, wöchentlichen und monatlichen Opfer

28 Der Herr sprach zu Mose: [2]»Achtet darauf, dass ihr mir meine Opfer zur richtigen Zeit darbringt. Sie sind meine Speise und erfreuen mich. Sag das den Israeliten! [3]Für ein Opfer, das mir gefällt, gelten folgende Anweisungen:

Jeden Tag sollt ihr zwei fehlerlose, einjährige Lämmer für mich, den Herrn, verbrennen, [4]eins am Morgen, das andere am Abend. [5]Bringt mit jedem Lamm ein Speiseopfer dar von eineinhalb Kilogramm Mehl, vermengt mit einem Liter bestem Olivenöl. [6–8]Dies ist das tägliche Brandopfer, wie ihr es mir zum ersten Mal am Berg Sinai dargebracht habt. Diese Gaben gefallen mir, dem Herrn. Gießt außerdem bei jedem Opfer morgens und abends ein Trankopfer von einem Liter Wein am Altar aus.

[9]An jedem Sabbat sollt ihr zwei weitere Lämmer opfern. Auch sie sollen ein Jahr alt und fehlerlos sein; sie werden mit den dazugehörigen Gaben von eineinhalb Kilogramm Mehl und zwei Litern Wein dargebracht. [10]Dieses Sabbatopfer kommt zum täglichen Opfer hinzu.

[11]Am Anfang jedes Monats sollt ihr mir, dem Herrn, zwei junge Stiere, einen Schafbock und sieben fehlerlose, einjährige Lämmer darbringen. [12]Zu jedem Stier gehören als Speiseopfer vier Kilogramm Mehl, das mit Öl vermengt ist, zum Schafbock zweieinhalb [13]und zu den Lämmern je eineinhalb Kilogramm. Mit diesen Gaben erfreut ihr mich, den Herrn. [14/15]Als Trankopfer sollt ihr zu jedem Stier zwei Liter, zum Schafbock anderthalb und zu jedem Schaf einen Liter

---

27,13–14 20,10–12.25–29; 5 Mo 1,37; 32,49–52; Ps 106,32–33 **27,18–23** 11,28; 14,6; 2 Mo 24,13; 5 Mo 1,38; 31,23; 34,9; Jos 1,1–2 **27,21** 2 Mo 28,30*; 1 Sam 10,20–21; 14,40–42; 23,9–12

Wein am Altar ausgießen. Außerdem müsst ihr als Sündopfer einen Ziegenbock schlachten. Alle diese Gaben sollt ihr am Anfang jedes Monats zusätzlich zu den täglichen Opfern darbringen.«

Die Opfer am Passahfest

[16]»Am 14. Tag des 1. Monats sollt ihr für mich das Passahfest feiern. [17]Anschließend beginnt die Festwoche, in der ihr nur Brot essen dürft, das ohne Sauerteig zubereitet wurde. [18]Am ersten Tag sollt ihr nicht arbeiten, sondern euch versammeln und allein mir, dem Herrn, dienen. [19]Bringt mir zwei junge Stiere, einen Schafbock und sieben einjährige Lämmer als Brandopfer dar. Alle Tiere sollen fehlerlos sein. [20]Auch hier sollt ihr Speiseopfer dazugeben: zu jedem Stier vier Kilogramm Mehl, das mit Öl vermengt ist, zum Schafbock zweieinhalb Kilogramm [21]und zu den Lämmern je eineinhalb Kilogramm. [22]Opfert außerdem einen Ziegenbock als Sündopfer, damit ich euch vergebe. [23/24]Ihr sollt alle diese Gaben an jedem Tag der Festwoche zusätzlich zu den täglichen Morgen- und Abendopfern darbringen. Mit diesen Gaben erfreut ihr mich, den Herrn; sie sind meine Speise. [25]Auch am letzten Tag der Woche sollt ihr nicht arbeiten, sondern euch versammeln und allein mir dienen.«

Die Opfer am Erntefest

[26]»Auch am Erntefest, wenn ihr mir, dem Herrn, eure ersten Früchte darbringt, sollt ihr nicht arbeiten, sondern mir gemeinsam dienen. [27–29]Opfert an diesem Tag zwei junge Stiere, einen Schafbock und sieben einjährige Lämmer als Brandopfer. Bringt dazu die gleichen Speise- und Trankopfer dar wie am Passahfest. Damit erfreut ihr mich, den Herrn. [30]Außerdem müsst ihr einen Ziegenbock als Sündopfer schlachten. [31]Alle diese Gaben sollt ihr mir zusätzlich zum täglichen Opfer darbringen.«

Die Opfer am Neujahrsfest und am Versöhnungstag
(3. Mose 23,23–32)

29 »Auch der 1. Tag des 7. Monats soll ein Feiertag sein, an dem ihr nicht arbeitet, sondern euch versammelt, um mir zu dienen. An diesem Tag sollt ihr die Hörner blasen [2]und zu meiner Ehre einen jungen Stier, einen Schafbock und sieben einjährige, fehlerlose Lämmer opfern. [3]Bringt zusätzlich zum Stier vier Kilogramm Mehl dar, das mit Öl vermengt ist, zum Schafbock zweieinhalb [4]und zu jedem Lamm eineinhalb Kilogramm. [5]Opfert einen Ziegenbock als Sündopfer, damit ich euch vergebe. [6]Vergesst auch nicht das tägliche und das monatliche Brandopfer mit den dazugehörigen Gaben an Mehl und Wein. Denn diese Opfer gefallen mir.

[7]Am 10. Tag des 7. Monats sollt ihr euch wieder versammeln, um mir zu dienen. Arbeitet an diesem Tag nicht, sondern fastet! [8–11]Erfreut mich mit den gleichen Gaben wie am 1. Tag des Monats. Ihr sollt jedoch nicht nur einen, sondern zwei Ziegenböcke als Sündopfer darbringen, damit ich euch vergebe.«

Die Opfer am Laubhüttenfest
(3. Mose 23,33–43)

[12]»Auch am 15. Tag des 7. Monats sollt ihr nicht arbeiten, sondern euch versammeln und mir dienen. Feiert mir zu Ehren eine Woche lang ein Fest! [13]Erfreut mich am ersten Tag mit einem Brandopfer von dreizehn jungen Stieren, zwei Schafböcken und vierzehn einjährigen Lämmern. Alle Tiere sollen fehlerlos sein [14/15]und mit den dazugehörigen Speise- und Trankopfern dargebracht werden. [16]Außerdem müsst ihr wieder einen Ziegen-

---

28,16 2 Mo 12,1–14* **28,17–25** 2 Mo 12,15–20* **28,26–31** 2 Mo 23,16; 34,22; 3 Mo 23,15–21; 5 Mo 16,9–12 **29,7–11** 3 Mo 16,1–34; 23,26–32 **29,12–39** 3 Mo 23,33–43*

bock als Sündopfer schlachten; und auch die täglichen Brandopfer mit den vorgeschriebenen Gaben an Mehl und Wein dürft ihr nicht vergessen. [17–34] Bringt an den anderen sechs Festtagen die gleichen Opfer dar. Verbrennt aber an jedem Tag einen Stier weniger, also am zweiten Tag zwölf, am dritten elf, am vierten zehn, am fünften neun, am sechsten acht und am siebten sieben Stiere. Vergesst nicht die Sündopfer und die täglichen Opfer! [35] Am achten Tag sollt ihr euch wieder zum Feiern versammeln und nicht arbeiten. [36] Verbrennt mir zu Ehren auf dem Altar einen jungen Stier, einen Schafbock und sieben einjährige, fehlerlose Lämmer [37] mit den vorgeschriebenen Gaben an Mehl und Wein. [38] Bringt außerdem einen Ziegenbock als Sündopfer dar, und vergesst nicht, jeden Tag ein Lamm am Morgen und eines am Abend zu opfern und die Speise- und Trankopfer dazuzugeben. [39] Diese Gaben sollt ihr mir, dem Herrn, an euren Festen darbringen, und zwar zusätzlich zu allen Brand-, Speise-, Trank- oder Dankopfern, die ihr mir freiwillig oder wegen eines Gelübdes gebt.«

30 Alle diese Bestimmungen teilte Mose den Israeliten mit.

Wann sind Gelübde von Frauen gültig?

[2] Danach gab Mose den Oberhäuptern der Stämme Israels erneut eine Weisung vom Herrn weiter:

[3] »Wenn jemand dem Herrn etwas verspricht oder sich mit einem Eid verpflichtet, auf irgendetwas zu verzichten, darf er sein Wort nicht brechen. Er muss alles tun, was er gesagt hat.

[4] Gibt eine junge Frau, die noch bei ihren Eltern lebt, dem Herrn ein Versprechen [5] und ihr Vater lässt sie gewähren, so hat sie sich daran zu halten. [6] Erhebt aber ihr Vater am selben Tag, an dem er davon hört, Einwände gegen ihr Gelübde, wird es ungültig. Dann wird der Herr ihr verzeihen, dass sie es nicht einhält.

[7] Wenn eine Frau sich vor ihrer Heirat durch ein Gelübde oder ein leichtfertiges Versprechen zu irgendetwas verpflichtet hat [8] und ihr Mann dazu schweigt, muss sie ihr Wort halten. [9] Erhebt er jedoch am selben Tag Einspruch, an dem er davon erfährt, ist sie nicht mehr an ihr Versprechen gebunden. Der Herr wird ihr vergeben, wenn sie in diesem Fall ihr Wort nicht hält. [10] Ist aber die Frau, die dem Herrn ein Versprechen gibt, verwitwet oder geschieden, so muss sie es erfüllen.

[11] Legt eine verheiratete Frau ein Gelübde ab [12] und ihr Mann sagt nichts dagegen, muss sie tun, was sie versprochen hat. [13] Der Mann kann das Gelübde jedoch am selben Tag aufheben, an dem er davon hört. Der Herr wird der Frau verzeihen, dass sie es nicht einhält. [14] Der Mann hat das Recht, alles für ungültig zu erklären oder zu bestätigen, was seine Frau versprochen hat, ganz gleich, ob sie etwas tun oder auf etwas verzichten wollte. [15] Wenn er sich am Tag, an dem er davon erfährt, nicht dazu äußert, bestätigt er ihr Gelübde. Durch sein Schweigen wird es verbindlich. [16] Hebt er das Gelübde nach dem ersten Tag auf, trifft ihn allein die Schuld, wenn es gebrochen wird.«

[17] Diese Weisungen erhielt Mose vom Herrn. Sie regeln den Umgang mit Gelübden von verheirateten und unverheirateten Frauen und bestimmen, welchen Einfluss Väter und Ehemänner auf die Gelübde haben.

Rache an den Midianitern

31 Der Herr sprach zu Mose: [2] »Rächt euch an den Midianitern für das, was sie euch angetan haben! Danach wirst du sterben.«

[3] Mose rief das Volk zusammen und sagte: »Rüstet eure Truppen zum Kampf! Wir greifen die Midianiter an! Jetzt be-

---

30,3 3 Mo 27,1–29; 5 Mo 23,22–24; Ri 11,35; 1 Sam 1,11.26–28; Ps 22,26; 50,14 **31,1–8** 25,16–18

kommen sie vom Herrn, was sie verdienen. [4] Jeder Stamm soll tausend Soldaten bereitstellen.«

[5] Da wählten die israelitischen Stämme insgesamt 12000 Männer aus. [6] Mose sandte sie unter der Führung von Pinhas los, dem Sohn des Priesters Eleasar. Er hatte Gegenstände aus dem Heiligtum und die Signaltrompeten bei sich. [7] Wie der Herr es befohlen hatte, kämpften die Israeliten gegen die Midianiter und töteten alle Männer, [8] darunter auch die fünf midianitischen Könige Ewi, Rekem, Zur, Hur und Reba. Außerdem brachten sie Bileam, den Sohn Beors, mit dem Schwert um.

[9] Die Frauen und Kinder nahmen sie gefangen, dazu erbeuteten sie die Viehherden und den ganzen Besitz der Midianiter. [10] Sie verbrannten die Städte und Zeltdörfer [11] und brachten alle Menschen, Tiere und den erbeuteten Besitz [12/13] zum Lager Israels in der moabitischen Steppe am Jordan, gegenüber von Jericho. Mose, der Priester Eleasar und die führenden Männer des Volkes kamen ihnen aus dem Lager entgegen.

[14] Mose ärgerte sich über die Heerführer, die den Befehl über hundert oder tausend Mann hatten. [15] Er fragte sie: »Habt ihr etwa die Frauen am Leben gelassen? [16] Dabei sind sie es doch gewesen, die unser Volk mit ihrem Götzen Peor vom Herrn weggelockt haben! Sie waren es, die Bileams bösen Plan in die Tat umgesetzt haben! Sie sind schuld daran, dass der Herr unser Volk so hart gestraft hat! [17] Tötet sie! Tötet auch alle männlichen Kinder! [18] Lasst nur die Mädchen am Leben, die noch unberührt sind. Sie sollen euch gehören. [19] Jeder von euch, der einen Menschen getötet oder eine Leiche berührt hat, muss sieben Tage lang draußen vor dem Lager bleiben. Er soll sich am dritten und siebten Tag mit geweihtem Wasser von seiner Sünde reinigen. Das gilt sowohl für euch als auch für die Gefangenen. [20] Reinigt auch eure Kleidung und alles, was aus Fell, Ziegenhaut oder Holz ist!«

[21] Dann erklärte der Priester Eleasar den heimgekehrten Männern noch einmal die Reinigungsvorschriften, die Mose vom Herrn empfangen hatte. Er sagte: [22] »Alles, was aus Gold, Silber, Bronze, Eisen, Zinn oder Blei ist [23] und deshalb nicht verbrennen kann, müsst ihr ins Feuer halten, damit es rein wird. Besprengt es danach mit Reinigungswasser. Alles andere, das im Feuer verbrennen würde, sollt ihr in Wasser tauchen. [24] Wascht am letzten Tag der Woche auch eure Kleidung. Dann seid ihr wieder rein und dürft ins Lager zurückkommen.«

Die Beute wird verteilt

[25] Der Herr sprach zu Mose: [26] »Zähl die Gefangenen und die Tiere, die ihr erbeutet habt. Der Priester Eleasar und die Stammesoberhäupter sollen dir dabei helfen. [27] Gib die Hälfte der Beute den Männern, die gekämpft haben, die andere Hälfte dem übrigen Volk. [28] Von beiden Hälften sollst du je einen Anteil für mich zurückbehalten. Ich möchte von dem, was die Soldaten erhalten, je einen von 500 Menschen und je ein Tier von 500 Rindern, Eseln, Schafen und Ziegen bekommen. [29] Dieser Anteil an der Beute soll ein Opfer für mich sein und den Priestern gehören; übergib ihn Eleasar! [30] Von der anderen Hälfte, die das übrige Volk bekommt, soll je einer von 50 Menschen und je eins von 50 Tieren für mich zurückbehalten werden. Gib sie den Leviten, die den Dienst im heiligen Zelt verrichten.«

[31] Mose und der Priester Eleasar taten, was der Herr gesagt hatte. [32–34] Sie zählten insgesamt 675000 Schafe und Ziegen, 72000 Rinder und 61000 Esel. [35] Außerdem waren 32000 Mädchen, die noch unberührt waren, gefangen genommen worden. [36–40] Die Soldaten erhielten von allem die Hälfte, also 337500 Schafe oder

31,8 22,5* **31,9** 5 Mo 20,13–14 **31,14–16** 25,6–9; 5 Mo 7,3–4* **31,19** 19,11–13 **31,27** Jos 22,8; 1 Sam 30,24–25

Ziegen, 36000 Rinder und 30500 Esel; von den Mädchen bekamen sie 16000. Dem Herrn überließen sie 675 Schafe und Ziegen, 72 Rinder, 61 Esel, dazu 32 Mädchen. [41] Diesen Anteil gab Mose dem Priester Eleasar, wie der Herr es befohlen hatte. [42–47] Die andere Hälfte der Beute bekam das übrige Volk, das nicht gekämpft hatte. Mose gab je eins von 50 Mädchen und Tieren den Leviten, die den Dienst im Heiligtum verrichteten. So hatte es der Herr angeordnet.

Die Heerführer bringen ein Opfer dar

[48] Die Heerführer, die den Befehl über hundert oder tausend Soldaten hatten, kamen zu Mose [49] und berichteten ihm: »Herr, wir haben unsere Leute durchgezählt und festgestellt, dass nicht ein einziger Mann fehlt. [50] Wir wollen dem Herrn dafür mit einem Opfer danken und ihm alles geben, was uns an Goldschmuck in die Hände gefallen ist: Armbänder, Armreife, Siegelringe, Ohrringe und Halsschmuck. Wir hoffen, dass der Herr uns dann unsere Schuld vergibt.«

[51] Mose und Eleasar nahmen das Gold entgegen. Es waren kunstvoll gearbeitete Schmuckstücke, [52] die insgesamt rund 200 Kilogramm wogen. Die Heerführer hatten sie selbst erbeutet. [53] Auch die anderen Soldaten hatten Gold aus dem Krieg mitgebracht, sie behielten es jedoch für sich. [54] Mose und Eleasar brachten das Gold, das die Heerführer opfern wollten, ins Heiligtum. Es sollte ein Zeichen dafür sein, dass der Herr sich an sein Volk erinnerte.

Die Stämme Ruben und Gad wollen im Ostjordanland bleiben (5. Mose 3,18–20)

32 Die Stämme Ruben und Gad besaßen große Viehherden. Als sie das gute Weideland der Gebiete Jaser und Gilead östlich des Jordan sahen, [2] kamen sie zu Mose, zum Priester Eleasar und zu den führenden Männern des Volkes und sagten: [3/4] »Das Land, das wir mit der Hilfe des Herrn schon erobert haben, hat gute Weidegebiete: Atarot, Dibon, Jaser, Nimra, Heschbon, Elale, Sibma, Nebo und Beon. Wir können es gut gebrauchen, denn wir haben viel Vieh. [5] Wenn ihr es erlaubt, würden wir dieses Land gern in Besitz nehmen und nicht mit über den Jordan ziehen.«

[6] Mose erwiderte: »Ihr wollt hier bleiben und eure Brüder allein kämpfen lassen? [7] Wenn ihr das tut, wird bald kein Israelit mehr in das Land wollen, das der Herr ihnen versprochen hat! [8] Ihr benehmt euch wie eure Väter: Als ich sie von Kadesch-Barnea losschickte, um das Land auszukundschaften, [9] drangen sie bis zum Eschkoltal vor und sahen sich alles an. Dann kamen sie zurück und hielten die Israeliten davon ab, das Land zu betreten, das der Herr ihnen geben wollte. [10] Darüber wurde der Herr zornig, und er schwor ihnen: [11] ›Keiner von euch, die ich aus Ägypten befreit habe, wird dieses Land jemals betreten! Keiner, der jetzt zwanzig Jahre oder älter ist, wird das Land sehen, das ich euren Vorfahren Abraham, Isaak und Jakob versprochen habe. Ich habe genug von eurer Untreue! [12] Nur Kaleb, der Sohn Jefunnes aus der Sippe Kenas, und Josua, der Sohn Nuns, werden das Land in Besitz nehmen, denn sie haben mir die Treue gehalten.‹ [13] Ja, der Herr war voller Zorn über die Israeliten. Er ließ sie vierzig Jahre lang in der Wüste umherirren, bis alle tot waren, die sich ihm widersetzt hatten. [14] Und nun folgt ihr dem schlechten Vorbild eurer Väter! Ihr lehnt euch wie sie gegen den Herrn auf, ja, ihr fordert seinen Zorn noch mehr heraus! [15] Wenn ihr ihm den Rücken kehrt, wird er unser Volk so lange in der Wüste festhalten, bis alle tot sind. Und ihr seid schuld daran!«

[16] Die Männer von Ruben und Gad wandten sich erneut an Mose und sagten: »Wir wollen doch nur Zäune für unsere

---

32,8–12 13,30* **32,13** 26,64–65 **32,16–18** Jos 1,12–15

Herden aufstellen und einige der zerstörten Orte wieder aufbauen, in denen wir unsere Familien zurücklassen können. [17]Das wird schnell gehen. Dann werden wir Männer uns zum Kampf rüsten. Wir werden an der Spitze des Heeres in den Krieg ziehen und die Israeliten in ihr Land bringen. Aber unsere Familien möchten wir in befestigten Städten zurücklassen, die vor den Bewohnern des Landes Schutz bieten. [18]Wir versprechen, dass wir nicht eher hierher zurückkehren, bis jeder Israelit seinen Grundbesitz erhalten hat. [19]Wir selbst aber wollen nicht wie die anderen Stämme westlich des Jordan Land bekommen, sondern hier im Osten unseren Anteil erhalten.«

[20]Mose antwortete: »Ich bin damit einverstanden, wenn ihr das tut, was ihr sagt. Rüstet euch zum Kampf, und stellt euch an die Spitze des Heeres! [21]Eure Soldaten sollen unter der Führung des Herrn den Jordan überqueren und nicht eher zurückkehren, bis der Herr seine Feinde vertrieben hat [22]und das Land für ihn erobert ist. Danach könnt ihr hierher zurückkommen, ohne dass ihr euch am Herrn oder am Volk Israel schuldig macht. Der Herr wird euch dann dieses Land hier zum Eigentum geben. [23]Wenn ihr aber euer Wort brecht, sündigt ihr gegen den Herrn, und er wird euch bestrafen. Darauf könnt ihr euch verlassen! [24]Baut nun einige Orte für eure Familien wieder auf, und errichtet Zäune für euer Kleinvieh! Aber haltet euch an euer Versprechen!«

[25]Die Leute von Gad und Ruben antworteten Mose: »Wir gehorchen dir und werden tun, was du befiehlst. [26]Wir bringen unsere Kinder, unsere Frauen und all unser Vieh in den Städten von Gilead in Sicherheit. [27]Dann nehmen wir unsere Waffen und ziehen unter der Führung des Herrn in den Kampf, wie du es angeordnet hast.«

[28]Daraufhin wies Mose den Priester Eleasar, Josua und die Oberhäupter der Stämme Israels an: [29]»Wenn die Soldaten von Gad und Ruben euch unter der Führung des Herrn geholfen haben, das Land westlich des Jordan zu erobern, sollt ihr ihnen das Gebiet von Gilead zum Eigentum geben. [30]Wenn sie euch aber nicht im Kampf unterstützen, sollen sie zusammen mit euch im Land Kanaan wohnen.«

[31]Die Leute von Gad und Ruben versicherten: »Wir werden tun, was der Herr uns befohlen hat. [32]Wir werden uns bereitmachen und das Volk unter der Führung des Herrn ins Land Kanaan bringen. Nur möchten wir hier östlich des Jordan unsere Stammesgebiete bekommen.«

[33]Da erklärte Mose das ganze Land, in dem vorher der amoritische König Sihon und König Og von Baschan geherrscht hatten, zum Eigentum der Stämme Gad und Ruben und des halben Stammes Manasse. Alle Städte und Ländereien der beiden früheren Königreiche gehörten nun ihnen.

Die Eroberung des Ostjordanlands (5. Mose 3,12–17)

[34]Die Männer vom Stamm Gad bauten einige der zerstörten Städte wieder auf: Dibon, Atarot, Aroër, [35]Atrot-Schofan, Jaser, Jogboha, [36]Bet-Nimra und Bet-Haram. Sie errichteten Häuser, zogen Mauern hoch und stellten Zäune für ihre Herden auf. [37]Die Männer vom Stamm Ruben taten das Gleiche in den Städten Heschbon, Elale und Kirjatajim, [38]in Nebo und Baal-Meon, denen sie neue Namen gaben[a], und in Sibma. Manche Namen änderten sie, andere behielten sie bei.

[39]Die Männer der Sippe Machir vom Stamm Manasse zogen nach Gilead, eroberten es und vertrieben die Amoriter, die dort lebten. [40]Mose erklärte das Land, das sie eingenommen hatten, zu ihrem Eigentum, und sie ließen sich dort

[a] Oder: und Baal-Meon, das (zur Vermeidung des Götzennamens Baal beim Vorlesen) anders zu nennen ist.

32,33 Jos 13,8–13

nieder. [41] Jaïr, ein Mann aus dem Stamm Manasse, eroberte in diesem Gebiet einige Ortschaften und nannte sie »Dörfer Jaïrs«. [42] Ein anderer Mann namens Nobach nahm Kenat und die umliegenden Orte ein. Auch er benannte die Stadt nach seinem Namen.

Die Lagerplätze Israels beim Zug durch die Wüste

33 [1/2] Mose hatte auf Anweisung des Herrn alle Lagerplätze der Israeliten aufgeschrieben, seit sie unter seiner und Aarons Führung von Ägypten aufgebrochen waren. An folgenden Orten hatten sie, nach Heeresverbänden geordnet, das Lager aufgeschlagen:

[3] Am 15. Tag des 1. Monats, am Morgen nach der Passahfeier, zogen die Israeliten von Ramses los. Die Ägypter mussten zusehen, wie das Volk unter dem Schutz des Herrn das Land verließ. [4] Der Herr hatte die ägyptischen Götter als machtlose Götzen entlarvt und die ältesten Söhne der Ägypter umgebracht.

Während man die Toten begrub, [5] zogen die Israeliten von Ramses nach Sukkot. Hier schlugen sie ihr erstes Lager auf. [6] Dann ging es weiter nach Etam am Rand der Wüste. [7] Dort bogen sie nach Pi-Hahirot bei Baal-Zefon ab und lagerten vor Migdol. [8] Von hier aus zogen sie mitten durchs Meer. Auf der anderen Seite führte ihr Weg drei Tagesreisen lang durch die Wüste Etam bis nach Mara, dem nächsten Lagerplatz. [9] Von dort ging es weiter nach Elim, einer Oase mit zwölf Quellen und siebzig Palmen. Nachdem sie hier gelagert hatten, [10] brachen sie zum Ufer des Roten Meers auf. [11] Danach kamen sie in die Wüste Sin.

[12] Ihre nächsten Haltepunkte waren: Dofka, [13] Alusch, [14] Refidim, wo sie kein Trinkwasser hatten, [15] dann die Wüste Sinai, [16] Kibrot-Hattaawa, [17] Hazerot, [18] Ritma, [19] Rimmon-Perez, [20] Libna, [21] Rissa, [22] Kehelata, [23] der Berg Schefer, [24] Harada, [25] Makhelot, [26] Tahat, [27] Tarach, [28] Mitka, [29] Haschmona, [30] Moserot, [31] Bene-Jaakan, [32] Hor-Gidgad, [33] Jotbata, [34] Abrona, [35] Ezjon-Geber, [36] Kadesch in der Wüste Zin [37] und der Berg Hor an der Grenze des Landes Edom.

[38] Der Herr befahl dem Priester Aaron, auf den Berg Hor zu steigen. Dort starb Aaron am 1. Tag des 5. Monats, vierzig Jahre nachdem die Israeliten Ägypten verlassen hatten. [39] Er wurde 123 Jahre alt.

[40] Um diese Zeit erfuhr der Kanaaniterkönig, der in Arad im Süden von Kanaan regierte, dass die Israeliten auf sein Land zukamen.

[41] Vom Berg Hor zogen sie nach Zalmona weiter. [42] Ihre nächsten Lagerplätze waren Punon, [43] Obot, [44] Ije-Abarim im Gebiet von Moab, [45] Dibon-Gad, [46] Almon-Diblatajim [47] und das Gebirge Abarim nahe der Stadt Nebo. [48] Von hier aus stiegen sie ins Jordantal hinab und schlugen in der moabitischen Steppe gegenüber von Jericho ihr Lager auf. [49] Es erstreckte sich von Bet-Jeschimot bis nach Abel-Schittim.

Alle Bewohner Kanaans sollen vertrieben werden

[50] Dort sprach der Herr zu Mose: [51] »Sag den Israeliten: Wenn ihr ins Land Kanaan eindringt, [52] sollt ihr alle Bewohner vertreiben. Zerstört ihre Götterfiguren aus Stein und Metall! Reißt die Altäre ab, die sie auf den Hügeln und Bergen gebaut haben! [53] Nehmt das ganze Land in Besitz, und lasst euch dort nieder! Ich schenke es euch für immer. [54] Teilt es durch das Los unter euch auf! Dabei sollt ihr den großen Stämmen mehr Land geben als den kleinen. [55] Wenn ihr aber

---

33,1–2 2 Mo 24,4* **33,3** 2 Mo 12,51 **33,4** 2 Mo 12,12 **33,5** 2 Mo 12,37 **33,6** 2 Mo 13,20 **33,7** 2 Mo 14,2 **33,8** 2 Mo 15,22–23 **33,9** 2 Mo 15,27 **33,10–11** 2 Mo 16,1 **33,12–14** 2 Mo 17,1 **33,15** 2 Mo 19,1 **33,16–17** 11,34–35 **33,38–39** 20,22–29; 5 Mo 10,6–7 **33,40** 21,1 **33,41–49** 21,10–13; 22,1 **33,51–53** 2 Mo 23,23–24; 5 Mo 7,1–5 **33,55–56** Ri 2,1–3

nicht alle Bewohner des Landes vertreibt, werden euch die Zurückgebliebenen hart unterdrücken. Sie werden euch quälen wie Splitter im Auge und Dornen unter den Füßen. [56]Dann werde ich mit euch tun, was ich mit ihnen vorhatte.«

Die Grenzen des Landes Kanaan

34 Der Herr sprach zu Mose: [2]»Erkläre den Israeliten, wie die Grenzen des Landes Kanaan verlaufen sollen, das ich ihnen geben will.

[3/4]Die Südgrenze beginnt am Toten Meer und führt zunächst am Gebiet Edoms entlang. Südlich des Passes von Akrabbim wendet sie sich nach Westen zur Wüste Zin. Hier verläuft sie südlich von Kadesch-Barnea nach Hazar-Addar und weiter nach Azmon. [5]Sie erreicht den ägyptischen Grenzfluss und folgt ihm bis zum Mittelmeer. [6]Die Mittelmeerküste bildet die Westgrenze. [7]Die Nordgrenze führt vom Meer zum Berg Hor, [8]kreuzt die Straße von Hamat und geht durch Zedad [9]und Sifron nach Hazar-Enan. [10]Hier beginnt die Ostgrenze. Sie verläuft über Schefam [11]nach Ribla, das im Osten von Ajin liegt. Dann führt sie an den Berghängen östlich vom See Genezareth entlang, [12]geht hinab zum Jordan und folgt ihm bis zum Toten Meer. Das ganze Land, das in diesen Grenzen liegt, soll euch gehören.«

[13]Mose sagte dies den Israeliten und fuhr fort: »Der Herr will, dass ihr dieses Land durch das Los unter den neuneinhalb Stämmen aufteilt, die noch keine Gebiete haben. [14/15]Denn die Stämme Ruben, Gad und der halbe Stamm Manasse haben schon hier, östlich des Jordan gegenüber von Jericho, Land bekommen.«

[16]Dann sprach der Herr zu Mose: [17]»Folgende Männer sollen das Land verteilen:
der Priester Eleasar, Josua, der Sohn Nuns,
[18]dazu je ein führender Mann aus jedem Stamm,
[19]nämlich Kaleb, der Sohn Jefunnes vom Stamm Juda,
[20]Schemuël, der Sohn Ammihuds vom Stamm Simeon,
[21]Elidad, der Sohn Kislons vom Stamm Benjamin,
[22]Bukki, der Sohn Joglis vom Stamm Dan,
[23]Hanniël, der Sohn Efods vom Stamm Manasse,
[24]Kemuël, der Sohn Schiftans vom Stamm Ephraim,
[25]Elizafan, der Sohn Parnachs vom Stamm Sebulon,
[26]Paltiël, der Sohn Asans vom Stamm Issaschar,
[27]Ahihud, der Sohn Schelomis vom Stamm Asser,
[28]und Pedahel, der Sohn Ammihuds vom Stamm Naftali.«

[29]Diesen Männern gab der Herr den Auftrag, das Land Kanaan unter den Israeliten aufzuteilen.

Die Städte der Leviten und die Zufluchtsorte für Totschläger (5. Mose 19,1–13)

35 Die Israeliten lagerten in der moabitischen Steppe östlich des Jordan gegenüber von Jericho. Dort ließ der Herr ihnen durch Mose sagen:

[2/3]»Gebt den Leviten in euren Stammesgebieten Städte, in denen sie wohnen können! Überlasst ihnen mit den Städten auch Weideland für ihre Viehherden! [4]Die Weidefläche soll sich auf jeder Seite der Stadt fünfhundert Meter weit ins Land erstrecken, [5]so dass jede ihrer vier Seiten mindestens einen Kilometer lang ist. [6/7]Gebt den Leviten 48 Städte! Sechs davon sollen als Zufluchtsorte für Menschen dienen, die ohne Absicht jemanden getötet haben. [8]Achtet darauf, dass es bei der Auswahl der Städte gerecht zugeht.

34,13 Jos 14,1–2 **34,14–15** 32,33; Jos 13,8–13 **35,2–7** Jos 21,1–8

Die Stämme mit großen Gebieten sollen mehr Städte abtreten als die Stämme mit weniger Land.«

[9]Weiter sprach der Herr zu Mose: [10]»Sag den Israeliten:

Wenn ihr den Jordan überquert und ins Land Kanaan kommt, [11]sollt ihr Zufluchtsstädte bestimmen, in die jeder von euch fliehen kann, der ohne Absicht einen Menschen getötet hat. [12]Dort ist er vor der Blutrache sicher, bis ihr den Fall vor Gericht untersucht habt. [13]Wählt dazu sechs Städte aus, [14]drei hier im Osten und drei drüben im Land Kanaan. [15]Sie bieten jedem von euch Schutz, auch den Ausländern, die bei euch zu Gast sind oder ständig bei euch leben. Jeder, der unabsichtlich einen Menschen getötet hat, soll dorthin fliehen.

[16–18]Wer einen anderen aber vorsätzlich mit einem Gegenstand aus Metall, Stein oder Holz erschlägt, ist ein Mörder und muss sterben. [19]Der nächste Verwandte des Ermordeten soll ihn töten, sobald er ihn findet. [20/21]Denn wer aus Hass und Feindschaft einen Menschen absichtlich erschlägt oder mit einem Wurfgeschoss oder mit der Faust tödlich verletzt, muss auf jeden Fall mit dem Tod bestraft werden.

[22]Anders ist es, wenn jemand nicht aus Feindschaft, sondern zufällig und unabsichtlich einen Menschen tötet, indem er ihn zu Boden stößt, mit einem Wurfgeschoss trifft [23]oder einen Stein auf ihn fallen lässt. [24]In diesem Fall sollt ihr vor Gericht darüber urteilen, ob der Bluträcher ihn töten darf. Haltet euch dabei an dieses Gesetz! [25]Ist der Angeklagte unschuldig, dann sollt ihr ihn vor der Rache schützen und in die Zufluchtsstadt zurückbringen, in die er geflohen war. Dort muss er bleiben, bis der Hohepriester stirbt, der gerade im Amt ist. [26]Wenn der Totschläger aber die Stadt verlässt, in die er geflohen ist, verliert er seinen Schutz. [27]Trifft der Bluträcher ihn außerhalb der Stadt an, darf er ihn töten, ohne sich schuldig zu machen. [28]Denn der Totschläger soll bis zum Tod des Hohenpriesters an seinem Zufluchtsort bleiben. Erst danach kann er nach Hause zurückkehren. [29]Dieses Gesetz gilt für euch und eure Nachkommen überall, wo ihr lebt.

[30]Ein Mörder muss zum Tod verurteilt werden, wenn mindestens zwei Zeugen gegen ihn aussagen. Eine einzelne Zeugenaussage reicht dazu nicht aus.

[31]Ein Mörder kann sich nicht freikaufen. Ihr dürft kein Geld von ihm annehmen, sondern müsst ihn auf jeden Fall töten. [32]Nehmt auch kein Geld von einem Totschläger an! Er darf sich nicht das Recht erkaufen, seine Zufluchtsstadt zu verlassen und nach Hause zurückzukehren, bevor der Hohepriester gestorben ist.

[33]Ihr sollt das Land, in dem ihr lebt, nicht entweihen. Entweiht wird es, wenn jemand darin einen Menschen tötet. Es kann nur dadurch wieder rein werden, dass der Mörder selbst sein Leben lässt. [34]Euer Land soll rein sein, denn ich, der Herr, wohne mitten unter euch Israeliten!«

Grundstücke dürfen nur innerhalb eines Stammes vererbt werden

36 Die führenden Männer der Sippe Gilead kamen zu Mose und zu den Oberhäuptern der Stämme Israels. Die Sippe Gilead stammte von Machir ab, einem Nachkommen von Josefs Sohn Manasse. [2]Sie sagten zu Mose: »Der Herr hat dir befohlen, das Land durch das Los unter uns Israeliten zu verteilen. Er hat außerdem angeordnet, dass die Töchter unseres Verwandten Zelofhad den Grundbesitz ihres Vaters erben sollen. [3]Was ist nun, wenn sie Männer aus anderen Stämmen heiraten? Dann wird ihr Land Eigentum der Stämme, in die sie einheiraten. Uns aber geht es verloren,

---

35,10–15 2 Mo 21,13–14; 5 Mo 4,41–43; 19,1–10; Jos 20,1–9 **35,16–29** 2 Mo 21,12–14; 5 Mo 19,4–5.11–13 **35,30** 5 Mo 19,15*; Hebr 10,28 **35,31** 1 Mo 9,5–6 **35,33** 1 Mo 4,11; 3 Mo 24,17–18 **35,34** 2 Mo 29,45 **36,2** 27,1–11

und unser Stammesgebiet wird kleiner. [4]Und selbst wenn wir das Land zurückkaufen könnten, würde es beim nächsten Erlassjahr wieder dem anderen Stamm gegeben, in den die Frauen eingeheiratet haben. So würden wir es endgültig verlieren.«

[5]Mose fragte den Herrn und sprach dann mit den Israeliten: »Die Männer von Gilead haben Recht. [6]Deshalb lässt der Herr euch sagen: Die Töchter Zelofhads dürfen heiraten, wen sie möchten; nur sollen es Männer aus ihrem eigenen Stamm sein, [7]damit nicht Landbesitz von ihrem Stamm an einen anderen übergeht. Jeder Stamm soll sein Gebiet vollständig behalten.

[8]Wenn eine Frau Land erbt, soll sie einen Mann aus ihrem eigenen Stamm heiraten, damit ihr Grundstück im Stammesbesitz bleibt. [9]Grundstücke dürfen nicht das Eigentum eines anderen Stammes werden.«

[10/11]Die Töchter Zelofhads, Machla, Tirza, Hogla, Milka und Noa, taten, was der Herr zu Mose gesagt hatte. Sie heirateten ihre Vettern, [12]die ebenfalls zum Stamm Manasse gehörten. So blieb ihr Grundbesitz beim Stamm ihres Vaters.

[13]Diese Gesetze und Vorschriften gab der Herr den Israeliten durch Mose, als sie in der moabitischen Steppe, östlich des Jordan gegenüber von Jericho, lagerten.

36,4 3 Mo 25,10*

Das fünfte Buch Mose (Deuteronomium)

Mose spricht zu den Israeliten

1 In diesem Buch ist aufgeschrieben, was Mose den Israeliten sagte, als sie östlich des Jordan ihr Lager aufgeschlagen hatten, in der Steppe gegenüber von Suf, zwischen Paran, Tofel, Laban, Hazerot und Di-Sahab. [2] Vom Berg Horeb aus konnte man auf der Straße, die zum Gebirge Seïr führt, in elf Tagesmärschen Kadesch-Barnea erreichen.

[3–5] Unter der Führung von Mose hatten die Israeliten den Amoriterkönig Sihon aus Heschbon besiegt. Sie hatten auch König Og geschlagen, der das Land Baschan von den Städten Aschtarot und Edreï aus regiert hatte. Nun lagerten sie im Gebiet der Moabiter östlich des Jordan.

Hier sagte Mose den Israeliten noch einmal alles, was der Herr ihm aufgetragen hatte. Im 40. Jahr nachdem sie Ägypten verlassen hatten, am 1. Tag des 11. Monats, begann er, ihnen das Gesetz zu erklären. Dies waren seine Worte:

Die Einsetzung von Richtern am Berg Horeb
(2. Mose 18,13–27)

[6] Am Berg Horeb hat der Herr zu uns gesprochen. Er sagte: »Jetzt seid ihr lange genug hier gewesen. [7] Brecht eure Zelte ab, und macht euch auf den Weg ins Land Kanaan: zu den Amoritern im Bergland und zu ihren Nachbarvölkern im Jordantal, in den Bergen, im Südland, im westlichen Hügelland, an der Mittelmeerküste und im Libanongebirge bis zum Euphrat! [8] Dieses ganze Land gebe ich euch. Ihr werdet sehen: Es liegt offen vor euch. Ihr braucht nur hineinzugehen und es einzunehmen. Euren Vorfahren Abraham, Isaak und Jakob habe ich Kanaan versprochen, ihnen und ihren Nachkommen.«

[9] Bevor wir aufbrachen, sagte ich zu euren Eltern: »Ich kann nicht mehr allein die Verantwortung für euch tragen. [10] Der Herr, euer Gott, hat euch so zahlreich werden lassen wie die Sterne am Himmel. [11] Und ich wünsche euch, dass der Herr, der Gott eurer Vorfahren, euer Volk noch tausendmal größer werden lässt und euch reich beschenkt, so wie er es versprochen hat. [12] Aber ich kann nicht mehr allein die ganze Last tragen und all eure Probleme und Streitigkeiten lösen. [13] Wählt deshalb erfahrene, kluge und angesehene Männer aus euren Stämmen aus, die ich als Oberhäupter über euch einsetzen kann.«

[14] Euren Eltern gefiel dieser Vorschlag. [15] So ernannte ich kluge und bewährte Männer zu Oberhäuptern eurer Stämme und übertrug ihnen jeweils die Verantwortung für tausend, für hundert, für fünfzig oder für zehn Menschen. [16/17] Sie sollten auch als Richter in Streitfällen entscheiden. Ich befahl ihnen: »Seid unparteiisch und gerecht! Behandelt jeden Menschen gleich, egal, ob er Israelit oder Ausländer ist, angesehen oder unbekannt. Lasst euch von niemandem einschüchtern! Ihr handelt in Gottes Auftrag. Und wenn euch ein Fall zu schwierig ist, dann kommt damit zu mir.« [18] Ich habe euren Eltern damals noch viele andere Anweisungen gegeben und ihnen genau gesagt, wie sich unser Volk verhalten soll.

1,3–5 4 Mo 21,21–35 **1,6** 4 Mo 10,11 **1,8** 1 Mo 12,7* **1,9** 2 Mo 18,18; 4 Mo 11,14 **1,10** 1 Mo 15,5 **1,15** 2 Mo 18,25; 4 Mo 11,24 **1,16–17** 16,19; 2 Mo 23,6; 3 Mo 19,15

Kanaan zum Greifen nah (4. Mose 13–14)

[19] Auf Befehl des Herrn verließen wir dann den Horeb und machten uns auf den Weg zum Bergland der Amoriter. Wir durchquerten die große, schreckliche Wüste, die ihr ja auch kennt, und erreichten Kadesch-Barnea. [20] Dort sagte ich zu euren Eltern: »Wir sind da! Hier beginnt das amoritische Bergland, das der Herr, unser Gott, uns schenken will. [21] Ja, er gibt das Land in eure Gewalt! Erobert es, und nehmt es in Besitz! Denn so hat es euch der Herr, der Gott eurer Vorfahren, befohlen. Habt keine Angst! Lasst euch nicht entmutigen!«

[22] Darauf entgegnete das ganze Volk: »Wir würden lieber einige Männer vorausschicken, die das Land erkunden. Sie können herausfinden, auf welchem Weg wir am besten hineinkommen und welche Städte es dort gibt.« [23] Der Vorschlag gefiel mir, und ich wählte zwölf Männer aus, einen aus jedem Stamm. [24] Sie zogen ins Bergland hinauf und erkundeten es bis zum Eschkoltal. [25] Als sie zurückkamen, brachten sie uns Früchte von dort mit und erklärten: »Das Land ist gut, das der Herr, unser Gott, uns gibt.«

[26] Aber eure Eltern wollten es nicht erobern. Sie weigerten sich, dem Herrn, ihrem Gott, zu gehorchen. [27] Ängstlich hockten sie in ihren Zelten und klagten: »Der Herr hasst uns! Er hat uns nur aus Ägypten geholt, damit die Amoriter uns angreifen und vernichten! [28] Warum sollten wir ihnen freiwillig in die Arme laufen? Die Kundschafter haben uns allen Mut genommen. Sie haben gesagt, dass die Menschen dort stärker und größer sind als wir. Ihre Städte sind Festungen, die bis zum Himmel reichen! Auch die Anakiter leben dort; sie sind Riesen!«

[29] Ich erwiderte: »Lasst euch doch keine Angst einjagen! Fürchtet euch nicht vor ihnen! [30] Der Herr, euer Gott, geht vor euch her! Er selbst kämpft für euch, genau wie er es in Ägypten getan hat. Ihr habt es doch mit eigenen Augen gesehen! [31] Und ihr habt auch erlebt, wie der Herr, euer Gott, euch auf dem Weg durch die Wüste geholfen hat. Bis hierher hat er euch getragen wie ein Vater sein Kind.« [32] Trotzdem haben eure Eltern dem Herrn, ihrem Gott, nicht vertraut. [33] Dabei ist er doch sichtbar vor unserem Volk hergegangen und hat uns von einem Lagerplatz zum nächsten geführt! Nachts hat er mit seinem Feuer unseren Weg erleuchtet, und am Tag war er in der Wolke bei uns.

[34] Dem Herrn war das Geschrei eurer Eltern nicht entgangen. Er wurde zornig und schwor ihnen: [35] »Keiner aus dieser widerspenstigen Generation wird das gute Land sehen, das ich euren Vorfahren versprochen habe. [36] Nur Kaleb, der Sohn Jefunnes, wird hineinkommen. Ihm und seinen Nachkommen werde ich das Gebiet geben, das er erkundet hat. Denn er hat treu zu mir gehalten.«

[37] Auch auf mich wurde der Herr euretwegen zornig und sagte zu mir: »Du wirst das Land ebenfalls nicht betreten. [38] An deiner Stelle wird Josua hineingehen, der Sohn Nuns, der dir bei deinen Aufgaben geholfen hat. Ermutige ihn! Denn er soll Kanaan unter den Israeliten aufteilen.« [39] Zu euren Eltern sagte der Herr: »Eure Kinder, die heute noch nicht Gut und Böse unterscheiden können, werden in das Land hineingehen. Ja, eure kleinen Kinder, die ihr schon in den Händen eurer Feinde gesehen habt, werden es einnehmen! Ihnen will ich das Land geben. [40] Ihr aber sollt wieder umkehren und in die Wüste in Richtung Schilfmeer ziehen.«

[41] Da antworteten eure Väter: »Wir haben gegen den Herrn, unseren Gott, gesündigt. Jetzt wollen wir doch in das Land gehen und kämpfen, wie er es uns befohlen hat.« Sie nahmen ihre Waffen und dachten, sie könnten das Bergland mit

---

1,31 2 Mo 4,22*; 19,4; Hos 11,3 **1,33** 2 Mo 13,21–22* **1,36** 4 Mo 13,30* **1,37** 4 Mo 20,12; 5 Mo 3,23–27; 4,21; 32,50–52 **1,38** 4 Mo 27,18–23*; 5 Mo 34,9 **1,39** 4 Mo 14,3

Leichtigkeit erobern. [42]Der Herr aber sprach zu mir: »Warne sie davor, ins Bergland zu gehen und zu kämpfen! Ich stehe ihnen nicht bei! Sie werden den Kampf verlieren!«

[43]Ich sagte es ihnen, aber sie hörten nicht auf mich und widersetzten sich dem Befehl des Herrn. Vermessen, wie sie waren, zogen sie ins Bergland hinauf. [44]Da kamen ihnen die Amoriter, die dort leben, entgegen. Wie ein Bienenschwarm fielen sie über eure Väter her und trieben sie auseinander. Sie jagten sie durch das Gebirge Seïr bis nach Horma.

[45]Schließlich kamen eure Väter zurück, weinten und riefen zum Herrn um Hilfe. Aber er hörte nicht auf ihr Klagen und gab ihnen keine Antwort. [46]Danach blieb unser Volk noch längere Zeit in Kadesch.

Zurück in die Wüste

2 Wir machten kehrt und zogen wieder in die Wüste in Richtung Schilfmeer, wie der Herr es mir befohlen hatte. Lange Zeit wanderten wir in der Gegend des Gebirges Seïr umher.

[2]Schließlich sprach der Herr zu mir: [3]»Ihr seid nun lange genug hier umhergezogen. Geht jetzt nach Norden, [4]und durchquert das Gebirge Seïr, das Gebiet der Edomiter! Sie sind euer Brudervolk, weil sie von Esau abstammen. Sie haben zwar Angst vor euch, [5]aber hütet euch davor, gegen sie Krieg zu führen! Ich werde euch keinen Fußbreit von ihrem Land geben, denn das Gebirge Seïr gehört ihnen. Sie haben es von mir bekommen. [6]Wenn ihr von ihnen etwas zu essen und zu trinken wollt, dann nehmt es nicht mit Gewalt, sondern kauft es ihnen ab.«

[7]Denn der Herr, euer Gott, hat immer dafür gesorgt, dass es euch an nichts fehlt. Er hat euch gesegnet und all eure Arbeit gelingen lassen. Durch diese weite Wüste hat er euch begleitet und ist die ganzen vierzig Jahre bei euch gewesen.

[8]Wir verließen dann die Straße, die von Elat und Ezjon-Geber durch die Araba-Ebene nach Norden führt, und zogen durch das Gebirge Seïr, wo unser Brudervolk Edom wohnt, die Nachkommen Esaus. Dann zogen wir die Wüstenstraße in Richtung Moab. [9]Dort sprach der Herr zu mir: »Lasst auch die Moabiter in Frieden! Sie sind die Nachkommen Lots. Fangt keinen Krieg mit ihnen an! Ich werde euch nichts von ihrem Gebiet geben, denn ich habe ihnen das Land Ar geschenkt.«

[10]Früher hatten dort die Emiter gelebt, ein mächtiges und großes Volk von hoch gewachsenen Menschen. [11]Man hielt sie für Riesen – wie die Anakiter. Den Namen Emiter (»die Schrecklichen«) gaben ihnen die Moabiter.

[12]Auch im Gebirge Seïr hatte früher ein anderes Volk gelebt, die Horiter. Doch die Edomiter vertrieben und vernichteten die Horiter und ließen sich an ihrer Stelle dort nieder, so wie die Israeliten die Gebiete in Besitz nahmen, die der Herr ihnen gegeben hatte.

Die ältere Generation ist tot

[13]Der Herr befahl: »Macht euch auf, und überquert den Seredbach!« Wir gehorchten. [14]Seit unserem Aufbruch von Kadesch-Barnea waren achtunddreißig Jahre vergangen. Inzwischen lebte keiner mehr von der Generation, die damals im wehrfähigen Alter gewesen war. Sie waren alle gestorben, wie der Herr es geschworen hatte. [15]Der Herr hatte sich gegen sie gewandt und sie vernichtet, bis keiner von ihnen mehr übrig blieb. [16]Als sie alle tot waren, [17]sprach der Herr zu mir: [18]»Ihr durchquert jetzt das Moabiterland bei Ar, [19]bis ihr das Gebiet der Ammoniter erreicht. Auch sie sind Nachkommen Lots. Greift sie nicht an, sondern lasst sie in Frieden! Ich werde euch nichts von ihrem Land geben, denn es gehört ihnen. Sie haben es von mir bekommen.«

1,46 4 Mo 20,1 **2,1** 4 Mo 21,4 **2,4–8** 4 Mo 20,14–21 **2,5** 1 Mo 36,8 **2,9** 1 Mo 19,37 **2,12** 1 Mo 14,6; 36,20–30 **2,14** 4 Mo 14,29 **2,19** 1 Mo 19,38

[20] Auch in diesem Land sollen einmal Riesen gelebt haben. Die Ammoniter nannten sie Samsummiter. [21] Sie waren ein mächtiges und großes Volk von hoch gewachsenen Menschen wie die Anakiter. Doch der Herr half den Ammonitern, sie aus ihrem Land zu vertreiben und sich an ihrer Stelle dort niederzulassen. [22] Genauso haben die Edomiter mit der Hilfe des Herrn die Horiter vernichtet und sich im Gebirge Seïr angesiedelt, wo sie bis heute leben. [23] Das Gleiche machten die Kaftoriter mit den Awitern in den Dörfern um Gaza. Als sie aus Kaftor kamen, töteten sie die Awiter und siedelten sich an ihrer Stelle dort an.

Der Kampf gegen König Sihon
(4. Mose 21,21–31)

[24] Der Herr befahl uns: »Brecht auf! Überquert den Arnonfluss! Ihr werdet sehen: Ich gebe Sihon, den Amoriterkönig aus Heschbon, und sein Reich in eure Gewalt. Greift ihn an! Erobert sein Land! [25] Ab heute lasse ich weit und breit die Völker vor euch zittern. Alle, die von euch hören, werden große Angst bekommen.«

[26] Da sandte ich von der Wüste Kedemot aus Boten zu König Sihon nach Heschbon. Sie sollten ihn freundlich bitten, [27] uns durch sein Land ziehen zu lassen. Wir versprachen ihm: »Wir werden immer auf der Straße bleiben und sie nirgends verlassen. [28] Was wir von euch zu essen und zu trinken bekommen, werden wir bezahlen. Wir wollen nur euer Land durchqueren, [29] so wie wir es bei den Edomitern im Gebirge Seïr und bei den Moabitern im Land Ar durften. Wir möchten auf die andere Seite des Jordan. Dort liegt das Land, das der Herr, unser Gott, uns schenken will.«

[30] Aber König Sihon aus Heschbon weigerte sich, uns durchzulassen. Der Herr, euer Gott, ließ ihn hart und unnachgiebig bleiben, denn er wollte ihn in unsere Gewalt geben. So geschah es dann auch. [31] Der Herr sprach zu mir: »Heute beginne ich damit, euch Sihon und sein Land auszuliefern. Zieht los, erobert sein Gebiet, und nehmt es in Besitz!«

[32] Sihon kam uns mit seinem ganzen Heer entgegen, um bei Jahaz mit uns zu kämpfen. [33] Aber der Herr ließ uns siegen. Wir töteten Sihon, seine Söhne und seine Soldaten. [34] Dann eroberten wir alle seine Städte und vollstreckten an ihnen Gottes Urteil. Wir töteten die ganze Bevölkerung, Männer, Frauen und Kinder, niemanden ließen wir am Leben. [35] Als Beute behielten wir nur das Vieh und alles Wertvolle aus den Städten.

[36] Zwischen Aroër am Rand des Arnontals, der Stadt unten am Fluss und dem Gebiet Gilead gab es keine Ortschaft, die uns standhalten konnte. Überall ließ uns der Herr, unser Gott, siegen. [37] Wir haben aber nicht versucht, das Land der Ammoniter in unsere Gewalt zu bringen, weder das Ostufer des Jabbokflusses noch die Städte im Gebirge. Denn der Herr hatte es uns verboten.

König Og wird besiegt
(4. Mose 21,33–35)

3 Wir zogen dann auf der Straße nach Baschan weiter. Von dort kam uns König Og mit seinem ganzen Heer entgegen, um bei Edreï mit uns zu kämpfen. [2] Der Herr sprach zu mir: »Hab keine Angst vor ihm! Ich gebe ihn, sein ganzes Heer und sein Land in eure Gewalt. Ihr sollt ihn vernichten wie den Amoriterkönig Sihon aus Heschbon.«

[3] Mit der Hilfe des Herrn, unseres Gottes, besiegten wir auch König Og. Wir töteten ihn und seine Soldaten, keiner von ihnen entkam. [4] Das ganze Königreich Baschan nahmen wir ein: das Gebiet von Argob mit den sechzig Städten König Ogs. Keine Stadt blieb verschont. [5] Jede von ihnen war eine Festung mit hohen Mauern und verriegelbaren Toren. Dazu kamen noch sehr viele Ortschaften ohne

---

2,24 4 Mo 21,13 **2,25** 2 Mo 23,27–28* **2,34** 7,2*

schützende Mauern. [6]Wir vollstreckten an ihnen Gottes Urteil, wie wir es im Land König Sihons von Heschbon getan hatten. Die ganze Bevölkerung, Männer, Frauen und Kinder, töteten wir. [7]Nur das Vieh und alles Wertvolle aus den Städten behielten wir für uns.

[8]So entrissen wir den beiden amoritischen Königen das Land östlich des Jordan zwischen dem Arnonfluss im Süden und dem Berg Hermon im Norden. [9]Diesen Berg nennen die Sidonier Sirjon und die Amoriter Senir. [10]Wir eroberten alle Städte der Hochebene, ganz Gilead und ganz Baschan bis zu den Städten Salcha und Edreï, die zu Ogs Reich gehört hatten.

[11]König Og war der letzte lebende Riese gewesen. In Rabba, der ammonitischen Hauptstadt, steht noch sein eiserner Sarg. Er ist viereinhalb Meter lang und zwei Meter breit.

Die Verteilung des Ostjordanlands (4. Mose 32)

[12]Als wir das Ostjordanland eingenommen hatten, gab ich den Stämmen Ruben und Gad die südliche Hälfte mit allen Städten. Dieses Gebiet erstreckt sich von Aroër am Arnonfluss im Süden über das halbe Bergland von Gilead nach Norden. [13]Die nördliche Hälfte von Gilead und das Land Baschan habe ich dem halben Stamm Manasse gegeben. Im Land Baschan liegt das Gebiet von Argob, wo früher König Og geherrscht hat. Man nennt Baschan das Land der Riesen. [14]Jaïr, ein Nachkomme Manasses, und seine Sippe hatten Argob bis dorthin erobert, wo es im Osten an das Land der Geschuriter und Maachatiter grenzt. Die Ortschaften in ihrem Gebiet nannten sie nach ihrer Sippe »Dörfer Jaïrs«. So heißen sie noch heute.

[15]Das nördliche Gilead habe ich der Sippe Machir gegeben. [16]Ihr Gebiet reicht im Süden bis zum Jabbokfluss. Dort beginnt der Teil von Gilead, der den Stämmen Ruben und Gad gehört. Das Gebiet von Ruben und Gad wird im Osten vom Oberlauf des Jabbok begrenzt. Auf der anderen Seite leben die Ammoniter. Die Südgrenze bildet der Arnonfluss. [17]Im Westen reicht das Land Gilead bis ins Jordantal hinab. Die Grenze folgt dem Fluss vom See Genezareth bis zur Einmündung ins Tote Meer unterhalb der Berghänge des Pisga.

[18]Damals sagte ich zu den Stämmen Ruben, Gad und Manasse: »Der Herr, euer Gott, schenkt euch dieses Land für immer. Trotzdem sollt ihr mit euren Bruderstämmen den Jordan überqueren und ihnen helfen, Kanaan zu erobern. Eure wehrfähigen Männer sollen bewaffnet an der Spitze der Israeliten hinüberziehen. [19]Nur eure Frauen und Kinder dürft ihr hier lassen. Sie sollen in den Städten bleiben, die ich euch zugeteilt habe. Das gilt auch für das Vieh, denn ich weiß, dass ihr große Herden besitzt. [20]Erst wenn der Herr, euer Gott, euren Brüdern das Land westlich des Jordan gegeben hat und sie dort in Frieden leben können, so wie ihr jetzt hier, erst dann dürft ihr in eure Gebiete zurückkehren.«

[21]Zu Josua sagte ich damals: »Du hast mit eigenen Augen gesehen, wie der Herr, euer Gott, die beiden Könige Sihon und Og vernichtet hat. Dasselbe wird mit allen Königreichen geschehen, in die ihr kommt. [22]Habt keine Angst! Der Herr, euer Gott, kämpft für euch!«

Mose will nach Kanaan

[23]In dieser Zeit flehte ich den Herrn an: [24]»Herr, mein Gott, dem ich diene! Du hast gerade erst begonnen, mir deine Größe und Macht zu zeigen! Wo ist ein Gott im Himmel oder auf der Erde, der solche Werke vollbringen kann und der so mächtig ist wie du? [25]Ich bitte dich: Lass mich mit hinübergehen und das gute Land jenseits des Jordan sehen, das schöne Bergland und den Libanon.«

[26]Aber der Herr war euretwegen zor-

3,6 2,34 **3,11** 2,10–11.20–21 **3,26–27** 1,37*

nig auf mich und erfüllte meine Bitte nicht. Er sagte zu mir: »Genug damit! Ich will von dieser Sache nichts mehr hören! [27]Steig auf den Gipfel des Berges Pisga, und schau nach Westen, Norden, Süden und Osten! Sieh dir das Land von dort aus an! Aber den Jordan wirst du nicht überschreiten. [28]Josua wird die Israeliten hinüberbringen und das Land unter ihnen aufteilen. Sag ihm, was er tun soll, stärke und ermutige ihn!«

[29]Wir blieben dann hier im Tal unterhalb der Stadt Bet-Peor.

Gottes Gebote sind gerecht

4 Hört mir zu, ihr Israeliten! Ich erkläre euch jetzt noch einmal die Gebote und Weisungen, nach denen ihr handeln sollt. Dann werdet ihr am Leben bleiben und das Land einnehmen, das der Herr, der Gott eurer Vorfahren, euch gibt. [2]Fügt meinen Worten nichts hinzu, und lasst nichts davon weg! Haltet euch an alle Gebote des Herrn, eures Gottes, die ich euch weitergebe. [3]Ihr habt mit eigenen Augen gesehen, wie der Herr, euer Gott, alle aus eurem Volk getötet hat, die dem Götzen Baal-Peor nachgelaufen sind. [4]Ihr aber habt dem Herrn die Treue gehalten, deshalb seid ihr noch alle am Leben.

[5]Ich habe euch die Gebote und Weisungen gegeben, die ich vom Herrn, meinem Gott, empfangen habe. Ihr sollt danach leben, wenn ihr in das Land kommt, das der Herr euch schenken will. [6]Haltet euch an diese Gebote, und befolgt sie; dann werden die anderen Völker sehen, wie weise und klug ihr seid. Wenn sie von euren Gesetzen hören, werden sie sagen: »Dieses große Volk besitzt Weisheit und Verstand!« [7]Denn kein anderes Volk, ganz gleich wie groß, hat Götter, die ihm so beistehen, wie der Herr, unser Gott, uns beisteht! Wann immer wir zu ihm rufen, hört er uns. [8]Wo ist ein Volk, groß wie wir, das so gerechte Gebote und Weisungen hat, wie ich sie euch heute gebe?

[9]Hütet euch davor, etwas von dem, was ihr gesehen habt, zu vergessen! Erinnert euch euer Leben lang daran, und erzählt es euren Kindern und Enkeln weiter! [10]Denkt daran, wie ihr euch am Berg Horeb in der Gegenwart des Herrn, eures Gottes, versammelt habt. Damals forderte der Herr mich auf: »Lass die Israeliten hier bei mir zusammenkommen, ich will zu ihnen sprechen. Sie sollen lernen, mich zu achten und ihren Kindern meine Worte weiterzusagen.«

[11]Da seid ihr alle zum Fuß des Berges gekommen. Der Berg brannte, Feuer loderte bis zum Himmel, und dunkle Wolken umhüllten ihn. [12]Aus dem Feuer sprach der Herr, euer Gott, zu euch. Seine Gestalt habt ihr nicht gesehen, nur seine Stimme konntet ihr hören. [13]Er sagte, dass er einen Bund mit euch schließen wollte, an den ihr euch halten solltet. Er gab euch die Zehn Gebote und schrieb sie auf zwei Steintafeln. [14]Mir befahl er, euch seine Gebote und Weisungen zu erklären. Sie sollen euer Leben in dem Land bestimmen, in das ihr nun zieht und das ihr in Besitz nehmen werdet.

Macht euch kein Bild von Gott!

[15]Als der Herr, euer Gott, am Berg Horeb aus dem Feuer zu euch sprach, habt ihr seine Gestalt nicht gesehen. Hütet euch deshalb davor, [16]euch eine Götzenstatue anzufertigen. Denn damit stürzt ihr euch ins Verderben! Macht euch kein Abbild von einem männlichen oder weiblichen Lebewesen: [17]von einem Landtier, einem Vogel, [18]einem Kriechtier oder einem Fisch. [19]Lasst euch auch nicht dazu verleiten, die Sonne, den Mond und die Sterne am Himmel anzubeten und zu ver-

---

3,28 4 Mo 27,18–23*; 5 Mo 34,9 **4,1** 5,32–33; 6,24; 8,1; 30,16.19–20; 3 Mo 18,5 **4,2** 13,1; Offb 22,18–19 **4,3** 4 Mo 25,1–9 **4,6** Jes 2,3 **4,7** Ps 50,15; 145,18 **4,9** 2 Mo 10,2; 13,8; 5 Mo 6,7; 11,19; 31,12–13; 32,45–46; Ps 78,2–8; 145,4 **4,11** 2 Mo 19,17–18 **4,13** 2 Mo 20,1–17; 31,18 **4,15–18** 2 Mo 20,3–5* **4,19** 2 Kön 17,16

ehren. Sollen die anderen Völker ihnen doch dienen! Gott hat sie dazu bestimmt. [20] Euch aber hat der Herr aus Ägypten gerettet wie aus einem glühenden Ofen, damit ihr sein Volk werdet, wie ihr es ja heute seid.

[21] Euretwegen war der Herr zornig auf mich und schwor: »Du wirst den Jordan nicht überqueren und nicht in das gute Land kommen, das ich, der Herr, euer Gott, euch schenken will.« [22] Ich werde also hier in diesem Land sterben und den Jordan nicht überschreiten. Ihr aber geht hinüber und nehmt das gute Land dort ein. [23] Vergesst auf keinen Fall den Bund, den der Herr, euer Gott, mit euch geschlossen hat. Macht euch keine Götzenfiguren in Gestalt irgendeines Lebewesens. Der Herr hat es verboten. [24] Denn der Herr, euer Gott, ist ein Feuer, dem nichts standhalten kann. Er duldet keine anderen Götter neben sich.

[25] Wenn ihr dann schon längere Zeit im Land Kanaan lebt und Kinder und Enkel habt, geratet ihr womöglich auf Abwege: Ihr fertigt euch eine Götzenstatue in Gestalt irgendeines Lebewesens an und tut damit, was der Herr, euer Gott, verabscheut! Ihr fordert seinen Zorn heraus. [26] So rufe ich heute Himmel und Erde als Zeugen an: In diesem Fall werdet ihr mit Sicherheit schnell aus dem Land verschwinden, das ihr jetzt erobert. Ihr werdet nicht lange dort bleiben, sondern völlig vernichtet werden. [27] Der Herr wird euch vertreiben, und nur wenige von euch werden in den fremden Ländern überleben, in die er euch bringen wird. [28] Dort müsst ihr Göttern dienen, die von Menschen gemacht sind, Götzen aus Holz und Stein, die nicht sehen, nicht hören, nicht essen und nicht riechen können.

[29] Dann werdet ihr den Herrn, euren Gott, suchen. Und ihr werdet ihn finden, wenn ihr ehrlich und von ganzem Herzen nach ihm fragt. [30] Wenn euch all dies am Ende der Zeit zustößt, werdet ihr in eurer Not zum Herrn, eurem Gott, zurückkehren und wieder auf ihn hören. [31] Denn der Herr, euer Gott, ist barmherzig. Er gibt euch nicht auf und lässt euch niemals untergehen. Für immer hält er an dem Bund fest, den er mit euren Vorfahren geschlossen hat. Denn das hat er geschworen.

Vergesst nicht, was Gott für euch getan hat!

[32] Denkt doch an die vergangenen Zeiten! Ist jemals etwas so Wunderbares geschehen wie das, was ihr erlebt habt? Wird irgendwo Ähnliches berichtet, seit Gott den Menschen geschaffen hat? Auf der ganzen Erde werdet ihr nichts Vergleichbares finden! [33] Hat je ein Volk Gottes Stimme aus dem Feuer gehört wie ihr, ohne dabei zu sterben? [34] Oder hat ein Gott jemals versucht, ein ganzes Volk mitten aus einem fremden Land herauszuholen und es zu seinem Eigentum zu machen – so wie der Herr, euer Gott, es mit euch in Ägypten getan hat? Vor euren Augen bewies er seine Macht durch große Wunder, er versetzte eure Feinde in Angst und Schrecken und kämpfte selbst für euch. So habt ihr seine große Stärke erfahren.

[35] Dies alles habt ihr gesehen, damit ihr erkennt: Der Herr allein ist Gott; es gibt keinen außer ihm. [36] Vom Himmel her ließ er euch seine Stimme hören, um euch zu sagen, was er von euch will. Auf der Erde hat er euch sein Feuer gezeigt und aus den Flammen zu euch gesprochen. [37] Schon eure Vorfahren hat er geliebt und euch, ihre Nachkommen, als sein Volk auserwählt. Deshalb hat er selbst euch mit Macht aus Ägypten befreit. [38] Und jetzt vertreibt er ganze Völker, die größer und stärker sind als ihr, und gibt euch für immer ihr Land.

[39] So begreift doch endlich, und nehmt

4,20 2 Mo 19,5–6*; 20,2* **4,21** 1,37* **4,24** 9,3; Hebr 12,29 **4,26** 30,19; 31,28; 32,1; Jes 1,2 **4,28** 28,64; Ps 115,4–7 **4,29–31** 30,1–10; Jer 29,13–14 **4,33** 2 Mo 20,19 **4,34** 2 Mo 7,3–5; 5 Mo 7,19; 11,2; 26,8; 29,2; 34,11–12; 1 Sam 17,46; 1 Kön 20,28 **4,35** 6,4; 32,39; 1 Kön 8,60; Ps 86,10; 96,5; Jes 44,6*.9–20*; Hos 13,4; Mk 12,32 **4,36** 2 Mo 19,16–18

euch zu Herzen, was ich sage: Der Herr ist Gott im Himmel und auf der Erde, er allein! [40] Haltet euch an seine Gebote und Weisungen, die ich euch heute gebe. Dann wird es euch und euren Nachkommen gut gehen, und ihr werdet lange in dem Land leben, das der Herr, euer Gott, euch für immer gibt.

Zufluchtsorte für Totschläger

[41] Zu dieser Zeit bestimmte Mose drei Städte östlich des Jordan [42] als Zufluchtsorte für Totschläger. Wenn jemand einen anderen versehentlich und nicht aus Feindschaft getötet hatte, konnte er in eine dieser Städte fliehen und so sein Leben retten. [43] Mose wählte die Stadt Bezer in der Steppe der Hochebene für den Stamm Ruben aus, die Stadt Ramot in Gilead für den Stamm Gad und die Stadt Golan im Land Baschan für den Stamm Manasse.

Mose legt Israel Gottes Gesetz vor

[44] Nun folgt das Gesetz, das Mose den Israeliten gab. [45] All diese Gebote, Ordnungen und Weisungen legte Mose dem Volk vor, als sie auf dem Weg von Ägypten her [46] im östlichen Jordantal angekommen waren. Sie lagerten gegenüber von Bet-Peor im Land des Amoriterkönigs Sihon. Sihon hatte in Heschbon gewohnt und war von den Israeliten besiegt worden, als sie unter Moses Führung aus Ägypten kamen. [47] Nachdem sie das Königreich Sihons unterworfen hatten, eroberten sie auch das Land Baschan, das König Og regiert hatte. Damit gehörte ihnen das ganze Gebiet östlich des Jordan, über das die beiden amoritischen Könige geherrscht hatten. [48] Es reichte von der Stadt Aroër am Ufer des Arnonflusses im Süden bis zum Berg Sihon, dem Hermon, im Norden [49] und umfasste das östliche Jordantal bis hinab zu den Berghängen des Pisga am Toten Meer.

Die Zehn Gebote
(2. Mose 20,1–17)

5 Mose rief das ganze Volk zusammen und sagte:

Hört mir zu, ihr Israeliten! Ich gebe euch jetzt die Gebote und Weisungen des Herrn. Prägt sie euch ein, und lebt nach ihnen! [2] Der Herr, unser Gott, hat am Berg Horeb einen Bund mit uns geschlossen. [3] Er galt nicht unseren Vorfahren, sondern uns, die wir heute leben. [4] Der Herr ist euch am Horeb begegnet und hat aus dem Feuer zu euch gesprochen. [5] Ich stand zwischen ihm und euch, um euch seine Worte weiterzugeben. Denn ihr seid aus Angst vor dem Feuer nicht selbst auf den Berg gestiegen. Der Herr sprach:

[6] »Ich bin der Herr, dein Gott; ich habe dich aus der Sklaverei in Ägypten befreit. [7] Du sollst außer mir keine anderen Götter verehren! [8] Fertige dir keine Götzenstatue an, auch kein Abbild von irgendetwas am Himmel, auf der Erde oder im Meer. [9] Wirf dich nicht vor solchen Götterfiguren nieder, bring ihnen keine Opfer dar! Denn ich bin der Herr, dein Gott. Ich dulde keinen neben mir! Wer mich verachtet, den werde ich bestrafen. Sogar seine Kinder, Enkel und Urenkel werden die Folgen spüren! [10] Doch denen, die mich lieben und sich an meine Gebote halten, bin ich gnädig. Sie und ihre Nachkommen werden meine Liebe erfahren über Tausende von Generationen.

[11] Du sollst meinen Namen nicht missbrauchen, denn ich bin der Herr, dein Gott! Ich lasse keinen ungestraft, der das tut.

[12] Achte den Sabbat als einen Tag, der mir allein geweiht ist! So habe ich es dir befohlen. [13] Sechs Tage sollst du deine Arbeit verrichten, [14] aber der siebte Tag ist ein Ruhetag, der mir, dem Herrn, deinem Gott, gehört. An diesem Tag sollst du nicht arbeiten, weder du noch deine Kinder, weder dein Knecht noch deine

---

4,41–43 19,1–13; 4 Mo 35,9–28 **4,46** 4 Mo 21,24 **4,47** 4 Mo 21,35 **5,2** 2 Mo 24,1–8 **5,5** 2 Mo 20,18

Magd, weder dein Rind noch dein Esel, noch ein anderes deiner Tiere, auch nicht der Fremde, der bei dir lebt. Dein Knecht und deine Magd sollen genauso ausruhen wie du. [15]Vergiss nicht, dass auch du einmal Sklave in Ägypten warst und dass ich, der Herr, dein Gott, dich von dort mit gewaltigen Taten und großer Macht befreit habe. Deshalb habe ich dir befohlen, den Sabbat als einen Tag zu achten, der mir gehört.

[16]Ehre deinen Vater und deine Mutter! Das befehle ich, der Herr, dein Gott. Dann wird es dir gut gehen, und du wirst lange in dem Land leben, das ich dir gebe.

[17]Du sollst nicht töten.

[18]Du sollst nicht die Ehe brechen.

[19]Du sollst nicht stehlen.

[20]Sag nichts Unwahres über deinen Mitmenschen!

[21]Du sollst nicht die Frau eines anderen Mannes begehren!

Begehre auch nichts von dem, was deinem Mitmenschen gehört: weder sein Haus noch sein Feld, seinen Knecht oder seine Magd, Rinder, Esel oder irgendetwas anderes, was ihm gehört.«

[22]Diese Worte sprach der Herr am Berg Horeb zu euch allen. Ihr habt dort seine gewaltige Stimme aus dem Feuer und aus der dunklen Wolke gehört. Anschließend schrieb er die Gebote auf zwei Steintafeln und gab sie mir.

Israel will Gott gehorchen (2. Mose 20,18–21)

[23]Als ihr die Stimme des Herrn aus der dunklen Wolke hörtet und den Berg in Flammen saht, kamen die Oberhäupter eurer Stämme und Sippen zu mir [24]und sagten: »Der Herr, unser Gott, hat uns seine Macht und Herrlichkeit gezeigt! Heute haben wir seine Stimme aus dem Feuer gehört und erlebt, dass Menschen nicht sterben müssen, wenn Gott mit ihnen redet. [25]Trotzdem haben wir Angst, dass uns dieses gewaltige Feuer umbringt! Wenn wir weiter die Stimme des Herrn, unseres Gottes, hören, werden wir mit Sicherheit umkommen! [26]Hat schon jemals ein Mensch den lebendigen Gott aus einem Feuer reden hören wie wir und ist am Leben geblieben? [27]Darum geh du allein hin und höre, was der Herr, unser Gott, uns zu sagen hat; teil uns dann alles mit! Wir werden uns genau daran halten.«

[28]Der Herr hörte eure Bitte und sprach zu mir: »Was die Israeliten vorschlagen, ist gut. [29]Mögen sie immer so große Achtung vor mir haben und stets bereit sein, nach meinen Geboten zu leben! Dann wird es ihnen und ihren Nachkommen für alle Zeiten gut gehen. [30]Geh und sag ihnen, sie sollen zu ihren Zelten zurückkehren. [31]Du aber bleib hier bei mir! Ich will dir alle Gebote, Weisungen und Ordnungen mitteilen, und du sollst sie dann den Israeliten erklären. Sie sollen sich danach richten, wenn sie in dem Land leben, das ich ihnen schenken will.«

[32]Darum haltet euch an die Gebote des Herrn, eures Gottes, und weicht nicht davon ab! [33]Folgt immer dem Weg, den der Herr, euer Gott, euch gewiesen hat! Dann werdet ihr am Leben bleiben. Es wird euch gut gehen, und ihr werdet für immer in eurem Land wohnen können.

Ihr sollt Gott von Herzen lieben!

6 Dies sind die Gebote, Ordnungen und Weisungen, die ich euch im Auftrag des Herrn, eures Gottes, weitergeben soll. Ihr sollt euch daran halten, wenn ihr das Land besitzt, in das ihr nun hinüberzieht. [2]Euer ganzes Leben lang sollt ihr und eure Nachkommen Ehrfurcht vor dem Herrn, eurem Gott, haben. Befolgt seine Ordnungen und Gebote, die ihr von mir bekommt! Dann werdet ihr lange leben. [3]Hört also gut zu, ihr Israeliten, und tut, was der Herr euch sagt! Dann wird es euch gut gehen: Ihr werdet in einem Land wohnen, in

5,15 15,15; 16,12; 24,18.22 1 Mo 12,2*; 2 Mo 3,8 **5,22–27** Hebr 12,18–19 **5,26** 4,33 **5,32–33** 4,1* **6,3** 4 Mo 13,27*;

dem Milch und Honig fließen, und ihr werdet dort viele Kinder haben. Das hat euch der Herr, der Gott eurer Vorfahren, versprochen.

[4]Hört, ihr Israeliten! Der Herr ist unser Gott, der Herr allein. [5]Ihr sollt ihn von ganzem Herzen lieben, mit ganzer Hingabe, mit all eurer Kraft. [6]Bewahrt die Worte im Herzen, die ich euch heute sage! [7]Prägt sie euren Kindern ein! Redet immer und überall davon, ob ihr zu Hause oder unterwegs seid, ob ihr euch schlafen legt oder aufsteht. [8]Schreibt euch diese Worte zur Erinnerung auf ein Band, und bindet es um die Hand und die Stirn! [9]Ritzt sie ein in die Pfosten eurer Haustüren und Stadttore!

[10]Der Herr, euer Gott, wird euch nun in das Land bringen, das er euren Vorfahren Abraham, Isaak und Jakob mit einem Eid versprochen hat. Er wird euch dort große und schöne Städte geben, die ihr nicht erbaut habt, [11]Häuser voller Güter, für die ihr nicht arbeiten musstet, Zisternen, die ihr nicht ausgehoben habt, und Weinberge und Olivenhaine, die ihr nicht angelegt habt. Ihr werdet essen können, soviel ihr wollt.

[12]Aber achtet darauf, dass ihr den Herrn nicht vergesst, euren Gott, der euch aus der Sklaverei in Ägypten befreit hat. [13]Nur vor ihm sollt ihr Ehrfurcht haben, nur ihm dienen und nur bei seinem Namen schwören! [14]Verehrt nicht die Götter eurer Nachbarvölker! [15]Sonst wird der Herr, euer Gott, zornig und vernichtet euch. Denn er wohnt mitten unter euch, und er duldet keinen anderen Gott neben sich. [16]Fordert den Herrn, euren Gott, nicht heraus, wie ihr es in Massa getan habt![a] [17]Beachtet genau seine Gebote, Weisungen und Ordnungen! [18]Tut, was in seinen Augen gut und gerecht ist! Dann wird es euch gut gehen, und ihr werdet das schöne Land in Besitz nehmen, das der Herr euren Vorfahren versprochen hat. [19]Alle eure Feinde wird er vertreiben. So hat er es euch zugesagt.

[20]Später werden euch eure Kinder fragen: »Warum hat der Herr, unser Gott, euch all diese Gesetze, Weisungen und Ordnungen gegeben?« [21]Dann sollt ihr ihnen antworten: »Früher mussten wir als Sklaven für den Pharao in Ägypten arbeiten. Aber der Herr hat uns mit starker Hand befreit. [22]Vor unseren Augen hat er große Wunder getan und schreckliches Unglück über Ägypten, den Pharao und seine Familie gebracht. [23]Der Herr hat uns dort herausgeholt, um uns in das Land zu bringen, das er unseren Vorfahren versprochen hatte. [24]Dann gab er uns alle diese Ordnungen, damit wir uns daran halten und Ehrfurcht vor ihm haben. So wird er dafür sorgen, dass es uns gut geht und wir lange leben. [25]Wenn wir alle diese Gebote befolgen, die uns der Herr, unser Gott, gegeben hat, können wir vor ihm bestehen.«

Lasst euch nicht mit den Völkern Kanaans ein!
(2. Mose 34,11–17)

7 Der Herr, euer Gott, wird euch in das Land bringen, das ihr in Besitz nehmen sollt. Dort wird er mächtige Völker vertreiben und euch ihr Land geben: die Hetiter, Girgaschiter, Amoriter, Kanaaniter, Perisiter, Hiwiter und Jebusiter – sieben Völker, die größer und stärker sind als ihr. [2]Der Herr, euer Gott, wird sie euch ausliefern. Ihr sollt sein Urteil an ihnen vollstrecken und sie töten. Verbündet euch nicht mit ihnen, und schont sie nicht! [3]Geht keine Ehen mit ihnen ein! Verheiratet eure Töchter nicht mit ihren Söhnen, und nehmt ihre Töchter nicht als Frauen für eure Söhne! [4]Sonst werden sie eure Kinder dazu verführen,

---

[a] Vgl. 2. Mose 17,1–7

6,4–5 4,35*; 10,12; 11,13.22; 13,4; 30,6.20; Jos 22,5; Mt 22,37–38 **6,6–9** 11,18–20; 30,11–14 **6,7** 4,9* **6,13** Mt 4,10 **6,16** Mt 4,7 **6,20** 2 Mo 12,26; 13,14 **6,24** 4,1* **6,25** Röm 2,13 **7,2** 2,34; 3,6; 13,16; 20,16–18; Jos 6,17; 10,40; Ri 1,17 **7,3–4** 1 Mo 24,3–4*; Jos 23,12–13; Ri 3,6–7; 1 Kön 11,1–2; Esr 9–10; Neh 13,23–30

dem Herrn den Rücken zu kehren und anderen Göttern zu dienen. Darüber würde der Herr in Zorn geraten und euch bald vernichten. [5]Darum reißt ihre Altäre nieder, zerschmettert ihre heiligen Steinsäulen, haut die Statuen der Göttin Aschera um, und verbrennt alle anderen Götzenfiguren!

[6]Denn ihr seid ein heiliges Volk – ihr gehört ganz dem Herrn, eurem Gott. Unter allen Völkern der Welt hat er euch als sein Volk ausgewählt. [7]Das hat er nicht etwa getan, weil ihr zahlreicher wärt als die anderen Völker. Denn ihr seid ja das kleinste von allen Völkern. [8]Nein, aus Liebe hat er sich euch zugewandt und weil er das Versprechen halten wollte, das er euren Vorfahren gegeben hat. Darum hat er euch mit großer Macht aus der Sklaverei in Ägypten herausgeholt, er hat euch aus der Gewalt des Pharaos, des Königs von Ägypten, befreit. [9]So erkennt doch: Der Herr, euer Gott, ist der wahre und treue Gott! Über Tausende von Generationen steht er zu seinem Bund und erweist allen seine Güte, die ihn lieben und sich an seine Gebote halten. [10]Die ihn aber hassen, bestraft er sofort mit dem Tod. Er wartet nicht, sondern gibt ihnen gleich, was sie verdienen.

[11]Darum lebt nach den Weisungen, Ordnungen und Geboten, die ich euch heute gebe! [12]Wenn ihr sie befolgt, wird der Herr sich an seinen Bund mit euch halten. Ihr werdet weiter seine Güte erfahren, wie er es euren Vorfahren zugesagt hat. [13]Er wird euch lieben und segnen, euch viele Kinder schenken und euer Volk wachsen lassen. In dem Land, das er euren Vorfahren für euch versprochen hat, werdet ihr Getreide, Weintrauben und Oliven in Hülle und Fülle ernten. Eure Rinder, Schafe und Ziegen werden sich stark vermehren. [14]Ihr werdet reicher gesegnet sein als alle anderen Völker. Niemand von euch wird unfruchtbar sein, kein Mann, keine Frau und auch keines eurer Tiere. [15]Der Herr wird euch vor jeder Krankheit bewahren. Die schrecklichen Seuchen, die ihr in Ägypten kennen gelernt habt, wird er von euch fern halten und sie denen schicken, die euch hassen.

[16]Alle Völker, die der Herr in eure Gewalt gibt, sollt ihr auslöschen! Habt kein Mitleid mit ihnen! Dient niemals ihren Göttern, sonst geratet ihr in eine tödliche Falle!

[17]Vielleicht denkt ihr: »Diese Völker sind mächtiger als wir. Wie können wir sie vertreiben?« [18]Fürchtet euch nicht vor ihnen! Erinnert euch nur daran, was der Herr, euer Gott, mit dem Pharao und den Ägyptern gemacht hat! [19]Ihr habt doch mit eigenen Augen das Unglück gesehen, das über Ägypten hereingebrochen ist. Durch große Wunder und gewaltige Taten hat der Herr, euer Gott, seine Macht gezeigt und euch mit starker Hand in die Freiheit geführt. Genauso wird er seine Macht den Völkern zeigen, vor denen ihr euch jetzt fürchtet. [20]Der Herr wird Angst und Schrecken vor euch verbreiten und auch diejenigen umkommen lassen, die zunächst übrig bleiben und sich vor euch verstecken. [21]Lasst euch also nicht von ihnen einschüchtern! Der Herr, euer Gott, ist mitten unter euch, ein großer Gott, den man fürchten muss. [22]Nach und nach wird er diese Völker vertreiben. Ihr werdet sie nicht sofort besiegen können, denn sonst würden sich die wilden Tiere zu stark vermehren und euch schaden.

[23]Der Herr, euer Gott, liefert diese Völker an euch aus. Er versetzt sie in Angst und Schrecken, bis ihr sie besiegt habt. [24]Ihre Könige gibt er in eure Gewalt, und ihr löscht jede Spur von ihnen aus. Keiner wird euch standhalten. Ihr werdet sie restlos vernichten.

[25]Ihre Götzenstatuen sollt ihr verbrennen! Behaltet nichts von dem Silber und Gold, mit dem sie überzogen sind. Lasst euch davon nicht verführen! Sonst werdet ihr in den Götzendienst mit hinein-

---

7,5 12,2–3* **7,6** 2 Mo 19,5–6* **7,7** 9,4–5 **7,9** 2 Mo 20,6 **7,12–15** 11,13–15; 15,4–6; 28,1–14; 3 Mo 26,3–13 **7,17** 4 Mo 13,31 **7,19** 4,34* **7,20** 2 Mo 23,27–28* **7,22** 2 Mo 23,29

gezogen, und das hasst der Herr, euer Gott. [26] Bringt die abscheulichen Götzen nicht in eure Häuser, sonst trifft euch Gottes Zorn, und ihr werdet wie sie vernichtet. Wendet euch mit Ekel und Grauen von ihnen ab, denn Gott hat sein Urteil über sie gesprochen!

Gott prüft und erzieht sein Volk

8 Haltet euch genau an alle Gebote, die ich euch heute weitergebe! Dann werdet ihr am Leben bleiben, viele Kinder haben und das Land einnehmen, das der Herr euren Vorfahren versprochen hat.

[2] Erinnert euch an den langen Weg, den der Herr, euer Gott, euch bis hierher geführt hat, an die vierzig Jahre in der Wüste. Er ließ euch in Schwierigkeiten geraten, um euch auf die Probe zu stellen. So wollte er sehen, wie ihr euch entscheiden würdet: ob ihr nach seinen Geboten leben würdet oder nicht. [3] Er legte euch Entbehrungen auf und ließ euch hungern. Dann gab er euch das Manna zu essen, das weder ihr noch eure Vorfahren kanntet. Er wollte euch damit zeigen, dass der Mensch nicht allein von Brot lebt, sondern von allem, was der Herr ihm zusagt.

[4] In diesen vierzig Jahren ist eure Kleidung nicht verschlissen, und eure Füße sind nicht geschwollen. [5] Daran könnt ihr erkennen, dass der Herr, euer Gott, es gut mit euch meint. Er erzieht euch wie ein Vater seine Kinder. [6] Beachtet deshalb seine Weisungen! Lebt so, wie es ihm gefällt, und habt Ehrfurcht vor ihm!

[7] Der Herr, euer Gott, bringt euch in ein gutes Land. Es ist reich an Grundwasser, an Quellen und Bächen, die in den Bergen und Tälern entspringen. [8] Es gibt dort Weizen und Gerste, Weintrauben und Feigen, Granatäpfel, Oliven und Honig. [9] Ihr werdet nicht von karger Kost leben müssen, es wird euch an nichts fehlen. Das Gestein des Landes enthält Eisen, und in den Bergen könnt ihr Kupfer gewinnen.

[10] Wenn ihr dann reichlich zu essen habt, preist den Herrn, euren Gott, für das gute Land, das er euch geschenkt hat! [11] Hütet euch davor, ihn zu vergessen und seine Gebote, Weisungen und Ordnungen zu missachten, die ich euch heute weitergebe. [12] Denn das könnte geschehen, wenn ihr genug zu essen habt, schöne Häuser baut und bewohnt, [13] wenn eure Herden wachsen und ihr reich werdet an Gold, Silber und anderen Gütern. [14] Dann könntet ihr überheblich werden und den Herrn, euren Gott, vergessen. Dabei hat er euch aus der Sklaverei in Ägypten befreit. [15] Er war es, der euch durch die große, schreckliche Wüste geführt hat, wo Giftschlangen und Skorpione lauerten. In diesem ausgedörrten Land ließ er für euch Wasser aus dem harten Fels hervorquellen [16] und gab euch Manna zu essen, das eure Vorfahren nicht kannten. Durch diese schwere Zeit wollte er euch auf die Probe stellen, um euch danach umso mehr mit Gutem zu beschenken.

[17] Wenn dieses Gute nun kommt, sagt nicht: »Das haben wir aus eigener Kraft geschafft, es ist unsere Leistung!« [18] Denkt vielmehr an den Herrn, euren Gott, der euch die Kraft gibt, Reichtum zu erwerben! Denn er hält sich an den Bund, den er mit euren Vorfahren geschlossen hat und der heute auch für euch gilt.

[19] Wenn ihr aber den Herrn, euren Gott, vergesst und anderen Göttern nachlauft, ihnen dient und sie anbetet, werdet ihr zugrunde gehen, das versichere ich euch! [20] Wenn ihr nicht auf den Herrn, euren Gott, hört, werdet ihr genauso umkommen wie die Völker, die der Herr für euch vernichtet.

Warnung vor Überheblichkeit

9 Hört, ihr Israeliten! Ihr werdet jetzt den Jordan überqueren und das Land auf der anderen Seite in Besitz nehmen.

7,26 Jos 7,1.11 **8,1** 4,1* **8,2** 1 Mo 22,1* **8,3** 2 Mo 16,13–15*; Mt 4,4 **8,5** Spr 3,11–12; Hebr 12,7 **8,15** 2 Mo 17,6 **9,1** 7,1; 11,23

Ihr werdet Völker von dort vertreiben, die größer und mächtiger sind als ihr. Sie wohnen in gewaltigen Festungen mit himmelhohen Mauern. [2]Unter ihnen ist auch ein mächtiges Volk von hoch gewachsenen Menschen, die Anakiter. Ihr wisst, dass man sagt: »Anakiter sind unbesiegbar!« [3]Aber ihr werdet sehen, dass der Herr, euer Gott, vor euch herzieht und wie ein Feuer alles zerstört. Er besiegt diese Völker und gibt sie in eure Gewalt. Mit seiner Hilfe könnt ihr sie schnell vertreiben und vernichten. So hat er es euch versprochen.

[4]Wenn der Herr, euer Gott, dies für euch tut, dann denkt nicht: »Wir bekommen dieses Land, weil wir so leben, wie es dem Herrn gefällt.« Nein, er vertreibt diese Völker, weil sie von ihm nichts wissen wollen. [5]Nicht wegen eurer Vollkommenheit und Aufrichtigkeit kommt ihr hinein! Die Bewohner Kanaans müssen euch weichen, weil sie gottlos sind und weil der Herr ihr Land euren Vorfahren Abraham, Isaak und Jakob mit einem Eid versprochen hat.

[6]Begreift doch: Ihr habt dieses gute Land nicht verdient! Im Gegenteil, ihr seid ein widerspenstiges Volk. [7]Denkt nur daran, und vergesst nie, wie ihr in der Wüste den Zorn des Herrn, eures Gottes, herausgefordert habt. Auf dem ganzen Weg von Ägypten bis hierher habt ihr euch gegen ihn aufgelehnt.

Das goldene Kalb
(2. Mose 31,18 – 32,10.15–18)

[8]Am Berg Horeb habt ihr den Herrn so zornig gemacht, dass er euch vernichten wollte. [9]Ich war gerade auf den Berg gestiegen, um dort vom Herrn die Steintafeln mit den Geboten des Bundes zu empfangen, den er mit euch geschlossen hatte. Vierzig Tage und Nächte blieb ich oben, ohne etwas zu essen und zu trinken.

[10/11]Danach übergab der Herr mir die beiden Tafeln. Er selbst hatte die Worte darauf geschrieben, die er aus dem Feuer zu euch gesprochen hatte, als ihr am Fuß des Berges versammelt wart. [12]Er sagte zu mir: »Steig schnell hinab, denn dein Volk, das du aus Ägypten herausgeführt hast, hat große Schuld auf sich geladen. Wie schnell haben sie sich von meinen Geboten abgewandt! Sie haben sich eine Götzenfigur aus Metall gegossen! [13]Ich weiß jetzt, dass dieses Volk sich immer wieder gegen mich auflehnt. [14]Versuch nicht, mich aufzuhalten, denn ich will sie vernichten und jede Spur von ihnen auslöschen. Deine Nachkommen aber werde ich zu einem Volk machen, das noch größer und mächtiger ist als sie.«

[15]Da wandte ich mich um und stieg vom Berg herab, der immer noch in Flammen stand. In meinen Händen hielt ich die beiden Steintafeln mit den Geboten des Bundes. [16]Ich erkannte sofort, dass ihr am Herrn, eurem Gott, schuldig geworden wart: Ihr hattet euch ein goldenes Kalb gegossen. So schnell hattet ihr euch von den Geboten des Herrn abgewandt!

Mose bittet für sein Volk
(2. Mose 32,11–14.19–20)

[17]Da schleuderte ich die beiden Steintafeln zu Boden und zerschmetterte sie vor euren Augen. [18/19]Ich warf mich vor dem Herrn nieder und betete noch einmal vierzig Tage und Nächte lang, ohne zu essen und zu trinken. Ihr hattet große Schuld auf euch geladen und getan, was der Herr hasst. Nun war er so zornig auf euch, dass ich fürchtete, er würde euch vernichten. Aber auch diesmal erhörte er mich. [20]Ich betete auch für Aaron, denn der Herr war voller Zorn über ihn und wollte ihn töten.

[21]Das Kalb, dieses abscheuliche Zeichen eurer Sünde, das ihr euch angefertigt hattet, schmolz ich ein. Ich zerrieb und zermalmte es zu Staub und streute

---

9,2 4 Mo 13,32–33 **9,3** 4,24 **9,4–5** 7,7 **9,6** 2 Mo 32,9 **9,7** 2 Mo 14,11–12 **9,9–11** 2 Mo 24,12.18; 31,18 **9,18** 2 Mo 34,28

ihn in den Bach, der vom Berg herabfließt.

[22] Auch in Tabera, in Massa und in Kibrot-Hattaawa habt ihr den Zorn des Herrn herausgefordert, [23] ebenso in Kadesch-Barnea. Dort hatte der Herr euch befohlen: »Zieht los, und nehmt das Land ein, das ich euch geben will!« Ihr aber wolltet seinem Befehl nicht folgen. Ihr habt ihm nicht vertraut und nicht auf ihn gehört. [24] Seit ich euch kenne, lehnt ihr euch gegen den Herrn auf!

[25] Am Berg Horeb warf ich mich vor dem Herrn auf den Boden und betete vierzig Tage und Nächte lang für euch. Denn er hatte angedroht, euch zu vernichten. [26] Ich flehte ihn an: »Herr, mein Gott, bitte bring dein Volk nicht um! Es gehört doch dir! Du hast es durch deine Macht befreit, mit starker Hand hast du es aus Ägypten herausgeführt. [27] Denk an Abraham, Isaak und Jakob, die dir gedient haben! Rechne diesem Volk seine Widerspenstigkeit, seine Bosheit und seine große Schuld nicht an! [28] Sonst werden die Ägypter behaupten: ›Der Herr konnte sie nicht in das Land bringen, das er ihnen versprochen hat. Vielleicht hat er sie auch nur aus unserem Land herausgeholt, weil er sie hasste und in der Wüste töten wollte.‹ [29] Herr, sie sind doch das Volk, das dir gehört! Du hast sie mit großer Macht und mit starker Hand befreit.«

Gott schreibt die Gebote auf neue Tafeln
(2. Mose 34,1–4)

10 Der Herr antwortete mir: »Meißle dir zwei Steintafeln zurecht, wie die ersten beiden, die du zerschmettert hast, und komm damit zu mir auf den Berg! Fertige auch einen Kasten aus Holz an, [2] in den du sie legen kannst. Ich werde noch einmal dasselbe auf die Steintafeln schreiben wie beim ersten Mal.«

[3] Ich fertigte den Kasten aus Akazienholz an; dann meißelte ich aus Stein zwei Tafeln zurecht, mit denen ich auf den Berg stieg. [4] Der Herr schrieb noch einmal die Zehn Gebote darauf, die er euch gegeben hatte, als ihr unten am Berg versammelt wart und er aus dem Feuer zu euch sprach. Dann gab er mir die Tafeln, [5] und ich kehrte damit zu euch zurück und legte sie in den Kasten, den ich gebaut hatte. Dort sind sie noch immer, wie der Herr es befohlen hat.

Aarons Tod

[6] Die Israeliten brachen auf und zogen von Beerot-Bene-Jaakan nach Moser. Dort starb Aaron und wurde begraben. Sein Sohn Eleasar wurde an seiner Stelle Hoherpriester. [7] Dann zog das Volk weiter nach Gudgoda und von dort nach Jotbata, wo es viele Bäche gibt.

Die Leviten sollen dem Herrn dienen

[8] Damals wählte der Herr den Stamm der Leviten für eine besondere Aufgabe aus: Sie sollten den Kasten mit den Steintafeln – die Bundeslade – tragen, dem Herrn im Heiligtum dienen und die Israeliten in seinem Namen segnen. So ist es bis heute geblieben. [9] Deshalb bekommen die Leviten kein eigenes Gebiet wie die anderen Stämme. Der Herr selbst ist ihr Anteil und Erbe; er sorgt für sie, wie er es ihnen versprochen hat.

[10] Als ich zum zweiten Mal vierzig Tage und Nächte auf dem Berg war, erhörte mich der Herr und beschloss, euch nicht zu vernichten. [11] Er forderte mich auf: »Gib den Israeliten den Befehl zum Aufbruch, und geh ihnen voran! Sie sollen nun in das versprochene Land ziehen und es einnehmen. Ich will es ihnen jetzt geben, wie ich es ihren Vorfahren zugesagt habe.«

9,22 2 Mo 17,7; 4 Mo 11,1–3.33–34 **9,23** 4 Mo 13,2.31–33; 14,1–4 **9,28** 4 Mo 14,15–16; Ps 115,1–2
10,5 2 Mo 37,1–9; 40,20 **10,6** 4 Mo 20,21–29; 33,38–39 **10,8** 4 Mo 3,5–8; 8,5–22 **10,9** 4 Mo 18,20*

Wir haben einen großen Gott!

[12]Nun, ihr Israeliten! Was verlangt der Herr, euer Gott, von euch? Nichts anderes, als dass ihr ihn achtet und immer seinen Wegen folgt, dass ihr ihn liebt und ihm von ganzem Herzen mit aller Hingabe dient. [13]Richtet euch nach seinen Geboten und Ordnungen, die ich euch heute gebe! Dann wird es euch gut gehen.

[14]Dem Herrn, eurem Gott, gehört der weite Himmel, die Erde und alles, was dort lebt. [15]Doch euren Vorfahren wandte er seine besondere Liebe zu. Euch, ihre Nachkommen, hat er aus allen Völkern auserwählt, sein Volk zu sein. Das seid ihr heute noch! [16]Deshalb wendet euch von ganzem Herzen dem Herrn zu[a], und gebt euren hartnäckigen Widerstand auf!

[17]Denn der Herr, euer Gott, ist größer als alle Götter und mächtiger als alle Herrscher! Er ist der große und starke Gott, den man fürchten muss. Er ist gerecht und unbestechlich. [18]Den Waisen und Witwen verhilft er zu ihrem Recht. Er liebt die Ausländer und gibt ihnen Nahrung und Kleidung. [19]Zeigt auch ihr den Ausländern eure Liebe! Denn ihr habt selbst einmal als Ausländer in Ägypten gelebt.

[20]Habt Ehrfurcht vor dem Herrn, eurem Gott! Dient ihm, und haltet ihm die Treue! Schwört nur bei seinem Namen! [21]Ihr könnt stolz darauf sein, dass er euer Gott ist! Welch gewaltige und furchterregende Taten hat er vor euren Augen vollbracht! [22]Als eure Vorfahren nach Ägypten zogen, waren sie nur siebzig Leute. Heute hat der Herr, euer Gott, ein großes Volk aus euch gemacht, so zahlreich wie die Sterne am Himmel.

Gott hat seine Macht gezeigt

11 Ihr sollt den Herrn, euren Gott, lieben und auf ihn hören! Lebt nach seinen Ordnungen, Weisungen und Geboten! [2]Denkt daran, was er getan hat, um euch zu erziehen! Die Älteren unter euch waren noch dabei, als der Herr, euer Gott, in Ägypten seine Macht und Stärke gezeigt hat. Eure Kinder haben es nicht miterlebt, [3]aber ihr habt gesehen, welche gewaltigen und unfassbaren Taten der Herr in Ägypten vollbracht hat, was er mit dem Pharao, dem König von Ägypten, und mit seinem Volk getan hat. [4]Als das ägyptische Heer euch mit Reitern und Kriegswagen nachjagte, ließ er sie im Schilfmeer untergehen. Er hat sie vollständig vernichtet. Bis heute hat sich Ägypten nicht von diesem Schlag erholt.

[5]Denkt auch an alles, was der Herr euch auf dem Weg durch die Wüste erleben ließ. [6]Ihr wart dabei, als er Datan und Abiram, die Söhne Eliabs vom Stamm Ruben, bestraft hat: Mitten in eurem Lager öffnete sich der Erdboden und riss die beiden in die Tiefe, mitsamt ihren Familien, ihren Zelten und allen, die sich ihnen angeschlossen hatten.

[7]Mit eigenen Augen habt ihr diese gewaltigen Taten des Herrn gesehen. [8]Lebt darum nach seinen Geboten, die ich euch heute gebe! Dann werdet ihr stark sein und das Land einnehmen, in das ihr jetzt zieht; [9]ihr werdet lange dort leben. Der Herr hat es euren Vorfahren und euch versprochen, es ist das Land, in dem Milch und Honig fließen.

[10]In Ägypten musstet ihr jedes Feld nach der Aussaat mühsam mit dem Schöpfrad bewässern wie einen Gemüsegarten. [11]Das Land aber, in das ihr nun geht, wird vom Regen bewässert, der reichlich auf die Berge und Täler fällt. [12]Der Herr sorgt das ganze Jahr über für dieses Land, sein Blick ist stets darauf gerichtet.

---

[a] Wörtlich: Deshalb beschneidet die Vorhaut eures Herzens.

10,12 6,4–5*; Mi 6,8 **10,15** 7,6; Am 3,2 **10,16** 30,6; Jer 4,4 **10,18–19** 14,28–29; 24,17–18; 2 Mo 22,20*.21–22* **10,22** 1 Mo 46,27 **11,2** 4,34* **11,3** 2 Mo 7,8 – 11,10; 12,29–30 **11,4** 2 Mo 14,26–28 **11,6** 4 Mo 16,23–34 **11,9** 4 Mo 13,27* **11,10–12** 15,6; 28,12

Wählt zwischen Segen und Fluch

[13] Hört genau auf die Gebote, die ich euch heute gebe! Liebt den Herrn, euren Gott! Dient ihm von ganzem Herzen und mit aller Hingabe! [14] Dann lässt er es in eurem Land immer rechtzeitig im Herbst und im Frühling regnen, und ihr könnt Getreide, Weintrauben und Oliven ernten. [15] Immer habt ihr reichlich zu essen, und euer Vieh grast auf saftigen Weiden.

[16] Gebt Acht! Lasst euch nicht dazu verführen, dem Herrn den Rücken zu kehren! Dient keinen anderen Göttern, betet sie nicht an! [17] Sonst wird der Herr zornig auf euch und lässt es nicht mehr regnen, so dass auf den Feldern nichts mehr wächst. In kurzer Zeit werdet ihr umkommen und nichts mehr von dem guten Land haben, das der Herr euch jetzt gibt.

[18] Bewahrt deshalb diese Worte im Herzen! Denkt immer daran! Schreibt sie zur Erinnerung auf ein Band, und bindet es um die Hand und die Stirn! [19] Bringt die Gebote euren Kindern bei! Redet immer und überall davon, ob ihr zu Hause oder unterwegs seid, ob ihr euch schlafen legt oder aufsteht! [20] Ritzt sie ein in die Pfosten eurer Haustüren und Stadttore!

[21] Solange Himmel und Erde bestehen, werdet ihr und eure Nachkommen dann in dem Land bleiben können, das der Herr euren Vorfahren versprochen hat. [22] Darum sollt ihr euch genau nach allen Geboten richten, die ich euch heute gebe. Liebt den Herrn, euren Gott! Folgt immer seinen Wegen, und haltet ihm die Treue! Wenn ihr das tut, [23] wird der Herr alle Völker Kanaans vertreiben und euch ihr Land geben. Ihr werdet es erobern, obwohl diese Völker größer und stärker sind als ihr. [24] Das ganze Gebiet zwischen der Wüste im Süden und dem Libanongebirge im Norden, zwischen dem Mittelmeer im Westen und dem Euphrat im Osten wird euch gehören. Ihr werdet dort jeden Flecken Erde erobern, den ihr betretet. [25] Niemand wird euch standhalten können. Überall wird der Herr die Menschen vor euch in Angst und Schrecken versetzen. Das hat er versprochen.

[26] Nun müsst ihr euch entscheiden: Wählt zwischen Segen und Fluch! [27/28] Der Herr, euer Gott, wird euch segnen, wenn ihr auf seine Gebote achtet. Doch sein Fluch trifft euch, wenn ihr nicht darauf hört, sondern vom Weg abweicht, den ich euch heute zeige, wenn ihr anderen Göttern nachlauft, die ihr bisher nicht einmal kanntet.

[29] Der Herr wird euch jetzt in euer neues Land bringen. Dann sollt ihr die Segensworte auf dem Berg Garizim ausrufen und die Fluchandrohungen auf dem Berg Ebal. [30] Beide Berge liegen drüben am Rand der Jordanebene, in der die Kanaaniter leben, westlich des Hauptwegs beim Orakelbaum, gegenüber von Gilgal. [31] Ja, ihr überquert jetzt den Jordan und nehmt das Land drüben ein. Der Herr gibt es euch, und ihr werdet von nun an dort leben. [32] Haltet euch deshalb genau an alle Gebote und Ordnungen, die ich euch heute sage!

Gottes Gebote für das Leben im neuen Land

12 Bald werdet ihr in dem Land wohnen, das der Herr, der Gott eurer Vorfahren, euch gibt. Ich teile euch nun die Ordnungen und Gebote mit, die ihr dort euer Leben lang befolgen sollt.

Gott will an einem besonderen Ort verehrt werden

[2] Zerstört alle Stätten, an denen die Völker, die ihr vertreibt, ihre Götter verehrt haben: auf den Berggipfeln und Hügeln und unter allen dicht belaubten Bäumen. [3] Reißt die Altäre nieder, zerschlagt die heiligen Säulen! Verbrennt die Pfähle der Göttin Aschera, und zerschmettert

---

11,13–15 7,12–15* **11,13** 6,4–5* **11,18–20** 6,6–9 **11,19** 4,9* **11,25** 2 Mo 23,27–28* **11,26–28** 28,1–68; 3 Mo 26,3–45 **11,29** 27,12–13; Jos 8,33–35 **12,2–3** 7,5; 2 Mo 23,24; 34,13; 2 Kön 17,9–12; Jer 2,20

alle Götzenstatuen! Löscht jede Spur davon aus!

[4] Ihr dürft den Herrn, euren Gott, nicht auf die gleiche Weise verehren wie diese Völker ihre Götter. [5] Der Herr wird mitten in Israel einen Ort auswählen, an dem er wohnen will. Nur dort sollt ihr dann [6] eure Brand- und Schlachtopfer darbringen. Auch den zehnten Teil eurer Ernte, eure Abgaben für die Opfer und die erstgeborenen Tiere könnt ihr dort abliefern sowie alles, was ihr dem Herrn versprochen habt oder ihm freiwillig darbringen wollt. [7] Denn dort wohnt der Herr. In seiner Gegenwart sollt ihr mit euren Familien feiern, essen und euch an allem freuen, was ihr erarbeitet und von ihm geschenkt bekommen habt.

[8] Es soll dann anders sein als heute. Denn bisher opfert jeder von euch, wo er es für richtig hält. [9] Ihr seid ja auch noch nicht am Ziel und habt das Land noch nicht bekommen, das der Herr, euer Gott, euch für immer schenken will. [10] Aber nun werdet ihr den Jordan überqueren und in dem Land wohnen, das euch der Herr, euer Gott, anvertraut. Er wird dafür sorgen, dass die Feinde ringsum euch in Ruhe lassen und ihr in Frieden leben könnt. [11] Dann wird der Herr, euer Gott, sich einen Ort auswählen, an dem er wohnen will. Dorthin sollt ihr alles bringen, was ich euch vorschreibe: eure Brand- und Schlachtopfer, den zehnten Teil eurer Ernte, die Abgaben für die Opfer sowie alle besonderen Gaben, die ihr dem Herrn versprochen habt. [12] In der Gegenwart des Herrn sollt ihr fröhlich feiern, zusammen mit euren Söhnen und Töchtern, euren Sklaven und Sklavinnen. Ladet auch die Leviten aus euren Städten dazu ein, denn sie besitzen keine eigenen Ländereien.

[13] Hütet euch davor, eure Brandopfer an jeder beliebigen Stelle darzubringen! [14] Opfert allein an dem Ort, den der Herr in einem eurer Stammesgebiete aussuchen wird, und haltet euch an meine Weisungen!

[15] Nur wenn ihr für euch selbst ein Tier zum Essen schlachten wollt, könnt ihr das an eurem Wohnort tun. Ihr dürft dazu alle Tiere nehmen, die euch der Herr, euer Gott, geschenkt hat. Ihr könnt sie essen, so wie Hirsche und Gazellen, die nicht geopfert werden dürfen[a]. Es ist auch gleichgültig, ob ihr gerade rein oder unrein seid. Jeder darf an der Mahlzeit teilnehmen. [16] Nur das Blut der Tiere sollt ihr nicht mitessen. Schüttet es auf die Erde wie Wasser!

[17] Doch was dem Herrn geweiht ist, dürft ihr nicht in euren Städten verzehren, weder den zehnten Teil von Getreide, Weintrauben und Oliven noch die erstgeborenen Rinder, Schafe und Ziegen, auch nicht eure Abgaben für das Heiligtum oder etwas, was ihr dem Herrn aufgrund eines Versprechens oder freiwillig gebt. [18] All dies sollt ihr in der Gegenwart des Herrn, eures Gottes, essen, an dem Ort, den er auswählen wird. Dort sollt ihr zusammenkommen mit euren Söhnen und Töchtern, euren Sklaven und Sklavinnen und den Leviten aus euren Städten. So könnt ihr fröhlich die Früchte eurer Arbeit genießen. [19] Achtet darauf, dass ihr die Leviten immer mit versorgt, solange ihr in eurem Land lebt.

[20/21] Viele von euch werden dann weit entfernt von dem Ort leben, an dem der Herr wohnen will. Deshalb ordne ich an, dass ihr an euren Wohnorten schlachten dürft. Wenn ihr Fleisch essen wollt, könnt ihr eure Rinder, Schafe und Ziegen schlachten. Dies dürft ihr an jedem beliebigen Ort tun. [22] Ihr könnt die Tiere essen, so wie Hirsche und Gazellen, die nicht geopfert werden dürfen[a]. Es ist auch gleichgültig, ob ihr gerade rein oder unrein seid. Jeder darf an der Mahlzeit teilnehmen. [23] Nur das Blut der Tiere sollt ihr nicht mitessen! Denn im Blut ist das Leben. Ihr sollt es nicht zusammen mit

---

[a] »die … dürfen« ist sinngemäß ergänzt.

12,5 14,22–23; 15,20; 16,2.16; 17,8; 26,2; 31,10–11; 1 Kön 9,3* **12,7** 12,12.18; 14,26; 16,11.14; 26,11; 27,7 **12,9–10** 1 Kön 8,56 **12,12** 12,7*; 4 Mo 18,20* **12,14** 12,5* **12,16.23** 1 Mo 9,4* **12,18** 12,7* **12,19** 14,27

dem Fleisch verzehren. [24]Schüttet es auf die Erde wie Wasser! [25]So verhaltet ihr euch in den Augen des Herrn richtig. Er wird dann dafür sorgen, dass es euch und euren Nachkommen gut geht.

[26]Eure Opfergaben aber und alles, was ihr dem Herrn versprochen habt, müsst ihr an den Ort bringen, den er auswählt! [27]Auf seinem Altar sollt ihr eure Brandopfer mit Fleisch und Blut verbrennen. Das Blut eurer Schlachtopfertiere gießt an den Altar, bevor ihr das Fleisch esst!

[28]Beachtet alle Weisungen, die ich euch gebe! Dann wird es euch und euren Nachkommen für immer gut gehen; denn ihr tut, was in den Augen des Herrn, eures Gottes, gut und richtig ist.

Lasst euch nicht zum Götzendienst verführen!

[29]Der Herr, euer Gott, wird die Völker ausrotten, zu denen ihr nun kommt. Ihr werdet sie aus ihrem Land vertreiben und euch selbst dort ansiedeln. [30]Aber lasst euch nicht zum Götzendienst verführen, nachdem ihr diese Völker besiegt habt. Versucht nicht herauszufinden, wie sie ihre Götter verehrt haben. Sagt nicht: »Wir wollen es so machen wie sie!« [31]Das dürft ihr dem Herrn, eurem Gott, nicht antun! Denn diese Völker haben getan, was der Herr verabscheut. Sogar ihre Kinder haben sie für ihre Götter verbrannt.

Falsche Propheten

13 Haltet euch genau an alle Weisungen, die ich euch gebe! Fügt nichts hinzu, und lasst nichts weg!

[2]In eurem Volk werden sich Leute als Propheten ausgeben oder behaupten, durch Träume Offenbarungen zu empfangen. Sie werden besondere Ereignisse oder Wunder ankündigen, [3]die tatsächlich eintreffen. Zugleich werden sie euch auffordern: »Kommt, wir folgen anderen Göttern, die ihr noch nicht kennt! Wir wollen ihnen dienen.«

[4]Hört nicht auf sie! Der Herr, euer Gott, stellt euch durch solche Menschen auf die Probe. Er will sehen, ob ihr ihn von ganzem Herzen und mit aller Hingabe liebt. [5]Ihm sollt ihr nachfolgen, vor ihm sollt ihr Ehrfurcht haben. Nur nach seinen Geboten sollt ihr leben und allein auf ihn hören. Ihr sollt ihm dienen und die Treue halten! [6]Denn er hat euch aus der Sklaverei in Ägypten befreit. Solche Propheten und Träumer aber versuchen, euch gegen ihn aufzuwiegeln. Sie wollen euch von dem Weg abbringen, den er euch vorgegeben hat. Deshalb müssen sie sterben. Ihr dürft das Böse in eurem Volk nicht dulden!

[7]Das gilt selbst dann, wenn der Verführer dein eigener Bruder oder dein Sohn, deine Tochter, deine geliebte Frau oder dein bester Freund ist. Vielleicht sagt einer von ihnen heimlich zu dir: »Komm, lass uns anderen Göttern dienen!« Es werden Götter sein, die du nicht kennst und von denen auch deine Vorfahren nichts wussten, [8]Götter von nahen oder fernen Völkern, ja, selbst Götter, die man am anderen Ende der Welt verehrt. [9]Hör nicht auf ihn, und geh nicht darauf ein! Du darfst den Vorfall nicht vertuschen und deinen Freund oder Verwandten nicht schonen. Hab kein Erbarmen mit ihm! [10]Wirf selbst den ersten Stein, um ihn zu töten, und nach dir sollen die anderen aus deinem Volk ihn steinigen. [11]Er muss unbedingt sterben! Denn er wollte, dass du dem Herrn die Treue brichst, deinem Gott, der euch doch aus der Sklaverei in Ägypten befreit hat. [12]Ganz Israel soll davon erfahren, damit alle gewarnt sind und so etwas Abscheuliches nicht wieder vorkommt.

[13/14]Es kann auch geschehen, dass gewissenlose Menschen aus eurem Volk eine ganze Stadt, die der Herr euch gibt, zum Götzendienst verführen. Wenn ihr davon hört, [15]sollt ihr genau nachforschen, Zeugen befragen und der Sache auf den Grund gehen. Beruht das Gerücht auf Tatsachen, und stellt sich heraus, dass

---

12,31 3 Mo 18,21* **13,1** 4,2 **13,4** 6,4–5* **13,6** 18,20; 1 Kor 5,12–13 **13,9** 19,13.21 **13,10** 17,7; Joh 8,7

wirklich etwas so Abscheuliches in eurem Land geschehen ist, [16] dann tötet alle Einwohner dieser Stadt mit dem Schwert. Ihr müsst Gottes Strafe an ihnen und an allem, was es in der Stadt gibt, vollstrecken. Tötet auch die Tiere! [17] Tragt das Eigentum der Einwohner auf einem Platz mitten im Ort zusammen, und brennt dann die ganze Stadt nieder! Alles in ihr soll als Opfer für den Herrn verbrannt werden. Sie soll für immer ein Schutthaufen bleiben und nie wieder aufgebaut werden.

[18/19] Behaltet nichts vom Eigentum der Einwohner, das nach Gottes Urteil vernichtet werden muss! Dann wird er nicht länger zornig auf euch sein, sondern euch von neuem seine Liebe zeigen. Hört genau auf seine Worte! Gehorcht all seinen Weisungen, die ich euch heute gebe! Verhaltet euch so, wie es dem Herrn, eurem Gott, gefällt! Dann wird er euch gnädig sein und euer Volk weiter wachsen lassen, wie er es euren Vorfahren versprochen hat.

Israel soll sich von den anderen Völkern unterscheiden
(3. Mose 11)

14 Ihr seid Kinder des Herrn, eures Gottes! Deshalb sollt ihr euch nicht die Haut einritzen oder das Haar über der Stirn abrasieren, wenn ihr um einen Verstorbenen trauert. [2] Denn ihr seid ein heiliges Volk, ihr gehört ganz dem Herrn, eurem Gott. Er hat euch aus allen Völkern der Welt zu seinem Eigentum erwählt.

[3] Esst keine Tiere, die der Herr verabscheut und euch verboten hat!

[4] Essen dürft ihr Rinder, Schafe, Ziegen, [5] Hirsche, Gazellen, Damwild, Steinböcke, Antilopen, Wildschafe und Gämsen.[a] [6] Alle Tiere, die wiederkäuen und vollständig gespaltene Hufe oder Pfoten haben, sind für euch erlaubt. [7] Nicht essen sollt ihr Tiere, die zwar wiederkäuen, aber keine ganz gespaltenen Hufe oder Pfoten haben, wie Kamel, Hase und Klippdachs. Sie sind unrein für euch. [8] Dasselbe gilt für das Schwein, das zwar gespaltene Hufe hat, aber nicht wiederkäut. Esst kein Fleisch von solchen unreinen Tieren, und berührt auch nicht ihre Kadaver!

[9] Von den Tieren im Wasser dürft ihr jedes essen, das Flossen und Schuppen hat. [10] Alle anderen sind unrein für euch.

[11] Auch von den Vögeln sollt ihr nur die reinen essen. [12] Nicht essen dürft ihr Gänsegeier, Lämmergeier, Mönchsgeier, [13] Gabelweihe, Königsweihe und alle anderen Arten des Geiers, [14] alle Arten des Raben, [15] Strauß, Falke, Seemöwe, alle Habichtarten, [16] Steinkauz, Ibis, Schleiereule, [17] Wüstenkauz, Aasgeier, Fischeule, [18] Storch, alle Reiherarten, Wiedehopf und Fledermaus. [19] Ihr sollt auch keine geflügelten Insekten essen. All diese Tiere sind unrein für euch. [20] Esst nur Vögel, die rein sind!

[21] Esst auch kein verendetes Tier! Ihr könnt es den Ausländern geben, die in euren Städten wohnen, oder an andere Fremde verkaufen. Sie dürfen es essen. Aber ihr selbst sollt nichts davon nehmen, weil ihr ein heiliges Volk seid und ganz dem Herrn, eurem Gott, gehört.

Kocht ein Ziegenböckchen nicht in der Milch seiner Mutter!

Vorschriften für den zehnten Teil der Ernte

[22/23] Bringt jedes Jahr den zehnten Teil eurer Getreide-, Weintrauben- und Olivenernte sowie eure erstgeborenen Kälber, Lämmer und Ziegenböckchen an den Ort, wo der Herr, euer Gott, wohnt. Dort sollt ihr die Opfermahlzeit halten. Auf diese Weise werdet ihr lernen, euer Leben lang Ehrfurcht vor dem Herrn zu haben.

[24] Wenn ihr aber weit vom Heiligtum entfernt wohnt und der Herr euch sehr

---

[a] Nicht alle der in den Versen 4–18 genannten Tiere sind eindeutig zu bestimmen.

13,16–19 7,2* **13,18–19** Jos 7 **14,1** 2 Mo 4,22*; 3 Mo 19,27–28; Jer 47,5 **14,2** 2 Mo 19,5–6* **14,21** 2 Mo 22,30 **14,22–23** 3 Mo 27,30–33*; 5 Mo 12,5*

reich beschenkt hat, könnt ihr den zehnten Teil der Ernte vielleicht nicht dorthin bringen. [25] Dann verkauft ihn, und kommt mit dem Geld an den Ort, den der Herr, euer Gott, auswählt. [26] Hier kauft euch alles, was ihr gern hättet: Rinder, Schafe, Ziegen, Wein oder ein anderes berauschendes Getränk und was ihr euch sonst noch wünscht. Feiert mit euren Familien in der Gegenwart des Herrn ein fröhliches Fest, esst und trinkt! [27] Vergesst dabei nicht die Leviten, die in euren Städten wohnen, denn sie besitzen keine eigenen Ländereien.

[28] In jedem dritten Jahr sollt ihr den zehnten Teil eurer Ernte in euren Städten und Dörfern sammeln und lagern. [29] Er ist für die Leviten bestimmt, die kein eigenes Land haben, und für die Ausländer, die Waisen und die Witwen. Sie können sich davon nehmen, was sie brauchen. Wenn ihr sie gut versorgt, wird der Herr, euer Gott, euch segnen und all eure Arbeit gelingen lassen.

Maßnahmen gegen die Armut

15 Am Ende jedes siebten Jahres sollt ihr einander eure Schulden erlassen. [2] Wenn ihr jemandem aus eurem Volk etwas geliehen habt, dann fordert es nicht mehr zurück, und zwingt eure Schuldner nicht zur Rückzahlung! Denn zur Ehre des Herrn wurde das Jahr des Schuldenerlasses bestimmt. [3] Nur wenn Ausländer euch etwas schulden, dürft ihr es zurückverlangen. Euren Landsleuten aber sollt ihr alles erlassen, [4] damit keiner von euch verarmt.

Der Herr, euer Gott, will euch in dem Land, das er euch für immer gibt, reich beschenken. [5] Aber dazu müsst ihr auf ihn hören und die Gebote genau beachten, die ich euch heute gebe. [6] Dann wird der Herr, euer Gott, euch segnen, wie er es versprochen hat. Ihr werdet so reich sein, dass ihr Menschen aus vielen Völkern etwas leihen könnt und selbst nichts borgen müsst. Ihr werdet Macht über sie gewinnen und selbst unabhängig sein.

[7] Seid nicht hartherzig gegenüber den Armen, die mit euch in dem Land leben, das der Herr, euer Gott, euch schenkt. Sie sind eure Nachbarn und Landsleute! Verschließt euch nicht vor ihrer Not! [8] Seid großzügig, und leiht ihnen, soviel sie brauchen, [9] auch wenn das siebte Jahr nahe ist. Denkt dann nicht: »Was ich jetzt verleihe, bekomme ich nicht mehr zurück!« Seid nicht geizig! Verweigert den Armen aus eurem Volk nicht die nötige Hilfe! Sonst werden sie zum Herrn um Hilfe rufen, und ihr macht euch schuldig. [10] Gebt ihnen gern, was sie brauchen, ohne jeden Widerwillen. Dafür wird euch der Herr, euer Gott, bei all eurer Arbeit segnen und alles gelingen lassen, was ihr euch vornehmt. [11] Es wird immer Arme in eurem Land geben. Deshalb befehle ich euch: Helft den Menschen großzügig, die in Armut und Not geraten sind!

Rechte israelitischer Sklaven (2. Mose 21,2–6)

[12] Wenn israelitische Männer oder Frauen sich wegen ihrer Armut als Sklaven an euch verkaufen, sollen sie sechs Jahre lang für euch arbeiten. Im siebten Jahr müsst ihr sie wieder freilassen. [13] Und lasst sie nicht mit leeren Händen gehen! [14] Gebt ihnen reichlich von dem mit, was der Herr euch geschenkt hat: Schafe und Ziegen, Getreide und Wein. [15] Denkt daran, dass auch ihr einmal Sklaven in Ägypten wart und der Herr euch von dort befreit hat. Deshalb gebe ich euch heute diese Anweisung.

[16] Vielleicht aber will dein Sklave bei dir bleiben, weil er an dir und deiner Familie hängt und es ihm gut bei euch geht. [17] Dann nimm einen Pfriem, und bohre ihn durch sein Ohrläppchen in einen Türpfosten deines Hauses. Von nun an muss

---

14,26 12,7* **14,27** 4 Mo 18,20* **14,28–29** 26,12–15; 4 Mo 18,21–24* **15,1–2** 3 Mo 25,1–7* **15,3** 23,20–21 **15,4–6** 7,12–15* **15,7–8** 3 Mo 25,35; Jak 2,15–16; 1 Joh 3,17 **15,10** Lk 6,35; 2 Kor 9,6–7 **15,11** Mt 26,11 **15,12** Jer 34,8–16 **15,15** 5,15*

der Sklave auf Lebenszeit bei dir bleiben. Das Gleiche gilt für Sklavinnen.

[18] Aber wenn ein Sklave nach sechs Jahren gehen will, dann nimm es nicht zu schwer! Er hat dir die ganze Zeit doppelt so viel eingebracht wie ein Tagelöhner. Lass ihn frei! Dann wird der Herr, dein Gott, dich segnen und alles gelingen lassen, was du tust.

Die erstgeborenen Tiere gehören dem Herrn

[19] Alle männlichen Rinder, Schafe und Ziegen, die als erste von ihrer Mutter geboren werden, sollt ihr dem Herrn geben. Nehmt kein erstgeborenes Rind als Zugtier, und schert kein erstgeborenes Schaf! [20] Bringt sie jedes Jahr an den Ort, den der Herr auswählen wird! Dort, in seiner Gegenwart, sollt ihr sie mit euren Familien essen.

[21] Ist ein Tier lahm oder blind oder hat es einen anderen schweren Fehler, dann sollt ihr es nicht dem Herrn, eurem Gott, opfern. [22] Schlachtet es bei euch zu Hause. Dort könnt ihr es essen, so wie Hirsche und Gazellen, die nicht geopfert werden dürfen[a]. Es ist auch gleichgültig, ob ihr gerade rein oder unrein seid. Jeder darf an der Mahlzeit teilnehmen. [23] Nur das Blut der Tiere sollt ihr nicht mitessen. Schüttet es auf die Erde wie Wasser!

Das Passahfest und das Fest der ungesäuerten Brote

16 Im Monat Abib sollt ihr das Passahfest für den Herrn, euren Gott, feiern! Denn in diesem Monat hat er euch nachts aus Ägypten befreit. [2] Kommt an den Ort, den der Herr auswählen wird, um dort zu wohnen! Bringt ihm Schafe, Ziegen oder Rinder als Passahopfer dar! [3] Esst dazu Brot, das ohne Sauerteig gebacken wurde! Sieben Tage lang sollt ihr nur ungesäuertes Brot essen, so wie damals, als ihr in großer Eile aus Ägypten geflohen seid. Solange ihr lebt, soll euch dieses Brot daran erinnern, wie ihr in Ägypten Not leiden musstet und wie der Herr euch an jenem Tag befreit hat. [4] In dieser Woche soll in eurem ganzen Land nirgendwo Sauerteig zu finden sein.

Schlachtet das Passahopfer an dem Abend, mit dem der erste Festtag beginnt, und esst es vor dem nächsten Morgen auf. Ihr sollt nichts davon übrig lassen! [5] Auch dürft ihr das Passahopfer nicht in jeder beliebigen Stadt darbringen, [6] sondern nur an dem Ort, den der Herr erwählt, um dort zu wohnen. Schlachtet das Tier bei Sonnenuntergang, wie damals, als ihr Ägypten verlassen habt. [7] Bereitet es zu, und esst es beim Heiligtum des Herrn, eures Gottes! Am nächsten Tag könnt ihr wieder nach Hause gehen. [8] An den sechs folgenden Tagen sollt ihr weiterhin nur ungesäuertes Brot essen. Am siebten Tag nach dem Passahfest lasst alle Arbeit ruhen, und feiert zusammen ein Fest zur Ehre des Herrn, eures Gottes!

Das Wochenfest

[9] Sieben Wochen nach Beginn der Getreideernte [10] sollt ihr zur Ehre des Herrn, eures Gottes, das Wochenfest feiern. Opfert ihm, soviel ihr möchtet, je nachdem, wie reich er euch beschenkt hat! [11] Kommt dazu wieder an den Ort, den er auswählt, um dort zu wohnen. Feiert in der Gegenwart des Herrn ein fröhliches Fest, zusammen mit euren Söhnen und Töchtern, euren Sklaven und Sklavinnen, mit euren levitischen Nachbarn, mit den Ausländern und den Waisen und Witwen, die bei euch leben. [12] Denkt daran, dass auch ihr einmal Sklaven in Ägypten wart! Deshalb haltet euch genau an diese Ordnungen!

---

[a] »die … dürfen« ist sinngemäß ergänzt.

15,19 2 Mo 13,12–16* **15,20** 12,5* **15,21** 3 Mo 22,19–20 **15,22** 12,15.22 **15,23** 1 Mo 9,4* **16,1–8** 2 Mo 12,1–20 **16,1** 2 Mo 12,2; 13,4 **16,2** 12,5* **16,3** 2 Mo 12,11.34.39 **16,8** 2 Mo 12,15–20* **16,9–12** 4 Mo 28,26–31* **16,11** 12,7* **16,12** 5,15*

Das Laubhüttenfest

[13] Wenn ihr im Herbst das Korn von der Tenne einsammelt und die Weintrauben erntet, dann feiert eine Woche lang das Laubhüttenfest! [14] Es soll ein fröhliches Fest werden. Feiert zusammen mit euren Kindern und euren Sklaven, mit den Leviten und den Ausländern, mit Witwen und Waisen! [15] Kommt zum Heiligtum des Herrn, eures Gottes, und feiert sieben Tage lang zu seiner Ehre! Freut euch von Herzen, dass er eure Arbeit gesegnet und euch eine gute Ernte geschenkt hat.

[16] Dreimal im Jahr sollen alle Männer Israels am Heiligtum des Herrn zusammenkommen: am Fest der ungesäuerten Brote, am Wochenfest und am Laubhüttenfest. Keiner von euch darf mit leeren Händen kommen! [17] Jeder soll so viel geben, wie er kann, je nachdem, wie reich der Herr ihn beschenkt hat.

Israel braucht unbestechliche Richter und Beamte

[18] Ernennt in euren Stammesgebieten Richter und Beamte, in allen Städten, die der Herr, euer Gott, euch gibt! Sie sollen für euch Recht sprechen. [19] Sie dürfen das Recht nicht beugen, niemanden bevorzugen und keine Bestechungsgeschenke annehmen. Denn solche Geschenke machen die Weisen blind und verleiten dazu, das Recht zu beugen. [20] Setzt euch mit ganzer Kraft für die Gerechtigkeit ein! Dann werdet ihr am Leben bleiben und das Land behalten, das der Herr, euer Gott, euch gibt.

Strafen für den Götzendienst

[21] Stellt keine Pfähle für die Göttin Aschera oder andere Götzenstatuen aus Holz neben den Altar, den ihr für den Herrn, euren Gott, baut! [22] Richtet auch keine geweihten Steinsäulen für andere Götter auf! Denn das hasst der Herr, euer Gott.

17 Er verabscheut es auch, wenn ihr ihm kranke und minderwertige Rinder, Schafe oder Ziegen opfert.

[2/3] Es kann geschehen, dass in einer der Städte, die der Herr, euer Gott, euch gibt, ein Mann oder eine Frau andere Götter verehren. Sie beten die Sonne, den Mond oder die Sterne an und widersetzen sich damit meinen Weisungen. Sie handeln gegen den Willen des Herrn und verletzen den Bund, den er mit uns geschlossen hat. [4] Wenn ihr davon hört, dann forscht genau nach, ob es wahr ist. Stellt sich heraus, dass tatsächlich etwas so Abscheuliches in Israel geschehen ist, [5] dann sollt ihr den Mann oder die Frau außerhalb der Stadt steinigen. [6] Für ein Todesurteil sind jedoch mindestens zwei oder drei Zeugen nötig. Eine einzelne Aussage genügt nicht. [7] Die Zeugen sollen die ersten Steine werfen, um den Verurteilten zu töten, danach sollen alle anderen ihn steinigen. Ihr müsst das Böse aus eurem Volk beseitigen!

Das oberste Gericht beim Heiligtum

[8] Wenn den Richtern in eurer Stadt ein Fall zu schwierig ist, dann kommt zum Heiligtum – ganz gleich, ob es dabei um Tötung, Körperverletzung oder etwas anderes geht. [9] Wendet euch dort an die Priester vom Stamm Levi und an den Richter, der gerade im Amt ist, und legt ihnen den Fall vor. Sie werden ein Urteil sprechen. [10] Daran müsst ihr euch halten. Was sie entscheiden, gilt. Denn sie üben ihr Amt an dem Ort aus, wo der Herr wohnt. [11] Befolgt ihre Anweisungen und Vorschriften genau! Weicht in keiner Hinsicht davon ab!

[12] Wenn jemand so vermessen ist, dass er nicht auf den Richter oder

---

16,13–15 3 Mo 23,33–43* **16,14** 12,7* **16,16** 12,5* **16,18** 1,9–17 **16,19** 2 Mo 23,8 **16,21–22** 12,2–3*; 3 Mo 26,1; 2 Kön 23,4 **17,1** 3 Mo 22,20–25; Mal 1,6–8 **17,2–3** 4,19 **17,5** 13,11 **17,6** 19,15* **17,9** 2 Chr 19,8.11

den Priester hört, der im Auftrag des Herrn, eures Gottes, sein Amt ausübt, dann soll er getötet werden. Ihr müsst das Böse aus Israel beseitigen! [13] Alle sollen davon hören, damit sie gewarnt sind und niemand mehr so vermessen handelt.

Weisungen für den König

[14] Bald werdet ihr das Land in Besitz nehmen, das der Herr, euer Gott, euch geben will. Vielleicht werdet ihr dort eines Tages sagen: »Wir wollen einen König haben, so wie alle anderen Völker ringsum!« [15] Dann ernennt aber nur den zum König, den der Herr, euer Gott, erwählt! Er soll aus eurem Volk stammen. Ihr dürft keinen Ausländer einsetzen, sondern nur einen Israeliten! [16] Wenn er König geworden ist, soll er kein großes Reiterheer aufbauen. Er darf auch niemanden von euch nach Ägypten schicken, um von dort noch mehr Pferde zu holen. Denn der Herr hat euch verboten, je wieder nach Ägypten zu gehen. [17] Euer König soll auch nicht viele Frauen haben, denn das würde ihn dazu verleiten, dem Herrn untreu zu werden. Er darf auch kein Gold und Silber anhäufen.

[18] Wenn er den Thron seines Reiches besteigt, soll man ihm eine Abschrift von diesem Gesetz geben, das bei den Priestern aus dem Stamm Levi aufbewahrt wird. [19] Er muss sie immer bei sich haben und täglich darin lesen, solange er lebt. So wird er lernen, Ehrfurcht vor dem Herrn, seinem Gott, zu haben und alle Ordnungen dieses Gesetzes genau zu befolgen. [20] Das wird ihn davor bewahren, sich für wichtiger zu halten als die anderen Menschen aus seinem Volk. Wenn er in keiner Hinsicht von diesen Geboten abweicht, werden er und seine Nachkommen lange Zeit in Israel Könige sein.

Der Herr versorgt die Priester und Leviten

18 Die Priester und der ganze Stamm Levi sollen kein eigenes Gebiet bekommen wie die anderen Israeliten. Sie sollen sich von den Abgaben und Opfern ernähren, die dem Herrn dargebracht werden. [2] Anstelle des Landes haben die Leviten einen besonderen Reichtum: Der Herr selbst ist ihr Anteil und Erbe! Er versorgt sie, wie er es ihnen versprochen hat.

[3] Die Priester haben Anspruch auf bestimmte Teile der Opfertiere. Wenn jemand aus eurem Volk ein Rind, ein Schaf oder eine Ziege als Schlachtopfer darbringt, dann soll der Priester davon die Schulter, die Kinnlade und den Magen bekommen. [4] Ihr müsst den Priestern auch jedes Jahr den ersten Teil eurer Ernte geben, von eurem Getreide, Most und Öl. Auch die erste Schur eurer Schafe gehört ihnen. [5] Denn der Herr, euer Gott, hat aus eurem Volk die Männer vom Stamm Levi zum Dienst in seinem Heiligtum erwählt. Sie und ihre Nachkommen haben für immer diese Aufgabe.

[6] Viele Leviten werden jedoch nicht beim Heiligtum leben, sondern in verschiedenen Städten in ganz Israel. Wenn einer von ihnen gern an den Ort kommen möchte, den der Herr auswählen wird, [7] kann er dort Aufgaben im Heiligtum seines Gottes übernehmen, genau wie die anderen Leviten, die dort bereits dem Herrn dienen. [8] Er soll die gleichen Anteile von den Opfern und Abgaben bekommen wie sie, unabhängig davon, wie viel er durch den Verkauf seines elterlichen Besitzes erworben hat.

Verbot von Magie und Wahrsagerei

[9] Wenn ihr jetzt in das Land kommt, das der Herr, euer Gott, euch gibt, dann übernehmt von den Völkern dort keinen

---

17,13 13,12 **17,14** 1 Sam 8,5 **17,15** 1 Sam 10,24; 16,1 **17,16** 1 Kön 10,26–29; Jes 31,1; Hes 17,15 **17,17** 1 Kön 11,1–10; 10,14–22.27 **17,18** 12,1 – 26,15; 31,9 **17,19** 2 Kön 23,1–3 **18,1–2** 4 Mo 18,20* **18,1** 1 Sam 2,28; 1 Kor 9,13 **18,3** 4 Mo 18,8–19* **18,4** 2 Mo 23,19

ihrer abscheulichen Bräuche! [10]Niemand von euch darf seinen Sohn oder seine Tochter als Opfer verbrennen, niemand soll wahrsagen, zaubern, Geister beschwören oder Magie treiben. [11]Keiner darf mit Beschwörungen Unheil abwenden, Totengeister befragen, die Zukunft vorhersagen oder mit Verstorbenen Verbindung suchen. [12]Wer so etwas tut, ist dem Herrn zuwider. Gerade wegen dieser abscheulichen Bräuche vertreibt er die anderen Völker und gibt euch ihr Land. [13]Ihr aber gehört zum Herrn, eurem Gott. Darum haltet ihm die Treue!

Hört auf Gottes Propheten!

[14]Die Völker, die ihr vertreibt, hören auf Magier und Wahrsager. Doch euch hat der Herr, euer Gott, dies verboten. [15]Er wird euch einen Propheten wie mich senden, einen Mann aus eurem Volk. Auf den sollt ihr hören!

[16]Ihr selbst habt euch dies am Berg Horeb vom Herrn gewünscht. Als ihr dort versammelt wart, habt ihr gesagt: »Wenn wir weiter die Stimme des Herrn, unseres Gottes, hören, gehen wir zugrunde. Wir können auch dieses gewaltige Feuer nicht länger ertragen, sonst sterben wir!« [17]Der Herr antwortete mir damals: »Die Israeliten haben Recht. [18]Ich will ihnen auch in Zukunft einen Propheten senden wie dich, einen Mann aus ihrem Volk. Ihm werde ich meine Worte eingeben, und er wird sie den Israeliten mitteilen. [19]Wer nicht auf das hört, was er in meinem Namen sagt, den werde ich dafür zur Rechenschaft ziehen. [20]Wenn aber der Prophet überheblich wird und etwas in meinem Namen sagt, was ich ihm nicht befohlen habe, oder wenn er im Namen anderer Götter spricht, dann muss er sterben.«

[21]Ihr fragt euch vielleicht: Woher wissen wir, ob jemand im Auftrag des Herrn spricht? [22]Nun, wenn ein Prophet im Namen des Herrn etwas ankündigt und es trifft nicht ein, dann waren seine Worte nicht vom Herrn. Er hat eigenmächtig geredet, und ihr braucht ihn nicht ernst zu nehmen.

Zufluchtsstädte für Totschläger
(4. Mose 35,9–34)

19 [1/2]Der Herr wird die Völker in dem Land, das er euch gibt, vernichten. Ihr werdet sie mit seiner Hilfe vertreiben und in ihren Städten und Häusern leben. Drei von diesen Städten sollt ihr zu Zufluchtsorten erklären. [3]Sie sollen in drei verschiedenen Teilen des Landes liegen und gut erreichbar sein. Dorthin kann jeder fliehen, der einen anderen Menschen unabsichtlich getötet hat. [4]Er ist in diesen Städten vor der Blutrache sicher, wenn er nicht vorsätzlich und aus Hass gehandelt hat.

[5]So etwas kann geschehen, wenn zwei Männer im Wald Bäume fällen. Der eine holt mit der Axt aus, das Eisen löst sich und trifft den anderen tödlich. In diesem Fall kann der Totschläger sein eigenes Leben durch Flucht in eine der Zufluchtsstädte retten. [6]Der Weg dorthin darf nicht zu lang sein. Denn der nächste Verwandte des Getöteten wird den Totschläger voller Zorn verfolgen, um den Tod zu rächen. Holt er ihn ein, dann bringt er ihn um. Dabei war der Verfolgte unschuldig, denn er hat nicht aus Hass getötet. [7]Darum sollt ihr drei gut erreichbare Zufluchtsorte bestimmen.

[8]Später wird der Herr, euer Gott, euer Gebiet erweitern. Das hat er euren Vorfahren geschworen. Ihr werdet dann das ganze Land besitzen, das er ihnen versprochen hat. [9]Er schenkt es euch, wenn ihr alle seine Gebote genau beachtet, die ich euch heute weitergebe. Liebt den Herrn, euren Gott, und lebt so, wie es ihm gefällt. In dem neu dazugewonnenen Gebiet sollt ihr drei weitere Zufluchtsstädte bestimmen. [10]Denn in dem Land, das der Herr, euer Gott, euch schenken

18,10 3 Mo 18,21*; 19,26.31 **18,11** 1 Sam 28,3–20 **18,12** 9,4–5 **18,15** 34,10; Mk 9,7; Joh 5,46–47 **18,16** 2 Mo 20,19 **18,19** Apg 3,23 **18,20–22** Jer 14,13–15; 28,7–9.15–17 **19,1–10** 4 Mo 35,10–15*

will, soll kein Unschuldiger getötet werden. Sonst trägt euer ganzes Volk dafür die Verantwortung.

[11] Es kann aber auch sein, dass jemand aus Hass einem anderen auflauert, ihn ermordet und anschließend in einer der Zufluchtsstädte Schutz sucht. [12] Dann sollen die führenden Männer seiner Heimatstadt ihn holen lassen und an den Bluträcher ausliefern, damit dieser ihn tötet. [13] Habt kein Mitleid mit einem Mörder! Lasst niemanden ungestraft, der vorsätzlich einen Unschuldigen getötet hat! Wenn ihr euch daran haltet, wird es euch gut gehen.

Geht aufrichtig miteinander um!

[14] Wenn ihr das Land besitzt, das der Herr, euer Gott, euch geben will, dann stehlt euren Nachbarn keinen Grund und Boden. Lasst die Grundstücksgrenzen so, wie eure Vorfahren sie gezogen haben!

[15] Ihr dürft niemanden verurteilen, wenn nur ein einziger Zeuge gegen ihn aussagt. Um welches Unrecht oder Verbrechen es auch geht, immer sind mindestens zwei oder drei Zeugen für einen Schuldspruch nötig.

[16] Wenn der Angeklagte seine Schuld bestreitet und einen Zeugen der Lüge bezichtigt, [17] dann sollen beide ins Heiligtum vor den Herrn kommen und dort ihren Fall den Priestern und Richtern vorlegen. [18] Die sollen die Angelegenheit genau untersuchen. Stellt sich heraus, dass der Zeuge tatsächlich gelogen und den anderen zu Unrecht beschuldigt hat, [19] dann sollt ihr genau die Strafe über ihn verhängen, die er dem anderen zugedacht hat. Duldet keine solche Hinterhältigkeit in eurem Volk!

[20] Ganz Israel soll von der Bestrafung erfahren, damit alle gewarnt sind und so eine Verleumdung nicht wieder bei euch vorkommt. [21] In einem solchen Fall dürft ihr kein Erbarmen zeigen! Zur Festlegung der Strafe gilt der Grundsatz: Leben um Leben, Auge um Auge, Zahn um Zahn, Hand um Hand, Fuß um Fuß.

Bestimmungen für das israelitische Heer

20 Wenn ihr in den Krieg zieht und seht, dass eure Feinde zahlreicher sind als ihr und sogar Reiter und Streitwagen besitzen, dann fürchtet euch nicht vor ihnen! Der Herr, euer Gott, der euch aus Ägypten befreit hat, steht euch bei! [2] Vor der Schlacht soll der Priester zu euren Truppen sprechen. [3] Er soll ihnen sagen: »Hört, ihr Israeliten! Ihr werdet heute gegen eure Feinde kämpfen. Habt keine Angst! Fürchtet euch nicht! Weicht nicht vor ihnen zurück, und lasst euch nicht einschüchtern! [4] Der Herr, euer Gott, zieht mit euch in die Schlacht! Er kämpft auf eurer Seite und gibt euch den Sieg über eure Feinde!«

[5] Dann sollen die Männer, die für die Aufstellung des Heeres verantwortlich sind, fragen: »Ist jemand hier, der sich gerade ein neues Haus gebaut hat und es noch nicht einweihen konnte? Er soll gehen und in das Haus einziehen. Sonst stirbt er vielleicht, und ein anderer wohnt darin. [6] Hat einer von euch gerade einen Weinberg angelegt, konnte aber noch nichts davon ernten? Er soll hier bleiben, damit er nicht im Kampf fällt und ein anderer die Ernte bekommt. [7] Ist jemand verlobt, aber noch nicht verheiratet? Er darf auch nach Hause gehen, damit er nicht stirbt und ein anderer seine Verlobte heiratet.«

[8] Weiter sollen die Männer eure Soldaten auffordern: »Jeder, der sich fürchtet und mutlos ist, soll umkehren. Sonst steckt er vielleicht die anderen mit seiner Angst an.« [9] Danach sollen die Soldaten bestimmt werden, die eure Truppen in die Schlacht führen.

[10] Bevor ihr eine Stadt angreift, fordert

19,14 27,17; 1 Kön 21; Spr 22,28; 23,10 **19,15** 17,6; 4 Mo 35,30; Mt 18,16; Joh 8,17; 2 Kor 13,1; 1 Tim 5,19 **19,19** 1 Kor 5,12–13 **19,20** 13,12 **19,21** 2 Mo 21,23–25* **20,1–4** 2 Mo 14,14* **20,7** 24,5 **20,8** Ri 7,3

ihre Einwohner auf, sich kampflos zu ergeben! [11] Gehen sie darauf ein und öffnen euch die Tore, dann müssen sie sich unterwerfen und für euch arbeiten. [12] Wollen sie aber keinen Frieden schließen, sondern Krieg mit euch führen, so belagert sie. [13] Wenn der Herr, euer Gott, euch dann die Stadt erobern lässt, müsst ihr alle Männer dort mit dem Schwert töten. [14] Nur die Frauen und Kinder lasst am Leben. Ihr dürft sie zusammen mit dem Vieh und allem, was euch in der Stadt in die Hände fällt, als Beute behalten. Ihr könnt auch die Vorräte essen, die der Herr, euer Gott, euch dort finden lässt. [15] So sollt ihr im Kampf gegen die Städte in euren Nachbarländern vorgehen.

[16] Anders ist es bei Städten in dem Gebiet, das der Herr, euer Gott, euch schenken will. Denn von den Völkern, die hier bisher gelebt haben, dürft ihr niemanden am Leben lassen. [17] An allen müsst ihr Gottes Urteil vollstrecken: an den Hetitern, Amoritern, Kanaanitern, Perisitern, Hiwitern und Jebusitern. Der Herr hat euch dies befohlen, [18] damit sie euch nicht zu ihrem abscheulichen Götzendienst verführen und ihr euch vom Herrn, eurem Gott, abwendet.

[19] Wenn ihr eine Stadt längere Zeit belagert, dann zerstört nicht die Bäume in der Umgebung! Sonst habt ihr nichts mehr von ihren Früchten! Darum fällt sie nicht! Oder wollt ihr gegen die Bäume kämpfen? [20] Fällt nur die Bäume, die ganz sicher keine Frucht tragen. Aus ihrem Holz könnt ihr Vorrichtungen für die Belagerung bauen, um die Stadt damit einzunehmen.

Die Sühnung eines ungeklärten Mordes

21 Wenn ihr in dem Land, das der Herr, euer Gott, euch gibt, draußen auf dem Feld einen Toten findet und den Mörder nicht kennt, [2] dann ist Folgendes zu tun: Zunächst sollen die führenden Männer und die Richter der umliegenden Städte kommen und feststellen, welche Stadt dem Fundort am nächsten liegt. [3] Hat man die Stadt bestimmt, dann müssen ihre führenden Männer eine junge Kuh holen, die noch kein Joch getragen und keinen Pflug gezogen hat. [4] Sie bringen sie an einen Bach, der das ganze Jahr Wasser führt, an dessen Ufer aber keine Felder angelegt wurden. Dort brechen sie der Kuh das Genick.

[5] Dann kommen die Priester vom Stamm Levi dazu, die der Herr, euer Gott, erwählt hat, ihm zu dienen und in seinem Namen zu segnen. Ihr Wort entscheidet bei jedem Rechtsstreit und Verbrechen. [6] Vor ihren Augen waschen sich die führenden Männer der Stadt über der toten Kuh die Hände [7] und sagen: »Wir haben diesen Menschen nicht getötet und wissen auch nicht, wer es getan hat. [8] Herr, vergib uns! Wir sind doch dein Volk Israel, das du befreit hast! Bitte zieh uns nicht für den Tod dieses Unschuldigen zur Rechenschaft!« Wenn die Männer dies befolgen, wird den Einwohnern der Stadt dieser Mord nicht angerechnet.

[9] So sollt ihr die Schuld sühnen, wenn jemand aus eurem Volk ermordet wurde. Dann handelt ihr so, wie es in den Augen des Herrn richtig ist.

Heirat mit einer kriegsgefangenen Frau

[10] Wenn ihr Krieg führt und der Herr, euer Gott, euch siegen lässt, kann es geschehen, dass ihr Gefangene macht. [11] Vielleicht sieht jemand von euch unter ihnen eine schöne Frau, die ihm so gut gefällt, dass er sie heiraten will. [12] Er darf sie mit nach Hause nehmen. Dort soll sie sich den Kopf kahl scheren, die Nägel schneiden [13] und die Kleider wechseln, die sie als Gefangene getragen hat. Einen Monat soll sie Zeit haben, um ihren Vater und ihre Mutter zu betrauern. Danach kann der Mann sie zur Frau nehmen.

[14] Gefällt sie ihm irgendwann nicht

20,16–18 7,2* **20,19** 2 Kön 3,19.25 **21,5** 10,8; 17,8–11 **21,6–8** Mt 27,24–25 **21,9** 4 Mo 35,33

mehr, dann muss er sie gehen lassen, wohin sie will. Weil er sie zur Ehe gezwungen hatte, darf er sie auf keinen Fall als Sklavin behandeln oder verkaufen.

Die Rechte des ältesten Sohnes

[15] Wenn ein Mann zwei Frauen hat, kann es vorkommen, dass er die eine liebt und die andere nicht. Beide haben einen Sohn geboren, die Ungeliebte zuerst. [16] Wenn der Mann später das Erbe aufteilt, darf er nicht den Sohn der geliebten Frau zum Erstgeborenen erklären und den Älteren benachteiligen. [17] Er muss den Sohn der ungeliebten Frau als Erstgeborenen anerkennen und ihm doppelt so viel von seinem Eigentum vererben wie dem jüngeren Sohn. Sein ältester Sohn besitzt für immer alle Rechte des Erstgeborenen.

Bestrafung ungehorsamer Söhne

[18] Gesetzt den Fall, ein Sohn ist widerspenstig und stur; er hört nicht mehr auf seinen Vater und seine Mutter. Soviel sie ihn auch ermahnen und bestrafen, es nützt nichts. Er macht, was er will. [19] Dann sollen seine Eltern ihn zu den führenden Männern bringen, die am Stadttor Gericht halten. [20] Sie sollen zu ihnen sagen: »Unser Sohn hier gehorcht uns nicht. Er ist unverbesserlich und hört nicht auf, zu schlemmen und zu saufen.« [21] Darauf sollen alle Männer der Stadt ihn steinigen. Denn ihr müsst alles Böse aus eurem Volk beseitigen! Alle Israeliten sollen von der Bestrafung hören, damit sie gewarnt sind.

Hingerichtete müssen am selben Tag begraben werden

[22] Wenn ihr jemanden für ein Verbrechen hinrichtet und seinen Leichnam an einem Pfahl oder Baum aufhängt, [23] sollt ihr ihn nicht über Nacht dort lassen. Begrabt ihn auf jeden Fall noch am selben Tag! Denn wer so aufgehängt wurde, ist von Gott verflucht. Wenn ihr seinen Leichnam nicht am selben Tag begrabt, verunreinigt ihr das Land, das der Herr, euer Gott, euch schenkt.

Seid hilfsbereit!

22 Seht nicht untätig zu, wenn sich ein Rind, ein Schaf oder eine Ziege eines Israeliten verirrt! Bringt das Tier auf jeden Fall zurück! [2] Wohnt der Besitzer weit weg von euch oder kennt ihr ihn nicht, dann nehmt das Tier mit nach Hause, und versorgt es, bis man nach ihm fragt. Dann gebt es zurück. [3] Das Gleiche gilt, wenn ihr einen entlaufenen Esel findet oder einen Mantel, den jemand hat liegen lassen. Immer wenn ihr jemandem helfen könnt, etwas Verlorenes zurückzubekommen, dann tut es! Verweigert niemandem eure Hilfe!

[4] Wenn ihr seht, dass der Esel oder das Rind eines anderen Israeliten auf der Straße gestürzt ist, dann geht nicht vorbei, sondern helft, das Tier wieder auf die Beine zu bringen!

Bewahrt die natürliche Ordnung!

[5] Eine Frau soll keine Männerkleidung tragen und ein Mann keine Frauenkleidung. Wer so etwas tut, den verabscheut der Herr, euer Gott.

[6] Wenn ihr unterwegs in einem Baum oder am Boden ein Nest entdeckt, in dem ein Vogel brütet oder seine Jungen füttert, dann fangt ihn nicht! [7] Nur die Jungen dürft ihr euch nehmen. Die Mutter lasst frei! Haltet euch daran, dann wird es euch gut gehen, und ihr werdet lange leben.

[8] Wenn ihr ein neues Haus baut, dann sichert das Flachdach mit einem Geländer! Sonst seid ihr schuld, wenn jemand abstürzt und ums Leben kommt.

[9] Wenn ihr einen Weinberg anlegt, dann pflanzt dort außer den Weinstöcken

---

21,15 1 Mo 29,30–32 **21,18** 27,16; 2 Mo 21,17 **21,21** 13,12 **21,22–23** 4 Mo 25,4; Jos 8,29; 10,26–27; 2 Sam 21,6.9; Mt 27,57–58; Joh 19,31; Gal 3,13 **22,1–4** 2 Mo 23,4–5 **22,9–11** 3 Mo 19,19

nichts anderes an! Sonst müsst ihr alles im Heiligtum abliefern, was ihr an Trauben und anderen Früchten erntet.

[10] Spannt nicht Rind und Esel zusammen vor den Pflug!

[11] Tragt keine Kleidung, in der Wolle und Leinen zusammengewebt sind!

[12] Näht Quasten an die vier Enden eurer Obergewänder!

Schutz vor Verleumdung und Vergewaltigung

[13] Es kann geschehen, dass ein verheirateter Mann schon nach kurzer Zeit nichts mehr von seiner Frau wissen will. [14] Er bringt sie in Verruf und behauptet: »Als ich mit meiner Braut geschlafen habe, stellte sich heraus, dass sie keine Jungfrau mehr war!« [15] Dann sollen die Eltern der Frau zu den führenden Männern gehen, die am Stadttor Gericht halten, und ihnen das Bettlaken aus der Hochzeitsnacht[a] zeigen. [16] Der Vater soll erklären: »Ich habe meine Tochter diesem Mann zur Frau gegeben. Aber jetzt liebt er sie nicht mehr. [17] Deshalb verleumdet er sie und behauptet, sie habe schon vorher mit jemandem geschlafen. Aber die Flecken auf diesem Tuch beweisen, dass sie noch Jungfrau war.« Die Eltern sollen das Laken vor den führenden Männern der Stadt ausbreiten.

[18] Dann soll der Mann dafür ausgepeitscht werden, [19] dass er eine junge israelitische Frau verleumdet hat. Außerdem hat er 100 Silberstücke an seinen Schwiegervater zu zahlen. Er muss seine Frau behalten und darf sich sein Leben lang nicht von ihr trennen.

[20] Hat er aber die Wahrheit gesagt und hat die Frau tatsächlich schon mit einem anderen geschlafen, [21] dann soll man sie vor die Tür ihres Elternhauses bringen, und die Männer der Stadt sollen sie dort steinigen. Sie muss sterben, weil sie sich im Haus ihrer Eltern wie eine Hure verhalten hat. Das ist eine Schande für ganz Israel. Ihr müsst alles Böse aus eurem Volk beseitigen!

[22] Wenn ein Mann mit der Frau eines anderen schläft und man ertappt sie, dann müssen beide sterben. Duldet keinen Ehebruch in Israel!

[23] Trifft ein Mann in der Stadt eine junge Frau, die mit einem anderen verlobt ist, und er schläft mit ihr, [24] dann sollt ihr die zwei aus der Stadt bringen und steinigen. Beide müssen sterben: die junge Frau, weil sie nicht um Hilfe gerufen hat, obwohl sie in der Stadt war, und der Mann, weil er sich an der Braut eines anderen vergriffen hat. Ihr müsst das Böse aus eurem Volk beseitigen!

[25] Wenn aber ein Mann draußen auf dem Feld ein verlobtes Mädchen vergewaltigt, soll nur er getötet werden.

[26] Der jungen Frau soll nichts geschehen, denn sie hat nichts getan, was den Tod verdient! Sie ist wie von einem Mörder überfallen worden. [27] Wahrscheinlich hat sie geschrien, aber niemand hat es dort draußen gehört und ihr geholfen.

[28] Wenn herauskommt, dass ein Mann eine junge Frau vergewaltigt hat, die noch nicht verlobt ist, [29] muss er ihrem Vater 50 Silberstücke zahlen und sie heiraten. Er darf sich sein Leben lang nicht von ihr trennen, weil er sie gezwungen hat, mit ihm zu schlafen.

23 Niemand darf mit der Frau seines Vaters schlafen. Sonst entehrt er seinen Vater.

Wer darf sich beim Herrn versammeln?

[2] Wenn sich die Israeliten beim Heiligtum des Herrn versammeln, darf niemand unter ihnen sein, der verletzte Hoden hat oder dessen Glied abgeschnitten ist. [3] Einer, dessen Eltern nicht verheiratet waren, muss der Versammlung ebenfalls fernbleiben. Auch seine Nachkommen

---

[a] Wörtlich: das Zeichen der Jungfräulichkeit.

22,12 4 Mo 15,37–39; Mt 23,5 **22,22** 2 Sam 12,13 **22,28–29** 2 Sam 13,16 **23,1** 27,20; 3 Mo 18,7–8; 2 Sam 16,21 **23,2** Jes 56,3–5

dürfen nicht dabei sein, selbst zehn Generationen später nicht.

[4]Für immer ausgeschlossen sind auch alle, die ammonitische oder moabitische Vorfahren haben, selbst wenn sie seit zehn Generationen in Israel leben. [5]Denn diese Völker haben euch nicht herzlich aufgenommen; sie haben euch nicht mit Brot und Wasser versorgt, als ihr aus Ägypten kamt. Im Gegenteil: Sie haben Bileam, den Sohn Beors, aus Petor in Mesopotamien geholt und ihm Geld gegeben, damit er euch verflucht. [6]Aber der Herr, euer Gott, hat nicht auf Bileam gehört, sondern aus Liebe zu euch den Fluch in Segen verwandelt. [7]Darum versucht nicht, diesen Völkern zu helfen! Setzt euch auch in Zukunft nie für sie ein!

[8]Die Edomiter aber sollt ihr nicht ablehnen. Sie sind euer Brudervolk. Stellt euch auch nicht gegen die Ägypter, denn ihr habt einmal in ihrem Land gelebt. [9]Wer von ihnen in der dritten Generation bei euch wohnt, darf dazukommen, wenn ihr euch beim Heiligtum des Herrn versammelt.

Das Heerlager soll heilig sein

[10]Wenn ihr Krieg gegen eure Feinde führt, dann achtet darauf, dass es nichts in eurem Lager gibt, was euch in den Augen des Herrn unrein macht. [11]Wenn ein Mann nachts im Schlaf einen Samenerguss hatte, ist er unrein und muss das Lager verlassen. Er darf es am nächsten Tag nicht betreten. [12]Erst bei Sonnenuntergang kann er zurückkommen, wenn er sich vorher gewaschen hat.

[13]Außerhalb des Lagers sollt ihr einen Platz haben, wo ihr austreten könnt. [14]Wenn jemand dort sein Geschäft erledigt, soll er vorher ein Loch graben und es danach wieder mit Erde füllen. Nehmt dazu in eurem Gepäck eine kleine Schaufel mit.

[15]Der Herr, euer Gott, ist mitten unter euch in eurem Lager! Er beschützt euch und gibt euch den Sieg über eure Feinde. Deshalb muss euer Lager heilig sein. Wenn der Herr dort etwas sieht, was er verabscheut, wendet er sich von euch ab.

Helft entflohenen Sklaven!

[16]Wenn ein entflohener Sklave bei euch Schutz sucht, dann liefert ihn nicht an seinen Herrn aus! [17]Nehmt ihn bei euch auf! Er soll für sich entscheiden, in welcher Stadt er bleiben will. Lasst ihn dort wohnen, wo es ihm gefällt, und beutet ihn nicht aus!

Verbot kultischer Prostitution

[18]Keine Frau und kein Mann aus eurem Volk soll im Namen eines Gottes der Prostitution nachgehen. [19]Was Frauen oder Männer damit verdient haben, darf niemals als Opfergabe in das Haus des Herrn, eures Gottes, gebracht werden, um ein Gelübde zu erfüllen. Denn so etwas verabscheut der Herr.

Nehmt keine Zinsen von Landsleuten!

[20]Wenn ihr jemandem aus eurem Volk Geld, Lebensmittel oder irgendetwas anderes leiht, dann nehmt keine Zinsen! [21]Nur von Ausländern dürft ihr Zinsen verlangen, nicht von Israeliten. Wenn ihr euch daran haltet, wird der Herr, euer Gott, euch segnen und eure Arbeit gelingen lassen in dem Land, das ihr in Besitz nehmt.

Die Gelübde für den Herrn müssen erfüllt werden

[22]Wenn ihr dem Herrn, eurem Gott, etwas versprochen habt, dann haltet es auf jeden Fall ein! Er wird es mit Sicherheit von euch fordern! Verweigert ihr es ihm,

---

23,4 1 Mo 19,37–38; Neh 13,1–3 **23,5–6** 4 Mo 22,2 – 24,19 **23,7** Esr 9,12 **23,8** 1 Mo 36,1–8; Jes 19,18–25 **23,11–12** 3 Mo 15,16–18 **23,16–17** Phlm 12–16 **23,18** 3 Mo 19,29; 1 Kön 14,24 **23,20–21** 15,3 **23,22–24** 4 Mo 30,3*

so ladet ihr Schuld auf euch. [23]Ihm gar nichts zu versprechen, ist keine Sünde. [24]Doch wenn ihr freiwillig ein Gelübde abgelegt habt, dann müsst ihr es auf jeden Fall erfüllen. Was ihr versprochen habt, müsst ihr halten.

Verhalten in fremden Weinbergen und Feldern

[25]Wenn ihr an einem Weinberg vorbeikommt, dürft ihr dort so viel Trauben essen, wie ihr wollt, bis ihr satt seid. Ihr sollt aber nichts in ein Gefäß sammeln! [26]In einem Getreidefeld könnt ihr mit der Hand Ähren pflücken. Ihr dürft aber keine Sichel benutzen!

Gegen leichtfertige Ehescheidung

24 Es kann geschehen, dass ein verheirateter Mann an seiner Frau etwas auszusetzen hat und er sie deswegen nicht mehr liebt. Er schreibt ihr eine Scheidungsurkunde und schickt sie weg. [2]Sie heiratet einen anderen. [3]Aber auch dieser Mann liebt sie irgendwann nicht mehr und schickt sie mit einer Scheidungsurkunde fort. Es kann aber auch geschehen, dass der zweite Ehemann stirbt. [4]In beiden Fällen kann der erste Mann die Frau nicht wieder heiraten. Sie ist unrein für ihn, weil sie mit einem anderen geschlafen hat. So etwas verabscheut der Herr. Lasst niemals zu, dass eine solche Sünde in dem Land geschieht, das der Herr, euer Gott, euch schenkt.

Schutz von Ehe, Leben, Freiheit und Gesundheit

[5]Wenn ein Mann frisch verheiratet ist, darf er nicht zum Kriegsdienst oder zu anderen Aufgaben herangezogen werden. Er soll ein Jahr lang davon befreit sein, damit er ein Zuhause schaffen und seine Frau glücklich machen kann.

[6]Wenn euch jemand etwas schuldet, dann fordert nicht seine Handmühle oder seinen Mühlstein als Pfand! Denn damit würdet ihr ihm nehmen, was er zum Leben braucht.

[7]Findet ihr heraus, dass jemand einen anderen Israeliten entführt und ihn zu seinem Sklaven macht oder verkauft, dann tötet ihn! Duldet keine Verbrechen unter euch!

[8]Wenn ihr an Aussatz erkrankt, so befolgt genau die Anweisungen der Priester vom Stamm Levi! Haltet euch an alles, was der Herr ihnen befohlen hat! [9]Denkt daran, wie der Herr, euer Gott, Mirjam aussätzig gemacht und sie wieder geheilt hat, als ihr aus Ägypten kamt![a]

Die Rechte der Armen

[10]Wenn ihr jemandem etwas leiht, dann geht nicht in sein Haus, um euch dort selbst ein Pfand auszusuchen. [11]Wartet draußen vor der Tür, bis er euch etwas herausbringt. [12]Ist er so arm, dass er nur seinen Mantel verpfänden kann, dann behaltet das Kleidungsstück nicht über Nacht. [13]Gebt es ihm auf jeden Fall noch am selben Abend zurück! Er braucht es nachts als Decke. Dafür wird er euch segnen, denn ihr tut, was in den Augen des Herrn, eures Gottes, gut und richtig ist.

[14]Beutet die armen Tagelöhner nicht aus, ganz gleich, ob es Israeliten sind oder Ausländer, die bei euch leben! [15]Sie sind dringend auf ihren Lohn angewiesen. Darum gebt ihnen jeden Tag noch vor Sonnenuntergang ihr Geld. Sonst werden sie sich beim Herrn über euch beklagen, und ihr habt Schuld auf euch geladen.

[16]Eltern sollen nicht für die Verbre-

---

[a] Vgl. 4. Mose 12

23,26 Mt 12,1 **24,1** Mt 5,31–32; 19,7 **24,5** 20,7 **24,7** 2 Mo 21,16 **24,8** 3 Mo 13,1–46; 14,1–32 **24,12–13** 2 Mo 22,25–26 **24,14–15** 3 Mo 19,13; Mt 20,8; Jak 5,4 **24,16** 2 Kön 14,5–6; Jer 31,29–30; Hes 18,20

chen ihrer Kinder hingerichtet werden und Kinder nicht für die Schuld ihrer Eltern. Jeder soll nur für seine eigene Sünde bestraft werden.

[17] Verweigert den Ausländern und Waisen vor Gericht nicht ihr Recht! Einer Witwe dürft ihr nicht den Mantel als Pfand wegnehmen. [18] Denkt daran, dass ihr früher Sklaven der Ägypter wart und der Herr, euer Gott, euch aus ihrer Hand befreit hat. Deshalb gebe ich euch diese Gebote.

[19] Wenn ihr bei der Ernte eine Garbe auf dem Feld vergesst, geht nicht zurück, um sie zu holen. Lasst sie den Ausländern, Waisen und Witwen! Dann wird der Herr, euer Gott, euch bei all eurer Arbeit segnen. [20] Wenn ihr Oliven von den Bäumen schlagt, dann sucht die Zweige danach nicht mehr ab. Der Rest soll den Ausländern, Waisen und Witwen gehören! [21] Auch bei eurer Traubenernte haltet keine Nachlese! Überlasst sie den Ausländern, Waisen und Witwen. [22] Vergesst nicht, dass ihr einmal Sklaven in Ägypten wart. Darum haltet euch an diese Gebote!

Strafe mit Maß

25 Können sich Männer bei einem Rechtsstreit nicht einigen, so soll ein Gericht feststellen, wer im Unrecht ist. [2] Wird der Schuldige zu Stockhieben verurteilt, so soll man ihn vor dem Richter auf den Boden legen und ihm so viele Schläge geben, wie er verdient. [3] Es dürfen aber auf keinen Fall mehr als vierzig sein, denn der Verurteilte gehört ja zu eurem Volk. Ihr sollt nicht die Achtung vor ihm verlieren!

Wer arbeitet, darf auch essen

[4] Wenn ihr mit einem Ochsen Getreide drescht, dann bindet ihm nicht das Maul zu!

Bestimmungen zur Schwagerehe

[5] Wenn ein verheirateter Mann kinderlos stirbt und in der Nähe ein Bruder von ihm lebt, muss dieser die Witwe zur Frau nehmen. Sie soll keinen Mann außerhalb der Familie heiraten, sondern ihren Schwager. [6] Der erste Sohn, den sie dann zur Welt bringt, soll als Sohn des Verstorbenen gelten, damit sein Name in Israel weiterlebt.

[7] Will aber der Bruder seine Schwägerin nicht heiraten, dann soll sie zu den führenden Männern gehen, die am Stadttor Gericht halten. Sie soll sagen: »Mein Schwager weigert sich, mich zu heiraten. Er will nicht dafür sorgen, dass der Name seines Bruders weiterlebt.« [8] Die führenden Männer der Stadt sollen ihn rufen und ihn zur Rede stellen. Bleibt er bei seiner Ablehnung, [9] dann soll seine Schwägerin ihm dort vor den führenden Männern einen Schuh ausziehen, ihm ins Gesicht spucken und sagen: »So behandelt man jemanden, der die Familie seines Bruders nicht am Leben erhalten will.« [10] Ganz Israel soll es erfahren und ihn und seine Familie von da an »Barfüßer« nennen.

Unerlaubte Übergriffe

[11] Wenn zwei Männer sich schlagen und die Frau des Unterlegenen kommt ihrem Mann zu Hilfe und greift dem anderen an die Geschlechtsteile, [12] soll man ihr ohne Mitleid die Hand abhauen.

Seid ehrlich, und betrügt einander nicht!

[13] Steckt euch nicht zwei verschieden schwere Gewichtssteine in die Tasche, um beim Wiegen zu betrügen! [14] Haltet in eurem Haus nicht zwei verschieden große Getreidemaße bereit! [15] Benutzt die richtigen Gewichtssteine und Getrei-

---

24,17–18 10,17–19; 3 Mo 24,22* **24,18** 5,15* **24,19–21** 3 Mo 19,9–10 **24,22** 5,15* **25,3** 2 Kor 11,24 **25,4** 1 Kor 9,9 **25,5–6** 1 Mo 38,8; Ruth 3,1–4.12; Mt 22,24 **25,13–16** 3 Mo 19,35–36; Spr 11,1*; Mi 6,10–12

demaße! Dann werdet ihr lange in dem Land leben, das der Herr, euer Gott, euch gibt. [16]Denn er verabscheut jeden, der andere betrügt.

Bestraft die Amalekiter!

[17]Vergesst nicht, was euch die Amalekiter angetan haben, als ihr aus Ägypten gekommen seid! [18]Sie haben eure Erschöpfung ausgenutzt und euch von hinten überfallen. Ohne jede Ehrfurcht vor Gott haben sie die Schwachen am Ende eures Zuges getötet. [19]Denkt daran, sie zu bestrafen, wenn ihr in dem Land wohnt, das der Herr, euer Gott, euch für immer schenkt. Sobald der Herr dafür gesorgt hat, dass ihr nicht mehr ringsum von Feinden bedroht seid, sollt ihr jede Spur von den Amalekitern auslöschen!

Dankt Gott für seine Gaben!

26 Ihr werdet nun in das Land gehen, das der Herr, euer Gott, euch schenkt. Ihr werdet es einnehmen und euch darin niederlassen. [2]Wenn ihr dort eure Ernte einbringt, dann legt die ersten Früchte in einen Korb, und kommt damit an den Ort, den der Herr, euer Gott, auswählt, um dort zu wohnen. [3]Geht zum Priester, der gerade Dienst hat, und sagt zu ihm: »Der Herr, dein Gott, hat Wort gehalten: Wir leben heute in dem verheißenen Land, wie er es unseren Vorfahren geschworen hat.«

[4]Der Priester soll den Korb nehmen und ihn vor den Altar des Herrn, eures Gottes, stellen. [5]Dann sollt ihr beten:

»Herr, unser Gott! Unsere Vorfahren waren Aramäer, die umherzogen und keine Heimat hatten. Sie gingen nach Ägypten und siedelten sich in diesem fremden Land an. Zu Anfang waren sie nur wenige, doch dann wurden sie ein großes und mächtiges Volk. [6]Die Ägypter behandelten uns schlecht. Sie unterdrückten uns und zwangen uns zu harter Arbeit. [7]Da schrien wir zu dir, dem Gott unserer Vorfahren. Und du hast uns gehört. Du hast gesehen, wie sehr wir misshandelt wurden und litten. [8]Mit starker Hand und großer Macht hast du uns befreit. Du hast unsere Feinde in Angst und Schrecken versetzt, große Wunder und gewaltige Taten vollbracht.

[9]Dann hast du uns hierher geführt und uns dieses Land gegeben, in dem Milch und Honig fließen. [10]Hier sind wir nun und bringen dir die ersten Früchte des Landes, das du, Herr, uns geschenkt hast.«

Legt die Früchte vor dem Herrn, eurem Gott, nieder, und betet ihn an! [11]Freut euch mit euren Familien an allen Gaben, die der Herr euch geschenkt hat. Ladet zu eurem Fest auch die Leviten und Ausländer ein, die bei euch leben.

Ein Teil der Ernte gehört den Armen

[12]Jedes dritte Jahr sollt ihr den gesamten zehnten Teil eurer Ernte den Leviten, den Ausländern, den Waisen und Witwen in euren Städten geben, damit sie genug zu essen haben. [13]Dann sollt ihr beten:

»Herr, mein Gott! Alles, was dir gehört, habe ich aus meinem Haus weggebracht und es den Leviten, Ausländern, Waisen und Witwen gegeben, wie du es mir befohlen hast. Ich habe mich genau an deine Anweisungen gehalten und nichts vergessen. [14]Diese heiligen Gaben habe ich nie angerührt, wenn ich unrein war. Ich habe nichts davon in das Grab eines Toten gelegt oder in der Zeit der Trauer gegessen. Herr, mein Gott, ich habe alles getan, was du befohlen hast. [15]Sieh doch herab vom Himmel, wo du wohnst! Segne dein Volk Israel, und segne das Land, das wir von dir bekommen haben, wie du es unseren Vorfahren versprochen hast, das Land, in dem Milch und Honig fließen!«

25,17–18 2 Mo 17,8–13 **25,19** 2 Mo 17,14–16; 1 Sam 15,2–3 **26,2** 2 Mo 23,19; 5 Mo 12,5* **26,5–9** 6,20–25; Jos 24,2–13 **26,8** 4,34* **26,9** 4 Mo 13,27* **26,11** 12,7* **26,12–15** 4 Mo 18,21–24*

Ihr seid Gottes Volk

[16]Heute befiehlt euch der Herr, euer Gott, dass ihr seine Gebote und Ordnungen beachtet. Haltet euch daran! Befolgt seine Weisungen von ganzem Herzen und mit aller Hingabe!

[17]Ihr habt heute dem Herrn gesagt, dass er euer Gott sein soll und dass ihr seinem Weg folgen wollt. Ihr habt versprochen, ihm zu gehorchen und seine Gebote, Weisungen und Ordnungen zu beachten. [18]Und der Herr hat heute erklärt, dass ihr sein eigenes Volk seid, wie er es versprochen hat. Er verlangt, dass ihr nach seinen Geboten lebt. [19]Er will euch zum bedeutendsten aller Völker machen, die er geschaffen hat. Ja, berühmt und angesehen sollt ihr sein! Ihr werdet ein heiliges Volk sein, das ganz dem Herrn gehört. So hat er es versprochen.

Das ganze Gesetz auf Gedenksteinen

27 Gemeinsam mit den Sippenoberhäuptern forderte Mose die Israeliten auf: »Haltet euch genau an alle Gebote, die ich euch heute gebe! [2]Wenn ihr den Jordan überquert und in das Land zieht, das der Herr, euer Gott, euch gibt, dann richtet dort große Gedenksteine auf. Streicht sie weiß an, [3]und schreibt das ganze Gesetz Wort für Wort darauf. Wenn ihr das tut, werdet ihr das Land in Besitz nehmen, in dem Milch und Honig fließen. So hat es der Herr, der Gott eurer Vorfahren, versprochen. [4]Nachdem ihr den Jordan überquert habt, sollt ihr die Gedenksteine weiß bestreichen und auf dem Berg Ebal aufrichten.

[5]Baut dort auch einen Altar für den Herrn, euren Gott! Verwendet dazu nur unbehauene Steine, [6]die nicht bearbeitet worden sind. Bringt auf dem Altar Brandopfer dar! [7]Schlachtet Tiere für das Dankopfer, esst sie, und feiert in der Gegenwart des Herrn ein fröhliches Fest! [8]Der Altar soll bei den Steintafeln stehen, auf die ihr alle Gebote sorgfältig mit deutlicher Schrift geschrieben habt.«

[9]Das ganze Volk war versammelt, als Mose und die Priester vom Stamm Levi sagten: »Seid still, und hört zu, ihr Israeliten! Von heute an seid ihr das Volk des Herrn. Ihr gehört nun allein eurem Gott. [10]Darum gehorcht ihm! Lebt nach seinen Geboten und Ordnungen, die ihr heute hört.«

Segen und Fluch

[11]Am selben Tag befahl Mose den Israeliten: [12]»Wenn ihr den Jordan überquert habt, sollen sich sechs eurer Stämme auf dem Berg Garizim versammeln: Simeon, Levi, Juda, Issaschar, Josef und Benjamin. Sie sollen dort die Segensworte ausrufen. [13]Die Stämme Ruben, Gad, Asser, Sebulon, Dan und Naftali versammeln sich auf dem Berg Ebal und rufen von dort die Fluchworte.

[14]Dann sollen die Leviten mit lauter Stimme allen Israeliten zurufen:

[15]›Verflucht ist, wer aus Holz oder Metall eine Götzenstatue anfertigt und sie heimlich aufstellt. Denn sie ist ein Werk von Menschenhand, das der Herr verabscheut.‹

Und das ganze Volk soll antworten: ›So soll es sein!‹

[16]Nun rufen die Leviten: ›Verflucht ist, wer seinen Vater oder seine Mutter verachtet!‹

Und das Volk antwortet: ›So soll es sein!‹

[17]In dieser Weise sollen die Leviten und das Volk weiter im Wechsel sprechen:

›Verflucht ist, wer seinem Nachbarn Land wegnimmt!‹ –

›So soll es sein!‹ –

[18]›Verflucht ist, wer einen Blinden in die Irre führt!‹ –

›So soll es sein!‹ –

26,17–19 29,11–12 **26,19** 2 Mo 19,5–6*; 3 Mo 19,2* **27,2–8** Jos 8,30–32 **27,3** 4 Mo 13,27* **27,5–6** 2 Mo 20,25 **27,7** 12,7* **27,9** 26,16–19 **27,11–13** 11,29; Jos 8,33–35 **27,15** 2 Mo 20,3–5*; 34,17 **27,16** 2 Mo 20,12*; 21,17 **27,17** 19,14 **27,18** 3 Mo 19,14

[19] ›Verflucht ist, wer Ausländern, Waisen oder Witwen vor Gericht ihr Recht verweigert!‹ –

›So soll es sein!‹ –

[20] ›Verflucht ist, wer mit der Frau seines Vaters schläft und ihn damit entehrt!‹ –

›So soll es sein!‹ –

[21] ›Verflucht ist, wer mit einem Tier verkehrt!‹ –

›So soll es sein!‹ –

[22] ›Verflucht ist, wer mit seiner Schwester oder Halbschwester schläft!‹ –

›So soll es sein!‹ –

[23] ›Verflucht ist, wer mit seiner Schwiegermutter schläft!‹ –

›So soll es sein!‹ –

[24] ›Verflucht ist, wer heimlich jemanden ermordet!‹ –

›So soll es sein!‹ –

[25] ›Verflucht ist, wer für Geld einen Unschuldigen umbringt!‹ –

›So soll es sein!‹ –

[26] ›Verflucht ist, wer sich nicht an dieses ganze Gesetz hält und danach lebt!‹ –

›So soll es sein!‹«

Der Herr will euch segnen

28 »Der Herr, euer Gott, wird euch zum bedeutendsten aller Völker machen, wenn ihr auf ihn hört und nach allen seinen Geboten lebt, die ich euch heute gebe. [2] Wenn ihr ihm gehorcht, werdet ihr seinen ganzen Segen erfahren. [3] Er beschenkt euch zu Hause und draußen auf dem Feld: [4] Ihr werdet viele Kinder haben, reiche Ernten einbringen und eure Rinder-, Schaf- und Ziegenherden wachsen sehen. [5] Eure Körbe werden voller Früchte und eure Backtröge voll Mehl sein. [6] Der Herr wird euch segnen, wenn ihr nach Hause kommt und wenn ihr wieder aufbrecht.

[7] Wenn eure Feinde euch angreifen, hilft euch der Herr, sie in die Flucht zu schlagen. In alle Himmelsrichtungen werdet ihr sie auseinander jagen.

[8] Der Herr, euer Gott, wird euch mit reichen Vorräten beschenken und alles gelingen lassen, was ihr euch vornehmt. Er wird euch in dem Land segnen, das er euch schenkt. [9] Wenn ihr seine Gebote beachtet und so lebt, wie es ihm gefällt, macht er euch zu einem Volk, das ihm allein gehört. So hat er es versprochen. [10] Alle Völker der Welt werden sich vor euch fürchten, weil sie sehen, dass ihr das Volk des Herrn seid und seinen Namen tragt.

[11] Der Herr wird euch mit vielen Kindern beschenken, eure Herden vermehren und eure Felder fruchtbar machen. Überreich wird er euch in dem verheißenen Land segnen, das er euch geben will. [12] Der Herr wird euch seine Schatzkammer, den Himmel, aufschließen und eurem Land zur richtigen Zeit Regen schicken. Alle eure Arbeit lässt er gelingen, so dass ihr Menschen aus vielen Völkern etwas leihen könnt und selbst nie etwas borgen müsst. [13] Ihr werdet das bedeutendste aller Völker sein, und euer Aufstieg ist unaufhaltsam.

Dies alles wird sich erfüllen, wenn ihr den Geboten des Herrn, eures Gottes, gehorcht, die ich euch heute gebe. [14] Weicht niemals von dem ab, was ich euch befohlen habe. Ihr dürft nie anderen Göttern nachlaufen und ihnen dienen.«

Gottes Fluch

[15] »Wenn ihr aber nicht auf den Herrn, euren Gott, hört und nicht all seine Gebote und Ordnungen befolgt, die ich euch heute gebe, dann wird sein Fluch euch treffen: [16] Verflucht werdet ihr sein, wenn ihr zu Hause seid und wenn ihr draußen auf dem Feld arbeitet. [17] In euren Körben werden keine Früchte und in den Backtrögen wird kein Mehl sein. [18] Ihr werdet keine Kinder bekommen. Eure Rinder, Schafe und Ziegen werden sich nicht vermehren. Auf euren Feldern wird nichts

---

27,19 2 Mo 22,20–21; 3 Mo 24,22* **27,20** 23,1 **27,21** 2 Mo 22,18; 3 Mo 18,23 **27,22** 3 Mo 18,9.11 **27,23** 3 Mo 18,17 **27,25** Mt 27,4 **27,26** Gal 3,10 **28,1–14** 7,12–15* **28,1** 26,19 **28,9** 7,6–8 **28,12** 11,10–12; 15,6 **28,15–68** 3 Mo 26,14–39

mehr wachsen. [19]Verflucht werdet ihr sein, wenn ihr nach Hause kommt und wenn ihr wieder aufbrecht. [20]Der Herr wird euch ins Unglück stürzen und alles misslingen lassen, was ihr euch vornehmt. Er wird euch in die Verzweiflung treiben. Ihr werdet bald zugrunde gehen und umkommen, wenn ihr euch in eurer Bosheit von ihm abwendet.

[21]Der Herr wird euch die Pest schicken, bis keiner von euch mehr in dem Land lebt, das ihr jetzt einnehmen sollt. [22]Er wird euch mit Schwindsucht, Fieber und Entzündungen plagen. Euer Getreide vernichtet er durch Dürre und Pilze. Das Unheil wird euch bis in den Tod verfolgen. [23]Der Himmel über euch wird verschlossen sein, als wäre er aus Eisen, und der Ackerboden hart wie Stein[a]. [24]Statt Regen wird der Herr Staub und Sand auf euer Land fallen lassen, bis ihr umgekommen seid.

[25]Der Herr wird euch euren Feinden ausliefern. Sie werden euch in alle Himmelsrichtungen auseinander jagen. Mit Grauen werden alle Völker der Welt euer Schicksal verfolgen. [26]Eure Leichen wird man nicht begraben, sondern den Vögeln und wilden Tieren zum Fraß überlassen. [27]Der Herr wird euch mit den gleichen Krankheiten plagen wie damals die Ägypter. Eure Haut wird von unheilbaren Geschwüren, Ausschlägen, Beulen und Wunden befallen sein. [28]Der Herr wird euch in den Wahnsinn treiben, in geistige Umnachtung und Verwirrung. [29]Am helllichten Tage werdet ihr wie Blinde umhertappen. Alles, was ihr in Angriff nehmt, wird scheitern.

Man wird euch ständig unterdrücken und berauben, und niemand wird euch helfen. [30]Wenn einer von euch sich mit einer Frau verlobt, wird ein anderer mit ihr schlafen. Wenn ihr ein Haus baut, werdet ihr nicht darin wohnen; und wenn ihr einen Weinberg pflanzt, könnt ihr keine Trauben ernten. [31]Man wird eure Rinder vor euren Augen schlachten und euch nichts davon abgeben. Man wird eure Esel wegnehmen und nie wieder zurückbringen. Feinde werden eure Schafe und Ziegen stehlen, und keiner wird euch beistehen. [32]Eure Söhne und Töchter wird man als Sklaven ins Ausland verschleppen, und ihr könnt nur hilflos zusehen. Tag und Nacht wird euch die Sehnsucht nach ihnen quälen, aber ihr werdet nichts tun können, um sie wiederzubekommen.

[33]Ein fremdes Volk wird euch alle Ernteerträge nehmen, für die ihr mühsam arbeiten musstet. Euer Leben lang werdet ihr unterdrückt und ausgebeutet.

[34]Das Leid, das ihr erlebt, wird euch in den Wahnsinn treiben. [35]Der Herr wird euch mit bösartigen, unheilbaren Geschwüren plagen. Sie werden an euren Knien und Schenkeln ausbrechen und euren ganzen Körper von Kopf bis Fuß befallen.

[36]Der Herr bringt euch und den König, den ihr eingesetzt habt, zu einem Volk, das weder ihr noch eure Vorfahren gekannt habt. Dort dient ihr anderen Göttern aus Holz und Stein. [37]Wohin ihr auch vertrieben werdet, bei allen Völkern wird man über euer Unglück entsetzt sein und euch verspotten. Wer einen anderen verhöhnen will, wird ihm das gleiche Schicksal wünschen, das euch getroffen hat.

[38]Auf euren Feldern werdet ihr viel aussäen und wenig ernten, weil die Heuschrecken alles abfressen. [39]Ihr werdet Weinberge anlegen und pflegen, aber keine Trauben lesen und keinen Wein trinken, weil Schädlinge die Pflanzen vernichten. [40]Im ganzen Land werdet ihr Ölbäume haben und doch kein Öl gewinnen, mit dem ihr euch salben könnt, denn die Oliven fallen zu früh ab.

[41]Ihr werdet Söhne und Töchter zur Welt bringen, aber ihr könnt sie nicht behalten. Ihr müsst zusehen, wie man sie in fremde Länder verschleppt. [42]Heuschre-

---

[a] Wörtlich: wie Eisen.

28,23 11,17 **28,25** 4,27–28; 2 Kön 15,29; 17,5–6; 24,15; 25,7.11 **28,26** Jer 7,33; 16,4 **28,27** 2 Mo 9,8–10 **28,37** Jer 24,9 **28,38–40** Joel 1,4; Mi 6,15

cken werden über alle eure Bäume und Felder herfallen. [43] Die Ausländer unter euch werden reich und angesehen sein, ihr selbst aber hilflos und arm. [44] Nicht sie werden von euch etwas leihen, sondern ihr von ihnen. Sie werden über euch herrschen, und ihr müsst euch unterwerfen.

[45] Wenn ihr nicht auf den Herrn, euren Gott, hört und nicht seine Gebote und Ordnungen beachtet, die ich euch heute gebe, werden alle diese Flüche euch treffen. Sie werden euch verfolgen, bis ihr umgekommen seid. [46] Das Unheil, das über euch und eure Nachkommen hereinbricht, wird den anderen Menschen für immer ein abschreckendes Beispiel sein.

[47] Wenn ihr dem Herrn nicht fröhlich dienen wollt, weil er euch so reich beschenkt hat, [48] werdet ihr euren Feinden dienen müssen, die er euch schicken wird. Ihr werdet Hunger und Durst leiden, es wird euch an Kleidung und allem anderen fehlen. Der Herr sorgt dafür, dass ihr grausam unterdrückt werdet, bis ihr umgekommen seid.

[49] Ein Volk vom Ende der Welt, dessen Sprache ihr nicht versteht, lässt er über euch herfallen. Wie ein Adler stürzt es sich auf euch [50] und kennt kein Erbarmen. Selbst die alten Leute und Kinder werden von ihnen getötet. [51] Sie nehmen sich euer Vieh und euer Brot, so dass euch nichts mehr zum Leben bleibt. Nichts lassen sie euch übrig, kein Getreide, keinen Most, kein Öl, kein Kalb und kein Lamm. Sie richten euch völlig zugrunde. [52] Jede Stadt in dem Land, das der Herr, euer Gott, euch gibt, belagern sie. Die hohen und starken Mauern, auf die ihr euch verlasst, bestürmen sie so lange, bis sie einstürzen. Keine einzige Ortschaft lassen sie in Frieden.

[53] In den eingeschlossenen Städten ist die Not dann so groß, dass ihr vor Hunger eure eigenen Söhne und Töchter esst, die der Herr euch geschenkt hat. [54/55] Der feinste und vornehmste Mann unter euch wird sein eigenes Kind verzehren, weil er sonst keine Nahrung findet. Und er wird nicht bereit sein, seinem Bruder, seiner Frau oder seinen übrigen Kindern etwas davon abzugeben – so groß ist seine Verzweiflung in der Zeit der Belagerung. [56/57] Die feinste Frau unter euch, die sich ihr Leben lang in der Sänfte herumtragen ließ, wird heimlich ihre Nachgeburt und ihr Neugeborenes essen. Sie wird nicht bereit sein, mit ihrem Mann oder ihren anderen Kindern zu teilen, weil sie sonst verhungern müsste. So groß wird die Not sein, wenn die Feinde eure Städte belagern.

[58/59] Deshalb haltet euch an alle Ordnungen dieses Gesetzes, und lebt nach dem, was in diesem Buch steht. Habt Ehrfurcht vor dem Herrn, eurem Gott! Denn er hat die Macht, unfassbare und schreckliche Dinge zu tun. Wenn ihr nicht auf den Herrn hört, straft er euch und eure Nachkommen unbeschreiblich hart. Er wird euch schlimme, unheilbare Krankheiten schicken. [60] Bei euch werden sich die gleichen Seuchen ausbreiten wie bei den Ägyptern. Alle Leiden, vor denen ihr euch fürchtet, werden euch ständig plagen. [61] Und die in diesem Buch genannten Krankheiten und Seuchen sind bei weitem nicht alles, was euch erwartet. Noch ganz andere Nöte wird der Herr euch schicken, damit ihr zugrunde geht.

[62] Wenn ihr nicht auf den Herrn, euren Gott, hört, werden nur wenige von euch überleben, selbst wenn ihr vorher so zahlreich wart wie die Sterne am Himmel. [63] Früher hat der Herr euch mit Freude Gutes getan und ein großes Volk aus euch gemacht, dann aber wird er euch mit Freude vernichten und aus dem Land vertreiben, das ihr bald einnehmen werdet. [64] Er wird euch fortjagen zu fremden Völkern, bis in die fernsten Länder der Erde. Dort werdet ihr fremden Göttern aus Holz und Stein dienen, die euch und euren Vorfahren unbekannt waren.

28,44 28,12–13 **28,47** 8,12–14 **28,48** Jer 28,13–14 **28,49–52** Jer 5,15–17 **28,53** 3 Mo 26,29* **28,60** 2 Mo 15,26 **28,62** 1,10; 1 Mo 15,5 **28,64** 4,28

[65] In diesen Ländern werdet ihr nicht zur Ruhe kommen und kein neues Zuhause finden. Der Herr wird euch in Angst, Dunkelheit und Verzweiflung stürzen. [66] Ständig wird euer Leben am seidenen Faden hängen. Nie fühlt ihr euch sicher, sondern Tag und Nacht habt ihr Todesangst. [67] Morgens sagt ihr: ›Ach, wäre es doch schon Abend!‹ Und abends sagt ihr: ›Ach, wäre es doch schon Morgen!‹ So sehr graut es euch vor allem, was ihr erleben müsst.

[68] Auf Schiffen wird euch der Herr wieder nach Ägypten zurückbringen, obwohl er versprochen hat, dass ihr dieses Land nie wiedersehen solltet. Dort werdet ihr euch euren Feinden als Sklaven und Sklavinnen zum Verkauf anbieten, aber niemand will euch haben.«

Gott erneuert seinen Bund mit Israel

[69] Im Land Moab erneuerte der Herr seinen Bund mit den Israeliten, den er am Berg Horeb mit ihnen geschlossen hatte. Dies sind die Worte, die er dem Volk durch Mose weitergeben ließ.

29 Mose rief alle Israeliten zusammen und sagte zu ihnen:

»Ihr habt mit eigenen Augen gesehen, was der Herr in Ägypten mit dem Pharao, seinen Hofbeamten und seinem ganzen Land gemacht hat. [2] Ihr seid Zeugen der großen und unfassbaren Wunder, mit denen der Herr dort seine Macht gezeigt hat. [3] Und doch hat er euch bis heute noch nicht wirklich erkennen lassen, wer er ist und was er für euch getan hat. Ihr habt zwar Augen, aber ihr seht es nicht. Ihr habt Ohren, aber ihr versteht es nicht.

[4] Vierzig Jahre habe ich euch durch die Wüste geführt, und eure Kleider und Sandalen sind immer noch nicht verschlissen. [5] Zwar gab es kein Brot und keinen Wein oder sonst ein berauschendes Getränk, aber der Herr hat euch mit allem versorgt, was ihr brauchtet. Ihr solltet erkennen, dass er euer Gott ist.

[6] Als wir hier ankamen, griffen uns die Könige Sihon von Heschbon und Og von Baschan mit ihren Truppen an. Wir schlugen sie [7] und nahmen ihr Land ein. Es gehört jetzt unseren Stämmen Ruben, Gad und dem halben Stamm Manasse. [8] Darum haltet euch an alle Gebote dieses Bundes, dann wird euch alles gelingen, was ihr tut.

[9] Ihr steht heute alle vor dem Herrn, eurem Gott. Eure Stammesoberhäupter sind da, eure Sippenoberhäupter und Richter, alle Männer aus Israel, [10] eure Kinder, eure Frauen und die Ausländer, die bei euch leben, auch die Holzfäller und Wasserträger. [11] Ihr habt euch hier versammelt, um den Bund mit dem Herrn zu erneuern. Er schließt ihn mit euch und besiegelt ihn mit einem Schwur. [12] Heute erklärt er euch, dass ihr zu ihm gehört. Ihr seid sein Volk, und er ist euer Gott, wie er es euch und euren Vorfahren Abraham, Isaak und Jakob versprochen hat. [13] Er schließt diesen Bund nicht nur mit euch, [14] sondern auch mit euren Nachkommen. Sie gehören genauso zu ihm wie wir, die wir heute vor ihm stehen.«

Gott bestraft den Götzendienst

[15] »Ihr wisst, wie wir in Ägypten gelebt haben, und erinnert euch auch an die Völker, denen wir auf dem Weg hierher begegnet sind. [16] Ihr habt die abscheulichen Götzen gesehen, die diese Menschen verehren, ihre Statuen aus Holz, Stein, Silber und Gold. [17] Aber aus eurem Volk soll sich von heute an niemand mehr vom Herrn, unserem Gott, abwenden und den Göttern dieser Völker nachlaufen – kein Mann, keine Frau, keine Sippe und kein Stamm. Wer Götzen verehrt, ist wie eine giftige, schädliche Pflanze unter euch.

[18] Vielleicht hört mancher von euch heute von den Strafen, die der Herr androht, und redet sich ein: ›Es wird mir weiterhin gut gehen, auch wenn ich nicht

---

28,68 Hos 8,13; 9,3–4 **28,69** 5,2 **29,2** 4,34* **29,3** Röm 11,8 **29,4–5** 8,2–5 **29,6** 4 Mo 21,21–35 **29,7** 4 Mo 32,33 **29,11–12** 26,17–19 **29,13–14** 5,3 **29,17** 13,7.13–14; Hebr 12,15

bereit bin, die Gebote des Herrn zu befolgen.‹ Doch er irrt sich! Er wird sterben und das ganze Volk mit sich ins Verderben reißen. [19] Der Herr ist nicht bereit, diesem Menschen zu vergeben; seinen ganzen Zorn wird er an ihm auslassen. Alle Fluchworte, die in diesem Buch stehen, werden ihn treffen. Der Herr wird jede Spur von ihm auslöschen. [20] Er wird ihn aus der Gemeinschaft der Israeliten verstoßen und ins Unglück stürzen. Alle Flüche des Bundes, die in diesem Gesetzbuch stehen, werden diesen Menschen treffen.

[21] Vielleicht werden eines Tages eure Nachkommen und Menschen aus fremden Völkern sehen, wie euer Land völlig verwüstet und von Seuchen heimgesucht worden ist. [22] Der Boden wird dann ganz verbrannt sein, bedeckt mit Schwefel und Salz. Man wird nichts mehr dort aussäen können, weil nichts mehr wächst, nicht einmal Unkraut. Es sieht aus wie nach dem Untergang der Städte Sodom und Gomorra, Adma und Zebojim, die der Herr voller Zorn in Schutt und Asche gelegt hat. [23] Die Völker werden sich fragen: ›Warum hat der Herr das getan? Was hat ihn so zornig gemacht?‹ [24] Und man wird ihnen antworten: ›Die Menschen dieses Landes haben den Bund gebrochen, den der Herr, der Gott ihrer Vorfahren, mit ihrem Volk schloss, als er es aus Ägypten herausführte. [25] Sie verehrten Götter, die sie vorher nicht kannten, und beteten sie an, obwohl der Herr es ihnen nicht erlaubt hatte. [26] Deshalb wurde er sehr zornig auf sie und setzte alle Fluchandrohungen in die Tat um, die in diesem Buch aufgeschrieben sind. [27] In seinem großen Zorn verstieß er sie aus ihrer Heimat und vertrieb sie in ein anderes Land, wo sie heute noch leben.‹

[28] Vieles, was der Herr, unser Gott, tut, bleibt uns verborgen. Doch seinen Willen hat er uns eindeutig mitgeteilt. Er hat uns seine Gebote gegeben, die in diesem Gesetzbuch aufgeschrieben sind. Ihnen sollen wir und unsere Nachkommen für alle Zeiten gehorchen.«

Ihr könnt zum Herrn zurückkehren

30 »Was ich euch gesagt habe, lässt euch die Wahl zwischen Segen und Fluch. Wenn der Herr, euer Gott, euch straft und euch in fremde Länder vertreibt, kommt ihr dort vielleicht zur Besinnung [2] und kehrt zu ihm zurück. Wenn ihr auf das hört, was er euch heute durch mich sagt, wenn ihr und eure Kinder ihm von ganzem Herzen und mit aller Hingabe gehorcht, [3] dann wird der Herr euer Schicksal zum Guten wenden. Er wird sich über euch erbarmen und euch aus allen Ländern zurückbringen, in die er euch vertrieben hat. [4] Selbst wenn ihr bis zum Ende der Welt verschleppt worden seid, wird der Herr, euer Gott, euch von dort zurückholen. [5] Dann bringt er euch wieder in das Land, das euren Vorfahren gehört hat, und ihr könnt es neu in Besitz nehmen. Er tut euch Gutes und lässt euch zahlreicher werden als je zuvor.

[6] Der Herr, euer Gott, wird euch und eure Kinder im Herzen verändern. Er wird euch fähig machen, ihn aufrichtig und mit ganzer Hingabe zu lieben. Dann bleibt ihr am Leben. [7] Und alles, was der Herr euch angedroht hat, lässt er über eure Feinde hereinbrechen, die euch hassen und euch verfolgt haben. [8] Denn ihr werdet zu ihm zurückkehren und ihm gehorchen. Ihr werdet euch an alle seine Gebote halten, die ich euch heute gebe. [9] Dann segnet der Herr, euer Gott, euch bei eurer Arbeit und schenkt euch alles im Überfluss. Ihr werdet viele Kinder haben und große Herden besitzen. Eure Felder werden beste Erträge bringen, und es wird euch gut gehen. Der Herr wird euch beschenken, weil er sich über euch genauso freut wie über eure Vorfahren.

29,19 28,15–68 **29,22** 1 Mo 10,19; 19,24–25; Hos 11,8 **29,23–24** Jer 22,8–9 **29,27** 2 Kön 17,6 **29,28** 30,11–14 **30,1** 28,1–68 **30,3** Jer 23,3; 29,14; Hes 11,17; 28,25 **30,4** Neh 1,9 **30,6** 6,4–5*; Röm 2,29

[10]Dies alles wird geschehen, wenn ihr wieder auf den Herrn, euren Gott, hört und euch an seine Gebote und Ordnungen haltet, die in diesem Buch aufgeschrieben sind, ja, wenn ihr aufrichtig und von ganzem Herzen zu ihm zurückkehrt.

[11]Die Gebote, die ich euch heute gebe, sind ja nicht zu schwer für euch oder unerreichbar fern. [12]Sie sind nicht oben im Himmel, so dass ihr sagen müsstet: ›Wer steigt hinauf und bringt uns die Gebote herunter, damit wir sie hören und befolgen können?‹ [13]Sie sind auch nicht auf der anderen Seite des Meeres, so dass ihr fragen müsstet: ›Wer fährt für uns hinüber und holt sie?‹ [14]Im Gegenteil: Die Gebote sind nahe bei euch! Ihr kennt sie auswendig, ihr könnt sie aufsagen und befolgen.«

Ihr habt die Wahl zwischen Leben und Tod

[15]»Und nun hört gut zu! Heute stelle ich euch vor die Entscheidung zwischen Glück und Unglück, zwischen Leben und Tod. [16]Ich fordere euch auf: Liebt den Herrn, euren Gott! Geht den Weg, den er euch zeigt, und beachtet seine Gebote, Weisungen und Ordnungen! Dann werdet ihr am Leben bleiben und zu einem großen Volk werden. Der Herr, euer Gott, wird euch segnen in dem Land, das ihr jetzt einnehmen wollt.

[17]Ganz anders wird es euch ergehen, wenn ihr dem Herrn den Rücken kehrt und eure Ohren vor ihm verschließt, wenn ihr euch dazu verführen lasst, anderen Göttern zu dienen und sie anzubeten. [18]Dann werdet ihr nicht lange in dem Land bleiben, in das ihr jetzt kommt, wenn ihr den Jordan überquert. Das sage ich euch klar und deutlich. Ihr werdet zugrunde gehen.

[19]Himmel und Erde sind meine Zeugen, dass ich euch heute vor die Wahl gestellt habe zwischen Leben und Tod, zwischen Segen und Fluch. Wählt das Leben, damit ihr und eure Kinder nicht umkommt! [20]Liebt den Herrn, euren Gott, und hört auf ihn! Haltet ihm die Treue! Dann werdet ihr am Leben bleiben und in dem Land wohnen, das der Herr euren Vorfahren Abraham, Isaak und Jakob versprochen hat.«

Mose ermutigt die Israeliten und Josua

31 Mose sagte zu den Israeliten: [2]»Ich bin jetzt 120 Jahre alt und kann euch nicht länger führen. Der Herr hat mir verboten, den Jordan zu überqueren. [3]Er selbst, der Herr, euer Gott, wird vor euch hergehen. Er wird die Völker, auf die ihr trefft, vernichten und euch helfen, ihr Land einzunehmen. Josua wird dabei die Führung übernehmen, wie der Herr es bestimmt hat. [4]Der Herr löscht die Völker dort genauso aus wie hier die Amoriter mit ihren Königen Sihon und Og. [5]Wenn er sie in eure Gewalt gibt, dann behandelt sie, wie er es euch durch mich befohlen hat. [6]Seid mutig und stark! Habt keine Angst, und lasst euch nicht von ihnen einschüchtern! Der Herr, euer Gott, geht mit euch. Er hält immer zu euch und lässt euch nicht im Stich!«

[7]Dann rief Mose Josua zu sich und sagte vor allen Israeliten zu ihm: »Sei mutig und stark! Denn du wirst dieses Volk in das Land bringen, das der Herr euch gibt, wie er es euren Vorfahren versprochen hat. Du wirst dieses Land unter den Israeliten aufteilen. [8]Der Herr selbst geht vor dir her. Er steht dir zur Seite und verlässt dich nicht. Immer hält er zu dir. Hab keine Angst, und lass dich von niemandem einschüchtern!«

Alle sieben Jahre wird das Gesetz vorgelesen

[9]Mose hatte das ganze Gesetz aufgeschrieben und überreichte es nun den

---

30,11–14 6,6–9; 29,28; Röm 10,6–8 **30,15** 11,26–28 **30,16** 4,1* **30,19** 4,26* **30,20** 6,4–5* **31,2** 1,37* **31,3** 4 Mo 27,18–23*; 5 Mo 34,9 **31,4–5** 4 Mo 21,21–35 **31,7–8** Jos 1,5–6.9

führenden Männern Israels und den Priestern vom Stamm Levi, die für die Bundeslade verantwortlich waren. [10/11] Er sagte zu ihnen: »Lest dieses Gesetz alle sieben Jahre, im Ruhejahr, den Israeliten vor, wenn sie sich am Laubhüttenfest beim Heiligtum des Herrn versammeln. [12] Ruft dann das ganze Volk zusammen, Männer, Frauen und Kinder und auch die Ausländer, die bei euch leben. Sie alle sollen das Gesetz hören. Sie sollen lernen, was darin steht, damit sie Ehrfurcht vor dem Herrn, eurem Gott, haben und alle Gebote genau befolgen. [13] Auch die Kinder, die das Gesetz noch nicht kennen, sollen genau zuhören, damit sie stets dem Herrn, eurem Gott, in Ehrfurcht begegnen. Die Gebote sollen euer Leben in dem Land jenseits des Jordan bestimmen, das ihr nun in Besitz nehmt.«

Ein Lied soll an Gottes Bund erinnern

[14] Der Herr sprach zu Mose: »Du wirst nun bald sterben. Ruf Josua, und komm mit ihm in mein heiliges Zelt! Ich will ihm jetzt Anweisungen für seine neue Aufgabe geben.«

Mose und Josua gingen zum Heiligtum, [15] und der Herr erschien am Eingang in der Wolkensäule. [16] Er sprach zu Mose: »Nach deinem Tod werden die Israeliten mich verlassen und den Bund brechen, den ich mit ihnen geschlossen habe. Sie werden sich mit fremden Göttern einlassen, die sie in ihrem neuen Land kennen lernen. [17] Doch damit fordern sie meinen Zorn heraus. Ich werde mich von ihnen abwenden und sie im Stich lassen. Ihre Schuld müssen sie teuer bezahlen, Not und Elend wird über sie hereinbrechen. Sie werden sich fragen: ›Hat der Herr, unser Gott, uns verlassen? Ist das der Grund für unsere Not?‹ [18] Ich aber werde ihnen nicht mehr helfen, weil sie gegen mich gesündigt haben und anderen Göttern nachgelaufen sind.

[19] Und nun sollt ihr ein Lied für die Israeliten aufschreiben. Sie sollen es lernen und singen. Dann können sie nicht sagen, sie hätten nicht gewusst, was ich von ihnen wollte. [20] Ich bringe die Israeliten jetzt in das Land, das ich ihren Vorfahren versprochen habe, ein Land, in dem Milch und Honig fließen. Sie werden dort essen, bis sie satt sind, ja, bis sie fett werden! Sie werden mich verachten und sich anderen Göttern zuwenden. Den Bund mit mir werden sie brechen und den Götzen dienen. [21] Wenn dann großes Unheil über sie hereinbricht, wird dieses Lied ihnen zeigen, dass sie selbst schuld daran sind. Sie werden das Lied nie vergessen, jede Generation wird es der nächsten beibringen. Ich gebe es den Israeliten mit auf den Weg, denn ich weiß genau, was schon heute in ihnen vorgeht, bevor sie das versprochene Land überhaupt betreten haben.«

[22] Mose schrieb das Lied noch am selben Tag auf und brachte es den Israeliten bei.

[23] Dann redete der Herr auch mit Josua, dem Sohn Nuns: »Sei stark und mutig! Denn du wirst die Israeliten in das Land bringen, das ich ihnen versprochen habe. Ich selbst werde dir helfen.«

[24] Nachdem Mose das ganze Gesetz auf eine Buchrolle geschrieben hatte, [25] sagte er zu den Leviten, die für die Bundeslade des Herrn verantwortlich waren: [26] »Legt die Buchrolle neben die Bundeslade des Herrn, eures Gottes. Sie zeigt euch Israeliten, was Gott von euch erwartet. [27] Ich weiß, wie widerspenstig und eigensinnig ihr seid. Solange ich bei euch war, habt ihr euch immer wieder gegen den Herrn aufgelehnt. Wie wird es erst sein, wenn ich gestorben bin! [28] Alle führenden Männer eurer Sippen und Stämme sollen zu mir kommen. Ich will mit ihnen sprechen. Himmel und Erde sind dabei meine Zeugen. [29] Denn ich weiß, dass ihr nach meinem Tod ins Verderben lauft und den Weg verlasst, den ich euch gewiesen habe. Am Ende werdet ihr ins Unglück stür-

---

31,10–13 Neh 8,1–12 **31,10–11** 3 Mo 25,1–7*; 5 Mo 16,13–15 **31,12–13** 4,9* **31,15** 2 Mo 19,9; 33,9 **31,17** Ri 6,13 **31,20** 8,12–14 **31,23** Jos 1,6 **31,27** 2 Mo 32,9–10* **31,28** 4,26*

zen, weil ihr tut, was der Herr verabscheut, und damit seinen Zorn herausfordert.«

[30] Dann trug Mose den versammelten Israeliten das ganze Lied vor, das der Herr ihn aufschreiben ließ.

Das Lied von der Untreue Israels und der Treue Gottes

32 Der Himmel höre, was ich sage, die Erde achte auf mein Lied!
[2] Wie Regen soll es Leben spenden, erfrischen soll es wie der Tau und Wachstum bringen wie ein Schauer, der auf Gras und Kräuter fällt.
[3] Ich rufe laut den Namen des Herrn! Gebt unserem großen Gott die Ehre!
[4] Vollkommen und gerecht ist alles, was er tut. Er ist ein Fels – auf ihn ist stets Verlass. Er hält, was er verspricht; er ist gerecht und treu.

[5] Und was seid ihr? Ein falsches Volk, das keine Treue kennt! Ist es nicht eine Schande, wie ihr Gott beleidigt? Und ihr wollt seine Kinder sein? Nein, nie und nimmer seid ihr das!
[6] Soll das der Dank sein für all das Gute, das er für euch tat? Wie dumm und blind ihr seid! Ist er nicht euer Vater? Hat er euch nicht geschaffen? Ja, er ist euer Schöpfer, euer Leben kommt aus seiner Hand.

[7] Denkt zurück an ferne Zeiten, an Jahre, die längst vergangen sind! Fragt eure Eltern, was damals geschah! Die alten Leute werden es euch sagen.
[8] Der höchste Gott gab jedem Volk ein Land und teilte die Erde unter ihnen auf. Er zog die Grenzen dabei so, dass Israel genügend Land bekam.[a]
[9] Denn dieses Volk, die Nachkommen von Jakob, sind Eigentum des Herrn. Er selbst hat sie dazu erwählt.
[10] Er fand sie in der öden Wüste, wo nachts die wilden Tiere heulten. Er schloss sie fest in seine Arme, bewahrte sie wie seinen Augapfel.
[11] Er ging mit ihnen um wie ein Adler, der seine Jungen fliegen lehrt: Der wirft sie aus dem Nest, begleitet ihren Flug, und wenn sie fallen, ist er da, er breitet seine Schwingen unter ihnen aus und fängt sie auf.
[12] So hat der Herr sein Volk geführt, der Herr allein, kein anderer Gott.

[13] Er machte sie zu Herrschern eines weiten, guten Landes und schenkte ihnen reiche Ernten. Wo sie zuerst nur Felsen sahen, entdeckten sie bald Honig, und wo bisher nur Steine lagen, da wuchsen nun Olivenbäume.
[14] Die Israeliten hatten Sahne, Butter, sie tranken Milch von Ziegen, aßen gutes Fleisch vom Lamm und Schafböcke aus dem Lande Baschan, sie hatten Ziegenböcke, besten Weizen und edlen roten Wein.

[15] Da wurden diese ehrenwerten Leute fett. Sie wurden richtig rund und dick und meinten, Gott nicht mehr zu brauchen. Sie wandten sich von ihrem Schöpfer ab und lachten über ihren Retter, auf den sie sich zuvor noch fest verlassen hatten.
[16] Sie reizten ihn zur Eifersucht mit fremden Göttern, abscheulich war ihr Götzendienst, beleidigend für ihren Gott.
[17] Sie brachten den Dämonen Opfer dar, den Göttern, die doch keine sind, die weder sie noch ihre Eltern kannten, weil man sie gerade erst erfand.

[18] Ihr habt den Fels verlassen, der euch stützt und trägt. Ihr habt den Gott vergessen, der euch zur Welt gebracht hat.
[19] Obwohl ihr seine Kinder seid, habt ihr

---

[a] Wörtlich: Er zog die Grenzen der Völker nach der Zahl der Söhne Israels. – Einige alte Übersetzungen lauten: … nach der Zahl der Söhne Gottes. – Möglicherweise lautete auch so der ursprüngliche hebräische Text.

32,1 4,26* **32,5** Jes 1,2–4 **32,6** 2 Mo 4,22* **32,8** 1 Mo 10,1–32; Apg 17,26 **32,9** 2 Mo 19,5–6*; 5 Mo 9,26.29 **32,10** Hes 16,6; Hos 13,5 **32,11** 2 Mo 19,4 **32,15** 31,20 **32,17** Jer 2,11 **32,18** Jes 51,1

ihn so gekränkt. Als er das sah, verstieß er euch
[20] und sprach: »Ich werde mich vor ihnen jetzt verbergen und sehen, was aus ihnen wird. Denn sie sind durch und durch verdorben. Sie kennen keine Treue.
[21] Sie haben mich herausgefordert mit Göttern, die doch keine sind. Sie haben mich zum Zorn gereizt mit diesen toten Götzen. So werde nun auch ich sie reizen mit einem Volk, das keines ist. Ich werde sie herausfordern mit einer Schar von Narren.
[22] Der helle Zorn hat mich gepackt. Er ist ein Feuer, das die Erde frisst mit allem, was darauf gewachsen ist. Es lodert hinab bis in das Totenreich und setzt das Fundament der Welt in Brand.

[23] Ich werde Israel ins Unglück stürzen und alle meine Pfeile auf sie schießen.
[24] Ich lasse sie verhungern, ich töte sie durch Fieber und durch Pest. Raubtiere hetze ich auf sie und schicke ihnen Schlangen mit mörderischem Gift.
[25] Wer auf die Straße geht, wird mit dem Schwert getötet. Und wer zu Hause bleibt, stirbt dort vor Angst, ob Mann oder Frau, ob Säugling oder Greis.

[26] Ich bin nah daran, sie völlig zu vernichten und jede Spur von ihnen auszulöschen.
[27] Ich tue es nur deshalb nicht, weil ihre Feinde es falsch deuten und behaupten könnten: ›Wir haben sie allein besiegt, ganz ohne Gott!‹
[28] Israel ist ein Volk ohne Einsicht und Verstand.
[29] Wenn sie auch nur ein bisschen weise wären, dann würden sie bedenken, dass dies ein schlimmes Ende nimmt. Auch müssten sie sich fragen:
[30] ›Wie kann ein einziger unserer Feinde eintausend Israeliten verjagen? Wie können zwei von ihnen zehntausend Mann von uns vertreiben? Das ist nur möglich, weil der Herr uns, sein Volk, in ihre Hände gibt, weil er uns nicht mehr beschützt.‹
[31] Die Feinde wissen ganz genau, dass ihre Götter bei weitem nicht so viel Macht besitzen wie euer Gott, der starke Fels.
[32] Sie sind ein Weinstock, der aus Sodom und Gomorra stammt – er trägt nur bittere, giftige Früchte.
[33] Der Wein aus diesen Trauben ist das reinste Schlangengift.

[34] Ich vergesse nichts von dem, was sie euch antun; alles halte ich fest.
[35] Und schon bald werde ich euch rächen. Ich werde ihnen alles vergelten. Es dauert nicht mehr lange, dann bringe ich sie ins Wanken und lasse sie ins Unglück stürzen. Ihr Schicksal ist bereits besiegelt.«

[36] Mit allen aber, die ihm dienen, wird der Herr Erbarmen haben. Er wird ihnen zum Recht verhelfen und es nicht länger dulden, dass sein Volk immer schwächer wird, dass weder freier Mensch noch Sklave überlebt.
[37] Er wird sie fragen: »Wo sind nun eure Götter, auf die ihr euch so felsenfest verlassen habt?
[38] Die besten Opfertiere habt ihr ihnen dargebracht und guten Wein vor ihnen ausgegossen. Wo bleiben sie denn bloß? Ja, warum helfen und beschützen sie euch nicht?
[39] Erkennt doch: Ich allein bin Gott, und es gibt keinen außer mir. Ich ganz allein bestimme über Tod und Leben, über Krankheit und Gesundheit. Niemand kann euch meiner Macht entreißen.

[40] Ich hebe meine Hand zum Schwur und sage euch, so wahr ich lebe:
[41] Ich werde mich an meinen Feinden rä-

32,21 Röm 10,19 **32,27** 9,28; Jes 10,13–14 **32,28** Jes 1,3; Jer 4,22 **32,30** Ri 2,14–15; Jes 30,17 **32,32** 1 Mo 18,20; Jes 5,1–7; Jer 2,21 **32,35** Röm 12,19; Hebr 10,30 **32,37–38** Ri 10,14; Jer 2,28 **32,39** Jes 45,6–7; 1 Sam 2,6

chen. Ich zahle es allen heim, die mich hassen! Sobald mein blankes Schwert geschärft ist, bekommen sie, was sie verdienen.
[42] Ich nehme meine Feinde gefangen und töte sie und ihre Führer. Mein Schwert wird sie verschlingen, bis es satt geworden ist, meine Pfeile werden ihr Blut trinken, bis ihr Durst gestillt ist.«

[43] Ihr Völker, jubelt Israel zu! Der Herr nimmt Rache für den Tod der Menschen, die ihm dienten. Er zahlt es ihren Feinden heim. Und seinem eigenen Volk vergibt er alle Sünden. Er nimmt die Schuld von ihrem Land.

[44] Dieses Lied trugen Mose und Josua, der Sohn Nuns, den Israeliten vor. [45/46] Danach sagte Mose: »Nehmt euch alles zu Herzen, was ich euch heute weitergesagt habe! Lehrt auch eure Kinder alle Gebote aus diesem Gesetz, damit sie sich genau daran halten. [47] Es sind keine leeren Worte, sie sind euer Leben. Richtet euch danach, und ihr werdet lange in dem neuen Land jenseits des Jordan bleiben, das ihr jetzt in Besitz nehmt.«

Mose soll auf dem Berg Nebo sterben

[48] Am selben Tag sprach der Herr zu Mose: [49] »Steig auf den Berg Nebo im Gebirge Abarim! Er liegt gegenüber von Jericho auf dieser Seite des Jordan, im Land der Moabiter. Sieh dir von dort aus das Land Kanaan an, das ich den Israeliten schenke. [50] Danach wirst du dort oben sterben, wie Aaron, der auf dem Berg Hor gestorben ist. [51] Denn ihr beide habt mir die Treue gebrochen. An der Quelle Meriba bei Kadesch in der Wüste Zin habt ihr meinen heiligen Namen nicht geehrt, sondern euch selbst in den Mittelpunkt gestellt.[a] [52] Deshalb sollst du das Land, das ich den Israeliten schenke, nur von weitem sehen und nicht selbst hineinkommen.«

Mose segnet die Stämme Israels

33 Vor seinem Tod segnete Mose, der Mann Gottes, die Israeliten mit diesen Worten:
[2] »Der Herr kam vom Berg Sinai, wie die Sonne erhob er sich über dem Gebirge Seïr. Über den Bergen von Paran zeigte er sich in seinem Glanz. Unzählige Engel begleiteten ihn, und Feuer fuhr aus seiner rechten Hand.[b]
[3] Der Herr liebt die Stämme Israels, er beschützt alle Menschen, die zu ihm gehören. Sie werfen sich vor ihm nieder und achten auf seine Worte.
[4] Ich habe euch, den Nachkommen Jakobs, das Gesetz gegeben, es ist unser reiches Erbe.
[5] Die führenden Männer und alle Stämme Israels versammelten sich, und der Herr wurde König seines geliebten Volkes.«

[6] Zuerst segnete Mose den Stamm Ruben:
»Ruben soll leben und nie untergehen, aber auch nicht zu groß werden.«

[7] Dann segnete er den Stamm Juda:
»Herr, erhöre die Leute von Juda, wenn sie zu dir beten! Denn sie kämpfen für Israel. Hilf ihnen gegen ihre Feinde, und bring sie aus jedem Kampf sicher nach Hause zurück.«

[8] Über den Stamm Levi sagte Mose:
»Sie haben die heiligen Lose, weil sie dir, Herr, treu geblieben sind. Du hast sie in Massa herausgefordert und in Meriba auf die Probe gestellt.

---

[a] Vgl. 4. Mose 20,2–13
[b] Der hebräische Text ist nicht sicher zu deuten.
32,43 Offb 6,10; 19,2 **32,45–46** 4,9* **32,47** 4,1* **32,48–52** 4 Mo 27,12–14 **32,50** 4 Mo 20,22–29 **33,2** Ri 5,4–5 **33,6–25** 1 Mo 49,2–27 **33,8** 2 Mo 28,30*; 4 Mo 20,13

[9]Sie haben dein Wort bewahrt und befolgt. Am Bund mit dir haben sie treu festgehalten, um deinetwillen stellten sie sich gegen ihre Eltern, Geschwister und Kinder.[a]
[10]Sie sollen den Israeliten immer wieder deine Gebote nahe bringen, dein Gesetz den Nachkommen Jakobs weitergeben. Sie bringen dir Opfer dar auf dem Altar und verbrennen Weihrauch zu deiner Ehre.
[11]Herr, segne die Leviten, stärke sie! Freu dich über alles, was sie tun! Wer sie hasst und angreift, den zerschmettere, dass er nie wieder aufstehen kann.«

[12]Dann segnete Mose den Stamm Benjamin:
»Der Herr liebt die Benjaminiter besonders! Sie leben sicher in den Bergen. Der Herr wohnt bei ihnen und beschützt sie Tag und Nacht.«

[13]Zum Stamm Josef sagte Mose:
»Der Herr segne euer Land mit kostbarem Regen vom Himmel und mit Quellwasser aus der Tiefe.
[14]Er segne euch mit den reichen Gaben, die das ganze Jahr über im Sonnenlicht wachsen.
[15]Er segne euch mit den herrlichsten Wäldern oben auf den uralten Bergen und Höhen.
[16]Er beschenke euch mit all den Schätzen und dem ganzen Reichtum, den die Erde hervorbringt. Ich bitte den Gott, der mir im Dornbusch erschien, dass er sich über euch freut und euch seine Liebe zeigt. Ihr vom Stamm Josef gehört ihm in besonderer Weise.
[17]Stark seid ihr wie ein Stier, gefährlich wie ein wilder Büffel, der mit den Hörnern um sich stößt. Ihr Tausende aus Manasse und Zehntausende aus Ephraim, ihr besiegt alle Völker auf der ganzen Welt.«

[18]Zu den Stämmen Sebulon und Issaschar sagte Mose:
»Ihr vom Stamm Sebulon, freut euch an euren Fahrten auf dem Meer! Und ihr vom Stamm Issaschar, freut euch über eure schönen Zelte!
[19]Ihr ladet Völker ein zum heiligen Berg und bringt dort mit aufrichtigem Herzen Opfer dar. Auf See werdet ihr reichen Handel treiben und am Strand verborgene Schätze heben.«

[20]Dann segnete Mose den Stamm Gad:
»Ich lobe Gott dafür, dass er euer Gebiet erweitert. Wie eine Löwin lauert euer Stamm auf Beute. Und hat er sie gepackt, dann reißt er ihr den Kopf und den Arm ab.
[21]Ihr habt euch an die Spitze Israels gestellt und euer Volk so in den Kampf geführt. Die Befehle des Herrn habt ihr befolgt und zusammen mit den anderen Israeliten sein Gericht vollstreckt. Weil ihr die Anführer im Kampf wart, habt ihr auch das Gebiet bekommen, das zuerst erobert wurde. So habt ihr es euch selbst gewünscht.«

[22]Über den Stamm Dan sagte Mose:
»Dan ist wie ein junger Löwe, der aus dem Dickicht von Baschan hervorspringt.«

[23]Zum Stamm Naftali sagte er:
»Ihr von Naftali habt die ganze Liebe des Herrn erfahren und seid reich von ihm beschenkt worden. Euch gehört das Land, das sich vom See nach Süden erstreckt!«

[24]Dann segnete Mose den Stamm Asser:
»Asser soll der beliebteste Stamm in Israel sein und noch reicher gesegnet werden als die anderen. Möge es in seinem Land Olivenbäume im Überfluss geben![b]

---

[a] Zu den Versen 8–9 vgl. 2. Mose 17,1–7; 32,25–29
[b] Wörtlich: Er tauche seinen Fuß in Öl.

33,9 Mt 10,37 **33,10** 3 Mo 10,11 **33,16** 2 Mo 3,2–4 **33,21** 4 Mo 32,29–32

[25] Seine Stadttore seien mit eisernen Riegeln gesichert, seine Kraft bleibe ungebrochen, solange er besteht.«

[26] Zuletzt sagte Mose:
»Kein Gott gleicht dem Gott, der Israel liebt. Majestätisch fährt er am Himmel dahin und kommt mit den Wolken euch zu Hilfe.
[27] Er, der ewige Gott, breitet seine Arme aus, um euch zu tragen und zu schützen. Er hat eure Feinde besiegt und euch befohlen, sie zu vernichten.
[28] Ihr Israeliten lebt in Ruhe und Sicherheit, niemand stört euren Frieden, ihr Nachkommen Jakobs. Regen fällt vom Himmel auf euer Land, und überall wachsen Getreide und Wein.
[29] Glücklich seid ihr Israeliten! Wer hat es so gut wie ihr? Ihr seid das Volk, das der Herr gerettet hat. Er beschützt euch wie ein Schild, und im Kampf ist er euer Schwert. Er bringt euch zu hohem Ansehen. Eure Feinde müssen sich vor euch verbeugen, und ihr besitzt ihr ganzes Land.«

Mose stirbt

34 Nachdem Mose die Israeliten gesegnet hatte, verließ er die moabitische Steppe und stieg gegenüber von Jericho auf den Nebo, einen Gipfel des Berges Pisga. Dort zeigte ihm der Herr das ganze Land, das die Israeliten bekommen sollten: die Landschaft Gilead bis zum Gebiet von Dan, [2] die Gebiete der Stämme Naftali, Ephraim und Manasse, das ganze Land Judas bis zum Mittelmeer, [3] die Wüste Negev im Süden und die Ebene von der Palmenstadt Jericho bis hinab nach Zoar. [4] Der Herr sprach zu ihm: »Dies ist das Land, das ich Abraham, Isaak und Jakob für ihre Nachkommen versprochen habe. Du wirst nicht hineingehen, aber ich wollte, dass du es mit eigenen Augen siehst.«

[5] Darauf starb Mose, der Diener des Herrn, dort im Land Moab, wie der Herr es ihm gesagt hatte. [6] Der Herr selbst begrub ihn in einem Tal bei Bet-Peor. Niemand hat je das Grab gefunden.

[7] Bei seinem Tod war Mose 120 Jahre alt. Bis zuletzt waren seine Augen klar und seine Kraft ungebrochen. [8] Dreißig Tage lang hielten die Israeliten in der moabitischen Steppe für ihn die Totenklage.

[9] Dann trat Josua, der Sohn Nuns, an seine Stelle. Er war vom Geist Gottes erfüllt und besaß große Weisheit, seit Mose ihm die Hände aufgelegt und für ihn gebetet hatte. Die Israeliten hörten auf ihn, wie der Herr es ihnen durch Mose befohlen hatte.

[10] Nach Mose hat es keinen Propheten mehr gegeben, dem der Herr von Angesicht zu Angesicht begegnet ist. [11] Nie wieder sind so große Wunder durch einen Menschen geschehen; nie wieder hat der Herr so deutlich seine Macht gezeigt wie in Ägypten am Pharao, seinen Hofbeamten und seinem ganzen Land. [12] Niemand hat jemals so schreckliche und gewaltige Dinge vor den Augen aller Israeliten getan wie Mose.

33,28 1 Mo 27,28 **34,1** 3,27 **34,4** 1 Mo 12,7* **34,5** 32,50 **34,7** 31,2 **34,8** 4 Mo 20,29 **34,9** 4 Mo 27,18–23* **34,10** 2 Mo 33,11; 4 Mo 12,6–8 **34,11–12** 4,34*

Das Buch Josua

Josua wird Moses Nachfolger

1 Als Mose gestorben war, sprach der Herr zu Josua, dem Sohn Nuns, der Mose bei seinen Aufgaben geholfen hatte:

[2]»Mein Diener Mose ist tot. Nun wirst du Israel führen! Befiehl dem Volk, sich für den Aufbruch fertig zu machen. Ihr werdet den Jordan überqueren und in das Land ziehen, das ich euch gebe. [3]Jedes Gebiet, in das ihr vordringt, gehört euch. Das habe ich schon Mose versprochen. [4]Euer Land wird von der Wüste im Süden bis zum Libanon im Norden reichen und vom Euphrat im Osten bis zum Mittelmeer im Westen; das ganze Gebiet der Hetiter wird euch gehören. [5]Dein Leben lang wird niemand dich besiegen können. Denn ich bin bei dir, so wie ich bei Mose gewesen bin. Ich lasse dich nicht im Stich, nie wende ich mich von dir ab.

[6]Sei stark und mutig! Denn du wirst das Land einnehmen, das ich euren Vorfahren versprochen habe, und wirst es den Israeliten geben. [7]Sei mutig und entschlossen! Bemühe dich darum, das ganze Gesetz zu befolgen, das dir mein Diener Mose gegeben hat. Weiche nicht davon ab! Dann wirst du bei allem, was du tust, Erfolg haben. [8]Sag dir die Gebote immer wieder auf! Denke Tag und Nacht über sie nach, damit du dein Leben ganz nach ihnen ausrichtest. Dann wird dir alles gelingen, was du dir vornimmst.

[9]Ja, ich sage es noch einmal: Sei mutig und entschlossen! Lass dich nicht einschüchtern, und hab keine Angst! Denn ich, der Herr, dein Gott, bin bei dir, wohin du auch gehst.«

Vorbereitung zum Aufbruch

[10/11]Josua schickte die führenden Männer des Volkes durch das Lager und ließ sie überall ausrufen: »Macht euch zum Aufbruch fertig! Nehmt genug Vorräte mit! In drei Tagen werdet ihr den Jordan überqueren, um das Land einzunehmen, das euch der Herr, euer Gott, geben wird.«

[12]Die israelitischen Stämme Ruben und Gad und der halbe Stamm Manasse hatten sich bereits östlich des Jordan angesiedelt[a]. Ihnen ließ Josua ausrichten: [13/14]»Denkt daran, was euch Mose, der Diener des Herrn, gesagt hat: ›Der Herr, euer Gott, will euch dieses Land östlich des Jordan geben, damit ihr hier in Frieden leben könnt.‹ Als Mose euch dieses Land versprach, stellte er euch eine Bedingung.[b] Darum lasst nun eure Frauen und Kinder und euer Vieh hier zurück, und zieht mit allen kampffähigen Männern bewaffnet vor euren Bruderstämmen her! Helft ihnen, das Gebiet westlich des Jordan einzunehmen! [15]Bleibt so lange bei ihnen, bis der Herr auch ihnen ihr Land gegeben hat und sie dort in Frieden leben, so wie ihr jetzt schon! Dann aber kehrt in euer eigenes Land zurück, das euch Mose, der Diener Gottes, östlich des Jordan zugeteilt hat, und lasst euch dort nieder!«

[16]Sie antworteten Josua: »Wir werden alles tun, was du befiehlst, und dich überall unterstützen, wo du uns einsetzen willst. [17]Wie wir Mose gehorcht haben, gehorchen wir dir. Der Herr möge dir helfen, so wie er Mose geholfen hat. [18]Wer sich deinen Befehlen widersetzt und nicht jeder Weisung folgt, die du uns

---

[a] »hatten sich … angesiedelt« ist sinngemäß ergänzt.
[b] Vgl. 5. Mose 3,18–20

1,1 5 Mo 34,5; 4 Mo 27,18–23* **1,3** 5 Mo 11,24 **1,6** 5 Mo 31,6.8 **1,7** 5 Mo 5,32–33
1,8 5 Mo 17,18–20; Ps 1,2 **1,12–15** 4 Mo 32,6–32; Jos 4,12; 22,1–9

gibst, wird getötet. Sei mutig und entschlossen!«

Josua schickt Kundschafter nach Jericho

2 Die Israeliten lagerten zu dieser Zeit in der Gegend von Schittim. Von dort schickte Josua, der Sohn Nuns, heimlich zwei Männer los. Sie sollten das vor ihnen liegende Land auskundschaften, besonders die Stadt Jericho. Die beiden machten sich auf den Weg und erreichten gegen Abend die Stadt. Auf der Suche nach einer Bleibe für die Nacht kamen sie in das Haus einer Prostituierten namens Rahab.

[2] Kurz darauf erhielt der König von Jericho die Nachricht: »Heute Abend sind israelitische Männer eingetroffen, die unser Land erkunden sollen. Sie halten sich bei Rahab auf.« [3] Der König schickte sofort Soldaten zu Rahab. Sie befahlen ihr: »Bring die Männer heraus! Sie wollen unser Land auskundschaften.«

[4] Rahab aber hatte die beiden Israeliten versteckt und stellte sich ahnungslos: »Ja, diese Männer sind bei mir gewesen. Ich wusste aber nicht, wo sie herkamen. [5] Sie brachen wieder auf, als es dunkel wurde und das Stadttor geschlossen werden sollte. Ich kann nicht sagen, wohin sie gegangen sind. Wenn ihr ihnen schnell nachlauft, holt ihr sie bestimmt ein.« [6] Rahab hatte die Israeliten auf ihr Flachdach gebracht und unter Flachsstängeln versteckt, die dort aufgeschichtet waren.

[7] Die Soldaten des Königs nahmen die Verfolgung auf und eilten in Richtung des Jordanübergangs davon. Unmittelbar hinter ihnen wurde das Stadttor geschlossen.

[8] Bevor die beiden Israeliten sich schlafen legten, stieg Rahab zu ihnen auf das Dach [9] und sagte: »Ich weiß, dass der Herr eurem Volk dieses Land geben wird. Wir haben große Angst. Jeder hier zittert vor euch. [10] Wir haben gehört, dass der Herr euch einen Weg durch das Schilfmeer gebahnt hat, als ihr aus Ägypten gekommen seid. Wir wissen auch, was ihr mit den Amoritern und ihren Königen Sihon und Og auf der anderen Jordanseite gemacht habt: Ihr habt sie ausgelöscht. [11] Als wir das hörten, waren wir vor Angst wie gelähmt. Jeder von uns hat den Mut verloren. Der Herr, euer Gott, ist der wahre Gott oben im Himmel und hier unten auf der Erde. [12] Deshalb flehe ich euch an: Schwört mir jetzt beim Herrn, dass ihr meine Familie und mich verschont, denn ich habe auch euch das Leben gerettet. Bitte gebt mir einen Beweis dafür, dass ich euch vertrauen kann. [13] Lasst meine Eltern und Geschwister und alle ihre Angehörigen am Leben. Rettet uns vor dem Tod!«

[14] Die Männer antworteten ihr: »Wenn ihr uns nicht verratet, stehen wir mit unserem Leben dafür ein, dass euch nichts getan wird. Wenn der Herr uns dieses Land gibt, werden wir unser Versprechen einlösen und euch verschonen.«

[15] Rahabs Haus lag an der Stadtmauer. So konnte sie die Männer durch eines ihrer Fenster mit einem Seil hinunterlassen, um ihnen zur Flucht zu verhelfen. [16] Sie riet ihnen: »Lauft erst ins Bergland, damit euch die Verfolger nicht finden! Versteckt euch dort drei Tage, bis sie zurückgekehrt sind. Danach geht, wohin ihr wollt.«

[17] Die beiden Männer sagten zu ihr: »Der Eid, den wir dir gegeben haben, bindet uns nur unter diesen Bedingungen: [18] Wenn unsere Soldaten hier eintreffen, musst du das rote Seil, an dem du uns jetzt hinablässt, an dein Fenster binden. Und deine Eltern, deine Geschwister und alle Verwandten müssen hier bei dir im Haus sein. [19] Jeder, der nach draußen geht, ist selbst verantwortlich für seinen Tod. Wer aber bei dir im Haus bleibt und trotzdem angegriffen wird, für den stehen wir mit unserem Leben ein. [20] Solltest du uns aber verraten, ist unser

2,1 6,23.25; Mt 1,5; Hebr 11,31; Jak 2,25 **2,9** 2 Mo 23,27–28* **2,10** 2 Mo 14,21–29; 4 Mo 21,21–35 **2,11** 5 Mo 4,39 **2,12–14** 6,22–23.25 **2,15** 1 Sam 19,12; 2 Kor 11,33

Eid ungültig!« [21] »Einverstanden«, antwortete Rahab. Dann half sie ihnen, ins Freie zu gelangen. Als sie fort waren, band Rahab das rote Seil ans Fenster.

[22] Die beiden Männer liefen ins Bergland und versteckten sich dort drei Tage. Ihre Verfolger suchten die ganze Strecke bis zum Jordan ab, fanden aber niemanden und kehrten schließlich nach Jericho zurück. [23] Da verließen die beiden Israeliten ihr Versteck, stiegen von den Bergen herab und durchquerten die Jordanebene. Als sie wieder bei Josua waren, berichteten sie ihm, was sie erlebt hatten. [24] »Der Herr gibt das ganze Land in unsere Gewalt«, erklärten sie, »alle Menschen, die dort leben, haben große Angst vor uns.«

Israel überquert trockenen Fußes den Jordan

3 Frühmorgens befahl Josua dem Volk, von Schittim aufzubrechen. Sie erreichten den Jordan, überquerten ihn aber noch nicht, sondern schlugen zunächst ihre Zelte am östlichen Ufer auf. [2] Nach drei Tagen ließ Josua die führenden Männer durch das Lager gehen. [3] Sie sollten ausrufen: »Sobald ihr seht, dass die Priester vom Stamm Levi die Bundeslade des Herrn, eures Gottes, tragen, brecht euer Lager ab, und folgt ihnen! [4] Haltet aber einen Abstand von tausend Metern zwischen euch und den Priestern, damit ihr der Bundeslade nicht zu nahe kommt. Sie zeigt euch den Weg, den ihr gehen sollt, denn ihr kennt ihn ja noch nicht.« [5] Dann sprach Josua selbst zum Volk: »Reinigt euch, und bereitet euch darauf vor, Gott zu begegnen! Morgen wird er vor euren Augen Wunder tun.«

[6] Am nächsten Tag forderte Josua die Priester auf: »Nehmt die Bundeslade, und tragt sie vor dem Volk her!« Sie folgten seinem Befehl.

[7] Darauf sprach der Herr zu Josua: »Ich will heute damit beginnen, dir bei allen Israeliten Achtung zu verschaffen. Sie sollen wissen, dass ich dir helfe, so wie ich Mose geholfen habe. [8] Befiehl den Priestern mit der Bundeslade anzuhalten, sobald ihre Füße das Wasser des Jordan berühren.«

[9] Josua ließ die Israeliten zusammenkommen und rief ihnen zu: »Hört, was der Herr, euer Gott, euch sagt: [10] Ihr sollt wissen, dass der lebendige Gott bei euch ist und dass er ganz sicher für euch alle Völker eures neuen Landes vertreiben wird: die Kanaaniter, Hetiter, Hiwiter, Perisiter, Girgaschiter, Amoriter und Jebusiter. [11] Seht, hier ist die Bundeslade des Herrn, dem die ganze Welt gehört! Die Priester werden sie vor euch her in den Jordan tragen. [12/13] Sobald ihre Füße den Jordan berühren, wird das Wasser sich flussaufwärts stauen und wie ein Wall stehen bleiben. Wenn das geschehen ist, brauche ich zwölf Männer von euch. Wählt aus jedem Stamm einen aus!«

[14] Das Volk brach seine Zelte ab und war bereit, den Fluss zu überqueren. Vor ihnen gingen die Priester mit der Bundeslade. [15] Der Jordan war wie jedes Jahr zur Erntezeit über die Ufer getreten. Als nun die Träger der Bundeslade das Wasser berührten, [16] staute es sich. Es stand wie ein Wall sehr weit flussaufwärts in der Nähe des Ortes Adam, der bei Zaretan liegt. Das Wasser unterhalb des Walles lief zum Toten Meer hin ab. So konnte das Volk durch das Flussbett gehen. Vor ihnen lag die Stadt Jericho. [17] Die Priester mit der Bundeslade des Herrn standen auf festem Grund mitten im Jordan, und die Israeliten zogen trockenen Fußes an ihnen vorüber ans andere Ufer.

Josua errichtet zwei Denkmäler

4 Als das ganze Volk durch den Jordan gezogen war, sprach der Herr zu Josua: [2] »Ruf jetzt die zwölf Männer, die das Volk aus seinen Stämmen ausgewählt hat. [3] Befiehl ihnen, zwölf große Steine aus dem Jordan zu holen, genau an der Stelle, wo die Priester stehen. Sie sollen

---

3,3 5 Mo 10,8 **3,4** 2 Sam 6,6–7 **3,7** 4,14 **3,16** 2 Mo 14,21–22*; Ps 114,3.5 **4,3–9** 2 Mo 24,4

die Steine zu dem Ort bringen, an dem ihr heute übernachten werdet.« [4]Josua rief die zwölf Männer [5]und wies sie an: »Geht zurück in den Jordan, bis an die Stelle, wo die Priester mit der Bundeslade des Herrn, eures Gottes, stehen. Jeder von euch soll sich dort einen großen Stein auf die Schulter laden, damit wir zwölf Steine haben, für jeden Stamm Israels einen. [6]Aus ihnen soll ein Denkmal gebaut werden. Wenn euch eure Kinder später einmal fragen, was diese Steine bedeuten, [7]dann erklärt ihnen: ›Als man hier die Bundeslade hindurchtrug, staute sich das Wasser des Jordan, und wir konnten durch das Flussbett ziehen. Daran soll dieses Denkmal die Israeliten zu allen Zeiten erinnern.‹«

[8]Die zwölf Männer taten, was Josua ihnen befohlen hatte. Sie hoben zwölf Steine aus dem Flussbett, für jeden Stamm Israels einen, und trugen sie bis an den Ort, wo sie übernachten sollten.

[9]Josua nahm weitere zwölf Steine und richtete mitten im Jordan ein Denkmal auf, genau dort, wo die Priester mit der Bundeslade standen. Diese Steine sind noch heute dort. [10]Die Priester mit der Bundeslade standen noch immer in der Mitte des Flussbetts. Sie blieben dort, bis Josua und das Volk alle Weisungen des Herrn ausgeführt hatten, so wie es dem Willen Moses entsprach. Die Israeliten hatten den Fluss so schnell wie möglich durchquert. [11]Erst als alle auf der anderen Seite waren, brachen auch die Priester mit der Bundeslade auf und nahmen ihren Platz an der Spitze des Zuges wieder ein.

[12]Die Stämme Ruben und Gad und der halbe Stamm Manasse zogen bewaffnet vor den anderen Israeliten her, wie Mose es befohlen hatte. [13]Insgesamt waren es etwa 40000 kampfbereite Soldaten, die unter der Führung des Herrn in die Ebene von Jericho einmarschierten. [14]An diesem Tag sorgte der Herr dafür, dass ganz Israel vor Josua Achtung bekam. Das Volk hatte nun den gleichen Respekt vor ihm wie früher vor Mose; und so blieb es sein Leben lang.

[15]Der Herr hatte zu Josua gesagt: [16]»Befiehl den Priestern, die die Bundeslade mit dem Gesetz tragen, ans Ufer zu kommen.« [17]Josua forderte die Priester dazu auf, [18]und sie stiegen mit der Bundeslade aus dem Jordan. Kaum berührten sie mit ihren Füßen das Land, da strömte das Wasser mit gleicher Gewalt wie zuvor, und der Jordan trat wieder über die Ufer.

[19]Dies ereignete sich am 10. Tag des 1. Monats. Das Volk schlug sein Lager bei Gilgal auf, an der östlichen Grenze des Gebietes von Jericho. [20]Dort errichtete Josua ein Denkmal aus den zwölf Steinen, die er vom Jordan hatte mitbringen lassen. [21]Er sagte zu den Israeliten: »Wenn eure Nachkommen euch eines Tages fragen werden, was diese Steine bedeuten, [22]dann sollt ihr ihnen erklären: ›Hier hat Israel trockenen Fußes den Jordan durchquert.‹ [23]Denn der Herr, euer Gott, hat diesen Fluss vor euren Augen aufgestaut, damit ihr hindurchziehen konntet, so wie er euch damals einen Weg durch das Schilfmeer gebahnt hat. [24]Er tat es, um allen Völkern der Welt seine Macht zu zeigen. Und auch ihr sollt dem Herrn, eurem Gott, zu allen Zeiten mit Ehrfurcht begegnen!«

Beschneidung der männlichen Israeliten

5 Die Amoriter westlich des Jordan und die Kanaaniter am Mittelmeer hörten, dass Gott den Jordan aufgestaut hatte, damit die Israeliten ans andere Ufer gelangen konnten. Da fuhr ihnen der Schreck in die Glieder, und sie waren vor Angst wie gelähmt.

[2]Zu dieser Zeit gab Gott Josua den Auftrag: »Fertige Messer aus Stein an, und beschneide alle männlichen Israeliten!« [3]Josua tat, was der Herr ihm befoh-

---

4,12 4 Mo 32,6–32 **4,14** 3,7 **4,23** 2 Mo 14,21–22* **5,1** 2,9–11 **5,2–3** 1 Mo 17,9–14*

len hatte. Am Hügel Aralot (»Beschneidungshügel«) wurden die Israeliten beschnitten. [4–6]Denn als das Volk Ägypten verließ, waren noch alle männlichen Israeliten beschnitten gewesen. Doch inzwischen lebte niemand mehr, der damals im wehrfähigen Alter gewesen war. Gott hatte ihnen geschworen: »Weil ihr nicht auf mich gehört habt, werdet ihr das reiche Land niemals sehen, das ich euren Vorfahren versprochen habe, das Land, in dem Milch und Honig fließen.« Israel musste deshalb vierzig Jahre in der Wüste verbringen, bis von dieser ersten Generation keiner mehr lebte. Während die Israeliten die Wüste durchzogen, hatten sie ihre neugeborenen Söhne nicht beschneiden lassen. [7]Nun aber wurden alle männlichen Nachkommen, die der Herr dem Volk in dieser Zeit geschenkt hatte, beschnitten.

[8]Das Volk blieb einige Zeit an seinem Lagerplatz, bis die Wunden der Beschnittenen verheilt waren. [9]Da sprach der Herr zu Josua: »Heute habe ich dem Spott der Ägypter ein Ende gemacht.«[a] Deshalb nennt man diesen Ort bis heute Gilgal (»beenden«[b]).

Passahfeier bei Gilgal und Ausbleiben des Manna

[10]Bei Gilgal, in der Ebene von Jericho, feierten die Israeliten am 14. Tag des 1. Monats abends das Passahfest. [11]Am nächsten Tag aßen sie zum ersten Mal etwas aus ihrem neuen Land: Brot, das ohne Sauerteig gebacken war, und geröstetes Getreide. [12]Und genau an diesem ersten Tag nach dem Passah, an dem sie etwas vom Ertrag des Landes gegessen hatten, blieb das Manna[c] aus. Von nun an ernährten sich die Israeliten nicht mehr vom Manna, sondern vom Ertrag des Landes Kanaan.

Josua begegnet dem Befehlshaber über das Heer Gottes

[13]In der Nähe von Jericho sah Josua sich plötzlich einem Mann mit gezücktem Schwert gegenüber. Josua ging auf ihn zu und rief: »Gehörst du zu uns oder unseren Feinden?« [14]»Zu keinem von beiden«, erklärte der Fremde, »ich bin hier als Befehlshaber über das Heer Gottes.« Da warf sich Josua vor ihm zu Boden und betete ihn an. »Ich gehorche dir, Herr!«, sagte er. »Was befiehlst du?« [15]»Zieh deine Schuhe aus«, antwortete der Befehlshaber über das Heer Gottes, »denn du stehst auf heiligem Boden.« Josua gehorchte.

Israel erobert Jericho

6 In Jericho hatte man aus Angst vor den Israeliten sämtliche Tore fest verriegelt. Niemand kam mehr heraus oder hinein. [2]Da sprach der Herr zu Josua: »Ich gebe die Stadt, ihren König und seine Soldaten in eure Gewalt. [3]Sechs Tage lang sollt ihr jeden Tag einmal mit allen kampffähigen Männern um die Stadt ziehen. [4]Nehmt die Bundeslade mit! Lasst sieben Priester mit Widderhörnern in der Hand vor ihr hergehen! Am siebten Tag sollt ihr siebenmal um die Stadt ziehen, und die Priester sollen die Hörner blasen. [5]Wenn der lang gezogene Signalton des Widderhorns ertönt, so stimmt ein lautes Kampfgeschrei an! Dann wird die Stadtmauer einstürzen, und ihr könnt von allen Seiten nach Jericho eindringen.«

[6]Josua, der Sohn Nuns, rief die Priester zusammen und wies sie an: »Nehmt die Bundeslade des Herrn! Sieben von euch sollen mit Widderhörnern vor ihr herziehen.« [7]Dem ganzen Volk befahl er: »Macht euch bereit, und geht um Jericho herum, die Soldaten vorn, dahinter die

---

a Wörtlich: Heute habe ich die Schande Ägyptens von euch abgewälzt.
b Wörtlich: abwälzen.
c Vgl. 2. Mose 16
5,4–6 4 Mo 14,22–23 **5,10** 2 Mo 12,2–6 **5,11** 2 Mo 12,15–20 **5,12** 2 Mo 16,31.35 **5,15** 2 Mo 3,5

Priester mit der Bundeslade und am Schluss alle anderen!«

[8/9] Nachdem Josua dem Volk seine Anweisungen gegeben hatte, stießen die Priester in die Hörner, und alle brachen auf. An der Spitze des Zuges marschierten die Soldaten. Hinter ihnen gingen die sieben Priester, die nun unablässig ihre Hörner bliesen, und die anderen Priester mit der Bundeslade. Den Schluss bildete das übrige Volk. [10] Zuvor hatte Josua angeordnet: »Macht keinen Lärm! Verhaltet euch ganz still, bis ich euch befehle, ein lautes Kampfgeschrei anzustimmen. Dann aber schreit, so laut ihr könnt!« [11] So zogen sie mit der Bundeslade einmal um Jericho herum und kehrten anschließend wieder in ihr Lager zurück, wo sie übernachteten.

[12] Früh am nächsten Morgen ließ Josua sie wieder aufbrechen: Die Priester trugen die Bundeslade, [13] sieben von ihnen gingen vor der Bundeslade her und bliesen immerzu die Hörner, die Soldaten marschierten voraus, und alle übrigen folgten. [14] Wie am Vortag zogen die Israeliten einmal um Jericho herum und kehrten dann in ihr Lager zurück. Das taten sie insgesamt sechs Tage lang.

[15] Am siebten Tag brachen sie bereits bei Sonnenaufgang auf und zogen wie zuvor um die Stadt herum, an diesem Tag jedoch siebenmal. [16] Beim siebten Mal, als die Priester die Hörner bliesen, rief Josua dem Volk zu: »Schreit, so laut ihr könnt! Der Herr gibt euch Jericho! [17] Gottes Zorn wird die ganze Stadt treffen. Alles in ihr muss vernichtet werden. Nur die Prostituierte Rahab soll am Leben bleiben und jeder, der bei ihr im Haus ist, denn sie hat unsere Kundschafter versteckt. [18] Hütet euch davor, irgendetwas für euch zu behalten, worüber Gott sein Urteil verhängt hat! Ihr dürft nicht die Strafe Gottes vollstrecken und euch zugleich selbst schuldig machen. Sonst wird Gottes Zorn auch uns treffen und Unheil über unser Volk bringen. [19] Das Silber und Gold und die Gegenstände aus Bronze und Eisen gehören dem Herrn. Sie sollen in der Schatzkammer des heiligen Zeltes aufbewahrt werden.«

[20] Die Priester bliesen ihre Hörner, und das Volk stimmte das Kriegsgeschrei an. Da stürzte die Mauer von Jericho ein. Die Israeliten stürmten die Stadt von allen Seiten und eroberten sie. [21] Mit ihren Schwertern vernichteten sie alles Leben darin: Männer und Frauen, Kinder und Greise, Rinder, Schafe und Esel.

[22] Den beiden Männern, die Jericho erkundet hatten, befahl Josua: »Geht zum Haus der Prostituierten, und holt sie und ihre Angehörigen heraus, wie ihr es geschworen habt!« [23] Die beiden liefen zu Rahabs Haus, brachten sie zusammen mit ihren Eltern, Geschwistern und allen Verwandten aus der Stadt und führten sie an einen Ort außerhalb des israelitischen Lagers.

[24] Schließlich steckte man Jericho in Brand. Nur das Silber, das Gold und die bronzenen und eisernen Gegenstände nahmen die Israeliten mit und brachten sie in die Schatzkammer des heiligen Zeltes. [25] Von den Einwohnern der Stadt ließ Josua niemanden am Leben außer der Prostituierten Rahab, der Familie ihres Vaters und ihren anderen Verwandten. Denn sie hatte die israelitischen Kundschafter versteckt, die Josua nach Jericho gesandt hatte. Noch heute leben in Israel Menschen, die von Rahabs Familie abstammen.

[26] Als Jericho niederbrannte, sprach Josua einen Fluch aus: »Die Strafe des Herrn soll den treffen, der diese Stadt wieder aufbaut. Wenn er das Fundament legt, stirbt sein erster Sohn, und wenn er die Tore einsetzt, verliert er seinen jüngsten.« [27] Der Herr stand Josua zur Seite. Im ganzen Land sprach man von ihm.

Achans Diebstahl und Israels Niederlage bei Ai

7 Ein Israelit verstieß gegen das Verbot, sich etwas von den Reichtümern

6,17 5 Mo 7,2*; Jos 2,1* **6,18** 5 Mo 13,18–19 **6,20** Hebr 11,30 **6,25** 2,1–21 **6,26** 1 Kön 16,34 **7,1** 6,18

Jerichos anzueignen: Achan, der Sohn Karmis. Er war ein Nachkomme Sabdis und Serachs aus dem Stamm Juda. Achan nahm etwas von dem mit, was vernichtet werden sollte. Darum wurde der Herr sehr zornig über die Israeliten.

[2] Josua sandte von Jericho aus einige Männer zur Stadt Ai, die bei Bet-Awen östlich von Bethel liegt. »Geht hin«, sagte er, »und erkundet die Gegend.« Die Männer führten den Auftrag aus. [3] Als sie wieder zurückgekehrt waren, erstatteten sie Josua Bericht und rieten: »Lass nicht das ganze Heer gegen die Stadt ziehen. Zwei- oder dreitausend Mann reichen völlig aus, um Ai zu erobern. Es hat nur wenige Einwohner. Du brauchst nicht alle Soldaten einzusetzen.« [4] Josua folgte ihrem Rat und sandte 3000 Mann los, um Ai einzunehmen. Doch sie wurden in die Flucht geschlagen. [5] Die Männer von Ai verfolgten die Israeliten von der Stadt bis zum Abhang von Schebarim und töteten dort 36 Soldaten.

Da packte die Israeliten die Angst. [6] Josua zerriss entsetzt sein Gewand und warf sich mit den Ältesten des Volkes vor der Bundeslade zu Boden. Voller Verzweiflung streuten sie sich Erde auf den Kopf und blieben bis zum Abend liegen.

[7] Dann betete Josua: »Ach, Herr, warum hast du uns über den Jordan geführt? Etwa damit uns die Amoriter besiegen und umbringen? Wären wir doch geblieben, wo wir waren! [8] Ich frage dich, Herr: Was kann ich jetzt noch sagen, nachdem Israel vor seinen Feinden fliehen musste? [9] Die Kanaaniter und alle anderen Völker dieses Landes werden davon hören. Sie werden uns umbringen und jede Spur von uns für immer auslöschen. Wie willst du deine Ehre dann noch retten?«

[10] Der Herr antwortete: »Steh auf! Warum liegst du hier am Boden? [11] Die Israeliten haben Schuld auf sich geladen und den Bund verletzt, den ich mit ihnen schloss. Sie haben etwas von dem an sich genommen, worüber ich mein Urteil gesprochen habe. Sie haben es gestohlen und heimlich bei sich versteckt. [12] Deshalb seid ihr euren Feinden unterlegen und müsst vor ihnen fliehen. Ihr selbst seid jetzt dem Untergang geweiht! Ich werde euch nicht mehr helfen, wenn ihr nicht das aus eurem Volk beseitigt, worüber ich mein Urteil verhängt habe.

[13] Steh jetzt auf, und sprich zum Volk! Sag ihnen: ›Unter euch befindet sich etwas, worüber Gott sein Urteil gesprochen hat und was allein ihm gehört. Ihr werdet euren Feinden so lange unterlegen sein, bis ihr es entfernt habt. Der Herr, der Gott Israels, befiehlt, dass ihr euch reinigt und darauf vorbereitet, ihm morgen früh zu begegnen! [14] Dann sollt ihr euch nach euren Stammesverbänden geordnet versammeln. Der Herr wird uns den Schuldigen zeigen: Wir werden das Los werfen, und der Stamm, den es trifft, soll vortreten. Dann entscheidet das Los zwischen den Sippen dieses Stammes. Ist die Sippe gefunden, wird in ihr die Familie durch das Los ermittelt. Diese Familie, die der Herr uns zeigen wird, soll dann vortreten, Mann für Mann. [15] Derjenige, bei dem man etwas findet, das Gott gehört, muss verbrannt werden, zusammen mit seiner Familie und seinem Besitz. Denn er hat den Bund mit dem Herrn gebrochen und durch seine abscheuliche Tat Schande über Israel gebracht.‹«

[16] Früh am nächsten Morgen ließ Josua das Volk nach Stammesverbänden geordnet zu sich kommen. Das Los wurde geworfen und traf den Stamm Juda. [17] Er musste vortreten. Aus diesem Stamm wurde die Sippe Serach ermittelt, und in ihr fiel das Los auf die Familie Sabdis. [18] Unter dessen Angehörigen traf es schließlich Achan, den Sohn Karmis und Nachkommen Sabdis und Serachs. [19] Josua sagte zu ihm: »Mein Sohn, beug dich vor dem Herrn, dem Gott Israels. Zeig, dass du ihn achtest, und gestehe, was du getan hast; verschweig mir nichts!«

7,3–4 5 Mo 32,30 **7,6** Hiob 2,12 **7,7–9** 2 Mo 32,11–13 **7,7** 2 Mo 14,11–12* **7,13** 2 Mo 19,10 **7,14** 1 Sam 10,20–21; 14,40–42

[20]Achan antwortete: »Es ist wahr, ich bin es gewesen, ich habe das Gebot des Herrn, des Gottes Israels, verletzt. [21]Unter der Beute sah ich einen wertvollen Mantel aus Babylonien, zwei Kilo Silber und einen Goldbarren, ein Pfund schwer. Ich konnte einfach nicht widerstehen und nahm es mit. Ich habe alles im Boden meines Zeltes vergraben, das Silber zuunterst.«

[22]Josua schickte einige Männer zu Achans Zelt. Sie fanden das Gestohlene dort vergraben, das Silber zuunterst, genau wie Achan es beschrieben hatte. [23]Sie holten alles heraus und brachten es dahin, wo Josua und das Volk warteten. Dort legten sie es vor der Bundeslade auf die Erde. [24]Josua nahm Achan von der Sippe Serach samt seinen Söhnen und Töchtern gefangen und ließ seine Rinder und Esel, seine Schafe und Ziegen, sein Zelt und seine gesamte Habe herbeiholen. Begleitet vom ganzen Volk, brachte er Achan, seine Kinder, seinen ganzen Besitz und das gestohlene Gut ins Tal Achor.

[25]Dort sagte Josua zu ihm: »Du hast Israel ins Unglück gestürzt! Darum stürzt der Herr heute dich ins Unglück!« Das ganze Volk steinigte Achan und seine Familie, und anschließend wurden sie mit ihrem ganzen Besitz verbrannt. [26]Man begrub sie unter einem großen Steinhaufen, der sich noch immer dort befindet. Da legte sich der Zorn des Herrn.

Dem Tal gaben die Israeliten den Namen Achor (»Unglück«), und so wird es noch heute genannt.

Israel erobert Ai

8 [1/2]Der Herr sprach zu Josua: »Hab keine Angst, und lass dich nicht einschüchtern! Zieh mit dem ganzen Heer nach Ai, und leg einen Hinterhalt auf der anderen Seite der Stadt! Ich gebe den König von Ai in deine Gewalt und mit ihm sein Volk, seine Stadt und sein Land. Du sollst mit Ai und seinem König das Gleiche tun wie mit Jericho und seinem König. Dieses Mal dürft ihr jedoch die Beute und das Vieh für euch behalten.«

[3]Josua brach mit dem ganzen Heer auf und rückte in die Nähe von Ai vor. Er wählte 30 000 erfahrene Soldaten aus, und in der Nacht befahl er ihnen: [4]»Legt euch auf der Rückseite der Stadt in den Hinterhalt, nicht weit von ihr entfernt. Haltet euch zum Angriff bereit! [5]Mit dem Hauptheer werden wir uns von vorn der Stadt nähern. Die Soldaten von Ai werden dann wie beim letzten Mal die Stadt verlassen, um uns anzugreifen, und wir werden scheinbar vor ihnen fliehen. [6]Sie werden meinen, dass wir erneut vor ihnen davonlaufen, und werden uns verfolgen. Wenn wir sie auf diese Weise herausgelockt haben, [7]brecht ihr aus eurem Hinterhalt hervor, und nehmt die Stadt ein. Der Herr, euer Gott, wird euch zum Sieg verhelfen. [8]Nach der Eroberung legt ihr dort Feuer. So hat es der Herr befohlen. Haltet euch an meine Anweisungen!«

[9]Dann schickte Josua die Männer los. Sie umgingen die Stadt und legten sich im Westen zwischen Ai und Bethel in den Hinterhalt. Josua verbrachte die Nacht beim Hauptheer. [10]Früh am Morgen ließ Josua seine Truppen antreten. Dann brachen sie in Richtung Ai auf. Josua und die Ältesten Israels führten das Heer an. [11]Sie näherten sich der Stadt von Norden her und hielten auf einer Anhöhe, nur noch durch ein Tal von ihrem Ziel getrennt.

[12]Josua hatte weitere 5 000 Mann in den Hinterhalt westlich der Stadt gelegt, zwischen Ai und Bethel. [13]So stand das Hauptheer nördlich von Ai und der Hinterhalt im Westen. Es war immer noch dunkel, als Josua sein Heer schließlich in das Tal hinabführte.

[14]In aller Frühe entdeckte der König von Ai die Israeliten. Sofort gab er den Befehl zum Angriff und verließ mit seinen Soldaten die Stadt, um auf dem Schlachtfeld in der Ebene gegen Israel

---

7,26 Jes 65,10; Hos 2,17 **8,1–2** 6,21 **8,6** 7,4–5

zu kämpfen. Er wusste nichts von dem Hinterhalt. [15] Wie Josua angeordnet hatte, ließ sich Israel von den Männern aus Ai zunächst in die Flucht schlagen und floh vor ihnen in Richtung Wüste.

[16] Da rief man die in der Stadt verbliebenen Männer zusammen, um gemeinsam den Feind zu verfolgen. Sie jagten Josuas Heer nach und entfernten sich immer weiter von ihrer Stadt. [17] In Ai und in Bethel blieb kein einziger Mann mehr zurück. Alle verfolgten die fliehenden Israeliten. Die Stadt Ai war ohne jeden Schutz.

[18] Da sprach der Herr zu Josua: »Heb dein Schwert hoch, und richte es gegen Ai! Die Stadt gehört euch.« Josua streckte sein Schwert aus. [19] Das war das verabredete Zeichen für die Truppen im Hinterhalt. Sie brachen aus ihrem Versteck hervor, fielen in die Stadt ein, eroberten sie und steckten alles schnell in Brand.

[20] Die Männer von Ai wandten sich um und sahen Rauch aus ihrer Stadt aufsteigen. Sie erkannten, dass sie in eine Falle geraten waren. Denn die eben noch fliehenden Israeliten machten nun kehrt und griffen an. [21] Sie hatten den Rauch ebenfalls gesehen und wussten, dass die Stadt erobert war. Nun stürmten Josua und seine Soldaten den Männern von Ai entgegen. [22] Diese waren plötzlich von zwei Seiten eingeschlossen. Denn jetzt kamen auch die israelitischen Soldaten aus der Stadt heran. Es gab kein Entrinnen. Alle Männer von Ai wurden getötet. [23] Nur den König fasste man lebendig und brachte ihn zu Josua.

[24] Als die Israeliten ihre Gegner auf dem Schlachtfeld in der Ebene besiegt hatten, drangen sie erneut in die Stadt ein und brachten alle Einwohner mit dem Schwert um. [25] Insgesamt starben an jenem Tag etwa 12000 Männer und Frauen. [26] Josua ließ seine Hand mit dem Schwert erst sinken, als alle Einwohner Ais tot waren und so das Urteil des Herrn vollstreckt war. [27] Das Vieh und die übrige Beute nahmen die Israeliten diesmal mit, wie der Herr es Josua befohlen hatte.

[28] Dann ließ Josua die Stadt niederbrennen, so dass nur noch ein Trümmerhaufen von ihr übrig blieb. Bis heute ist sie nicht wieder aufgebaut worden. [29] Den König von Ai erhängte Josua an einem Baum. Am Abend ließ er die Leiche abnehmen, vor das Stadttor werfen und unter einem großen Steinhaufen begraben, den man noch heute dort findet.

Israel erneuert seinen Bund mit dem Herrn

[30] Josua errichtete auf dem Berg Ebal einen Altar für den Herrn, den Gott Israels. [31] So hatte es Mose, der Diener des Herrn, den Israeliten in seinem Gesetzbuch befohlen. Es sollten Steine verwendet werden, die man nicht mit dem Meißel bearbeitet hatte. Die Israeliten brachten dem Herrn auf diesem Altar Brand- und Dankopfer dar.

[32] Dann schrieb Josua in Gegenwart des Volkes die Gesetze des Mose auf die Steine des Altars. [33] Die levitischen Priester standen bei der Bundeslade des Herrn. Auf beiden Seiten der Bundeslade hatte sich das ganze Volk versammelt, Israeliten und Ausländer, auch die Ältesten, die führenden Männer und Richter. Sie alle waren der Bundeslade zugewandt, die eine Hälfte des Volkes stand mit dem Rücken zum Berg Garizim, die andere zum Berg Ebal. Mose hatte befohlen, dies zu tun und das Volk zu segnen, sobald es im Land Kanaan angelangt war.

[34] Josua las das ganze Gesetzbuch des Mose vor, auch die Segensverheißungen und Fluchandrohungen. [35] Nicht ein Wort ließ er aus. Alle Israeliten, Männer, Frauen und Kinder, und alle Ausländer in ihrer Mitte hörten es Wort für Wort.

Die Einwohner von Gibeon überlisten Israel

9 Die Nachricht von der Zerstörung Jerichos und Ais erreichte alle Könige westlich des Jordan – ob im Bergland, in

8,26 5 Mo 7,2* **8,29** 5 Mo 21,22–23* **8,30–32** 5 Mo 27,4–8 **8,33–35** 5 Mo 27,11–26

der Ebene oder an der Mittelmeerküste bis hin zum Libanon –, die Könige der Hetiter, Amoriter, Kanaaniter, Perisiter, Hiwiter und Jebusiter. [2] Sie verbündeten sich, um gemeinsam gegen Josua und die Israeliten Krieg zu führen.

[3] Auch die Einwohner der Stadt Gibeon vom Volk der Hiwiter hörten, was mit Jericho und Ai geschehen war. [4/5] Da dachten sie sich eine List aus: Sie wollten verkleidete Boten zu den Israeliten schicken, um mit ihnen zu verhandeln. Einige ihrer Männer zogen sich abgenutzte Kleider und geflickte Schuhe an, packten ein paar Habseligkeiten in schäbigen Säcken auf ihre Esel, hängten alte, rissige Weinschläuche daran und versorgten sich mit trockenem, zerbröckeltem Brot.

[6] So gingen sie zum israelitischen Lager in Gilgal. »Wir kommen von weit her«, erklärten sie Josua und den führenden Männern Israels, »unser Volk möchte sich mit euch verbünden.« [7] Die Israeliten antworteten den Hiwitern: »Woher sollen wir wissen, dass ihr nicht aus diesem Land stammt? Wir können doch nicht einfach ein Bündnis mit euch schließen!«

[8] Die Boten wandten sich an Josua: »Wir bitten dich unterwürfig um Hilfe!« Josua fragte: »Wer seid ihr, und wo kommt ihr her?« [9] »Wir kommen aus einem fernen Land«, antworteten sie. »Wir möchten den Herrn, deinen Gott, kennen lernen. Wir haben gehört, was er in Ägypten vollbracht hat. [10] Wir wissen auch, was er mit den amoritischen Königen östlich des Jordan getan hat, mit Sihon von Heschbon und Og von Baschan, der in Aschtarot regierte. [11] Unsere Ältesten und unser Volk gaben uns den Auftrag: ›Versorgt euch mit Proviant, und geht zu ihnen! Bittet sie unterwürfig, einen Bund mit uns zu schließen!‹ [12] Hier, seht euch das Brot an! Es war noch warm, als wir zu Hause aufbrachen; jetzt ist es vertrocknet und zerbröckelt. [13] Diese Weinschläuche hier waren neu und voll; jetzt sind sie rissig. Auch unsere Kleidung und die Schuhe sind durch die lange Reise verschlissen.«

[14] Die führenden Männer Israels untersuchten das vertrocknete Brot. Aber sie fragten nicht den Herrn um Rat. [15] So schloss Josua Frieden mit den Fremden und sicherte zu, sie am Leben zu lassen. Die Führer des Volkes bekräftigten das Bündnis mit einem Eid.

[16] Drei Tage später erfuhren die Israeliten, dass die Männer, mit denen sie gerade ein Bündnis geschlossen hatten, aus Kanaan stammten und ganz in der Nähe wohnten. [17] Mittlerweile hatten die Israeliten nämlich mit ihrem Heer die hiwitischen Städte Gibeon, Kefira, Beerot und Kirjat-Jearim erreicht, die zum Gebiet der Gibeoniter gehörten. [18] Weil aber die führenden Männer des Volkes im Namen des Herrn, ihres Gottes, den Gibeonitern einen Eid geschworen hatten, vernichteten sie keine der vier Städte. Darüber ärgerte sich ganz Israel und beschwerte sich über seine Führer. [19] Die riefen das Volk zusammen und erklärten: »Wir sind durch einen Eid gebunden, den wir im Namen des Herrn, unseres Gottes, gegeben haben. Deshalb dürfen wir diese Menschen nicht töten. [20] Wir werden unser Versprechen halten und sie leben lassen; wenn wir unseren Eid brechen, fordern wir Gottes Zorn heraus. [21] Sie sollen am Leben bleiben und dem ganzen Volk als Holzfäller und Wasserträger dienen.« So geschah es später auch.

[22] Dann stellte Josua die Boten aus Gibeon zur Rede: »Warum habt ihr uns betrogen? Wie konntet ihr behaupten, dass ihr aus einem fernen Land stammt, obwohl ihr von hier seid? [23] Weil ihr das getan habt, wird euch ein Fluch treffen: Ihr und euer Volk werdet zu allen Zeiten als Sklaven für das Heiligtum meines Gottes Holz hauen und Wasser schleppen!« [24] Sie antworteten Josua: »Uns wurde berichtet, dass der Herr, dein Gott, seinem Diener Mose versprochen hat, euch dieses ganze Land zu geben und alle seine Be-

---

9,3 6,20–21; 8,26.28 **9,7** 2 Mo 23,32–33; 34,12 **9,10** 4 Mo 21,21–35 **9,15** 11,19 **9,19** 2 Sam 21,1–9 **9,24** 5 Mo 7,1–5

wohner zu vernichten. Wir fürchteten um unser Leben. Deshalb haben wir so gehandelt. [25] Jetzt sind wir in deiner Hand. Mach mit uns, was du für richtig hältst.«

[26] Josua stand zu seinem Wort und bewahrte die Gibeoniter davor, von den Israeliten getötet zu werden. [27] Er bestimmte sie zu Holzfällern und Wasserträgern für das Volk und für den Opferdienst am Altar des Herrn. Sie sollten diesen Dienst auch später versehen, wenn der Herr sich einen Ort für seinen Tempel erwählen würde. Noch heute dienen die Gibeoniter den Israeliten.

Die Amoriter wollen Gibeon bestrafen

10 Wie ein Lauffeuer verbreitete sich die Nachricht von der Eroberung und Zerstörung Ais. Auch Adoni-Zedek, der König von Jerusalem, erfuhr, dass die Stadt Ai und ihr König dasselbe Schicksal erlitten hatten wie Jericho. Man berichtete ihm, die Einwohner Gibeons hätten mit den Israeliten Frieden geschlossen und lebten nun in ihrem Gebiet. [2] Diese Neuigkeiten lösten große Angst aus. Denn Gibeon war eine bedeutende Stadt, so wie die anderen Königsstädte. Sie war noch größer als Ai und besaß ein starkes Heer.

[3] Da sandte Adoni-Zedek Boten von Jerusalem zu den benachbarten Amoriterkönigen Hoham von Hebron, Piram von Jarmut, Jafia von Lachisch und Debir von Eglon. Er ließ ihnen sagen: [4] »Die Leute von Gibeon haben mit Israel Frieden geschlossen. Kommt und helft mir, sie anzugreifen!« [5] Die vier Könige folgten der Aufforderung und schlossen sich mit ihren Truppen dem Heer Adoni-Zedeks an. Sie zogen nach Gibeon, belagerten die Stadt und erklärten ihr den Krieg.

[6] Die Einwohner Gibeons schickten sofort Boten zu Josua in das Lager bei Gilgal. »Wir flehen dich an«, sagten sie zu ihm, »lass uns nicht im Stich! Komm schnell und hilf uns! Alle Amoriterkönige aus dem Bergland haben sich gegen uns verschworen. Ihre Heere belagern unsere Stadt!«

[7] Da brach Josua mit seinem ganzen Heer auf. [8] Der Herr sprach zu Josua: »Hab keine Angst vor ihnen; ich gebe sie in deine Gewalt. Keiner von ihnen kann dir standhalten.«

Israel besiegt die Amoriter

[9] Josua führte seine Truppen noch in der Nacht von Gilgal nach Gibeon. Die Gegner waren von ihrem Angriff völlig überrascht. [10] Der Herr ließ unter den Amoritern heillose Verwirrung ausbrechen, und so konnten die Israeliten ihnen bei Gibeon eine schwere Niederlage zufügen. Sie verfolgten die zurückweichenden Truppen entlang dem Weg, der nach Bet-Horon hinabführt, und weiter bis Aseka und Makkeda. [11] Als die Fliehenden bei Bet-Horon ins Tal liefen, ließ der Herr sie durch ein schweres Hagelunwetter erschlagen. Durch den Hagel starben mehr Amoriter als durch die Schwerter der Israeliten.

[12] An jenem Tag, als der Herr die Amoriter in die Gewalt der Israeliten gab, hatte Josua vor dem ganzen Volk laut zum Herrn gebetet:

»Sonne, bleib stehen über Gibeon,
und Mond über dem Tal Ajalon!«

[13] Da waren die Sonne und der Mond stehen geblieben, bis die Israeliten sich an ihren Feinden gerächt hatten.

Dieses Ereignis wird auch im »Buch des Rechtschaffenen« beschrieben. Die Sonne stand fast einen Tag lang hoch am Himmel und lief nicht nach Westen. [14] Weder vorher noch nachher hat es je einen Tag gegeben, an dem der Herr auf eine so außergewöhnliche Bitte gehört hätte. Damals aber tat er es, denn er kämpfte auf der Seite Israels.

[15] Schließlich kehrte Josua mit dem ganzen Heer ins Lager bei Gilgal zurück.

9,27 5 Mo 29,10 **10,1** 8,26.28; 9,15 **10,6** 9,15 **10,11** 2 Mo 9,22–25 **10,13** 2 Sam 1,18
10,14 2 Mo 14,14*

Das Ende der fünf Amoriterkönige

[16] Den fünf Amoriterkönigen aber war die Flucht gelungen. Sie versteckten sich in einer Höhle in der Nähe der Stadt Makkeda. [17] Die Israeliten entdeckten sie jedoch und meldeten es Josua. [18] Er befahl: »Wälzt große Felsbrocken vor den Eingang der Höhle, und sichert ihn mit einigen Wachposten. [19] Ihr übrigen aber sollt nicht dort bleiben. Jagt wieder euren Feinden nach, und versucht, ihre Nachhut zu schlagen! Lasst sie nicht in ihre Städte entkommen! Der Herr, euer Gott, gibt sie in eure Hand.«

[20] Die Israeliten brachten den Amoritern an jenem Tag eine vernichtende Niederlage bei. Ihre Heere waren vollständig besiegt. Nur wenige Überlebende konnten sich in die befestigten Städte retten. [21] Nach der Schlacht kehrten die israelitischen Soldaten ungehindert zu Josua ins Lager von Makkeda zurück. Kein Feind wagte sich mehr an sie heran.

[22] Josua befahl: »Öffnet den Eingang der Höhle! Holt die fünf Könige heraus, und bringt sie zu mir!« [23] Man wälzte die Steine beiseite und holte die fünf aus ihrem Versteck: die Könige von Jerusalem, Hebron, Jarmut, Lachisch und Eglon. [24] Sie wurden zu Josua gebracht. Der rief alle Israeliten zusammen und forderte seine Heerführer auf: »Kommt her! Setzt diesen Königen den Fuß auf den Nacken!« Sie gehorchten.

[25] Dann rief Josua ihnen zu: »Ihr braucht euch vor niemandem zu fürchten; lasst euch nicht einschüchtern! Seid mutig und entschlossen! Jetzt seht ihr, was der Herr mit allen Feinden machen wird, gegen die ihr kämpft!«

[26] Darauf tötete Josua die Könige und ließ ihre Leichen an fünf Bäumen aufhängen. Dort blieben sie bis zum Abend. [27] Als die Sonne unterging, befahl er, sie herabzunehmen und in die Höhle zu werfen, in der sie sich versteckt hatten. Der Eingang wurde mit großen Steinen verschlossen, die noch heute dort liegen.

Israel erobert das südliche Kanaan

[28] Am selben Tag eroberte Josua die Stadt Makkeda. Er vollstreckte Gottes Strafe an ihrem König und an allen Einwohnern, indem er sie mit dem Schwert umbringen ließ. Niemand entkam. Der König von Makkeda fand das gleiche Ende wie der König von Jericho.

[29] Dann führte Josua das israelitische Heer nach Libna und griff auch diese Stadt an. [30] Wieder verhalf der Herr den Israeliten zum Sieg. Alle Einwohner wurden getötet, niemand konnte fliehen. Der König von Libna fand das gleiche Ende wie der König von Jericho.

[31] Von Libna zog Josua mit dem Heer nach Lachisch. Er belagerte die Stadt und griff an. [32] Nach zwei Tagen schenkte der Herr ihm den Sieg. Josua eroberte die Stadt und ließ, wie schon in Libna, alle Einwohner umbringen. [33] Horam, der König von Geser, war Lachisch mit seinem Heer zu Hilfe geeilt. Doch Josua vernichtete auch ihn und seine Truppen, kein Soldat überlebte.

[34] Von Lachisch führte Josua das israelitische Heer weiter nach Eglon. Er ließ die Stadt umzingeln und angreifen. [35] Noch am selben Tag eroberte er sie und vollstreckte Gottes Strafe an allen Einwohnern. Wie zuvor in Lachisch ließ er niemanden am Leben.

[36] Dann zogen die Israeliten weiter nach Hebron. Sie eröffneten den Kampf gegen die Stadt [37] und nahmen sie ein. Wie in Eglon töteten sie den König und alle Einwohner mit dem Schwert, ohne einen einzigen entkommen zu lassen. Auch die Städte, die zu Hebron gehörten, wurden vernichtet.

[38] Darauf wandten sich die Israeliten nach Debir, griffen es an [39] und bemächtigten sich der Stadt, ihres Königs und der umliegenden Orte. Alle Menschen dort wurden mit dem Schwert getötet. Wieder gab es kein Entrinnen. Debir traf das gleiche Schicksal wie Hebron und Libna.

[40] Josua besiegte alle Könige des südli-

10,26–27 5 Mo 21,22–23* **10,28** 5 Mo 7,2* **10,40** 5 Mo 20,16–17

chen Kanaan und eroberte ihr ganzes Land: die Berge im Landesinnern, die Wüste Negev im Süden, das Hügelland im Westen und die Gebirgsausläufer im Osten. Niemand, der dort lebte, entging dem Gericht Gottes; Josua ließ sämtliche Bewohner töten, so wie es der Herr, der Gott Israels, angeordnet hatte.

41 Das eingenommene Gebiet erstreckte sich von Kadesch-Barnea bis Gaza und von Goschen bis Gibeon. 42 Alle Königreiche dort eroberte Josua in einem einzigen Feldzug, denn Gott kämpfte auf Israels Seite.

43 Schließlich kehrte Josua mit dem ganzen Heer ins Lager bei Gilgal zurück.

Israel besiegt die Königreiche des nördlichen Kanaan

11 Als Jabin, der König von Hazor, hörte, was geschehen war, sandte er Boten zu allen Herrschern des nördlichen Kanaan, um sich mit ihnen gegen Israel zu verbünden: zu König Jobab von Madon, zu den Königen von Schimron und Achschaf, 2 zu den Königen im nördlichen Bergland, in den Niederungen südlich von Genezareth, im westlichen Hügelland und im Küstengebiet von Dor. 3 Weitere Boten schickte er zu den Kanaanitern im Osten und Westen, den Amoritern, Hetitern und Perisitern, den Jebusitern im Bergland und den Hiwitern am Berg Hermon im Gebiet von Mizpa.

4 Alle diese Könige brachen mit ihren Truppen auf; es war ein riesiges Heer mit unzähligen Soldaten, Pferden und Kriegswagen. 5 Sie versammelten sich an der Quelle bei Merom und schlugen ihr Lager auf, um von dort gegen Israel in den Kampf zu ziehen.

6 Der Herr aber sprach zu Josua: »Hab keine Angst vor ihnen! Ich helfe euch, morgen um diese Zeit werdet ihr sie bereits besiegt haben. Dann sollt ihr den Pferden die Sehnen durchschneiden und die Kriegswagen verbrennen.«

7 Josua führte sein Heer unbemerkt zur Quelle Meron, dicht an das feindliche Lager heran, und überraschte die Kanaaniter mit einem Angriff. 8 Der Herr verhalf den Israeliten zum Sieg: Sie schlugen ihre Feinde und verfolgten sie nach Norden bis zur großen Stadt Sidon, bis Misrefot-Majim und östlich bis in das Tal von Mizpa. Keiner der Fliehenden entkam. 9 Den erbeuteten Pferden ließ Josua die Sehnen durchschneiden, und die Streitwagen ließ er verbrennen, wie es der Herr befohlen hatte.

Israel nimmt das nördliche Kanaan ein

10 Nach der Schlacht führte Josua sein Heer nach Hazor, der Hauptstadt aller Königreiche, deren Truppen sie gerade besiegt hatten. Die Israeliten eroberten die Stadt und töteten ihren König. 11 Dann vollzogen sie Gottes Strafe und brachten alle Einwohner mit dem Schwert um. Niemanden ließen sie am Leben. Zuletzt brannten sie Hazor nieder.

12 Alle Städte der Könige, die sich gegen Israel verbündet hatten, nahm Josua ein und vollstreckte an ihnen Gottes Gericht: Er vernichtete sie, wie es Mose, der Diener des Herrn, angeordnet hatte. 13 Niederbrennen ließ er jedoch nur Hazor. Die anderen Städte auf den Hügeln ließ er stehen. 14 Alles Gut und Vieh, das dort zu finden war, behielten die Israeliten als Beute. Die Menschen aber töteten sie mit dem Schwert, bis alle vernichtet waren; keinen einzigen ließen sie am Leben. 15 So hatte der Herr es Mose befohlen, und Mose hatte es an Josua weitergegeben, der sich genau daran hielt. Er befolgte alle Weisungen, die Mose von Gott bekommen hatte.

16 Josua nahm ganz Kanaan ein: das Gebirge, die gesamte Wüste Negev, das ganze Gebiet von Goschen, das Hügelland zwischen dem Mittelmeer und dem judäischen Bergland, die Jordanebene

---

11,1–11 Ri 4,1–24 **11,9** 2 Sam 8,4 **11,11** 10,40 **11,12–15** 5 Mo 7,1–5

und die Berge Israels, [17]alles Land zwischen dem kahlen Gebirge bei Seïr im Süden und Baal-Gad in der Ebene vor dem Libanon am Fuß des Hermon. Sämtliche Könige, die dort regierten, besiegte und tötete er. [18]Der Krieg mit ihnen dauerte jedoch lange Zeit. [19]Denn keine Stadt ergab sich den Israeliten freiwillig, außer den Hiwitern von Gibeon. Alle anderen Städte mussten mit Gewalt erobert werden. [20]Denn der Herr hatte es so gefügt, dass die Bewohner des Landes sich Israel unnachgiebig widersetzten. Er wollte sie dem Untergang weihen, es sollte keine Gnade für sie geben. Israel musste sie vernichten, wie der Herr es Mose befohlen hatte.

[21]Josua brach mit seinen Truppen auf und rottete auch die Anakiter in Hebron, Debir, Anab und allen anderen Städten aus, die sie im Bergland von Juda und Israel bewohnten. [22]Im gesamten eroberten Gebiet wurden die Anakiter vernichtet. Nur in Gaza, Gat und Aschdod blieben sie am Leben.

[23]Als das ganze Land in der Hand der Israeliten war, wie der Herr es Mose versprochen hatte, teilte Josua die Gebiete den Stämmen und Sippen zu. Der Krieg war vorbei, und das Land kam zur Ruhe.

Zusammenfassung der Eroberungen unter Mose

12 Östlich des Jordan hatten die Israeliten das ganze Gebiet erobert, das zwischen dem Fluss Arnon im Süden und dem Hermongebirge im Norden liegt, einschließlich des gesamten Ostjordantals. Zwei Könige hatten sie dort besiegt: [2]Einer von ihnen war Sihon, der König der Amoriter, der in Heschbon regierte. Sein Reich erstreckte sich von der Mitte des Arnontals, an dessen Rand die Stadt Aroër liegt, über das halbe Land Gilead bis an den Fluss Jabbok, der die Grenze zu den Ammonitern bildete. [3]Es umfasste das östliche Jordantal vom See Genezareth bis hinab nach Bet-Jeschimot am Toten Meer. Von dort zog es sich noch weiter bis zu den Abhängen des Berges Pisga.

[4]Der andere Herrscher, dessen Gebiet die Israeliten erobert hatten, war Og, der König von Baschan. Er gehörte zu den Refaïtern, den letzten Riesen, die es noch im Land gab, und regierte in Aschtarot und Edreï. [5]Sein Reich umschloss das Hermongebirge im Norden, die Stadt Salcha im Osten und das ganze Gebiet von Baschan bis an die Grenzen der Geschuriter und Maachatiter. Ihm gehörte auch die nördliche Hälfte Gileads bis an die Grenzen von König Sihons Herrschaftsgebiet.

[6]Unter Moses Führung hatte Israel beide Könige besiegt. Das eroberte Land gab Mose, der Diener des Herrn, den Stämmen Ruben, Gad und dem halben Stamm Manasse.

Zusammenfassung der Eroberungen unter Josua

[7]Unter Josuas Führung besiegten die Israeliten die Könige westlich des Jordan zwischen Baal-Gad im Libanontal und dem kahlen Gebirge im Süden, das sich in Richtung Seïr erhebt. Dieses Gebiet teilte Josua später unter die übrigen Stämme und ihre Sippen auf: [8]das Hügelland zwischen dem Mittelmeer und dem judäischen Bergland, das judäische Bergland und seine östlichen Ausläufer, das Jordantal, die Steppe und die Wüste Negev im Süden, das gesamte Gebiet der Hetiter, Amoriter, Kanaaniter, Perisiter, Hiwiter und Jebusiter. [9]Deren Könige hatten in folgenden Städten regiert: Jericho und Ai, das bei Bethel liegt, [10]Jerusalem, Hebron, [11]Jarmut, Lachisch, [12]Eglon, Geser, [13]Debir, Geder, [14]Horma, Arad, [15]Libna, Adullam, [16]Makkeda, Bethel, [17]Tappuach, Hefer, [18]Afek, Saron, [19]Madon, Hazor, [20]Schimron-Meron, Achschaf, [21]Taanach, Megiddo,

---

11,19 9,15 **11,21–22** 5 Mo 9,1–3 **11,22** 1 Sam 17,4–7; 2 Sam 21,22 **12,1–6** 4 Mo 21,21–35 **12,4** 5 Mo 3,11; 9,1–3 **12,6** 4 Mo 32,33

[22]Kedesch, Jokneam am Karmel, [23]Dor an der Küste, Gojim in Galiläa[a] [24]und Tirza. Insgesamt waren es einunddreißig Könige.

Gott ordnet die Verteilung des Landes an

13 Josua war inzwischen alt geworden. Da sprach der Herr zu ihm: »Du bist nun schon sehr alt, aber es ist noch viel Land zu erobern. [2/3]Dazu gehören sämtliche Bezirke der Philister mit ihren fünf Königsstädten Gaza, Aschdod, Aschkelon, Gat und Ekron sowie die Gegend von Geschur. Dieser Landstrich beginnt beim Wadi Schihor östlich von Ägypten und zieht sich von dort in nördlicher Richtung bis nach Ekron. Er gehört zum Gebiet der Kanaaniter. Auch die Gegend der Awiter im Süden ist noch nicht eingenommen, [4]ebenso der hohe Norden Kanaans von der Sidonierstadt Meara bis zur Stadt Afek und zum Gebiet der Amoriter. [5]Zudem wird euch das Land der Gebaliter gehören und im Osten der ganze Libanon von Baal-Gad am Fuße des Berges Hermon bis hinab zur Straße nach Hamat, [6]auch die Region des Libanon bis hinab nach Misrefot-Majim. Alle Sidonier dort werde ich selbst vertreiben, um euch ihr Gebiet zu geben. Verlose das ganze Land unter den Israeliten, wie ich es dir befohlen habe; [7]gib es den neun Stämmen und dem halben Stamm Manasse zum Besitz!«

Rückblick auf die Verteilung des Ostjordanlandes

[8]Der anderen Hälfte des Stammes Manasse und den Stämmen Ruben und Gad hatte Mose, der Diener des Herrn, bereits das Land östlich des Jordan zugewiesen. Er überließ ihnen [9/10]alle Städte des amoritischen Königs Sihon von Heschbon, von Aroër am Rand des Arnontals im Süden und der Stadt am Fluss Arnon bis zur ammonitischen Grenze im Norden, einschließlich der Hochebene zwischen Dibon und Medeba. [11]Diesen Stämmen gehörte auch das Land Gilead und das Gebiet der Geschuriter und Maachatiter, das ganze Gebirge Hermon und das gesamte Land Baschan bis zur Stadt Salcha.

[12]Dieses Gebiet hatte vorher König Og von Baschan gehört, der in Aschtarot und Edreï regierte und einer der letzten Riesen war. Die Israeliten hatten diese Gegenden unter Moses Führung erobert und sämtliche Bewohner vertrieben, [13]außer den Geschuritern und Maachatitern. Sie leben bis heute unter den Israeliten.

[14]Der Stamm Levi erhielt als einziger keinen Grundbesitz. Er sollte von den Opfergaben leben, die das Volk Israel seinem Gott darbringt. So hatte der Herr es Mose befohlen.

Das Gebiet des Stammes Ruben

[15]Dem Stamm Ruben mit seinen Sippen hatte Mose folgendes Gebiet gegeben: [16]von Aroër am Rand des Arnontals und der Stadt am Fluss Arnon über die ganze Hochebene bis Medeba [17]und Heschbon. Dazu gehörten die Städte des Hochlandes: Dibon, Bamot-Baal, Bet-Baal-Meon, [18]Jahaz, Kedemot, Mefaat, [19]Kirjatajim, Sibma, Zeret-Schahar im Hügelland östlich des Toten Meeres, [20]Bet-Peor, die Siedlungen an den Abhängen des Berges Pisga und Bet-Jeschimot. [21]Alle Ortschaften der Hochebene wurden den Rubenitern zugeteilt, das ganze frühere Reich des Amoriterkönigs Sihon, das er von Heschbon aus regiert hatte. Er war von den Israeliten auf Befehl des Mose getötet worden. Mit Sihon hatten sie auch die midianitischen Fürsten Ewi, Rekem, Zur, Hur und Reba hingerichtet, die er in seinem Gebiet als Herrscher ein-

---

[a] So mit der griechischen Übersetzung. Der hebräische Text lautet: bei Gilgal.

13,6 4 Mo 33,54 **13,8** 4 Mo 32,33 **13,9–10** 4 Mo 21,21–32 **13,11–12** 4 Mo 21,33–35 **13,14** 4 Mo 18,20*.21–24

gesetzt hatte. [22]Unter denen, die damals mit dem Schwert getötet wurden, war auch der Wahrsager Bileam, Beors Sohn. [23]Der untere Jordan und seine Uferlandschaft bildeten die nordwestliche Grenze des Gebietes, dessen Städte und Dörfer der Stamm Ruben mit seinen Sippen in Besitz nahm.

Das Gebiet des Stammes Gad

[24]Dem Stamm Gad und seinen Sippen hatte Mose folgendes Gebiet gegeben: [25]Jaser und alle Städte Gileads, das halbe Land der Ammoniter bis zur Stadt Aroër bei Rabba, [26/27]den nördlichen Rest des Reiches Sihons von Heschbon, also die Gegenden zwischen Heschbon, Ramat-Mizpe und Betonim sowie zwischen Mahanajim und dem Gebiet von Debir[a], außerdem das östliche Jordantal mit Bet-Haram, Bet-Nimra, Sukkot und Zafon, bis hinauf zum Südufer des Sees Genezareth. [28]Dieses Land mit seinen Städten und Dörfern erhielt der Stamm Gad für seine Sippen.

Das Gebiet des halben Stammes Manasse

[29]Das Gebiet, das Mose dem halben Stamm Manasse und seinen Sippen zugeteilt hatte, [30]erstreckte sich von Mahanajim nach Norden über das gesamte Reich König Ogs. Es umschloss das Land Baschan und die sechzig Ortschaften, die Jaïr dort erobert hatte. [31]Das halbe Gebiet Gilead mit den beiden Städten Aschtarot und Edreï, in denen Og regiert hatte, wurde der Hälfte der Nachkommen Machirs zugesprochen, einem Sohn Manasses.

[32]Die Verteilung des Landes hatte Mose in den Ebenen von Moab vorgenommen, östlich des Jordan, gegenüber von Jericho.

[33]Den Leviten hatte Mose jedoch kein eigenes Stammesgebiet gegeben. Der Herr, der Gott Israels, war ihr Anteil und Erbe und sorgte für sie, wie er es ihnen versprochen hatte.

Die Verteilung des Landes Kanaan

14 [1/2]Das Land Kanaan westlich des Jordan wurde unter die übrigen neuneinhalb Stämme aufgeteilt. Der Priester Eleasar, Josua und die Stammesoberhäupter losten aus, welcher Stamm welches Gebiet erhalten sollte. So hatte es der Herr durch Mose befohlen. [3]Zweieinhalb Stämme hatten bereits östlich des Jordan Grundbesitz erhalten. Nur den Leviten wurde kein Land zugeteilt. [4]Sie bekamen jedoch eigene Städte, in denen sie wohnen konnten. Auch gab man ihnen Weideplätze für ihr Vieh. Die Nachkommen Josefs hatten zwei Stämme gebildet: Ephraim und Manasse. [5]Bei der Verteilung Kanaans hielten sich die Israeliten an die Weisungen, die Mose von Gott bekommen hatte.

Kaleb bittet um Hebron

[6]In Gilgal kamen die Männer des Stammes Juda zu Josua. Unter ihnen war auch Kaleb, der Sohn Jefunnes, aus der Sippe Kenas. Er sagte zu Josua: »Du weißt, was der Herr bei Kadesch-Barnea zu Mose, dem Mann Gottes, über mich und dich gesagt hat. [7]Ich war damals 40 Jahre alt. Mose, der Diener des Herrn, hatte mich von Kadesch-Barnea als Kundschafter in dieses Land hier gesandt. Als ich ihm dann Bericht erstatten musste, war ich zuversichtlich, dass wir das Land einnehmen könnten. [8]Aber die Männer, die mit mir zusammen dieses Gebiet erkundet hatten, jagten dem Volk Angst ein. Ich dagegen vertraute ganz dem Herrn, meinem Gott. [9]Mose hat mir damals ge-

---

[a] Vermutlich: Lo-Dabar.

13,22 4 Mo 22,5* **13,29–31** 5 Mo 3,13–15 **13,33** 4 Mo 18,20* **14,1–2** 4 Mo 34,16–18 **14,3–4** 4 Mo 32,33; 35,2–8 **14,6** 4 Mo 13,30*; 14,24.30 **14,7–8** 4 Mo 13,1–33; 14,6–9

schworen: ›Das Land, in das du vorgedrungen bist, wird dir und deinen Nachkommen für immer gehören, weil du dich fest auf den Herrn, meinen Gott, verlassen hast.‹ [10]Nun hat mich der Herr tatsächlich am Leben erhalten, wie er es versprochen hat. Fünfundvierzig Jahre sind vergangen, seit der Herr dies zu Mose gesagt hat. In dieser langen Zeit sind wir Israeliten in der Wüste umhergezogen. Heute bin ich 85 Jahre alt [11]und noch genauso stark wie damals als Kundschafter. Ich habe die gleiche Kraft und kann immer noch kämpfen und Kriegszüge unternehmen. [12]Teile mir das Bergland zu, das der Herr mir damals versprochen hat! Du weißt, dass dort Anakiter in großen Städten leben, die sie zu Festungen ausgebaut haben. Vielleicht wird der Herr mir helfen, sie zu vertreiben, wie er es zugesagt hat.«

[13]Da segnete Josua Kaleb, den Sohn Jefunnes, und erklärte Hebron zu seinem Besitz. [14/15]Früher nannte man Hebron Kirjat-Arba (»Stadt des Arba«). Arba war der größte Mann im Volk der Anakiter gewesen. Heute gehört die Stadt den Nachkommen Kalebs, weil er dem Herrn, dem Gott Israels, völlig vertraut und gehorcht hatte. Der Krieg war beendet, und das Land kam zur Ruhe.

Die Grenzen des Gebietes von Juda

15 Als das Land durch das Los verteilt wurde, erhielten die Sippen des Stammes Juda das südliche Kanaan. Ihr Gebiet reichte bis an das Land Edom und an die Wüste Zin im äußersten Süden.

[2]Die Südgrenze Judas verlief vom unteren Ende des Toten Meeres [3]in südlicher Richtung zum Pass von Akrabbim. Von dort führte sie hinüber nach Zin, südlich um Kadesch-Barnea herum und durch Hezron hinauf nach Addar, wo sie einen Bogen nach Karka machte. [4]Sie ging weiter durch Azmon bis an den Bach an der Grenze zu Ägypten, dem sie bis zur Mündung ins Mittelmeer folgte. Dies war die südliche Landesgrenze.

[5]Im Osten verlief die Grenze Judas am Toten Meer entlang bis zur Jordanmündung.

Die Nordgrenze führte von der Jordanmündung [6]hinauf nach Bet-Hogla, dann nördlich von Bet-Araba weiter bergauf zum Stein Bohans, des Rubeniters, [7]abwärts in das Tal Achor und wieder aufwärts nach Debir. Hier wandte sie sich in nördlicher Richtung nach Gilgal, gegenüber dem Pass von Adummim, der südlich des Baches verläuft. Dann erreichte die Grenze die Quelle En-Schemesch und die Quelle En-Rogel. [8]Sie führte durch das Hinnomtal, südlich um den Abhang, auf dem die Jebusiterstadt – das heutige Jerusalem – liegt, zur Spitze des Berges, der sich westlich des Hinnomtals am Nordrand der Refaïmebene erhebt. [9]Dort machte die Grenze einen Bogen in Richtung der Quelle Neftoach, führte dann zu den Städten des Berglandes Efron und weiter nach Baala, dem heutigen Kirjat-Jearim. [10]Von Baala wandte sie sich westlich zum Gebirge Seïr, zog dann am Nordhang des Berges Jearim (Kesalon) hinab nach Bet-Schemesch und hinüber nach Timna. [11]Sie verlief an der nördlichen Seite von Ekron in einem Bogen nach Schikkaron, hinüber zum Berg Baala, und endete bei Jabneel an der Küste des Mittelmeeres.

[12]Das Meer bildete die Westgrenze des Landes Juda. Dies war das Gebiet, das der Stamm Juda für seine Sippen erhielt.

Die Eroberung von Hebron und Debir

[13]Kaleb, dem Sohn Jefunnes, überließ Josua einen Teil des Stammesgebiets von Juda. Der Herr hatte Josua befohlen, Kaleb die Stadt Hebron zu geben. Sie hieß damals noch »Stadt des Arba«, nach dem Stammvater der Anakiter. [14]Dort lebten drei Anakiter namens Scheschai, Ahiman und Talmai mit ihren Sippen. Kaleb

---

14,13–15 15,13–14; Ri 1,20 **15,7** 2 Sam 17,17 **15,8** 15,63* **15,10** Ri 14,1 **15,13–14** 14,13–15

vertrieb sie aus der Stadt. [15] Dann zog er in Richtung Debir, das damals noch Kirjat-Sefer hieß. [16] »Wer Kirjat-Sefer erobert«, versprach er seinen Männern, »der erhält meine Tochter Achsa zur Frau!« [17] Kalebs Bruder Otniël, dem Sohn des Kenas, gelang es, die Stadt einzunehmen. Dafür sollte er Achsa zur Frau bekommen.

[18] Achsa drängte Otniël, Kaleb um einen Acker zu bitten. Als sie am Tag der Hochzeit mit ihrem Vater auf dem Weg zu Otniël war, sprang sie plötzlich vom Esel ab. »Was willst du?«, fragte Kaleb. [19] »Gib mir zum Abschied deinen Segen und ein Geschenk!«, bat sie. »Du lässt mich in trockenes Südland ziehen, darum gib mir bitte ein Grundstück mit Wasserstellen!« Da schenkte er ihr von seinem Besitz die oberen und unteren Quellen.

Die Städte des Stammes Juda

[20] Zum Land, das dem Stamm Juda und seinen Sippen zugeteilt wurde, [21] gehörten die folgenden Städte:

Im Süden in Richtung der Grenze von Edom: Kabzeel, Eder, Jagur, [22] Kina, Dimona, Adada[a], [23] Kedesch, Hazor, Jitnan, [24] Sif, Telem, Bealot, [25] Hazor-Hadatta, Kerijot-Hezron – das heutige Hazor –, [26] Amam, Schema, Molada, [27] Hazar-Gadda, Heschmon, Bet-Pelet, [28] Hazar-Schual, Beerscheba und Bisjotja,[b] [29] Baala, Ijim, Ezem, [30] Eltolad, Kesil, Horma, [31] Ziklag, Madmanna, Sansanna, [32] Bet-Lebaot, Schilhim[c], Ajin und Rimmon[d]. Es waren insgesamt neunundzwanzig Städte mit den dazugehörigen Dörfern.

[33] In der Gegend zwischen dem Mittelmeer und dem judäischen Bergland: Eschtaol, Zora, Aschna, [34] Sanoach, En-Gannim, Tappuach, Enam, [35] Jarmut, Adullam, Socho, Aseka, [36] Schaarajim, Aditajim, Gedera und Gederotajim. Es waren vierzehn Städte mit ihren Dörfern.

[37] Zu ihrem Besitz gehörten auch Zenan, Hadascha, Migdal-Gad, [38] Dilan, Mizpe, Jokteel, [39] Lachisch, Bozkat, Eglon, [40] Kabbon, Lachmas, Kitlisch, [41] Gederot, Bet-Dagon, Naama und Makkeda. Es waren sechzehn Städte mit den umliegenden Dörfern.

[42] Außerdem Libna, Eter, Aschan, [43] Jiftach, Aschna, Nezib, [44] Keïla, Achsib und Marescha; neun Städte mit ihren Dörfern.

[45] Dazu kamen Ekron mit seinen Tochterstädten und Dörfern [46] und von dort an alle Städte und Dörfer westwärts in Richtung Aschdod: [47] Aschdod selbst und Gaza mit ihren Tochterstädten und Dörfern, bis hinab an den Bach an der Grenze zu Ägypten und an die Mittelmeerküste.

[48] Im Bergland: Schamir, Jattir, Socho, [49] Danna, Kirjat-Sanna[e] – das heutige Debir –, [50] Anab, Eschtemo, Anim, [51] Goschen, Holon und Gilo; insgesamt elf Städte mit ihren Dörfern.

[52] Dazu noch Arab, Duma, Eschan, [53] Janum, Bet-Tappuach, Afeka, [54] Humta, Kirjat-Arba – das jetzige Hebron – und Zior: neun Städte mit den dazugehörigen Dörfern.

[55] Dann Maon, Karmel, Sif, Jutta, [56] Jesreel, Jokdeam, Sanoach, [57] Kajin, Gibea und Timna. Es waren zehn Städte mit ihren Dörfern.

[58] Dann Halhul, Bet-Zur, Gedor, [59] Maarat, Bet-Anot und Eltekon; sechs Städte und ihre Dörfer.

[60] Außerdem Kirjat-Baal – das heutige Kirjat-Jearim – sowie Rabba: zwei Städte mit ihren Dörfern.

[61] In der Steppe: Bet-Araba, Middin, Sechacha, [62] Nibschan, Ir-Hammelach – die Salzstadt – und En-Gedi; sechs Städte samt ihren Dörfern.

---

[a] Vermutlich: Arara.
[b] Bei leicht veränderter Schreibweise des hebräischen Textes: Beerscheba und seine Tochterstädte.
[c] Vermutlich: Scharuchen.
[d] Vermutlich: En-Rimmon.
[e] Vermutlich: Kirjat-Sefer.

15,15–17 10,38–39; 11,21; Ri 1,12–13 **15,33** Ri 13,25 **15,45** 1 Sam 5,10

[63]Die Judäer konnten jedoch die Jebusiter nicht aus Jerusalem vertreiben. Ihre Nachkommen wohnen noch heute dort inmitten des Stammes Juda.

Die Südgrenze der Stämme Ephraim und Manasse

16 Für die Nachkommen Josefs bestimmte das Los folgendes Gebiet: Die Grenze begann am Jordan auf der Höhe von Jericho und führte über die Quellen östlich der Stadt durch die Wüste hinauf ins Bergland von Bethel. [2]Sie verlief weiter durch Lus zum Gebiet der Arkiter nach Atarot. [3]Dann führte sie in westlicher Richtung hinab in die Gegend der Jafletiter und durch das untere Bet-Horon, bis sie hinter Geser das Mittelmeer erreichte. [4]Dies war die Südgrenze des Gebiets, das den Stämmen Ephraim und Manasse, den Nachkommen Josefs, zugeteilt wurde.

Das Gebiet des Stammes Ephraim

[5]Der Stamm Ephraim mit seinen Sippen erhielt folgendes Gebiet: Seine Südgrenze führte über Atrot-Addar und das obere Bet-Horon [6–8]bis zum Mittelmeer. Die nördliche Grenze verlief vom Mittelmeer entlang dem Bach Kana hinauf nach Tappuach. Von dort führte sie ein Stück nordwärts nach Michmetat, wo sie sich wieder in Richtung Osten nach Taanat-Silo und Janoach wandte. Die Ostgrenze ging von Janoach über Atarot ins westliche Jordantal hinab, folgte dem Talverlauf über Naara bis Jericho und endete dort am Jordan. Diese Grenzen umschlossen das Gebiet Ephraims und seiner Sippen. [9]Dazu kamen noch die Städte und Dörfer, die dem Stamm zugesprochen wurden, obwohl sie im Gebiet Manasses lagen. [10]Die Männer von Ephraim vertrieben die Kanaaniter nicht, die in Geser wohnten. Ihre Nachkommen leben noch heute dort, müssen jedoch für die Israeliten Fronarbeit leisten.

Das Gebiet des Stammes Manasse

17 Die Nachkommen von Manasse, dem ältesten Sohn Josefs, erhielten zwei Gebiete. Östlich des Jordan hatte man der Sippe von Machir, dem ältesten Sohn Manasses und Vater Gileads, die Gegenden Gilead und Baschan zugeteilt. Die Nachkommen Machirs waren gute Soldaten. [2]Nun bestimmte das Los die Bezirke westlich des Jordan, die von den Nachkommen der übrigen Söhne Manasses besiedelt werden sollten. Es waren die Sippen Abiëser, Helek, Asriël, Sichem, Hefer und Schemida.

[3]Zelofhad, der Sohn Hefers und Enkel Gileads, aus der Sippe Machir vom Stamm Manasse, hatte keine Söhne, sondern nur Töchter: Sie hießen Machla, Noa, Hogla, Milka und Tirza. [4]Diese Frauen kamen zum Priester Eleasar, zu Josua, dem Sohn Nuns, und zu den führenden Männern des Volkes und sagten: »Der Herr hat Mose befohlen, auch uns einen Anteil am Stammesgebiet zu geben.« Josua gehorchte dem Gebot des Herrn und gab ihnen Land neben den Sippen der männlichen Nachkommen Manasses. [5]So kam es, dass der Stamm Manasse zehn Anteile westlich des Jordan besaß, dazu im Osten die Länder Gilead und Baschan. [6]Im Westen erhielten sowohl die Sippen der männlichen als auch der weiblichen Nachkommen Manasses ein Gebiet, das Land Gilead im Osten dagegen wurde nur unter die männlichen Nachkommen aufgeteilt.

[7]Die Grenze des Gebiets von Manasse verlief von Asser nach Michmetat östlich von Sichem und dann zum Siedlungsgebiet von En-Tappuach. [8]Die Gegend um Tappuach lag im Land Manasses, die grenznahe Stadt selbst gehörte jedoch zu Ephraim. [9]Von dort führte die Grenze hi-

---

15,63 15,8; 18,28; Ri 1,21; 19,10–11; 2 Sam 5,6–9 **16,10** Ri 1,29; 1 Kön 9,16 **17,1** 13,29–31 **17,3–4** 4 Mo 27,1–11

nab zum Bach Kana. Nördlich des Baches begann das Gebiet Manasses, im Westen reichte es bis ans Mittelmeer. Die Städte südlich dieses Baches lagen zwar auch noch im Stammesgebiet von Manasse, sie gehörten aber zum Stamm Ephraim. [10]Der Bach Kana bildete also die Grenze zwischen Ephraim und Manasse. Das Mittelmeer war für beide die Westgrenze. Im Norden stieß das Land Manasses an das Stammesgebiet von Asser und im Osten an das von Issaschar.

[11]In beiden Gebieten besaß Manasse einige Städte: Bet-Schean, Jibleam und Dor mit ihren Dörfern, dazu das Dreihügelland mit En-Dor, Taanach und Megiddo, ebenfalls mit ihren Dörfern. [12]Der Stamm Manasse konnte jedoch die Kanaaniter dort nicht vertreiben, und so blieben sie dort wohnen. [13]Selbst als die Israeliten mächtiger geworden waren, vertrieben sie die Kanaaniter nicht, sondern machten sie zu Fronarbeitern.

Die Stämme Ephraim und Manasse fordern mehr Land

[14]Die Nachkommen Josefs, die westlich des Jordan Land erhalten hatten, kamen zu Josua und fragten ihn: »Warum hast du nur ein Stammesgebiet für uns ausgelost? Wir sind so viele Leute! Der Herr hat uns gesegnet und zu einem großen Volk gemacht!« [15]Josua antwortete: »Wenn ihr so viele seid und euch das Bergland von Ephraim nicht reicht, dann zieht hinauf in die Wälder! Rodet dort Land im Gebiet der Perisiter und Refaïter.«

[16]Die Nachkommen Josefs sagten: »Das Bergland ist zu klein für uns; und unten in der Ebene wohnen die Kanaaniter. Im ganzen Tal Jesreel bis hinab nach Bet-Schean mit seinen Dörfern besitzen sie eiserne Kriegswagen.«

[17]Da machte Josua den Männern von Ephraim und Manasse Mut: »Ihr seid ein so großes und starkes Volk, dass es nicht bei dem Gebiet bleiben wird, das euch jetzt zugeteilt ist. [18]Das Gebirge soll euch gehören, den Wald dort werdet ihr roden. Auch das Hügelland werdet ihr erobern und die Kanaaniter vertreiben, selbst wenn sie stark sind und eiserne Kriegswagen besitzen.«

Die sieben übrigen Stämme erhalten Gebiete

18 Als das Land erobert war, versammelten sich alle Israeliten in Silo und errichteten dort das heilige Zelt, in dem Gott ihnen begegnen wollte.

[2]Sieben Stämme hatten noch keine Gebiete erhalten. [3]Josua ermahnte sie: »Wie lange wollt ihr noch so träge sein? Wann endlich werdet ihr das Land in Besitz nehmen, das euch der Herr, der Gott eurer Väter, gegeben hat? [4]Wählt drei Männer aus jedem Stamm! In meinem Auftrag sollen sie im Land umherziehen, die Städte und Gebiete, in denen sie wohnen möchten, in Listen eintragen und dann wieder zu mir kommen. [5]Sie sollen das Land in sieben Abschnitte aufteilen, dabei aber die Grenzen von Juda im Süden und von Josef im Norden unverletzt lassen. [6]Sie schreiben auf, wo die Grenzen der sieben neuen Stammesgebiete verlaufen, und bringen mir die Verzeichnisse. Dann werde ich hier vor den Augen des Herrn, eures Gottes, das heilige Los werfen und euch das Land zuteilen. [7]Nur die Leviten bleiben ohne Gebiet. Dafür dürfen sie Priester des Herrn sein. Auch die Stämme Gad und Ruben und der halbe Stamm Manasse bekommen nichts mehr zugeteilt, denn sie haben bereits östlich des Jordan Land erhalten. Mose, der Diener des Herrn, hat es ihnen gegeben.«

[8]Die Männer, die man ausgesucht hatte, machten sich zum Aufbruch fertig. Josua befahl ihnen: »Geht durch das ganze Land, und schreibt alle Städte auf! Wenn ihr fertig seid, bringt eure Verzeichnisse zu mir. Ich werde dann hier in Silo vor

17,11–13 Ri 1,27–28 **17,14** 1 Mo 48,19–20 **17,16.18** Ri 1,19; 4,13 **18,1** Ri 18,31; 21,19; 1 Sam 1,3; 4,4; Ps 78,60; Jer 7,12 **18,7** 4 Mo 18,20*; 32,33

dem Herrn das Los für euch werfen.« [9]Die Männer brachen auf, durchzogen das Land und fertigten eine Liste aller Städte an. Sie teilten das Land in sieben Gebiete auf und verzeichneten alles auf einer Buchrolle, die sie Josua im Lager bei Silo übergaben. [10]Dort warf Josua vor den Augen des Herrn das Los und teilte den restlichen sieben Stämmen und ihren Sippen die Gebiete zu.

Das Gebiet des Stammes Benjamin

[11]Das erste Los fiel auf den Stamm Benjamin. Er erhielt für seine Sippen ein Gebiet zwischen den Stämmen Juda und Josef. [12]Seine Nordgrenze begann am Jordan, führte zum Höhenzug nördlich von Jericho hinauf und in westlicher Richtung durch die Berge bis zur Steppe von Bet-Awen. [13]Von dort ging sie nach Lus, dem heutigen Bethel, auf den Höhenzug südlich an der Stadt vorbei, nach Atrot-Addar hinab und bis zu dem Hügel, der südlich des unteren Bet-Horon liegt. [14]Dort wandte sie sich nach Süden und führte als Westgrenze bis nach Kirjat-Baal, dem heutigen Kirjat-Jearim, das zu Juda gehörte. [15]Die Südgrenze verlief vom westlichen Stadtrand Kirjat-Jearims bis zur Quelle Neftoach. [16]Dann führte sie zum Fuß des Berges hinab, der westlich vom Hinnomtal und nördlich der Refaïmebene liegt. Sie durchquerte das Hinnomtal südlich der Jebusiterstadt und erreichte die Rogelquelle. [17]Dort wandte sie sich nördlich zur Schemeschquelle, weiter nach Gelilot gegenüber dem Adummimpass und hinab zum Stein Bohans, des Rubeniters. [18]Sie verlief nördlich über den Bergrücken am Rande der Jordanebene, führte dann hinab [19]durch die Ebene bis zum Hügel bei Bet-Hogla, ging nördlich daran vorbei und endete am Nordufer des Toten Meeres, wo der Jordan einmündet. [20]Die Ostgrenze bildete der Jordan. Dies war das Gebiet, das dem Stamm Benjamin und seinen Sippen gegeben wurde.

[21]Folgende Städte gehörten dazu: Jericho, Bet-Hogla, Emek-Keziz, [22]Bet-Araba, Zemarajim, Bethel, [23]Awim, Para, Ofra, [24]Kefar-Ammoni, Ofni und Geba. Es waren zwölf Städte mit ihren Dörfern. [25]Dazu kamen Gibeon, Rama, Beerot, [26]Mizpe, Kefira, Moza, [27]Rekem, Jirpeel, Tarala, [28]Zela, Elef, die Jebusiterstadt (das heutige Jerusalem), Gibea und Kirjat-Jearim: zusammen vierzehn Städte mit ihren Dörfern. Diese Städte gehörten dem Stamm Benjamin und seinen Sippen.

Das Gebiet des Stammes Simeon

19 Das zweite Los fiel auf den Stamm Simeon mit seinen Sippen. Er erhielt seinen Anteil mitten im Stammesgebiet von Juda. [2]Ihm gehörten: Beerscheba, Scheba[a], Molada, [3]Hazar-Schual, Baala, Ezem, [4]Eltolad, Betul, Horma, [5]Ziklag, Bet-Markabot, Hazar-Susa, [6]Bet-Lebaot und Scharuhen. Es waren dreizehn Städte mit den dazugehörigen Dörfern. [7]Dazu kamen Ajin, Rimmon, Eter und Aschan; zusammen vier Städte mit ihren Dörfern. [8]Zu diesen Städten gehörten alle Ortschaften in ihrem Umkreis bis nach Baalat-Beer, dem Rama des Südens. Dies war das Gebiet des Stammes Simeon und seiner Sippen. [9]Es wurde vom Land des Stammes Juda genommen, das für ihn allein zu groß war. Daher liegt das Gebiet Simeons mitten in Juda.

Das Gebiet des Stammes Sebulon

[10–12]Das dritte Los fiel auf den Stamm Sebulon mit seinen Sippen. Seine Südgrenze verlief vom Bach bei Jokneam ostwärts über Dabbeschet, Marala und Sarid bis zum Gebiet von Kislot-Tabor. Dann wandte sie sich als Ostgrenze nach Daberat und hinauf nach Jafia. [13]Von

---

[a] Vermutlich: Schema.

18,28 15,63* **19,1** 1 Mo 49,5–7 **19,2–9** 15,20–32

dort führte sie weiter östlich über Gat-Hefer, Et-Kazin und Rimmon bis nach Nea. [14] Die Nord- und Westgrenze verlief durch Hannaton und endete im Tal Jiftach-El. [15] Zwölf Städte mit ihren Dörfern gehörten zu Sebulon, darunter Kattat, Nahalal, Schimron, Jidala und Bethlehem. [16] Dieses Gebiet erhielt der Stamm Sebulon für seine Sippen.

Das Gebiet des Stammes Issaschar

[17] Das vierte Los fiel auf den Stamm Issaschar und seine Sippen. [18] Sein Gebiet erstreckte sich von Jesreel nach Norden und umfasste folgende Städte: Kesullot, Schunem, [19] Hafarajim, Schion, Anaharat, [20] Rabbit[a], Kischjon, Ebez, [21] Remet, En-Gannim, En-Hadda und Bet-Pazzez. [22] Die Nordgrenze führte vom Berg Tabor über Schahazajim und Bet-Schemesch zum Jordan hinab. Insgesamt sechzehn Städte mit ihren Dörfern gehörten zum Stamm Issaschar. [23] Dieses ganze Gebiet bekam er für seine Sippen.

Das Gebiet des Stammes Asser

[24] Das fünfte Los fiel auf den Stamm Asser und seine Sippen. [25] Sein Gebiet umfasste die Städte Helkat, Hali, Beten, Achschaf, [26] Alammelech, Amad und Mischal. Die Grenze verlief entlang dem Mittelmeer um das Karmelgebirge bis hinab zum Fluss Libnat. [27] Dort wandte sie sich ostwärts nach Bet-Dagon, erreichte das Gebiet Sebulons und folgte dessen Westgrenze bis zum Tal Jiftach-El im Norden. Sie zog sich weiter durch Bet-Emek und Negiël, machte einen Bogen links nach Kabul [28] und führte über Abdon, Rehob, Hammon und Kana bis zur großen Stadt Sidon. [29] Dann wandte sich die Grenze nach Rama und erreichte die befestigte Stadt Tyrus. Hier machte sie einen Bogen in Richtung Hosa und endete in der Umgebung von Achsib am Mittelmeer. [30] Zu Asser gehörten zweiundzwanzig Städte mit ihren Dörfern, darunter Umma, Afek und Rehob. [31] Diesen Teil des Landes erhielt Asser für seine Sippen.

Das Gebiet des Stammes Naftali

[32] Das sechste Los entschied darüber, welches Gebiet der Stamm Naftali und seine Sippen bekommen sollten. [33/34] Die Südgrenze begann bei Lakkum am Jordan und verlief westwärts über Jabneel, Adami-Nekeb, Elon-Zaanannim und Helef bis nach Asnot-Tabor. Von dort aus führte sie als Westgrenze nach Hukkok. Im Süden stieß das Gebiet Naftalis an das Land Sebulons, im Westen an das Land Assers. Im Osten bildete der Jordan die Grenze zum Gebiet Judas[b]. [35] Folgende befestigten Städte gehörten zu Naftali: Ziddim, Zer, Hammat, Rakkat, Kinneret, [36] Adama, Rama, Hazor, [37] Kedesch, Edreï, En-Hazor, [38] Jiron, Migdal-El, Horem, Bet-Anat und Bet-Schemesch: neunzehn Städte mit ihren Dörfern. [39] Dieses Gebiet bekam der Stamm Naftali für seine Sippen.

Das Gebiet des Stammes Dan

[40] Das siebte Los fiel auf den Stamm Dan mit seinen Sippen. [41] Zu seinem Gebiet gehörten die Städte Zora, Eschtaol, Ir-Schemesch, [42] Schaalbim, Ajalon, Jitla, [43] Elon, Timna, Ekron, [44] Elteke, Gibbeton, Baalat, [45] Jehud, Bene-Berak, Gat-Rimmon, [46] Me-Jarkon und Rakkon mit dem Gebiet gegenüber Jafo. [47] Später erweiterte der Stamm Dan sein Gebiet. Seine Männer griffen die Stadt Leschem an, eroberten sie und töteten die Einwohner mit dem Schwert. Dann ließen sie sich dort nieder und gaben Leschem den Namen ihres Stammvaters: Dan. [48] Diese

---

[a] Vermutlich: Daberat.
[b] Gemeint ist vielleicht das Land Baschan, das zwar im Gebiet Manasses lag, jedoch von der Sippe des Judäers Jaïr erobert worden war.

19,29–30 Ri 1,31 **19,38** Ri 1,33 **19,47** Ri 18,1.27–29

Städte und ihre Dörfer gehörten zu dem Gebiet, das der Stamm Dan mit seinen Sippen bekam.

Josuas Anteil

[49] Als das ganze Land verteilt war, gaben die Israeliten auch Josua, dem Sohn Nuns, ein Stück Land in ihrer Mitte. [50] Wie der Herr es befohlen hatte, wiesen sie ihm die Stadt Timnat-Serach im Gebirge Ephraims zu, um die Josua gebeten hatte. Er baute sie aus und siedelte sich mit seiner Sippe dort an.

[51] Der Priester Eleasar, Josua und die Stammesoberhäupter hatten die Stammesgebiete in Silo vor dem Eingang zum Zelt des Herrn verteilt. Dabei hatten sie das Los entscheiden lassen. So war nun die Verteilung des Landes Kanaan abgeschlossen.

Sechs Zufluchtsorte für Totschläger

20 Der Herr sprach zu Josua: [2] »Befiehl dem Volk, Städte auszuwählen, die als Zufluchtsorte dienen sollen, wie ich es euch schon durch Mose gesagt habe. [3] Sie sollen jedem Schutz bieten, der ohne Absicht einen Menschen getötet hat. An diesen Orten ist man vor der Blutrache sicher. [4] Wer dorthin flieht, muss sich gleich am Stadttor dem Ältestenrat stellen und seinen Fall schildern. Dann soll er in die Stadt aufgenommen werden und eine Unterkunft erhalten. [5] Wenn jemand ihn verfolgt, um den Getöteten zu rächen, dürfen die Einwohner der Stadt ihn nicht ausliefern. Denn er hat die Tat nicht vorsätzlich, sondern aus Versehen begangen. [6] Er soll an dem Zufluchtsort in Sicherheit sein, bis ein Gericht über ihn entschieden hat. Wird er freigesprochen, soll er bis zum Tod des Hohenpriesters in der Stadt bleiben. Erst dann darf der Totschläger in seine Heimatstadt zurückkehren, aus der er fliehen musste.«

[7] Die Israeliten wählten folgende Zufluchtsstädte aus: Kedesch im Bergland von Naftali in Galiläa, Sichem im Bergland von Ephraim und Kirjat-Arba, das heutige Hebron, im Bergland von Juda. [8] Östlich des Jordan bestimmten sie Bezer, das in der Steppe der Hochebene weit im Osten von Jericho liegt und zum Stamm Ruben gehört, dann Ramot im Land Gilead im Stammesgebiet von Gad und schließlich Golan im Land Baschan im Gebiet Manasses.

[9] Diese Städte wurden für alle Israeliten und für alle Ausländer, die unter ihnen lebten, als Zufluchtsorte festgelegt. Dorthin konnte jeder fliehen, der unabsichtlich einen Menschen getötet hatte. Hier war er vor der Blutrache sicher, bis ein Gericht über ihn entschieden hatte.

Die Leviten erhalten Städte und Weidegebiete

21 [1/2] Noch während das Volk Israel in Silo im Land Kanaan lagerte, kamen die führenden Männer aus den Sippen der Leviten zum Priester Eleasar, zu Josua, dem Sohn Nuns, und zu den Oberhäuptern der Stämme Israels. Sie sagten: »Der Herr hat durch Mose befohlen, dass wir Städte bekommen sollen, in denen wir wohnen können, und Weideland für unser Vieh.« [3] Die Israeliten gehorchten dem Gebot des Herrn und gaben den Leviten Städte und Weideplätze aus ihren Gebieten.

[4] Das heilige Los wurde geworfen und traf zunächst die levitische Sippe Kehat. Zu ihr gehörten die Nachkommen des Priesters Aaron. Sie erhielten als Erste ihren Anteil: dreizehn Städte in den Gebieten der Stämme Juda, Simeon und Benjamin. [5] Den übrigen Nachkommen Kehats fielen zehn Städte in den Gebieten von Ephraim und Dan und im westlichen Gebiet von Manasse zu.

[6] Die Sippe Gerschon bekam dreizehn Städte in den Gebieten von Issaschar,

---

19,49–50 24,30 **19,51** 14,1–2; 18,1* **20,1–9** 4 Mo 35,10–15* **20,8** 5 Mo 4,41–43 **21,1–2** 4 Mo 35,1–8 **21,4–7** 2 Mo 6,16–25; 4 Mo 3,17–37

Asser, Naftali und im Land Baschan, das dem halben Stamm Manasse östlich des Jordan gehörte.

[7] Die Sippe Merari erhielt zwölf Städte bei den Stämmen Ruben, Gad und Sebulon.

[8] Die Israeliten teilten den Leviten diese Städte mit den umliegenden Weideplätzen zu, wie es das Los bestimmte. So hatte es der Herr durch Mose befohlen.

Die Städte der Sippe Kehat

[9/10] Das erste Los traf die Nachkommen Aarons von der levitischen Sippe Kehat. Sie erhielten von den Stämmen Juda und Simeon folgende Städte: [11] zunächst Kirjat-Arba, die Stadt des Stammvaters der Anakiter, die im judäischen Bergland liegt und jetzt Hebron heißt, mit ihren Weideflächen. [12] Die Äcker und Dörfer rings um Hebron blieben jedoch im Besitz Kalebs, der ein Sohn Jefunnes war. [13] Die Nachkommen Aarons bekamen die unmittelbar an Hebron grenzenden Weiden und die Stadt selbst, die auch als Zufluchtsort für Totschläger diente. Weiter gab man ihnen die Städte Libna, [14] Jattir, Eschtemoa, [15] Holon, Debir, [16] Ajin, Jutta und Bet-Schemesch. Insgesamt erhielten sie neun Städte mit den dazugehörigen Weideplätzen von den Stämmen Juda und Simeon. [17/18] Dazu kamen vom Stamm Benjamin die vier Städte Gibeon, Geba, Anatot und Almon mit ihren Weiden. [19] Damit besaß das Priestergeschlecht Aarons dreizehn Städte. [20] Die übrigen Familien der Sippe Kehat vom Stamm Levi erhielten durch das Los einige Städte im Stammesgebiet Ephraims. [21] Ihnen gehörte nun Sichem im Bergland, ein Zufluchtsort für Totschläger, außerdem Geser, [22] Kibzajim und Bet-Horon: vier Städte mit den dazugehörigen Weideplätzen. [23/24] Der Stamm Dan gab ihnen ebenfalls vier Städte mit Weiden: Elteke, Gibbeton, Ajalon und Gat-Rimmon. [25] Im westlichen Gebiet des Stammes Manasse bekamen sie die beiden Städte Taanach und Gat-Rimmon[a] mit ihren Weiden. [26] Insgesamt gehörten den übrigen Familien der Sippe Kehat zehn Städte.

Die Städte der Sippe Gerschon

[27] Der Sippe Gerschon vom Stamm Levi wurden im östlichen Gebiet des Stammes Manasse zwei Städte mit Weiden zugeteilt: im Land Baschan die Stadt Golan, einer der Zufluchtsorte für Totschläger, und Beëschtera[b]. [28/29] Im Gebiet von Issaschar erhielten sie vier Städte mit Weiden: Kirschjon, Daberat, Jarmut und En-Gannim, [30/31] und im Gebiet von Asser die vier Städte: Mischal, Abdon, Helkat und Rehob. [32] Der Stamm Naftali gab drei Städte mit Weiden: den Zufluchtsort Kedesch in Galiläa sowie Hammot-Dor und Kartan. [33] Insgesamt besaß die Sippe Gerschon dreizehn Städte mit Weideflächen.

Die Städte der Sippe Merari

[34/35] Die Sippe Merari, zu der alle übrigen Leviten gehörten, bekam vier Städte mit Weiden im Gebiet Sebulons: Jokneam, Karta, Dimna und Nahalal. [36/37] Weitere vier Städte mit Weideplätzen teilte man ihnen im Gebiet des Stammes Ruben zu: Bezer, Jahaz, Kedemot und Mefaat. [38/39] Vom Stamm Gad erhielten sie Ramot im Land Gilead, den Zufluchtsort für Totschläger, Mahanajim, Heschbon und Jaser, ebenfalls vier Städte mit Weiden. [40] Insgesamt besaßen die restlichen Sippen des Stammes Levi, die Nachkommen Meraris, zwölf Städte.

[41] Alle Leviten erhielten zusammen achtundvierzig Städte in den verschiedenen Stammesgebieten Israels. [42] Jede dieser Städte war von Weideland umgeben.

---

[a] Vermutlich ein Abschreibfehler. Ursprünglich hieß es vielleicht: Jibleam. Vgl. 1. Chronik 6,55
[b] Vermutlich ein anderer Name für Aschtarot. Vgl. 1. Chronik 6,56
21,12 14,13–15; 15,13 **21,21** 20,7 **21,27** 20,8 **21,32** 20,7 **21,38–39** 20,8

Gott hat Wort gehalten

[43] So gab der Herr den Israeliten das ganze Land, wie er es ihren Vorfahren versprochen hatte. Sie nahmen es in Besitz und wohnten darin. [44] Der Herr hielt sein Wort und sorgte dafür, dass sie in Frieden leben konnten. Mit seiner Hilfe hatten die Israeliten alle Feinde besiegt. [45] Kein Versprechen des Herrn blieb unerfüllt – alles war eingetroffen!

Die Oststämme dürfen nach Hause zurückkehren

22 Josua rief die Männer von Ruben, Gad und dem halben Stamm Manasse zu sich [2] und sagte zu ihnen: »Ihr habt alles getan, was euch Mose, der Diener des Herrn, befohlen hat, und auch mir seid ihr immer gehorsam gewesen. [3] Bis heute habt ihr eure Bruderstämme nicht im Stich gelassen. Während dieser langen Zeit habt ihr genau das getan, was der Herr von euch wollte. [4] Der Herr, euer Gott, hat euren Bruderstämmen das versprochene Land gegeben, in dem sie jetzt in Frieden leben. Kehrt nun zurück in euer eigenes Land auf der anderen Seite des Jordan, das euch Mose, der Diener des Herrn, dort gegeben hat. [5] Aber achtet darauf, dass ihr tut, was euch Mose im Auftrag des Herrn befohlen hat: Liebt den Herrn, euren Gott! Lebt so, wie es ihm gefällt, und haltet euch an seine Gebote! Seid ihm treu! Dient ihm aufrichtig und von ganzem Herzen!« [6] Dann segnete Josua die Männer, und sie machten sich auf den Heimweg.

[7] Die eine Hälfte des Stammes Manasse hatte von Mose östlich des Jordan im Land Baschan ihr Gebiet bekommen. Die andere Hälfte Manasses erhielt von Josua westlich des Jordan ihr Land, wo sich auch die übrigen Stämme niedergelassen hatten. Als Josua die Männer nun entließ, segnete er sie [8] und sagte: »Ihr kommt mit reichen Schätzen nach Hause: mit großen Viehherden, mit Gold und Silber, Bronze und Eisen und mit vielen Kleidern. Teilt diese Kriegsbeute mit denen, die zu Hause geblieben sind!«

[9] Die Männer von Ruben, Gad und dem halben Stamm Manasse verließen die übrigen Israeliten bei Silo im Land Kanaan und zogen in Richtung des Landes Gilead, das östlich des Jordan liegt. Dort besaßen sie ihre eigenen Gebiete, in denen sich ihre Stämme angesiedelt hatten, wie es der Herr durch Mose befohlen hatte.

Die Oststämme bauen einen Altar

[10] Als die Männer das Westufer des Jordan, das noch im Land Kanaan lag, erreichten, bauten sie dort einen großen Altar. [11] Bald schon verbreitete sich unter den übrigen Israeliten die Nachricht: »Die Stämme Ruben, Gad und der halbe Stamm Manasse haben unten im Jordantal einen Altar errichtet; er steht noch auf der Seite, die zu unserem Land gehört!«

[12] Da versammelten sie sich in Silo, um gemeinsam gegen die Oststämme Krieg zu führen. [13] Sie schickten Pinhas, den Sohn des Priesters Eleasar, ins Land Gilead zu den Stämmen Ruben, Gad und Manasse. [14] Ihn begleiteten zehn Männer, aus jedem der zehn Stämme einer. Jeder von ihnen war das Oberhaupt einer ganzen Sippe.

[15] In Gilead angekommen, stellten sie die Oststämme zur Rede: [16] »Die ganze Gemeinde des Herrn fragt euch, warum ihr dem Gott Israels die Treue gebrochen habt. Warum wendet ihr euch vom Herrn ab? Was für einen Altar habt ihr euch da gebaut? Wollt ihr euch damit gegen den Herrn auflehnen? [17] Reicht es denn nicht, dass wir uns damals mit dem Götzen Peor schuldig gemacht haben? Der Herr hat unser Volk deswegen schon schwer bestraft, wir leiden bis heute noch unter

---

21,43 1 Mo 12,7* **21,44** 1,5 **21,45** 23,14 **22,1–6** 1,12–18 **22,5** 5 Mo 6,4–5* **22,7** 13,29–31; 17,1–13 **22,8** 4 Mo 31,27 **22,12** 18,1* **22,13** 2 Mo 6,25; 4 Mo 25,6–8 **22,16** 3 Mo 17,8–9; 5 Mo 12,13–14 **22,17** 4 Mo 25,1–9

den Folgen! [18]Und was tut ihr? Ihr wendet euch schon wieder vom Herrn ab! Wenn ihr euch gegen ihn auflehnt, wird sich sein Zorn bald gegen die ganze Gemeinschaft der Israeliten richten! [19]Wenn man den Herrn in eurem Land nicht anbeten kann, dann kommt doch zu uns herüber in das Land, das dem Herrn gehört und wo sein heiliges Zelt steht, und siedelt euch bei uns an! Nur lehnt euch nicht gegen den Herrn auf! Und auch nicht gegen uns! Ihr dürft keinen anderen Altar haben als den des Herrn, unseres Gottes. [20]Denkt daran, was mit Achan, dem Sohn Serachs, geschah! Als er etwas von der Beute stahl, die dem Herrn allein gehörte, da bestrafte Gott die ganze Gemeinschaft der Israeliten. Achans Sünde hat nicht nur ihn selbst, sondern auch viele andere das Leben gekostet!«

[21]Die Männer von Ruben, Gad und dem halben Stamm Manasse antworteten den Abgesandten der Israeliten: [22]»Gott, der Herr, ist der einzige und wahre Gott! Er weiß es, und Israel soll es auch wissen: Wir sind dem Herrn nicht untreu geworden und lehnen uns nicht gegen ihn auf! Das schwören wir! Wenn wir lügen, dann tötet uns! [23]Wir haben den Altar nicht gebaut, um uns vom Herrn abzuwenden. Wir wollten auf ihm keine Opfer darbringen, weder Brandopfer noch Speiseopfer, noch Dankopfer. Sagen wir nicht die Wahrheit, dann soll der Herr uns zur Rechenschaft ziehen. [24]Aber es ist wahr: Wir haben es aus Sorge um unsere Nachkommen getan. Wir fürchteten, eure Kinder würden eines Tages unsere Kinder fragen: ›Was habt ihr Rubeniter und Gaditer denn schon mit dem Herrn, dem Gott Israels, zu schaffen? [25]Schließlich hat er den Jordan als Grenze zwischen uns und euch gesetzt! Ihr habt keinen Anspruch darauf, dem Herrn zu dienen!‹ So würden eure Nachkommen unsere davon abbringen, den Herrn zu verehren. [26]Darum haben wir diesen Altar gebaut. Nicht für Brandopfer oder Schlachtopfer, [27]sondern als Denkmal für uns und für euch und die Generationen nach uns. Er soll uns daran erinnern, dem Herrn zu dienen und vor seinem Heiligtum unsere Opfer darzubringen: Brandopfer, Schlachtopfer und Dankopfer. Dann können eure Nachkommen nicht zu unseren sagen: ›Ihr dürft dem Herrn nicht dienen.‹ [28]Und wenn sie es eines Tages doch einmal behaupten, dann können unsere Kinder sagen: ›Seht euch diese Nachbildung vom Altar des Herrn an! Unsere Väter haben sie gemacht, nicht für Brand- oder Schlachtopfer, sondern um uns und euch daran zu erinnern, dass wir gemeinsam dem Herrn dienen sollen.‹ [29]Niemals soll es so weit kommen, dass wir uns gegen den Herrn auflehnen und ihm den Rücken kehren. Wir haben den Altar nicht für Brandopfer, Speiseopfer oder Schlachtopfer gebaut. Nur auf dem Altar vor dem heiligen Zelt des Herrn, unseres Gottes, wollen wir unsere Opfer darbringen.«

[30]Als der Priester Pinhas und die Sippenoberhäupter, die als Leiter der israelitischen Gemeinde nach Gilead gekommen waren, hörten, was die Männer von Ruben, Gad und dem halben Stamm Manasse vorbrachten, waren sie beruhigt. [31]Pinhas, der Sohn des Priesters Eleasar, sagte zu den Oststämmen: »Nun wissen wir, dass der Herr weiter in unserer Mitte bleibt, denn ihr habt ihm nicht die Treue gebrochen. Ihr habt die Israeliten vor der Strafe des Herrn bewahrt.«

[32]Dann ließen Pinhas und die israelitischen Führer die Stämme Ruben, Gad und den halben Stamm Manasse im Land Gilead zurück und machten sich auf den Weg ins Land Kanaan. Dort erzählten sie, was geschehen war. [33]Die Israeliten freuten sich und lobten Gott. Sie wollten nun nicht mehr in den Krieg ziehen, um das Land der Oststämme zu verwüsten. [34]Die Rubeniter und Gaditer nannten den Altar »Zeuge«, weil er allen Stämmen im Westen und im Osten bezeugen sollte, dass der Herr Gott ist.

22,20 7,1–26 **22,27** 24,27 **22,29** 3 Mo 17,8–9

Josuas letzte Mahnungen an die führenden Männer Israels

23 Seit langer Zeit lebten die Israeliten nun in Frieden und Sicherheit. Der Herr sorgte dafür, dass die Völker ringsum sie nicht bedrohten. Josua war inzwischen sehr alt geworden. [2]Eines Tages rief er die Ältesten, die Sippenoberhäupter, die Richter und die führenden Männer Israels zusammen. Er sagte zu ihnen: »Ich bin schon sehr alt und werde bald sterben. [3]Ihr habt mit eigenen Augen gesehen, was der Herr mit allen Völkern in dieser Gegend getan hat. Er selbst, der Herr, euer Gott, hat für euch gekämpft. [4]Ich habe das Land zwischen dem Jordan im Osten und dem Mittelmeer im Westen euren Stämmen durch das Los zugeteilt. Viele Völker habe ich hier besiegt, einige sind noch übrig geblieben. [5]Doch der Herr, euer Gott, wird auch sie verstoßen und vertreiben. Ihr werdet ihr Land in Besitz nehmen, wie er es versprochen hat.

[6]Bemüht euch darum, alles zu befolgen, was im Gesetzbuch des Mose aufgeschrieben ist! Weicht nicht davon ab! [7]Vermischt euch nicht mit den Völkern, die noch in eurem Land wohnen! Nehmt die Namen ihrer Götter nicht in den Mund, und schwört nicht bei ihnen! Dient ihnen nicht, und betet sie nicht an! [8]Dem Herrn, eurem Gott, sollt ihr treu bleiben, wie ihr es bis heute wart.

[9]Der Herr hat große und mächtige Völker euretwegen vertrieben. Niemand konnte euch standhalten. [10]Ein einziger von euch verjagt tausend Feinde! Denn der Herr, euer Gott, kämpft selbst für euch, wie er es versprochen hat. [11]Liebt den Herrn, euren Gott, bemüht euch immer wieder darum, denn es geht um euer Leben! [12]Wenn ihr euch von ihm abwendet und euch mit den Völkern einlasst, die noch in eurem Land sind, wenn ihr euch mit ihnen verheiratet und vermischt, [13]dann wird der Herr, euer Gott, diese Völker ganz gewiss nicht mehr aus eurem Land vertreiben. Dann werden sie für euch zum Fallstrick. Sie werden euch quälen wie Peitschenhiebe und wie Dornenzweige, die man euch ins Gesicht schlägt. Am Ende wird keiner von euch in diesem guten Land bleiben, das der Herr, euer Gott, euch gegeben hat.

[14]Bald werde ich sterben. Ihr aber könnt zuversichtlich sein, denn ihr wisst: Kein Versprechen des Herrn, eures Gottes, blieb unerfüllt – alles ist eingetroffen! [15/16]Aber genau so, wie der Herr, euer Gott, jedes Versprechen gehalten hat, so wird er auch jede Drohung wahr machen, wenn ihr den Bund brecht, den er mit euch geschlossen hat. Wenn ihr anderen Göttern dient und sie anbetet, dann wird sich der Herr voller Zorn gegen euch wenden und euch bald aus dem guten Land vertreiben, das er euch gegeben hat.«

Josua erneuert den Bund zwischen Gott und Israel

24 Josua versammelte alle Stämme Israels bei Sichem. Er rief die führenden Männer zu sich, die Sippenoberhäupter, die Richter und die Ältesten. Gemeinsam traten sie vor Gott.

[2]Dann redete Josua zum Volk: »So spricht der Herr, der Gott Israels: ›Vor langer Zeit lebten eure Vorfahren auf der anderen Seite des Euphrat: Terach mit seinen Söhnen Abraham und Nahor. Sie verehrten dort andere Götter. [3]Ich brachte euren Stammvater Abraham aus dem Land jenseits des Euphrat hierher und ließ ihn durch ganz Kanaan ziehen. Ich schenkte ihm viele Nachkommen; ich gab ihm Isaak, [4]und Isaak gab ich Jakob und Esau. Esau erhielt das Gebirge Seïr, und Jakob siedelte sich mit seinen Söhnen in Ägypten an.

[5]Später sandte ich Mose und Aaron

23,1 21,44; 13,1 **23,5** 4 Mo 33,53 **23,6** 5 Mo 5,32 **23,7** 2 Mo 23,13 **23,10** 3 Mo 26,8 **23,12** 5 Mo 7,3–4* **23,13** 2 Mo 23,33; 34,12; 5 Mo 8,19 **23,14** 21,45 **23,15–16** 5 Mo 28,15–68 **24,2** 1 Mo 11,26; 31,19; 35,2–4 **24,3** 1 Mo 12,1–9; 21,1–3 **24,4** 1 Mo 25,24–26; 36,8; 46,6–7 **24,5** 2 Mo 3–11; 12,29–33

nach Ägypten und strafte das Land mit schweren Plagen. Ich führte euer Volk in die Freiheit [6] und brachte es von Ägypten bis zum Schilfmeer. Die Ägypter aber verfolgten es mit Kriegswagen und Reitern. [7] Eure Väter schrien zu mir um Hilfe. Da ließ ich zwischen ihnen und ihren Verfolgern Dunkelheit hereinbrechen. Die Ägypter jagten ihnen nach bis ins Schilfmeer, und dort ließ ich sie in den Wellen untergehen. Mit eigenen Augen haben eure Vorfahren gesehen, wie ich die Ägypter bestrafte!

Danach habt ihr lange Zeit in der Wüste gelebt, [8] bis ich euch in das Land der Amoriter östlich des Jordan brachte. Sie kämpften gegen euch, und ich gab sie in eure Gewalt. Überall, wo ihr hinzogt, vernichtete ich sie und überließ euch ihr Land. [9] Auch der Moabiterkönig Balak, Zippors Sohn, stellte sich euch als Feind in den Weg. Er ließ Bileam, den Sohn Beors, rufen, um euch zu verfluchen. [10] Aber ich wollte nicht auf Bileam hören, darum musste er euch segnen, und ich bewahrte euch vor den Moabitern.

[11] Dann habt ihr den Jordan durchquert und seid nach Jericho gekommen. Die Einwohner dieser Stadt führten Krieg gegen euch, ebenso die anderen Völker des Landes: die Amoriter, Perisiter, Kanaaniter, Hetiter, Girgaschiter, Hiwiter und Jebusiter. Sie alle gab ich in eure Gewalt. [12] Die beiden Amoriterkönige flohen voller Entsetzen vor euch.

Das verdankt ihr nicht euren Schwertern und Bogen, sondern allein mir. [13] Ich gab euch ein Land, das ihr nicht mehr urbar machen musstet, und Städte, die ihr nicht erbaut habt. Ihr esst die Früchte von Weinbergen und Ölbäumen, die ihr nicht gepflanzt habt.‹«

[14] Josua fuhr fort: »Deshalb habt Ehrfurcht vor dem Herrn! Dient ihm aufrichtig und mit ganzer Hingabe! Trennt euch von den Göttern, die eure Vorfahren jenseits des Euphrat und in Ägypten verehrt haben. Dient allein dem Herrn! [15] Wenn es euch aber nicht gefällt, dem Herrn zu dienen, dann entscheidet euch heute, wem ihr gehören wollt: den Göttern, die eure Vorfahren jenseits des Euphrat verehrt haben, oder den Göttern der Amoriter, in deren Land ihr lebt. Ich aber und meine Familie, wir wollen dem Herrn dienen.«

[16] Da antwortete das Volk: »Niemals wollen wir den Herrn verlassen und anderen Göttern dienen! [17] Denn der Herr, unser Gott, war es, der unsere Väter aus der Sklaverei in Ägypten befreit hat. Er hat große Wunder vor den Augen unseres Volkes vollbracht. Er hat uns auf dem ganzen Weg beschützt, als wir die Gebiete vieler Völker durchqueren mussten. [18] Der Herr war es, der die Amoriter und alle anderen Völker vertrieben hat, die hier früher gelebt haben. Auch wir wollen ihm dienen: Der Herr ist unser Gott!«

[19] Josua erwiderte: »Meint ihr, es sei leicht, dem Herrn zu dienen? Täuscht euch nicht: Er ist ein heiliger Gott und will, dass ihr ihm allein gehört. Er wird euch nicht vergeben, wenn ihr ihm untreu werdet und gegen ihn sündigt! [20] Wenn ihr den Herrn verlasst und fremden Göttern dient, wird er sich gegen euch wenden. Er wird euch Böses antun und euch vernichten, obwohl er euch vorher Gutes erwiesen hat.«

[21] Da sagte das Volk: »Wir wollen trotzdem dem Herrn dienen!« [22] Josua antwortete: »Ihr selbst seid Zeugen dafür, dass ihr euch für den Herrn entschieden habt und ihm gehören wollt.« Sie riefen: »Ja, wir sind Zeugen!« [23] Da forderte Josua sie auf: »Werft alle Götzenfiguren weg, die ihr noch besitzt. Wendet euch ganz dem Herrn, dem Gott Israels, zu!« [24] Das Volk antwortete: »Wir wollen dem Herrn, unserem Gott, dienen und auf ihn hören!«

[25] Da schloss Josua noch am selben Tag in Sichem einen Bund zwischen Gott und

---

24,6–7 2 Mo 14,1–31 **24,8** 4 Mo 21,21–35 **24,9** 4 Mo 22,5–6 **24,10** 4 Mo 23,8.11.20 **24,11** 3,14–17; 6,1–21 **24,12** 2 Mo 23,27–28* **24,13** 5 Mo 6,10–11 **24,14** 1 Mo 31,19; 35,2–4 **24,17** 2 Mo 20,2* **24,19** 2 Mo 20,5; 3 Mo 19,2* **24,21** 2 Mo 24,3.7

den Israeliten. Er gab ihnen Gebote und Rechtsbestimmungen [26] und schrieb alles im Buch des Gesetzes Gottes auf. Dann nahm er einen großen Stein und richtete ihn unter der Terebinthe beim Heiligtum des Herrn auf. [27] Josua rief dem Volk zu: »Seht diesen Stein! Er ist Zeuge! Denn er hat alles gehört, was der Herr zu uns gesagt hat. Er soll euch mahnen, euren Gott nicht zu verleugnen.«

[28] Dann schickte Josua das Volk nach Hause, jeden in sein Gebiet.

Josua und Eleasar sterben

[29] Einige Zeit später starb Josua, der Sohn Nuns, der Diener des Herrn. Er wurde 110 Jahre alt. [30] Man begrub ihn auf dem Grundstück, das ihm und seinen Nachkommen gehören sollte; es lag in Timnat-Serach nördlich des Berges Gaasch im Gebirge Ephraim.

[31] Israel blieb dem Herrn treu, solange Josua und nach ihm die Ältesten lebten, die noch alles mit eigenen Augen gesehen hatten, was der Herr für Israel getan hatte.

[32] Die Israeliten begruben auch die Gebeine Josefs, die sie aus Ägypten mitgeführt hatten. Man bestattete sie im Gebiet des Stammes Josef bei Sichem, auf dem Feld, das Jakob von den Nachkommen Hamors, des Vaters von Sichem, für hundert Silberstücke gekauft hatte. [33] Auch Eleasar, der Sohn Aarons, starb. Er wurde in der Stadt Gibea beigesetzt, die seinem Sohn Pinhas im Gebirge Ephraim gehörte.

24,26 1 Mo 12,6; 35,4 **24,27** 22,26–28; 1 Mo 31,45–52 **24,29–31** Ri 2,7–9 **24,30** 19,49–50
24,32 1 Mo 33,19; 50,24–25* **24,33** 5 Mo 10,6; Jos 14,1–2; 19,51

Das Buch über die Richter

Israel erobert einen Teil des südlichen Kanaan

1 Als Josua gestorben war, fragten die Israeliten den Herrn: »Welcher Stamm soll als erster losziehen und die Kanaaniter angreifen?« [2] Der Herr antwortete: »Der Stamm Juda soll beginnen! Ich gebe das Land in seine Gewalt.«

[3] Da forderten die Männer von Juda den Stamm Simeon auf: »Kommt mit! Helft uns, die Kanaaniter aus dem Gebiet zu vertreiben, das uns zugeteilt wurde! Dann werden auch wir euch helfen, euer Gebiet einzunehmen.« Die Männer von Simeon schlossen sich denen von Juda an. [4] Sie zogen in den Kampf, und der Herr schenkte ihnen den Sieg über die Kanaaniter und Perisiter. Bei Besek schlugen sie das feindliche Heer, das 10 000 Mann stark war.

[5] Dort stießen sie auch auf Adoni-Besek, den Herrscher über dieses Gebiet, und kämpften mit ihm. Als er merkte, dass die Kanaaniter und Perisiter die Schlacht verloren, [6] ergriff er die Flucht. Doch die Israeliten jagten ihm nach und fassten ihn. Sie hieben ihm die Daumen und die großen Zehen ab. [7] Da sagte Adoni-Besek: »Siebzig Königen habe ich die Daumen und die großen Zehen abhacken lassen. Sie mussten die Abfälle unter meinem Tisch aufsammeln. Nun zahlt Gott mir heim, was ich getan habe.« Man brachte ihn nach Jerusalem, und dort starb er.

[8] Die Männer des Stammes Juda griffen Jerusalem an und eroberten es. Sie töteten die Bewohner mit dem Schwert und steckten die Stadt in Brand. [9] Danach zogen sie weiter und kämpften gegen die Kanaaniter im judäischen Bergland, in der südlichen Steppe und in der Gegend zwischen dem Mittelmeer und dem judäischen Bergland. [10] Sie griffen Hebron an, das früher Kirjat-Arba hieß, und besiegten dort die Kanaaniter Scheschai, Ahiman und Talmai mit ihren Sippen. [11] Dann zogen sie zur Stadt Debir, die man damals noch Kirjat-Sefer nannte.

[12] Kaleb, der judäische Heerführer, versprach seinen Männern: »Wer Kirjat-Sefer erobert, der erhält meine Tochter Achsa zur Frau!« [13] Kalebs jüngerem Bruder Otniël, dem Sohn des Kenas, gelang es, die Stadt einzunehmen. Dafür sollte er Achsa zur Frau bekommen. [14] Achsa drängte Otniël, Kaleb um einen Acker zu bitten, aber ohne Erfolg. Als sie dann am Tag der Hochzeit mit ihrem Vater auf dem Weg zu Otniël war, sprang sie plötzlich vom Esel ab. »Was willst du?«, fragte Kaleb. [15] »Gib mir zum Abschied deinen Segen und ein Geschenk!«, bat sie. »Du lässt mich in trockenes Südland ziehen, darum gib mir bitte ein Grundstück mit Wasserstellen!« Da schenkte er ihr von seinem Besitz die oberen und unteren Quellen.

[16] Die Keniter, die Nachkommen von Moses Schwiegervater, waren einst mit dem Stamm Juda aus der Palmenstadt[a] in die Wüste Juda südlich von Arad gekommen und hatten sich dort angesiedelt.

[17] Die Männer der Stämme Juda und Simeon zogen nun weiter und nahmen die kanaanitische Stadt Zefat ein. Sie vernichteten alle Bewohner nach Gottes Befehl und gaben dem Ort den Namen Horma (»Vernichtung«). [18] Dann eroberten die judäischen Soldaten die Städte

---

[a] Vielleicht die Stadt Tamar, die 140 Kilometer südlich von Arad im Negev liegt.

1,1–2 2 Mo 28,30* **1,8** Jos 15,63*; 2 Sam 5,6–9 **1,10–15** Jos 15,13–19 **1,16** 2 Mo 2,16–22; 4 Mo 10,29–32; 5 Mo 34,3 **1,17** 5 Mo 7,2*

Gaza, Aschkelon und Ekron mit den umliegenden Gebieten. [19]Der Herr half ihnen, das Bergland einzunehmen. Es gelang ihnen jedoch nicht, die Bewohner der Küstenebene zu vertreiben, denn diese besaßen eiserne Streitwagen. [20]Kaleb erhielt die Stadt Hebron, wie Mose es befohlen hatte. Er vertrieb von dort die drei Nachkommen Anaks mit ihren Sippen.

[21]Der Stamm Benjamin ließ die Jebusiter in Jerusalem wohnen. Bis heute leben sie dort neben den Benjaminitern.

Der Norden Kanaans wird nur zum Teil erobert

[22/23]Die Stämme Ephraim und Manasse brachen auf und zogen nach Bethel, das früher Lus hieß. Als sie die Gegend auskundschaften wollten, um die Stadt zu erobern, half der Herr ihnen: [24]Ihre Späher entdeckten einen Mann, der gerade die Stadt verließ. Sie hielten ihn an und sagten: »Zeig uns, wie wir nach Bethel hineinkommen! Dafür werden wir dich verschonen.« [25]Da zeigte er ihnen einen unbewachten Zugang zur Stadt. Sie drangen ein und töteten alle Einwohner mit dem Schwert. Nur den Mann und seine Verwandten ließen sie am Leben. [26]Er ging ins Land der Hetiter und gründete dort eine Stadt namens Lus, die es heute noch gibt.

[27]Die Einwohner der Städte Bet-Schean, Taanach, Dor, Jibleam, Megiddo und der umliegenden Orte vertrieb der Stamm Manasse nicht, und so konnten die Kanaaniter dort weiterhin wohnen. [28]Als das Volk Israel mächtig wurde, machte es sie zu Fronarbeitern, doch es gelang ihm immer noch nicht, sie zu vertreiben.

[29]Die Ephraimiter gestatteten den Kanaanitern aus Geser, in ihrem Gebiet zu bleiben.

[30]Der Stamm Sebulon vertrieb die Kanaaniter nicht aus Kitron und Nahalol. Sie blieben als Fronarbeiter dort.

[31]Der Stamm Asser schickte weder die Einwohner von Akko fort noch die von Sidon, Mahaleb, Achsib, Helba, Afek und Rehob. [32]So lebte Asser mitten unter den Kanaanitern, die das Land schon vorher bewohnt hatten.

[33]Der Stamm Naftali vertrieb die Einwohner von Bet-Schemesch und Bet-Anat nicht, sondern siedelte sich unter den Einheimischen an. Er verpflichtete die beiden Städte aber zum Frondienst.

[34]Die Daniter versuchten, die Ebene in Besitz zu nehmen, wurden aber von den Amoritern in die Berge zurückgedrängt. [35]Die Amoriter weigerten sich, aus Har-Heres, Ajalon und Schaalbim zu weichen. Doch die Stämme Ephraim und Manasse gewannen die Oberhand und zwangen sie zur Fronarbeit.

[36]Die Grenze der Amoriter begann am Pass von Akrabbim und führte von dort über den Felsen und weiter hinauf.

Der Engel des Herrn tadelt Israel

2 Der Engel des Herrn kam von Gilgal nach Bochim und sagte zu den Israeliten: »Ich habe euch aus Ägypten befreit und in das Land gebracht, das ich euren Vorfahren versprochen habe. Damals schwor ich, meinen Bund mit euch niemals zu brechen. [2]Ich befahl: ›Lasst euch nicht mit den Bewohnern dieses Landes ein! Zerstört ihre Götzenaltäre!‹ Doch was habt ihr getan? Ihr habt nicht auf mich gehört! [3]Darum werde ich diese Völker nicht mehr aus eurem Gebiet vertreiben. Mein Entschluss steht fest! Sie werden euch großes Leid zufügen und euch mit ihren Götzen ins Verderben stürzen.«

[4]Als der Engel des Herrn dies gesagt hatte, begannen die Israeliten laut zu weinen. [5]Sie brachten dem Herrn Opfer dar und nannten den Ort Bochim (»Weinende«).

1,19 Jos 17,16.18 **1,20** Jos 14,13–15; 15,13–14 **1,21** Jos 15,63* **1,27–28** Jos 17,11–13 **1,29** Jos 16,10; 1 Kön 9,16 **1,34** Jos 19,47; Ri 18,1.27–29 **2,2** 5 Mo 12,2–3* **2,3** Jos 23,12–13

Israel bricht dem Herrn die Treue

[6]Vor seinem Tod hatte Josua das Volk verabschiedet, und jeder Stamm war in sein Gebiet gezogen, um es in Besitz zu nehmen. [7]Die Israeliten blieben dem Herrn treu, solange Josua lebte und nach ihm die Ältesten, die noch selbst gesehen hatten, wie der Herr ihrem Volk mit machtvollen Taten geholfen hatte. [8]Josua, der Sohn Nuns, der Diener des Herrn, starb im Alter von 110 Jahren. [9]Man begrub ihn auf dem Grundstück, das ihm und seinen Nachkommen gehören sollte; es lag in Timnat-Heres nördlich des Berges Gaasch im Gebirge Ephraim.

[10]Als von seiner Generation keiner mehr lebte, gab es eine neue Generation, die den Herrn weder kannte noch wusste, was er für Israel getan hatte. [11]Sie taten, was der Herr verabscheute: Sie dienten anderen Göttern [12]und wandten sich ab vom Herrn, dem Gott ihrer Vorfahren, der ihr Volk aus Ägypten befreit hatte. Den Götzen der Völker ringsum liefen sie nach und beteten sie an. Damit forderten sie den Zorn des Herrn heraus. [13]Sie kehrten ihm den Rücken und dienten dem Gott Baal und der Göttin Aschera. [14]Der Herr war zornig auf die Israeliten. Er sorgte dafür, dass Räuberbanden sie ausplünderten und ihre Nachbarvölker mächtiger wurden als sie. Nun konnten die Israeliten sich nicht mehr behaupten. [15]Was sie auch unternahmen, um sich zu verteidigen – der Herr ließ es ihnen misslingen. Sie gerieten in große Bedrängnis, so wie er es ihnen angekündigt hatte.

[16]Da berief der Herr Männer zu Führern seines Volkes, die es aus der Gewalt der Feinde befreiten. Sie wurden Richter genannt. [17]Aber auch auf die Richter hörten die Israeliten nicht, sondern warfen sich fremden Göttern an den Hals und beteten sie an. So kamen sie bald wieder von dem Weg ab, den ihre Vorfahren gegangen waren. Damals hatten die Israeliten sich noch an die Gebote des Herrn gehalten, doch nun taten sie, was sie wollten. [18]Wenn sie dann aber verzweifelt klagten, weil ihre Feinde sie hart bedrängten und unterdrückten, hatte der Herr Erbarmen mit ihnen. Er berief einen Richter und half ihm, das Volk zu retten.

Solange der Richter lebte, waren die Israeliten in Sicherheit. [19]Nach seinem Tod aber schlugen sie wieder ihre alten Wege ein. Sie verehrten andere Götter, dienten ihnen und warfen sich vor ihnen nieder. Dabei trieben sie es noch schlimmer als ihre Vorfahren. Stur hielten sie an ihren Machenschaften fest und ließen sich durch nichts davon abbringen. [20]Da wurde der Herr wieder zornig auf sie und sprach: »Dieses Volk hat den Bund gebrochen, den ich mit ihren Vorfahren geschlossen habe. Sie wollen nicht auf mich hören. [21]Darum werde ich die Völker, die seit Josuas Tod noch im Land sind, nicht vertreiben; sie sollen dort bleiben. [22]Durch sie will ich die Israeliten auf die Probe stellen und sehen, ob sie sich an meine Gebote halten wie ihre Vorfahren oder nicht.«

[23]So vertrieb der Herr die Völker, die Josua nicht besiegen konnte, nicht sofort aus dem Land, sondern ließ sie dort wohnen.

Gott prüft Israel durch die anderen Völker Kanaans

3 Der Herr ließ einige Völker im Land Kanaan bleiben, um Israel auf die Probe zu stellen. [2]Auch wollte er die neue Generation lehren, wie man Krieg führt. Denn sie hatte die Eroberung Kanaans nicht miterlebt.

Folgende Völker wohnten weiter im Land: [3]die Philister mit ihren fünf Fürsten, die Kanaaniter und Sidonier und alle Hiwiter im Libanongebirge zwischen dem Berg Baal-Hermon und der Gegend

2,6 Jos 24,28 **2,7–9** Jos 24,29–31 **2,14–15** 3 Mo 26,17; 5 Mo 28,20 **2,18** 2 Mo 2,23–25* **2,21–22** 3,1.4 **3,1–2** 2,21–22 **3,3** Jos 13,2–5

von Hamat. [4] Durch sie wollte der Herr die Israeliten prüfen und sehen, ob sie seine Gebote befolgten, die er ihren Vorfahren durch Mose gegeben hatte.

Der Richter Otniël

[5] Die Israeliten lebten mitten unter den Kanaanitern, Hetitern, Amoritern, Perisitern, Hiwitern und Jebusitern. [6] Sie vermischten sich mit diesen Völkern und dienten ihren Göttern. [7] Sie taten, was der Herr verabscheute, vergaßen ihn und verehrten die Götzen Baal und Aschera.

[8] Da wurde der Herr zornig auf sein Volk und gab es in die Gewalt Kuschan-Rischatajims, des Königs von Nord-Mesopotamien. Acht Jahre lang wurde es von ihm unterdrückt.

[9] Als die Israeliten zum Herrn um Hilfe schrien, schenkte er ihnen einen Befreier: Otniël, den Sohn des Kenas, den jüngeren Bruder Kalebs. [10] Otniël wurde vom Geist des Herrn erfasst, er stellte sich an die Spitze des israelitischen Heers und führte es in die Schlacht. Der Herr half ihm, Kuschan-Rischatajim, den König von Nord-Mesopotamien, zu besiegen.

[11] Vierzig Jahre lang herrschte Frieden. Dann starb Otniël, der Sohn des Kenas, [12] und die Israeliten taten wieder, was der Herr verabscheute. Darum ließ er Eglon, den König von Moab, zu einem mächtigen Feind Israels werden. [13] Eglon verbündete sich mit den Ammonitern und Amalekitern, führte Krieg gegen die Israeliten und besiegte sie. Er nahm die Palmenstadt Jericho ein [14] und unterwarf Israel achtzehn Jahre lang.

Die List des Richters Ehud

[15] Die Israeliten schrien zum Herrn um Hilfe, und wieder gab er ihnen einen Befreier: Ehud, den Sohn Geras, vom Stamm Benjamin, einen Linkshänder. Ihn sandten die Israeliten zum Moabiterkönig Eglon, um den Tribut zu entrichten. [16] Ehud fertigte ein zweischneidiges Schwert an, das etwa dreißig Zentimeter lang war, und versteckte es unter seinem Gewand an der rechten Seite. [17] Er brachte den Tribut zu König Eglon, der ein sehr dicker Mann war. [18] Dann schickte er die Männer fort, die ihn als Lastträger begleitet hatten. [19/20] Auch er verließ den Palast und ging in Richtung Gilgal. Als er dort die Stelle erreichte, wo die Götterstatuen standen, kehrte er noch einmal zu Eglon zurück.

Der König saß gerade im kühlen Obergemach, das nur für ihn bestimmt war. Ehud trat ein und sagte zu ihm: »Ich habe eine geheime Botschaft für dich!« »Lasst uns allein!«, befahl der König seinen Dienern. Als sie hinausgegangen waren, sagte Ehud: »Die Botschaft, die ich für dich habe, ist von Gott!« Eglon stand auf. [21] Da packte Ehud mit der linken Hand das Schwert, das er an der rechten Seite trug, zog es hervor und stieß es Eglon in den Bauch. [22] Die Klinge drang so tief ein, dass das Fett den Griff umschloss und die Spitze zwischen den Beinen wieder herauskam. Ehud ließ das Schwert stecken [23] und trat in die Halle hinaus. Er schloss die Tür, sperrte sie zu und floh.[a]

[24] Bald darauf kamen Eglons Diener und merkten, dass der Raum verschlossen war. »Der König muss sicher gerade austreten«, sagten sie zueinander [25] und warteten eine Weile, doch die Tür ging nicht auf. Schließlich kam es ihnen merkwürdig vor. Sie holten den Schlüssel und öffneten das Obergemach. Dort fanden sie den König tot am Boden liegen.

[26] Ehud aber war entkommen, während die Diener gewartet hatten. Er hatte bereits die Götterstatuen bei Gilgal hinter sich gelassen und floh weiter nach Seïra. [27] Dort im Gebirge Ephraim ließ er das Horn blasen, um die Israeliten zur Schlacht zu versammeln. Sie folgten ihm ins Jordantal. [28] »Mir nach!«, rief er. »Der

---

[a] Die Verse 22 und 23 sind nicht sicher zu deuten.

3,6–7 5 Mo 7,3–4* **3,9** 1,13 **3,10** 6,34; 11,29; 13,25; 14,6.19; 15,14; 1 Sam 10,6; 11,6

Herr gibt euch den Sieg über die Moabiter!« Sie zogen mit Ehud hinab und besetzten die Jordanübergänge, um den Feinden den Fluchtweg abzuschneiden. [29] Dann kämpften sie gegen die Moabiter und töteten an die 10 000 gute, erfahrene Soldaten, keiner entkam.

[30] So mussten sich die Moabiter der Macht der Israeliten beugen, und achtzig Jahre lang herrschte Frieden.

Der Richter Schamgar

[31] Nach Ehud gab es einen weiteren Befreier Israels: Schamgar, den Sohn Anats. Er tötete 600 Philister mit einem Ochsenstecken.

Die Richterin Debora und der Heerführer Barak

4 Als Ehud gestorben war, taten die Israeliten erneut, was der Herr verabscheute. [2/3] Da ließ der Herr ihr Gebiet vom Kanaaniterkönig Jabin erobern, der regierte in Hazor und besaß 900 eiserne Streitwagen. Sein Heerführer hieß Sisera, er hatte sein Truppenlager in Haroschet-Gojim aufgeschlagen. Zwanzig Jahre lang quälte und unterdrückte Jabin die Israeliten. Da schrien sie zum Herrn um Hilfe.

[4] Zu jener Zeit war die Prophetin Debora Israels Richterin. Sie war mit einem Mann namens Lappidot verheiratet [5] und wohnte bei der nach ihr benannten Debora-Palme zwischen Rama und Bethel im Gebirge Ephraim. Dorthin kamen die Israeliten, um sich von ihr Recht sprechen zu lassen. [6] Eines Tages ließ Debora Barak, den Sohn Abinoams, aus Kedesch im Stammesgebiet von Naftali zu sich kommen. Sie sagte zu ihm: »Der Herr, der Gott Israels, befiehlt dir: ›Rufe 10 000 Soldaten aus den Stämmen Naftali und Sebulon zusammen, und zieh mit ihnen auf den Berg Tabor! [7] Ich werde dafür sorgen, dass Sisera, der Heerführer Jabins, mit seinen Wagen und seinem Heer zum Fluss Kischon kommt. Dort gebe ich ihn in deine Gewalt.‹«

[8] Barak antwortete: »Ich werde nur gehen, wenn du mitkommst. Ohne dich unternehme ich nichts.« [9] »Ich komme mit«, willigte Debora ein, »aber der Ruhm dieses Feldzugs wird nicht dir gehören, denn der Herr wird einer Frau den Sieg über Sisera schenken!«

Zusammen mit Barak machte sich Debora auf den Weg nach Kedesch. [10] Dort rief Barak die Stämme Sebulon und Naftali zusammen. 10 000 Mann folgten ihm auf den Berg Tabor, und Debora begleitete sie.

[11] Zu jener Zeit schlug ein Keniter namens Heber seine Zelte bei dem großen Baum von Zaanannim in der Nähe von Kedesch auf. Die Keniter waren Nachkommen von Hobab, dem Schwager des Mose. Heber hatte sich von seiner Sippe getrennt und war allein weitergezogen.

[12] Man meldete Sisera, dass Barak, der Sohn Abinoams, ein Heer auf den Berg Tabor geführt hatte. [13] Da brach er von Haroschet-Gojim auf und zog mit den 900 eisernen Streitwagen und seinem ganzen Heer zum Fluss Kischon. [14] »Greif an«, forderte Debora Barak auf. »Der Herr wird euch vorangehen und euch noch heute den Sieg über Sisera geben!« Da stieg Barak mit seinen 10 000 Soldaten vom Berg Tabor herab. [15] Als sie mit dem Schwert in der Hand angriffen, ließ der Herr das ganze Heer der Kanaaniter in Panik geraten. Sisera sprang vom Wagen und floh zu Fuß.

[16] Baraks Männer verfolgten die fliehenden Truppen und ihre Wagen bis nach Haroschet-Gojim. Sie töteten alle Soldaten, nicht einer kam mit dem Leben davon.

Das Ende Siseras

[17] Sisera floh zu Fuß zum Zelt Jaëls, der Frau des Keniters Heber. Denn zwischen Heber und Jabin, dem König von Hazor, herrschte Frieden. [18] Jaël trat aus dem

---

3,31 5,6 **4,2–3** Jos 11,1–11 **4,11** 1,16 **4,15** 2 Mo 14,24

Zelt, lief Sisera entgegen und rief: »Komm herein, mein Herr! Hier bist du sicher!« Da ging er in ihr Zelt und legte sich hin. Jaël deckte ihn zu.

[19]»Gib mir bitte etwas Wasser«, sagte er, »ich habe Durst.« Jaël öffnete den Milchschlauch und ließ Sisera trinken. Dann deckte sie ihn wieder zu. [20]»Stell dich an den Eingang!«, bat er sie. »Wenn einer kommt und fragt, ob jemand im Zelt ist, sag nein!«

[21]Erschöpft fiel er in einen tiefen Schlaf. Jaël nahm einen Zeltpflock und einen Hammer, schlich sich an Sisera heran und schlug den Pflock durch seine Schläfen in den Boden. So starb er.

[22]Kurz darauf traf Barak ein, der Sisera verfolgte. Jaël ging ihm entgegen und sagte: »Komm, ich will dir den Mann zeigen, den du suchst.« Barak trat in das Zelt und sah Sisera mit dem Zeltpflock in der Schläfe tot am Boden liegen.

[23]An diesem Tag fügte Gott dem Kanaaniterkönig Jabin durch die Israeliten eine schwere Niederlage zu. [24]Danach gewannen sie immer mehr Macht über Jabin, und schließlich vernichteten sie ihn ganz.

Das Siegeslied Deboras und Baraks

5 Am Tag des Sieges sangen Debora und Barak, der Sohn Abinoams, dieses Lied:

[2]Preist den Herrn für Israels Helden, die ihre Stärke bewiesen, und für das Volk, das freiwillig kämpfte!
[3]Hört her, ihr Könige, gebt Acht, ihr Herrscher: Für den Herrn will ich singen, ja, singen und musizieren will ich für den Herrn, den Gott Israels!

[4]Herr, du stiegst herab vom Gebirge Seïr, aus den Steppen Edoms kamst du herbei. Da bebte die Erde, und Regen fiel vom Himmel, das Wasser strömte aus den Wolken nieder.
[5]Die Berge gerieten ins Wanken, als der Herr kam, als der Gott Israels sich am Sinai zeigte.

[6]Zur Zeit Schamgars, des Sohnes Anats, und in den Tagen Jaëls waren die Straßen leer: Wer auf Reisen war, ging auf gut versteckten Pfaden.
[7]Felder und Dörfer lagen verwaist, bis ich mich erhob, ja, bis ich, Debora, aufstand, die Mutter Israels.
[8]Mein Volk hatte sich neue Götter erwählt, und dann brach der Feind durch die Tore herein. Bei vierzigtausend Männern in Israel fand sich kein Schild und kein Speer!
[9]Doch nun bin ich stolz auf die Heerführer Israels und auf alle Soldaten, die freiwillig kämpften. Ja, preist den Herrn,
[10]singt, die ihr auf weißen Eseln reitet und dabei auf kostbaren Decken sitzt, singt auch ihr, die ihr zu Fuß gehen müsst!
[11]Hört, dort am Brunnen, wo man das Vieh tränkt, rühmen sie die mächtigen Taten des Herrn! Sie erzählen, wie er seinem Volk geholfen hat. Israel konnte die Berge wieder verlassen und ist in seine Städte zurückgekehrt.

[12]Auf, Debora, auf, sing ein Lied! Steh auf, Barak, du Sohn Abinoams, und führe die Gefangenen fort!

[13]Die letzten mutigen Soldaten kamen herab vom Gebirge und schlossen sich den Führern Israels an. Das Volk des Herrn kam zu mir, bereit zum Kampf:
[14]Die Ephraimiter rückten an aus Amaleks Land, gefolgt von den Männern aus Benjamin. Machirs Sippe kam mit ihren Oberhäuptern und Sebulon mit seinen Truppenführern.
[15]Auch Issaschars Fürsten halfen Debora, und seine Soldaten folgten Barak ins Tal. Der Stamm Ruben aber blieb in seinem Gebiet und beriet ohne Ende, ob er mitkommen sollte.

5,4–5 5 Mo 33,2; Ps 68,8–9; Hab 3,3–15 **5,6** 3,31; 4,17

[16] Warum bist du bei deinen Herden geblieben? Um den Flöten der Hirten zu lauschen? Der Stamm Ruben blieb in seinem Gebiet und beriet ohne Ende, ob er mitkommen sollte.
[17] Die Sippen aus Gilead ruhten sich jenseits des Jordan aus. Warum ist der Stamm Dan bei seinen Schiffen geblieben? Die Soldaten von Asser saßen am Ufer des Meeres, untätig blieben sie an seinen Buchten.
[18] Doch Sebulon wagte sein Leben, zusammen mit Naftali zog er aufs Schlachtfeld, ohne Furcht vor dem Tod.

[19] Könige kamen und kämpften, Kanaans Könige führten Krieg gegen Israel bei Taanach am Fluss von Megiddo. Doch sie brachten kein Silber als Beute zurück.
[20] Vom Himmel her griffen die Sterne Sisera an, von ihren Bahnen aus kämpften sie gegen ihn und sein Volk!
[21] Der Fluss Kischon, der schon seit Urzeiten fließt, riss die Feinde mit sich fort. Sei stark, Debora, verlier nicht den Mut!
[22] Die Pferde der Feinde galoppierten davon, unter ihren Hufen dröhnte die Erde.

[23] »Verflucht sei die Stadt Meros!«, rief der Engel des Herrn. Ja, Unheil soll ihre Bewohner treffen! Denn sie kamen dem Herrn nicht zu Hilfe, sie standen den Soldaten Israels nicht bei.

[24] Preist Jaël, die Frau des Keniters Heber, rühmt sie mehr als jede andere Frau! Möge Gott sie reicher beschenken als alle Frauen, die in Zelten zu Hause sind.
[25] Als Sisera um Wasser bat, reichte sie Milch, gab ihm Sahne im kostbaren Gefäß.
[26] Doch dann fasste sie mit der Linken den Pflock und mit der Rechten den wuchtigen Hammer. Sie erschlug Sisera, zertrümmerte seinen Schädel und durchbohrte ihm die Schläfe.[a]
[27] Er krümmte sich zu ihren Füßen, geschlagen lag er da. Er krümmte sich zu ihren Füßen und starb.
[28] Zu Hause hielt seine Mutter Ausschau nach ihm. Sie blickte aus dem Fenster und rief voller Sorge: »Warum sehe ich seinen Streitwagen noch nicht? Was hält seine Pferde bloß auf?«
[29] Ihre weisen Beraterinnen beruhigten sie, und sie klammerte sich an ihre Worte:
[30] »Unser Volk macht gewiss Beute und teilt sie auf: ein oder zwei Mädchen für jeden Mann und bunte Gewänder für Sisera. Ja, bunte Kleider bringen sie mit und zwei kostbare Tücher als Schmuck um deinen Hals!«

[31] Herr, mögen all deine Feinde sterben wie Sisera! Doch wer dich liebt, gleicht der Sonne, die aufgeht in ihrer Pracht!

Nach dem Sieg Baraks über die Kanaaniter herrschte vierzig Jahre lang Frieden im Land.

Die Midianiter unterdrücken Israel

6 Die Israeliten taten, was der Herr verabscheute. Da ließ er die Midianiter sieben Jahre lang über sie herrschen. [2] Die Israeliten wurden von ihnen so schwer unterdrückt, dass sie sich in Felsklüften, in Höhlen und auf den Bergen verstecken mussten. [3] Immer wenn sie ihre Felder in der Ebene bestellt hatten, kamen die Midianiter, die Amalekiter und die Beduinenstämme aus dem Osten, [4] machten sich im Land breit und vernichteten die ganze Ernte bis nach Gaza am Mittelmeer. Sie ließen nichts übrig, wovon das Volk Israel sich ernähren konnte, und raubten auch alle Schafe, Ziegen, Rinder und Esel. [5] Mit ihren Herden und Zelten fielen sie wie ein Heuschreckenschwarm über Israel her. Niemand konnte sie und ihre Kame-

---

[a] Vgl. Richter 4,17–21.

5,21 4,7 **6,1** 1 Mo 25,1–6; 2 Mo 2,15–22 **6,3–4** 5 Mo 28,33

le zählen. So drangen sie immer wieder ins Land ein und verwüsteten es.

[6/7] Die Israeliten gerieten dadurch tief ins Elend. Als sie zum Herrn um Hilfe schrien, [8] sandte er einen Propheten zu ihnen, der verkündete: »So spricht der Herr, der Gott Israels: Ich habe euch aus der Sklaverei in Ägypten befreit und hierher gebracht. [9] Aus der Gewalt der Ägypter und aller anderen Unterdrücker habe ich euch gerettet. Ich vertrieb sie und gab euch ihr Land. [10] Damals sagte ich zu euch: ›Ich bin der Herr, euer Gott. Verehrt nicht die Götter der Amoriter, in deren Land ihr wohnt.‹ Aber ihr habt nicht auf mich gehört!«

Der Herr beruft Gideon

[11] Der Engel des Herrn kam nach Ofra und setzte sich unter eine Terebinthe auf dem Grundstück, das Joasch gehörte, einem Mann aus der Sippe Abiëser. Joaschs Sohn Gideon drosch gerade Weizen in einer Kelter, um das Getreide vor den Midianitern in Sicherheit zu bringen. [12] Da erschien ihm der Engel des Herrn und sagte: »Der Herr steht dir bei, du starker Kämpfer!«

[13] Gideon erwiderte: »Ach, mein Herr, wenn Gott uns wirklich beisteht, warum geht es uns dann so schlecht? Wo sind all die Wunder, von denen unsere Eltern uns erzählt haben? Sie sagen, der Herr habe uns aus Ägypten befreit. Aber was ist jetzt? Er hat uns verlassen und den Midianitern ausgeliefert!«

[14] Der Herr sah Gideon an und sagte: »Ich gebe dir einen Auftrag: Geh, und rette Israel aus der Gewalt der Midianiter! Du hast die Kraft dazu!« [15] »Aber wie soll ich Israel denn retten?«, rief Gideon. »Meine Sippe ist die kleinste in Manasse, und ich bin der Jüngste in unserer Familie.« [16] Der Herr versprach: »Ich helfe dir! Du wirst die Midianiter schlagen, als hättest du es nur mit einem einzigen Mann zu tun.« [17] Gideon entgegnete: »Ich habe es nicht verdient, dass du mich anhörst. Aber wenn du willst, dann gib mir bitte ein Zeichen, dass du Gott bist, der jetzt mit mir spricht. [18] Ich möchte dir eine Gabe holen. Bitte geh nicht weg, bis ich wiederkomme.« Der Herr antwortete: »Ich bleibe, bis du zurück bist.«

[19] Gideon ging ins Haus, nahm gut zehn Kilogramm Mehl und backte ungesäuerte Brote. Danach schlachtete er einen jungen Ziegenbock und bereitete ihn zu; das Fleisch legte er in einen Korb, und die Brühe goss er in einen Topf. Nun brachte er das Essen hinaus zur Terebinthe und bot es dem Engel an.

[20] Doch der Engel sagte zu ihm: »Nimm das Fleisch und das Brot, und leg es auf den Felsen hier! Die Brühe gieß aus!« Gideon gehorchte. [21] Der Engel des Herrn streckte seinen Stab aus und berührte damit das Fleisch und das Brot. Da kam Feuer aus dem Felsen und verzehrte das Essen. Zugleich verschwand der Engel.

[22] Nun hatte Gideon keinen Zweifel mehr, er rief: »Herr, ich muss sterben, denn ich habe deinen Engel mit eigenen Augen gesehen!« [23] Da sprach der Herr zu ihm: »Hab keine Angst! Du wirst nicht sterben. Ich schenke dir Glück und Frieden.«

[24] Gideon baute einen Altar und gab ihm den Namen: »Der Herr ist Friede.« Er steht bis heute bei Ofra, der Stadt der Abiësriter.

Gideon zerstört den Altar Baals

[25] In der folgenden Nacht sprach der Herr zu Gideon: »Nimm den siebenjährigen Stier deines Vaters, das zweitbeste Tier aus seiner Herde![a] Reiß den Altar Baals nieder, der deinem Vater gehört, und hau die Götterstatue der Aschera um, die dort steht! [26] Dann bau für mich, den

---

[a] Dieser zweitgeborene Stier war der wertvollste, nachdem der erste geopfert worden war. Vgl. 2. Mose 13,11–16

6,8–10 2,1–3 **6,10** 2 Mo 20,2*.3–5*; Jos 24,15 **6,15** 2 Mo 3,11; 1 Sam 9,21 **6,16** 2 Mo 3,12; Jos 1,6 **6,17** 2 Kön 20,8–11; Jes 7,10–14 **6,18** 1 Mo 18,3–5 **6,19–21** 13,15–20 **6,22** 13,22; 2 Mo 33,20–23*

Herrn, deinen Gott, einen Altar an der höchsten Stelle eurer Bergfestung. Schichte das Holz der Statue darauf, und bring den Stier als Brandopfer dar!«

[27] Gideon nahm zehn seiner Knechte mit und führte aus, was der Herr ihm befohlen hatte. Er tat es jedoch nicht am Tag, sondern in der Nacht, weil er Angst vor der Familie seines Vaters und vor den Männern der Stadt hatte.

[28] Am frühen Morgen entdeckten die Bewohner der Stadt, dass der Altar Baals niedergerissen und die Statue der Aschera umgehauen war. Sie sahen auch den neuen Altar, auf dem Gideon den Stier geopfert hatte. [29] »Wer hat das getan?«, fragten sie einander. Man forschte nach und fand schließlich heraus: »Gideon, der Sohn Joaschs, war es!«

[30] Da forderten die Männer der Stadt von Joasch: »Liefere uns deinen Sohn aus! Er muss sterben, denn er hat den Altar Baals niedergerissen und die Götterstatue umgehauen.« [31] Joasch antwortete den Versammelten: »Wollt ihr etwa Baal verteidigen? Wollt ihr ihn retten? Wer für Baal kämpft, wird noch in dieser Nacht getötet! Wenn Baal wirklich ein Gott ist, dann soll er sich doch selbst dafür rächen, dass sein Altar zerstört worden ist.«

[32] Weil Gideon den Altar Baals niedergerissen hatte, nannte man ihn von da an Jerubbaal (»Baal soll sich an ihm rächen«).

Gideon bittet Gott um ein Zeichen

[33] Alle Midianiter, Amalekiter und die Beduinen aus dem Osten versammelten sich, überquerten den Jordan und schlugen ihr Lager in der Ebene Jesreel auf. [34] Da wurde Gideon vom Geist des Herrn ergriffen. Er blies das Horn und rief die Männer der Sippe Abiëser auf, ihm zu folgen. [35] Er sandte auch Boten zum ganzen Stamm Manasse und zu den Stämmen Asser, Sebulon und Naftali. Sie folgten dem Aufruf und schlossen sich Gideons Truppe an.

[36] Gideon betete: »Bitte gib mir ein Zeichen, dass du Israel wirklich durch mich befreien willst, wie du es angekündigt hast. [37] Ich lege frisch geschorene Wolle auf den Dreschplatz. Lass doch morgen früh die Wolle vom Tau nass sein, den Boden ringsum aber trocken! Dann weiß ich, dass du Israel durch mich retten möchtest, wie du es gesagt hast.«

[38] Was Gideon erbeten hatte, geschah. Als er am nächsten Morgen früh aufgestanden war, presste er den Tau aus der Wolle. Das Wasser füllte eine ganze Schale.

[39] Da sagte Gideon zu Gott: »Sei nicht zornig, wenn ich dich noch einmal um etwas bitte! Ich möchte es nur noch dies eine Mal mit der Wolle versuchen. Lass sie trocken bleiben und den ganzen Boden nass vom Tau sein.« [40] In der folgenden Nacht erhörte Gott wieder sein Gebet: Die Wolle allein blieb trocken, und auf dem Boden ringsum lag Tau.

Gott wählt Gideons Soldaten aus

7 In aller Frühe führte Gideon, den man auch Jerubbaal nannte, sein Heer zur Quelle Harod. Dort schlugen sie ihr Lager auf. Nördlich von ihnen im Tal lagerten die Midianiter am Fuß des Hügels More.

[2] Der Herr sprach zu Gideon: »Du hast zu viele Soldaten! Diesem großen Heer will ich nicht den Sieg über die Midianiter schenken! Sonst werden die Israeliten mir gegenüber prahlen: ›Wir haben uns aus eigener Kraft befreit!‹ [3] Ruf deshalb im Lager aus, dass alle, die Angst haben, umkehren sollen!« So verkleinerte Gideon sein Heer.[a] 22000 Mann machten kehrt, und 10000 blieben zurück.

---

[a] Dieser Sinn ergibt sich, wenn der hebräische Text etwas geändert wird. Wörtlich heißt es: »Wer sich fürchtet und Angst hat, soll umkehren und sich vom Gebirge Gilead abwenden.« Das Gebirge Gilead liegt weit entfernt auf der anderen Seite des Jordan.

6,31 1 Kön 18,27 **6,34** 3,10* **6,39** 1 Mo 18,30.32 **7,1** 6,32 **7,2** 5 Mo 8,17–18 **7,3** 5 Mo 20,8

[4] Doch der Herr sagte zu Gideon: »Es sind immer noch zu viele! Führ sie zur Quelle hinab. Ich will dort selbst noch einmal auswählen. Ich werde dir sagen, wer mit dir ziehen soll und wer nicht.« [5] Gideon ging mit den Männern an die Quelle. Der Herr befahl ihm: »Alle, die das Wasser mit der Hand schöpfen und es dann auflecken wie ein Hund, stell auf die eine Seite! Auf die andere Seite lass alle gehen, die sich zum Trinken hingekniet haben.« [6] 300 Mann führten das Wasser mit der Hand zum Mund, alle anderen knieten zum Trinken nieder.

[7] Da sprach der Herr zu Gideon: »Durch die 300 Männer, die das Wasser aus der Hand getrunken haben, werde ich Israel befreien und die Midianiter in deine Gewalt geben! Alle anderen sollen nach Hause gehen.« [8] Gideon entließ die Männer und behielt nur die 300 bei sich. Sie übernahmen die Vorräte und die Signalhörner der anderen. All dies geschah oberhalb der Talebene, in der die Midianiter lagerten.

Gideon schlägt die Midianiter in die Flucht

[9] In der Nacht sprach der Herr zu Gideon: »Greif die Midianiter an! Ich gebe ihr Lager in deine Gewalt! [10] Wenn du aber Angst hast, dann geh vorher mit deinem Diener Pura hinunter [11] und hör dir an, was sie dort reden. Das wird dir Mut geben, sie anzugreifen!«

Da ging Gideon mit Pura zum Lager hinab und schlich sich an die bewaffneten Vorposten heran. [12] Die Midianiter, Amalekiter und die vielen Beduinen aus dem Osten hatten sich im Tal ausgebreitet wie ein Heuschreckenschwarm. Ihre Kamele waren so zahlreich wie der Sand am Meer.

[13] Gideon kam ganz nahe an die feindlichen Soldaten heran und hörte, wie ein Mann zu seinem Kameraden sagte: »Ich muss dir etwas erzählen! Ich habe geträumt, dass ein riesiges Gerstenbrot in unser Lager gerollt ist. Es hat ein Zelt getroffen und umgerissen. Alles flog durcheinander und stürzte zu Boden.« [14] Der andere erwiderte: »Das kann nur eins bedeuten: das Schwert des Israeliten Gideon, des Sohnes Joaschs! Gott wird ihm den Sieg über uns Midianiter und unser ganzes Lager schenken!«

[15] Als Gideon den Traum und die Deutung gehört hatte, warf er sich nieder und betete Gott an. Dann kehrte er ins israelitische Lager zurück und rief: »Los! Der Herr gibt die Midianiter in eure Gewalt!«

[16] Er teilte seine 300 Soldaten in drei Gruppen und gab jedem Mann ein Signalhorn und einen Krug mit einer Fackel darin. [17/18] »Stellt euch rings um das ganze Heerlager auf«, befahl er, »und achtet genau auf das, was ich tue! Wenn ich mit meinen Leuten zu den Wachposten komme, blasen wir die Hörner. Sobald ihr das hört, tut ihr das Gleiche und schreit laut: ›Wir kämpfen für den Herrn und für Gideon!‹«

[19] Gideon erreichte mit seinen 100 Mann den Rand des Lagers, als die mittlere Nachtwache begann und die Posten gerade abgelöst worden waren. Da bliesen sie die Hörner und zerschlugen ihre Krüge. [20] Sofort taten die Männer der beiden anderen Abteilungen das Gleiche. In der rechten Hand hielten sie die Hörner, in der linken die Fackeln und riefen: »Wir kämpfen für den Herrn und für Gideon!« [21] Dabei blieben sie rings um das Heerlager stehen. Die feindlichen Soldaten liefen durcheinander, schrien und versuchten zu entkommen. [22] Während die 300 Israeliten die Hörner bliesen, ließ der Herr überall im Lager Kämpfe unter den Verbündeten ausbrechen. Schließlich floh das ganze Heer in Richtung Bet-Schitta, Zereda[a], Abel-Mehola und Tabbat.

[23] Gideon rief die Männer der Stämme Naftali, Asser und Manasse zusammen,

---

[a] So mit einigen hebräischen Handschriften und 1. Könige 11,26. Der hebräische Text lautet: Zerera.
7,22 Ps 83,10; Jes 9,3

um die Midianiter zu verfolgen. [24]Er sandte auch Boten zum Stamm Ephraim im Gebirge und ließ den Männern dort ausrichten: »Kommt herab, und stellt euch den Midianitern in den Weg! Besetzt die Wasserstellen bis nach Bet-Bara und die Übergänge des Jordan!«

Die Ephraimiter folgten der Anordnung, [25]sie nahmen zwei midianitische Fürsten, Oreb und Seeb, gefangen und töteten sie. Die Orte, wo dies geschah, nannten sie Oreb-Fels und Seeb-Kelter. Danach nahmen sie die Verfolgung der Midianiter wieder auf. Als sie den Jordan überquert hatten, trafen sie auf Gideon und übergaben ihm die abgeschlagenen Köpfe der beiden Fürsten.

Der Stamm Ephraim fühlt sich übergangen

8 Die Männer vom Stamm Ephraim machten Gideon heftige Vorwürfe: »Warum hast du uns nicht zu Hilfe gerufen, als du zum Kampf gegen die Midianiter losgezogen bist? Wie konntest du uns das antun?« [2]»Wart ihr nicht viel erfolgreicher als ich?«, erwiderte Gideon. »Ist eure Nachlese nicht besser als die ganze Ernte meiner Sippe? [3]Zwei Fürsten der Midianiter hat Gott in eure Hand gegeben, Oreb und Seeb! Ihr habt weit mehr erreicht als ich!« Mit diesen Worten gelang es ihm, die Ephraimiter zu besänftigen.

Die Bewohner von Sukkot und Pnuël helfen Gideon nicht

[4]Gideon hatte mit seinen 300 Mann den Jordan überquert. Immer noch verfolgten sie die Feinde und waren sehr erschöpft. [5]Deshalb bat Gideon die Bewohner der nahen Stadt Sukkot: »Gebt doch meinen Soldaten etwas Brot! Sie sind übermüdet, denn wir verfolgen die midianitischen Könige Sebach und Zalmunna!« [6]Doch die führenden Männer von Sukkot antworteten: »Warum sollten wir deiner Truppe Brot geben? Habt ihr Sebach und Zalmunna etwa schon gefasst?« [7]Gideon erwiderte: »Sobald der Herr die beiden Könige in meine Gewalt gegeben hat, werde ich euch mit Dornen und Disteln auspeitschen lassen!«

[8]Dann zog er mit seinen Soldaten nach Pnuël weiter und bat auch dort um Brot. Er erhielt die gleiche Antwort wie in Sukkot. [9]»Wenn ich heil zurückkomme, reiße ich den Turm eurer Stadt nieder!«, drohte Gideon.

Gideon besiegt die Midianiter

[10]Sebach und Zalmunna hatten mit ihren Truppen in Karkor Halt gemacht. Nur noch 15 000 Soldaten waren vom großen Heer aus dem Osten übrig geblieben, 120 000 waren gefallen. [11]Gideon folgte den Midianitern auf dem Beduinenweg östlich von Nobach und Jogboha. Dann griff er ihr Heerlager an, während sie sich noch in Sicherheit wähnten. [12]Die Feinde gerieten in Angst und Schrecken. Sebach und Zalmunna flohen, doch Gideon jagte ihnen nach und nahm sie gefangen.

[13]Nach der Schlacht machte er sich auf den Rückweg. Als er den Pass von Heres hinabstieg, [14]traf er einen jungen Mann aus Sukkot. Gideon packte ihn und befahl ihm, die Namen der führenden Männer und Ältesten der Stadt aufzuschreiben. Es waren 77. [15]Gideon ging zu ihnen und erklärte: »Hier sind Sebach und Zalmunna! Ihr habt mich ihretwegen verspottet und gesagt, ihr würdet meiner erschöpften Truppe kein Brot geben, solange wir die Könige nicht gefasst hätten.« [16]Er nahm die führenden Männer fest und ließ sie mit Dornen und Disteln auspeitschen. [17]Dann ging er nach Pnuël, tötete die Männer der Stadt und riss ihren Turm nieder.

[18]Schließlich wandte sich Gideon an Sebach und Zalmunna; er fragte: »Wie sahen die Männer aus, die ihr am Berg Tabor umgebracht habt?« »Es waren Männer wie du«, antworteten sie, »je-

7,25 Jes 10,26 **8,1** 12,1–6 **8,2** 6,15

der sah aus wie ein Königssohn.« [19]Da rief Gideon: »Sie waren meine Brüder, die Söhne meiner Mutter! Ich schwöre euch beim Herrn: Wenn ihr sie am Leben gelassen hättet, würde ich euch nicht töten!«

[20]Dann befahl er seinem ältesten Sohn Jeter: »Steh auf und stich sie nieder!« Doch Jeter zögerte, sein Schwert zu ziehen, denn er war noch jung und hatte Angst. [21]Da sagten Sebach und Zalmunna zu Gideon: »Töte du uns! Dazu braucht es einen Mann!« Gideon stand auf und erstach die beiden. Die Halbmonde, die als Amulette an den Hälsen ihrer Kamele hingen, nahm er mit.

Gideon verführt Israel zum Götzendienst

[22]Die Israeliten kamen zu Gideon und sagten: »Du hast uns von den Midianitern befreit! Du sollst über uns herrschen und nach dir dein Sohn und dein Enkel!«

[23]Er entgegnete: »Ich will nicht über euch herrschen, und mein Sohn darf es auch nicht tun. Der Herr allein soll euch regieren. [24]Nur eine Bitte habe ich an euch«, fügte er hinzu, »gebt mir die Ringe, die ihr erbeutet habt!« Ihre Feinde hatten nämlich goldene Ringe getragen, weil sie Ismaeliter waren.

[25]»Das tun wir gern!«, antworteten die Israeliten. Sie breiteten einen Mantel aus und warfen alle erbeuteten Ringe darauf. [26]Das Gold wog insgesamt etwa zwanzig Kilogramm. Außerdem hatten die Israeliten Halbmonde, Ohrgehänge und königliche Purpurgewänder erbeutet, dazu den kostbaren Halsschmuck der Kamele.

[27]Gideon fertigte aus dem Gold eine Götzenstatue an und stellte sie in seiner Heimatstadt Ofra auf. Sie wurde ihm und seiner Familie zum Verhängnis. Ganz Israel betete die Statue an und brach damit dem Herrn die Treue.

[28]Die Midianiter hatten eine schwere Niederlage erlitten, nun forderten sie die Israeliten nicht mehr heraus. Vierzig Jahre, solange Gideon noch lebte, herrschte Frieden im Land.

[29]Gideon[a], der Sohn Joaschs, wohnte weiterhin in Ofra. [30]Er hatte viele Frauen und siebzig Söhne. [31]Eine seiner Nebenfrauen wohnte in Sichem. Sie brachte einen Sohn zur Welt, den er Abimelech nannte. [32]Gideon starb in hohem Alter und wurde neben seinem Vater Joasch in Ofra begraben, der Stadt der Abiësriter.

[33]Sobald Gideon nicht mehr lebte, wandten sich die Israeliten wieder den Götzen zu. Sie verehrten Baal-Berit [34]und vergaßen den Herrn, ihren Gott, der sie aus der Gewalt ihrer Feinde ringsum befreit hatte. [35]Auch der Familie Gideons erwiesen die Israeliten keinen Dank für all das Gute, das er für sie getan hatte.

Abimelech wird König

9 Eines Tages ging Gideons Sohn Abimelech nach Sichem zu den Brüdern seiner Mutter und ihren anderen Verwandten. Er bat sie: [2]»Fragt die Leute von Sichem, ob sie lieber von den siebzig Söhnen Gideons regiert werden möchten oder von einem einzigen Mann. Erinnert sie daran, dass ich mit euch verwandt bin.« [3]Die Brüder seiner Mutter erzählten allen Einwohnern Sichems, was Abimelech ihnen aufgetragen hatte. Die Sichemiter dachten: »Er ist einer von uns« und entschieden sich für ihn. [4]Sie gaben ihm siebzig Silberstücke aus dem Tempelschatz des Götzen Baal-Berit.

Mit dem Geld heuerte Abimelech eine Bande gewissenloser Männer an [5]und zog mit ihnen nach Ofra, wo die Familie seines Vaters lebte. Dort ermordete er seine eigenen Brüder, die siebzig Söhne Gideons. Er tötete sie alle auf ein und demselben Felsblock. Nur Jotam, der

---

[a] Im hebräischen Text wird Gideon von nun an nur noch Jerubbaal genannt.

8,19 4 Mo 35,31 **8,21** Ps 83,12 **8,23** 1 Sam 8,6–7 **8,24–27** 2 Mo 32,2–4 **8,32** 6,11 **8,33** 9,4 **8,35** 9,3–5 **9,1** 8,31 **9,2** 8,30 **9,4** 8,33

jüngste Sohn Gideons, blieb am Leben, weil er sich versteckt hatte. [6]Danach versammelten sich alle Einwohner Sichems und die Bewohner der Festung bei dem Baum, der als Denkmal diente. Dort ernannten sie Abimelech zum König.

Jotam verflucht Abimelech und die Einwohner Sichems

[7]Als Jotam davon erfuhr, stieg er auf den Gipfel des Berges Garizim und rief mit lauter Stimme: »Hört mich an, Einwohner von Sichem, dann wird Gott auch auf euch hören! [8]Einst beschlossen die Bäume, sich einen König zu wählen. Sie baten den Ölbaum: ›Sei unser König!‹ [9]Aber der Ölbaum lehnte ab: ›Soll ich etwa mein Öl aufgeben, das die Götter und die Menschen so sehr an mir schätzen, nur um über die Bäume zu regieren?‹ [10]Da wandten die Bäume sich an den Feigenbaum: ›Komm du, und werde unser König!‹ [11]Der Feigenbaum entgegnete: ›Soll ich aufhören, süße und herrliche Früchte zu tragen, nur um von nun an über euch zu herrschen?‹ [12]Als Nächstes forderten die Bäume den Weinstock auf, ihr König zu werden. [13]Doch der Weinstock sagte nur: ›Dann könnte ich ja keinen Most mehr geben, der die Götter und die Menschen erfreut! Das kommt nicht in Frage!‹ [14]Schließlich baten die Bäume das Dorngestrüpp: ›Sei du unser König!‹ [15]Das Dorngestrüpp fragte sie: ›Wollt ihr wirklich, dass ich über euch regiere? Dann kommt, und vertraut euch mir an, stellt euch in meinen Schatten! Sonst lasse ich aus meinen Dornen ein Feuer hervorbrechen, das sogar die Zedern auf dem Libanon verbrennt!‹

[16]Sagt mir«, fuhr Jotam fort, »war es gut und richtig, dass ihr Abimelech zum König gemacht habt? Habt ihr Gideon und seiner Familie damit einen Dienst getan? Habt ihr ihm den Dank erwiesen, den er verdient hat? [17]Mein Vater hat für euch gekämpft und sein Leben aufs Spiel gesetzt, um euch von den Midianitern zu befreien! [18]Aber ihr seid heute über seine Familie hergefallen. Ihr habt seine Söhne auf einem Felsblock abgeschlachtet, siebzig Mann! Abimelech, den Sohn seiner Sklavin, habt ihr zum König von Sichem gemacht, weil er mit euch verwandt ist. [19]Wenn es gut und richtig war, was ihr Gideon und seiner Familie angetan habt, dann wünsche ich euch viel Freude mit Abimelech, und ihm mit euch! [20]Wenn es aber ein Unrecht war, dann soll Feuer von Abimelech ausgehen und euch verzehren, ihr Einwohner von Sichem und ihr Bewohner der Festung. Und danach soll das Feuer von euch auf Abimelech übergreifen und auch ihn vernichten!«

[21]Nachdem Jotam das gerufen hatte, floh er aus Angst vor seinem Bruder Abimelech nach Beer und wohnte dort.

Die Sichemiter lehnen sich gegen Abimelech auf

[22]Abimelech herrschte drei Jahre über Israel. [23]Dann schickte Gott einen bösen Geist, der dafür sorgte, dass es zwischen Abimelech und den Sichemitern zum Bruch kam und sie sich von nun an gegen ihn auflehnten. [24]Denn er sollte bestraft werden für das Verbrechen an seinen eigenen Brüdern, den siebzig Söhnen Gideons. Auch die Einwohner Sichems, die ihn zu diesen Morden ermutigt hatten, mussten jetzt dafür büßen.

[25]Bei den Gebirgspässen legten die Sichemiter einen Hinterhalt und lauerten Abimelech auf; sie raubten jeden aus, der vorüberkam. Das wurde Abimelech berichtet.

[26]Zu dieser Zeit kam Gaal, der Sohn Ebeds, mit seinen Brüdern nach Sichem und gewann das Vertrauen der Menschen dort. [27]Gemeinsam zogen sie auf die Felder hinaus, hielten Lese in den Weinbergen und kelterten die Trauben. Sie feierten ein rauschendes Fest im Tempel ihres Gottes, aßen, tranken und verfluchten Abimelech. [28]Gaal rief: »Wer ist denn dieser Abimelech schon? Warum sollen

9,6 1 Mo 12,6; 35,4; Jos 24,26 **9,24** 1 Mo 9,6 **9,28** 1 Mo 34,2

wir Sichemiter ihm dienen, diesem Sohn Jerubbaals? Meint er etwa, wir würden uns Sebul unterwerfen, den er uns als Aufseher vorgesetzt hat? Was glaubt er eigentlich, wer wir sind? Gehorcht lieber den Männern aus der Sippe Hamors, der diese Stadt gegründet hat! [29]Wenn ich hier das Sagen hätte, würde ich Abimelech beseitigen. Ja, Abimelech, sammle deine Truppen, und stell dich zum Kampf!«

Abimelech kämpft gegen Sichem

[30]Als Sebul, der führende Mann Sichems, hörte, was Gaal gesagt hatte, packte ihn der Zorn. [31]Er sandte heimlich Boten zu Abimelech und ließ ihm ausrichten: »Gaal, der Sohn Ebeds, ist mit seinen Brüdern nach Sichem gekommen und wiegelt die ganze Stadt gegen dich auf! [32]Bring deine Truppen im Schutz der Dunkelheit hierher. Haltet euch bis zum Morgen in der Umgebung versteckt! [33]Bei Sonnenaufgang greift an! Wenn Gaal dir dann mit seinen Männern entgegenzieht, kannst du mit ihm tun, was du willst.« [34]Abimelech brach mit seinem Heer in der Nacht auf. Er teilte es in vier Gruppen ein, die sich an verschiedenen Stellen um Sichem in den Hinterhalt legten.

[35]Als Gaal am Morgen ins Stadttor trat, kamen Abimelech und seine Soldaten aus ihren Verstecken. [36]Gaal entdeckte sie und sagte zu Sebul: »Siehst du das? Da steigen doch Truppen von den Bergen herab!« Sebul entgegnete: »Was du für Männer hältst, sind nur Schatten auf den Bergen.« [37]Doch Gaal blieb dabei: »Nein, es sind Truppen, die vom Garizim[a] herunterkommen! Und dort nähert sich eine Abteilung auf der Straße zum Orakelbaum!« [38]Da sagte Sebul zu ihm: »Du hast den Mund zu voll genommen mit deinen Sprüchen. ›Wer ist schon Abimelech? Warum sollen wir ihm dienen?‹, hast du gesagt. Dort kommen die Leute, die du verspottet hast. Nun geh, und kämpf mit ihnen!«

[39]Da rückte Gaal mit den Männern von Sichem aus und kämpfte gegen Abimelech. [40]Der aber trieb sie zurück in die Stadt. Viele kamen bei der Schlacht ums Leben, bis ans Tor war alles mit Leichen übersät. [41]Dann machte Abimelech kehrt und zog mit seinen Soldaten nach Aruma. Sebul jagte Gaal und seine Brüder noch am selben Tag aus der Stadt.

[42]Am nächsten Morgen wollten die Einwohner von Sichem aufs Feld gehen. Als Abimelech davon erfuhr, [43/44]teilte er sein Heer in drei Verbände auf, die sich wieder rings um Sichem in den Hinterhalt legten. Er wartete, bis die Menschen aus der Stadt kamen. Dann brach er mit seiner Abteilung aus dem Versteck hervor und versperrte das Stadttor. Die beiden anderen Gruppen fielen über die Leute auf dem Feld her und töteten alle. [45]Danach griff Abimelech die Stadt an. Den ganzen Tag dauerten die Kämpfe, schließlich nahm er Sichem ein und brachte alle Einwohner um. Er zerstörte die Stadt und streute als Zeichen ihrer endgültigen Vernichtung Salz auf die Trümmer.

[46]Als die Bewohner der Festung das sahen, verschanzten sie sich im Kellergewölbe unter dem Tempel des Götzen Baal-Berit. [47]Das wurde Abimelech gemeldet. [48]Da stieg er mit seinen Männern auf den Berg Zalmon, hieb mit einer Axt von einem Baum einen großen Ast ab und legte ihn sich auf die Schulter. »Schnell!«, befahl er. »Macht es wie ich!« [49]Die Männer schlugen Äste ab und kehrten damit zur Festung zurück. Sie warfen das Holz auf die Decke des Gewölbes, in das sich die Bewohner der Festung geflüchtet hatten, und zündeten es an. Alle Menschen im Gewölbe kamen ums Leben, etwa tausend Männer und Frauen.

---

[a] Wörtlich: Nabel der Welt.

9,46 8,33

Abimelechs Tod

[50] Von dort zog Abimelech nach Tebez. Er belagerte die Stadt und eroberte sie. [51] Mitten in Tebez aber stand eine starke Festung. Dorthin flohen alle Bewohner, Männer und Frauen. Sie verriegelten die Tore und stiegen aufs Dach.

[52] Abimelech kämpfte sich an die Festung heran und versuchte, das Tor in Brand zu stecken. [53] Da warf ihm eine Frau von oben einen Mühlstein auf den Kopf und zerschmetterte ihm den Schädel. [54] Abimelech rief seinen jungen Waffenträger zu sich und befahl ihm: »Zieh dein Schwert, und töte mich! Sonst heißt es: ›Eine Frau hat ihn umgebracht.‹« Da erstach ihn der junge Mann. [55] Als die Soldaten sahen, dass Abimelech tot war, gingen sie nach Hause.

[56] So strafte Gott Abimelech dafür, dass er seine siebzig Brüder ermordet und damit seinem Vater Böses zugefügt hatte. [57] Auch die Sichemiter mussten für ihr Verbrechen büßen: Gott ließ den Fluch wahr werden, den Gideons Sohn Jotam über sie ausgesprochen hatte.

Die Richter Tola und Jaïr

10 Nach dem Tod Abimelechs befreite Tola, der Sohn Puwas, Israel von seinen Feinden. Er war ein Nachkomme Dodos aus dem Stamm Issaschar und wohnte in der Stadt Schamir im Gebirge Ephraim. [2] Dreiundzwanzig Jahre war er Richter in Israel. Dann starb er und wurde in Schamir begraben.

[3] Nach ihm führte Jaïr, ein Mann aus Gilead, Israel zweiundzwanzig Jahre lang. [4] Er hatte dreißig Söhne, die dreißig Esel besaßen und denen dreißig Ortschaften im Gebiet von Gilead gehörten. Noch heute nennt man diese Ortschaften die »Dörfer Jaïrs«. [5] Als Jaïr gestorben war, begrub man ihn in Kamon.

Israel wendet sich wieder vom Herrn ab

[6] Nach Jaïrs Tod taten die Israeliten wieder, was der Herr verabscheute. Sie verehrten Baal und Astarte, ebenso die Götter der Syrer und Sidonier, der Moabiter, Ammoniter und Philister. Vom Herrn wollten sie nichts wissen und dienten ihm nicht mehr. [7] Da wurde er zornig und lieferte sie den Philistern und Ammonitern aus. [8] Noch im selben Jahr eroberten diese Völker das Gebiet der Israeliten in Gilead östlich des Jordan, wo früher die Amoriter gelebt hatten. Achtzehn Jahre lang unterdrückten und verfolgten sie die Israeliten. [9] Sie überquerten den Jordan und griffen auch die Stämme Juda, Benjamin und Ephraim an.

So gerieten die Israeliten in große Not. [10] Sie schrien zum Herrn und bekannten: »Wir haben gegen dich gesündigt! Wir haben dich verlassen und anderen Göttern gedient!« [11] Der Herr antwortete ihnen: »Von so vielen Feinden habe ich euch schon befreit: von den Ägyptern, den Amoritern, den Ammonitern und den Philistern. [12] Ich habe euch auch geholfen, als die Sidonier, die Amalekiter und die Maoniter[a] euch aus eurem Land verdrängen wollten und ihr zu mir um Hilfe schriet. [13] Trotzdem habt ihr mir immer wieder den Rücken gekehrt und andere Götter verehrt! Darum werde ich euch jetzt nicht mehr helfen! [14] Warum fleht ihr nicht die Götter an, die ihr euch selbst ausgesucht habt? Sollen sie euch doch retten aus eurer Not!«

[15] Aber die Israeliten gaben nicht auf; sie beteten zum Herrn: »Wir sind schuldig! Du kannst mit uns tun, was du für richtig hältst. Nur rette uns noch dies eine Mal!« [16] Sie beseitigten die fremden Götter und dienten wieder dem Herrn. Da konnte er ihr Elend nicht länger ertragen.

---

[a] Gemeint sind wohl die Midianiter.

9,53 2 Sam 11,21 **9,54** 1 Sam 31,4 **9,57** 9,15.20 **10,1** 1 Mo 46,13 **10,4** 4 Mo 32,41 **10,14** 5 Mo 32,37–38; Jer 2,28 **10,16** Jos 24,23

Jeftah wird Anführer der Israeliten aus Gilead

[17] Die Ammoniter zogen ihre Truppen zusammen und schlugen ihr Lager im Gebiet Gilead auf. Darauf versammelten sich auch die Israeliten, die dort lebten, und lagerten in Mizpa. [18] Ihre führenden Männer überlegten: »Wir brauchen jemanden, der unserem Heer voran in den Kampf zieht. Wer es tut, den ernennen wir zum Oberhaupt aller Bewohner Gileads.«

11 Es gab damals unter den Einwohnern von Gilead einen Mann namens Jeftah, der sich als ausgezeichneter Soldat bewährt hatte. Sein Vater hieß Gilead, seine Mutter war eine Prostituierte. [2] Gilead hatte von seiner Ehefrau noch andere Söhne. Als sie erwachsen waren, sagten sie zu Jeftah: »Wir wollen unser Erbe nicht mit dir teilen! Du bist der Sohn einer fremden Frau.« Sie jagten ihn fort, [3] und er floh vor ihnen ins Gebiet von Tob. Dort scharte er zwielichtige Männer um sich und durchstreifte mit ihnen das Land.

[4] Einige Zeit später rückten die Ammoniter mit ihrem Heer gegen Israel an. [5] Da gingen die Ältesten Gileads ins Gebiet von Tob, um Jeftah zurückzuholen. [6] Sie baten ihn: »Komm! Führ uns im Kampf gegen die Ammoniter!« [7] Doch Jeftah erwiderte: »Ihr habt mich so sehr gehasst, dass ihr mich von zu Hause vertrieben habt. Und jetzt, wo ihr in Not seid, kommt ihr ausgerechnet zu mir?«

[8] »Wir haben dich aufgesucht, damit du uns im Kampf gegen die Ammoniter hilfst. Du sollst Herrscher über ganz Gilead werden!«, versprachen die Ältesten. [9] Jeftah fragte: »Werdet ihr mich wirklich zu eurem Oberhaupt machen, wenn ich mit euch gegen die Ammoniter kämpfe und der Herr mich siegen lässt?« [10] Sie antworteten: »Der Herr ist Zeuge! Er soll uns strafen, wenn wir unser Wort brechen.«

[11] Da ging Jeftah mit den Ältesten Gileads nach Mizpa. Dort machte ihn das Volk zu seinem Oberhaupt und Heerführer, und er wiederholte vor Gott und den Menschen, was er mit den Ältesten vereinbart hatte.

Jeftah versucht, den Krieg abzuwenden

[12] Danach sandte Jeftah Boten zum König der Ammoniter und ließ ihn fragen: »Was liegt zwischen uns vor, dass du mit deinem Heer gegen mein Land anrückst?« [13] Der König antwortete: »Ihr Israeliten habt mir mein Land weggenommen, als ihr aus Ägypten hierher gekommen seid: das ganze Gebiet zwischen den Flüssen Arnon, Jabbok und dem Jordan. Gebt es mir freiwillig zurück!«

[14] Da sandte Jeftah nochmals Boten zum ammonitischen König; [15] sie sagten: »Jeftah lässt dir ausrichten, dass Israel weder den Moabitern noch den Ammonitern ihr Land weggenommen hat. [16] Es war vielmehr so: Als unser Volk Ägypten verlassen hatte, durchquerte es die Wüste bis zum Schilfmeer und erreichte Kadesch. [17] Von dort schickten sie Boten zum König der Edomiter und baten ihn: ›Lass uns durch dein Land ziehen!‹ Aber er verweigerte es ihnen. Sie fragten den König von Moab, doch er erlaubte es ihnen auch nicht. Da blieb unser Volk zunächst in Kadesch [18] und kehrte dann in die Wüste zurück. Es zog südlich der Länder Edom und Moab vorbei und kam dann von Osten her wieder an Moabs Gebiet heran, wo der Fluss Arnon die Grenze bildet. Sie drangen jedoch nicht in Moab ein, sondern lagerten östlich des Flusses. [19] Von dort schickten sie Boten zum amoritischen König Sihon nach Heschbon und baten ihn: ›Lass uns durch dein Land nach Kanaan ziehen.‹ [20] Doch Sihon glaubte nicht, dass sie sein Land tatsächlich nur durchqueren wollten. Er versammelte

---

11,2 1 Mo 21,9–10 **11,3** 1 Sam 22,2 **11,4** 10,7 **11,8** 10,18 **11,11** 10,17 **11,15** 5 Mo 2,9.19 **11,17** 4 Mo 20,14–20 **11,18** 4 Mo 21,13 **11,19–22** 4 Mo 21,21–26

seine Truppen bei Jahaz und kämpfte gegen die Israeliten.

[21] Der Herr, unser Gott, aber schenkte unserem Volk den Sieg. Sie schlugen Sihons Truppen und nahmen sein ganzes Land in Besitz. Es gehörte damals also nicht euch, sondern den Amoritern! [22] Vom Fluss Arnon im Süden bis zum Jabbok im Norden und von der Wüste im Osten bis zum Jordan im Westen haben wir es erobert. [23] Der Herr, der Gott Israels, hat die Amoriter vertrieben, um uns ihr Gebiet zu geben, und da willst du uns, sein Volk, wieder fortjagen? [24] Du betrachtest doch auch jedes Land als deinen Besitz, das dir dein Gott Kemosch gibt. Genauso beanspruchen wir die Gebiete, deren Bewohner der Herr, unser Gott, vertrieben hat, damit wir darin wohnen können. [25] Hältst du dich etwa für mächtiger als den Moabiterkönig Balak, den Sohn Zippors? Er hat es nicht gewagt, mit Israel einen Streit anzufangen, geschweige denn einen Krieg! [26] Seit dreihundert Jahren wohnen die Israeliten nun schon in den Städten Heschbon und Aroër mit ihren umliegenden Dörfern und in den Städten entlang dem Fluss Arnon. Warum habt ihr diese Orte in all den Jahren nicht zurückerobert? [27] Ich sage dir: Nicht wir haben euch Unrecht getan, sondern du tust uns Unrecht, wenn du ohne Grund einen Krieg anzettelst. Der Herr ist Richter. Er soll zwischen Israel und Ammon entscheiden!«

[28] Doch der ammonitische König hörte nicht auf die Botschaft, die Jeftah ihm überbringen ließ.

Jeftahs Sieg

[29] Da wurde Jeftah vom Geist des Herrn erfasst. Er durchzog das ganze Ostjordanland von Gilead im Süden bis zum Stammesgebiet Manasses im Norden, um seine Truppen zu sammeln[a]. Dann kehrte er nach Mizpa in Gilead zurück und führte das Heer in die Schlacht gegen die Ammoniter.

[30] Zuvor legte er vor dem Herrn ein Gelübde ab: »Wenn ich die Ammoniter mit deiner Hilfe besiege [31] und heil zurückkehre, dann soll dir gehören, was mir bei meiner Ankunft als Erstes von daheim entgegenkommt. Ich will es dir opfern.«

[32] Dann zog Jeftah in den Kampf gegen die Ammoniter, und der Herr schenkte ihm den Sieg. [33] Jeftah schlug die feindlichen Truppen in Aroër und in zwanzig weiteren Städten bis nach Minnit und Abel-Keramim. So fügten die Israeliten den Ammonitern eine vernichtende Niederlage zu und unterwarfen sie.

Jeftahs Heimkehr

[34] Dann kehrte Jeftah nach Mizpa zurück. Als er sich seinem Haus näherte, kam seine Tochter heraus. Sie schlug das Tamburin und lief ihm tanzend entgegen. Sie war sein einziges Kind, er hatte sonst keine Tochter und keinen Sohn. [35] Als er sie sah, zerriss er entsetzt sein Gewand und rief: »Meine Tochter, du brichst mir das Herz! Ausgerechnet du stürzt mich ins Unglück! Ich habe vor dem Herrn ein Gelübde abgelegt – es gibt kein Zurück!«

[36] Da sagte sie zu ihm: »Mein Vater, wenn du dem Herrn etwas versprochen hast, musst du es halten. Schließlich hat er dir geholfen, die Ammoniter zu besiegen. Mach mit mir, was du dem Herrn geschworen hast. [37] Nur eine Bitte habe ich noch: Gib mir zwei Monate Zeit. Ich möchte mit meinen Freundinnen in die Berge gehen und darüber trauern, dass ich nie heiraten werde.«

[38] Jeftah erlaubte es ihr. Sie ging mit ihren Freundinnen in die Berge und beweinte ihr Schicksal. [39] Als die zwei Monate um waren, kehrte sie zu ihrem Vater zurück, und er erfüllte sein Gelübde. Sie hatte nie mit einem Mann geschlafen.

---

[a] »um ... sammeln« ist sinngemäß ergänzt.

11,24 4 Mo 21,29 **11,25** 4 Mo 22,2–6 **11,29** 3,10* **11,34** 1 Sam 18,6 **11,35** 4 Mo 30,3*

Seitdem herrscht in Israel der Brauch, [40]dass die jungen Frauen jedes Jahr zusammen weggehen und vier Tage lang die Tochter Jeftahs besingen.

Die Ephraimiter greifen Jeftah an

12 Die Männer des Stammes Ephraim versammelten sich und gingen gemeinsam nach Zafon, wo Jeftah sich aufhielt. Sie fuhren ihn an: »Warum bist du ohne uns gegen die Ammoniter in den Krieg gezogen? Warum hast du uns nicht um Hilfe gebeten? Aus Rache werden wir dir jetzt das Dach über dem Kopf anzünden!«

[2]Jeftah erwiderte: »Mein Volk und ich gerieten in einen schweren Streit mit den Ammonitern. Ich rief euch, aber ihr habt mir nicht geholfen. [3]Als mir klar wurde, dass ich nicht auf euch zählen konnte, bin ich auf eigene Faust gegen die Ammoniter in den Kampf gezogen und habe sie mit der Hilfe des Herrn besiegt. Warum kommt ihr jetzt und wollt mich angreifen?«

[4]Jeftah rief alle Männer von Gilead zusammen. Denn die Ephraimiter hatten sie beschimpft: »Ihr aus Gilead seid doch nur entlaufenes Gesindel aus den Stämmen Ephraim und Manasse!« Die Gileaditer kämpften gegen die Männer Ephraims und besiegten sie.

[5]Dann besetzten sie die Jordanübergänge und schnitten ihren Gegnern den Fluchtweg ab. Immer wenn ein Ephraimiter hinüberwollte, fragten sie ihn: »Bist du aus Ephraim?« Verneinte er, [6]so forderten sie ihn auf: »Sag einmal ›Schibbolet‹[a]!« Wenn er das Wort nicht richtig aussprechen konnte und stattdessen »Sibbolet« sagte, dann packten sie ihn und brachten ihn an Ort und Stelle um. Damals wurden 42000 Ephraimiter getötet.

[7]Jeftah führte Israel sechs Jahre. Als er starb, wurde er in einer Stadt im Gebiet von Gilead begraben.

Die Richter Ibzan, Elon und Abdon

[8]Nach Jeftah wurde Ibzan aus Bethlehem Richter von Israel. [9]Er hatte dreißig Söhne und ebenso viele Töchter. Seine Töchter waren alle verheiratet und wohnten nicht mehr zu Hause. Dafür hatte er dreißig Frauen für seine Söhne gefunden, die nun in seiner Familie lebten. Sieben Jahre lang führte er Israel, [10]dann starb er und wurde in Bethlehem begraben.

[11]Nach ihm übernahm Elon aus dem Stamm Sebulon die Führung. Er war zehn Jahre lang Richter von Israel. [12]Als er starb, begrub man ihn in Ajalon im Gebiet Sebulons.

[13]Sein Nachfolger wurde Abdon, der Sohn Hillels aus Piraton. [14]Er hatte vierzig Söhne und dreißig Enkel, die siebzig Esel besaßen. Abdon führte Israel acht Jahre. [15]Dann starb auch er, und man begrub ihn in Piraton im Amalekitergebirge, das zum Gebiet Ephraims gehört.

Der Engel des Herrn kündigt Simsons Geburt an

13 Wieder taten die Israeliten, was der Herr verabscheute. Deshalb ließ er zu, dass die Philister sie vierzig Jahre lang unterdrückten. [2]Zu dieser Zeit lebte ein Mann namens Manoach. Er kam aus Zora und gehörte zum Stamm Dan. Manoach war verheiratet, aber er hatte keine Kinder, weil seine Frau unfruchtbar war.

[3]Eines Tages erschien der Engel des Herrn seiner Frau und sagte: »Du konntest bisher keine Kinder bekommen. Aber nun wirst du schwanger werden und einen Sohn zur Welt bringen. [4]Trinke keinen Wein oder andere berauschende Getränke. Iss nichts, was der Herr für unrein erklärt hat! [5]Denn der Sohn, den du bekommst, wird schon im Mutterleib Gott geweiht sein. Niemals dürfen seine Haare geschnitten werden! Er wird be-

---

[a] Strom, Flusslauf.

12,1 8,1–3 **13,4–5** 4 Mo 6,2–8

ginnen, Israel von den Philistern zu befreien.«

[6] Da lief die Frau zu Manoach und erzählte ihm: »Ein Bote Gottes ist bei mir gewesen. Er sah aus wie ein Engel! Ich hatte solche Angst! Ich habe ihn nicht einmal gefragt, woher er kommt. Er hat sich auch nicht vorgestellt. [7] Er sagte zu mir, ich würde schwanger werden und einen Sohn bekommen. Deshalb soll ich keinen Wein oder andere berauschende Getränke mehr trinken und nichts essen, was der Herr für unrein erklärt hat. Denn das Kind soll von Mutterleib an bis zu seinem Tod Gott geweiht sein.«

[8] Da betete Manoach: »Bitte, Herr, schick doch deinen Boten noch einmal zu uns, damit er uns genau sagt, was wir mit dem Jungen tun sollen, den wir bekommen.« [9] Gott erhörte ihn und sandte seinen Engel zum zweiten Mal zu der Frau. Sie war gerade ohne ihren Mann auf dem Feld. [10] Schnell lief sie zu Manoach und rief: »Komm! Der Mann, der neulich bei mir war, ist wieder da.«

[11] Manoach ging mit ihr zu dem Engel und sagte zu ihm: »Bist du der Mann, der mit meiner Frau gesprochen hat?« »Ja, ich bin es«, antwortete er. [12] Da fragte Manoach: »Wenn deine Ankündigung eintrifft, wie sollen wir dann mit dem Jungen umgehen? Wie müssen wir uns verhalten?«

[13] Der Engel des Herrn erwiderte: »Deine Frau soll alles meiden, was ich ihr genannt habe. [14] Sie darf nichts essen, was aus Trauben zubereitet ist, und keinen Wein oder andere berauschende Getränke trinken. Außerdem soll sie nichts essen, was Gott für unrein erklärt hat. Sie muss alle meine Anweisungen befolgen.«

[15] »Bitte, bleib noch da«, bat Manoach den Engel. »Wir möchten dir einen jungen Ziegenbock zum Essen zubereiten!« [16] Denn er wusste nicht, wen er vor sich hatte. Der Engel des Herrn antwortete: »So sehr du mich auch drängst, ich werde nichts essen. Aber wenn du willst, dann bring es dem Herrn als Brandopfer dar!«

[17] »Wie heißt du?«, fragte Manoach. »Wir würden uns gern bei dir bedanken, wenn deine Ankündigung eintrifft.« [18] Der Engel erwiderte: »Du fragst nach meinem Namen? Er ist ein Geheimnis!«

[19] Manoach nahm den jungen Ziegenbock und andere Speisen und brachte sie dem Herrn auf einem Felsblock als Opfer dar. Da ließ der Herr vor ihren Augen ein Wunder geschehen: [20] Als das Feuer zum Himmel aufloderte, stieg der Engel des Herrn in der Flamme empor und verschwand. Manoach und seine Frau warfen sich erschrocken zu Boden. [21] Es war ihre letzte Begegnung mit dem Engel.

Nun begriff Manoach, mit wem sie gesprochen hatten. [22] »Wir müssen sterben!«, rief er. »Wir haben Gott gesehen!« [23] Doch seine Frau entgegnete: »Wenn der Herr uns töten wollte, hätte er bestimmt nicht unser Opfer angenommen. Dann hätte er uns auch nicht dies alles sehen lassen und uns so etwas nicht angekündigt.«

[24] Einige Zeit später brachte Manoachs Frau einen Sohn zur Welt und nannte ihn Simson. Der Junge wuchs heran, und der Herr segnete ihn. [25] In Mahane-Dan zwischen Zora und Eschtaol wurde er zum ersten Mal vom Geist Gottes erfasst.

Simson will eine Philisterin heiraten

14 Als Simson sich einmal bei den Philistern in Timna aufhielt, sah er dort eine junge Frau, die ihm besonders gefiel. [2] Er kehrte nach Hause zurück und erzählte seinen Eltern von ihr: »Ich habe in Timna eine junge Philisterin gesehen. Sorgt dafür, dass ich sie heiraten kann!« [3] Seine Eltern erwiderten: »Gibt es denn keine Mädchen hier in unserem Stamm oder unserem Volk? Musst du wirklich zu den Philistern gehen und dir bei diesen unbeschnittenen Heiden eine Frau suchen?« Doch Simson blieb hartnäckig: »Ich will sie und keine andere! Sie gefällt mir!«

[4] Seine Eltern wussten nicht, dass der

13,15–20 6,19–21 **13,17–18** 1 Mo 32,30 **13,22** 2 Mo 33,20–23* **13,25** 3,10* **14,3** 1 Mo 24,3–4*; 2 Mo 34,16; 5 Mo 7,3–4*

Herr dabei seine Hand im Spiel hatte, weil er den Philistern schaden wollte. Denn zu dieser Zeit herrschten die Philister über die Israeliten.

[5] Simson brach mit seinen Eltern nach Timna auf. Als er bei den Weinbergen der Stadt ein Stück allein abseits des Weges[a] lief, stand ihm plötzlich ein junger, brüllender Löwe gegenüber. [6] Simson wurde vom Geist des Herrn ergriffen. Er zerriss den Löwen mit bloßen Händen, als wäre es eine kleine Ziege. Seinen Eltern erzählte er nichts davon. [7] Er besuchte die Philisterin und sprach mit ihr. Sie gefiel ihm gut.

[8] Einige Zeit später gingen sie wieder nach Timna, um die Hochzeit zu feiern. Vor der Stadt bog Simson vom Weg ab und sah nach dem toten Löwen. In dem Kadaver entdeckte er einen Schwarm Bienen und Honigwaben. [9] Er nahm den Honig heraus und begann ihn im Weitergehen zu essen. Als er wieder bei seinen Eltern war, gab er auch ihnen davon, sagte ihnen aber nicht, dass er den Honig aus dem Körper des toten Löwen geholt hatte.

[10] In Timna ging sein Vater zur Familie der jungen Frau, während Simson als Bräutigam das Fest vorbereitete. So war es damals Sitte.

Die Philister betrügen Simson

[11] Als die Angehörigen der Braut sahen, dass Simson in Timna eingetroffen war, schickten sie ihm dreißig junge Männer, die mit ihm zusammen feiern sollten. [12] Simson sagte zu ihnen: »Ich möchte euch ein Rätsel stellen. Wenn ihr es in der Festwoche löst, gebe ich euch dreißig wertvolle Leinenhemden und dreißig kostbare Gewänder. [13] Aber wenn ihr es nicht herausbekommt, müsst ihr mir dreißig Hemden und Gewänder geben.« »Lass dein Rätsel hören!«, antworteten sie.

[14] Da fragte Simson: »Was bedeutet das: Von dem, der frisst, bekam ich zu essen, und der Starke gab mir Süßes?«

Drei Tage vergingen, ohne dass die Männer das Rätsel lösen konnten. [15] Am vierten[b] Tag drohten sie Simsons Braut: »Verleite deinen Mann dazu, dir die Lösung zu verraten, und sag sie uns! Sonst werden wir dich und die Familie deiner Eltern verbrennen! Oder habt ihr uns bloß eingeladen, um uns zu berauben?«

[16] Die Frau ging zu Simson und brach in Tränen aus: »Du liebst mich nicht! In Wirklichkeit hasst du mich nur! Du stellst den Männern meines Volkes ein Rätsel und verschweigst mir die Lösung.« Er antwortete: »Nicht einmal meinen Eltern habe ich sie verraten, und da sollte ich sie bei dir ausplaudern?« [17] Während der ganzen Festwoche weinte sie, wenn sie bei ihm war.

Am siebten Tag schließlich flehte sie ihn so lange an, bis er ihr die Lösung anvertraute, und sie erzählte es den Philistern. [18] Bevor die Sonne unterging, sagten die Männer zu Simson: »Was ist süßer als Honig und stärker als ein Löwe?« Er erwiderte: »Hättet ihr nicht mit meinem Kalb gepflügt, dann hättet ihr das Rätsel nicht gelöst.« [19] Da wurde er vom Geist des Herrn ergriffen. Er ging nach Aschkelon, tötete dreißig Philister, nahm ihre Gewänder und brachte sie den Männern, die sein Rätsel gelöst hatten.

Dann kehrte er voller Zorn ins Haus seiner Eltern zurück. [20] Seine Frau aber wurde mit dem Brautführer, einem der dreißig Männer, verheiratet.

Simson rächt sich an den Philistern

15 Zur Zeit der Weizenernte wollte Simson seine Frau besuchen. Als Geschenk hatte er ihr einen jungen Ziegenbock mitgebracht. Er bat ihren Vater: »Lass mich zu meiner Frau ins Zimmer!« Doch der Vater verweigerte es ihm:

---

[a] »ein Stück ... Weges« ist sinngemäß ergänzt.
[b] So mit der griechischen Übersetzung. Der hebräische Text lautet: am siebten Tag.
14,6 3,10*; 1 Sam 17,34–37 **14,17** 16,16–17 **14,19** 3,10*

[2]»Das geht nicht! Ich habe sie dem Brautführer zur Frau gegeben. Glaub mir, ich habe wirklich gedacht, dass du sie nicht mehr liebst. Heirate doch ihre jüngere Schwester! Sie ist noch viel schöner!«

[3]»Das werde ich euch Philistern heimzahlen!«, rief Simson. »Und diesmal bin ich wirklich im Recht!« [4]Er zog los, fing dreihundert Füchse, band sie paarweise an den Schwänzen zusammen und befestigte Fackeln daran. [5]Dann zündete er die Fackeln an und jagte die Tiere in die Felder der Philister. Sie setzten das Getreide auf den Äckern, die Garbenhaufen, die Weinberge und die Olivengärten in Brand.

[6]Die Philister fragten: »Wer hat das getan?« Und bald fand man heraus: »Es war Simson! Sein Schwiegervater in Timna hat ihm die Frau weggenommen und sie dem Brautführer gegeben.« Die Philister zogen nach Timna und verbrannten die Frau und ihren Vater. [7]Da ging Simson zu ihnen und rief: »Was habt ihr getan! Das schreit nach Rache! Jetzt werde ich euch nicht mehr verschonen!« [8]Er schlug auf die Philister ein, bis sie alle am Boden lagen. Dann floh er zum Berg Etam und versteckte sich dort in einer Felsspalte.

Simson kämpft gegen die Philister

[9]Die Philister marschierten mit ihrem Heer ins Stammesgebiet von Juda ein und schlugen ihr Lager bei Lehi auf. [10]Die Bewohner von Juda fragten: »Warum zieht ihr gegen uns in den Krieg?« »Wir wollen Simson gefangen nehmen«, erwiderten die Philister. »Wir haben mit ihm eine Rechnung zu begleichen.«

[11]Da gingen dreitausend Judäer zur Felsspalte am Berg Etam und stellten Simson zur Rede: »Warum hast du uns das angetan? Du weißt doch, dass die Philister uns beherrschen!« »Ich habe ihnen nur mit gleicher Münze heimgezahlt, was sie mir angetan haben«, antwortete er.

[12]Die Männer von Juda erwiderten: »Wir sind hergekommen, um dich zu fesseln und den Philistern auszuliefern.« »Schwört mir, dass ihr mich nicht umbringt!«, bat Simson. [13]Sie versprachen: »Wir wollen dich wirklich nur fesseln und ausliefern. Auf keinen Fall werden wir dich töten!« Nun ließ er sich von ihnen mit zwei neuen Stricken binden, aus der Felsspalte herausführen und nach Lehi bringen.

[14]Als die Philister Simson sahen, stimmten sie ein Triumphgeschrei an. Da wurde er vom Geist des Herrn ergriffen. Er zerriss die Stricke an seinen Armen, als wären sie angesengte Bindfäden. [15]Dann entdeckte er den Unterkieferknochen eines Esels, packte ihn und erschlug damit tausend Philister.

[16]»Mit dem Kiefer des Esels mähte ich sie nieder!«, sang er. »Mit dem Kiefer des Esels schlug ich tausend Mann!« [17]Danach warf er den Knochen weg. Seither heißt der Ort, an dem dies geschehen ist, Ramat-Lehi (»Kinnbacken-Höhe«).

[18]Simson hatte großen Durst. Er betete zum Herrn: »Ich habe für dich gekämpft, und du hast mir diesen großen Sieg geschenkt! Aber jetzt muss ich verdursten und werde doch noch diesen unbeschnittenen Heiden in die Hände fallen!« [19]Da ließ Gott aus einer Bodensenke in der Nähe von Lehi Wasser hervorbrechen. Simson trank davon und kam wieder zu Kräften. Man nennt die Quelle daher En-Hakore (»Quelle des Rufenden«); sie ist noch heute dort.

[20]Zwanzig Jahre lang führte Simson das Volk Israel, während die Philister das Land beherrschten.

Simson befreit sich aus Gaza

16 Einmal kam Simson nach Gaza. Dort sah er eine Prostituierte und ging zu ihr ins Haus. [2]Schnell sprach es sich unter den Bewohnern der Stadt herum: »Simson ist hier!« Die Philister umstellten das Haus und legten sich die

---

15,2 14,20 **15,14** 3,10*

Nacht über am Stadttor auf die Lauer. Sie beschlossen: »Solange es dunkel ist, unternehmen wir nichts. Erst im Morgengrauen bringen wir ihn um!«

[3]Simson lag bis Mitternacht im Bett. Dann stand er auf und ging zum Stadttor. Er packte die Torflügel, riss sie mit Pfosten und Querbalken heraus, nahm sie auf die Schultern und trug sie auf den Gipfel des Berges, der in Richtung Hebron liegt.

Die Philister stellen Simson eine Falle

[4]Einige Zeit später verliebte sich Simson in eine Frau namens Delila, die im Tal Sorek wohnte. [5]Einige Fürsten der Philister kamen zu ihr und forderten sie auf: »Du weißt, dass Simson dich liebt. Nutz das doch aus, und frag ihn, woher seine große Kraft stammt, damit wir ihn überwältigen können. Finde heraus, womit man ihn fesseln kann! Jeder von uns gibt dir dafür 1100 Silberstücke.«

[6]Delila fragte Simson: »Willst du mir nicht anvertrauen, warum du so stark bist? Gibt es Fesseln, die du nicht zerreißen kannst?« [7]Er antwortete: »Wenn man mich mit sieben frischen Sehnen bindet, die noch nicht trocken sind, dann bin ich schwach wie jeder andere.« [8]Die Fürsten besorgten sieben solcher Sehnen, und Delila fesselte Simson damit, [9]während einige Philister im Nebenzimmer lauerten. Dann rief sie: »Simson! Die Philister kommen!« Da zerriss er die Sehnen, als wären sie angesengte Bindfäden. Das Geheimnis seiner Kraft hatte er nicht verraten.

[10]Delila warf ihm vor: »Du hast mich getäuscht und belogen! Sag mir, wie man dich wirklich fesseln kann!« [11]Er antwortete: »Wenn man mich mit neuen Seilen bindet, die noch nie gebraucht worden sind, habe ich so wenig Kraft wie jeder andere.« [12]Delila nahm solche Seile und fesselte Simson damit. Wieder lauerte man ihm nebenan auf. Aber als sie rief: »Simson! Die Philister kommen!«, riss er die Seile von seinen Armen wie Fäden.

[13]»Immer täuschst du mich«, klagte Delila, »ständig belügst du mich! Verrate mir endlich, womit man dich binden kann!« Simson erwiderte: »Du musst meine sieben Haarflechten im Webstuhl einweben!« [14]Als er schlief, wob Delila sein Haar hinein und befestigte es mit dem Pflock. Dann rief sie: »Simson! Die Philister!« Er sprang auf und riss das Gewebe samt dem Pflock heraus.

[15]Erneut machte Delila ihm Vorwürfe: »Wie kannst du noch behaupten, dass du mich liebst? In Wahrheit gehört dein Herz mir gar nicht! Dreimal hast du mich belogen und mir immer noch nicht verraten, warum du so stark bist.« [16]Tag für Tag redete sie auf ihn ein. Sie drängte ihn so sehr, dass er es zuletzt nicht mehr ertragen konnte [17]und sein Geheimnis preisgab: »Ich bin von Mutterleib an Gott geweiht, niemals hat man mir die Haare geschnitten. Ohne sie würde ich meine Kraft verlieren und schwach werden wie jeder andere.«

[18]Delila wusste, dass er ihr jetzt die Wahrheit gesagt hatte. Sie benachrichtigte die Fürsten der Philister: »Kommt! Er hat mir alles anvertraut!« Da kamen sie und brachten die versprochenen Silberstücke mit.

[19]Delila ließ Simson in ihrem Schoß einschlafen. Dann winkte sie einen Mann herbei und schnitt Simsons sieben Haarflechten ab. Während sie es tat, verlor er seine Kraft. [20]»Simson«, rief sie dann, »die Philister sind da!« Er wachte auf und meinte, er könne sich wieder befreien und losreißen. Er wusste nicht, dass der Herr sich von ihm abgewandt hatte. [21]Die Philister packten Simson und stachen ihm die Augen aus. Dann brachten sie ihn nach Gaza, legten bronzene Ketten um seine Arme und Beine und warfen ihn ins Gefängnis. Dort musste er die Kornmühle drehen.

[22]Allmählich begann sein Haar wieder zu wachsen.

16,16 14,17 **16,17** 13,5; 4 Mo 6,5

Simsons letzte Rache

[23] Die Fürsten der Philister versammelten sich zu einem großen Fest. Sie brachten ihrem Gott Dagon viele Schlachtopfer dar und feierten ihren Sieg. Dabei sangen sie:
»Unserm Dagon sei's gedankt:
Simson ist in unsrer Hand!«

[24/25] Als sie richtig in Stimmung waren, riefen sie: »Holt Simson! Er soll uns etwas vorführen!« So wurde Simson aus dem Gefängnis herbeigebracht, und sie trieben ihren Spott mit ihm. Sie priesen ihren Gott und stimmten von neuem ihr Lied an:
»Unserm Dagon sei's gedankt:
Simson ist in unsrer Hand!
Wie viel Mann hat er vernichtet!
Was alles hat er angerichtet!«

Dann stellten sie Simson zwischen die Säulen des Gebäudes. [26] Er bat den Jungen, der ihn an der Hand führte: »Lass mich einmal kurz los! Ich möchte nach den Säulen tasten, die das Dach tragen, und mich etwas an sie lehnen.« [27] Das Gebäude war voller Menschen. Auch die Fürsten der Philister waren alle gekommen. Allein vom Dach aus hatten etwa dreitausend Leute zugesehen, wie Simson verspottet wurde.

[28] Simson betete: »Herr, mein Gott, erinnere dich an mich! Bitte gib mir noch dies eine Mal so viel Kraft wie früher! Ich will mich dafür rächen, dass sie mir meine Augen ausgestochen haben.« [29] Dann fasste Simson die beiden mittleren Säulen, auf denen das Dach ruhte, eine mit der rechten Hand, eine mit der linken, und stemmte sich dagegen. [30] »Sollen die Philister mit mir sterben!«, schrie er und riss die Säulen mit aller Kraft um. Das Gebäude brach über den Philistern und ihren Fürsten zusammen. Dabei starben mehr Menschen, als Simson in seinem ganzen Leben getötet hatte.

[31] Simsons Brüder und seine übrigen Angehörigen kamen, hoben seinen Leichnam auf und brachten ihn zum Grab seines Vaters Manoach. Dort, zwischen Zora und Eschtaol, begruben sie ihn. Zwanzig Jahre lang hatte Simson das Volk Israel geführt.

Michas Götzendienst

17 Im Gebirge Ephraim lebte ein Mann namens Micha. [2] Eines Tages sagte er zu seiner Mutter: »Dir sind doch 1100 Silberstücke gestohlen worden. Ich habe gehört, wie du damals den Dieb verflucht hast. Nun, das Geld ist bei mir. Ich selbst habe es genommen!« Da rief seine Mutter: »Der Herr möge den Fluch in Segen verwandeln!« [3] Micha gab ihr das Gestohlene zurück, und sie erklärte: »Das Silber soll dem Herrn gehören! Ich werde dir davon ein Gottesbild herstellen lassen, aus Holz geschnitzt und mit Silber überzogen. So wirst du doch noch etwas von dem Silber haben.«

[4] Sie brachte 200 der Silberstücke zum Goldschmied und ließ eine Götzenfigur aus Holz mit einem silbernen Guss anfertigen. Micha stellte die Figur bei sich auf, [5] denn er besaß ein eigenes Heiligtum. Er ließ noch andere Götzenstatuen und ein Priestergewand anfertigen und ernannte einen seiner Söhne zum Priester. [6] Damals gab es keinen König in Israel, und jeder tat, was er für richtig hielt.

[7] Zu jener Zeit lebte ein junger Mann aus dem Stamm Levi in Bethlehem, das im Stammesgebiet von Juda liegt. [8] Er verließ die Stadt, um sich an einem anderen Ort niederzulassen. Auf seiner Reise durchs Gebirge Ephraim kam er an Michas Haus vorbei. [9] »Woher kommst du?«, fragte Micha ihn. Der junge Mann antwortete: »Ich bin ein Levit aus Bethlehem in Juda. Ich möchte mich woanders niederlassen.« [10] »Bleib hier bei mir!«, forderte Micha ihn auf. »Du kannst mein Ratgeber und Priester werden. Ich gebe dir dafür zehn Silberstücke im Jahr und

---

16,23 1 Sam 5,1–5 **16,31** 13,2.25; 15,20 **17,3–4** 5 Mo 27,15 **17,5** 1 Mo 31,19; 2 Mo 28,40–41
17,6 18,1; 19,1; 21,25

so viel Kleidung und Nahrung, wie du brauchst.«

[11] Der Levit willigte ein und blieb. Micha nahm ihn auf wie einen seiner Söhne, [12] er ernannte ihn zum Priester und dachte: [13] »Jetzt wird der Herr mir sicher Gutes tun, denn ich habe einen Leviten als Priester!«

Der Stamm Dan sucht Land

18 Zu dieser Zeit hatte Israel keinen König. Der Stamm Dan besaß noch kein eigenes Land und suchte deshalb nach einem Gebiet, in dem er sich ansiedeln konnte. [2] In Zora und Eschtaol wählten die Daniter aus ihren Sippen fünf bewährte Soldaten aus und schickten sie los, um das Land auszukundschaften. Die Männer zogen durch das Gebirge Ephraim und kamen zu Michas Haus. Als sie dort übernachteten, [3] fiel ihnen der Levit durch seinen Dialekt auf. Sie gingen zu ihm und fragten: »Wie bist du hierher gekommen? Was machst du hier?« [4] Der junge Mann erzählte ihnen seine Geschichte. »Micha hat mich angestellt«, sagte er, »ich bin sein Priester.« [5] Da baten sie ihn: »Frag doch Gott, ob wir bei unserer Erkundungsreise Erfolg haben werden!« [6] Der Levit ermutigte sie: »Macht euch keine Sorgen! Der Herr weiß, was ihr vorhabt, und er wird euch beistehen.«

[7] Da zogen die fünf Männer weiter und kamen nach Lajisch. Sie sahen, dass die Menschen dort von niemandem unterdrückt und ausgebeutet wurden. Sie lebten ruhig und sicher wie die Sidonier. Die Stadt Sidon aber war zu weit entfernt, um ihnen helfen zu können, und in der Nähe hatten sie keine Verbündeten. [8] Die fünf Kundschafter kehrten zu ihrem Stamm nach Zora und Eschtaol zurück, wo man sie schon gespannt erwartete. [9] »Lasst uns in den Kampf ziehen!«, riefen sie. »Wir haben ein ausgezeichnetes Gebiet gefunden! Was steht ihr noch herum? Schnell, wir wollen aufbrechen und zuschlagen! [10] Die Bewohner dort sind auf keinen Angriff vorbereitet. Es ist ein großes und fruchtbares Gebiet. Dort wächst einfach alles, was ihr euch vorstellen könnt! Gott schenkt euch dieses Land!«

Die Daniter nehmen Michas Götzen und den Priester mit

[11] Mit 600 bewaffneten Männern brachen die Daniter von Zora und Eschtaol auf. [12] Sie zogen nach Kirjat-Jearim in Juda und schlugen im Westen der Stadt ihr Lager auf. Daher nennt man diesen Ort bei Kirjat-Jearim bis heute Mahane-Dan (»Dans Lager«). [13] Von dort gingen sie ins Gebirge Ephraim und kamen zu Michas Haus.

[14] Die fünf Männer, die das Gebiet von Lajisch erkundet hatten, erzählten den anderen: »Stellt euch vor, in einem dieser Häuser gibt es eine Götzenstatue aus Holz, die mit Silber überzogen ist, außerdem noch andere Figuren und ein Priestergewand. Lassen wir uns diese Gelegenheit nicht entgehen!«

[15] Die fünf betraten das Haus Michas und begrüßten den jungen Leviten, [16] während die 600 Bewaffneten draußen am Tor warteten. [17] Als dann der Levit zu ihnen hinausging, schlichen sich die fünf in das Heiligtum und stahlen die Götzenstatue, die anderen Figuren und das Priestergewand.

[18] Der Levit aber sah sie damit herauskommen und rief: »Was soll das?« [19] »Sei still!«, gaben sie zurück. »Komm mit, und werde unser Ratgeber und Priester! Bei uns bist du Priester für einen ganzen israelitischen Stamm, das ist doch viel besser als nur für eine Familie!« [20] Da freute sich der Levit. Er nahm die Götzenstatue, die anderen Figuren und das Gewand und schloss sich den Danitern an. [21] Dann brachen sie auf; ihre Frauen und Kinder, ihr Vieh und alles Wertvolle, was sie besaßen, stellten sie an die Spitze des Zuges.

[22] Sie hatten sich schon ein ganzes Stück vom Haus entfernt, bis Micha end-

---

18,1 17,6; 19,1; 21,25; 1,34 **18,3–4** 17,7–13 **18,5** 2 Mo 28,30* **18,14** 17,5 **18,19** 17,10

lich seine Nachbarn zusammengerufen und die Verfolgung aufgenommen hatte. [23] Als sie nahe genug an die Fliehenden herangekommen waren, schrien sie ihnen nach. Die Daniter drehten sich um und riefen Micha zu: »Was ist los? Was willst du mit all den Leuten?« [24] »Ihr habt meine Götter gestohlen, die ich selbst angefertigt habe!«, gab Micha zurück. »Und auch meinen Priester habt ihr mir genommen! Ich bin von euch ausgeraubt worden, und da fragt ihr noch: ›Was ist los?‹!« [25] Sie riefen: »Mach, dass du wegkommst! Sonst verlieren wir die Beherrschung und bringen dich und deine Familie um!«

[26] Dann setzten sie ihren Weg fort. Micha sah ein, dass er unterlegen war, und kehrte nach Hause zurück. [27] Seine Götzenstatuen behielten die Daniter, und auch der Priester blieb bei ihnen.

Die Eroberung von Lajisch und der Götzendienst der Daniter

Die Daniter zogen nach Lajisch und überfielen seine Einwohner, die sorglos und friedlich dort gelebt hatten. Sie töteten alle mit dem Schwert und brannten die Stadt nieder. [28] Keiner half den Bewohnern. Denn Sidon war zu weit entfernt, und sonst hatten sie keine Verbündeten. Lajisch lag einsam in der Ebene bei Bet-Rehob. Die Daniter bauten die Stadt wieder auf und ließen sich dort nieder. [29] Sie nannten sie aber nicht mehr Lajisch, sondern Dan nach ihrem Stammvater, einem der Söhne Israels.

[30] Sie stellten dort die geschnitzte Götzenstatue auf und ernannten den Leviten Jonatan zum Priester, einen Nachkommen von Moses Sohn Gerschom. Als Jonatan starb, wurde sein Sohn Priester und nach ihm seine Nachkommen, bis das Volk in die Gefangenschaft verschleppt wurde.

[31] Michas Götzenbild stand ebenso lange in Dan wie das Heiligtum Gottes in Silo.

Ein Levit holt seine Frau zurück

19 Zu der Zeit, als es noch keinen König in Israel gab, nahm sich ein Levit, der am äußersten Ende des Gebirges Ephraim wohnte, eine Nebenfrau aus Bethlehem in Juda. [2] Doch eines Tages war die Frau wütend über ihren Mann und lief ihm weg, sie kehrte zurück zu ihrem Vater nach Bethlehem. Vier Monate später [3] nahm der Levit zwei Esel und ritt mit seinem Knecht nach Bethlehem. Er wollte mit der jungen Frau sprechen und sie zurückgewinnen.

Als er sie gefunden hatte, lud sie ihn in ihr Elternhaus ein. Ihr Vater freute sich sehr, seinen Schwiegersohn zu sehen, [4] und wollte ihn gar nicht wieder gehen lassen. Drei Tage lang blieben sie zusammen, sie aßen und tranken. [5] Am vierten Tag stand der Levit früh auf, um sich mit seiner Nebenfrau auf den Heimweg zu machen. Aber sein Schwiegervater hielt ihn zurück: »Iss erst einmal einen Bissen Brot, und stärk dich, dann könnt ihr losziehen.« [6] Die beiden Männer setzten sich hin und aßen und tranken miteinander.

»Tu mir doch den Gefallen«, bat der Schwiegervater, »und bleib noch eine Nacht hier. Lass es dir bei mir gut gehen!« [7] Aber der Levit wollte aufbrechen. Da drängte ihn der Vater der Frau, noch einmal bei ihm zu übernachten, bis der Levit schließlich nachgab.

[8] Am Morgen des fünften Tages stand er wieder früh auf, um abzureisen. »Stärke dich noch etwas«, ermunterte ihn sein Schwiegervater, »bis heute Nachmittag könnt ihr euch wirklich noch Zeit lassen.« Wieder setzten sich die beiden hin und aßen.

[9] Am Nachmittag erhob sich der Levit, um sich mit seiner Nebenfrau und seinem Knecht auf den Weg zu machen. »Sieh doch«, wandte sein Schwiegervater ein, »der Tag geht zu Ende, bald wird es dunkel. Bleib über Nacht, und mach es dir hier bequem! Morgen früh könnt ihr dann aufbrechen und nach Hause zu-

---

18,27–29 Jos 19,47 **18,30** 2 Mo 2,22; 2 Kön 15,29 **18,31** Jos 18,1* **19,1** 17,6; 18,1; 21,25

rückkehren.« [10/11] Aber der Levit wollte nun abreisen. Er ließ die Esel satteln und machte sich mit seiner Nebenfrau und seinem Knecht auf den Heimweg.

Gegen Abend erreichten sie Jebus, das heutige Jerusalem. Da schlug der Knecht seinem Herrn vor: »Komm, lass uns in die Stadt gehen und dort eine Unterkunft suchen.« [12] Doch der Levit erwiderte: »Ich will nicht bei diesen Fremden übernachten, die keine Israeliten sind. Wir gehen besser hinüber nach Gibea. [13] Wenn wir uns beeilen, können wir Gibea oder sogar noch Rama erreichen! In einem dieser Orte werden wir übernachten.«

[14] So zogen sie weiter, und bei Sonnenuntergang waren sie kurz vor Gibea im Gebiet des Stammes Benjamin. [15] Sie bogen vom Weg ab und gingen in die Stadt. Doch dort wollte sie niemand über Nacht aufnehmen, und so blieben sie an einem großen Platz in der Stadt sitzen.

[16] Spät am Abend kam ein alter Mann von der Feldarbeit zurück. Er stammte aus dem Gebirge Ephraim und lebte als Fremder unter den Benjaminitern in Gibea. [17] Als er den Leviten auf dem Platz sitzen sah, fragte er ihn: »Wo kommst du her, und wo willst du hin?« [18] Der Levit erklärte: »Wir kommen gerade aus Bethlehem in Juda und wollen zum äußersten Ende des Gebirges Ephraim, wo mein Zuhause ist. Von dort aus habe ich diese Reise nach Bethlehem unternommen. Aber hier in Gibea will uns niemand aufnehmen, [19] obwohl wir Stroh und Futter für die Esel und Brot und Wein für uns selbst mitgenommen haben. Wir sind wirklich mit allem versorgt.«

[20] »Ihr seid mir herzlich willkommen!«, lud der alte Mann sie ein. »Bitte lasst mich für euch sorgen. Hier draußen sollt ihr auf keinen Fall übernachten!« [21] Er nahm sie mit in sein Haus und gab ihren Eseln Futter. Dann wuschen die Gäste sich die Füße, aßen und tranken.

Das Verbrechen der Männer von Gibea

[22] Während sie fröhlich zusammensaßen, umstellten skrupellose Männer aus Gibea das Haus. Sie schlugen gegen die Tür und riefen dem Hausherrn zu: »Gib den Mann, der bei dir ist, heraus. Wir wollen ihn vergewaltigen!« [23] Der alte Mann ging zu ihnen hinaus und beschwor sie: »Das könnt ihr doch nicht tun, denn dieser Fremde ist mein Gast! Eine solche Schandtat dürft ihr auf keinen Fall begehen! [24] Eher gebe ich euch meine Tochter, die noch Jungfrau ist, und die Nebenfrau des Fremden. Vergewaltigt sie, und macht mit ihnen, was ihr wollt. Aber meinem Gast dürft ihr so etwas Fürchterliches nicht antun!«

[25] Doch die Männer von Gibea ließen nicht mit sich reden. Da führte der Levit seine Nebenfrau nach draußen. Die Männer fielen über sie her und vergingen sich die ganze Nacht an ihr. Erst im Morgengrauen ließen sie von ihr ab. [26] Die Frau schleppte sich noch bis zum Eingang des Hauses, in dem ihr Mann war. Dort brach sie zusammen und blieb liegen.

Als es hell wurde, [27] stand der Levit auf, um sich wieder auf den Weg zu machen. Er öffnete die Haustür und fand seine Nebenfrau davor liegen, die Hände auf der Schwelle. [28] »Steh auf«, sagte er zu ihr, »wir wollen weiter!« Aber sie antwortete nicht. Da legte er sie auf den Esel und zog in seine Heimatstadt.

[29] Dort angekommen, nahm er ein Messer und zerteilte die Leiche der Frau in zwölf Stücke. Dann ließ er die Teile überall in Israel den Menschen zeigen. [30] Alle, die es sahen, waren entsetzt und sagten: »So ein Verbrechen hat es noch nie bei uns gegeben. Seit wir aus Ägypten hierher gekommen sind, ist so etwas nicht geschehen. Wir müssen genau überlegen, was wir jetzt tun sollen.«

19,10–11 Jos 15,63* **19,22** 1 Mo 19,4–5; 3 Mo 18,22 **19,29** 1 Sam 11,7 **19,30** Hos 9,9; 10,9

Gibea soll bestraft werden

20 Alle Männer Israels aus dem Gebiet von Dan im Norden bis Beerscheba im Süden und aus Gilead im Osten gingen nach Mizpa und versammelten sich dort in der Gegenwart des Herrn. [2] Auch die Oberhäupter der israelitischen Stämme waren gekommen. Sie stellten ein Heer von 400000 Soldaten auf, die alle mit Schwertern bewaffnet waren. [3] Im Stammesgebiet von Benjamin wusste man von diesem Treffen.

Die Israeliten fragten: »Wie konnte dieses schreckliche Verbrechen nur geschehen?« [4] Der Levit, dessen Frau ermordet worden war, berichtete: »Ich kam mit meiner Nebenfrau nach Gibea im Gebiet von Benjamin. Wir wollten dort übernachten. [5] Die Männer der Stadt versuchten, mich in ihre Gewalt zu bekommen. Sie umstellten in der Nacht das Haus meines Gastgebers und wollten mich töten. Meine Nebenfrau haben sie so brutal vergewaltigt, dass sie gestorben ist. [6] Ich habe ihre Leiche zerteilt und die Stücke überall in Israel herumzeigen lassen. Jeder sollte sehen, was für ein abscheuliches Verbrechen in unserem Land geschehen ist. [7] Darum seid ihr alle hier versammelt. Männer von Israel, bildet euch ein Urteil, und entscheidet, was zu tun ist!«

[8] Da standen alle Israeliten auf und erklärten einstimmig: »Keiner von uns wird nach Hause zurückkehren, [9] bevor Gibea seine gerechte Strafe bekommen hat. Wir müssen sofort gegen die Stadt vorgehen. Lasst uns auslosen, [10] wer Verpflegung für unser Heer besorgt. Dafür reicht jeder Zehnte von uns, alle anderen sollen gleich mit nach Gibea kommen. Wir werden die Bewohner dort zur Rechenschaft ziehen für das Verbrechen, das sie in unserem Land begangen haben.«

[11] So zogen die Israeliten geschlossen nach Gibea, um die Stadt anzugreifen. [12] Unterwegs sandten sie Boten zu allen Sippen des Stammes Benjamin und ließen ihnen ausrichten: »Bei euch ist eine abscheuliche Tat verübt worden. [13] Liefert uns die Männer von Gibea aus. Wir werden diese skrupellosen Kerle töten. Eine solche Schandtat darf in Israel nicht geduldet werden!«

Doch dazu waren die Benjaminiter nicht bereit. [14] Aus dem ganzen Stammesgebiet zogen sie nach Gibea, um der Stadt im Kampf gegen die Israeliten zu helfen. [15] Noch am selben Tag stellten sie ein Heer von 26000 Mann auf, alle mit Schwertern bewaffnet. Dazu kamen weitere 700 erfahrene Soldaten aus Gibea selbst. [16] Im ganzen Stamm Benjamin gab es 700 Männer, die sogar mit der linken Hand Steine schleudern konnten und nie ihr Ziel verfehlten. [17] Die Israeliten hatten ohne den Stamm Benjamin 400000 kampferprobte Soldaten aufgeboten, die mit Schwertern bewaffnet waren.

[18] Sie zogen nach Bethel und fragten Gott: »Welcher Stamm soll uns in der Schlacht gegen Benjamin anführen?« Der Herr antwortete: »Juda soll vorangehen!«

Der Krieg zwischen Israel und Benjamin

[19] Am nächsten Morgen zogen die Israeliten nach Gibea und schlugen in der Nähe ihr Heerlager auf. [20] Sie machten sich zum Angriff bereit und stellten sich in Schlachtordnung vor die Stadt. [21] Da stürmten die Benjaminiter heraus und töteten an jenem Tag 22000 von ihnen.

[22/23] Die Israeliten flohen nach Bethel zum Heiligtum des Herrn und weinten dort bis zum Abend. Sie fragten den Herrn: »Sollen wir noch einmal gegen unsere Brüder vom Stamm Benjamin kämpfen?« Der Herr antwortete: »Ja, greift sie an!« Nun fassten die Israeliten wieder Mut. Sie stellten sich am nächsten Tag an derselben Stelle auf, [24] um Gibea anzugreifen. [25] Doch die Benjaminiter kamen ihnen erneut zuvor und brachten 18000 israelitische Soldaten um.

[26] Da zog das ganze Heer der Israeliten wieder zum Heiligtum des Herrn nach

---

20,1 1 Sam 7,5 **20,4** 19,14 **20,13** 4 Mo 35,33 **20,18** 2 Mo 28,30*

Bethel; dort weinten und fasteten sie bis zum Abend. Sie brachten dem Herrn Brand- und Dankopfer dar [27] und fragten ihn, was sie tun sollten. Zu dieser Zeit stand in Bethel die Bundeslade Gottes, [28] und Pinhas, ein Nachkomme Eleasars und Aarons, übte das Priesteramt aus. »Sollen wir noch einmal gegen unsere Stammesbrüder von Benjamin kämpfen, oder sollen wir aufgeben?«, fragten die Israeliten. »Greift sie an«, antwortete der Herr, »morgen schenke ich euch den Sieg über sie.«

Die Benjaminiter werden beinahe ausgelöscht

[29] Diesmal legten sich einige israelitische Soldaten rings um Gibea in den Hinterhalt. [30] Die anderen stellten sich wie an den zwei ersten Tagen vor der Stadt zum Kampf auf. [31] Wieder stürmten die Benjaminiter heraus und griffen an. Auf den Wegen, die nach Bethel und nach Gibea führten, und auf dem offenen Land töteten sie etwa dreißig Israeliten. Dabei entfernten sie sich immer weiter von der Stadt. [32] »Jetzt schlagen wir sie wie die letzten Male!«, riefen sie.

Doch die Männer Israels hatten sich einen Plan zurechtgelegt: »Wir fliehen vor ihnen und locken sie von der Stadt weg auf die Wege!« [33] Sie rannten vor den Benjaminitern davon, bei Baal-Tamar aber kehrten sie um und stellten sich ihren Verfolgern entgegen. Die anderen Israeliten, die sich rings um Gibea auf freiem Feld versteckt gehalten hatten, kamen nun hervor. [34] Plötzlich sahen sich die Benjaminiter von Gibea 10000 der besten Soldaten aus ganz Israel gegenüber, und es entbrannte eine heftige Schlacht. Unerwartet brach das Unglück über die Stadt herein. [35] Die Israeliten siegten mit der Hilfe des Herrn und töteten an jenem Tag 25100 benjaminitische Soldaten. [36] Erst ganz zuletzt begriffen die Benjaminiter, dass sie verloren waren. Das israelitische Heer hatte sie durch seine Flucht von Gibea fortgelockt. Die Männer, die rings um Gibea im Hinterhalt lagen, [37] brachen aus ihren Verstecken hervor, überfielen die Stadt und töteten alle Menschen dort mit dem Schwert. [38] Dann legten sie Feuer und ließen eine große Rauchwolke aufsteigen. Dies war das Zeichen für die anderen Soldaten, [39] die zum Schein vor den Benjaminitern geflohen waren.

Die Benjaminiter hatten etwa dreißig Israeliten getötet und gerufen: »Wir werden sie besiegen wie gestern und vorgestern!« [40] Plötzlich stieg hinter ihnen der Rauch aus der Stadt auf. Die Benjaminiter drehten sich um und sahen, dass ganz Gibea in Flammen stand. [41] In diesem Augenblick machten die fliehenden Israeliten kehrt und griffen ihre Feinde an.

Da packte die Benjaminiter die Angst. Sie merkten, dass sie verloren waren, [42/43] und versuchten nach Osten in Richtung Wüste zu entkommen. Nun verfolgten auch diejenigen Soldaten sie, die vorher Gibea aus dem Hinterhalt angegriffen hatten. Die Israeliten holten die Fliehenden ein, umzingelten sie und brachten sie um. [44] 18000 Benjaminiter, alles erfahrene Soldaten, fielen in der Schlacht. [45] Die Überlebenden versuchten, weiter in Richtung Wüste zum Rimmonfelsen zu fliehen. Doch die Israeliten überwältigten unterwegs 5000 von ihnen und stachen sie nieder. Weitere 2000 töteten sie bei Gidom. [46] Insgesamt verloren die Benjaminiter in dieser Schlacht 25000 gute und kampferprobte Soldaten. [47] Nur 600 erreichten den Rimmonfelsen und versteckten sich dort vier Monate. [48] Die Israeliten brachen die Verfolgung ab und kehrten in das Stammesgebiet Benjamins zurück. Hier töteten sie alle Menschen und Tiere, die sie fanden, und brannten die Städte nieder.

Frauen für die Benjaminiter

21 Als die Israeliten in Mizpa versammelt gewesen waren, hatten

---

20,28 4 Mo 25,10–13 **20,29** Jos 8,12 **20,31** Jos 8,16 **20,48** 5 Mo 7,2* **21,1** 20,1

sie geschworen: »Keiner von uns wird jemals seine Tochter einem Benjaminiter zur Frau geben!« [2]Nun gingen sie zum Heiligtum des Herrn nach Bethel und blieben bis zum Abend dort. Sie weinten laut und beteten: [3]»Herr, du Gott Israels, unser Volk hat einen ganzen Stamm verloren! Warum musste das geschehen?«

[4]Am nächsten Morgen standen sie früh auf, errichteten einen Altar und brachten darauf Brand- und Dankopfer dar. [5]Sie fragten einander: »Gibt es Leute aus unserem Volk, die nicht zu unserer Versammlung nach Mizpa gekommen sind?« Damals hatten sie nämlich geschworen: »Wer nicht erschienen ist, muss sterben!« [6]Es tat den Israeliten leid um die Benjaminiter. »Ein ganzer Stamm ist ausgelöscht«, klagten sie, [7]»wie können wir nur den wenigen Überlebenden zu Frauen verhelfen? Wir haben ja vor dem Herrn geschworen, ihnen keine von unseren Töchtern zu geben. [8]Vielleicht ist ja wirklich irgendeine Sippe nicht zu unserer Versammlung in Mizpa gekommen. Wir wollen es nachprüfen!« Sie stellten fest, dass die Einwohner der Stadt Jabesch im Gebiet von Gilead nicht dabei gewesen waren, [9]denn als sie ihre Truppen musterten, fehlten die Männer aus Jabesch.

[10]Da wählten sie 12000 Soldaten aus und befahlen ihnen: »Geht nach Jabesch in Gilead, und tötet alle Einwohner, auch die Frauen und Kinder. [11]Vollstreckt an ihnen Gottes Strafe! Nur die unverheirateten Mädchen lasst leben.«

[12]Die Soldaten fanden unter den Einwohnern von Jabesch 400 Mädchen, die noch nicht verheiratet waren, und brachten sie in das israelitische Lager bei Silo im Land Kanaan. [13]Von dort schickten die Israeliten Boten zu den Benjaminitern am Rimmonfelsen und schlossen Frieden mit ihnen. [14]Da kehrten die 600 Männer aus der Wüste zurück und bekamen die Mädchen aus Jabesch, die man am Leben gelassen hatte. Aber es waren nicht genug für sie alle.

[15]Die Israeliten waren traurig, dass der Herr einen ihrer Stämme fast ausgelöscht hatte. Sie hatten großes Mitleid mit den Benjaminitern. [16]Wieder fragten die Ältesten: »Woher bekommen wir Frauen für die übrigen Männer von Benjamin? Sie haben ja alle Frauen ihres Stammes verloren! [17]Ihr Gebiet wollen wir ihnen gern lassen. Sie sollen nicht aussterben, nur weil sie kein Land mehr haben. [18]Aber wir dürfen ihnen keine von unseren Töchtern zur Frau geben, denn wir haben geschworen: ›Wer seine Tochter mit einem Mann aus Benjamin verheiratet, den soll Gottes Strafe treffen.‹«

[19]Schließlich schlugen sie vor: »Bald findet doch das jährliche Fest für den Herrn hier in Silo statt. Dieser Ort liegt sehr günstig: nördlich von Bethel, südlich von Lebona und östlich der Straße, die von Bethel nach Sichem führt. [20]Ihr Benjaminiter, legt euch in den Weinbergen auf die Lauer! [21]Wenn die Mädchen aus Silo herauskommen, um zu tanzen, springt ihr hervor, und jeder von euch packt eine von ihnen. Dann nehmt sie mit in euer Stammesgebiet. [22]Wenn ihre Väter und Brüder zu uns kommen und uns Vorwürfe machen, werden wir antworten: ›Lasst ihnen die Mädchen. Sie haben beim Krieg gegen Jabesch nicht genug Frauen bekommen. Ihr macht euch nicht schuldig, denn ihr habt sie ihnen ja nicht freiwillig gegeben.‹«

[23]Die Benjaminiter befolgten den Rat und raubten so viele Frauen, wie ihnen fehlten. Sie nahmen sie mit in ihr Stammesgebiet, bauten dort die zerstörten Städte wieder auf und wohnten darin. [24]Auch die anderen Israeliten machten sich auf den Heimweg und kehrten in die Gebiete zurück, aus denen sie stammten.

[25]In jener Zeit gab es keinen König in Israel, und jeder tat, was er für richtig hielt.

21,2 20,18.22–23.26 **21,10–11** 4 Mo 31,17–18; 5 Mo 7,2* **21,13** 20,45.47 **21,19** Jos 18,1* **21,25** 17,6; 18,1; 19,1

Das Buch Ruth

»Dein Gott ist mein Gott!«

1 [1/2] Zu der Zeit, als das Volk Israel von Männern geführt wurde, die man »Richter« nannte, brach im Land eine Hungersnot aus. Darum verließ ein Mann namens Elimelech von der Sippe Efrat die Stadt Bethlehem in Juda, wo er gewohnt hatte. Er ging mit seiner Frau Noomi und seinen beiden Söhnen Machlon und Kiljon ins Land Moab und ließ sich dort nieder.

[3] Doch dann starb Elimelech, und Noomi blieb mit ihren Söhnen allein zurück. [4] Die beiden heirateten zwei Frauen aus Moab, sie hießen Orpa und Ruth. Nach etwa zehn Jahren [5] starben auch Machlon und Kiljon. Nun hatte Noomi keinen Mann und keine Söhne mehr.

[6/7] Bald darauf erfuhr sie, dass der Herr sich über sein Volk erbarmt und ihm wieder eine gute Ernte geschenkt hatte. Sofort brach sie auf, um in ihre Heimat Juda zurückzukehren. Ihre Schwiegertöchter begleiteten sie.

Unterwegs [8] sagte Noomi zu ihnen: »Geht doch wieder zurück in euer Elternhaus, kehrt um! Möge der Herr euch so viel Liebe erweisen, wie ihr sie den Verstorbenen und mir entgegengebracht habt! [9] Er gebe euch ein neues Zuhause an der Seite eines zweiten Mannes!«

Sie küsste ihre Schwiegertöchter. Die beiden fingen an zu weinen [10] und widersprachen ihr: »Nein, wir wollen mit dir zu deinem Volk gehen!« [11] Doch Noomi entgegnete: »Kehrt doch um, meine Töchter! Warum wollt ihr mich unbedingt begleiten? Ich werde keine Söhne mehr zur Welt bringen, die eure Männer werden könnten.[a] [12] Kehrt um, meine Töchter, geht! Ich bin zu alt, um wieder zu heiraten. Und selbst wenn ich die Hoffnung nicht aufgäbe, ja, wenn ich noch heute Nacht einen Mann bekäme und dann Söhne zur Welt brächte: [13] Wollt ihr etwa so lange warten, bis sie erwachsen sind? Wollt ihr euch bis dahin von allen Männern fern halten und jede Gelegenheit ausschlagen, noch einmal zu heiraten? Nein, meine Töchter! Der Herr hat sich gegen mich gewandt, euch jedoch möchte ich das harte Schicksal ersparen, das mich getroffen hat.«

[14] Da weinten die beiden noch mehr. Orpa küsste ihre Schwiegermutter zum Abschied, Ruth aber wollte sie auf keinen Fall verlassen. [15] Da forderte Noomi sie auf: »Deine Schwägerin kehrt zu ihrem Volk und zu ihrem Gott zurück. Geh doch mit ihr!«

[16] Aber Ruth erwiderte: »Besteh nicht darauf, dass ich dich verlasse! Ich will mich nicht von dir trennen. Wo du hingehst, da will auch ich hingehen. Wo du bleibst, da bleibe ich auch. Dein Volk ist mein Volk, und dein Gott ist mein Gott. [17] Wo du stirbst, will ich auch sterben und begraben werden. Nur der Tod kann mich von dir trennen; wenn ich dieses Versprechen nicht halte, soll Gott mich hart bestrafen!«

[18] Noomi merkte, dass Ruth darauf bestand, mit ihr zu gehen, und so versuchte sie nicht mehr, sie zur Umkehr zu überreden. [19] Die beiden machten sich auf den Weg nach Bethlehem. Als sie dort ankamen, ging es wie ein Lauffeuer durch die Stadt. »Ist das nicht Noomi?«, riefen die Frauen.

---

[a] Vgl. 5. Mose 25,5–10

1,1–2 Ri 2,16; 1 Sam 17,12; 22,3–4; Mi 5,1 **1,16** 2 Sam 15,21

[20]»Nennt mich nicht länger Noomi[a]«, erwiderte sie, »nennt mich Mara[b], denn Gott, der Allmächtige, hat mir ein schweres Schicksal auferlegt: [21]Als ich von hier fortzog, hatte ich alles, was man sich nur wünschen kann. Jetzt lässt mich der Herr mit leeren Händen zurückkehren. Warum nennt ihr mich also noch Noomi? Der Herr hat sein Urteil gegen mich gesprochen; er, der Allmächtige, hat mir bitteres Leid zugefügt.«

[22]Als Noomi mit ihrer moabitischen Schwiegertochter Ruth nach Bethlehem kam, begann gerade die Gerstenernte.

Ruth lernt Boas kennen

2 In Bethlehem wohnte ein Mann namens Boas, der aus derselben Sippe stammte wie Noomis verstorbener Mann Elimelech. Boas war wohlhabend und einflussreich.

[2]Eines Tages sagte Ruth zu ihrer Schwiegermutter: »Ich möchte auf die Felder gehen und dort die Ähren auflesen, die von den Erntearbeitern nicht mitgenommen wurden. Irgendjemand wird es mir sicher erlauben.« »Ja«, antwortete Noomi, »geh nur!« [3]Auf einem der Felder ging Ruth hinter den Erntearbeitern her und sammelte die Ähren auf, die sie liegen ließen. Sie wusste nicht, dass gerade dieses Feld Boas aus der Sippe Elimelechs gehörte.

[4]Als Boas nun von Bethlehem zu seinen Arbeitern aufs Feld kam, begrüßte er sie: »Der Herr sei mit euch!« Sie antworteten: »Der Herr segne dich!« [5]Boas erkundigte sich bei dem Mann, der die Arbeiter beaufsichtigte: »Zu wem gehört diese junge Frau da?« [6]»Sie ist eine Moabiterin, die mit Noomi aus Moab zurückgekehrt ist«, erwiderte der Mann. [7]»Sie hat mich gefragt, ob sie dort, wo deine Männer schon waren, die liegen gebliebenen Ähren auflesen darf. Seit dem frühen Morgen ist sie bereits da und hat sich noch kaum in den Schatten gesetzt.«

[8]Da sagte Boas zu Ruth: »Ich mache dir einen Vorschlag: Du brauchst nicht auf ein anderes Feld zum Ährenlesen zu gehen; bleib hier bei meinen Mägden, [9]die die Garben binden! Sammle immer dort, wo die Arbeiter gerade das Korn abmähen. Ich habe ihnen verboten, dich zu belästigen. Wenn du Durst hast, dann geh ruhig zu den Krügen dort, und trink von dem Wasser, das meine Männer geschöpft haben!«

[10]Da warf Ruth sich vor ihm nieder und fragte: »Womit habe ich das verdient? Warum beachtest du mich, obwohl ich eine Ausländerin bin?« [11]Boas antwortete: »Man hat mir berichtet, wie du seit dem Tod deines Mannes deiner Schwiegermutter beigestanden hast. Deine Eltern und dein Land hast du verlassen und dich einem Volk angeschlossen, das du vorher nicht gekannt hast. [12]Du bist zum Herrn, dem Gott Israels, gekommen, um bei ihm Schutz und Zuflucht zu finden. Möge er alle deine Taten reich belohnen!« [13]Da sagte sie: »Mein Herr, ich danke dir für deine große Freundlichkeit! Deine Worte geben mir Mut und Hoffnung. Du schenkst mir deine Gunst, obwohl ich doch viel geringer als deine Mägde bin.«

[14]Als es Zeit zum Essen war, rief Boas Ruth zu sich. »Komm hierher, und iss etwas Brot!«, forderte er sie auf. »Du kannst es auch in den Weinessig tunken.« Ruth setzte sich zu seinen Leuten, und Boas reichte ihr geröstete Getreidekörner. So konnte sie sich satt essen und behielt sogar noch etwas übrig. [15]Als sie aufstand, um weiterzuarbeiten, befahl Boas seinen Männern: »Lasst sie auch dort sammeln, wo die Garben noch nicht weggeräumt sind, und macht ihr deshalb keine Vorwürfe! [16]Zieht immer wieder Ähren aus den Bündeln heraus, und lasst

---

[a] Noomi bedeutet »die Fröhliche«.

[b] Mara bedeutet »die Betrübte«.

2,2 3 Mo 19,9–10; 23,22; 5 Mo 24,19–21 **2,11** 1,16–17; 1 Mo 12,1

sie dort für sie liegen. Kein böses Wort soll sie von euch hören!«

[17]Bis zum Abend arbeitete Ruth auf dem Feld. Als sie die Ähren ausklopfte, hatte sie etwa 15 Kilogramm Gerste beisammen. [18]Sie brachte das Getreide nach Hause und zeigte es ihrer Schwiegermutter. Dann gab sie ihr die gerösteten Körner, die sie vom Mittagessen übrig behalten hatte. [19]»Wo hast du nur so viel sammeln können?«, fragte Noomi. »Erzähl mir, wo du gewesen bist. Gott segne den, der so freundlich zu dir war!«

Ruth berichtete: »Der Mann, der mich auf sein Feld gelassen hat, hieß Boas.« [20]»Der Herr segne ihn!«, rief Noomi erfreut. »Er ist ein naher Verwandter von uns und darum nach dem Gesetz verpflichtet, uns zu helfen.[a] Jetzt sehe ich: Gott hat uns nicht unserem Schicksal überlassen, der Name unserer Männer wird nicht vergessen werden[b]!«

[21]Ruth erzählte weiter: »Boas hat mir angeboten, immer in der Nähe seiner Arbeiter die Ähren aufzulesen, bis die ganze Ernte eingebracht ist!« [22]»Es ist gut, wenn du mit seinen Mägden hinausgehst«, meinte Noomi, »auf einem anderen Feld würde man dich vielleicht belästigen.«

[23]So arbeitete Ruth während der ganzen Gersten- und Weizenernte zusammen mit den Mägden des Boas. Sie wohnte weiter bei ihrer Schwiegermutter.

Ruth wagt einen mutigen Schritt

3 Eines Tages sagte Noomi zu Ruth: »Ich möchte dir helfen, einen Mann und ein neues Zuhause zu finden. [2]Du hast doch mit Boas' Mägden zusammengearbeitet, er ist ja unser Verwandter. Nun hör gut zu: Heute Abend ist er auf seiner Tenne und trennt die Spreu von der Gerste. [3]Nimm ein Bad, verwende duftende Salben, zieh dein schönstes Kleid an, und geh dorthin! Pass auf, dass er dich nicht entdeckt, bevor er gegessen und getrunken hat. [4]Merk dir genau die Stelle, wo er sich hinlegt. Wenn er dann eingeschlafen ist, schlüpf am Fußende unter seine Decke! Alles Weitere wird er dir schon sagen.«

[5]»Gut«, erwiderte Ruth, »ich will deinen Rat befolgen.« [6]Sie bereitete alles so vor, wie ihre Schwiegermutter es ihr vorgeschlagen hatte, und ging zur Tenne. [7]Als Boas gegessen und getrunken hatte, legte er sich zufrieden am Rand eines Getreidehaufens schlafen. Ruth schlich leise zu ihm und schlüpfte am Fußende seines Lagers unter die Decke.

[8]Um Mitternacht fuhr Boas aus dem Schlaf hoch. Er beugte sich vor und entdeckte eine Frau, die zu seinen Füßen lag. [9]»Wer bist du?«, fragte er. »Ich bin Ruth«, antwortete sie. »Ich habe eine Bitte: Als naher Verwandter von mir bist du dafür verantwortlich, dass ich keine Not leide. Breite dein Gewand über mich aus als Zeichen dafür, dass du mich heiraten wirst.«

[10]»Der Herr segne dich!«, rief Boas. »Jetzt zeigst du noch viel mehr als bisher, wie sehr dir die Familie deiner Schwiegermutter am Herzen liegt! Du bist nicht den jungen Männern nachgelaufen, obwohl du sicher auch einen wohlhabenden hättest finden können. [11]Du brauchst dir keine Sorgen zu machen, ich werde deine Bitte erfüllen. Jeder hier in Bethlehem weiß, dass du eine ehrbare junge Frau bist. [12]Du hast Recht, ich bin ein naher Verwandter von euch und habe die Pflicht, für dich zu sorgen. Aber es gibt einen Mann, der noch näher mit dir verwandt ist. [13]Bleib heute Nacht hier! Morgen soll sich der Mann entscheiden, ob er sich deiner annehmen will. Wenn nicht, werde ich es tun. Das schwöre ich dir, so wahr der Herr lebt! Du kannst bis zum Morgen hier bleiben.«

---

[a] Vgl. 3. Mose 25,25 und 5. Mose 25,5–6
[b] Wörtlich: … überlassen, und auch die Toten nicht.

3,1 1,9 **3,9** Hes 16,8 **3,10** 2,11 **3,12** 2,20; 4,1

[14]Ruth schlief die Nacht über am Fußende seines Lagers; doch bevor es so hell wurde, dass andere sie hätten erkennen können, stand sie auf. Denn Boas hatte gesagt: »Niemand darf erfahren, dass eine Frau bei mir war.« [15]Bevor Ruth die Tenne verließ, forderte Boas sie auf: »Nimm dein Umschlagtuch ab, und halte es auf!« Er schüttete gut 25 Kilogramm Gerste hinein, lud ihr das Bündel auf die Schulter und ging dann zurück in die Stadt.

[16]Als Ruth zu Hause ankam, fragte Noomi sie: »Wie ist es dir ergangen, meine Tochter?« Ruth berichtete, was Boas ihr geantwortet hatte. [17]»Und diesen halben Zentner Gerste hat er mir geschenkt«, erzählte sie weiter, »er sagte: ›Du sollst nicht mit leeren Händen zu deiner Schwiegermutter zurückkehren!‹« [18]Noomi machte ihr Mut: »Warte jetzt einfach ab, wie es sich entwickelt. Dieser Mann wird nicht eher ruhen, bis er alles zu Ende gebracht hat – ganz sicher wird es noch heute geschehen!«

Wer nimmt Ruth zur Frau?

4 Boas ging zum Versammlungsplatz am Stadttor und setzte sich dorthin. Da kam jener Verwandte vorbei, von dem er Ruth erzählt hatte. Boas sprach ihn an: »Komm doch herüber, und setz dich!«

Als der Mann Platz genommen hatte, [2]rief Boas zehn Männer aus dem Ältestenrat von Bethlehem und bat sie: »Setzt euch zu uns!« [3]Dann sagte er zu seinem Verwandten: »Noomi, die aus dem Land der Moabiter zurückgekehrt ist, will das Grundstück Elimelechs verkaufen, der ja zu unserer Sippe gehört hat. [4]Nun schlage ich dir vor: Kauf du das Grundstück. Die Ältesten von Bethlehem und die anderen Versammelten hier sollen Zeugen sein. Sag uns, ob du es erwerben willst, damit es im Besitz unserer Sippe bleibt. Du hast das Vorkaufsrecht, weil du der nächste Verwandte bist. Ich komme erst nach dir.« Der Mann antwortete: »Gut, ich will es tun.« [5]Boas aber erwiderte: »Wenn du von Noomi das Grundstück erwirbst, musst du auch die Moabiterin Ruth heiraten und einen Sohn zeugen, der als Nachkomme ihres verstorbenen Mannes gilt. Er wird eines Tages das Feld erben, und so bleibt es im Besitz dieser Familie.«

[6]»Wenn das so ist«, meinte der andere, »trete ich meine Rechte auf das Grundstück an dich ab. Ich würde ja sonst etwas kaufen, was später nicht mehr meiner Familie gehört. Nimm du es!«

[7]Wer zu dieser Zeit in Israel sein Besitzrecht einem anderen übertrug oder einen Tauschhandel abschloss, zog als Zeichen dafür seinen Schuh aus und gab ihn dem anderen. Damit war der Handel rechtsgültig. [8]Als nun Ruths nächster Verwandter Boas das Grundstück überlassen wollte, zog er seinen Schuh aus und gab ihn Boas. [9]Der wandte sich an die Ältesten von Bethlehem und an die übrigen Versammelten: »Ihr seid heute meine Zeugen, dass ich von Noomi alles erworben habe, was ihrem Mann Elimelech und seinen Söhnen Kiljon und Machlon gehörte.

[10]Damit habe ich auch die Verpflichtung übernommen, Machlons Witwe, die Moabiterin Ruth, zu heiraten und einen Sohn zu zeugen, der als Nachkomme Machlons gilt. So wird der alte Erbbesitz in der Familie des Verstorbenen bleiben. Sein Name soll in unserer Sippe und bei den Einwohnern von Bethlehem niemals vergessen werden. Dafür seid ihr Zeugen!«

[11]Die Ältesten und alle Männer auf dem Versammlungsplatz bestätigten: »Ja, wir bezeugen es! Möge der Herr deine Frau so reich beschenken wie Rahel und Lea, von denen alle Israeliten abstammen. Wir wünschen dir, dass du immer mehr Ansehen gewinnst und dein Name hier in Bethlehem berühmt wird! [12]Der

4,1-4 3 Mo 25,25 **4,5** 5 Mo 25,5-6 **4,11** 1 Mo 29,20 – 30,24 **4,12** 1 Mo 38,29

Herr möge dir und deiner Frau so viele Nachkommen schenken wie der Familie von Perez, dem Sohn Tamars und Judas.[a]«

[13] So wurde Ruth Boas' Frau, er schlief mit ihr, und der Herr ließ sie schwanger werden. Als sie einen Sohn zur Welt brachte, [14] sagten die Frauen von Bethlehem zu Noomi: »Gelobt sei der Herr! Er hat dir mit diesem Kind jemanden gegeben, der für dich sorgen wird. Möge dein Enkel berühmt werden bei den Israeliten! [15] Er wird dir viel Freude schenken und sich um dich kümmern, wenn du alt geworden bist. Deine Schwiegertochter, die dich liebt, hat ihn geboren; sie ist mehr wert für dich als sieben Söhne!«

[16] Noomi nahm das Kind auf ihren Schoß als Zeichen dafür, dass sie es als ihr eigenes annahm. [17] Ihre Nachbarinnen gaben ihm den Namen Obed (»Diener des Herrn«) und erzählten überall: »Noomi hat einen Sohn bekommen!« Obed wurde der Vater Isais, und dessen Sohn war König David.

[18] Dies ist der Stammbaum des Perez: Perez war der Vater Hezrons, [19] und auf ihn folgten in direkter Linie Ram, Amminadab, [20] Nachschon, Salmon[b], [21] Boas, Obed, [22] Isai und David.

---

[a] Vgl. 4. Mose 26,19–22

[b] So mit der griechischen Übersetzung. Der hebräische Text lautet: Salma.

4,18–22 1 Chr 2,5.9–15; Mt 1,3–6

Das erste Buch Samuel

Hanna betet um einen Sohn

1 In Ramatajim-Zofim (kurz: Rama), einem Ort im Bergland von Ephraim, wohnte ein Mann namens Elkana. Sein Vater hieß Jeroham, sein Großvater Elihu; Elihu wiederum stammte von Tohu ab, der ein Sohn Zufs war. Elihu hatte seinerzeit schon im Gebiet von Ephraim gelebt. [2] Elkana hatte zwei Frauen: die eine hieß Hanna, die andere Peninna. Peninna hatte schon einige Kinder, Hanna aber keine.

[3] Jedes Jahr reiste Elkana mit seiner ganzen Familie zum Heiligtum nach Silo, um dem allmächtigen Gott ein Opfer darzubringen und ihn anzubeten. Zu jener Zeit versahen Hofni und Pinhas in Silo den Priesterdienst. Sie waren Söhne Elis, des alten Priesters. [4] Jedes Mal wenn Elkana sein Opfer dargebracht hatte, kam die ganze Familie zu einem Festessen zusammen. Elkana schnitt das Fleisch der geopferten Tiere in gleiche Stücke und teilte sie aus. Peninna erhielt Fleisch für sich und jedes ihrer Kinder, [5] Hanna aber bekam die doppelte Portion. Denn Elkana liebte sie sehr, obwohl der Herr ihr bisher Kinder versagt hatte. [6] Stets begann Peninna dann, Hanna mit Sticheleien zu kränken, weil sie kinderlos war. [7] Das wiederholte sich jedes Jahr, wenn sie zum Heiligtum des Herrn zogen: Peninna verletzte Hanna mit ihrem Spott so sehr, dass sie vor Ärger und Traurigkeit nur noch weinte und nichts mehr essen wollte. [8] »Hanna, warum weinst du?«, fragte Elkana dann. »Du isst ja gar nichts. Bist du so traurig, weil du keine Kinder hast? Bin ich dir denn nicht viel mehr wert als zehn Söhne?«, versuchte er sie zu trösten.

[9] Eines Tages, als Hanna wieder einmal nur mit Mühe einige Bissen heruntergebracht hatte, zog sie sich von den anderen zurück und ging zum Heiligtum; dort saß der alte Priester Eli auf einem Stuhl neben der Tür. [10] Vor lauter Verzweiflung weinte Hanna hemmungslos. [11] Unter Tränen betete sie und versprach dem Herrn: »Allmächtiger Gott, du siehst doch mein Elend. Wenn du Erbarmen mit mir hast und mich nicht vergisst, sondern mir einen Sohn schenkst, will ich ihn dir zurückgeben. Sein ganzes Leben soll dann dir, Herr, gehören. Als Zeichen dafür werde ich ihm nie die Haare schneiden.«

[12] Hanna betete sehr lange. Das fiel Eli auf, und er beobachtete sie. [13] Ihre Lippen bewegten sich, die Worte aber waren nicht zu hören, weil Hanna leise betete. Eli hielt sie für betrunken [14] und fuhr sie an: »Wie lange willst du eigentlich noch betrunken hier herumlungern? Geh, und schlaf erst einmal deinen Rausch aus!«

[15] »Aber nein, mein Herr, ich bin nicht betrunken«, widersprach Hanna. »Ich bin nur sehr, sehr traurig und habe dem Herrn mein Herz ausgeschüttet. [16] Halte mich bitte nicht für eine heruntergekommene Frau. Wirklich, ich habe nur aus lauter Verzweiflung so lange gebetet.«

[17] Da antwortete Eli: »Geh getröstet und in Frieden nach Hause! Der Gott Israels wird dir geben, worum du gebeten hast.« [18] Hanna verabschiedete sich und sagte: »Behalte mich in guter Erinnerung!« Erleichtert ging sie zu den anderen zurück. Sie konnte wieder essen, und man sah ihr an, wie glücklich sie war.

Samuels Geburt und frühe Kindheit

[19] Am nächsten Morgen standen Elkana und seine Familie früh auf. Sie beteten

---

1,2 1 Mo 25,21; 29,31; Lk 1,7 **1,3** Jos 18,1* **1,11** 4 Mo 6,5; Ri 13,5

noch einmal im Heiligtum und kehrten dann nach Rama zurück. Als Elkana mit Hanna schlief, erhörte der Herr ihr Gebet. [20]Sie wurde schwanger und brachte noch im selben Jahr einen Sohn zur Welt. »Ich habe Gott um einen Sohn gebeten«, sagte sie und nannte ihn daher Samuel (»von Gott erbeten«).

[21]Im nächsten Jahr zog Elkana wieder mit der ganzen Familie nach Silo. Er wollte ein besonderes Opfer darbringen, das er dem Herrn versprochen hatte. [22]Nur Hanna blieb zu Hause. Sie sagte zu ihrem Mann: »Sobald ich den Jungen nicht mehr stillen muss und er etwas selbständiger geworden ist, werde ich ihn mitnehmen zum Heiligtum des Herrn und ihn für immer dort lassen.« [23]»Tu, was du für richtig hältst«, erwiderte Elkana. »Bleib ruhig zu Hause, bis der Junge etwas größer ist. Hoffen wir, dass der Herr dann auch einlöst, was er dir für unseren Sohn versprochen hat.« So blieb Hanna zu Hause und stillte ihren Sohn, bis er entwöhnt war.

[24]Als Samuel einige Jahre alt war, nahm seine Mutter ihn mit nach Silo. Obwohl er noch sehr jung war, wollte sie ihn nun im Heiligtum Gottes lassen. Als Opfergaben brachte sie drei Stiere mit, dazu einen Sack Mehl und einen Schlauch Wein. [25]Nachdem Elkana und Hanna einen der Stiere geopfert hatten, brachten sie den Jungen zu Eli. [26]»Herr, erinnerst du dich noch an mich?«, fragte Hanna. »Ich bin die Frau, die vor einigen Jahren hier stand und gebetet hat. [27]Um diesen Jungen habe ich damals gefleht, und der Herr hat mein Gebet erhört. Er gab mir, worum ich bat. [28]So will auch ich nun mein Versprechen halten: Ich gebe Samuel dem Herrn zurück. Sein ganzes Leben lang soll er Gott gehören.« Danach warfen sie sich nieder und beteten den Herrn an.

Hannas Loblied

2 Hanna sang ein Loblied:

»Der Herr erfüllt mein Herz mit großer Freude, er richtet mich auf und gibt mir neue Kraft! Laut lache ich über meine Feinde und freue mich über deine Hilfe!

[2]Niemand ist so heilig wie du, denn du bist der einzige und wahre Gott. Du bist ein Fels, keiner ist so stark und unerschütterlich wie du.
[3]Lasst eure stolzen Reden und frechen Worte! Wisst ihr denn nicht, dass der Herr alles hört, was ihr sagt, und ihm nichts entgeht, was ihr tut?
[4]Die Waffen starker Soldaten sind zerbrochen, doch die Schwachen bekommen neue Kraft.
[5]Wer immer satt geworden ist, muss nun für ein Stück Brot hart arbeiten. Doch wer damals Hunger litt, hat heute genug zu essen. Die unfruchtbare Frau bringt sieben Kinder zur Welt, die kinderreiche jedoch welkt dahin!

[6]Der Herr tötet und macht wieder lebendig. Er schickt Menschen hinab ins Totenreich und ruft sie wieder herauf.
[7]Manche macht er arm, andere dagegen reich. Er erniedrigt und erhöht Menschen, wie er es für richtig hält[a].
[8]Dem Verachteten hilft er aus seiner Not. Er zieht den Armen aus dem Schmutz und stellt ihn dem Fürsten gleich, ja, er gibt ihm einen Ehrenplatz. Dem Herrn gehört die ganze Welt. Er hat sie auf ein festes Fundament gegründet, damit sie niemals wankt.

[9]Er beschützt jeden, der ihm vertraut, doch wer von ihm nichts wissen will, der wird in Finsternis enden. Denn aus eigener Kraft erringt keiner den Sieg.

---

[a] »wie … hält« ist sinngemäß eingefügt.

1,24 4 Mo 15,8–10 **1,26–28** 4 Mo 30,3* **2,1–10** Lk 1,46–55 **2,2** 5 Mo 4,35; Ps 18,32; Jes 44,8 **2,6** 5 Mo 32,39 **2,7** Ps 75,8 **2,8** Ps 113,7–8 **2,9** Ps 1,6

[10] Wer es wagt, mit dem Herrn zu streiten, der verliert. Er geht zugrunde, wenn Gott seinen schrecklichen Donner gegen ihn grollen lässt. Der Herr wird über die ganze Welt Gericht halten. Macht und Ehre gibt er seinem König, den er selbst auserwählt und eingesetzt hat.«

[11] Danach reisten Elkana und Hanna wieder zurück nach Rama. Der Junge aber blieb beim Priester Eli und wurde unter seiner Aufsicht ein Diener Gottes.

Das gottlose Leben der Söhne Elis

[12] Hofni und Pinhas, die Söhne Elis, waren gewissenlose Männer. Sie wollten nichts vom Herrn wissen [13] und gaben sich nicht zufrieden mit dem Anteil, der ihnen vom Fleisch der geopferten Tiere zustand. Immer wenn jemand ein Opfer darbrachte und dann das Fleisch für das Festmahl kochte, schickten sie ihren Diener mit einer großen dreizinkigen Gabel zur Kochstelle. [14] Er stach damit in den Fleischtopf und brachte alles, was er aufgespießt hatte, Elis Söhnen, den Priestern.

So machten sie es bei allen Israeliten, die zum Opfern nach Silo kamen. [15] Oft stand der Diener sogar schon da, bevor das Fett des Opfertiers auf dem Altar verbrannt war. Dann forderte er: »Gib mir das Fleisch für den Priester! Er will es nicht gekocht von dir, sondern roh, damit er es braten kann.« [16] Wenn der Mann, der das Opfer darbrachte, einzuwenden wagte: »Zuerst muss doch das Fett für den Herrn verbrannt werden! Nachher kannst du meinetwegen nehmen, so viel du willst«, dann fuhr der Diener ihn an: »Ich will es sofort haben! Gibst du es nicht freiwillig, dann nehme ich es mit Gewalt.« [17] So luden die jungen Männer schwere Schuld auf sich, denn sie behandelten die für den Herrn bestimmten Opfergaben mit Verachtung.

Samuel erhält Besuch von seinen Eltern

[18] Der junge Samuel diente am Heiligtum des Herrn und trug bereits das leinene Priestergewand. [19] Jedes Jahr nähte ihm seine Mutter ein neues Obergewand und brachte es mit, wenn sie mit ihrem Mann zum jährlichen Opfer nach Silo kam. [20] Bevor sie wieder heimkehrten, segnete Eli die Eltern Samuels. Er sagte zu Elkana: »Möge der Herr dir und deiner Frau noch weitere Kinder schenken als Ersatz für diesen Jungen, den ihr ihm zurückgegeben habt.« [21] Und wirklich: Der Herr schenkte Hanna noch drei Söhne und zwei Töchter. Samuel aber wuchs auf als Diener des Herrn.

Elis Söhne lassen sich von ihrem Vater nichts sagen

[22] Eli war inzwischen sehr alt geworden. Er hörte, wie unverschämt Hofni und Pinhas die Israeliten behandelten, und wusste auch, dass sie oft mit den Frauen schliefen, die beim Eingang zum Heiligtum ihre Arbeit verrichteten. [23/24] Da sagte er zu ihnen: »Ganz Israel beschwert sich bei mir über euch. Warum treibt ihr es auch so schlimm? Man erzählt sich die schrecklichsten Geschichten! Ihr verführt durch eure Machenschaften das Volk Gottes zur Sünde. [25] Wenn jemand an einem Menschen schuldig wird, nimmt Gott ihn vielleicht noch in Schutz. Wenn jemand sich aber direkt gegen den Herrn versündigt, wie ihr es ständig tut, dann kann niemand mehr als Vermittler für ihn einspringen.«

Doch die Söhne wollten nicht auf ihren Vater hören, denn der Herr hatte ihren Tod schon fest beschlossen.

[26] Je älter Samuel wurde, desto mehr Ansehen fand er beim Herrn und bei den Menschen.

2,10 Ps 96,13 **2,12–17** 3 Mo 7,23–25*.28–36; 4 Mo 18,8–19* **2,20** 1,28 **2,26** Lk 2,52

Gott kündigt Eli die Strafe an

[27] Eines Tages kam ein Prophet zu Eli und sagte: »So spricht der Herr: ›Hast du vergessen, wie deutlich ich damals zu deinem Stammvater Aaron gesprochen habe, als die Israeliten noch in Ägypten unter der Herrschaft des Pharaos litten? [28] Aus allen Stämmen Israels habe ich ihn und seine Nachkommen als meine Priester erwählt. Sie sollten auf meinem Altar Opfer darbringen, Weihrauch verbrennen und in meinem Heiligtum das Priestergewand tragen. Schon deine Vorfahren durften von allen Opfern der Israeliten einen bestimmten Anteil für sich zum Essen behalten. [29] Warum setzt ihr euch jetzt über meine Gebote hinweg und greift gierig nach den Opfergaben, die für mich allein bestimmt sind? Und du, Eli, warum ehrst du deine Söhne mehr als mich? Warum duldest du, dass sie die fettesten und schönsten Fleischstücke der Opfertiere für sich nehmen, damit ihr alle euch damit mästen könnt?

[30] Darum sage ich, der Herr, der Gott Israels: Ich habe dir versprochen, dass die Priester für alle Zeiten aus deiner Sippe kommen. Doch heute muss ich dieses Versprechen zurücknehmen. Denn ich ehre nur die, die auch mich verehren. Wer mir aber verächtlich den Rücken kehrt, der wird selbst auch verachtet. [31] In Zukunft soll die Lebenskraft deiner Nachkommen gebrochen sein: Nie mehr wird ein Mann deiner Sippe über seine besten Jahre hinauskommen. [32] Verbittert und voller Neid werdet ihr auf das Glück und den Wohlstand blicken, den ich ganz Israel gebe, während in eurer Familie Not und Elend herrschen. Keiner von euch wird je ein hohes Alter erreichen. [33] Trotzdem soll deine Familie nicht ganz aussterben: Manche werden noch vor meinem Altar dienen, dir selbst aber bleibt nur Trauer und Leid. Denn alle deine Nachkommen werden im besten Mannesalter sterben. [34] Ich will dir mit einem Zeichen bestätigen, dass jedes dieser Worte eintreffen wird: Deine Söhne Hofni und Pinhas werden beide am selben Tag sterben!

[35] Dann setze ich einen Priester ein, der treu zu mir steht. Er wird mir dienen und tun, was mir gefällt. Ich schenke ihm viele Nachkommen, und sie werden für alle Zeiten im Dienst des Königs stehen, den ich einsetzen will. Auch den Priesterdienst werden sie ausüben. [36] Wer dann von deinen Nachkommen noch lebt, wird zu diesem Priester kommen und auf den Knien um etwas Geld und Brot betteln. Er wird flehen: Bitte lass mich ein Gehilfe der Priester werden, damit ich wenigstens etwas zu essen habe.‹«

Gott redet mit Samuel

3 Der junge Samuel wohnte bei Eli und diente dem Herrn. Zu jener Zeit geschah es sehr selten, dass der Herr den Menschen durch Worte oder Visionen etwas mitteilte. [2] Der alte Eli war inzwischen fast erblindet. Eines Nachts war er wie gewohnt zu Bett gegangen. [3] Auch Samuel hatte sich hingelegt. Er schlief im Heiligtum in der Nähe der Bundeslade. Die Lampe im Heiligtum brannte noch.

[4/5] Da rief der Herr: »Samuel, Samuel!« »Ja«, antwortete der Junge, »ich komme!«, und lief schnell zu Eli. »Hier bin ich. Du hast mich doch gerufen.«

Aber Eli sagte: »Nein, ich habe dich nicht gerufen. Geh nur wieder schlafen.« So legte Samuel sich wieder ins Bett.

[6] Aber der Herr rief noch einmal: »Samuel, Samuel!« Und wieder sprang Samuel auf und lief zu Eli. »Ich bin schon da, du hast mich doch gerufen!«, sagte er. Eli verneinte wieder: »Ich habe dich nicht gerufen, mein Junge. Geh jetzt und leg dich ins Bett!«

[7] Samuel wusste nicht, dass der Herr ihn gerufen hatte, denn er hatte ihn noch nie reden hören. [8] So rief der Herr zum

---

2,28 2 Mo 28,1–4; 3 Mo 7,34–36 **2,33** 22,18.20–21 **2,34** 4,11 **2,35** 1 Kön 2,26–27.35
3,3 2 Mo 27,20–21

dritten Mal: »Samuel, Samuel!« Und noch einmal lief der Junge zu Eli und sagte: »Hier bin ich! Jetzt hast du mich aber gerufen!« Da erkannte Eli, dass der Herr mit Samuel reden wollte. [9]Darum wies er ihn an: »Geh, und leg dich wieder hin! Und wenn dich noch einmal jemand ruft, dann antworte: ›Sprich, Herr, ich höre.‹«

Also ging Samuel wieder zu Bett. [10]Da kam der Herr zu ihm und rief wie vorher: »Samuel, Samuel!« Der Junge antwortete: »Sprich, Herr, ich höre.« [11]Darauf sagte der Herr: »Ich will in Israel etwas so Schreckliches tun, dass keiner es ertragen kann, davon zu hören. [12]Bald werde ich Eli und seine Familie schwer bestrafen. Genauso wie ich es mir vorgenommen habe, lasse ich das Unglück über sie kommen. [13]Ich habe es Eli schon gesagt. Denn er wusste genau, dass seine Söhne durch ihre Machenschaften meinen Zorn auf sich ziehen. Trotzdem ließ er sie tun, was sie wollten. Darum sollen sie und ihre Nachkommen für alle Zeiten unter meinem Fluch stehen. [14]Ich habe geschworen: Weder durch Tieropfer noch durch andere Opfergaben sollen die Nachkommen Elis diese Schuld je wieder gutmachen können!«

[15]Samuel blieb bis zum Morgen im Bett und öffnete dann wie gewohnt die Türen des Heiligtums. Er scheute sich, Eli von Gottes Botschaft zu erzählen. [16/17]Doch Eli rief ihn zu sich. »Mein Junge, was hat Gott dir gesagt?«, wollte er wissen. »Du musst mir alles genau berichten! Gott soll dich schwer bestrafen, wenn du mir auch nur ein Wort verheimlichst.« [18]Da erzählte Samuel ihm alles, ohne etwas zu verschweigen. »Es ist der Wille des Herrn«, sagte Eli darauf, »er soll tun, was er für richtig hält.«

[19]Samuel wuchs heran. Der Herr stand ihm bei und ließ keine Ankündigung Samuels unerfüllt bleiben. [20]Ganz Israel, von Dan im Norden bis Beerscheba im Süden, erkannte, dass der Herr ihn zum Propheten erwählt hatte. [21]In den folgenden Jahren redete Gott immer wieder in Silo zu Samuel und gab ihm Weisungen,

4 die Samuel dem ganzen Volk Israel bekannt machte.

Israels Niederlage und der Verlust der Bundeslade

Die Israeliten führten Krieg gegen die Philister. Sie hatten ihr Lager bei Eben-Eser aufgeschlagen, die Philister das ihre bei Afek. [2]Dann griffen die Philister an. Nach einem langen und erbitterten Kampf gewannen sie die Oberhand und besiegten Israel. Etwa 4000 Israeliten fielen auf dem Schlachtfeld.

[3]Als nach der Schlacht alle Überlebenden wieder ins Lager zurückgekehrt waren, berieten sich die Ältesten Israels: »Warum haben die Philister uns geschlagen? Warum hat der Herr es nicht verhindert? Lasst uns die Bundeslade des Herrn zu uns ins Lager holen! Dann ist der Herr selbst bei uns und verhilft uns sicher zum Sieg über unsere Feinde.«

[4]So wurde die Bundeslade, auf der Gott, der Allmächtige, unsichtbar zwischen den beiden Cherub-Engeln thront, von Silo nach Eben-Eser gebracht. Elis Söhne, die Priester Hofni und Pinhas, begleiteten sie.

[5]Als die Bundeslade im Heerlager ankam, fingen die Israeliten zu jubeln an. Sie lärmten so laut, dass die Erde dröhnte. [6]Die Philister hörten natürlich das Geschrei. »Was ist da drüben los?«, fragten sie einander. »Was ist in die Israeliten gefahren?« Als sie erfuhren, dass die Bundeslade des Herrn ins Lager gebracht worden war, [7]packte sie die Angst. »Ihr Gott ist zu ihnen ins Lager gekommen!«, schrien sie. [8]»So etwas hat es bisher noch nie gegeben. Jetzt sind wir verloren, denn wer kann uns noch retten vor diesem mächtigen Gott der Israeliten? Es ist derselbe, der damals in der Wüste die Ägypter mit schrecklichen Plagen vernichtete.« [9]Doch dann spornten die

---

3,12 2,27–36 **3,18** 2 Sam 15,26 **4,1** 29,1 **4,3** 4 Mo 10,35–36 **4,4** 2 Mo 25,22; Jos 18,1* **4,9** Ri 13,1

Heerführer ihre Soldaten an: »Auf, ihr Philister, seid Männer! Zeigt ihnen, wer ihr seid! Kämpft wie die Löwen! Wenn wir verlieren, ist es um unsere Freiheit geschehen! Dann müssen wir den Hebräern dienen, so wie sie bisher uns dienen mussten.«

[10] In der Schlacht kämpften die Philister verbissen. Und wieder schlugen sie ihre Feinde vernichtend. 30000 Israeliten fielen, die übrigen flohen und verkrochen sich in ihren Zelten. [11] Unter den Gefallenen waren auch Hofni und Pinhas, die beiden Söhne Elis. Die Bundeslade Gottes nahmen die Philister als Beute mit.

Der Schreck über den Verlust der Bundeslade

[12] Ein Mann aus dem Stamm Benjamin eilte vom Schlachtfeld nach Silo und kam dort noch am selben Tag an. Als Zeichen der Trauer hatte er seine Kleider zerrissen und sich Erde auf den Kopf gestreut. [13–15] Eli war inzwischen 98 Jahre alt und völlig erblindet. Er saß wie gewohnt draußen auf seinem Stuhl und wartete gespannt auf eine Meldung über den Ausgang der Schlacht, denn er machte sich große Sorgen um die Bundeslade.

Als der Mann in der Stadt ankam und seine Schreckensnachricht meldete, schrien alle, die es hörten, laut auf. Eli hörte den Lärm und fragte: »Was bedeutet dieses Geschrei?« Da war der Bote auch schon bei ihm angelangt und erzählte ihm: [16] »Ich bin einer der Soldaten und konnte den Feinden entrinnen. Ich komme gerade vom Schlachtfeld.« »Und, wie steht es, mein Sohn?«, wollte Eli wissen. [17] Der Bote antwortete: »Die Israeliten sind vor den Philistern geflohen. Tausende unserer Männer sind gefallen. Auch deine Söhne, Hofni und Pinhas, sind tot. Und die Bundeslade Gottes ist als Beute weggeschleppt worden.«

[18] Als Eli hörte, dass die Bundeslade in die Hände der Philister gefallen war, stürzte er rückwärts von seinem Stuhl am Eingang des Heiligtums. Weil er schon so alt war und ein recht schwerer Mann, brach er sich bei dem Sturz das Genick und starb. Vierzig Jahre lang war er Israels Führer und Richter gewesen.

[19] Elis Schwiegertochter, die Frau des Pinhas, war gerade hochschwanger. Als sie vom Raub der Bundeslade und vom Tod ihres Mannes und ihres Schwiegervaters hörte, brach sie zusammen, und der Schock löste die Wehen aus. [20] Es wurde eine sehr schwere Geburt.

Als sie schon im Sterben lag, versuchten die Frauen, die bei ihr waren, sie aufzumuntern: »Es wird alles gut werden! Freu dich, du hast einen Sohn geboren.« Doch sie antwortete nicht mehr und lag völlig teilnahmslos da. [21/22] Voller Trauer dachte sie nur an den Tod ihres Mannes und ihres Schwiegervaters und an den Verlust der Bundeslade. Sie sagte: »Nennt den Jungen Ikabod[a], denn mit der Bundeslade Gottes sind auch Glanz und Herrlichkeit aus Israel verschwunden!«

Die Bundeslade bei den Philistern

5 Die Philister brachten die erbeutete Bundeslade von Eben-Eser nach Aschdod [2] in den Tempel ihres Gottes Dagon und stellten sie neben seinem Standbild auf. [3] Als die Einwohner von Aschdod am nächsten Morgen in den Tempel kamen, lag das Standbild Dagons mit dem Gesicht nach unten vor der Bundeslade des Herrn am Boden. Sie stellten es wieder zurück auf seinen Platz. [4] Doch am nächsten Morgen lag es wieder vor der Bundeslade. Kopf und Hände der Statue lagen abgeschlagen auf der Türschwelle. Nur der Rumpf war unbeschädigt. [5] Deshalb tritt noch heute kein Priester des Gottes Dagon und kein Besucher seines Tempels in Aschdod auf diese Türschwelle.

[6] Der Herr ließ die Einwohner von

---

[a] Ikabod bedeutet »Nicht-Herrlichkeit«.

4,11 2,34; Ps 78,61 **4,13–15** 3,2 **4,20** 1 Mo 35,17 **4,21–22** 14,2–3 **5,2** Ri 16,23 **5,6.9.12** 2 Mo 9,8–11

Aschdod und den umliegenden Dörfern seine Macht spüren, indem er sie mit einer Krankheit plagte: Viele litten plötzlich an sehr schmerzhaften Geschwülsten. [7] Als sie erkannten, warum es ihnen so schlecht ging, sagten sie: »Wir wollen die Bundeslade des Gottes Israels keinen Tag länger bei uns haben, denn wir ertragen es nicht mehr, wie er uns und unseren Gott Dagon quält.«

[8] Sie riefen alle Fürsten der Philister zusammen und fragten: »Was soll mit der Bundeslade geschehen?«

»Bringt sie in die Stadt Gat«, schlugen die Fürsten vor. Sofort führten die Einwohner von Aschdod diesen Beschluss aus. [9] Doch nachdem sie die Bundeslade in Gat zurückgelassen hatten, zeigte der Herr auch dort den Menschen seine Macht: Junge und Alte litten an schmerzhaften Geschwüren, die ganze Stadt geriet in Aufruhr. [10] Darum schickten sie die Bundeslade weiter nach Ekron.

Als die Ekroniter sie kommen sahen, bekamen sie schreckliche Angst. »Sie haben die Bundeslade des Gottes Israels zu uns gebracht, um uns alle umzubringen!«, schrien sie durcheinander. [11] Noch einmal wurden alle Fürsten der Philister zusammengerufen. Die Ekroniter forderten: »Die Bundeslade des Gottes Israels muss unbedingt fort von hier! Schickt sie doch dorthin zurück, wo sie herkommt. Sonst bringt sie noch unser ganzes Volk um.« Die harte Strafe des Herrn hatte die ganze Stadt in Todesangst versetzt. [12] Wer nicht starb, litt schwer an den Geschwüren. Überall war lautes Klagen und Schreien zu hören.

Die Bundeslade kommt nach Israel zurück

6 Die Bundeslade war nun schon sieben Monate bei den Philistern. [2] Schließlich riefen die Philister alle ihre Priester und Wahrsager zusammen und fragten sie: »Was sollen wir nun mit der Bundeslade des Gottes Israels machen? Lasst uns überlegen, wie wir sie wieder in ihr Land zurückschaffen können!«

[3] »Wenn ihr sie wirklich loswerden wollt«, antworteten die Priester und Wahrsager, »dann dürft ihr sie auf keinen Fall allein zurückschicken. Ihr müsst unbedingt eine Opfergabe dazulegen, die eure Schuld wieder gutmachen soll. Wenn ihr dann wieder gesund werdet, wisst ihr, dass der Gott der Israeliten euch durch diese Plagen bestraft hat.«

[4] »Was für ein Sühnegeschenk sollen wir ihm denn geben?«, fragten sie. Da schlugen die Priester und Wahrsager vor: »Fünf Fürsten stehen an der Spitze der Philister. Stellt also fünf goldene Abbilder der Geschwülste, die euch quälen, und fünf goldene Feldmäuse her. Denn ihr alle, Fürsten und Volk, habt unter der gleichen Plage gelitten. [5] Sendet dann die Nachbildungen eurer Geschwüre und der Mäuse, die euer ganzes Land kahl fressen, dem Gott der Israeliten. Damit erweist ihr ihm die Ehre. Vielleicht wird er euch und euren Gott dann nicht mehr quälen. [6] Seid nicht so verbohrt wie damals die Ägypter und der Pharao. Es nützt ja doch nichts! Sie mussten die Israeliten schließlich ziehen lassen, weil der Herr ihnen durch schreckliche Plagen keine andere Möglichkeit ließ.

[7] Baut nun einen Wagen, und spannt zwei säugende Kühe davor, die vorher noch nie einen Wagen gezogen haben. Ihre Kälber nehmt ihnen weg, und bringt sie in den Stall zurück. [8] Stellt dann die Bundeslade des Herrn auf den Wagen. Legt die goldenen Geschenke, mit denen ihr eure Sünde wieder gutmachen wollt, in ein Kästchen daneben. Dann lasst die Kühe laufen, wohin sie wollen. [9] Laufen sie in Richtung Bet-Schemesch in Israel, dann hat wirklich der Herr so viel Unglück und Leid über uns gebracht. Laufen sie aber in eine andere Richtung, dann hat nicht der Gott der Israeliten uns bestraft, sondern alles war nur ein Zufall.«

[10] Die Philister befolgten den Rat ihrer

6,4 Jos 13,2–3 **6,6** 2 Mo 7,3.13; 12,31–33 **6,7** 4 Mo 19,2; 5 Mo 21,3

weisen Männer. Sie spannten zwei Kühe, deren Kälber sie eingesperrt hatten, vor einen neuen Wagen [11] und luden die Bundeslade und das Kästchen mit den goldenen Geschwüren und Mäusen darauf.

[12] Die Kühe zogen geradewegs in Richtung Bet-Schemesch los. Sie wichen nie vom Weg ab, brüllten aber die ganze Zeit. Die Fürsten der Philister folgten ihnen von weitem bis zur Grenze in der Nähe von Bet-Schemesch.

[13] Die Einwohner von Bet-Schemesch waren gerade unten im Tal bei der Weizenernte. Als sie die Bundeslade kommen sahen, freuten sie sich sehr. [14] Der Wagen fuhr bis zu einem Feld, das einem Mann namens Joschua aus Bet-Schemesch gehörte. Neben einem großen Felsblock hielt er an. Dort zerhackten die Leute den Wagen und schichteten das Holz auf. Dann schlachteten sie die Kühe und verbrannten sie als Opfer für den Herrn. [15] Einige Männer aus dem Stamm Levi hatten die Bundeslade und das Kästchen mit den goldenen Gegenständen vom Wagen genommen und stellten sie nun auf den Felsblock. An diesem Tag schlachteten die Leute von Bet-Schemesch noch viele Tiere, um sie dem Herrn als Opfer darzubringen.

[16] Nachdem die Fürsten der Philister den Israeliten eine Weile zugesehen hatten, kehrten sie noch am selben Tag nach Ekron zurück. [17] Nach der Zahl ihrer Hauptstädte hatten die Philister dem Herrn zur Wiedergutmachung fünf goldene Abbilder ihrer Geschwüre geschenkt: je eines für Aschdod, Gaza, Aschkelon, Gat und Ekron. [18] Außerdem hatten sie ihm für jede Stadt und jedes Dorf in ihrem Land je eine goldene Maus als Sühnegeschenk mitgegeben. Der große Felsblock, auf den damals die Bundeslade gestellt wurde, ist noch heute auf dem Feld Joschuas von Bet-Schemesch zu sehen.

[19] Aber der Herr bestrafte die Einwohner von Bet-Schemesch, weil sie die Bundeslade ohne die nötige Ehrfurcht angeschaut hatten. Siebzig von ihnen mussten sterben. Dies löste im ganzen Volk große Trauer aus. [20] »Kann überhaupt jemand in der Nähe des Herrn, dieses heiligen Gottes, leben?«, fragten sie. »Wir können die Bundeslade nicht länger hier bei uns behalten. Doch zu wem sollen wir sie schicken?« [21] Schließlich sandten sie Boten nach Kirjat-Jearim und ließen den Einwohnern dieser Stadt ausrichten: »Stellt euch vor, die Philister haben die Bundeslade des Herrn zurückgebracht! Kommt doch, und holt sie zu euch!«

7 Da kamen die Männer von Kirjat-Jearim nach Bet-Schemesch und holten die Bundeslade. Sie stellten sie im Haus Abinadabs auf, das auf einem Hügel stand. Seinen Sohn Eleasar beauftragten sie, die Bundeslade zu bewachen. Sie weihten ihn feierlich für diesen besonderen Dienst.

Die Israeliten wollen wieder dem Herrn dienen

[2] Zwanzig Jahre waren vergangen, seit die Bundeslade des Herrn nach Kirjat-Jearim gebracht worden war. In dieser Zeit litten die Israeliten große Not, weil der Herr sich von ihnen abwandte. Laut schrien sie zu ihm um Hilfe. [3] Da sagte Samuel zum Volk: »Wenn ihr euch wirklich wieder dem Herrn zuwenden wollt, dann werft erst einmal die anderen Götter und Göttinnen weg. Setzt euer ganzes Vertrauen auf den Herrn, und gehorcht ihm allein, so wird er euch von den Philistern befreien.«

[4] Da warfen die Israeliten ihre Götterfiguren von Baal und Astarte weg und verehrten nur noch den Herrn. [5] Danach rief Samuel alle Israeliten nach Mizpa zu einer Volksversammlung zusammen und kündigte an: »Dort will ich für euch zum Herrn um Hilfe beten.« [6] Da kamen sie alle in Mizpa zusammen und wollten wieder ganz dem Herrn dienen. Als Zeichen dafür schöpften sie Wasser aus einem Brunnen und schütteten es vor dem

---

6,19 2 Sam 6,7 **7,1** 2 Sam 6,1–4 **7,3** 1 Mo 35,2; Jos 24,14.23 **7,5** Ri 20,1

Herrn aus. Auch fasteten sie den ganzen Tag und bekannten: »Wir haben mit unserem Götzendienst gegen den Herrn gesündigt.« Dort in Mizpa schlichtete Samuel die Streitfälle der Israeliten.

[7]Die Philister erfuhren, dass sich die meisten Israeliten in Mizpa versammelt hatten. Ihre fünf Fürsten riefen schnell das ganze Heer zusammen und rückten gegen Israel aus. Als die Israeliten in Mizpa davon hörten, packte sie die Angst. [8]»Bete doch, Samuel!«, baten sie eindringlich. »Hör nicht auf, den Herrn, unseren Gott, anzuflehen und ihn zu bitten, dass er uns den Sieg über die Philister gibt!« [9]Da nahm Samuel ein Lamm und verbrannte es als Opfer für den Herrn. Dabei rief er zu ihm um Hilfe für Israel, und der Herr erhörte sein Gebet.

[10]Während Samuel das Opfer darbrachte, waren die Philister schon nahe an Israel herangerückt und wollten den Kampf beginnen. Doch plötzlich versetzte der Herr die Philister mit einem lauten Donner in Angst und Schrecken. Und so schlugen die Israeliten sie in die Flucht [11]und verfolgten sie von Mizpa bis hinter Bet-Kar. Die Philister erlitten eine große Niederlage.

[12]Nach diesem Sieg stellte Samuel zwischen Mizpa und Schen einen großen Stein als Denkmal auf. »Bis hierher hat der Herr geholfen!«, sagte er und nannte den Stein Eben-Eser (»Stein der Hilfe«).

[13]Nachdem der Herr die Philister so gedemütigt hatte, fielen sie nicht mehr ins Gebiet der Israeliten ein. Der Herr hielt sie davon ab, solange Samuel lebte. [14]Die Israeliten eroberten alle Städte zurück, die die Philister ihnen abgenommen hatten, von Ekron bis Gat samt den umliegenden Gebieten. Auch mit den Amoritern lebte Israel zu dieser Zeit in Frieden.

[15]Samuel war sein ganzes Leben lang Israels Führer und Richter. [16]Jedes Jahr besuchte er der Reihe nach die Orte Bethel, Gilgal und Mizpa. Dort schlichtete er die Streitfälle der Israeliten. [17]Dann kehrte er wieder nach Rama zurück, wo er wohnte und als Richter tätig war. Dort hatte er auch einen Altar gebaut, um dem Herrn Opfer darzubringen.

Das Volk will einen König

8 Als Samuel alt wurde, übergab er seinen beiden Söhnen das Richteramt. [2]Joel, der ältere, und Abija, sein jüngerer Bruder, waren Richter in Beerscheba. [3]Doch sie folgten nicht dem Vorbild ihres Vaters, sondern waren nur darauf aus, sich zu bereichern. Sie ließen sich bestechen und beugten das Recht.

[4]Da versammelten sich die Ältesten Israels und gingen gemeinsam zu Samuel nach Rama. [5]»Samuel«, sagten sie, »du bist zu alt geworden, um das Volk noch richtig führen zu können, und deine Söhne folgen nicht deinem Vorbild. So setz doch einen König als Herrscher über uns ein, wie auch alle unsere Nachbarvölker einen haben.«

[6]Samuel war nicht damit einverstanden, dass sie plötzlich einen König haben wollten. Er zog sich zurück, um den Herrn um Rat zu fragen. [7]Der Herr antwortete: »Gib ihnen, was sie wollen! Mit ihrer Forderung lehnen sie ja nicht dich ab, sondern mich. Sie wollen mich nicht mehr als ihren König anerkennen. [8]Das passt zu ihnen! Seit ich sie damals aus Ägypten herausführte, war es immer dasselbe: Immer wieder haben sie mich vergessen und sind anderen Göttern nachgelaufen. Genauso machen sie es nun auch mit dir. [9]Erfüll ihre Forderung! Doch warne sie vorher, und sag ihnen ausdrücklich, welche Rechte ein König besitzt und was es bedeutet, einen König zu haben.«

Die Rechte des Königs

[10]Samuel berichtete dem Volk alles, was der Herr ihm gesagt hatte. [11]Er erklärte

7,10 2 Mo 23,27–28* **7,17** 1,1; 2,11 **8,2** 1 Chr 6,13 **8,3** 2,12–17; 5 Mo 16,19 **8,4** 7,17
8,5 5 Mo 17,14–20 **8,6** Ri 8,23 **8,7** 2 Mo 15,18; 5 Mo 33,5; Ps 22,29*

ihnen: »Ihr müsst bedenken, welche Rechte dieser König haben wird: Er wird eure Söhne in seinen Dienst nehmen, damit sie sich um seine Wagen kümmern, seine Pferde pflegen und als Leibwächter vor dem königlichen Wagen herlaufen. [12] Einige von euch wird er als Hauptleute oder als Truppenführer einsetzen. Andere müssen seine Felder bearbeiten und für ihn die Ernte einbringen. Handwerker werden für ihn Waffen und Wagen anfertigen. [13] Eure Töchter holt er zu sich an den Königshof. Sie werden für ihn Salben mischen, für ihn kochen und backen. [14] Eure besten Felder, Weinberge und Olivengärten wird er für sich beanspruchen und von seinen Knechten bearbeiten lassen. [15] Vom Ertrag eurer Äcker und Weinberge zieht er ein Zehntel als Steuern ein, um damit seine Hofleute und Beamten zu bezahlen. [16] Eure Knechte und Mägde wird er übernehmen, die kräftigsten und besten jungen Männer müssen ihm dienen. Auch eure Lasttiere wird er benutzen. [17] Er verlangt von euch ein Zehntel eurer Schafe und Ziegen, und ihr selbst seid alle seine Untertanen.

[18] Dann werdet ihr bereuen, dass ihr euch je einen König gewünscht habt. Doch wenn ihr dann zum Herrn um Hilfe schreit, wird er euch keine Antwort geben.«

[19] Aber das Volk ließ sich von Samuel nicht umstimmen und weigerte sich, auf ihn zu hören. »Wir wollen einen König haben!«, riefen sie. [20] »Wir wollen nicht anders sein als unsere Nachbarvölker! Unser König soll uns Recht und Gesetz geben und als Anführer in den Krieg vorausziehen!«

[21] Samuel hörte sich ihre Wünsche an und berichtete sie dem Herrn. [22] »Erfüll ihre Forderung«, antwortete der Herr, »und setz einen König über sie ein!«

Danach verabschiedete Samuel sich von den Männern und schickte sie nach Hause.

Saul sucht die Eselinnen seines Vaters

9 Im Gebiet des Stammes Benjamin lebte ein wohlhabender und angesehener Mann namens Kisch. Sein Vater hieß Abiël, sein Großvater Zeror. Zeror wiederum stammte von Bechorat ab, einem Sohn Afiachs, der ebenfalls aus dem Stamm Benjamin kam. [2] Kisch hatte einen Sohn mit Namen Saul. Der sah gut aus, war stattlich und kräftig gebaut und einen Kopf größer als alle Israeliten.

[3] Eines Tages liefen die Eselinnen seines Vaters davon. Da befahl Kisch seinem Sohn: »Mach dich mit einem der Knechte auf die Suche nach den Eselinnen!« [4] Die beiden durchstreiften das Bergland von Ephraim und die Gegend von Schalischa, doch ohne Erfolg. Dann suchten sie die Gegend von Schaalim ab, fanden die Tiere aber nicht. Auch im Gebiet Benjamin waren die Eselinnen nicht zu sehen. [5] Als sie schließlich in die Nähe von Zuf kamen, sagte Saul zu seinem Knecht: »Komm, lass uns nach Hause umkehren! Sicher macht sich mein Vater inzwischen mehr Sorgen um uns als um die Eselinnen.«

[6] Doch der Knecht wandte ein: »Warte noch! In der Stadt da oben wohnt ein Prophet. Er genießt hohes Ansehen beim Volk, denn alles, was er sagt, trifft ein. Komm, lass uns doch zu ihm gehen! Vielleicht kann er uns sagen, wo wir die Tiere finden.«

[7] »Aber was sollen wir ihm denn mitbringen?«, entgegnete Saul. »Unsere ganzen Vorräte sind aufgegessen, und auch sonst haben wir nichts dabei, was wir ihm schenken könnten.«

[8] »Doch, ich habe noch ein kleines Silberstück in der Tasche«, sagte der Knecht. »Das will ich dem Propheten geben, damit er uns zeigt, welchen Weg wir nehmen sollen.« [9–11] »Einverstanden«, meinte Saul, »gehen wir.«

So schlugen sie den Weg zur Stadt ein, um den Propheten aufzusuchen. Als sie

---

8,20 12,12 **9,2** 10,23–24; 16,7

die Straße zur Stadt hinaufgingen, kamen ihnen ein paar Mädchen entgegen, die gerade Wasser holen wollten. Die zwei Männer fragten sie: »Wisst ihr, ob der Seher in der Stadt ist?« Früher wurden die Propheten nämlich »Seher« genannt. Wer damals etwas von Gott wissen wollte, sagte: »Komm, wir gehen zum Seher und fragen ihn.« [12] Die Mädchen antworteten: »Ja, er ist da. Gerade ist er zum Opferfest gekommen, das heute gefeiert wird. [13] Wenn ihr euch beeilt, trefft ihr ihn noch in der Stadt, bevor er zum Hügel hinaufsteigt, auf dem das Opfer dargebracht und das Festessen gehalten wird. Alle warten mit dem Essen auf ihn, denn erst wenn er das Mahl gesegnet hat, dürfen die Gäste essen. Geht nur in die Stadt. Ihr habt wirklich Glück, dass ihr ihn gerade heute dort antrefft.«

[14] Da gingen die beiden weiter zur Stadt hinauf. Am Stadttor begegnete ihnen Samuel, der gerade unterwegs zum Festplatz war.

Saul als Gast bei Samuel

[15] Der Herr hatte Samuel schon einen Tag zuvor gesagt: [16] »Morgen um diese Zeit werde ich einen Mann aus dem Gebiet Benjamin zu dir schicken. Ihn sollst du zum König über mein Volk salben. Er wird Israel von den Philistern befreien, denn ich habe die Not meines Volkes gesehen und seine Hilfeschreie gehört.« [17] Als nun Saul durch das Stadttor kam, sagte der Herr zu Samuel: »Sieh, das ist der Mann, von dem ich dir gestern gesagt habe: Er soll über mein Volk herrschen.«

[18] Noch beim Tor ging Saul auf Samuel zu und fragte ihn: »Kannst du mir sagen, wo hier der Seher wohnt?« [19] »Ich selbst bin der Seher«, antwortete Samuel. »Kommt doch mit mir zum Festplatz hinauf. Es ist mir eine Ehre, euch heute als meine Gäste zum Festessen einzuladen. Morgen früh werde ich dir alle deine Fragen beantworten, und dann könnt ihr weiterziehen. [20] Wegen der Esel, die vor drei Tagen verschwunden sind, brauchst du dir keine Sorgen mehr zu machen. Sie sind gefunden. Außerdem gehört alles Wertvolle in Israel ohnehin dir und deinen Verwandten.« [21] Erstaunt erwiderte Saul: »Wie kommst du darauf? Ich bin doch nur ein Benjaminiter, ich gehöre zum kleinsten und unbedeutendsten Stamm Israels, und meine Sippe ist eine der kleinsten von ganz Benjamin.«

[22] Samuel nahm Saul und seinen Knecht mit in die Halle, in der das Festmahl nach dem Opfer aufgetragen wurde. Er ließ sie als Ehrengäste oben am Tisch Platz nehmen. Insgesamt waren etwa dreißig Gäste zu dem Essen eingeladen. [23] Samuel befahl dem Koch: »Bring nun das Fleisch herbei, das du zurückbehalten musstest.« [24] Da holte der Koch das saftigste Stück Fleisch und gab es Saul. »Das ist noch übrig geblieben«, sagte Samuel, »lass es dir schmecken. Ich habe es schon für dich beiseite gelegt, als noch kein Gast hier war.« So war Saul an diesem Tag Samuels Gast.

[25] Nach dem Fest gingen sie zusammen in die Stadt zurück. Sie setzten sich auf das flache Dach von Samuels Haus und redeten miteinander. [26] Früh am nächsten Morgen, noch vor Sonnenaufgang, rief Samuel zu Saul hinauf: »Es ist Zeit aufzubrechen! Ich begleite dich noch ein Stück.« Saul stand auf, und sie machten sich zusammen auf den Weg. [27] Am Stadtrand sagte Samuel zu Saul: »Schick deinen Knecht voraus! Ich will dir noch etwas unter vier Augen sagen.« Als der Knecht gegangen war, fuhr Samuel fort: »Bleib stehen, ich habe dir eine Botschaft von Gott mitzuteilen!«

Saul wird zum König gesalbt

10 Da nahm Samuel ein Horn[a] mit Olivenöl, goss das Öl über Sauls Kopf aus, küsste ihn und sagte: »Im Auftrag des Herrn habe ich dich nun mit die-

---

[a] Hohle Hörner von Rindern wurden als Ölbehälter benutzt.

9,16 2 Mo 3,7–8 **9,17** 16,3.12 **9,21** Ri 6,15 **10,1** 9,16

sem Öl gesalbt als Zeichen dafür, dass du der König seines Volkes Israel werden sollst. [2]Wenn du nun wieder nach Hause gehst, wirst du beim Grab Rahels in der Nähe von Zelzach im Gebiet Benjamin zwei Männern begegnen, die dir sagen: ›Die Eselinnen, die du gesucht hast, sind gefunden! Dein Vater ist jetzt um euch besorgt und fragt sich: Wie soll ich nur meinen Sohn wiederfinden?‹

[3]Wenn du dann zur großen Terebinthe von Tabor kommst, werden dir drei Männer begegnen, die unterwegs sind nach Bethel, um Gott dort anzubeten. Einer von ihnen trägt drei junge Ziegenböcke, ein anderer drei runde Brotlaibe, und der dritte hat einen Schlauch Wein dabei. [4]Sie werden dich freundlich grüßen und dir zwei Brote anbieten, die du ruhig annehmen kannst.

[5]Dann wirst du nach Gibea kommen, wo Wachposten der Philister stehen. Gleich am Stadtrand begegnest du einer Gruppe von Propheten, sie kommen gerade vom Hügel herunter. Ihnen voran gehen Leute, die auf Harfen, Tamburinen, Flöten und Gitarren spielen. Die Propheten selbst werden in Ekstase sein und Prophezeiungen aussprechen. [6]Der Geist des Herrn wird über dich kommen. Du gerätst wie sie in Ekstase und redest prophetisch. Von da an wirst du ein ganz anderer Mensch sein.

[7]Wenn alle diese Zeichen eintreffen, dann tu einfach, was dir in den Sinn kommt, denn Gott ist mit dir. [8]Geh hinunter nach Gilgal, und warte dort eine Woche auf mich. Ich werde dir nachkommen, um ein Opfer darzubringen. Dort sage ich dir, wie es weitergehen soll und welche Aufgaben dich erwarten.«

[9]Saul verabschiedete sich von Samuel und ging fort. Da veränderte Gott ihn vollkommen, und alles, was Samuel vorausgesagt hatte, traf noch am selben Tag ein. [10]Als Saul und sein Knecht schließlich nach Gibea kamen, begegnete ihnen die Gruppe von Propheten. Da kam der Geist Gottes über Saul, so dass er wie sie in Ekstase geriet und mit ihnen Prophezeiungen aussprach. [11]Als ihn einige Leute, die ihn von klein auf kannten, in diesem Zustand sahen, fragten sie einander ganz erstaunt: »Was ist denn mit Saul los? Gehört er auch zu den Propheten?« [12]Einer der Herumstehenden antwortete: »Ach, von denen weiß man ja nicht einmal, wer ihr Vater ist!« So entstand die Redensart: »Gehört Saul auch zu den Propheten?«

[13]Als Sauls Ekstase vorüber war, stieg er zum Altar auf den Hügel hinauf. [14]»Wo seid ihr gewesen?«, fragte Sauls Onkel, als er ihn und seinen Knecht kommen sah. »Wir waren auf der Suche nach den weggelaufenen Eselinnen«, antwortete Saul, »und als wir sie nirgends finden konnten, gingen wir zu Samuel, um ihn zu fragen.« [15]»Was hat er euch denn gesagt?«, wollte der Onkel wissen. [16]»Nun, er teilte uns mit, dass die Esel inzwischen gefunden sind«, antwortete Saul nur. Er erwähnte nicht, dass Samuel mit ihm über das Königtum gesprochen hatte.

Saul wird als König anerkannt

[17/18]Samuel rief das Volk noch einmal zu einer Versammlung zusammen. Wieder kamen alle Israeliten nach Mizpa, und dort, in der Gegenwart des Herrn, teilte Samuel ihnen folgende Botschaft mit: »So spricht der Herr, der Gott Israels: ›Ich habe euch damals aus Ägypten herausgeführt und euch von den Ägyptern und von allen anderen Feinden befreit, die euch in die Enge trieben. [19]Ich, euer Gott, habe euch seither immer wieder aus euren Nöten und Bedrängnissen herausgeholfen, und doch lehnt ihr nun meine Führung ab und verlangt, dass ich einen König über euch einsetzen soll. Gut, ihr sollt bekommen, was ihr wollt!‹ Stellt euch nun geordnet nach Stämmen und Sippen vor dem Herrn auf.«

[20]Zuerst ließ Samuel die Vertreter der

10,2 1 Mo 35,19 **10,6** Ri 3,10* **10,8** 13,8 **10,10–12** 19,20–24 **10,17–18** Ri 20,1 **10,19** 8,5–9 **10,20–21** 2 Mo 28,30*; Jos 7,14–18

zwölf Stämme vortreten, um durch das Los zu bestimmen, aus welchem Stamm der König kommen sollte. Es traf den Stamm Benjamin. [21] Dann traten alle Sippenoberhäupter Benjamins vor. Das Los fiel auf die Sippe Matri und unter deren Männern schließlich auf Saul, den Sohn Kischs. Doch als man ihn nach vorne rufen wollte, war er nicht zu finden.

[22] Da fragten sie den Herrn: »Ist der Mann überhaupt hierher gekommen?« Der Herr antwortete: »Ja, er ist da. Aber er hat sich im Lager versteckt.« [23] Schnell liefen einige ins Lager und holten ihn. Als er dann in der versammelten Menge stand, überragte er sie alle, denn er war ein gutes Stück größer als sie.

[24] Samuel sagte: »Seht ihr jetzt, wen der Herr als König ausgesucht hat? Im ganzen Volk gibt es keinen wie ihn.« Da brachen alle in lauten Jubel aus und riefen: »Lang lebe unser König!« [25] Samuel erklärte dem Volk noch einmal die Rechte und Pflichten eines Königs. Dieses »Königsgesetz« schrieb er in ein Buch und bewahrte es im Heiligtum des Herrn auf. Dann entließ er die Leute nach Hause.

[26] Auch Saul ging zurück nach Gibea. Ihn begleitete eine Gruppe von Soldaten, die Gott dazu bereit gemacht hatte. [27] Einige niederträchtige Männer aber spotteten: »Was, der soll uns helfen können?« Sie verachteten Saul und brachten ihm keine Geschenke. Doch Saul tat, als hörte er sie nicht.

Saul handelt und siegt

11 Kurze Zeit später zog Nahasch, der König der Ammoniter, mit seinem Heer zur israelitischen Stadt Jabesch in der Gegend von Gilead und belagerte sie. Da machten die Einwohner von Jabesch Nahasch folgendes Angebot: »Schließ einen Vertrag mit uns ab: Du lässt uns am Leben, und wir unterwerfen uns dir.« [2] »Einverstanden«, antwortete König Nahasch. »Ich will den Vertrag mit euch schließen, doch nur unter einer Bedingung: Jedem Einwohner eurer Stadt werde ich das rechte Auge ausstechen, damit ihr zu einem Schandfleck für ganz Israel werdet.« [3] »Gib uns eine Woche Bedenkzeit«, baten die führenden Männer von Jabesch König Nahasch. »Wir wollen Boten in alle Gegenden Israels schicken und unser Volk um Unterstützung bitten. Sollte uns niemand helfen, ergeben wir uns.«

[4] Die Boten kamen auch nach Gibea, der Heimatstadt Sauls, und überbrachten den Einwohnern ihre Botschaft. Da brach die ganze Stadt in Tränen aus. [5] Saul kam gerade mit seinen Rindern vom Feld zurück, wo er gearbeitet hatte. Er fragte erstaunt: »Was ist denn los? Warum weinen die Leute?« Man erzählte ihm, was die Boten aus Jabesch berichtet hatten. [6] Da kam der Geist Gottes über Saul, und er wurde vom Zorn gepackt. [7] Er schlachtete zwei seiner Rinder und zerstückelte sie. Dann schickte er Boten mit den Fleischstücken in alle Gebiete Israels und ließ überall ausrichten: »Wer nicht mit Saul und Samuel gegen die Ammoniter in den Krieg zieht, dessen Rinder sollen genauso zerstückelt werden!«

Als das Volk merkte, dass der Herr durch Saul sprach, erschrak es und meldete sich geschlossen zum Kampf. [8] In der Nähe von Besek musterte Saul das Heer: Es waren insgesamt 300 000 Mann aus den israelitischen Stämmen und 30 000 Männer aus dem Stamm Juda.

[9] Die Boten aus Jabesch schickte man mit der Nachricht zurück: »Noch vor morgen Mittag seid ihr befreit!« Diese Botschaft löste in der ganzen Stadt große Freude aus. [10] Sofort schickten die führenden Männer von Jabesch Abgesandte zu ihren Feinden und ließen ihnen sagen: »Morgen ergeben wir uns! Wir werden zu euch herauskommen, und dann könnt ihr mit uns machen, was ihr wollt.«

[11] Sehr früh am nächsten Morgen teilte Saul das Heer in drei Abteilungen auf. Noch vor Sonnenaufgang griffen sie an und drangen von drei Seiten mitten in

---

10,23–24 9,2 **10,25** 8,11–17; 5 Mo 17,14–20 **10,27** 9,21 **11,6** Ri 3,10* **11,7** Ri 19,29

das feindliche Lager ein. Schon gegen Mittag war die Schlacht entschieden: Die Ammoniter hatten schwere Verluste erlitten. Die wenigen Überlebenden wurden in alle Himmelsrichtungen auseinander gejagt, so dass nicht einmal zwei beieinander blieben.

Saul wird als König bestätigt und eingesetzt

[12] Nach diesem Sieg kamen einige Israeliten zu Samuel und wollten wissen: »Wer sind die Herumtreiber, die Saul damals als König ablehnten? Los, gebt sie heraus, wir wollen sie umbringen!« [13] Doch Saul wehrte ab: »Heute soll niemand von uns sterben, denn der Herr selbst hat Israel befreit.« [14] Dann forderte Samuel das Volk auf: »Versammelt euch in Gilgal. Dort wollen wir Saul noch einmal als König bestätigen.«

[15] Alle Israeliten zogen nach Gilgal. Feierlich krönten sie Saul in der Gegenwart des Herrn zum König. Anschließend feierten sie ein großes Fest. Als Zeichen ihrer Freude brachten sie dem Herrn viele Dankopfer dar.

Samuels Abschiedsrede

12 Noch einmal hielt Samuel eine Rede vor den versammelten Israeliten: »Ihr wisst genau, dass ich immer ein offenes Ohr für euch hatte. Auch habe ich euren Wunsch nach einem König erfüllt. [2] Er wird euch von jetzt an vorangehen und euch führen. Ich aber stehe hier als ein alter Mann mit grauen Haaren. Meine Söhne sind erwachsene Männer und leben mitten unter euch. Seit meiner Jugend bin ich euch vorangegangen. [3] Nun will ich, dass ihr mir vor Gott selbst und vor dem König, den er eingesetzt hat, folgende Fragen beantwortet: Habe ich je von jemandem ein Rind oder einen Esel genommen? Habe ich mir auch nur ein einziges Mal durch Bestechungsgelder den Blick trüben lassen und dann ein ungerechtes Urteil gesprochen? Wenn ja, dann will ich alles zurückerstatten.«

[4] Die Volksmenge antwortete: »Nein, niemals hast du uns betrogen oder unterdrückt. Du hast dich auch nie bestechen lassen.« [5] Darauf sagte Samuel: »Der Herr und sein gesalbter König sind heute Zeugen dafür, dass ihr keinen Grund zur Anklage gegen mich gefunden habt.« »Ja, so ist es«, stimmte die Menge ihm zu.

[6] Samuel fuhr fort: »Es war der Herr, der einst Mose und Aaron dazu berufen hat, eure Vorfahren aus dem Land Ägypten hierher nach Kanaan zu führen. [7] Und nun hört mir zu: In der Gegenwart des Herrn erinnere ich euch an alle Wohltaten, die der Herr in seiner Treue euch und euren Vorfahren immer wieder erwiesen hat:

[8] Nachdem euer Stammvater Jakob nach Ägypten gekommen war, riefen eure Vorfahren in äußerster Not zum Herrn um Hilfe. Da schickte er ihnen Mose und Aaron, um das ganze Volk aus Ägypten heraus in dieses Land zu führen. [9] Doch schon bald vergaßen sie den Herrn, ihren Gott, und alles, was er für sie getan hatte. Darum gab der Herr sie in die Gewalt ihrer Feinde. Sisera, der Heerführer des Königs von Hazor in Kanaan, die Philister und der König der Moabiter kämpften gegen sie. [10] Dann schrien eure Vorfahren jedes Mal zum Herrn um Hilfe und bekannten: ›Wir haben gesündigt, denn wir haben dich, Herr, verlassen und die kanaanitischen Götter Baal und Astarte verehrt! Bitte befrei uns doch von unseren Feinden! Dann wollen wir dir allein dienen.‹ [11] Da schickte der Herr ihnen erst Gideon[a], ein anderes Mal Barak[b], dann Jeftah und schließlich mich, Samuel. Durch diese Männer half Gott

---

[a] Wörtlich: Jerubbaal. Vgl. Richter 6,32

[b] So mit der griechischen Übersetzung. Im hebräischen Text steht der Name Bedan.

11,12 10,27 **11,13** 14,45; 2 Sam 19,23 **11,14** 10,8 **12,1** 8,7.22; 10,24 **12,3** 4 Mo 16,15; Apg 20,33–35 **12,6** 2 Mo 6,13 **12,8** 1 Mo 46,1–7; 2 Mo 2,23–25*; 6,26 **12,9** Ri 4,2–3; 10,7; 13,1; 3,12 **12,10** Ri 10,10 **12,11** Ri 7,1; 4,6; 11,29; 1 Sam 7,3

euren Vorfahren und jetzt auch euch: Vorher wart ihr von Feinden umgeben, jetzt könnt ihr ruhig und sicher in eurem Land wohnen.

[12] Doch als der Ammoniterkönig Nahasch gegen euch in den Krieg zog, da kamt ihr zu mir mit der Forderung: ›Wir wollen einen König haben!‹ Dabei wusstet ihr genau, dass Gott, der Herr, euer König ist. [13] Nun gut, hier ist der König, den ihr wolltet! Der Herr hat euren Wunsch erfüllt und ihn über euch eingesetzt. [14] Jetzt ehrt den Herrn, und dient ihm, gehorcht ihm, und widersetzt euch nicht seinen Geboten. Wenn ihr und euer König dem Herrn treu seid, dann wird er euch beistehen. [15] Gehorcht ihr ihm aber nicht, sondern widersetzt euch seinen Geboten, so wird der Herr sich auch gegen euch stellen wie damals gegen eure Vorfahren.

[16] Und nun passt auf! Vor euren Augen wird der Herr ein großes Wunder vollbringen: [17] Jetzt ist die Zeit der Weizenernte. Ihr wisst, dass es normalerweise in dieser Jahreszeit nicht regnet.[a] Ich will nun den Herrn bitten, ein Gewitter mit starkem Regen zu schicken. Das soll euch zeigen, wie falsch in den Augen des Herrn euer Wunsch nach einem König war.«

[18] Samuel betete laut zum Herrn, und noch am selben Tag schickte der Herr ein Gewitter; es donnerte laut und regnete heftig. Da bekam das ganze Volk große Angst vor dem Herrn und vor Samuel. [19] Sie flehten Samuel an: »Bete doch für uns zum Herrn, deinem Gott, dass wir nicht sterben! Wir haben schon so viele Sünden begangen, und jetzt haben wir es auch noch gewagt, einen König zu verlangen!«

[20] »Ihr müsst keine Angst haben«, beruhigte Samuel das Volk. »Ihr habt zwar ein Unrecht begangen. Doch seid von jetzt an dem Herrn treu, und dient ihm von ganzem Herzen! [21] Kehrt ihm nie mehr den Rücken! Lauft nicht toten Götzen nach, die es überhaupt nicht gibt! Sie nützen euch nichts und können euch nicht helfen. [22] Der Herr aber hält sein Versprechen: Er lässt euch nicht im Stich, denn er hat gerade euch zu seinem Volk erwählt. [23] Auch ich werde weiterhin für euch beten. Denn wenn ich damit aufhörte, würde ich Schuld auf mich laden. Auch in Zukunft will ich euch lehren, was gut und richtig ist. [24] Ehrt den Herrn, und dient ihm treu von ganzem Herzen! Vergesst nie, wie viel er schon für euch getan hat! [25] Wenn ihr euch aber wieder von ihm abwendet, werdet ihr und euer König umkommen!«

Beginn des Krieges gegen die Philister

13 Saul war … Jahre alt,[b] als er König wurde. Nachdem er zwei Jahre lang über Israel regiert hatte, [2] stellte er ein Heer von 3000 Mann zusammen. Die übrigen wehrfähigen Israeliten entließ er nach Hause. 2000 Soldaten behielt Saul bei sich in Michmas und auf dem Gebirge Bethel, die übrigen 1000 standen unter dem Befehl Jonatans, eines Sohnes Sauls, in Gibea im Gebiet des Stammes Benjamin.

[3] Eines Tages überfiel Jonatan die Wachposten der Philister in Geba und tötete sie. Rasch verbreitete sich diese Nachricht bei den Philistern. Auch Saul schickte Boten durch ganz Israel. Sie sollten die Hörner blasen und überall die Heldentat Jonatans verkünden. [4] Wie ein Lauffeuer ging es durch das ganze Land: »Habt ihr schon gehört? Saul hat die Wachposten der Philister geschlagen! Nun sind die Philister sicher zornig und wollen sich rächen.« Saul rief die Männer Israels nach Gilgal zusammen, und alle kamen.

---

[a] »Ihr … regnet.« ist sinngemäß eingefügt.
[b] Im hebräischen Text fehlt die Altersangabe.

12,12 11,1–2; 8,5–7 **12,15** Ri 2,11–15 **12,21** Ps 115,4–8; Jes 41,29 **12,22** 5 Mo 7,6–8; Röm 11,2 **12,23** 7,8

[5] Auch die Philister rüsteten sich zum Krieg. Ihr Heer umfasste 3000 Streitwagen, 6000 Mann Besatzung und eine ungeheure Menge Fußsoldaten, unzählbar wie der Sand am Meer. Sie lagerten in der Nähe von Michmas, östlich von Bet-Awen. [6] Als die Israeliten die Übermacht der Philister sahen, der ihr eigenes Heer niemals gewachsen sein konnte, verkrochen sie sich in Höhlen, Dickichte und Felsspalten, in Grabhöhlen und Zisternen. [7] Einige flohen sogar über den Jordan in die Gebiete von Gad und Gilead.

Saul verliert die Geduld

Saul war immer noch in Gilgal. Die Männer, die bei ihm waren, zitterten vor Angst. [8] Samuel hatte Saul befohlen, eine Woche auf ihn zu warten. Doch als Samuel nach einer Woche immer noch nicht in Gilgal erschienen war, verlor Saul die Geduld, denn seine Leute begannen schon davonzulaufen. [9] Er ließ die Tiere für das Brand- und das Dankopfer holen und brachte selbst das Opfer dar.

[10] Kaum war er fertig, da kam Samuel. Saul ging ihm entgegen, um ihn zu begrüßen. [11] Doch Samuel stellte ihn sofort zur Rede: »Was hast du getan?« Saul versuchte sich zu rechtfertigen: »Die Soldaten begannen schon davonzulaufen, weil du nicht pünktlich zur abgemachten Zeit hier warst. Die Philister haben sich in Michmas zum Kampf aufgestellt, [12] und ich musste befürchten, dass sie uns jeden Moment in Gilgal angreifen. Ich wollte aber auf jeden Fall den Herrn um seine Hilfe bitten. Deshalb habe ich es gewagt, selbst das Brandopfer darzubringen.« [13] »Das war sehr dumm von dir!«, erwiderte Samuel. »Du hast dem Befehl des Herrn, deines Gottes, nicht gehorcht. Er wollte dir und deinen Nachkommen für alle Zeiten die Königsherrschaft über Israel geben. [14] Du aber hast sie durch dein voreiliges Handeln verspielt. Der Herr hat schon einen Nachfolger ausgesucht und ihn dazu bestimmt, das Volk zu regieren. Es ist ein Mann, der ihm Freude machen wird. Du aber hast dem Befehl des Herrn nicht gehorcht.«

[15] Dann verließ Samuel Gilgal.

Die Philister sind den Israeliten überlegen

Die zurückgebliebenen Israeliten zogen hinter Saul her dem Feind entgegen. Sie kamen[a] von Gilgal nach Gibea. Dort musterte Saul das restliche Heer: Es waren nur etwa 600 Mann!

[16] Saul, Jonatan und die Soldaten lagerten bei Geba in Benjamin, die Philister bei Michmas. [17] Schon bald schickten die Philister drei Abteilungen von Soldaten in verschiedene Gebiete Israels. Sie sollten israelitische Dörfer ausplündern und verwüsten. Eine Truppe zog nach Norden in Richtung Ofra, in das Gebiet von Schual, [18] die zweite nach Westen auf Bet-Horon zu und die dritte nach Osten zu dem Hügelzug, von dem aus man das Zeboïmtal und die Wüste überblicken kann.

[19] Damals gab es im ganzen Land Israel keinen einzigen Schmied. Das kam den Philistern gerade recht, denn so konnten die Israeliten keine Schwerter und Spieße herstellen. [20] Wenn nun ein israelitischer Bauer seine Pflugschar, einen Spaten, eine Axt oder eine Hacke schärfen lassen wollte, musste er die Werkzeuge zu einem Schmied der Philister bringen. [21] Das Schärfen von Pflugscharen, Spaten, Gabeln und Äxten kostete zwei Drittel eines Silberstücks, ebenso das Einsetzen eines Ochsenstachels[b]. [22] Daher gab es in jenen Tagen im ganzen Heer Sauls keine Schwerter und Speere außer den Waffen Sauls und seines Sohnes Jonatan.

---

[a] »Die zurückgebliebenen … Sie kamen« ist nur in der griechischen Übersetzung überliefert.
[b] Der Ochsenstachel war ein Metallstachel, der auf einen Stab gesteckt wurde. Damit trieb man die Ochsen an.

13,8 10,8 **13,14** 16,1; Apg 13,22 **13,19** Ri 5,8

Jonatan vertraut auf Gottes Hilfe

[23] Die Philister hatten auch den Pass bei Michmas mit einem Posten besetzt.

14 Eines Tages sagte Jonatan zu seinem jungen Waffenträger: »Komm, wir wollen zum Posten der Philister dort drüben gehen!« Seinem Vater erzählte er nichts davon.

[2/3] Saul saß gerade unter dem großen Granatapfelbaum bei Migron nahe Gibea; 600 Mann waren bei ihm, darunter der Priester Ahija. Er war der Sohn von Ikabods Bruder Ahitub. Sein Großvater war Pinhas, sein Urgroßvater Eli, der früher in Silo als Priester des Herrn gedient hatte. Ahija war in jener Zeit der Priester und trug das Priestergewand. Von Sauls Leuten hatte niemand bemerkt, dass Jonatan sich aus dem Lager geschlichen hatte.

[4/5] Um zu dem Posten der Philister hinüberzugelangen, wählte Jonatan einen schmalen Weg zwischen zwei hohen Felszacken hindurch. Wie riesige Säulen ragten sie in die Höhe, die eine im Norden auf der Seite von Michmas – man nannte sie Bozez –, die andere im Süden gegenüber von Geba – sie hieß Senne. [6] Jonatan sagte nun zu seinem jungen Waffenträger: »Komm, wir wollen hinübergehen zum Wachposten dieser unbeschnittenen Heiden! Vielleicht hilft uns der Herr, denn für ihn spielt es keine Rolle, ob wir viele oder wenige sind.« [7] »Tu, was du für richtig hältst«, antwortete sein Waffenträger. »Ich bin dabei! Du kannst auf mich zählen.« [8] »Pass auf«, fuhr Jonatan fort, »wir nähern uns unseren Feinden, bis sie uns sehen. [9] Wenn sie uns dann zurufen: ›Halt, keinen Schritt weiter!‹ oder: ›Wir kommen und töten euch!‹, dann lassen wir unseren Plan fallen und gehen nicht zu ihnen hinauf. [10] Wenn sie aber rufen: ›Kommt doch herauf zu uns!‹, dann wollen wir hinaufsteigen. Denn das soll für uns ein Zeichen sein, dass der Herr uns den Sieg über unsere Feinde schenken wird.«

[11] So näherten sich die beiden ohne Deckung dem feindlichen Posten, bis sie gesehen wurden. »Sieh mal einer an«, begannen die Philister zu spotten, »die Hebräer kommen aus den Löchern hervorgekrochen, in denen sie sich versteckt haben!« [12] Die Wachen forderten die beiden auf: »Kommt nur herauf, wir werden es euch zeigen!« »Los, mir nach!«, rief Jonatan seinem Waffenträger zu. »Der Herr hat sie in unsere Hand gegeben!« [13] Rasch kletterten sie auf allen vieren den steilen Hang hinauf, Jonatan voraus, sein Diener hinterher. Kaum war Jonatan oben, da fielen die Philister vor Schreck zu Boden, und der Waffenträger tötete einen nach dem anderen.

[14] Die beiden brachten bei diesem ersten Überfall etwa zwanzig Männer um. Die Leichen lagen in einem Umkreis von wenigen Metern. [15] Nun brach im ganzen Heer der Philister Panik aus: im Hauptlager, bei den Vorposten und sogar bei den Truppen, die die israelitischen Dörfer ausplündern und zerstören sollten. Und dann bebte die Erde. So versetzte der Herr alle Philister im Lager in Angst und Schrecken.

Der Herr schenkt den Sieg

[16] Die Späher Sauls in Gibea bemerkten, dass im Lager der Philister großer Lärm und ein wildes Durcheinander herrschten. [17] Sofort befahl Saul: »Lasst alle Leute antreten, um herauszufinden, wer von uns das Lager verlassen hat!« Da stellte sich heraus, dass nur Jonatan und sein Waffenträger fehlten. [18] Saul befahl dem Priester Ahija, die Bundeslade zu holen. Sie war in jenen Tagen bei den Israeliten im Feldlager. [19] Doch während er noch mit Ahija redete, nahmen der Lärm und das Getümmel im feindlichen Lager immer mehr zu. Da sagte Saul zum Priester: »Wir haben keine Zeit mehr, den Herrn zu befragen.«[a] [20] Sofort stürmten Saul und seine 600 Männer los

---

[a] Wörtlich: Zieh deine ausgestreckte Hand zurück.

14,2–3 1,3; 4,19–22 **14,6** Ri 7,7 **14,11** 13,6 **14,15** 2 Mo 23,27–28* **14,18** 14,2–3

und begannen den Kampf gegen die Philister. Die aber waren so verwirrt, dass sie wild um sich schlugen und sich gegenseitig umbrachten.

[21] Schon lange hatten die Philister Israeliten als Söldner in ihr Heer aufgenommen. Viele waren auch jetzt mit den Philistern in die Schlacht gezogen. Nun liefen sie zu ihren Landsleuten unter Sauls und Jonatans Führung über. [22] Sogar die Israeliten, die sich bisher im Bergland von Ephraim versteckt gehalten hatten, nahmen die Verfolgung der Philister auf, als sie von deren Flucht hörten. [23] Der Kampf tobte bis über Bet-Awen hinaus. So befreite der Herr an diesem Tag die Israeliten aus ihrer ausweglosen Lage.

Sauls unbedachter Fluch und seine Folgen

[24] An diesem Tag mussten die israelitischen Truppen hart kämpfen und gerieten zeitweise in große Bedrängnis. Saul drohte ihnen: »Verflucht sei, wer vor dem Abend irgendetwas isst, bevor ich mich an meinen Feinden gerächt habe!« So aß den ganzen Tag hindurch niemand auch nur den kleinsten Bissen. [25] Dabei gab es in dieser bewaldeten Gegend viele wilde Bienenvölker, so dass überall Honig zu finden war. [26] Gerade zu dieser Zeit flossen die Waben über. Doch kein Israelit wagte, von dem Honig zu essen, zu sehr fürchteten sie Sauls Drohung.

[27] Jonatan aber wusste nichts von diesem Fluch, denn er war nicht dabei gewesen, als sein Vater ihn ausgesprochen hatte. So tauchte er die Spitze seines Stockes einmal kurz in eine Honigwabe und aß von dem Honig. Sofort fühlte er sich viel besser. [28] Ein Soldat bemerkte es und sagte zu Jonatan: »Dein Vater, der König, hat gesagt, dass jeder verflucht sein soll, der an diesem Tag etwas isst. Darum sind wir alle so erschöpft.« [29] Da antwortete Jonatan: »Mein Vater stürzt unser ganzes Land ins Unglück! Seht doch, wie viel besser ich mich fühle, nur weil ich ein bisschen von dem Honig gegessen habe. [30] Stellt euch vor, wie wir kämpfen würden, wenn unser Heer sich gestärkt hätte an dem, was die Feinde zurückgelassen haben! Doch so konnten wir den Philistern unmöglich eine große Niederlage beibringen.«

[31] An diesem Tag schlugen die Israeliten die Philister von Michmas bis nach Ajalon zurück. Doch am Abend waren die Soldaten erschöpft. [32] Sie fielen gierig über die Tiere her, die sie von den Philistern erbeutet hatten. Hastig schlachteten sie Schafe, Rinder und Kälber. Sie nahmen sich nicht einmal die Zeit, das Blut ganz abfließen zu lassen. Die geschlachteten Tiere ließen sie einfach am Boden in ihrem Blut liegen und aßen sie dann gleich an Ort und Stelle.[a]

[33] Jemand lief zu Saul und berichtete ihm: »Das Volk sündigt gegen den Herrn, denn sie essen das Fleisch noch am Schlachtort, ohne es ganz ausbluten zu lassen.« Da rief Saul laut: »Ihr habt ein großes Unrecht begangen!« Er befahl den Männern in seiner Nähe: »Wälzt sofort einen großen Stein zu mir her! [34] Verteilt euch im ganzen Lager und weist alle an, sie sollen ihre Tiere zu mir bringen, hier auf diesem Stein töten und ganz ausbluten lassen. Dann können sie das Fleisch essen. Damit will ich verhindern, dass ihr gegen den Herrn sündigt, wenn ihr die Tiere in ihrem Blut liegen lasst und das Fleisch dann an Ort und Stelle mit dem Blut verzehrt.«

Alle gehorchten dem Befehl Sauls. Noch in derselben Nacht kam jeder mit seinen Tieren zu dem Stein und schlachtete sie dort so, wie es vorgeschrieben war. [35] Saul baute einen Altar für den Herrn. Es war der erste, den er selbst aufrichtete.

[36] Dann sagte er zu den Männern: »Kommt, wir wollen noch heute Nacht den Philistern nachjagen und sie ausplün-

---

[a] Vgl. 1. Mose 9,4 und 3. Mose 17,10–14
14,22 13,6

dern! Bis zum Morgengrauen soll keiner von ihnen mehr am Leben sein.« Die Soldaten antworteten: »Tu nur, was du für richtig hältst!« Doch der Priester wandte ein: »Lasst uns zuerst Gott fragen.« [37] So stellte Saul die Frage: »Soll ich den Philistern nachjagen? Wirst du uns helfen, sie vollständig zu besiegen?« Doch dieses Mal gab Gott ihm keine Antwort.

[38] Da rief Saul alle Truppenführer zu sich und sagte: »Irgendjemand muss heute Schuld auf sich geladen haben. Versucht herauszufinden, wer es war. [39] Bei dem Herrn, der Israel geholfen hat, schwöre ich: Der Schuldige muss sofort sterben, selbst wenn es mein Sohn Jonatan wäre.« Aber keiner aus dem Volk gab ihm eine Antwort.

[40] Da ergriff Saul wieder das Wort: »Das ganze Heer soll sich auf der einen Seite aufstellen, Jonatan und ich auf der anderen.« »Tu, was du für richtig hältst«, antworteten alle. [41] Dann betete Saul zum Herrn, dem Gott Israels: »O Herr, warum hast du heute nicht auf meine Frage geantwortet? Zeig uns, ob die Schuld bei mir und bei meinem Sohn Jonatan liegt. Wenn ja, dann lass uns das Los ›Urim‹ ziehen. Hat aber jemand von meinen Leuten gesündigt, so zeig uns das durch das Los ›Tummim‹.«[a]

Das Los fiel auf Saul und Jonatan, und das übrige Volk war freigesprochen. [42] Da sagte Saul: »Werft das Los jetzt auch noch zwischen mir und meinem Sohn.« Da traf es Jonatan. [43] »Was hast du getan?«, wollte Saul von ihm wissen. Jonatan gestand: »Ich steckte die Spitze meines Stockes in eine Honigwabe und kostete von dem Honig. Das ist alles. Doch wenn es sein muss: Ich bin bereit zu sterben.« [44] »Ja, es muss sein!«, erwiderte Saul. »Gott soll mich schwer bestrafen, wenn ich dich für diese Tat nicht töten lasse.« [45] Doch da schritten die Soldaten ein: »Jonatan, der Israel heute durch seinen mutigen Vorstoß gerettet hat, soll sterben? Niemals lassen wir das zu! So wahr der Herr lebt: Nicht ein einziges Haar soll ihm gekrümmt werden, denn er hat diesen Sieg heute mit Gottes Hilfe errungen.« So retteten die Israeliten Jonatan vor dem Tod. [46] Saul verfolgte die Philister nicht mehr weiter, sondern zog nach Hause. Auch die Philister kehrten in ihr Land zurück.

Sauls Kriege

[47] Während Saul König von Israel war, führte er Krieg gegen alle Feinde rings um Israel: gegen die Moabiter, die Ammoniter und die Edomiter, gegen die Könige von Zoba und gegen die Philister. In allen Feldzügen trug er den Sieg davon. [48] Er war ein sehr mutiger Soldat. Auch die Amalekiter schlug er und befreite Israel von allen Feinden, die das Land immer wieder überfallen hatten.

Die Familie Sauls

[49] Saul hatte drei Söhne: Jonatan, Jischwi und Malkischua. Seine Töchter hießen Merab und Michal, Michal war die jüngere. [50] Sauls Ehefrau hieß Ahinoam. Sie war eine Tochter des Ahimaaz. Sauls oberster Heerführer war Abner, ein Sohn von Sauls Onkel Ner. [51] Sauls Vater Kisch und Abners Vater Ner waren Brüder. Ihr Vater hieß Abiël.

[52] Solange Saul lebte, nahm der Krieg gegen die Philister kein Ende. Immer wieder brachen erbitterte Kämpfe aus. Darum stellte Saul jeden mutigen und kampferprobten Mann, dem er begegnete, in seinen Dienst.

Saul soll die Amalekiter ausrotten

15 Eines Tages kam Samuel zu Saul und sagte: »Der Herr hat mich damals beauftragt, dich als König über sein

---

[a] »warum hast du … Tummim« nach der griechischen Übersetzung. Der hebräische Text lautet: Gib rechten Entscheid.

14,37 28,6; 2 Mo 28,30* **14,38–39** Jos 7,11–15 **14,41** 2 Mo 28,30* **14,45** 11,13 **14,49** 18,17–20.26–27; 31,2 **14,50** 17,55–57; 20,25; 26,7.14–15; 2 Sam 2,8–32; 3,6–39 **15,1** 10,1

Volk Israel einzusetzen. Nun ist es an dir, dem Befehl zu gehorchen, den der Herr dir heute gibt. [2] Der Herr, der allmächtige Gott, hat gesagt: ›Ich habe noch nicht vergessen, was die Amalekiter meinem Volk angetan haben. Als die Israeliten damals unterwegs waren von Ägypten nach Kanaan, versperrten die Amalekiter ihnen den Weg. [3] Darum sollst du nun gegen dieses Volk in den Kampf ziehen. Du sollst es restlos auslöschen! Verschone nichts und niemanden, sondern töte Männer und Frauen, Kinder und Säuglinge, Rinder und Schafe, Kamele und Esel.‹«

[4] Saul rief seine Truppen zusammen und musterte sie in Telem. Es waren 200 000 Mann Fußvolk, dazu kamen 10 000 Mann aus Juda. [5] Saul rückte mit ihnen bis zur Hauptstadt der Amalekiter vor. Einen Teil des Heeres schickte er als Hinterhalt in das Tal nahe der Stadt. [6] Vor dem Angriff ließ Saul den Kenitern eine Botschaft zukommen: »Trennt euch von den Amalekitern! Verlasst sofort dieses Gebiet, sonst kommt ihr mit ihnen um, wenn wir sie vernichten! Denn ihr Keniter seid damals den Israeliten freundlich begegnet und habt ihnen geholfen, als sie von Ägypten wegzogen und in der Wüste unterwegs waren.«

Da verließen die Keniter schleunigst das Gebiet der Amalekiter. [7] Saul griff die Amalekiter an und schlug sie vernichtend, von Hawila bis nach Schur an der Ostgrenze Ägyptens. [8] Das ganze Volk wurde mit dem Schwert niedergemetzelt. Nur Agag, ihren König, nahm Saul lebend gefangen. [9] Ihn verschonten Saul und seine Soldaten. Auch die besten Schafe und Ziegen, Lämmer, Rinder und das Mastvieh ließen sie am Leben. Alle gesunden und kräftigen Tiere waren ihnen zu schade zum Schlachten. Sie töteten nur das schwächliche Vieh, von dem sie sich keinen Nutzen versprachen.

Gehorsam ist wichtiger als Opfer

[10] Da sagte der Herr zu Samuel: [11] »Ich bereue es, dass ich Saul zum König gemacht habe, denn er hat mir den Rücken gekehrt und meinen Befehl nicht ausgeführt.« Samuel wurde sehr zornig und betete die ganze Nacht laut und eindringlich zum Herrn. [12] Früh am nächsten Morgen machte er sich auf den Weg zu Saul. Ihm wurde berichtet: »Der König ist in die Stadt Karmel gegangen und hat dort ein Siegesdenkmal aufgestellt. Dann ist er weiter nach Gilgal gezogen.« [13] Als Samuel in Gilgal ankam, begrüßte Saul ihn fröhlich und sagte: »Ich habe den Befehl des Herrn ausgeführt.« [14] »Woher kommt dann das Gebrüll und Geblöke, das ich höre?«, fragte Samuel. »Das hört sich an, als ob viele Rinder, Schafe und Ziegen hier in der Nähe seien.« [15] »Die haben wir von den Amalekitern mitgebracht«, antwortete Saul. »Die Soldaten wollten die besten Rinder, Schafe und Ziegen nicht einfach niedermetzeln. Sie haben die Tiere verschont, um sie dem Herrn, deinem Gott, als Opfer darzubringen. Doch sonst haben wir alles und jeden umgebracht.«

[16] Da unterbrach ihn Samuel: »Hör auf damit! Der Herr hat in der letzten Nacht mit mir geredet. Ich habe dir etwas auszurichten.« »Sprich nur, ich höre!«, sagte Saul, [17] und Samuel fuhr fort: »Als du zum Oberhaupt über das ganze Volk wurdest, kamst du dir selbst klein und unwürdig vor. Und doch hat der Herr gerade dich als König über Israel eingesetzt. [18] Er hat dich zu den Amalekitern geschickt und dir befohlen: ›Vollstrecke an ihnen mein Urteil. Kämpfe gegen sie, bis du sie völlig vernichtet hast, denn sie sind ein gottloses Volk.‹ [19] Warum hast du dem Herrn nicht gehorcht? Warum hast du dich gierig auf die Beute gestürzt und gerade das getan, was der Herr dir verboten hatte?«

[20] »Aber ich habe dem Herrn doch gehorcht!«, versuchte Saul sich zu rechtfer-

---

15,2 2 Mo 17,8–16; 5 Mo 25,17–19 **15,3** 5 Mo 7,2* **15,6** Ri 1,16 **15,11** 1 Mo 6,6 **15,17** 9,21

tigen. »Ich bin dorthin gegangen, wohin er mich geschickt hat. Agag, den König von Amalek, habe ich gefangen hierher gebracht, und die anderen Amalekiter ließ ich alle umbringen. [21] Meine Leute haben bloß einige Schafe und Rinder als Beute mitgenommen, und ich kann dir sagen: Es sind nur die besten von all den Tieren, die vernichtet werden sollten. Das Volk ließ sie leben, um sie hier in Gilgal dem Herrn, deinem Gott, zu opfern.«

[22] Doch Samuel erwiderte: »Was denkst du, worüber freut sich der Herr mehr: über viele Brand- und Schlachtopfer oder über Gehorsam gegenüber seinen Weisungen? Ich sage dir eines: Gehorsam ist wichtiger als das Schlachten von Opfertieren. Es ist besser, auf den Herrn zu hören, als ihm das beste Opfer zu bringen. [23] Auflehnung ist ebenso schlimm wie Zauberei, und Eigensinn ist nichts anderes als Götzendienst. Weil du es abgelehnt hast, den Befehl des Herrn auszuführen, hat er dich als König abgesetzt: Du wirst nicht mehr lange regieren!«

[24] Da bekannte Saul: »Ich habe gesündigt! Ich habe den Befehl des Herrn und deine Anweisungen nicht befolgt; denn ich hatte Angst, mich meinen Soldaten zu widersetzen, und ließ ihnen daher ihren Willen. [25] Vergib mir bitte diese Sünde, und komm mit mir zu den anderen zurück, damit ich in deiner Gegenwart den Herrn anbete!« [26] Doch Samuel antwortete: »Ich kehre nicht mit dir zurück, denn du hast es abgelehnt, den Befehl des Herrn auszuführen; darum hat er dich als König abgesetzt.«

[27] Als Samuel sich umdrehte und weggehen wollte, packte Saul ihn am Mantel, um ihn zurückzuhalten. Dabei riss er ein Stück Stoff ab. [28] Da sagte Samuel: »Genauso hat der Herr dir heute die Herrschaft über Israel entrissen, um sie einem zu geben, der würdiger ist als du. [29] Israels mächtiger Gott wird diesen Entschluss nicht zurücknehmen, er lügt niemals. Er ist nicht wie ein Mensch, der bereut, was er gesagt hat.«

[30] »Ich habe gesündigt«, wiederholte Saul. »Aber bitte stell mich jetzt nicht bloß vor den Ältesten meines Volkes und vor ganz Israel! Komm mit mir zurück, damit ich in deiner Anwesenheit den Herrn, deinen Gott, anbete.«

[31] Da gab Samuel nach und kehrte mit Saul zu den anderen zurück. Nachdem Saul zum Herrn gebetet hatte, [32] befahl Samuel: »Bringt König Agag von Amalek zu mir!« Furchtlos schritt Agag auf Samuel zu, denn er sagte sich: »Die größte Gefahr ist jetzt wohl vorüber!« [33] Aber Samuel empfing ihn mit den Worten: »Durch dein Schwert haben viele Mütter ihre Söhne verloren. Genauso soll nun auch deine Mutter kinderlos werden.« Dann stach er Agag vor dem Altar in Gilgal nieder und hieb ihn in Stücke.

[34] Anschließend kehrte er nach Rama zurück, und Saul ging in sein Haus nach Gibea. [35] Samuel traf Saul den Rest seines Lebens nicht mehr. Doch er war traurig, dass der Herr es bereute, Saul zum König über Israel gemacht zu haben.

Gott zeigt Samuel den neuen König

16 Schließlich sprach der Herr zu Samuel: »Wie lange willst du noch um Saul trauern? Ich habe ihn verstoßen! In meinen Augen ist er nicht mehr König von Israel. Nimm dein Horn, füll es mit Öl, und mach dich auf den Weg nach Bethlehem. Dort such Isai auf, denn ich habe einen seiner Söhne zum neuen König auserwählt.« [2] Doch Samuel wandte ein: »Wie kann ich dorthin gehen und so etwas tun? Saul bringt mich um, wenn er davon erfährt!« Da antwortete der Herr: »Nimm eine junge Kuh mit und sag, du seist zum Opfern gekommen. [3] Lade Isai zu dem Opferfest ein. Was du weiter tun sollst, lasse ich dich rechtzeitig wissen. Ich werde dir genau zeigen, welchen Sohn du zum König salben sollst.«

15,22 Ps 50,7–14; Jes 1,11–17; Jer 7,22–23; Hos 6,6; Am 5,21–24; Mi 6,6–8; Mt 9,13 **15,23** 13,13–14 **15,26** 1 Kön 11,11 **15,28** 28,17 **15,29** 4 Mo 23,19 **15,34** 7,17 **16,1** 13,14; 15,23.35; Lk 3,32

[4]Samuel gehorchte dem Befehl des Herrn. Seine Ankunft in Bethlehem erregte Aufsehen. Erschrocken kamen die führenden Männer ihm entgegen und fragten: »Dein Besuch bedeutet doch hoffentlich nichts Schlimmes?« [5]»Nein, nein«, beruhigte er sie, »es ist alles in Ordnung. Ich bin gekommen, um dem Herrn ein Opfer darzubringen. Macht euch bereit, und kommt dann mit mir zum Opferfest.« Auch Isai und seine Söhne lud Samuel ein und forderte sie auf, sich für das Opfer zu reinigen.

[6]Als Isai und seine Söhne eintrafen, fiel Samuels Blick sofort auf Eliab, und er dachte: »Das ist bestimmt der, den der Herr als König ausgesucht hat.« [7]Doch der Herr sagte zu ihm: »Lass dich von seinem Aussehen und von seiner Größe nicht beeindrucken. Er ist es nicht. Denn ich urteile nach anderen Maßstäben als die Menschen. Für die Menschen ist wichtig, was sie mit den Augen wahrnehmen können; ich dagegen schaue jedem Menschen ins Herz.«

[8]Danach rief Isai seinen Sohn Abinadab und stellte ihn Samuel vor. Doch der Prophet musste sagen: »Auch diesen hat der Herr nicht ausgewählt.« [9]Als Nächstes ließ Isai Schamma vortreten, und wieder sagte Samuel: »Auch ihn hat der Herr nicht erwählt.« [10]Und so ließ Isai seine sieben Söhne an Samuel vorbeigehen. Zuletzt sagte Samuel zu Isai: »Der Herr hat keinen von ihnen auserwählt. [11]Aber sind das wirklich alle deine Söhne?« »Nein, der jüngste fehlt noch«, antwortete Isai. »Er ist auf den Feldern und hütet unsere Schafe und Ziegen.« Da forderte Samuel ihn auf: »Lass ihn sofort herholen! Wir werden uns nicht ohne ihn an die Festtafel setzen.«

[12]So ließ Isai David holen. Er war ein gut aussehender junger Mann, braun gebrannt und mit schönen Augen. »Das ist er«, sagte der Herr zu Samuel, »salbe ihn!« [13]Da nahm Samuel das Horn mit dem Öl und goss es vor den Augen seiner Brüder über Davids Kopf aus. Sogleich kam der Geist des Herrn über David und verließ ihn von da an nicht mehr. Samuel kehrte wieder nach Rama zurück.

David kommt zu Saul an den Königshof

[14]Der Geist des Herrn hatte Saul verlassen. Stattdessen schickte Gott einen bösen Geist, der den König immer wieder überfiel und ihm Furcht und Schrecken einjagte. [15]Eines Tages kamen einige Diener Sauls mit einem Vorschlag zu ihm: »Du weißt selbst, dass ein böser Geist, den Gott geschickt hat, dich quält«, sagten sie. [16]»Lass uns einen guten Harfenspieler suchen! Jedes Mal wenn dieser böse Geist dich überfällt, wird der Mann seine Harfe zur Hand nehmen und darauf spielen. Das wird dich beruhigen und aufmuntern. Du brauchst nur zu befehlen, dann handeln wir.«

[17]»Ja«, antwortete Saul. »Sucht mir einen guten Harfenspieler und holt ihn an den Hof.« [18]Einer der Männer sagte: »Ich denke da an einen jungen Mann, den ich einmal gesehen habe, einen Sohn Isais aus Bethlehem. Er ist nicht nur ein ausgezeichneter Harfenspieler, sondern auch mutig und kampferprobt. Er findet in jeder Situation das treffende Wort und sieht gut aus. Der Herr steht ihm bei.«

[19]Sofort sandte Saul Boten zu Isai und ließ ihm ausrichten: »Schick deinen Sohn David, den Schafhirten, zu mir an den Königshof!« [20]Da schickte Isai seinen Sohn zu Saul und gab ihm Geschenke für den König mit: einen Esel, beladen mit Broten, einen Schlauch Wein und einen jungen Ziegenbock.

[21]So kam David an Sauls Hof. Der König mochte ihn bald sehr gern und machte ihn zu seinem Waffenträger. [22]Darum bat er Isai: »Lass doch David endgültig in meinen Dienst treten, denn ich hätte ihn sehr gerne bei mir am Königshof!«

16,7 9,2; Ps 17,3* **16,10** 1 Chr 2,13–15 **16,11** 2 Sam 7,8; Ps 78,70–71 **16,12** 17,42 **16,13** 2 Sam 2,4; 5,3; 1 Sam 7,17 **16,14** 18,10–11; 19,9

[23]Immer wenn der böse Geist über Saul herfiel, griff David zur Harfe und begann zu spielen. Und immer wieder brachte die Musik Saul Erleichterung. Er fühlte sich besser, und der böse Geist ließ ihn in Ruhe.

Ein einziger Philister schüchtert Israels Heer ein

17 Die Philister sammelten ihre Truppen bei Socho im Gebiet des Stammes Juda zum Krieg. Sie schlugen ihr Lager bei Efes-Dammim auf, zwischen Socho und Aseka. [2]Auch Saul rief seine Soldaten zusammen. Sie lagerten im Tal der Terebinthen und stellten sich in Schlachtordnung auf. [3]An einem Bergkamm standen die Philister, am Hang gegenüber die Israeliten. Zwischen ihnen lag das Tal.

[4–7]Da trat aus dem Heer der Philister ein einzelner Soldat heraus: Goliat aus der Stadt Gat. Er war über drei Meter groß. Gerüstet war er mit einem Helm, einem schweren Schuppenpanzer und mit Beinschienen, alles aus Bronze. Auf der Schulter trug er eine bronzene Lanze. Sein Brustpanzer wog 60 Kilogramm, sein Speer war so dick wie ein kleiner Baum[a], und allein die Eisenspitze des Speeres war über 7 Kilogramm schwer. Vor ihm her marschierte sein Schildträger mit einem riesigen Schild.

[8]Goliat stellte sich den israelitischen Schlachtreihen gegenüber auf und brüllte: »Was wollt ihr hier eigentlich mit eurem ganzen Heer? Ich bin ein Philister, und ihr seid nur Knechte Sauls. Los, wählt euren besten Mann aus, und schickt ihn herunter zu mir! [9]Wenn er mich töten kann, dann werden wir eure Sklaven sein. Aber wenn ich ihn erschlage, dann sollt ihr uns als Sklaven dienen. [10]Ja, ich fordere heute alle Israeliten heraus. Wo ist der Mann, der es mit mir aufnehmen kann?« [11]Als Saul und seine Soldaten das hörten, erschraken sie und bekamen große Angst.

David besucht seine Brüder im Heer

[12]David, der Sohn Isais, aus Bethlehem in der Gegend von Efrata in Juda hatte sieben Brüder. Isai war zu jener Zeit, als Saul König wurde, schon zu alt für den Kriegsdienst. [13/14]Seine drei ältesten Söhne jedoch waren Sauls Aufruf gefolgt und mit in den Kampf gezogen. Der älteste hieß Eliab, der zweite Abinadab und der dritte Schamma; David war der jüngste. [15]Hin und wieder kehrte er von Sauls Königshof nach Hause zurück, um in Bethlehem wieder die Schafe und Ziegen seines Vaters zu hüten. [16]Der Riese Goliat stellte sich schon seit fast sechs Wochen jeden Morgen und jeden Abend zwischen den beiden Heeren auf und forderte die Israeliten heraus.

[17]Eines Tages sagte Isai zu David: »Schau doch einmal nach deinen Brüdern, die in den Krieg gezogen sind. Bring ihnen diesen Sack gerösteten Weizen und zehn Brote mit. [18]Ihrem Hauptmann kannst du diese zehn Stücke Käse geben. Erkundige dich, wie es ihnen geht, und bring mir ein Lebenszeichen von ihnen. [19]Sie sind mit Saul und den Israeliten immer noch im Tal der Terebinthen und kämpfen gegen die Philister.«

[20]David überließ die Herde einem Hirtenjungen und machte sich mit allem, was Isai ihm mitgegeben hatte, frühmorgens auf den Weg. Als er das Heer erreichte, zogen die Soldaten gerade unter lautem Kriegsgeschrei zum Kampfplatz [21]und gingen in Stellung. Ihnen gegenüber standen die Philister, auch sie bereit zum Kampf. [22]David ließ sein Gepäck bei der Wache des Lagers zurück und eilte den Soldaten nach, um seine Brüder zu sehen. Als er sie gefunden hatte, fragte er sie, wie es ihnen gehe.

[23]Noch während sie sich unterhielten,

---

[a] Wörtlich: wie ein Weberbaum.

17,4–7 Jos 11,22; 2 Sam 21,15–22 **17,12** 16,1 **17,15** 16,11.19

kam Goliat von Gat wieder aus den Schlachtreihen der Philister hervor, und David hörte, wie er die Israeliten zum Zweikampf herausforderte. [24]Kaum hatten die Israeliten Goliat erblickt, packte sie die Angst, und sie ergriffen die Flucht. [25]»Hast du gesehen? Dort kommt er wieder!«, riefen sie einander zu. »Hör nur, wie er uns wieder verspottet. Der König hat eine hohe Belohnung ausgesetzt für den, der diesen Kerl umbringt, ja, er will ihm sogar seine Tochter zur Frau geben. Dazu soll seine ganze Familie sofort von den Steuern befreit werden.«

[26]David fragte einige Soldaten in seiner Nähe: »Welche Belohnung soll der Mann erhalten, der diesen Philister da erschlägt und die Schande von unserem Volk abwendet? Wir können doch nicht dulden, dass dieser unbeschnittene Philister sich über das Heer des lebendigen Gottes lustig macht!« [27]Sie erzählten David noch einmal, welche Belohnung der König ausgesetzt hatte.

[28]Als Eliab, Davids ältester Bruder, ihn so mit den Soldaten reden hörte, wurde er zornig. »Was hast du überhaupt hier zu suchen?«, fuhr er ihn an. »Und wer hütet jetzt die paar Schafe und Ziegen in der Steppe? Ich weiß doch genau, wie hochnäsig und eingebildet du bist! Du bist nur zu uns gekommen, um dir eine Schlacht anzusehen.« [29]»Was habe ich denn getan?«, entgegnete David. »Ich habe doch nur eine Frage gestellt!« [30]Er drehte sich zu einem anderen um und fragte noch einmal nach der Belohnung. Und wieder erhielt er dieselbe Antwort.

Die Wahl der Waffen

[31]Als die Soldaten merkten, worauf David hinauswollte, meldete es jemand dem König. Der ließ ihn sofort zu sich rufen. [32]»Mein König«, sagte David zu Saul, »von diesem Kerl müssen wir uns doch nicht einschüchtern lassen! Ich will den Kampf mit ihm aufnehmen.« [33]»Das ist unmöglich!«, antwortete Saul. »Wie soll ein junger Mann wie du den Zweikampf mit diesem Philister gewinnen? Du bist ja fast noch ein Kind, er aber ist ein erfahrener Soldat, der von Jugend auf gelernt hat, mit Waffen umzugehen.«

[34]Doch David ließ nicht locker: »Als ich die Schafe und Ziegen meines Vaters hütete, kam es immer wieder vor, dass ein Löwe oder ein Bär die Herde überfiel, ein Schaf packte und es wegschleppen wollte. [35]Dann lief ich ihm nach, schlug auf ihn ein und riss ihm seine Beute aus dem Maul. Stürzte er sich dann wütend auf mich, packte ich ihn an der Mähne oder am Fell und schlug ihn tot. [36]So habe ich mehrere Löwen und Bären erschlagen. Und diesem Philister soll es nicht anders ergehen, denn er hat sich über das Heer des lebendigen Gottes lustig gemacht. [37]Der Herr, der mich aus den Klauen von Löwen und Bären gerettet hat, der wird mich auch vor diesem Philister beschützen.«

Schließlich gab Saul nach: »Gut, du sollst mit ihm kämpfen. Möge der Herr dir beistehen.« [38]Dann gab er David seine eigene Rüstung. Eigenhändig setzte er ihm den Helm aus Bronze auf und zog ihm den Brustpanzer an. [39]Zuletzt schnallte David sich den Gürtel mit dem Schwert um. Mühsam versuchte er einige Schritte zu gehen, denn er hatte noch nie zuvor eine Rüstung getragen. »Das geht nicht! Ich kann mich ja kaum darin bewegen«, sagte er und zog die Rüstung wieder aus. [40]Stattdessen nahm er seinen Hirtenstock und seine Steinschleuder, holte fünf flache Kieselsteine aus einem Bach und steckte sie in seine Hirtentasche. Mit Stock und Schleuder in der Hand schritt er dann auf den Riesen zu.

Davids Sieg

[41]Auch Goliat rückte immer weiter vor, zusammen mit seinem Schildträger, der vorausging. [42]Plötzlich bemerkte er David. »Ach, jetzt schicken sie schon Kinder in den Krieg!«, spottete er, weil David

---

17,25 18,27; Jos 15,16 **17,42** 16,12

noch sehr jung war, braun gebrannt und gut aussehend. [43]»Bin ich denn ein Hund, dass du mir nur mit einem Stock entgegenkommst?«, brüllte Goliat ihn an und verfluchte David im Namen sämtlicher Götter, die er kannte. [44]Dann schrie er: »Komm nur her! Ich werde dein Fleisch den Geiern und den wilden Tieren zu fressen geben.«

[45]Doch David rief zurück: »Du, Goliat, trittst gegen mich an mit Schwert, Lanze und Wurfspieß. Ich aber komme mit der Hilfe des Herrn. Er ist der Herr, der allmächtige Gott, und der Gott des israelitischen Heeres. Ihn hast du eben verspottet. [46]Heute noch wird der Herr dich in meine Gewalt geben, ich werde dich besiegen und dir den Kopf abschlagen. Dann werfe ich die Leichen deiner Leute, der Philister, den Geiern und Raubtieren zum Fraß vor. Die ganze Welt soll erfahren, dass wir Israeliten einen mächtigen Gott haben. [47]Und alle Soldaten hier sollen sehen, dass der Herr weder Schwert noch Speer nötig hat, um uns zu retten. Er selbst führt diesen Krieg und wird euch in unsere Gewalt geben.«

[48]Als Goliat sich in Bewegung setzte und auf David losstürzen wollte, lief auch David ihm entgegen. [49]Im Laufen nahm er einen Stein aus seiner Tasche, legte ihn in die Steinschleuder und schleuderte ihn mit aller Wucht gegen den Feind. Der Stein traf Goliat am Kopf und bohrte sich tief in seine Stirn. Sofort fiel der Riese zu Boden auf sein Gesicht. [50/51]So überwältigte David den mächtigen Philister mit einer einfachen Steinschleuder und einem Kieselstein. Da er kein eigenes Schwert hatte, lief er schnell zu dem Riesen, zog dessen Schwert aus der Scheide und schlug ihm den Kopf ab.

Als die Philister sahen, dass ihr stärkster Mann tot war, ergriffen sie die Flucht. [52]Die Männer von Israel und Juda stimmten ein lautes Siegesgeschrei an und jagten hinter den fliehenden Feinden her. Sie verfolgten die Philister bis in die Ebene hinunter, bis vor die Tore der Stadt Ekron. Auf dem ganzen Weg von Schaarajim bis nach Gat und Ekron sah man die Leichen der Philister liegen. [53]Schließlich kehrten die Israeliten von ihrer Verfolgungsjagd zurück und plünderten das verlassene Lager der Philister.

[54]Den Kopf Goliats brachte David später nach Jerusalem, die Waffen des Riesen legte er in das heilige Zelt.

Saul erkundigt sich nach der Familie Davids

[55]Während Saul zuschaute, wie David dem Riesen entgegenging, fragte er seinen Heerführer Abner: »Weißt du, aus welcher Familie dieser junge Mann kommt?« »Ich weiß es nicht, o König«, antwortete Abner. [56]»Dann versuch es herauszufinden!«, forderte Saul ihn auf. [57]Als David von seinem Zweikampf mit Goliat zurückkam, führte Abner ihn sofort zum König. Immer noch trug David den Kopf Goliats in der Hand. [58]Saul fragte ihn: »Aus welcher Familie kommst du?« »Ich bin ein Sohn Isais aus Bethlehem«, antwortete David.

David und Jonatan werden Freunde

18 Nach diesem Gespräch traf David Jonatan, den Sohn des Königs. Vom ersten Augenblick an liebte Jonatan David sehr, ja, er liebte ihn mehr als sein eigenes Leben. [2]Saul behielt David nun am Königshof und ließ ihn nicht mehr nach Hause zurückkehren. [3]David und Jonatan schlossen einen Bund und schworen sich ewige Freundschaft. [4]Jonatan sagte: »David, du bist mir so lieb wie mein eigenes Leben!« Dann zog er den Mantel und die Waffenrüstung aus und schenkte sie David, dazu noch sein Schwert, den Bogen und den Gürtel.

[5]David unternahm unter Sauls Befehl verschiedene Feldzüge. Wohin Saul ihn auch schickte, überall war er erfolgreich

---

17,45 2 Mo 14,14*; Ps 20,8 **17,46** 5 Mo 4,34* **17,47** 2 Mo 14,14*; Sach 4,6 **17,54** 21,10 **17,55** 14,50* **18,2** 17,15 **18,3** 19,1–2; 20,8.17; 23,16–18; 2 Sam 1,26; 21,7 **18,5** 18,14.16.30

und kam als Sieger zurück. So machte Saul ihn schließlich zum Oberbefehlshaber seiner Truppen. Im ganzen Volk war David beliebt, und auch alle Untergebenen des Königs schätzten ihn.

Sauls Eifersucht auf David

[6] Als David und die Israeliten nach dem Sieg über die Philister zurückkehrten, zogen Frauen aus allen Städten König Saul entgegen. Sie sangen und tanzten, schlugen die Tamburine und empfingen die Sieger mit Jubel und Freudenliedern. [7] Immer wieder sangen die Frauen den Vers:
»Saul hat tausend Mann erschlagen,
David aber zehntausend!«

[8] Saul hörte dieses Lied nicht gern, er wurde sehr zornig. »David trauen sie zu, dass er zehntausend erschlägt; und sie glauben, dass ich nur mit tausend fertig werde!«, dachte er voller Missmut. »Jetzt fehlt nur noch, dass sie ihn zum König machen!« [9] Seitdem war Saul eifersüchtig auf David.

[10/11] Schon am nächsten Tag ließ Gott wieder einen bösen Geist über Saul kommen, so dass er wie ein Wahnsinniger in seinem Haus tobte. David begann wie gewohnt, auf seiner Harfe zu spielen, um ihn zu beruhigen. Plötzlich schleuderte Saul den Speer, den er in der Hand hielt, nach David. »Jetzt spieße ich diesen Kerl an die Wand!«, dachte er in seiner Wut. Doch David sprang zur Seite und konnte dem Speer ausweichen, auch als der König es ein zweites Mal versuchte.

[12] Da begann Saul, sich vor David zu fürchten, denn er merkte, dass der Herr sich von ihm abgewandt hatte und auf Davids Seite war. [13] Schließlich entfernte Saul David aus seiner Umgebung, indem er ihn als Hauptmann über tausend Soldaten einsetzte. An der Spitze dieser Truppe unternahm David seine Feldzüge. [14] Und wieder war er erfolgreich bei allem, was er tat, denn der Herr stand ihm bei. [15] Als Saul merkte, dass David einfach alles gelang, fürchtete er sich noch mehr vor ihm. [16] David war in ganz Israel und Juda sehr beliebt; durch seine siegreichen Feldzüge wurde er im ganzen Land bekannt.

David wird Sauls Schwiegersohn

[17] Eines Tages sagte Saul zu David: »Ich bin bereit, dir meine älteste Tochter Merab zur Frau zu geben. Doch vorher musst du dich noch als Soldat bewähren. Du sollst im Auftrag des Herrn in den Krieg ziehen.« Im Stillen aber dachte Saul: »Ich selbst kann und will ihn nicht umbringen. Das sollen die Philister besorgen!« [18] Aber David wandte ein: »Wer bin ich schon? Warum sollte gerade ich der Schwiegersohn des Königs werden? Ich komme aus einfachen Verhältnissen, und meine Familie ist in Israel kaum bekannt.« [19] Doch als die Hochzeit von David und Merab gefeiert werden sollte, gab Saul seine Tochter einem Mann namens Adriël aus Mehola zur Frau.

[20] Inzwischen aber hatte Sauls jüngere Tochter Michal sich in David verliebt. Als Saul davon hörte, war es ihm gerade recht. [21] »Das ist meine letzte Gelegenheit, David noch einmal eine Falle zu stellen«, dachte er. »Diesmal werden die Philister ihn bestimmt umbringen!« Zu David sagte er: »Ich biete dir nun noch einmal an, mein Schwiegersohn zu werden.«

[22] Er befahl seinen Dienern, David heimlich zuzuflüstern: »Du weißt doch, dass der König dich sehr schätzt. Auch alle seine Untergebenen haben dich gern. Willst du nicht sein Schwiegersohn werden?« [23] Doch David erwiderte: »Glaubt ihr eigentlich, dass man so ohne weiteres der Schwiegersohn des Königs wird? Ich bin doch nur ein armer und einfacher Mann!«

[24] Die Diener richteten dem König Davids Antwort aus, [25] und Saul schickte sie mit folgendem Angebot zurück: »Der König verlangt von dir kein Geld als

---

18,7 21,12; 29,5 **18,10–11** 16,14; 19,9–10; 20,33 **18,16** 2 Sam 5,2 **18,17** 14,49 **18,18** 16,1; 2 Sam 7,18 **18,20** 14,49

Brautpreis, sondern Rache an seinen Feinden. Darum sollst du ihm die Vorhäute von hundert Philistern bringen.« Saul hoffte, David im Kampf gegen die Philister loszuwerden.

[26]Die Diener überbrachten David das Angebot, und er nahm es an, denn er wollte der Schwiegersohn des Königs werden. Noch bevor die festgesetzte Frist abgelaufen war, [27]zog er mit seinen Männern in den Kampf gegen die Philister. Sie erschlugen zweihundert von ihnen. David kehrte mit den Vorhäuten zurück und ließ sie dem König vollzählig abliefern. Damit wollte er zeigen, dass er die Bedingung für die Hochzeit erfüllt hatte. Da gab Saul ihm Michal zur Frau.

[28]Wieder musste Saul einsehen, dass der Herr auf Davids Seite war und ihn beschützte. Der König merkte auch, dass seine Tochter David liebte. [29]Darum fürchtete er sich immer mehr vor David und sah in ihm von da an seinen erbittertsten Feind. [30]Immer wieder griffen die Philisterkönige Israel an. In jedem dieser Kriege war David erfolgreicher als alle anderen Heerführer Sauls. Darum wurde sein Name weit über das Land hinaus bekannt.

Jonatan setzt sich bei Saul für David ein

19 [1/2]Saul machte vor seinem Sohn Jonatan und vor allen Bediensteten kein Geheimnis daraus, dass er David ermorden wollte. Jonatan aber liebte David sehr. Darum warnte er ihn: »Sei vorsichtig, mein Vater will dich umbringen! Es ist besser, wenn du dich morgen früh hier nicht zeigst. Such dir draußen ein gutes Versteck, und verhalte dich ruhig! [3]Ich selbst will morgen meinen Vater aufs freie Feld hinaus begleiten. Sobald wir in der Nähe deines Verstecks sind, will ich mit ihm über dich sprechen und versuchen herauszufinden, wie die Dinge stehen. Was er mir sagt, will ich dir berichten.«

[4]Als Jonatan am nächsten Morgen mit seinem Vater sprach, legte er ein gutes Wort für David ein und warnte den König, sich an seinem Diener zu vergreifen. »David hat dir doch noch nie irgendeinen Schaden zugefügt«, versuchte er seinem Vater klarzumachen. »Im Gegenteil: Er hat dir nur genutzt. [5]Hast du vergessen, wie er sein Leben aufs Spiel setzte, als er den Philister tötete? Und wie der Herr durch ihn den Israeliten zu einem großen Sieg über die Philister verhalf? Du warst doch damals dabei und hast dich mit allen anderen gefreut. Warum willst du diesen unschuldigen Mann nun ermorden? Du lädst schwere Schuld auf dich, wenn du David ohne jeden Grund umbringst.«

[6]Da ließ Saul sich von Jonatan umstimmen. Er schwor: »So wahr der Herr lebt: David soll nicht getötet werden.« [7]Jonatan rief David aus seinem Versteck heraus und berichtete ihm alles. Zusammen gingen sie zu Saul, und David diente dem König wie vorher.

Sauls zweiter Mordversuch an David

[8]Beim nächsten Krieg gegen die Philister zog David mit seiner Truppe aus. Auch diesmal schlug er die Feinde vernichtend, so dass ihnen nur noch die Flucht übrig blieb. [9]Eines Tages, als Saul zu Hause mit seinem Speer in der Hand saß und dem Harfenspiel Davids zuhörte, ließ der Herr wieder einen bösen Geist über ihn kommen. [10]Wütend schleuderte Saul den Speer nach David, um ihn an die Wand zu spießen. Doch David sprang zur Seite, die Waffe flog an ihm vorbei und blieb in der Wand stecken. Er floh in sein Haus und beschloss, noch in derselben Nacht die Stadt zu verlassen.

[11]Saul ließ Davids Haus sofort von Wachposten umstellen. Sie sollten David töten, sobald er am Morgen das Haus verließ. Davids Frau Michal warnte ihren Mann: »Wenn du dich heute Nacht nicht in Sicherheit bringst, bist du morgen früh

---

18,29 18,12 **18,30** 18,5 **19,1–2** 18,3* **19,5** 17,50–51 **19,9–10** 16,14; 18,10–11; 20,33 **19,11** Ps 59,1

tot.« [12]Sie ließ ihn aus einem Fenster an der Hausmauer hinunter. David floh, so schnell er konnte, und entkam seinen Mördern.

[13]Michal legte eine Götterfigur in Davids Bett, deckte sie sorgsam zu und legte ihr ein Geflecht aus Ziegenhaaren auf den Kopf. [14]Als Sauls Männer David holen wollten, sagte Michal ihnen: »Er liegt krank im Bett.« [15]Darauf befahl der König: »Dann bringt ihn eben samt Bett zu mir! Ich werde ihn umbringen!«

[16]Die Diener gingen noch einmal zu Davids Haus und fanden in Davids Bett die Götterfigur mit dem Geflecht aus Ziegenhaaren. [17]»Warum hast du mich betrogen und meinem Feind zur Flucht verholfen?«, stellte Saul seine Tochter zur Rede. Sie antwortete: »Er drohte: ›Ich bringe dich um, wenn du mich nicht gehen lässt.‹«

Gehört Saul auch zu den Propheten?

[18]Durch seine Flucht war David den Händen Sauls entronnen. Er floh zu Samuel nach Rama und erzählte ihm alles, was Saul ihm angetan hatte. Danach gingen die beiden zur Siedlung der Propheten und blieben dort. [19]Sobald Saul hörte, dass David sich in der Prophetensiedlung in Rama aufhielt, [20]schickte er Männer hin, die David gefangen nehmen sollten. Als sie dort ankamen, waren alle Propheten in Ekstase und weissagten unter der Leitung Samuels. Kaum sahen die Boten Sauls die Propheten, kam der Geist Gottes über sie, so dass auch sie in Ekstase gerieten und prophetisch zu reden begannen. [21]Als Saul davon erfuhr, schickte er sogleich andere Boten nach Rama. Doch es ging ihnen nicht anders als den ersten. Und auch die dritte Gruppe, die der König nach Rama sandte, geriet schon bei der Ankunft in Ekstase.

[22]Schließlich machte Saul sich selbst auf den Weg. Als er zu der großen Zisterne in Sechu kam, fragte er jemanden: »Wo sind Samuel und David?« »In der Prophetensiedlung in Rama«, bekam er zur Antwort.

[23]Schon auf dem Weg dorthin kam Gottes Geist auch auf Saul. Er geriet in Ekstase wie die Propheten und erreichte so ihre Siedlung in Rama. [24]Dort zog er sein Obergewand aus, tanzte vor Samuel umher und weissagte, bis er schließlich hinfiel. Den ganzen Tag und auch die ganze folgende Nacht blieb er halb nackt am Boden liegen. Durch dieses Ereignis entstand die Redensart: »Gehört Saul auch zu den Propheten?«

David und Jonatan schwören einander Treue

20 Nun floh David aus der Siedlung der Propheten in Rama. Heimlich suchte er Jonatan auf und fragte ihn: »Was habe ich nur falsch gemacht? Was habe ich verbrochen gegen deinen Vater? Warum will er mich umbringen?«

[2]»Wie kommst du darauf?«, versuchte Jonatan seinen Freund zu beruhigen. »Niemand will dich töten! Du weißt genau, dass mein Vater nichts unternimmt, ohne es vorher mit mir zu besprechen, sei es wichtig oder unwichtig. Warum sollte er mir ausgerechnet seine Mordabsichten verheimlichen? Nein, David, das siehst du falsch.«

[3]Doch David widersprach: »Natürlich weißt du nichts davon, denn dein Vater hat längst gemerkt, dass du mein Freund bist. Darum will er dich nicht damit belasten. Doch ich sage dir: So gewiss der Herr lebt und so gewiss du selbst lebst: Mein Leben hängt an einem seidenen Faden!«

[4]Jonatan erklärte: »Ich will alles für dich tun.« [5]Darauf sagte David: »Morgen beginnt doch das Neumondfest. Da sollte ich eigentlich als Gast beim königlichen Festmahl erscheinen. Doch ich komme wohl besser nicht, sondern verstecke mich bis übermorgen Abend irgendwo in der Nähe. [6]Wenn dein Vater nach mir fragt, dann sag ihm: ›David hat mich

---

19,12 Jos 2,15; 2 Kor 11,33 **19,18** 7,17 **19,22–24** 10,10–12 **20,1** 24,12; 26,18 **20,5** 4 Mo 28,11–15

dringend gebeten, ihn für kurze Zeit in seine Heimatstadt Bethlehem gehen zu lassen, weil seine Familie das jährliche Opferfest feiern will.‹ [7] Ist dein Vater einverstanden, dann weiß ich, dass mir keine Gefahr droht. Wird er aber zornig, so bedeutet es, dass er Böses im Schilde führt. [8] Bitte tu mir diesen Gefallen! Denk an den Freundschaftsbund, den du mit mir vor dem Herrn geschlossen hast. Doch wenn ich wirklich etwas verbrochen habe, so töte du mich, nur liefere mich nicht deinem Vater aus.«

[9] Jonatan wehrte ab: »So etwas werde ich nie tun! Sobald ich merke, dass mein Vater deine Ermordung beschlossen hat, werde ich es dir sagen.« [10] David fragte: »Aber wie erfahre ich, ob dein Vater zornig geworden ist oder nicht?«

[11] Jonatan schlug vor: »Komm, wir gehen zusammen hinaus auf das Feld!« Als sie draußen waren, [12] fuhr er fort: »Ich verspreche dir vor dem Herrn, dem Gott Israels, bis übermorgen um diese Zeit herauszufinden, wie mein Vater über dich denkt. Wenn er dir freundlich gesinnt ist und ich vergesse, es dir zu melden, [13] dann soll der Herr mich schwer und lange dafür bestrafen. Wenn ich aber merke, dass mein Vater dich töten will, so will ich dir auch das mitteilen und dich nicht zurückhalten, damit du dich in Sicherheit bringen kannst. Möge der Herr dir helfen, wie er früher meinem Vater geholfen hat! [14] Doch ich habe auch eine Bitte an dich: Sei mein Leben lang so gütig zu mir, wie der Herr es dir gegenüber ist! Bring mich nicht um, wenn du einmal König bist! [15] Mehr noch: Verschone auch meine Nachkommen, und entziehe ihnen niemals deine Gunst, selbst dann nicht, wenn der Herr alle deine Feinde restlos beseitigt hat.«

[16] So schloss Jonatan mit David einen Bund für die Zeit, wenn der Herr sich an Davids Feinden rächen würde. [17] Er bat David: »Schwör mir, dass du dich so sicher daran halten wirst, wie du mich heute als deinen Freund liebst.« Jonatan liebte David nämlich wie sein eigenes Leben.

[18] Dann erklärte Jonatan seinen Plan: »Morgen ist das Neumondfest. Natürlich wird man dich vermissen, wenn dein Platz leer bleibt. [19] Geh deshalb am Tag nach dem Fest hinunter auf das Feld, wo du dich schon einmal versteckt hast. Setz dich dort hinter den großen Stein, den man Asel nennt. [20] Ich werde dann wie zufällig herauskommen und drei Pfeile in deine Richtung schießen, als wollte ich ein bestimmtes Ziel treffen. [21] Wie gewohnt werde ich dann meinen Diener losschicken, um die Pfeile wieder zusammenzusuchen. Und nun pass auf! Sage ich zu dem Jungen: ›Die Pfeile liegen nicht weit weg von mir, bring sie her!‹, dann kannst du ruhig aus deinem Versteck hervorkommen. Du weißt dann, dass du nichts zu befürchten hast, so wahr der Herr lebt. [22] Sage ich meinem Diener aber: ›Die Pfeile liegen weiter weg‹, dann heißt das, dass du sofort fliehen musst, ja, dass der Herr selbst dich von hier wegschickt. [23] Was wir jedoch heute ausgemacht haben, das soll für immer gelten. Der Herr selbst ist Zeuge unseres gegenseitigen Versprechens.«

David muss endgültig fliehen

[24] Wie verabredet versteckte David sich auf dem Feld. Am Tag des Neumondfestes setzte sich der König zum Festmahl an den Tisch. [25] Er saß wie gewohnt an seinem Platz an der Wand neben Abner und gegenüber von Jonatan. Davids Platz aber blieb leer.

[26] Saul sagte an diesem Tag nichts dazu, denn er dachte: »David kann sicher aus irgendeinem Grund den Reinheitsvorschriften nicht genügen.«

[27] Doch als Davids Platz auch am zweiten Feiertag leer blieb, fragte Saul seinen Sohn: »Weißt du, warum dieser Sohn Isais weder gestern noch heute zum Essen gekommen ist?« [28/29] Jonatan erwiderte: »Er hat mich dringend gebeten, ihn zu

20,8 18,3* **20,15** 2 Sam 9,1–13 **20,17** 18,3* **20,19** 19,1–2 **20,25** 14,50* **20,26** 3 Mo 7,20; 22,4–7

entschuldigen, damit er nach Bethlehem gehen kann. Er sagte mir: ›Wir feiern zu Hause das jährliche Opferfest unserer Familie. Mein ältester Bruder wollte mich unbedingt dabeihaben. Willst du mir einen Gefallen tun, dann befreie mich von meinen Verpflichtungen, damit ich meine Verwandten besuchen kann.‹ Ich habe es ihm erlaubt, und darum war er gestern und heute nicht hier.«

[30] Als Saul das hörte, packte ihn der Zorn, und er brüllte Jonatan an: »Du Hurensohn! Meinst du eigentlich, ich habe noch nicht gemerkt, dass du mit diesem Sohn Isais unter einer Decke steckst? Schämen solltest du dich! Und auch deine Mutter, die einen solchen Nichtsnutz zur Welt gebracht hat! [31] Solange dieser Kerl noch lebt, bist du deines Lebens nicht sicher. Und Hoffnungen auf den Königsthron brauchst du dir auch keine zu machen. Los, lass ihn sofort hierher bringen, denn er muss sterben!«

[32] »Was hat er eigentlich getan?«, fragte Jonatan. »Warum soll er hingerichtet werden?« [33] Als Antwort schleuderte Saul wütend seinen Speer nach seinem Sohn, um ihn damit zu durchbohren. Da merkte Jonatan, dass Saul fest entschlossen war, David zu töten. [34] Voller Zorn stand er vom Tisch auf und aß an diesem Tag keinen Bissen mehr. Er war tief getroffen, weil sein Vater seinen Freund David so beschimpft hatte.

[35] Am nächsten Morgen ging Jonatan wie verabredet auf das Feld hinaus. Ein junger Sklave begleitete ihn. [36] »Lauf schon mal los!«, befahl Jonatan. »Du sollst die Pfeile suchen, die ich gleich abschieße.« Der Junge rannte los, und Jonatan schoss seinen ersten Pfeil weit über ihn hinaus. [37/38] Als der Junge dort ankam, wo er den Pfeil zu finden meinte, rief Jonatan: »Lauf nur, der Pfeil muss noch weiter geflogen sein. Los, beeil dich!« Schließlich fand der Sklave den Pfeil und brachte ihn seinem Herrn zurück. [39] Natürlich verstand er nicht, was sein Herr mit diesen Worten beabsichtigt hatte, denn nur David und Jonatan wussten Bescheid.

[40] Jonatan übergab seinem Diener Bogen und Pfeile und schickte ihn damit in die Stadt zurück. [41] Sobald der Junge verschwunden war, kam David aus seinem Versteck am südlichen Ende des Feldes hervor. Er warf sich vor Jonatan zu Boden und verbeugte sich dreimal. Sie küssten sich zum Abschied, und beiden kamen die Tränen. Noch während David heftig weinte, [42] sagte Jonatan: »Geh in Frieden, David! Vergiss nie, was wir einander im Namen des Herrn geschworen haben. Es soll für immer gelten, auch für deine und meine Nachkommen. Der Herr selbst ist unser Zeuge.«

21 Danach trennten sie sich. David machte sich auf den Weg, und Jonatan kehrte in die Stadt zurück.

David flieht zum Priester Ahimelech nach Nob

[2] David floh zum Priester Ahimelech nach Nob. Der kam ihm erschrocken entgegen und fragte: »Warum kommst du allein, ohne Begleiter?« [3] David erklärte: »Der König hat mir einen streng geheimen Auftrag gegeben. Er hat mir eingeschärft, dass kein Mensch auch nur das Geringste davon erfahren darf. Darum habe ich meine Leute an einen bestimmten Ort geschickt und bin allein hierher gekommen. [4] Könntest du mir etwas zu essen geben, vielleicht fünf Brote oder was du sonst gerade vorrätig hast?«

[5] Der Priester antwortete: »Gewöhnliches Brot ist keines da. Ich könnte dir höchstens heilige Brote geben, die Gott geweiht sind. Doch das darf ich nur, wenn sich deine Männer in den letzten Tagen von Frauen fern gehalten haben.« [6] »Da kannst du unbesorgt sein!«, beruhigte David ihn. »Schon seit vorgestern hatten wir keine Gelegenheit mehr, mit Frauen zusammen zu sein. Meine Leute haben außerdem schon den Reinheitsvorschriften genügt, als wir loszogen, obwohl wir

---

20,33 18,10–11; 19,9–10 **21,5** 3 Mo 24,5–9

nicht zu einem Opferfest gehen wollten. Also sind sie heute ganz bestimmt rein.«

[7]Da gab der Priester ihm einige der heiligen Brote, weil er keine anderen hatte. Diese Brote werden nur dann aus dem Heiligtum genommen, wenn sie durch frische ersetzt werden. Das hatte man gerade getan. [8]An diesem Tag hielt sich auch der Edomiter Doëg, der Aufseher über alle Hirten des Königs, im Heiligtum auf, weil er ein bestimmtes Gesetz erfüllen musste[a].

[9]David fragte Ahimelech: »Hast du einen Speer oder ein Schwert für mich? Der Auftrag des Königs war so dringend, dass ich in der Eile nicht einmal mein Schwert und die Waffen mitnehmen konnte.« [10]»Ja«, antwortete Ahimelech, »das Schwert des Philisters Goliat, den du im Tal der Terebinthen getötet hast, ist noch hier. Es liegt dort hinter meinen Priestergewändern, in einen Mantel gewickelt. Wenn du es willst, dann nimm es. Andere Waffen sind keine da.« »Und ob ich es will!«, rief David. »Ein solches Schwert gibt es kein zweites Mal.«

David beim Philisterkönig

[11]Noch am selben Tag eilte David weiter, um Saul zu entfliehen. Er verließ Israel und kam in die Philisterstadt Gat zu König Achisch. [12]Doch die Hofbeamten warnten den König: »Ist das nicht David, der Anführer der Israeliten, für den sie tanzten und sangen:
›Saul hat tausend Mann erschlagen,
David aber zehntausend!‹?«

[13]Diese Worte jagten David Angst ein; er fürchtete sich vor Achisch, dem König von Gat. [14]In seiner Verzweiflung stellte er sich wahnsinnig. Er schlug wild um sich, als man ihn festhalten wollte, er trommelte[b] an die Torflügel und ließ seinen Speichel in den Bart laufen.

[15]Da fuhr Achisch seine Diener an: »Warum habt ihr diesen Kerl zu mir gebracht? Ihr seht doch selbst, dass er wahnsinnig ist. [16]Glaubt ihr, in meiner Stadt sind Verrückte so selten, dass ihr mir diesen vorführt und hier herumtoben lasst? Denkt ihr, ich will so einen Gast haben?«

In der Adullamhöhle und in Moab

22 So floh David aus Gat und versteckte sich in der Adullamhöhle. Als seine Brüder und die ganze Verwandtschaft erfuhren, wo er sich aufhielt, kamen sie alle und schlossen sich ihm an. [2]Bald scharten sich noch andere um ihn: Menschen, die sich in einer ausweglosen Lage befanden, die Schulden hatten oder verbittert waren. Schließlich war es eine Gruppe von etwa 400 Mann, und David wurde ihr Anführer.

[3]Von Adullam aus zog David weiter nach Mizpe im Land Moab. Er bat den moabitischen König: »Gewähre meinen Eltern Unterschlupf, bis ich weiß, was Gott mit mir vorhat.« [4]Er brachte seine Eltern an den Königshof, und sie wohnten dort, solange David sich im Bergland versteckt hielt.

[5]Eines Tages sagte der Prophet Gad zu David: »Bleib nicht hier in den Bergen! Geh wieder zurück in das Gebiet des Stammes Juda!« David gehorchte und kam in den Wald von Heret.

Sauls grausame Rache an den Priestern von Nob

[6]Bald wurde es Saul gemeldet, dass David und seine Anhänger wieder im Land gesehen wurden. Saul saß gerade unter der Tamariske auf dem Hügel bei der Stadt Gibea und hielt seinen Speer in der Hand. Er war umringt von seinen Hofleuten. [7]»Hört mir zu, ihr Leute vom Stamm Benjamin!«, rief er. »Glaubt ihr

---

[a] Wörtlich: Er war vor dem Herrn eingeschlossen.
[b] So mit der griechischen Übersetzung. Der hebräische Text lautet: er kritzelte.

21,7 Mt 12,3–4 **21,8** 22,9.18.22 **21,10** 17,54 **21,11** Ps 56,1 **21,12** 18,7; 29,5 **21,14** Ps 34,1
22,1 Ps 57,1; 142,1 **22,2** Ri 11,3 **22,5** 2 Sam 24,11–13.18–19 **22,7** 8,12.14

etwa, dieser Sohn Isais wird ausgerechnet euch Felder und Weinberge geben und euch zu Hauptleuten und Oberbefehlshabern machen? [8]Oder warum sonst habt ihr euch alle gegen mich verschworen? Keiner von euch hat mir gesagt, dass Jonatan sich mit diesem Kerl zusammengetan hat! Euch allen ist egal, was mit mir passiert. Ihr habt es nicht nötig, mir zu melden, dass mein eigener Sohn einen meiner Untergebenen gegen mich aufhetzt! Offensichtlich hatte er Erfolg: Dieser Verräter lauert mir nun heimlich auf!«

[9]Da meldete sich Doëg aus Edom zu Wort, der jetzt auch bei Sauls Leuten stand: »Ich habe ihn gesehen, als ich in Nob war. Er kam zu Ahimelech, dem Sohn Ahitubs. [10]Der Priester fragte den Herrn, was David als Nächstes tun sollte. Dann versorgte er ihn mit Essen und gab ihm sogar das Schwert Goliats.«

[11]Sofort ließ Saul den Priester Ahimelech vorführen. Er und seine ganze Sippe – alle Priester aus Nob – mussten vor dem König erscheinen. [12]»Ich habe etwas mit dir zu besprechen, Sohn des Ahitub!«, begann Saul, als sich alle vor ihm versammelt hatten. »Ja, Herr, ich höre«, erwiderte dieser. [13]»Warum habt ihr euch gegen mich verschworen, du und dieser Sohn Isais? Warum hast du ihm Brot gegeben und ein Schwert? Warum hast du Gott um Weisung für seinen weiteren Weg gebeten? Dadurch hast du ihn geradezu ermutigt, mir aufzulauern und mich umzubringen. Dass er das im Schilde führt, ist ja längst ein offenes Geheimnis!«

[14]Ahimelech versuchte sich zu verteidigen: »Hast du einen treueren Gefolgsmann als David? Er steht treu zu dir, er ist dein Schwiegersohn, er ist der Aufseher deiner Leibwache und genießt am ganzen Hof hohes Ansehen. [15]Es war doch nicht das erste Mal, dass ich für ihn die göttliche Weisung eingeholt habe. Ich soll ein Verschwörer sein? Nein, niemals! Mein König möge mich, seinen ergebenen Diener, und meine ganze Sippe nicht verdächtigen, ein solches Verbrechen begangen zu haben. Ich hatte nicht die leiseste Ahnung von einer Verschwörung.«

[16]Doch der König ging nicht darauf ein; er sagte nur: »Ahimelech, das wirst du mit dem Tod büßen, du und deine Sippe!« [17]Er wandte sich seinen Wächtern zu und befahl: »Los, umstellt diese Priester des Herrn, und tötet sie! Denn sie haben Hand in Hand mit David gearbeitet. Natürlich wussten sie, dass er auf der Flucht war. Trotzdem haben sie es mir nicht gemeldet.«

Doch die Wachen weigerten sich, die Priester des Herrn umzubringen. [18]Da drehte der König sich zu Doëg um und sagte: »Komm her, schlag du sie tot!« Ohne Zögern führte Doëg, der Edomiter, den königlichen Befehl aus. Er tötete an jenem Tag 85 Männer, die alle das Priestergewand getragen hatten. [19]Dann ließ Saul alle Einwohner der Priesterstadt Nob mit dem Schwert ermorden, Männer und Frauen, Kinder und Säuglinge. Auch ihr Vieh – Rinder, Esel, Schafe und Ziegen – wurde getötet.

[20/21]Nur ein Sohn Ahimelechs mit Namen Abjatar konnte entkommen. Er floh zu David und berichtete ihm, dass Saul alle Priester des Herrn umgebracht hatte. [22]»Ich wusste es gleich, dass dieser Doëg ein Verräter ist, als ich ihn damals in Nob sah«, rief David. »Ich allein bin schuld am Tod deiner Verwandten. [23]Bleib jetzt bei mir! Dann brauchst du keine Angst zu haben. Derselbe, der mich umbringen will, hat es auch auf dich abgesehen. Bei mir bist du sicher!«

David in der Stadt Keïla

23 Eines Tages erreichte David folgende Nachricht: »Die Philister greifen die Stadt Keïla an und stehlen das Getreide von den Dreschplätzen.« [2]Da fragte David den Herrn: »Soll ich

---

22,8 18,3* **22,9** 21,8; Ps 52,2 **22,14** 18,27 **22,19** 21,2 **22,20–21** 23,6.9; 30,7; 2 Sam 8,17; 15,24.27; 19,12; 1 Kön 1,7; 2,22.26–27 **22,22** 21,8 **23,1** Jos 15,44

der Stadt zu Hilfe eilen? Kann ich die Philister schlagen?« Der Herr antwortete: »Ja, geh! Verjag die Philister, und befrei die Stadt!«

[3] Doch Davids Leute zögerten: »Schon hier in Juda müssen wir um unser Leben fürchten. Und nun sollen wir auch noch nach Keïla ziehen und die Truppen der Philister angreifen?« [4] Darum fragte David den Herrn noch einmal, und wieder erhielt er die Antwort: »Geh nach Keïla! Ich helfe dir, die Philister zu besiegen.«

[5] Da zog David mit seiner Truppe nach Keïla, griff die Philister an und brachte ihnen eine schwere Niederlage bei. Ihr Vieh trieb er als Beute weg. So befreite er die Einwohner der Stadt. [6] Dort in Keïla schloss sich Abjatar, der Sohn Ahimelechs, David an. Er brachte seine Priesterkleidung mit.

[7] Als Saul hörte, dass David sich in der Stadt aufhielt, dachte er: »Jetzt hat Gott ihn im Stich gelassen und mir ausgeliefert! Jetzt ist die Falle zugeschnappt. David hat sich selbst gefangen in einer Stadt mit Mauern und Toren.« [8] Saul setzte sogleich sein ganzes Heer in Bewegung, um David und seine Männer in Keïla einzukesseln.

[9] Als David Sauls bösen Plan bemerkte, rief er den Priester Abjatar zu sich und befahl ihm, die Tasche mit den Losen zu holen. [10] Dann betete er: »Herr, du Gott Israels, ich habe erfahren, dass Saul Keïla angreifen und vernichten will, nur weil ich hier bin. [11] Werden die Einwohner der Stadt mich an Saul ausliefern? Ist es überhaupt sicher, dass Saul kommt? Herr, du Gott Israels, sag mir, ob es stimmt, was ich gehört habe!« »Ja, er wird kommen«, lautete die Antwort. [12] David wollte noch mehr wissen: »Werden die führenden Männer der Stadt mich und meine Leute an Saul ausliefern?« Der Herr sagte: »Ja, sie werden dich ausliefern.«

[13] Da verließen David und seine Männer die Stadt Keïla, es waren etwa 600 Mann. Sie streiften durch das Land, von Versteck zu Versteck. Als Saul erfuhr, dass David aus Keïla entkommen war, brach er seinen Feldzug ab.

Jonatan besucht David

[14/15] In der darauf folgenden Zeit hielt David sich in den unzugänglichen Bergen der Wüste Sif versteckt. Er wusste genau, dass Saul ihn verfolgte, um ihn umzubringen. Saul suchte ihn, ohne sich eine Pause zu gönnen, doch Gott ließ nicht zu, dass er David fand.

Eines Tages, als David sich gerade in Horescha in der Wüste Sif aufhielt, [16] kam Jonatan zu ihm. Er ermutigte David, nicht aufzugeben, sondern auf die Hilfe Gottes zu vertrauen. [17] »Hab keine Angst«, redete er ihm zu, »mein Vater wird dich nicht finden! Eines Tages wirst du König über Israel sein, und ich bin dann dein Stellvertreter. Das weiß auch Saul, mein Vater.« [18] Danach schworen sie einander erneut ewige Treue und riefen den Herrn als Zeugen an. David blieb in Horescha, Jonatan aber kehrte wieder nach Hause zurück.

David wird verraten, doch Gott rettet ihn

[19] Einige Bewohner der Wüste Sif gingen zu Saul nach Gibea. »Wir wissen, wo David sich verborgen hält«, verrieten sie dem König. »Sein Versteck liegt ganz in unserer Nähe, in den Bergen bei Horescha. Dort gibt es einen Hügel mit Namen Hachila, südlich von Jeschimon. [20] Wenn du einverstanden bist, mit uns dorthin zu ziehen, o König, dann liefern wir dir David aus.« [21] Saul antwortete: »Der Herr belohne euch für euer Mitleid mit mir. [22] Geht nun zurück, und forscht gründlich nach, bis ihr genau wisst, wo er sich aufhält und wer ihn dort gesehen hat. Ich habe nämlich gehört, dass er sehr listig ist. [23] Spürt jeden Schlupfwinkel auf, in dem er sich verstecken könnte. Sobald ihr Genaues wisst, kommt wieder zu mir.

23,6 22,20–21* **23,9** 2 Mo 28,30* **23,16–18** 18,3* **23,17** 20,30–31; 24,21 **23,19** 26,1; Ps 54,2

Dann will ich mit euch gehen. Wenn er dann noch im Land ist, werde ich ihn finden, und wenn ich ganz Juda durchkämmen müsste!«

[24/25]Mit diesem Auftrag kehrten die Männer zurück nach Sif. Saul folgte bald darauf mit seiner Truppe, um David zu suchen. David und seine Leute waren inzwischen in der Wüste Maon, südlich von Jeschimon. Als er hörte, dass Saul ihn wieder verfolgte, zog er sich noch weiter in den Süden der Wüste Maon zurück, bis zu dem großen Felsblock, der dort aus dem Tal herausragt. Doch Saul erfuhr davon und jagte David sogleich nach.

[26]Schon lag nur noch ein Höhenzug zwischen den beiden: Saul auf der einen, David und seine Leute auf der anderen Seite. David versuchte verzweifelt, Saul zu entkommen, während der König und seine Soldaten immer näher rückten. Gerade wollten sie ihn umzingeln und ergreifen, [27]da kam ein Bote zu Saul und meldete: »Die Philister sind wieder bei uns eingefallen! Du musst uns sofort zu Hilfe kommen!« [28]Saul blieb nichts anderes übrig, als die Verfolgung Davids abzubrechen und den Philistern entgegenzuziehen. Seitdem heißt dieser Höhenzug »Fels der Trennung«.

David weigert sich, Saul zu töten

24 Auch David zog weiter und blieb in den unzugänglichen Bergen bei En-Gedi. [2]Kaum hatte Saul die Philister wieder aus dem Land vertrieben, da wurde ihm gemeldet: »David ist jetzt in der Wüste von En-Gedi!« [3/4]Saul wählte 3000 Elitesoldaten aus ganz Israel aus und machte sich auf die Suche nach David und seinen Leuten.

Als sie bei den eingezäunten Schafweiden in der Nähe des Steinbockbergs vorbeikamen und eine Höhle fanden, ging der König hinein, um seine Notdurft zu verrichten. Ausgerechnet im hintersten Winkel dieser Höhle hatten David und seine Männer sich versteckt. [5]»Das ist die Gelegenheit, David!«, flüsterten einige von ihnen ihrem Anführer zu. »Der Herr hat doch versprochen, dir eines Tages deinen Feind auszuliefern, damit du dich an ihm rächen kannst. Jetzt ist es so weit!« Da schlich sich David nach vorne und schnitt unbemerkt einen Zipfel von Sauls Mantel ab. [6]Doch er hatte ein schlechtes Gewissen dabei, und sein Herz klopfte wild. [7]Als er wieder zu seinen Männern kam, sagte er: »Der Herr bewahre mich davor, meinem König etwas anzutun, denn er ist vom Herrn ernannt worden! Nein, niemals werde ich Saul töten, denn der Herr hat ihn zum König eingesetzt.« [8]David verbot seinen Männern, sich an Saul zu vergreifen.

Nach einer Weile verließ Saul die Höhle wieder, um seine Suche fortzusetzen. [9]David ließ ihm einen kleinen Vorsprung, trat dann zum Ausgang und rief: »Mein Herr und König!« Saul drehte sich um; David verneigte sich tief vor ihm und warf sich zu Boden. [10]Dann begann David zu reden:

»Warum glaubst du dem Geschwätz einiger Leute, die behaupten, ich wolle dich ins Verderben stürzen? [11]Heute kannst du mit eigenen Augen sehen, dass es nicht wahr ist! Vorhin in der Höhle hat der Herr dich mir ausgeliefert. Meine Leute wollten mich dazu verleiten, dich umzubringen. Doch ich habe dich verschont. Ich dachte: ›Niemals kann ich meinem König etwas antun, denn er ist vom Herrn selbst eingesetzt worden.‹ [12]Schau, mein Vater, was ich hier in der Hand halte: einen Zipfel deines Mantels! Den habe ich abgeschnitten, anstatt dich zu töten. Glaubst du jetzt, dass ich kein Verräter bin und nichts Böses gegen dich im Schilde führe? Ich habe dir nichts getan, und trotzdem verfolgst du mich und willst mich beseitigen. [13]Der Herr soll Richter sein und entscheiden, wer von uns beiden im Recht ist. Er soll dich für das Unrecht bestrafen, das du mir antust. Ich aber werde dir kein Haar krümmen. [14]Schon ein altes Sprichwort sagt: ›Nur

---

24,7 26,9.23; 2 Sam 1,14 **24,12** 20,1; 26,18

ein Gottloser begeht Verbrechen.‹ Nein, ich werde dir kein Haar krümmen. [15] Wer bin ich schon, König von Israel, dass du mich verfolgst? Du jagst einen völlig unbedeutenden Mann! [16] Der Herr soll unser Richter sein. Er soll entscheiden, wer von uns im Unrecht ist. Möge er mein Fürsprecher sein und mir zu meinem Recht verhelfen.«

[17] Da begann Saul laut zu weinen und rief: »Bist du es wirklich, mein Sohn David? [18] Du bist ein besserer Mensch als ich. Du bist gut zu mir, obwohl ich dich schlecht behandelt habe. [19] Gerade heute hast du wieder bewiesen, wie großmütig du bist: Obwohl der Herr mich dir ausgeliefert hat, hast du mich nicht umgebracht. [20] Wer lässt schon seinen Feind unbehelligt laufen, wenn er ihn einmal in seiner Gewalt hat? Der Herr möge dich für deine Großzügigkeit belohnen! [21] Ich weiß genau, dass du König sein wirst und deine Familie in Israel für alle Zeiten regieren wird. [22] Darum bitte ich dich: Schwöre mir vor dem Herrn, dass du meine Familie nicht auslöschen wirst. Bitte lass nicht zu, dass mein Geschlecht ausstirbt.«

[23] David schwor es. Danach kehrte Saul nach Hause zurück, während David und seine Leute wieder in die Berge hinaufstiegen.

Samuels Tod

25 In dieser Zeit starb Samuel. Ganz Israel kam nach Rama, wo er gewohnt hatte, und hielt für ihn die Totenklage. Danach beerdigten sie ihn in seinem Familiengrab.

Nabal schlägt Davids Bitte ab

David zog in die Wüste Paran hinab. [2–4] In Maon lebte ein Mann namens Nabal, ein Nachkomme Kalebs. Er war sehr reich: Ihm gehörten 3000 Schafe und 1000 Ziegen. Seine Viehweiden lagen beim Nachbardorf Karmel. Er hatte eine Frau namens Abigajil, die sehr schön und klug war. Nabal aber war grob und niederträchtig. Eines Tages kam Nabal nach Karmel, um seine Schafe zu scheren.

Als David in der Wüste davon erfuhr, [5] schickte er zehn junge Männer nach Karmel hinauf. Sie sollten Nabal freundlich von ihm grüßen und ihm ausrichten: [6] »Ich wünsche dir und deiner Familie Glück und ein langes Leben! Mögen deine Herden immer größer werden! [7] Ich habe gehört, dass du deine Schafe scheren lässt. In Karmel waren deine Hirten und die Herden immer mit uns zusammen. Nie haben wir ihnen etwas zuleide getan, kein einziges Tier haben wir gestohlen. [8] Frag deine Leute, sie werden es dir bestätigen! Heute ist für dich ein Festtag. Darum bitte ich dich: Empfange meine Leute freundlich! Sie und auch ich sind deine ergebenen Diener. Bitte gib ihnen an Lebensmitteln mit, was du entbehren kannst.«

[9] Davids Leute kamen nach Karmel, richteten Nabal alles aus und warteten gespannt auf seine Antwort. [10] Doch Nabal schimpfte: »Was ist das für einer, dieser David, der Sohn Isais? Heutzutage gibt es haufenweise solche davongelaufenen Sklaven! [11] Und da sollte ich Essen und Trinken und sogar das Fleisch meiner Schafe, die ich für die Scherer geschlachtet habe, solchen dahergelaufenen Landstreichern geben? Ich weiß ja nicht einmal, woher sie kommen!«

[12] Die Männer kehrten zu David zurück und erzählten ihm, was geschehen war. [13] Da befahl David: »Holt eure Schwerter!« Alle schnallten ihre Schwerter um, auch David. Dann zog er mit 400 Mann in Richtung Karmel. Die restlichen 200 blieben als Wachen im Lager zurück.

Abigajil verhindert ein Blutbad

[14] Inzwischen hatte einer von Nabals Knechten dessen Frau Abigajil berichtet: »David hat aus der Wüste Boten zu Nabal gesandt, um ihm alles Gute zu wün-

---

24,16 Ps 43,1 **24,21** 20,30–31; 23,17 **24,22** 20,15 **25,1** 7,17

schen; der aber hat sie nur angebrüllt! [15]Dabei waren diese Männer sehr gut zu uns. Als wir mit unseren Herden umherzogen, haben sie uns nie etwas zuleide getan; kein einziges Tier haben sie uns gestohlen. [16]Im Gegenteil: Tag und Nacht umgaben sie uns wie eine schützende Mauer, solange wir unsere Herden in ihrer Nähe hüteten. [17]Nun überleg doch, was zu tun ist! Unternimm etwas, sonst gibt es ein Unglück! Dann ist Nabal verloren und wir alle mit ihm. Du weißt ja, wie niederträchtig er ist. Man kann mit ihm nicht reden!«

[18]So schnell wie möglich holte Abigajil 200 Brote, 2 Schläuche Wein, 5 fertig zubereitete Schafe, einen Sack geröstetes Getreide, 100 Rosinenkuchen und 200 Feigenkuchen. Sie ließ alles auf Esel laden [19]und befahl den Knechten: »Geht voraus, ich komme hinterher!« Ihrem Mann sagte sie nichts von ihrem Plan. [20]Im Schutz des Berges ritt sie auf einem Esel den Bergpfad hinunter. David und seine Leute waren schon in der Nähe; bald musste sie ihnen begegnen. [21]David war immer noch wütend. »Für nichts und wieder nichts habe ich die Herden beschützt, die dieser Schuft in der Wüste weiden ließ! Sorgfältig habe ich darauf geachtet, dass ihm nichts gestohlen wurde. Und was ist der Dank? Eine unverschämte Abfuhr! [22]Gott soll mich hart bestrafen, wenn ich bis morgen früh auch nur einen seiner Männer am Leben lasse!«

[23/24]Als Abigajil David auf sich zukommen sah, stieg sie schnell von ihrem Esel und warf sich David zu Füßen. Sie verneigte sich, bis ihr Gesicht den Boden berührte. Dann begann sie: »Ich allein bin schuld, mein Herr. Bitte lass deine Dienerin reden, und hör, was ich dir sagen will! [25]Ärgere dich nicht über diesen boshaften Menschen! Er ist genau das, was sein Name bedeutet: Nabal, ein unverbesserlicher Dummkopf. Leider habe ich die Boten nicht gesehen, die du, mein Herr, zu uns geschickt hast. [26]Doch so gewiss der Herr lebt und so gewiss du lebendig vor mir stehst: Der Herr selbst hat dich aufgehalten. Er will nicht zulassen, dass du dich rächst und so zum Mörder wirst. Nabal wird seine gerechte Strafe schon bekommen. Und wie ihm soll es auch deinen Feinden ergehen und allen, die Böses gegen dich im Schilde führen. [27]Sieh doch, ich habe dir Geschenke mitgebracht, mein Herr. Deine Leute sollen sie mitnehmen und unter sich aufteilen. [28]Vergib uns, dass wir dich so schlecht behandelt haben. Gewiss wird der Herr deine königliche Familie nie aussterben lassen, denn du kämpfst gegen die Feinde Gottes. Er bewahre dich dein Leben lang vor großen Fehlern. [29]Der Herr wird dich beschützen, wenn dich jemand verfolgt und umbringen will. Er wird dich behüten wie einen kostbaren Schatz. Das Leben deiner Feinde aber wird er wegschleudern wie einen Stein. [30]Wenn der Herr alle seine Versprechen erfüllt und dich zum König über Israel macht, [31]dann sollst du nichts bereuen müssen. Du wirst ein reines Gewissen haben, weil du dich nicht gerächt hast und nicht zum Mörder geworden bist. Und wenn der Herr es dir einmal gut gehen lässt, dann denke bitte auch an mich, deine ergebene Dienerin.«

[32]David rief: »Ich danke dem Herrn, dem Gott Israels, dass er dich gerade in diesem Augenblick zu mir geschickt hat! [33]Wie froh bin ich über deine Klugheit! Ich danke dir, dass du mich heute davon abgehalten hast, mich auf eigene Faust zu rächen und einen Mord zu begehen. [34]Vor dem lebendigen Herrn und Gott Israels, der meinen bösen Plan durchkreuzt hat, muss ich gestehen: Keiner von Nabals Männern hätte den nächsten Morgen erlebt, wenn du nicht so schnell gehandelt hättest.«

[35]David nahm die Lebensmittel von Abigajil entgegen und verabschiedete sich von ihr. »Du kannst beruhigt nach Hause zurückkehren«, sagte er, »ich habe

---

25,28 2 Sam 7,16*; 1 Sam 18,16 **25,30** 24,21

mich von dir überzeugen lassen und werde deine Bitte erfüllen.«

Der Herr bestraft Nabal

[36]Als Abigajil nach Hause kam, hatte Nabal ein großes Festessen aufgetischt, wie es sonst nur Könige haben. Er war in bester Laune und schon völlig betrunken. Darum sagte Abigajil ihm vorerst kein Wort von ihrer Begegnung mit David.

[37]Erst am nächsten Morgen, als er seinen Rausch ausgeschlafen hatte, erzählte sie ihm alles. Da erlitt Nabal einen Schlaganfall und wurde völlig gelähmt. [38]Nach etwa zehn Tagen ließ der Herr ihn sterben. [39]Als David von Nabals Tod erfuhr, rief er: »Gelobt sei der Herr! Er hat mir zu meinem Recht verholfen und Nabal für seine Beleidigungen bestraft. Mich hat er vor einem schweren Vergehen bewahrt, ihm dagegen hat er seine Bosheit heimgezahlt!«

Abigajil wird Davids Frau

Bald darauf schickte David Boten zu Abigajil und ließ sie bitten, seine Frau zu werden. [40]Die Diener Davids kamen zu Abigajil nach Karmel und sagten: »David schickt uns. Er möchte dich heiraten.« [41]Ohne zu zögern, stand sie auf, verbeugte sich tief und antwortete: »Ich stehe ihm ganz zu Diensten. Ich bin bereit, den Boten meines Herrn die Füße zu waschen.«

[42]Dann packte sie schnell ihre Sachen zusammen, setzte sich auf einen Esel und ritt mit den Boten zu David. Fünf Dienerinnen begleiteten sie. So wurde sie Davids Frau.

[43]David hatte nun zwei Frauen, denn schon früher hatte er Ahinoam aus Jesreel geheiratet. [44]Saul hatte ihm Michal weggenommen und sie Palti aus Gallim, einem Sohn Lajischs, zur Frau gegeben.

David verschont Saul zum zweiten Mal

26 Eines Tages kamen wieder einige Bewohner der Wüste Sif zu Saul nach Gibea. »Wir wissen, wo David sich versteckt hält!«, meldeten sie dem König. »Er lagert auf dem Hachilahügel, gegenüber dem Wüstenstreifen von Jeschimon.« [2]Sofort rief Saul die 3000 besten Soldaten Israels zusammen und marschierte mit ihnen in die Wüste Sif, um David aufzuspüren. [3]Auf dem Hachilahügel gegenüber von Jeschimon schlug er entlang der Straße sein Lager auf. David versteckte sich immer noch in der Wüste. Als er hörte, dass Saul ihn wieder verfolgte, [4]schickte er sofort einige Kundschafter los. Sie kehrten mit der Nachricht zurück, der König sei tatsächlich mit einem Heer in der Wüste. [5]Da schlich sich David selbst heimlich an das Lager Sauls heran. Er sah gleich, wo der König und sein Heerführer Abner, ein Sohn Ners, übernachteten: Das Lager war kreisförmig aufgebaut, außen herum hatten die Soldaten sich niedergelassen, im innersten Ring aber war die Schlafstelle Sauls.

[6]David hatte zwei Begleiter bei sich: den Hetiter Ahimelech und Abischai, den Sohn seiner Schwester Zeruja und Bruder Joabs. »Heute Nacht schleiche ich mich an das Lager heran«, sagte David. »Wer von euch kommt mit?« »Ich gehe mit!«, antwortete Abischai. [7]Mitten in der Nacht machten sie sich auf den Weg. Sie schlichen an den schlafenden Soldaten und an Abner vorbei und drangen bis in den innersten Ring vor. Dort lag Saul und schlief fest. Sein Speer steckte neben seinem Kopfkissen im Boden. [8]»Heute hat Gott dir deinen Feind ausgeliefert!«, flüsterte Abischai David zu. »Lass mich ihn mit seinem Speer an den Boden spießen! Ich brauche nur einen einzigen Stoß; ein zweiter wird nicht nötig sein! Darauf kannst du dich verlassen.«

25,39 24,16 **25,42–43** 2 Sam 3,2–3 **25,44** 18,27; 2 Sam 3,14–16 **26,1** 23,19; Ps 54,2 **26,6** 2 Sam 16,9; 18,2; 19,22; 20,6; 21,17; 23,18–19

[9]David wehrte ab: »Das wirst du nicht tun! Keiner kommt ungestraft davon, der sich an dem König vergreift, den der Herr eingesetzt hat. [10]So gewiss der Herr lebt: Er selbst wird festlegen, wann Saul sterben muss – ganz gleich, ob eines natürlichen Todes oder in einer Schlacht. [11]Der Herr bewahre mich davor, seinem König etwas anzutun. Doch komm, nimm seinen Speer und seinen Wasserkrug; und dann lass uns hier verschwinden!« [12]Sie nahmen beides mit und schlichen wieder fort. Niemand im Lager hatte etwas gesehen oder gehört. Keiner war aufgewacht. Alle schliefen fest, denn der Herr hatte sie in einen tiefen Schlaf fallen lassen.

[13]David und Abischai eilten ins Tal hinunter und stiegen auf der anderen Talseite wieder hinauf. In sicherer Entfernung zu Sauls Lager stellten sie sich oben auf den Berg. [14]Dann schrie David zu den Soldaten und zu Abner hinüber: »Abner, hörst du schlecht?« Abner rief zurück: »Was ist das für ein Lärm? Wer weckt hier mit seinem Geschrei den König?« [15]David spottete: »Du bist mir ein schöner Held, Abner! In ganz Israel gibt es wohl keinen pflichtbewussteren Mann als dich! Doch warum bewachst du deinen Herrn, den König, nicht besser? Vorhin hat sich jemand ins Lager eingeschlichen. Ohne weiteres hätte er den König umbringen können. [16]Das war wirklich kein Glanzstück von dir! Ich schwöre bei dem lebendigen Gott: Für dich und alle deine Soldaten hat die letzte Stunde geschlagen! Denn ihr habt euren König, den der Herr eingesetzt hat, nicht beschützt! Schau doch einmal nach, ob der Speer des Königs und sein Wasserkrug noch da sind! Sie lagen beide neben seinem Kopfkissen.«

[17]Da erkannte Saul Davids Stimme und rief: »Bist du das nicht, mein Sohn David?« »Ja, mein König!«, antwortete David und fragte dann: [18]»Warum verfolgst du mich eigentlich, mein Herr? Was habe ich verbrochen? Wo liegt meine Schuld? [19]Ich bitte dich, mein König, hör mich an! Irgendjemand muss dich gegen mich aufgehetzt haben. War es der Herr, so will ich ihm ein wohlriechendes Opfer darbringen, damit sein Zorn sich legt. Sind es aber Menschen gewesen, so möge der Fluch des Herrn sie treffen. Denn sie vertreiben mich aus dem Volk Gottes und wollen mich damit zwingen, anderen Göttern zu dienen. [20]Du, o König, kannst verhindern, dass ich in der Fremde umkomme – weit weg vom Heiligtum des Herrn. Überleg doch, was du tust: Wie man zur Rebhuhnjagd in die Berge geht, so jagt der König von Israel einem Mann nach, der so unbedeutend ist wie ein Floh!«

[21]Da gestand Saul: »Ich bin im Unrecht. Komm wieder zurück, David, mein Sohn! Nie mehr werde ich dir etwas antun, denn du hast heute mein Leben hoch geachtet und mich nicht umgebracht. Ich habe eine große Dummheit begangen und dir schweres Unrecht getan.«

[22]David rief hinüber: »Ich halte hier den Speer des Königs in meiner Hand. Einer seiner Soldaten soll herüberkommen und ihn holen. [23]Der Herr belohnt jeden, der ihm gehorcht und treu zu ihm steht. Heute hat der Herr dich in meine Gewalt gegeben. Doch ich wollte mich nicht an dem König vergreifen, den der Herr eingesetzt hat. [24]Aber eines ist sicher: So kostbar wie dein Leben in meinen Augen ist, so kostbar ist dem Herrn auch mein Leben. Eines Tages wird er mir aus allen Schwierigkeiten heraushelfen.« [25]Saul antwortete: »Der Herr steht dir bei und hilft dir, mein Sohn David. Deshalb wird dir alles gelingen, was du dir vornimmst.«

Daraufhin verschwand David, und Saul kehrte wieder nach Hause zurück.

David bringt sich in eine schwierige Lage

27 Doch auch nach dieser Begegnung blieb David misstrauisch und dachte: »Irgendwann wird Saul mich

---

26,9 24,7 **26,14–15** 14,50* **26,18** 20,1; 24,12 **27,1** 23,23

doch noch umbringen. Es wird das Beste sein, wenn ich schnell von hier verschwinde und zu den Philistern gehe. Dann habe ich endlich Ruhe vor Saul. Denn solange ich in Israel bin, wird er nicht aufhören, nach mir zu suchen.« [2]So zog David mit seinen 600 Männern über die Grenze zu König Achisch, dem Sohn Maochs; er herrschte über die Philisterstadt Gat. [3]Ihre Familien nahmen sie mit. Auch die beiden Frauen Davids waren dabei: Ahinoam aus Jesreel und Abigajil aus Karmel, die Witwe Nabals. Ihnen allen erlaubte König Achisch, in Gat zu wohnen. [4]Als Saul davon erfuhr, hörte er auf, nach David zu suchen.

[5]Nach einiger Zeit bat David König Achisch: »Wenn du es gut mit mir meinst, dann lass mich in eine Stadt auf dem Land ziehen! Warum soll ich bei dir, mein König, in der Hauptstadt bleiben?« [6]Achisch war einverstanden und überließ David noch am selben Tag die Stadt Ziklag. Daher gehört Ziklag noch heute den Königen von Juda. [7]David wohnte ein Jahr und vier Monate bei den Philistern.

[8]Von Ziklag aus unternahmen David und seine Männer Raubzüge. Mal fielen sie bei dem Nomadenstamm der Geschuriter ein, dann wieder bei den Girsitern oder bei den Amalekitern. Alle diese Stämme wohnten südlich von Juda bis hinunter nach Schur und an die Grenze zu Ägypten. [9]Bei diesen Überfällen ließen sie weder Männer noch Frauen am Leben. Doch die Schafe, Rinder, Esel, Kamele und auch die Kleider nahmen sie als Beute mit.

Wenn David zurückkam, [10]fragte Achisch ihn jedes Mal: »Wo bist du heute eingefallen?« »In das südliche Gebiet Judas«, log David dann oder: »Bei der jüdischen Sippe der Jerachmeeliter« oder: »Ins südliche Gebiet der Keniter.« [11]Um nicht als Lügner entlarvt zu werden, brachte David bei seinen Raubzügen alle Menschen um, anstatt sie nach Gat auf den Sklavenmarkt zu bringen. Denn er wollte verhindern, dass sie ihn verrieten und dem König sein Doppelspiel aufdeckten.

So handelte David während seiner ganzen Zeit bei den Philistern. [12]Achisch glaubte ihm alles. Er dachte: »Jetzt muss David in meinem Dienst bleiben, denn er hat sich bei seinen Landsleuten verhasst gemacht!«

28 In dieser Zeit zogen die Philister wieder ihre Truppen zusammen, um Israel anzugreifen. Achisch sagte zu David: »Ich erwarte von dir, dass du und deine Männer mit uns in den Kampf ziehen!«

[2]»Einverstanden«, antwortete David, »du wirst selbst sehen, was ich fertig bringe.« »Gut«, fuhr Achisch fort, »ich will, dass du für die ganze Zeit dieses Feldzugs mein Leibwächter bist.«

Saul sucht Rat bei einer Totenbeschwörerin

[3]Samuel war gestorben und in seiner Heimatstadt Rama beerdigt worden. Ganz Israel hatte für ihn die Totenklage gehalten.

Als Saul König geworden war, hatte er alle Totenbeschwörer und Wahrsager aus Israel vertrieben.

[4]Nun hatten die Philister ihre Truppen zusammengezogen und ihr Lager bei Schunem aufgeschlagen. Auch Saul ließ die israelitischen Soldaten antreten. Ihr Lager befand sich auf dem Gilboagebirge. [5]Als Saul das riesige Heer der Philister sah, packte ihn die Angst. [6]Er fragte den Herrn um Rat, erhielt aber keine Antwort, weder durch Träume noch durch das Los, noch durch einen Propheten. [7]In seiner Verzweiflung befahl Saul seinen Dienern: »Geht los, und sucht eine Totenbeschwörerin! Ich will zu ihr gehen und sie um Rat fragen.« Die Diener antworteten: »In En-Dor ist eine Frau, die Tote beschwören kann.«

27,2 21,11–16 **27,3** 25,42–43 **27,6** Jos 15,31 **27,8** 2 Mo 17,14–16* **28,3** 25,1; 3 Mo 19,31 **28,6** 14,37; 2 Mo 28,30*

[8] Saul verhüllte sein Gesicht, zog andere Kleider an und machte sich mit zwei Männern auf den Weg nach En-Dor.

Es war Nacht, als er bei der Frau ankam. »Ich möchte, dass du mir durch den Geist eines Verstorbenen die Zukunft voraussagst«, begann Saul. »Ich will mit einem ganz bestimmten Menschen reden. Bitte beschwör seinen Geist, damit er aus dem Totenreich heraufkommt!« [9] Doch die Frau entgegnete: »Du weißt doch, dass König Saul das verboten hat. Hast du vergessen, mit welcher Härte er alle Totenbeschwörer und Wahrsager aus Israel vertrieben hat? Warum stellst du mir diese Falle? Willst du mich töten?« [10] Da legte Saul einen Eid ab: »Ich schwöre dir beim Herrn, dass du dafür nicht bestraft wirst!« [11] »Wen soll ich dir heraufholen?«, wollte die Frau wissen. »Ruf Samuel herauf!«, antwortete Saul.

[12] Als die Totenbeschwörerin Samuel kommen sah, schrie sie laut auf und fuhr Saul an: »Warum hast du mich hereingelegt? Du selbst bist Saul!« [13] Saul beruhigte sie: »Du brauchst deswegen keine Angst zu haben. Sag, was siehst du?« »Ich sehe einen Geist aus der Erde heraufsteigen«, antwortete sie. [14] »Wie sieht er aus?«, fragte Saul. »Es ist ein alter Mann. Er ist in einen Prophetenmantel gehüllt.«

Da wusste Saul, dass es Samuel war. Voller Ehrfurcht verbeugte er sich, bis sein Gesicht die Erde berührte, und warf sich dann zu Boden. [15] »Warum störst du meine Ruhe und lässt mich wieder heraufkommen?«, fragte Samuel ihn. Saul antwortete: »Weil ich keinen Ausweg mehr sehe. Die Philister führen Krieg gegen mich, und Gott hat mich verlassen. Er gibt mir keine Antwort mehr, weder durch Propheten noch durch Träume. Darum habe ich dich rufen lassen, damit du mir weiterhilfst und mir sagst, was ich tun soll.«

[16] Samuel entgegnete: »Warum fragst du mich, wenn du doch genau weißt, dass der Herr sich von dir abgewandt hat und dein Feind geworden ist? [17] Er führt ja nur aus, was er dir längst durch mich ausrichten ließ: Er nimmt dir die Herrschaft und gibt sie David. [18] Der Herr bestraft dich, weil du ihm damals nicht gehorcht hast, als er dir befahl, sein Urteil an den Amalekitern zu vollstrecken. [19] Aber das ist noch nicht alles: Der Herr wird dich und mit dir ganz Israel in die Gewalt der Philister geben. Morgen schon werden du und deine Söhne bei mir im Totenreich sein. Außerdem wird der Herr dein ganzes Heer den Philistern ausliefern.«

[20] Als Saul das hörte, fuhr ihm der Schreck in die Glieder, und er brach zusammen. Er war ohnehin schon geschwächt, weil er den ganzen Tag und die ganze Nacht nichts gegessen hatte.

[21] Als die Totenbeschwörerin sah, wie bestürzt Saul war, trat sie zu ihm und sagte: »Mein König, ich habe vorhin auf dich gehört. Ich habe mein Leben aufs Spiel gesetzt und getan, was du von mir verlangt hast. [22] Nun lass dir auch von mir etwas sagen: Ich will dir schnell etwas zu essen machen. Du musst dich jetzt stärken für den Rückweg.« [23] Doch Saul wehrte ab: »Ich kann jetzt nichts essen!« Aber seine Diener und die Frau bedrängten ihn so sehr, dass er schließlich nachgab und sich aufs Bett setzte. [24] Die Frau hatte im Stall ein gemästetes Kalb. Das schlachtete sie in aller Eile. Dann nahm sie etwas Mehl, knetete einen Teig und backte schnell einige Brotfladen. [25] Das alles reichte sie dem König und seinen Begleitern. Sie aßen und machten sich noch in derselben Nacht auf den Rückweg.

Die Philister misstrauen David

29 Während das Heer der Israeliten bei der Quelle in der Nähe von Jesreel lagerte, sammelten die Philister ihre Truppen bei Afek. [2] Bei der Musterung marschierten alle Könige der Philister mit ihren Heeresabteilungen auf, als letzter Achisch mit David und seinen Leuten.

28,14 15,27 **28,15** 16,14 **28,17** 15,28 **28,18** 15,1–9.18–19 **28,19** 31,1–7 **29,1** 4,1

[3]»Was haben denn diese Hebräer hier verloren?«, wollten die Heerführer der Philister wissen. Achisch antwortete: »Das ist David, der früher im Dienste König Sauls von Israel stand. Er ist nun schon lange bei mir. Seit er zu mir übergelaufen ist, hatte ich noch nie etwas an ihm auszusetzen.«

[4]Doch die Heerführer wurden zornig und befahlen Achisch: »Schick ihn gefälligst nach Hause! Er kann ja in der Stadt bleiben, die du ihm überlassen hast. Aber auf keinen Fall darf er mit uns gegen Israel in den Krieg ziehen. Stell dir vor, er würde mitten in der Schlacht nicht mehr mit, sondern gegen uns kämpfen! Könnte er sich wohl die Gunst seines Königs Saul besser zurückerobern als mit den Köpfen unserer Soldaten? [5]Das ist doch der David, für den sie tanzten und sangen:
›Saul hat tausend Mann erschlagen,
David aber zehntausend.‹«

[6]Da rief Achisch David zu sich und sagte zu ihm: »Ich schwöre dir beim Herrn, dass ich dich für ehrlich halte. Ich hätte es sehr gern gesehen, wenn du mit mir in diese Schlacht gezogen wärst. Denn seit du in meinen Dienst getreten bist, habe ich nichts Schlechtes von dir gehört. Aber leider trauen die anderen Heerführer der Philister dir nicht. [7]Darum musst du wohl oder übel umkehren, damit du nicht etwas tust, was sie verärgert.«

[8]»Womit habe ich das verdient?«, wollte David wissen. »Hast du je etwas an mir auszusetzen gehabt, seit ich in deinen Diensten stehe? Warum darf ich nicht mit in die Schlacht ziehen und gegen deine Feinde kämpfen, mein König?«

[9]»Ich verstehe es ja auch nicht!«, antwortete Achisch. »Soweit ich dich kenne, bist du treu wie ein Engel Gottes. Aber die Heerführer der Philister bestehen darauf, dass du diesen Feldzug nicht mitmachst. [10]Packt also morgen bei Tagesanbruch eure Sachen – du und alle früheren Untertanen Sauls –, und kehrt in die Stadt zurück, die ich euch als Wohnort überlassen habe. Macht euch in aller Frühe fertig, und brecht auf, sobald es hell wird!«

[11]So packten David und seine Männer früh am nächsten Morgen ihre Sachen und kehrten ins Land der Philister zurück. Die Philister aber zogen nach Jesreel.

David rächt sich an den Amalekitern

30 Zwei Tage später kamen David und seine Männer nach Ziklag zurück. Inzwischen waren die Amalekiter im Südland eingefallen und hatten Ziklag in Schutt und Asche gelegt. [2]Sie hatten niemanden getötet, sondern alle Frauen und Kinder gefangen genommen und verschleppt. [3]David und seine Leute kamen zurück zu dem rauchenden Trümmerhaufen, der einmal Ziklag gewesen war, und sahen, dass ihre Frauen, Söhne und Töchter alle verschleppt worden waren. [4]Da schrien sie vor Schmerz laut auf und weinten, bis sie völlig erschöpft waren. [5]Auch Davids Frauen – Ahinoam aus Jesreel und Abigajil aus Karmel, die Witwe Nabals – waren entführt worden.

[6]David befand sich in einer schwierigen Lage. Seine Leute sprachen schon davon, ihn zu steinigen, denn alle waren erbittert über den Verlust ihrer Söhne und Töchter. Da suchte David Zuflucht bei seinem Gott, und das Vertrauen auf den Herrn gab ihm wieder Mut und Kraft. [7]Er befahl dem Priester Abjatar, dem Sohn Ahimelechs, die Tasche mit den Losen zu holen. Als Abjatar mit den Losen kam, [8]fragte David den Herrn: »Soll ich dieser Räuberbande nachjagen? Werde ich sie einholen?« Die Antwort lautete: »Ja, verfolg sie! Du wirst sie einholen und alle Gefangenen befreien.« [9/10]Da brachen David und seine 600 Männer wieder auf. Beim Besorbach blieben etwa 200 von ihnen zurück, denn sie waren so erschöpft, dass sie nicht mehr weiter konnten. Die restlichen 400 Soldaten

---

29,3 27,7 **29,4** 27,6 **29,5** 18,7; 21,12 **29,9** 2 Sam 14,17.20; 19,28 **30,1** 27,6.8; 2 Mo 17,14–16* **30,5** 25,42–43 **30,7** 22,20–21*

überquerten den Bach und setzten die Verfolgung fort.

[11] Unterwegs fanden sie einen jungen Mann aus Ägypten, der auf freiem Feld am Boden lag. Sie trugen ihn zu David und gaben ihm erst einmal Brot und Wasser, [12] ein Stück Feigenkuchen und zwei Hand voll gepresster Rosinen. Nachdem er sich gestärkt hatte, kam er langsam wieder zu Kräften. Er hatte drei Tage lang nichts gegessen und getrunken. [13] »Zu wem gehörst du, und woher kommst du?«, wollte David von ihm wissen. Der Mann antwortete: »Ich bin ein Ägypter, der Sklave eines Amalekiters. Mein Herr hat mich hier liegen gelassen, als ich vor drei Tagen krank wurde. [14] Wir hatten vorher das südliche Stammesgebiet der Philister überfallen, dann auch Gebiete von Juda, besonders den Süden, wo die Nachkommen Kalebs wohnen. Die Stadt Ziklag haben wir in Schutt und Asche gelegt.«

[15] David fragte: »Kannst du mir sagen, wohin diese Räuberbande gezogen ist?« Der Ägypter antwortete: »Wenn du mir bei Gott schwörst, dass du mich nicht umbringst oder an meinen Herrn auslieferst, dann führe ich dich zu ihnen.« [16] Und so zeigte er David den Weg zum Lager der Amalekiter. Die hatten sich über die ganze Gegend zerstreut. Sie aßen und tranken und feierten ein Freudenfest, denn sie hatten bei ihren Raubzügen durch das Land der Philister und durch Juda reiche Beute gemacht.

[17] Früh am nächsten Morgen, als es gerade hell wurde, griff David mit seinen Männern an. In einer langen Schlacht, die bis zum Abend dauerte, schlugen sie ihre Feinde. Bis auf 400 junge Männer, die auf Kamelen flohen, konnte niemand entrinnen. [18/19] David befreite die Gefangenen, auch seine beiden Frauen, und eroberte alles zurück, was die Amalekiter erbeutet hatten. Seine Soldaten sahen ihre Familien gesund wieder, niemand wurde vermisst. Auch ihren Besitz gab David ihnen zurück. [20] Die Rinder, Schafe und Ziegen der Amalekiter nahm David mit. Seine Leute trieben sie vor ihrem eigenen Vieh her und sagten: »Das ist Davids Beute!«

Die Verteilung der Beute

[21] Die 200 Männer, die David vor Erschöpfung nicht mehr folgen konnten und am Besorbach zurückgeblieben waren, liefen ihm und seinen Männern entgegen, als diese zurückkehrten. David ging auf sie zu und begrüßte sie freundlich. [22] Von denen, die mit David in den Kampf gezogen waren, dachten einige Männer jedoch nur an ihren eigenen Vorteil. Sie forderten: »Die hier haben uns in der Schlacht im Stich gelassen. Also sollen sie auch nichts von der Beute bekommen, die wir unter Lebensgefahr den Feinden entrissen haben! Ihre Frauen und Kinder dürfen sie wieder mitnehmen. Weiter haben sie hier nichts mehr verloren.«

[23] Doch da schritt David ein: »Nein, meine Freunde, so machen wir es nicht! Denn alles hat uns der Herr geschenkt! Er hat uns bewahrt und uns über diese Räuberhorde siegen lassen! [24] Und da sollte jemand eurem Vorschlag zustimmen? Wer zurückbleibt und das Lager bewacht, soll genauso viel erhalten wie jene, die in den Kampf ziehen. Alle sollen die Beute miteinander teilen.«

[25] Von da an wurde es immer so gehandhabt. David machte es zu einem Gesetz im israelitischen Recht, das noch heute in Kraft ist.

[26] Als David wieder in Ziklag war, schickte er einen Teil der Beute an die führenden Männer von Juda, die seine Freunde waren; er ließ ihnen ausrichten: »Diese Gabe ist für euch. Sie ist ein Teil der Beute, die David den Feinden des Herrn abgenommen hat.« [27] Er sandte Geschenke an die Städte Betul, Rama im Süden, Jattir, [28] Aroër, Sifmot, Eschtemoa, [29–31] Karmel, Horma, Bor-Aschan, Atach und Hebron, außerdem an die

30,24 4 Mo 31,27

Städte der Jerachmeeliter und der Keniter und an alle anderen Orte, wo er sich mit seinen Leuten aufgehalten hatte.

Der Tod Sauls und seiner Söhne
(1. Chronik 10,1–12)

31 Mittlerweile hatte zwischen den Philistern und den Israeliten auf dem Gilboagebirge die Schlacht begonnen. Die Israeliten versuchten zu fliehen, aber die meisten von ihnen fielen.

[2]Die Philister hatten Saul und seine Söhne eingekesselt. Jonatan, Abinadab und Malkischua waren bereits getötet worden, [3]um Saul tobte noch ein erbitterter Kampf. Er wurde von den Pfeilen der Bogenschützen getroffen und verwundet. [4]Da flehte er seinen Waffenträger an: »Zieh dein Schwert, und töte mich! Sonst bringen mich diese unbeschnittenen Heiden um und treiben ihren Spott mit mir.« Doch der Waffenträger weigerte sich. Er wagte es nicht, den König umzubringen. Da nahm Saul selbst sein Schwert und stürzte sich hinein.

[5]Als der Diener sah, dass sein Herr tot war, ließ auch er sich in sein Schwert fallen und starb zusammen mit dem König. [6]So fielen an diesem Tag Saul, seine drei Söhne, sein Waffenträger und alle seine Männer.

[7]Als die Bewohner der Jesreelebene und der umliegenden Gegend hörten, dass die Israeliten geflohen und Saul und seine Söhne gefallen waren, ergriffen auch sie die Flucht. Die Philister nahmen die verlassenen Städte in Besitz und wohnten darin.

[8]Am Tag nach der Schlacht kehrten die Philister noch einmal zum Schlachtfeld auf dem Gilboagebirge zurück, um die Gefallenen auszuplündern. Dabei fanden sie die Leichen Sauls und seiner drei Söhne, die immer noch dort lagen. [9]Sie schlugen Saul den Kopf ab und zogen ihm die Rüstung aus. Beides zeigten sie durch Boten im ganzen Land herum und verkündeten allen Bewohnern und den Götzen die Nachricht vom Sieg. [10]Schließlich legten sie Sauls Waffen im Tempel der Göttin Astarte nieder. Seine Leiche und die Leichen seiner Söhne hängten sie an der Stadtmauer von Bet-Schean auf.

[11]Als die Einwohner von Jabesch-Gilead hörten, was die Philister mit Sauls Leiche getan hatten, [12]machten sich sofort alle wehrfähigen Männer der Stadt auf den Weg. Sie marschierten die ganze Nacht hindurch nach Bet-Schean. Dort holten sie die Leichen Sauls und seiner Söhne von der Stadtmauer herunter, brachten sie nach Jabesch und verbrannten sie dort. [13]Die Gebeine begruben sie unter der großen Tamariske in Jabesch. Danach trauerten und fasteten sie eine Woche lang.

31,1–7 28,19 **31,4** Ri 9,54 **31,9** 17,54 **31,13** 2 Sam 1,12

Das zweite Buch Samuel

David erfährt von Sauls und Jonatans Tod

1 König Saul war in der Schlacht gegen die Philister umgekommen. Nachdem David von seinem Vergeltungsschlag gegen die Amalekiter nach Ziklag zurückgekehrt war, [2] erschien zwei Tage später bei ihm ein Mann aus Sauls Heer. Als Zeichen der Trauer waren seine Kleider zerrissen und sein Haar voller Erde. Er warf sich ehrerbietig vor David zu Boden. [3] »Woher kommst du?«, fragte David. Der Mann antwortete: »Ich habe im israelitischen Heer gekämpft und konnte den Feinden entkommen.« [4] »Wie ist die Lage?«, wollte David wissen. »Erzähl es mir!« Da berichtete der Mann: »Viele unserer Soldaten liegen gefallen oder schwer verwundet auf dem Schlachtfeld, und der Rest ist geflohen. Auch Saul und sein Sohn Jonatan sind tot.«

[5] »Woher weißt du, dass Saul und Jonatan tot sind?«, unterbrach David ihn. [6] Der junge Mann fuhr fort: »Ich kam zufällig ins Bergland von Gilboa. Dort entdeckte ich Saul, der sich auf seinen Speer stützte. Die feindlichen Wagen und Reiter schlossen den Kreis um ihn immer enger. [7] Er drehte sich um, sah mich und rief mir zu, ich solle herkommen. [8] Als ich bei ihm war, fragte er: ›Wer bist du?‹ ›Ich bin ein Amalekiter‹, antwortete ich. [9] Da bat er mich: ›Komm und töte mich, denn ich bin schwer verwundet und schon ganz schwach, aber immer noch bei vollem Bewusstsein.‹ [10] Ich erfüllte ihm seine letzte Bitte: Ich erstach ihn, denn ich wusste ja, dass der Kampf verloren war und Saul sowieso sterben würde. Dann nahm ich ihm die Krone und den Armreif ab, um sie dir, meinem Herrn und Gebieter, zu überbringen.«

[11] Da zerrissen David und die Männer, die bei ihm standen, ihre Gewänder. [12] Sie weinten und trauerten um Saul, seinen Sohn Jonatan und um das ganze Volk des Herrn, weil so viele Israeliten in der Schlacht umgekommen waren. Bis zum Abend fasteten sie.

[13] David fragte den jungen Mann, der ihm die Nachricht überbracht hatte: »Woher kommst du?« »Ich bin der Sohn eines Einwanderers aus Amalek«, antwortete er. [14] Da fuhr David ihn an: »Wie konntest du es wagen, den König umzubringen, den der Herr auserwählt hat?« [15] Er befahl einem der jungen Männer, die bei ihm standen: »Komm her und töte ihn!« Der Mann gehorchte und stach den Amalekiter nieder. Bevor er starb, [16] sagte David noch zu ihm: »Das ist die gerechte Strafe für dein Verbrechen! Du selbst hast dich zum Tod verurteilt, als du sagtest: ›Ich habe den König umgebracht, den der Herr erwählt hat.‹«

Davids Klagelied

[17] David dichtete ein Klagelied über Sauls und Jonatans Tod. [18] Er ordnete an, dass alle Bewohner von Juda es auswendig lernen sollten. Es wird das »Bogenlied« genannt und steht im »Buch des Rechtschaffenen«:

[19] Ach, Israel, erschlagen liegen sie auf deinen Hügeln, die Soldaten, die dein ganzer Stolz und deine Freude waren! Deine Helden sind tot, im Kampf gefallen.

1,1 1 Sam 31,6; 30,26 **1,6** 1 Sam 31,1–3 **1,10** 1 Sam 31,4 **1,14** 1 Sam 24,7; 26,9 **1,15** 4,10–12 **1,18** Jos 10,13

[20] Verheimlicht es den Städten Gat und Aschkelon, verkündet diese Nachricht nicht in ihren Gassen! Die Mädchen der Philister sollen keine Freudenlieder singen, die Frauen dieser Heiden keine Reigen tanzen.
[21] Ihr Berge von Gilboa, kein Tau soll euch bedecken und kein Regen fallen, nie mehr soll Korn auf euren Äckern wachsen, weil dort die blutverschmierten Schilde liegen, die einst unseren besten Soldaten gehörten. Sauls Schild hat seinen Glanz verloren, sein Leder wird nicht mehr mit Öl gepflegt.

[22] Die Pfeile Jonatans verfehlten nie das Ziel, nie schlug das Schwert von König Saul daneben. Stets trieften ihre Waffen vom Blut der Durchbohrten, sie glänzten vom Fett der erstochenen Helden.
[23] Saul und Jonatan – jeder liebte und verehrte sie! Unzertrennlich waren sie im Leben, und nun sind sie auch im Tod vereint. Sie waren schneller noch als Adler, stärker als der stärkste Löwe.
[24] Ihr Frauen von Israel, trauert und weint um König Saul, der euch Kleider aus Purpur gab und euch mit goldenem Schmuck beschenkte!

[25] Die Helden sind tot, im Kampf gefallen. Durchbohrt liegt Jonatan auf deinen Bergen, Israel.
[26] Mein Bruder Jonatan, wie schmerzt mich dein Verlust! Du warst mir lieber als der größte Schatz der Welt. Niemals kann die Liebe einer Frau ersetzen, was deine Freundschaft mir bedeutet hat.
[27] Die Helden sind tot, im Kampf gefallen, unsere besten Männer haben wir verloren.

David wird König von Juda

2 Danach fragte David den Herrn: »Soll ich nach Juda zurückkehren?« »Ja«, antwortete der Herr, »geh wieder dorthin.« »In welcher Stadt soll ich mich niederlassen?« fragte David weiter. »In Hebron«, sagte der Herr. [2] So zog David nach Hebron im judäischen Bergland. Seine beiden Frauen, Ahinoam aus Jesreel und Abigajil aus Karmel, die Witwe Nabals, gingen mit ihm. [3] David wollte seine Soldaten in der Nähe behalten, deshalb siedelte er sie mit ihren Familien in den umliegenden Ortschaften an. [4] Eines Tages kamen die Männer von Juda zu David nach Hebron und salbten ihn zu ihrem König.

Als David hörte, dass die Einwohner der Stadt Jabesch im Gebiet von Gilead Saul beerdigt hatten, [5] ließ er ihnen durch Boten sagen: »Der Herr möge euch dafür belohnen, dass ihr eurem Herrn, König Saul, diese letzte Ehre erwiesen und ihn begraben habt! [6] Ohne Ende möge der Herr euch Gutes tun und euch seine Liebe erweisen. Aber auch ich will euch für diese gute Tat belohnen. [7] Seid stark, und lasst euch nicht entmutigen! Euer König Saul ist zwar gestorben, aber der Stamm Juda hat mich zu seinem Nachfolger ernannt.«

Isch-Boschet wird König von Israel

[8] Sauls Heerführer Abner, ein Sohn Ners, hatte Isch-Boschet[a], einen Sohn Sauls, nach Mahanajim in Sicherheit gebracht [9] und ihn dort zum König ausgerufen. Sein Herrschaftsgebiet umfasste die Landstriche von Gilead und Jesreel, die Gebiete der Stämme Asser, Ephraim und Benjamin und das restliche Israel. [10] Nur der Stamm Juda stand hinter David. Isch-Boschet wurde mit 40 Jahren König und regierte zwei Jahre. [11] David herrschte siebeneinhalb Jahre in Hebron als König über Juda.

---

[a] Isch-Boschet hieß ursprünglich Isch-Baal. Die Schreiber wollten den Namen Baal (kanaanitische Gottheit) nicht nennen und änderten ihn deshalb in Boschet (»Schande«).

1,26 1 Sam 18,3* **2,1** 1 Sam 30,7–8 **2,2** 1 Sam 25,42–43 **2,4** 5,3; 1 Sam 31,11–13 **2,8** 1 Sam 14,50*

Beginn des Bürgerkriegs zwischen Israel und Juda

[12] Abner marschierte mit den Soldaten Isch-Boschets, des Sohnes Sauls, von Mahanajim nach Gibeon. [13] Davids Heer zog ihm unter der Führung Joabs, des Sohnes von Davids Schwester Zeruja, entgegen. Beim Teich von Gibeon trafen sie aufeinander. Abner und seine Truppen lagerten auf der einen Seite des Teiches, Joabs Männer auf der anderen. [14] Abner schlug Joab vor: »Lass uns Kampfspiele veranstalten, die jungen Soldaten sollen gegeneinander antreten!« Joab war einverstanden, [15] und so stellte jede Seite ihre Kämpfer: zwölf für Isch-Boschet und den Stamm Benjamin und zwölf für David. [16] Als der Kampf begann, packten die Gegner einander an den Haaren, und jeder stieß dem anderen das Schwert in die Seite. Alle vierundzwanzig waren auf einen Schlag tot. Später nannte man diesen Platz bei Gibeon Helkat-Hazzurim (»Felsenfeld«).

[17] Nun kam es zwischen den Truppen zum erbitterten Kampf. Abner und seine israelitischen Soldaten unterlagen dem Heer Davids und ergriffen die Flucht. [18] Auch Joabs Brüder Abischai und Asaël, die Söhne von Davids Schwester Zeruja, nahmen an der Schlacht teil. Asaël war schnell und flink wie eine Gazelle. [19] Er jagte dem fliehenden Abner nach und ließ sich durch niemanden aufhalten. [20] Plötzlich drehte Abner sich um und rief: »Bist du es, Asaël?« »Ja, ich bin es«, antwortete er. [21] Abner schrie: »Hör auf, mich zu verfolgen! Kämpf doch lieber mit einem der jungen Soldaten, an denen du vorbeigerannt bist. Ihm kannst du Rüstung und Waffen abnehmen.«

Aber Asaël ließ sich nicht umstimmen und lief weiter. [22] »Ich warne dich!«, drohte Abner. »Verfolge mich nicht länger, sonst zwingst du mich, dich zu töten. Wie könnte ich dann deinem Bruder Joab noch in die Augen sehen?« [23] Doch Asaël hörte nicht auf ihn. Da stieß Abner ihm das hintere Ende seines Speeres mit solcher Wucht in den Bauch, dass es am Rücken wieder herauskam. Asaël brach zusammen und starb. Jeder, der vorbeikam und ihn dort liegen sah, blieb entsetzt stehen.

[24] Auch Joab und Abischai jagten Abner nach. Als die Sonne unterging, kamen sie zum Hügel Amma; er liegt gegenüber von Giach an der Straße, die von Gibeon in die Wüste führt. [25] Die Männer vom Stamm Benjamin sammelten sich um Abner und folgten ihm auf einen Hügel. [26] Abner rief zu Joab hinüber: »Wie lange soll das Schwert noch morden? Denkst du nicht daran, dass dieser Krieg nur Leid und Hass mit sich bringt? Befiehl deinen Leuten endlich, uns, ihre Brüder, nicht weiter zu verfolgen!«

[27] Joab erwiderte: »Ich schwöre dir, so wahr der Herr lebt: Hättest du das nicht gesagt, dann hätten meine Leute euch noch die ganze Nacht gejagt.« [28] Er blies das Horn, und seine Soldaten machten halt; sie gaben die Verfolgung der Israeliten auf und stellten den Kampf ein.

[29] In der Nacht traten Abner und seine Truppen den Rückzug an. Sie marschierten durch die Jordanebene, überquerten den Jordan und gelangten schließlich durch die Schlucht wieder nach Mahanajim.

[30] Nachdem Joab die Verfolgung Abners abgebrochen hatte, sammelte er seine Männer um sich. Außer Asaël waren weitere 19 Soldaten gefallen. [31] Doch ihre Gegner hatten viel größere Verluste zu beklagen: 360 Mann aus Abners Heer waren umgekommen, die meisten gehörten zum Stamm Benjamin. [32] Joab und seine Männer nahmen die Leiche Asaëls mit und begruben sie auf dem Rückweg im Grab seines Vaters in Bethlehem. Noch in derselben Nacht zogen sie weiter und erreichten im Morgengrauen Hebron.

3 Nun begann ein langer Krieg zwischen den Anhängern von Sauls Sohn Isch-Boschet und Davids Anhängern.

2,13 3,23–27; 8,16; 17,25; 18,10–15; 19,2–8; 20,8–10; 24,2; 1 Kön 1,7; 2,5–6.28–34 **2,18** 1 Sam 26,6*

Mit der Zeit wurde David immer stärker und mächtiger, während die andere Seite an Macht und Ansehen verlor.

Die Familie Davids in Hebron

[2] Als David in Hebron wohnte, wurden ihm einige Söhne geboren: Der älteste hieß Amnon, seine Mutter war Ahinoam aus Jesreel. [3] Danach kam Kilab, seine Mutter war Abigajil aus Karmel, die Witwe Nabals. Der dritte Sohn war Absalom, seine Mutter hieß Maacha und war eine Tochter Talmais, des Königs von Geschur. [4] Der vierte Sohn hieß Adonija, seine Mutter war Haggit. Der fünfte war Schefatja, seine Mutter hieß Abital. [5] Jiteam, der sechste, war der Sohn von Davids Frau Egla. Diese sechs Söhne wurden in Hebron geboren.

Abner und Isch-Boschet geraten aneinander

[6] Während des Krieges zwischen Isch-Boschet und David hielt Abner treu zum Königshaus Sauls.

[7] Eines Tages aber stellte Isch-Boschet Abner zur Rede, weil er mit einer Nebenfrau des verstorbenen Königs Saul geschlafen hatte. Die Frau hieß Rizpa und war eine Tochter Ajjas. [8] Abner wurde wütend und beschimpfte Isch-Boschet: »Was denkst du eigentlich, wer ich bin? Ein Verräter, der zum Stamm Juda hält? Die ganze Zeit schon kämpfe ich mit aller Kraft für das Königshaus deines Vaters, ich helfe seinen Verwandten und Freunden. Dich habe ich beschützt, damit du David nicht in die Hände fällst. Und was ist der Dank? Wegen einer Frauengeschichte führst du dich nun so auf! [9/10] Ich habe genug von dir! Von jetzt an unterstütze ich David. Der Herr hat schließlich geschworen, dass er Sauls Familie vom Thron stoßen und David die Herrschaft geben wird. Gott soll mich hart bestrafen, wenn ich nicht dafür sorge, dass David bald König ist über ganz Israel und Juda, von Dan im Norden bis Beerscheba im Süden!«

[11] Isch-Boschet brachte kein Wort mehr heraus, denn er hatte große Angst vor Abner.

Abner verhandelt mit David

[12] Abner schickte Boten zu David und ließ ihm sagen: »Ich weiß so gut wie du, wem die Herrschaft über unser Land zusteht. Darum mache ich dir einen Vorschlag: Verbünde dich mit mir! Ich stelle mich auf deine Seite und sorge dafür, dass ganz Israel dich als König anerkennt.«

[13] »Gut«, antwortete David, »ich werde mich mit dir verbünden, doch nur unter einer Bedingung: Du musst mir meine Frau Michal, die Tochter Sauls, mitbringen. Sonst verhandle ich nicht mit dir.« [14] Zugleich sandte David Boten zu Sauls Sohn Isch-Boschet mit der Forderung: »Gib mir meine Frau Michal zurück! Ich habe für sie einen Brautpreis bezahlt: die Vorhäute von hundert Philistern.« [15] Isch-Boschet ließ Michal von ihrem zweiten Mann Paltiël, einem Sohn Lajischs, wegholen. [16] Der Mann konnte sich aber nicht von ihr trennen. Weinend lief er ihr nach bis Bahurim. Schließlich fuhr Abner ihn an: »Geh endlich zurück!« Da erst kehrte er um.

[17] Abner hatte vorher mit den Ältesten Israels eine Unterredung gehabt und ihnen gesagt: »Ihr wolltet doch schon lange, dass David euer König wird. [18] Jetzt ist der Augenblick zum Handeln gekommen! Der Herr selbst hat ja versprochen: ›Durch meinen Diener David will ich mein Volk aus der Gewalt der Philister und aller anderen Feinde befreien.‹« [19] Das Gleiche sagte Abner auch den führenden Männern des Stammes Benjamin. Danach reiste er nach Hebron, um David zu melden, was die Ältesten von Israel und vom Stamm Benjamin beschlossen hatten.

[20] Eine Abordnung von zwanzig Männern begleitete Abner nach Hebron. Dort gab David ein Festessen für sie.

3,2–3 1 Sam 25,42–43 **3,7** 21,8 **3,9–10** 1 Sam 13,14; 15,28 **3,14** 1 Sam 18,27 **3,15** 1 Sam 25,44

[21] Bevor Abner sich wieder verabschiedete, sagte er zu David: »Ich gehe nun zurück und lasse die Vertreter des ganzen Volkes zu einer Versammlung kommen, an der auch du, mein Herr, teilnehmen sollst. Ich werde dafür sorgen, dass sie dich als ihren neuen König anerkennen und einen Bund mit dir schließen. Dann bist du König über das ganze Land, wie du es dir schon lange gewünscht hast!« David verabschiedete Abner und ließ ihn unbehelligt gehen.

Abners Ermordung

[22] Kurz darauf kam Joab mit Davids Soldaten von einem Streifzug zurück. Sie hatten reiche Beute gemacht. [23] Kaum waren sie in der Stadt, wurde Joab berichtet: »Abner, der Sohn Ners, ist beim König gewesen, und der ließ ihn unbehelligt wieder ziehen.« [24] Sofort lief Joab zum König und rief: »Was habe ich da gehört? Abner war hier, und du hast ihn einfach wieder gehen lassen? [25] Du kennst ihn doch, er heuchelt dir nur etwas vor! In Wirklichkeit wollte er ausspionieren, was du tust und vorhast.«

[26] Joab schickte einige Boten hinter Abner her, die ihn zurückbringen sollten. Bei der Zisterne von Sira holten sie ihn ein, und er kehrte mit ihnen um; der König aber wusste nichts davon. [27] Als Abner in Hebron angekommen war, nahm Joab ihn beiseite und führte ihn in einen Raum im Stadttor, als wollte er heimlich etwas mit ihm besprechen. Doch plötzlich zog er sein Schwert und stieß es Abner in den Bauch. So brachte Joab ihn um und rächte sich dafür, dass er seinen Bruder Asaël getötet hatte.

[28] Als David davon erfuhr, rief er: »Ich schwöre vor dem Herrn, dass ich unschuldig bin an Abners Tod, und auch meine Nachfolger sollen niemals dafür büßen müssen! [29] Joab allein trägt die Verantwortung. Ihn und seine Familie wird die gerechte Strafe treffen: Von jetzt an sollen immer einige seiner Nachkommen eine Geschlechtskrankheit haben, aussätzig oder lahm sein, ermordet werden oder Hunger leiden.« [30] So rächten sich Joab und sein Bruder Abischai an Abner. Sie ermordeten ihn, weil er in der Schlacht bei Gibeon ihren Bruder Asaël getötet hatte.

David trauert um Abner

[31/32] David befahl Joab und den anderen, die bei ihm waren: »Zerreißt eure Gewänder, hüllt euch in Trauerkleider aus Sacktuch, und haltet die Totenklage um Abner!« Die Beerdigung fand in Hebron statt. Im Trauerzug ging David direkt hinter der Bahre her. Am Grab begann er laut zu weinen, und alle Versammelten weinten mit. [33] Dann stimmte David dieses Klagelied für Abner an:

[34] »Abner, warum musstest du wie ein Verbrecher sterben? Deine Hände waren nicht gebunden, deine Füße lagen nicht in Ketten. Nein, Mördern fielst du in die Hände, du warst ihnen schutzlos ausgeliefert.«

Da weinten alle noch lauter um den Toten. [35] Den ganzen Tag über wollten die Leute David dazu überreden, etwas zu essen. Doch er schwor: »Gott soll mich hart bestrafen, wenn ich vor Sonnenuntergang auch nur einen Bissen Brot esse!« [36] Die Leute beobachteten, wie David sich verhielt, und es gefiel ihnen. Ja, an allem, was der König tat, fand das Volk Gefallen. [37] Wer bei der Beerdigung gewesen war, war überzeugt, dass David nichts mit dem Mord an Abner zu tun hatte, und alle Israeliten dachten ebenso. [38] David sagte zu seinen Hofleuten: »Heute ist ein großer und bedeutender Mann aus Israel umgebracht worden. [39] Ich bin erst vor kurzem zum König gesalbt worden und besitze noch nicht genug Macht, um gegen meine beiden Neffen Joab und Abischai vorzugehen. Möge der Herr sie für ihre Bosheit bestrafen!«

3,23 2,13* **3,27** 2,23; 1 Kön 2,5 **3,29** 1 Kön 2,31–34 **3,33–34** 1,17–27 **3,39** 1 Chr 2,13–16

Isch-Boschet wird ermordet

4 Als Isch-Boschet, der Sohn Sauls, hörte, dass Abner in Hebron ermordet worden war, verlor er jeden Mut. Auch das ganze Volk war entsetzt. [2] Isch-Boschet ernannte zwei Brüder zu seinen Heerführern: Baana und Rechab, die Söhne Rimmons. Sie kamen aus Beerot im Gebiet des Stammes Benjamin. [3] Die Einwohner von Beerot mussten später aus ihrer Heimat fliehen und siedelten sich in Gittajim an, wo sie bis heute als Ausländer wohnen.

[4] Zu dieser Zeit lebte noch ein Enkel von König Saul: Mefi-Boschet[a], ein Sohn Jonatans. Er war 5 Jahre alt gewesen, als die schreckliche Nachricht von Sauls und Jonatans Tod aus Jesreel eintraf. Seine Amme hatte den Jungen genommen und war geflohen. Doch in der Hetze hatte sie ihn fallen lassen, und seither konnte er nicht mehr richtig laufen.

[5] Eines Tages nun kamen Rechab und Baana, die Söhne Rimmons aus Beerot, am Mittag zu Isch-Boschets Haus. Es war sehr heiß, und Isch-Boschet hatte sich zum Schlafen hingelegt. [6/7] Die beiden gingen ins Haus, unter dem Vorwand, sie wollten einen Sack Weizen aus der Vorratskammer holen. Sie schlichen sich in Isch-Boschets Zimmer und erstachen den Schlafenden auf seinem Bett. Dann schlugen sie ihm den Kopf ab und machten sich damit auf und davon.

Die ganze Nacht durchquerten sie die Jordanebene, [8] bis sie schließlich in Hebron ankamen. Dort zeigten sie König David den Kopf und sagten: »Hier bringen wir dir den Kopf Isch-Boschets, dessen Vater Saul dein Feind war und dir nach dem Leben trachtete. Heute nun hat sich der Herr für dich an Saul und an seiner Familie gerächt.«

David bestraft die Mörder

[9] Aber David antwortete den Söhnen Rimmons, Rechab und Baana, aus Beerot: »So wahr der Herr lebt, der mir in allen Schwierigkeiten geholfen hat: [10] Der Mann, der mir damals in Ziklag Sauls Tod meldete, glaubte auch, er würde mir eine gute Nachricht bringen. Aber ich richtete ihn hin – so bekam er den verdienten Lohn. [11] Wie viel schlimmer noch ist euer Verbrechen: Ihr gottlosen Mörder habt einen rechtschaffenen Mann zu Hause in seinem Bett ermordet. Ist es da nicht erst recht meine Pflicht, euch für diese Bluttat zu bestrafen? Mit dem Tod sollt ihr dafür büßen!«

[12] David befahl, die beiden hinzurichten. Seine Diener töteten sie, schlugen ihnen Hände und Füße ab und hängten ihre Leichen beim Teich von Hebron auf. Den Kopf Isch-Boschets begruben sie in Abners Grab in Hebron.

David wird König über ganz Israel (1. Chronik 11,1–3)

5 Aus allen Stämmen Israels kamen Gesandte zu David nach Hebron und sagten zu ihm: »Wir sind dein Volk und gehören zu dir. [2] Schon damals, als Saul noch König war, bist du es gewesen, der Israels Heer in den Kampf geführt und siegreich wieder zurückgebracht hat. Zu dir hat der Herr gesagt: ›Du bist der Mann, der mein Volk Israel weiden soll wie ein Hirte seine Schafe. Dich habe ich zum neuen König über Israel bestimmt.‹« [3] Dann versammelten sich alle Ältesten Israels in Hebron. König David schloss mit ihnen einen Bund, und sie riefen den Herrn als Zeugen an. Sie salbten David und setzten ihn zum König über Israel ein.

[4] David war 30 Jahre alt, als er König wurde; er regierte insgesamt vierzig Jahre lang: [5] zunächst siebeneinhalb Jahre in

---

[a] Mefi-Boschet hieß ursprünglich Mefi-Baal. Die Schreiber wollten den Namen Baal (kanaanitische Gottheit) nicht nennen und änderten ihn deshalb in Boschet (»Schande«).

4,1 2,8–9; 3,27 **4,4** 9,1–13 **4,10** 1,15 **5,2** 1 Sam 18,13–16 **5,3** 2,4; 1 Sam 16,13 **5,5** 2,11; 1 Chr 3,4

Hebron als König über Juda und dann dreiunddreißig Jahre in Jerusalem als König über Israel und Juda.

David erobert Jerusalem
(1. Chronik 11,4–9)

[6]Nachdem David König geworden war, unternahm er mit seinen Soldaten einen Feldzug gegen die Stadt Jerusalem. In dieser Gegend wohnte immer noch der kanaanitische Stamm der Jebusiter. Die Einwohner verhöhnten David: »In unsere Stadt wirst du nie hereinkommen! Selbst unsere Lahmen und Blinden könnten dich in die Flucht schlagen.« Sie waren sicher, dass es David nicht gelingen würde, die Stadt einzunehmen.

[7]Doch David und seine Truppen eroberten die Festung Zion, die später »Stadt Davids« genannt wurde. [8]An dem Tag, als sie Jerusalem angriffen, sagte er zu seinen Soldaten: »Wer durch den Wasserschacht in die Stadt gelangt und die Jebusiter überwältigt, soll sie umbringen, diese Blinden und Lahmen, denn ich hasse sie!« So entstand die Redensart: »Blinde und Lahme dürfen nicht ins Haus des Herrn kommen.«

[9]Nach der Eroberung machte David die Festung zu seiner Residenz und nannte sie »Stadt Davids«. Ringsum baute er die Stadt weiter aus. Er begann damit bei den Verteidigungsanlagen und ging dann nach innen vor bis zur Festung.

[10]So wurde Davids Macht immer größer, denn der Herr, der allmächtige Gott, stand ihm bei.

David baut seine Macht aus
(1. Chronik 14,1–7)

[11]Eines Tages schickte König Hiram von Tyrus eine Gesandtschaft zu David. Es waren Maurer und Zimmerleute dabei, sie brachten Zedernholz mit und bauten David einen Palast. [12]So erlebte er, wie der Herr ihn als König bestätigte und ihn aus Liebe zu seinem Volk zu großem Ruhm gelangen ließ.

[13]Nachdem David von Hebron nach Jerusalem gezogen war, heiratete er noch weitere Frauen und Nebenfrauen und bekam noch mehr Söhne und Töchter. [14]Die Söhne, die in Jerusalem zur Welt kamen, hießen: Schammua, Schobab, Nathan, Salomo, [15]Jibhar, Elischua, Nefeg, Jafia, [16]Elischama, Eljada und Elifelet.

Siege über die Philister
(1. Chronik 14,8–17)

[17]Als die Philister hörten, dass David zum König von Israel gekrönt worden war, zogen sie mit ihrem Heer nach Israel, um ihn gefangen zu nehmen. Doch David wurde rechtzeitig gewarnt und verschanzte sich in einer Bergfestung.

[18]Die Philister schlugen ihr Lager in der Refaïmebene auf. [19]David fragte den Herrn: »Soll ich die Philister angreifen? Wirst du mir den Sieg geben?« Der Herr antwortete: »Greif an! Ich verspreche dir, dass du sie schlagen wirst.« [20]David zog mit seinen Soldaten nach Baal-Perazim und besiegte die Philister. Nach der Schlacht bezeugte er: »Wie Wassermassen einen Damm durchbrechen, so hat der Herr heute die Schlachtreihen der Feinde vor meinen Augen durchbrochen.« Deshalb nannte David den Ort der Schlacht Baal-Perazim (»Herr des Durchbruchs«). [21]Auf der Flucht ließen die Philister ihre Götzenfiguren zurück. David und seine Soldaten nahmen sie als Beute mit.

[22]Doch die Philister gaben nicht auf. Sie zogen noch einmal nach Israel und lagerten auch diesmal in der Refaïmebene. [23]Wieder bat David den Herrn um Weisung, und er antwortete ihm: »Greift sie diesmal nicht von vorne an, sondern umgeht sie, und fallt ihnen bei den Balsamstauden in den Rücken! [24]Sobald du in den Wipfeln der Balsamsträucher ein Geräusch wie von Schritten hörst, greif

---

5,6–9 Jos 15,63* **5,8** 3 Mo 21,18; Mt 21,14 **5,10** 3,1 **5,11** 1 Kön 5,15 **5,13** 3,2–5 **5,19.23** 2,1; 1 Sam 30,7–8

sofort an! Denn dann weißt du, dass ich selbst dir vorausgegangen bin, um das Heer der Philister zu schlagen.«

[25] David tat, was der Herr ihm befohlen hatte. Unter seiner Führung schlugen die Israeliten die Philister und verfolgten sie von Gibeon bis weit in die Ebene hinunter nach Geser.

David holt die Bundeslade nach Jerusalem
(1. Chronik 13; 15,25 –16,3)

6 Noch einmal ließ David alle führenden Männer Israels zusammenkommen, es waren 30000 Mann. [2] Gemeinsam mit ihnen zog er nach Baala[a] im Stammesgebiet von Juda, um die Bundeslade von dort nach Jerusalem zu bringen. Sie war dem Herrn geweiht, dem allmächtigen Gott, der über den beiden Cherub-Engeln thronte. [3/4] Man holte sie aus dem Haus Abinadabs auf dem Hügel und lud sie auf einen neuen Wagen, der von Rindern gezogen wurde. Die beiden Söhne Abinadabs, Usa und Achjo, lenkten ihn. Achjo ging vor dem Gespann, [5] David und alle Israeliten liefen hinterher. Sie tanzten und lobten den Herrn mit Lauten und Harfen, mit Tamburinen, Rasseln und Zimbeln.

[6] Bei dem Dreschplatz, der einem Mann namens Nachon gehörte, brachen die Rinder plötzlich aus, und der Wagen drohte umzustürzen. Schnell streckte Usa seine Hand aus und hielt die Bundeslade fest. [7] Da wurde der Herr sehr zornig über ihn, weil er es gewagt hatte, die Bundeslade zu berühren, und er ließ Usa auf der Stelle tot zu Boden fallen. [8] David war entsetzt, dass der Herr ihn so aus dem Leben gerissen hatte. Seitdem heißt der Dreschplatz Perez-Usa (»Entreißen Usas«).

[9] David bekam Angst vor dem Herrn. »Wie kann ich es jetzt noch wagen, die Bundeslade des Herrn zu mir zu nehmen?«, fragte er sich. [10] Er beschloss, sie nicht nach Jerusalem zu bringen, sondern sie im Haus Obed-Edoms, eines Leviten[b] aus Gat, abzustellen. [11] Dort blieb sie drei Monate lang.

In dieser Zeit ging es Obed-Edom und seiner ganzen Familie sehr gut, denn der Herr segnete sie. [12] Eines Tages berichtete jemand David: »Seit die Bundeslade bei Obed-Edom ist, hat der Herr ihn, seine Familie und allen seinen Besitz reich gesegnet.« Da ging David voller Freude zum Haus Obed-Edoms, um die Bundeslade nach Jerusalem zu holen. [13] Als die Männer, die sie trugen, die ersten sechs Schritte auf dem Weg nach Jerusalem zurückgelegt hatten, ließ David sie anhalten und opferte dem Herrn einen Stier und ein Mastkalb. [14] Als der Zug sich wieder in Bewegung setzte, tanzte David voller Hingabe neben der Bundeslade her, um den Herrn zu loben. Er war nur mit einem leichten Leinenschurz bekleidet, wie ihn sonst die Priester trugen. [15] Jubelnd brachten David und alle Israeliten, die ihn begleiteten, die Bundeslade nach Jerusalem, und die Musiker bliesen ihre Hörner.

[16] Als die Menge in der »Stadt Davids« ankam, schaute Davids Frau Michal, die Tochter Sauls, aus dem Fenster. Sie sah, wie der König hüpfte und tanzte, und verachtete ihn dafür.

[17] Man trug die Bundeslade in das Zelt, das David für sie errichtet hatte, und stellte sie auf den vorgesehenen Platz in der Mitte. Dann ließ David dem Herrn Brand- und Dankopfer darbringen. [18] Er segnete das Volk im Namen des allmächtigen Gottes. [19] Alle Israeliten, Männer und Frauen, erhielten einen Laib Brot, einen Rosinen- und einen Dattelkuchen. Dann machten sie sich auf den Heimweg.

[20] Auch David ging nach Hause, um seine Familie zu sehen. Er war noch nicht im

---

[a] Das ist ein anderer Name für Kirjat-Jearim. Vgl. 1. Samuel 7,1

[b] »eines Leviten« ist ergänzt nach 1. Chronik 16,4–5.

6,2 2 Mo 25,22; Ps 99,1 **6,3–4** 1 Sam 7,1 **6,7** 4 Mo 4,15; 1 Sam 6,19 **6,9–10** 1 Sam 5,7–12; 6,20 **6,11** 1 Chr 26,4–8 **6,14** 2 Mo 28,6; 1 Sam 2,18

Palast, als ihm Michal schon entgegenkam. »Ach, wie würdevoll ist heute der Herr König vor seinem Volk aufgetreten!«, spottete sie. »Bei deiner halb nackten Tanzerei hast du dich vor den Sklavinnen deiner Hofbeamten schamlos entblößt. So etwas tut sonst nur das Gesindel!« [21] David erwiderte: »Ich habe dem Herrn zu Ehren getanzt. Er hat deinem Vater und seinen Nachkommen die Herrschaft genommen und sie mir anvertraut. Mich hat er zum König über sein Volk Israel eingesetzt, und ihm zu Ehren will ich auch künftig tanzen. [22] Ja, ich wäre sogar bereit, mich noch tiefer zu erniedrigen als heute. Du magst mich verachten,[a] aber die Sklavinnen, über die du eben so herablassend gesprochen hast, sie werden mich schätzen und ehren.«

[23] Michal aber bekam ihr Leben lang keine Kinder.

Der Herr verheißt David die ewige Königsherrschaft
(1. Chronik 17,1–14)

7 König David konnte in Frieden in seinem Palast wohnen, denn der Herr sorgte dafür, dass ihn die feindlichen Völker ringsum nicht angriffen. [2] Eines Tages sagte David zu dem Propheten Nathan: »Während ich hier in meinem Palast aus kostbarem Zedernholz wohne, steht die Bundeslade Gottes immer noch in einem dürftigen Zelt. So kann es nicht weitergehen!«

[3] Nathan ermutigte den König: »Was immer du vorhast – tu es! Der Herr wird dir dabei helfen.«

[4] Doch in der folgenden Nacht sprach der Herr zu Nathan: [5] »Geh zu David, meinem Diener, und sag ihm: So spricht der Herr: Du willst ein Haus für mich bauen? [6] Bis heute habe ich noch nie in einem Tempel gewohnt. Seit ich mein Volk Israel aus Ägypten befreit habe, wohnte ich immer nur in einem Zelt und zog von einem Ort zum anderen. [7] Während dieser ganzen Zeit habe ich von den führenden Männern Israels nur eines verlangt: Sie sollten mein Volk weiden wie ein Hirte seine Herde. Nie habe ich einem von ihnen vorgeworfen: Warum habt ihr mir noch keinen Tempel aus Zedernholz gebaut?

[8] Darum sollst du meinem Diener David diese Botschaft weitergeben: Gott, der Herr über die ganze Welt, lässt dir sagen: Ich war es, der dich von deiner Schafherde weggeholt hat, um dich zum König über mein Volk Israel zu machen. [9] Was du auch unternommen hast – ich habe dir immer geholfen. Ich habe alle deine Feinde ausgerottet und dich berühmt gemacht. Du bist in aller Welt bekannt. [10] Auch habe ich meinem Volk Israel eine Heimat gegeben, ein Land, in dem es bleiben und sich niederlassen kann. Keine fremden und gottlosen Völker dürfen euch mehr so unterdrücken wie zu der Zeit, [11] als ich Richter über euch eingesetzt hatte. Alle deine Feinde habe ich zum Schweigen gebracht und dafür gesorgt, dass sie dich in Frieden lassen. Ich, der Herr, sage dir: Nicht du sollst mir ein Haus bauen, sondern ich werde dir ein Haus bauen.

[12] Wenn du alt geworden und gestorben bist, will ich einen deiner Söhne als deinen Nachfolger einsetzen und seine Herrschaft festigen. [13] Er wird mir einen Tempel bauen, und ich werde seinem Königtum Bestand geben für alle Zeiten. [14] Ich will sein Vater sein, und er wird mein Sohn sein. Wenn er sich gegen mich auflehnt, werde ich ihn strafen wie ein Vater seinen Sohn. [15] Doch nie werde ich meine Güte von ihm abwenden, wie ich es bei Saul getan habe. Ihn habe ich damals abgesetzt und dir an seiner Stelle die Herrschaft anvertraut. [16] Deine Nachkommen aber werden für alle Zeiten Kö-

---

[a] So mit der griechischen Übersetzung. Der hebräische Text lautet: … als heute und noch geringer zu werden in meinen Augen.

7,1 5 Mo 12,10 **7,6** 2 Mo 40,34–38; Jos 18,1 **7,8** 1 Sam 16,11 **7,11** Ri 2,16–18 **7,12** 1 Kön 8,20 **7,13** 1 Kön 5,19; 6,12–13; Ps 89,4–5; Jes 9,6 **7,14** 1 Chr 22,10; 28,6–7; Ps 2,7; 89,27–28; Hebr 1,5; Offb 21,7 **7,15** 1 Sam 15,23 **7,16** 1 Sam 25,28; 1 Kön 2,45; 11,38; Ps 89,36–38

nige sein. Niemand wird sie je vom Thron stoßen.«

Davids Dankgebet
(1. Chronik 17,15–27)

[17]Nathan berichtete David alles, was der Herr ihm in der Nacht gesagt hatte. [18]Da ging David in das heilige Zelt, kniete vor dem Herrn nieder und begann zu beten:

»Gott, mein Herr, wer bin ich, dass du gerade mich und meine Familie so weit gebracht hast? Ich bin es nicht wert. [19]Und nun willst du mir sogar noch mehr schenken, mein Herr und mein Gott! Du hast mir ein Versprechen gegeben, das bis in die ferne Zukunft reicht. Deine große Güte habe ich doch gar nicht verdient![a] [20]Doch was soll ich weiter davon reden? Ich weiß, dass du mich, deinen Diener, auch ohne Worte verstehst. [21]Weil du es versprochen hast und weil du es so wolltest, hast du all dies Große getan und hast es mich erkennen lassen.

[22]Herr, mein Gott, wie mächtig bist du! Keiner ist dir gleich. Nach allem, was wir gehört haben, sind wir überzeugt: Es gibt keinen Gott außer dir. [23]Welches Volk auf der Erde hat solche Wunder erlebt wie wir? Ist je ein anderes Volk von seinem Gott aus der Sklaverei befreit worden, weil er es zu seinem Volk machen wollte? Große und furchterregende Dinge hast du für Israel getan, und so wurde dein Name überall berühmt. Du hast uns von der Unterdrückung der Ägypter befreit. Andere Völker und ihre Götter hast du unseretwegen vertrieben. [24]Für alle Zeiten hast du Israel zu deinem Volk gemacht; und du selbst, Herr, bist sein Gott geworden. [25]So bitte ich dich nun, Herr, mein Gott: Lass deine Zusage für mich und meine Familie ewig gelten, und löse dein Versprechen ein! [26]So wird dein Name für alle Zeiten berühmt sein, und man wird bekennen: ›Der Herr, der allmächtige Gott, ist Israels Gott.‹ Dann wird auch mein Königshaus für ewig bestehen.

[27]Du, der allmächtige Herr und Gott Israels, hast zu mir gesprochen. Du hast mir zugesagt: ›Ich werde deinem Königshaus Bestand geben.‹ Nur darum habe ich es gewagt, so zu dir zu beten. [28]Herr, du bist der wahre Gott, auf dein Wort kann man sich verlassen. Du hast mir, deinem Diener, so viel Gutes verheißen. [29]Bitte segne mich und mein Königshaus. Lass für alle Zeiten einen meiner Nachkommen König sein. Herr, mein Gott, weil du meine Familie gesegnet hast, wird sie in Ewigkeit gesegnet sein, denn du selbst hast es mir versprochen.«

Kriegszüge Davids
(1. Chronik 18,1–13)

8 David griff mit seinem Heer die Philister an. Er besiegte sie und machte ihrer Vorherrschaft im Gebiet Israels ein Ende.

[2]Auch die Moabiter schlug David. Die Gefangenen mussten sich alle nebeneinander auf den Boden legen. Dann ging David mit einer Messschnur an der Reihe entlang. Er maß jeweils zwei Schnurlängen ab, und alle, die innerhalb dieses Bereiches lagen, wurden hingerichtet. Dann maß er jeweils eine Schnurlänge ab, und diese Gefangenen durften am Leben bleiben. Sie mussten sich aber David unterwerfen und ihm regelmäßig Tribut zahlen.

[3]Als König Hadad-Eser, der Sohn Rehobs aus Zoba in Nordsyrien, mit seinen Truppen auszog, um am Euphrat seine Macht wiederherzustellen, griff David ihn an und besiegte ihn. [4]Davids Heer nahm 1700 Reiter und 20000 Fußsoldaten gefangen. Von den Zugpferden der Streitwagen behielt David 100 für sich, allen anderen ließ er die Fußsehnen durchschneiden.

[5]Die Syrer aus Damaskus wollten König Hadad-Eser von Zoba zu Hilfe kommen. Da griff David auch sie an. In dieser

---

[a] Wörtlich: Ist dies das Gesetz des Menschen?

7,22 5 Mo 4,35 **7,23** 5 Mo 4,7 **8,2** 4 Mo 24,17; 2 Kön 1,1 **8,3** 1 Sam 14,47 **8,4** Jos 11,6.9

Schlacht fielen 22000 von ihnen. [6]David ließ das Gebiet um Damaskus besetzen und machte die Syrer zu seinen Untertanen. Sie mussten ihm Tribut zahlen. Der Herr half David bei allen seinen Kriegszügen und schenkte ihm den Sieg. [7]David erbeutete auch die goldenen Schilde von Hadad-Esers Soldaten und brachte sie nach Jerusalem. [8]Aus den Städten Tebach und Berotai, die beide Hadad-Eser gehört hatten, nahm er eine große Menge Bronze mit.

[9]Als König Toï von Hamat hörte, dass David das Heer Hadad-Esers besiegt hatte, [10]sandte er seinen Sohn Joram[a] zu David. Er sollte ihm Grüße ausrichten und ihm zu seinem Sieg gratulieren. Denn Hadad-Eser und Toï waren verfeindet und hatten schon gegeneinander Krieg geführt. Joram brachte David Geschenke mit: Gefäße aus Gold, Silber und Bronze. [11/12]David brachte sie in das Heiligtum und weihte sie dem Herrn, ebenso die Schätze aus Gold und Silber, die er bei seinen Eroberungszügen gegen die Edomiter, Moabiter, Ammoniter, Philister, Amalekiter und gegen König Hadad-Eser aus Zoba, den Sohn Rehobs, erbeutet hatte.

[13]David wurde noch berühmter, als er die Edomiter in einer Schlacht im Salztal besiegte. 18000 von ihnen kamen dabei um. [14]David setzte im ganzen Land Edom Statthalter ein und machte die Bewohner zu seinen Untertanen. Der Herr half ihm bei allen Kriegszügen und schenkte ihm stets den Sieg.

Die obersten Beamten Davids
(1. Chronik 18,14–17)

[15]Solange David König über ganz Israel war, verhalf er jedem im Volk zu seinem Recht. [16]Joab, der Sohn von Davids Schwester Zeruja, war der oberste Befehlshaber über das Heer. Joschafat, ein Sohn Ahiluds, war Berater des Königs. [17]Zadok, ein Sohn Ahitubs, und Ahimelech, ein Sohn Abjatars, waren die obersten Priester. Seraja war Hofsekretär. [18]Benaja, ein Sohn Jojadas, hatte den Befehl über die Leibwache des Königs. Alle Söhne Davids hatten den Rang von Priestern.

David beschenkt den Sohn Jonatans

9 David begann nachzuforschen, ob noch jemand von Sauls Familie lebte. »Ich möchte ihm Gutes tun und so mein Versprechen einlösen, das ich Jonatan gegeben habe«,[b] sagte er.

[2]Am Königshof Sauls hatte ein Diener namens Ziba gearbeitet. Er wurde zu David gerufen, und der König fragte ihn: »Bist du Ziba?« »Ja, mein Herr«, antwortete der Mann. [3]David erkundigte sich: »Weißt du, ob noch jemand von Sauls Familie lebt? Ich möchte ihm Gutes tun, damit er Gottes Güte durch mich erfährt.« Ziba erwiderte: »Ein Sohn Jonatans lebt noch. Er kann nicht mehr richtig laufen.« [4]»Wo ist er?«, wollte David wissen. Ziba antwortete: »Er wohnt bei Machir, einem Sohn Ammiëls, in Lo-Dabar.« [5/6]Sofort ließ David ihn an den Königshof holen.

Als Mefi-Boschet, der Sohn Jonatans und Enkel Sauls, vor den König trat, verbeugte er sich tief und warf sich vor ihm zu Boden. »Du also bist Mefi-Boschet«, sagte David. »Ja, ich bin dein ergebenster Diener«, antwortete er. [7]David ermutigte ihn: »Du brauchst keine Angst zu haben. Dein Vater Jonatan war mein bester Freund, und ich will dir, seinem Sohn, etwas Gutes tun. Ich gebe dir nun alle Felder zurück, die deinem Großvater Saul gehörten. Außerdem möchte ich, dass du täglich als mein Gast bei mir am Tisch isst.«

[8]Erneut warf sich Mefi-Boschet vor dem König zu Boden und rief: »Womit

---

[a] Joram ist die jüdische Form von Hadoram. Vgl. 1. Chronik 18,10

[b] Vgl. 1. Samuel 20,14–17

8,13–14 4 Mo 24,18 **8,13** Ps 60,2 **8,16–18** 1 Kön 4,1–6 **8,16** 2,13* **8,17** 1 Sam 22,20–21* **8,18** 20,23; 23,20; 1 Kön 1,8.38; 2,25.34–35.46 **9,2** 16,1–4 **9,3** 4,4 **9,4** 17,27 **9,8** 1 Sam 18,18

habe ich deine Freundlichkeit verdient? Ich bin es doch überhaupt nicht wert!« [9]David rief Ziba, den Diener Sauls, wieder zu sich und erklärte ihm: »Ich habe den ganzen Besitz Sauls und seiner Familie seinem Enkel Mefi-Boschet vermacht! [10/11]Du sollst nun zusammen mit deinen Söhnen und Knechten für ihn die Felder bestellen. Bring ihm die Ernte ein, damit seine Familie von dem Ertrag leben kann. Mefi-Boschet selbst aber, der Enkel deines früheren Herrn, soll täglich mein Gast sein und bei mir am Tisch essen, als wäre er mein Sohn.«

Ziba, der fünfzehn Söhne und zwanzig Knechte hatte, antwortete dem König: »Ich bin dein ergebener Diener. Ich werde alles ausführen, was du, mein Herr, mir befohlen hast.« [12/13]So wurden alle, die zu Zibas Familie gehörten, Mefi-Boschets Diener. Mefi-Boschet, der nicht mehr richtig laufen konnte, wohnte in Jerusalem und aß jeden Tag mit König David zusammen. Er hatte einen kleinen Sohn namens Micha.

König Hanun beleidigt die Gesandten Davids
(1. Chronik 19,1–5)

10 Einige Zeit später starb Nahasch, der König der Ammoniter, und sein Sohn Hanun trat die Nachfolge an. [2]David dachte: »König Nahasch war mir immer wohlgesinnt. Darum will ich mich nun seinem Sohn Hanun gegenüber freundlich verhalten.« Er schickte eine Gesandtschaft zu Hanun, um ihm sein Beileid auszusprechen.

Als aber die Boten Davids zum ammonitischen Königshof kamen, [3]sagten die Fürsten des Landes zu König Hanun: »Glaubst du wirklich, David hat diese Männer nur zu dir gesandt, um deinem Vater die letzte Ehre zu erweisen und dir sein Beileid auszusprechen? Das ist doch nur ein Vorwand! Spione sind sie, die unsere Hauptstadt auskundschaften sollen, weil David sie bald angreifen und erobern will!« [4]Da nahm Hanun die Gesandten Davids gefangen, ließ ihnen den Bart auf einer Seite abrasieren und die Kleider bis über das Gesäß abschneiden. Dann jagte er sie davon.

[5]Als David das erfuhr, schickte er seinen Gesandten Boten entgegen und ließ ihnen ausrichten: »Bleibt in Jericho, bis euer Bart wieder nachgewachsen ist, und kommt erst dann heim.« David wollte ihnen die Schande ersparen, ohne Bart zurückkehren zu müssen.

Der Krieg mit den Ammonitern
(1. Chronik 19,6–15)

[6]Die Ammoniter wussten genau, dass sie David durch diese Tat schwer beleidigt hatten. Darum warben sie 20000 syrische Söldner aus Bet-Rehob und Zoba an, außerdem den König von Maacha mit einem Heer von 1000 Mann und schließlich noch 12000 Soldaten aus Tob. [7]David hörte davon und befahl Joab, sofort mit dem ganzen Heer gegen die Feinde auszurücken. [8]Die Ammoniter stellten sich vor den Toren ihrer Hauptstadt Rabba zur Schlacht auf, während die verbündeten Syrer aus Zoba, Rehob, Tob und Maacha in einiger Entfernung auf offenem Feld Stellung bezogen.

[9]Als Joab merkte, dass ihm von vorne und von hinten ein Angriff drohte, teilte er sein Heer. Er selbst wollte mit den besten Soldaten den Kampf gegen die Syrer aufnehmen. [10]Den Rest des Heeres übergab er dem Kommando seines Bruders Abischai, der gegen die Ammoniter kämpfen sollte. [11]Bevor die beiden Heere sich trennten, sagte Joab zu seinem Bruder: »Wenn die Syrer uns überlegen sind, dann komm uns mit deiner Truppe zu Hilfe. Sind die Ammoniter stärker als ihr, dann helfe ich dir mit meinen Soldaten. [12]Sei mutig und entschlossen! Wir wollen für unser Volk kämpfen und für die Städte, die Gott uns gegeben hat. Der Herr aber möge tun, was er für richtig hält.«

[13]Dann griff Joab mit seinem Heer die

10,1 1 Sam 11,1 **10,7** 2,13* **10,10** 1 Sam 26,6*

Syrer an und schlug sie in die Flucht. [14]Als das die Ammoniter sahen, flohen auch sie vor Abischai und zogen sich in die Stadt zurück. Da stellte Joab den Kampf gegen die Ammoniter ein und kehrte nach Jerusalem um.

Der Krieg gegen die Syrer (1. Chronik 19,16–19)

[15]Die Syrer wollten sich mit der Niederlage gegen die Israeliten nicht abfinden, darum riefen sie noch einmal alle ihre Truppen zusammen. [16]Hadad-Eser ließ auch die syrischen Stämme, die jenseits des Euphrat in Mesopotamien wohnten, zum Kampf ausrücken. Schobach, der oberste Heerführer Hadad-Esers, führte die syrischen Truppen nach Helam. [17]Als David es erfuhr, zog er alle wehrfähigen Israeliten ein, überquerte mit seinem Heer den Jordan und marschierte bis nach Helam. Die Syrer stellten sich zum Kampf auf, und eine heftige Schlacht begann. [18]Wieder wurden die Syrer in die Flucht geschlagen. Doch diesmal erlitten sie schwere Verluste: 700 Wagenlenker und 40000 Reiter fielen. David hatte den Heerführer Schobach so schwer verwundet, dass er noch auf dem Schlachtfeld starb.

[19]Die besiegten syrischen Könige, die bis dahin Hadad-Esers Untertanen gewesen waren, schlossen Frieden mit den Israeliten und stellten sich in ihren Dienst. Von da an wagten die Syrer nicht mehr, die Ammoniter zu unterstützen.

David begeht Ehebruch

11 Als der Frühling kam, begann wieder die Zeit, in der die Könige ihre Feldzüge unternahmen. Auch König David ließ seine Soldaten ausrücken: Unter der Führung Joabs zogen seine Offiziere mit dem ganzen Heer Israels in den Krieg gegen die Ammoniter. Sie verwüsteten das Land der Feinde und belagerten die Hauptstadt Rabba. David selbst blieb in Jerusalem.

[2]Eines Nachmittags, als David seine Mittagsruhe beendet hatte, ging er auf dem flachen Dach seines Palasts spazieren. Da fiel sein Blick auf eine Frau, die im Hof eines Nachbarhauses ein Bad nahm. Sie war sehr schön. [3]David wollte unbedingt wissen, wer sie war, und schickte einen Diener los, der es herausfinden sollte. Man berichtete ihm: »Die Frau heißt Batseba. Sie ist eine Tochter Eliams und verheiratet mit Uria, einem Hetiter.« [4]David sandte Boten zu ihr und ließ sie holen. Batseba kam, und er schlief mit ihr. Danach kehrte sie in ihr Haus zurück. Gerade vorher hatte sie die Reinigung vorgenommen, die das Gesetz nach der monatlichen Blutung vorschreibt.[a]

[5]Nach einiger Zeit merkte Batseba, dass sie schwanger war. Sie schickte einen Boten zu David, der es ihm sagen sollte. [6]Kaum hatte der König das gehört, ließ er Joab melden: »Schickt sofort den Hetiter Uria zu mir!« Joab gehorchte und schickte den Mann zu David. [7]Als Uria ankam, erkundigte sich David zunächst, ob es Joab und den Soldaten gut gehe und wie weit die Belagerung der Stadt schon vorangeschritten sei.

[8]Schließlich forderte er Uria auf: »Geh nun nach Hause zu deiner Frau, bade dich und ruh dich aus!« Uria war noch nicht weit gekommen, als ihn ein Diener einholte und ihm ein Geschenk des Königs überreichte. [9]Doch Uria ging nicht nach Hause, sondern zur königlichen Leibwache am Tor des Palasts. Dort übernachtete er.

[10]David hörte davon und ließ Uria gleich am nächsten Morgen zu sich rufen. »Warum hast du nicht zu Hause bei deiner Frau übernachtet?«, fragte er ihn. »Du warst doch jetzt so lange von ihr getrennt!« [11]Uria antwortete: »Die Bundeslade steht nur in einem Zelt, und auch die Soldaten Israels und Judas müssen mit

---

[a] Vgl. 3. Mose 15,19.29
11,1 2,13*; 1 Chr 20,1 **11,3** 23,39

Zelten auskommen. Selbst der Heerführer Joab und seine Offiziere übernachten auf offenem Feld am Boden. Und da sollte ich nach Hause gehen, essen, trinken und mit meiner Frau schlafen? So wahr du, mein Herr, lebst: Niemals könnte ich so etwas tun!«

[12]David bat ihn: »Bleib heute noch hier, Uria. Morgen lasse ich dich dann wieder ziehen.« So blieb Uria noch in Jerusalem.

[13]Am Abend lud David ihn zum Essen ein und machte ihn völlig betrunken. Doch auch diesmal ging Uria nicht nach Hause, sondern schlief wieder bei der Leibwache am Palast.

Uria muss sterben

[14]Am nächsten Morgen schrieb David einen Brief an Joab und gab ihn Uria mit. [15]Darin befahl er seinem Heerführer: »Stell Uria an die vorderste Front, wo der Kampf am härtesten tobt! Keiner von euch soll ihm Deckung geben. Zieht euch mitten in der Schlacht von ihm zurück, damit er getroffen wird und stirbt.«

[16]Joab hatte die Feinde in der belagerten Stadt schon länger beobachtet, und so wusste er, wo ihre gefährlichsten Leute standen. Genau dort setzte er nun Uria ein. [17]Als nun die Ammoniter aus der Stadt herausstürmten und angriffen, wurden einige Israeliten getötet, und auch der Hetiter Uria war unter den Gefallenen.

[18]Joab ließ David über den Ablauf des Kampfes genau unterrichten. [19]Er sagte dem Boten, der die Nachricht überbringen sollte: »Wenn du dem König über das Geschehene berichtest, [20]wird er vielleicht zornig und hält dir vor: ›Warum seid ihr so nah an die Stadtmauer herangerückt? Habt ihr denn nicht daran gedacht, dass die Feinde von der Mauer aus auf euch schießen würden? [21]Wisst ihr nicht mehr, wie es damals in Tebez Gideons Sohn[a] Abimelech erging? Von einer Frau wurde er umgebracht! Sie warf von der Mauer der Festung einen Mühlstein und erschlug ihn damit.[b] Warum also habt ihr so nahe an der Stadtmauer gekämpft?‹ Wenn David dir solche Vorwürfe macht, dann erwidere ihm, dass auch der Hetiter Uria gefallen ist.«

[22]Der Bote machte sich auf den Weg und ging in Jerusalem als Erstes zum König. Er richtete David alles aus, was Joab ihm aufgetragen hatte. [23]»Die Feinde waren stärker als wir«, erzählte er, »sie stürmten aus der Stadt und griffen uns auf freiem Feld an. Wir konnten sie bis unmittelbar vor die Tore der Stadt zurückdrängen. [24]Doch da schossen die Bogenschützen von der Mauer auf uns herunter. Einige deiner Soldaten wurden tödlich getroffen. Auch der Hetiter Uria ist gefallen.« [25]Da antwortete David: »Geh zurück und melde Joab: Lass dich durch diese Niederlage nicht entmutigen! Der Krieg ist eben so grausam: Mal trifft es diesen, mal jenen. Kämpfe entschlossen weiter gegen die Stadt, bis du sie zerstört hast. Nur Mut, Joab!«

[26]Als Batseba hörte, dass Uria gefallen war, hielt sie die Totenklage für ihren Mann. [27]Gleich nach der Trauerzeit ließ David sie zu sich in den Palast holen und heiratete sie. Bald darauf brachte sie einen Sohn zur Welt.

Der Herr aber verabscheute, was David getan hatte.

Du bist der Mann!

12 Der Herr sandte den Propheten Nathan zu David.

Als Nathan vor dem König stand, sagte er zu ihm: »Ich muss dir etwas erzählen: Ein reicher und ein armer Mann lebten in derselben Stadt. [2]Der Reiche hatte sehr viele Schafe und Rinder, [3]der Arme aber besaß nichts außer einem kleinen Lamm, das er erworben hatte. Er ver-

---

[a] Wörtlich: Jerubbaals Sohn. – Gideon wurde auch Jerubbaal genannt. Vgl. Richter 7,1
[b] Vgl. Richter 9,51–53
11,15 2 Mo 20,13* **12,1** 7,2; Ps 51,2

sorgte es liebevoll und zog es zusammen mit seinen Kindern groß. Es durfte sogar aus seinem Teller essen und aus seinem Becher trinken, und nachts schlief es in seinen Armen. Es war für ihn wie eine Tochter. [4]Eines Tages bekam der reiche Mann Besuch. Er wollte seinem Gast, der einen weiten Weg hinter sich hatte, etwas zu essen anbieten. Aber er brachte es nicht über sich, eines seiner eigenen Schafe oder Rinder zu schlachten. Darum nahm er dem Armen sein einziges Lamm weg und bereitete es für seinen Besucher zu.«

[5]David wurde vom Zorn gepackt und brauste auf: »So wahr der Herr lebt: Dieser Mann hat den Tod verdient! [6]Dem Armen soll er vier Lämmer geben für das eine, das er ihm rücksichtslos weggenommen hat.«

[7]Da sagte Nathan zu David: »Du bist dieser Mann! Der Herr, der Gott Israels, lässt dir sagen: ›Ich habe dich zum König von Israel erwählt und dich beschützt, als Saul dich umbringen wollte. [8]Den gesamten Reichtum Sauls und auch seine Frauen habe ich dir gegeben. Ganz Israel und Juda gehören dir. Und sollte dir das noch zu wenig sein, würde ich dir sogar noch mehr schenken. [9]Warum also missachtest du meinen Willen? Warum hast du getan, was ich verabscheue? Den Hetiter Uria hast du ermordet und dann seine Frau geheiratet. Ja, du, David, bist der Mörder Urias, denn du hast angeordnet, dass Uria im Kampf gegen die Ammoniter fallen sollte! [10]Von mir hast du dich abgewandt und Uria die Frau weggenommen. Darum sollen von nun an in jeder Generation einige deiner Nachkommen einen grausamen Tod erleiden.

[11]Ich, der Herr, sage dir: Jemand aus deiner eigenen Familie wird dich ins Unglück stürzen. Ich selbst werde dafür sorgen. Du musst erleben, wie ein Mann, der dir sehr nahe steht, dir deine Frauen wegnimmt und in aller Öffentlichkeit mit ihnen schläft. [12]Was du, David, heimlich getan hast, das lasse ich am helllichten Tag geschehen. Ganz Israel soll Zeuge sein.‹«

[13]Da bekannte David: »Ich habe gegen den Herrn gesündigt.« Nathan erwiderte: »Der Herr hat dir vergeben, du wirst nicht sterben. [14]Doch wegen deiner Tat spotten die Feinde Gottes noch mehr über ihn. Darum muss der Sohn, den Batseba dir geboren hat, sterben.«

[15]Nach diesen Worten ging Nathan wieder nach Hause.

Davids Sohn stirbt

Der Herr ließ das Kind, das Urias Frau geboren hatte, todkrank werden. [16]David zog sich zurück, um für seinen Sohn zu beten. Er fastete tagelang und schlief nachts auf dem Fußboden. [17]Seine Hofbeamten kamen und versuchten, ihn zum Aufstehen zu bewegen, doch ohne Erfolg. Auch zum Essen ließ er sich nicht überreden.

[18]Am siebten Tag starb das Kind. Keiner der Diener wagte es David mitzuteilen, denn sie befürchteten das Schlimmste. »Schon als das Kind noch lebte, ließ er sich durch nichts aufmuntern«, sagten sie zueinander. »Wie wird er sich erst verhalten, wenn er erfährt, dass es tot ist? Er könnte sich etwas antun!«

[19]Doch als David merkte, wie die Hofleute miteinander flüsterten, ahnte er, was geschehen war. »Ist der Junge tot?«, fragte er, und sie antworteten: »Ja, er ist gestorben.«

[20]Da stand David auf, wusch sich, pflegte sich mit wohlriechenden Salben und zog frische Kleider an. Dann ging er ins Heiligtum und warf sich nieder, um den Herrn anzubeten. Danach kehrte er in den Palast zurück und ließ sich etwas zu essen bringen. [21]»Wir verstehen dich nicht«, sagten seine Diener, »als das Kind noch lebte, hast du seinetwegen gefastet und geweint. Doch jetzt, wo es gestorben ist, stehst du auf und isst wieder.« [22]David

---

12,6 2 Mo 21,37 **12,7** 1 Sam 16,13 **12,8** 2,4; 5,3 **12,9** 11,15.24.27 **12,11** 16,21–22 **12,13** 3 Mo 20,10 **12,14** 11,27

erwiderte: »Solange mein Sohn lebte, habe ich gefastet und geweint, weil ich dachte: Vielleicht hat der Herr Erbarmen mit mir und lässt ihn am Leben. [23] Doch nun ist er gestorben – warum soll ich jetzt noch fasten? Kann ich ihn damit etwa zurückholen? Nein, er kehrt nicht mehr zu mir zurück, ich aber werde eines Tages zu ihm gehen!«

[24] Dann ging David zu seiner Frau Batseba und tröstete sie. Er schlief mit ihr, und sie brachte wieder einen Sohn zur Welt. David nannte ihn Salomo (»der Friedliche«). Der Herr liebte das Kind, [25] darum gab er dem Propheten Nathan den Auftrag, hinzugehen und dem Jungen einen zweiten Namen zu geben: Jedidja (»Liebling des Herrn«).

Die Eroberung der Stadt Rabba
(1. Chronik 20,1–3)

[26] Noch immer belagerte Joab mit dem israelitischen Heer Rabba, die Hauptstadt der Ammoniter. Es gelang ihm, einen Bezirk zu erobern, der »Königsstadt« genannt wurde. [27] Er schickte Boten zu David und ließ ihm ausrichten: »Ich habe Rabba angegriffen und nun schon den Stadtteil unten am Fluss eingenommen. [28] Darum sammle jetzt den Rest deines Heeres und stürme die Stadt. Du sollst sie einnehmen, nicht ich. Sonst werde ich als Eroberer gefeiert!«

[29] Da zog David mit den übrigen Soldaten nach Rabba. Er griff die Stadt an und eroberte sie. [30] Die Israeliten machten reiche Beute und schafften sie aus Rabba fort. David nahm König Hanun die Krone ab und setzte sie selbst auf. Sie wog 36 Kilogramm, war aus reinem Gold und mit einem kostbaren Edelstein besetzt. [31] Die Einwohner von Rabba verschleppte David und verurteilte sie zur Zwangsarbeit mit Steinsägen, eisernen Pickeln und Äxten; außerdem mussten sie Ziegel brennen. Ebenso erging es den Einwohnern der anderen ammonitischen Städte.

Als der Krieg vorüber war, kehrten David und sein Heer nach Jerusalem zurück.

Tamar wird vergewaltigt

13 Absalom, einer der Söhne Davids, hatte eine schöne Schwester namens Tamar. Eines Tages verliebte sich ihr Halbbruder Amnon in sie. Er war Davids ältester Sohn. [2] Amnon begehrte Tamar so sehr, dass er krank wurde. Er sah keine Möglichkeit, an sie heranzukommen, denn die unverheirateten Töchter des Königs wurden gut behütet.

[3] Amnon war mit Jonadab befreundet, einem Sohn von Davids Bruder Schamma. Jonadab war ein sehr schlauer Mann. [4] Er fragte Amnon: »Was ist los mit dir, Königssohn? Jeden Morgen siehst du trauriger aus! Willst du es mir nicht sagen?« Da gestand Amnon: »Ich habe mich in Absaloms Schwester Tamar verliebt.« [5] Jonadab riet seinem Freund: »Leg dich doch ins Bett, und stell dich krank! Wenn dein Vater dich besucht, dann frag ihn, ob nicht deine Schwester Tamar dir etwas zu essen bringen könnte. Sag ihm: ›Wenn ich zuschauen kann, wie sie mir etwas Gutes kocht, dann bekomme ich bestimmt wieder Appetit und esse etwas. Sie selbst soll es mir reichen.‹«

[6] So legte Amnon sich ins Bett und stellte sich krank. Als der König kam, um nach ihm zu sehen, bat Amnon: »Könnte nicht meine Schwester Tamar zu mir kommen? Sie soll vor meinen Augen zwei Kuchen in der Pfanne backen und sie mir bringen.«

[7] Sofort schickte David einen Diener zu dem Haus, wo Tamar wohnte, und ließ ihr sagen: »Dein Bruder Amnon ist krank. Geh doch zu ihm, und mach ihm etwas zu essen!« [8] Tamar kam zu Amnon. Während sie einen Teig knetete, die Kuchen formte und sie in der Pfanne backte, lag er da und schaute ihr zu. [9] Als sie ihm die fertigen Kuchen bringen wollte, weigerte Amnon sich zu essen. Stattdessen befahl

---

12,26 11,1 **13,1** 3,2–3 **13,3** 1 Sam 16,9

er: »Alle Diener sollen das Zimmer verlassen!« Danach [10] sagte er zu Tamar: »Ich will nur von dir bedient werden! Bring mir das Essen ins Schlafzimmer!« Tamar nahm die Kuchen und brachte sie ihrem Bruder ans Bett.

[11] Als sie ihm das Essen reichen wollte, packte er sie und sagte: »Komm, meine Schwester, leg dich doch zu mir!« [12] Sie rief: »Nein, Amnon, zwing mich nicht zu so etwas. Das ist in Israel doch verboten. Ein solches Verbrechen darfst du nicht begehen! [13] Was soll dann aus mir werden? Denk doch, welche Schande das für mich wäre! Und du würdest in ganz Israel als gewissenloser Kerl dastehen. Warum redest du nicht mit dem König? Bestimmt erlaubt er dir, mich zu heiraten.« [14] Doch Amnon wollte nicht auf sie hören. Er stürzte sich auf sie und vergewaltigte sie.

[15] Aber dann schlug seine große Liebe in glühenden Hass um. Ja, er hasste Tamar nun mehr, als er sie vorher geliebt hatte. »Mach, dass du fortkommst!«, schrie er sie an. [16] »Nein«, flehte sie, »tu das nicht! Wenn du mich jetzt wegjagst, ist das noch viel schlimmer als das, was du mir vorhin angetan hast.« Aber auch jetzt ließ er sich nichts von ihr sagen. [17] Er rief seinen Kammerdiener und befahl: »Jag die da hinaus, und verriegle die Tür hinter ihr!« [18] Der Diener warf sie hinaus und verschloss die Tür.

Tamar trug ein weites Gewand mit langen Ärmeln. So kleideten sich die Töchter des Königs, die noch Jungfrauen waren. [19] In ihrer Verzweiflung zerriss sie ihr Gewand, streute sich Asche auf den Kopf und legte die Hand darauf. Laut weinend lief sie davon. [20] Zu Hause fragte Absalom sie: »Hat dieser Amnon dich belästigt? Sag niemandem etwas davon, denn er ist dein Bruder. Nimm die Sache nicht zu schwer!« Von da an wohnte Tamar einsam im Haus ihres Bruders Absalom.

[21] Als König David davon erfuhr, wurde er sehr zornig. Doch er brachte es nicht übers Herz, Amnon zu bestrafen, denn er war sein ältester Sohn, und David liebte ihn besonders. [22] Absalom sprach kein Wort mehr mit Amnon, er machte ihm keine Vorwürfe, aber er grüßte ihn auch nicht. Er hasste seinen Bruder, weil er seine Schwester Tamar vergewaltigt hatte.

Absaloms Rache

[23] Zwei Jahre vergingen. Absalom ließ in Baal-Hazor in der Nähe der Stadt Ephraim seine Schafe scheren. Bei dieser Gelegenheit wollte er einmal alle Söhne des Königs zu einem Fest einladen. [24] Er ging zu König David und sagte zu ihm: »Mein Vater, ich lasse gerade meine Schafe scheren. Und da wäre es mir eine Ehre, wenn der König und sein Hofstaat meine Einladung zu einem Fest annehmen würden.«

[25] Doch David wehrte ab: »Nein, mein Sohn, wir können nicht alle kommen. Wir würden dir nur zur Last fallen!« Absalom versuchte seinen Vater zu überreden, aber David nahm die Einladung nicht an. Er segnete seinen Sohn und verabschiedete sich von ihm.

[26] Schließlich bat Absalom: »Wenn du selbst schon nicht willst, dann lass doch wenigstens meinen Bruder Amnon mitkommen.« »Warum gerade Amnon?«, fragte David. [27] Doch Absalom ließ nicht locker, und so gestattete David Amnon und seinen anderen Söhnen, mit nach Baal-Hazor zu gehen.

[28] Ehe das Fest begann, befahl Absalom seinen Dienern: »Sobald Amnon vom Wein etwas angeheitert ist, gebe ich euch ein Zeichen. Dann bringt ihn um! Ihr habt nichts zu befürchten, denn ich habe es euch befohlen und trage die volle Verantwortung dafür. Nur Mut, erweist euch als tapfere Männer!«

[29] Die Diener führten den Befehl aus und ermordeten Amnon. Entsetzt sprangen die anderen Königssöhne auf und flohen auf ihren Maultieren. [30] Noch bevor sie in Jerusalem ankamen, war ihnen das

---

13,12 3 Mo 18,9 **13,16** 5 Mo 22,28–29

Gerücht vorausgeeilt. Man berichtete dem König: »Absalom hat alle deine Söhne umgebracht, kein einziger hat überlebt!«

[31] Der König fuhr auf, zerriss seine Kleider und warf sich auf den Boden. Sprachlos standen seine Diener um ihn herum, auch sie hatten ihre Gewänder zerrissen. [32] Schließlich ergriff Davids Neffe Jonadab das Wort: »Mein Herr«, versuchte er den König zu beruhigen, »noch weißt du nicht sicher, ob wirklich alle deine Söhne ermordet worden sind. Ich nehme an, dass nur Amnon tot ist. Denn seit er Tamar vergewaltigte, war Absalom fest entschlossen, sich zu rächen. [33] Darum, mein Herr und König, nimm das Gerücht nicht allzu ernst, dass alle deine Söhne umgekommen seien. Bestimmt wurde nur Amnon getötet.«

[34] Absalom war nach seiner Tat geflohen. Einer der Wächter auf der Stadtmauer von Jerusalem erblickte plötzlich in der Ferne eine große Gruppe von Menschen. Sie kamen auf der Straße von Horonajim den Hügel herunter. [35] Da sagte Jonadab zu David: »Siehst du, schon kommen deine Söhne zurück. Ich habe es doch gleich gewusst!« [36] Kaum hatte er ausgeredet, da liefen die Söhne Davids herein. Sie fingen alle an zu weinen, auch der König und seine Diener brachen in Tränen aus.

[37] David trauerte noch lange um seinen ältesten Sohn. Absalom aber floh zum König von Geschur, zu Talmai, dem Sohn Ammihuds. [38] Dort blieb er drei Jahre lang. [39] Allmählich fand David sich mit dem Tod Amnons ab, und so legte sich mit der Zeit auch sein Zorn gegen Absalom.

Joab setzt sich für Absalom ein

14 Joab, der Sohn von Davids Schwester Zeruja, merkte, dass der König seinen Sohn Absalom vermisste. [2] Da ließ er eine Frau aus Tekoa holen, die für ihre Klugheit bekannt war. Joab trug ihr auf: »Tu so, als würdest du schon lange um jemanden trauern. Zieh Trauerkleider an, und benutze keine wohlriechenden Salben. [3] Du sollst für mich zum König gehen und mit ihm reden.« Dann sagte Joab ihr Wort für Wort, was sie dem König erzählen sollte.

[4] Als die Frau vor David trat, verbeugte sie sich und warf sich vor ihm zu Boden. »Mein König, bitte steh mir bei!«, flehte sie ihn an. [5] »Was bedrückt dich?«, wollte David wissen, und sie antwortete: »Ach, ich bin Witwe, mein Mann ist gestorben. [6] Ich hatte zwei Söhne. Eines Tages stritten sie draußen auf dem Feld heftig miteinander. Leider war weit und breit kein Mensch, der hätte eingreifen können, und so schlug der eine den anderen tot. [7] Seitdem, o König, ist die ganze Verwandtschaft meines Mannes hinter mir her. Sie verlangen, dass ich ihnen meinen Sohn ausliefere, weil er seinen Bruder umgebracht hat. Sie wollen ihn töten und so den Mord rächen. Ja, umbringen wollen sie ihn, damit er nicht das Erbe seines Vaters antreten kann! So rauben sie mir noch den letzten Funken Hoffnung. Wenn nämlich mein zweiter Sohn auch umkommt, dann gibt es im ganzen Land niemanden mehr, der den Namen meines Mannes weiterträgt; und so stirbt seine Familie aus.« [8] Da sagte der König zu der Frau: »Ich werde die Sache in die Hand nehmen. Geh ruhig nach Hause.«

[9] Doch die Frau wandte ein: »Mein König, ich befürchte, dass die Verwandten meines verstorbenen Mannes mich trotzdem nicht in Ruhe lassen. Sie werden mich und meine Familie dafür verantwortlich machen, wenn der Tod meines Sohnes nicht gerächt wird. Dir werden sie es sicher nicht vorwerfen.« [10] David erwiderte: »Wer dir Schwierigkeiten macht, den zeige bei mir an! Ich werde dafür sorgen, dass er dich in Ruhe lässt.« [11] Die Frau aber gab sich immer noch nicht zufrieden; sie bat: »Mein König, schwöre mir doch bei dem Herrn, deinem Gott, die Blutrache zu verhindern und nicht zu-

---

13,37 3,3 **14,7** 5 Mo 19,11–13

zulassen, dass man meinen Sohn umbringt. Das erste Verbrechen soll nicht ein schlimmeres nach sich ziehen.« Da sagte David: »Ich schwöre dir, so wahr der Herr lebt: Deinem Sohn wird kein Haar gekrümmt werden.«

[12] Die Frau fragte: »Nun habe ich noch etwas auf dem Herzen. Darf ich es vorbringen?« »Sprich!«, forderte David sie auf. [13] Da sagte sie: »Warum begehst du gegen jemanden aus dem Volk Gottes genau das Unrecht, das du eben verurteilt hast? Indem du dieses Urteil fällst, sprichst du dich selbst schuldig, denn du hast deinen Sohn verstoßen und lässt ihn nicht wieder zurückkehren. [14] Zwar müssen wir alle einmal sterben. Wir sind wie Wasser, das auf den Boden geschüttet wird: Es verrinnt und versickert unwiederbringlich. Aber Gott löscht das Leben nicht einfach so aus. Er will den Verbannten zurückholen, damit er nicht für immer von ihm verstoßen bleibt. [15] Ja, mein König, ich bin mit meinem Anliegen hierher gekommen, weil ich keinen anderen Ausweg mehr sah: Meine Verwandten haben mir große Angst eingejagt. Da dachte ich: Ich wage es, dem König meinen Fall vorzulegen; vielleicht nimmt er sich meiner an. [16] Gewiss wirst du, mein König, mich vor dem Mann beschützen, der mich und meinen Sohn um das Erbe bringen will, das Gott uns in Israel gegeben hat. [17] Wenn der König die Sache für mich in die Hand nimmt, so dachte ich, dann kann ich endlich wieder in Frieden leben. Denn du bist wie der Engel Gottes: Du kannst Recht und Unrecht unterscheiden. Der Herr, dein Gott, möge dir helfen.«

[18] Darauf sagte David: »Eine Frage möchte ich dir noch stellen. Beantworte sie ehrlich, verheimliche mir nichts!« »Ja, ich höre«, antwortete sie. David fragte: »Hat Joab hier die Hand im Spiel?« [19] Da rief die Frau: »Es ist tatsächlich wahr: Der König lässt sich einfach nichts vormachen! Ja, es war dein Heerführer Joab, der mich hergeschickt hat. Er hat mir Wort für Wort aufgetragen, was ich erzählen soll, [20] denn er wollte es dir nicht direkt ins Gesicht sagen. Aber mein Herr, der König, ist so klug wie ein Engel Gottes. Er hat alles sofort durchschaut, nichts entgeht ihm!«

Absaloms Rückkehr

[21] David ließ Joab zu sich rufen und sagte zu ihm: »Ich will dir deinen Wunsch erfüllen. Lass meinen Sohn Absalom zurückholen!« [22] Joab verneigte sich, warf sich vor David zu Boden und rief: »Nun weiß ich, dass du, mein König, mir deine Gunst geschenkt hast, denn du erfüllst meine Bitte! Der Herr segne dich dafür!«

[23] Joab reiste nach Geschur und holte Absalom zurück. [24] Doch als sie in Jerusalem ankamen, befahl der König: »Er darf wieder in seinem Haus wohnen, aber mir soll er nicht unter die Augen kommen!« So lebte Absalom wieder in seinem Haus, den König durfte er jedoch nicht sehen.

[25] In ganz Israel gab es keinen Mann, der so schön war wie Absalom. Er war von Kopf bis Fuß vollkommen, und alle Leute bewunderten ihn. [26] Einmal im Jahr ließ er sich die Haare schneiden, weil sie ihm zu schwer wurden. Sie wogen mehr als zwei Kilogramm[a]. [27] Absalom hatte drei Söhne und eine Tochter, die Tamar hieß. Sie war ein sehr hübsches Mädchen.

[28] Inzwischen wohnte Absalom schon zwei Jahre wieder in Jerusalem, den König aber durfte er noch immer nicht besuchen. [29] Da ließ er eines Tages Joab zu sich rufen. Der sollte beim König ein gutes Wort für ihn einlegen. Doch Joab weigerte sich zu kommen. Absalom bat ihn ein zweites Mal zu sich, aber wieder erschien er nicht. [30] Da befahl Absalom seinen Knechten: »Los, geht zu Joabs Gerstenfeld, das an mein Land angrenzt, und steckt es in Brand!«

[31] Als das Feld in Flammen stand, eilte Joab zu Absalom und stellte ihn zur Re-

---

[a] Wörtlich: 200 Schekel nach königlichem Gewicht.

14,17.20 1 Sam 29,9 **14,23** 13,37 **14,25** 1 Sam 9,2 **14,27** 18,18

de: »Warum haben deine Knechte mein Gerstenfeld angezündet?« [32]»Weil du nicht gekommen bist, als ich dich rufen ließ«, erwiderte Absalom. »Du solltest für mich zum König gehen und ihn fragen, warum man mich überhaupt aus Geschur geholt hat. Ich hätte lieber dort bleiben sollen. Entweder der König empfängt mich jetzt endlich, oder er lässt mich hinrichten, falls er mich immer noch für schuldig hält!«

[33]Joab berichtete dem König, was Absalom gesagt hatte. Da ließ David seinen Sohn zu sich rufen. Absalom kam herein, verneigte sich und warf sich vor dem König zu Boden. David aber umarmte seinen Sohn und küsste ihn.

Absalom plant eine Verschwörung

15 Absalom beschaffte sich einen Wagen mit Pferden und eine fünfzig Mann starke Leibwache. [2]Er stellte sich jeden Morgen in aller Frühe an das Tor zum Palast. Alle, die mit einer Streitsache kamen, um sie dem König als oberstem Richter vorzulegen, fragte er nach ihrer Heimatstadt. Wenn jemand zu einem der Nordstämme Israels gehörte, [3]sagte Absalom zu ihm: »Zweifellos würdest du den Prozess gewinnen, denn du bist im Recht. Aber man wird dich gar nicht erst bis zum König vorlassen.« [4]Und er fügte noch hinzu: »Ach, wäre doch ich der oberste Richter in unserem Land! Ich würde mir Zeit nehmen für jeden, der mit seinem Fall zu mir kommt. Allen würde ich zu ihrem Recht verhelfen.« [5]Wenn der andere sich dann voller Ehrfurcht vor Absalom zu Boden werfen wollte, kam der ihm zuvor, umarmte und küsste ihn. [6]So verhielt Absalom sich gegenüber allen Leuten aus Israel, die mit ihren Streitigkeiten zum König nach Jerusalem kamen. Dadurch machte er sich bei ihnen beliebt.

[7]Das ging vier[a] Jahre lang so. Eines Tages sagte Absalom zu David: »Ich möchte gern nach Hebron gehen, um ein Gelübde zu erfüllen, das ich vor dem Herrn abgelegt habe. [8]Denn als ich in Geschur in Syrien war, schwor ich ihm: ›Wenn du mich wieder nach Jerusalem heimkehren lässt, bringe ich dir ein Opfer dar.‹« [9]»Geh nur und erfülle dein Gelübde«, antwortete der König. Absalom ging nach Hebron [10]und sandte heimlich Boten in alle Stammesgebiete Israels. Sie sollten überall verkünden: »Sobald ihr die Hörner hört, ruft, so laut ihr könnt: ›Absalom ist unser König! In Hebron wurde er gekrönt.‹« [11]Absalom hatte 200 Männer aus Jerusalem zu seinem Opferfest nach Hebron eingeladen. Sie wussten nichts von seinen Plänen und gingen ahnungslos mit.

[12]Als die Opfertiere geschlachtet waren, schickte Absalom noch eine Einladung an Ahitofel, einen Berater des Königs, der in Gilo wohnte. Ahitofel kam und schloss sich ihm an. So sammelte Absalom immer mehr Leute um sich, die seine Verschwörung unterstützten.

Davids Flucht aus Jerusalem

[13]Ein Bote kam zu David nach Jerusalem und meldete: »Absalom hat eine Verschwörung angezettelt! Die meisten Israeliten sind auf seiner Seite.« [14]»Dann gibt es für uns nur eines: fliehen, damit wir ihm nicht in die Hände fallen«, sagte David zu seinen Anhängern. »Wir müssen sofort aufbrechen, beeilt euch! Sonst überwältigt er uns hier in der Stadt, und dann sind wir und alle Einwohner verloren. Denn bestimmt würde er ein großes Blutbad anrichten.« [15]Davids Leute antworteten: »Wir stehen zu unserem König. Tu, was du für richtig hältst!«

[16]David floh mit seiner Familie und allen Anhängern aus der Stadt. Nur zehn seiner Nebenfrauen ließ er zurück, damit der Palast nicht unbeaufsichtigt blieb.

---

[a] So mit der griechischen Übersetzung. Der hebräische Text lautet: vierzig.

15,1 1 Kön 1,5–6 **15,7** 5 Mo 23,22–24 **15,8** 13,37–38 **15,10** 1 Kön 1,39 **15,12** 15,31–34; 16,20–21.23; 17,1.7.14.23 **15,14** Ps 3,1 **15,16** 16,21–22; 20,3

[17]Er ging mit seinem Gefolge bis zum letzten Haus am Stadtrand und machte dort Halt. [18]Dann ließ er alle, die mitgekommen waren, an sich vorüberziehen: zuerst die königliche Leibwache, dann die 600 Mann, die ihm aus Gat gefolgt waren, und schließlich alle anderen, die zu ihm hielten. [19]Als Ittai, ein Philister aus Gat, an David vorüberging, sprach der König ihn an: »Warum möchtest du mit uns ziehen? Es ist besser für dich, wenn du umkehrst und dich dem neuen König anschließt. Du bist als Einwanderer nach Israel gekommen, weil du deine Heimat verlassen musstest. [20]Erst vor kurzem hast du dich hier angesiedelt, und jetzt solltest du schon wieder vertrieben werden? Nein, ich kann nicht verlangen, dass du bei mir bleibst. Wer weiß, wohin ich noch fliehen muss. Darum kehr um, und geh mit deinen Landsleuten zurück in die Stadt. Der Herr möge dir Gutes tun und dir seine Liebe erweisen.«

[21]Doch Ittai entgegnete: »So wahr der Herr lebt und so wahr du lebst: Ich werde dich, meinen König, niemals im Stich lassen, und wenn es mich das Leben kostet! Das schwöre ich dir!« [22]Da gab David nach und sagte: »Gut, dann komm mit uns!« Und so zog Ittai mit seinen Begleitern und ihren Familien an David vorbei. [23]Schließlich überquerte David den Bach Kidron und schlug den Weg in Richtung Wüste ein. Die Leute von Jerusalem weinten laut, als sie den König und sein Gefolge fliehen sahen.

[24]Auch der Priester Zadok und die Leviten hatten mit David die Stadt verlassen. Die Leviten trugen die Bundeslade und stellten sie außerhalb der Stadt ab. Der Priester Abjatar brachte Opfer dar, bis alle Leute vorbeigezogen waren. [25]David sagte zu Zadok: »Tragt die Bundeslade zurück in die Stadt! Wenn der Herr Erbarmen mit mir hat, bringt er auch mich eines Tages wieder dorthin und lässt mich die Bundeslade und das Zelt, in dem sie steht, wiedersehen. [26]Wenn er aber sagt: ›Du sollst nicht länger König sein‹, so will ich auch das annehmen. Er soll mit mir tun, was er für richtig hält.

[27]Du aber, Zadok, gehst besser nach Jerusalem zurück. Nimm deinen Sohn Ahimaaz mit, und auch Abjatar und sein Sohn Jonatan sollen sich euch anschließen. [28]Ich selbst werde am Rand der Wüste am Jordanübergang warten, bis ich von euch Nachricht über die Lage in Jerusalem erhalte.«

[29]Da brachten die Priester Zadok und Abjatar die Bundeslade Gottes zurück nach Jerusalem und blieben dort. [30]David und die Menschen, die mit ihm gegangen waren, stiegen weinend den Ölberg hinauf. Als Zeichen der Trauer hatten sie ihre Gesichter verhüllt und liefen barfuß. [31]Unterwegs wurde David gemeldet: »Dein Berater Ahitofel unterstützt Absalom bei der Verschwörung.« Da betete er: »Herr, sorge dafür, dass man die klugen Ratschläge Ahitofels für Unsinn hält.«

[32]Als David den Gipfel erreicht hatte, wo man zu Gott betete, kam ihm sein alter Freund, der Arkiter Huschai, entgegen. Auch er hatte sein Gewand zerrissen und sich Erde auf den Kopf gestreut. [33]David sagte zu ihm: »Wenn du in deinem Alter mit uns ziehst, fällst du uns nur zur Last. [34]Gehst du aber zurück in die Stadt, dann kannst du mir einen großen Dienst erweisen. Sag zu Absalom: ›Mein Herr und König, ich stehe dir zur Seite! Früher diente ich deinem Vater, jetzt aber bist du mein Herr.‹ So kannst du mir helfen, die Pläne zu vereiteln, die Ahitofel sich ausdenkt. [35/36]Du bist nicht allein: Auch die Priester Zadok und Abjatar bleiben in Jerusalem. Berichte ihnen alles Wichtige aus dem königlichen Palast. Zadoks Sohn Ahimaaz und Abjatars Sohn Jonatan werden es mir dann weitersagen. Auch sie bleiben vorerst noch in der Stadt.«

15,18 8,18; 1 Sam 27,2 **15,24** 1 Sam 22,20–21* **15,26** 1 Sam 3,18 **15,31** 15,12* **15,34** 17,7 **15,35–36** 17,15–21

[37]Da kehrte Davids Freund und Berater Huschai um. Er kam gerade nach Jerusalem, als Absalom wie ein König einzog.

Ziba verleumdet Mefi-Boschet

16 Als David den Gipfel des Ölbergs verlassen hatte und seinen Weg fortsetzen wollte, kam ihm Ziba, der Diener von Sauls Enkel Mefi-Boschet, entgegen. Er führte zwei gesattelte Esel mit sich, denen er 200 Brote, 100 Rosinenkuchen, 100 frische Früchte und einen Weinschlauch aufgeladen hatte. [2]»Was hast du damit vor?«, wollte der König wissen. Ziba antwortete: »Die Esel sind als Reittiere für deine Familie gedacht, das Brot und das Obst für deine Leute und der Wein zur Stärkung für alle, die auf dem Weg durch die Wüste müde werden.« [3]»Und wo ist Mefi-Boschet, der Enkel deines früheren Herrn?«, fragte der König. Ziba antwortete: »Der wollte in Jerusalem bleiben. Er hat behauptet: ›Heute werden mich die Israeliten zum König von Israel krönen, denn ich bin der Nachkomme Sauls.‹« [4]Da erwiderte David: »Ab sofort gehört dir, Ziba, der ganze Besitz Mefi-Boschets!« Ziba sagte: »Ich bin dir ergeben, mein Herr und König! Für mich zählt nur eines: dass du mir deine Gunst schenkst.«

Schimi beschimpft David

[5]Als König David nach Bahurim kam, lief ihm ein Mann aus dem Ort entgegen und beschimpfte ihn. Es war Schimi, ein Sohn Geras, der mit Saul verwandt war. [6]Schimi ließ sich von der Leibwache und den Elitesoldaten, die den König umgaben, nicht abschrecken und warf mit Steinen nach David und seinem Gefolge. [7]Dabei fluchte er und schrie: »Verschwinde, du Verbrecher, du Mörder! [8]Ja, du bist schuld daran, dass Saul und seine Familie umgekommen sind, du hast die Herrschaft einfach an dich gerissen! Jetzt aber straft dich der Herr für das unschuldig vergossene Blut: Er hat deinen Sohn Absalom an deiner Stelle zum König gemacht und dich ins Unglück gestürzt. Etwas Besseres hast du auch nicht verdient, du Mörder!«

[9]Da sagte Abischai, der Sohn von Davids Schwester Zeruja, zum König: »Wie kommt dieser Nichtsnutz dazu, dich so zu beschimpfen? Lass mich hingehen und ihm den Kopf abschlagen!« [10]Doch David bremste ihn: »Wie oft muss ich es dir und deinem Bruder Joab noch sagen: Ich halte nichts von euren Racheakten! Soll dieser Schimi mich doch beschimpfen! Wenn der Herr es ihm befohlen hat – können wir es ihm dann verbieten?« [11]Nun wandte David sich an seine Soldaten, die um ihn standen: »Wenn schon mein eigener Sohn mir nach dem Leben trachtet, dann ist es doch von diesem Verwandten Sauls erst recht zu erwarten! Lasst ihn nur schimpfen und fluchen! Bestimmt hat der Herr es ihm befohlen. [12]Doch ich hoffe, dass der Herr mich nicht allein lässt in meinem Elend. Vielleicht verwandelt er die Flüche Schimis in Segen.«

[13]David und seine Leute setzten ihren Weg fort. Schimi lief ihnen am Berghang entlang nach, fluchte und warf mit Steinen und Erdklumpen nach dem König. [14]Erschöpft erreichten sie schließlich den Jordan und ruhten sich dort aus.

Absalom in Jerusalem

[15]Inzwischen waren Absalom und seine Anhänger in Jerusalem eingezogen. Auch Ahitofel hatte sich ihnen angeschlossen. [16]Bald darauf kam Davids Freund und Berater Huschai zu Absalom und rief ihm zu: »Hoch lebe der König! Hoch lebe der König!« [17]Da spottete Absalom: »Und so einer nennt sich Freund des Königs! Ist deine Liebe zu ihm schon erloschen? Warum bist du nicht mit dei-

---

16,1 9,1–13 **16,3–4** 19,25–31 **16,5** 19,17–24; 1 Kön 2,8–9.36–46 **16,9** 1 Sam 26,6* **16,10** 3,39 **16,16** 15,34.37

nem Freund gegangen?« [18]Huschai antwortete: »Ich stehe zu dem König, den der Herr und sein Volk auserwählt haben! Der und kein anderer ist mein Herr! [19]Und wem sollte ich dienen, wenn nicht dem Sohn des früheren Königs? Ich werde dir ergeben sein, so wie ich deinem Vater treu ergeben war.«

[20]Danach wandte Absalom sich an Ahitofel und fragte: »Was sollen wir nun weiter unternehmen? Gib mir einen Rat!« [21]Ahitofel erwiderte: »Dein Vater hat doch einige Nebenfrauen hier gelassen, damit der Palast nicht unbeaufsichtigt bleibt. Hol sie dir, und schlaf mit ihnen! Dann sieht ganz Israel, dass du dich bei deinem Vater verhasst gemacht hast, und deine Anhänger werden noch entschlossener zu dir halten.« [22]Da schlug man auf dem Dach des Palasts für Absalom ein Zelt auf. Ganz Israel wurde Zeuge, als er mit den Nebenfrauen seines Vaters dort hineinging, um mit ihnen zu schlafen.

[23]Damals wurden Ahitofels Ratschläge bereitwillig befolgt, als kämen sie von Gott. So war es schon bei David gewesen, und daran änderte sich auch bei Absalom nichts.

Ahitofel und Huschai beraten Absalom

17 Ahitofel machte Absalom noch einen Vorschlag: »Erlaube mir, dass ich sofort ein Heer von 12000 Mann aufstelle und noch heute Nacht die Verfolgung Davids aufnehme. [2]Ich will ihn überraschen, solange er erschöpft und entmutigt ist. Wir werden seine Leute in Angst und Schrecken versetzen, sie werden fliehen, und dann bringe ich den König um. [3]So wird nur er allein getötet, und ich kann dir ganz Israel als dein Volk zuführen. Dann herrscht wieder Frieden im Land!«

[4]Dieser Vorschlag gefiel Absalom, und auch die Ältesten Israels stimmten zu. [5]Trotzdem sagte Absalom: »Wir wollen erst noch hören, was der Arkiter Huschai dazu meint. Jemand soll ihn holen!« [6]Als Huschai da war, erklärte Absalom ihm den Plan Ahitofels und fragte: »Was denkst du, sollen wir so vorgehen, oder hast du eine bessere Idee?«

[7]Huschai antwortete: »Mir scheint, diesmal hat Ahitofel dir keinen guten Rat gegeben. [8]Du kennst doch deinen Vater und seine Männer: Sie alle sind kampferprobte Soldaten. Sie werden erbittert kämpfen wie eine Bärin, der man die Jungen weggenommen hat. Dein Vater ist ein erfahrener Heerführer, er wird kaum bei seinen Leuten übernachten. [9]Wahrscheinlich hat er sich längst in einer Höhle oder sonst irgendwo versteckt. Wenn gleich am Anfang einige deiner Soldaten fallen und es überall heißt: ›Absaloms Heer hat eine Niederlage erlitten!‹, [10]dann bekommen alle deine Männer es mit der Angst zu tun, selbst wenn sie tapfer sind wie Löwen. Da kannst du sicher sein! Denn in Israel weiß jeder, dass dein Vater ein erfahrener Heerführer ist und die besten Soldaten um sich hat.

[11]Darum rate ich dir: Berufe alle wehrfähigen Israeliten ein, von Dan im Norden bis Beerscheba im Süden; dann kannst du ein riesiges Heer aufstellen, mit Soldaten so zahlreich wie der Sand am Meer. Du musst sie aber selbst anführen. [12]Dann spüren wir David auf, egal wo er sich versteckt. Du wirst sehen: Wir fallen über seine Soldaten her und verschonen niemand, so wie Tau am frühen Morgen auf die Erde fällt und alles bedeckt. Keiner wird mit dem Leben davonkommen, auch er selbst nicht. [13]Hat David sich aber in einer Stadt verschanzt, dann sollen deine Männer Seile an der Mauer befestigen und die ganze Stadt ins Tal schleifen. Kein Stein wird auf dem anderen bleiben!«

[14]Da waren sich Absalom und die führenden Israeliten einig: »Huschais Vorschlag ist besser als Ahitofels.« Sie wussten nicht, dass der Herr hier seine Hand

16,20 15,12* **16,21–22** 12,11–12; 15,16; 20,3 **17,1** 15,12* **17,5** 16,16 **17,14** 15,31

im Spiel hatte: Er vereitelte den Plan Ahitofels, obwohl er eigentlich der bessere war. Denn der Herr wollte Absalom ins Unglück stürzen.

David erfährt von Absaloms Plan

[15]Huschai berichtete den Priestern Zadok und Abjatar, was Ahitofel Absalom und den Ältesten Israels geraten hatte. Auch von seinem eigenen Vorschlag erzählte er ihnen. [16]Dann sagte er: »Schickt nun sofort einen Boten zu David. Er soll ihm alles mitteilen und ihn warnen: ›Übernachte auf keinen Fall am Rand der Wüste! Du musst unbedingt heute noch den Jordan überqueren, sonst bist du verloren und mit dir alle deine Begleiter.‹«

[17]Jonatan und Ahimaaz warteten inzwischen außerhalb von Jerusalem bei der Rogelquelle, denn sie durften sich in der Stadt nicht sehen lassen. Eine Magd überbrachte ihnen die Nachricht für David. [18]Doch sie wurden von einem jungen Mann gesehen, der gleich zu Absalom ging und es ihm meldete. Schnell brachen die beiden auf; unterwegs fanden sie bei einem Mann in Bahurim Unterschlupf. Sie versteckten sich in der Zisterne in seinem Hof. [19]Die Frau des Mannes breitete eine Decke über die Öffnung und streute Getreidekörner zum Trocknen darauf aus, damit niemand etwas merkte.

[20]Bald kamen Soldaten Absaloms zu dem Haus und fragten die Frau: »Wo sind Ahimaaz und Jonatan?« Sie antwortete: »Die beiden sind fortgegangen, sie wollten den Bach dort überqueren.« Die Männer suchten weiter. Als sie nichts fanden, kehrten sie unverrichteter Dinge nach Jerusalem zurück.

[21]Kaum waren Absaloms Leute verschwunden, kletterten Ahimaaz und Jonatan aus der Zisterne und eilten zu David, um ihm Bericht zu erstatten. »Ihr müsst sofort den Jordan überqueren!«, sagten sie zu ihm und erzählten, was Ahitofel Absalom geraten hatte. [22]Schnell brachen David und alle seine Begleiter auf und überquerten noch in derselben Nacht den Jordan. Beim Morgengrauen war auch der letzte von ihnen am anderen Ufer angelangt.

[23]Als Ahitofel merkte, dass Absalom nicht auf seinen Rat hörte, sattelte er seinen Esel und ritt in seine Heimatstadt zurück. Zu Hause regelte er noch die letzten Dinge, dann erhängte er sich. Man begrub ihn in seinem Familiengrab.

[24]David war schon in Mahanajim angekommen, während Absalom mit dem israelitischen Heer den Jordan überquerte. [25]Absalom hatte Amasa zu seinem Heerführer ernannt, denn Joab war bei David. Amasa war der Sohn eines Ismaeliters[a] namens Jeter; seine Mutter hieß Abigal, sie war eine Tochter Isais[b] und die Schwester von Joabs Mutter Zeruja. [26]Absalom und die Israeliten schlugen ihr Heerlager bei Gilead auf.

[27]David war noch nicht lange in Mahanajim, als drei Männer zu ihm kamen: Schobi, ein Sohn Nahaschs, aus Rabba, der Hauptstadt der Ammoniter, Machir, ein Sohn Ammiëls, aus Lo-Dabar, und Barsillai aus Roglim in Gilead. [28/29]Die drei brachten David und seinen Männern Schlafmatten mit, Töpfe und Schüsseln, Weizen, Gerste, Mehl, geröstete Getreidekörner, Bohnen und Linsen, Honig, Butter und Käse sowie einige Schafe und Ziegen. Denn sie dachten: »Bestimmt sind sie hungrig, durstig und erschöpft von ihrem Marsch durch die Wüste.«

Vorbereitungen für die Schlacht

18 David musterte seine Truppen, er ließ sie Abteilungen zu je 1000 und Unterabteilungen zu je 100 Mann bilden und setzte Hauptleute über sie ein.

---

[a] So mit 1. Chronik 2,17 und einigen Handschriften der griechischen Übersetzung. Der hebräische Text lautet: eines Israeliten.

[b] So mit 1. Chronik 2,13–16. Im hebräischen Text steht hier der Name Nahasch.

17,17 15,35–36 **17,23** 15,12*; Mt 27,5 **17,24** 1 Mo 32,2–3 **17,25** 2,13* **17,27** 19,32–40; 1 Kön 2,7

[2]Das Heer sollte in drei Verbänden losziehen, die von Joab, dessen Bruder Abischai und von Ittai aus Gat angeführt wurden.

»Ich selbst werde mit euch ziehen«, sagte David zu seinen Soldaten. [3]Doch sie wandten ein: »Tu das nicht! Wenn wir vor den Feinden fliehen müssen oder sogar die Hälfte von uns im Kampf fällt, bedeutet ihnen das nicht so viel wie dein Tod. Denn du bist für sie wichtiger als zehntausend von uns! Bleib lieber in der Stadt, und komm uns im Notfall mit Verstärkung zu Hilfe.«

[4]»Ich will euren Rat befolgen«, antwortete David. Dann stellte er sich ans Stadttor, und das Heer zog in Abteilungen geordnet an ihm vorbei. [5]Den drei Heerführern Joab, Abischai und Ittai schärfte er ein: »Sorgt dafür, dass meinem Sohn Absalom nichts zustößt!« Auch alle Soldaten hörten den Befehl.

Absaloms Niederlage

[6]Davids Truppen zogen den Israeliten entgegen, und im Wald von Ephraim kam es zur Schlacht. [7]Die Soldaten Davids schlugen das feindliche Heer vernichtend: 20000 Israeliten fielen an diesem Tag. [8]Die Kämpfe breiteten sich über das ganze umliegende Gebiet aus. Der Wald dort aber war so unwegsam und gefährlich, dass er noch mehr Opfer forderte als die Schlacht selbst.

[9]Einige Soldaten Davids verfolgten Absalom, der auf seinem Maultier floh. Doch als er unter einer großen Terebinthe durchritt, verfingen sich seine Haare in den dichten Ästen. Sein Maultier lief weiter, er aber blieb am Baum hängen. [10]Einer der Männer, die es beobachtet hatten, meldete Joab: »Ich habe Absalom gesehen! Er hängt an den Ästen einer Terebinthe.«

[11]Joab rief: »Was, du hast ihn gesehen und ihn nicht auf der Stelle umgebracht? Ich hätte dir zehn Silberstücke und einen wertvollen Gürtel dafür gegeben!« [12]Doch der Mann entgegnete: »Auch wenn du mir tausend Silberstücke bieten würdest – dem Sohn des Königs könnte ich nichts antun. Ich habe doch genau gehört, wie der König dir, Abischai und Ittai befohlen hat: ›Sorgt dafür, dass meinem Sohn Absalom nichts zustößt!‹ [13]Und wenn ich ihn unbemerkt getötet hätte – dem König wäre sowieso zu Ohren gekommen, wer es war, denn früher oder später erfährt er doch alles. Dann würdest du mir bestimmt keine Rückendeckung geben!«

[14]»Ich will meine Zeit nicht länger mit dir vergeuden!«, unterbrach Joab ihn. Er nahm drei Speere und stieß sie Absalom, der immer noch am Baum hing, ins Herz. [15]Dann umringten die zehn Waffenträger Joabs den Sohn Davids und töteten ihn vollends.

[16]Nun blies Joab das Horn als Zeichen dafür, dass der Kampf beendet war. Da kehrten seine Soldaten um, [17]und die Israeliten flohen nach Hause. Joabs Männer warfen die Leiche Absaloms in eine Grube im Wald und errichteten darüber einen großen Steinhaufen.

[18]Schon zu seinen Lebzeiten hatte Absalom im Königstal einen Gedenkstein für sich errichten lassen. Er hatte ihn nach sich selbst benannt, denn er dachte: »Ich habe keinen Sohn, der meinen Namen weiterträgt.« Noch heute nennt man diesen Stein das »Denkmal Absaloms«.

David erfährt von Absaloms Tod

[19]Ahimaaz, der Sohn Zadoks, bat Joab: »Gestatte mir, zum König nach Mahanajim zu laufen und ihm die gute Nachricht zu bringen, dass der Herr ihm den Sieg über seine Feinde geschenkt hat.« [20]Doch Joab wehrte ab: »Was du dem König melden musst, ist keine Freudenbotschaft für ihn, denn sein Sohn ist tot. Ein anderes Mal schicke ich dich gern als Boten zu ihm, aber heute nicht.« [21]Dann

---

18,2 2,13*; 15,19–22; 1 Sam 26,6* **18,3** 21,17 **18,5** 18,12.29; 19,7 **18,13** 14,20 **18,19** 15,35–36; 17,17 **18,20** 4,10

wandte er sich an seinen äthiopischen Sklaven und befahl ihm: »Geh du zum König, und berichte, was du gesehen hast!« Der Sklave verneigte sich vor Joab und machte sich auf den Weg.

[22] Doch Ahimaaz gab nicht nach. »Egal, was geschieht – ich laufe ihm hinterher!« Noch einmal versuchte Joab ihn zurückzuhalten: »Mein Sohn, warum brennst du darauf, dem König die schlechte Nachricht zu bringen? Er wird dich dafür sicher nicht belohnen!« [23] »Egal, was passiert – ich will auf jeden Fall zu ihm!«, gab Ahimaaz zurück. Da ließ Joab ihn gehen. Ahimaaz schlug den Weg durch die Jordanebene ein und kam schneller voran als der Äthiopier.

[24] David saß zwischen dem inneren und dem äußeren Stadttor und wartete. Als der Wächter wieder einmal auf den Turm stieg, um Ausschau zu halten, sah er einen Mann, der allein auf Mahanajim zulief. [25] Er meldete es sofort dem König. David sagte: »Wenn er allein kommt, bringt er uns bestimmt eine gute Nachricht!« Während der Bote immer näher kam, [26] entdeckte der Wächter einen zweiten Mann, der in Richtung Stadt unterwegs war. Er rief zum Torwächter hinunter: »Ich sehe noch jemanden kommen; auch er ist allein.« David meinte dazu: »Sicher wird er uns ebenfalls eine frohe Botschaft bringen.« [27] Dann meldete der Wächter: »Ich glaube, der erste ist Ahimaaz, der Sohn Zadoks. Ich erkenne ihn an seinem Gang.« Erleichtert sagte David: »Er ist ein zuverlässiger Mann. Bestimmt meldet er uns Erfreuliches!«

[28] Schon von weitem rief Ahimaaz: »Die Schlacht ist gewonnen!« Als er vor dem König stand, warf er sich zu Boden und sagte: »Gepriesen sei der Herr, dein Gott! Er hat dir den Sieg geschenkt über die Feinde, die sich gegen dich, mein Herr und König, aufgelehnt haben.« [29] »Und wie geht es meinem Sohn Absalom?«, erkundigte David sich. »Es ist ihm doch hoffentlich nichts zugestoßen?« Ahimaaz antwortete: »Als Joab deinen äthiopischen Sklaven und mich, deinen ergebenen Diener, zu dir schickte, herrschte noch ein großes Durcheinander. Ich konnte leider nicht erkennen, was im Einzelnen geschehen war.« [30] »Stell dich neben mich!«, befahl David. Ahimaaz gehorchte und blieb neben dem König stehen.

[31] In diesem Augenblick kam der Äthiopier an und berichtete: »Mein König, höre, was für eine gute Nachricht ich dir zu überbringen habe: Der Herr hat den Aufstand niedergeschlagen, den deine Feinde gegen dich geplant haben! Er hat dir heute zu deinem Recht verholfen.« [32] »Und wie geht es meinem Sohn?«, fragte David auch ihn. »Ihm ist doch hoffentlich nichts zugestoßen?« Der Sklave antwortete: »So wie ihm möge es allen deinen Feinden ergehen, allen, die sich gegen dich auflehnen und dir schaden wollen!«

19 Diese Worte gaben David einen Stich ins Herz. Er stieg hinauf ins Turmzimmer des Stadttors und weinte. Dabei klagte er ununterbrochen: »Mein Sohn Absalom! Mein Sohn, mein Sohn, ach Absalom! Wäre ich doch an deiner Stelle gestorben! Ach Absalom, mein Sohn, mein Sohn!«

Joab weist David zurecht

[2] Jemand meldete Joab: »Der König weint und trauert um Absalom.« [3] Auch bei den Soldaten hatte sich schnell herumgesprochen, dass David über den Tod seines Sohnes verzweifelt war. Ihre Freude über den Sieg war auf einmal wie weggeblasen, Trauer und Niedergeschlagenheit machten sich breit. [4] Bedrückt schlichen die Männer in die Stadt zurück – wie Verlierer, die sich schämen, weil sie vom Schlachtfeld geflohen sind.

[5] David aber saß noch immer im Turmzimmer, er hatte sein Gesicht verhüllt und klagte laut: »Mein Sohn Absalom! Ach Absalom, mein Sohn, mein Sohn!« [6] Da ging Joab zu ihm und wies ihn zurecht: »Deine Soldaten haben dir heute das Leben gerettet, und nicht nur dir, sondern auch deinen Söhnen und Töchtern, deinen Frauen und Nebenfrauen.

Und was ist der Dank? Du benimmst dich so, dass sie sich für ihre große Tat nur schämen können! [7]Du liebst alle, die dich hassen, und hasst alle, die dich lieben. Deine Heerführer und Soldaten bedeuten dir offenbar überhaupt nichts. Es hätte dir nichts ausgemacht, wenn wir heute alle in der Schlacht gefallen wären – Hauptsache Absalom wäre noch am Leben! [8]Du musst dich jetzt zusammennehmen und zu deinen Männern hinausgehen, um sie wieder zu ermutigen. Sonst laufen sie dir alle noch heute Nacht davon. Das schwöre ich dir, so wahr der Herr lebt! Etwas Schlimmeres könnte dir gar nicht passieren. Es wäre schrecklicher als alles, was du bisher erleiden musstest.«

[9]Da stand David auf und ging hinunter zum Stadttor. Seinen Soldaten wurde gemeldet, dass der König wieder dort saß. Sofort kamen sie und versammelten sich vor ihm.

Davids Rückkehr nach Jerusalem

Inzwischen waren die Israeliten in ihre Heimatorte geflohen. [10]In allen Stämmen des Landes warfen sie sich gegenseitig vor: »Wir sind schuld daran, dass König David vor Absalom fliehen und das Gebiet Juda verlassen musste. Dabei hat er uns doch immer von unseren Feinden befreit, und auch die Macht der Philister hat er gebrochen. [11]Absalom, den wir zum neuen König gekrönt haben, ist in der Schlacht gefallen. Warum unternimmt niemand etwas, um David zurückzuholen?«

[12]David sandte die beiden Priester Zadok und Abjatar zu den Ältesten des Stammes Juda. Sie sollten ihnen im Namen des Königs ausrichten: »Wollt ihr die Letzten sein, die mich, euren König, wieder in seinen Palast zurückholen? Die Israeliten haben dies schon lange geplant, wie ich gehört habe. [13]Ihr seid doch meine Stammesbrüder und viel näher mit mir verwandt. Warum kommt ihr ihnen nicht zuvor?« [14]Amasa, dem Heerführer Absaloms, sollten die beiden Priester von David ausrichten: »Ich schwöre dir, dass ich dich heute an Joabs Stelle zu meinem obersten Heerführer ernenne, denn du bist mein Neffe. Gott soll mich hart bestrafen, wenn ich mein Versprechen nicht halte.«

[15]So gelang es David, alle Judäer zurückzugewinnen. Sie ließen ihm sagen: »Komm mit deinem Gefolge wieder nach Jerusalem!« [16]Da trat David den Rückweg an und erreichte den Jordan. Die Männer aus dem Stamm Juda kamen ihm auf der anderen Seite bis nach Gilgal entgegen, um ihn über den Fluss zu geleiten.

David begnadigt Schimi

[17]Zur gleichen Zeit lief auch der Benjaminiter Schimi, ein Sohn Geras, aus Bahurim, zum Jordan, um David dort zu treffen. [18]Tausend Mann vom Stamm Benjamin waren bei ihm. Auch Ziba, der frühere Diener Sauls, hatte sich mit seinen fünfzehn Söhnen und zwanzig Knechten dem Zug angeschlossen. Sie erreichten den Jordan vor dem König. [19]Dann brachten sie ein Boot an das gegenüberliegende Ufer, um David mit seinem Gefolge über den Fluss zu setzen und ihm ihren Dienst anzubieten.

Als David den Jordan überqueren wollte, ging Schimi zu ihm, warf sich vor ihm zu Boden [20]und flehte: »Mein König, vergib mir, was ich dir angetan habe, als du Jerusalem verlassen musstest. Bitte rechne mir diese große Schuld nicht an. [21]Ich weiß, dass es ein schwerer Fehler war. Aber bedenke, mein König: Ich bin heute als Erster aus den Nordstämmen hierher gelaufen, um dich zu empfangen.«

[22]Da mischte sich Davids Neffe Abischai ein: »Schimi verdient den Tod! Er hat den König, den der Herr eingesetzt hat, aufs übelste beschimpft.« [23]Doch

---

19,7 18,5 **19,10** 5,17–25 **19,11** 15,10 **19,13** 5,1 **19,14** 17,25 **19,17–24** 16,5–13; 1 Kön 2,8–9.36–46 **19,18** 16,1–4 **19,22** 1 Sam 26,6* **19,23** 3,39; 16,10

David wies ihn zurecht: »Von dir und deinem Bruder lasse ich mir nichts vorschreiben! Ihr könnt mich nicht zu so einer Tat verleiten. Von jetzt an bin ich wieder König, darum soll heute kein Israelit hingerichtet werden!« [24]Dann wandte der König sich an Schimi und versprach ihm: »Du musst nicht sterben, ich gebe dir mein Wort!«

Die Begegnung mit Mefi-Boschet

[25]Auch Sauls Enkel Mefi-Boschet kam dem König entgegen. Seit David aus Jerusalem fliehen musste, hatte er als Zeichen der Trauer seine Füße nicht mehr gewaschen, den Bart nicht mehr gepflegt und keine frischen Kleider mehr angezogen. So wollte er warten, bis David wohlbehalten zurückkehren würde. [26]Als er nun dem König entgegenkam, fragte dieser ihn: »Warum bist du nicht mit mir gekommen, Mefi-Boschet?«

[27]Er antwortete: »Mein König, dafür ist mein Knecht Ziba verantwortlich, denn er hat mich betrogen! Ich wollte dich begleiten und dafür meinen Esel satteln lassen, weil ich ja nicht mehr richtig laufen kann. [28]Doch Ziba ist zu dir gegangen und hat mich bei dir verleumdet. Du aber bist klug und weise wie ein Engel Gottes. Tu mit mir, was du für richtig hältst! [29]Die Familie meines Großvaters hatte den Tod verdient nach allem, was sie dir angetan hat. Trotzdem hast du mich, deinen ergebenen Diener, als Gast an deinem Tisch essen lassen. Da kann ich es nicht wagen, noch mehr von dir zu erwarten!«

[30]»Reden wir nicht mehr davon«, sagte David. »Ziba und du, ihr sollt euch Sauls Besitz teilen.« [31]»Ziba kann auch alles haben«, erwiderte Mefi-Boschet, »das Wichtigste für mich ist, dass der König heute unversehrt in seinen Palast zurückkehrt.«

David und Barsillai

[32]Barsillai, ein Mann aus Gilead, war von Roglim gekommen, um den König über den Jordan zu begleiten und sich dann von ihm zu verabschieden. [33]Barsillai war 80 Jahre alt. Er hatte David in Mahanajim mit allem versorgt, was dieser zum Leben brauchte, denn er war sehr reich. [34]Jetzt lud der König ihn ein: »Komm mit mir nach Jerusalem an meinen Hof! Es wird dir dort an nichts fehlen.«

[35]Doch Barsillai lehnte ab: »Ich habe nicht mehr lange zu leben, warum sollte ich da noch nach Jerusalem ziehen! [36]80 Jahre bin ich nun schon alt, und es fällt mir schwer, klare Gedanken zu fassen[a]. Ich schmecke kaum noch, was ich esse oder trinke, und den Gesang deiner Sänger und Sängerinnen höre ich nicht mehr gut. Ich würde dir, mein König, doch nur zur Last fallen. [37]Nein, deine Einladung kann ich nicht annehmen. Ich will dich nur noch über den Jordan begleiten, [38]und dann lass mich zurückkehren! Ich möchte in meiner Heimatstadt sterben, dort, wo schon mein Vater und meine Mutter begraben sind. Doch mein Sohn Kimham kann ja mit dir ziehen und dir dienen. Setz ihn dort ein, wo du ihn gebrauchen kannst.«

[39]Da antwortete David: »Ja, Kimham soll mit mir kommen. Ich werde alles für ihn tun, was du wünschst. Und wenn ich dir sonst noch Gutes erweisen kann, dann sag es ruhig! Ich erfülle dir jede Bitte.«

[40]Dann überquerte David mit allen Begleitern den Jordan. Er küsste Barsillai zum Abschied und segnete ihn. Der alte Mann kehrte in seine Heimatstadt zurück, [41]während David weiter nach Gilgal zog. Kimham ging mit ihm. Der König wurde begleitet von den Männern des Stammes Juda und von der Hälfte der übrigen Israeliten.

---

[a] Wörtlich: Gut und Böse zu unterscheiden.

19,25 9,5–6 **19,27–28** 16,1–3 **19,28** 1 Sam 29,9 **19,29** 9,7 **19,32–40** 17,27

Israel und Juda streiten um den König

[42] Unterwegs kamen die Israeliten zum König und beklagten sich: »Warum haben ausgerechnet die Judäer dich, deine Familie und deine Truppen aus Mahanajim abgeholt und über den Jordan geleitet? Dazu hatten sie doch gar kein Recht!«

[43] »Die Antwort ist ganz einfach«, sagten die Judäer zu den Israeliten, »schließlich steht der König dem Stamm Juda näher. Was regt ihr euch darüber auf? Denkt ihr, wir hätten auf Kosten des Königs gelebt oder uns von ihm beschenken lassen?«

[44] Die Israeliten hielten dagegen: »Unser Anrecht auf den König ist zehnmal größer als eures! Warum habt ihr uns einfach übergangen? Haben nicht wir zuerst daran gedacht, unseren König zurückzuholen?« Die Judäer aber gaben nicht nach und behielten das letzte Wort.

Schebas Aufstand

20 Unter den Streitenden war ein niederträchtiger Mann namens Scheba aus dem Stamm Benjamin, ein Sohn Bichris. Laut blies er das Horn und rief: »Ihr Männer von Israel, was geht uns dieser David noch an? Wir wollen nichts mehr mit ihm zu tun haben! Los, geht nach Hause!« [2] Da sagten sich alle Israeliten von David los und schlossen sich Scheba an. Nur die Männer vom Stamm Juda blieben bei ihrem König und begleiteten ihn vom Jordan bis nach Jerusalem.

[3] Als David in seinem Palast angekommen war, ordnete er an, was mit den zehn Nebenfrauen geschehen sollte, die er in Jerusalem zurückgelassen hatte: Sie mussten von jetzt an in einem bewachten Haus wohnen und durften es nicht verlassen. Der König versorgte sie mit allem Nötigen, aber er schlief nie mehr mit ihnen. Sie waren für immer eingeschlossen und lebten einsam wie Witwen.

[4] Dann befahl David seinem Heerführer Amasa: »Ruf alle Soldaten aus Juda zusammen! In spätestens drei Tagen will ich dich und die Truppen hier in Jerusalem sehen!« [5] Amasa machte sich sofort auf den Weg. Als er aber nach der festgesetzten Zeit nicht erschienen war, [6] sagte David zu Abischai: »Jetzt wird Scheba für uns noch gefährlicher als Absalom. Nimm mit meinen Männern die Verfolgung Schebas auf. Er darf nicht die befestigten Städte in seine Gewalt bringen, denn damit würde er großen Schaden anrichten.« [7] Da verließen die Soldaten Joabs sowie die königliche Leibwache und die Elitetruppe des Königs Jerusalem, um Scheba, dem Sohn Bichris, nachzujagen.

[8] Als sie den großen Stein bei Gibeon erreichten, trafen sie Amasa, der kurz vor ihnen dort angekommen war. Joab hatte sein langes Gewand zum Kampf hochgebunden. Um die Hüfte trug er einen Gürtel mit einem Dolch. Während er auf Amasa zuging, nahm er unbemerkt den Dolch in die linke Hand. [9] »Wie geht es dir, mein Freund?«, begrüßte er Amasa und fasste mit der rechten Hand dessen Bart, als wolle er ihm einen Kuss geben. [10] Amasa aber hatte den Dolch nicht gesehen, den Joab in der anderen Hand hielt. Da stieß Joab ihm die Waffe mit solcher Wucht in den Bauch, dass die Därme heraushingen. Er brauchte kein zweites Mal zuzustechen, denn Amasa war sofort tot.

Joab und sein Bruder Abischai nahmen die Verfolgung Schebas wieder auf. [11] Einer von Joabs Männern blieb bei der Leiche und rief allen Soldaten, die vorbeikamen, zu: »Hältst du zu Joab? Bist du auf Davids Seite? Dann folge Joab!« [12] Doch einer nach dem anderen blieb erschüttert stehen, als er Amasas blutüberströmte Leiche mitten auf dem Weg liegen sah. Da schleifte der Soldat den Toten weg auf ein Feld und warf einen Mantel über ihn, damit die Männer sich nicht durch seinen Anblick aufhalten ließen. [13] Nachdem die Leiche weg war, eilten alle Joab

---

20,1 1 Kön 12,16 **20,3** 15,16; 16,21–22 **20,4** 17,25; 19,14 **20,6** 1 Sam 26,6* **20,10** 3,27; 1 Kön 2,5

nach, um unter seiner Führung Scheba, den Sohn Bichris, zu verfolgen.

[14] Scheba war inzwischen durch ganz Israel bis zur Stadt Abel-Bet-Maacha im Norden des Landes gezogen. Die Männer der Sippe Bichri hatten sich ihm angeschlossen und folgten ihm dorthin. [15] Als nun Joab und seine Soldaten die Stadt erreicht hatten und hörten, dass Scheba sich dort aufhielt, begannen sie mit der Belagerung. Sie schütteten einen Wall auf und gelangten so über die Vormauer. Dann fingen sie an, die Hauptmauer zu untergraben, um sie zum Einsturz zu bringen.

[16] In der Stadt wohnte eine sehr kluge Frau. Von der Mauer aus rief sie den Belagerern zu: »Hört her! Ruft bitte Joab zu mir, ich möchte mit ihm reden!« [17] Als er an die Mauer gekommen war, fragte sie: »Bist du Joab?« »Ja, der bin ich«, antwortete er. Sie bat: »Ich muss mit dir sprechen, bitte hör mich an!« »Gut«, erwiderte er, [18] und sie brachte ihr Anliegen vor: »Früher sagte man bei uns: ›Hol dir Rat in Abel, und du bist gut beraten!‹ [19] Unsere Stadt ist eine der friedlichsten Städte Israels, immer konnte man auf sie zählen. Sie wird sogar ›Mutter in Israel‹ genannt. Und nun willst du sie zerstören? Wie kannst du es wagen, das Eigentum des Herrn zu vernichten!«

[20] Joab entgegnete: »Nie wollte ich eure Stadt zerstören! [21] Ich bin aus einem anderen Grund hier: Ein Mann vom Gebirge Ephraim hat einen Aufstand gegen unseren König angezettelt. Er heißt Scheba und ist ein Sohn Bichris. Ihn allein suchen wir. Liefert ihn uns aus – und wir lassen die Stadt in Ruhe!«

»Einverstanden, man wird dir seinen Kopf über die Mauer zuwerfen!«, erwiderte die Frau. [22] Sie redete mit den Einwohnern Abel-Bet-Maachas und setzte mit ihrer Klugheit ihren Plan durch: Man enthauptete Scheba und warf seinen Kopf zu Joab hinaus. Dieser blies das Horn als Zeichen zum Aufbruch, und die Soldaten kehrten in ihre Heimatorte zurück. Joab aber ging nach Jerusalem zu König David.

Die obersten Beamten Davids (1. Chronik 18,14–17)

[23] Joab war der oberste Befehlshaber über das ganze israelitische Heer. Benaja, ein Sohn Jojadas, hatte den Befehl über die Leibwache des Königs. [24] Adoniram war Aufseher über die Zwangsarbeiter. Joschafat, ein Sohn Ahiluds, war Berater des Königs, [25] Schewa war Hofsekretär. Zadok und Abjatar waren die obersten Priester, [26] und auch Ira aus Jaïr hatte den Rang eines Priesters.

Ein Verbrechen Sauls wird gesühnt

21 Während der Regierungszeit Davids brach im Land eine Hungersnot aus, die drei Jahre dauerte. David fragte den Herrn nach dem Grund, und der Herr antwortete: »Die Hungersnot hört nicht auf, weil Saul damals so viele Gibeoniter umgebracht hat.«

[2] Da ließ der König die Gibeoniter zu sich kommen, um mit ihnen zu reden. Sie waren keine Israeliten, sondern gehörten zu den Amoritern, die früher das Land bewohnt hatten. Als die Israeliten Kanaan in Besitz nahmen, hatten sie den Gibeonitern geschworen, sie am Leben zu lassen.[a] Saul aber, der sich voller Eifer für Juda und Israel einsetzte, hatte versucht, sie auszurotten.

[3] David fragte die Gibeoniter: »Wie kann ich das Unrecht sühnen, das ihr erleiden musstet? Was soll ich für euch tun, damit ihr das Land wieder segnet, das der Herr uns für immer geschenkt hat?« [4] Sie erwiderten: »Mit Silber und Gold lässt sich nicht wieder gutmachen, was Saul und seine Familie uns angetan haben; und wir haben auch nicht das Recht, irgendjemanden aus Israel dafür umzubringen.« »Was kann ich dann für euch

---

[a] Vgl. Josua 9

20,23–26 8,16–18 **21,2** Jos 9,15.19

tun?«, wollte David wissen. [5]Da sagten die Gibeoniter: »Saul plante unseren Untergang, er wollte uns vernichten, damit es in ganz Israel niemanden mehr von uns gibt. [6]Darum liefere nun sieben männliche Nachkommen Sauls an uns aus. Wir wollen sie aufhängen, um den Zorn des Herrn abzuwenden,[a] und zwar in Gibea, der Heimatstadt Sauls, den der Herr damals als König erwählt hat.«

»Ich werde sie euch ausliefern«, versprach David ihnen. [7]Er hatte aber Sauls Sohn Jonatan im Namen des Herrn geschworen, seine Nachkommen nie auszurotten. Darum wollte er Mefi-Boschet, den Sohn Jonatans, auf jeden Fall verschonen. [8]David suchte Armoni und Mefi-Boschet aus, die beiden Söhne von Sauls Nebenfrau Rizpa, einer Tochter Ajjas, und die fünf Söhne von Sauls Tochter Merab, die mit Adriël aus Mehola, einem Sohn Barsillais, verheiratet war. [9]Er übergab sie den Gibeonitern.

Alle sieben wurden am selben Tag auf dem Berg bei Gibea aufgehängt, um den Zorn des Herrn abzuwenden.[b] Man richtete sie hin, als die Gerstenernte gerade begonnen hatte.

[10]Rizpa, die Tochter Ajjas, ging zu dem Felsen, auf dem die sieben gestorben waren, breitete dort einen Sack auf dem Boden für sich aus und bewachte die Toten. Tagsüber verscheuchte sie die Raubvögel, und nachts hielt sie die wilden Tiere von den Leichen fern. Vom Anfang der Ernte im Frühjahr bis zum ersten Regen im Herbst harrte sie dort aus.

[11]Als David erfuhr, was Sauls Nebenfrau Rizpa tat, [12–14]ließ er die Gebeine Sauls und seines Sohnes Jonatan aus Jabesch in Gilead holen, um sie im Familiengrab von Sauls Vater Kisch beizusetzen. Bei der Schlacht auf dem Gilboagebirge hatten die Philister die Israeliten besiegt und die Leichen Sauls und Jonatans auf dem Marktplatz von Bet-Schean aufgehängt. Die Bürger von Jabesch in Gilead waren dann heimlich gekommen und hatten die Toten mitgenommen. Auch die sieben Erhängten ließ David vom Berg holen und im Familiengrab bestatten. Das Grab lag in Zela, einem Dorf im Stammesgebiet von Benjamin.

Als alle Befehle Davids ausgeführt waren, erhörte Gott die Gebete für das Land und machte der Hungersnot ein Ende.

Kriege gegen die Philister

[15]Wieder einmal herrschte Krieg zwischen den Philistern und Israel. David zog mit seinem Heer aus, und es kam zur Schlacht. Als David vom Kampf erschöpft war, [16]griff ein Philister namens Jischbi-Benob ihn an und wollte ihn umbringen. Jischbi-Benob war ein Nachkomme Rafas, ein Riese. Er war bewaffnet mit einem neuen Schwert und mit einem Speer, dessen bronzene Spitze allein fast vier Kilogramm wog. [17]Doch Abischai, der Sohn von Davids Schwester Zeruja, kam David zu Hilfe und tötete den Philister. Nach dieser Schlacht musste David seinen Männern versprechen, in Zukunft nicht mehr selbst in den Krieg zu ziehen. Sie sagten zu ihm: »Wir wollen dich nicht verlieren, denn du bist die Hoffnung unseres Volkes.«

[18]Kurze Zeit später kämpften die Israeliten in der Nähe von Gob gegen die Philister. Dabei tötete Sibbechai, der Huschatiter, den Riesen Saf. [19]In einer weiteren Schlacht bei Gob gegen die Philister erschlug Elhanan aus Bethlehem, der Sohn Jaïrs[c], Goliat aus Gat; Goliats Speer war so dick wie ein kleiner Baum[d]. [20]Einmal kam es bei Gat zum Kampf. Einer der Philister, ein Nach-

---

[a] Wörtlich: Wir wollen sie vor dem Herrn aufhängen.
[b] Wörtlich: wurden … vor dem Herrn aufgehängt.
[c] So mit 1. Chronik 20,5. Im hebräischen Text steht der Name Jaare-Oregim.
[d] Wörtlich: wie ein Weberbaum.

21,6 5 Mo 21,22–23* **21,7** 1 Sam 20,15 **21,8** 3,7; 1 Sam 18,19 **21,12–14** 1 Sam 31,8–13 **21,17** 1 Sam 26,6*; 2 Sam 18,3 **21,18–22** 1 Chr 20,4–8

komme Rafas, war sehr groß. An jeder Hand hatte er sechs Finger und an jedem Fuß sechs Zehen. [21] Er machte sich über die Israeliten lustig, doch Jonatan, ein Sohn von Davids Bruder Schamma, tötete ihn. [22] Diese vier Riesen waren Nachkommen Rafas und kamen aus Gat. Sie wurden von David und seinen Soldaten umgebracht.

Davids Dankgebet
(Psalm 18)

22 Nachdem der Herr ihn aus der Gewalt aller Feinde und auch aus der Hand Sauls befreit hatte, sang König David folgendes Danklied:

[2] Der Herr ist mein Fels, meine Festung und mein Erretter,
[3] mein Gott, meine Zuflucht, mein sicherer Ort. Er ist mein Schild, mein starker Helfer, meine Burg auf unbezwingbarer Höhe. Du, Gott, bewahrst mich vor den Angriffen meiner Feinde.
[4] Ich lobe dich, Herr! Wenn ich zu dir um Hilfe rufe, dann werde ich vor meinen Feinden gerettet.

[5] Ich war in Lebensgefahr, der Tod drohte mich zu verschlingen wie eine mächtige Woge.
[6] Hilflos musste ich zusehen, wie die tödliche Falle schon zuschnappte.
[7] In äußerster Verzweiflung schrie ich zum Herrn. Ja, zu meinem Gott rief ich um Hilfe. Da hörte er mich in seinem Tempel, mein Notschrei drang durch bis an sein Ohr.

[8] Plötzlich erbebte die Erde, selbst der Himmel geriet ins Wanken, denn glühender Zorn hatte Gott gepackt.
[9] Schwarzer Rauch quoll aus seiner Nase, aus seinem Mund loderten Flammen, und glühende Kohlen wurden herausgeschleudert.
[10] In dunklen Wolken kam Gott zur Erde.
[11] Auf einem Cherub-Engel flog er daher und schwebte herab, vom Sturm getragen.
[12] Er verhüllte sich in Finsternis, verbarg sich in dichten und dunklen Regenwolken.
[13] Dann ging ein Lichtglanz von ihm aus, und glühende Kohlen prasselten nieder.
[14] Ein Donnerschlag folgte dem anderen, und darin dröhnte die Stimme des höchsten Gottes.
[15] Er schoss seine Pfeile ab, und die Feinde stoben auseinander. Grelle Blitze zuckten und verwirrten das feindliche Heer.
[16] Sogar den Meeresboden konnte man sehen; offen lagen die Fundamente der Erde da, als der Herr meine Feinde bedrohte und vor Entrüstung schnaubte.

[17] Der Herr streckte mir seine Hand von oben entgegen und riss mich aus den tosenden Fluten.
[18] Er befreite mich von der Übermacht meiner Feinde, von allen, die mich hassten, denn sie waren viel stärker als ich.
[19] Sie hatten mich überfallen – was war das für ein schrecklicher Tag! Aber der Herr hielt mich fest
[20] und half mir aus Angst und Gefahr. Er befreite mich. So viel bin ich ihm wert!

[21] Weil ich im Recht war, half mir der Herr; er wusste, dass ich unschuldig war, und darum rettete er mich.
[22] Denn ich war ihm gehorsam, nie habe ich meinem Gott die Treue gebrochen.
[23] Seine Gebote hielt ich mir immer vor Augen, und seine Befehle schlug ich nicht in den Wind.
[24] Ich lebte so, dass er mir nichts vorwerfen konnte, und mied das Unrecht wie die Pest.
[25] So half mir der Herr, weil ich ihm die Treue hielt, er sah, dass ich unschuldig war.

[26] Wer dich liebt, Herr, den liebst auch du; wer ehrlich ist, den enttäuschst du nicht.
[27] Den Aufrichtigen gegenüber bist auch du aufrichtig, doch falsche Menschen führst du hinters Licht.
[28] Du hilfst denen, die sich helfen lassen und sich selbst nicht überschätzen. Die

Überheblichen aber stößt du von ihrem Thron.

[29] Herr, du machst die Finsternis um mich hell, du bist mein Licht.
[30] Mit dir kann ich die Feinde angreifen; mit dir, mein Gott, kann ich über Mauern springen.
[31] Was für ein Gott! Sein Handeln ist vollkommen, und was er sagt, ist wahr. Er beschützt alle, die zu ihm flüchten.
[32] Gott allein ist der Herr über alles! Gibt es außer ihm noch einen, der so stark und unerschütterlich ist wie ein Fels?
[33] Nein! Gott allein ist meine Burg, in der ich Zuflucht finde. Er ebnet mir den Weg, den ich gehen muss.
[34] Er macht mich gewandt und schnell, lässt mich laufen und springen wie ein Hirsch. Selbst auf steilen Felsen gibt er mir festen Halt.
[35] Er lehrt mich, die Waffen zu gebrauchen, und zeigt mir, wie ich auch den stärksten Bogen noch spannen kann.

[36] Herr, du hast mich beschützt und mir geholfen. Du hast dich zu mir herabgebeugt und mich groß gemacht.
[37] Du hast mir alle Hindernisse aus dem Weg geräumt, nie bin ich beim Laufen gestürzt.
[38] Ich jagte meinen Feinden nach und überwältigte sie, ich kehrte erst um, als auch der Letzte von ihnen gefallen war.
[39] Mit Wucht schlug ich sie nieder, bis sie nicht mehr aufstehen konnten und tot zu meinen Füßen lagen.
[40] Du, Herr, hast mir die Kraft für diesen Kampf gegeben, du hast mir zum Sieg über meine Gegner verholfen.
[41] Dass sie fliehen mussten, verdanke ich dir; alle, die mich hassten, konnte ich umbringen.
[42] Sie suchten nach Hilfe, doch weit und breit war kein Retter. Sie schrien zum Herrn, aber er hörte nicht mehr auf sie.
[43] Ich rieb sie auf, zermalmte sie zu Staub, ich zertrat sie wie Dreck auf der Straße.
[44] Als ein Aufstand meines Volkes mich bedrohte, hast du mir geholfen, und heute bin ich der Herrscher vieler Völker. Sogar Völker, die ich nicht kannte, haben sich mir unterworfen.
[45] Fremde sind mir ergeben und gehorchen mir aufs Wort.
[46] Zitternd kamen sie aus ihren Festungen heraus und gaben ihren Widerstand auf.

[47] Der Herr lebt! Er ist mein schützender Fels – ich preise ihn! Ihn allein will ich rühmen, denn er ist mein Gott, mein Fels, bei dem ich Rettung fand.
[48] Er hat sich an meinen Feinden gerächt, ganze Völker hat er mir unterworfen
[49] und mich der Gewalt meiner grausamen Gegner entrissen. So ist mein Gott! Du gabst mir den Sieg über meine Feinde, von diesen brutalen Menschen hast du mich befreit.

[50] Darum will ich dich loben, Herr. Alle Völker sollen es hören! Zu deiner Ehre will ich singen.
[51] Der Herr hat David, den König, aus großen Gefahren errettet. Ihm erweist er seine Liebe, und auch seine Nachkommen wird er nicht im Stich lassen.[a]

Davids letzte Worte

23 Die letzten Worte Davids lauteten:

»Dies sagt David, der Sohn Isais, der Mann, den der Gott Jakobs mit großer Ehre bedacht und zum König erwählt hat, der Mann, der für das Volk Israel die schönsten Lieder schrieb.

[2] Der Geist des Herrn hat durch mich geredet und mir seine Worte in den Mund gelegt. [3] Der Gott Israels, der schützende Fels meines Volkes, hat zu mir gesprochen: Ein König, der gerecht regiert und Gott mit Ehrfurcht begegnet, [4] gleicht der Morgensonne, die nach einem Regenschauer am wolkenlosen Himmel steht: Unter ihren warmen

[a] Man vergleiche bei 2. Samuel 22,1–51 sämtliche Parallelstellen von Psalm 18!

Strahlen sprießen die Pflanzen aus der Erde hervor.

[5] So sieht Gott mich und mein Königshaus an: Er hat einen Bund mit mir geschlossen, den er niemals brechen wird, seine Zusage gilt für alle Zeiten. Ihm allein verdanke ich Wohlergehen und Erfolg.

[6] Aber alle, die von Gott nichts wissen wollen, sind wie entwurzeltes Dornengestrüpp, das der Wind wegweht: Niemand rührt es mit bloßen Händen an. [7] Mit Schaufel und Speer sammelt man es ein und wirft die Dornen an Ort und Stelle ins Feuer.«

Die berühmtesten Soldaten Davids
(1. Chronik 11,10–41)

[8] Dies ist das Verzeichnis der berühmtesten Offiziere des Königs:

Jischbaal[a], ein Nachkomme Hachmonis, war der Befehlshaber der Elitetruppe. Er tötete in einer Schlacht 800 Mann mit seinem Speer.[b]

[9] An zweiter Stelle kam Eleasar, der Sohn Dodos, ein Nachkomme Ahoachs. Er gehörte zu den »drei Helden«, den berühmtesten Soldaten Davids. Sie kämpften an Davids Seite gegen die Philister. In einer Schlacht, als die Israeliten schon die Flucht ergriffen, [10] stürzte Eleasar sich mit dem Schwert auf die Feinde. Er schlug so lange auf sie ein, bis er keine Kraft mehr im Arm hatte und seine Hand sich so verkrampfte, dass er sie kaum noch vom Schwertgriff lösen konnte. Der Herr schenkte den Israeliten einen großen Sieg. Sie kehrten wieder um und plünderten die Gefallenen aus.

[11] Der dritte war der Harariter Schamma, der Sohn Ages. Einmal kämpften die Philister auf einem Linsenfeld in der Nähe von Lehi gegen Israel. Die Israeliten flohen vor den Feinden, [12] doch Schamma drang auf das Feld vor, trieb die Philister zurück und schlug sie in die Flucht. So errangen die Israeliten mit der Hilfe des Herrn einen großen Sieg.

[13/14] Ein anderes Mal hielten die Philister in der Erntezeit die Refaïmebene besetzt. In Bethlehem hatten sie einen Posten aufgestellt. David aber hatte sich in einer Bergfestung verschanzt, in der Adullamhöhle. Dort suchten ihn drei seiner dreißig Offiziere auf. [15] David hatte großen Durst und sagte zu ihnen: »Wer holt mir einen Schluck Wasser aus dem Brunnen am Tor von Bethlehem?« [16] Da drangen die drei Offiziere ins Heerlager der Philister ein, schöpften Wasser aus dem Brunnen bei Bethlehem und brachten es David. Doch er wollte es nicht trinken, sondern schüttete es aus als Trankopfer für den Herrn [17] und sagte: »Der Herr bewahre mich vor einer solchen Tat! Da könnte ich ja gleich das Blut dieser Männer trinken, die ihr Leben aufs Spiel gesetzt haben, um mir das Wasser zu holen!« Darum wollte er nichts davon trinken. So setzten sich diese drei Männer für den König ein.

[18/19] Joabs Bruder Abischai, der Sohn von Davids Schwester Zeruja, führte die drei an. Einmal erstach er mit seinem Speer im Kampf 300 Mann. Er war der berühmteste dieser drei Offiziere, aber er gehörte nicht zu den »drei Helden«.

[20] Benaja aus Kabzeel, ein Sohn Jojadas, war ein starker Mann, der große Taten vollbrachte. Er tötete die beiden gefürchteten Soldaten der Moabiter, die »Löwen aus Moab« genannt wurden. Als es einmal geschneit hatte, stieg er in eine Zisterne hinunter und tötete einen Löwen, der dort hineingefallen war. [21] Ein anderes Mal brachte er einen riesigen Ägypter um, der mit einem Speer bewaffnet war, während er selbst nur einen Stock in der Hand hatte. Benaja ging auf

---

[a] So mit der griechischen Übersetzung. Im hebräischen Text lautet der Name Joscheb-Baschebet.
[b] Vermutlicher Text nach 1. Chronik 11,11. Der hebräische Text lautet: Adino, der Ezniter, tötete in einer Schlacht 800 Mann.

23,5 7,16* **23,13–14** 1 Sam 22,1 **23,18–19** 1 Sam 26,6* **23,20** 8,18*

den Ägypter zu, riss ihm den Speer aus der Hand und erstach ihn damit. [22] Weil Benaja, der Sohn Jojadas, solche Taten vollbrachte, war er als einer jener drei Offiziere bekannt. [23] Er war der berühmteste unter den dreißig Offizieren, aber er gehörte nicht zu den »drei Helden«. David machte ihn zum Befehlshaber seiner Leibwache.

[24] Folgende Männer gehörten zu den dreißig Offizieren des Königs:
Asaël, der Bruder Joabs;
Elhanan, der Sohn Dodos, aus Bethlehem;
[25] Schamma aus Harod;
Elika aus Harod;
[26] Helez aus Pelet;
Ira, der Sohn Ikkeschs, aus Tekoa;
[27] Abiëser aus Anatot;
Sibbechai[a] aus Huscha;
[28] Zalmon aus Ahoach;
Mahrai aus Netofa;
[29] Heled, der Sohn Baanas, aus Netofa;
Ittai, der Sohn Ribais, aus Gibea im Stammesgebiet von Benjamin;
[30] Benaja aus Piraton;
Hiddai aus dem Gaaschtal;
[31] Abialbon aus Arba;
Asmawet aus Bahurim;
[32/33] Eljachba aus Schaalbon;
die Söhne Jaschens;
Jonatan, der Sohn Schammas,[b] aus Harar;
Ahiam, der Sohn Scharars, aus Harar;
[34] Elifelet, der Sohn Ahasbais, aus Macha;
Eliam, der Sohn Ahitofels, aus Gilo;
[35] Hezro aus Karmel;
Paarai aus Arab;
[36] Jigal, der Sohn Nathans, aus Zoba;
Bani aus Gad;
[37] der Ammoniter Zelek;
Nachrai, der Waffenträger Joabs, des Sohnes der Zeruja, aus Beerot;
[38] Ira und Gareb aus Jattir
[39] und der Hetiter Uria.
Insgesamt waren es siebenunddreißig berühmte Soldaten.

Davids Volkszählung
(1. Chronik 21,1–27)

24 Der Herr wurde zornig über die Israeliten. Darum verleitete er David dazu, sie ins Unglück zu stürzen. Er brachte den König auf den Gedanken, eine Volkszählung durchzuführen.

[2] David befahl Joab, seinem obersten Heerführer: »Reise durch alle Stammesgebiete Israels, von Dan im Norden bis Beerscheba im Süden, und zähl alle wehrfähigen Männer! Ich möchte wissen, wie viele es sind.« [3] Doch Joab wandte ein: »Mein König, ich wünsche dir ja, dass der Herr, dein Gott, das Volk noch zu deinen Lebzeiten hundertmal größer werden lässt! Aber ich verstehe nicht, warum du nun so etwas verlangst.« [4] Doch der König blieb bei seinem Entschluss, trotz aller Einwände Joabs und der Offiziere. Und so machten sie sich auf den Weg, um die Volkszählung durchzuführen.

[5] Sie überquerten den Jordan und begannen ihre Arbeit in Aroër, südlich der Stadt, die mitten im Arnontal liegt. Von dort zogen sie weiter in das Stammesgebiet von Gad und nach Jaser, [6] dann nach Gilead und bis nach Kadesch, das schon zum Land der Hetiter gehört[c]. Weiter kamen sie nach Dan-Jaan, in die Gegend von Sidon, [7] in die befestigte Stadt Tyrus und in alle Städte der Hiwiter und Kanaaniter. Schließlich zogen sie durch den Süden Judas bis nach Beerscheba.

[8] So reisten sie durch das ganze Land und kehrten nach neun Monaten und zwanzig Tagen wieder nach Jerusalem zurück. [9] Dort legte Joab dem König das Ergebnis vor: In Israel gab es 800000

---

a So mit 1. Chronik 11,29 und der griechischen Übersetzung. Im hebräischen Text lautet der Name Mebunnai.
b So mit der griechischen Übersetzung. Der hebräische Text lautet: Jonatan, Schamma.
c So mit der griechischen Übersetzung. Der hebräische Text lautet: bis nach Tachtim-Hodschi.
23,24 2,18–23 **23,34** 15,12* **23,39** 11,3–27

wehrfähige Männer, davon kamen 500000 aus dem Stamm Juda.

[10] Doch nun bereute David, was er getan hatte. Er betete zum Herrn: »Meine Schuld ist groß. Bitte, Herr, vergib mir! Ich habe einen schweren Fehler begangen.«

[11] Am nächsten Morgen, als David gerade aufgestanden war, befahl der Herr dem Propheten Gad, der im Dienst des Königs stand: [12] »Geh zu David, und sag ihm: Drei Strafen legt der Herr dir vor. Wähl dir eine davon aus.« [13] Gad ging zu David und gab ihm die Botschaft des Herrn weiter. Er fragte ihn: »Was wählst du? Sieben Jahre Hungersnot in ganz Israel? Oder drei Monate, in denen du vor deinen Feinden fliehen musst? Oder soll drei Tage lang die Pest in deinem Land wüten? Überleg dir, was ich dem antworten soll, der mich zu dir geschickt hat!«

[14] David entgegnete: »Ich habe große Angst. Aber ich will lieber dem Herrn als den Menschen in die Hände fallen, denn er ist sehr barmherzig.«

[15] Da ließ der Herr in Israel die Pest ausbrechen, sie begann noch am selben Morgen und wütete drei Tage lang. In ganz Israel, von Dan im Norden bis Beerscheba im Süden, kamen 70000 Menschen dabei um. [16] Doch als der Todesengel vor Jerusalem stand und auch diese Stadt auslöschen wollte, da hatte der Herr Mitleid mit den Menschen in ihrem Elend, und er befahl: »Genug damit! Hör auf, das Volk zu vernichten!« Der Engel des Herrn stand gerade auf dem Dreschplatz des Jebusiters Arauna.

[17] Als David den Engel sah, rief er zum Herrn: »Ich allein habe gesündigt und einen schweren Fehler begangen, aber das Volk trifft keine Schuld! Darum, Herr, bestrafe nur mich und meine Verwandten!«

[18] Am selben Tag kam der Prophet Gad zu David und forderte ihn auf: »Geh zum Dreschplatz des Jebusiters Arauna, und bau dort einen Altar für den Herrn!« [19] David machte sich auf den Weg, um den Befehl auszuführen, den der Herr ihm durch Gad gegeben hatte.

[20] Als Arauna den König und sein Gefolge kommen sah, lief er ihm entgegen, warf sich ihm zu Füßen und berührte mit seinem Gesicht den Boden. [21] Dann fragte er: »Warum kommt mein Herr und König zu einem so geringen Mann wie mir?« David antwortete: »Ich möchte deinen Dreschplatz kaufen, um hier einen Altar für den Herrn zu bauen, damit die Pest nicht länger wütet.«

[22] »Mein König, nimm dir doch, was du zum Opfern brauchst!«, erwiderte Arauna. »Ich gebe dir die Rinder für das Brandopfer. Als Brennholz kannst du meinen Dreschschlitten und das Joch der Rinder verwenden. [23] Ich schenke dir alles. Möge der Herr, dein Gott, dein Opfer gnädig annehmen!«

[24] Doch der König wandte ein: »Nein, ich will alles zum vollen Preis kaufen. Ich möchte dem Herrn, meinem Gott, nicht ein Opfer darbringen, das mich nichts gekostet hat.«

Und so bezahlte David für den Dreschplatz und die Rinder 50 Silberstücke. [25] Er baute dort einen Altar für den Herrn und brachte auf ihm Brand- und Dankopfer dar. Der Herr erhörte Davids Gebet und machte der Pest in Israel ein Ende.

24,10 1 Sam 24,6 **24,11–13** 1 Sam 22,5 **24,17** 4 Mo 16,22 **24,22** 1 Sam 6,14 **24,24** 3 Mo 27,16

Das erste Buch über die Könige

Adonijas Verschwörung

1 König David war sehr alt geworden. Obwohl seine Diener ihn in viele Decken hüllten, fror er ständig. [2] Da schlugen sie ihm vor: »Gestatte uns, dass wir für unseren Herrn, den König, eine junge, unberührte Frau suchen. Sie soll immer bei ihm sein und ihn liebevoll pflegen. Bestimmt wird dem König wieder warm, wenn sie in seinen Armen liegt.« [3] So suchte man in ganz Israel nach einem schönen Mädchen. Schließlich wurde Abischag, eine sehr schöne junge Frau aus Schunem, ausgewählt und zum König gebracht. [4] Abischag blieb von nun an immer bei ihm und pflegte ihn. Doch David schlief nicht mit ihr.

[5/6] Von seiner Frau Haggit hatte David einen Sohn namens Adonija. Er war ein Halbbruder Absaloms und nach dessen Tod der älteste Sohn Davids. Er war ein schöner junger Mann. Von Kind auf hatte sein Vater ihn nie getadelt oder zurechtgewiesen. So war Adonija stolz und überheblich geworden, und er beschloss: »Ich werde der nächste König sein – ich und kein anderer!« Er beschaffte sich einen Wagen mit Pferden und eine fünfzig Mann starke Leibwache. [7] Es gelang ihm, Joab, den Sohn von Davids Schwester Zeruja, und den Priester Abjatar für seine Pläne zu gewinnen, und die beiden unterstützten ihn. [8] Aber der Priester Zadok, Benaja, ein Sohn Jojadas, und der Prophet Nathan schlossen sich ihm nicht an, und auch Schimi, Reï und die Elitetruppe Davids standen nicht auf seiner Seite.

[9] Eines Tages feierte Adonija ein Opferfest bei der Rogelquelle am Sohelet-stein. Er ließ Schafe, Rinder und gemästete Kälber schlachten. Alle Königssöhne und die Hofbeamten des Königs aus dem Stamm Juda hatte er eingeladen, [10] aber nicht seinen Bruder Salomo, den Propheten Nathan, Benaja und die Elitesoldaten Davids.

David ernennt Salomo zum Nachfolger

[11] Da eilte Nathan zu Salomos Mutter Batseba und fragte sie: »Hast du schon gehört? Adonija, der Sohn der Haggit, ist König geworden! Und David, unser Herr, weiß es nicht einmal! [12] Dein Leben ist in Gefahr und auch das deines Sohnes Salomo. Darum folge jetzt meinem Rat: [13] Geh zu König David und sag ihm: ›Mein Herr und König, du hast mir doch geschworen, dass mein Sohn Salomo dein Nachfolger wird. Du hast gesagt: Ich will, dass er einmal auf meinem Königsthron sitzt! Aber warum ist Adonija nun König geworden?‹ [14] Und dann, während du noch mit dem König sprichst, komme ich dazu und sage dasselbe noch mal.«

[15] Sofort ging Batseba zum König, der sich jetzt meistens im innersten Zimmer des Palasts aufhielt. Er war ja inzwischen sehr alt geworden, und Abischag aus Schunem pflegte ihn. [16] Batseba betrat den Raum, verneigte sich und warf sich vor dem König zu Boden. Er fragte sie: »Was willst du?« [17] Da brachte sie ihr Anliegen vor: »Mein Herr, du selbst hast mir doch bei Gott, deinem Herrn, geschworen, dass mein Sohn Salomo dein Nachfolger wird. Du hast gesagt: ›Ich will, dass er einmal auf meinem Königsthron sitzt!‹ [18] Aber was ist nun geschehen? Adonija ist König geworden, und du, mein Herr und König, weißt es nicht einmal! [19] Er ließ sehr viele Stiere, gemästete Kälber

---

1,5–6 2 Sam 3,4 **1,7–8** 4,1–6; 2 Sam 8,16–18 **1,7** 1 Sam 22,20–21*; 2 Sam 2,13* **1,8** 2 Sam 8,18*; 12,1.7–12; 15,24–29.35 **1,11** 2 Sam 3,20–21 **1,13** 1 Chr 28,5–10

und Schafe schlachten und hat alle Königssöhne zu einem Fest eingeladen. Auch der Priester Abjatar und dein Heerführer Joab sind dabei, nicht aber dein Sohn Salomo, der treu zu dir steht. [20] Und nun, mein Herr und König, wartet ganz Israel gespannt darauf, dass du öffentlich deinen Nachfolger bestimmst. [21] Wenn du jetzt nicht handelst, dann werden mein Sohn Salomo und ich umgebracht, sobald du gestorben bist. Denn der neue König wird seine Herrschaft durch uns bedroht sehen.«

[22/23] Während Batseba noch mit David sprach, meldete man dem König den Besuch des Propheten Nathan. Der Prophet betrat den Raum und verneigte sich vor dem König, bis sein Gesicht den Boden berührte. [24] Dann sagte er: »Mein Herr und König, du hast nun wohl entschieden, wer dein Nachfolger wird. Sicher hast du angeordnet, dass Adonija auf deinem Königsthron sitzen soll! [25] Auf jeden Fall ist er heute zur Rogelquelle hinuntergegangen und ließ dort sehr viele Stiere, gemästete Kälber und Schafe schlachten. Er hat alle Prinzen, alle Heerführer und den Priester Abjatar zu einem Opferfest eingeladen. Und nun feiern sie dort ein rauschendes Fest. Sie essen und trinken und rufen: ›Hoch lebe König Adonija!‹ [26] Mich aber, deinen ergebenen Knecht, Priester Zadok, Benaja, den Sohn Jojadas, und deinen Sohn Salomo, der treu zu dir hält, hat er nicht eingeladen. [27] Hast du, mein Herr und König, das wirklich so befohlen? Hast du über die Köpfe deiner engsten Vertrauten hinweg deinen Nachfolger bestimmt?«

[28] Bevor der König antwortete, ließ er Batseba wieder hereinrufen. Sie kam und trat vor den König. [29/30] Er sagte zu ihr: »Ja, ich habe dir versprochen, dass dein Sohn Salomo mein Nachfolger wird. Ich habe gesagt: Ich will, dass er einmal auf meinem Königsthron sitzt. Dies habe ich dir sogar mit einem Eid vor dem Herrn, dem Gott Israels, bekräftigt. Heute noch will ich dieses Versprechen einlösen, so gewiss der Herr lebt, der mich aus jeder Not gerettet hat!« [31] Da verneigte Batseba sich vor dem König, bis ihr Gesicht den Boden berührte, warf sich vor ihm nieder und rief: »Lang lebe mein Herr, der König David!«

[32] Dann befahl David: »Ruft den Priester Zadok, den Propheten Nathan und Benaja, den Sohn Jojadas, her!« Bald standen die drei vor dem König. [33] Er sagte zu ihnen: »Nehmt meine Leibwache mit, und begleitet meinen Sohn Salomo hinunter zur Gihonquelle! Salomo soll auf meinem eigenen Maultier reiten. [34] Zadok und Nathan, ihr beide werdet ihn dort unten zum König über Israel salben. Und dann blast Trompeten und ruft: ›Hoch lebe König Salomo!‹ [35] Danach geleitet ihn wieder zurück zum Palast! Er soll sich auf meinen Thron setzen, denn er ist mein Nachfolger. Ihn habe ich zum neuen Herrscher über Israel und Juda bestimmt.«

[36] »Ja, so soll es geschehen«, antwortete Benaja, der Sohn Jojadas, »möge der Herr, der Gott unseres Königs, seinen Segen dazu geben. [37] So wie der Herr unserem König David geholfen hat, so möge er nun Salomo helfen; ja, er möge ihn noch mächtiger machen als meinen Herrn, den König David!« [38] So geleiteten der Priester Zadok, der Prophet Nathan, Benaja, der Sohn Jojadas, und die königliche Leibgarde Salomo hinunter zur Gihonquelle. Salomo ritt auf dem Maultier des Königs. [39] Vorher hatte Zadok das Horn mit Öl aus dem Heiligtum geholt. Er salbte Salomo zum neuen König. Sie bliesen die Trompeten, und das Volk jubelte: »Hoch lebe König Salomo!« [40] Danach zogen sie wieder hinauf zum Palast, und viele Menschen folgten ihnen; sie spielten auf Flöten und jubelten vor Freude so laut, dass die Erde bebte.

Adonija gibt auf

[41] Adonija und seine Gäste hatten gerade ihr Festmahl beendet, da drangen auch

1,34 1,25

schon die Jubelrufe aus der Stadt an ihre Ohren. Als auch noch die Trompeten zu hören waren, fragte Joab erstaunt: »Was soll dieser Lärm in der Stadt?« [42] Joab hatte noch nicht ausgeredet, da erschien Jonatan, der Sohn des Priesters Abjatar. »Komm, setz dich zu uns!«, lud Adonija ihn ein. »Du bist ein zuverlässiger Mann; bestimmt bringst du uns gute Nachrichten!«

[43] »Nein, leider nicht!«, entgegnete Jonatan. »Unser Herr, König David, hat Salomo als seinen Nachfolger eingesetzt! [44] Er hat ihn auf seinem Maultier reiten lassen, und der Priester Zadok, der Prophet Nathan, Benaja, der Sohn Jojadas, und die ganze königliche Leibwache mussten ihn begleiten. [45] Unten bei der Gihonquelle haben Zadok und Nathan ihn zum König gesalbt. Dann sind sie alle mit lautem Jubel wieder zum Palast hinaufgezogen. Die ganze Stadt ist auf den Beinen. Das ist der Lärm, den ihr hört. [46] Und stellt euch vor, Salomo hat sich bereits auf den Königsthron gesetzt! [47] Alle Getreuen des Königs sind zu unserem Herrn, dem König David, hineingegangen, um ihn zu dieser Entscheidung zu beglückwünschen: ›Dein Gott mache Salomo noch berühmter als dich‹, sagen sie. ›Möge er noch mächtiger werden als du!‹ Der König aber betet auf seinem Bett den Herrn an. Er hat den Kopf geneigt [48] und ruft: ›Gepriesen sei der Herr, der Gott Israels! Heute hat er einen meiner Söhne als meinen Nachfolger auf den Thron gesetzt. Ich preise den Herrn, dass ich diesen Augenblick noch erleben darf!‹«

[49] Da packte die Gäste Adonijas der Schreck. Sie sprangen auf und liefen in alle Richtungen davon. [50] Auch Adonija bekam es mit der Angst zu tun. Er fürchtete die Rache Salomos. Darum flüchtete er zum Brandopferaltar und hielt sich an dessen Hörnern fest.[a] [51] Jemand ging zu Salomo und berichtete ihm: »Adonija hat große Angst vor dem König Salomo. Darum hält er sich an den Hörnern des Altars fest und ruft: ›Hier bleibe ich, bis König Salomo mir schwört, dass er mich nicht hinrichten lässt.‹« [52] Salomo versprach: »Solange Adonija mir treu ergeben bleibt, soll ihm kein Haar gekrümmt werden. Doch sobald er sich etwas zuschulden kommen lässt, wird er hingerichtet!«

[53] Darauf ließ der König Adonija vom Altar wegholen. Adonija ging sogleich zu Salomo und warf sich ihm zu Füßen. Salomo aber sagte zu ihm: »Geh jetzt nach Hause!«

Davids letzte Anweisungen an Salomo und sein Tod

2 Als David merkte, dass er bald sterben würde, gab er seinem Sohn Salomo noch einige Anweisungen mit auf den Weg: [2] »Ich weiß, dass ich bald sterben werde. Jetzt musst du deinen Mann stehen. Sei stark, mein Sohn! [3] Richte dein ganzes Leben nach dem Herrn, deinem Gott, aus, und lebe, wie es ihm gefällt! Befolge das Gesetz Gottes, achte auf jedes Gebot, jeden Befehl und jede Weisung, die im Gesetzbuch des Mose aufgeschrieben sind. Dann wird dir alles, was du unternimmst, gelingen; wohin du auch gehst – der Erfolg ist dir sicher! [4] Dann wird der Herr auch sein Versprechen einlösen, das er mir gegeben hat. Er hat nämlich zu mir gesagt: ›Wenn deine Nachkommen ein Leben führen, das mir gefällt, wenn sie mir von ganzem Herzen die Treue halten, dann wird immer einer von ihnen König über Israel sein.‹

[5] Nun habe ich noch einige Bitten an dich: Du kennst Joab, den Sohn meiner Schwester Zeruja, und du weißt auch, was er mir angetan hat. Die beiden israelitischen Heerführer Abner, den Sohn Ners, und Amasa, den Sohn Jeters, hat er mitten im Frieden kaltblütig ermordet.

---

[a] Der Altar galt als Asylort für Verbrecher. An diesem heiligen Ort durften sie nicht umgebracht werden.

2,1–3 3,3; 11,1–6; 5 Mo 6,4–5* **2,4** 2 Sam 7,16* **2,5** 2 Sam 2,13*; 3,27; 20,8–10

Dadurch hat er seine Kleider mit unschuldigem Blut besudelt. [6]Du bist doch ein weiser Mann, Salomo. Joab ist inzwischen recht alt geworden. Sorge du nun dafür, dass er für seine Verbrechen hingerichtet wird, bevor er eines natürlichen Todes stirbt! [7]Die Nachkommen Barsillais aus Gilead dagegen sollst du freundlich behandeln! Lass sie immer als Gäste an deinem Tisch essen. Denn sie haben mich damals versorgt, als ich vor deinem Bruder Absalom fliehen musste. [8]Dann ist da noch Schimi, der Sohn Geras, aus Bahurim im Stammesgebiet von Benjamin. Als ich damals nach Mahanajim floh, hat er mich mit schrecklichen Flüchen beschimpft. Doch bei meiner Rückkehr kam er mir bis an den Jordan entgegen und flehte um Gnade[a]. Da schwor ich ihm bei dem Herrn, dass ich ihn nicht mit dem Schwert umbringen würde. [9]Deshalb bestrafe du ihn nun für seine Untat! Du bist ein weiser Mann und wirst schon Mittel und Wege finden. Auch er ist schon alt und könnte bald sterben. Sieh zu, dass du ihn so schnell wie möglich hinrichtest.«

[10]Kurze Zeit später starb David. Er wurde in seiner Stadt, in Jerusalem, begraben.[b] [11]Insgesamt hatte er vierzig Jahre lang als König über Israel regiert, sieben Jahre in Hebron und dreiunddreißig Jahre in Jerusalem. [12]Salomo wurde der Nachfolger seines Vaters David. Er hatte die Zügel fest in der Hand und wurde ein mächtiger König.

Salomo lässt Adonija hinrichten

[13]Eines Tages kam Adonija, der Sohn von Davids Frau Haggit, zu Salomos Mutter Batseba. »Kommst du in friedlicher Absicht?«, wollte Batseba von ihm wissen. »Ja«, sagte er, »ich habe nichts Böses im Sinn. [14]Ich möchte nur etwas mit dir besprechen.«

»Gut, dann rede!«, forderte sie ihn auf, [15]und er begann: »Du weißt ja, dass eigentlich ich das Recht auf den Königsthron hätte. So hat es auch ganz Israel erwartet. Doch nun ist alles anders gekommen: Die Krone ist meinem Bruder zugefallen, denn der Herr wollte es so. [16]Jetzt habe ich nur eine einzige Bitte an dich; darf ich sie vorbringen?« »Sprich nur!«, ermutigte sie ihn. [17]»Ich möchte gern Abischag aus Schunem heiraten«, sagte er. »Könntest du nicht König Salomo für mich um ihre Hand bitten, denn dich wird er bestimmt nicht abweisen.« [18]»Einverstanden«, versprach Batseba, »ich will beim König ein gutes Wort für dich einlegen.«

[19]So ging Batseba zu König Salomo, um mit ihm wegen Adonija zu reden. Als sie den Thronsaal betrat, stand der König auf, kam ihr entgegen und verbeugte sich. Dann setzte er sich wieder auf seinen Thron und ließ auch für seine Mutter einen Thronsessel aufstellen. Sie nahm zu seiner Rechten Platz [20]und brachte gleich ihr Anliegen vor: »Ich habe nur eine einzige kleine Bitte. Willst du mir zuhören?« »Sprich nur, liebe Mutter, dir werde ich nichts abschlagen!«, antwortete ihr der König. [21]Sie fragte ihn: »Könnte man nicht Abischag aus Schunem deinem Bruder Adonija zur Frau geben?«

[22]Da brauste Salomo zornig auf: »So, du möchtest, dass Adonija und Abischag aus Schunem heiraten! Wie kommst du dazu? Warum bittest du mich nicht gleich, mein Amt als König an Adonija abzutreten?[c] Schließlich ist er ja mein älterer Bruder. Bestimmt hätten auch der Priester Abjatar und der Heerführer Joab, der Sohn von Davids Schwester Zeru-

---

[a] »und flehte um Gnade« ist sinngemäß ergänzt.

[b] Wörtlich: Er wurde in der »Stadt Davids« begraben. Hier und in den folgenden Angaben über die Königsgräber ist mit der »Stadt Davids« ein Stadtteil auf dem südöstlichen Hügel Jerusalems gemeint.

[c] Im alten Orient war es üblich, dass der neue König den Harem seines Vorgängers übernahm. Daher reagierte Salomo so heftig auf Batsebas Bitte.

2,7 2 Sam 17,27–29 **2,8** 2 Sam 16,5–13 **2,17** 1,1–4 **2,22** 2 Sam 16,20–22

ja, nichts dagegen, wenn sie durch ihn wieder an die Macht kämen!« [23]Dann schwor Salomo: »Das wird er mit dem Leben bezahlen! Der Herr soll mich schwer bestrafen, wenn ich Adonija dafür nicht hinrichten lasse. [24]Gott, der Herr, hat mich zum Nachfolger meines Vaters David gemacht, er hat mich als König bestätigt und mir und meinen Nachkommen die Königsherrschaft anvertraut, wie er es versprochen hat. Ich schwöre bei dem Herrn, dem lebendigen Gott: Noch heute muss Adonija sterben!«

[25]Dann befahl König Salomo Benaja, dem Sohn Jojadas, Adonija hinzurichten. Benaja ging hinaus und stach ihn nieder.

Salomo rechnet mit Joab und Abjatar ab

[26]Zum Priester Abjatar sagte Salomo: »Geh zurück in deine Heimatstadt Anatot, und bewirtschafte dein Land. Eigentlich hast auch du den Tod verdient, doch ich will dich nicht hinrichten, denn du hast zu Lebzeiten meines Vaters David die Bundeslade getragen. Alle Demütigungen, denen mein Vater ausgesetzt war, hast du mit ihm zusammen erlitten.« [27]So entzog Salomo Abjatar das ehrenvolle Amt des Priesters. Damit erfüllte sich, was der Herr in Silo über die Nachkommen Elis vorausgesagt hatte.[a]

[28]Bald erfuhr Joab, was geschehen war. Damals bei Absaloms Verschwörung hatte er sich den Aufständischen nicht angeschlossen, doch diesmal hatte er sich auf die Seite Adonijas geschlagen. Darum ergriff er nun schnell die Flucht. Er floh in das heilige Zelt des Herrn und hielt sich an den Hörnern des Altars fest.[b] [29]Salomo erhielt die Nachricht: »Joab ist ins Heiligtum geflohen und steht jetzt dort beim Altar.« Als Salomo das hörte, befahl er Benaja, dem Sohn Jojadas: »Geh, stich Joab nieder!«

[30]Benaja ging ins Heiligtum und sagte zu Joab: »Der König befiehlt: Du sollst sofort herauskommen!« Doch Joab erwiderte: »Nein, ich komme nicht! Wenn schon, dann will ich hier sterben.«

Benaja kehrte um und teilte dem König Joabs Antwort mit. [31]Da ordnete Salomo an: »Gut, wie er will! Stich ihn nieder, und begrab ihn! Dann sind weder ich noch meine Nachkommen weiter verantwortlich für das Blut, das Joab ohne Grund vergossen hat. [32]So wird der Herr ihn für den Mord an zwei Männern bestrafen, die weit ehrenhafter und besser waren als er: Abner, der Sohn Ners und oberste Heerführer der Truppen Israels, und Amasa, der Sohn Jeters und oberste Heerführer der Truppen Judas. Joab hat sie ohne Wissen meines Vaters mit dem Schwert erstochen. [33]Diese Blutschuld soll für immer auf Joab und seinen Nachkommen lasten. Davids Thronfolgern aber und allen seinen Nachkommen wird der Herr ewig Frieden schenken.«

[34]Da ging Benaja wieder hinauf zum Heiligtum und erstach Joab. Man begrub ihn auf seinem Grundstück in der judäischen Steppe. [35]Der König ernannte Benaja, den Sohn Jojadas, an Joabs Stelle zum obersten Heerführer, und dem Priester Zadok übergab er das Amt des abgesetzten Priesters Abjatar.

Schimi verwirkt sein Leben

[36]Danach ließ König Salomo Schimi zu sich rufen und befahl ihm: »Bau dir hier in Jerusalem ein Haus! Darin sollst du wohnen. Nie wieder darfst du die Stadt verlassen, ganz gleich wohin. [37]Du kannst sicher sein: Sobald du durch das Stadttor gehst und den Bach Kidron überquerst, wirst du hingerichtet! Ich habe dich gewarnt – sollte es so weit kommen, dann bist du selbst schuld an deinem Tod.« [38]Schimi antwortete: »Ich habe verstan-

---

[a] Vgl. 1. Samuel 2,30–33

[b] Der Altar galt als Asylort für Verbrecher. An diesem heiligen Ort durften sie nicht umgebracht werden.

2,29 2 Mo 21,12–14

den und werde den Befehl meines Herrn und Königs genau befolgen.«

Schimi hielt sich lange an das Verbot des Königs. [39] Doch eines Tages – etwa drei Jahre später – liefen ihm zwei Sklaven davon und suchten Zuflucht bei König Achisch von Gat, dem Sohn Maachas. Als Schimi erfuhr, dass seine Sklaven sich dort aufhielten, [40] sattelte er seinen Esel und machte sich auf den Weg zu König Achisch, um die beiden zurückzuholen. Er fand sie und brachte sie zurück nach Jerusalem.

[41] Als Salomo hörte, dass Schimi in Gat gewesen war, [42] ließ er ihn zu sich rufen und stellte ihn zur Rede: »Habe ich dir nicht verboten, dich aus Jerusalem zu entfernen, und dich gewarnt: ›Verlass dich drauf: Sobald du aus der Stadt weggehst, wirst du hingerichtet, ganz gleich, wohin du gehst?‹ Und wie war deine Antwort? Du sagtest: ›Ich habe verstanden!‹ Dann hast du sogar bei dem Herrn geschworen, dem Befehl zu gehorchen. [43] Warum hast du nun den Eid gebrochen und gegen meine Anordnung verstoßen? [44] Schon meinem Vater hast du schwer zu schaffen gemacht. Du weißt ganz genau, mit welcher Frechheit du ihm damals begegnet bist. Nun ist der Tag gekommen, an dem der Herr dich für deine Bosheit bestraft! [45] Mich aber, den König Salomo, wird er segnen. Ja, der Herr wird dafür sorgen, dass Davids Nachkommen für alle Zeiten die Königsherrschaft gehört.«

[46] Danach gab König Salomo Benaja den Befehl, Schimi hinzurichten. Benaja führte Schimi hinaus und erstach ihn auf der Stelle.

Nun hatte Salomo die Zügel der Herrschaft fest in der Hand.

Salomo bittet um Weisheit
(2. Chronik 1,1–13)

3 Salomo heiratete die Tochter des Pharaos und wurde der Schwiegersohn des ägyptischen Königs. Seine junge Frau wohnte in Jerusalem zunächst in dem Stadtteil, den David erobert und aufgebaut hatte. Der neue Palast, den Salomo errichten ließ, war noch im Bau, ebenso der Tempel und die Stadtmauer.

[2] Damals gab es noch keinen Tempel für den Herrn, und so brachten die Israeliten ihre Opfer an verschiedenen Opferstätten auf den Bergen und Hügeln dar. [3] Salomo liebte den Herrn und lebte genau nach den Anweisungen seines Vaters David. Doch auch er opferte an solchen Orten. Er schlachtete Tiere und verbrannte Weihrauch.

[4] Einmal ging er nach Gibeon und brachte tausend Brandopfer dar, denn dort befand sich damals die wichtigste Opferstätte. [5] Über Nacht blieb er in Gibeon. Da erschien ihm der Herr im Traum. »Erbitte von mir, was du willst!«, sagte Gott zu ihm.

[6] Salomo antwortete: »Schon meinem Vater David hast du sehr viel Gutes getan, weil er dir nie etwas vorheuchelte, sondern dir treu diente und dir immer gehorchte. Sogar über seinen Tod hinaus hast du ihm deine Güte erwiesen, denn du hast einem seiner Söhne den Thron gegeben. [7] Herr, mein Gott, du selbst hast mich zum Nachfolger meines Vaters David gemacht. Ich aber bin noch jung und unerfahren. Ich weiß nicht, wie ich diese große Aufgabe bewältigen soll. [8] Hier stehe ich mitten in einem Volk, das du, Herr, als dein Volk angenommen hast. Es ist so groß, dass man es weder zählen noch schätzen kann. [9] Darum bitte ich dich: Gib mir ein Herz, das auf dich hört, damit ich gerechte Urteile fällen und zwischen Recht und Unrecht unterscheiden kann. Denn wie könnte ich sonst ein so riesiges Volk richtig führen?«

[10] Es gefiel dem Herrn, dass Salomo gerade eine solche Bitte ausgesprochen hatte. [11] Darum antwortete Gott: »Ich freue mich, dass du dir nicht ein langes

---

2,45 2 Sam 7,16* **3,1** 5 Mo 7,3–4* **3,2** 1 Sam 9,12–13 **3,3** 11,4–6 **3,4** 1 Chr 16,39–42; 21,29; 2 Chr 33,17 **3,6** 2,1–4; 2 Sam 7,16* **3,8** 1 Mo 12,2*; 2 Mo 19,5–6* **3,9** 5,9–14; Spr 8,12–21

Leben gewünscht hast, auch nicht Reichtum oder den Tod deiner Feinde. Du hast mich um Weisheit gebeten, weil du ein guter Richter sein willst. [12]Du sollst bekommen, was du dir wünschst! Ich will dich so weise und einsichtsvoll machen, wie es vor dir noch niemand war und auch nach dir niemand mehr sein wird. [13]Aber ich will dir auch das geben, worum du nicht gebeten hast: Reichtum und Macht. Solange du lebst, soll kein König so groß sein wie du. [14]Wenn du so lebst, wie es mir gefällt, wenn du mir gehorchst und meine Gebote befolgst wie dein Vater David, dann werde ich dir auch ein langes Leben schenken.«

[15]Da erwachte Salomo und merkte, dass er geträumt hatte. Am nächsten Morgen ging er nach Jerusalem zurück. Dort trat er vor die Bundeslade des Herrn und brachte Brand- und Dankopfer dar. Danach lud er seinen ganzen Hofstaat zu einem Festessen ein.

Das weise Urteil Salomos

[16]Eines Tages kamen zwei Prostituierte zum König. [17]»Mein Herr«, begann die eine, »wir beide wohnen zusammen im selben Haus. Vor einiger Zeit habe ich in diesem Haus ein Kind bekommen. [18]Nur zwei Tage nach mir bekam auch diese Frau ein Kind. In dieser Zeit waren wir ganz allein im Haus, niemand war bei uns. [19]Eines Nachts legte sie sich versehentlich im Schlaf auf ihren Jungen und erdrückte ihn. [20]Als sie es merkte, stand sie mitten in der Nacht auf und nahm mir meinen Sohn aus den Armen, während ich fest schlief. Mir legte sie den toten Jungen in die Arme und nahm mein Kind zu sich. [21] Als ich morgens aufwachte und meinen Sohn stillen wollte, merkte ich, dass er tot war. Sobald es hell wurde, sah ich ihn mir genauer an. Und was entdeckte ich? Es war gar nicht der Junge, den ich geboren hatte!«

[22]»Nein«, unterbrach die andere Frau, »das stimmt nicht! Mein Sohn lebt, und deiner ist tot.« »Falsch«, schrie die erste sie an, »ich sage die Wahrheit: Dein Sohn ist tot, und meiner lebt!« So zankten sie vor dem König.

[23]Da sagte Salomo: »Ihr streitet euch also darum, wem das lebende Kind gehört. Beide sagt ihr: ›Der Junge, der lebt, gehört mir, der tote ist deiner.‹« [24]Dann befahl er: »Bringt mir ein Schwert!« Als man die Waffe gebracht hatte, [25]gab Salomo den Befehl: »Teilt das lebendige Kind in zwei gleiche Teile, und gebt dann jeder der beiden Frauen eine Hälfte!« [26]Als die wirkliche Mutter des Jungen das hörte, brach es ihr schier das Herz, und sie bat den König: »Bitte, Herr, tötet das Kind nicht, ich flehe Euch an! Lieber soll sie es bekommen!« Die andere aber sagte: »Doch, zerschneidet es nur, es soll weder mir noch dir gehören!«

[27]Da befahl der König: »Tötet den Säugling nicht, sondern gebt ihn der Frau, die ihn um jeden Preis am Leben erhalten will, denn sie ist die Mutter!« [28]Bald wusste man in ganz Israel, wie weise König Salomo geurteilt hatte, und alle hatten große Ehrfurcht vor ihm. Denn sie merkten, dass Gott ihm Weisheit schenkte und ihm half, gerechte Urteile zu fällen.

Verzeichnis der Beamten und Bezirksverwalter Salomos

4 Salomo herrschte nun über ganz Israel als König. [2–6]Und dies waren seine obersten Beamten:

Oberster Priester: Asarja, ein Sohn Zadoks;
Hofsekretäre: Elihoref und Ahija, beides Söhne Schischas;
Berater des Königs: Joschafat, ein Sohn Ahiluds;
Oberbefehlshaber über das Heer: Benaja, ein Sohn Jojadas;
Priester: Zadok und Abjatar;
Vorgesetzter der Bezirksverwalter: Asarja, ein Sohn Nathans;

3,13 5,1–5; 10,4–29; Mt 6,33 **4,1–6** 2 Sam 8,16–18

Persönlicher Ratgeber des Königs: der Priester Sabud, ein Sohn Nathans;
Palastverwalter: Ahischar;
Aufseher über die Zwangsarbeiter: Adoniram, ein Sohn Abdas.

[7] Salomo hatte das Land Israel in zwölf Bezirke aufgeteilt und über jeden Bezirk einen Verwalter gesetzt. Diese Bezirksverwalter waren verantwortlich für die Versorgung des königlichen Hofes. Jeder musste einen Monat im Jahr für die Ausgaben am Hof aufkommen. [8–19] Es folgt die Liste der Bezirksverwalter und ihrer Gebiete:
der Sohn Hurs: das Gebirge Ephraim;
der Sohn Dekers: die Gegend der Städte Makaz, Schaalbim, Bet-Schemesch und Elon Bet-Hanan;
der Sohn Heseds: die Stadt Arubbot, Socho und die Gegend von Hefer;
der Sohn Abinadabs, verheiratet mit Salomos Tochter Tafat: das hügelige Gebiet, das zur Küstenstadt Dor gehört;
Baana, ein Sohn Ahiluds: das Gebiet der Städte Taanach, Megiddo und Bet-Schean (die Nachbarstadt von Zaretan unterhalb von Jesreel), das ganze Gebiet von Bet-Schean bis Abel-Mehola einschließlich der Stadt Jokneam;
der Sohn Gebers: die Gegend von Ramot in Gilead einschließlich der so genannten »Dörfer Jaïrs, des Sohnes von Manasse« sowie das Gebiet von Argob in Baschan mit sechzig befestigten Städten, die Mauern und Tore mit bronzenen Riegeln hatten;
Ahinadab, ein Sohn Iddos: Mahanajim;
Ahimaaz, verheiratet mit Salomos Tochter Basemat: das Gebiet des Stammes Naftali;
Baana, ein Sohn Huschais: das Gebiet des Stammes Asser und die Gegend von Bealot;
Joschafat, ein Sohn Paruachs: das Gebiet des Stammes Issaschar;
Schimi, ein Sohn Elas: das Gebiet des Stammes Benjamin;
Geber, ein Sohn Uris: die Gegend von Gilead, wo früher der Amoriterkönig Sihon und König Og von Baschan geherrscht hatten. Trotz der Größe dieses Gebiets war Geber allein dafür verantwortlich.

Salomos Macht und Weisheit

[20] In Juda und Israel gab es damals so viele Menschen wie Sand am Meer. Das ganze Volk hatte genug zu essen und zu trinken und war zufrieden.

5 Salomo herrschte über alle Königreiche vom Euphrat über das Gebiet der Philister bis zur ägyptischen Grenze. Solange er lebte, waren diese Völker ihm unterworfen und mussten ihm Steuern zahlen.

[2] Für den Unterhalt seines Hofstaates brauchte Salomo täglich etwa 4 Tonnen feines Weizenmehl und 8 Tonnen anderes Mehl, [3] 10 gemästete Rinder, 20 Rinder von der Weide und 100 Schafe. Dazu kamen noch Hirsche, Gazellen, Rehe und gemästetes Geflügel.

[4] Salomo hatte die Macht über das ganze Gebiet westlich des Euphrat. Von der Stadt Tifsach bis nach Gaza herrschte er über alle Königreiche. Er lebte mit den Völkern ringsum in Frieden. [5] Zu Lebzeiten Salomos ging es ganz Israel und Juda gut. Von Dan im Norden bis Beerscheba im Süden lebte das Volk in Frieden. Jeder konnte ungestört in seinem Weinberg arbeiten und unter seinem Feigenbaum sitzen.

[6] Salomo besaß 4000[a] Stallplätze für die Pferde seiner Streitwagen, dazu 12000 Pferde. [7] Die zwölf Bezirksverwalter versorgten Salomo regelmäßig mit allen Lebensmitteln, die er für sich und die Gäste an seinem Tisch brauchte. Jeder musste einen Monat lang dafür aufkommen. Sie ließen es an nichts fehlen.

---

[a] So mit 2. Chronik 9,25 und der griechischen Übersetzung. Der hebräische Text lautet: 40000 Stallplätze.

5,5 Mi 4,4

[8]Gerste und Stroh für die Reit- und Wagenpferde gaben sie direkt in den Stallungen ab, wo es gerade gebraucht wurde. So entsprach es den Vorschriften.

[9]Gott schenkte Salomo große Weisheit, einen scharfen Verstand und ein unvorstellbar breites Wissen. [10]Ja, Salomo übertraf mit seiner Weisheit sowohl die Gelehrten aus dem Osten als auch die Ägypter. [11]Er war weiser als alle anderen Menschen, weiser sogar als Etan, der Esrachiter, als Heman, Kalkol und Darda, die Söhne Mahols. Man kannte seinen Namen bei allen Nachbarvölkern, so berühmt war er. [12]Er verfasste 3000 Sprichwörter und dichtete 1005 Lieder. [13]Er konnte alle Arten von Pflanzen genau beschreiben: von den hohen Zedern im Libanon bis zu den unscheinbaren Ysop-Pflanzen, die in Mauerrissen wachsen. Auch die Tierwelt war ihm nicht fremd: Er konnte über Säugetiere, Vögel, Kriechtiere und Fische sprechen. [14]Aus allen Völkern kamen Menschen, um Salomo zuzuhören, und alle Könige der Erde schickten ihre Gesandten zu ihm.

Salomo schließt mit König Hiram einen Vertrag ab
(2. Chronik 1,18 – 2,17)

[15]König Hiram von Tyrus war schon immer ein guter Freund von David gewesen. Als er hörte, dass man Salomo zum Nachfolger Davids gesalbt hatte, schickte er eine Gesandtschaft zu dem jungen König, um ihm zu gratulieren. [16]Darauf sandte Salomo Boten zu Hiram und ließ ihm sagen: [17]»Du weißt ja, dass mein Vater David gern einen Tempel für den Herrn, seinen Gott, gebaut hätte. Er konnte es aber nicht, weil er immer wieder gegen befeindete Nachbarvölker in den Krieg ziehen musste, bis der Herr ihm endlich den Sieg über sie gab. [18]Mir aber hat der Herr, mein Gott, Frieden geschenkt: Weit und breit habe ich keine Feinde, mir droht von nirgends Gefahr. [19]Darum möchte ich nun für den Herrn, meinen Gott, einen Tempel bauen. Schon damals hat der Herr meinem Vater versprochen: ›Dein Sohn, den ich zu deinem Nachfolger machen werde, der soll einmal für mich den Tempel bauen.‹ [20]So bitte ich dich nun: Lass deine Arbeiter auf dem Libanon Zedern für mich fällen. Meine Leute könnten mit ihnen zusammenarbeiten. Natürlich werde ich den Lohn deiner Arbeiter zahlen; du musst nur sagen, wie viel ich ihnen geben soll. Du weißt ja selbst, dass wir keine so guten Holzfäller haben, wie die Sidonier es sind.«

[21]Hiram freute sich sehr über diese Bitte Salomos. »Ich danke dem Herrn«, rief er, »dass er David einen so weisen Sohn geschenkt hat! Er wird dieses große Volk bestimmt gut regieren.« [22]An Salomo schickte Hiram folgende Antwort: »Ich habe deine Anfrage erhalten und erfülle gerne deine Wünsche nach Zedern- und Zypressenholz. [23]Meine Arbeiter werden die gefällten Bäume zum Meer hinunterbringen. Ich lasse die Stämme zu Flößen zusammenbinden und an der Küste entlang nach Israel bringen. An dem Ort, den du mir angibst, lasse ich die Flöße dann wieder auseinander nehmen. Dort kann das Holz von deinen Leuten abgeholt werden. Ich schlage vor, dass du mir als Gegenleistung dafür Lebensmittel für meinen Hof gibst.«

[24]So lieferte Hiram Salomo Zedern- und Zypressenholz, wie er es bestellt hatte. [25]Salomo sandte Hiram als Bezahlung jährlich 2640 Tonnen Weizen und 4500 Liter bestes Olivenöl. [26]Außerdem schlossen Salomo und Hiram einen Friedensvertrag ab. Der Herr schenkte Salomo Weisheit, wie er es ihm versprochen hatte.

Die ersten Vorbereitungen für den Bau des Tempels
(2. Chronik 1,18 – 2,17)

[27/28]König Salomo zog in ganz Israel 30000 Mann zur Fronarbeit heran und er-

5,14 10,1–13 **5,17** 5 Mo 12,5*; 1 Chr 22,8 **5,19** 2 Sam 7,13 **5,27–29** 9,20–21

nannte Adoniram zu ihrem Vorgesetzten. Er schickte jeden Monat abwechselnd 10000 von ihnen in den Libanon hinauf. Jeder Arbeiter war also jeweils einen Monat lang dort im Einsatz und danach für zwei Monate zu Hause. [29]Salomo hatte 80000 Männer verpflichtet, die im Steinbruch in den Bergen arbeiteten, sowie 70000, die für den Transport der gewonnenen Steinblöcke verantwortlich waren. [30]Über diese Arbeiter waren 3300 Aufseher eingesetzt, die ihrerseits den Bezirksverwaltern unterstanden. [31]Salomo gab den Auftrag, aus dem Fels mächtige Blöcke von bester Qualität herauszubrechen, um mit ihnen das Fundament des Tempels zu legen. [32]Die Bauleute Salomos und Hirams arbeiteten mit den Handwerkern aus der Stadt Byblos zusammen. Sie hieben die Steinblöcke und Holzstämme zurecht und bereiteten so das Baumaterial für den Tempel vor.

Der Bau des Tempels
(2. Chronik 3,1–4)

6 480 Jahre waren vergangen, seit die Israeliten Ägypten verlassen hatten. Es war das 4. Regierungsjahr König Salomos. Im Monat Siw, dem 2. Monat des Jahres, begann König Salomo mit dem Bau des Tempels für den Herrn.

[2]Das Gebäude war 30 Meter lang, 10 Meter breit und 15 Meter hoch. [3]An der Vorderseite baute Salomo eine Vorhalle an; sie war genauso breit wie der Tempel und 5 Meter lang. [4]In die Tempelmauer ließ Salomo Fenster mit Rahmen und Gitterstäben einsetzen. [5]Um die beiden Seitenwände und die Hinterwand baute er einen dreistöckigen Rundgang, der in einzelne Kammern unterteilt war. [6]Das untere Stockwerk war 2,5 Meter breit, das mittlere 3 Meter und das oberste 3,5 Meter. Mit jedem höher gelegenen Stockwerk trat die Tempelmauer etwas mehr zurück. Dadurch entstanden Mauervorsprünge, auf denen man die tragenden Querbalken der Stockwerke abstützen konnte. So mussten die Balken nicht in der eigentlichen Tempelmauer verankert werden.

[7]Die Steine für den Bau des Tempels wurden vorher im Steinbruch schon fertig behauen. Daher brauchte man sie am Bauplatz nur noch zusammenzufügen und hörte dort keinen Lärm von Hämmern, Meißeln und anderen Eisenwerkzeugen.

[8]In das untere Stockwerk[a] des Rundgangs kam man durch eine Tür an der rechten Tempelseite. Von dort führte eine Wendeltreppe zum mittleren und oberen Stockwerk hinauf. [9]Nachdem das Mauerwerk errichtet war, ließ Salomo das Gebäude mit einem Flachdach versehen, das mit Balken und Brettern aus Zedernholz gedeckt wurde. [10]Den Rundgang verband er durch Zedernbalken mit der Tempelmauer. Die drei Stockwerke waren jeweils 2,5 Meter hoch.

[11]Eines Tages sprach der Herr zu Salomo: [12]»Du baust mir diesen Tempel. Wenn du nun so lebst, wie es mir gefällt, wenn du mein Gesetz befolgst und auf jedes Gebot achtest, dann will ich mein Versprechen halten, das ich schon deinem Vater David gegeben habe. [13]Dann will ich mitten unter den Israeliten in diesem Tempel wohnen und mein Volk nie verlassen.«

Der Innenausbau des Tempels
(2. Chronik 3,5–14)

[14]Als der Rohbau des Tempels fertig gestellt war, [15]ließ Salomo das ganze Gebäude innen mit Holz auskleiden. Die Wände täfelte er von oben bis unten mit Zedernholz, und den Fußboden belegte er mit Zypressenholz. [16]Zehn Meter vor der Rückwand zog er vom Boden bis zur Decke eine Wand aus Zedernbrettern hoch. Auf diese Weise entstand ein Hinterraum. Aus ihm sollte die Wohnung des Herrn, das »Allerheiligste«, werden.

---

[a] So mit der griechischen Übersetzung. Der hebräische Text lautet: in das mittlere Stockwerk.

6,12–13 2 Mo 29,45–46; 2 Sam 7,12–16

[17]Der davor liegende Hauptraum, das »Heiligtum«, war also noch 20 Meter lang. [18]Der Tempel war innen ganz mit Zedernholz ausgekleidet, nicht ein Mauerstein war mehr zu sehen. In die Wände wurden Blätter- und Blütenornamente geschnitzt.

[19]Im hinteren Raum sollte später die Bundeslade des Herrn stehen. [20]Dieser Teil des Tempels war 10 Meter lang, 10 Meter breit und 10 Meter hoch. Salomo ließ den ganzen Raum mit reinem Gold auskleiden. Vor dem Allerheiligsten stand ein Altar aus Zedernholz. Auch er wurde mit Gold überzogen, [21]ebenso der gesamte Innenraum des Heiligtums. Vor dem Eingang zum Allerheiligsten ließ Salomo goldene Ketten aufhängen. [22]So wurde also der ganze Innenraum des Tempels mit Gold überzogen, ebenso der Altar, der vor dem Allerheiligsten stand.

[23]Dann ließ Salomo zwei Cherub-Engel aus Olivenholz schnitzen, die im Allerheiligsten stehen sollten. Sie waren 5 Meter hoch. [24]Jeder ihrer ausgespannten Flügel maß 2,5 Meter, so dass ein Cherub-Engel von der einen Flügelspitze zur anderen 5 Meter breit war. [25/26]Beide Cherub-Engel waren gleich groß, nämlich 5 Meter, und sahen genau gleich aus. [27]Salomo ließ sie mitten im Allerheiligsten aufstellen, und zwar so, dass sich ihre ausgebreiteten Flügel in der Mitte berührten. Mit ihrer äußeren Flügelspitze berührten sie die Seitenwände. [28]Auch die Engel wurden ganz mit Gold überzogen.

[29]In die Innenwände des Heiligtums und des Allerheiligsten ließ Salomo Cherub-Engel, Palmwedel und Blütenkelche schnitzen. [30]Den Fußboden der beiden Räume überzog er mit Gold. [31]Für den Eingang zum Allerheiligsten wurde eine Tür mit zwei Flügeln aus Olivenholz hergestellt. Der Türrahmen war fünffach abgestuft. [32]Die Türflügel wurden mit Schnitzereien von Cherub-Engeln, Palmwedeln und Blüten verziert. Die Cherub-Engel und Palmwedel ließ Salomo mit Gold überziehen. [33]Auch für den Eingang zum Heiligtum ließ Salomo einen Türrahmen aus Olivenholz anfertigen. Er war vierfach abgestuft. [34]Die Tür hatte zwei Flügel aus Zypressenholz. Jeder der beiden Flügel war aus zwei drehbaren Teilen zusammengesetzt. [35]Auch in diese Tür wurden Ornamente von Cherub-Engeln, Palmenzweigen und Blütenkelchen geschnitzt. Danach wurde sie sorgfältig mit Gold überzogen; man achtete darauf, dass der Überzug genau auf die Schnitzereien passte.

[36]Um das Gebäude herum wurde der innere Vorhof angelegt und mit einer Mauer eingegrenzt. Sie bestand aus drei Lagen behauener Steine und einer Lage Zedernbalken.

[37]Im 4. Regierungsjahr Salomos, im Monat Siw, dem 2. Monat des Jahres, war das Fundament für den Tempel gelegt worden. [38]Im 11. Regierungsjahr Salomos, im Monat Bul, dem 8. Monat des Jahres, war der Tempel fertig. Insgesamt hatte man also sieben Jahre daran gebaut. Jede Einzelheit stimmte genau mit den Bauplänen überein.

Salomo baut sich einen Palast

7 An seinem Palast baute Salomo dreizehn Jahre.

[2/3]Eines seiner neuen Gebäude war das so genannte »Libanonwaldhaus«. Es war 50 Meter lang, 25 Meter breit und 15 Meter hoch. Das unterste Stockwerk war eine Halle mit drei Säulenreihen aus Zedernholz, 15 Säulen in jeder Reihe, also 45 insgesamt. Darüber lagen Balken aus Zedernholz, die als Boden für ein oberes Stockwerk dienten. Dies war in mehrere Kammern unterteilt, die ebenfalls mit Zedernbalken überdacht waren.[a] [4]In die beiden Längswände des Palasts wurden drei übereinander liegende Reihen von je drei Fenstern eingelassen, und zwar

---

[a] Die Verse 2 und 3 sind nach der griechischen Übersetzung wiedergegeben. Der hebräische Text ist nicht sicher zu deuten.

so, dass die Fenster einander genau gegenüberlagen. [5]Auch die Türen lagen einander jeweils gegenüber. Es waren insgesamt sechs Türen mit vierfach abgestuften Rahmen.

[6]Außerdem baute Salomo eine Säulenhalle, die 25 Meter lang und 15 Meter breit war. Davor ließ er eine weitere Säulenhalle mit einem Vordach errichten. [7]Er baute sich auch eine Halle, in der sein Thron stand und wo er Gericht hielt. Vom Fußboden bis zur Decke war dieser Raum mit Zedernholz getäfelt. [8]Der Wohnpalast Salomos befand sich in einem Hof, der weiter innen lag als die Thronhalle, und war von der gleichen Bauart. Auch das Haus für seine Frau, die Tochter des Pharaos, war im gleichen Stil wie die Thronhalle gehalten.

[9]Für alle Gebäude wurden Quadersteine bester Qualität verwendet. Sie waren vorher mit Steinsägen genau zurechtgeschnitten worden. Alle Mauern dieser Gebäude – angefangen bei den äußeren Palästen bis hinein zum großen Innenhof – bestanden aus solchen Steinen. [10]Für die Fundamente benutzte man besonders große Quadersteine; sie waren vier bis fünf Meter lang. [11]Darüber wurden Mauern von Quadersteinen bester Qualität errichtet. Zwischen den einzelnen Mauerreihen waren immer wieder Zedernbalken eingefügt. [12]Den großen Hof rings um den Palast und den Tempel umgab eine Mauer, die abwechselnd aus drei Lagen Quadersteinen und einer Lage Zedernbalken bestand. Die Mauer um den inneren Vorhof, der den Tempel umgab, war genauso gebaut, ebenso die Mauer um die Tempelvorhalle.

Die beiden Säulen am Eingang des Tempels
(2. Chronik 3,15–17)

[13]König Salomo ließ einen Bronzegießer aus Tyrus an den Hof holen. Er hieß Hiram, [14]seine Mutter war eine verwitwete Israelitin aus dem Stamm Naftali und sein Vater ein Bronzegießer aus Tyrus. Hiram war sehr begabt, ein Meister seines Fachs, der alles nur Erdenkliche aus Bronze herstellen konnte. Er kam zu König Salomo an den Hof und arbeitete für ihn.

[15]Als Erstes goss er zwei Säulen aus Bronze. Beide waren 9 Meter hoch und hatten einen Umfang von 6 Metern. [16]Auf jede Säule setzte er ein 2,5 Meter hohes Kapitell, aus Bronze gegossen. [17]Jedes Kapitell war mit sieben Reihen geflochtener Ketten geschmückt [18–20]sowie mit 200 Granatäpfeln, die in zwei Reihen oberhalb der Flechtornamente angebracht wurden. Die Kapitelle ruhten auf den Säulen. Sie waren wie Lilienblüten geformt, und ihre Blütenkelche waren 2 Meter hoch.[a] [21]Hiram ließ die beiden Säulen vor der Eingangshalle des Tempels aufstellen. Die rechte nannte er Jachin (»Er wird aufrichten«) und die linke Boas (»In ihm ist Stärke«). [22]Die beiden Kapitelle in Form von Lilienblüten wurden auf die Säulen gesetzt. Damit war diese Arbeit abgeschlossen.

Das Becken aus Bronze
(2. Chronik 4,2–5)

[23]Danach fertigte Hiram ein rundes Bronzebecken an, »das Meer« genannt. Seine Höhe betrug 2,5 Meter, sein Durchmesser 5 Meter und sein Umfang 15 Meter. [24]Unterhalb des Randes war es ringsum mit zwei Reihen von Früchten verziert, jeweils 10 auf einen halben Meter. Sie und das Becken waren aus einem Guss. [25]Das Becken stand auf zwölf Rinderfiguren, von denen drei nach Norden gewandt waren, drei nach Westen, drei nach Süden und drei nach Osten. Ihre Hinterbeine zeigten nach innen, und das Becken ruhte auf ihren Rücken. [26]Sein Rand war nach außen gewölbt wie der Kelch einer Lilienblüte. Das Becken hat-

---

[a] Der hebräische Text in den Versen 18–20 ist nicht sicher zu deuten.

te eine Wandstärke von knapp 8 Zentimetern und fasste etwa 44000 Liter.

Die zehn Kesselwagen

[27] Als Nächstes stellte Hiram zehn Kesselwagen aus Bronze her. Der Wagenkasten eines jeden war 2 Meter lang, 2 Meter breit und 1,5 Meter hoch. [28] Seine Wände wurden oben und unten durch waagerechte Leisten eingerahmt und durch senkrechte und waagerechte Stäbe verstärkt. [29] Alle Leisten und Stäbe verzierte Hiram mit aufgehämmerten Löwenfiguren, mit Rindern und Cherub-Engeln. Über und unter den Löwen und Rindern wurden Kranzornamente angebracht. [30] Jeder Kesselwagen hatte unter dem Wagenkasten ein Fahrgestell mit vier Rädern und zwei Achsen aus Bronze. Jede Achse war an beiden Enden durch zwei schräg aufwärts laufende Streben mit der untersten Leiste des Wagenkastens verbunden. Diese Streben stützten den Wagenkasten, der den Wasserkessel tragen musste. [31] Für den Wasserkessel wurde ein runder Aufsatz auf den Kasten gesetzt. Er stand auf einem viereckigen Rahmen, und sein Rand war mit eingravierten Bildern verziert. Aufsatz und Rahmen waren zusammen 75 Zentimeter hoch. [32] Die Räder der Fahrgestelle besaßen einen Durchmesser von 75 Zentimetern. Sie standen genau unter den Seitenwänden des Wagenkastens und waren an den Füßen der vier Seitenpfosten befestigt. Eine Achse verlief durch jeweils zwei Pfosten. [33] Die Räder waren gebaut wie die Räder von Streitwagen. Ihre Achsen, Felgen, Naben und Speichen waren ganz aus Bronze. [34] Die vier Eckpfosten und der Wagenkasten waren aus einem Guss. [35] Der stützende Rahmen, auf dem der Aufsatz für den Kessel ruhte, war 25 Zentimeter hoch. Er war am Wagenkasten durch Halter und Platten befestigt. [36] Wo auf Seitenwänden, Haltern oder Platten noch Platz frei war, ließ Hiram Cherub-Engel, Löwen und Palmen eingravieren und alles mit Kränzen umrahmen. [37] Hiram benutzte für alle zehn Kesselwagen dieselbe Gussform. So sahen alle zehn gleich aus.

[38] Für jeden Wagen goss Hiram einen Kessel aus Bronze. Die Gefäße hatten einen Durchmesser von 2 Metern und fassten 900 Liter. [39] Man brachte die Kesselwagen an ihren vorgesehenen Platz: Fünf standen auf der rechten Tempelseite, fünf auf der linken. Das große Wasserbecken stellte man in der Südostecke des Vorhofs auf.

Liste der Gegenstände, die Hiram herstellte
(2. Chronik 4,11–18)

[40] Zuletzt stellte Hiram noch Kübel und Schaufeln zum Beseitigen der Asche her sowie Schalen, in denen das Blut der Opfertiere aufgefangen wurde.[a] Damit beendete er die Arbeiten für den Tempel des Herrn, die König Salomo ihm aufgetragen hatte.

[41–45] Insgesamt hatte er folgende Gegenstände hergestellt:
2 Säulen;
2 Kapitelle, die oben auf den Säulen ruhten;
2 geflochtene Ketten zur Verzierung der beiden Kapitelle;
für jedes Kapitell 200 Granatäpfel, die in zwei Reihen über den Ketten angebracht waren;
10 Kesselwagen;
10 Wasserkessel, die auf die Wagen gesetzt wurden;
das große Wasserbecken, genannt »das Meer«;
12 Rinderfiguren, auf denen das Becken stand;
Kübel, Schaufeln und Schalen.

Alle Gegenstände, die Hiram im Auftrag Salomos für den Tempel des Herrn herstellte, wurden aus Bronze gegossen und anschließend blank poliert. [46] König Salomo ließ sie in der Jordanebene zwischen

[a] Wörtlich: Hiram stellte Kübel, Schaufeln und Schalen her.

Sukkot und Zaretan gießen. Dort gab es Gießereien mit großen Gussformen aus Tonerde. [47] Für diese Gegenstände wurde so viel Bronze gebraucht, dass König Salomo ihr Gewicht gar nicht mehr feststellen ließ. Dies wäre auch kaum möglich gewesen.

Die Inneneinrichtung des Tempels
(2. Chronik 4,19 – 5,1)

[48–50] Für das Innere des Tempels ließ Salomo folgende Gegenstände aus Gold herstellen:
einen Altar;
einen Tisch, auf dem die Gott geweihten Brote liegen sollten;
10 Leuchter, die vor dem Allerheiligsten stehen sollten, fünf auf der rechten und fünf auf der linken Seite der Tür;
Blumenornamente für die Leuchter;
Lampen, Dochtscheren und Messer zum Reinigen der Lampen;
Becken und Schüsseln;
Schalen und Eimer zum Tragen der glühenden Kohlen;
Türangeln für den Eingang zum Allerheiligsten und zum Heiligtum.

Alle diese Gegenstände wurden aus Gold angefertigt.

[51] Als König Salomo den Bau des Tempels vollendet hatte, brachte er alle Silber- und Goldschätze, die sein Vater David Gott geweiht hatte, in die Schatzkammern des Tempels.

Die Einweihung des Tempels
(2. Chronik 5,2 – 6,2)

8 Salomo rief alle Ältesten von Israel und alle Stammes- und Sippenoberhäupter zu sich nach Jerusalem. Sie sollten dabei sein, wenn die Bundeslade des Herrn aus der »Stadt Davids«, dem Stadtteil Jerusalems auf dem Berg Zion, zum Tempel gebracht wurde. [2] Und so kamen im Monat Etanim, dem 7. Monat des Jahres, alle führenden Männer aus Israel in Jerusalem zusammen. In diesem Monat wurde auch das Laubhüttenfest gefeiert.

[3] Als alle versammelt waren, hoben die Priester die Bundeslade des Herrn hoch [4] und trugen sie hinauf zum Tempel. Zusammen mit den Leviten brachten sie auch das heilige Zelt hinauf, mit all seinen dem Herrn geweihten Gegenständen. [5] König Salomo und die Israeliten, die zu diesem Fest gekommen waren, hatten sich bei der Bundeslade versammelt. Sie opferten so viele Schafe und Rinder, dass man sie nicht mehr zählen konnte.

[6] Die Priester brachten die Bundeslade an den vorgesehenen Platz in den hinteren Raum des Tempels. Dort im Allerheiligsten stellten sie die Bundeslade unter die beiden Cherub-Engel. [7] Ihre ausgebreiteten Flügel beschirmten nun die Bundeslade samt ihren Tragstangen. [8] Die beiden Stangen waren so lang, dass man sie vom Heiligtum aus sehen konnte, wenn man direkt vor dem Allerheiligsten stand. Doch vom Vorhof aus sah man sie nicht. Noch heute befindet sich die Bundeslade an diesem Ort. [9] Damals lagen nur die beiden Steintafeln darin, die Mose am Berg Horeb hineingelegt hatte, als der Herr mit den Israeliten nach dem Auszug aus Ägypten einen Bund schloss.

[10/11] Als die Priester den Tempel wieder verließen, da erfüllte die Wolke der Herrlichkeit Gottes das ganze Haus, so dass sie ihren Dienst im Tempel nicht mehr verrichten konnten. [12] Salomo betete: »Du, Herr, hast gesagt, dass du im Dunkel einer Wolke wohnen willst. [13] Nun aber habe ich dieses prachtvolle Haus für dich gebaut. Möge es ein Ort sein, an dem du, Herr, für alle Zeiten wohnen wirst.«

7,48–50 2 Mo 25,23–40; 30,1–10 **8,3–4** 2 Mo 40,1–33 **8,6** 2 Mo 25,10–22 **8,9** 2 Mo 31,18*; Offb 11,19 **8,10–11** 2 Mo 19,9; 24,15–17; 40,34–35 **8,12** 2 Mo 20,21; 5 Mo 5,22

Salomos Ansprache zur Einweihung des Tempels
(2. Chronik 6,3–11)

[14]Nach diesem Gebet wandte sich der König zu den Israeliten um, die sich vor dem Tempel zusammengefunden hatten. Er segnete sie und sagte:

[15]»Ich preise den Herrn, den Gott Israels! Nun hat er das Versprechen eingelöst, das er meinem Vater David gab. [16]Eines Tages sagte Gott zu ihm: ›Seit ich mein Volk aus Ägypten in dieses Land geführt habe, habe ich nie angeordnet, dass man irgendwo in Israel für mich einen Tempel bauen sollte. Aber ich habe dich, David, zum König über mein Volk Israel bestimmt.‹

[17]Mein Vater David hatte schon lange einen großen Wunsch: Er wollte dem Herrn, dem Gott Israels, einen Tempel bauen. [18]Doch der Herr sagte zu ihm: ›Ich freue mich zwar, dass du mir einen Tempel bauen möchtest. [19]Aber nicht du, David, sollst ihn bauen, sondern erst dein Sohn.‹

[20]Der Herr hat Wort gehalten: Ich bin als Nachfolger meines Vaters David König von Israel geworden, genau wie der Herr es vorausgesagt hat. Und nun habe ich auch den Tempel für den Herrn, den Gott Israels, gebaut [21]und darin einen Raum für die Bundeslade eingerichtet. In dieser Lade liegen die beiden Gesetzestafeln. Sie sind die Wahrzeichen des Bundes, den der Herr mit unseren Vorfahren schloss, als er sie aus Ägypten führte.«

Salomos Gebet zur Einweihung des Tempels
(2. Chronik 6,12–42)

[22]Dann trat Salomo vor den Augen der versammelten Israeliten an den Altar des Herrn, erhob seine Hände zum Himmel [23]und betete:

»Herr, du Gott Israels! Es gibt keinen Gott wie dich – weder im Himmel noch auf der Erde. Du hältst den Bund, den du mit deinem Volk geschlossen hast, und erweist allen deine Güte und Liebe, die dir von ganzem Herzen dienen. [24]Und so hast du auch deine Zusage eingehalten, die du meinem Vater David gegeben hast. Was du ihm damals versprachst, hast du nun in die Tat umgesetzt, wie wir alle heute sehen. [25]Herr, du Gott Israels, ich bitte dich: Halte auch das andere Versprechen, das du meinem Vater David gegeben hast. Du sagtest zu ihm: ›Immer wird einer deiner Nachkommen König über Israel sein, solange sie mir dienen, wie du mir gedient hast.‹ [26]Ja, du Gott Israels, bitte erfüll alles, was du meinem Vater David, deinem Diener, versprochen hast!

[27]Jedoch – kann Gott überhaupt auf der Erde wohnen? Ist nicht sogar der Himmel zu klein, dich zu fassen, geschweige denn dieses Haus, das ich gebaut habe? [28]Trotzdem bitte ich dich, Herr, mein Gott: Höre mein Rufen, und weise meine Bitten nicht zurück! Erhöre das Gebet, das ich heute in aller Demut an dich richte! [29]Bitte, wache Tag und Nacht über dieses Haus! Es ist ja der Ort, von dem du selbst gesagt hast: ›Hier will ich wohnen.‹ Darum erhöre das Gebet, das ich, dein ergebener Diener, an diesem Ort an dich richte. [30]Nimm meine Gebete an und auch die meines Volkes, wenn wir zum Tempel gewandt mit dir reden! Hör unser Rufen im Himmel, dort wo du thronst, und vergib uns!

[31]Wenn jemand beschuldigt wird, einem anderen etwas angetan zu haben, und er hier vor deinem Altar schwören muss, dass er unschuldig ist, [32]dann höre du im Himmel, was er sagt, und sorge für Recht: Entlarve und bestrafe ihn, wenn er schuldig ist; wenn er aber unschuldig ist, verschaffe ihm Gerechtigkeit!

8,16–20 2 Sam 7,2–13 **8,21** 2 Mo 24,7–8*; 31,18* **8,23** 5 Mo 4,35*; Jes 44,6* **8,25** 5 Mo 6,4–5*; 2 Sam 7,16* **8,27** Jes 66,1; Apg 17,24 **8,29–30** 9,3* **8,31–32** 2 Mo 22,6–10*

[33/34] Wenn die Israeliten von Feinden besiegt werden, weil sie gegen dich gesündigt haben, wenn sie dann ihre Schuld einsehen und dich wieder als ihren Gott loben, so höre sie im Himmel! Vergib deinem Volk Israel die Schuld, wenn sie hier im Tempel zu dir beten und dich um Hilfe anflehen! Bring sie wieder zurück in das Land, das du einst ihren Vorfahren geschenkt hast!

[35/36] Wenn es einmal lange Zeit nicht regnet, weil sie gegen dich gesündigt haben, wenn sie dann zu diesem Tempel gewandt beten und dich wieder als ihren Gott loben, so höre sie im Himmel! Wenn sie von ihren falschen Wegen umkehren, weil du sie bestraft hast, dann vergib deinem Volk und seinen Königen ihre Schuld! Denn du zeigst ihnen, wie sie ein Leben führen können, das dir gefällt. Lass es wieder regnen auf das Land, das du deinem Volk als bleibenden Besitz gegeben hast!

[37] Wenn im Land Hungersnot herrscht oder die Pest wütet, wenn das Getreide durch Glutwind, Pilzbefall oder Ungeziefer vernichtet wird, wenn Feinde kommen und israelitische Städte belagern – wenn also das Land von irgendeinem Unglück oder einer Seuche heimgesucht wird –, [38/39] dann höre auf jedes Gebet, das an dich gerichtet wird, sei es von einzelnen Menschen oder vom ganzen Volk! Erhöre im Himmel, wo du thronst, die Bitten aller, die in ihrer Not dich suchen und die Hände flehend zu diesem Tempel hin ausstrecken. Gib jedem, was er verdient, denn du kennst sein Herz! Vergib ihm oder bestrafe ihn, je nach seinen Taten! Denn du allein kennst alle Menschen durch und durch. [40] So werden sie dich als ihren Gott achten und ehren, solange sie in dem Land leben, das du unseren Vorfahren gegeben hast.

[41] Wenn Ausländer, die nicht zu deinem Volk Israel gehören, deinetwegen aus fernen Ländern hierher kommen, [42] weil sie von deiner Herrlichkeit und deinen mächtigen Taten für dein Volk gehört haben, [43] dann erhöre auf deinem Thron im Himmel auch ihre Gebete, die sie vor diesem Tempel sprechen! Erfülle die Bitten dieser Menschen, damit alle Völker auf der Erde dich als den wahren Gott erkennen! Dann werden sie dich achten und verehren, wie dein Volk Israel dich verehrt, und sie werden erkennen, dass du in diesem Tempel wohnst, den ich gebaut habe.

[44] Wenn die Israeliten Krieg führen und auf deinen Befehl gegen ihre Feinde ausziehen, wenn sie dann zur Stadt blicken, die du erwählt hast, und zum Tempel, den ich für dich gebaut habe, [45] dann höre im Himmel ihr Flehen, und verhilf ihnen zum Recht!

[46] Wenn sie sich aber von dir abwenden – es gibt ja keinen Menschen, der nicht sündigt – und du zornig wirst und sie an ihre Feinde auslieferst, die sie als Gefangene in ihr Land verschleppen, sei es fern oder nah, [47–49] dann höre sie doch im Himmel, wo du wohnst, wenn sie dort in der Fremde ihre Schuld bereuen und zu dir umkehren! Wenn sie dann zu dir um Hilfe flehen und dir bekennen: ›Wir haben Schuld auf uns geladen und gegen dich gesündigt, als wir dir den Rücken kehrten‹, dann erhöre ihr Flehen, wenn sie sich wieder von ganzem Herzen dir zuwenden! Hilf ihnen, wenn sie im Gebiet ihrer Feinde zu dir beten und zum Land blicken, das du ihren Vorfahren gegeben hast, zur Stadt, die du für dich erwählt hast, und zum Tempel, den ich für dich gebaut habe. [50] Vergib deinem Volk alles, was sie dir angetan haben, auch ihre Auflehnung gegen dich! Lass ihre Unterdrücker Erbarmen mit ihnen haben! [51] Denn trotz allem sind sie noch dein Volk, dein Eigentum, das du aus Ägypten herausgeholt hast wie aus dem Feuer eines Schmelzofens.

[52] Bitte, verschließ deine Ohren nicht

8,33–34 5 Mo 28,25*; Jer 24,5–7; 29,11–14; Dan 9,4–19 **8,35–36** 5 Mo 28,23–24 **8,37** 5 Mo 28,22 **8,38–39** Ps 26,2* **8,46–49** 8,33–34; Dan 9,4–19 **8,50** 2 Chr 36,22–23 **8,52** 2 Mo 2,23–25*

vor meinem Flehen und vor den Gebeten deines Volkes Israel! Erhöre uns, wann immer wir zu dir um Hilfe rufen! [53] Denn du, Herr, hast Israel aus allen anderen Völkern der Erde zu deinem Volk erwählt. Dies hast du durch deinen Diener Mose schon unseren Vorfahren versprochen, als du sie aus Ägypten herausführtest, Herr, du großer Gott.«

Schlussgebet und Segen

[54] Als Salomo sein Gebet beendet hatte, stand er wieder auf. Er war zum Beten vor dem Altar des Herrn auf die Knie gefallen und hatte die Hände flehend zum Himmel erhoben. [55] Nun trat er vor die versammelten Israeliten und segnete sie. Mit lauter Stimme rief er der Versammlung zu:

[56] »Lasst uns den Herrn preisen! Denn er hat sein Versprechen gehalten und seinem Volk Israel eine Heimat gegeben, in der es in Frieden leben kann. Was er damals unseren Vorfahren durch seinen Diener Mose sagen ließ, ist eingetroffen. Jede einzelne seiner Zusagen ist in Erfüllung gegangen. [57] Der Herr, unser Gott, stehe uns bei, wie er schon unseren Vorfahren beigestanden hat! Möge er uns nie verlassen oder gar verstoßen! [58] Er gebe uns den Wunsch, so zu leben, wie es ihm gefällt, damit wir seine Gebote befolgen und auf alle Weisungen und Gesetze achten, die er unseren Vorfahren gegeben hat!

[59] Möge der Herr, unser Gott, dieses Gebet nie mehr vergessen; ja, Tag und Nacht soll er an meine Bitten denken. Er möge mir, seinem Diener, und auch seinem Volk Israel zum Recht verhelfen und uns jeden Tag geben, was wir brauchen. [60] Daran werden alle Völker erkennen, dass der Herr Gott ist und dass es außer ihm keinen Gott gibt.

[61] Ihr aber, haltet dem Herrn, unserem Gott, von ganzem Herzen die Treue; lebt immer nach seinen Weisungen und befolgt seine Gebote, so wie ihr es heute tut!«

Ein Opferfest zur Einweihung des Tempels
(2. Chronik 7,4–10)

[62/63] Mit einem großen Opferfest weihte der König und mit ihm ganz Israel den Tempel des Herrn ein. Salomo ließ 22 000 Rinder und 120 000 Schafe als Dankopfer schlachten. [64] Am ersten Tag des Festes wurde die Mitte des Tempelvorhofs zur Opferstätte geweiht, weil der bronzene Altar viel zu klein war für die vielen Opfer. Denn unzählige Brand- und Speiseopfer wurden dargebracht, und auch das Fett der Tiere, die man für das Opfermahl schlachtete, wurde verbrannt.

[65] Vierzehn Tage lang feierten König Salomo und die Israeliten: in der ersten Woche die Einweihung des Tempels und in der zweiten Woche das Laubhüttenfest. Sehr viele Israeliten nahmen daran teil. Von weit her waren sie nach Jerusalem gekommen: vom äußersten Norden des Landes aus Lebo-Hamat bis zu dem Bach, der im Süden die Grenze nach Ägypten bildet. [66] Nach diesen zwei Wochen beendete Salomo das Fest. Die Israeliten jubelten ihrem König zu und zogen wieder nach Hause. Voller Freude und Dankbarkeit dachten sie an das Gute, das der Herr seinem Diener David und seinem Volk Israel erwiesen hatte.

Gott spricht mit Salomo
(2. Chronik 7,11–22)

9 Als Salomo den Tempel des Herrn und den Königspalast vollendet und alle seine Ziele erreicht hatte, [2] da erschien ihm der Herr erneut, wie schon in Gibeon. [3] Er sagte zu Salomo:

»Ich habe dein Flehen erhört. Diesen Tempel, den du gebaut hast, habe ich als einen heiligen Ort erwählt, an dem ich für immer wohnen will. Mein Blick wird

---

8,53 2 Mo 19,5–6* **8,61** 5 Mo 6,4–5* **9,2** 3,5–15 **9,3** 2 Mo 29,46; 1 Kön 8,29–30; Ps 132,13–17; 48,2–3; 68,16–17; 78,68–69

stets auf ihm ruhen, denn mein Herz hängt an ihm. [4]Und du, Salomo, lebe wie dein Vater David, aufrichtig und ohne Falschheit! Befolge alles, was ich dir befohlen habe! Lebe nach meinen Geboten, und achte auf meine Weisungen! [5]Dann wird immer ein Nachkomme Davids auf dem Thron Israels sitzen, so wie ich es deinem Vater versprochen habe. Dein Königtum wird für alle Zeiten fortbestehen.

[6]Doch wenn ihr oder eure Nachkommen mir den Rücken kehrt und meine Gebote und Weisungen nicht mehr befolgt, wenn ihr anderen Göttern nachlauft und sie anbetet, [7]dann werde ich euch aus diesem Land vertreiben, das ich euch gegeben habe. Israels Unglück wird sprichwörtlich sein. Alle Völker werden euch verspotten. Auch von dem Tempel, den ich jetzt zu einer heiligen Stätte erklärt habe, werde ich mich wieder abwenden. [8]Nur ein Trümmerhaufen wird von ihm übrig bleiben.[a] Wer an ihm vorübergeht, wird verächtlich lachen und zugleich entsetzt sein über das, was er sieht. Erstaunt wird er fragen: ›Warum hat der Herr dieses Land und diesen Tempel so furchtbar zerstört?‹ [9]Und man wird ihm antworten: ›Weil die Israeliten den Herrn, ihren Gott, verlassen haben. Er hat ihre Vorfahren aus Ägypten herausgeführt, und doch sind sie fremden Göttern nachgelaufen, haben sie angebetet und ihnen gedient. Darum hat der Herr sie nun in dieses Unglück gestoßen.‹«

Salomos Handel mit Hiram von Tyrus

[10/11]Salomo hatte zwanzig Jahre lang am Tempel des Herrn und am Königspalast gebaut. König Hiram von Tyrus lieferte ihm das nötige Baumaterial: Zedern- und Zypressenholz und Gold, so viel er brauchte. Als die Bauarbeiten beendet waren, gab Salomo Hiram als Gegenleistung zwanzig Städte in Galiläa. [12]König Hiram kam von Tyrus nach Galiläa, um sich die Städte anzusehen. Aber sie gefielen ihm nicht. [13]Deshalb stellte er Salomo zur Rede: »Mein lieber Freund, was für Städte hast du mir da gegeben! Sie sind überhaupt nichts wert!« Darum heißt das Gebiet dieser zwanzig Städte heute noch »die Gegend Kabul«, das bedeutet »nichts wert«. [14]Hiram hatte dem König von Israel immerhin über vier Tonnen Gold geliefert.

Salomos Amtsführung
(2. Chronik 8)

[15]Salomo setzte bei allen Bauarbeiten Fronarbeiter ein: beim Tempel, bei seinem Palast, beim Ausbau der Stadtmauer und der Verteidigungsanlagen Jerusalems. Sie mussten ihm die Städte Hazor, Megiddo und Geser ausbauen.

[16]Die Stadt Geser hatte der Pharao, König von Ägypten, auf einem seiner Feldzüge eingenommen, ihre Einwohner, die Kanaaniter, umgebracht und schließlich alles niedergebrannt. Das Gebiet hatte er seiner Tochter als Mitgift in die Ehe gegeben, als Salomo sie heiratete. [17]Salomo baute die Stadt Geser nun wieder auf. Außerdem erweiterte er das untere Bet-Horon, [18]Baalat und die Wüstenstadt Tamar.

[19]Die Fronarbeiter Salomos mussten Städte bauen, in denen Vorratshallen, Hallen für die Streitwagen und Pferdeställe untergebracht wurden. Alles, was Salomo bauen wollte, sei es in Jerusalem, im Libanon oder sonst irgendwo in seinem Reich, ließ er durch Fronarbeit errichten.

[20/21]Die Fronarbeiter, die Salomo heranzog, waren keine Israeliten, sondern die Nachkommen der Amoriter, Hetiter, Perisiter, Hiwiter und Jebusiter, die früher das Land Israel bewohnt hatten. Bei der Eroberung des Landes hatten die Is-

---

[a] So mit einigen alten Übersetzungen. Der hebräische Text lautet: Dieses Haus wird hoch sein.

9,5 2 Sam 7,16* **9,7–9** 5 Mo 28,25*; Ps 74,1–7; Jer 7,13–15 **9,20–21** 5 Mo 7,1; Jos 16,10; 17,13; Ri 1,27–35

raeliten diese Völker nicht ganz auslöschen können. Bis heute müssen ihre Nachkommen für Israel Fronarbeit leisten. [22]Die Israeliten selbst aber blieben davon verschont. Sie dienten Salomo als Beamte und Soldaten, als seine Befehlshaber, Streitwagenkämpfer und Offiziere. [23]Salomo setzte 550 Aufseher ein. Sie unterstanden den Bezirksverwaltern und sollten darauf achten, dass die Fronarbeiter auf Salomos Bauten gute Arbeit leisteten.

[24]Als die Tochter des Pharaos aus dem alten Stadtkern Jerusalems in den Palast gezogen war, den Salomo für sie gebaut hatte, begann der König mit dem Ausbau der Verteidigungsanlagen Jerusalems.

[25]Nachdem Salomo den Bau des Tempels vollendet hatte, brachte er auf dem Altar, den er für den Herrn gebaut hatte, dreimal im Jahr Brand- und Dankopfer dar und verbrannte wohlriechenden Weihrauch.

[26]In Ezjon-Geber, einem Ort in der Nähe von Elat am Roten Meer, im Gebiet der Edomiter, baute Salomo eine Flotte auf. [27]König Hiram von Tyrus stellte ihm erfahrene Seeleute zur Verfügung, die zusammen mit Salomos Männern [28]nach Ofir segelten, um von dort Gold zu holen. Sie brachten Salomo über fünfzehn Tonnen Gold mit.

Die Königin von Saba besucht Salomo
(2. Chronik 9,1–12)

10 Die Königin von Saba hatte schon viel von Salomos Ruhm und seiner Liebe zum Herrn gehört. Deshalb beschloss sie, diesen König zu besuchen und sich mit schwierigen Rätseln selbst von seiner Weisheit zu überzeugen. [2]Mit großem Gefolge reiste sie nach Jerusalem. Die Kamele ihrer Karawane waren schwer beladen mit wohlriechenden Ölen, mit Gold und mit kostbaren Edelsteinen.

Als die Königin vor Salomo stand, stellte sie ihm die Rätsel, die sie sich ausgedacht hatte. [3]Salomo konnte ihr alle Fragen beantworten und blieb ihr selbst bei den schwierigsten Rätseln die Antwort nicht schuldig. [4]Die Königin von Saba war tief beeindruckt von Salomos umfassendem Wissen und von seinem Palast. [5]Sie sah, welche ausgefallenen Speisen und Getränke auf der königlichen Tafel standen und wie weise die Plätze der königlichen Beamten angeordnet waren. Sie staunte über die gute Bedienung bei Tisch und die kostbaren Gewänder der Diener. Und als sie miterlebte, wie Salomo im Tempel ein Brandopfer darbringen ließ, da verschlug es ihr vollends den Atem.

[6]»Es ist tatsächlich alles wahr, was man in meinem Reich von deinen Taten und deiner Weisheit berichtet!«, sagte sie zu Salomo. [7]»Ich konnte es einfach nicht glauben. Darum bin ich hierher gekommen, ich wollte mich mit eigenen Augen davon überzeugen. Und nun sehe ich: Man hat mir nicht einmal die Hälfte gesagt! Dein Wissen und dein Reichtum übertreffen alles, was ich je über dich gehört habe. [8]Wie gut haben es deine Beamten, und wie glücklich sind deine Bediensteten zu schätzen, die ständig in deiner Nähe sind und deinen weisen Worten zuhören können. [9]Ich preise den Herrn, deinen Gott, der dich erwählt und dir die Herrschaft über Israel gegeben hat. Weil er sein Volk unendlich liebt, hat er dich zum König gemacht. Du sollst dem Recht zum Sieg verhelfen und als ein gerechter König regieren.«

[10]Dann schenkte sie Salomo über vier Tonnen Gold, eine Menge wohlriechender Öle und kostbarer Edelsteine. Nie wieder wurde je so viel duftendes Öl nach Israel gebracht wie durch die Königin von Saba.

[11]Die Handelsschiffe Hirams beförderten nicht nur Gold von Ofir nach Israel, sondern auch Edelholz und kostbare Edelsteine in Hülle und Fülle. [12]So viel Edelholz wie damals wurde bis heute

---

9,22 12,4 **9,25** 2 Mo 23,14–17 **10,1** Mt 12,42

nicht mehr nach Israel geliefert. Der König ließ aus diesem Holz Geländer für den Tempel des Herrn und für seinen eigenen Palast anfertigen. Man baute daraus auch Zithern und Harfen für die Sänger.

[13] König Salomo erfüllte der Königin von Saba jede Bitte und beschenkte sie noch reich darüber hinaus. Danach reiste sie mit ihrem Gefolge in ihre Heimat zurück.

Salomos Reichtum und Ansehen
(2. Chronik 9,13–28; 1,14–17)

[14] In einem einzigen Jahr gingen bei Salomo fast 24 Tonnen Gold ein. [15] Dazu kamen die Steuern der Händler und Kaufleute und die Abgaben der arabischen Könige und der Bezirksverwalter.

[16/17] Salomo ließ 200 Langschilde und 300 kleine Rundschilde herstellen und sie mit gehämmertem Gold überziehen. Für einen Langschild brauchte man rund 7 Kilo Gold, für einen Rundschild etwa 2 Kilo. Salomo bewahrte sie im Libanonwaldhaus auf.

[18] Außerdem ließ er sich einen großen Königsthron anfertigen, der mit Elfenbeinornamenten verziert und mit reinem Gold überzogen war. [19/20] Der Thronsessel hatte eine Rückenlehne, die oben rund war, und neben jeder Armlehne stand eine Löwenfigur. Auch auf allen sechs Stufen, die zum Sessel hinaufführten, stand rechts und links jeweils ein Löwe. In keinem anderen Land hat sich jemals ein König einen so prunkvollen Thron anfertigen lassen.

[21] Alle Trinkgefäße Salomos waren aus Gold, und die Gegenstände im Libanonwaldhaus waren sogar alle aus reinem Gold. Silber war zu Salomos Zeiten geradezu wertlos. [22] Der König besaß eine eigene Handelsflotte, die zusammen mit den Schiffen Hirams auslief. Alle drei Jahre kehrten sie zurück, schwer beladen mit Gold, Silber und Elfenbein, mit Affen und Pfauen.

[23] Salomo übertraf alle Könige der Erde an Reichtum und Weisheit. [24] Menschen aus aller Welt kamen zu ihm, um etwas von der Weisheit zu hören, die Gott ihm gegeben hatte. [25] Alle brachten ihm Geschenke mit: silberne und goldene Gefäße, kostbare Gewänder, Waffen, duftende Öle, Pferde und Maultiere. So ging es Jahr für Jahr.

[26] Salomo besaß 1400 Streitwagen und 12000 Pferde. Teils brachte er sie in den eigens dafür erbauten Städten unter, teils am königlichen Hof in Jerusalem. [27] Silber war zu Salomos Zeiten in Jerusalem so gewöhnlich wie Steine, und das kostbare Zedernholz gab es in so großen Mengen wie das Holz der Maulbeerfeigenbäume im jüdischen Hügelland. [28] Salomo kaufte seine Pferde in Ägypten und in Zilizien, wo seine Händler sie abholten und gleich bezahlten. [29] Auch Streitwagen kaufte Salomo in Ägypten. Für einen Wagen bezahlte er 600 Silberstücke, für ein Pferd 150 Silberstücke. Seine Händler belieferten auch die Könige der Hetiter und der Syrer.

Salomo wendet sich vom Herrn ab

11 Neben der Tochter des Pharaos heiratete König Salomo noch viele andere ausländische Frauen, darunter Moabiterinnen, Ammoniterinnen und Edomiterinnen, Frauen aus Sidon und aus dem Volk der Hetiter. [2] Er tat es, obwohl der Herr den Israeliten ausdrücklich verboten hatte, sich mit diesen Völkern zu vermischen. Sie sollten nicht untereinander heiraten, weil die Israeliten von ihren ausländischen Ehepartnern zum Götzendienst verführt werden könnten. Salomo aber hing mit großer Liebe an seinen Frauen. [3] Er hatte 700 Frauen, die aus fürstlichen Häusern kamen, und 300 Nebenfrauen. Er ließ sich von ihnen immer mehr beeinflussen. [4] Und so verführten sie Salomo im Alter dazu, auch ihre Götter anzubeten. Der Herr, sein Gott, war ihm nicht mehr

10,28–29 5 Mo 17,16 **11,1–4** 2 Mo 34,15–16; 5 Mo 7,3–4*; 17,17

wichtiger als alles andere in seinem Leben, wie es noch bei seinem Vater David gewesen war. [5]Salomo verehrte nun auch Astarte, die Göttin der Sidonier, und Milkom, den schrecklichen Götzen der Ammoniter. [6]So tat er, was Gott verabscheute. Er diente nicht mehr dem Herrn allein wie sein Vater David.

[7]Auf einem Hügel östlich von Jerusalem baute er ein Heiligtum für Kemosch, den widerlichen Götzen der Moabiter, und ein anderes für Moloch[a], den schrecklichen Götzen der Ammoniter. [8]Für alle seine ausländischen Frauen baute Salomo solche Tempel, damit sie dort ihren Göttern Opfer darbringen und Weihrauch verbrennen konnten.

[9]Da wurde der Herr sehr zornig über Salomo, weil er ihm, dem Gott Israels, den Rücken gekehrt hatte. Dabei war der Herr ihm zweimal erschienen [10]und hatte ihm ausdrücklich verboten, andere Götter zu verehren. Doch nun schlug Salomo dies einfach in den Wind. [11]Darum sagte der Herr zu ihm: »Du wusstest genau, was ich von dir wollte, und trotzdem hast du meinen Bund gebrochen und meine Gebote missachtet. Darum werde ich dir die Macht entreißen und sie einem deiner Beamten übergeben. Mein Entschluss steht fest. [12]Nur weil dein Vater David mir so treu gedient hat, tue ich es noch nicht zu deinen Lebzeiten. Aber sobald dein Sohn die Nachfolge antritt, mache ich meine Drohung wahr. [13]Ich werde ihn jedoch nicht ganz entmachten: Einen der zwölf Stämme darf dein Sohn noch regieren, weil ich es meinem Knecht David versprochen habe und weil Jerusalem die Stadt ist, die ich erwählt habe.«

Hadad und Reson – zwei erbitterte Feinde Salomos

[14]Der Herr ließ Hadad aus der königlichen Familie von Edom zu einem erbitterten Feind Salomos werden. [15]Und so war es dazu gekommen: Unter König David herrschte Krieg zwischen Edom und Israel. Eines Tages zog Davids Heerführer Joab nach Edom hinauf, um die gefallenen Israeliten zu begraben. Dabei rächte er sich an den Edomitern, indem er alle Männer umbrachte. [16]Ein halbes Jahr blieb er mit seiner Truppe dort, bis sie auch den letzten Edomiter getötet hatten. [17]Hadad war damals fast noch ein Kind. Zusammen mit einigen anderen Edomitern, Knechten seines Vaters, gelang ihm die Flucht in Richtung Ägypten.

[18]Ihr Weg führte sie über das Land Midian in die Wüste Paran. Dort schlossen sich ihnen einige ortskundige Männer an, und gemeinsam gelangten sie nach Ägypten. Hadad ging zum Pharao, dem König des Landes, der ihm ein Haus, ein Stück Land und Nahrungsmittel zuteilte. [19]Der Pharao lernte Hadad so schätzen, dass er ihm die Schwester seiner Frau, der Königin Tachpenes, zur Frau gab. [20]Sie und Hadad bekamen einen Sohn namens Genubat. Tachpenes nahm ihn zu sich in den königlichen Palast, wo er zusammen mit den Söhnen des Pharaos aufwuchs.

[21]Als Hadad erfuhr, dass David und sein Heerführer Joab tot waren, bat er den Pharao: »Ich möchte in meine Heimat zurückkehren. Bitte, lass mich gehen!« [22]Der Pharao aber entgegnete ihm: »Du hast doch hier alles, was du brauchst! Warum willst du nun plötzlich in dein Land zurück?« Hadad gab zu: »Es ist wahr, mir fehlt nichts. Trotzdem möchte ich gerne heimkehren!«

[23]Auch Reson, den Sohn Eljadas, ließ Gott zu einem erbitterten Feind Salomos werden. Reson stand früher im Dienst Hadad-Esers, des Königs von Zoba, war aber eines Tages seinem Herrn davongelaufen. [24]Als David seinerzeit die syrischen Verbündeten Hadad-Esers

---

[a] Ein anderer Name für Milkom.

11,6–10 2 Mo 20,3–5* **11,9** 3,5; 9,2 **11,12** 11,29–37; 12,16–19 **11,14–17** 2 Sam 8,13–14

umbrachte,[a] sammelte Reson eine Schar von Männern um sich und wurde der Anführer einer gewalttätigen Bande. Sie zogen nach Damaskus, ließen sich in der syrischen Hauptstadt nieder und beherrschten sie wie Könige. [25] Später wurde Reson König über ganz Syrien. Er hasste die Israeliten und war während Salomos Regierungszeit ein erklärter Feind Israels. Wie Hadad brachte auch er viel Unheil über das Land.

Jerobeam und der Prophet Ahija

[26] Auch ein Beamter Salomos zettelte einen Aufstand gegen den König an: Jerobeam, ein Sohn Nebats, aus Zereda in Ephraim. Seine Mutter war eine Witwe namens Zerua. [27] Zu der Zeit, als Salomo die Befestigungsanlage Jerusalems ausbaute und das letzte Stück der Stadtmauer schloss, [28] fiel ihm Jerobeam als ein fleißiger und geschickter Arbeiter auf. Darum machte Salomo ihn zum Vorgesetzten aller Bauarbeiter aus den Stämmen Ephraim und Manasse.

[29] Eines Tages, als Jerobeam aus der Stadt hinausging, begegnete er unterwegs dem Propheten Ahija aus Silo. Ahija trug einen neuen Mantel. Außerhalb der Stadt, wo weit und breit kein Mensch mehr war, [30] nahm er seinen Mantel, riss ihn in zwölf Stücke [31] und sagte zu Jerobeam:

»Nimm dir zehn davon! Denn der Herr, der Gott Israels, lässt dir sagen: ›Ich werde Salomo die Herrschaft über das Königreich Israel entreißen und dir zehn Stämme geben. [32] Nur der Stamm Juda soll ihm bleiben, weil ich es meinem Diener David versprochen habe und weil Jerusalem die Stadt ist, die ich aus allen Stämmen Israels erwählt habe. [33] So strafe ich Salomo dafür, dass er sich von mir abgewandt hat und nun andere Götter anbetet. Er verehrt Astarte, die Göttin der Sidonier, Kemosch, den Gott der Moabiter, und Milkom, den Gott der Ammoniter. Er lebt nicht mehr so, wie es mir gefällt. Meine Weisungen und Gebote befolgt er nicht, wie sein Vater David es noch getan hat.

[34] Doch weil mein Diener David, den ich erwählt habe, meine Gebote und Weisungen befolgt hat, will ich Salomo die Herrschaft nicht entreißen. Er darf regieren, solange er lebt. [35] Seinem Sohn aber werde ich das Königreich nehmen und dir die Herrschaft über zehn Stämme anvertrauen. [36] Nur ein Stamm soll Salomos Sohn bleiben, damit weiterhin ein Nachkomme meines Dieners David in Jerusalem regiert. Denn in dieser Stadt soll man mich anbeten. [37] Dir aber will ich deinen lange gehegten Wunsch erfüllen: Du sollst König über Israel werden. [38] Wenn du dich nach dem richtest, was ich dir sage, wenn du mir gehorchst und tust, was mir gefällt, wenn du meine Gebote und Weisungen befolgst, wie mein Diener David es getan hat, dann werde ich dir helfen. Was ich David versprochen habe, gilt dann auch für dich: Immer wird einer deiner Nachkommen als König über Israel herrschen. Dir und deinen Söhnen gebe ich heute das Reich Israel.

[39] So will ich Davids Nachkommen dafür bestrafen, dass sie mir den Rücken gekehrt haben. Doch das wird nicht für immer so bleiben.‹«

[40] Salomo wollte Jerobeam umbringen lassen, doch Jerobeam floh zu König Schischak nach Ägypten und blieb dort, bis Salomo gestorben war.

Salomos Tod
(2. Chronik 9,29–31)

[41] Weitere Begebenheiten aus Salomos Leben, seine weisen Gedanken und seine Taten sind in der Chronik Salomos festgehalten. [42] Salomo regierte vierzig Jahre in Jerusalem als König über ganz Israel. [43] Als er starb, wurde er dort in der »Stadt

---

[a] Vgl. 2. Samuel 8,3

11,36 9,3*; 5 Mo 12,5* **11,39** Hes 34,23–24; 37,15–28

Davids« begraben. Sein Sohn Rehabeam wurde sein Nachfolger.

Die Teilung Israels in zwei Reiche: Das Nordreich Israel und das Südreich Juda

Israel sagt sich vom Königshaus David los
(2. Chronik 10)

12 Rehabeam reiste nach Sichem, denn dort wollte ganz Israel ihn zum König krönen. [2] Jerobeam, der Sohn Nebats, erfuhr noch in Ägypten davon, wohin er vor König Salomo geflohen war. Er kam sofort zurück,[a] [3] und die Israeliten schickten Abgesandte zu ihm, um ihn nach Sichem zu holen. Dort angekommen, traten sie vor Rehabeam und sagten zu ihm: [4] »Dein Vater war ein strenger Herrscher. Schonungslos hat er uns das Äußerste an Steuern und Frondiensten abverlangt. Wir erkennen dich nur als König an, wenn du uns nicht so schwer unterdrückst wie dein Vater!«

[5] Rehabeam antwortete: »Gebt mir drei Tage Bedenkzeit, und dann kommt wieder!« Da wurde die Versammlung für drei Tage unterbrochen.

[6] In der Zwischenzeit rief Rehabeam die alten königlichen Berater zu sich, die schon im Dienst seines Vaters gestanden hatten, und fragte sie: »Was ratet ihr mir? Welche Antwort soll ich dem Volk geben?« [7] Sie antworteten: »Sei freundlich zu ihnen, und gib ihnen, was sie fordern! Wenn du heute bereit bist, auf dein Volk zu hören und ihm zu dienen, dann wird dein Volk morgen auf dich hören und dir dienen.«

[8] Aber der Ratschlag der alten Männer gefiel Rehabeam nicht. Darum fragte er seine jungen, gleichaltrigen Berater: [9] »Was soll ich dem Volk antworten? Sie verlangen von mir, dass ich sie nicht so hart unterdrücke wie mein Vater.« [10] Die jungen Männer rieten ihm: »Diese Leute beschweren sich über deinen Vater und wollen, dass du sie sanfter anfasst? Sag ihnen: ›Im Vergleich zu mir war mein Vater ein Weichling! [11] Er hat euch zwar nicht gerade geschont, aber ich werde noch ganz anders durchgreifen! Er ließ euch mit Peitschen antreiben, ich aber werde Peitschen mit Stacheln nehmen!‹«

[12] Drei Tage später sprachen Jerobeam und die Abgesandten des Volkes wieder bei Rehabeam vor. [13] Der König gab ihnen eine harte Antwort. Er hörte nicht auf den Rat der Alten, [14] sondern schleuderte dem Volk die Worte an den Kopf, die ihm seine jungen Altersgenossen vorgesagt hatten: »Es stimmt, mein Vater war nicht gerade zimperlich mit euch, aber ich werde noch ganz anders mit euch umspringen! Er ließ euch mit Peitschen antreiben, ich aber werde Peitschen mit Stacheln nehmen!« [15] Der Herr hatte Rehabeam für die Bitten des Volkes taub gemacht. Denn nun sollte sich erfüllen, was Ahija aus Silo Jerobeam, dem Sohn Nebats, im Auftrag des Herrn vorausgesagt hatte.

[16] Als die Israeliten merkten, dass der König nicht auf sie hören wollte, riefen sie ihm zu: »Was geht uns Davids Sippe noch an? Warum geben wir uns noch mit euch ab? Wir wollen nichts mehr mit euch zu tun haben! Los, gehen wir heim!« Und sie zogen fort.

[17] Nur die Israeliten aus dem Stammesgebiet von Juda erkannten Rehabeam als König an. [18] Da schickte Rehabeam Adoniram, den Aufseher über die Fronarbeiter, zu den Nordstämmen, um noch einmal mit ihnen zu verhandeln. Doch die aufgebrachte Menge steinigte Adoniram zu Tode. König Rehabeam konnte sich gerade noch in einen Wagen retten und nach Jerusalem fliehen. [19] So sagten sich die Stämme Nordisraels vom Königshaus David los und sind noch heute von ihm getrennt.

---

[a] So mit der griechischen Übersetzung. Der hebräische Text lautet: Er blieb in Ägypten.

12,4 9,20–22 **12,15** 11,29–39

[20] Als es sich im Nordreich Israel herumgesprochen hatte, dass Jerobeam aus Ägypten zurückgekehrt war, ließ man ihn zur Volksversammlung rufen und krönte ihn dort zum König über das ganze Nordreich Israel. Nur der Stamm Juda hielt zu Rehabeam, dem Nachkommen Davids.

Rehabeam soll Israel nicht zurückerobern
(2. Chronik 11,1–4)

[21] Als Rehabeam nach Jerusalem zurückkam, rief er sofort die besten Soldaten der Stämme Juda und Benjamin zum Kampf gegen Israel auf. Es waren 180000 Mann. So wollte Rehabeam, der Sohn Salomos, die Herrschaft über ganz Israel zurückgewinnen. [22] Doch da sprach Gott zum Propheten Schemaja: [23] »Bring König Rehabeam von Juda, dem Sohn Salomos, und allen Bewohnern der Stammesgebiete Juda und Benjamin diese Botschaft: [24] So spricht der Herr: Ihr sollt nicht gegen eure Brüder, die Israeliten, Krieg führen! Geht wieder nach Hause! Alles, was geschehen ist, habe ich selbst so kommen lassen.«

Sie gehorchten dem Befehl des Herrn und kehrten nach Hause zurück.

Reich Israel

König Jerobeam verführt Israel zum Götzendienst

[25] Jerobeam ließ die Stadt Sichem im Gebirge Ephraim ausbauen, er machte sie zur Hauptstadt und wohnte dort. Später baute er die Stadt Pnuël aus und verlegte seine Residenz dorthin. [26] Immer mehr aber fürchtete er, Israel könne sich am Ende doch wieder König Rehabeam zuwenden, weil er ein Nachkomme Davids war. [27] »Wenn das Volk regelmäßig nach Jerusalem geht«, so dachte er, »und dort im Tempel des Herrn seine Opfer darbringt, dann werden sie auch bald wieder König Rehabeam von Juda als ihren König anerkennen. Ist es aber erst einmal so weit, dann bringen sie mich um.«

[28] Darum ließ er zwei goldene Kälber herstellen. Dem Volk erklärte er: »Es ist viel zu umständlich für euch, für jedes Opfer immer nach Jerusalem zu gehen! Seht, ihr Israeliten, hier sind eure Götter, die euch aus Ägypten geführt haben!« [29] Er ließ eine Götzenfigur in Bethel aufstellen, die andere in Dan. [30] Als das eine Kalb nach Dan gebracht wurde, begleiteten die Israeliten es in einer feierlichen Prozession. So brachte Jerobeam das ganze Volk dazu, gegen den Herrn zu sündigen.

[31] Aber er ging noch weiter: Er ließ auf vielen Hügeln Heiligtümer errichten und ernannte auch Israeliten zu Priestern, die nicht zum Stamm Levi gehörten. [32] Er bestimmte einen Tag im Herbst, den 15. Tag des 8. Monats, an dem ein ähnliches Fest gefeiert werden sollte wie das Laubhüttenfest in Juda. Er selbst wollte an diesem Tag in Bethel die Stufen zum Altar hinaufsteigen, um den Kälbern, die er hatte anfertigen lassen, Opfer zu bringen. In Bethel weihte er auch die Priester, die er für den Dienst bei den Heiligtümern einsetzen wollte.

Ein Prophet mit einer unbequemen Botschaft

[33] Am 15. Tag des 8. Monats, dem Tag, den Jerobeam eigenmächtig festgesetzt hatte, feierten die Israeliten das angekündigte Fest in Bethel. Vor allen Festbesuchern stieg Jerobeam die Stufen zum Altar hinauf, um Opfer zu bringen und Weihrauch zu verbrennen.

13 Als er gerade oben am Altar stand und opfern wollte, erschien plötzlich ein Prophet aus Juda. Der Herr hatte

12,22–24 14,30 **12,26–32** 13,33–34; 2 Mo 20,2–5; 32,1–4; 4 Mo 3,10; 5 Mo 12,5* **12,28** 2 Mo 20,2–5 **12,31–32** 4 Mo 3,10

ihn nach Bethel gesandt. [2] Mit lauter Stimme rief er zum Altar hin, was der Herr ihm aufgetragen hatte: »Altar! Altar! So spricht der Herr: ›Der Königsfamilie Davids wird ein Sohn geboren werden mit Namen Josia. Er wird auf dir die Priester schlachten, die in den Heiligtümern dienen und die auf dir ihre Opfer bringen. Ja, Menschenknochen wird man auf dir verbrennen.‹« [3] Dann wandte der Prophet sich an das Volk und sagte: »Ein Zeichen soll euch beweisen, dass der Herr durch mich geredet hat: Dieser Altar hier wird zerbersten, und seine Asche, die mit dem Fett der Opfertiere getränkt ist, wird auf dem Boden verstreut werden.«

[4] König Jerobeam stand immer noch oben am Altar. Als er hörte, was der Prophet gegen den Altar von Bethel sagte, streckte er zornig seine Hand gegen den Boten Gottes aus und befahl seinen Männern: »Packt diesen Kerl!« Da wurde sein Arm steif, so dass er ihn nicht mehr zurückziehen konnte. [5] Im selben Augenblick brach der Altar auseinander, und die Opferasche wurde auf dem Boden verstreut. Alles traf so ein, wie der Prophet es im Auftrag des Herrn angekündigt hatte.

[6] Da flehte der König: »Bitte, bete für mich zum Herrn, deinem Gott! Versuch ihn zu besänftigen, und bitte darum, dass ich meinen Arm wieder bewegen kann!« Der Prophet betete für den König, und sofort war sein Arm wieder gesund.

[7] Da lud König Jerobeam den Boten Gottes ein: »Komm mit mir in mein Haus, und iss etwas! Ich möchte dir ein Geschenk geben.« [8] Doch der Prophet wehrte ab: »Selbst wenn du mir dein halbes Haus schenken würdest, käme ich nicht mit! Ich werde hier weder essen noch trinken, [9] denn der Herr hat mir befohlen: ›Du sollst dort nichts essen und nichts trinken! Kehre auch nicht auf demselben Weg zurück, auf dem du nach Bethel gehst!‹«

[10] So ging er auf einem anderen Weg nach Hause.

Der Prophet missachtet Gottes Befehl

[11] In der Stadt Bethel lebte ein alter Prophet. Als seine Söhne von dem Fest bei dem Altar zurückkamen, erzählten sie ihm, was der Bote Gottes getan und zu König Jerobeam gesagt hatte. [12] »Und wohin ist er dann gegangen?«, wollte der Vater wissen. Die Söhne beschrieben ihm, welchen Weg der Prophet aus Juda eingeschlagen hatte. [13] »Sattelt mir schnell den Esel!«, befahl der alte Prophet. Als das Tier gesattelt war, stieg er auf [14] und ritt dem Boten Gottes nach.

Er holte ihn ein, als er unter einem Baum Rast machte, und fragte ihn: »Bist du der Prophet, der aus Juda hierher gekommen ist?« »Ja, der bin ich«, gab der Angeredete zur Antwort. [15] Da lud der alte Mann ihn ein: »Komm doch zu mir nach Hause, und iss etwas!«

[16] Aber der Bote Gottes lehnte ab: »Ich kann nicht umkehren und zu dir nach Hause kommen. Ich darf hier nichts essen und nichts trinken, auch nicht bei dir. [17] Denn der Herr hat mir befohlen: ›Du sollst dort nichts essen und nichts trinken! Kehre auch nicht auf demselben Weg zurück, auf dem du nach Bethel gehst!‹«

[18] Da entgegnete der alte Mann: »Ich bin auch ein Prophet wie du! Ein Engel hat mir eine Botschaft des Herrn ausgerichtet. Er sagte zu mir: ›Nimm ihn mit nach Hause, damit er bei dir essen und trinken kann!‹« Dies war eine Lüge. [19] Aber der Bote Gottes nahm daraufhin die Einladung des alten Propheten an und aß und trank bei ihm zu Hause.

[20] Noch während des Essens gab der Herr dem alten Propheten eine Botschaft für den Gast, den er in sein Haus geholt hatte. [21] Der Prophet sagte zu dem Boten Gottes aus Juda: »So spricht der Herr: ›Du hast dich meinem Befehl widersetzt und hast das Verbot missachtet, das ich,

---

13,2–3 2 Kön 23,15–20

der Herr, dein Gott, dir gegeben habe. [22]Du bist umgekehrt und hast hier am Ort gegessen und getrunken, obwohl ich es dir ausdrücklich verboten hatte. Darum wirst du nie in eurem Familiengrab beerdigt werden!‹«

[23]Nach dem Essen ließ der alte Prophet einen seiner Esel satteln und gab ihn seinem Gast. [24]Der verabschiedete sich und ritt davon. Unterwegs fiel ein Löwe über ihn her und tötete ihn. Der Löwe und der Esel blieben neben dem Toten stehen.

[25]Die Leute, die vorbeikamen, sahen die Leiche am Boden liegen und den Löwen neben ihr stehen. Schnell gingen sie weiter und erzählten es in Bethel, wo auch der alte Prophet wohnte. [26]Als er davon hörte, sagte er: »Das ist der Bote Gottes, der sich dem Befehl Gottes widersetzt hat. Darum ließ der Herr ihn in die Klauen des Löwen geraten, und der hat ihn getötet. Es ist alles so eingetroffen, wie der Herr es ihm angekündigt hat.« [27]Dann befahl er seinen Söhnen, ihm seinen Esel zu satteln, [28]und ritt los. Er fand alles so vor, wie man es ihm beschrieben hatte: Der Esel und der Löwe standen immer noch bei der Leiche. Der Löwe hatte sie nicht gefressen und auch den Esel nicht zerrissen.

[29]Der Prophet hob den Toten auf seinen Esel und brachte ihn nach Bethel. Dort wollte er die Totenklage um ihn halten und ihn dann begraben. [30]Er bestattete die Leiche in seinem eigenen Familiengrab. Dabei wurde die Klage »Ach mein Bruder« angestimmt. [31]Nach der Beisetzung sagte der alte Prophet zu seinen Söhnen: »Wenn ich einmal sterbe, sollt ihr mich im selben Grab bestatten, in dem nun der Bote Gottes liegt. An seiner Seite möchte ich begraben sein. [32]Denn ich weiß, dass er ein echter Prophet war. Was er im Auftrag des Herrn gegen den Altar von Bethel und gegen die Höhenheiligtümer in den Städten Samariens vorausgesagt hat, wird alles eintreffen.«

Jerobeam lässt sich nicht warnen

[33]Trotz allem, was geschehen war, ließ Jerobeam sich nicht von seinen falschen Wegen abbringen. Er setzte weiterhin Priester aus dem ganzen Volk zum Dienst bei den Heiligtümern ein. Wer immer sich darum bewarb, den weihte er selbst zum Priester. [34]So lud er schwere Schuld auf sich, und darum wurde später sein Königshaus vernichtet und sein Geschlecht vollkommen ausgerottet.

Jerobeam wird von Gott gestraft

14 Eines Tages wurde Jerobeams Sohn Abija schwer krank. [2]Da sagte Jerobeam zu seiner Frau: »Verkleide dich, damit niemand dich als Königin erkennt, und dann geh nach Silo! Dort wohnt der Prophet Ahija, der mir damals vorausgesagt hat, dass ich König über unser Volk werde. [3]Bring ihm zehn Brote, etwas Gebäck und einen Krug Honig mit! Dieser Mann kann dir bestimmt sagen, ob unser Sohn wieder gesund wird.«

[4]Jerobeams Frau folgte dem Rat ihres Mannes. Sie ging nach Silo und fand Ahijas Haus. Der war inzwischen sehr alt geworden und hatte sein Augenlicht verloren. [5]Aber der Herr hatte ihn auf den Besuch von Jerobeams Frau vorbereitet. »Sie will wissen, ob ihr kranker Sohn wieder gesund wird. Doch sie will unerkannt bleiben und hat sich deshalb verkleidet«, hatte er zu dem Propheten gesagt und ihm anschließend aufgetragen, was er der Königin antworten sollte.

[6]Als Ahija ihre Schritte hörte und sie an der Tür stand, rief er ihr zu: »Komm nur herein, Frau Jerobeams! Du brauchst dich gar nicht erst zu verstellen! Ich muss dir eine schlechte Nachricht überbringen. [7]Geh heim, und berichte Jerobeam, was der Herr, der Gott Israels, ihm sagen lässt: ›Ich habe dich aus dem Volk heraus erwählt und als König über Israel eingesetzt. [8]Dem Haus David habe ich die Krone genommen und sie dir gegeben.

13,33–34 12,26–32* **14,2** 11,29–39

Aber leider lebst du nicht so wie mein Diener David. Er befolgte meine Gebote und wollte vor allem mir gehorchen und tun, was mir gefällt. [9]Du aber hast es schlimmer getrieben als jeder andere vor dir. Du hast dir Figuren gegossen, die nun deine Götter sein sollen. Von mir aber wolltest du nichts mehr wissen. Und so hast du meinen Zorn herausgefordert. [10]Darum werde ich deine Familie ins Unglück stürzen. In ganz Israel werde ich alle männlichen Nachkommen Jerobeams ausrotten, ob jung oder alt. Auch die letzte Erinnerung an diese Familie werde ich auslöschen, so wie man einen Haufen Mist aus dem Stall hinausfegt, bis keine Spur mehr übrig bleibt. [11]Wer von euch in der Stadt stirbt, wird von Hunden zerrissen, und wer auf freiem Feld stirbt, über den werden die Raubvögel herfallen.‹ Dies alles wird so eintreffen, denn der Herr hat es angekündigt!«

[12]Dann sagte Ahija zu Jerobeams Frau: »Geh nun wieder nach Hause! Doch sobald du deine Heimatstadt betrittst, wird dein Sohn sterben. [13]Überall in Israel wird man um ihn trauern, und viele werden zu seiner Beerdigung kommen. Er wird als Einziger aus Jerobeams Familie in ein Grab gelegt, denn er war auch der Einzige in der Familie, an dem der Herr, der Gott Israels, noch etwas Gutes fand. [14]Der Herr wird einen neuen König für Israel erwählen. Dieser wird das Geschlecht Jerobeams ausrotten. Es beginnt sich schon heute zu erfüllen! [15]Später wird der Herr ganz Israel bestrafen, denn sie verehren Holzpfähle, die sie für heilig halten. Sie fordern den Zorn des Herrn heraus, darum wird er sie schlagen, dass sie schwanken wie ein Schilfrohr im Wasser. Er wird sie aus diesem fruchtbaren Land, das er ihren Vorfahren gegeben hat, herausreißen und sie weit wegschleudern in ein Land jenseits des Euphrat. [16]Ihren Feinden wird er sie ausliefern, weil Jerobeam gesündigt und ganz Israel zum Götzendienst verführt hat.«

[17]Jerobeams Frau kehrte in ihr Haus nach Tirza zurück. Gerade als sie zur Tür hereinkam, starb ihr Sohn. [18]Er wurde beerdigt, und in ganz Israel trauerte man um ihn. Es traf alles so ein, wie der Herr es durch seinen Diener, den Propheten Ahija, vorausgesagt hatte.

Jerobeams Tod

[19]Alles Weitere über Jerobeams Leben steht in der Chronik der Könige von Israel. Dort kann man nachlesen, wie er regiert und welche Kriege er geführt hat. [20]Jerobeam war zweiundzwanzig Jahre lang König. Als er starb, wurde sein Sohn Nadab sein Nachfolger.

Reich Juda

König Rehabeam von Juda (2. Chronik 12)

[21]In Juda regierte Salomos Sohn Rehabeam; seine Mutter war die Ammoniterin Naama. Mit 41 Jahren wurde er König und herrschte siebzehn Jahre in Jerusalem, der Stadt, die der Herr aus allen Stämmen Israels erwählt hat, um dort angebetet zu werden.

[22]Doch auch die Menschen in Juda taten, was der Herr verabscheute. Mit ihrem Götzendienst forderten sie seinen Zorn heraus. Sie trieben es schlimmer als jede Generation vor ihnen. [23]Denn wie die Bewohner Israels bauten auch sie sich Höhenheiligtümer, sie stellten auf allen höheren Hügeln und unter allen dicht belaubten Bäumen heilige Steine oder Holzpfähle auf, die ihren Göttern geweiht waren. [24]In den Tempeln gab es sogar geweihte Männer, die dort der Prostitution nachgingen. Sie übernahmen alle abscheulichen Bräuche der Völker, die der Herr für sein Volk Israel aus dem Land vertrieben hatte.

[25]Im 5. Regierungsjahr Rehabeams mar-

14,10 15,29–30 **14,15** 5 Mo 28,25*; 2 Kön 17,7–12 **14,21** 9,3* **14,22–24** 12,26–32*; 5 Mo 23,18–19; Hos 4,12–14

schierte König Schischak von Ägypten mit seinem Heer in Jerusalem ein. [26] Er raubte alle Schätze aus dem Tempel und dem Königspalast, auch die goldenen Schilde, die König Salomo seinerzeit hatte anfertigen lassen. [27] Rehabeam ließ an ihrer Stelle Schilde aus Bronze herstellen und übergab sie dem Befehlshaber der Wache, die am Eingang zum königlichen Palast stand. [28] Immer wenn der König in den Tempel des Herrn ging, mussten die Wächter diese Schilde tragen. Danach brachte man sie wieder zurück in das Waffenlager der Leibwache.

[29] Mehr darüber, wie Rehabeam lebte und regierte, steht in der Chronik der Könige von Juda. [30] Zwischen den Königen Rehabeam und Jerobeam herrschte Krieg, solange sie lebten. [31] Als Rehabeam starb, wurde er in der »Stadt Davids«, einem Stadtteil Jerusalems, im Grab der Königsfamilie beigesetzt. Seine Mutter, eine Ammoniterin, hatte Naama geheißen. Sein Sohn Abija wurde zum Nachfolger ernannt.

König Abija von Juda
(2. Chronik 13)

15 Abija wurde König von Juda im 18. Regierungsjahr König Jerobeams von Israel, des Sohnes Nebats. [2] Er regierte drei Jahre in Jerusalem. Seine Mutter hieß Maacha und war eine Tochter Abischaloms. [3] Abija beging die gleichen Sünden wie sein Vater. Er war dem Herrn, seinem Gott, nicht von ganzem Herzen treu wie sein Vorfahre David. [4] Allein wegen Davids Treue ließ Gott Abija nicht fallen, sondern schenkte ihm einen Sohn, der sein Thronfolger werden sollte, und beschützte die Stadt Jerusalem vor feindlichen Angriffen. [5] Denn der Herr hatte noch nicht vergessen, dass David sich immer an seine Gebote gehalten hatte. Außer seinem Verbrechen an dem Hetiter Uria[a] hatte er sein Leben lang getan, was dem Herrn gefiel.

[6] Der Krieg mit Jerobeam von Israel, der schon die ganze Regierungszeit Rehabeams überschattet hatte, ging auch unter der Herrschaft Abijas weiter. [7] Mehr darüber, wie Abija lebte und regierte, steht in der Chronik der Könige von Juda. [8] Als Abija starb, begrub man ihn in der »Stadt Davids«, einem Stadtteil Jerusalems. Sein Sohn Asa wurde sein Nachfolger.

König Asa von Juda
(2. Chronik 14,1–4; 15,16–19; 16,1–6.11–14)

[9] Asa wurde König von Juda im 20. Regierungsjahr König Jerobeams von Israel. [10] Er regierte einundvierzig Jahre in Jerusalem. Als er König wurde, behielt seine Großmutter Maacha, die Tochter Abischaloms, die einflussreiche Stellung der Königinmutter. [11] Wie sein Vorfahre David tat auch Asa, was dem Herrn gefiel. [12] Er jagte alle aus dem Land, die bei den Heiligtümern der Prostitution nachgingen, und vernichtete die widerlichen Götterfiguren, die sein Vater und sein Großvater angefertigt hatten. [13] Seine Großmutter Maacha entließ er aus ihrer wichtigen Stellung als Königinmutter, weil sie der Göttin Aschera eine Statue aufgestellt hatte. Die Statue ließ er in Stücke hauen und im Kidrontal verbrennen. [14] Leider verbot Asa nicht auch noch das Opfern in den Höhenheiligtümern. Doch sonst diente er dem Herrn von ganzem Herzen, solange er lebte. [15] Alle goldenen und silbernen Gegenstände, die sein Vater dem Herrn geweiht hatte, brachte er in den Tempel, zusammen mit den Geschenken, die er selbst dem Herrn weihte.

[16] Zwischen König Asa von Juda und König Bascha von Israel herrschte Krieg,

---

[a] Vgl. 2. Samuel 11,1–27

14,30 12,24 **15,4** 11,32 **15,6** 12,24 **15,12** 11,4–8; 14,24; 5 Mo 23,18–19 **15,13** 15,2 **15,16** 12,24

solange Bascha lebte. [17] König Bascha fiel in Juda ein und baute die Stadt Rama zu einer Festung aus. Mit der Kontrolle über diesen wichtigen Knotenpunkt konnte er Juda von der Außenwelt abschneiden. [18] Da schickte König Asa eine Gesandtschaft nach Damaskus zu König Ben-Hadad von Syrien, dem Sohn Tabrimmons und Enkel Hesjons. Asa gab den Gesandten alles Gold und Silber mit, was vom Tempelschatz noch übrig war, dazu Geschenke aus der königlichen Schatzkammer. Sie sollten Ben-Hadad Folgendes ausrichten: [19] »Lass uns ein Bündnis miteinander schließen! Es soll so fest und unverbrüchlich sein, als wären schon unsere Väter verbündet gewesen. Dieses Gold und Silber ist mein Geschenk an dich. Ich bitte dich: Brich dein Bündnis mit König Bascha von Israel, und greif ihn an, damit er aus unserem Gebiet wieder abzieht.«

[20] Ben-Hadad willigte ein und schickte seine Truppen gegen Israel. Sie nahmen die Städte Ijon, Dan und Abel-Bet-Maacha ein, die Gegend um Kinneret und das ganze Stammesgebiet von Naftali. [21] Als Bascha davon erfuhr, ließ er Rama nicht weiter ausbauen und kehrte nach Tirza zurück.

[22] König Asa zog alle Männer von Juda zur Fronarbeit heran; kein einziger wurde vom Dienst befreit. Sie mussten die Steine und Balken, mit denen König Bascha die Stadt Rama befestigen wollte, wieder wegtragen. Asa ließ mit dem Baumaterial die Städte Geba in Benjamin und Mizpa ausbauen.

[23] Alles Weitere über Asas Leben steht in der Chronik der Könige von Juda. Man kann dort nachlesen, wie er seine Herrschaft festigte, wie er seine Regierungsgeschäfte führte und welche Städte er aufbaute. Im Alter litt er an einer Fußkrankheit. [24] Als Asa starb, wurde er in der »Stadt Davids«, einem Stadtteil Jerusalems, im Grab der Königsfamilie beigesetzt. Sein Sohn Joschafat wurde zum Nachfolger bestimmt.

Reich Israel

König Nadab von Israel

[25] Nadab, der Sohn Jerobeams, wurde König von Israel im 2. Regierungsjahr König Asas von Juda und regierte zwei Jahre. [26] Er tat, was der Herr verabscheute, und folgte dem schlechten Beispiel seines Vaters, der die Israeliten zum Götzendienst verführt hatte.

[27/28] Als Nadab mit dem israelitischen Heer die Philisterstadt Gibbeton belagerte, zettelte Bascha, ein Sohn Ahijas aus dem Stamm Issaschar, eine Verschwörung gegen ihn an und ermordete ihn dort. Dann wurde er selbst König über Israel. Dies geschah im 3. Regierungsjahr König Asas von Juda.

[29] Kaum war Bascha an der Macht, ließ er die ganze Familie Jerobeams umbringen. Er gab keine Ruhe, bis er auch das letzte Familienmitglied getötet hatte. Keiner von ihnen kam mit dem Leben davon. Damit traf ein, was der Herr durch seinen Diener Ahija aus Silo vorausgesagt hatte. [30] Denn Jerobeam hatte durch sein schlechtes Vorbild die Israeliten zum Götzendienst verführt und dadurch den Zorn des Herrn, des Gottes Israels, herausgefordert.

[31] Alles Weitere über Nadabs Leben steht in der Chronik der Könige von Israel.

König Bascha von Israel

[32/33] Bascha, der Sohn Ahijas, wurde König von Israel im 3. Regierungsjahr König Asas von Juda. Er regierte vierundzwanzig Jahre in Tirza. Zwischen ihm und König Asa von Juda herrschte Krieg, solange er lebte. [34] Auch er tat, was der Herr verabscheute, und beging die gleiche Sünde wie Jerobeam, der die Israeliten zum Götzendienst verführt hatte.

16 Eines Tages schickte der Herr den Propheten Jehu, einen Sohn Hananis, mit folgender Botschaft zu Bascha:

15,29 14,10.14 **15,30** 12,26–32* **15,32–33** 12,24 **15,34** 12,26–32*

[2]»Aus dem einfachen Volk habe ich dich erwählt und als König über mein Volk Israel eingesetzt. Aber du bist wie Jerobeam: Auch du verführst die Israeliten zum Götzendienst. Wenn ich sehe, wie sie sich von mir abwenden, werde ich zornig. [3]Darum soll es deiner Familie gehen wie der Familie Jerobeams, des Sohnes Nebats: Ich werde dafür sorgen, dass das Geschlecht Bascha ausgerottet wird. Kein einziger deiner Nachkommen wird überleben. [4]Wer von ihnen in der Stadt stirbt, wird von Hunden zerrissen, und wer auf freiem Feld stirbt, über den werden die Raubvögel herfallen.«

[5]Alles Weitere über Baschas Leben steht in der Chronik der Könige von Israel. Man kann dort von seinen militärischen Erfolgen erfahren. [6]Als er starb, wurde er in Tirza begraben. Sein Sohn Ela wurde sein Nachfolger. [7]Aus zwei Gründen musste der Prophet Jehu, der Sohn Hananis, Bascha und seiner Familie die Strafe des Herrn ankündigen: Zum einen hatte er den Götzen geopfert und durch alles, was er tat, den Zorn des Herrn herausgefordert, so wie die Familie Jerobeams; und dann hatte er noch Jerobeams Familie kaltblütig ermorden lassen.

König Ela von Israel

[8]Ela, der Sohn Baschas, wurde König von Israel im 26. Regierungsjahr König Asas von Juda. Er regierte zwei Jahre in Tirza. [9]Dann zettelte Simri, einer seiner Untergebenen, dem die Hälfte aller Streitwagen unterstand, eine Verschwörung gegen ihn an. König Ela war gerade in Tirza bei seinem Palastverwalter Arza eingeladen und hatte sich dort betrunken. [10]Da drang Simri in das Haus ein, erschlug Ela und ließ sich zum neuen König ausrufen. Dies geschah im 27. Regierungsjahr König Asas von Juda.

[11]Kaum hatte Simri seine Herrschaft gefestigt, brachte er alle männlichen Nachkommen Baschas um. Keiner kam mit dem Leben davon. Sogar noch entferntere Verwandte und Freunde des früheren Königs ließ Simri ermorden. [12]So traf ein, was der Herr durch den Propheten Jehu schon Bascha vorausgesagt hatte. [13]Denn Bascha und sein Sohn Ela hatten die Israeliten zum Götzendienst verführt. Sie verehrten tote Götzen und forderten dadurch den Zorn des Herrn heraus.

[14]Alles Weitere über Elas Leben steht in der Chronik der Könige von Israel.

König Simri von Israel

[15]Simri wurde König von Israel im 27. Regierungsjahr König Asas von Juda. Er war aber nur eine Woche lang König. Das israelitische Heer belagerte immer noch die Philisterstadt Gibbeton. [16]Als im Feldlager bekannt wurde, dass Simri eine Verschwörung angezettelt und den König umgebracht hatte, da riefen die Soldaten noch am selben Tag ihren Heerführer Omri zum neuen König aus. [17]Danach zog das ganze Heer unter der Führung Omris von Gibbeton gegen die Stadt Tirza, belagerte sie und nahm sie ein. [18]Als Simri merkte, dass alles verloren war, zog er sich in die Zitadelle des Palasts zurück, zündete den Palast an und starb im Feuer.

[19]So wurde er bestraft für seine schweren Sünden. Denn wie Jerobeam hatte er getan, was der Herr verabscheute, und ganz Israel zum Götzendienst verführt. [20]Alles Weitere über Simri und seine Verschwörung steht in der Chronik der Könige von Israel.

König Omri von Israel

[21]Nach dem Tod Simris gab es eine Spaltung im Volk: Der eine Teil wollte Tibni, den Sohn Ginats, zum König machen. Der andere Teil stand hinter Omri. [22]Die Anhänger Omris waren den Anhängern Tibnis aber überlegen, und als Tibni starb, wurde Omri König über das ganze Volk.

16,2 12,26–32* **16,3** 15,29; 16,11–12 **16,19.25–26** 12,26–32*

[23]Omri wurde König von Israel im 31. Regierungsjahr König Asas von Juda. Er regierte insgesamt zwölf Jahre. Die ersten sechs Jahre residierte er in Tirza. [24]Danach kaufte er von Schemer für siebzig Kilogramm Silber den Berg Samaria. Er baute dort eine Stadt und machte sie zu seinem neuen Regierungssitz. In Erinnerung an Schemer, den früheren Besitzer des Berges, nannte er die Stadt Samaria.

[25]Auch Omri tat, was der Herr verabscheute; er trieb es schlimmer als alle seine Vorgänger. [26]Er beging genau dieselben Sünden wie Jerobeam, der Sohn Nebats, und verehrte wie dieser alle nur erdenklichen Götzen. Dadurch wurde das ganze Volk zum Götzendienst verführt und erregte den Zorn des Herrn. [27]Alles Weitere über Omris Leben und seine militärischen Erfolge steht in der Chronik der Könige von Israel. [28]Als Omri starb, wurde er in Samaria begraben. Sein Sohn Ahab wurde sein Nachfolger.

König Ahab von Israel

[29]Ahab, der Sohn Omris, wurde König von Israel im 38. Regierungsjahr König Asas von Juda. Er regierte zweiundzwanzig Jahre in Samaria. [30]Auch Ahab tat, was der Herr verabscheute, noch schlimmer als alle seine Vorgänger. [31]Nicht genug, dass er wie Jerobeam, der Sohn Nebats, am Götzendienst festhielt; er ging noch weiter und heiratete Isebel, die Tochter König Etbaals von Sidon. Er verehrte ihren Götzen Baal und betete ihn an. [32]Ja, er baute ihm in Samaria sogar einen Tempel mit einem Altar. [33]Auch für die Göttin Aschera errichtete Ahab eine Statue. Mit allem, was er tat, schürte er den Zorn des Herrn, des Gottes Israels, so sehr wie kein anderer israelitischer König vor ihm.

[34]Während der Regierungszeit Ahabs baute Hiël aus Bethel die Stadt Jericho wieder auf. Als das Fundament gelegt wurde, starb sein ältester Sohn Abiram, und als er die Stadttore einsetzte, verlor er Segub, seinen jüngsten Sohn. So traf ein, was der Herr damals durch Josua, den Sohn Nuns, angedroht hatte.[a]

Der Prophet Elia versteckt sich am Bach Krit

17 Der Prophet Elia aus Tischbe in Gilead sagte eines Tages zu König Ahab: »Ich schwöre bei dem Herrn, dem Gott Israels, dem ich diene: Es wird in den nächsten Jahren weder Regen noch Tau geben, bis ich es sage!«

[2]Danach befahl der Herr Elia: [3]»Du musst fort von hier! Geh nach Osten, überquere den Jordan, und versteck dich am Bach Krit! [4]Ich habe den Raben befohlen, dich dort mit Nahrung zu versorgen, und trinken kannst du aus dem Bach.« [5]Elia gehorchte dem Herrn und versteckte sich am Bach Krit, der von Osten her in den Jordan fließt. [6]Morgens und abends brachten die Raben ihm Brot und Fleisch, und seinen Durst stillte er am Bach.

Elia bei der Witwe in Zarpat

[7]Nach einiger Zeit vertrocknete der Bach, denn es hatte schon lange nicht mehr geregnet. [8]Da sagte der Herr zu Elia: [9]»Geh nach Phönizien in die Stadt Zarpat, und bleib dort! Ich habe einer Witwe den Auftrag gegeben, dich zu versorgen.« [10]Sogleich machte Elia sich auf den Weg.

Am Stadtrand von Zarpat traf er eine Witwe, die gerade Holz sammelte. Er bat sie um einen Becher Wasser. [11]Als sie davoneilte und das Wasser holen wollte, rief er ihr nach: »Bring mir bitte auch ein Stück Brot mit!« [12]Da blieb die Frau stehen und sagte: »Ich habe keinen Krümel

---

[a] Vgl. Josua 6,26

16,30–32 12,26–32*; 21,22–26; 2 Mo 22,19; 5 Mo 7,3–4* **17,1** 8,35–36; Jak 5,17 **17,3** 18,1

Brot mehr, sondern nur noch eine Hand voll Mehl im Topf und ein paar Tropfen Öl im Krug. Das schwöre ich bei dem Herrn, deinem Gott. Gerade habe ich einige Holzscheite gesammelt. Ich will nun nach Hause gehen und die letzte Mahlzeit für mich und meinen Sohn zubereiten. Danach werden wir wohl verhungern.«

[13]Elia tröstete sie: »Hab keine Angst, so weit wird es nicht kommen! Geh nur und tu, was du dir vorgenommen hast! Aber back zuerst für mich einen kleinen Brotfladen, und bring ihn mir heraus! Nachher kannst du für dich und deinen Sohn etwas zubereiten. [14]Denn der Herr, der Gott Israels, verspricht dir: ›Das Mehl in deinem Topf soll nicht ausgehen und das Öl in deinem Krug nicht weniger werden, bis ich, der Herr, es wieder regnen lasse.‹«

[15]Die Frau ging nach Hause und tat, was Elia ihr gesagt hatte, und tatsächlich hatten Elia, die Frau und ihr Sohn Tag für Tag genug zu essen. [16]Mehl und Öl gingen nicht aus, genau wie der Herr es durch Elia angekündigt hatte.

[17]Eines Tages wurde der Sohn der Witwe krank. Es ging ihm zusehends schlechter, und schließlich starb er. [18]Da schrie die Mutter Elia an: »Was hast du eigentlich bei mir zu suchen, du Bote Gottes? Ich weiß genau, du bist nur hierher gekommen, um Gott an alles Böse zu erinnern, was ich getan habe! Und zur Strafe ist mein Sohn jetzt tot!«

[19]»Gib mir den Jungen!«, erwiderte Elia nur, nahm das tote Kind vom Schoß der Mutter und trug es hinauf in die Dachkammer, wo er wohnte. Er legte den Jungen auf sein Bett [20]und begann zu beten: »Ach, Herr, mein Gott, warum tust du der Witwe, bei der ich zu Gast bin, so etwas an? Warum lässt du ihren Sohn sterben?« [21]Dann legte er sich dreimal auf das tote Kind und flehte dabei zum Herrn: »Herr, mein Gott, ich bitte dich, erwecke diesen Jungen wieder zum Leben!«

[22]Der Herr erhörte Elias Gebet, und das Kind wurde lebendig. [23]Elia brachte ihn wieder hinunter, gab ihn seiner Mutter zurück und sagte: »Dein Sohn lebt!« [24]Da antwortete die Frau Elia: »Jetzt bin ich ganz sicher, dass du ein Bote Gottes bist. Alles, was du im Auftrag des Herrn sagst, ist wahr.«

Elia kehrt nach Israel zurück

18 Wochen und Monate vergingen. Nach mehr als zwei Jahren sagte der Herr zu Elia: »Geh jetzt, und zeig dich Ahab! Ich will es wieder regnen lassen.«

[2]Elia machte sich auf den Weg nach Samaria, wo die Menschen schwer unter der Hungersnot litten. [3]König Ahab ließ unterdessen seinen Palastverwalter Obadja zu sich rufen, einen Mann, der große Ehrfurcht vor dem Herrn hatte. [4]Als damals Königin Isebel alle Propheten des Herrn beseitigen wollte, hatte er hundert von ihnen in zwei Höhlen versteckt, je fünfzig in einer, und sie mit Wasser und Brot versorgt. [5]Ahab befahl nun Obadja: »Geh durch das Land zu allen Quellen und Bächen! Vielleicht gibt es dort noch etwas Gras, mit dem wir unsere Pferde und Maultiere durchbringen können. Sonst müssen wir die Tiere töten.«

[6]Ahab und Obadja sprachen sich ab, wer welche Teile des Landes durchstreifen sollte, und brachen dann auf. [7]Obadja war noch nicht lange unterwegs, als ihm Elia entgegenkam. Obadja erkannte den Propheten sofort, warf sich vor ihm zu Boden und fragte: »Bist du es wirklich, Elia, mein Herr?«

[8]»Ja, ich bin es«, antwortete Elia. »Geh sofort zurück, und melde deinem Herrn, dass ich wieder da bin!«

[9]Obadja stöhnte: »Was habe ich verbrochen, dass du mir einen solchen Auftrag gibst? Ahab bringt mich um, wenn ich ihm das sage! [10]Bei dem Herrn, deinem Gott, schwöre ich: Er hat dich über-

---

17,14 2 Kön 4,2–4 **17,17–24** 2 Kön 4,20.32–36 **18,1** 17,1–3; Jak 5,18

all suchen lassen. In alle Länder und Königreiche schickte er seine Leute. Erhielten sie zur Antwort: ›Elia ist nicht bei uns!‹, dann musste das Volk jeweils schwören, dich nicht gefunden zu haben. [11] Und nun soll ich einfach zum König gehen und ihm sagen: ›Elia ist da!‹? [12] Was ist, wenn der Geist des Herrn dich in der Zwischenzeit entrückt, und ich weiß nicht wohin? Ahab wird mich umbringen, wenn ich ihm sage, dass ich dich gesehen habe, er dich dann aber nicht findet. Dabei habe ich doch von Jugend an nur den Herrn als meinen Gott verehrt! [13] Hat dir niemand berichtet, was ich riskiert habe, als Isebel alle Propheten des Herrn umbringen ließ? In zwei Höhlen habe ich je fünfzig Propheten versteckt und sie mit Brot und Wasser versorgt. [14] Und nun soll ich zu Ahab gehen und ihm melden: ›Elia ist wieder da!‹? Bestimmt bringt er mich um!«

[15] Da entgegnete Elia: »Ich schwöre dir bei dem Herrn, dem allmächtigen Gott, dem ich diene, dass ich mich noch heute dem König zeige.«

[16] Da kehrte Obadja um und brachte Ahab die Nachricht. Der brach seine Suche sofort ab und ging Elia entgegen.

Wer ist der wahre Gott – Baal oder der Herr?

[17] Ahab begrüßte den Propheten mit den Worten: »So, da ist er ja, der Mann, der Israel ins Verderben gestürzt hat!« [18] Elia widersprach: »Nicht ich bin an dem Unheil schuld, sondern du und deine Familie! Ihr macht euch nichts mehr aus den Geboten des Herrn. Du, Ahab, verehrst lieber den Götzen Baal und seine Statuen als den Herrn. [19] Aber jetzt fordere ich dich auf: Schick die 450 Propheten Baals alle zu mir auf den Berg Karmel! Auch die 400 Propheten der Aschera, die von Königin Isebel versorgt werden, sollen kommen. Sende Boten ins Land, und lass alle Israeliten zu einer Volksversammlung auf den Karmel rufen!«

[20] Da befahl Ahab den Israeliten und allen Propheten, auf den Karmel zu kommen. [21] Als alle versammelt waren, trat Elia vor die Menge und rief: »Wie lange noch wollt ihr auf zwei Hochzeiten tanzen? Wenn der Herr der wahre Gott ist, dann gehorcht ihm allein! Ist es aber Baal, dann dient nur ihm!«

Das Volk sagte kein Wort, [22] und so fuhr Elia fort: »Ich stehe hier vor euch als einziger Prophet des Herrn, der noch übrig geblieben ist; und dort stehen 450 Propheten Baals. [23] Und nun bringt uns zwei junge Opferstiere. Die Propheten Baals sollen sich einen aussuchen, ihn in Stücke schneiden und auf das Brennholz legen, ohne es anzuzünden. Den anderen Stier will ich als Opfer zubereiten, und auch ich werde kein Feuer daran legen. [24] Dann ruft ihr, die Propheten Baals, euren Gott an, ich aber werde zum Herrn beten. Der Gott nun, der mit Feuer antwortet, der ist der wahre Gott.« Die ganze Volksmenge rief: »Ja, das ist gut!«

[25] Da sagte Elia zu den Propheten Baals: »Ihr könnt anfangen, weil ihr so viele seid. Sucht euch einen Stier aus, und bereitet ihn zu; aber keiner darf das Opfer anzünden! Und dann bittet euren Gott, Feuer vom Himmel zu schicken!« [26] Sie schlachteten ihren Stier und bereiteten ihn für das Opfer zu. Dann begannen sie zu beten. Vom Morgen bis zum Mittag riefen sie ununterbrochen: »Baal, Baal, antworte uns doch!« Sie tanzten um den Altar, den man für das Opfer errichtet hatte. Aber nichts geschah, es blieb still.

[27] Als es Mittag wurde, begann Elia zu spotten: »Ihr müsst lauter rufen, wenn euer großer Gott es hören soll! Bestimmt ist er gerade in Gedanken versunken, oder er musste mal austreten. Oder ist er etwa verreist? Vielleicht schläft er sogar noch, dann müsst ihr ihn eben aufwecken!«

[28] Da schrien sie, so laut sie konnten, und ritzten sich nach ihrem Brauch mit Messern und Speeren die Haut auf, bis

---

18,21 Mt 6,24

das Blut an ihnen herunterlief. [29] Am Nachmittag schließlich gerieten sie vollends in Ekstase. Dieser Zustand dauerte bis gegen Abend an.[a] Aber nichts geschah, keine Antwort, kein Laut, nichts.

[30] Endlich forderte Elia das Volk auf: »Kommt jetzt zu mir herüber!« Sie versammelten sich um ihn, und er baute vor aller Augen den Altar des Herrn wieder auf, den man niedergerissen hatte. [31] Er nahm dazu zwölf Steine nach der Zahl der Söhne Jakobs, von denen die zwölf Stämme Israels abstammen. Der Herr hatte Jakob später den Namen Israel gegeben. [32] Mit den zwölf Steinen baute Elia einen Altar für den Herrn. Rundherum zog er einen Graben.[b] [33] Dann schichtete er das Brennholz auf den Altar, zerteilte den Opferstier und legte ihn auf das Holz. [34] Zuletzt befahl er: »Holt vier Eimer Wasser, und gießt sie über das Opfer und das Holz!« Dies genügte ihm aber noch nicht, und so gab er denselben Befehl ein zweites und ein drittes Mal, [35] bis das Wasser schließlich auf allen Seiten am Altar herunterlief und den Graben füllte.

[36] Zur Zeit des Abendopfers trat Elia vor den Altar und betete laut: »Herr, du Gott Abrahams, Isaaks und Israels! Heute sollen alle erkennen, dass du allein der Gott unseres Volkes bist. Jeder soll sehen, dass ich dir diene und dies alles nur auf deinen Befehl hin getan habe. [37] Erhöre mein Gebet, Herr! Antworte mir, damit dieses Volk endlich einsieht, dass du, Herr, der wahre Gott bist und sie wieder dazu bringen willst, dir allein zu dienen.«

[38] Da ließ der Herr Feuer vom Himmel fallen. Es verzehrte nicht nur das Opferfleisch und das Holz, sondern auch die Steine des Altars und den Erdboden darunter. Sogar das Wasser im Graben leckten die Flammen auf.

[39] Als die Israeliten das sahen, warfen sie sich zu Boden und riefen: »Der Herr allein ist Gott! Der Herr allein ist Gott!« [40] Elia aber befahl: »Packt die Propheten Baals! Keiner soll entkommen!« Sie wurden festgenommen, und Elia ließ sie hinunter an den Fluss Kischon führen und dort hinrichten.

Endlich Regen!

[41] Dann sagte Elia zu Ahab: »Geh und lass dir etwas zu essen und zu trinken bringen, denn gleich fängt es an zu regnen, ich höre es schon rauschen!« [42] Während Ahab aß und trank, stieg Elia zum Gipfel des Karmel hinauf. Dort oben kniete er nieder, verbarg das Gesicht zwischen den Knien und betete. [43] Nach einer Weile befahl er seinem Diener: »Steig auf den höchsten Punkt des Berges, und blick über das Meer! Dann sag mir, ob du etwas Besonderes siehst.«

Der Diener ging, hielt Ausschau und meldete: »Kein Regen in Sicht!« Doch Elia schickte ihn immer wieder: »Geh, sieh noch einmal nach!« [44] Endlich, beim siebten Mal, rief der Diener: »Jetzt sehe ich eine kleine Wolke am Horizont, aber sie ist nicht größer als eine Hand.«

Da befahl Elia: »Lauf schnell zu Ahab, und sag ihm: ›Lass sofort anspannen, und fahr nach Hause, sonst wirst du vom Regen überrascht!‹« [45] Da kam auch schon ein starker Wind auf, und schwarze Wolken verfinsterten den Himmel. Es dauerte nicht mehr lange, und ein heftiger Regen prasselte nieder. Ahab bestieg hastig seinen Wagen und fuhr in Richtung Jesreel. [46] Da kam die Kraft des Herrn über Elia. Der Prophet band sein Gewand mit dem Gürtel hoch und lief vor Ahabs Wagen her bis nach Jesreel.

---

[a] Wörtlich: bis um die Zeit, wenn man das (abendliche) Speiseopfer darbringt.
[b] Wörtlich: Rund um den Altar zog er einen Graben, so breit, dass man 10 Kilogramm Saatgut hätte aussäen können.

18,31 1 Mo 32,29; 2 Mo 24,4 **18,36** 2 Mo 3,15; 19,5–6* **18,40** 2 Mo 22,19

Elia muss fliehen

19 Ahab berichtete Isebel alles, was Elia getan hatte, vor allem, wie er die Propheten Baals mit dem Schwert getötet hatte. [2] Da schickte Isebel einen Boten zu Elia, der ihm ausrichten sollte: »Die Götter sollen mich schwer bestrafen, wenn ich dir nicht heimzahle, was du diesen Propheten angetan hast! Morgen um diese Zeit bist auch du ein toter Mann, das schwöre ich!«

[3] Da packte Elia die Angst. Er rannte um sein Leben und floh bis nach Beerscheba ganz im Süden Judas. Dort ließ er seinen Diener, der ihn bis dahin begleitet hatte, zurück. [4] Allein wanderte er einen Tag lang weiter bis tief in die Wüste hinein. Zuletzt ließ er sich unter einen Ginsterstrauch fallen und wünschte, tot zu sein. »Herr, ich kann nicht mehr!«, stöhnte er. »Lass mich sterben! Irgendwann wird es mich sowieso treffen, wie meine Vorfahren. Warum nicht jetzt?« [5] Er streckte sich unter dem Ginsterstrauch aus und schlief ein.

Plötzlich wurde er wachgerüttelt. Ein Engel stand bei ihm und forderte ihn auf: »Elia, steh auf und iss!« [6] Als Elia sich umblickte, entdeckte er neben seinem Kopf einen Brotfladen, der auf heißen Steinen gebacken war, und einen Krug Wasser. Er aß und trank und legte sich wieder schlafen. [7] Doch der Engel des Herrn kam wieder und rüttelte ihn zum zweiten Mal wach. »Steh auf, Elia, und iss!«, befahl er ihm noch einmal. »Sonst schaffst du den langen Weg nicht, der vor dir liegt.«

[8] Da stand Elia auf, aß und trank. Die Speise gab ihm so viel Kraft, dass er vierzig Tage und Nächte hindurch wandern konnte, bis er zum Berg Gottes, dem Horeb, kam. [9] Dort ging er in eine Höhle, um darin zu übernachten.

Der Herr ermutigt Elia

Plötzlich sprach der Herr zu ihm: »Elia, was tust du hier?« [10] Elia antwortete: »Ach Herr, du großer und allmächtiger Gott, mit welchem Eifer habe ich versucht, die Israeliten zu dir zurückzubringen! Denn sie haben den Bund mit dir gebrochen, deine Altäre niedergerissen und deine Propheten ermordet. Nur ich bin übrig geblieben, ich allein. Und nun trachten sie auch mir nach dem Leben!«

[11] Da antwortete ihm der Herr: »Komm aus deiner Höhle heraus, und tritt vor mich hin! Denn ich will an dir vorübergehen.« Auf einmal zog ein heftiger Sturm herauf, riss ganze Felsbrocken aus den Bergen heraus und zerschmetterte sie. Doch der Herr war nicht in dem Sturm. Als Nächstes bebte die Erde, aber auch im Erdbeben war der Herr nicht. [12] Dann kam ein Feuer, doch der Herr war nicht darin. Danach hörte Elia ein leises Säuseln. [13] Er verhüllte sein Gesicht mit dem Mantel, ging zum Eingang der Höhle zurück und blieb dort stehen. Und noch einmal wurde er gefragt: »Elia, was tust du hier?« [14] Wieder antwortete Elia: »Ach Herr, du großer und allmächtiger Gott, mit welchem Eifer habe ich versucht, die Israeliten zu dir zurückzubringen! Denn sie haben den Bund mit dir gebrochen, deine Altäre niedergerissen und deine Propheten umgebracht. Nur ich bin übrig geblieben, ich allein. Und nun trachten sie auch mir nach dem Leben!«

[15] Da gab der Herr ihm einen neuen Auftrag: »Elia, geh den Weg durch die Wüste wieder zurück und weiter nach Damaskus! Salbe dort Hasaël zum König von Syrien! [16] Danach salbe Jehu, den Sohn Nimschis, zum König von Israel und schließlich Elisa, den Sohn Schafats, aus Abel-Mehola, zu deinem Nachfolger

---

19,4 Hiob 7,15* **19,11–13** 2 Mo 33,20–23* **19,15** 2 Kön 8,7–15 **19,16** 2 Kön 9,1–6

als Prophet. [17]Wer dem Todesurteil Hasaëls entrinnt, den wird Jehu umbringen; und wer ihm entkommt, den wird Elisa töten. [18]Aber 7000 Menschen in Israel lasse ich am Leben, alle, die nicht vor Baal auf die Knie gefallen sind und seine Statue nicht geküsst haben.«

Elia beruft Elisa zum Propheten

[19]Als Elia wieder in Israel war, suchte er Elisa, den Sohn Schafats, auf. Elisa pflügte gerade ein Feld. Vor ihm her gingen elf Knechte mit je einem Ochsengespann, und er selbst führte das zwölfte und letzte Gespann. Elia kam ihm über das Feld entgegen, warf ihm seinen Mantel über die Schultern und ging weiter.

[20]Elisa ließ seine Rinder stehen, lief hinter Elia her und bat ihn: »Darf ich mich noch von meinen Eltern verabschieden? Danach will ich mit dir kommen.« Elia antwortete: »Geh nur, du musst nichts überstürzen!« [21] Da eilte Elisa nach Hause und bereitete für seine Familie ein Abschiedsessen zu. Er schlachtete die beiden Rinder, mit denen er gepflügt hatte, machte mit dem Holz ihres Jochs ein Feuer und briet das Fleisch daran. Danach schloss er sich Elia an und wurde sein Diener.

Die Syrer belagern Samaria

20 Eines Tages ließ König Ben-Hadad von Syrien sein ganzes Heer mit Pferden und Streitwagen gegen Israel aufmarschieren. Die 32 Könige, die von ihm abhängig waren, mussten ihm ihre Truppen zur Verfügung stellen. Mit diesem Heer belagerte er die Hauptstadt Samaria und erklärte Israel den Krieg. [2]Er schickte Boten in die Stadt mit folgender Nachricht für König Ahab von Israel: [3]»Ben-Hadad lässt dir sagen: ›Ab heute bist du mein Untertan! Dein Silber und Gold, deine Frauen und Söhne gehören nun mir.‹« [4]Der König von Israel ließ Ben-Hadad melden: »Ich unterwerfe mich dir, mein Herr und König, mit allem, was ich habe.«

[5]Nach kurzer Zeit kamen die Boten wieder und richteten ihm aus: »Höre, was Ben-Hadad dir sagen lässt: ›Du hast dich bereit erklärt, dich mir zu unterwerfen mit allem, was du hast, mit Silber und Gold, mit Frauen und Kindern. [6]Schon morgen um diese Zeit werde ich meine Soldaten zu dir schicken, damit sie deinen Palast und die Häuser deiner Beamten gründlich von innen anschauen! Eins kann ich dir versprechen: Alles, was euch lieb und teuer ist, werden sie mitnehmen.‹«

[7]Da ließ König Ahab alle Sippenoberhäupter Israels zu sich kommen und sagte: »Der König von Syrien will uns zugrunde richten. Erst erhebt er Anspruch auf meine Frauen und Kinder, auf mein Silber und Gold, und ich gestehe ihm alles zu. Und nun das!« [8]Die Ältesten rieten ihm: »Das musst du dir nicht bieten lassen! Gib nicht nach!« [9]Da antwortete der König den Boten: »Richtet meinem Herrn, dem König, aus: ›Ich gestehe dir alles zu, was du in deiner ersten Botschaft von mir verlangt hast. Aber auf deine letzte Forderung kann ich nicht eingehen.‹«

Die Boten überbrachten Ben-Hadad diese Nachricht, [10]und er schickte sogleich seine Antwort an Ahab zurück: »Die Götter sollen mich schwer bestrafen, wenn ich Samaria nicht in Schutt und Asche lege! Von der Stadt wird nicht einmal so viel übrig bleiben, dass meine Soldaten eine Hand voll Staub als Andenken mitnehmen können!« [11]König Ahab antwortete den Boten: »Sagt ihm: ›Nimm den Mund nicht zu voll! Man soll den Tag nicht vor dem Abend loben.‹«

[12]Ben-Hadad und seine Verbündeten feierten im Zeltlager gerade ein Trinkgelage, als man ihm die Antwort Ahabs überbrachte. Erbost befahl er: »Greift sie an!« Sofort wurde zum Angriff geblasen, und die Truppen stellten sich auf.

19,18 Röm 11,4

Die erste Schlacht gegen die Syrer

[13] Unterdessen war ein Prophet zu König Ahab von Israel gekommen und richtete ihm eine Botschaft vom Herrn aus: »Du weißt, wie mächtig das Heer der Feinde ist. Und doch gebe ich sie heute in deine Gewalt. Daran wirst du erkennen, dass ich der Herr bin.«

[14] »Wer soll denn kämpfen?«, fragte Ahab. »Die Truppe deiner Bezirksverwalter«, bekam er zur Antwort. »Und wer soll den Kampf eröffnen?« »Du!«, antwortete der Prophet.

[15] Da ließ der König die Truppe der Bezirksverwalter antreten; es waren 232 Soldaten. Danach rief er alle wehrfähigen Israeliten zusammen, ein Heer von 7000 Mann. [16/17] Am Mittag rückten die Truppen aus, allen voran die Truppe der Bezirksverwalter. Ben-Hadad und seine 32 Verbündeten zechten immer noch in ihren Zelten, als man ihnen meldete: »Aus Samaria kommen Männer!« [18] Ben-Hadad befahl: »Nehmt sie auf jeden Fall gefangen, ob sie in friedlicher Absicht kommen oder nicht!«

[19] Doch schon griff die Truppe der Bezirksverwalter an, und das übrige israelitische Heer folgte ihr auf dem Fuß. [20/21] Sie überwältigten ihre Gegner und schlugen sie in die Flucht. Die Israeliten nahmen die Verfolgung auf und griffen nun unter dem Oberbefehl König Ahabs auch die Reiter und die Streitwagen an. Sie brachten den Syrern eine schwere Niederlage bei. König Ben-Hadad konnte auf seinem Pferd entkommen, ebenso einige Wagenkämpfer.

Die zweite Schlacht gegen die Syrer

[22] Wieder kam der Prophet zu König Ahab von Israel und riet ihm: »Sei wachsam, und überleg dir genau, wie du dich auf einen neuen Angriff vorbereiten willst. Denn im nächsten Frühling wird der König von Syrien wieder gegen dich in den Krieg ziehen.«

[23] Auch der König von Syrien wurde beraten. Seine hohen Beamten erklärten ihm: »Die Götter der Israeliten sind Berggötter. Nur deswegen war ihr Heer uns überlegen. Das nächste Mal wollen wir in der Ebene mit ihnen kämpfen; dann werden wir sie auf jeden Fall besiegen! [24] Aber wir geben dir einen guten Rat: Entzieh den 32 Königen ihre Befehlsgewalt, und ersetze sie durch fähige Heerführer! [25] Stell ein neues Heer auf; es soll genauso stark sein wie das vorige! Besorg dir neue Pferde und Streitwagen, bis du wieder so viele hast wie vorher. Dann nehmen wir in der Ebene den Kampf mit ihnen auf. Verlass dich drauf, wir werden sie besiegen!«

König Ben-Hadad befolgte ihren Rat. [26] Sobald es Frühling wurde, berief er die wehrfähigen Syrer ein, zog mit diesem Heer nach Afek und erklärte Israel wieder den Krieg. [27] Auch die Israeliten stellten ihre Truppen auf. Nachdem sie sich ausreichend mit Verpflegung eingedeckt hatten, marschierten sie den Syrern entgegen und schlugen ihr Lager in zwei Gruppen den Feinden gegenüber auf. Das große Heer der Syrer füllte die ganze Ebene aus; dagegen wirkten die Israeliten wie zwei kleine Herden.

[28] Da kam der Prophet zu König Ahab und teilte ihm mit: »So spricht der Herr: ›Weil die Syrer behauptet haben, ich, der Herr, sei ein Berggott, der im Flachland nichts ausrichten kann, darum gebe ich ihr riesiges Heer in deine Hand. Daran werdet ihr erkennen, dass ich der Herr bin.‹«

[29] Eine Woche lang lagerten die Heere einander gegenüber. Erst am siebten Tag kam es zur Schlacht. Die Israeliten waren den Syrern weit überlegen. Sie töteten an diesem einen Tag 100000 Fußsoldaten. [30] Wer von den Syrern entfliehen konnte, suchte in der Stadt Afek Zuflucht. Es waren 27000 Mann. Doch plötzlich fiel die Stadtmauer ein und begrub sie alle unter sich.

Ahab verschont König Ben-Hadad

Auch König Ben-Hadad war geflohen. Er suchte in einem Haus in Afek Zuflucht

und verkroch sich im hintersten Zimmer. [31]Da ermutigten ihn seine Ratgeber: »Majestät, die Könige von Israel sind doch für ihre Güte bekannt. Könnten wir es da nicht wagen, uns dem israelitischen König zu stellen? Wir binden uns ein grobes Tuch um die Hüften und legen uns einen Strick um den Hals, damit er sieht, dass wir uns ihm, dem Sieger, unterwerfen[a]. Vielleicht lässt er dich dann am Leben!«

[32]Die Ratgeber Ben-Hadads banden sich ein grobes Tuch um die Hüften, legten einen Strick um den Hals und stellten sich König Ahab. Sie sagten zu ihm: »Dein ergebener Diener Ben-Hadad bittet dich inständig, ihn am Leben zu lassen.« »Er lebt also noch?«, antwortete Ahab. »Gut, er soll mein Bruder sein!« [33]Die Syrer waren angenehm überrascht von dieser Antwort. Schnell legten sie Ahab darauf fest: »Wir nehmen dich beim Wort: Ben-Hadad ist dein Bruder!« »Ja«, bestätigte Ahab und befahl ihnen: »Geht jetzt, und holt ihn hierher!«

Da kam auch Ben-Hadad heraus, und Ahab ließ ihn zu sich auf den Wagen steigen. [34]Ben-Hadad bot dem König von Israel an: »Ich gebe dir alle Städte zurück, die mein Vater deinem Vater weggenommen hat. Du kannst auch in unserer Hauptstadt Damaskus Handelsniederlassungen gründen, so wie mein Vater dies schon in Samaria getan hat.« »Gut«, antwortete der König von Israel, »ich gebe dir dafür die Freiheit.« Sie schlossen den Vertrag, und Ahab ließ den syrischen König frei.

Ein Prophet tadelt Ahab

[35]Ein Prophetenjünger forderte im Auftrag des Herrn seinen Gefährten auf, ihn zu schlagen. Als der sich weigerte, [36]sagte der Prophet zu ihm: »Sobald du von hier weggehst, wird der Herr dich dafür bestrafen, dass du seinem Befehl nicht gehorcht hast. Ein Löwe wird dich zerreißen.« Der Mann war noch nicht weit gekommen, da fiel ihn ein Löwe an und zerriss ihn.

[37]Der Prophet begegnete einem anderen Mann und forderte ihn auf: »Los, schlag mich!« Der Mann gehorchte und schlug ihn blutig. [38]Nun stellte der Prophet sich an den Straßenrand und wartete auf König Ahab, der hier vorbeikommen sollte. Damit ihn niemand erkannte, hatte er sich die Augen verbunden.

[39]Als Ahab vorbeikam, sprach der Prophet ihn an und erzählte: »Mein König, ich war in der Schlacht dabei. Mitten im Kampf brachte einer unserer Soldaten einen Gefangenen zu mir. Er schärfte mir ein: ›Bewache ihn gut. Pass auf, dass er nicht entkommt! Sonst kostet dich das deinen Kopf, oder du musst einen Zentner Silber bezahlen.‹ [40]Ich hatte noch dies und das zu tun, und so kam es, dass der Gefangene auf einmal weg war.« König Ahab erwiderte: »Du hast dein Urteil selbst gesprochen! Was dich erwartet, weißt du ja.«

[41]Da nahm der Mann schnell seine Augenbinde ab, und der König erkannte sofort, dass er einer der Propheten war. [42]Der Prophet sagte: »So spricht der Herr: ›Ich hatte beschlossen, dass Ben-Hadad sterben muss. Du aber hast ihn einfach laufen lassen! Er lebt – dafür musst du sterben! Seinem Volk wird es gut gehen, über dein Volk wird Leid kommen.‹«

[43]Zornig ging der König weiter und kam schlecht gelaunt zu Hause in Samaria an.

Isebels Mord an Nabot

21 König Ahab von Samaria besaß in der Stadt Jesreel einen Palast. Direkt an sein Grundstück grenzte ein Weinberg, der einem Mann aus Jesreel gehörte. Er hieß Nabot. [2]Eines Tages sagte der König zu Nabot: »Verkaufst du mir deinen Weinberg? Ich möchte einen Ge-

---

[a] »damit er sieht … unterwerfen« ist sinngemäß ergänzt.
20,31–42 5 Mo 7,2*

müsegarten anlegen, und dein Grundstück wäre am besten dafür geeignet, weil es gerade neben meinem Palast liegt. Ich gebe dir dafür einen besseren Weinberg, oder ich zahle dich aus. Was ist dir lieber?«

[3]Doch Nabot antwortete: »Niemals verkaufe ich dir dieses Grundstück, das Erbe meiner Vorfahren! Der Herr bewahre mich davor!«

[4]Missmutig ging Ahab in den Palast zurück. Er war wütend, dass Nabot ihm den Weinberg nicht verkaufen wollte, nur weil es ein Erbstück seiner Vorfahren war. Vor Ärger rührte er sein Essen nicht an, sondern legte sich ins Bett und drehte sich zur Wand. [5]Seine Frau Isebel sah nach ihm und fragte: »Warum bist du so schlecht gelaunt und willst nichts essen?« [6]»Weil dieser Nabot aus Jesreel mir seinen Weinberg nicht geben will!«, antwortete Ahab. »Ich wollte ihm einen ansehnlichen Betrag dafür bezahlen. Ich bot ihm auch an, den Weinberg gegen einen anderen zu tauschen, falls er das lieber möchte. Aber er lehnte stur ab.«

[7]Da antwortete Isebel: »Bist du der König von Israel oder nicht? Gut, dann steh jetzt auf, iss etwas, und vergiss deinen Ärger! Du sollst deinen Weinberg haben! Ich nehme die Sache in die Hand!« [8]Sie schrieb im Namen des Königs einige Briefe, verschloss sie mit dem königlichen Siegel und verschickte sie an die Ältesten und die einflussreichen Männer der Stadt Jesreel. [9]In den Briefen stand:

»Ruft einen Tag der Buße aus, und versammelt das ganze Volk! Weist Nabot einen Platz ganz vorne zu. [10]Sorgt aber dafür, dass zwei bestochene Zeugen in seiner Nähe sitzen. Sie sollen ihn vor aller Augen anschuldigen und rufen: ›Dieser Mann hat über Gott und den König gelästert!‹ Dann führt ihn aus der Stadt hinaus, und steinigt ihn.«

[11]Die Ältesten und die einflussreichen Männer von Jesreel führten alles aus, was die Königin in ihrem Brief angeordnet hatte. [12]Sie riefen einen Tag der Buße aus und wiesen Nabot in der Versammlung den vordersten Platz zu. [13]Die beiden falschen Zeugen setzten sich in seine Nähe und belasteten ihn schwer mit ihren Aussagen. »Nabot hat über Gott und den König gelästert!«, riefen sie der Menge zu. Da führte man ihn aus der Stadt hinaus und steinigte ihn. [14]Die Stadtobersten ließen Isebel ausrichten: »Nabot wurde gesteinigt. Er ist tot.«

[15]Kaum hatte Isebel diese Nachricht erhalten, sagte sie zu Ahab: »Der Weinberg gehört dir! Nabot aus Jesreel, der ihn um nichts in der Welt an dich verkaufen wollte, ist tot.«

[16]Als Ahab das hörte, ging er sogleich hinaus, um den Weinberg in Besitz zu nehmen.

Elia kündigt Ahab die Strafe Gottes an

[17]Da sagte der Herr zu Elia aus Tischbe: [18]»Elia, geh zu König Ahab aus Samaria. Du findest ihn in Jesreel, in Nabots Weinberg; er ist gerade dorthin gegangen, um das Grundstück in Besitz zu nehmen. [19]Sag ihm: ›Ist es nicht schon genug, dass du gemordet hast? Musst du nun auch noch fremdes Gut rauben? Höre, was ich, der Herr, dir sage: An der Stelle, wo die Hunde das Blut Nabots aufgeleckt haben, werden sie auch dein Blut auflecken!‹«

[20]Elia machte sich auf den Weg nach Jesreel. Als Ahab ihn sah, rief er ihm entgegen: »So, hast du mich aufgespürt, mein Feind?«

»Ja«, antwortete Elia, »ich komme zu dir, weil du dich dem Bösen verschrieben hast. Höre, was der Herr dazu sagt: [21]›Ich will Unheil über dich bringen und jede Erinnerung an dich auslöschen! In ganz Israel werde ich alle männlichen Nachkommen Ahabs ausrotten, ob jung oder alt. [22]Du hast meinen Zorn geschürt und die Israeliten zum Götzendienst verführt.

21,3 4 Mo 36,9 **21,10** 3 Mo 24,14–16; 5 Mo 19,15 **21,15** Mi 2,1–2 **21,19** 22,38 **21,22** 15,29; 16,11–12; 2 Kön 9,7–10.24–26; 10,7.10–11

Darum soll es deinen Nachkommen so schlecht ergehen wie den Nachkommen Jerobeams, des Sohnes Nebats, und Baschas, des Sohnes Ahijas.‹ [23] Auch über Isebel hat der Herr sein Urteil gesprochen: An der äußeren Stadtmauer von Jesreel werden die Hunde sie fressen! [24] Wer von Ahabs Familie in der Stadt stirbt, wird von Hunden zerrissen, und wer auf freiem Feld stirbt, über den werden die Raubvögel herfallen.«

[25] Es gab tatsächlich keinen König, der sich in solchem Maße dem Bösen verschrieben hatte wie Ahab. Seine Frau Isebel hatte ihn dazu verführt. [26] Am abscheulichsten war sein Götzendienst. Er verehrte andere Götter, ebenso wie es die Amoriter getan hatten, die der Herr für die Israeliten aus dem Land vertrieben hatte.

[27] Als Ahab dieses harte Urteil hörte, zerriss er entsetzt seinen Mantel. Er hüllte sich in Sacktuch, fastete und ging bedrückt umher. Sein Sackgewand legte er nicht einmal zum Schlafen ab. [28] Da sagte der Herr zu Elia aus Tischbe: [29] »Hast du bemerkt, wie bedrückt Ahab ist? Weil er nun endlich Reue zeigt, lasse ich das Unheil noch nicht zu seinen Lebzeiten über seine Familie hereinbrechen, sondern erst, wenn sein Sohn König ist.«

Wer sagt die Wahrheit – die Propheten Ahabs oder Micha?
(2. Chronik 18,1–27)

22 Der Krieg zwischen Syrien und Israel war vorbei. Schon seit mehr als zwei Jahren herrschte Frieden. [2] Im dritten Jahr erhielt Ahab Besuch von Joschafat, dem König von Juda. [3] Kurz vorher hatte Ahab mit seinen Beratern gesprochen: »Seid ihr nicht auch der Meinung, dass die Stadt Ramot im Gebiet von Gilead uns gehört? Warum unternehmen wir eigentlich nichts? Warum erobern wir sie nicht von den Syrern zurück?« [4] Er legte Joschafat diesen Plan vor und fragte ihn, ob er mit ihm in den Kampf ziehen wolle.

Joschafat antwortete: »Ja, du kannst auf mich zählen! Ich stelle dir meine Truppen und meine Pferde zur Verfügung. [5] Doch bitte frag zuerst den Herrn, was er zu diesem Feldzug sagt.«

[6] Da ließ König Ahab von Israel seine Propheten zu sich rufen – es waren etwa 400 – und fragte sie: »Soll ich Ramot in Gilead angreifen oder nicht?« »Geh nur!«, ermutigten sie ihn. »Gott wird dir zum Sieg über diese Stadt verhelfen.«

[7] Aber Joschafat gab sich noch nicht zufrieden. »Gibt es hier in Israel keinen echten Propheten, der für uns den Herrn befragen könnte?«, wollte er wissen. [8] Ahab antwortete: »Doch, es gibt noch einen, durch den man den Herrn befragen kann. Aber ich hasse ihn, denn er kündigt mir immer nur Unglück an, nie etwas Gutes! Es ist Micha, der Sohn Jimlas.« Joschafat entgegnete: »So solltest du als König nicht sprechen!« [9] Da rief König Ahab einen Hofbeamten und befahl ihm: »Hol sofort Micha, den Sohn Jimlas, zu uns!«

[10] In ihren königlichen Gewändern setzten sich Ahab und Joschafat auf zwei Thronsessel, die man für sie auf einem großen Platz beim Stadttor von Samaria aufgestellt hatte. Dorthin kamen die 400 Propheten Ahabs. Sie gerieten alle in Ekstase und prophezeiten den Königen nur Gutes. [11] Einer von ihnen, Zedekia, der Sohn Kenaanas, hatte sich eiserne Hörner gemacht und rief: »Höre, was der Herr dir sagen lässt: ›Wie ein Stier mit eisernen Hörnern wirst du die Syrer niederstoßen und nicht eher ruhen, bis du sie in Grund und Boden gestampft hast!‹« [12] Die anderen Propheten redeten ähnlich: »Geh nur nach Ramot in Gilead! Der Herr wird die Stadt in deine Gewalt geben, und dann kommst du als Sieger zurück!«

[13] Der Hofbeamte, der Micha holen musste, forderte ihn unterwegs auf: »Alle Propheten haben dem König nur Gutes

---

21,23 2 Kön 9,30–37 **21,25–26** 16,30–33 **21,29** 2 Mo 34,6–7 **22,3** Jos 20,8 **22,4** 2 Kön 3,7

angekündigt. Du weißt also, was du zu tun hast: Sag auch du dem König den Sieg voraus!« [14] Doch Micha widersprach: »So gewiss der Herr lebt: Ich werde nur das sagen, was der Herr mir aufträgt!«

[15] Als Micha vor Ahab stand, fragte ihn der König: »Micha, sollen wir gegen Ramot in Gilead in den Kampf ziehen oder nicht?« »Natürlich, greif nur an!«, antwortete der Prophet. »Bestimmt wird der Herr die Stadt in deine Gewalt geben, und du kommst als der große Sieger zurück!« [16] Doch der König hakte nach: »Wie muss ich dich beschwören, damit du mir nur die reine Wahrheit sagst? Was hat der Herr dir gezeigt?«

[17] Da antwortete Micha: »Ich sah das Heer der Israeliten über alle Berge verstreut wie Schafe, die keinen Hirten mehr haben. Der Herr sprach zu mir: ›Diese Soldaten haben keinen Herrn mehr, der sie führt. Sie können getrost nach Hause zurückkehren.‹«

[18] »Siehst du?«, wandte der König von Israel sich nun an Joschafat. »Ich hab es doch gleich gesagt, dass er mir immer nur Unglück prophezeit und nie etwas Gutes!«

[19] Micha aber fuhr fort: »Hör zu! Ich will dir erzählen, was der Herr mir gezeigt hat: Ich sah ihn auf seinem Thron sitzen, umgeben von seinem himmlischen Hofstaat. [20] Er fragte: ›Wer will Ahab dazu verleiten, gegen Ramot in Gilead zu kämpfen? Der König soll dort ums Leben kommen.‹ Die Versammelten machten diesen und jenen Vorschlag, [21] bis schließlich ein Geist vor den Herrn trat und sagte: ›Ich werde ihn überlisten!‹ ›Wie willst du das tun?‹, fragte der Herr. [22] ›Ich lasse alle Propheten Ahabs Lügen erzählen‹, antwortete er. ›Ich rede durch sie als ein Lügengeist.‹ Da sagte der Herr zu dem Geist: ›Du bist der Rechte, um Ahab in die Irre zu führen! Es wird dir auch gelingen. Geh und mach es so, wie du vorgeschlagen hast!‹ [23] Ahab, der Herr hat beschlossen, Unheil über dich zu bringen, darum hat er diesen Lügengeist zu deinen Propheten geschickt. Dieser Geist spricht nun aus ihrem Mund.«

[24] Jetzt kam Zedekia, der Sohn Kenaanas, nach vorne, gab Micha eine Ohrfeige und rief: »So, du behauptest, der Geist Gottes habe mich und die anderen Propheten verlassen, damit er mit dir reden kann? Beweis es, wenn du kannst!« [25] »Warte nur«, sagte Micha, »bald kommt der Tag, an dem du dich vor den Feinden in die hinterste Kammer deines Hauses verkriechst. Dann wirst du an meine Worte denken!«

[26] Da befahl König Ahab dem Hofbeamten: »Bring Micha zu Amon, dem Stadtobersten, und zu meinem Sohn Joasch! [27] Melde ihnen: ›Befehl des Königs: Steckt diesen Mann ins Gefängnis, und gebt ihm eine gekürzte Ration Brot und Wasser! Dort soll er bleiben, bis ich, König Ahab, unversehrt als Sieger aus dem Feldzug zurückkomme.‹« [28] Da sagte Micha zum König: »Alle sollen es hören: Wenn du je wohlbehalten zurückkehrst, so hat heute nicht der Herr durch mich gesprochen.«

König Ahab fällt in der Schlacht bei Ramot
(2. Chronik 18,28–34)

[29] König Ahab von Israel und König Joschafat von Juda zogen gemeinsam in den Kampf gegen die Stadt Ramot in Gilead. [30] Vor der Schlacht sagte Ahab zu Joschafat: »Ich werde mich als einfacher Soldat verkleiden. Du aber kämpfe ruhig in deiner königlichen Rüstung!« Er zog sich einfache Soldatenkleider an und ging in die Schlacht. [31] Der syrische König aber hatte seinen 32 Wagenkämpfern befohlen: »Greift in der Schlacht einzig und allein den König von Israel an. Lasst euch von keinem ablenken – weder vom Fußvolk noch von den hohen Offizieren!«

[32] Bald hatten die syrischen Wagenkämpfer König Joschafat entdeckt. Sie hielten ihn für den König von Israel und griffen ihn von allen Seiten an. Joschafat schrie laut um Hilfe. [33] Da merkten die Syrer, dass es gar nicht König Ahab war, und ließen von ihm ab. [34] Einer ihrer Soldaten schoss auf gut Glück einen Pfeil ab und

traf den König von Israel genau an einer ungeschützten Stelle zwischen den Trägern seines Panzers. Ahab befahl dem Lenker seines Streitwagens: »Dreh um, und bring mich vom Schlachtfeld; ich bin schwer verwundet!« [35]Doch der Kampf tobte an diesem Tag immer heftiger. Um den Syrern die Stirn zu bieten, blieb Ahab auf dem Schlachtfeld und hielt sich aufrecht in seinem Wagen, während sein Blut auf den Boden des Wagens floss. Gegen Abend starb er. [36]Bei Sonnenuntergang ertönte der Ruf durch das Lager der Israeliten: »Geht alle nach Hause!«

[37]Der tote König wurde nach Samaria gebracht und dort begraben. [38]Als man Ahabs Streitwagen am Teich von Samaria reinigte, wo die Prostituierten badeten, kamen Hunde und leckten sein Blut auf. So traf genau ein, was der Herr vorausgesagt hatte.

[39]Alles Weitere über Ahabs Leben steht in der Chronik der Könige von Israel. Man kann dort nachlesen, wie er seinen Elfenbeinpalast gebaut und welche Städte er gegründet hat. [40]Nach seinem Tod wurde sein Sohn Ahasja zum Nachfolger bestimmt.

Reich Juda

König Joschafat von Juda (2. Chronik 20,31 – 21,1)

[41]Joschafat, der Sohn Asas, wurde König von Juda im 4. Regierungsjahr König Ahabs von Israel. [42]Er war zu diesem Zeitpunkt 35 Jahre alt und regierte fünfundzwanzig Jahre in Jerusalem. Seine Mutter hieß Asuba und war eine Tochter Schilhis. [43]Er folgte in allem dem Beispiel seines Vaters Asa und tat wie er, was dem Herrn gefiel, [44]nur die Höhenheiligtümer ließ auch er nicht abschaffen. Das Volk brachte dort weiterhin seine Opfer dar. [45]Zwischen Joschafat und dem König von Israel herrschte Frieden.

[46]Alles Weitere über Joschafats Leben ist in der Chronik der Könige von Juda festgehalten. Man kann dort nachlesen, welche Kriege er geführt und welche Erfolge er erzielt hat. [47]Von den Männern und Frauen, die bei den Heiligtümern der Prostitution nachgingen, jagte Joschafat auch die Letzten noch aus dem Land, die sein Vater nicht mehr hatte vertreiben können.

[48]Das Land Edom hatte immer noch keinen eigenen König. Ein Statthalter aus Juda führte die Regierungsgeschäfte. [49]Joschafat ließ einige große Handelsschiffe bauen, die Gold aus Ofir holen sollten. Doch die ganze Flotte erlitt schon kurz nach ihrem Auslaufen aus dem Heimathafen Ezjon-Geber Schiffbruch. [50]König Ahasja von Israel, der Sohn Ahabs, hatte Joschafat gefragt, ob nicht einige seiner Kaufleute mit nach Ofir reisen könnten. Doch Joschafat hatte abgelehnt.

[51]Als Joschafat starb, wurde er in der »Stadt Davids«, einem Stadtteil von Jerusalem, im Grab der königlichen Familie beigesetzt. Sein Sohn Joram wurde sein Nachfolger.

Reich Israel

König Ahasja von Israel

[52]Ahasja, der Sohn Ahabs, wurde König von Israel im 17. Regierungsjahr König Joschafats von Juda. Zwei Jahre regierte er in Samaria über Israel. [53]Er tat, was der Herr verabscheute, und folgte dem schlechten Vorbild seines Vaters und seiner Mutter. Wie Jerobeam, der Sohn Nebats, verführte er die Israeliten zum Götzendienst. [54]Er verehrte den Götzen Baal und betete ihn an. Dadurch forderte er den Zorn des Herrn, des Gottes Israels, heraus, so wie sein Vater es schon getan hatte.

22,38 21,19 **22,43** 15,11–13 **22,45** 12,24 **22,47** 14,24; 15,12; 5 Mo 23,18–19 **22,53–54** 12,26–32*

Das zweite Buch über die Könige

Reich Israel

Elias Botschaft für König Ahasja

1 Nach König Ahabs Tod lehnten sich die Moabiter gegen die Herrschaft der Israeliten auf.

[2] Eines Tages stürzte Ahasja, der neue König, vom oberen Stockwerk seines Palasts in Samaria und verletzte sich schwer. Er schickte einige Diener in die Philisterstadt Ekron und trug ihnen auf: »Geht und fragt Baal-Sebub, den Gott von Ekron, ob ich wieder gesund werde!« [3] Da befahl der Engel des Herrn dem Propheten Elia aus Tischbe: »Elia, geh den Boten entgegen, die der König von Samaria in das Philisterland geschickt hat, und frag sie: ›Warum reist ihr ins Ausland und wollt Baal-Sebub, den Gott der Stadt Ekron, um Rat fragen? Gibt es denn in Israel keinen Gott? [4] Hört, was ich, der Herr, dem König sage: Du wirst nicht mehr gesund werden, sondern bald sterben!‹«

Elia führte seinen Auftrag sofort aus, [5] und die Boten kehrten daraufhin nach Samaria zurück. »Warum seid ihr schon wieder da?«, fragte der König sie erstaunt. [6] Sie erwiderten: »Ein Mann kam uns entgegen und schickte uns zu dir zurück. Wir sollen dir Folgendes ausrichten: ›Der Herr lässt dich fragen: Warum schickst du Boten ins Ausland, die Baal-Sebub, den Gott der Stadt Ekron, um Rat fragen sollen? Gibt es denn in Israel keinen Gott? Weil du das getan hast, wirst du nicht mehr gesund werden, sondern bald sterben!‹«

[7] Ahasja fragte: »Wie sah der Mann aus, der euch in den Weg trat und das sagte?« [8] »Er trug einen Mantel aus zottigem Fell mit einem Ledergürtel«, antworteten sie. Da rief der König: »Das kann nur Elia aus Tischbe gewesen sein!«

Ist Elia ein Bote Gottes?

[9] Sofort schickte er einen Truppenführer mit fünfzig Mann los, um den Propheten gefangen zu nehmen. Sie fanden ihn auf dem Gipfel eines Berges. Der Truppenführer ging zu ihm hinauf und befahl: »Bote Gottes, du sollst sofort mit uns kommen – auf Anordnung des Königs!«

[10] Doch Elia entgegnete: »Wenn ich tatsächlich ein Bote Gottes bin, dann soll Feuer vom Himmel fallen und dich samt deinen fünfzig Männern verzehren!« Da fiel Feuer vom Himmel und verbrannte sie alle. [11] Der König schickte einen anderen Truppenführer mit fünfzig Mann, um Elia zu holen. Er rief dem Propheten zu: »Bote Gottes, du sollst sofort herunterkommen! Der König befiehlt es!« [12] Und wieder rief Elia: »Wenn ich wirklich ein Bote Gottes bin, dann soll Feuer vom Himmel fallen und dich samt deinen fünfzig Männern verzehren!« Da ließ Gott Feuer vom Himmel fallen, und alle verbrannten.

[13] Zum dritten Mal schickte der König einen Truppenführer mit seinen fünfzig Mann zu Elia. Aber dieser stieg zu Elia hinauf, warf sich vor ihm zu Boden und flehte ihn an: »Bote Gottes, bitte lass mich und meine fünfzig Männer am Leben! [14] Ich weiß, dass Feuer vom Himmel fiel und die beiden anderen samt ihren Soldaten verbrannt hat. Aber bitte, verschone wenigstens uns!«

[15] Da sagte der Engel des Herrn zu Elia: »Geh mit ihm hinunter! Du brauchst keine Angst vor ihm zu haben.« Elia stand auf, ging mit dem Truppenführer zu König Ahasja und hielt ihm vor:

1,1 2 Sam 8,2 **1,2** 2 Mo 20,3–5*

[16]»Hör, was der Herr dir sagen lässt: ›Du hast Boten nach Ekron gesandt, die Baal-Sebub, den Gott dieser Stadt, um Rat fragen sollten – als ob es in Israel keinen Gott gäbe, den man fragen kann! Weil du das getan hast, wirst du nicht mehr gesund werden, sondern bald sterben.‹«

Ahasjas Tod

[17]Was Elia im Auftrag des Herrn vorausgesagt hatte, traf ein: Ahasja starb. Weil er selbst keinen Sohn hatte, wurde sein Bruder[a] Joram sein Nachfolger. Dies geschah im 2. Regierungsjahr König Jorams von Juda, des Sohnes Joschafats. [18]Alles Weitere über Ahasjas Leben steht in der Chronik der Könige von Israel.

Der Herr holt Elia zu sich

2 Der Tag kam, an dem der Herr den Propheten Elia in einem Wirbelsturm zu sich in den Himmel holen wollte. An diesem Tag verließen Elia und Elisa die Stadt Gilgal. [2]Unterwegs sagte Elia zu Elisa: »Willst du nicht hier bleiben? Ich muss nach Bethel, denn der Herr hat mich dorthin geschickt.« Doch Elisa wehrte ab: »So gewiss der Herr lebt und so gewiss du lebst – ich verlasse dich nicht!«

So wanderten sie zusammen hinunter nach Bethel. [3]Dort kamen ihnen einige Prophetenjünger entgegen, die in Bethel zusammen lebten. Sie nahmen Elisa beiseite und fragten ihn: »Weißt du es schon? Der Herr wird heute deinen Lehrer zu sich holen!« »Ja, ich weiß es«, antwortete Elisa, »redet bitte nicht darüber!«

[4]Wieder sagte Elia zu seinem Begleiter: »Elisa, willst du nicht hier bleiben? Ich muss weiter nach Jericho, denn der Herr hat mich dorthin geschickt.« Elisa antwortete: »So gewiss der Herr lebt und so gewiss du lebst – ich verlasse dich nicht!«

Sie wanderten gemeinsam weiter und kamen nach Jericho. [5]Auch hier sprachen einige Prophetenjünger, die in der Stadt wohnten, Elisa an und fragten ihn: »Weißt du, dass der Herr deinen Lehrer heute zu sich holen wird?« Und wieder antwortete Elisa: »Ja, ich weiß es. Sprecht bitte nicht darüber!«

[6]Elia fragte Elisa zum dritten Mal: »Willst du nicht hier bleiben? Ich muss weiter an den Jordan, denn der Herr hat mich dorthin geschickt.« Doch auch jetzt antwortete Elisa: »So gewiss der Herr lebt und so gewiss du lebst – ich verlasse dich nicht!«

Dann gingen sie gemeinsam weiter. [7]Fünfzig Prophetenjünger aus Jericho folgten ihnen. Als Elia und Elisa den Jordan erreichten, blieben ihre Begleiter in einiger Entfernung stehen. [8]Elia zog seinen Mantel aus, rollte ihn zusammen und schlug damit auf das Wasser. Da teilte es sich, und die beiden konnten trockenen Fußes das Flussbett durchqueren. [9]Am anderen Ufer sagte Elia zu Elisa: »Ich möchte noch etwas für dich tun, bevor ich von dir genommen werde. Hast du einen Wunsch?« Da antwortete Elisa: »Ich möchte als dein Schüler und Nachfolger doppelt so viel von deinem Geist bekommen wie die anderen Propheten!« [10]Elia wandte ein: »Das liegt nicht in meiner Macht. Aber wenn der Herr dich sehen lässt, wie ich von hier weggeholt werde, dann wirst du erhalten, worum du gebeten hast. Wenn nicht, dann geht auch dein Wunsch nicht in Erfüllung.«

[11]Während die beiden so in ihr Gespräch vertieft weitergingen, erschien plötzlich ein Wagen aus Feuer, gezogen von Pferden aus Feuer, und trennte die Männer voneinander. Und dann wurde Elia in einem Wirbelsturm zum Himmel hinaufgetragen. [12]Elisa sah es und schrie: »Mein Vater, mein Vater! Du Beschützer und Führer Israels!«[b]

Doch schon war alles vorbei. Aufgewühlt packte Elisa sein Gewand und

---

[a] In Anlehnung an 2. Könige 3,1 ergänzt.
[b] Wörtlich: Du Streitwagen Israels und sein (Wagen-)Lenker!
2,1 1 Kön 19,16.19–21 **2,9** 5 Mo 21,17

riss es entzwei. [13] Dann hob er Elias Mantel auf, der zu Boden gefallen war, und ging zum Jordan zurück. [14] Wie vorher sein Lehrer Elia schlug jetzt er mit dem Mantel auf das Wasser und rief: »Wo ist der Herr, der Gott Elias?« Da teilte sich das Wasser, und Elisa konnte den Fluss wieder durchqueren.

[15] Als die Prophetenjünger, die den beiden Männern aus Jericho gefolgt waren, Elisa zurückkommen sahen, sagten sie zueinander: »Der Geist Elias ist nun auf Elisa übergegangen!« Sie liefen zu ihm und warfen sich ehrfürchtig vor ihm zu Boden. [16] »Meister«, sagten sie, »ein Wort von dir genügt, und wir schicken unsere fünfzig kräftigsten Männer los, um deinen Lehrer zu suchen! Vielleicht hat der Geist des Herrn ihn nur von hier weggetragen und irgendwo auf einen Berg oder in ein Tal geworfen.«

Elisa wehrte ab. [17] Doch sie ließen nicht locker, bis er schließlich nachgab und sagte: »Meinetwegen schickt sie los.« Drei Tage lang suchten die fünfzig Männer nach Elia, doch ohne Erfolg. [18] Endlich kehrten sie zu Elisa zurück, der in Jericho geblieben war. Er bemerkte nur: »Ich habe euch ja gleich gesagt, dass ihr euch die Mühe sparen könnt!«

Was Elisa sagt, trifft ein

[19] Die Bürger der Stadt Jericho kamen zu Elisa und klagten: »Herr, wie du siehst, liegt unsere Stadt in einer guten, fruchtbaren Gegend. Aber das Wasser hier ist schlecht, und darum gibt es bei uns immer wieder Fehlgeburten.«

[20] Elisa befahl: »Bringt mir eine neue Schüssel, und füllt sie mit Salz!« Sie brachten ihm die Schüssel mit Salz, [21] und er ging damit vor die Stadt hinaus zur Quelle, schüttete das Salz ins Wasser und rief: »So spricht der Herr: ›Ich mache dieses Wasser gesund; nie mehr soll es seinetwegen Tod und Fehlgeburten geben!‹«

[22] Von diesem Augenblick an war das Wasser gut und ist es bis heute geblieben, genau wie Elisa es gesagt hatte.

[23] Von Jericho ging Elisa wieder nach Bethel. Als er zur Stadt hinaufwanderte, lief ihm eine Horde kleiner Jungen entgegen. Sie machten sich über ihn lustig und riefen im Chor: »Glatzkopf, fang uns doch! Glatzkopf, fang uns doch!« [24] Elisa blieb stehen, sah sie an und verfluchte sie im Namen des Herrn.

Da kamen zwei Bärinnen aus dem Wald heraus, fielen über die Kinder her und zerrissen zweiundvierzig von ihnen.

[25] Elisa wanderte weiter zum Berg Karmel, und von dort kehrte er schließlich nach Samaria zurück.

König Joram von Israel

3 Joram, der Sohn Ahabs, wurde König von Israel im 18. Regierungsjahr König Joschafats von Juda. Er regierte zwölf Jahre in Samaria. [2] Auch er tat, was der Herr verabscheute, wenn auch nicht in dem Maße wie sein Vater und seine Mutter. Immerhin entfernte er die Säule, die sein Vater zu Ehren des Gottes Baal hatte aufstellen lassen. [3] Aber wie Jerobeam, der Sohn Nebats, der die Israeliten zum Götzendienst verführt hatte, hielt auch Joram an der Verehrung fremder Götter fest.

Der Feldzug gegen die Moabiter

[4] Mescha, der König von Moab, besaß große Schafherden, und darum hatte er an den König von Israel immer Schafe als Tribut entrichtet: insgesamt 100 000 Lämmer und 100 000 ungeschorene Schafböcke. [5] Doch nach Ahabs Tod lehnte er sich gegen die Herrschaft der Israeliten auf und weigerte sich, weiter zu zahlen.

[6] Da brach König Joram von Samaria auf und zog alle wehrfähigen Israeliten ein. [7] Zugleich sandte er Boten nach Juda zu König Joschafat und ließ ihm mittei-

---

3,2–3 1 Kön 12,26–32* **3,7** 1 Kön 22,4

len: »Der König von Moab hat sich gegen uns aufgelehnt und weigert sich, weiterhin Tribut zu zahlen. Willst du zusammen mit mir gegen ihn kämpfen?« Joschafat antwortete: »Du kannst mit mir rechnen! Ich stelle dir meine Truppen und meine Pferde zur Verfügung.« [8] Dann wollte er wissen, welchen Weg sie nehmen würden. »Wir ziehen durch die edomitische Wüste!«, meldete Joram zurück.

[9] So zogen der König von Israel und der König von Juda mit ihren Truppen los, und auch der König von Edom schloss sich ihnen an. Wie geplant schlugen sie den Weg durch die Wüste ein. Doch weil sie einen Umweg machten, konnten sie nach sieben Tagen kein Wasser mehr finden, weder für die Soldaten noch für die Tiere. [10] »Hätten wir nur diesen Feldzug nie unternommen!«, klagte der König von Israel. »Bestimmt hat der Herr uns in eine Falle gelockt und will uns nun dem König von Moab ausliefern.« [11] Aber Joschafat fragte: »Ist denn kein Prophet des Herrn in der Nähe, durch den wir den Herrn befragen könnten?« »Doch«, antwortete ein Diener des Königs von Israel, »Elisa, der Sohn Schafats, ist hier. Er war seinerzeit der Diener Elias.« [12] »Dann ist er ein echter Prophet!«, sagte Joschafat, und sogleich gingen er, der König von Israel und der König von Edom zu Elisa.

[13] Doch Elisa war abweisend: »Warum kommst du denn zu mir, König von Israel? Ich habe nichts mit dir zu schaffen! Geh doch zu den Propheten, die dein Vater und deine Mutter angeheuert haben!« Joram erwiderte: »Meine Propheten können nichts dafür. In diese Falle hat uns der Herr gelockt, um uns dem König von Moab auszuliefern.« [14] Da lenkte Elisa ein: »Nur weil auch König Joschafat von Juda hier ist, gebe ich dir eine Antwort. Wäre er nicht da, würde ich dich nicht einmal ansehen, geschweige denn irgendetwas für dich tun! Das schwöre ich bei dem Herrn, dem allmächtigen Gott, dem ich diene. [15] Und nun holt einen Mann, der Harfe spielen kann!«

Während der Musiker spielte, sprach der Herr zu Elisa und gab ihm eine Botschaft für die Könige. Elisa rief: [16] »Hört, was der Herr euch befiehlt: ›Hebt in diesem trockenen Tal überall Gruben aus. [17] Es wird zwar kein Wind aufkommen, und es wird auch nicht regnen, aber trotzdem wird dieses Tal sich mit Wasser füllen. Dann könnt ihr alle genug trinken, auch eure Pferde und das Vieh.‹ [18] Aber das ist noch nicht alles!«, fuhr Elisa fort. »Der Herr will euch noch mehr geben. Mit seiner Hilfe werdet ihr die Moabiter besiegen. [19] Ihre schönen und gut befestigten Städte werdet ihr erobern, alle wertvollen Bäume fällen, alle Quellen im Land zuschütten und die besten Felder mit Steinen verwüsten.«

[20] Am nächsten Morgen, etwa zur Zeit des Morgenopfers, waren die Gruben im Tal mit Wasser gefüllt. Es kam von den Bergen Edoms und überschwemmte die ganze Gegend.

Der Herr schenkt den Sieg

[21] Inzwischen hatten die Moabiter erfahren, dass die drei Könige mit ihren Truppen ausgerückt waren. Alle wehrfähigen Männer – vom ältesten bis zum jüngsten – wurden einberufen und an die Grenze geschickt. [22] Früh am Morgen zogen sie los zum Angriff. Im Licht der aufgehenden Sonne schimmerte das Wasser im Tal blutrot. [23] »Das ist Blut!«, riefen die Moabiter. »Die drei Könige und ihre Soldaten haben sich gegenseitig umgebracht! Das gibt eine fette Beute!«

[24] Doch als sie sich dem feindlichen Lager näherten, stürmten die Israeliten ihnen entgegen und schlugen sie in die Flucht. Dann verfolgten sie die Moabiter bis in ihr Land und brachten ihnen eine schwere Niederlage bei. [25] Sie machten die moabitischen Städte dem Erdboden gleich. Immer wenn sie an einem fruchtbaren Feld vorbeikamen, warf jeder Soldat Steine darauf, bis schließlich alle Felder vom Schutt bedeckt waren. Die

---

3,11 1 Kön 19,19–21

Quellen schütteten sie zu und fällten alle wertvollen Bäume.

Am längsten konnte die Stadt Kir-Heres Widerstand leisten. Doch die Israeliten umzingelten sie und beschossen sie mit Steinschleudern. [26] Der König von Moab sah ein, dass er ohne fremde Hilfe verloren war. Darum versuchte er, mit 700 Soldaten den Belagerungsring zu durchbrechen, um zum König von Edom vorzudringen, doch ohne Erfolg. [27] In seiner Verzweiflung ließ er seinen ältesten Sohn holen, den Thronfolger, und verbrannte ihn als Opfer auf der Stadtmauer. Darüber waren die Israeliten so empört, dass sie die Belagerung aufhoben und nach Israel zurückkehrten.

Elisa hilft einer armen Witwe

4 Eines Tages klagte die Witwe eines Prophetenjüngers Elisa ihre Not: »Herr, du hast doch meinen verstorbenen Mann gekannt. Du weißt, dass er dem Herrn in allem gehorcht hat. Aber nun ist einer gekommen, dem wir noch Geld schulden, und hat gedroht, meine beiden Söhne als Sklaven zu nehmen, wenn ich nicht sofort bezahle.«

[2] »Wie kann ich dir nur helfen?«, überlegte Elisa. »Hast du noch irgendwelche Vorräte im Haus?« Sie antwortete: »Mein Herr, außer einem kleinen Krug mit Öl habe ich gar nichts mehr.« [3] »Gut«, sagte er, »geh und leih dir von deinen Nachbarinnen leere Krüge aus, aber nicht zu wenige! [4] Dann geh mit deinen Söhnen ins Haus, und verriegle die Tür! Als Nächstes gießt du dein Öl in die Gefäße. Sobald eins voll ist, stell es zur Seite!«

[5] Die Witwe tat, was Elisa ihr aufgetragen hatte. Sie verriegelte die Haustür hinter sich und ihren Söhnen. Die beiden Jungen reichten ihr die Krüge, und sie goss das Öl hinein. [6] Bald waren alle Gefäße voll, und als die Mutter rief: »Gebt mir noch einen Krug!«, antwortete einer ihrer Söhne: »Wir haben keine leeren mehr!« Von da an vermehrte sich das Öl nicht mehr.

[7] Die Frau eilte zu Elisa, dem Boten Gottes, und erzählte ihm, was geschehen war. Da forderte er sie auf: »Geh nun und verkauf das Öl! Von dem Erlös kannst du deine Schulden bezahlen, und es wird noch genug übrig bleiben, damit du und deine Söhne davon leben können.«

Elisa verheißt seinen Gastgebern einen Sohn

[8] Als Elisa einmal nach Schunem kam, lud ihn eine wohlhabende Frau des Dorfes zum Essen ein. Von da an war er jedes Mal in ihrem Haus zu Gast, wenn er in Schunem vorbeikam. [9] Eines Tages sagte die Gastgeberin zu ihrem Mann: »Ich bin sicher, dass der Mann, der oft zu uns kommt, ein heiliger Bote Gottes ist! [10] Wollen wir ihm nicht im oberen Stockwerk ein kleines Zimmer einrichten? Wir stellen ihm ein Bett, einen Tisch, einen Stuhl und eine Lampe hinein. So kann er sich zurückziehen und etwas ausruhen, wenn er uns besucht.«

[11] Als Elisa wieder einmal nach Schunem kam, ging er in sein neues Zimmer hinauf und ruhte sich aus. [12/13] Dann befahl er seinem Diener Gehasi: »Geh zu unserer Gastgeberin, und sag ihr: ›Du hast dir für uns so viel Mühe gemacht. Können wir auch etwas für dich tun? Sollen wir vielleicht beim König oder beim Heerführer ein gutes Wort für dich einlegen?‹« Gehasi ging hinunter und rief nach der Frau. Als er sein Angebot vorgetragen hatte, wehrte sie ab: »Ach, es geht mir doch so gut. Ich habe so viele Verwandte hier in der Stadt.«

[14] Als der Diener mit dieser Antwort zurückkam, fragte Elisa ihn: »Was könnte man sonst für diese Frau tun?« Gehasi erwiderte: »Nun, die Frau hat keine Kinder, und ihr Mann ist schon ziemlich alt.« [15] Da sagte der Prophet: »Gut, ruf sie her!« Gehasi holte die Frau. Sie kam und blieb in der Tür stehen. [16] Elisa erklärte

---

3,27 3 Mo 18,21* **4,1** 2 Mo 21,2; 3 Mo 25,39–41; Am 2,6

ihr: »Nächstes Jahr um diese Zeit wirst du einen Sohn haben!« »Ach, mein Herr«, rief sie, »belüge mich nicht. Du bist doch ein Bote Gottes!«

[17] Doch einige Zeit später wurde die Frau schwanger und brachte ein Jahr nach diesem Gespräch einen Sohn zur Welt, genau wie Elisa es vorausgesagt hatte.

Elisa erweckt den Sohn seiner Gastgeberin wieder zum Leben

[18] Inzwischen war der Junge größer geworden. Eines Tages lief er aufs Feld hinaus zu seinem Vater, der dort mit den Arbeitern Getreide erntete. [19] Auf einmal begann der Junge zu jammern: »Mein Kopf tut so weh!« Sofort befahl der Vater einem der Knechte: »Trag ihn schnell nach Hause!« [20] Der Knecht brachte den Jungen nach Hause zu seiner Mutter. Sie setzte sich hin und nahm ihn auf den Schoß. Gegen Mittag aber starb er.

[21] Da trug sie das tote Kind ins obere Schlafzimmer hinauf, legte es auf das Bett des Propheten und schloss den Raum ab. Dann eilte sie auf das Feld hinaus [22] und rief ihrem Mann zu: »Ich brauche einen Knecht und eine Eselin! Ich muss sofort zu dem Propheten. Ich bin bald wieder zurück.« [23] Erstaunt fragte ihr Mann: »Warum willst du ihn ausgerechnet heute besuchen? Es ist doch kein Feiertag, weder Neumond noch Sabbat!« Sie ging gar nicht auf die Frage ein, sondern verabschiedete sich kurz [24] und lief zurück, um die Eselin zu satteln. Dann befahl sie ihrem Diener: »Treib das Tier tüchtig an, damit wir schnell vorankommen. Halt erst an, wenn ich es sage!«

[25] So kam sie zum Propheten Elisa an den Berg Karmel. Als er sie von weitem kommen sah, sagte er überrascht zu seinem Diener Gehasi: »Da kommt ja unsere Gastgeberin aus Schunem! [26] Lauf ihr entgegen, und frag sie, ob es ihr, ihrem Mann und dem Kind gut geht!« »Ja, ja, es geht uns gut«, antwortete sie auf Gehasis Frage. [27] Doch kaum war sie bei Elisa auf dem Berg, da fiel sie vor ihm nieder und umklammerte seine Füße. Gehasi wollte sie wegstoßen, aber Elisa wehrte ab: »Lass sie! Irgendetwas bedrückt sie sehr, aber ich weiß nicht was, denn der Herr hat mir nichts gesagt.«

[28] Da brach es aus ihr heraus: »Habe ich dich, mein Herr, etwa um einen Sohn gebeten? Habe ich damals nicht sogar abgewehrt und gesagt, du sollst mir keine falschen Hoffnungen machen?« [29] »Gehasi, mach dich sofort fertig zum Aufbrechen!«, befahl Elisa seinem Diener. »Nimm meinen Stab, und eile so schnell wie möglich nach Schunem. Wenn du unterwegs jemandem begegnest, beginn keine Unterhaltung, und wenn dich einer anredet, gib keine Antwort! Geh und leg meinen Stab auf das Gesicht des Jungen!« [30] Doch die Mutter bestand darauf, dass Elisa selbst mitkam. Sie sagte: »So gewiss der Herr lebt und so gewiss du lebst: Ohne dich gehe ich nicht nach Hause!«

Da gab er nach und ging mit ihr. [31] Gehasi war vorausgeeilt und hatte den Stab auf das Gesicht des toten Jungen gelegt. Doch ohne Erfolg – der Junge bewegte sich nicht und gab auch keinen Laut von sich. Da kehrte Gehasi wieder zurück, um es Elisa zu melden. Unterwegs traf er ihn und berichtete: »Er ist nicht aufgewacht!«

[32/33] Als Elisa in Schunem angekommen war, ging er allein hinauf in sein Zimmer und verriegelte die Tür hinter sich. Noch immer lag das Kind regungslos auf dem Bett. Elisa betete zum Herrn. [34] Dann legte er sich so auf den toten Jungen, dass sein Mund auf dem Mund des Kindes lag, seine Augen auf dessen Augen und seine Hände auf dessen Händen. Während er so dalag, wurde der Leib des Toten langsam warm. [35] Der Prophet stand auf, verließ das Zimmer und ging im Haus umher. Schließlich kehrte er zurück und legte sich noch einmal auf den Jungen. Da nieste das Kind siebenmal und schlug die Augen auf.

[36] Elisa rief nach Gehasi und befahl ihm: »Hol schnell unsere Gastgeberin!«

Als sie das Zimmer betrat, sagte Elisa zu ihr: »Hier ist dein Sohn.« [37] Die Frau warf sich vor dem Propheten zu Boden. Dann ging sie zusammen mit ihrem Sohn hinunter.

Elisa lässt ein giftiges Essen genießbar werden

[38] Elisa kehrte nach Gilgal zurück. Zu der Zeit herrschte im Land eine Hungersnot. Als Elisa einmal vor den Prophetenjüngern in Gilgal sprach, befahl er seinem Diener: »Setz den großen Topf auf, und koch den Prophetenjüngern etwas zu essen!«

[39] Da ging einer der jungen Männer hinaus, um auf dem Feld nach etwas Essbarem zu suchen. Er fand ein wildes Rankengewächs mit Früchten. Davon pflückte er so viele, wie er in seinem Mantel tragen konnte, und eilte damit zurück. Er schnitt die Früchte in Stücke und warf sie in den Topf, obwohl keiner von ihnen das Gewächs kannte.

[40] Das Gemüse wurde an die Männer verteilt. Doch schon nach ein, zwei Bissen konnten sie nichts mehr essen und schrien entsetzt: »Elisa, du Bote Gottes, das Essen ist giftig, wir werden alle sterben!« [41] Elisa befahl: »Bringt mir etwas Mehl!« Er schüttete das Mehl in den Topf, rührte um und sagte: »So, nun könnt ihr es an alle austeilen und essen.« Jetzt war das Gericht genießbar und richtete keinen Schaden an.

Brot für hundert Leute!

[42] Ein anderes Mal kam ein Mann aus Baal-Schalischa und brachte dem Propheten einen Beutel frische Getreidekörner und die ersten zwanzig Gerstenbrote vom Korn der neuen Ernte. Elisa sagte zu seinem Diener: »Verteile es an die Prophetenjünger, damit sie sich satt essen können!«

[43] »Was!«, rief Gehasi erstaunt. »Diese paar Brote soll ich hundert hungrigen Männern vorsetzen?« Doch Elisa blieb dabei: »Verteile es an alle! Denn der Herr sagt: ›Man wird sich satt essen und sogar noch übrig lassen.‹«

[44] Da gab der Diener den Männern das Brot. Sie aßen, so viel sie konnten, und doch blieb noch davon übrig, genau wie der Herr es vorausgesagt hatte.

Naaman von Syrien bei Elisa

5 Naaman, der oberste Heerführer von Syrien, war ein ausgezeichneter Soldat und Stratege. Er genoss hohes Ansehen, und der König schätzte ihn sehr, hatte doch der Herr durch Naaman den Syrern zum Sieg über die Feinde verholfen. Doch Naaman war aussätzig! [2] In seinem Haus lebte ein israelitisches Mädchen. Syrische Soldaten hatten es auf einem ihrer Raubzüge in das Land Israel gefangen genommen und nach Syrien verschleppt. Sie war die Sklavin von Naamans Frau geworden. [3] Eines Tages sagte das Mädchen zu seiner Herrin: »Wenn mein Herr doch einmal zu dem Propheten gehen würde, der in Samaria lebt! Der könnte ihn von seiner Krankheit heilen.«

[4] Naaman ging daraufhin zum König und berichtete ihm, was das Mädchen aus Israel gesagt hatte. [5] Der syrische König bestärkte ihn, den Propheten aufzusuchen, und gab ihm ein Empfehlungsschreiben an den König von Israel mit. Naaman machte sich auf den Weg. Er nahm 7 Zentner Silber, 70 Kilogramm Gold und 10 Festkleider als Geschenke mit. [6] Das Schreiben an König Joram von Israel lautete: »Der Mann, der dir diesen Brief überreicht, ist mein Diener Naaman. Ich habe ihn zu dir gesandt, damit du ihn von seinem Aussatz heilst.«

[7] Als Joram den Brief gelesen hatte, zerriss er entrüstet seine Kleider und rief: »Bin ich etwa ein Gott, der Macht über Leben und Tod besitzt? Wie kommt der Syrer nur darauf, einen Aussätzigen zu mir zu schicken, damit ich ihn heile? Es liegt ja auf der Hand, was er will: Krieg

4,42–44 Mt 14,14–21 **4,42** 3 Mo 23,10.20 **5,7** 5 Mo 32,39

will er mit uns! Und das hier ist nur ein Vorwand.«

[8]Schon bald hörte auch der Prophet Elisa, dass der König voller Entrüstung seine Kleider zerrissen hatte. Er schickte einen Boten zum Palast und ließ Joram ausrichten: »Warum bist du so aufgebracht? Schick diesen Mann zu mir! Er soll erkennen, dass es hier in Israel einen Propheten des wahren Gottes gibt.«

[9]Kurze Zeit später fuhr Naaman mit seinem Gespann bei Elisa vor. [10]Der Prophet schickte einen Diener vor das Haus, der dem syrischen Heerführer sagen sollte: »Geh an den Jordan, und tauch siebenmal im Wasser unter! Dann wird dein Aussatz verschwinden, und du wirst gesund sein.«

[11]Da wurde Naaman zornig, kehrte wieder um und schimpfte: »Ich hatte erwartet, der Prophet würde zu mir herauskommen, sich vor mich hinstellen und zum Herrn, seinem Gott, beten. Ich hatte mir vorgestellt, wie er seine Hand über meine kranken Stellen hält und mich von meinem Aussatz befreit. [12]Als ob unsere Flüsse Abana und Parpar, die durch Damaskus fließen, nichts wären! Dabei sind sie viel sauberer als alle Bäche Israels! Kann ich nicht auch darin baden und gesund werden?«

Voller Wut machte er sich auf den Heimweg. [13]Doch seine Diener versuchten ihn zu beschwichtigen: »Herr, wenn der Prophet etwas Schwieriges von dir verlangt hätte, dann hättest du es sicher auf dich genommen. Und nun hat er dir nur befohlen, dich zu baden, damit du gesund wirst. Dann kannst du es doch erst recht tun!« [14]Naaman ließ sich umstimmen und fuhr an den Jordan hinunter. Wie der Bote Gottes es befohlen hatte, stieg er ins Wasser und tauchte siebenmal unter. Und tatsächlich: Seine Haut wurde wieder glatt und rein. Er war gesund.

[15]Da ritt er mit seinem ganzen Gefolge zum Propheten zurück und bekannte ihm: »Jetzt weiß ich, dass es nirgends auf der Welt einen wahren Gott gibt, außer in Israel! Nimm darum ein Dankesgeschenk von mir an.« [16]Doch Elisa wehrte ab: »So gewiss der Herr lebt, dem ich diene, ich nehme keine Geschenke!« Naaman versuchte mit allen Mitteln, ihn zu überreden, aber ohne Erfolg.

[17]Schließlich bat er: »Wenn du schon nichts willst, mein Herr, dann habe ich einen Wunsch: Ich möchte so viel Erde von hier mitnehmen, wie zwei Maultiere tragen können. In Zukunft will ich nämlich keinen anderen Göttern mehr Brand- und Schlachtopfer darbringen, nur noch dem Herrn, dem Gott Israels. Ich möchte ihn auf der Erde aus seinem Land anbeten.[a] [18]Doch eines möge der Herr mir vergeben: Wenn mein König zum Beten in den Tempel unseres Gottes Rimmon geht, dann stützt er sich auf meinen Arm. Und so muss ich mich auch niederwerfen, wenn er sich vor seinem Gott zu Boden wirft. Dies möge der Herr mir vergeben!«

[19]Elisa antwortete nur: »Geh in Frieden!«

Gehasis Geldgier und ihre Folgen

Naaman war schon ein Stück weit entfernt, [20]da dachte Elisas Diener Gehasi: »Mein Herr war wieder einmal zu bescheiden! Er lässt diesen Syrer Naaman einfach laufen, ohne die Geschenke anzunehmen, die er ihm angeboten hat! So gewiss der Herr lebt: Ich werde ihn einholen, und dann soll er wenigstens mir etwas geben.«

[21]Er rannte dem Syrer hinterher. Als Naaman merkte, dass ihm jemand nachlief, sprang er vom Wagen, ging Gehasi entgegen und fragte beunruhigt: »Es ist doch alles in Ordnung?« [22]»Ja, ja«, antwortete Gehasi, »mein Herr schickt mich. Ich soll dir ausrichten, dass soeben zwei Prophetenjünger aus dem Gebirge Ephraim zu ihm gekommen sind. Er lässt dich fragen, ob du mir nicht einen Zent-

---

[a] »dem Gott Israels … anbeten.« ist sinngemäß ergänzt.

ner Silber und zwei Festkleider für sie mitgeben könntest.« [23] Erfreut sagte Naaman: »Ach bitte, nimm doch zwei Zentner!« Er füllte die Silberstücke in zwei Säcke, legte zwei Festgewänder dazu und drängte Gehasi, die Geschenke anzunehmen. Zwei seiner Diener mussten mit Gehasi zurückkehren und die Sachen tragen.

[24] Als sie am Fuße des Hügels ankamen, wo Elisa wohnte, schickte Gehasi die beiden syrischen Diener weg, schlich sich ins Haus und versteckte das Silber und die Kleider. [25] Dann ging er zu seinem Herrn. »Wo bist du gewesen, Gehasi?«, wollte Elisa von ihm wissen. »Ich war die ganze Zeit hier, mein Herr!«, antwortete Gehasi.

[26] Doch Elisa ließ sich nichts vormachen: »Glaub nur nicht, ich hätte nichts gemerkt! Ich war im Geiste dabei, als ein Mann vom Wagen stieg und dir entgegen kam. Gehasi, jetzt ist nicht die Zeit, sich Geld und schöne Kleider zu besorgen, Olivenbäume und Weinberge zu kaufen, Rinder, Schafe und Ziegen anzuschaffen, Knechte und Mägde anzustellen. [27] Der Aussatz, unter dem Naaman gelitten hat, wird nun dich befallen. Auch deine Nachkommen werden für immer unter dieser Krankheit zu leiden haben.«

Als Gehasi das Zimmer verließ, hatte der Aussatz ihn schon befallen. Seine Haut war schneeweiß geworden.

Elisa lässt Eisen schwimmen

6 Einige Prophetenjünger kamen zu Elisa und klagten: »Der Versammlungsraum, in dem wir dir zuhören, ist zu eng geworden! [2] Könnten wir nicht alle zum Jordan gehen und Holz schlagen? Wenn jeder von uns einen Balken mitnimmt, können wir unsere Räume so vergrößern, dass wir alle genügend Platz haben.« »Geht nur!«, antwortete Elisa. [3] Da bat einer von ihnen: »Bitte, Herr, tu uns doch den Gefallen, und begleite uns!« Der Prophet willigte ein [4] und ging mit ihnen.

Am Jordan fingen sie sogleich an, Bäume zu fällen. [5] Dabei rutschte einem von ihnen das Eisen seiner Axt vom Stiel und fiel ins Wasser. »O nein!«, schrie er entsetzt und wandte sich an Elisa: »Herr, was soll ich machen? Diese Axt war nur geliehen!« [6] Elisa fragte: »Wohin genau ist das Eisen gefallen?« Der Mann zeigte ihm die Stelle. Der Prophet schnitt einen Zweig von einem Baum ab und warf ihn dort ins Wasser. Da tauchte das Eisen plötzlich auf und schwamm an der Wasseroberfläche. [7] »Willst du es nicht herausfischen?«, forderte Elisa ihn auf. Da bückte der Mann sich und holte das Eisen heraus.

Elisa bringt den Feldzug der Syrer zum Scheitern

[8] Der König von Syrien führte Krieg gegen Israel. Nach ausführlicher Beratung mit seinen Heerführern entschied er, wo die syrischen Truppen ihr Lager aufschlagen sollten. [9] Zum gleichen Zeitpunkt schickte der Prophet Elisa einen Boten nach Samaria. Er warnte König Joram von Israel davor, sein Heer an diesem Ort vorbeiziehen zu lassen, weil die Syrer dort im Hinterhalt lagen. [10] Daraufhin schickte Joram einen Spähtrupp in die Gegend und ließ sie sorgfältig beobachten. Dasselbe wiederholte sich mehrmals.

[11] Als der König von Syrien davon erfuhr, war er äußerst beunruhigt. Er ließ seine Heerführer zu sich kommen und stellte sie zur Rede: »Einer von euch muss heimlich zu den Israeliten halten. Wer ist es?« [12] »Mein König, keiner von uns ist ein Verräter!«, entgegnete einer der Heerführer. »Dieser Prophet Elisa in Israel ist an allem schuld! Er kann dem König von Israel sogar sagen, was du in deinem Schlafzimmer flüsterst.« [13] Der König befahl: »Versucht auf der Stelle, diesen Mann zu finden! Dann lasse ich ihn verhaften und hierher bringen.«

Der König erfuhr, dass Elisa sich in Dotan aufhielt. [14] Sogleich schickte er ein großes Heer mit vielen Pferden und Streitwagen dorthin. Es war schon dunkel, als die Truppen Dotan erreichten,

und noch in derselben Nacht umzingelten sie die Stadt. [15] Als Elisas Diener früh am Morgen aufstand und vor das Haus trat, da traute er seinen Augen kaum: Die Stadt war von einem Heer mit Pferden und Streitwagen eingeschlossen! »Ach, mein Herr, was sollen wir jetzt bloß tun?«, rief er. [16] Doch Elisa beruhigte ihn: »Du brauchst keine Angst zu haben! Denn auf unserer Seite steht ein noch größeres Heer.« [17] Dann betete er: »Bitte, Herr, öffne ihm die Augen!« Da öffnete der Herr Elisas Diener die Augen, und er konnte sehen, dass der ganze Berg, auf dem die Stadt stand, von Pferden und Streitwagen aus Feuer beschützt wurde.

[18] Als dann die Syrer vorrückten, betete Elisa: »Herr, lass sie alle blind werden!« Der Herr erhörte Elisas Gebet, und das ganze syrische Heer konnte nichts mehr sehen. [19] Da ging der Prophet zu den Heerführern hinaus und sagte: »Ihr habt wohl den Weg verfehlt und seid in der falschen Stadt gelandet! Aber kommt mit, ich will euch zu dem Mann bringen, den ihr sucht.« Er führte die Syrer in die israelitische Hauptstadt Samaria.

[20] Als sie dort angekommen waren, betete Elisa: »Herr, öffne ihnen die Augen, damit sie wieder sehen können!« Da öffnete der Herr ihnen die Augen, und sie stellten voller Schrecken fest, dass sie sich mitten in Samaria befanden.

[21] Als der König von Israel seine Feinde sah, fragte er Elisa: »Soll ich sie alle umbringen lassen? Soll ich sie erschlagen?« [22] »Nein, das sollst du nicht!«, entgegnete der Prophet. »Du würdest doch nicht einmal Soldaten erschlagen, die du im Kampf gefangen genommen hast! Gib ihnen zu essen und zu trinken, und dann lass sie zurück zu ihrem Herrn ziehen.«

[23] Da ließ der König den Syrern ein herrliches Festmahl auftischen. Nachdem sie gegessen und getrunken hatten, durften sie in ihr Land zurückkehren. Von da an unternahmen die syrischen Truppen keine Raubzüge mehr auf israelitisches Gebiet.

Schwere Hungersnot im belagerten Samaria

[24] Einige Zeit später zog König Ben-Hadad von Syrien alle seine Truppen zusammen, marschierte in Israel ein und belagerte Samaria. [25] In der eingeschlossenen Stadt brach eine große Hungersnot aus. Schließlich kostete ein Eselskopf 80 Silberstücke, und für eine Hand voll Taubenmist musste man 5 Silberstücke bezahlen.

[26] Als König Joram einmal auf der Stadtmauer umherging, flehte eine Frau ihn an: »Hilf mir doch, mein Herr und König!« [27] Er entgegnete: »Wenn schon der Herr dir nicht hilft, wie sollte dann ich dir helfen können? Kann ich dir etwa Brot oder Wein geben? [28] Was also willst du?« Da brach es aus ihr heraus: »Diese Frau da drüben hat zu mir gesagt: ›Gib du heute deinen Sohn her, damit wir ihn essen können. Morgen essen wir dann meinen.‹ [29] Also haben wir meinen Sohn gekocht und ihn gegessen. Doch als ich am nächsten Tag zu ihr kam und sie aufforderte, nun ihren Sohn herzugeben, da hatte sie ihn versteckt.«

[30] Als der König das hörte, zerriss er erschüttert sein Obergewand. Weil er immer noch oben auf der Stadtmauer stand, konnten alle sehen, dass er auf dem bloßen Leib nur ein Bußgewand aus grobem Sacktuch trug. [31] Zornig rief er: »Gott soll mich schwer bestrafen, wenn ich nicht heute noch Elisa, den Sohn Schafats, um einen Kopf kürzer mache!«

[32] Er schickte einen Boten voraus und machte sich dann selbst auf den Weg zu Elisa. Elisa war zu Hause, und der Ältestenrat der Stadt saß gerade bei ihm. Noch bevor der königliche Bote angekommen war, sagte Elisa zu den Männern: »Gerade hat der König, dieser Mörder, einen Boten losgeschickt, der mir den Kopf abschlagen soll! Lasst ihn nicht herein, son-

---

6,22 Spr 25,21–22 **6,28–29** 3 Mo 26,29*

dern verriegelt die Tür! Der König wird auch gleich hier sein.«

[33] Elisa hatte noch nicht ausgeredet, da waren der Bote und gleich nach ihm der König auch schon herangeeilt. Der König fuhr Elisa an: »Der Herr hat uns in dieses Unglück gestürzt! Warum sollte ich von ihm noch Hilfe erwarten?«

7 Da ergriff Elisa das Wort. »Hört, was der Herr dazu sagt: ›Morgen um diese Zeit könnt ihr beim Stadttor von Samaria für ein Silberstück fünf Kilo feines Weizenmehl oder sogar zehn Kilo Gerste kaufen!‹« [2] Spöttisch antwortete der hohe Offizier, der den König begleitet hatte: »Das ist unmöglich! Sollte der Herr etwa am Himmel ein Fenster öffnen und Getreide herunterschütten?« »Mit eigenen Augen wirst du es sehen«, gab Elisa ihm zurück, »aber essen wirst du nichts davon!«

Das Ende der Hungersnot

[3] Draußen vor dem Stadttor saßen vier aussätzige Männer. Sie sagten zueinander: »Was sollen wir hier sitzen und auf den Tod warten? [4] In der Stadt herrscht Hungersnot. Gehen wir in die Stadt, dann verhungern wir, bleiben wir hier, verhungern wir auch. Warum also nicht ins Lager der Syrer gehen? Wenn sie uns am Leben lassen, dann haben wir noch einmal Glück gehabt. Und wenn sie uns umbringen, ist es auch egal. Hier wären wir ja sowieso gestorben.«

[5] Sobald es dunkel wurde, machten die vier sich auf den Weg zum Heerlager der Syrer. Doch als sie zu den ersten Zelten kamen, konnten sie weit und breit keinen Menschen entdecken. [6] Denn der Herr hatte die Syrer das Donnern von Pferdehufen und den Lärm heranbrausender Streitwagen hören lassen, als ob ein riesiges Heer im Anmarsch wäre. »Das sind die Könige der Hetiter und der Ägypter mit ihren Truppen!«, hatten die Syrer gedacht. »Bestimmt hat der König von Israel sie zu Hilfe gerufen! Gleich greifen sie an!« [7] Hals über Kopf hatten die Syrer in der Abenddämmerung die Flucht ergriffen. Ihre Zelte, die Pferde und Esel, ihr ganzes Hab und Gut – alles hatten sie zurückgelassen und waren um ihr Leben gerannt.

[8] Als nun die vier aussätzigen Männer ins Lager kamen, gingen sie in eines der Zelte, aßen sich erst einmal satt und stillten ihren Durst. Dann rafften sie alles an Silber, Gold und Kleidern zusammen, was sie dort im Zelt finden konnten, und versteckten die Schätze außerhalb des Lagers. Schnell eilten sie zurück, gingen in das nächste Zelt und nahmen auch von dort alles mit, was sie an Kostbarem finden konnten, um es in ihr Versteck zu bringen. [9] Doch dann sagten sie zueinander: »Eigentlich ist es nicht recht, was wir hier tun. Heute ist ein Freudentag! Wir haben eine so gute Nachricht für die Leute in der Stadt und behalten sie für uns. Wenn wir unsere Entdeckung erst morgen früh melden, werden wir bestraft. Kommt, lasst uns zurückgehen und im Königspalast alles berichten!«

[10] Die vier eilten zur Stadt zurück, machten die Torwächter durch lautes Rufen auf sich aufmerksam und erzählten ihnen, wie sie ins syrische Heerlager gekommen waren, aber dort keinen Menschen angetroffen hatten: »Wir sahen und hörten niemanden; Pferde und Esel waren an ihren Pfosten angebunden, und in den Zelten lagen noch alle Habseligkeiten der Syrer herum.«

[11] Die Torwächter verbreiteten die Nachricht sofort in der ganzen Stadt, und auch im Königspalast wurde sie gemeldet. [12] Obwohl es mitten in der Nacht war, stand König Joram auf und ließ seine Berater zu sich kommen. »Ich kann euch sagen, was die Syrer vorhaben«, begann der König. »Sie haben längst gemerkt, dass wir am Verhungern sind. Nun haben sie sich aus dem Lager zurückgezogen und sich in einem Hinterhalt versteckt. Sobald wir aus der Stadt herauskommen, wollen sie uns alle ge-

---

7,3 3 Mo 13,46; 4 Mo 5,2–4 **7,6** 6,17

fangen nehmen, um dann mühelos die Stadt zu erobern.«

[13] Da schlug einer der Berater vor: »Wir könnten doch fünf unserer letzten Pferde anspannen und in das Lager der Syrer fahren! Wir haben ja ohnehin nichts zu verlieren. Irgendwann werden die Tiere sterben, und auch wir halten nicht mehr lange durch. Lasst uns hinausfahren! Dann wollen wir einmal sehen, was geschieht!«

[14] Die Pferde wurden vor zwei Streitwagen gespannt. Der König gab den Wagenlenkern den Auftrag, das Versteck der Syrer aufzuspüren. [15] Die Kundschafter machten sich auf und folgten dem Weg, den das Heer genommen haben musste. Sie sahen überall Kleider und Waffen herumliegen, die die Syrer weggeworfen hatten, um schneller fliehen zu können. Beim Jordan kehrten sie um, eilten nach Samaria zurück und berichteten dem König, was sie gesehen hatten.

[16] Da strömten die Einwohner der Stadt in das verlassene Lager hinaus und plünderten es. Und was der Herr angekündigt hatte, das traf nun ein: Für ein Silberstück bekam man fünf Kilo feines Weizenmehl oder sogar zehn Kilo Gerste!

[17] Der König hatte den hohen Offizier, mit dem er am Tag zuvor zu Elisa gegangen war, zum Stadttor geschickt, um dort für Ordnung zu sorgen. Doch die aufgeregte Volksmenge trampelte ihn zu Tode. So traf ein, was der Prophet vorausgesagt hatte, als der König und sein Begleiter bei ihm waren. [18] Elisa hatte ja zum König gesagt, dass man am folgenden Tag beim Stadttor für ein einziges Silberstück fünf Kilo feines Weizenmehl oder sogar zehn Kilo Gerste kaufen könnte. [19] Darauf hatte der Offizier spöttisch geantwortet: »Das ist unmöglich! Sollte der Herr etwa am Himmel ein Fenster öffnen und Getreide herunterschütten?« Da hatte der Prophet ihm erwidert: »Mit eigenen Augen wirst du es sehen, aber essen wirst du nichts davon!«

[20] Und so geschah es nun: Die aufgeregte Volksmenge trampelte ihn beim Stadttor zu Tode.

König Joram verhilft der Frau aus Schunem zu ihrem Recht

8 Elisa hatte der Frau, deren Sohn er wieder zum Leben erweckt hatte, geraten: »Zieh mit deiner Familie und mit deiner ganzen Verwandtschaft weg von hier, und lass dich vorübergehend irgendwo im Ausland nieder! Denn der Herr lässt eine Hungersnot über das Land kommen, die sieben Jahre dauern wird.« [2] Da hatte die Frau ihre Sachen gepackt und war mit ihren Angehörigen ins Ausland gezogen, wie der Prophet ihr geraten hatte. Sie hatte sich im Land der Philister niedergelassen. [3] Als die sieben Jahre vorüber waren, kehrte sie nach Israel zurück. Doch inzwischen hatten andere von ihrem Haus und ihrem Land Besitz ergriffen. Da wandte sie sich hilfesuchend an den König.

[4] Als sie an den Hof kam, unterhielt der König sich gerade mit Elisas Diener Gehasi. Der König hatte ihn gebeten, ihm von allen großen Taten des Propheten zu berichten. [5] Gerade als Gehasi erzählte, wie Elisa den toten Jungen wieder zum Leben erweckt hatte, kam die Frau herein und bat den König, ihr im Rechtsstreit um ihr Haus und ihre Felder zu helfen. Da sagte Gehasi: »Mein Herr und König, das ist die Frau, von der ich dir eben erzählt habe, und der Junge bei ihr – das ist ihr Sohn, den Elisa wieder lebendig gemacht hat!« [6] »Stimmt das?«, fragte der König die Frau, und sie erzählte ihm noch einmal alles. Da gab er ihr einen Hofbeamten mit und befahl ihm: »Sorge dafür, dass sie ihren gesamten Besitz wieder zurückbekommt! Man soll ihr auch den ganzen Ertrag vergüten, den die Felder abgeworfen haben, seit dem Tag ihrer Abreise bis heute.«

8,1 4,8–37

Elisa in Damaskus

[7] Eines Tages kam Elisa nach Damaskus. Zu dieser Zeit lag der syrische König Ben-Hadad krank im Bett. Als man ihm berichtete, der Prophet aus Israel sei in der Stadt, [8] befahl er seinem Diener Hasaël: »Geh zu dem Boten Gottes, nimm Geschenke mit, und frag durch ihn den Herrn, ob ich wieder gesund werde.«

[9] Hasaël ließ vierzig Kamele mit kostbaren Geschenken aus Damaskus beladen, ging zu Elisa und sagte: »Dein ergebener Diener, König Ben-Hadad von Syrien, hat mich zu dir gesandt. Er lässt dich fragen, ob er wieder gesund wird.«

[10] Elisa antwortete: »Geh und richte ihm aus, dass er wieder gesund wird. Allerdings hat der Herr mir gezeigt, dass er trotzdem sterben muss!« [11] Bei diesen Worten wurde Elisas Gesicht sehr ernst, und er sah Hasaël so durchdringend an, dass dieser verlegen den Blick senkte. Plötzlich begann der Prophet zu weinen. [12] »Mein Herr, warum weinst du?«, fragte Hasaël, und er antwortete: »Weil ich weiß, welches Leid du den Israeliten zufügen wirst: Ihre Städte wirst du in Brand setzen und ihre jungen Männer mit dem Schwert umbringen. Du wirst ihre Säuglinge zerschmettern und den schwangeren Frauen den Bauch aufschlitzen.« [13] Hasaël erwiderte: »Ach mein Herr, wer bin ich schon! Wann sollte ich je so mächtig sein, dass ich so etwas tun könnte?« Da sagte Elisa zu ihm: »Der Herr hat mir gezeigt, dass du König über Syrien wirst.«

[14] Danach ging Hasaël zu seinem Herrn zurück. Ben-Hadad fragte ihn sofort: »Was hat Elisa dir gesagt?« »Er hat mir versichert, dass du wieder gesund wirst«, antwortete Hasaël. [15] Doch schon am nächsten Tag nahm der Diener eine Decke, tauchte sie ins Wasser und presste sie dem König so lange aufs Gesicht, bis er erstickt war. Dann wurde Hasaël an Ben-Hadads Stelle König.

Reich Juda

König Joram von Juda
(2. Chronik 21,1–20)

[16] Joram, der Sohn Joschafats, wurde König von Juda im 5. Regierungsjahr König Jorams von Israel, des Sohnes Ahabs. Die erste Zeit regierte er noch zusammen mit seinem Vater Joschafat. [17] Joram wurde mit 32 Jahren König und regierte acht Jahre in Jerusalem. [18] Er war mit einer Tochter Ahabs verheiratet und folgte in allem dem schlechten Vorbild seines Schwiegervaters. Er verehrte Götzen wie die Könige von Israel und tat, was der Herr verabscheute. [19] Doch der Herr wollte Juda nicht vernichten, weil er seinem Diener David versprochen hatte: »Immer wird einer deiner Nachkommen König über Juda sein.«

[20] Während Jorams Regierungszeit sagten sich die Edomiter von der Herrschaft Judas los und ernannten einen eigenen König. [21] Da zog König Joram mit allen seinen Streitwagen in die Gegend von Zaïr. Dort umzingelten die edomitischen Truppen ihn und seine Streitwagenoffiziere. In der folgenden Nacht gelang es den Eingeschlossenen zwar, die Reihen der Edomiter zu durchbrechen; doch inzwischen hatten die anderen Israeliten schon die Flucht ergriffen und waren nach Israel zurückgekehrt. [22] So konnte sich Edom endgültig von der Herrschaft Judas befreien und ist bis heute unabhängig geblieben. Zur gleichen Zeit lehnte sich auch Libna gegen Juda auf und machte sich unabhängig.

[23] Alles Weitere über Jorams Leben steht in der Chronik der Könige von Juda. [24] Als Joram starb, wurde er in der »Stadt Davids«, einem Stadtteil Jerusalems, im Grab der Königsfamilie beigesetzt. Sein Sohn Ahasja wurde sein Nachfolger.

8,12 10,32–33; 12,18; 13,3–7.22; Am 1,3–5 **8,18** 1 Kön 12,26–32*; 16,30–33 **8,19** 2 Sam 7,16*; 1 Kön 11,36 **8,20** 1 Kön 22,48

König Ahasja von Juda
(2. Chronik 22,1–6)

[25] Ahasja, der Sohn Jorams von Juda, wurde König von Juda im 12. Regierungsjahr König Jorams von Israel, des Sohnes Ahabs. [26] Seine Mutter hieß Atalja. Sie war eine Enkelin Omris, des früheren Königs von Israel. Ahasja wurde mit 22 Jahren König und regierte ein Jahr in Jerusalem. [27] Wie Ahab und seine Familie tat auch er, was der Herr verabscheute. Denn er war mit dem israelitischen Königshaus verschwägert und diente den Götzen genau wie seine Verwandten.

[28] Ahasja zog mit Joram, dem Sohn Ahabs, in den Krieg gegen König Hasaël von Syrien. Bei Ramot in Gilead kam es zur Schlacht. Joram wurde dabei verwundet. [29] Deshalb zog er sich nach Jesreel zurück, um sich von seinen Verletzungen zu erholen. Dort besuchte ihn König Ahasja von Juda, der Sohn Jorams.

Reich Israel

Jehu wird zum König gesalbt

9 Eines Tages rief Elisa einen Prophetenjünger zu sich und befahl ihm: »Mach dich sofort auf nach Ramot in Gilead! Nimm diesen Ölkrug mit! [2] In Ramot sollst du einen gewissen Jehu suchen. Er ist ein Sohn Joschafats und Enkel Nimschis. Ruf ihn von den anderen Heerführern weg, und geh mit ihm in einen Raum, wo ihr ungestört miteinander reden könnt! [3] Dort hol deinen Ölkrug hervor, und gieß Jehu das Öl über den Kopf. Sag ihm: ›So spricht der Herr: Ich habe dich zum König über Israel gesalbt.‹ Danach darfst du keinen Augenblick länger dort bleiben! Du musst sofort fliehen!«

[4] Der Prophetenjünger, der ein Diener Elisas war, machte sich auf den Weg nach Ramot in Gilead. [5] Als er dort ankam, saßen gerade alle Heerführer zusammen. Er ging zu ihnen und sagte: »Ich muss mit dem Heerführer reden!« »Mit welchem von uns?«, fragte Jehu den Mann, und er antwortete: »Mit dir!«

[6] Da stand Jehu auf und ging mit ihm ins Haus. Der Prophet goss das Öl über Jehus Kopf und sagte:

»So spricht der Herr, der Gott Israels: ›Ich habe dich zum König über mein Volk Israel gesalbt. [7] Du sollst alle Nachkommen König Ahabs, deines Herrn, umbringen, denn sie haben meine Diener, die Propheten, ermordet! So räche ich mich an ihnen und an Isebel. Sie hat das Leben von so vielen Menschen auf dem Gewissen, die mir gedient haben. [8] Keiner aus Ahabs Familie soll überleben. In ganz Israel werde ich alle männlichen Nachkommen von ihm ausrotten, ob jung oder alt. [9] Es wird dem Geschlecht Ahabs ergehen wie den Geschlechtern Jerobeams, des Sohnes Nebats, und Baschas, des Sohnes Ahijas. [10] Isebel wird nicht begraben, sondern die Hunde werden sie fressen auf einem Grundstück in Jesreel.‹« Nach diesen Worten verließ der Prophetenjünger das Haus und floh.

[11] Als Jehu wieder herauskam und sich zu den anderen Heerführern setzte, fragten sie ihn: »Ist alles in Ordnung? Was wollte dieser Verrückte von dir?« Jehu antwortete ausweichend: »Ach, ihr kennt doch diese Sorte Menschen und ihr Geschwätz!« [12] Doch sie gaben sich nicht zufrieden: »Mach uns doch nichts vor! Was wollte er? Los, heraus mit der Sprache!« Schließlich berichtete Jehu, was der Mann ihm gesagt hatte und dass er ihn auf Befehl des Herrn zum König über Israel gesalbt hatte.

[13] Da zogen die Heerführer schnell ihre Mäntel aus und legten sie vor Jehu als Teppich auf die Treppe. Dann bliesen sie in das Signalhorn und riefen: »Es lebe Jehu, unser König!«

9,3 1 Kön 19,16 **9,7–8** 1 Kön 18,4; 21,7–15; 2 Kön 9,24–27; 10,6–17 **9,9** 1 Kön 15,29; 16,11–13 **9,10** 9,35–37; 1 Kön 21,23 **9,13** Mt 21,7–9

Das Ende der Könige Joram und Ahasja

[14] Sofort plante Jehu, König Joram zu stürzen. Joram hatte mit seinem ganzen Heer Ramot in Gilead gegen König Hasaël von Syrien verteidigt. [15] Die Syrer hatten Joram im Kampf verwundet, deshalb war er wieder nach Jesreel zurückgekehrt, um sich dort von seinen Verletzungen zu erholen. Nun sagte Jehu zu den anderen Heerführern: »Wenn ihr wirklich hinter mir steht, dann passt auf, dass keiner die Stadt verlassen kann! Sonst läuft jemand nach Jesreel und verrät uns.« [16] Dann stieg er auf seinen Wagen und jagte mit ein paar Streitwagen zu König Joram nach Jesreel. In diesen Tagen war König Ahasja von Juda gerade zu Besuch bei Joram.

[17] Der Wächter auf dem Turm von Jesreel sah die Truppe Jehus auf die Stadt zukommen und meldete es dem König. Joram befahl: »Schick ihnen einen Reiter entgegen! Er soll sie fragen, ob sie in friedlicher Absicht kommen.« [18] Der Soldat ritt der Truppe entgegen und rief: »Der König lässt fragen, ob ihr in friedlicher Absicht kommt.« »Was geht dich das an?«, entgegnete Jehu. »Los, schließ dich meinen Leuten an!« Der Wächter in Jesreel meldete dem König: »Der Bote ist zu der Schar gestoßen, aber er kehrt nicht mehr zurück!«

[19] Da wurde ein zweiter Reiter zu Jehu geschickt. Als er die Truppe erreicht hatte, sagte auch er zu Jehu: »Der König lässt fragen, ob ihr in friedlicher Absicht kommt.« »Was geht dich das an?«, fragte Jehu wieder. »Los, schließ dich meinen Leuten an!« [20] Und wieder meldete der Wächter: »Er ist zu ihnen gestoßen, aber er kehrt nicht mehr zurück! Der Anführer der Truppe kann nur Jehu sein, der Sohn Nimschis, denn er fährt wie ein Verrückter!«

[21] Da ließ König Joram sofort seinen Wagen anspannen und fuhr Jehu selbst entgegen. König Ahasja von Juda begleitete ihn auf seinem Wagen. Genau auf dem Grundstück, das Nabot aus Jesreel gehört hatte, trafen die beiden Könige mit Jehu zusammen. [22] Sobald Joram seinen Heerführer sah, rief er ihm zu: »Kommst du in friedlicher Absicht, Jehu?« Jehu schrie zurück: »Wie kann Friede sein, solange deine Mutter Isebel fremden Götzen nachläuft und sich ständig mit Zauberei abgibt!« [23] Da rief Joram Ahasja zu: »Das ist ein Aufstand, Ahasja!« Er kehrte um und floh.

[24] Doch Jehu nahm seinen Bogen, zielte und traf Joram zwischen die Schulterblätter. Der Pfeil drang dem König ins Herz, so dass er auf der Stelle tot zusammenbrach. [25] Jehu sagte zu Bidkar, dem Offizier bei ihm im Wagen: »Nimm ihn vom Wagen, und wirf ihn auf das Grundstück Nabots! Erinnerst du dich, wie wir beide einmal in einem zweispännigen Wagen hinter Jorams Vater Ahab herfuhren und wie der Herr ihm durch einen Propheten sagen ließ: [26] ›Ich habe genau gesehen, wie du Nabot und seine Söhne hast umbringen lassen. Auf dem Grundstück, das Nabot gehörte, werde ich, der Herr, dich für die Morde bestrafen.‹ Wirf ihn also auf dieses Grundstück, damit eintrifft, was der Herr vorausgesagt hat!«

[27] Als König Ahasja von Juda sah, was geschehen war, floh er in Richtung Bet-Gan. Jehu jagte ihm nach und befahl seinen Soldaten: »Schießt auch auf ihn!« Bei der Steigung von Gur in der Nähe von Jibleam wurde Ahasja getroffen, floh aber weiter. Er kam noch bis nach Megiddo, wo er schließlich starb. [28] Seine Diener brachten den Leichnam auf einem Wagen nach Jerusalem und begruben ihn dort in der »Stadt Davids«, einem Stadtteil Jerusalems, im Grab der Königsfamilie. [29] Ahasja war im 11. Regierungsjahr Jorams, des Sohnes Ahabs, König über Juda geworden.

Das Ende Isebels

[30] Danach fuhr Jehu nach Jesreel hinein. Isebel, die von seinem Kommen wusste,

9,25–26 1 Kön 21,19 **9,27–28** 2 Chr 22,6–9

schminkte sich die Augen, frisierte ihr Haar und lehnte sich aus dem Fenster. [31] Als Jehu zum Palasttor hereinkam, rief sie hinunter: »Wie fühlt man sich denn so als Königsmörder? Du bist wie Simri, der seinen Herrn umgebracht hat!«[a] [32] Jehu sah hinauf und rief: »Wer im Palast hält zu mir?« Zwei oder drei Hofbeamte schauten heraus. [33] »Werft sie herunter!«, befahl Jehu ihnen.

Da stürzten sie die Königin aus dem Fenster. Bei ihrem Aufprall spritzte das Blut an die Mauer und an die Pferde. Jehu fuhr über ihre Leiche hinweg, [34] ging in den Palast und stillte erst einmal seinen Hunger und Durst. Dann befahl er: »Seht nach dieser von Gott verfluchten Frau, und beerdigt sie! Trotz allem war Isebel die Tochter eines Königs.«

[35] Doch die Diener, die sie begraben wollten, fanden von ihr nur noch den Schädel, die Füße und die Hände. [36] Sie kamen zu Jehu zurück und meldeten es ihm. Da sagte er: »Nun ist alles so eingetroffen, wie der Herr es durch seinen Diener Elia aus Tischbe angekündigt hat: ›Auf einem Grundstück in Jesreel sollen die Hunde Isebels Fleisch fressen. [37] Ja, auf einem Feld soll ihre Leiche zerfetzt werden und wie Mist auf dem Acker verstreut liegen. Niemand wird sie mehr als Isebel wiedererkennen.‹«

Jehu rottet die Nachkommen Ahabs aus

10 In Samaria wohnten noch siebzig Söhne und Enkel Ahabs. Jehu schickte Briefe nach Samaria an die einflussreichen Männer der Stadt: an die königlichen Beamten aus Jesreel, an den Ältestenrat der Stadt und an die Erzieher der Söhne und Enkel Ahabs. Die Briefe lauteten:

[2] »Ihr wohnt in einer befestigten Stadt und besitzt Waffen, Streitwagen und Pferde. Bei euch leben die Nachkommen eures Königs. Darum fordere ich euch mit diesem Brief auf: [3] Sucht den tüchtigsten und fähigsten der Königssöhne aus, und krönt ihn zum Nachfolger seines Vaters. Dann kämpft für euren König!«

[4] Doch die führenden Männer in Samaria hatten große Angst. Sie überlegten sich: »Nicht einmal die beiden Könige Joram und Ahasja konnten Jehu Widerstand leisten. Wie sollten wir es dann können?« [5] Darum schickten der Palastverwalter und der Stadtoberste zusammen mit den Ältesten und den Erziehern folgende Antwort an Jehu: »Wir sind deine Diener und wollen alles tun, was du von uns verlangst. Wir wollen keinen anderen König als dich. Tu, was du für richtig hältst.«

[6] Da schickte Jehu einen zweiten Brief nach Samaria. Darin hieß es: »Wenn ihr wirklich zu mir halten und meinen Befehlen gehorchen wollt, dann kommt morgen um diese Zeit zu mir nach Jesreel, und bringt mir die Köpfe aller Nachkommen König Ahabs!« Die siebzig Söhne und Enkel Ahabs wohnten nämlich bei den vornehmsten Bürgern Samarias und wurden von ihnen erzogen. [7] Als die einflussreichen Männer der Stadt den Brief gelesen hatten, ließen sie sofort alle siebzig Nachkommen Ahabs enthaupten, legten die Köpfe in Körbe und schickten sie zu Jehu nach Jesreel.

[8] Ein Diener meldete Jehu, man habe die Köpfe der Söhne und Enkel Ahabs gebracht. Da befahl Jehu: »Werft sie bis morgen früh beim Stadttor auf zwei Haufen!« [9] Am nächsten Morgen ging Jehu hinaus, stellte sich beim Tor auf und rief der Volksmenge zu: »Euch trifft keine Schuld an Jorams Tod. Ich allein habe die Verschwörung gegen unseren König angezettelt, und ich habe ihn auch umgebracht. Doch seine Söhne und Enkel hier habe nicht ich enthauptet! [10] Heute kann jeder von euch sehen: Was der Herr König Ahab und seiner Familie vorausgesagt hat, ist nun eingetroffen! Jede einzelne Drohung hat sich erfüllt. Es ist alles

---

[a] Vgl. 1. Könige 16,8–20

9,36 1 Kön 21,23 **10,10.17** 1 Kön 21,18–24

so gekommen, wie der Herr es durch seinen Diener Elia angekündigt hat.« [11] Danach ließ Jehu auch die Angehörigen Ahabs in Jesreel umbringen, außerdem alle hohen Beamten und engen Vertrauten des Königs und seine Priester. Nicht einer von ihnen konnte entkommen.

[12] Schließlich machte er sich auf den Weg nach Samaria. Unterwegs bei Bet-Eked-Roïm [13] traf er einige Männer, die mit König Ahasja von Juda verwandt waren. »Wer seid ihr?«, fragte Jehu, und sie antworteten: »Wir sind Verwandte König Ahasjas von Juda und sind unterwegs nach Samaria. Dort wollen wir die Söhne von König Ahab und Königin Isebel besuchen.« [14] Da befahl Jehu seinen Leuten: »Packt sie!« Sie nahmen die Männer fest und brachten sie zur Zisterne von Bet-Eked. Dort wurden alle hingerichtet. Es waren zweiundvierzig Männer. Keiner von ihnen konnte entkommen.

[15] Als Jehu seinen Weg nach Samaria fortsetzte, begegnete ihm Jonadab, ein Sohn Rechabs. Jehu grüßte ihn und fragte: »Du denkst doch so wie ich. Kann ich dir trauen?« »Ja«, antwortete Jonadab. »Dann gib mir die Hand darauf!«, sagte Jehu. Jonadab reichte ihm die Hand, und Jehu ließ ihn auf seinen Wagen steigen. [16] »Komm mit«, forderte er ihn auf, »und sieh, wie sehr ich für den Herrn kämpfe!« So fuhr Jonadab mit Jehu nach Samaria.

[17] Jehu brachte alle Angehörigen Ahabs um, die dort noch zurückgeblieben waren. Die ganze Familie Ahabs wurde ausgelöscht. Dadurch erfüllte sich, was der Herr damals durch seinen Diener Elia vorausgesagt hatte.

Jehu rottet die Baalspriester aus

[18] Danach rief Jehu das ganze Volk zusammen und kündigte an: »Schon Ahab hat unseren Gott Baal verehrt, aber ich, Jehu, diene ihm noch viel eifriger! [19/20] Ich habe bereits das erste große Opferfest für ihn vorbereitet. Ruft deshalb alle Propheten Baals, alle Priester und alle, die ihm dienen, hierher! Keiner von ihnen darf fehlen! Wer nicht kommt, wird mit dem Tode bestraft. Ruft ein großes Opferfest aus!«

So stellte Jehu den Anhängern Baals eine Falle, um sie alle umzubringen. Das Fest wurde überall angekündigt. [21] Jehu schickte seine Boten durch das ganze Land Israel. Aus allen Gegenden strömten die Leute, die Baal verehrten, zu seinem Tempel, bis er zum Bersten voll war.

[22] Vor Beginn des Festes befahl Jehu dem Verwalter der königlichen Kleiderkammer, allen Anhängern Baals Festkleider zu geben. [23] Danach gingen Jehu und Jonadab, der Sohn Rechabs, zusammen in den Baalstempel. Jehu sagte zu den Anhängern Baals: »Schaut noch einmal nach, ob sich wirklich keiner im Tempel aufhält, der den Herrn verehrt. Bei dem Opfer dürfen nur Leute dabei sein, die Baal dienen!«

[24] Während die beiden nach vorne zum Altar gingen, um Schlacht- und Brandopfer darzubringen, stellten sich rund um den Tempel achtzig Mann auf. Jehu hatte sie bestellt und ihnen angedroht: »Wehe dem, der einen einzigen dieser Baalsverehrer entkommen lässt! Mit seinem eigenen Leben muss er es bezahlen. Ich will, dass ihr sie alle umbringt!«

[25] Sobald Jehu das Brandopfer dargebracht hatte, befahl er seinen Leibwächtern und Offizieren: »Geht hinein, und tötet sie! Keiner darf entkommen!« Da stachen die Leibwächter und Offiziere Jehus alle im Tempel mit ihren Schwertern nieder und warfen die Leichen hinaus. Dann drangen sie in den innersten Raum des Tempels ein, [26] holten die geweihten Steinsäulen Baals heraus und warfen sie ins Feuer. [27] Die Gedenksäule Baals stürzten sie um und rissen den ganzen Tempel nieder. Bis heute wird dieser Ort als öffentlicher Abort benutzt.

10,11 Hos 1,4

Wie Jehu über Israel regierte

[28] So bereitete Jehu der Verehrung Baals in Israel ein Ende. [29] Doch er betete weiterhin die goldenen Stierfiguren in Bethel und Dan an und beging damit die gleiche Sünde wie Jerobeam, der Sohn Nebats, der die Israeliten zum Götzendienst verführt hatte.

[30] Eines Tages sprach der Herr zu Jehu: »Du hast Ahabs Familie ausgelöscht, so wie ich es für sie vorgesehen hatte. Weil du damit das getan hast, was ich wollte, werden deine Nachkommen noch bis zur vierten Generation über Israel herrschen.« [31] Doch Jehu lebte nicht völlig nach dem Gesetz des Herrn, des Gottes Israels. Er hielt an dem Götzendienst fest, mit dem schon Jerobeam, der Sohn Nebats, die Israeliten zur Sünde verführt hatte.

[32] Während der Regierungszeit Jehus begann der Herr, das Gebiet Israels zu verkleinern: König Hasaël von Syrien eroberte das ganze Gebiet [33] östlich des Jordans, angefangen bei Baschan über die Gebiete der Stämme Gad, Ruben und Manasse – also ganz Gilead – bis nach Aroër am Fluss Arnon.

[34] Alles Weitere über Jehus Leben und seine militärischen Erfolge ist in der Chronik der Könige von Israel festgehalten. [35/36] Er regierte achtundzwanzig Jahre in Samaria. Dort wurde er auch begraben. Sein Sohn Joahas wurde sein Nachfolger.

Reich Juda

Atalja reißt die Herrschaft an sich
(2. Chronik 22,10–12)

11 Als Ahasjas Mutter Atalja erfuhr, dass ihr Sohn tot war, ließ sie alle königlichen Nachkommen umbringen. [2] Nur Ahasjas Sohn Joasch überlebte, weil seine Tante Joscheba, eine Tochter König Jorams und Schwester Ahasjas, ihn rechtzeitig vor Atalja gerettet hatte. Heimlich hatte sie ihn aus seinem Zimmer geholt und ihn zusammen mit seiner Amme in einer Kammer versteckt, in der Bettzeug aufbewahrt wurde. [3] Später nahm sie ihn zu sich[a] und hielt ihn sechs Jahre im Tempelbereich verborgen. In dieser Zeit herrschte Atalja als Königin über Juda.

Atalja wird gestürzt – Joasch wird König
(2. Chronik 23)

[4] Im 7. Regierungsjahr Ataljas ließ der Priester Jojada alle Offiziere der Palastwache und der königlichen Leibwache zu sich in den Tempel des Herrn kommen und schloss mit ihnen einen Pakt. Mit einem Eid ließ er sie bekräftigen, dass sie seinen Plänen zustimmten. Dann führte er ihnen Joasch, den rechtmäßigen König, vor [5] und gab ihnen einige Anweisungen: »Die Abteilung, die am nächsten Sabbat ihren Dienst antritt, soll sich in drei Gruppen aufteilen. Die erste soll wie gewohnt beim Palast Wache halten, [6] die zweite beim Tor Sur und die dritte beim Tor, hinter dem die königliche Leibgarde steht. Auf diese Weise könnt ihr den Tempel immer im Auge behalten. [7] Die zwei Abteilungen aber, die am Sabbat abtreten, sollen in den Tempel des Herrn kommen, um König Joasch zu bewachen. [8] Sie sollen einen Kreis um ihn bilden und ihn mit der Hand an der Waffe auf Schritt und Tritt begleiten. Wer in diesen Kreis eindringen will, wird auf der Stelle getötet.«

[9] Die Offiziere befolgten die Anweisungen des Priesters Jojada. Am nächsten Sabbat kamen alle mit ihren Männern zu ihm – sowohl die Abteilungen, die vom Dienst abtraten, als auch die Abteilung, die antrat. [10] Der Priester gab den Offizie-

---

[a] »Später … zu sich« ist sinngemäß ergänzt. Joscheba war nach 2. Chronik 22,11 die Frau des Hohenpriesters Jojada und wohnte daher im Tempelbereich.

10,29 1 Kön 12,26–32* **10,32–33** 8,12 **11,1** 9,27–28 **11,10** 2 Sam 8,7

ren die Speere und Schilde, die seit König Davids Regierungszeit im Tempel aufbewahrt wurden, und die Offiziere verteilten sie an ihre Soldaten.[a] [11] Dann stellten die Soldaten der Leibgarde sich in einem Halbkreis auf, der von der Südseite des Tempels um den Brandopferaltar herum bis zur Nordseite reichte. Jeder hielt seine Waffe griffbereit. So war Joasch ringsum geschützt. [12] Nun führte Jojada ihn heraus, um ihn zum König zu krönen. Er setzte ihm die Krone auf, gab ihm das Königsgesetz[b] in die Hand und salbte ihn zum König. Da klatschten alle und riefen: »Hoch lebe der König!«

[13] Als Atalja das Freudengeschrei der Leibwächter und der Volksmenge hörte, kam auch sie zum Tempel. [14] Bei der Säule, wo nach altem Brauch der Platz des Königs war, sah sie einen neuen König stehen, umgeben von Offizieren und Trompetern. Aus ganz Juda war das Volk zusammengeströmt. Alle jubelten vor Freude, und die Trompeten erklangen. Entsetzt zerriss Atalja ihr Obergewand und schrie: »Verrat, Verrat!«

[15] Der Priester Jojada sagte zu den Offizieren, die den Befehl über die Abteilungen hatten: »Führt sie aus dem Tempelbereich hinaus! Sie soll nicht hier im Heiligtum getötet werden. Wer ihr aber folgt, den stecht an Ort und Stelle mit dem Schwert nieder!«

[16] Da ergriffen sie Atalja und brachten sie auf dem Weg, den die Reiter immer nahmen, zum Palast. Dort wurde sie getötet.

[17] Inzwischen ließ Jojada den König und das Volk einen Bund mit dem Herrn schließen. Sie bekräftigten darin, dass sie als Volk dem Herrn gehören wollten. Jojada veranlasste auch einen Bund zwischen dem Volk und dem neuen König. [18] Dann stürmten alle in den Tempel Baals und rissen ihn nieder. Sie zertrümmerten die Altäre und Götzenfiguren und töteten Mattan, den Priester Baals, bei den Altären.

Am Tempel des Herrn stellte Jojada Wachen auf. [19] Zugleich befahl er den Offizieren, den Soldaten der Palastwache und der Leibgarde sowie dem ganzen Volk, einen Zug zu bilden. Sie geleiteten den König aus dem Tempel durch das Tor der Leibwächter zum Palast hinab. Dort setzte er sich auf den Königsthron. [20] Die ganze Bevölkerung Judas freute sich mit. In Jerusalem selbst dagegen verhielt man sich ruhig, nachdem Atalja getötet worden war.

König Joasch von Juda
(2. Chronik 24,1–3)

12 Joasch war 7 Jahre alt, als er König von Juda wurde. [2] Er trat die Herrschaft im 7. Regierungsjahr König Jehus von Israel an und regierte vierzig Jahre in Jerusalem. Seine Mutter hieß Zibja und stammte aus Beerscheba. [3] Sein Leben lang tat Joasch, was dem Herrn gefiel, denn der Priester Jojada unterwies ihn. [4] Nur die Höhenheiligtümer ließ er nicht entfernen. Das Volk brachte dort weiterhin seine Opfer dar.

Joasch lässt den Tempel ausbessern
(2. Chronik 24,4–14)

[5] Eines Tages erklärte Joasch den Priestern: »Das Geld, das als heilige Gabe in den Tempel gebracht wird, soll euch Priestern gehören. Das betrifft die Tempelsteuer, das Geld zur Einlösung von Gelübden und die freiwilligen Spenden für den Tempel des Herrn. [6] All diese Gelder sollen die Geldeinnehmer an euch Priester weitergeben. Davon müsst ihr aber auch die Reparaturen bezahlen, die am Tempel anfallen.« [7] Doch als im

---

[a] »und die … Soldaten.« ist sinngemäß ergänzt.
[b] Das »Königsgesetz« war ein Buch, in dem alle Rechte und Pflichten des Königs aufgeschrieben waren. Vgl. 1. Samuel 10,25

11,12 5 Mo 17,18–20 **11,17** 2 Mo 24,7–8*; 2 Sam 5,3 **12,4** 5 Mo 12,2–3* **12,5** 2 Mo 25,2*; 3 Mo 27,1–8; 4 Mo 18,15–16; Neh 10,33–34

23. Regierungsjahr König Joaschs am Tempel immer noch nichts ausgebessert worden war, [8]rief der König Jojada und die anderen Priester zu sich und stellte sie zur Rede: »Warum habt ihr die Schäden am Tempel immer noch nicht reparieren lassen? Ab sofort dürft ihr das Geld, das die Geldeinnehmer euch geben, nicht mehr für euch selbst behalten, sondern ihr müsst alles für die Ausbesserungsarbeiten am Tempel abgeben.«

[9]Die Priester waren einverstanden, auf die Abgaben des Volkes zu verzichten, dafür aber auch nicht mehr für die Ausbesserungen am Tempel verantwortlich zu sein. [10]Der Priester Jojada nahm einen Kasten, bohrte ein Loch in seinen Deckel und stellte ihn neben den Altar rechts vom Tempeleingang. In diesen Kasten legten die Priester, die den Eingang bewachten, von jetzt an alles Geld, das zum Tempel des Herrn gebracht wurde. [11]Wenn der Kasten voll war, ließen sie den Hofsekretär und den Hohenpriester kommen. Unter deren Aufsicht wurde das Geld in Beutel abgefüllt und gewogen. [12]Dann wurde das abgezählte Geld den Bauführern ausgehändigt, die für die Bauarbeiten am Tempel des Herrn verantwortlich waren. Diese wiederum bezahlten damit die Handwerker, die im Tempel arbeiteten: die Zimmerleute, [13]die Maurer und die Steinhauer. Außerdem kauften sie Holz und Bausteine und was sonst noch gebraucht wurde, um Risse und andere Schäden auszubessern. [14]Von dem Geld aus dieser Kasse wurden keine goldenen oder silbernen Gegenstände hergestellt, keine silbernen Becken, Messer, Schalen oder Trompeten. [15]Alles erhielten die Bauführer für die Ausbesserungen am Tempel. [16]Dabei vertraute man auf die Ehrlichkeit der Bauführer. Sie mussten keine Rechenschaft über die Ausgaben ablegen.

[17]Nur das Geld, das bei Schuldopfern und Sündopfern eingenommen wurde, verwendete man nicht für die Tempelarbeiten. Es gehörte den Priestern.

Joasch wendet einen Angriff der Syrer ab
(2. Chronik 24,23–24)

[18]König Hasaël von Syrien griff mit seinen Truppen die Stadt Gat an und nahm sie ein. Danach wollte er auch Jerusalem erobern. [19]Doch König Joasch von Juda nahm alle Gaben, die seine Vorgänger Joschafat, Joram und Ahasja für das Heiligtum gestiftet hatten, und seine eigenen Weihgeschenke, dazu alles Gold aus den Schatzkammern des Tempels und des Königspalasts und ließ es dem syrischen König als Geschenk überbringen. Da zog Hasaël seine Truppen von Jerusalem ab.

Joaschs Tod
(2. Chronik 24,25–26)

[20]Alles Weitere über Joaschs Leben ist in der Chronik der Könige von Juda festgehalten. [21/22]Eines Tages verschworen seine Hofleute sich gegen ihn. Er hielt sich gerade in einem Gebäude der Verteidigungsanlage Jerusalems auf, von wo der Weg nach Silla hinabführt. Dort brachten Josachar, der Sohn Schimats, und Josabad, der Sohn Schomers, ihn um. Man begrub ihn in der »Stadt Davids«, einem Stadtteil Jerusalems, im Grab der Königsfamilie. Sein Sohn Amazja wurde sein Nachfolger.

Reich Israel

König Joahas von Israel

13 Joahas, der Sohn Jehus, wurde König von Israel im 23. Regierungsjahr König Joaschs von Juda, des Sohnes Ahasjas. Er regierte siebzehn Jahre in Samaria. [2]Joahas tat, was der Herr verabscheute, und ließ nicht davon ab. Er folgte dem schlechten Beispiel Jerobeams, der die Israeliten zum Götzendienst verführt hatte. [3]Das erregte den Zorn des Herrn, und so ließ er zu, dass

---

12,17 3 Mo 5,15–16; 7,7–10 **13,2** 1 Kön 12,26–32*

die Syrer immer wieder in Israel einfielen. Lange Zeit litten die Israeliten unter der Herrschaft Hasaëls, des Königs von Syrien, und unter seinem Sohn Ben-Hadad.

[4] Doch als Joahas zum Herrn um Hilfe schrie, erhörte der Herr sein Gebet, denn er sah, wie grausam der syrische König Israel unterdrückte. [5] Der Herr schickte den Israeliten einen Retter, der sie von der Herrschaft der Syrer befreite. Nun konnten sie wieder wie früher in Ruhe und Frieden leben. [6] Dennoch ließen sie nicht vom Götzendienst ab, zu dem Jerobeam und seine Nachkommen das Volk immer wieder verführt hatten. Sie opferten weiterhin fremden Götzen, und auch die Statue der Aschera blieb in Samaria stehen.

[7] Vom gesamten Heer des Königs Joahas waren zuletzt nur noch 50 Pferde, 10 Streitwagen und 10000 Fußsoldaten übrig. Den Rest hatte der König von Syrien vernichtet; wie Staub hatte er sie unter seinen Füßen zertreten.

[8] Alles Weitere über das Leben des Joahas und seine Feldzüge ist in der Chronik der Könige von Israel beschrieben. [9] Als er starb, wurde er in Samaria begraben. Sein Sohn Joasch wurde sein Nachfolger.

König Joasch von Israel

[10] Joasch, der Sohn des Joahas, wurde König von Israel im 37. Regierungsjahr König Joaschs von Juda. Er regierte sechzehn Jahre in Samaria. [11] Joasch tat, was der Herr verabscheute, und beging die gleiche Sünde wie Jerobeam, der die Israeliten zum Götzendienst verführt hatte.

[12] Alles Weitere über Joaschs Leben steht in der Chronik der Könige von Israel. Man kann dort nachlesen, welche Feldzüge er unternommen hat. Auch sein Krieg gegen König Amazja von Juda wird dort erwähnt.

[13] Als Joasch starb, übernahm Jerobeam[a] die Herrschaft. Joasch wurde in Samaria im Grab der Könige von Israel beigesetzt.

Der Prophet Elisa stirbt

[14] Elisa wurde schwer krank und lag im Sterben. Da besuchte ihn eines Tages Joasch, der König von Israel. Weinend beugte er sich über den Propheten und rief: »Mein Vater, mein Vater! Du Beschützer und Führer Israels!«[b] [15] Elisa befahl ihm: »Hol einen Bogen und Pfeile!« Joasch holte sie, [16/17] und Elisa forderte ihn auf: »Öffne das Fenster an der Ostseite, und spann den Bogen!« Der König öffnete das Fenster. Als er den Bogen gespannt hatte, legte Elisa seine Hände auf Joaschs Hände und sagte: »Schieß!« Kaum hatte Joasch den Pfeil abgeschossen, rief der Prophet: »Dieser Pfeil ist ein Siegespfeil, ein Zeichen des Herrn, dass er euch gegen die Syrer helfen wird! Bei Afek wirst du sie vernichtend schlagen.«

[18] Dann befahl er dem König: »Nimm nun die anderen Pfeile in die Hand!« Joasch nahm sie, und Elisa sagte: »Schlag damit auf den Boden!« Dreimal schlug Joasch auf den Boden, und dann hielt er inne. [19] Da wurde der Bote Gottes zornig. »Fünf- oder sechsmal hättest du schlagen sollen«, tadelte er ihn, »dann hättest du die Syrer endgültig vernichtet! Jetzt aber wirst du sie nur dreimal besiegen.«

[20] Bald darauf starb Elisa und wurde begraben. Als es Frühling wurde, fielen immer wieder Räuberbanden aus Moab in Israel ein. [21] Eines Tages wollte man in dem Dorf, wo Elisa begraben lag, einen Mann beerdigen. Plötzlich tauchte eine dieser Banden auf. Weil sie schnell fliehen wollten, warfen die Trauernden den

---

[a] Dieser König Jerobeam ist nicht zu verwechseln mit Jerobeam aus 1. Könige, der an der Teilung des Reiches Israel beteiligt war und auf den wegen seines Götzendienstes ständig Bezug genommen wird. Vgl. 1. Könige 12

[b] Wörtlich: Du Streitwagen Israels und sein (Wagen-)Lenker!

13,5 14,27; Ri 2,18 **13,12** 14,8–16

Toten in Elisas Grab. Kaum aber kam der Tote mit den Gebeinen des Propheten in Berührung, wurde er wieder lebendig und stand auf.

Elisas letzte Worte gehen in Erfüllung

[22] Solange König Joahas regierte, wurde Israel schwer bedrängt von dem syrischen König Hasaël. [23] Doch der Herr hatte Erbarmen mit seinem Volk und half ihm, denn er dachte an den Bund, den er mit Abraham, Isaak und Jakob geschlossen hatte. Deshalb hatte er sich noch nicht von den Israeliten abgewandt, er wollte sie nicht vernichten.

[24] Als König Hasaël von Syrien starb, trat sein Sohn Ben-Hadad die Nachfolge an. [25] Da eroberte König Joasch, der Sohn des Joahas, die Städte zurück, die Hasaël seinem Vater im Krieg abgenommen hatte. In drei Schlachten besiegte Joasch den syrischen König Ben-Hadad und konnte so die israelitischen Städte zurückgewinnen.

Reich Juda

König Amazja von Juda
(2. Chronik 25,1–4.11–12)

14 Amazja, der Sohn Joaschs, wurde König von Juda im 2. Regierungsjahr König Joaschs von Israel, der ein Sohn von Joahas war. [2] Er wurde mit 25 Jahren König und regierte neunundzwanzig Jahre in Jerusalem. Seine Mutter hieß Joaddan und stammte aus Jerusalem. [3] Amazja tat, was dem Herrn gefiel, obwohl er ihm nicht so treu diente wie sein Vorfahre David. Er folgte zwar dem guten Vorbild seines Vaters Joasch, [4] doch ließ auch er die Höhenheiligtümer nicht entfernen. Das Volk brachte dort weiterhin seine Opfer dar.

[5] Sobald Amazja die Herrschaft fest in Händen hatte, ließ er die Diener hinrichten, die seinen Vater, König Joasch, ermordet hatten. [6] Doch ihre Söhne ließ er am Leben und folgte so dem Gebot des Herrn, wie es im Gesetzbuch des Mose steht: »Eltern sollen nicht für die Verbrechen ihrer Kinder hingerichtet werden und Kinder nicht für die Schuld ihrer Eltern. Jeder soll nur für seine eigene Sünde bestraft werden.«[a]

[7] Amazja schlug die Edomiter bei einer Schlacht im Salztal. Sie waren mit einem Heer von 10000 Mann gegen ihn angerückt. In diesem Krieg eroberte er die Stadt Sela und nannte sie Jokteel. So heißt sie noch heute.

Amazja führt Krieg gegen König Joasch von Israel
(2. Chronik 25,17–24)

[8] Nach diesem Sieg schickte Amazja Boten zu Joasch von Israel, dem Sohn von Joahas und Enkel von Jehu, und ließ ihm sagen: »Lass uns gegeneinander Krieg führen! Dann sehen wir, wessen Heer stärker ist!« [9] Joasch, der König von Israel, ließ ihm antworten: »Ein Dornstrauch auf dem Libanongebirge sagte einmal zu einer mächtigen Zeder: ›Gib meinem Sohn deine Tochter zur Frau!‹ Doch die Tiere auf dem Libanon liefen über den Dornstrauch und zertrampelten ihn. [10] Ist dir der Sieg über die Edomiter zu Kopf gestiegen? Bleib lieber zu Hause, und genieße deinen Sieg! Warum willst du ins Unglück rennen und ganz Juda mit hineinreißen?« [11] Doch Amazja ließ sich nicht warnen. Da zog König Joasch von Israel mit seinem Heer nach Juda, und bei Bet-Schemesch kam es zur Schlacht zwischen ihm und König Amazja. [12] Die Judäer wurden von den Israeliten besiegt und flohen nach Hause. [13] König Amazja von Juda, der Sohn Joaschs und Enkel Ahasjas, wurde vom israelitischen König

---

[a] 5. Mose 24,16

13,23 1 Mo 15,18–21; 26,2–3; 28,13–15 **14,3** 12,3 **14,4** 5 Mo 12,2–3* **14,5** 12,21–22 **14,6** Hes 18,1–4 **14,8** 1 Kön 12,22–24

noch in Bet-Schemesch gefangen genommen. Anschließend rückte Joasch bis nach Jerusalem vor und riss die Stadtmauer auf einer Länge von 200 Metern ein, vom Ephraimtor bis zum Ecktor. [14]Er plünderte alles Gold und Silber und alle kostbaren Gegenstände aus den Schatzkammern des Tempels und des Königspalasts. Mit dieser Beute und einer Anzahl von Geiseln kehrte er nach Samaria zurück.

Reich Israel

Joaschs Tod

[15]Alles Weitere über Joaschs Leben ist in der Chronik der Könige von Israel festgehalten. Dort kann man nachlesen, wie er regierte und welche Feldzüge er unternahm. Auch sein Krieg gegen König Amazja von Juda ist dort beschrieben. [16]Als Joasch starb, wurde er in Samaria im Grab der Könige von Israel beigesetzt. Sein Sohn Jerobeam wurde an seiner Stelle König.

Reich Juda

Amazjas Tod
(2. Chronik 25,25 – 26,2)

[17]Nach dem Tod Joaschs, des Königs von Israel, lebte Amazja, der König von Juda, noch fünfzehn Jahre. [18]Alles Weitere über Amazjas Leben steht in der Chronik der Könige von Juda. [19]Als in Jerusalem eine Verschwörung gegen ihn angezettelt wurde, konnte er zwar nach Lachisch entkommen. Aber die Verschwörer ließen ihn verfolgen, und so wurde er schließlich in Lachisch umgebracht. [20]Man lud den Toten auf ein Pferd und brachte ihn zur »Stadt Davids«, einem Stadtteil Jerusalems. Dort wurde er im Grab der Königsfamilie beigesetzt.

[21]Die Judäer ernannten Amazjas Sohn Asarja zum neuen König. Er war damals 16 Jahre alt. [22]Gleich nach dem Tod seines Vaters eroberte er die Stadt Elat zurück und baute sie wieder auf.

Reich Israel

König Jerobeam von Israel

[23]Jerobeam, der Sohn König Joaschs von Israel, wurde König von Israel im 15. Regierungsjahr König Amazjas von Juda, des Sohnes Joaschs. Jerobeam regierte einundvierzig Jahre in Samaria. [24]Er tat, was der Herr verabscheute, und behielt den Götzendienst bei, zu dem Jerobeam, der Sohn Nebats, die Israeliten verführt hatte. [25]Jerobeam konnte alle Gebiete zurückerobern, die früher zu Israel gehört hatten, von Lebo-Hamat bis ans Tote Meer.

Damit erfüllte sich, was der Herr, der Gott Israels, angekündigt hatte. Durch seinen Diener, den Propheten Jona aus Gat-Hefer, einen Sohn Amittais[a], hatte er es den Israeliten vorausgesagt. [26]Denn der Herr hatte gesehen, wie elend es den Israeliten erging: Freie und Sklaven – alle mussten leiden, und weit und breit war niemand, der Israel helfen konnte. [27]Weil der Herr das Volk Israel nicht auslöschen wollte, half er ihnen nun durch Jerobeam, den Sohn Joaschs.

[28]Jerobeams weiteres Leben, seine Feldzüge und militärischen Erfolge sind in der Chronik der Könige von Israel beschrieben. Dort kann man nachlesen, wie er die Städte Damaskus und Hamat mit den dazugehörigen Gebieten zurückeroberte. Diese beiden Städte hatten zur Zeit Davids[b] noch zu Israel gehört. [29]Als Jerobeam starb, wurde er bei den Köni-

---

[a] Vgl. Jona 1,1
[b] »zur Zeit Davids« ist sinngemäß ergänzt.

14,23 Hos 1,1; Am 1,1 **14,24** 1 Kön 12,26–32* **14,26–27** 13,4–5; Ri 2,18 **14,28** 2 Sam 8,5–8

gen von Israel begraben. Sein Sohn Secharja wurde zum Nachfolger bestimmt.

Reich Juda

König Asarja von Juda
(2. Chronik 26,1–23)

15 Asarja, der Sohn Amazjas, wurde König von Juda im 27. Regierungsjahr König Jerobeams von Israel. [2]Er regierte zweiundfünfzig Jahre in Jerusalem. Asarja war 16 Jahre alt, als er König wurde. Seine Mutter hieß Jecholja und stammte aus Jerusalem. [3]Wie sein Vater Amazja tat auch er, was dem Herrn gefiel. [4]Nur die Höhenheiligtümer ließ auch er nicht entfernen, und das Volk brachte dort weiterhin seine Opfer dar.

[5]Der Herr bestrafte den König und ließ ihn an Aussatz erkranken. Bis zu seinem Tod wurde er nicht mehr gesund. Wegen seiner Krankheit musste Asarja für den Rest seines Lebens in einem abgesonderten Haus wohnen. Die Regierungsgeschäfte und die Aufsicht über den Palast übergab er seinem Sohn Jotam.

[6]Alles Weitere über Asarjas Leben steht in der Chronik der Könige von Juda. [7]Als Asarja starb, wurde er in der »Stadt Davids«, einem Stadtteil Jerusalems, im Grab der Königsfamilie beigesetzt. Sein Sohn Jotam trat die Nachfolge an.

Reich Israel

König Secharja von Israel

[8]Secharja, der Sohn Jerobeams, wurde König von Israel im 38. Regierungsjahr König Asarjas von Juda. Er regierte sechs Monate in Samaria. [9]Wie seine Vorgänger tat auch er, was der Herr verabscheute, und behielt den Götzendienst bei, zu dem Jerobeam, der Sohn Nebats, die Israeliten verführt hatte. [10]Schallum, der Sohn Jabeschs, zettelte eine Verschwörung gegen ihn an und erschlug ihn in aller Öffentlichkeit. Dann wurde er an seiner Stelle König.

[11]Alles Weitere über Secharja ist in der Chronik der Könige von Israel festgehalten.

[12]Der Herr hatte Jehu zugesagt, dass seine Nachkommen bis in die vierte Generation hinein als Könige über Israel herrschen würden. Dieses Versprechen hatte sich nun erfüllt.

König Schallum von Israel

[13]Schallum, der Sohn Jabeschs, wurde König von Israel im 39. Regierungsjahr König Asarjas[a] von Juda und regierte genau einen Monat in Samaria. [14]Dann kam Menahem, der Sohn Gadis, von Tirza nach Samaria, erschlug Schallum in der Stadt und wurde an seiner Stelle König.

[15]Alles Weitere über Schallum und seine Verschwörung steht in der Chronik der Könige von Israel.

[16]Menahem eroberte von Tirza aus die Stadt Tifsach und das dazugehörige Gebiet. Denn ihre Bürger wollten sich ihm nicht freiwillig unterwerfen. Allen schwangeren Frauen ließ er den Bauch aufschlitzen.

König Menahem von Israel

[17]Menahem, der Sohn Gadis, wurde König von Israel im 39. Regierungsjahr König Asarjas von Juda. Er regierte zehn Jahre in Samaria. [18]Sein Leben lang tat er, was der Herr verabscheute. Er behielt den Götzendienst bei, zu dem Jerobeam, der Sohn Nebats, die Israeliten verführt hatte.

[19]Während seiner Regierungszeit rück-

---

[a] Wörtlich: Usijas. – So auch in Vers 30, 32 und 34.

15,3 14,3 **15,4** 12,4; 14,4; 5 Mo 12,2–3* **15,5** 3 Mo 13,46; 4 Mo 5,2 **15,9** 1 Kön 12,26–32* **15,12** 10,30

te der assyrische König Tiglat-Pileser[a] mit seinem Heer gegen Israel an. Menahem gab ihm 35 Tonnen Silber. Er wollte sich damit die Unterstützung Tiglat-Pilesers erkaufen, um die eigene Macht zu festigen. Tatsächlich zog Tiglat-Pileser seine Truppen ab und ließ die Israeliten unbehelligt. [20] Das Silber für den König von Assyrien trieb Menahem durch eine Sondersteuer ein. Jeder reiche Israelit musste 50 Silberstücke zahlen.

[21] Menahems weiteres Leben ist in der Chronik der Könige von Israel beschrieben. [22] Als er starb, bestieg sein Sohn Pekachja den Thron.

König Pekachja von Israel

[23] Pekachja, der Sohn Menahems, wurde König von Israel im 50. Regierungsjahr König Asarjas von Juda. Er regierte zwei Jahre in Samaria. [24] Pekachja tat, was der Herr verabscheute, und behielt den Götzendienst bei, zu dem Jerobeam, der Sohn Nebats, die Israeliten verführt hatte.

[25] Pekach, der Sohn Remaljas, einer der höchsten Offiziere Pekachjas, verschwor sich mit fünfzig Männern aus Gilead gegen ihn und erschlug ihn im Königspalast. Bei dem Umsturz kamen auch Argob und Arje ums Leben. Pekach wurde der Nachfolger des ermordeten Königs.

[26] Alles Weitere über Pekachjas Leben steht in der Chronik der Könige von Israel.

König Pekach von Israel

[27] Pekach, der Sohn Remaljas, wurde König von Israel im 52. Regierungsjahr König Asarjas von Juda. Er regierte zwanzig Jahre in Samaria. [28] Pekach tat, was der Herr verabscheute, und hielt am Götzendienst fest, zu dem Jerobeam, der Sohn Nebats, die Israeliten verführt hatte.

[29] Während Pekachs Regierungszeit griff der assyrische König Tiglat-Pileser Israel an. Er eroberte die Städte Ijon, Abel-Bet-Maacha, Janoach, Kedesch und Hazor und nahm die Gebiete von Gilead und Galiläa ein sowie das ganze Stammesgebiet von Naftali. Die Bewohner der eroberten Gebiete verschleppte er nach Assyrien.

[30] Im 20. Regierungsjahr Pekachs zettelte Hoschea, der Sohn Elas, eine Verschwörung gegen Pekach an und brachte ihn um. Dann wurde er an seiner Stelle König. Dies geschah im 20. Regierungsjahr König Jotams von Juda, des Sohnes Asarjas.

[31] Alles Weitere über Pekachs Leben ist in der Chronik der Könige von Israel festgehalten.

Reich Juda

König Jotam von Juda
(2. Chronik 27)

[32] Jotam, der Sohn Asarjas, wurde König von Juda im 2. Regierungsjahr König Pekachs von Israel. [33] Er regierte sechzehn Jahre in Jerusalem. Seine Mutter hieß Jeruscha; sie war eine Tochter Zadoks. Jotam war 25 Jahre alt, als er König wurde. [34] Wie sein Vater Asarja tat er, was dem Herrn gefiel. [35] Nur die Höhenheiligtümer ließ auch er nicht entfernen. Das Volk brachte dort weiterhin seine Opfer dar. Jotam baute das obere Tor des Tempels.

[36] Alles Weitere über sein Leben steht in der Chronik der Könige von Juda. [37] Während Jotams Regierungszeit erklärten Rezin, der König von Syrien, und Pekach, der Sohn Remaljas, Juda den Krieg. Der Herr hatte sie dazu gebracht. [38] Als Jotam starb, wurde er in der »Stadt Davids«, einem Stadtteil Jerusalems, im Grab der Königsfamilie beigesetzt. Sein Sohn Ahas wurde sein Nachfolger.

---

[a] Im hebräischen Text steht Pul, der babylonische Name für Tiglat-Pileser.

15,29 17,6; 5 Mo 28,25* **15,34** 15,3 **15,35** 12,4; 14,4; 15,4; 5 Mo 12,2–3*

König Ahas von Juda
(2. Chronik 28,1–4)

16 Ahas, der Sohn Jotams, wurde König von Juda im 17. Regierungsjahr Pekachs, des Sohnes Remaljas. [2] Ahas war 20 Jahre alt, als er König wurde. Er regierte sechzehn Jahre in Jerusalem. Er folgte nicht dem Vorbild seines Vorfahren David und tat nicht, was dem Herrn, seinem Gott, gefiel, [3] sondern er lebte wie die Könige von Israel. Er ging sogar so weit, dass er seinen Sohn als Opfer verbrannte. Diesen schrecklichen Brauch übernahm er von den Völkern, die der Herr aus dem Land vertrieben hatte, um es seinem Volk Israel zu geben. [4] Ahas brachte in den Höhenheiligtümern, auf den Hügeln und unter den dicht belaubten Bäumen seine Opfer dar.

Ahas sucht Hilfe beim König von Assyrien
(2. Chronik 28,5–8.16–21)

[5] Als Ahas regierte, erklärten König Rezin von Syrien und König Pekach von Israel, der Sohn Remaljas, Juda den Krieg. Sie kamen mit ihren Heeren bis vor Jerusalem und belagerten die Stadt, konnten sie aber nicht einnehmen. [6] Gleichzeitig gelang es dem syrischen König Rezin, die Stadt Elat wieder zurückzugewinnen. Er vertrieb alle Judäer aus der Stadt. An ihrer Stelle ließen sich edomitische Siedler in Elat nieder. Bis heute wohnen die Edomiter dort.

[7] Ahas schickte Boten zu Tiglat-Pileser, dem König von Assyrien, und ließ ihm sagen: »Ich unterwerfe mich dir und stelle mich unter deinen Schutz! Die Könige von Syrien und Israel haben mich angegriffen. Komm doch, und befrei mich von ihnen!« [8] Zugleich ließ er dem assyrischen König alles Silber und Gold aus dem Tempel und den Schatzkammern des Palasts als Geschenk überreichen. [9] Tiglat-Pileser willigte ein. Er griff Damaskus an, eroberte die Stadt und führte die Einwohner in die Gefangenschaft nach Kir. König Rezin ließ er töten.

Ahas entweiht den Tempel
(2. Chronik 28,22–27)

[10] König Ahas ging nach Damaskus, weil er dort mit dem assyrischen König Tiglat-Pileser zusammentreffen wollte. In Damaskus sah Ahas einen Altar, der ihm sehr gefiel. Er schickte ein Modell davon an den Priester Uria, gab die genauen Maße an und beschrieb alle Einzelheiten. [11] Uria baute den Altar nach dieser Vorlage und stellte ihn fertig, bevor der König aus Damaskus zurückkehrte.

[12] Wieder in Jerusalem angekommen, sah Ahas sich den neuen Altar an. Er stieg die Stufen hinauf [13] und brachte selbst die ersten Opfer dar: Er verbrannte Brand- und Speiseopfer, goss ein Trankopfer aus und sprengte das Blut eines Dankopfers an den Altar.

[14] Zwischen dem Tempel und dem neuen Altar stand immer noch der bronzene Altar, auf dem die Opfer für den Herrn dargebracht wurden. Ihn ließ der König von der Vorderseite des Tempels wegtragen und hinter den neuen Altar stellen. [15] Dem Priester Uria befahl Ahas: »Von jetzt an wirst du alle Opfer auf dem großen Altar darbringen: sowohl die täglichen Morgen- und Abendopfer als auch die verschiedenen Opfer für den König und für das Volk – die Brandopfer, Speiseopfer und Trankopfer. Auch das Blut der Opfertiere sollst du nur noch an den neuen Altar sprengen. Den alten bronzenen Altar aber werde nur noch ich benutzen, wenn ich von Gott Weisungen einholen will.« [16] Der Priester Uria tat, was der König ihm befohlen hatte.

[17] Doch König Ahas nahm noch weitere Veränderungen im Tempel vor: Er ließ die Leisten an den Kesselwagen entfernen und die Kessel abnehmen. Das große Wasserbecken aus Bronze wurde

---

16,3 3,27; 3 Mo 18,21*; 5 Mo 18,9–12 **16,4** 5 Mo 12,2–3* **16,5–9** Jes 7,1–9 **16,17** 1 Kön 7,23–39

von den Rinderfiguren, die es trugen, heruntergenommen und auf einen Unterbau aus Steinen gesetzt. [18] Auf Wunsch des Königs von Assyrien ließ Ahas aus dem Tempel die Plattform für den Königsthron entfernen und den königlichen Privateingang verschließen.[a]

[19] Alles Weitere über das Leben des Ahas steht in der Chronik der Könige von Juda. [20] Als er starb, wurde er in der »Stadt Davids«, einem Stadtteil Jerusalems, im Grab der Königsfamilie beigesetzt. Sein Sohn Hiskia wurde sein Nachfolger.

Reich Israel

Hoschea, der letzte König von Israel

17 Hoschea, der Sohn Elas, wurde König von Israel im 12. Regierungsjahr von König Ahas von Juda. Er regierte neun Jahre in Samaria. [2] Hoschea tat, was der Herr verabscheute, doch nicht in dem Maße wie seine Vorgänger.

[3] Salmanassar, der König von Assyrien, unternahm einen Feldzug gegen Israel. Hoschea unterwarf sich und musste den Assyrern von da an Tribut entrichten. [4] Doch nach mehreren Jahren lehnte Hoschea sich gegen die assyrische Herrschaft auf. Er zahlte keinen Tribut mehr und schickte Boten zu König So nach Ägypten, um sich mit ihm zu verbünden[b]. Doch der assyrische König deckte die Verschwörung auf, ließ Hoschea verhaften und ins Gefängnis werfen.

Der Untergang Samarias

[5] Salmanassar ließ seine Truppen in Israel einmarschieren. Sie rückten bis nach Samaria vor und belagerten die Stadt drei Jahre lang. [6] Im 9. Regierungsjahr Hoscheas eroberte König Salmanassar Samaria und verschleppte die Israeliten nach Assyrien. Einen Teil der Gefangenen siedelte er in der Gegend von Halach an, andere in der Provinz Gosan am Fluss Habor und in den Städten Mediens.

[7] Dies alles war geschehen, weil die Israeliten gegen den Herrn, ihren Gott, gesündigt hatten. Er hatte sie aus der Gewalt des Pharaos befreit und aus Ägypten nach Israel geführt. Doch sie verehrten immer wieder andere Götter [8] und übernahmen die heidnischen Bräuche der Völker, die der Herr aus dem Land vertrieben hatte, um es seinem Volk zu geben. Die Könige von Israel hatten das ganze Volk zum Götzendienst verführt. [9] Die Israeliten taten vieles, was den Herrn beleidigte. Überall errichteten sie Heiligtümer für ihre Götzen, sowohl in den Städten als auch draußen auf dem Land. [10] Auf den Hügeln und unter den dicht belaubten Bäumen stellten sie Steine und Holzpfähle auf und weihten sie ihren Göttern. [11] Sie verbrannten Weihrauch auf den Hügeln wie die Völker, die der Herr aus dem Land vertrieben hatte. Mit all diesen Vergehen forderten sie den Zorn des Herrn heraus. [12] Sie taten genau das, was er ihnen verboten hatte: Sie verehrten tote Götzen.

[13] Immer und immer wieder hatte der Herr Propheten und Seher nach Israel und Juda gesandt, um sein Volk zu warnen: »Kehrt um von euren falschen Wegen! Befolgt meine Gebote und Weisungen! Lebt nach dem Gesetz, das ich euren Vorfahren gegeben habe! Meine Knechte, die Propheten, haben es euch immer wieder gesagt.«

[14] Aber sie wollten nicht hören. Wie ihre Vorfahren, die sich vom Herrn abgewandt hatten, hielten auch sie stur an ihren Götzen fest. [15] Sie schlugen Gottes

---

[a] So in Anlehnung an die griechische Übersetzung. Der hebräische Text ist nicht sicher zu deuten.
[b] »um sich mit ihm zu verbünden« ist sinngemäß ergänzt.

17,2 1 Kön 12,26–32* **17,5–6** 18,9–11 **17,7–8** 2 Mo 20,3–5*; 5 Mo 18,9–12; Jos 24,14–24; Ri 2,20–23 **17,9–11** 5 Mo 12,2–3* **17,15** 2 Mo 24,7–8*

Gebote und Warnungen in den Wind und verachteten den Bund, den er mit ihren Vorfahren geschlossen hatte. Sie betrogen sich selbst und liefen toten Götzen nach; sie wollten sein wie ihre Nachbarvölker, obwohl der Herr es ihnen verboten hatte. [16] Die Gebote des Herrn, ihres Gottes, beachteten sie nicht mehr. Sie gossen sich zwei Stierfiguren und stellten eine Statue der Göttin Aschera auf, sie beteten die Sterne an und verehrten den Gott Baal. [17] Ihre Söhne und Töchter verbrannten sie als Opfer für ihre Götzen, sie trieben Wahrsagerei und Zauberei. Mit Leib und Leben verschrieben sie sich allem, was der Herr verabscheute, und reizten ihn dadurch bis aufs äußerste.

[18] Da wurde der Herr sehr zornig über Israel. Er wandte sich von ihnen ab und trieb sie fort. Nur der Stamm Juda blieb im Land zurück.

[19] Doch auch die Judäer wollten von den Geboten des Herrn, ihres Gottes, nichts wissen. Sie folgten dem schlechten Vorbild der Bewohner Nordisraels. [20] Da verstieß der Herr das ganze Volk. Er ließ zu, dass feindliche Heere in das Land einfielen und es ausplünderten. So bestrafte er sein Volk und wandte sich von ihm ab.

[21] Der Herr selbst hatte vorher dafür gesorgt, dass das Nordreich Israel vom Königshaus David abfiel. Die Stämme des Nordreichs hatten Jerobeam, den Sohn Nebats, zu ihrem König gemacht. Doch Jerobeam hatte Israel davon abgebracht, dem Herrn zu dienen. Er hatte sie zu einer schweren Sünde verführt: zum Götzendienst. [22] Sie folgten dem schlechten Beispiel Jerobeams und ließen nie mehr vom Götzendienst ab.

[23] Darum traf ein, was der Herr ihnen durch seine Diener, die Propheten, immer wieder angedroht hatte: Er verstieß die Israeliten. Sie wurden als Gefangene nach Assyrien verschleppt. Dort leben sie heute noch.

Fremde Völker werden in Samarien angesiedelt

[24] Der assyrische König ließ Einwohner der Städte Babylon, Kuta, Awa, Hamat und Sefarwajim nach Samarien bringen und sie dort in den verlassenen israelitischen Städten ansiedeln. Sie nahmen das Land und die Städte in Besitz. [25] Doch die neuen Bewohner verehrten nicht den Herrn. Deshalb ließ der Herr Löwen in die Gegend kommen, die viele Menschen töteten.

[26] Bald wurde dem assyrischen König gemeldet: »Die Völker, die du in den Städten Samariens angesiedelt hast, wissen nicht, wie der Gott dieses Landes verehrt werden muss. Darum hat er Löwen in das Land geschickt; schon haben sie viele Menschen getötet! Und das nur, weil niemand weiß, was der Gott dieses Landes von ihnen verlangt.« [27] Da befahl der König von Assyrien: »Einer der Priester, die aus Samarien hierher gebracht wurden, soll in seine Heimat zurückkehren und wieder dort wohnen. Er soll den Menschen sagen, wie der Gott des Landes verehrt werden möchte!«

[28] Daraufhin kehrte ein Priester aus der Verbannung zurück. Er wohnte in Bethel und erklärte den neuen Bewohnern des Landes, wie sie dem Herrn dienen sollten. [29] Aber die Siedler hielten weiterhin auch an ihren Götzen fest. Jede Volksgruppe machte sich ihre Götzenstatue und stellte sie in eines der Höhenheiligtümer, die von den Israeliten überall gebaut worden waren. [30] Die Siedler aus Babylon errichteten eine Statue des Gottes Sukkot-Benot, die aus Kuta stellten ein Standbild Nergals auf, die aus Hamat eine Statue Aschimas; [31] die Awiter verehrten die Götter Nibhas und Tartak, und die Siedler aus Sefarwajim verbrannten ihre Söhne als Opfer für ihre Götter Adrammelech und Anammelech. [32] Sie alle verehrten den Herrn, aber zugleich weihten sie Männer aus ihren eigenen

---

17,16 5 Mo 4,15–20; 1 Kön 12,26–32* **17,17** 16,3; 3 Mo 18,21*; 5 Mo 18,9–12 **17,21** 1 Kön 11,26–32; 14,7–11

Reihen zu Priestern, die in den Höhenheiligtümern für sie Opfer darbrachten. [33] Sie dienten dem Herrn und gleichzeitig ihren Göttern, wie es in den Ländern Brauch war, aus denen sie gekommen waren.

[34] Und so ist es bis heute geblieben: Die Bewohner Samariens leben nach ihren alten Bräuchen, anstatt dem Herrn allein zu dienen. Sie halten sich nicht an seine Weisungen und Gebote, sie beachten das Gesetz nicht, das der Herr den Nachkommen Jakobs, den Israeliten, gegeben hat. Jakob hatte vom Herrn den Namen Israel bekommen.[a] Mit seinen Nachkommen, [35] dem Volk Israel, hatte der Herr einen Bund geschlossen und ihnen befohlen:

»Verehrt keine anderen Götter! Werft euch nicht vor ihnen nieder, um sie anzubeten! Dient ihnen nicht, und bringt ihnen keine Opfer dar! [36] Allein mir, dem Herrn, sollt ihr in Ehrfurcht dienen, denn meiner Macht und meinem Eingreifen verdankt ihr eure Befreiung. Ich habe euch aus Ägypten nach Israel geführt! Werft euch nur vor mir nieder, und bringt allein mir Opfer dar! [37] Befolgt alle Gebote, die ich, der Herr, euch gegeben habe! Haltet euch an jedes Gesetz, jede Weisung und jeden Befehl! Verehrt keine anderen Götter! [38] Vergesst den Bund nicht, den ich mit euch geschlossen habe, und betet keine anderen Götter an! [39] Allein vor mir, dem Herrn, eurem Gott, sollt ihr Ehrfurcht haben. Nur ich kann euch aus der Hand eurer Feinde erretten.«

[40] Doch die Bewohner Samariens hörten nicht darauf, sondern lebten weiterhin nach ihren früheren Bräuchen. [41] Sie verehrten zwar den Herrn, aber gleichzeitig dienten sie ihren Göttern, deren Statuen sie aufgestellt hatten. Ihre Nachkommen taten es ihnen gleich, und noch heute leben sie wie ihre Vorfahren.

Reich Juda

König Hiskia von Juda
(2. Chronik 29,1–2; 31,1)

18 Im 3. Regierungsjahr König Hoscheas von Israel, des Sohnes Elas, trat Hiskia, der Sohn des Königs Ahas von Juda, die Herrschaft an. [2] Er wurde mit 25 Jahren König und regierte neunundzwanzig Jahre in Jerusalem. Seine Mutter hieß Abi, sie war eine Tochter Secharjas. [3] Hiskia tat, was dem Herrn gefiel. In allem folgte er dem Beispiel seines Vorfahren David. [4] Er ließ die Heiligtümer auf den Hügeln zerstören, zerschmetterte die Steine, die fremden Göttern geweiht waren, und das Standbild der Göttin Aschera. Er zerschlug auch die bronzene Schlange, die Mose einst gemacht hatte, denn die Israeliten verbrannten vor ihr immer wieder Weihrauch als Opfer. Man nannte sie Nehuschtan.

[5] Hiskia vertraute dem Herrn wie kein König von Juda vor ihm und nach ihm. [6] Er liebte den Herrn und diente ihm. Er hielt sich an alle Gebote, die der Herr einst Mose für Israel gegeben hatte. [7] Darum stand der Herr ihm bei und ließ ihm alles gelingen, was er unternahm.

Hiskia konnte sich von der Herrschaft des assyrischen Königs befreien. [8] Er schlug die Philister bis nach Gaza zurück und verwüstete die ganze Gegend – Stadt und Land.

Reich Israel

Die Assyrer erobern Israel

[9] Im 4. Regierungsjahr Hiskias, dem 7. Regierungsjahr Hoscheas von Israel, griff Salmanassar, der König von Assyrien, mit seinen Truppen Israel an, umstellte die Stadt Samaria [10] und nahm sie

---

[a] Vgl. 1. Mose 32,23–29

17,34 2 Mo 20,3–5* **17,35** 2 Mo 24,7–8* **17,36** 2 Mo 20,2* **17,39** 2 Mo 14,14* **18,4** 5 Mo 12,2–3*; 1 Kön 16,33; 4 Mo 21,6–9 **18,5** 23,25 **18,9–11** 17,5–6

nach dreijähriger Belagerung ein. Im 6. Regierungsjahr Hiskias, dem 9. Regierungsjahr Hoscheas, des Königs von Israel, wurde Samaria erobert. [11]Der assyrische König verschleppte die Israeliten nach Assyrien in die Verbannung. Er siedelte einen Teil der Gefangenen in der Gegend von Halach an, andere am Fluss Habor in der Provinz Gosan und in den Städten Mediens.

[12]Dies geschah, weil sie dem Herrn, ihrem Gott, nicht mehr gehorchten. Sie befolgten die Gebote nicht, die Mose ihnen im Auftrag des Herrn gegeben hatte, und brachen so den Bund, den der Herr mit ihnen geschlossen hatte. Sie hörten nicht mehr auf den Herrn und taten nicht, was er von ihnen verlangte.

Die Assyrer belagern Jerusalem
(2. Chronik 32,1–19; Jesaja 36)

[13]Im 14. Regierungsjahr König Hiskias marschierte der assyrische König Sanherib mit seinen Truppen in Juda ein und eroberte alle befestigten Städte des Landes. [14]Da schickte König Hiskia einen Boten zu dem assyrischen König, der mit seinem Heer vor Lachisch stand, und ließ ihm sagen: »Ich gestehe, dass ich nicht recht gehandelt habe. Ich bin bereit, dir an Abgaben zu zahlen, was du von mir verlangst, wenn du nur wieder von Juda abziehst!«

Sanherib forderte von Hiskia zehn Tonnen Silber und eine Tonne Gold als Tribut. [15]Hiskia gab ihm alles Silber aus dem Tempel des Herrn und den Schatzkammern des Palasts. [16]Um die geforderte Menge an Gold aufzubringen, ließ er die Goldverkleidung der Türen und Pfosten im Tempel abreißen und übergab sie dem König von Assyrien. Hiskia hatte die Türen und Pfosten zuvor selbst vergolden lassen.

[17]Aber der assyrische König schickte drei seiner höchsten Würdenträger – sie trugen die Titel Rabschake, Tartan und Rabsaris – mit einem starken Heer von Lachisch nach Jerusalem. Dort stellte sich das Heer bei der Wasserleitung des oberen Teiches auf. Sie liegt an der Straße zu dem Feld, auf dem die Tuchmacher ihre Stoffe bleichen. [18]Die drei Würdenträger verlangten sofort den König zu sprechen. Hiskia schickte drei seiner Hofbeamten zu ihnen hinaus: den Palastverwalter Eljakim, einen Sohn Hilkijas, den Hofsekretär Schebna und den Berater Joach, einen Sohn Asafs. [19]Der Rabschake gab ihnen eine Botschaft an König Hiskia mit:

»Der mächtige König von Assyrien lässt dir sagen: Worauf vertraust du eigentlich, dass du dich so sicher fühlst? [20]Schöne Worte allein erringen keinen Sieg. Was du brauchst, sind gute Berater und lange Kriegserfahrung. Von wem erhoffst du dir Rückendeckung, dass du es wagst, dich gegen mich aufzulehnen? [21]Ausgerechnet von Ägypten erwartest du Hilfe? Auf diesen zerbrochenen Stab willst du dich stützen? Er hat noch jedem die Hand durchbohrt, der sich auf ihn stützte. So ist nämlich der Pharao: Er lässt alle im Stich, die sich auf ihn verlassen! [22]Vielleicht sagt ihr jetzt: ›Wir vertrauen auf den Herrn, unseren Gott!‹ Aber hast du, Hiskia, nicht alle Altäre und Opferstätten dieses Gottes niedergerissen? Hast du nicht dem Volk in ganz Juda und Jerusalem befohlen, sich nur noch vor dem einen Altar in Jerusalem niederzuwerfen? Und da sollte dieser Gott euch nun noch helfen wollen?[a]

[23]Der König von Assyrien bietet dir folgende Wette an: Er schenkt dir zweitausend Pferde, wenn du die Reiter dafür aufbringen kannst. Wetten, dass es dir nicht gelingt? [24]Ihr könnt doch nicht einmal irgendeinem unbedeutenden Truppenführer meines Herrn die Stirn bieten. Ihr setzt ja eure ganze Hoffnung auf die Ägypter, weil sie viele Streitwagen besitzen. [25]Und noch etwas lässt dir der König sagen: Du denkst wohl, wir seien gegen

---

[a] »Und da … wollen?« ist sinngemäß ergänzt.

18,12 2 Mo 24,7–8* **18,21** Jes 30,1–3; 31,1–3; Hes 29,6–7 **18,22** 5 Mo 12,11–14

den Willen des Herrn hier einmarschiert, um alles zu verwüsten? Dann irrst du dich aber! Der Herr selbst hat mir befohlen, dieses Land zu erobern und zu zerstören.«

[26]Hier unterbrachen Schebna, Joach und Eljakim, der Sohn Hilkijas, den Rabschake. »Bitte, rede aramäisch mit uns, Herr«, baten sie. »Sprich nicht hebräisch! Die Leute aus dem Volk oben auf der Mauer verstehen sonst jedes Wort.« [27]Doch der Rabschake erwiderte: »Meint ihr, mein Herr habe mich mit dieser Botschaft nur zu euch und eurem Herrn geschickt? Nein, gerade die Männer dort oben auf der Stadtmauer sollen es hören! Bald schon werden sie so wie ihr den eigenen Kot fressen und Harn saufen.«

[28]Dann wandte er sich zur Stadtmauer hin und rief laut auf Hebräisch: »Hört, was der mächtige König von Assyrien euch zu sagen hat: [29]Lasst euch von Hiskia nicht täuschen! Der kann euch ja doch nicht helfen! [30]Er vertröstet euch auf den Herrn und behauptet: ›Ganz sicher wird der Herr uns retten und verhindern, dass der König von Assyrien die Stadt erobert.‹ Fallt nicht darauf herein! [31]Hört nicht auf Hiskia, sondern hört auf den König von Assyrien! Er will Frieden mit euch schließen und lässt euch sagen: Ihr könnt euch mir getrost ergeben. Dann werdet ihr wieder die Früchte eurer Weinstöcke und Feigenbäume essen und das Wasser eurer Brunnen trinken, [32]bis ich euch in ein Land hole, das so fruchtbar ist wie eures. Dort gibt es Getreidefelder und Weinberge, Brot und Most, Olivenöl und Honig in Hülle und Fülle. Wenn ihr euch ergebt, werdet ihr überleben und kommt nicht um. Deshalb: Hört nicht auf Hiskia! Lasst euch von ihm nicht an der Nase herumführen, wenn er behauptet: ›Der Herr wird uns helfen!‹ [33]Haben etwa die Götter anderer Völker sie vor mir retten können? [34]Was ist mit den Göttern von Hamat und Arpad und mit den Göttern von Sefarwajim, Hena und Awa? Konnten sie ihre Städte vor meinen Angriffen schützen? Und wie war es mit Samaria? Haben sie uns etwa dort zum Abzug gezwungen? [35]Nein, nicht ein einziger Gott konnte sein Land vor meinen Eroberungen schützen. Und da sollte ausgerechnet euer Gott, den ihr ›Herr‹ nennt, Jerusalem vor mir bewahren?«

[36]Die Leute auf der Mauer blieben ruhig und antworteten ihm nichts. Denn Hiskia hatte ihnen befohlen, kein Wort zu sagen. [37]Entsetzt zerrissen Eljakim, Schebna und Joach ihre Gewänder. Sie eilten zu Hiskia und wiederholten ihm die ganze Rede des Rabschake.

Der Herr ermutigt Hiskia
(Jesaja 37,1–7)

19 Als König Hiskia das hörte, zerriss auch er sein Gewand und hüllte sich in ein Trauergewand aus Sacktuch. Dann ging er in den Tempel. [2]Den Palastverwalter Eljakim, den Hofsekretär Schebna und einige führende Priester schickte er in Trauergewändern zum Propheten Jesaja, dem Sohn des Amoz. [3]»Wir haben dir etwas von Hiskia auszurichten«, begannen sie. »Er lässt dir sagen: Heute ist ein schrecklicher Tag, die Assyrer haben uns schwer beleidigt. Das ist die Strafe für unsere Sünden. Die Lage ist so ernst wie bei einer Geburt, wenn die Mutter keine Kraft mehr hat, ihr Kind zu gebären. [4]Doch vielleicht hat der Herr, dein Gott, alle Lästerungen des Rabschake gehört. Der Gesandte des assyrischen Königs hat den lebendigen Gott verhöhnt! Sicher hat der Herr seine Worte gehört und bestraft ihn dafür. O Jesaja, bete für uns, bete für die Überlebenden!«

[5]Als sie die Botschaft Hiskias ausgerichtet hatten, [6]gab Jesaja ihnen gleich eine Antwort für den König mit: »So spricht der Herr: ›Hab keine Angst vor den Drohungen, die du gehört hast. Lass

---

18,31–32 1 Kön 5,5; Mi 4,4; Sach 3,10 **18,33–35** Jes 10,5–19 **19,4** 18,19–35

dich nicht einschüchtern, wenn die Boten des assyrischen Königs über mich lästern! [7]Ich will ihn dazu bringen, dass er seine Truppen von hier abzieht. Er wird ein Gerücht hören und darüber so beunruhigt sein, dass er umgehend in sein Land zurückkehrt. Dort lasse ich ihn durch das Schwert umkommen.‹«

Sanheribs Drohungen – Hiskias Gebet
(Jesaja 37,8–20)

[8]Der Rabschake kehrte zu König Sanherib zurück, der inzwischen wieder von Lachisch aufgebrochen war und nun die Stadt Libna belagerte.

[9]Sanherib hörte, der äthiopische König Tirhaka sei mit einem Heer unterwegs, um die Assyrer anzugreifen. Da schickte er noch einmal eine Gesandtschaft zu König Hiskia und ließ ihm einen Brief überbringen. [10]»Überschätze deinen Gott nicht«, hieß es darin, »lass dich nicht von ihm täuschen, wenn er dir sagt: ›Jerusalem wird nicht fallen, der assyrische König kann die Stadt nicht einnehmen!‹ [11]Du weißt doch, wie die assyrischen Könige gegen ihre Feinde vorgehen: Ihre Länder verwüsten sie, und die Bewohner metzeln sie nieder. Und da solltest gerade du verschont bleiben? [12]Wurden denn Städte wie Gosan, Haran oder Rezef von ihren Göttern beschützt? Wie war es mit den Einwohnern von Telassar im Land Eden? Kein Gott half ihnen, als meine Vorgänger sie vernichteten! [13]Und wo sind heute die Könige von Hamat und Arpad, Sefarwajim, Hena und Awa?«

[14]Die Boten überbrachten Hiskia das Schreiben. Er las es und ging damit in den Tempel. Dort breitete er den Brief vor dem Herrn aus [15]und begann zu beten:

»O Herr, du Gott Israels, der du über den Cherub-Engeln thronst, du allein bist Gott über alle Königreiche der Welt. Himmel und Erde hast du geschaffen. [16]Herr, erhöre mich! Sieh doch, wie schlimm es um uns steht! Höre, wie Sanherib dich, den lebendigen Gott, verhöhnt. [17]Es ist wahr, Herr: Die assyrischen Könige haben die Länder aller ihrer Feinde verwüstet. [18]Sie haben deren Götter ins Feuer geworfen, denn es waren ja keine lebendigen Götter, sondern nur Figuren aus Holz oder Stein, von Menschen gemacht. Darum konnten die Assyrer sie verbrennen. [19]Nun bitte ich dich, Herr, unser Gott: Errette uns aus der Gewalt des assyrischen Königs! Alle Länder der Erde sollen erkennen, dass du allein Gott bist!«

Gottes Antwort auf den Spott des assyrischen Königs
(2. Chronik 32,20–21; Jesaja 37,21–38)

[20]Da schickte Jesaja, der Sohn des Amoz, einen Boten zu König Hiskia, der ihm sagen sollte: »So spricht der Herr, der Gott Israels: Ich habe gehört, was du wegen Sanherib gebetet hast. [21]Hör nun, was ich zum König von Assyrien sage:

Die Stadt Zion verachtet und verspottet dich. Ganz Jerusalem lacht über dich! [22]Weißt du überhaupt, wen du verhöhnt und gelästert hast? Weißt du, mit wem du dich angelegt hast? Mit dem heiligen Gott Israels! [23]Durch deine Boten hast du mich, den Herrn, verspottet. Du prahlst:

›Mit meinen vielen Streitwagen habe ich die Berge bezwungen, bis zum höchsten Gipfel des Libanon bin ich vorgestoßen. Seine hohen Zedern habe ich gefällt und die schönsten Zypressen abgeholzt. Ich erreichte das entlegenste Versteck und drang in jedes Dickicht seiner Wälder vor. [24]In fremden Ländern habe ich mir Brunnen gegraben. Die Nilarme in Ägypten waren kein Hindernis für mich: Unter meinen Schritten trockneten sie aus.‹

[25]Höre, König von Assyrien: Womit du jetzt prahlst, das habe ich schon in grauer

---

19,15 2 Mo 25,22; 1 Mo 1,1–2* **19,18** Ps 115,4–8; Jes 44,9–20

Vorzeit geplant, seit langem ist es vorbereitet! Nur darum habe ich zugelassen, dass du befestigte Städte einreißt und sie in Trümmerhaufen verwandelst. [26]Ihre Einwohner waren machtlos gegen dich, du hast Schrecken und Schande über sie gebracht. Sie waren wie junges Grün auf dem Feld, wie zartes Gras auf Lehmdächern, das im heißen Ostwind verdorrt. [27]Ich kenne dich ganz genau. Ich weiß, ob du sitzt oder stehst. Ich sehe, wann du kommst und wann du gehst. Ich weiß auch, wie du gegen mich wütest. [28]Dein Prahlen habe ich gehört. Weil du so gegen mich tobst, will ich dir einen Ring durch die Nase ziehen und meinen Zaum ins Maul legen. Dann treibe ich dich den Weg wieder zurück, den du gekommen bist.

[29]Dir, Hiskia, gebe ich ein Zeichen, an dem du erkennen kannst, dass ich mein Versprechen halte: In diesem und im nächsten Jahr müsst ihr von dem leben, was auf euren Feldern von allein nachwächst. Doch im übernächsten Jahr könnt ihr wieder säen und ernten, Weinberge anlegen und ihre Früchte essen wie früher. [30]Die Bewohner von Juda, die diese schwere Zeit überstehen, werden in Frieden in ihrer Heimat leben können wie Pflanzen, die Wurzeln schlagen und Frucht bringen. [31]Denn in Jerusalem werden Menschen überleben und das Land wieder bevölkern. Ich, der Herr, sorge dafür und verfolge mein Ziel beharrlich.

[32]Ich sage dir auch, was mit dem assyrischen König geschehen wird: Seine Truppen werden Jerusalem mit keinem Fuß betreten. Sie werden keinen einzigen Pfeil abschießen und nicht im Schutz ihrer Schilde gegen die Stadtmauer anstürmen. Nicht einmal einen Belagerungswall werden sie aufschütten. [33]Die Assyrer werden Jerusalem nicht stürmen, sondern auf demselben Weg abziehen, den sie gekommen sind. Darauf gebe ich, der Herr, mein Wort. [34]Um meiner Ehre willen beschütze ich diese Stadt. Ich rette sie, weil ich es meinem Diener David versprochen habe.«

[35]Noch in dieser Nacht schickte der Herr seinen Engel in das Lager der Assyrer. Er tötete 185 000 Soldaten. Am nächsten Morgen war alles mit Leichen übersät.

[36]Da ließ Sanherib zum Aufbruch blasen, zog seine Truppen ab und kehrte nach Assyrien zurück. Er blieb in der Hauptstadt Ninive. [37]Eines Tages, als er im Tempel seines Gottes Nisroch betete, stachen ihn seine Söhne Adrammelech und Sarezer mit dem Schwert nieder. Die beiden flohen in das Land Ararat, und Asarhaddon, ein anderer Sohn Sanheribs, wurde sein Nachfolger.

Gott heilt den todkranken König

(2. Chronik 32,24; Jesaja 38,1–8.21–22)

20 In dieser Zeit wurde Hiskia todkrank. Der Prophet Jesaja, der Sohn des Amoz, besuchte ihn und sagte: »So spricht der Herr: ›Regle noch die letzten Dinge, denn du bist unheilbar krank und wirst bald sterben.‹«

[2]Als Hiskia das hörte, drehte er sich zur Wand und betete: [3]»Ach Herr, denk doch daran, dass ich mein Leben lang treu bei dir geblieben bin und mit ganzer Hingabe getan habe, was dir gefällt.« Er fing laut an zu weinen.

[4/5]Jesaja war inzwischen wieder gegangen. Doch er war noch nicht einmal bis zum Tor des inneren Vorhofs gekommen, als der Herr ihn noch einmal mit einer Botschaft zu Hiskia zurücksandte. Jesaja ging erneut zum König und sagte: »Du König meines Volkes, höre, was der Herr, der Gott deines Vorfahren David, dir sagen lässt: ›Ich habe dein Gebet gehört und deine Tränen gesehen. Ich will dich gesund machen. Übermorgen kannst du wieder in den Tempel des Herrn gehen. [6]Ich verlängere dein Leben um fünfzehn Jahre. Auch will ich dich und diese Stadt vor dem assyrischen König bewahren.

19,28 18,19–35; Jes 10,5–19 **19,31** Jes 1,7–9 **19,35** 2 Mo 12,23; 14,14*; 2 Sam 24,14–16

Um meiner eigenen Ehre willen und weil ich es meinem Diener David versprochen habe, beschütze ich Jerusalem.‹«

[7] Dann befahl Jesaja: »Man soll einen Umschlag aus gepressten Feigen machen und ihn auf das Geschwür des Königs legen!« Da wurde Hiskia gesund. [8] Vorher hatte Hiskia Jesaja gefragt: »Woran kann ich erkennen, dass der Herr mich wieder gesund macht und dass ich übermorgen zum Tempel gehen kann?« [9] Jesaja hatte geantwortet: »Der Herr gibt dir ein Zeichen, an dem du erkennen wirst, dass er sein Versprechen hält: Soll der Schatten an der Treppe zehn Stufen vorwärts gehen, oder soll er zehn zurückwandern?« [10] Hiskia antwortete: »Es ist nichts Besonderes, wenn der Schatten zehn Stufen vorangeht. Nein, er soll zehn Stufen zurückwandern!«

[11] Da betete der Prophet Jesaja zum Herrn. Und der Herr ließ den Schatten an der Treppe, die seinerzeit König Ahas gebaut hatte, zehn Stufen zurückgehen.

Hiskia begeht einen großen Fehler
(2. Chronik 32,31; Jesaja 39)

[12] Kurze Zeit später kam eine Gesandtschaft des babylonischen Königs Merodach-Baladan[a] zu Hiskia. Merodach-Baladan war ein Sohn Baladans. Er hatte gehört, dass Hiskia schwer krank gewesen war, und ließ ihm deshalb einen Brief und Geschenke überbringen. [13] Hiskia empfing die Gesandten freundlich und zeigte ihnen sein ganzes Schatzhaus. In alle Kammern ließ er sie schauen. Sie sahen das Silber und das Gold, die kostbaren Öle und Gewürze. Sogar das Waffenlager und die Vorratshäuser zeigte er ihnen. Im ganzen Palast und im ganzen Reich gab es nichts Bedeutendes, was diese Männer nicht zu sehen bekamen.

[14] Da ging der Prophet Jesaja zu König Hiskia. »Woher kamen diese Männer, und was wollten sie von dir?«, fragte er, und Hiskia antwortete: »Aus einem fernen Land sind sie gekommen, aus Babylonien.« [15] »Was haben sie im Palast gesehen?«, wollte Jesaja wissen. Hiskia erwiderte: »Sie haben alles gesehen, was ich besitze. In jede einzelne Schatzkammer ließ ich sie schauen.«

[16] Da sagte Jesaja: »Hör, was der Herr dazu sagt: [17] ›Eines Tages wird der ganze Reichtum in deinem Palast – alle Schätze, die du und deine Vorfahren angehäuft haben – nach Babylon fortgebracht werden. Nichts wird übrig bleiben. [18] Auch einige deiner Söhne, die dir noch geboren werden, wird man verschleppen. Sie müssen als Eunuchen im Palast des babylonischen Königs dienen.‹«

[19] Hiskia sagte nur: »Der Herr weiß, was er tut; ich beuge mich seinem Urteil. Wenn nur zu meinen Lebzeiten noch Friede und Ruhe herrschen!«

Hiskias Tod
(2. Chronik 32,32–33)

[20] Hiskias weiteres Leben und seine militärischen Erfolge sind in der Chronik der Könige von Juda beschrieben. Man kann dort nachlesen, wie er den Teich anlegen und die Wasserleitung bauen ließ, um die Stadt mit Wasser zu versorgen. [21] Als Hiskia starb, wurde sein Sohn Manasse zum Nachfolger erklärt.

König Manasse von Juda
(2. Chronik 33,1–20)

21 Manasse wurde mit 12 Jahren König und regierte fünfundfünfzig Jahre in Jerusalem. Seine Mutter hieß Hefzi-Bah. [2] Manasse tat, was der Herr verabscheute, und übernahm die schrecklichen Bräuche der Völker, die der Herr aus dem Land vertrieben hatte, um es seinem Volk Israel zu geben. [3] Er baute die Höhenheiligtümer wieder auf, die sein Vater Hiskia zerstört hatte. Er errichtete

---

[a] So in Anlehnung an Jesaja 39,1. Der hebräische Text lautet: Berodach-Baladan.

20,17 24,13 **20,18** 24,14–15; Dan 1,1–5 **21,2** 3 Mo 18,3–5; 5 Mo 18,9–12; Ri 2,20–23 **21,3** 18,3–4; 5 Mo 4,19; 12,2–3*

Altäre für den Gott Baal und stellte eine Statue der Göttin Aschera auf, genau wie König Ahab von Israel. Er betete die Sterne an und verehrte sie. [4]Sogar im Tempel des Herrn stellte er seine Altäre auf, obwohl der Herr über diesen Ort gesagt hatte: »Hier in Jerusalem will ich für immer wohnen.« [5]Manasse aber errichtete in beiden Vorhöfen des Tempels Altäre, um darauf den Sternen zu opfern. [6]Er verbrannte seinen Sohn als Opfer, trieb Zauberei und Wahrsagerei und ließ sich von Totenbeschwörern und Hellsehern die Zukunft voraussagen.

So tat er vieles, was der Herr verabscheute, und forderte seinen Zorn heraus. [7]Die Statue der Aschera, die er hatte anfertigen lassen, stellte er im Tempel auf. Dabei hatte der Herr zu David und seinem Sohn Salomo gesagt: »In diesem Tempel und in Jerusalem, der Stadt, die ich aus allen Stämmen Israels erwählt habe, will ich für immer wohnen. [8]Ich will die Israeliten nicht mehr aus dem Land vertreiben, das ich ihren Vorfahren gegeben habe, wenn sie nur auf mich hören und die Gebote befolgen, die mein Diener Mose ihnen gegeben hat.« [9]Doch sie gehorchten dem Herrn nicht, und so konnte Manasse sie leicht zum Bösen verführen. Schließlich trieben sie es schlimmer als die Völker, die der Herr ausgerottet hatte, bevor er das Land den Israeliten gab.

[10]Da ließ der Herr ihnen durch seine Diener, die Propheten, verkünden: [11]»König Manasse von Juda hat schreckliche Dinge getan als die Amoriter, die früher im Land wohnten: Alle Bewohner Judas verführte er zum Götzendienst, weil er überall seine Götzenstatuen aufstellen ließ. [12]Darum werde ich, der Herr, der Gott Israels, so großes Unheil über Jerusalem und Juda kommen lassen, dass niemand es ertragen kann, auch nur davon zu hören. [13]Ich messe Jerusalem mit dem gleichen Maß wie Samaria und lege es auf die gleiche Waage wie Ahab und seine Nachkommen. Die Einwohner Jerusalems werde ich so gründlich ausrotten, wie man eine Schüssel auswäscht und umdreht, bis auch der letzte Tropfen Wasser verschwunden ist. [14]Alle, die dann noch übrig geblieben sind, werde ich verstoßen. Ich werde sie in die Gewalt ihrer Feinde geben, die sie ausrauben und das Land plündern sollen. [15]Denn sie haben getan, was ich verabscheue, und immer wieder meinen Zorn herausgefordert. So war es schon, als ihre Vorfahren aus Ägypten auszogen, und so ist es bis heute geblieben.«

[16]Manasse beging aber nicht nur die Sünde, dass er die Bewohner von Juda zum Götzendienst verführte und sie zu Taten verleitete, die der Herr verabscheute. An seinen Händen klebte das Blut vieler unschuldiger Menschen aus Jerusalem.

[17]Alles Weitere über Manasses Leben und seinen Götzendienst steht in der Chronik der Könige von Juda. [18]Als er starb, wurde er im Garten seines Palasts, dem »Garten Usas«, begraben. Sein Sohn Amon wurde sein Nachfolger.

König Amon von Juda
(2. Chronik 33,21–25)

[19]Amon wurde mit 22 Jahren König und regierte zwei Jahre in Jerusalem. Seine Mutter hieß Meschullemet, sie war eine Tochter des Haruz aus Jotba. [20]Wie sein Vater Manasse tat auch Amon, was der Herr verabscheute. [21]In allem folgte er dem schlechten Beispiel seines Vaters: Er diente denselben Götzen, die schon sein Vater verehrt hatte, und betete sie an. [22]Vom Herrn, dem Gott seiner Vorfahren, aber wollte er nichts wissen, und seine Gebote befolgte er nicht.

[23]Einige seiner Hofbeamten verschworen sich gegen ihn und ermordeten ihn in seinem Palast. [24]Doch das Volk brachte alle Verschwörer um und setzte Amons Sohn Josia als Nachfolger ein.

[25]Alles Weitere über Amons Leben findet sich in der Chronik der Könige

---

21,4 1 Kön 9,3* **21,6** 3 Mo 18,21*; 5 Mo 18,9–12 **21,7** 1 Kön 9,3* **21,16** 23,26–27; 24,3–4

von Juda. [26]Man begrub ihn in seinem Familiengrab im »Garten Usas«. Sein Sohn Josia wurde sein Nachfolger.

König Josia von Juda
(2. Chronik 34,1–2.8–13)

22 Josia wurde mit 8 Jahren König und regierte einunddreißig Jahre in Jerusalem. Seine Mutter hieß Jedida; sie war eine Tochter Adajas aus Bozkat. [2]Josia tat, was dem Herrn gefiel. Er folgte dem guten Beispiel seines Vorfahren David und ließ sich durch nichts davon abbringen.

[3]In seinem 18. Regierungsjahr sandte König Josia den Hofsekretär Schafan, einen Sohn Azaljas und Enkel Meschullams, mit folgendem Auftrag in den Tempel des Herrn: [4]»Geh zum Hohenpriester Hilkija, und bitte ihn nachzuzählen, wie viel Geld das Volk bisher den Priestern abgeliefert hat, die den Tempeleingang bewachen. [5/6]Dann soll er das abgezählte Geld den Bauführern geben, die für die Ausbesserungen am Tempel des Herrn verantwortlich sind. Diese sollen damit die Handwerker, Bauleute und Maurer bezahlen. Außerdem sollen sie von dem Geld das Holz und die Steine für die Ausbesserungen kaufen. [7]Die Bauführer brauchen über die Ausgaben keine Rechenschaft abzulegen. Man soll auf ihre Ehrlichkeit vertrauen!«

Der Hohepriester Hilkija findet im Tempel ein Gesetzbuch
(2. Chronik 34,14–28)

[8]Als der Hofsekretär Schafan zu Hilkija kam, zeigte der Hohepriester ihm eine Buchrolle und sagte: »Dieses Gesetzbuch habe ich im Tempel des Herrn gefunden.« Er gab es Schafan, und der las darin. [9]Danach ging Schafan zum König zurück und meldete ihm: »Wir haben den Opferkasten beim Altar geleert und das Geld den Bauführern ausgehändigt, die für die Arbeiten am Tempel verantwortlich sind.« [10]Dann berichtete er von dem Buch, das der Hohepriester Hilkija ihm gegeben hatte, und las es dem König vor.

[11]Als der König hörte, was in dem Gesetzbuch stand, zerriss er betroffen sein Gewand. [12]Er beauftragte den Priester Hilkija, den Hofsekretär Schafan und dessen Sohn Ahikam sowie Achbor, den Sohn Michajas, und Asaja, seinen zuverlässigsten Hofbeamten: [13]»Geht und fragt den Herrn, was wir tun sollen. Denn niemand in ganz Juda – weder ich noch das Volk – hat getan, was in dem Buch steht, das gefunden wurde. Der Herr muss deswegen sehr zornig auf uns sein, denn schon unsere Väter haben nicht darauf gehört und die Weisungen nicht befolgt, die uns gegeben wurden.«

[14]Da gingen der Priester Hilkija, Ahikam, Achbor, Schafan und Asaja zu der Prophetin Hulda, um mit ihr zu sprechen. Ihr Mann Schallum, ein Sohn Tikwas und Enkel Harhas, verwaltete die Kleiderkammer. Sie wohnte im neuen Stadtteil von Jerusalem. [15/16]Hulda gab der Gesandtschaft eine Botschaft des Herrn für König Josia. Sie sagte:

»So spricht der Herr, der Gott Israels: ›Alles, was in dem Buch steht, das der König von Juda gelesen hat, wird eintreffen! Das dort angedrohte Unheil will ich über die Stadt und ihre Einwohner hereinbrechen lassen. [17]Denn sie haben mich verlassen und anderen Göttern ihre Räucheropfer dargebracht. Mit ihrem Götzendienst haben sie mich herausgefordert. Mein Zorn über diese Stadt ist wie ein Feuer, das nicht mehr erlöscht.

[18]Über den König von Juda sage ich, der Herr und Gott Israels: Du hast nun meine Antwort gehört. [19]Doch du hast dir meine Worte zu Herzen genommen und dich meiner Macht gebeugt. Als du gehört hast, was ich über diese Stadt und ihre Einwohner gesagt habe – dass ein Fluch sie treffen soll und jeden, der es sieht, das Entsetzen packt –, da hast du betroffen dein Gewand zerrissen und bist in Tränen ausgebrochen. Darum will ich

22,3–7 12,10–16 **22,13** 5 Mo 28,15–68

dein Gebet erhören. Das verspreche ich, der Herr. [20]Du sollst in Frieden sterben und im Grab der Königsfamilie beigesetzt werden. Das Unheil, das ich über die Stadt kommen lasse, wirst du nicht mehr erleben.«‹

Die Gesandten überbrachten diese Antwort dem König.

Josia schließt einen Bund mit dem Herrn
(2. Chronik 34,29–33)

23 Danach ließ der König alle Ältesten von Jerusalem und aus dem ganzen Land Juda zusammenrufen. [2]Er ging zum Tempel des Herrn, wo sich eine große Volksmenge versammelt hatte. Alle Männer von Juda waren gekommen, die ganze Bevölkerung Jerusalems, die Priester und Propheten, alle, vom Einfachsten bis zum Vornehmsten. Vor dieser Versammlung wurde nun das ganze Bundesbuch vorgelesen, das im Tempel des Herrn gefunden worden war.

[3]Der König stand an seinem Platz bei der Säule. Nach der Lesung des Buches schloss er mit dem Herrn einen Bund und schwor: »Wir wollen wieder dem Herrn gehorchen! Von ganzem Herzen wollen wir nach seinem Gesetz leben und seine Gebote und Weisungen befolgen. Wir wollen alle Bundesbestimmungen einhalten, die in diesem Buch aufgeschrieben sind.« Das ganze Volk schloss sich diesem Versprechen an.

Josia schafft den Götzendienst ab
(2. Chronik 34,3–5)

[4]Nun befahl König Josia dem Hohenpriester Hilkija, dessen Stellvertretern und den Priestern, die den Eingang zum Tempel bewachten: »Holt alle Gegenstände aus dem Tempel, die für die Verehrung des Gottes Baal, der Göttin Aschera und der Gestirne gebraucht wurden. Verbrennt alles außerhalb der Stadt auf den Feldern im Kidrontal.« Die Asche ließ Josia später nach Bethel bringen. [5]Er setzte auch die Götzenpriester ab, die von seinen Vorgängern ernannt worden waren. In den Höhenheiligtümern um Jerusalem und in allen Städten Judas hatten sie Opfer dargebracht, nicht nur dem Gott Baal, sondern auch der Sonne, dem Mond, den Sternen und den Tierkreiszeichen. [6]Die Statue der Göttin Aschera ließ Josia aus dem Tempel holen und aus der Stadt schaffen. Er verbrannte sie im Kidrontal, zerrieb die Asche zu feinem Staub und streute diesen auf die Gräber des Armenfriedhofs. [7]Auch die Häuser direkt beim Tempel, wo die Männer wohnten, die der Tempelprostitution nachgingen, ließ er niederreißen. Dort hatten die Frauen Kleider für die Göttin Aschera gewebt.

[8]Josia holte alle levitischen Priester aus ganz Juda nach Jerusalem zurück und entweihte alle Höhenheiligtümer, in denen sie bisher geopfert hatten – von Geba im Norden Judas bis Beerscheba im Süden. Auch die beiden Altäre bei dem Stadttor, das nach dem Stadtobersten Joschua benannt war, riss er nieder. Sie standen auf der linken Seite, wenn man zum Tor hereinkam. [9]Die Priester, die in den Höhenheiligtümern geopfert hatten, durften auf dem Altar des Herrn in Jerusalem keine Opfer darbringen. Doch sie durften wie die anderen Priester von dem ungesäuerten Brot essen, das dem Herrn geweiht war. [10]Auch die Opferstätte Tofet im Hinnomtal verwüstete Josia, damit niemand mehr dort seinen Sohn oder seine Tochter für den Götzen Moloch als Opfer verbrennen konnte. [11]Die Pferdestatuen, die seine Vorgänger zu Ehren der Sonnengottheit aufgestellt hatten, riss er nieder, und ihre Wagen verbrannte er. Sie hatten im Vorhof beim Tempeleingang gestanden, auf der Seite, wo die Diensträume des Hofbeamten Netan-Melech lagen. [12]Auch auf dem Dach des Obergeschosses, das Ahas im Königs-

---

22,20 23,29–30; 24,12–17; 25,8–21 **23,2** 22,8 **23,3** 11,14; 2 Mo 24,7–8*; 5 Mo 6,4–5* **23,4–6** 21,2–7 **23,7** 5 Mo 23,18–19; 1 Kön 14,24 **23,10** 3 Mo 18,21*; Jer 7,31

palast gebaut hatte, standen Altäre, die verschiedene Könige von Juda errichtet hatten. Josia zertrümmerte sie, wie auch die zwei Altäre, die Manasse in den beiden Tempelvorhöfen aufgestellt hatte. Die Trümmer ließ er ins Kidrontal bringen. [13]Schließlich entweihte er die Höhenheiligtümer im Osten Jerusalems, rechts vom Berg des Verderbens[a]. König Salomo hatte sie seinerzeit errichtet. Er hatte sie Astarte, der widerlichen Göttin der Sidonier, geweiht sowie dem moabitischen Götzen Kemosch und Milkom, dem schrecklichen Götzen der Ammoniter. [14]Josia zertrümmerte die heiligen Steine und schlug die Gedenksäulen um. Den Ort, wo sie gestanden hatten, bedeckte er mit Menschengebeinen.

Josia zerstört die Heiligtümer in Bethel und in Samarien
(2. Chronik 34,6–7)

[15/16]In Bethel standen immer noch das Höhenheiligtum und der Altar, den Jerobeam, der Sohn Nebats, gebaut hatte. Jerobeam war es, der die Israeliten zum Götzendienst verführt hatte. Als Josia sah, dass an den Hängen des Hügels, auf dem der Altar stand, viele Gräber lagen, ließ er alle Gebeine aus den Gräbern holen und auf dem Altar verbrennen. So wurde der Altar auf genau die Weise entweiht, wie der Herr es damals durch den Propheten aus Juda vorausgesagt hatte. Dann zerstörte Josia das Heiligtum; den Altar ließ er niederreißen und die Götzenstatue der Aschera zermalmen, bevor er alles in Flammen aufgehen ließ.

[17]Als Josia sich umsah, entdeckte er noch ein Grabmal. »Wer ist hier bestattet?«, fragte er die Bürger der Stadt. Sie antworteten: »Das ist das Grab des Propheten aus Juda, der über den Altar von Bethel genau das vorhergesagt hat, was du heute getan hast.« [18]Da befahl der König: »Lasst ihn in Frieden! Keiner soll seine Gebeine anrühren!« Und so wurden die Gebeine des Propheten verschont, ebenso wie die Gebeine des Propheten aus Samaria, der im selben Grab bestattet war.[b]

[19]Auf die gleiche Weise wie in Bethel zerstörte Josia alle Höhenheiligtümer in den Städten Samarias. Die Könige von Israel hatten sie errichtet und damit den Zorn des Herrn herausgefordert. [20]Die Götzenpriester dieser Heiligtümer schlachtete Josia auf den Altären und verbrannte ihre Knochen darauf. Danach kehrte er nach Jerusalem zurück.

Das Passahfest wird wieder gefeiert
(2. Chronik 35,1–19)

[21]In Jerusalem befahl der König: »Das ganze Volk soll zu Ehren des Herrn das Passahfest feiern, so wie es in unserem Bundesbuch beschrieben ist!« [22]Seit der Zeit, als die Richter das Volk führten, war das Passahfest in Israel nicht mehr so gefeiert worden, auch nicht in den Jahren, in denen Könige über Israel und Juda herrschten. [23]Erst jetzt wieder, im 18. Regierungsjahr König Josias, wurde in Jerusalem dieses Fest zu Ehren des Herrn gefeiert.

Josia – ein König, der ganz dem Herrn diente
(Verse 28–30: 2. Chronik 35,20 – 36,1)

[24]Josia hielt sich an alles, was in dem Gesetzbuch stand, das der Priester Hilkija im Tempel des Herrn gefunden hatte. Er vertrieb die Totenbeschwörer und Wahrsager und ließ alle Hausgötter und Götzenstatuen in Jerusalem und in ganz Juda

---

[a] Damit ist wohl der Ölberg gemeint. Die Worte »Salbung« und »Verderben« klingen im Hebräischen sehr ähnlich. Bewusst wird der Ölberg hier in diesem Zusammenhang »Berg des Verderbens« genannt.

[b] Vgl. 1. Könige 13,1–2.31–32

23,13 1 Kön 11,3–8 **23,15–16** 1 Kön 12,26–32*; 13,1–2 **23,17–18** 1 Kön 13,1–32 **23,19** 17,9–12 **23,21** 2 Mo 12,1–14* **23,24** 2 Mo 20,3–5*; 5 Mo 18,9–12; 29,16–17

vernichten. [25]Weder vor noch nach Josia hatte sich ein König dem Herrn so zugewandt wie er. Keiner war so wie er darauf bedacht, von ganzem Herzen, mit ganzer Hingabe und mit all seiner Kraft nach dem Gesetz des Mose zu leben. [26]Trotzdem war der Herr weiterhin voller Zorn über Juda, denn Manasse hatte ihn über die Maßen herausgefordert. [27]Darum sollte die Drohung des Herrn wahr werden: »Was ich mit Israel getan habe, will ich auch mit Juda tun: Seine Bewohner werde ich verstoßen. Von meiner erwählten Stadt Jerusalem wende ich mich ab. Auch vom Tempel will ich nichts mehr wissen, von dem ich früher gesagt habe: ›Dort will ich für immer wohnen.‹«

[28]Alles Weitere über Josias Leben und seine Taten ist in der Chronik der Könige von Juda beschrieben.

[29]Während seiner Regierungszeit unternahm der Pharao Necho, der König von Ägypten, einen Feldzug gegen die Assyrer und drang bis zum Euphrat vor. Josia versuchte, die Ägypter mit seinem Heer aufzuhalten. Doch als es bei Megiddo zur Schlacht kam, tötete Necho ihn. [30]Josias Diener brachten den Toten auf einem Wagen von Megiddo nach Jerusalem und begruben ihn dort in seinem Familiengrab. Das Volk salbte Joahas, den Sohn Josias, zum König und setzte ihn als Nachfolger ein.

König Joahas von Juda
(2. Chronik 36,1–4)

[31]Joahas wurde mit 23 Jahren König und regierte drei Monate in Jerusalem. Seine Mutter hieß Hamutal; sie war eine Tochter Jirmejas aus Libna. [32]Joahas tat, was der Herr verabscheute, genau wie seine Vorfahren. [33]Der Pharao Necho nahm ihn in Ribla in der Provinz Hamat gefangen und machte so seiner Regierung ein Ende. Das Land Juda musste dem Pharao 70 Zentner Silber und 36 Kilogramm Gold als Tribut zahlen. [34]Für Joahas setzte der Pharao Eljakim, einen anderen Sohn Josias, auf den Thron und änderte seinen Namen in Jojakim. Joahas aber nahm er mit nach Ägypten, wo dieser später auch starb.

[35]Um die geforderte Menge an Gold und Silber aufbringen zu können, musste Jojakim dem Volk eine Sondersteuer auferlegen. Jeder in Juda hatte seinem Besitz entsprechend eine bestimmte Summe für den Pharao abzuliefern. So konnte Jojakim den Tribut an Necho bezahlen.

König Jojakim von Juda
(2. Chronik 36,5–8)

[36]Jojakim wurde mit 25 Jahren König und regierte elf Jahre in Jerusalem. Seine Mutter hieß Sebuda und war eine Tochter Pedajas aus Ruma. [37]Auch er tat, was der Herr verabscheute, genau wie seine Vorgänger.

24 Während der Regierungszeit Jojakims schickte König Nebukadnezar von Babylonien seine Truppen gegen Juda und zwang Jojakim, sich ihm zu unterwerfen. Doch nach drei Jahren lehnte Jojakim sich auf und sagte sich von Nebukadnezar los. [2]Da ließ der Herr Räuberbanden aus Babylonien, Syrien, Moab und Ammon in Juda einfallen, um Juda zugrunde zu richten. Es sollte sich erfüllen, was der Herr durch seine Diener, die Propheten, angekündigt hatte. [3]Der Herr selbst ließ dieses Unheil über die Bewohner von Juda kommen, weil er sie verstoßen wollte. Denn Manasses Sünden hatten das Maß voll gemacht: seinen Götzendienst [4]und seinen Mord an vielen unschuldigen Menschen – dies alles wollte der Herr nicht mehr vergeben.

[5]Alles Weitere über Jojakims Leben steht in der Chronik der Könige von Juda. [6]Als er starb, trat sein Sohn Jojachin die Nachfolge an. [7]Zu dieser Zeit konnte der König von Ägypten sein Land nicht mehr verlassen, denn der König von Babylonien hatte ihm alle zuvor eroberten

---

23,25 18,5; 5 Mo 6,4–5* **23,26** 21,11–15 **23,27** 1 Kön 9,3* **23,32.37** 1 Kön 12,26–32* **23,33–34** Jer 22,10 **24,2** Jer 20,4–5; 21,4–10 **24,3–4** 21,2–16

Gebiete abgenommen: von dem Bach, der die Grenze zu Ägypten bildet, bis zum Euphrat.

König Jojachin von Juda – Belagerung und Eroberung Jerusalems
(2. Chronik 36,9–10)

[8]Jojachin wurde mit 18 Jahren König und regierte drei Monate in Jerusalem. Seine Mutter hieß Nehuschta. Sie war eine Tochter Elnatans aus Jerusalem. [9]Jojachin tat, was der Herr verabscheute, genau wie sein Vater.

[10]Während seiner Regierungszeit marschierten die Truppen des babylonischen Königs Nebukadnezar nach Jerusalem und bauten einen Wall um die Stadt. [11]Nebukadnezar kam selbst nach Jerusalem, während seine Soldaten die Stadt noch belagerten. [12]Da ergab sich Jojachin. Zusammen mit seiner Mutter, seinen Dienern, Offizieren und Hofbeamten stellte er sich dem König von Babylonien, der ihn sofort gefangen nahm.

Dies geschah im 8. Regierungsjahr Nebukadnezars. [13]Was der Herr angekündigt hatte, erfüllte sich nun: Nebukadnezar ließ alle Schätze aus dem Tempel des Herrn und aus dem Palast holen, auch die goldenen Gefäße, die Salomo, der König von Israel, hatte anfertigen lassen. [14]Die Oberschicht von Jerusalem führte er in die Verbannung: alle Offiziere und erfahrenen Soldaten, alle Schmiede und Schlosser, insgesamt 10000 Gefangene. Zurück blieb nur das einfache Volk. [15]Auch Jojachin kam als Gefangener nach Babylonien und mit ihm die Königinmutter, die Frauen des Königs, seine Hofbeamten und alle wohlhabenden Bürger des Landes. [16]Nebukadnezar ließ 7000 Soldaten und 1000 Schmiede und Schlosser, alles erfahrene und tüchtige Leute, nach Babylonien verschleppen. [17]In Jerusalem setzte er an Jojachins Stelle Mattanja als König ein. Mattanja war der Onkel Jojachins, der Bruder seines Vaters. Nebukadnezar änderte seinen Namen in Zedekia.

König Zedekia von Juda
(2. Chronik 36,11–13)

[18]Zedekia wurde mit 21 Jahren König und regierte elf Jahre in Jerusalem. Seine Mutter hieß Hamutal, sie war eine Tochter Jirmejas aus Libna. [19]Wie Jojakim tat auch Zedekia, was der Herr verabscheute. [20]Der Herr war voller Zorn über die Bewohner von Jerusalem und Juda, und so wandte er sich von ihnen ab.

Flucht und Gefangennahme Zedekias
(2. Chronik 36,16–17; Jeremia 39,1–7; 52,1–11)

Auch Zedekia lehnte sich gegen die Herrschaft des babylonischen Königs auf.

25 Darum zog Nebukadnezar erneut mit seinem ganzen Heer nach Jerusalem, um die Stadt anzugreifen.

Im 9. Regierungsjahr Zedekias, am 10. Tag des 10. Monats, begannen die Babylonier mit der Belagerung Jerusalems. Rings um die Stadt schütteten sie einen Wall auf. [2]Bis ins 11. Regierungsjahr Zedekias hielt Jerusalem der Belagerung stand. [3]Doch schließlich waren alle Vorräte aufgebraucht, und die Einwohner litten unter einer schweren Hungersnot.

Am 9. Tag des 4. Monats [4]schlugen die Babylonier eine Bresche in die Stadtmauer. In der Nacht darauf gelang Zedekia mit allen seinen Soldaten die Flucht, obwohl die Feinde einen geschlossenen Belagerungsring um die Stadt gebildet hatten. Sie nahmen den Weg durch das Tor zwischen den beiden Mauern beim Garten des Königs und flohen in Richtung Jordanebene. [5]Doch die Babylonier

---

24,9 23,32.37; Jer 22,24–30 **24,13** 20,17; 25,13–17; Jer 27,19–22 **24,14–16** 20,18; 5 Mo 28,25* **24,17** Jer 37,1–2 **24,18–19** 23,37 **24,20** 13,23; 19,34; 20,6; 23,27; Jer 7,13–15; 38,17–23 **25,1–7** Jer 20,4–5; 21,4–10; 34,1–7; Hes 12,12–13; 17,12–21 **25,3** Klgl 2,11–12.19–20; 4,3–5.8–10

verfolgten Zedekia und holten ihn bei Jericho ein. Seine Soldaten liefen in alle Richtungen davon, und so wurde er allein gefangen genommen. [6]Die Babylonier führten ihn zu ihrem König nach Ribla, dort fällte Nebukadnezar das Urteil über ihn: [7]Zedekia musste zusehen, wie alle seine Söhne hingerichtet wurden. Danach stach man ihm die Augen aus und brachte ihn in Ketten nach Babylon.

Jerusalem und der Tempel werden zerstört
(2. Chronik 36,18–21; Jeremia 39,8–10; 52,12–30)

[8]Im 19. Regierungsjahr König Nebukadnezars von Babylonien, am 7. Tag des 5. Monats, traf Nebusaradan in Jerusalem ein. Er war der Oberbefehlshaber der königlichen Leibwache und kam im Auftrag Nebukadnezars. [9]Er ließ den Tempel des Herrn, den Königspalast und alle großen Häuser in Flammen aufgehen. [10]Seine Soldaten rissen die Stadtmauer nieder. [11]Nebusaradan ließ alle gefangen nehmen, die in Jerusalem und in ganz Juda zurückgeblieben waren. Auch alle, die zu den Babyloniern übergelaufen waren, führte er in die Verbannung. [12]Nur einige der ärmsten Landarbeiter ließ er zurück, um die Äcker und Weinberge zu bestellen.

[13]Im Tempel zerschlugen die Babylonier die beiden Säulen aus Bronze, die Kesselwagen und das runde Wasserbecken und brachten die Bronze nach Babylon. [14]Auch die Eimer, Schaufeln, Messer, Schalen und alle anderen bronzenen Gegenstände für den Tempeldienst nahmen sie mit, [15]ebenso die Aschenkübel und Schüsseln aus reinem Gold oder Silber. Dies alles ließ der Oberbefehlshaber der Leibwache nach Babylon bringen. [16]Auch die Bronze der beiden Säulen, des runden Wasserbeckens und der Kesselwagen, die Salomo für den Tempel des Herrn hatte anfertigen lassen, wurde mitgenommen. Es kam so viel Bronze zusammen, dass man sie gar nicht mehr wiegen konnte. [17]Allein die beiden Säulen waren schon neun Meter hoch, und auf jeder ruhte noch ein bronzenes Kapitell von anderthalb Metern Höhe. Die Kapitelle waren ringsum verziert mit Ketten und Granatäpfeln, ebenfalls aus Bronze.

[18]Nebusaradan, der Oberbefehlshaber der königlichen Leibwache, ließ einige Männer von den Gefangenen aussondern: den Hohenpriester Seraja, seinen Stellvertreter Zefanja und die drei Priester, die den Tempeleingang bewachten, [19]einen Hofbeamten, der die Aufsicht über die Truppen in der Stadt hatte, fünf Männer aus Jerusalem, die zu den engsten Vertrauten des Königs gehörten, den Offizier, der für die Musterung der Truppen verantwortlich war, und schließlich sechzig Männer aus Juda, die sich gerade in Jerusalem aufhielten. [20]Sie alle sonderte Nebusaradan aus und brachte sie nach Ribla in der Provinz Hamat zum König von Babylonien. [21]Dort ließ Nebukadnezar sie alle hinrichten.

Die Bevölkerung von Juda wurde aus ihrer Heimat vertrieben.

Statthalter Gedalja
(Jeremia 40,7 – 41,18; 43,1–7)

[22]Über die zurückgebliebene Bevölkerung von Juda, die Nebukadnezar nicht gefangen genommen hatte, setzte er einen Statthalter ein: Gedalja, einen Sohn Ahikams und Enkel Schafans. [23]Als die Offiziere und Soldaten, die verschont geblieben waren, hörten, wen der babylonische König als Statthalter eingesetzt hatte, kamen sie zu Gedalja nach Mizpa. Es waren die Offiziere Jismael, ein Sohn Netanjas, Johanan, ein Sohn

---

25,8–11 1 Kön 9,6–9; Hes 24,2–14 **25,11** 5 Mo 28,25*; Jer 24,8–10; Hes 12,1–16 **25,13–17** 1 Kön 7,13–50; Jer 27,19–22 **25,21** 15,29; 17,6.23; 18,11; 20,18; 24,14–16

Kareachs, Seraja aus Netofa, ein Sohn Tanhumets, und Jaasanja aus Maacha. Einige ihrer Soldaten begleiteten sie.

[24] Gedalja versprach ihnen: »Ihr braucht vor den Babyloniern keine Angst zu haben! Bleibt in Juda, und unterwerft euch dem babylonischen König! Dann geht es euch gut. Das schwöre ich euch!«

[25] Aber im 7. Monat des Jahres kam Jismael, der Sohn Netanjas und Enkel Elischamas, ein direkter Nachkomme der Königsfamilie, wieder nach Mizpa. Zehn Männer begleiteten ihn. Sie töteten Gedalja und alle Judäer und Babylonier, die bei ihm in Mizpa wohnten. [26] Darauf floh die ganze Bevölkerung Judas, Arm und Reich, mit den Offizieren nach Ägypten. Sie fürchteten die Rache der Babylonier.

Jojachin wird begnadigt
(Jeremia 52,31–34)

[27] 37 Jahre nach der Gefangennahme Jojachins, des früheren Königs von Juda, wurde Ewil-Merodach König von Babylonien. Im 1. Jahr seiner Regierung, am 27. Tag des 12. Monats, begnadigte er Jojachin von Juda und holte ihn aus dem Gefängnis. [28] Er behandelte ihn freundlich und gab ihm eine bevorzugte Stellung unter den Königen, die in Babylon gefangen gehalten wurden. [29] Jojachin durfte seine Gefängniskleidung ablegen und bis an sein Lebensende an der königlichen Tafel essen. [30] Der König sorgte auch sonst für seinen Unterhalt. Jojachin bekam täglich, was er zum Leben brauchte.

25,24 Jer 27,11.17 **25,26** 5 Mo 17,16; 28,68 **25,27** 24,15

Das erste Buch der Chronik

Von Adam bis Abraham

1 Dies ist das Verzeichnis der Nachkommen Adams bis Noah:[a]

Adam, Set, Enosch, [2] Kenan, Mahalalel, Jered,

[3] Henoch, Metuschelach, Lamech, [4] Noah.

Noah hatte drei Söhne: Sem, Ham und Jafet.

[5] Jafets Söhne waren Gomer, Magog, Madai, Jawan, Tubal, Meschech und Tiras. [6] Gomers Söhne hießen Aschkenas, Rifat und Togarma, [7] Jawans Söhne Elischa und Tarsis; von ihm stammten auch die Kittäer und die Rodaniter ab.

[8] Hams Söhne waren Kusch, Mizrajim, Put und Kanaan. [9/10] Kuschs Söhne hießen Seba, Hawila, Sabta, Ragma und Sabtecha. Kusch hatte noch einen Sohn mit Namen Nimrod. Er war der erste Herrscher, der sich andere Völker mit Gewalt unterwarf. Ragmas Söhne hießen Saba und Dedan. [11] Von Mizrajim stammten ab: die Luditer, Anamiter, Lehabiter, Naftuhiter, [12] Patrositer, Kaftoriter und Kasluhiter, von denen wiederum die Philister abstammten. [13] Kanaans Söhne waren Sidon, sein Ältester, und Het. [14] Außerdem stammten von Kanaan ab: die Jebusiter, Amoriter, Girgaschiter, [15] Hiwiter, Arkiter, Siniter, [16] Arwaditer, Zemariter und Hamatiter.

[17] Sems Söhne hießen Elam, Assur, Arpachschad, Lud und Aram. Arams Söhne waren:[a] Uz, Hul, Geter und Masch. [18] Arpachschads Sohn hieß Schelach, und Schelach war der Vater Ebers. [19] Eber hatte zwei Söhne: Der eine hieß Peleg (»Teilung«), weil sich damals die Menschen auf der Erde verteilten, der andere hieß Joktan. [20] Joktan war der Vater von Almodad, Schelef, Hazarmawet, Jerach, [21] Hadoram, Usal, Dikla, [22] Obal, Abimaël, Saba, [23] Ofir, Hawila und Jobab.

[24] Dies ist die Linie von Sem bis Abraham:[a] Sem, Arpachschad, Schelach, [25] Eber, Peleg, Regu, [26] Serug, Nahor, Terach, [27] Abram, der später Abraham genannt wurde.

Die Nachkommen Abrahams

[28] Abrahams Söhne hießen Isaak und Ismael. [29] Und dies sind ihre Nachkommen:

Ismaels ältester Sohn hieß Nebajot; die übrigen Söhne waren: Kedar, Adbeel, Mibsam, [30] Mischma, Duma, Massa, Hadad, Tema, [31] Jetur, Nafisch und Kedma.

[32] Auch mit seiner Nebenfrau Ketura hatte Abraham Söhne: Sie hießen Simran, Jokschan, Medan, Midian, Jischbak und Schuach. Jokschan war der Vater von Saba und Dedan, [33] Midian der Vater von Efa, Efer, Henoch, Abida und Eldaa.

[34] Abrahams Sohn Isaak hatte zwei Söhne: Esau und Israel. [35] Esaus Söhne hießen Elifas, Reguël, Jëusch, Jalam und Korach. [36] Elifas war der Vater von Teman, Omar, Zefo, Gatam, Kenas, Timna und Amalek. [37] Reguëls Söhne hießen Nahat, Serach, Schamma und Misa.

Die Nachkommen Seïrs

[38] Seïrs Söhne waren Lotan, Schobal, Zibon, Ana, Dischon, Ezer und Dischan. [39] Lotans Söhne hießen Hori und Hemam, seine Schwester war Timna. [40] Schobal war der Vater von Alwan, Manahat, Ebal, Schefi und Onam, Zibon der Vater von Aja und Ana. [41] Ana hatte

---

[a] Dieser Satz ist sinngemäß ergänzt.

1,1–4 1 Mo 5,1–32 **1,5–23** 1 Mo 10,1–32 **1,24–27** 1 Mo 11,10–26; 17,4–5 **1,28** 1 Mo 16,15; 17,15–21; 21,1–3 **1,34** 1 Mo 25,19–26; 32,29; 35,9–12 **1,35–37** 1 Mo 36,10–14 **1,38–42** 1 Mo 36,20–30

einen Sohn mit Namen Dischon. Dischons Söhne hießen Hemdan, Eschban, Jitran und Keran. 42 Ezers Söhne waren Bilhan, Saawan und Akan[a]. Dischans Söhne schließlich hießen Uz und Aran.

Könige und Oberhäupter der Edomiter

43 Noch bevor die Israeliten einen König hatten, regierten im Land Edom nacheinander folgende Könige:
König Bela, der Sohn Beors, in der Stadt Dinhaba;
44 König Jobab, der Sohn Serachs, in der Stadt Bozra;
45 König Huscham aus dem Gebiet der Temaniter;
46 König Hadad, der Sohn Bedads, in der Stadt Awit; sein Heer schlug die Midianiter im Gebiet von Moab;
47 König Samla in der Stadt Masreka;
48 König Schaul in der Stadt Rehobot am Fluss;
49 König Baal-Hanan, der Sohn Achbors;
50 König Hadad in der Stadt Pagu; seine Frau hieß Mehetabel, eine Tochter Matreds und Enkelin Me-Sahabs.
51 Die Oberhäupter der edomitischen Stämme hießen Timna, Alwa, Jetet, 52 Oholibama, Ela, Pinon, 53 Kenas, Teman, Mibzar, 54 Magdiël und Iram.

Die Söhne Israels (Jakobs)

2 Israels Söhne hießen Ruben, Simeon, Levi, Juda, Issaschar, Sebulon, 2 Dan, Josef, Benjamin, Naftali, Gad und Asser.

Die Nachkommen Judas

3 Juda war mit einer Kanaaniterin, einer Tochter Schuas, verheiratet. Sie hatten drei Söhne: Er, Onan und Schela. Er, der Älteste, tat, was der Herr verabscheute, darum ließ der Herr ihn früh sterben. 4 Juda hatte noch zwei Söhne mit seiner Schwiegertochter Tamar. Sie hießen Perez und Serach. Insgesamt hatte Juda also fünf Söhne.

5 Die Söhne des Perez hießen Hezron und Hamul;

6 Serach hatte fünf Söhne: Simri, Etan, Heman, Kalkol und Darda. 7 Karmi, ein Enkel Serachs,[b] hatte einen Sohn namens Achar.[c] Achar brachte Unheil über Israel, weil er etwas von der Beute versteckte, die Gott geweiht war. 8 Etans Sohn hieß Asarja.

9 Hezrons Söhne waren Jerachmeel, Ram und Kaleb.

Die Nachkommen Rams

10 Ram war der Vater Amminadabs, und dessen Sohn hieß Nachschon. Nachschon war das Oberhaupt des Stammes Juda. 11 Sein Sohn hieß Salmon und dessen Sohn Boas; 12 Boas' Sohn war Obed, und Obeds Sohn hieß Isai. 13 Isais ältester Sohn hieß Eliab, der zweite Abinadab, der dritte Schamma, 14 der vierte Netanel, der fünfte Raddai, 15 der sechste Ozem und der siebte David. 16 Außerdem hatte Isai zwei Töchter: Zeruja und Abigal. Zeruja hatte drei Söhne: Abischai, Joab und Asaël. 17 Abigals Sohn hieß Amasa. Sein Vater war ein Ismaeliter mit Namen Jeter.

Die Nachkommen Kalebs

18 Kaleb, der Sohn Hezrons, und seine Frau Asuba hatten eine Tochter namens Jeriot. Jeriots Söhne hießen Jescher, Schobab und Ardon. 19 Nach Asubas Tod heiratete Kaleb Efrata. Sie hatten einen Sohn names Hur. 20 Hurs Sohn hieß Uri und dessen Sohn Bezalel.

---

[a] So mit zahlreichen alten Handschriften und in Angleichung an 1. Mose 36,27. Im hebräischen Text steht der Name Jaakan.
[b] »ein Enkel Serachs« ist sinngemäß eingefügt. Vgl. Josua 7,1
[c] Damit ist Achan gemeint. Vgl. Josua 7,1–26
1,43–54 1 Mo 36,31–43 **2,1–2** 1 Mo 35,23–26 **2,6** 1 Kön 5,11 **2,13–15** 1 Sam 16,1.6–13

[21] Mit 60 Jahren heiratete Kalebs Vater Hezron noch einmal. Seine Frau war eine Tochter Machirs, des Vaters von Gilead. Hezron und seine Frau bekamen einen Sohn mit Namen Segub. [22/23] Segubs Sohn hieß Jaïr. Er besaß in der Gegend von Gilead dreiundzwanzig Dörfer, die »Dörfer Jaïrs« genannt wurden. Doch die Geschuriter und die Syrer eroberten sie, ebenso die Stadt Kenat und die umliegenden Orte. Insgesamt nahmen sie bei diesem Feldzug sechzig Städte ein. Alle ihre Einwohner waren Nachkommen Machirs, des Vaters Gileads. [24] Als Hezron in Kaleb-Efrata schon gestorben war, brachte seine Witwe Abija noch einen Sohn zur Welt: Er hieß Aschhur und gründete später die Stadt Tekoa[a].

Die Nachkommen Jerachmeels

[25] Dies sind die Nachkommen Jerachmeels, des ältesten Sohnes Hezrons: Der erste Sohn hieß Ram, dann folgten Buna, Oren, Ozem und Ahija. [26] Jerachmeels zweite Frau hieß Atara. Sie war die Mutter Onams.

[27] Die Söhne Rams, des ältesten Sohnes Jerachmeels, hießen Maaz, Jamin und Eker. [28] Onams Söhne waren Schammai und Jada. Schammais Söhne hießen Nadab und Abischur. [29] Abischur und seine Frau Abihajil hatten zwei Söhne: Achban und Molid. [30] Nadabs Söhne hießen Seled und Appajim. Seled starb ohne Kinder; [31] Appajim hatte einen Sohn namens Jischi. Jischi war der Vater von Scheschan, und dessen Sohn hieß Achlai. [32] Die Söhne Jadas, des Bruders Schammais, waren Jeter und Jonatan. Jeter hatte keine Kinder. [33] Jonatans Söhne hießen Pelet und Sasa. Das waren die Nachkommen Jerachmeels. [34] Scheschan hatte keine Söhne, sondern nur Töchter. [35] Eine dieser Töchter verheiratete er mit seinem ägyptischen Sklaven Jarha. Ihr gemeinsamer Sohn hieß Attai. [36] Von ihm stammten in direkter Linie ab: Nathan, Sabad, [37] Eflal, Obed, [38] Jehu, Asarja, [39] Helez, Elasa, [40] Sismai, Schallum, [41] Jekamja und Elischama.

Ein weiteres Verzeichnis der Nachkommen Kalebs

[42] Dies sind die Nachkommen Kalebs, des Bruders Jerachmeels: Mescha, sein erster Sohn, gründete die Stadt Sif. Sein zweiter Sohn Marescha war der Vater Hebrons und Gründer der gleichnamigen Stadt. [43] Die Söhne Hebrons hießen Korach, Tappuach, Rekem und Schema. [44] Schemas Sohn Raham war der Vater Jorkoams und gründete eine Stadt mit diesem Namen. Rekems Sohn hieß Schammai. [45] Schammais Sohn Maon war der Gründer von Bet-Zur.

[46] Kaleb und seine Nebenfrau Efa hatten drei Söhne: Haran, Moza und Gases. Harans Sohn hieß Gases. [47] Jahdais Söhne waren Regem, Jotam, Geschan, Pelet, Efa und Schaaf.

[48] Kaleb und seine zweite Nebenfrau Maacha hatten folgende Söhne: Scheber und Tirhana, [49] Schaaf, den Vater Madmannas, Schewa, den Vater Machbenas, und den Vater Gibeas. Die letzten drei gründeten je eine Stadt und benannten sie nach ihren Söhnen. Kalebs Tochter hieß Achsa.

[50] Es folgt ein Verzeichnis der Nachkommen Hurs, des ältesten Sohnes von Efrata: Schobal, der die Stadt Kirjat-Jearim gründete, [51] Salmon, der Gründer von Bethlehem, und Haref, der Gründer von Bet-Gader.

[52] Von Schobal, dem Gründer von Kirjat-Jearim, stammten Reaja und die Hälfte der Manahatiter ab. [53] In Kirjat-Jearim wohnten die Sippen der Jeteriter, Putiter, Schumatiter und Mischraiter. Von den Mischraitern stammten die Zoratiter und die Eschtaoliter ab.

[54] Von Salmon stammten ab: die Einwohner von Bethlehem, die Sippe der Netofatiter, die Einwohner von Atrot-

---

[a] Wörtlich: und war ein Vater Tekoas. – Hier und in den folgenden Kapiteln kann »Vater« auch »Gründer einer Stadt« bedeuten.

Bet-Joab, die andere Hälfte der Manahatiter, die Sippe der Zoriter, [55] außerdem die Sippen, aus denen die Schreiber stammten; sie wohnten in Jabez: die Tiratiter, die Schimatiter und die Suchatiter. Sie alle gehörten zu den Kinitern und stammten von Hammat ab, dem Stammvater der Rechabiter.

Die Nachkommen König Davids

3 In Hebron wurden König David folgende Söhne geboren:

Der älteste hieß Amnon, seine Mutter war Ahinoam aus Jesreel. Danach kam Daniel, seine Mutter war Abigajil aus Karmel. [2] Absalom war der dritte Sohn; seine Mutter hieß Maacha und war eine Tochter Talmais, des Königs von Geschur. Der vierte Sohn hieß Adonija, und seine Mutter war Haggit. [3] Der fünfte war Schefatja, seine Mutter hieß Abital. Jitream, der sechste, war der Sohn von Davids Frau Egla. [4] Diese sechs Söhne wurden in Hebron geboren. David regierte dort siebeneinhalb Jahre.

Danach regierte er in Jerusalem noch weitere dreiunddreißig Jahre. [5] Dort brachte seine Frau Batseba, die Tochter Eliams[a], vier Söhne zur Welt: Schammua, Schobab, Nathan und Salomo. [6] Dann wurden noch neun Söhne geboren: Jibhar, Elischua, Elpelet,[b] [7] Nogah, Nefeg, Jafia, [8] Elischama, Eljada und Elifelet. [9] David hatte eine Tochter namens Tamar. Die Söhne von Davids Nebenfrauen sind hier nicht aufgezählt.

[10] Auf Salomo folgten in direkter Linie: Rehabeam, Abija, Asa, Joschafat, [11] Joram, Ahasja, Joasch, [12] Amazja, Asarja, Jotam, [13] Ahas, Hiskia, Manasse, [14] Amon und Josia.

[15] Josias vier Söhne waren: Johanan, der älteste, Jojakim, Zedekia und Schallum.

[16] Jojakim hatte einen Sohn namens Jojachin[c] und Jojachin wiederum einen Sohn namens Zedekia. [17] Die Söhne Jojachins, der nach Babylonien verschleppt wurde, hießen: Schealtiël, [18] Malkiram, Pedaja, Schenazzar, Jekamja, Hoschama und Nedabja.

[19] Pedajas Söhne hießen Serubbabel und Schimi.

Serubbabels Söhne waren Meschullam und Hananja; danach kam eine Tochter namens Schelomit, [20] dann weitere fünf Söhne: Haschuba, Ohel, Berechja, Hasadja und Juschab-Hesed.

[21] Die Söhne Hananjas waren Pelatja und Jesaja. Auf Jesaja folgten in direkter Linie Refaja, Arnan, Obadja und Schechanja.

[22] Schechanjas Sohn hieß Schemaja. Schemaja hatte sechs Söhne: Hattusch, Jigal, Bariach, Nearja und Schafat.

[23] Nearja hatte drei Söhne: Eljoënai, Hiskia und Asrikam.

[24] Eljoënai hatte sieben Söhne: Hodawja, Eljaschib, Pelaja, Akkub, Johanan, Delaja und Anani.

Die Nachkommen Judas

4 Von Juda stammten Perez, Hezron, Karmi, Hur und Schobal ab.

[2] Schobals Sohn Reaja hatte einen Sohn namens Jahat; Jahats Söhne waren Ahumai und Lahad. Sie waren die Vorfahren der Zoratiter.

[3] Etam hatte drei Söhne: Jesreel, Jischma und Jidbasch, und eine Tochter mit Namen Hazlelponi.

[4] Hur, der älteste Sohn von Efrata, war der Gründer Bethlehems. Seine beiden Söhne waren: Pnuël, der Gründer Gedors, und Eser, der Gründer Huschas.

[5] Aschhur, der Gründer von Tekoa, hatte zwei Frauen: Hela und Naara.

---

[a] So mit 2. Samuel 11,3. Im hebräischen Text steht der Name Ammiël.

[b] »Elischua, Elpelet«. So mit der griechischen Übersetzung und einigen hebräischen Handschriften. Der hebräische Text lautet: Elischama, Elifelet. Vgl. 2. Samuel 5,16 und 1. Chronik 14,5

[c] Im hebräischen Text lautet der Name Jechonja, vermutlich eine Variante zu Jojachin. Vgl. 2. Könige 24,6.12

3,4 2 Sam 5,4–5 **3,9** 2 Sam 13,1–22 **4,1** 1 Mo 49,8–12; 4 Mo 26,19–22

[6]Die Söhne Naaras hießen Ahusam, Hefer, Temni und Ahaschtari.

[7]Die Söhne Helas waren Zeret, Sohar und Etnan.

[8]Die Söhne von Koz waren Anub und Zobeba; von ihm stammten auch die Sippen Aharhels, des Sohnes Harums, ab.

[9]Jabez war angesehener als seine Brüder. Seine Mutter hatte ihm den Namen Jabez (»Er bereitet Schmerzen«) gegeben, weil seine Geburt sehr schwer gewesen war. [10]Aber Jabez betete zum Gott Israels: »Bitte segne mich, und lass mein Gebiet größer werden! Beschütze mich, und bewahre mich vor Unglück! Möge kein Leid mich treffen!« Gott erhörte sein Gebet.

[11]Kelub, der Bruder Schuhas, hatte einen Sohn namens Mehir. Mehir war der Vater von Eschton;

[12]Eschtons Söhne hießen Bet-Rafa, Paseach und Tehinna.

Tehinna gründete die Stadt Nahasch. Die Nachkommen dieser Männer lebten in Recha.

[13]Kenas hatte zwei Söhne, Otniël und Seraja. Otniëls Söhne hießen Hatat und Meonotai[a];

[14]Meonotais Sohn hieß Ofra.

Seraja war der Vater Joabs. Joab gründete die Siedlung im »Tal der Handwerker«. Das Tal wurde so genannt, weil alle seine Bewohner Handwerker waren.

[15]Kaleb, der Sohn Jefunnes, hatte folgende Söhne: Iru, Ela und Naam. Elas Sohn hieß Kenas.

[16]Die Söhne Jehallelels waren Sif, Sifa, Tirja und Asarel.

[17/18]Die Söhne Esras hießen Jeter, Mered, Efer und Jalon. Mered heiratete eine Tochter des Pharaos aus Ägypten. Sie hieß Bitja. Sie brachte Mirjam, Schammai und Jischbach zur Welt, den Vater Echtemoas und Gründer der gleichnamigen Stadt. Mereds andere Frau kam aus Juda. Ihre Söhne waren Jered, der Vater Gedors, Heber, der Vater Sochos, und Jekutiël, der Vater Sanoachs. Diese drei gründeten je eine Stadt und benannten sie nach ihren Söhnen.

[19]Hodijas Frau war eine Schwester Nahams. Von ihr stammten die Garmiter ab, die später Keïla gründeten, und Eschtemoa, der in Maacha wohnte.

[20]Die Söhne Schimons waren Amnon und Rinna, Ben-Hanan und Tilon. Die Söhne Jischis hießen: Sohet und Ben-Sohet.

[21]Die Nachkommen Schelas, des Sohnes Judas, waren: Er, der Gründer Lechas, und Lada, der Gründer Mareschas, die Sippen der Leinenweber, die in Bet-Aschbea wohnten, [22]Jokim und die Männer aus Koseba; Joasch und Saraf, die eine hohe Stellung in Moab hatten. Später kehrten sie nach Bethlehem zurück. So sagt es eine alte Überlieferung. [23]Ihre Nachkommen wohnten in Netaim und Gedera. Sie waren Töpfer und arbeiteten für den König.

Die Nachkommen Simeons

[24]Die Söhne Simeons waren Jemuël, Jamin, Jarib, Serach und Schaul. [25]Schauls Sohn hieß Schallum, Schallums Sohn Mibsam und Mibsams Sohn Mischma. [26]Mischmas Sohn hieß Hammuël, Hammuëls Sohn war Sakkur, und Sakkurs Sohn hieß Schimi. [27]Schimi hatte sechzehn Söhne und sechs Töchter, doch seine Brüder hatten nicht viele Kinder. Die Sippen des Stammes Simeon wurden nicht so groß wie die von Juda.

[28]Folgende Städte mit den umliegenden Dörfern gehörten zum Gebiet des Stammes Simeon: Beerscheba, Molada, Hazar-Schual, [29]Baala, Ezem, Eltolad, [30]Betuël, Horma, Ziklag, [31]Bet-Markabot, Hazar-Susa, Bet-Biri und Schaarajim. In diesen Städten wohnten Simeons Nachkommen, bis David König wurde. [32]Außerdem gehörten ihnen noch die fünf Städte Etam, Ajin, Rimmon,

---

a »Meonotai« ist ergänzt nach der griechischen Übersetzung. Der Name fehlt im hebräischen Text.

4,13 Ri 3,9–11 **4,15** 4 Mo 13,30* **4,21** 2,3 **4,24** 1 Mo 49,5–7; 4 Mo 26,12–14

Tochen und Aschan [33] mit ihren umliegenden Dörfern. Das Gebiet erstreckte sich bis nach Baal. Jeder Ort hatte ein eigenes Familienregister.

[34] Es folgt ein Verzeichnis der Sippenoberhäupter: Meschobab, Jamlech, Joscha, ein Sohn Amazjas, [35] Joel, Jehu, der Sohn Joschibjas, Enkel Serajas und Urenkel Asiëls, [36] Eljoënai, Jaakoba, Jeschohaja, Asaja, Adiël, Jesimiël, Benaja [37] und Sisa, der in gerader Linie von Schifi, Allon, Jedaja, Schimri und Schemaja abstammte.

[38] Sie alle waren Oberhäupter ihrer Sippen. Ihre Familien breiteten sich sehr stark aus. [39] Darum mussten sie wegziehen, um Weideland für ihre Schafe und Ziegen zu suchen. Sie durchquerten das Tal in Richtung Osten, bis sie nach Gedor kamen. [40] Dort fanden sie schöne, saftige Weiden. Das Land dehnte sich nach allen Seiten aus. Es war ruhig und sicher. Früher hatten hier Nachkommen Hams gewohnt. [41] Doch während Hiskia König von Juda war, überfielen jene Sippen die Hamiten und auch die Mëuniter, die ebenfalls dort wohnten. Sie rissen ihre Zelte nieder und töteten alle Menschen. Kein Einziger überlebte. Dann siedelten sie sich dort an, denn nun hatten sie genügend Weideland für ihr Vieh. Noch heute wohnen sie in dieser Gegend.

[42] 500 Männer vom Stamm Simeon zogen in das Gebirge Seïr. Pelatja, Nearja, Refaja und Usiël, die vier Söhne Jischis, führten sie an. [43] Sie brachten die letzten Amalekiter um, die früher in das Gebirge Seïr geflohen waren, und ließen sich dort nieder. Noch heute wohnen sie in dieser Gegend.

Die Nachkommen Rubens

5 Dies ist ein Verzeichnis der Nachkommen Rubens, des ältesten Sohnes Israels. Ruben war der erste Sohn. Aber weil er mit einer Frau seines Vaters geschlafen hatte, musste er sein Erstgeburtsrecht an die Söhne seines Bruders Josef abtreten. Ruben ist deshalb in den Geschlechtsregistern nicht als der Älteste eingetragen. [2] Juda war der wichtigste Sohn Israels, denn von ihm stammten die Könige ab. Doch das Erstgeburtsrecht kam Josef zu.

[3] Die Söhne Rubens, des ältesten Sohnes Israels, hießen Henoch, Pallu, Hezron und Karmi.

[4] Die Nachkommen Joels: Sein Sohn hieß Schemaja, und auf ihn folgten in gerader Linie Gog, Schimi, [5] Micha, Reaja, Baal [6] und Beera, der von Tiglat-Pileser, dem assyrischen König, in die Gefangenschaft geführt wurde. Er war das Oberhaupt des Stammes Ruben. [7] In den Geschlechtsregistern dieses Stammes waren folgende Männer mit ihren Sippen eingetragen: als erster Jeïël, dann Secharja [8] und Bela, der Sohn Asas, Enkel Schemas und Urenkel Joels.

Die Rubeniter wohnten im Gebiet von Aroër bis nach Nebo und Baal-Meon. [9] Gegen Osten breiteten sie sich bis zur Wüste aus, die beim Euphrat beginnt, denn in Gilead hatten sich ihre Herden sehr stark vermehrt.

[10] Während der Regierungszeit König Sauls führten sie Krieg gegen die Hagariter. Sie töteten sie und ließen sich dort nieder, wo die Hagariter gewohnt hatten. So gehörte nun das ganze Gebiet Ost-Gilead den Nachkommen Rubens.

Die Nachkommen Gads

[11] Die Nachkommen Gads wohnten in der Gegend von Baschan und Salcha, gegenüber dem Gebiet des Stammes Ruben: [12] Joel war das Oberhaupt, Schafam sein Stellvertreter; auch Janai und Schafat waren führende Männer. Sie alle wohnten mit ihren Sippen in Baschan. [13] Dazu kamen weitere sieben Männer mit ihren Sippen: Michael, Meschullam, Scheba,

---

4,40 1,8–16 **4,41** 2 Chr 29,1 **4,43** 1 Sam 15,3–8 **5,1** 1 Mo 35,22; 49,3–4.26; 4 Mo 26,5–11
5,2 1 Mo 49,8–12; 2 Sam 7,16* **5,10** 1 Mo 16,15; 25,12–18 **5,11** 1 Mo 49,19; 4 Mo 26,15–18

Jorai, Jakan, Sia und Eber. [14] Diese sieben waren die Söhne Abihajils, der in gerader Linie von Huri, Jaroach, Gilead, Michael, Jeschischai, Jachdo und Bus abstammte. [15] Ahi, der Sohn Abdiëls und Enkel Gunis, war das Oberhaupt dieser Sippen.

[16] Die Gaditer wohnten in den Städten der Gebiete Gilead und Baschan. Auch das ganze Weideland von Scharon bis hin zur Grenze gehörte ihnen. [17] Alle diese Sippen wurden zur Zeit König Jotams von Juda und König Jerobeams von Israel in das Stammesregister aufgenommen.

Der Krieg der Stämme im Ostjordanland

[18] Die Stämme Ruben, Gad und der halbe Stamm Manasse hatten ein Heer von 44 760 Mann. Dazu gehörten alle wehrfähigen Männer, die mit Pfeil und Bogen, mit Schwert und Schild umgehen konnten und im Kampf geübt waren. [19] Sie führten Krieg gegen die hagaritischen Stämme Jetur, Nafisch und Nodab. [20] In der Schlacht schrien sie zu Gott um Hilfe. Weil sie ihm vertrauten, erhörte er ihr Gebet und gab ihnen den Sieg über die Hagariter und ihre Verbündeten. [21] Sie erbeuteten 50 000 Kamele, 250 000 Schafe und Ziegen sowie 2 000 Esel und nahmen 100 000 Menschen gefangen. [22] In der Schlacht waren sehr viele Feinde gefallen, denn der Herr selbst hatte es so gewollt. Die Israeliten wohnten in dem eroberten Gebiet, bis sie nach Assyrien verschleppt wurden.

Die Familien des halben Stammes Manasse

[23] Die eine Hälfte des Stammes Manasse wohnte in einem Gebiet, das sich von Baschan bis zum Berg Hermon erstreckte[a]. Dieser halbe Stamm war sehr groß. [24] Die Oberhäupter seiner Sippen hießen: Efer, Jischi, Eliël, Asriël, Jirmeja, Hodawja und Jachdiël. Sie alle waren erfahrene Soldaten, Männer von Rang und Namen.

Die Oststämme werden in die Gefangenschaft geführt

[25] Doch die Oststämme wurden dem Gott ihrer Vorfahren untreu. Sie liefen den Göttern der Völker nach, die er ihretwegen vertrieben hatte. [26] Darum ließ Gott den assyrischen König Tiglat-Pileser[b] gegen sie in den Krieg ziehen. Er führte die Rubeniter, die Gaditer und den halben Stamm Manasse in die Gefangenschaft. Er verschleppte sie nach Halach, an den Fluss Habor, nach Hara und an den Fluss von Gosan. Dort leben sie heute noch.

Der Stamm Levi: Die Linie der Hohenpriester

[27] Die Söhne Levis hießen Gerschon, Kehat und Merari. [28] Kehats Söhne waren Amram, Jizhar, Hebron und Usiël.

[29] Amram hatte zwei Söhne, Aaron und Mose, und eine Tochter namens Mirjam. Die Söhne Aarons hießen Nadab, Abihu, Eleasar und Itamar.

[30] Eleasars Sohn hieß Pinhas, dann folgten in direkter Linie Abischua, [31] Bukki, Usi, [32] Serachja, Merajot, [33] Amarja, Ahitub, [34] Zadok, Ahimaaz, [35] Asarja, Johanan [36] und Asarja. Asarja war der erste Hohepriester in dem Tempel, den Salomo in Jerusalem gebaut hatte. [37] Asarjas Sohn hieß Amarja, dann folgten in direkter Linie Ahitub, [38] Zadok, Schallum, [39] Hilkija, Asarja, [40] Seraja und Jozadak. [41] Als der Herr die Bewohner von Jerusalem und ganz Juda durch Nebukadnezar nach Babylonien verschleppen ließ, war auch Jozadak darunter.

---

[a] Wörtlich: bis Baal-Hermon, bis zum Senir und bis zum Berg Hermon. – Baal-Hermon und Senir sind andere Namen für den Berg Hermon.

[b] Im hebräischen Text wird zusätzlich der Name Pul erwähnt. Pul ist der babylonische Name von Tiglat-Pileser.

5,23 7,14; 1 Mo 48,8–20; 49,22–26; 4 Mo 26,29–34 **5,25–26** 2 Kön 15,19.29 **5,27** 1 Mo 49,5–7; 4 Mo 26,57–62 **5,29** 2 Mo 6,20–27; 15,20 **5,41** 2 Kön 25,11; Esr 3,2

Die Nachkommen Levis

6 Die Söhne Levis hießen Gerschon, Kehat und Merari. [2]Gerschon hatte zwei Söhne namens Libni und Schimi. [3]Die Söhne Kehats waren Amram, Jizhar, Hebron und Usiël, [4]und die Söhne Meraris Machli und Muschi.

Es folgt ein Verzeichnis der levitischen Sippen, geordnet nach ihren Stammvätern:

[5]Von Gerschon stammten in direkter Linie ab: Libni, Jahat, Simma, [6]Joach, Iddo, Serach und Jeotrai.

[7]Auf Kehat folgten in gerader Linie: Amminadab, Korach, Assir, [8]Elkana, Abiasaf, Assir, [9]Tahat, Uriël, Usija und Schaul. [10]Die Söhne Elkanas hießen Amasai, Ahimot [11]und Elkana. Auf Elkana folgten Zuf, Nahat, [12]Eliab, Jeroham, Elkana und Samuel[a]. [13]Samuels erster Sohn hieß Joel[b] und der zweite Abija.

[14]Von Merari stammten in gerader Linie ab: Machli, Libni, Schimi, Usa, [15]Schima, Haggija und Asaja.

Die Aufgaben der Leviten

[16]Nachdem König David die Bundeslade nach Jerusalem gebracht hatte, suchte er einige Leviten aus, die den Gesang am Heiligtum des Herrn leiten sollten. [17]Bevor Salomo den Tempel in Jerusalem baute, versahen sie ihren Dienst vor dem heiligen Zelt. Ihre Arbeit war genau festgelegt. [18]Folgende Männer sollten zusammen mit den anderen Männern ihrer Sippe diese Aufgabe übernehmen:

Der Sänger Heman aus der Sippe der Kehatiter leitete die erste Sängergruppe. Er war ein Sohn Joels und Enkel Samuels. [19]Seine weiteren Vorfahren hießen Elkana, Jeroham, Eliël, Tohu, [20]Zuf, Elkana, Mahat, Amasai, [21]Elkana, Joel, Asarja, Zefanja, [22]Tahat, Assir, Abiasaf, Korach, [23]Jizhar, Kehat, Levi und Israel.

[24]Rechts neben Heman stand Asaf, der Leiter der zweiten Sängergruppe. Er war ein Sohn Berechjas und Enkel Schimas. [25]Seine weiteren Vorfahren waren Michael, Maaseja, Malkija, [26]Etni, Serach, Adaja, [27]Etan, Simma, Schimi, [28]Jahat, Gerschon und Levi.

[29]Links neben Heman stand Etan mit seiner Sängergruppe; er stammte aus der Sippe Merari. Etans Vorfahren waren Kuschaja, Abdi, Malluch, [30]Haschabja, Amazja, Hilkija, [31]Amzi, Bani, Schemer, [32]Machli, Muschi, Merari und Levi.

[33]Alle anderen Leviten versahen den übrigen Dienst am Heiligtum Gottes.

[34]Aber nur Aaron und seine Nachkommen brachten die Brandopfer dar und verbrannten Weihrauch auf dem Räucheropferaltar. Sie waren für alle Dienste im Allerheiligsten verantwortlich. Ihre Aufgabe war es, für die Sünden des Volkes Israel zu opfern und bei Gott um Vergebung zu bitten. Sie mussten sich genau an die Vorschriften halten, die Mose, der Diener Gottes, ihnen für ihren Dienst gegeben hatte.

[35]Die Nachkommen Aarons waren in direkter Linie: Eleasar, Pinhas, Abischua, [36]Bukki, Usi, Serachja, [37]Merajot, Amarja, Ahitub, [38]Zadok und Ahimaaz.

Die Wohnorte der Leviten

[39]Es folgt ein Verzeichnis der Wohnorte und Weideplätze, die den Leviten in den verschiedenen Stammesgebieten durch das Los zugeteilt wurden:

Das erste Los fiel auf die Nachkommen Aarons, die zur Sippe der Kehatiter gehörten. [40]Sie bekamen im Gebiet des Stammes Juda die Stadt Hebron und das

---

[a] So mit einigen Handschriften der griechischen Übersetzung. Im hebräischen Text fehlt der Name Samuel. Vgl. 1. Samuel 1,19–20 und 1. Chronik 6,18

[b] So mit einigen Handschriften der griechischen Übersetzung. Im hebräischen Text fehlt der Name Joel. Vgl. 1. Samuel 8,2 und 1. Chronik 6,18

6,1–4 2 Mo 6,16–25; 4 Mo 3,14–20 **6,12** 1 Sam 1,19–20 **6,16–32** 15,16–24 **6,16** 2 Sam 6,17 **6,17** 4 Mo 1,49–53 **6,34** 2 Mo 30,6–8.34–38; 3 Mo 4,13–21; 4 Mo 3,10

Weideland ringsum. [41] Doch das dazugehörige Ackerland und die umliegenden Dörfer erhielt Kaleb, der Sohn Jefunnes. [42] Hebron gehörte zu den Städten, in denen Totschläger Zuflucht suchen konnten. Außerdem bekamen die Nachkommen Aarons in Juda Libna, Jattir, Eschtemoa, [43] Holon, Debir, [44] Aschan, Jutta[a] und Bet-Schemesch. Zu allen Städten gehörte das Weideland ringsum. [45] Im Stammesgebiet von Benjamin erhielten sie die Städte Gibeon[b], Geba, Alemet und Anatot mit den dazugehörigen Weiden. Insgesamt gehörten den Nachkommen Aarons dreizehn Städte.

[46] Die übrigen Sippen der Kehatiter bekamen durch das Los zehn Städte aus dem Gebiet des halben Stammes Manasse zugeteilt.

[47] Die Sippen der Nachkommen Gerschons erhielten dreizehn Städte aus den Gebieten von Issaschar, Asser, Naftali und aus der Gegend von Baschan in Manasse.

[48] Die Sippen der Nachkommen Meraris bekamen durch das Los zwölf Städte zugeteilt. Sie lagen in den Gebieten der Stämme Ruben, Gad und Sebulon.

[49] Diese Städte mit dem dazugehörigen Weideland teilten die Israeliten den Leviten zu. [50] Sie waren ausgelost worden und lagen in den Gebieten der Stämme Juda, Simeon und Benjamin.

[51] Einige Sippen der Kehatiter erhielten ihre Städte und die dazugehörigen Weiden im Stammesgebiet von Ephraim. [52] Dazu gehörte Sichem auf dem Gebirge Ephraim, eine Zufluchtsstadt für Totschläger, dann Geser, [53] Jokmeam, Bet-Horon, [54] Ajalon und Gat-Rimmon. [55] Außerdem erhielten die Kehatiter noch die Städte Aner und Bileam mit ihren Weideflächen aus dem Gebiet des halben Stammes Manasse. [56] Die Nachkommen Gerschons bekamen folgende Städte mit den dazugehörigen Weiden: im Stammesgebiet Manasses Golan in der Gegend von Baschan und Aschtarot; [57] im Stammesgebiet Issaschars Kedesch, Daberat, [58] Ramot und En-Gannim; [59] im Stammesgebiet Assers Mischal, Abdon, [60] Helkat und Rehob; [61] und im Stammesgebiet Naftalis Kedesch in Galiläa, Hammon und Kirjatajim.

[62] Die übrigen Nachkommen Meraris erhielten folgende Städte mit dem dazugehörigen Weideland: im Gebiet Sebulons Jokneam, Karta,[c] Rimmon und Tabor; [63/64] im Gebiet Rubens: Bezer, das in der Steppe liegt, Jahaz, Kedemot und Mefaat; diese Städte liegen gegenüber von Jericho, östlich des Jordan; [65] im Gebiet Gads: Ramot in Gilead, Mahanajim, [66] Heschbon und Jaser.

Die Nachkommen Issaschars

7 Issaschar hatte vier Söhne mit Namen Tola, Puwa, Jaschub und Schimron.

[2] Die Söhne Tolas hießen Usi, Refaja, Jeriël, Jachmai, Jibsam und Schemuël. Sie alle waren Sippenoberhäupter. Von den Nachkommen Tolas waren zur Zeit Davids nach den Geschlechtsregistern 22 600 Männer wehrfähig.

[3] Usi hatte einen Sohn namens Jisrachja. Dieser und seine vier Söhne Michael, Obadja, Joel und Jischija waren fünf Sippenoberhäupter. [4] In den Geschlechtsregistern ihrer Nachkommen waren 36 000 wehrfähige Männer eingetragen. Es war eine so hohe Zahl, weil die Nachkommen Usis viele Frauen und Kinder hatten. [5] Insgesamt hatten die Sippen des Stammes Issaschar 87 000 wehrfähige Männer. Sie alle waren in den Geschlechtsregistern aufgeführt.

---

[a] Ergänzt nach Josua 21,16.
[b] Ergänzt nach Josua 21,17–18.
[c] Jokneam und Karta sind ergänzt nach Josua 21,34–35.

6,41 4 Mo 13,30* **6,42.52–54** 4 Mo 35,10–15* **7,1** 1 Mo 49,14–15; 4 Mo 26,23–25

Die Nachkommen Benjamins und Naftalis

[6]Benjamin hatte drei Söhne namens Bela, Becher und Jediaël.

[7]Die fünf Söhne Belas hießen Ezbon, Usi, Usiël, Jerimot und Ir; sie alle waren Sippenoberhäupter. In den Geschlechtsregistern dieser fünf Sippen waren 22034 wehrfähige Männer eingetragen.

[8]Die Söhne Bechers hießen Semira, Joasch, Eliëser, Eljoënai, Omri, Jerimot, Abia, Anatot und Alemet. [9]In den Geschlechtsregistern ihrer Sippenoberhäupter waren 20200 wehrfähige Männer aufgeführt.

[10]Jediaëls Sohn hieß Bilhan, Bilhan hatte sieben Söhne namens Jëusch, Benjamin, Ehud, Kenaana, Setan, Tarsis und Ahischahar. [11]Sie waren die Oberhäupter ihrer Sippen. Diese stellten ein Heer von 17200 Mann.

[12]Die Schuppiter und Huppiter stammten von Ir ab, und die Huschiter gingen auf Aher zurück.

[13]Die Söhne Naftalis hießen Jachzeel, Guni, Jezer und Schillem; sie waren Enkel Bilhas.

Die Nachkommen Manasses

[14]Manasse und seine aramäische Nebenfrau hatten zwei Söhne: Asriël und Machir, den Vater Gileads. [15]Machir heiratete eine Frau von den Huppitern und Schuppitern. Er hatte eine Schwester mit Namen Maacha. Hefers[a] zweiter Sohn hieß Zelofhad, er hatte nur Töchter.

[16]Machirs Frau Maacha brachte zwei weitere Söhne zur Welt. Sie hießen Peresch und Scheresch. Die Söhne Schereschs waren Ulam und Rekem. [17]Ulams Sohn hieß Bedan. Dies waren die Nachkommen von Gilead, dem Sohn Machirs und Enkel Manasses.

[18]Gileads Schwester Molechet hatte drei Söhne namens Ischhod, Abiëser und Machla. [19]Die Söhne Schemidas hießen Achjan, Sichem, Likhi und Aniam.

Die Nachkommen Ephraims

[20]Ephraim hatte einen Sohn mit Namen Schutelach, auf ihn folgten in gerader Linie: Bered, Tahat, Elada, Tahat, [21]Sabad und Schutelach.

Zwei andere Söhne Ephraims hießen Eser und Elad. Die beiden gingen eines Tages nach Gat, um dort Vieh zu stehlen. Doch die Einwohner der Stadt überraschten sie dabei und brachten sie um. [22]Ihr Vater Ephraim trauerte lange Zeit um sie. Seine Brüder kamen zu ihm und versuchten, ihn zu trösten. [23]Als er wieder mit seiner Frau schlief, wurde sie schwanger und bekam einen Sohn. Ephraim nannte ihn Beria (»Unglück«), weil er geboren wurde, nachdem Unglück über die Familie hereingebrochen war. [24]Ephraim hatte auch eine Tochter, die Scheera hieß. Sie ließ das untere und das obere Bet-Horon und Usen-Scheera erbauen.

[25]Zwei weitere Söhne Ephraims hießen Refach und Reschef, dann folgten in direkter Linie Telach, Tahan, [26]Ladan, Ammihud, Elischama, [27]Nun und Josua.

[28]Den Nachkommen Ephraims gehörten Bethel und die umliegenden Orte; im Osten reichte ihr Gebiet bis nach Naara und im Westen bis nach Geser mit den umliegenden Orten; im Norden bildeten Sichem und Aja mit ihren umliegenden Orten die Grenze. [29]Den Nachkommen Manasses gehörten die Städte Bet-Schean, Taanach, Megiddo und Dor mit ihren umliegenden Orten. In allen diesen Städten wohnten die Nachkommen Josefs, des Sohnes Israels.

---

[a] Ergänzt nach 4. Mose 26,33 und Josua 17,3. Im hebräischen Text fehlt der Name des Vaters.

7,6 1 Mo 49,27; 4 Mo 26,38–41 **7,13** 1 Mo 49,21; 4 Mo 26,48–50 **7,14** 5,23; 1 Mo 48,8–20; 49,22–26; 4 Mo 26,29–34 **7,20** 1 Mo 48,8–20; 49,22–26; 4 Mo 26,35–37 **7,27** 4 Mo 13,16; 27,18–23*

Die Nachkommen Assers

[30] Asser hatte vier Söhne namens Jimna, Jischwa, Jischwi und Beria und eine Tochter, die Serach hieß.

[31] Die Söhne Berias waren Heber und Malkiël, der Gründer von Birsajit.

[32] Hebers Söhne hießen Jaflet, Schemer und Hotam; außerdem hatte er eine Tochter mit Namen Schua.

[33] Die Söhne Jaflets hießen Pasach, Bimhal und Aschwat, [34] die Söhne Schemers waren Ahi, Rohga, Hubba und Aram. [35] Die Söhne ihres Bruders Hotam[a] hießen Zofach, Jimna, Schelesch und Amal.

[36] Die Söhne Zofachs waren Suach, Harnefer, Schual, Beri, Jimra, [37] Bezer, Hod, Schamma, Schilscha, Jitran und Beera. [38] Die Söhne Jeters waren Jefunne, Pispa und Ara;

[39] die Söhne Ullas hießen Arach, Hanniël und Rizja.

[40] Diese Nachkommen Assers waren die Oberhäupter ihrer Sippen, sie waren erfahrene Soldaten und angesehene Männer. Von ihnen stammten die späteren Stammesfürsten ab. Vom Stamm Asser waren 26000 Mann in den Listen als wehrfähig eingetragen.

Die Nachkommen Benjamins

8 Benjamin hatte fünf Söhne: der erste hieß Bela, der zweite Aschbel, dann folgten Achrach, [2] Noha und Rafa.

[3] Belas Söhne waren Ard, Gera – der Vater Ehuds[b] –, [4] Abischua, Naaman, Ahoach, [5] Gera, Schefufan und Huram.

[6/7] Die Söhne Ehuds hießen Naaman, Ahija und Gera. Sie waren die Oberhäupter der Sippen, die in Geba wohnten und später nach Manahat verbannt wurden. Gera, der Vater von Usa und Ahihud, brachte sie dorthin.

[8/9] Schaharajim trennte sich von seinen beiden Frauen Huschim und Baara und zog nach Moab. Dort bekamen er und seine Frau Hodesch sieben Söhne: Jobab, Zibja, Mescha, Malkam, [10] Jëuz, Sacheja und Mirma. Sie wurden später Sippenoberhäupter. [11] Mit seiner früheren Frau Huschim hatte er ebenfalls zwei Söhne. Sie hießen Abitub und Elpaal.

[12–14] Die Söhne Elpaals waren Eber, Mischam, Schemed, Beria, Schema, Achjo, Schaschak und Jeremot. Schemed baute die Städte Ono und Lod mit den umliegenden Dörfern; Beria und Schema waren die Oberhäupter der Einwohner von Ajalon. Sie vertrieben die Einwohner von Gat.

[15/16] Berias Söhne hießen Sebadja, Arad, Eder, Michael, Jischpa und Joha.

[17/18] Elpaal bekam noch weitere Söhne. Sie hießen Sebadja, Meschullam, Hiski, Heber, Jischmerai, Jislia und Jobab.

[19–21] Schimis Söhne waren Jakim, Sichri, Sabdi, Eliënai, Zilletai, Eliël, Adaja, Beraja und Schimrat.

[22–25] Schaschaks Söhne waren Jischpan, Eber, Eliël, Abdon, Sichri, Hanan, Hananja, Elam, Antotija, Jifdeja und Pnuël.

[26/27] Jerohams Söhne hießen Schamscherai, Scheharja, Atalja, Jaareschja, Elia und Sichri. [28] Sie alle waren als Sippenoberhäupter in den Geschlechtsregistern des Stammes Benjamin aufgeführt. Sie lebten in Jerusalem.

Die Familie Sauls in Gibeon

[29] Jeïël[c] gründete die Stadt Gibeon und ließ sich mit seiner Frau Maacha dort nieder. [30] Ihr ältester Sohn hieß Abdon, dann folgten Zur, Kisch, Baal, Ner[d], Nadab, [31] Gedor, Achjo, Secher [32] und Miklot, der einen Sohn mit Namen Schima hatte. Sie ließen sich in Jerusalem nieder und wohnten dort bei anderen Familien ihres Stammes.

---

a So nach Vers 32. Im hebräischen Text steht der Name Helem.
b Oder: Gera, Abihud. – Ehud wird in Richter 3,15 als Sohn Geras bezeichnet.
c Ergänzt nach 1. Chronik 9,35. Der Name fehlt im hebräischen Text.
d Ergänzt nach 1. Chronik 9,36. Der Name fehlt im hebräischen Text.

7,30 1 Mo 49,20; 4 Mo 26,44–47 **8,1–5** 7,6 **8,29–38** 9,35–44

[33] Ners Sohn hieß Abner[a], und Kischs Sohn hieß Saul. Sauls Söhne waren Jonatan, Malkischua, Abinadab und Eschbaal.

[34] Jonatans Sohn hieß Merib-Baal, Merib-Baals Sohn Micha.

[35] Michas Söhne waren Piton, Melech, Tachrea und Ahas. [36] Ahas' Sohn hieß Joadda, Joaddas Söhne waren Alemet, Asmawet und Simri. Simris Sohn hieß Moza, [37] auf ihn folgten in direkter Linie Bina, Refaja[b], Elasa und Azel.

[38] Azel hatte sechs Söhne. Sie hießen Asrikam, Bochru, Ismael, Schearja, Obadja und Hanan. [39] Eschek, ein Bruder Azels, hatte drei Söhne. Der älteste hieß Ulam, dann folgten Jëusch und Elifelet.

[40] Die Söhne Ulams waren erfahrene Soldaten, die gut mit Pfeil und Bogen umgehen konnten. Sie hatten viele Söhne und Enkel, insgesamt 150. Alle genannten Männer und ihre Sippen waren Nachkommen Benjamins.

Einwohner Jerusalems nach dem Exil

9 So wurden die Namen aller Bewohner Israels festgehalten und in die Chronik der Könige von Israel geschrieben.

Weil die Bewohner von Juda sich vom Herrn abwandten und andere Götter verehrten, wurden sie nach Babylonien verbannt. [2] Die Ersten, die zurückkehrten und wieder ihren Grund und Boden in den Städten erhielten, waren Leute aus dem Volk sowie Priester, Leviten und Tempeldiener. [3] In Jerusalem ließen sich Angehörige der Stämme Juda, Benjamin, Ephraim und Manasse nieder.

[4] Von den Nachkommen Judas lebten dort folgende Sippenoberhäupter: Utai, ein Sohn Ammihuds, seine Vorfahren reichten über Omri, Imri, Bani und Perez bis auf Juda zurück; [5] Asaja, der älteste Sohn Schelas, und seine Söhne; [6] Jëuël und seine Brüder, die Nachkommen Serachs. Zu all diesen Sippen gehörten 690 Familien.

[7-9] Von den Nachkommen Benjamins lebten folgende Sippenoberhäupter in Jerusalem: Sallu, der Sohn Meschullams, er stammte über Hodawja von Senua ab; Jibneja, der Sohn Jerohams; Ela, der Sohn Usis, der von Michri abstammte; Meschullam, der Sohn Schefatjas, zu seinen Vorfahren gehörten Reguël und Jibnija. Die Sippen der Benjaminiter bestanden aus 956 Familien, die in Geschlechtsregistern aufgeführt waren.

[10] Die Priester, die nach der Verbannung in Jerusalem lebten, hießen Jedaja, Jojarib, Jachin [11] und der oberste Priester Asarja, ein Sohn Hilkijas; unter seinen Vorfahren waren Meschullam, Zadok, Merajot und Ahitub. [12] Außerdem Adaja, der Sohn Jerohams, er stammte über Paschhur von Malkija ab; sowie Masai, der Sohn Adiëls, seine Vorfahren reichten über Jachsera, Meschullam und Meschillemot bis auf Immer zurück. [13] Zu den Sippen dieser Priester gehörten 1760 Familien, die Männer verrichteten den Tempeldienst.

[14] Von den Leviten lebten folgende Sippenoberhäupter in Jerusalem: Schemaja, der Sohn Haschubs, zu seinen Vorfahren gehörten Asrikam, Haschabja und Merari. [15] Weiter Bakbukja, Heresch, Galal und Mattanja, ein Sohn Michas, der über Sichri von Asaf abstammte. [16] Außerdem Abda, der Sohn Schammuas,[c] unter seinen Vorfahren waren Galal und Jedutun; sowie Berechja, der Sohn Asas, der von Elkana abstammte und mit seiner Familie in den Dörfern der Netofatiter wohnte.

[17] Dazu kamen folgende Torwächter: Schallum, Akkub, Talmon und Ahiman. Schallum war ihr Befehlshaber. [18] Bis heute hat seine Familie die Aufsicht über die Wachen am Königstor auf der Ostseite des Tempels.

Ihre Vorfahren zur Zeit der Wüsten-

---

[a] Der hebräische Text lautet: Ners Sohn hieß Kisch. Vgl. aber 1. Samuel 9,1; 14,50–51

[b] Im hebräischen Text steht der Name Rafa. Vgl. aber 1. Chronik 9,43

[c] Der hebräische Text lautet: Obadja, der Sohn Schemajas. Vgl. aber Nehemia 11,17

8,34 2 Sam 9,1–13 **9,1** 2 Kön 24,14–16; 25,11–12 **9,2** Esr 2,1–70 **9,17–18** 26,12–13.17–19; 4 Mo 1,50.53

wanderung hatten die Zelte der Leviten rings um das heilige Zelt bewacht. [19/20] Damals war Pinhas, der Sohn Eleasars, ihr Vorsteher. Der Herr stand ihm bei. Schallum war ein Sohn Kores, er stammte über Abiasaf von Korach ab und gehörte mit seinen Brüdern zur Sippe der Korachiter. Sie hatten die Aufgabe, den Eingang zum heiligen Zelt zu bewachen, so wie schon ihre Vorfahren den Eingang zum Lager des Volkes Gottes bewacht hatten. [21] Auch Secharja, ein Sohn Meschelemjas, stand am Eingang zum heiligen Zelt.

[22] Insgesamt hatte man 212 Männer für den Wachdienst am Eingang zum Heiligtum ausgewählt. Ihre Namen wurden in ihren Wohnorten in Listen eingetragen. David und der Prophet Samuel hatten ihre Vorfahren in das Amt eingesetzt. [23] Sie und ihre Nachkommen bewachten die Eingänge zum heiligen Zelt und später zum Tempel des Herrn. [24] Die Wachen standen an den Toren auf jeder Seite des Tempels.

[25] Die meisten Korachiter wohnten nicht in Jerusalem. Doch von Zeit zu Zeit musste jeder für eine Woche aus seinem Dorf nach Jerusalem kommen, um beim Tempel Wache zu halten. [26] Nur die vier Aufseher über die Wache waren ständig in Jerusalem. Auch sie waren Leviten. Sie verwalteten außerdem die Vorratsräume und Schatzkammern des Tempels. [27] Auch nachts blieben sie im Tempelbereich, denn sie mussten jeden Morgen die Tempeltüren aufschließen.

[28] Einige Leviten hatten die Aufsicht über die Gegenstände für den Opferdienst. Sie trugen sie abgezählt zum Altar und hinterher wieder zurück. [29] Andere verwalteten die Gegenstände, die im Heiligtum gebraucht wurden, sowie die Vorräte an feinem Weizenmehl, Wein, Öl, Weihrauch und wohlriechenden Balsamölen. [30] Aber das Mischen der Balsamöle zu einer Salbe war Aufgabe der Priester. [31] Der Levit Mattitja, der älteste Sohn Schallums, aus der Sippe der Korachiter, war für das Backwerk verantwortlich, das für die Speiseopfer gebraucht wurde. [32] Einige Leviten aus der Sippe der Kehatiter mussten dafür sorgen, dass an jedem Sabbat frische Schaubrote in das Heiligtum gebracht wurden.

[33] Auch die Sänger stammten aus den levitischen Sippen. Ihre Leiter waren von allen anderen Diensten befreit, denn sie mussten Tag und Nacht einsatzbereit sein. Deshalb wohnten sie in Kammern direkt am Tempel.

[34] Alle genannten Sippenoberhäupter der Leviten waren in den Geschlechtsregistern aufgeführt. Sie wohnten in Jerusalem.

Die Familie Sauls in Gibeon

[35] Jeïël gründete die Stadt Gibeon und ließ sich mit seiner Frau Maacha dort nieder. [36] Ihr ältester Sohn hieß Abdon, dann folgten Zur, Kisch, Baal, Ner, Nadab, [37] Gedor, Achjo, Secher und Miklot, [38] der einen Sohn mit Namen Schima hatte. Sie ließen sich in Jerusalem nieder und wohnten dort bei anderen Familien ihres Stammes.

[39] Ners Sohn hieß Abner[a], Kischs Sohn hieß Saul. Sauls Söhne waren Jonatan, Malkischua, Abinadab und Eschbaal.

[40] Jonatans Sohn hieß Merib-Baal, Merib-Baals Sohn Micha.

[41] Michas Söhne waren Piton, Melech, Tachrea und Ahas[b].

[42] Ahas' Sohn hieß Joadda[c], Joaddas Söhne waren Alemet, Asmawet und Simri. Simris Sohn hieß Moza, [43] auf ihn folgten in direkter Linie Bina, Refaja, Elasa und Azel.

[44] Azel hatte sechs Söhne. Sie hießen

---

[a] Der hebräische Text lautet: Ners Sohn hieß Kisch. Vgl. aber 1. Samuel 9,1; 14,50-51
[b] Ergänzt nach 1. Chronik 8,35 und einigen alten Übersetzungen. Der Name fehlt im hebräischen Text.
[c] Im hebräischen Text steht der Name Jara. Vgl. aber 1. Chronik 8,36

9,19-20 4 Mo 25,6-13 **9,30** 2 Mo 30,23-25 **9,32** 3 Mo 24,5-9 **9,33** 6,16-32 **9,35-44** 8,29-38

Asrikam, Bochru, Ismael, Schearja, Obadja und Hanan.

Der Tod Sauls und seiner Söhne (1. Samuel 31)

10 Auf dem Gilboagebirge kam es zur Schlacht zwischen den Philistern und den Israeliten. Die Israeliten versuchten zu fliehen, aber die meisten von ihnen fielen. [2] Die Philister hatten Saul und seine Söhne eingekesselt. Jonatan, Abinadab und Malkischua waren bereits getötet worden.

[3] Um Saul tobte immer noch ein erbitterter Kampf. Er wurde von den Pfeilen der Bogenschützen getroffen und verwundet. [4] Da flehte er seinen Waffenträger an: »Zieh dein Schwert, und töte mich! Sonst kommen diese unbeschnittenen Heiden und treiben ihren Spott mit mir.« Doch der Waffenträger weigerte sich. Er wagte es nicht, den König umzubringen. Da nahm Saul selbst sein Schwert und stürzte sich hinein.

[5] Als der Diener sah, dass sein Herr tot war, ließ auch er sich in sein Schwert fallen und starb. [6] So fielen an diesem Tag Saul und seine drei Söhne, und keiner seiner Nachkommen wurde je wieder König. [7] Als die Bewohner der Jesreelebene hörten, dass die Israeliten geflohen und Saul und seine Söhne gefallen waren, ergriffen auch sie die Flucht. Die Philister nahmen die verlassenen Städte in Besitz und wohnten darin.

[8] Am Tag nach der Schlacht kehrten die Philister noch einmal zum Schlachtfeld auf dem Gilboagebirge zurück, um die Gefallenen auszuplündern. Dabei fanden sie die Leichen Sauls und seiner Söhne, die immer noch dort lagen. [9] Sie plünderten Saul aus; dann zeigten sie seinen Kopf und seine Rüstung durch Boten im ganzen Land herum und verkündeten allen Bewohnern und den Götzen die Nachricht vom Sieg. [10] Schließlich legten sie Sauls Waffen im Tempel ihres Gottes nieder. Seinen Kopf nagelten sie an die Wand des Tempels, der dem Götzen Dagon geweiht war.

[11] Als die Einwohner von Jabesch-Gilead hörten, was die Philister mit Sauls Leiche getan hatten, [12] machten sich sofort alle wehrfähigen Männer der Stadt auf den Weg und holten die Leichen Sauls und seiner Söhne nach Jabesch. Sie begruben sie dort unter der großen Tamariske. Danach trauerten und fasteten sie eine Woche lang.

[13] So kam Saul ums Leben, weil er dem Herrn untreu geworden war und seine Weisungen missachtet hatte. Auch hatte er den Geist eines Verstorbenen befragt, [14] anstatt bei dem Herrn Rat zu suchen. Darum ließ der Herr ihn sterben und übertrug David, dem Sohn Isais, die Herrschaft.

David wird König über ganz Israel (2. Samuel 5,1–5)

11 Aus ganz Israel kamen Gesandte zu David nach Hebron und sagten zu ihm: »Wir sind dein Volk und gehören zu dir. [2] Schon damals, als Saul noch König war, bist du es gewesen, der Israels Heer in den Kampf geführt und siegreich wieder zurückgebracht hat. Der Herr, dein Gott, hat zu dir gesagt: Du bist der Mann, der mein Volk Israel weiden soll wie ein Hirte seine Schafe. Dich habe ich zum neuen König über Israel bestimmt.«

[3] Dann versammelten sich alle Ältesten Israels in Hebron. David schloss mit ihnen einen Bund, und sie riefen den Herrn als Zeugen an. Sie salbten David und setzten ihn zum König über Israel ein. So erfüllte sich, was Samuel im Auftrag des Herrn vorausgesagt hatte.

10,6 2 Sam 1,17–27 **10,11–12** 1 Sam 31,1–11; 2 Sam 21,12–14 **10,13** 3 Mo 19,26.31; 1 Sam 13,8–14; 28,3–20 **11,2** 1 Sam 18,13–16 **11,3** 1 Sam 16,1–13; 2 Sam 2,4

David erobert Jerusalem (2. Samuel 5,6–10)

[4] Später unternahm David mit seinem Heer einen Feldzug gegen die Stadt Jerusalem, die damals noch Jebus hieß. Denn in dieser Gegend wohnte immer noch der kanaanitische Stamm der Jebusiter. [5] Die Einwohner verhöhnten David: »In unsere Stadt wirst du nie hereinkommen!«

Doch David und seine Truppen nahmen die Festung Zion ein, die später »Stadt Davids« genannt wurde. [6] Bevor sie Jebus stürmten, sagte David zu seinen Soldaten: »Wer als Erster die Jebusiter angreift, soll mein Heerführer werden!« Joab, der Sohn von Davids Schwester Zeruja, war der Erste, der die Stadt angriff. Darum wurde er zum Heerführer ernannt.

[7] Nach der Eroberung machte David die Festung zu seiner Residenz, und von da an nannte man sie »Stadt Davids«. [8] Rings um die Festung baute er die Stadt weiter aus. Er begann damit bei den Verteidigungsanlagen. Joab stellte die übrige Stadt wieder her. [9] So wurde Davids Macht immer größer, denn der allmächtige Gott stand ihm bei.

Die berühmtesten Soldaten Davids (2. Samuel 23,8–39)

[10] Dies ist das Verzeichnis der berühmtesten Offiziere Davids. Zusammen mit dem ganzen Volk hatten sie ihn zum König gekrönt, wie der Herr es befohlen hatte. Während seiner ganzen Regierungszeit hielten sie fest zu ihm.

[11] Jischbaal[a], ein Sohn Hachmonis, war der Befehlshaber der Elitetruppe. Er tötete in einer Schlacht 300 Mann mit seinem Speer. [12] An zweiter Stelle kam Eleasar, der Sohn Dodos, ein Nachkomme Ahoachs. Er gehörte zu den »drei Helden«, den drei berühmtesten Soldaten Davids. [13] Er kämpfte an Davids Seite in Pas-Dammim gegen die Philister, die dort ihr Heerlager aufgeschlagen hatten. Bei diesem Ort lag ein großes Gerstenfeld. Während die Israeliten vor den Feinden flohen, [14] drangen Eleasar und David auf das Feld vor, trieben die Philister zurück und schlugen sie in die Flucht. So schenkte der Herr den Israeliten einen großen Sieg.

[15/16] Ein anderes Mal hielten die Philister die Refaïmebene besetzt. In Bethlehem hatten sie einen Posten aufgestellt. David aber hatte sich in einer Bergfestung verschanzt, in der Adullamhöhle. Dort suchten ihn drei seiner dreißig Offiziere auf. [17] David hatte großen Durst und sagte zu ihnen: »Wer holt mir einen Schluck Wasser aus dem Brunnen am Tor von Bethlehem?«

[18] Da drangen die drei Offiziere ins Heerlager der Philister ein, schöpften Wasser aus dem Brunnen bei Bethlehem und brachten es David. Doch er wollte es nicht trinken, sondern schüttete es aus als Trankopfer für den Herrn [19] und sagte: »Mein Gott bewahre mich vor einer solchen Tat! Da könnte ich ja gleich das Blut dieser Männer trinken, die ihr Leben aufs Spiel gesetzt haben, um mir das Wasser zu holen.« Darum wollte er nichts davon trinken. So setzten sich diese drei Männer für den König ein.

[20/21] Joabs Bruder Abischai führte die drei an. Einmal erstach er mit seinem Speer im Kampf 300 Mann. Er war der berühmteste dieser drei Offiziere, aber er gehörte nicht zu den »drei Helden«. [22] Benaja aus Kabzeel, ein Sohn Jojadas, war ein starker Mann, der große Taten vollbrachte. Er tötete die beiden gefürchteten Soldaten der Moabiter, die »Löwen aus Moab« genannt wurden. Als es einmal geschneit hatte, stieg er in eine Zisterne hinunter und tötete einen Löwen, der dort hineingefallen war. [23] Ein anderes Mal brachte er einen Ägypter um, einen riesigen, über zweieinhalb Meter großen Mann. Sein Speer war so dick

---

[a] So mit der griechischen Übersetzung. Im hebräischen Text lautet der Name Joschobam.

11,4 Jos 15,63* **11,6** 2 Sam 2,13* **11,20–21** 1 Sam 26,6* **11,22** 2 Sam 8,18*

wie ein kleiner Baum[a], während Benaja nur einen Stock in der Hand hatte. Benaja ging auf den Ägypter zu, riss ihm den Speer aus der Hand und erstach ihn damit. [24] Weil Benaja, der Sohn Jojadas, solche Taten vollbrachte, war er als einer jener drei Offiziere bekannt. [25] Er war der berühmteste unter den dreißig Offizieren, aber er gehörte nicht zu den »drei Helden«. David machte ihn zum Befehlshaber seiner Leibwache.

[26] Folgende Männer gehörten zu den besten Soldaten Davids:
Asaël, der Bruder Joabs;
Elhanan, der Sohn Dodos, aus Bethlehem;
[27] Schammot aus Harod;
Helez aus Pelet;[b]
[28] Ira, der Sohn Ikkeschs, aus Tekoa;
Abiëser aus Anatot;
[29] Sibbechai aus Huscha;
Ilai aus Ahoach;
[30] Mahrai aus Netofa;
Heled, der Sohn Baanas, aus Netofa;
[31] Ittai, der Sohn Ribais, aus Gibea im Stammesgebiet von Benjamin;
Benaja aus Piraton;
[32] Hiddai[c] aus dem Gaaschtal;
Abiël aus Araba;
[33] Asmawet aus Bahurim;
Eljachba aus Schaalbon;
[34] die Söhne Haschems aus Gison;
Jonatan, der Sohn Schages, aus Harar;
[35] Ahiam, der Sohn Sachars, aus Harar;
Elifal, der Sohn Urs;
[36] Hefer aus Mechera;
Ahija aus Palon;
[37] Hezro aus Karmel;
Naarai, der Sohn Esbais;
[38] Joel, ein Bruder Nathans;
Mibhar, der Sohn Hagris;
[39] der Ammoniter Zelek;
Nachrai, der Waffenträger Joabs, des Sohnes der Zeruja, aus Beerot;
[40] Ira und Gareb aus Jattir;
[41] der Hetiter Uria;
Sabad, der Sohn Achlais;
[42] Adina, der Sohn Schisas, er war einer der führenden Männer vom Stamm Ruben und hatte eine Gruppe von dreißig Soldaten unter sich;
[43] Hanan, der Sohn Maachas;
Joschafat aus Mitni;
[44] Usija aus Aschtarot;
Schama und Jehiël, die Söhne Hotams, aus Aroër;
[45] Jediaël und Joha, die Söhne Schimris, aus Tiz;
[46] Eliël aus Mahawim;
Jeribai und Joschawja, die Söhne Elnaams;
der Moabiter Jitma;
[47] Eliël, Obed und Jaasiël aus Zoba.

Davids Anhänger zur Zeit Sauls

12 Als David noch in Ziklag lebte, um sich vor Saul, dem Sohn Kischs, zu verstecken, schlossen sich ihm erfahrene Soldaten an, die im Krieg für ihn kämpften. [2] Sie waren ausgezeichnete Bogenschützen und konnten mit der rechten und mit der linken Hand Pfeile abschießen und Steine schleudern. Zu dieser Truppe gehörten vom Stamm Benjamin aus der Sippe Sauls:
[3] Ahiëser, ihr Anführer, und Joasch, sie beide waren Söhne Schemaas aus Gibea;
außerdem Jesiël und Pelet, die Söhne Asmawets;
Beracha und Jehu aus Anatot;
[4] Jischmaja aus Gibeon; er war damals der Anführer der dreißig Offiziere Davids, weil er besonders mutig war;
[5] weiter Jirmeja, Jahasiël, Johanan und Josabad aus Gedera;
[6] Elusai, Jerimot, Bealja, Schemarja und Schefatja aus Haruf.
[7] Aus der Sippe der Korachiter schlossen sich David folgende Männer an:
Elkana, Jischija, Asarel, Joëser, Joschobam,

---

[a] Wörtlich: wie ein Weberbaum.
[b] So mit 2. Samuel 23,25–26. Der hebräische Text lautet: Schammot aus Haror, Helez aus Palon.
[c] So mit 2. Samuel 23,30. Im hebräischen Text steht der Name Hurai.
12,1 1 Sam 27,5–7

[8] Joëla und Sebadja, die Söhne Jerohams, aus Gedor.

[9] Auch vom Stamm Gad liefen erfahrene Soldaten zu David über. Sie kamen zu ihm, als er sich noch in der Wüste in einer Bergfestung verborgen hielt. Sie waren kampferprobt, mutig wie Löwen und in den Bergen flink wie Gazellen. Sie waren mit Schild und Speer bewaffnet.

[10] Ihr Befehlshaber hieß Eser, ihm unterstanden zehn Männer: Obadja, Eliab, [11] Mischmanna, Jirmeja, [12] Attai, Eliël, [13] Johanan, Elsabad, [14] Jirmeja und Machbannai.

[15] Alle elf vom Stamm Gad wurden später Heerführer. Schon der Schwächste von ihnen konnte es im Kampf mit hundert Gegnern aufnehmen, der Stärkste sogar mit tausend. [16] Sie überquerten den Jordan im Frühling bei Hochwasser und schlugen alle Bewohner der Seitentäler im Osten und im Westen in die Flucht.

[17] Auch von den Stämmen Benjamin und Juda kamen einige Männer zu David in die Bergfestung. [18] David ging ihnen entgegen und fragte: »Kommt ihr in friedlicher Absicht zu mir? Wollt ihr mir helfen? Dann könnt ihr euch meinen Soldaten anschließen! Oder wollt ihr mich an meine Feinde verraten, obwohl ich nichts verbrochen habe? Dann wird der Gott unserer Vorfahren euch strafen, denn er sieht es.«

[19] Da kam der Geist Gottes über Amasai, der später Befehlshaber von Davids Elitetruppe wurde. Er rief: »Zu dir, David, wollen wir gehören, und für dich, Sohn Isais, kämpfen wir! Wir wünschen dir und deinen Anhängern Erfolg und Sieg! Denn dein Gott ist da und hilft dir!« Da nahm David die Männer bei sich auf und ernannte sie zu Führern seiner Kriegstruppe.

[20] Auch vom Stamm Manasse liefen einige Soldaten zu David über, als dieser mit den Philistern gegen Saul in den Krieg ziehen wollte. Zuletzt aber durfte David nicht an der Schlacht teilnehmen. Die Fürsten der Philister befürchteten, er könne wieder zu Saul, seinem früheren Herrn, überlaufen und sie ins Verderben stürzen. Darum schickten sie ihn zurück.

[21] Als David nun auf dem Weg nach Ziklag war, schlossen sich ihm folgende Offiziere vom Stamm Manasse an: Adnach, Josabad, Jediaël, Michael, Josabad, Elihu und Zilletai. Jeder von ihnen war Befehlshaber über 1000 Soldaten gewesen. [22] Sie halfen David im Kampf gegen die Banden der Amalekiter[a]. David machte sie zu Truppenführern in seinem Heer, denn sie waren erfahrene Soldaten.

[23] Tag für Tag kamen Männer zu David, um ihm zu helfen. Schließlich verfügte er über ein riesiges Heer.

Davids Heer in Hebron

[24] Es folgt ein Verzeichnis aller Soldaten, die zu David nach Hebron kamen. Sie wollten ihn an Sauls Stelle zum König machen, wie der Herr es befohlen hatte.

[25] Vom Stamm Juda waren es 6800 Mann, bewaffnet mit Schild und Lanze;

[26] vom Stamm Simeon: 7100 erfahrene Soldaten;

[27] vom Stamm Levi: 4600 Mann; [28] unter ihnen waren Jojada, das Oberhaupt der Nachkommen Aarons, mit 3700 Mann, [29] und Zadok, ein junger, aber erfahrener Soldat, mit 22 Offizieren aus seiner Sippe;

[30] vom Stamm Benjamin, aus dem Saul kam: 3000 Mann; doch die meisten Soldaten aus diesem Stamm hielten bis dahin noch zu Sauls Familie;

[31] vom Stamm Ephraim: 20800 Soldaten, Männer von Rang und Namen in ihren Sippen;

[32] vom halben Stamm Manasse: 18000 Mann; sie waren ausgewählt worden, um David zum König zu krönen;

[33] vom Stamm Issaschar: 200 Offiziere mit ihren Truppen, die wussten, was in Israel zu tun war, und auch den richtigen Zeitpunkt dafür einschätzen konnten;

---

[a] »Amalekiter« ist sinngemäß eingefügt. Vgl. 1. Samuel 30,1–2

[34] vom Stamm Sebulon: ein geordnetes Heer von 50000 bewaffneten Soldaten, alle fest entschlossen, sich David anzuschließen;

[35] vom Stamm Naftali: 1000 Offiziere mit einem Heer von 37000 Mann, bewaffnet mit Schild und Lanze;

[36] vom Stamm Dan: ein geordnetes Heer von 28600 Mann;

[37] vom Stamm Asser: ein geordnetes Heer von 40000 Mann;

[38] von den Stämmen Ruben, Gad und dem halben Stamm Manasse, die östlich des Jordan lebten: 120000 Mann in voller Kriegsrüstung.

[39] Sie alle kamen geordnet in Truppen nach Hebron und hatten alle dasselbe Ziel: Sie wollten David zum König über ganz Israel machen. Das war auch der Wunsch der übrigen Israeliten. [40] Die Truppenverbände blieben drei Tage bei David. Die Einwohner von Hebron versorgten sie mit Nahrung. [41] Alle, die in der Nähe wohnten, sogar die Bewohner der Gebiete Issaschar, Sebulon und Naftali, halfen mit. Auf Eseln und Kamelen, auf Maultieren und Rindern brachten sie Lebensmittel nach Hebron: Mehlspeisen, Feigen- und Rosinenkuchen, Wein und Öl; dazu ganze Herden von Schafen und Rindern. Alle Israeliten freuten sich sehr.

David will die Bundeslade nach Jerusalem holen
(2. Samuel 6,1–11)

13 David beriet sich mit allen Truppenführern und Offizieren, die 100 oder 1000 Soldaten unter sich hatten. [2] Dann sagte er zu den versammelten Israeliten: »Wenn ihr wollt und wenn es dem Herrn, unserem Gott, gefällt, dann schicken wir Boten in alle Gegenden Israels und in die Städte und Dörfer der Priester und Leviten. Sie sollen alle, die zu Hause geblieben sind, hierher zu einer Volksversammlung einladen. [3] Dann wollen wir die Bundeslade unseres Gottes zu uns nach Jerusalem holen. Zu Sauls Zeiten haben wir uns nicht um sie gekümmert!«

[4] Alle waren einverstanden und ermutigten David, seinen Vorschlag in die Tat umzusetzen. [5] Da ließ David Abgesandte aus ganz Israel, von der ägyptischen Grenze im Süden bis nach Hamat im Norden, zusammenkommen, um die Bundeslade Gottes aus Kirjat-Jearim zu holen. [6] Gemeinsam mit der Volksmenge zog David nach Baala, dem heutigen Kirjat-Jearim, im Stammesgebiet von Juda, um die Bundeslade von dort nach Jerusalem zu bringen. Sie war dem Herrn geweiht, der über den beiden Cherub-Engeln thronte. [7] Man holte sie aus dem Haus Abinadabs und lud sie auf einen neuen Wagen, der von Rindern gezogen wurde. Usa und Achjo lenkten ihn. [8] David und alle Israeliten liefen dem Wagen hinterher. Sie sangen und tanzten, sie spielten auf Lauten und Harfen, auf Tamburinen, Zimbeln und Trompeten, um den Herrn zu loben.

[9] Bei dem Dreschplatz, der einem Mann namens Kidon gehörte, brachen die Rinder plötzlich aus, und der Wagen drohte umzustürzen. Schnell streckte Usa seine Hand aus, um die Bundeslade festzuhalten. [10] Da wurde der Herr sehr zornig über ihn, weil er die Bundeslade berührt hatte, und er ließ Usa auf der Stelle tot zu Boden fallen. [11] David war entsetzt, dass der Herr ihn so aus dem Leben gerissen hatte. Seitdem heißt der Dreschplatz Perez-Usa (»Entreißen Usas«).

[12] David bekam Angst vor Gott. »Wie kann ich es jetzt noch wagen, die Bundeslade Gottes zu mir zu nehmen?«, fragte er sich. [13] Er beschloss, sie nicht nach Jerusalem zu bringen, sondern sie im Haus Obed-Edoms, eines Leviten[a] aus Gat, abzustellen. [14] Dort blieb sie drei Monate lang. In dieser Zeit ging es Obed-Edom

---

[a] »eines Leviten« ist ergänzt nach 1. Chronik 16,4–5.

12,39 11,1–3 **13,3** 2 Mo 25,10–22; 5 Mo 10,1–5 **13,5** 1 Sam 4,11; 6,1 – 7,1 **13,6** 2 Mo 25,22; 1 Sam 4,4 **13,9–11** 15,11–15; 4 Mo 1,49–51; 4,15.17–20

und seiner ganzen Familie sehr gut, denn der Herr segnete sie.

David baut seine Macht aus
(2. Samuel 5,11–16)

14 Eines Tages schickte König Hiram von Tyrus eine Gesandtschaft zu David. Es waren Maurer und Zimmerleute dabei, sie brachten Zedernholz mit und bauten David einen Palast. [2]So erlebte er, wie der Herr ihn als König bestätigte und ihn aus Liebe zu seinem Volk zu großem Ruhm gelangen ließ.

[3]In Jerusalem heiratete David noch weitere Frauen und bekam noch mehr Söhne und Töchter. [4]Die Söhne, die in Jerusalem zur Welt kamen, hießen: Schammua, Schobab, Nathan, Salomo, [5]Jibhar, Elischua, Elpelet, [6]Nogah, Nefeg, Jafia, [7]Elischama, Beeljada und Elifelet.

Siege über die Philister
(2. Samuel 5,17–25)

[8]Als die Philister hörten, dass David zum König über ganz Israel gekrönt worden war, zogen sie mit ihrem Heer nach Israel, um ihn gefangen zu nehmen. Doch David wurde rechtzeitig gewarnt und zog ihnen mit seinem Heer entgegen. [9]Die Philister schlugen ihr Lager in der Refaïmebene auf. [10]David fragte Gott: »Soll ich die Philister angreifen? Wirst du mir den Sieg geben?« Der Herr antwortete: »Greif an! Du wirst sie schlagen.« [11]David zog mit seinen Soldaten nach Baal-Perazim und besiegte die Philister. Nach der Schlacht bezeugte er: »Wie Wassermassen einen Damm durchbrechen, so hat Gott heute durch mich die Schlachtreihen der Feinde durchbrochen!« Deshalb nannte man den Ort der Schlacht Baal-Perazim (»Herr des Durchbruchs«). [12]Auf der Flucht ließen die Philister ihre Götzenfiguren zurück. David befahl, sie zu verbrennen.

[13]Doch die Philister gaben nicht auf. Sie zogen noch einmal nach Israel und lagerten auch diesmal in der Refaïmebene. [14]Wieder bat David Gott um Weisung, und der Herr antwortete ihm: »Zieht ihnen nicht auf direktem Weg entgegen, sondern umgeht sie, und fallt ihnen bei den Balsamstauden in den Rücken! [15]Sobald du in den Wipfeln der Balsamsträucher ein Geräusch wie von Schritten hörst, greif an! Denn dann weißt du, dass ich selbst dir vorausgegangen bin, um das Heer der Philister zu schlagen.« [16]David tat, was Gott ihm befohlen hatte. Die Israeliten schlugen die Philister und verfolgten sie von Gibeon bis weit in die Ebene hinunter nach Geser.

[17]In allen Ländern wurde David berühmt. Der Herr sorgte dafür, dass alle Völker ihn fürchteten.

David bereitet alles vor, um die Bundeslade nach Jerusalem zu holen

15 In dem Stadtteil Jerusalems, der »Stadt Davids« genannt wurde, ließ David mehrere Paläste bauen. Er bestimmte auch einen Ort, wo die Bundeslade Gottes stehen sollte, und ließ dort ein Zelt für sie errichten. [2]Dann ordnete er an: »Nur die Leviten dürfen die Bundeslade tragen! Denn sie hat der Herr dazu erwählt. Sie sollen die Dienste am Heiligtum für alle Zeiten verrichten.«

[3]Danach ließ David Abgesandte aus ganz Israel nach Jerusalem kommen, um die Bundeslade an den Ort zu bringen, den er für sie vorbereitet hatte. [4]Der König rief auch die Nachkommen Aarons und die anderen Leviten nach Jerusalem. [5]Folgende Sippenoberhäupter des Stammes Levi kamen zusammen mit ihren Sippen:
von den Nachkommen Kehats: Uriël mit 120 Mann;
[6]von den Nachkommen Meraris: Asaja mit 220 Mann;
[7]von den Nachkommen Gerschons: Joel mit 130 Mann;

14,10 1 Kön 22,5 **14,12** 5 Mo 7,5.25–26 **15,2** 4 Mo 1,49–53; 4,1–20

[8]von den Nachkommen Elizafans: Schemaja mit 200 Mann;
[9]von den Nachkommen Hebrons: Eliël mit 80 Mann;
[10]von den Nachkommen Usiëls: Amminadab mit 112 Mann.

[11]David ließ die Priester Zadok und Abjatar sowie die sechs Sippenoberhäupter zu sich kommen [12]und sagte zu ihnen: »Ihr seid die Oberhäupter der Leviten. Zusammen mit euren Stammesbrüdern sollt ihr die Bundeslade des Herrn, des Gottes Israels, nach Jerusalem bringen an den Ort, den ich für sie bestimmt habe. Macht euch bereit für diese heilige Aufgabe, reinigt euch! [13]Beim ersten Mal ließ der Herr, unser Gott, einen Mann aus unserer Mitte sterben, weil nicht ihr Leviten die Bundeslade getragen habt und weil wir seine Weisungen nicht beachtet haben.« [14]Da reinigten sich die Priester und die Leviten für die heilige Aufgabe, die Bundeslade des Herrn, des Gottes Israels, nach Jerusalem zu bringen. [15]Die Leviten sollten sie mit Stangen auf ihren Schultern tragen, wie Mose es im Auftrag des Herrn angeordnet hatte.

[16]David gab den Oberhäuptern der Leviten den Auftrag, aus ihrem Stamm Männer auszusuchen, die bei dem fröhlichen Fest singen und auf Harfen, Lauten und Zimbeln spielen sollten. [17]Folgende Männer wurden für diese Aufgabe bestimmt: Heman, der Sohn Joels, und aus derselben Sippe Asaf, der Sohn Berechjas, weiter Etan, der Sohn Kuschajas, ein Nachkomme Meraris. [18]Ihnen zur Seite standen die Torwächter Secharja, Jaasiël,[a] Schemiramot, Jehiël, Unni, Eliab, Benaja, Maaseja, Mattitja, Elifelehu, Mikneja, Obed-Edom und Jeïël. [19]Heman, Asaf und Etan sangen und schlugen die bronzenen Zimbeln. [20]Secharja, Jaasiël, Schemiramot, Jehiël, Unni, Eliab, Maaseja und Benaja spielten die hochgestimmten Harfen. [21]Mattitja, Elifelehu, Mikneja, Obed-Edom, Jeïël und Asasja spielten die tiefgestimmten Lauten. Alle Musiker begleiteten den Gesang.

[22]Kenanja leitete den Chor der Leviten, denn er war musikalisch sehr begabt.

[23/24]Berechja, Elkana, Obed-Edom und Jehija bewachten die Bundeslade. Die Priester Schebanja, Joschafat, Netanel, Amasai, Secharja, Benaja und Eliëser gingen vor der Bundeslade Gottes her und bliesen die Trompeten.

David holt die Bundeslade nach Jerusalem
(2. Samuel 6,12–23)

[25]David, die Ältesten von Israel und die Offiziere seiner Truppen zogen mit den Leviten und Priestern zum Haus Obed-Edoms, um die Bundeslade des Herrn nach Jerusalem zu holen. Alle freuten sich sehr. [26]Weil Gott die Leviten nicht sterben ließ, die die Bundeslade trugen, opferte man zum Dank sieben junge Stiere und sieben Schafböcke. [27]David trug ein Obergewand aus feinem Leinen, ebenso die Träger der Bundeslade, die Sänger und der Gesangsleiter Kenanja. David war darunter mit einem leichten Leinenschurz bekleidet, wie ihn sonst die Priester trugen. [28]Jubelnd brachten alle Israeliten die Bundeslade des Herrn nach Jerusalem. Die Musiker spielten auf Hörnern, Trompeten, Zimbeln, Harfen und Lauten.

[29]Als die Menge in der »Stadt Davids« ankam, schaute Davids Frau Michal, die Tochter Sauls, aus dem Fenster. Sie sah, wie der König hüpfte und tanzte, und verachtete ihn dafür.

16 Die Leviten trugen die Bundeslade in das Zelt, das David errichtet hatte, und stellten sie auf den vorgesehenen Platz in der Mitte. Dann brachten sie Gott Brand- und Dankopfer dar.

---

[a] So nach der griechischen Übersetzung und einigen hebräischen Handschriften. Der hebräische Text lautet: Secharja, der Sohn Jaasiëls.

15,12 4 Mo 8,5–8 **15,13** 13,9–11 **15,16–24** 16,4–6; 25,1–8 **15,27** 2 Mo 28,6–8

[2]David segnete das Volk im Namen des Herrn. [3]Alle Israeliten, Männer und Frauen, erhielten einen Laib Brot, einen Rosinen- und einen Dattelkuchen.

[4]David bestimmte einige Leviten dazu, von nun an ihren Dienst bei der Bundeslade zu versehen. Sie sollten auch weiterhin den Herrn, den Gott Israels, rühmen, preisen und loben. [5]Ihr Leiter war Asaf, sein Stellvertreter Secharja; auf den Harfen und Lauten spielten Jeïël, Schemiramot, Jehiël, Mattitja, Eliab, Benaja, Obed-Edom und Jeïël; Asaf schlug die Zimbeln; [6]die Priester Benaja und Jahasiël spielten Trompete und hielten sich immer in der Nähe der Bundeslade Gottes auf.

Ein Danklied
(Psalm 105,1–15; 96; 106,1.47–48)

[7]An diesem Festtag ließ David zum ersten Mal Asaf und die anderen Männer seiner Sippe folgendes Lied vortragen, um den Herrn zu loben:

[8]»Preist den Herrn, und ruft seinen Namen aus, verkündet seine großen Taten allen Völkern!
[9]Singt und musiziert zu seiner Ehre, macht alle seine Wunder bekannt!
[10]Seid glücklich, dass ihr zu ihm, dem heiligen Gott, gehört! Ja, alle, die den Herrn suchen, sollen sich freuen!
[11]Fragt nach dem Herrn, und rechnet mit seiner Macht, wendet euch immer wieder an ihn!
[12/13]Ihr Nachkommen seines Dieners Israel, ihr Kinder und Enkel Jakobs, die er auserwählt hat, erinnert euch an seine Wunder! Denkt immer wieder an seine mächtigen Taten und an die Urteile, die er gesprochen hat!

[14]Er ist der Herr, unser Gott! Auf der ganzen Welt hat er das letzte Wort.
[15]Vergesst niemals seinen Bund mit uns, sein Versprechen, das er gab. Es gilt für alle Generationen nach uns, selbst wenn es tausend sind.
[16]Schon mit Abraham schloss er diesen Bund; er schwor auch Isaak, sich daran zu halten.
[17]An Jakob bestätigte er ihn als gültige Ordnung, ja, als ewiges Bündnis für ganz Israel.
[18/19]Als ihr noch eine kleine Schar wart, nur wenige, dazu noch fremd im Land, sprach er: ›Euch gebe ich das Land Kanaan, ihr sollt es für immer besitzen.‹

[20]Als Israel von Volk zu Volk wanderte, von einem Land zum anderen zog,
[21]da erlaubte der Herr keinem, sie zu unterdrücken. Um sie zu schützen, warnte er die Könige der fremden Völker:
[22]›Rührt mein Volk nicht an, denn ich habe es erwählt! Ich habe durch sie etwas Besonderes zu sagen – tut ihnen nichts Böses!‹[a]

[23]Singt dem Herrn, alle Bewohner der Erde! Verkündet jeden Tag: Gott ist ein Gott, der rettet!
[24]Erzählt den Völkern von seiner Hoheit! Macht den Menschen alle seine Wunder bekannt!
[25]Denn groß ist der Herr! Jeder soll ihn rühmen! Von allen Göttern soll man ihn allein fürchten.
[26]Die Götter der Völker sind machtlose Figuren, der Herr aber hat den Himmel geschaffen!
[27]Majestät und Pracht gehen von ihm aus, seine Stärke und Freude erfüllen den Ort, wo er wohnt.
[28]Hört, ihr Völker: Begegnet dem Herrn mit Ehrfurcht! Unterwerft euch seiner Herrschaft!
[29]Ehrt seinen großen Namen, kommt zu ihm, und bringt ihm Opfer dar! Werft euch vor ihm nieder, wenn er in seiner Größe und Macht erscheint!
[30]Die ganze Welt soll vor ihm erzittern!

---

[a] Wörtlich: Rührt meine Gesalbten nicht an, und tut meinen Propheten nichts Böses!
16,3 12,39–41 **16,10–11** Jer 29,11–14 **16,15** 5 Mo 7,8–9 **16,16–17** 1 Mo 15,18*; 28,13*.14* **16,18–19** 1 Mo 12,7* **16,20–22** 4 Mo 23,7–12 **16,25–26** Jes 44,9–20* **16,30** 1 Mo 1,1–2*

Er hat die Fundamente der Erde gelegt, sie wankt und weicht nicht.
[31] Der Himmel soll sich freuen und die Erde in Jubel ausbrechen! Sagt den Völkern: Der Herr allein ist König!
[32] Das Meer mit allem, was in ihm lebt, soll brausen und tosen! Der Acker freue sich mit allem, was auf ihm wächst!
[33] Auch die Bäume im Wald sollen jubeln, wenn der Herr kommt. Ja, er kommt, um die Welt zu richten.

[34] Preist den Herrn, denn er ist gut, und seine Gnade hört niemals auf.
[35] Betet zu ihm: Rette uns, Gott, du allein kannst uns helfen! Befreie uns, führe uns heraus aus den Völkern, die dich nicht kennen, und bring uns wieder zusammen! Dann werden wir deinen heiligen Namen preisen und stolz darauf sein, dass wir dich loben können.
[36] Ja, gelobt sei der Herr, der Gott Israels, jetzt und für alle Zeit!«

Da rief das ganze Volk: »Amen!«, und alle lobten den Herrn.

Die Aufgaben der Leviten

[37] David ordnete an, dass Asaf und einige andere Leviten von nun an ständig bei der Bundeslade die täglichen Arbeiten ausführen sollten.

[38] Zu dieser Gruppe gehörten Obed-Edom und 67 andere Leviten. Hosa und Obed-Edom, der Sohn Jedutuns, bewachten den Zelteingang.

[39] Der Hohepriester Zadok und die übrigen Priester sollten ihren Dienst weiterhin im heiligen Zelt versehen, das immer noch auf dem Hügel bei Gibeon stand. [40] Jeden Morgen und Abend sollten sie dort auf dem Altar die Brandopfer darbringen und alles befolgen, was im Gesetz des Herrn steht, das er den Israeliten gegeben hat. [41] Heman, Jedutun und noch weitere Sänger schickte David mit den Priestern nach Gibeon. Sie sollten dort mit ihren Liedern den Herrn dafür loben, dass seine Gnade nie aufhört. [42] Sie nahmen Trompeten, Zimbeln und andere Instrumente mit, die zur Ehre Gottes den Gesang begleiten sollten. Die Söhne Jedutuns hatten den Zelteingang zu bewachen.

[43] Als die Feier vorüber war, machten sich alle auf den Heimweg. Auch David ging nach Hause. Er wollte gern seine Familie sehen.

Der Herr verheißt David die ewige Königsherrschaft
(2. Samuel 7,1–16)

17 Nachdem David in seinen Palast gezogen war, sagte er zu dem Propheten Nathan: »Während ich hier in meinem Palast aus kostbarem Zedernholz wohne, steht die Bundeslade des Herrn immer noch in einem dürftigen Zelt. So kann es nicht weitergehen!« [2] Nathan ermutigte den König: »Was immer du vorhast – tu es! Gott wird dir dabei helfen.«

[3] Doch in der folgenden Nacht sprach Gott zu Nathan: [4] »Geh zu David, meinem Diener, und sag ihm: So spricht der Herr: Du sollst noch kein Haus für mich bauen! [5] Bis heute habe ich noch nie in einem Tempel gewohnt. Seit ich Israel in dieses Land geführt habe, wohnte ich immer nur in einem Zelt und zog von einem Ort zum anderen. [6] Während dieser ganzen Zeit habe ich von den führenden Männern Israels nur eines verlangt: Sie sollten mein Volk weiden wie ein Hirte seine Herde. Nie habe ich einem von ihnen vorgeworfen: Warum habt ihr mir noch keinen Tempel aus Zedernholz gebaut?

16,31 Ps 47,1–10; 74,12; Jes 43,15 **16,33** Ps 9,1–21; Mt 25,31–46; Apg 17,31 **16,34** Ps 136,1 **16,35** 5 Mo 4,26–31 **16,40** 2 Mo 29,38–39 **16,41–42** 1 Chr 15,16–24; Ps 136,1 **17,1** Ps 132,3–5 **17,4** 22,8; 28,3; 1 Kön 5,17 **17,5** 2 Mo 40,34–38; Jos 18,1*

[7]Darum sollst du meinem Diener David diese Botschaft weitergeben: Der Herr, der allmächtige Gott, lässt dir sagen: Ich war es, der dich von deiner Schafherde weggeholt hat, um dich zum König über mein Volk Israel zu machen. [8]Was du auch unternommen hast – ich habe dir immer geholfen. Ich habe alle deine Feinde ausgerottet und dich berühmt gemacht. Du bist in aller Welt bekannt. [9]Auch habe ich meinem Volk Israel eine Heimat gegeben, ein Land, in dem es bleiben und sich niederlassen kann. Keine fremden und gottlosen Völker dürfen euch mehr so unterdrücken wie zu der Zeit, [10]als ich Richter über euch eingesetzt hatte. Alle deine Feinde habe ich zum Schweigen gebracht. Ich, der Herr, sage dir: Nicht du, David, sollst mir ein Haus bauen, sondern ich werde dir ein Haus bauen! [11]Wenn du alt geworden und gestorben bist, will ich einen deiner Söhne als deinen Nachfolger einsetzen und seine Herrschaft festigen. [12]Er wird mir einen Tempel bauen, und ich werde seinem Königtum Bestand geben für alle Zeiten. [13]Ich will sein Vater sein, und er wird mein Sohn sein. Nie werde ich meine Güte von ihm abwenden, wie ich es bei Saul getan habe. [14]Dein Sohn und seine Nachkommen werden für alle Zeiten Könige über mein Volk sein. Niemand wird sie je vom Thron stoßen.«

Davids Dankgebet
(2. Samuel 7,17–29)

[15]Nathan berichtete David alles, was der Herr ihm in der Nacht gesagt hatte. [16]Da ging David in das heilige Zelt, kniete vor dem Herrn nieder und begann zu beten:

»Gott, mein Herr, wer bin ich schon, dass du gerade mich und meine Familie so weit gebracht hast? Ich bin es nicht wert. [17]Und nun willst du mir sogar noch mehr schenken, mein Gott! Du hast mir ein Versprechen gegeben, das bis in die ferne Zukunft reicht. Du erweist mir solche Ehre, Herr, mein Gott, als wäre ich ein großer und bedeutender Mensch! [18]Doch was soll ich weiter davon reden? Ich weiß, dass du mich, deinen Diener, auch ohne Worte verstehst. [19]Weil du es so wolltest, hast du all dies Große für mich getan und hast es mich erkennen lassen. [20]Herr, keiner ist dir gleich! Nach allem, was wir gehört haben, sind wir überzeugt: Es gibt keinen Gott außer dir. [21]Welches Volk auf der Erde hat solche Wunder erlebt wie wir? Ist je ein anderes Volk von seinem Gott aus der Sklaverei befreit worden, weil er es zu seinem Volk machen wollte? Große und furchterregende Dinge hast du getan, und so wurde dein Name überall berühmt. Du hast uns von der Unterdrückung der Ägypter befreit. Andere Völker hast du unseretwegen vertrieben. [22]Für alle Zeiten hast du Israel zu deinem Volk gemacht; und du selbst, Herr, bist sein Gott geworden.

[23]So bitte ich dich nun, Herr: Lass deine Zusage für mich und meine Familie ewig gelten, und löse dein Versprechen ein! [24]Ja, möge alles eintreffen, was du gesagt hast! So wird dein Name für alle Zeiten berühmt sein, und man wird bekennen: ›Der Herr, der allmächtige Gott, ist Israels Gott.‹ Dann wird auch mein Königshaus für ewig bestehen. [25]Du, mein Gott, hast zu mir gesprochen. Du hast mir zugesagt, dass du meinem Königshaus Bestand geben willst. Nur darum habe ich es gewagt, so zu dir zu beten. [26]Herr, du bist der wahre Gott! Du hast mir, deinem Diener, so viel Gutes verheißen. [27]Du hast mich und mein Haus reich beschenkt und willst für alle Zeiten einen meiner Nachkommen zum König machen. Ja, weil du, Herr, meine Familie gesegnet hast, wird sie in Ewigkeit gesegnet sein!«

17,7 1 Sam 16,11–13; 2 Sam 5,2 **17,9** 22,18 **17,10** 5 Mo 12,10; Ri 2,16–18 **17,11** 1 Kön 8,20; 2 Chr 6,10 **17,12** 5 Mo 12,11; 1 Kön 5,19; 6,11–13 **17,13** 2 Sam 7,14* **17,14** 1 Sam 25,28; 1 Kön 2,45; Ps 89,4–5.36–38 **17,20** Jes 43,11 **17,21** 5 Mo 4,34*

Kriegszüge Davids
(2. Samuel 8,1–14)

18 David griff mit seinem Heer die Philister an. Er besiegte sie und nahm ihnen die Stadt Gat und die umliegenden Dörfer ab.

[2]Auch die Moabiter schlug David. Sie mussten sich ihm unterwerfen und ihm regelmäßig Tribut zahlen.

[3]Als König Hadad-Eser aus Zoba in Nordsyrien mit seinem Heer auszog, um am Euphrat seine Macht wiederherzustellen, griff David ihn an. In einer Schlacht bei Hamat besiegten die Israeliten Hadad-Eser. [4]Davids Heer erbeutete 1000 Streitwagen und nahm 7000 Reiter und 20000 Fußsoldaten gefangen. Von den Zugpferden der Streitwagen behielt David 100 für sich, allen anderen ließ er die Fußsehnen durchschneiden.

[5]Die Syrer aus Damaskus wollten König Hadad-Eser von Zoba zu Hilfe kommen. Da griff David auch sie an. In dieser Schlacht fielen 22000 von ihnen. [6]David ließ das Gebiet um Damaskus besetzen und machte die Syrer zu seinen Untertanen. Sie mussten ihm Tribut zahlen. Der Herr half David bei allen seinen Kriegszügen und schenkte ihm den Sieg. [7]David erbeutete auch die goldenen Schilde von Hadad-Esers Soldaten und brachte sie nach Jerusalem. [8]Aus den Städten Tibhat und Kun, die beide Hadad-Eser gehört hatten, nahm er eine große Menge Bronze mit. Daraus ließ Salomo später das Wasserbecken, genannt »das Meer«, die Säulen und die bronzenen Gegenstände für den Tempel gießen.

[9]Als König Toï von Hamat hörte, dass David das Heer Hadad-Esers besiegt hatte, [10]sandte er seinen Sohn Hadoram zu David. Er sollte ihm Grüße ausrichten und ihm zu seinem Sieg gratulieren. Denn Hadad-Eser und Toï waren verfeindet und hatten schon gegeneinander Krieg geführt. Hadoram brachte David Geschenke mit: Gefäße aus Gold, Silber und Bronze. [11]David brachte sie in das Heiligtum und weihte sie dem Herrn, ebenso die Schätze aus Gold und Silber, die er bei seinen Eroberungszügen gegen die Edomiter, Moabiter, Ammoniter, Philister und Amalekiter erbeutet hatte.

[12]Die Edomiter hatte Abischai, der Sohn von Davids Schwester Zeruja, in einer Schlacht im Salztal besiegt. 18000 Edomiter kamen dabei um. [13]David setzte im ganzen Land Edom Statthalter ein und machte die Bewohner zu seinen Untertanen. Der Herr half ihm bei allen Kriegszügen und schenkte ihm stets den Sieg.

Die obersten Beamten Davids
(2. Samuel 8,15–18; 20,23–26)

[14]Solange David König über ganz Israel war, verhalf er jedem im Volk zu seinem Recht. [15]Joab, der Sohn von Davids Schwester Zeruja, war der oberste Befehlshaber über das Heer. Joschafat, ein Sohn Ahiluds, war Berater des Königs. [16]Zadok, ein Sohn Ahitubs, und Ahimelech, ein Sohn Abjatars, waren die obersten Priester. Schawscha war Hofsekretär. [17]Benaja, ein Sohn Jojadas, hatte den Befehl über die Leibwache des Königs. Auch die Söhne Davids waren hohe Beamte.

König Hanun beleidigt die Gesandten Davids
(2. Samuel 10,1–5)

19 Einige Zeit später starb Nahasch, der König der Ammoniter, und sein Sohn trat die Nachfolge an. [2]David dachte: »König Nahasch war mir immer wohlgesinnt. Darum will ich mich nun seinem Sohn Hanun gegenüber freundlich verhalten.« Er schickte eine Gesandtschaft zu Hanun, um ihm sein Beileid auszusprechen.

Als die Boten an Hanuns Hof kamen, richteten sie dem König aus, was David

---

18,2 4 Mo 24,17 **18,4** Jos 11,6.9 **18,12–13** 4 Mo 24,18–19; Ps 60,2 **18,15–17** 1 Kön 4,1–6
18,15 2 Sam 2,13* **18,16** 1 Sam 22,20–21* **18,17** 2 Sam 8,18*

ihnen aufgetragen hatte. [3] Aber die Fürsten des Landes sagten zu König Hanun: »Glaubst du wirklich, David hat diese Männer nur zu dir gesandt, um deinem Vater die letzte Ehre zu erweisen und dir sein Beileid auszusprechen? Das ist doch nur ein Vorwand! Spione sind sie, die unser Land auskundschaften sollen, weil David uns bald angreifen und erobern will!« [4] Da nahm Hanun die Gesandten Davids gefangen, ließ ihnen den Bart abrasieren und die Kleider bis über das Gesäß abschneiden. Dann jagte er sie davon. [5] Als David das erfuhr, schickte er seinen Gesandten Boten entgegen und ließ ihnen ausrichten: »Bleibt in Jericho, bis euer Bart wieder nachgewachsen ist, und kommt erst dann heim.« David wollte ihnen die Schande ersparen, ohne Bart zurückkehren zu müssen.

Es kommt zum Krieg mit den Ammonitern
(2. Samuel 10,6–14)

[6] Die Ammoniter wussten genau, dass sie David durch diese Tat schwer beleidigt hatten. Darum schickte Hanun Unterhändler nach Mesopotamien, nach Maacha in Syrien und nach Zoba. Er gab ihnen 350 Tonnen Silber mit, um dort Streitwagen und Wagenkämpfer anzuwerben. [7] Es gelang ihnen, den König von Maacha mit seinem ganzen Heer für sich zu gewinnen; außerdem konnten sie 32000 Streitwagen und Wagenkämpfer aufbringen. Die verbündeten Truppen lagerten vor der Stadt Medeba. Auch die Ammoniter kamen aus ihren Städten und rüsteten sich zum Kampf. [8] David hörte davon und befahl Joab, sofort mit dem ganzen Heer gegen die Feinde auszurücken. [9] Die Ammoniter stellten sich vor ihrer Hauptstadt Rabba zur Schlacht auf, während die verbündeten Könige mit ihren Truppen in einiger Entfernung auf offenem Feld Stellung bezogen.

[10] Als Joab merkte, dass ihm von vorne und von hinten ein Angriff drohte, teilte er sein Heer. Er selbst wollte mit den besten Soldaten den Kampf gegen die Syrer aufnehmen. [11] Den Rest des Heeres übergab er dem Kommando seines Bruders Abischai, der gegen die Ammoniter kämpfen sollte. [12] Bevor die beiden Heere sich trennten, sagte Joab zu seinem Bruder: »Wenn die Syrer uns überlegen sind, dann komm uns mit deiner Truppe zu Hilfe. Sind die Ammoniter stärker als ihr, dann helfe ich dir mit meinen Soldaten. [13] Sei mutig und entschlossen! Wir wollen für unser Volk kämpfen und für die Städte, die Gott uns gegeben hat. Der Herr aber möge tun, was er für richtig hält.«

[14] Dann griff Joab mit seinem Heer die Syrer an und schlug sie in die Flucht. [15] Als das die Ammoniter sahen, flohen auch sie vor Abischai und zogen sich in die Stadt zurück. Da kehrte Joab nach Jerusalem um.

Der Krieg gegen die Syrer
(2. Samuel 10,15–19)

[16] Die Syrer wollten sich mit der Niederlage gegen die Israeliten nicht abfinden. Darum ließen sie auch die syrischen Stämme, die jenseits des Euphrat in Mesopotamien wohnten, zum Kampf ausrücken. Schobach, der oberste Heerführer Hadad-Esers, führte sie an. [17] Als David das erfuhr, zog er alle wehrfähigen Israeliten ein, überquerte mit seinem Heer den Jordan und stellte sich den Feinden gegenüber zum Kampf auf. Die Israeliten griffen an, und eine heftige Schlacht begann. [18] Wieder wurden die Syrer in die Flucht geschlagen. Doch diesmal erlitten sie schwere Verluste: 7000 Wagenlenker und 40000 Fußsoldaten fielen. Auch der Heerführer Schobach wurde von David getötet. [19] Die besiegten syrischen Könige, die bis dahin Hadad-Esers Untertanen gewesen waren, schlossen Frieden mit David und stellten sich in seinen Dienst. Von da an wollten die Syrer die Ammoniter nicht mehr unterstützen.

19,8 2 Sam 2,13* **19,11** 1 Sam 26,6*

Die Eroberung der Stadt Rabba
(2. Samuel 12,26–31)

20 Als der Frühling kam, begann auch wieder die Zeit, in der die Könige ihre Feldzüge unternahmen. Joab griff mit dem israelitischen Heer die Ammoniter an, verwüstete ihr Land und belagerte die Hauptstadt Rabba. David selbst war in Jerusalem geblieben. Joab stürmte die Stadt und zerstörte sie. [2] Die Israeliten machten reiche Beute und schafften sie aus Rabba fort. David nahm König Hanun die Krone ab und setzte sie selbst auf. Sie wog 36 Kilogramm, war aus reinem Gold und mit einem kostbaren Edelstein besetzt. [3] Die Einwohner von Rabba verschleppte David und verurteilte sie zur Zwangsarbeit mit Steinsägen, eisernen Pickeln und Äxten. Ebenso erging es den Einwohnern der anderen ammonitischen Städte. Als der Krieg vorüber war, kehrten David und sein Heer nach Jerusalem zurück.

Kriege gegen die Philister

[4] Danach kam es bei Geser zum Kampf mit den Philistern. In dieser Schlacht tötete Sibbechai, der Huschatiter, den Riesen Saf. Die Philister erlitten eine schwere Niederlage. [5] In einer anderen Schlacht gegen die Philister erschlug Elhanan, der Sohn Jaïrs, den Riesen Lachmi, einen Bruder Goliats aus Gat; Lachmis Speer war so dick wie ein kleiner Baum[a]. [6] Einmal kam es bei Gat zum Kampf. Einer der Philister war ein Riese. Er hatte an jeder Hand sechs Finger und an jedem Fuß sechs Zehen. [7] Er machte sich über die Israeliten lustig, doch Jonatan, ein Sohn von Davids Bruder Schamma, tötete ihn. [8] Diese drei Riesen waren Nachkommen Rafas und kamen aus Gat. Sie wurden von David und seinen Soldaten umgebracht.

Davids Volkszählung
(2. Samuel 24)

21 Satan wollte Unheil über Israel bringen; deshalb brachte er David auf den Gedanken, eine Volkszählung durchzuführen. [2] David befahl Joab und den führenden Männern des Volkes: »Geht und zählt die Israeliten von Beerscheba im Süden bis Dan im Norden, und dann erstattet mir Bericht! Ich möchte wissen, wie viele es sind.«

[3] Doch Joab wandte ein: »Der Herr möge sein Volk noch hundertmal größer werden lassen! Sie alle sind doch sowieso deine Untertanen, mein König! Warum verlangst du so etwas? Warum willst du Israel diese Schuld aufbürden?«

[4] Doch der König blieb bei seinem Entschluss, trotz aller Einwände Joabs. Und so führte Joab die Volkszählung in ganz Israel durch und kam dann nach Jerusalem zurück. [5] Dort legte er David das Ergebnis vor: In ganz Israel gab es 1100000 wehrfähige Männer, davon kamen 470000 aus dem Stamm Juda. [6] Die Stämme Levi und Benjamin hatte Joab nicht mitgezählt. Denn er hatte den Befehl des Königs ohnehin nur mit Widerwillen befolgt.

[7] Gott aber missfiel es, dass David das Volk hatte zählen lassen. Darum wollte er Israel bestrafen. [8] Da betete David zu Gott: »Meine Schuld ist groß. Bitte, vergib mir! Ich habe einen schweren Fehler begangen.« [9] Da befahl der Herr dem Propheten Gad, der in Davids Dienst stand: [10] »Geh zu David, und sag ihm: Drei Strafen legt der Herr dir vor. Wähl dir eine davon aus!«

[11] Gad ging zu David und gab ihm die Botschaft des Herrn weiter. Er fragte ihn: »Was wählst du? [12] Drei Jahre Hungersnot? Oder drei Monate, in denen du von deinen Feinden verfolgt und schließlich besiegt wirst? Oder wählst du drei Tage,

---

[a] Wörtlich: wie ein Weberbaum.

20,1 2 Sam 11,1 **20,4–8** 2 Sam 21,18–22 **21,1** 27,24; 1 Mo 15,5 **21,9** 1 Sam 22,5

in denen der Herr das Land bestraft? Dann wütet die Pest in Israel, und der Engel des Herrn bringt Elend über das ganze Land. Überleg dir, was ich dem antworten soll, der mich zu dir geschickt hat!«

[13] David entgegnete: »Ich habe große Angst. Aber ich will lieber dem Herrn als den Menschen in die Hände fallen, denn er ist sehr barmherzig!«

[14] Da ließ der Herr in Israel die Pest ausbrechen. 70 000 Menschen kamen dabei um. [15] Gott schickte seinen Engel auch nach Jerusalem, um die Stadt zu vernichten.

Doch kaum hatte der Todesengel sein Werk begonnen, da hatte der Herr Mitleid mit den Menschen in ihrem Elend, und er befahl: »Genug damit! Hör auf, das Volk zu vernichten!« Der Engel stand gerade auf dem Dreschplatz des Jebusiters Arauna[a]. [16] David sah, wie der Engel des Herrn dort zwischen Himmel und Erde stand und das Schwert über Jerusalem erhoben hatte. Da warfen David und die Ältesten der Stadt sich nieder, mit dem Gesicht zum Boden. Sie alle trugen Bußgewänder aus Sacktuch. [17] David betete: »Ich allein trage die Schuld! Habe nicht ich befohlen, die Volkszählung durchzuführen? Ich habe gesündigt, aber das Volk trifft keine Schuld! Darum, Herr, mein Gott, bestrafe mich und meine Verwandten; doch verschone das Volk vor dieser Plage!«

[18] Da sagte der Engel des Herrn zum Propheten Gad: »Fordere David auf, zum Dreschplatz des Jebusiters Arauna zu gehen und dort einen Altar für den Herrn zu bauen.«

[19] David machte sich auf den Weg, um den Befehl auszuführen, den der Herr ihm durch Gad gegeben hatte. [20] Arauna drosch gerade Weizen zusammen mit seinen vier Söhnen. Als sie aufschauten, sahen sie den Todesengel. Die Söhne rannten fort und versteckten sich. [21] Da kam der König. Kaum hatte Arauna ihn erblickt, lief er ihm entgegen, warf sich ihm zu Füßen und berührte mit seinem Gesicht den Boden. [22] David sagte zu ihm: »Ich möchte deinen Dreschplatz kaufen, um hier einen Altar für den Herrn zu bauen, damit die Pest in Israel nicht länger wütet! Verlang den vollen Preis dafür.« [23] Arauna entgegnete: »Nimm ihn umsonst, mein Herr und König, und tu, was du dir vorgenommen hast! Ich gebe dir die Rinder für das Brandopfer und den Weizen für das Speiseopfer. Als Brennholz kannst du meinen Dreschschlitten nehmen. Ich schenke dir alles!« [24] Doch der König wandte ein: »Nein, ich will den Dreschplatz kaufen, und zwar zum vollen Preis. Ich möchte dem Herrn nicht ein Opfer darbringen, das eigentlich dir gehört und mich nichts gekostet hat.«

[25] Und so bezahlte David für den Dreschplatz 600 Goldstücke, insgesamt etwa 7 Kilogramm Gold. [26] Er baute dort einen Altar für den Herrn und brachte auf ihm Brand- und Dankopfer dar. Dabei betete er, und der Herr ließ Feuer vom Himmel auf das Brandopfer fallen. [27] Dann befahl der Herr dem Todesengel, sein Schwert wieder in die Scheide zu stecken.

[28] David erkannte, dass der Herr ihm auf sein Opfer antwortete, das er auf dem Dreschplatz des Jebusiters Arauna dargebracht hatte. [29] Zu dieser Zeit stand das heilige Zelt, das einst Mose in der Wüste als Wohnung des Herrn errichtet hatte, noch auf dem Hügel bei Gibeon. Auch der Brandopferaltar war dort. [30] Doch David wagte es nicht mehr, nach Gibeon zu gehen, um dort den Herrn um Rat zu fragen, denn er war vor Schreck wie gelähmt über das tödliche Schwert des Engels.

22 Darum fasste er einen Entschluss: Auf dem Dreschplatz, wo der Herr ihm geantwortet hatte, sollten einmal der

---

[a] So mit 2. Samuel 24. Im hebräischen Text steht der Name Ornan.

21,16–17 4 Mo 16,22 **21,24–25** 3 Mo 27,16.22–24 **21,29** 16,39; 2 Mo 36,8–38 **22,1** 21,14–18; 2 Chr 3,1

Tempel Gottes, des Herrn, und der Brandopferaltar für Israel stehen.

David bereitet den Bau des Tempels vor

[2] David verpflichtete alle Ausländer in Israel als Steinhauer. Sie sollten die Quadersteine behauen, die für den Bau des Tempels gebraucht wurden. [3] Auch eine große Menge Eisen ließ er schon bereitstellen, um daraus die Nägel für die Torflügel und die eisernen Klammern anzufertigen. Es wurde so viel Bronze gesammelt, dass man sie gar nicht mehr wiegen konnte. [4] David bestellte auch sehr viel Zedernholz. Die Sidonier und die Tyrer lieferten ihm große Mengen davon. [5] David dachte: »Mein Sohn Salomo ist noch jung und unerfahren. Der Tempel des Herrn aber soll ein großes Bauwerk werden, das man in allen Ländern kennt und rühmt. Darum will ich noch so viel wie möglich dafür vorbereiten.« Und so besorgte David vor seinem Tod noch sehr viel Baumaterial.

David beauftragt Salomo mit dem Bau des Tempels

[6] David rief seinen Sohn Salomo zu sich und sagte zu ihm: »Mein Sohn, du sollst dem Herrn, dem Gott Israels, einen Tempel bauen. [7] Eigentlich wollte ich selbst dieses Haus für den Herrn, meinen Gott, errichten. [8] Doch der Herr hat zu mir gesagt: ›Du hast große Kriege geführt und dabei viele Menschen getötet. Weil du so viel Blut vergossen hast, sollst du mir keinen Tempel bauen. [9] Aber du wirst einen Sohn bekommen, der ein Leben in Frieden führen wird, denn ich werde dafür sorgen, dass ihn keiner seiner Feinde angreift. Salomo (›der Friedliche‹) wird er heißen. Unter seiner Herrschaft wird Israel in Ruhe und Frieden leben. [10] Salomo wird mir einen Tempel bauen. Er wird mein Sohn sein, und ich werde sein Vater sein. Für alle Zeiten werden seine Nachkommen als Könige über Israel regieren.‹

[11] Mein Sohn«, fuhr David fort, »der Herr möge dir beistehen und dir helfen, den Tempel des Herrn, deines Gottes, zu bauen, wie er es vorausgesagt hat. [12] Er gebe dir Weisheit und Einsicht, wenn er dich als König über Israel einsetzt, damit du das Gesetz des Herrn, deines Gottes, befolgst. [13] Wenn du so lebst, wie es dem Herrn gefällt, und dich nach den Geboten richtest, die er Israel durch Mose gegeben hat, dann wird dir alles gelingen. Darum sei stark und entschlossen! Lass dich durch nichts entmutigen, und fürchte dich nicht! [14] Ich habe für den Bau des Tempels schon 3500 Tonnen Gold und 35000 Tonnen Silber bereitgestellt, außerdem so viel Bronze und Eisen, dass man es nicht mehr wiegen kann. Auch für Holz und Steine habe ich schon gesorgt, doch wirst du davon noch mehr brauchen. [15] Handwerker sind genügend im Land: Steinhauer, Maurer, Zimmerleute und andere Facharbeiter, [16] die mit Gold, Silber, Bronze und Eisen umgehen können. Es sind unzählbar viele. Mach dich also an die Arbeit! Der Herr sei mit dir!«

[17] Allen führenden Männern Israels befahl David, seinen Sohn Salomo zu unterstützen. [18] Er sagte zu ihnen: »Ihr habt erlebt, wie der Herr, euer Gott, euch geholfen hat: Die Völker ringsum sind keine Gefahr mehr für uns, denn der Herr hat mir den Sieg über sie gegeben. Nun gehört das Land wirklich dem Herrn und seinem Volk. [19] Dient dem Herrn, eurem Gott, von ganzem Herzen! Macht euch an die Arbeit, und baut das Heiligtum Gottes, des Herrn, damit ihr die Bundeslade und die Gegenstände, die zum heiligen Zelt gehören, bald in den Tempel bringen könnt.«

23 Als David alt geworden war und wusste, dass er bald sterben würde,

---

22,2 2 Sam 12,31 **22,7–8** 17,1–6; 28,3; 1 Kön 5,17 **22,9–10** 17,11–14; 2 Sam 7,11–16 **22,12** 1 Kön 3,9–14 **22,13** 2 Mo 24,4*; Jos 1,5–9 **22,18** 1 Kön 5,1.4–5 **23,1–2** 28,1–10

setzte er seinen Sohn Salomo als König über Israel ein.

Die Dienstgruppen der Leviten

[2] David ließ alle führenden Männer Israels, die Priester und die Leviten zu sich kommen. [3] Alle männlichen Leviten, die dreißig Jahre und älter waren, wurden gezählt; es waren 38000. [4] Danach teilte David ihnen verschiedene Aufgaben zu: 24000 waren für die Arbeiten am Tempel des Herrn verantwortlich; 6000 wurden als Aufseher und Richter eingesetzt, [5] 4000 als Torwächter, und 4000 sollten den Herrn loben und ihren Gesang mit den Instrumenten begleiten, die David dafür herstellen ließ.

[6] David teilte die Leviten in drei große Gruppen ein, geordnet nach ihrer Abstammung von Gerschon, Kehat und Merari, den Söhnen Levis.

[7] Gerschon hatte zwei Söhne; sie hießen Ladan und Schimi. [8] Ladans drei Söhne waren Jehiël, Setam und Joel. [9] Schimi[a] hatte drei Söhne namens Schelomit, Hasiël und Haran. Alle sechs waren Oberhäupter der Sippen, die auf Ladan zurückgehen. [10/11] Schimi hatte vier Söhne. Jahat war der älteste, dann kamen Sisa, Jëusch und Beria. Weil Jëusch und Beria nicht viele Söhne hatten, galten ihre Nachkommen zusammen als eine Sippe und bildeten eine Dienstgruppe.

[12] Kehat hatte vier Söhne namens Amram, Jizhar, Hebron und Usiël. [13] Amrams Söhne waren Mose und Aaron. Aaron und seine Nachkommen wurden für den Dienst im Allerheiligsten ausgesondert. Sie sollten dem Herrn die Opfer darbringen, ihm im Heiligtum dienen und das Volk in seinem Namen segnen. Diese Aufgabe wurde ihnen für alle Zeiten zugeteilt. [14] Die Nachkommen Moses, des Mannes Gottes, wurden den übrigen Leviten zugerechnet. [15] Moses Söhne hießen Gerschom und Eliëser. [16] Der älteste Sohn Gerschoms war Schubaël. [17] Eliëser hatte nur einen Sohn namens Rehabja, dieser hatte sehr viele Nachkommen. [18] Der erste Sohn Jizhars hieß Schelomit. [19] Hebrons ältester Sohn war Jerija, dann folgten Amarja, Jahasiël und Jekamam. [20] Der erste Sohn Usiëls hieß Micha, der zweite Jischija.

[21] Merari hatte zwei Söhne namens Machli und Muschi. Die Söhne Machlis waren Eleasar und Kisch. [22] Eleasar starb ohne männliche Nachkommen, er hatte nur Töchter. Sie heirateten ihre Vettern, die Söhne Kischs. [23] Muschi hatte drei Söhne namens Machli, Eder und Jeremot.

[24] Dies waren die Nachkommen Levis, geordnet nach ihren Familien und Sippen. Sie versahen am Tempel des Herrn ihren Dienst. Jeder Levit, der zwanzig Jahre und älter war, wurde in eine Namensliste eingetragen.

[25–27] David hatte kurz vor seinem Tod noch angeordnet, dass die jungen Leviten schon ab zwanzig Jahren für den Dienst verpflichtet werden sollten. Er sagte:

»Der Herr, der Gott Israels, hat seinem Volk Frieden und Ruhe gegeben, und er will nun für immer in Jerusalem wohnen. Darum müssen die Leviten nicht mehr das heilige Zelt und die Gegenstände für den Opferdienst von einem Ort zum anderen tragen. [28] Von jetzt an sollen sie den Priestern beim Dienst im Tempel des Herrn helfen. Sie sollen dafür sorgen, dass die Vorhöfe und Kammern in Ordnung gehalten werden und die geweihten Gefäße und Werkzeuge für den Tempeldienst sauber sind. Auch für andere Dienste im Haus Gottes sind sie verantwortlich: [29] für das Gott geweihte Brot, für das feine Mehl, aus dem die Speiseopfer gemacht werden, für die ungesäuerten Brotfladen, für die Speiseopfer und das Backwerk. Alles, was man dafür braucht, müssen sie genau abwiegen und messen. [30] Morgens und abends sollen die

---

[a] Wahrscheinlich ist hier ein Name verwechselt worden. Schimis Söhne werden in Vers 10 genannt.

23,3 4 Mo 4,3 **23,4** 5 Mo 17,8–13 **23,13** 6,34; 4 Mo 3,10; 6,22–27 **23,25–27** 22,18; 4 Mo 1,49–53 **23,28** 4 Mo 3,5–9

Sänger den Herrn mit ihren Liedern loben und preisen. [31] Bei allen Brandopfern, die dem Herrn am Sabbat, an den Neumondfesten und an den anderen Feiertagen dargebracht werden, sollen die Leviten helfen. Die Gruppe muss vollständig erscheinen, um dem Herrn zu dienen, so wie es vorgeschrieben ist.«
[32] So versahen die Leviten ihren Dienst im heiligen Zelt und später im Tempel. Sie unterstützten die Priester, ihre Stammesbrüder, bei der Arbeit im Tempel des Herrn.

Die Dienstgruppen der Priester

24 Auch die Nachkommen Aarons wurden in verschiedene Gruppen aufgeteilt. Aarons Söhne hießen Nadab, Abihu, Eleasar und Itamar. [2] Nadab und Abihu starben noch vor ihrem Vater und hinterließen keine männlichen Nachkommen. Eleasar und Itamar wurden Priester. [3] David teilte die Priester in Dienstgruppen ein. Zadok, ein Nachkomme Eleasars, und Ahimelech, ein Nachkomme Itamars, halfen ihm dabei: [4] Eleasar hatte mehr männliche Nachkommen als Itamar. Darum wurde die Sippe Eleasar in sechzehn Dienstgruppen eingeteilt, die Sippe Itamar in acht. Jede Gruppe wurde von einem Sippenoberhaupt geleitet. [5] Die Diensteinteilung wurde durch das Los bestimmt, denn die Priester, die im Heiligtum vor Gott den höchsten Dienst versahen, sollten aus beiden Sippen stammen.

[6] Bei der Auslosung waren die Nachkommen Eleasars und die Itamars abwechselnd an der Reihe. Dabei waren anwesend: der König, die führenden Männer Israels, der Priester Zadok, Ahimelech, der Sohn Abjatars, und die Sippenoberhäupter der Priester und Leviten. Der Schreiber Schemaja, ein Sohn Netanels, aus dem Stamm Levi, schrieb die Dienstgruppen in der Reihenfolge auf, in der sie ausgelost wurden:

[7–18] 1. Jojarib; 2. Jedaja; 3. Harim; 4. Seorim; 5. Malkija; 6. Mijamin; 7. Hakkoz; 8. Abija; 9. Jeschua; 10. Schechanja; 11. Eljaschib; 12. Jakim; 13. Huppa; 14. Jeschebab; 15. Bilga; 16. Immer; 17. Hesir; 18. Pizez; 19. Petachja; 20. Jeheskel; 21. Jachin; 22. Gamul; 23. Delaja; 24. Maasja.

[19] Dieser Einteilung entsprechend mussten die Priester in den Tempel des Herrn kommen und ihren Dienst versehen, so wie es der Herr, der Gott Israels, durch ihren Stammvater Aaron befohlen hatte.

Weitere Dienstgruppen der Leviten

[20] Weitere Sippenoberhäupter der Leviten waren:
Jechdeja, der über Schubaël von Amram abstammte;
[21] Jischija, ein Nachkomme Rehabjas;
[22] Jahat, der über Jizhar von Schelomit abstammte;
[23] die Söhne Hebrons in der Reihenfolge ihres Alters: Jerija, Amarja, Jahasiël und Jekamam;
[24] Schamir, der über Micha von Usiël abstammte;
[25] Secharja, ein Nachkomme von Michas Bruder Jischija.
[26] Die Söhne Meraris hießen Machli, Muschi und Jaasija.
[27] Die Söhne Jaasijas, des Sohnes Meraris, waren Schoham, Sakkur und Ibri.
[28/29] Machlis Söhne hießen Eleasar und Kisch. Eleasar hatte keine Söhne, Kischs Sohn war Jerachmeel.
[30] Die Söhne Muschis hießen Machli, Eder und Jeremot.
Dies waren weitere Sippen der Leviten.

[31] Wie für die Priester, so wurde auch für sie die Diensteinteilung durch das Los bestimmt. Dabei wurde die Familie eines Sippenoberhaupts genauso behandelt wie die seines jüngsten Bruders. Wieder waren König David, Zadok, Ahimelech und die Sippenoberhäupter der Priester und Leviten anwesend.

23,31 4 Mo 28,1 – 29,39 **24,2** 3 Mo 10,1–2; 4 Mo 3,4 **24,5.19** 25,8; Lk 1,8–9

Die Dienstgruppen der Sänger und Musiker

25 David wählte zusammen mit den Heerführern die Familien Asafs, Hemans und Jedutuns für einen besonderen Dienst aus: Sie sollten mit ihren Liedern die Botschaften Gottes verkünden, den Herrn loben und den Gesang mit Lauten, Harfen und Zimbeln begleiten. Folgende Männer wurden dazu berufen:

[2] Von der Familie Asafs: Sakkur, Josef, Netanja und Asarela, die Söhne Asafs. Ihr Vater war der Leiter dieser Gruppe, er dichtete im Auftrag des Königs prophetische Lieder.

[3] Von der Familie Jedutuns: Gedalja, Zeri, Jesaja, Schimi[a], Haschabja und Mattitja, die Söhne Jedutuns. Ihr Vater leitete diese Gruppe. Er begleitete den prophetischen Gesang mit der Laute, um den Herrn zu loben und zu preisen.

[4] Von der Familie Hemans: Bukkija, Mattanja, Usiël, Schubaël, Jerimot, Hananja, Hanani, Eliata, Giddalti, Romamti-Eser, Joschbekascha, Malloti, Hotir und Mahasiot. [5] Sie alle waren Söhne Hemans, eines Propheten, der im Dienst Davids stand. Gott hatte Heman verheißen, ihn zu einem mächtigen und angesehenen Mann zu machen, darum hatte er ihm vierzehn Söhne und drei Töchter geschenkt.

[6] Diese drei Familien begleiteten den Gesang im Tempel des Herrn mit Zimbeln, Harfen und Lauten. Ihre Väter Asaf, Jedutun und Heman waren verantwortlich für den Gesang und die Musikbegleitung. Sie versahen ihren Dienst so, wie der König es angeordnet hatte. [7] Insgesamt wurden 288 Leviten für den Gesang im Tempel ausgebildet. Sie alle waren ausgezeichnete Sänger. [8] Auch ihre Diensteinteilung wurde durch das Los bestimmt. Alle wurden gleich behandelt, die Jungen wie die Alten, der Lehrer wie der Schüler.

[9–31] Es wurden 24 Dienstgruppen ausgelost, und jede bestand aus 12 Männern. Folgende Männer bildeten mit ihren Söhnen und Verwandten je eine Gruppe:

1. Josef aus der Sippe Asaf; 2. Gedalja; 3. Sakkur; 4. Zeri; 5. Netanja; 6. Bukkija; 7. Asarela; 8. Jesaja; 9. Mattanja; 10. Schimi; 11. Asarel; 12. Haschabja; 13. Schubaël; 14. Mattitja; 15. Jeremot; 16. Hananja; 17. Joschbekascha; 18. Hanani; 19. Malloti; 20. Eliata; 21. Hotir; 22. Giddalti; 23. Mahasiot; 24. Romamti-Eser.

Die Dienstgruppen der Torwächter

26 Zu den Dienstgruppen der Torwächter gehörten:

Meschelemja von der Sippe Korach; er war ein Sohn Kores und Enkel Abiasafs. [2] Meschelemja hatte sieben Söhne; der erste hieß Secharja, dann folgten Jediaël, Sebadja, Jatniël, [3] Elam, Johanan und Eljoënai.

[4/5] Weiter Obed-Edom; er hatte acht Söhne, denn Gott hatte ihn besonders gesegnet. Der älteste war Schemaja, dann folgten Josabad, Joach, Sachar, Netanel, Ammiël, Issaschar und Pëulletai. [6] Die Söhne von Obed-Edoms Sohn Schemaja waren angesehene Männer. Sie hatten in ihrer Sippe führende Stellungen inne. [7] Sie hießen Otni, Refaël, Obed, Elsabad, Elihu und Semachja; die beiden letzten waren besonders begabt. [8] Alle Nachkommen Obed-Edoms waren fähige Männer. Sie, ihre Söhne und ihre Verwandten, insgesamt 62 Mann, waren gut geeignet für ihre Aufgaben.

[9] Meschelemjas Söhne und Verwandte waren insgesamt achtzehn Männer und ebenfalls alle begabt für ihren Dienst.

[10/11] Hosa gehörte zur Sippe Merari. Seine Söhne hießen Schimri, Hilkija, Tebalja und Secharja. Hosa hatte Schimri zum Oberhaupt der Dienstgruppe ernannt, obwohl er nicht der älteste Sohn war. Zu Hosas Familie gehörten dreizehn Männer.

[12] Die Dienstgruppen der Torwächter wurden von den Familienoberhäuptern

---

[a] Ergänzt nach 1. Chronik 25,17 und der griechischen Übersetzung.

25,1–8 1 Chr 15,16–24 **25,2–3** 1 Sam 10,5–6 **25,8** 24,5.19

und allen Männern gebildet. Wie die anderen Leviten versahen auch sie ihren Dienst im Tempel des Herrn. [13]Durch das Los wurde bestimmt, welche Gruppe bei welchem Tor wachen sollte; dabei machte man keinen Unterschied zwischen großen und kleinen Familien. [14]Für das Tor im Osten wurde die Familie Meschelemjas ausgelost. Der Familie von Meschelemjas Sohn Secharja wurde das Nordtor zugeteilt. Er war ein guter Berater. [15]Für das Tor im Süden fiel das Los auf Obed-Edom; seine Söhne bekamen die Aufsicht über das Vorratshaus. [16]Die Familien von Schuppim und Hosa sollten das Westtor und das Schallechettor bewachen. Das Schallechettor liegt an der Straße, die bergauf führt.

Die Dienste wurden so eingeteilt:

[17]Beim Osttor standen täglich sechs Leviten Wache, beim Nord- und Südtor je vier, und beim Vorratshaus zwei. [18]Auf der Westseite des Tempels standen vier Wachen an der Straße und zwei am Tempelanbau.

[19]Dies waren die Dienstgruppen der Torwächter. Sie alle stammten aus den Sippen Korach und Merari.

Weitere Dienstgruppen der Leviten

[20]Andere Leviten hatten die Aufsicht über den Tempelschatz und die Gaben, die für den Tempel gestiftet wurden. [21/22]Den Tempelschatz bewachten die Brüder Setam und Joel. Sie waren die Oberhäupter der Familie Jehiëls, die zu den Nachkommen Ladans aus der Sippe Gerschon gehörte. [23]Die Sippen Amram, Jizhar, Hebron und Usiël hatten folgende Aufgaben:

[24]Schubaël, ein Nachkomme Gerschoms, des Sohnes Moses, bekam die Oberaufsicht über die heiligen Gaben. [25]Gerschoms Bruder Eliëser hatte einen Sohn namens Rehabja, auf ihn folgten in direkter Linie Jesaja, Joram, Sichri und Schelomit. [26]Schelomit und seine Brüder verwalteten die Gaben, die von König David, von den Sippenoberhäuptern, den Offizieren, Hauptleuten und Heerführern gestiftet worden waren. [27]Es war ein Teil der Beute, die sie von ihren Feldzügen mitgebracht hatten. [28]Früher hatten schon der Prophet Samuel, Saul, der Sohn Kischs, Abner, der Sohn Ners, und Joab, der Sohn von Davids Schwester Zeruja, etwas für das Heiligtum gestiftet. Alle Gaben wurden von Schelomit und seinen Brüdern verwaltet.

[29]Kenanja und seine Söhne von der Sippe Jizhar waren verantwortlich für Aufgaben außerhalb des Heiligtums: Sie waren als Aufseher und Richter über Israel eingesetzt. [30]Haschabja und seine Verwandten aus der Sippe Hebron, 1700 erfahrene Männer, waren für das Gebiet westlich des Jordan zuständig. Sie mussten sich dort für die Belange des Tempels einsetzen und standen zugleich im Dienst des Königs.

[31]Im 40. Regierungsjahr König Davids hatte man die Sippe Hebron anhand der Familienregister erforscht. Dabei fand man heraus, dass viele angesehene Männer von ihnen in Jaser im Gebiet Gilead wohnten. Jerija war das Oberhaupt. [32]König David übergab ihm und 2700 erfahrenen Männern seiner Sippe die Verantwortung für das Gebiet der Stämme Ruben, Gad und Ost-Manasse. Jeder dieser Männer war ein Familienoberhaupt. Auch sie mussten sich für die Belange des Tempels einsetzen und standen im Dienst des Königs.

Die Abteilungen des Heeres

27 Es folgt ein Verzeichnis der Sippenoberhäupter, der Offiziere, Hauptleute und Beamten, die im Dienst des Königs standen.

Das Heer bestand aus zwölf Abteilungen zu je 24000 Mann. Jede Abteilung hatte einen Monat im Jahr Dienst. Sie lösten einander ab. [2]Den Oberbefehl über die zwölf Abteilungen mit je 24000 Soldaten hatten folgende Hauptleute:

26,21–22 23,8 **26,29** 5 Mo 17,8–13 **27,2–15** 11,10–47

1. Monat: Joschobam, der Sohn Sabdiëls; [3]er kam aus der Sippe Perez und hatte den Oberbefehl über die Abteilung, die im 1. Monat Dienst hatte.
[4]2. Monat: Dodai aus Ahoach. Der oberste Offizier seiner Abteilung hieß Miklot.
[5]3. Monat: Benaja, der Sohn des Priesters Jojada. [6]Er war der Anführer der dreißig Elitesoldaten Davids, ein besonders mutiger Mann. Der oberste Offizier seiner Abteilung war sein Sohn Ammisabad.
[7]4. Monat: Asaël, der Bruder Joabs. Nach seinem Tod übernahm sein Sohn Sebadja die Abteilung.
[8]5. Monat: Schamhut aus der Sippe Serach.
[9]6. Monat: Ira, der Sohn Ikkeschs, aus Tekoa.
[10]7. Monat: Helez aus Pelet[a], vom Stamm Ephraim.
[11]8. Monat: Sibbechai aus Huscha, von der Sippe Serach.
[12]9. Monat: Abiëser aus Anatot, vom Stamm Benjamin.
[13]10. Monat: Mahrai aus Netofa, von der Sippe Serach.
[14]11. Monat: Benaja aus Piraton, vom Stamm Ephraim.
[15]12. Monat: Heldai aus Netofa, ein Nachkomme Otniëls.

Die Stammesoberhäupter

[16]Folgende zwölf Männer führten die israelitischen Stämme:
Stamm Ruben: Eliëser, ein Sohn Sichris;
Stamm Simeon: Schefatja, ein Sohn Maachas;
[17]Stamm Levi: Haschabja, ein Sohn Kemuëls; Nachkommen Aarons: der Priester Zadok;
[18]Stamm Juda: Elihu, ein Bruder Davids;
Stamm Issaschar: Omri, ein Sohn Michaels;
[19]Stamm Sebulon: Jischmaja, ein Sohn Obadjas;
Stamm Naftali: Jeremot, ein Sohn Asriëls;
[20]Stamm Ephraim: Hoschea, ein Sohn Asasjas;
West-Manasse: Joel, ein Sohn Pedajas;
[21]Ost-Manasse: Jiddo, ein Sohn Secharjas;
Stamm Benjamin: Jaasiël, ein Sohn Abners;
[22]Stamm Dan: Asarel, ein Sohn Jerohams.
Dies waren die Oberhäupter der Stämme Israels.

[23]Die Israeliten unter zwanzig Jahren nahm David nicht in die Volkslisten auf. Denn der Herr hatte ihm versprochen, Israel zahlreich werden zu lassen wie die Sterne am Himmel. [24]Joab, der Sohn der Zeruja, hatte mit der Volkszählung begonnen, sie aber nie zu Ende geführt, denn ihretwegen war Gottes Zorn über Israel hereingebrochen. Daher wurde nie die genaue Zahl der Israeliten in die Chronik König Davids aufgenommen.

Die Verwalter des königlichen Besitzes

[25]Asmawet, der Sohn Adiëls, war verantwortlich für die Schätze des Königs in Jerusalem.

Jonatan, der Sohn Usijas, verwaltete die Vorräte auf dem Land, in den Städten, Dörfern und Vorratstürmen.

[26]Esri, der Sohn Kelubs, hatte die Aufsicht über die Feldarbeiter, die den Boden bestellten.

[27]Schimi aus Rama war für die Weinberge verantwortlich und Sabdi aus Schefam für alle Weinvorräte, die bei den Weinbergen gelagert wurden.

[28]Baal-Hanan aus Gedera beaufsichtigte die Plantagen mit Oliven- und Maulbeerfeigenbäumen in dem Hügelgebiet, das an die philistäische Ebene angrenzte. Joasch verwaltete die Ölvorräte.

[29]Schitrai aus Scharon hatte die Aufsicht über die Rinderherden in der Scharonebene und Schafat, der Sohn Adlais,

---

[a] So mit 2. Samuel 23,26. Der hebräische Text lautet: Helez aus Palon.

27,5–6 2 Sam 8,18* **27,23** 1 Mo 15,5 **27,24** 21,1–2

über die Rinderherden in den Tälern. [30]Der Ismaeliter Obil war verantwortlich für die Kamele, Jechdeja aus Meronot für die Eselinnen und [31]der Hagariter Jasis für die Schaf- und Ziegenherden.

Sie alle waren Verwalter des königlichen Besitzes.

Die engsten Berater des Königs

[32]Jonatan, ein Onkel Davids, war zugleich einer seiner Berater. Er war ein sehr weiser und gelehrter Mann. Jehiël, dem Sohn Hachmonis, war die Erziehung der Königssöhne anvertraut. [33]Auch Ahitofel und der Arkiter Huschai, ein Freund Davids, waren Berater des Königs. [34]Die Nachfolger Ahitofels hießen Jojada, ein Sohn Benajas, und Abjatar. Joab hatte den Oberbefehl über das Heer.

Davids Rede vor den führenden Männern Israels

28 David ließ alle einflussreichen Männer Israels nach Jerusalem kommen: die Stammesoberhäupter, die Leiter der Dienstgruppen, die Hauptleute und Offiziere, die Verwalter des königlichen Besitzes und der Viehherden, die Erzieher der Königssöhne, die Hofbeamten, die Elitesoldaten und alle anderen angesehenen Männer.

[2]König David stand auf und wandte sich an die Versammelten:

»Ihr Männer meines Volkes, meine Brüder! Ich möchte euch etwas sagen: Schon lange habe ich mir vorgenommen, einen Tempel für die Bundeslade, den Fußschemel unseres Gottes, zu bauen, damit sie endgültig an einem Ort bleiben kann. Schon hatte ich begonnen, das Baumaterial bereitzustellen. [3]Doch da sprach Gott zu mir: ›Du sollst mir keinen Tempel bauen! Denn du hast Kriege geführt und dabei viel Blut vergossen!‹ [4]Der Herr, der Gott Israels, hat aus meiner ganzen Familie mich zum König erwählt. Mir und meinen Nachkommen hat er für alle Zeiten die Herrschaft anvertraut. Denn nach Gottes Willen kommen die Könige aus dem Stamm Juda. Aus diesem Stamm erwählte er die Familie meines Vaters, und aus dieser Familie berief er mich zum König über ganz Israel. [5]Der Herr hat mir viele Söhne geschenkt. Einen von ihnen, Salomo, hat er nun zu meinem Nachfolger bestimmt. Er soll im Auftrag des Herrn über Israel herrschen. [6]Der Herr sprach zu mir: ›Dein Sohn Salomo soll mir einen Tempel mit Vorhöfen bauen. Denn ich habe ihn als meinen Sohn erwählt und will für ihn wie ein Vater sein. [7]Ich werde seinem Königtum für alle Zeiten Bestand geben, wenn er wie bisher meine Weisungen und Gebote befolgt.‹

[8]So bitte ich euch nun vor ganz Israel, der Gemeinde des Herrn, und vor unserem Gott, der uns zuhört: Befolgt alle Gebote des Herrn, eures Gottes, und haltet euch stets an sie! Dann gehört dieses gute Land auch in Zukunft euch, und ihr könnt es euren Nachkommen für alle Zeiten vererben. [9]Du aber, mein Sohn Salomo, ehre den Gott deines Vaters auch als deinen Gott! Diene ihm gern und von ganzem Herzen. Denn der Herr kennt alle Menschen durch und durch. Er weiß, wonach sie streben, und kennt ihre Gedanken. Wenn du ihn suchst, lässt er sich finden; wendest du dich aber von ihm ab, dann wird er dich für immer verstoßen. [10]Vergiss es nie: Der Herr hat dich erwählt, ihm einen Tempel zu bauen. Darum sei mutig, und mach dich an die Arbeit!«

Der Bauplan für den Tempel

[11]David übergab seinem Sohn Salomo den Bauplan für den Tempel. Darauf waren alle Gebäude des Tempelbereichs

27,32–34 18,15–17; 1 Sam 22,20–21*; 2 Sam 2,13*; 15,12*.32–37 **28,2–7** 17,1–14; 22,6–10 **28,2** 2 Mo 25,22; Jes 66,1–2 **28,4** 1 Mo 49,10; 1 Sam 16,1.12; 2 Sam 7,16* **28,5** 1 Kön 1,13 **28,8** 5 Mo 4,1*; 7,12–15* **28,9** 5 Mo 6,4–5*; 17,14–20; Ps 26,2*

eingezeichnet: die Vorhallen, die Schatzkammern, die oberen Räume, die Innenräume des Tempels, das Allerheiligste, wo die Bundeslade stehen sollte, [12]die Vorhöfe, die Kammern rings um den Tempel und die Räume für die gestifteten Gaben.

David hatte alles so geplant und gezeichnet, wie der Geist Gottes es ihm eingegeben hatte. [13]Er hatte auch die Dienstgruppen der Priester und Leviten eingeteilt und dabei alle anderen Arbeiten aufgeführt, die im Tempel des Herrn verrichtet werden mussten. Außerdem hatte er ein Verzeichnis aller Gegenstände angefertigt, die für den Tempeldienst gebraucht wurden, und das Material festgelegt, aus dem sie hergestellt werden sollten. [14]Er gab an, wie viel Gold und Silber für die einzelnen Gegenstände verwendet werden sollte: [15]für die goldenen und silbernen Leuchter und Lampen; je nach Standort waren die Leuchter unterschiedlich groß; [16]für die goldenen Tische, auf denen die Gott geweihten Brote aufgeschichtet wurden; für die silbernen Tische; [17]für die Gabeln, Opferschalen und Kannen aus reinem Gold; für die goldenen und silbernen Becher; [18]für den Goldüberzug des Brandopferaltars; für den Wagen, auf dem die Bundeslade des Herrn stehen sollte, die von den goldenen Flügeln der Cherub-Engel beschirmt wurde.

[19]David sagte: »Ich habe alle Einzelheiten so aufgeschrieben, wie der Herr sie mir eingegeben hat.«

[20]Dann wandte er sich an seinen Sohn Salomo: »Mach dich ohne zu zögern an die Arbeit! Hab keine Angst, und lass dich durch nichts entmutigen! Denn der Herr, mein Gott, wird dir dabei helfen. Er steht zu dir und verlässt dich nicht. Er wird dir beistehen, bis der Bau des Tempels abgeschlossen ist. [21]Auch die Dienstgruppen der Priester und Leviten werden dich unterstützen und alle Arbeiten im Tempel des Herrn ausführen. Für alle Bauarbeiten stehen dir genügend erfahrene Arbeiter zur Verfügung. Die führenden Männer Israels und das ganze Volk sind bereit, deine Befehle auszuführen.«

Gaben für den Tempelbau

29 Danach wandte David sich wieder an die Versammelten und sagte: »Gott hat meinen Sohn Salomo zu meinem Nachfolger erwählt. Aber er ist noch jung und unerfahren, und vor ihm liegt eine große Aufgabe. Denn er soll nicht einen Palast für Menschen bauen, sondern einen Tempel für Gott, den Herrn. [2]Ich habe bereits so viel Baumaterial, wie ich konnte, für den Tempel meines Gottes bereitgestellt: Gold, Silber, Bronze, Eisen und Holz für die Gegenstände, die daraus hergestellt werden sollen, verschiedene Edelsteine, Mosaiksteine und weißen Marmor in großen Mengen. [3]Und weil mir der Tempel meines Gottes am Herzen liegt, habe ich zusätzlich noch Schätze aus meinem eigenen Besitz gestiftet: [4]100 Tonnen vom besten Gold und 250 Tonnen reines Silber, um damit die Innenwände der Räume zu überziehen. [5]Auch für Gegenstände im Tempel oder für kunstvolle Verzierungen soll ein Teil verwendet werden. Und nun frage ich euch: Wer von euch ist bereit, heute ebenfalls etwas für den Herrn zu geben?«

[6]Die Sippenoberhäupter, die Stammesfürsten, die Hauptleute und Offiziere und die Leiter der königlichen Dienstgruppen folgten dem Aufruf des Königs bereitwillig. [7]So kamen an diesem Tag für den Tempel 175 Tonnen Gold zusammen, 10000 Goldmünzen, 350 Tonnen Silber, 630 Tonnen Bronze und 3500 Tonnen Eisen. [8]Wer Edelsteine besaß, brachte sie dem Schatzmeister Jehiël aus der Sippe Gerschon, damit er sie zum Tempelschatz legte. [9]Das ganze Volk freute sich über diese Freigebigkeit, denn alle wollten von ganzem Herzen den Tempelbau unterstützen. Auch König David freute sich sehr darüber.

28,20 Jos 1,5–9; 1 Kön 2,2–4 **29,2** 22,14 **29,7–9** 2 Mo 25,2*

Davids Dankgebet

[10] Danach lobte David den Herrn vor den Versammelten:

»Gepriesen seist du, Herr, du Gott unseres Vaters Israel, für immer und ewig! [11] Du, Herr, besitzt Größe, Kraft, Ruhm, Glanz und Majestät. Alles, was im Himmel und auf der Erde lebt, ist dein. Du bist König, der höchste Herrscher über alles. [12] Du verleihst Reichtum und Ehre, du allein bist der Herr. In deiner Hand sind Macht und Stärke; du kannst Menschen groß und mächtig machen. [13] Darum preisen wir dich, unseren Gott, wir loben deinen herrlichen Namen!

[14] Wer bin ich schon, und was ist mein Volk, dass wir dir heute so viel geben konnten? Denn alles, was wir besitzen, kommt von dir. [15] Wir sind vor dir nur Gäste auf dieser Erde, Fremde ohne Bürgerrecht, so wie unsere Vorfahren. Unser Leben ist vergänglich wie ein Schatten. Dem Tod können wir nicht entfliehen.[a] [16] Herr, unser Gott, wir haben dieses Baumaterial zusammengelegt, um dir einen Tempel zu bauen. Alles kommt von dir, und dir wollen wir es nun wieder geben. [17] Ich weiß, mein Gott, dass du unser Herz kennst und dich freust, wenn wir aufrichtig sind. Was ich für den Bau des Tempels gestiftet habe, das habe ich gern und mit aufrichtigem Herzen gegeben. Ich freue mich, dass auch dein Volk so freigebig war.

[18] Herr, du Gott unserer Vorfahren Abraham, Isaak und Israel, lass dein Volk immer nach dir verlangen! Richte ihr Herz auf dich! [19] Hilf auch meinem Sohn Salomo, dir von ganzem Herzen zu dienen und dein Gesetz, deine Gebote und Weisungen zu befolgen. Steh ihm bei, wenn er den Tempel baut, für den ich alles vorbereitet habe!«

[20] Dann forderte David die ganze Versammlung auf: »Lasst uns gemeinsam dem Herrn, unserem Gott, danken!« Da beteten alle den Herrn, den Gott ihrer Vorfahren, an. Sie warfen sich vor dem Herrn und vor dem König zu Boden.

[21] Am nächsten Tag brachten sie dem Herrn für das ganze Volk Israel große Mengen an Schlacht- und Brandopfern sowie die dazugehörigen Trankopfer dar. Sie schlachteten 1000 junge Stiere, 1000 Schafböcke und 1000 Lämmer. [22] An jenem Tag feierten sie ein großes Fest für den Herrn. Sie aßen und tranken und waren voller Freude. Noch einmal bestätigten sie Davids Sohn Salomo als den neuen König. Sie weihten ihn dem Herrn und salbten ihn zum König; zum Priester wurde Zadok gesalbt.

Salomo – ein mächtiger Herrscher

[23] So trat Salomo die Nachfolge seines Vaters David an und wurde König über das Volk des Herrn. Er war ein guter Herrscher, ganz Israel erkannte ihn an. [24] Auch die führenden Männer des Volkes, die Elitetruppe und die anderen Söhne Davids ordneten sich ihm unter. [25] Ganz Israel konnte sehen, wie der Herr die Macht Salomos immer größer werden ließ. Er gab ihm Ehre und Anerkennung, wie sie kein israelitischer König vor ihm besessen hatte.

Davids Tod

[26/27] David herrschte vierzig Jahre lang als König über Israel, davon sieben Jahre in Hebron und dreiunddreißig Jahre in Jerusalem. [28] Er wurde alt und starb nach einem erfüllten Leben als ein reicher und angesehener Mann. Sein Sohn Salomo trat die Nachfolge an.

[29] Alles Weitere über Davids Leben steht in den Chroniken der drei Propheten Samuel, Nathan und Gad. [30] Man kann dort nachlesen, wie er regierte, welche Macht er besaß und wie ganz Israel und die Königreiche ringsum zu seiner Zeit lebten.

---

[a] Wörtlich: Es gibt keine Hoffnung.

29,10 1 Mo 32,29; 35,10 **29,15** Ps 39,5–7*; Jes 26,19; Joh 11,25 **29,17** Ps 26,2* **29,22** 1 Kön 1,38–40 **29,25** 1 Kön 3,12–13; 5,1; 10,4–9.23–25

Das zweite Buch der Chronik

König Salomo bittet um Weisheit
(1. Könige 3,4–15)

1 Salomo, der Sohn Davids, wurde ein bedeutender König. Der Herr, sein Gott, stand ihm bei und ließ seine Macht immer größer werden.

[2] Eines Tages rief Salomo die führenden Männer Israels zu sich: die Hauptleute und Offiziere, die Richter, die Stammes- und Sippenoberhäupter. [3] Er ging mit ihnen nach Gibeon zu dem Hügel, auf dem das heilige Zelt stand. Mose, der Diener des Herrn, hatte es in der Wüste errichtet, damit das Volk dort dem Herrn begegnen konnte. [4] Die Bundeslade hatte David bereits von Kirjat-Jearim nach Jerusalem geholt und sie in ein Zelt gestellt, das er dort für sie errichtet hatte. [5] Der bronzene Altar aber, den Bezalel, der Sohn Uris und Enkel Hurs, gebaut hatte, stand in Gibeon vor dem Zelt des Herrn. Dort versammelten sich Salomo und die Israeliten. [6] Dann ließ der König auf dem bronzenen Altar tausend Tiere als Brandopfer verbrennen.

[7] In der Nacht darauf erschien ihm Gott und sprach zu ihm: »Erbitte von mir, was du willst!« [8] Salomo antwortete: »Schon meinem Vater David hast du sehr viel Gutes getan. Und nun hast du mich zu seinem Nachfolger gemacht. [9] Du lässt mich ein Volk regieren, das man weder zählen noch erfassen kann. Herr, mein Gott, so bitte ich dich nun, dass du die Zusage erfüllst, die du meinem Vater David gegeben hast! [10] Gib mir Weisheit und Verständnis, damit ich dieses große Volk richtig führen kann. Denn wie sollte ich sonst gerechte Urteile sprechen können?«

[11] Da sagte Gott zu Salomo: »Ich freue mich, dass du dir nicht großen Besitz, Geld oder Ansehen gewünscht hast, auch nicht den Tod deiner Feinde oder ein langes Leben. Du hast mich um Weisheit und Verständnis gebeten, weil du mein Volk richtig führen willst, über das ich dich zum König eingesetzt habe. [12] Du sollst erhalten, worum du mich gebeten hast: Weisheit und Verständnis. Aber ich will dir auch so viel Besitz, Geld und Ansehen geben, wie es kein König vor dir hatte und auch keiner nach dir haben wird.«

[13] Am nächsten Tag verließ Salomo den Hügel bei Gibeon, wo das heilige Zelt stand, er kehrte nach Jerusalem zurück und regierte wieder über sein Volk.

Salomos Reichtum und Ansehen
(1. Könige 10,26–29)

[14] Salomo besaß 1400 Streitwagen und 12000 Pferde. Teils brachte er sie in den eigens dafür erbauten Städten unter, teils am königlichen Hof in Jerusalem. [15] Silber und Gold waren zu Salomos Zeiten in Jerusalem so gewöhnlich wie Steine, und das kostbare Zedernholz gab es in so großen Mengen wie das Holz der Maulbeerfeigenbäume im jüdischen Hügelland. [16] Salomo kaufte seine Pferde in Ägypten und in Zilizien, wo seine Händler sie abholten und gleich bezahlten. [17] Auch Streitwagen kaufte Salomo in Ägypten. Für einen Wagen bezahlte er 600 Silberstücke, für ein Pferd 150 Silberstücke. Seine Händler belieferten auch die Könige der Hetiter und der Syrer.

1,1 1 Kön 3,12–13; 5,1.5; 10,4–9.23–25 **1,3** 2 Mo 36,8–38 **1,4** 1 Chr 13,6; 15,3.28; 16,1 **1,5** 2 Mo 38,1–7 **1,9** 1 Mo 12,2*; 2 Sam 7,16* **1,10** 1 Kön 5,9–14; Spr 8,12–21 **1,12** 1 Kön 5,1.5; 10,4–9.23–25; Mt 6,33 **1,14–17** 5 Mo 17,16

Die ersten Vorbereitungen für den Tempelbau
(1. Könige 5,15–32)

[18] Salomo beschloss, einen Tempel für den Herrn und einen Königspalast zu bauen.

2 Er verpflichtete 80000 Männer, die im Steinbruch in den Bergen arbeiteten, sowie 70000, die für den Transport der gewonnenen Steinblöcke verantwortlich waren. Über diese Fronarbeiter setzte er 3600 Aufseher ein. [2] Er sandte Boten zu König Hiram von Tyrus und ließ ihm sagen: »Schon meinem Vater David hast du Zedernholz geliefert, als er sich einen Palast baute. [3] Nun möchte ich einen Tempel errichten und ihn dem Herrn, meinem Gott, weihen. Wir wollen darin wohlriechenden Weihrauch als Opfer verbrennen und die geweihten Brote aufschichten. Jeden Morgen und Abend, an den Sabbaten, Neumondfeiern und an allen anderen Festen wollen wir dort ein Brandopfer für den Herrn, unseren Gott, darbringen. So hat Gott es uns für alle Zeiten befohlen.

[4] Der Tempel, den ich bauen will, soll sehr groß werden, denn unser Gott ist größer als alle anderen Götter. [5] Selbst der Himmel ist zu klein, um ihn zu fassen. Niemand kann ein Heiligtum errichten, das ihm angemessen wäre. Und wer bin ich schon? Ich kann nur einen Tempel bauen, in dem man Weihrauch als Opfer für ihn verbrennt.

[6] Nun bitte ich dich: Schick mir einen erfahrenen Mann, der mit Gold, Silber, Bronze und Eisen arbeiten kann. Er muss wissen, wie man mit rotem und violettem Purpur und mit Karmesin Stoffe färbt, und auch im Schnitzen und Gravieren sollte er Erfahrung haben. Ich möchte ihm die Aufsicht über unsere Künstler in Jerusalem und Juda übertragen, die mein Vater David seinerzeit in Dienst gestellt hat. [7] Bitte liefere mir Zedern- und Zypressenholz sowie anderes Edelholz aus dem Libanon. Ich weiß ja, dass es in deinem Volk gute Holzfäller gibt. Meine Arbeiter werden deine dabei unterstützen. [8] Wir werden eine große Menge Holz brauchen, denn der Tempel, den ich bauen will, soll groß und prächtig sein. [9] Als Bezahlung für deine Holzfäller werde ich 2640 Tonnen gedroschenen Weizen liefern, 2640 Tonnen Gerste, 4500 Hektoliter Wein und 4500 Hektoliter Öl.«

[10] König Hiram von Tyrus schickte einen Brief an Salomo zurück. Darin stand: »Der Herr liebt sein Volk, darum hat er dich zum König gemacht. [11] Ich danke dem Herrn, dem Gott Israels, der Himmel und Erde geschaffen hat, dass er David einen so klugen und weisen Sohn geschenkt hat, der einen Tempel für den Herrn und einen Königspalast bauen will. [12] Ich kann dir den erfahrenen Künstler senden, den du suchst: Er heißt Hiram-Abi [13] und ist der Sohn einer israelitischen Frau aus dem Stamm Dan. Sein Vater kommt aus Tyrus. Hiram kann mit Gold, Silber, Bronze, Eisen, Steinen und Holz arbeiten; er weiß, wie man mit rotem und violettem Purpur und mit Karmesin Stoffe färbt, er versteht sich auf die Verarbeitung von feinen Leinenstoffen; aber auch im Schnitzen und Gravieren ist er geübt. Er zeichnet dir zu jedem Auftrag einen Entwurf und wird mit deinen Künstlern und denen deines verehrten Vaters David zusammenarbeiten. [14] Die Vorräte an Weizen, Gerste, Öl und Wein, von denen du, mein Herr, geschrieben hast, nehmen wir gerne an. [15] Dafür werden wir im Libanon so viel Holz fällen, wie du brauchst. Wir werden die Stämme zu Flößen zusammenbinden und sie der Küste entlang nach Jafo bringen. Von dort können deine Arbeiter sie nach Jerusalem holen.«

[16] Salomo ließ alle Ausländer in Israel zählen. Er ging von den Verzeichnissen aus, die sein Vater David hatte anfertigen lassen. Die Zählung ergab, dass 153600 Ausländer in Israel lebten. [17] Salomo verpflichtete 80000 von ihnen zur Arbeit im Steinbruch in den Bergen und 70000 als

---

2,4 2 Mo 8,6; 1 Chr 17,20; Jes 44,9–20* **2,5** 1 Kön 8,27; Jes 66,1; Apg 17,24 **2,12–13** 1 Kön 7,13–14

Träger für den Transport der Steinblöcke. Die restlichen 3600 Mann sollten als Aufseher die Fronarbeiter zur Arbeit anhalten.

Der Bau des Tempels
(1. Könige 6,1–3.14–35)

3 Salomo ließ den Tempel des Herrn in Jerusalem auf dem Berg Morija errichten. Diesen Ort hatte schon sein Vater David bestimmt, weil der Herr ihm dort auf dem Dreschplatz des Jebusiters Arauna[a] erschienen war. [2] Im 2. Monat seines 4. Regierungsjahrs, am zweiten Tag des Monats, begann Salomo mit dem Bau des Tempels.

[3] Das Gebäude war 30 Meter lang und 10 Meter breit. [4] An der Vorderseite baute Salomo eine Vorhalle an, die 10 Meter breit und 15 Meter[b] hoch war. Ihre Innenwände verkleidete er mit reinem Gold. [5] Den Hauptraum des Tempels ließ er zuerst mit Zypressenholz auskleiden und dann mit reinem Gold überziehen. Die Wände waren mit Palmenornamenten und Ketten verziert. [6] Auch Edelsteine wurden im ganzen Tempel als Schmuck angebracht. Das verwendete Gold kam aus Parwajim. [7] Salomo ließ den ganzen Tempel mit Gold überziehen, die Balken, die Schwellen, die Wände und die Türen. In die Wände hatte er Figuren von Cherub-Engeln schnitzen lassen.

Das Allerheiligste
(1. Könige 6,14–38)

[8] Der hintere Raum des Tempels, das Allerheiligste, war 10 Meter breit und 10 Meter lang. Dieser Raum wurde ebenfalls ganz mit Gold überzogen. Man brauchte dafür mehr als 20 Tonnen. [9] Für den Goldüberzug der Nägel wurden 600 Gramm verwendet. Auch die Wände der oberen Räume wurden mit Gold verkleidet.

[10] Für das Allerheiligste ließ Salomo zwei Cherub-Engel gießen und sie mit Gold überziehen. [11–13] Jeder ihrer Flügel maß 2,5 Meter. Sie standen nebeneinander, und zwar so, dass sich ihre ausgebreiteten Flügel in der Mitte berührten. Mit der äußeren Flügelspitze berührten sie die Seitenwände. Die beiden Figuren waren mit ausgespannten Flügeln zusammen 10 Meter breit. Ihre Gesichter waren dem Eingang zugewandt. [14] Für den Eingang zum Allerheiligsten ließ Salomo einen Vorhang aus feinem Leinen weben und ihn violett, purpurrot und karmesinrot einfärben. Er wurde mit Bildern von Cherub-Engeln verziert.

Die beiden Säulen am Tempeleingang
(1. Könige 7,15–22)

[15] Salomo ließ zwei Säulen gießen, die vor dem Tempeleingang stehen sollten. Jede war 17,5 Meter hoch, und auf ihr ruhte ein 2,5 Meter hohes Kapitell. [16] Die Kapitelle waren mit Ketten verziert,[c] an denen hundert Granatäpfel hingen. [17] Die beiden Säulen ließ Salomo rechts und links am Tempeleingang aufstellen. Die rechte Säule nannte er Jachin (»Er wird aufrichten«) und die linke Boas (»In ihm ist Stärke«).

Der Altar und das Bronzebecken
(1. Könige 7,23–26)

4 Salomo ließ auch einen Altar aus Bronze herstellen. Er war 10 Meter lang, 10 Meter breit und 5 Meter hoch.

[2] Dann ließ er ein rundes Bronzebecken gießen, »das Meer« genannt. Seine Höhe betrug 2,5 Meter, sein Durchmesser 5 Meter und sein Umfang 15

---

[a] So mit 2. Samuel 24. Im hebräischen Text steht der Name Ornan.
[b] So mit 1. Könige 6,2. Der hebräische Text lautet: 120 Ellen (60 Meter).
[c] Wörtlich: Und er machte Ketten im Hinterraum und brachte sie oben auf die Säulen.

3,1 1 Mo 22,2; 1 Chr 21,18 – 22,1 **3,14** 2 Mo 36,35–38; Hes 10,1–22; Mt 27,51

Meter. [3]Unten war es ringsum mit zwei Reihen von Rinderfiguren verziert, jeweils zehn auf einen halben Meter. Sie und das Becken waren aus einem Guss. [4]Das Becken stand auf zwölf Rinderfiguren, von denen drei nach Norden gewandt waren, drei nach Westen, drei nach Süden und drei nach Osten. Ihre Hinterbeine zeigten nach innen, und das Becken ruhte auf ihren Rücken. [5]Sein Rand war nach außen gewölbt wie der Kelch einer Lilienblüte. Das Becken hatte eine Wandstärke von knapp 8 Zentimetern und fasste etwa 66000 Liter.

[6]Salomo ließ zehn Kessel gießen, von denen fünf auf die rechte und fünf auf die linke Seite des Tempels gestellt wurden. In diesen Kesseln wurden die Fleischstücke gewaschen, die man als Brandopfer verbrennen wollte. Das Wasser im großen Becken aber war für die Priester bestimmt. Hier konnten sie sich waschen.

Die goldenen Leuchter und Tische

[7]Salomo ließ zehn goldene Leuchter nach den vorgegebenen Maßen anfertigen. Sie wurden im Tempel aufgestellt, fünf auf der rechten und fünf auf der linken Seite. [8]Auch zehn Tische wurden angefertigt und dort aufgestellt, fünf rechts und fünf links. Schließlich ließ Salomo hundert goldene Schalen herstellen, in denen das Blut der Opfertiere aufgefangen wurde.

Der Vorhof

[9]Salomo ließ den großen Vorhof anlegen und den inneren Vorhof, zu dem nur die Priester Zutritt hatten. Die beiden Höfe waren durch ein großes Tor miteinander verbunden, dessen Flügel mit Bronze überzogen wurden. [10]Das große Wasserbecken stellte man in der Südostecke des Vorhofs auf.

Liste der Gegenstände, die Hiram herstellte
(1. Könige 7,40–47)

[11]Zuletzt stellte Hiram noch Kübel und Schaufeln zum Beseitigen der Asche her sowie Schalen, in denen das Blut der Opfertiere aufgefangen wurde.[a]

Damit beendete er die Arbeiten für den Tempel Gottes, die König Salomo ihm aufgetragen hatte. [12–16]Insgesamt hatte er folgende Gegenstände hergestellt:
2 Säulen;
2 Kapitelle, die oben auf den Säulen ruhten;
2 geflochtene Ketten zur Verzierung der beiden Kapitelle;
für jedes Kapitell 200 Granatäpfel, die in zwei Reihen über den Ketten angebracht waren;
die Kesselwagen;
die Wasserkessel, die auf die Wagen gesetzt wurden;
das große Wasserbecken, genannt »das Meer«;
12 Rinderfiguren, auf denen das Becken stand;
Kübel, Schaufeln und Fleischgabeln.

Alle Gegenstände, die Hiram-Abi im Auftrag Salomos für den Tempel des Herrn herstellte, wurden aus Bronze gegossen und anschließend blank poliert.

[17]König Salomo ließ sie in der Jordanebene zwischen Sukkot und Zaretan gießen. Dort gab es Gießereien mit großen Gussformen aus Tonerde. [18]Salomo hatte unzählige Gegenstände herstellen lassen. Es wurde so viel Bronze dafür gebraucht, dass man sie nicht mehr wiegen konnte.

Die Inneneinrichtung des Tempels
(1. Könige 7,48–51)

[19–22]Für das Innere des Tempels ließ Salomo folgende Gegenstände aus Gold herstellen:

---

[a] Wörtlich: Hiram stellte Kübel, Schaufeln und Schalen her.
4,6 2 Mo 30,17–21 **4,7** 2 Mo 25,31–40 **4,19–22** 2 Mo 25,23–40; 30,1–10

einen Altar;
Tische, auf denen die Gott geweihten Brote liegen sollten;
Leuchter und Lampen, die nach der Vorschrift vor dem Allerheiligsten stehen sollten;
Blumenornamente für die Leuchter;
Lampen, Dochtscheren und Messer zum Reinigen der Lampen;
Becken und Schüsseln;
Schalen und Eimer zum Tragen der glühenden Kohlen;
Türen zum Allerheiligsten und zum Heiligtum.

5 Als Salomo den Bau des Tempels vollendet hatte, brachte er alle Silber- und Goldschätze, die sein Vater David Gott geweiht hatte, in die Schatzkammern des Tempels.

Die Einweihung des Tempels (1. Könige 8,1–13)

[2] Salomo rief alle Ältesten von Israel und alle Stammes- und Sippenoberhäupter nach Jerusalem. Sie sollten dabei sein, wenn die Bundeslade des Herrn aus der »Stadt Davids«, dem Stadtteil Jerusalems auf dem Berg Zion, zum Tempel gebracht wurde. [3] Und so kamen im Monat Etanim, dem 7. Monat des Jahres, alle führenden Männer aus Israel in Jerusalem zusammen. In diesem Monat wurde auch das Laubhüttenfest gefeiert.

[4] Als alle versammelt waren, hoben die Leviten die Bundeslade hoch [5] und trugen sie hinauf zum Tempel. Zusammen mit den Priestern brachten sie auch das heilige Zelt hinauf mit all seinen dem Herrn geweihten Gegenständen. [6] König Salomo und die Israeliten, die zu diesem Fest gekommen waren, hatten sich bei der Bundeslade versammelt. Sie opferten so viele Schafe und Rinder, dass man sie nicht mehr zählen konnte.

[7] Die Priester brachten die Bundeslade an den vorgesehenen Platz in den hinteren Raum des Tempels. Dort im Allerheiligsten stellten sie die Bundeslade unter die beiden Cherub-Engel. [8] Ihre ausgebreiteten Flügel beschirmten nun die Bundeslade samt ihren Tragstangen. [9] Die beiden Stangen waren so lang, dass man sie vom Heiligtum aus sehen konnte, wenn man direkt vor dem Allerheiligsten stand. Doch vom Vorhof aus sah man sie nicht. Noch heute befindet sich die Bundeslade an diesem Ort. [10] Damals lagen nur die beiden Steintafeln darin, die Mose am Berg Horeb hineingelegt hatte, als der Herr mit den Israeliten nach dem Auszug aus Ägypten einen Bund schloss.

[11] Alle Priester, die zur Einweihung des Tempels gekommen waren, hatten sich für das Fest gereinigt, auch wenn ihre Abteilung in diesen Tagen keinen Tempeldienst hatte. [12] Auch die Sänger der Leviten waren gekommen: die Leiter Asaf, Heman und Jedutun mit ihren Söhnen und Verwandten. Sie trugen Gewänder aus feinem weißen Leinen und standen mit Zimbeln, Harfen und Lauten an der Ostseite des Altars. Bei ihnen hatten sich 120 Priester aufgestellt, die auf Trompeten spielten. [13] Zusammen stimmten die Sänger und Musiker ein Loblied für den Herrn an. Begleitet von Trompeten, Zimbeln und anderen Instrumenten sangen sie das Lied:
»Der Herr ist gütig,
seine Gnade hört niemals auf!«

Während sie sangen, kamen die Priester wieder aus dem Tempel heraus. Da erfüllte die Wolke der Herrlichkeit des Herrn das ganze Haus, [14] so dass die Priester ihren Dienst im Tempel nicht mehr verrichten konnten.

6 Salomo betete: »Du, Herr, hast gesagt, dass du im Dunkel einer Wolke wohnen willst. [2] Nun aber habe ich dieses prachtvolle Haus für dich gebaut. Möge es ein Ort sein, an dem du, Herr, für alle Zeiten wohnen wirst.«

5,1 1 Chr 18,7–11; 29,2–4 **5,2** 1 Chr 16,1 **5,3** 3 Mo 23,33–43* **5,10** 2 Mo 24,3–8; 31,18*; 5 Mo 10,1–5 **5,11** 3 Mo 21,1–4; 4 Mo 8,5–7 **5,12** 1 Chr 15,16–24 **5,13** 2 Mo 40,34–35; Hes 10,4; Ps 136,1 **6,1** 2 Mo 20,21; 5 Mo 5,22 **6,2** 1 Kön 9,3*

Salomos Ansprache zur Einweihung des Tempels
(1. Könige 8,14–21)

[3] Nach diesem Gebet wandte sich der König zu den Israeliten um, die sich vor dem Tempel zusammengefunden hatten. Er segnete sie und sagte:

[4] »Ich preise den Herrn, den Gott Israels! Nun hat er das Versprechen eingelöst, das er meinem Vater David gab. [5] Eines Tages sagte Gott zu ihm: ›Seit ich mein Volk aus Ägypten in dieses Land geführt habe, habe ich nie angeordnet, dass man irgendwo in Israel für mich einen Tempel bauen sollte. Ich habe auch nie einen Mann dazu erwählt, über mein Volk zu regieren. [6] Nun aber soll Jerusalem der Ort sein, an dem ich für immer wohnen will. Dich, David, habe ich zum König über mein Volk Israel bestimmt.‹

[7] Mein Vater David hatte schon lange einen großen Wunsch: Er wollte dem Herrn, dem Gott Israels, einen Tempel bauen. [8] Doch der Herr sagte zu ihm: ›Ich freue mich zwar, dass du mir einen Tempel bauen möchtest. [9] Aber nicht du, David, sollst ihn bauen, sondern erst dein Sohn.‹

[10] Der Herr hat Wort gehalten: Ich bin als Nachfolger meines Vaters David König von Israel geworden, genau wie der Herr es vorausgesagt hat. Und nun habe ich auch den Tempel für den Herrn, den Gott Israels, gebaut [11] und die Bundeslade hineingestellt. In ihr liegen die beiden Gesetzestafeln. Sie sind die Wahrzeichen des Bundes, den der Herr mit den Israeliten geschlossen hat.«

Salomos Gebet zur Einweihung des Tempels
(1. Könige 8,22–53)

[12] Dann trat Salomo vor den Augen der versammelten Israeliten an den Altar des Herrn und breitete seine Hände aus. [13] Er hatte für die Einweihungsfeier eine Plattform aus Bronze anfertigen und sie mitten in den Tempelvorhof stellen lassen. Sie war zweieinhalb Meter lang, zweieinhalb Meter breit und eineinhalb Meter hoch. Salomo stieg nun auf die Plattform, kniete vor den Augen der versammelten Menge nieder, erhob seine Hände zum Himmel [14] und betete:

»Herr, du Gott Israels! Es gibt keinen Gott wie dich – weder im Himmel noch auf der Erde. Du hältst den Bund, den du mit deinem Volk geschlossen hast, und erweist allen deine Güte und Liebe, die dir von ganzem Herzen dienen. [15] Und so hast du auch deine Zusage eingehalten, die du meinem Vater David gegeben hast. Was du ihm damals versprachst, hast du nun in die Tat umgesetzt, wie wir alle es heute sehen. [16] Herr, du Gott Israels, bitte halte auch das andere Versprechen, das du ihm gegeben hast. Du sagtest zu ihm: ›Immer wird einer deiner Nachkommen König über Israel sein, solange sie sich nach meinen Geboten richten, wie du es getan hast.‹ [17] Ja, Herr, du Gott Israels, bitte erfüll alles, was du deinem Diener David versprochen hast!

[18] Jedoch – kann Gott überhaupt auf der Erde bei den Menschen wohnen? Ist nicht sogar der Himmel zu klein, dich zu fassen, geschweige denn dieses Haus, das ich gebaut habe? [19] Trotzdem bitte ich dich, Herr, mein Gott: Höre mein Rufen, und weise meine Bitten nicht zurück! Erhöre das Gebet, das ich in aller Demut an dich richte! [20] Bitte, wache Tag und Nacht über dieses Haus! Es ist ja der Ort, von dem du selbst gesagt hast: ›Hier will ich wohnen.‹ Darum erhöre das Gebet, das ich, dein ergebener Diener, an diesem Ort an dich richte. [21] Nimm meine Gebete an und auch die meines Volkes, wenn wir zum Tempel gewandt mit dir reden. Hör unser Rufen im Himmel, dort, wo du thronst, und vergib uns!

[22] Wenn jemand beschuldigt wird,

6,6 1 Kön 9,3* **6,7–10** 2 Sam 7,1–13 **6,11** 2 Mo 24,3–8; 31,18*; 5 Mo 10,1–5 **6,16** 2 Sam 7,16* **6,18** 1 Kön 8,27; Jes 66,1; Apg 17,24 **6,20** 1 Kön 9,3* **6,21** 7,12–15 **6,22–23** 2 Mo 22,10; 4 Mo 5,11–31; 5 Mo 17,8–13

einem anderen etwas angetan zu haben, und er hier vor deinem Altar schwören muss, dass er unschuldig ist, [23] dann höre du im Himmel, was er sagt, und sorge für Recht: Entlarve und bestrafe ihn, wenn er schuldig ist; wenn er aber unschuldig ist, verschaffe ihm Gerechtigkeit!

[24/25] Wenn die Israeliten von Feinden besiegt werden, weil sie gegen dich gesündigt haben, wenn sie dann ihre Schuld einsehen und dich wieder als ihren Gott loben, so höre sie im Himmel! Vergib deinem Volk Israel die Schuld, wenn sie hier im Tempel zu dir beten und dich um Hilfe anflehen! Bring sie wieder zurück in das Land, das du ihnen und ihren Vorfahren geschenkt hast!

[26/27] Wenn es einmal lange Zeit nicht regnet, weil sie gegen dich gesündigt haben, wenn sie dann zu diesem Tempel gewandt beten und dich wieder als ihren Gott loben, so höre sie im Himmel! Wenn sie von ihren falschen Wegen umkehren, weil du sie bestraft hast, dann vergib deinem Volk und seinen Königen ihre Schuld! Denn du zeigst ihnen, wie sie ein Leben führen können, das dir gefällt. Lass es wieder regnen auf das Land, das du deinem Volk als bleibenden Besitz gegeben hast!

[28] Wenn im Land Hungersnot herrscht oder die Pest wütet, wenn das Getreide durch Glutwind, Pilzbefall oder Ungeziefer vernichtet wird, wenn Feinde kommen und israelitische Städte belagern – wenn also das Land von irgendeinem Unglück oder einer Seuche heimgesucht wird –, [29/30] dann höre auf jedes Gebet, das an dich gerichtet wird, sei es von einzelnen Menschen oder vom ganzen Volk! Erhöre im Himmel, wo du thronst, die Bitten aller, die in ihrer Not und ihrem Schmerz dich suchen und die Hände flehend zu diesem Tempel hin ausstrecken! Gib jedem, was er verdient, denn du kennst sein Herz! Vergib ihm oder bestrafe ihn, je nach seinen Taten! Denn du allein kennst alle Menschen durch und durch. [31] So werden sie dich als ihren Gott achten und ehren, und sie werden dir gehorchen, solange sie in dem Land leben, das du unseren Vorfahren gegeben hast.

[32] Wenn Ausländer, die nicht zu deinem Volk Israel gehören, deinetwegen aus fernen Ländern hierher kommen, weil sie von deiner Herrlichkeit und deinen mächtigen Taten für dein Volk gehört haben, [33] dann erhöre auf deinem Thron im Himmel auch ihre Gebete, die sie vor diesem Tempel sprechen! Erfülle die Bitten dieser Menschen, damit alle Völker auf der Erde dich als den wahren Gott erkennen! Dann werden sie dich achten und verehren, wie dein Volk Israel dich verehrt, und sie werden erkennen, dass du in diesem Tempel wohnst, den ich gebaut habe.

[34] Wenn die Israeliten Krieg führen und auf deinen Befehl gegen ihre Feinde ausziehen, wenn sie dann zur Stadt blicken, die du erwählt hast, und zum Tempel, den ich für dich gebaut habe, [35] dann höre im Himmel ihr Flehen, und verhilf ihnen zum Recht!

[36] Wenn sie sich aber von dir abwenden – es gibt ja keinen Menschen, der nicht sündigt – und du zornig wirst und sie an ihre Feinde auslieferst, die sie als Gefangene in ihr Land verschleppen, sei es fern oder nah, [37–39] dann höre sie doch im Himmel, wo du wohnst, wenn sie dort in der Fremde ihre Schuld bereuen und zu dir umkehren!

Wenn sie dann zu dir um Hilfe flehen und dir bekennen: ›Wir haben Schuld auf uns geladen und gegen dich gesündigt, als wir dir den Rücken kehrten‹, dann erhöre ihr Flehen, wenn sie sich wieder von ganzem Herzen dir zuwenden! Hilf ihnen, wenn sie im Gebiet ihrer Feinde zu dir beten und zum Land blicken, das du ihren Vorfahren gegeben hast, zur Stadt, die du für dich erwählt hast, und zum Tempel, den ich für dich gebaut habe.

6,24–25 5 Mo 28,1.15.25* **6,26–27** 5 Mo 28,15.23–24 **6,28** 5 Mo 28,15.22 **6,29–30** Ps 26,2* **6,31** 5 Mo 6,4–5*; 7,12–15* **6,32–33** Apg 8,26–39 **6,34–35** 2 Mo 14,14* **6,36–39** 6,24–25; Dan 6,11; 9,4–19

Vergib deinem Volk alles, was sie dir angetan haben! [40]Bitte, mein Gott, verschließ deine Augen und Ohren nicht vor den Gebeten, die dein Volk an diesem Ort an dich richtet!

[41]Herr, mein Gott, erhebe dich! Lass dich im Heiligtum für immer nieder; dort, wo auch die Bundeslade steht, das Zeichen deiner großen Macht. Deine Priester, Herr, mein Gott, sollen uns stets dein Heil verkünden. Lass alle, die dir vertrauen, sich freuen über deine Güte. [42]Herr, mein Gott, weise mich nicht ab, den König, den du selbst erwählt hast! Denk daran, wie gütig du schon zu deinem Diener David warst!«

Ein Opferfest zur Einweihung des Tempels
(1. Könige 8,62–66)

7 Als Salomo sein Gebet beendet hatte, fiel Feuer vom Himmel und verzehrte das Brandopfer und die Schlachtopfer. Die Wolke der Herrlichkeit des Herrn erfüllte den Tempel, [2]so dass die Priester nicht mehr hineingehen konnten. [3]Als die Israeliten sahen, wie das Feuer vom Himmel kam und die Herrlichkeit des Herrn den Tempel erfüllte, fielen sie alle auf die Knie und verneigten sich, bis ihr Gesicht den Boden berührte. Sie beteten den Herrn an und sangen zu seiner Ehre:

»Der Herr ist gütig,
seine Gnade hört niemals auf!«

[4/5]Mit einem großen Opferfest weihte der König und mit ihm das ganze Volk den Tempel Gottes ein. Salomo ließ 22000 Rinder und 120000 Schafe schlachten. [6]Während die Priester die Arbeiten verrichteten, die ihnen zugeteilt waren, spielten die Leviten auf den Instrumenten, die David zum Lob des Herrn hatte bauen lassen. Sie sangen und spielten das Loblied »Seine Gnade hört niemals auf«, das sie von David gelernt hatten. Die Priester begleiteten sie auf ihren Trompeten, während das ganze Volk stand. [7]Die Mitte des Tempelvorhofs wurde zur Opferstätte geweiht, weil der bronzene Altar, den Salomo gemacht hatte, viel zu klein war für die vielen Opfer. Denn unzählige Brand- und Speiseopfer wurden dargebracht, und auch das Fett der Tiere, die man für das Opfermahl schlachtete, wurde verbrannt.

[8/9]Vierzehn Tage lang feierten König Salomo und die Israeliten: in der ersten Woche die Einweihung des Tempels und in der zweiten Woche das Laubhüttenfest. Sehr viele Israeliten nahmen daran teil. Von weit her waren sie nach Jerusalem gekommen: vom äußersten Norden des Landes aus Lebo-Hamat bis zu dem Bach, der im Süden die Grenze nach Ägypten bildet. Am letzten Tag feierten sie ein großes Abschlussfest. [10]Es war der 23. Tag des 7. Monats. Danach beendete Salomo das Fest, und die Israeliten zogen wieder nach Hause. Voller Freude und Dankbarkeit dachten sie an das Gute, das der Herr schon David und nun auch Salomo und seinem Volk Israel erwiesen hatte.

Gott spricht mit Salomo
(1. Könige 9,1–9)

[11]So vollendete Salomo den Tempel des Herrn und seinen eigenen Palast. Es war ihm gelungen, alles wie geplant auszuführen. [12]Da erschien ihm eines Nachts der Herr und sprach zu ihm:

»Ich habe dein Gebet erhört und diesen Tempel als Ort erwählt, an dem ihr mir eure Opfer darbringen könnt. [13]Wenn ich es einmal lange Zeit nicht regnen lasse, wenn ich Heuschrecken ins Land schicke, damit sie die Ernte vernichten, oder wenn ich in meinem Volk die Pest ausbrechen lasse [14]und sie rufen zu mir, dann will ich im Himmel ihr Gebet erhören. Wenn dieses Volk, das mei-

6,40 2 Mo 2,23–25*; Jer 29,11–14; Mt 7,7–8 **6,41** 4 Mo 10,35; Ps 132,8 **7,1** 2 Mo 40,34–35 **7,3** Ps 136,1 **7,8–9** 3 Mo 23,33–43* **7,12** 5 Mo 12,5–6.11–14 **7,13–14** 6,26–30

nen Namen trägt, seine Sünde bereut, von seinen falschen Wegen umkehrt und nach mir fragt, dann will ich ihnen vergeben und ihr Land wieder fruchtbar machen. [15]Ich werde jeden beachten, der hier zu mir betet, und auf seine Bitten hören. [16]Denn ich habe diesen Tempel als einen heiligen Ort erwählt, an dem ich für immer wohnen will. Mein Blick wird stets auf ihm ruhen, denn mein Herz hängt an ihm. [17]Und du, Salomo, lebe wie dein Vater David. Befolge alles, was ich dir befohlen habe! Lebe nach meinen Geboten, und achte auf meine Weisungen! [18]Dann wird immer ein Nachkomme Davids auf dem Thron Israels sitzen, so wie ich es deinem Vater versprochen habe, als ich einen Bund mit ihm schloss. Dein Königtum wird fortbestehen.

[19]Doch wenn ihr mir den Rücken kehrt und meine Weisungen und Gebote nicht mehr befolgt, wenn ihr anderen Göttern nachlauft und sie anbetet, [20]dann werde ich euch aus diesem Land vertreiben, das ich euch gegeben habe. Israels Unglück wird sprichwörtlich sein. Alle Völker werden euch verspotten. Auch von diesem Tempel, den ich jetzt zu einer heiligen Stätte erklärt habe, werde ich mich wieder abwenden. [21]Nur ein Trümmerhaufen wird von ihm übrig bleiben.[a] Wer an ihm vorübergeht, wird entsetzt sein über das, was er sieht. Erstaunt wird er fragen: ›Warum hat der Herr dieses Land und diesen Tempel so furchtbar zerstört?‹ [22]Und man wird ihm antworten: ›Weil die Israeliten den Herrn, den Gott ihrer Vorfahren, verlassen haben. Er hat sie aus Ägypten herausgeführt, und doch sind sie fremden Göttern nachgelaufen, haben sie angebetet und ihnen gedient. Darum hat der Herr sie nun in dieses Unglück gestoßen.‹«

Salomos Amtsführung
(1. Könige 9,15–24)

8 Zwanzig Jahre dauerte es, bis der Tempel des Herrn und der Königspalast fertig waren. [2]Danach ließ Salomo die Städte ausbauen, die Hiram ihm gegeben hatte, und siedelte Israeliten darin an.

[3]Er unternahm einen Feldzug gegen die Stadt Hamat-Zoba und eroberte sie. [4]Außerdem baute er große Lagerhallen in der Gegend von Hamat; er erweiterte die Wüstenstadt Tadmor, [5/6]das obere und das untere Bet-Horon und Baalat zu befestigten Städten mit hohen Mauern und verriegelten Toren. Er ließ Städte bauen, in denen Vorratshallen, Hallen für die Streitwagen und Pferdeställe untergebracht wurden.

Alles, was Salomo bauen wollte, sei es in Jerusalem, im Libanon oder sonst irgendwo in seinem Reich, ließ er durch Fronarbeiter errichten. [7/8]Sie waren keine Israeliten, sondern die Nachkommen der Hetiter, Amoriter, Perisiter, Hiwiter und Jebusiter, die früher das Land Israel bewohnt hatten. Bei der Eroberung des Landes hatten die Israeliten diese Völker nicht völlig vernichtet. Bis heute müssen ihre Nachkommen für Israel Fronarbeit leisten. [9]Die Israeliten selbst aber blieben davon verschont. Sie dienten Salomo als Beamte und Soldaten, als seine Befehlshaber, Streitwagenkämpfer und Offiziere. [10]Salomo setzte in ganz Israel 250 Männer als Aufseher über die Fronarbeiter ein.

[11]Salomo hatte eine Tochter des Pharaos geheiratet. Er ließ einen Palast für sie bauen, weil er nicht wollte, dass sie in der »Stadt Davids« wohnte. Denn er sagte sich: »Meine Frau soll nicht in dem Palast

---

[a] So mit einigen alten Übersetzungen. Der hebräische Text lautet: Dieses Haus wird hoch sein.

7,15 6,20–40 **7,16** 1 Kön 9,3* **7,18** 2 Sam 7,16* **7,19** 2 Mo 20,3–5*; 5 Mo 29,16–17 **7,20** 5 Mo 28,37 **7,21** 5 Mo 29,21–27; 2 Kön 25,9; Jer 7,13–15 **8,7–8** 5 Mo 7,1–4; Jos 16,10; 17,13; Ri 1,27–35 **8,9** 10,4; 1 Kön 5,27–28 **8,11** 1 Kön 3,1

wohnen, der David, dem König von Israel, gehört hat. Diese Räume sind heilig, weil die Bundeslade des Herrn in ihrer Nähe stand.«

Ordnung des Tempeldienstes
(1. Könige 9,25–28)

[12]Nachdem Salomo den Bau des Tempels vollendet hatte, ließ er auf dem Altar des Herrn vor der Vorhalle täglich Opfer darbringen, [13]so wie es im Gesetz des Mose befohlen war. Man opferte auch am Sabbat, bei Neumond und an den drei großen Festen des Jahres: am Passahfest, am Wochenfest und am Laubhüttenfest. [14]Salomo berief die Dienstgruppen der Priester ein. Sie sollten ihre Arbeit im Tempel versehen, wie David es vorgeschrieben hatte. Auch die Leviten begannen ihren Dienst: Die eine Gruppe sollte Gott mit ihren Liedern loben, eine andere den Priestern bei ihrer Arbeit helfen, so wie es für jeden Tag angeordnet war. Auch die Tore wurden von den Leviten bewacht, jedes Tor von einer Gruppe. So hatte es David, der Diener Gottes, gewollt. [15]Salomo befolgte die Anweisungen genau, die David für die Priester, die Leviten und die Aufbewahrung des Tempelschatzes gegeben hatte.

[16]Damit waren alle Pläne Salomos ausgeführt, von der Grundsteinlegung des Tempels bis zu seiner Vollendung.

[17]Salomo hielt sich zeitweise auch in Ezjon-Geber auf, einem Ort in der Nähe von Elat am Roten Meer, im Gebiet der Edomiter. [18]Dorthin schickte König Hiram ihm Schiffe und erfahrene Seeleute, die zusammen mit Salomos Männern nach Ofir segelten, um von dort Gold zu holen. Sie brachten Salomo über fünfzehn Tonnen Gold mit.

Die Königin von Saba besucht Salomo
(1. Könige 10,1–13)

9 Die Königin von Saba hatte schon viel von Salomo gehört. Deshalb beschloss sie, diesen König zu besuchen und sich mit schwierigen Rätseln selbst von seiner Weisheit zu überzeugen. Mit großem Gefolge reiste sie nach Jerusalem. Die Kamele ihrer Karawane waren schwer beladen mit wohlriechenden Ölen, mit Gold und mit kostbaren Edelsteinen.

Als die Königin vor Salomo stand, stellte sie ihm die Rätsel, die sie sich ausgedacht hatte. [2]Salomo konnte ihr alle Fragen beantworten und blieb ihr selbst bei den schwierigsten Rätseln die Antwort nicht schuldig. [3]Die Königin von Saba war tief beeindruckt von Salomos Wissen und von seinem Palast. [4]Sie sah, welche ausgefallenen Speisen und Getränke auf der königlichen Tafel standen und wie weise die Plätze der königlichen Beamten angeordnet waren. Sie staunte über die gute Bedienung bei Tisch und die kostbaren Gewänder der Diener und Mundschenke. Und als sie miterlebte, wie Salomo im Tempel ein Brandopfer darbringen ließ, da verschlug es ihr vollends den Atem.

[5]»Es ist tatsächlich alles wahr, was man in meinem Reich von deinen Taten und deiner Weisheit berichtet!«, sagte sie zu Salomo. [6]»Ich konnte es einfach nicht glauben. Darum bin ich hierher gekommen, ich wollte mich mit eigenen Augen davon überzeugen. Und nun sehe ich: Man hat mir nicht einmal die Hälfte gesagt! Dein Wissen übertrifft alles, was ich je über dich gehört habe. [7]Wie gut haben es deine Beamten, und wie glücklich sind deine Bediensteten zu schätzen, die stän-

8,12 4 Mo 28,3–8 **8,13** 4 Mo 28,9–31; 29,12–39 **8,14** 1 Chr 23,2 – 26,19 **9,1** Mt 12,42

dig in deiner Nähe sind und deinen weisen Worten zuhören können! [8] Ich preise den Herrn, deinen Gott, der dich erwählt und dir die Herrschaft über Israel gegeben hat, damit du in seinem Auftrag regierst! Gott liebt sein Volk und will, dass es nie untergeht, darum hat er dich zum König gemacht. Du sollst dem Recht zum Sieg verhelfen und als ein gerechter König regieren.«

[9] Dann schenkte sie Salomo über vier Tonnen Gold, eine Menge wohlriechender Öle und kostbarer Edelsteine. Nie wieder wurde je so viel duftendes Öl nach Israel gebracht wie durch die Königin von Saba.

[10] Die Männer Hirams und Salomos holten nicht nur Gold von Ofir nach Israel, sondern auch Edelholz und wertvolle Edelsteine. [11] So kostbares Holz hatte man vorher in Juda noch nie gesehen. Der König ließ daraus im Tempel des Herrn und in seinem eigenen Palast Treppen anfertigen. Man baute daraus auch Zithern und Harfen für die Sänger.

[12] Salomo erfüllte der Königin von Saba jede Bitte und schenkte ihr mehr, als sie ihm gebracht hatte. Danach reiste sie mit ihrem Gefolge in ihre Heimat zurück.

Salomos Reichtum und Ansehen
(1. Könige 10,14–29)

[13] In einem einzigen Jahr gingen bei Salomo fast 24 Tonnen Gold ein. [14] Dazu kamen die Steuern der Händler und Kaufleute und die Abgaben der arabischen Könige und der Bezirksverwalter. Sie bezahlten Salomo mit Silber und Gold.

[15/16] Salomo ließ 200 Langschilde und 300 kleine Rundschilde herstellen und sie mit gehämmertem Gold überziehen. Für einen Langschild brauchte man rund 7 Kilogramm Gold, für einen Rundschild etwa 3,5 Kilogramm. Salomo bewahrte sie im Libanonwaldhaus auf.

[17] Außerdem ließ er sich einen großen Königsthron anfertigen, der mit Elfenbeinornamenten verziert und mit reinem Gold überzogen war. [18/19] Am Thronsessel war ein goldener Fußschemel befestigt; neben jeder Armlehne stand eine Löwenfigur. Auch auf allen sechs Stufen, die zum Sessel hinaufführten, stand rechts und links jeweils ein Löwe. In keinem anderen Land hat sich jemals ein König einen so prunkvollen Thron anfertigen lassen.

[20] Alle Trinkgefäße Salomos waren aus Gold, und die Gegenstände im Libanonwaldhaus waren sogar alle aus reinem Gold. Silber war zu Salomos Zeiten geradezu wertlos. [21] Die Handelsflotte des Königs segelte zusammen mit den Schiffen Hirams nach Tarsis in Spanien. Alle drei Jahre kehrten sie zurück, schwer beladen mit Gold, Silber und Elfenbein, mit Affen und Pfauen.

[22] Salomo übertraf alle Könige der Erde an Reichtum und Weisheit. [23] Könige aus aller Welt kamen zu ihm, um etwas von der Weisheit zu hören, die Gott ihm gegeben hatte. [24] Alle brachten ihm Geschenke mit: silberne und goldene Gefäße, kostbare Gewänder, Waffen, duftende Öle, Pferde und Maultiere. So ging es Jahr für Jahr.

[25] Salomo besaß 4000 Stallplätze für die Pferde seiner Streitwagen und 12000 Pferde. Teils brachte er sie in den Städten unter, die er eigens dafür gebaut hatte, teils am königlichen Hof in Jerusalem. [26] Salomo herrschte über alle Königreiche vom Euphrat über das Gebiet der Philister bis an die Grenze nach Ägypten. [27] Silber war zu seiner Zeit in Jerusalem so gewöhnlich wie Steine, und das kostbare Zedernholz gab es in so großen Mengen wie das Holz der Maulbeerfeigenbäume, die im jüdischen Hügelland wachsen. [28] Seine Pferde kaufte Salomo in Ägypten und in vielen anderen Ländern.

Salomos Tod
(1. Könige 11,41–43)

[29] Alles Weitere über Salomos Leben steht in der Chronik des Propheten Nathan, in den Weissagungen Ahijas aus Si-

---

9,15–16 1 Kön 7,2–3

lo und in den Schriften über die Visionen des Propheten Jedo, die Jerobeam, dem Sohn Nebats, galten.

[30] Salomo regierte vierzig Jahre in Jerusalem als König über ganz Israel. [31] Als er starb, wurde er dort in der »Stadt Davids« begraben. Sein Sohn Rehabeam wurde sein Nachfolger.

Die Teilung Israels in zwei Reiche: Das Nordreich Israel und das Südreich Juda

Israel sagt sich vom Königshaus David los
(1. Könige 12,1–20)

10 Rehabeam reiste nach Sichem, denn dort wollte ganz Israel ihn zum König krönen. [2] Jerobeam, der Sohn Nebats, erfuhr noch in Ägypten davon, wohin er vor König Salomo geflohen war. Er kam sofort zurück, [3] und die Israeliten schickten Abgesandte zu ihm, um ihn nach Sichem zu holen. Dort angekommen, traten sie vor Rehabeam und sagten zu ihm: [4] »Dein Vater war ein strenger Herrscher. Schonungslos hat er uns das Äußerste an Steuern und Frondiensten abverlangt. Wir erkennen dich nur als König an, wenn du uns nicht so schwer unterdrückst wie dein Vater!«

[5] Rehabeam antwortete: »Gebt mir drei Tage Bedenkzeit, und dann kommt wieder!« Da wurde die Versammlung für drei Tage unterbrochen. [6] In der Zwischenzeit rief Rehabeam die alten königlichen Berater zu sich, die schon im Dienst seines Vaters gestanden hatten, und fragte sie: »Was ratet ihr mir? Welche Antwort soll ich dem Volk geben?« [7] Sie antworteten: »Sei freundlich zu ihnen, und gib ihnen nach. Wenn du heute bereit bist, auf dein Volk zu hören, dann wird dein Volk morgen auf dich hören und dir dienen.«

[8] Aber der Ratschlag der alten Männer gefiel Rehabeam nicht. Darum fragte er seine jungen, gleichaltrigen Berater: [9] »Was soll ich dem Volk antworten? Sie verlangen von mir, dass ich sie nicht so hart unterdrücke wie mein Vater.« [10] Die jungen Männer rieten ihm: »Die Leute beschweren sich über deinen Vater und wollen, dass du sie sanfter anfasst? Sag ihnen: ›Im Vergleich zu mir war mein Vater ein Weichling! [11] Er hat euch zwar nicht gerade geschont, aber ich werde noch ganz anders durchgreifen! Er ließ euch mit Peitschen antreiben, ich aber werde Peitschen mit Stacheln nehmen!‹«

[12] Drei Tage später sprachen Jerobeam und die Abgesandten des Volkes wieder bei Rehabeam vor. [13] Der König gab ihnen eine harte Antwort. Er hörte nicht auf den Rat der Alten, [14] sondern schleuderte dem Volk die Worte an den Kopf, die ihm seine jungen Altersgenossen vorgesagt hatten: »Es stimmt, mein Vater war nicht gerade zimperlich mit euch, aber ich werde noch ganz anders mit euch umspringen! Er ließ euch mit Peitschen antreiben, ich aber werde Peitschen mit Stacheln nehmen!« [15] Der Herr hatte Rehabeam für die Bitten des Volkes taub gemacht. Denn nun sollte sich erfüllen, was Ahija aus Silo Jerobeam, dem Sohn Nebats, im Auftrag Gottes vorausgesagt hatte.

[16] Als die Israeliten merkten, dass der König nicht auf sie hören wollte, riefen sie ihm zu: »Was geht uns Davids Sippe noch an? Warum geben wir uns noch mit euch ab? Wir wollen nichts mehr mit euch zu tun haben! Los, gehen wir heim!« Und sie zogen fort.

[17] Nur die Israeliten aus dem Stammesgebiet von Juda erkannten Rehabeam als König an. [18] Da schickte Rehabeam Adoniram, den Aufseher über die Fronarbeiter, zu den Nordstämmen, um noch einmal mit ihnen zu verhandeln. Doch die aufgebrachte Menge steinigte Adoniram zu Tode. König Rehabeam konnte sich gerade noch in einen Wagen retten und nach Jerusalem fliehen.

[19] So sagten sich die Stämme Nordisra-

10,2 1 Kön 11,40 **10,4** 1 Kön 5,27–32 **10,15** 1 Kön 11,29–38

els vom Königshaus David los und sind noch heute von ihm getrennt.

Rehabeam soll Israel nicht zurückerobern
(1. Könige 12,21–24)

11 Als Rehabeam nach Jerusalem zurückkam, rief er sofort die besten Soldaten der Stämme Juda und Benjamin zum Kampf gegen Israel auf. Es waren 180 000 Mann. So wollte Rehabeam, der Sohn Salomos, die Herrschaft über ganz Israel zurückgewinnen. [2] Doch da sprach der Herr zum Propheten Schemaja: [3] »Bring König Rehabeam von Juda, dem Sohn Salomos, und allen Bewohnern der Stammesgebiete Juda und Benjamin diese Botschaft: [4] So spricht der Herr: Ihr sollt nicht gegen eure Brüder Krieg führen! Geht wieder nach Hause! Alles, was geschehen ist, habe ich selbst so kommen lassen.«

Sie gehorchten dem Befehl des Herrn und griffen Jerobeam nicht an.

Rehabeam festigt seine Macht

[5] Rehabeam regierte in Jerusalem. Im Gebiet von Juda und Benjamin baute er Städte zu Festungen aus: [6] Bethlehem, Etam, Tekoa, [7] Bet-Zur, Socho, Adullam, [8] Gat, Marescha, Sif, [9] Adorajim, Lachisch, Aseka, [10] Zora, Ajalon und Hebron. [11] Rehabeam setzte Befehlshaber über sie ein. Er lagerte dort Lebensmittelvorräte, Öl und Wein [12] und legte Waffenlager mit Langschilden und Speeren an. So baute er diese Städte zu starken Festungen aus und sicherte sich die Herrschaft über Juda und Benjamin.

Priester und Leviten siedeln nach Juda um

[13] Aus ganz Israel kamen Priester und Leviten zu Rehabeam, um sich ihm anzuschließen. [14] Sie verließen ihren Besitz und ihre Felder und siedelten sich in Juda und Jerusalem an. Denn Jerobeam und seine Söhne hatten sie daran gehindert, als Priester dem Herrn zu dienen. [15] Stattdessen hatte Jerobeam sich Priester für seine Höhenheiligtümer ausgesucht, die den Dämonen opferten und Kälberstatuen anbeteten, die er hatte anfertigen lassen. [16] Wie die Priester und Leviten zogen viele Menschen aus allen Stämmen Israels nach Juda, weil sie dem Herrn, dem Gott Israels, von ganzem Herzen dienen wollten. Sie kamen nach Jerusalem, um dem Herrn, dem Gott ihrer Vorfahren, Opfer darzubringen. [17] So unterstützten sie das Königreich Juda und stärkten drei Jahre lang die Macht Rehabeams, des Sohnes Salomos. Denn drei Jahre folgte Juda dem guten Beispiel Davids und Salomos.

Die Familie Rehabeams

[18] Rehabeam heiratete Mahalat, eine Tochter Jerimots und Abihajils. Jerimot war ein Sohn Davids, und seine Frau Abihajil war eine Tochter Eliabs und Enkelin Isais. [19] Mahalat bekam drei Söhne. Sie hießen Jëusch, Schemarja und Saham. [20] Später heiratete Rehabeam noch Maacha, die Tochter Abischaloms. Sie brachte Abija, Attai, Sisa und Schelomit zur Welt. [21] Rehabeam hatte achtzehn Frauen und sechzig Nebenfrauen. Sie brachten achtundzwanzig Söhne und sechzig Töchter zur Welt. Am meisten aber liebte Rehabeam Maacha, die Tochter Abischaloms. [22] Er bevorzugte ihren ältesten Sohn Abija gegenüber seinen Brüdern und bestimmte ihn zu seinem Nachfolger. [23] Rehabeam setzte seine Söhne geschickt ein: Er verteilte sie über das ganze Gebiet von Juda und Benjamin und ließ sie in den befestigten Städten wohnen. Er sorgte für ihren Lebensunterhalt und suchte viele Frauen für sie aus.

11,14 13,9–12 **11,15** 1 Kön 12,28–31 **11,18** 1 Sam 16,6

Die Ägypter erobern Juda
(1. Könige 14,25–28)

12 Als Rehabeam seine Herrschaft gefestigt hatte und zu einem mächtigen König geworden war, hielt er sich nicht mehr an das Gesetz des Herrn, und ganz Israel folgte seinem schlechten Vorbild. [2]Der Herr bestrafte ihre Untreue: Im 5. Regierungsjahr Rehabeams unternahm König Schischak von Ägypten einen Feldzug gegen Jerusalem. [3]Er kam mit einem Heer von 1200 Streitwagen, 60000 Reitern und unzähligen Fußsoldaten. Die Libyer, Sukkijiter und Äthiopier unterstützten ihn. [4]Schischak nahm eine befestigte Stadt nach der anderen ein, und schon bald stand sein Heer vor Jerusalem.

[5]Da kam der Prophet Schemaja zu Rehabeam und den führenden Männern Judas, die vor dem Angriff Schischaks nach Jerusalem geflohen waren. Er sagte zu ihnen: »So spricht der Herr: ›Ihr habt mich verlassen, darum verlasse ich nun euch und liefere euch an Schischak aus.‹« [6]Als Rehabeam und die führenden Männer Judas das hörten, bekannten sie: »Wir haben die Strafe des Herrn verdient!« [7]Der Herr sah, dass sie sich seinem Urteil beugten, und so sprach er zu Schemaja: »Weil sie ihre Schuld einsehen, werde ich sie nicht vernichten, sondern ihnen helfen: Mein Zorn ist nicht so groß, dass ich Jerusalem durch Schischak zerstören lasse. [8]Aber er wird dieses Volk zu seinen Untertanen machen. Dann werden sie sehen, was für ein Unterschied es ist, ob sie mir dienen oder den Königen dieser Welt.«

[9]König Schischak von Ägypten marschierte mit seinem Heer in Jerusalem ein. Er raubte alle Schätze aus dem Tempel und dem Königspalast, auch die goldenen Schilde, die König Salomo seinerzeit hatte anfertigen lassen. [10]König Rehabeam ließ an ihrer Stelle Schilde aus Bronze herstellen und übergab sie dem Befehlshaber der Wache am Eingang zum königlichen Palast. [11]Immer wenn der König in den Tempel des Herrn ging, mussten die Wächter diese Schilde tragen. Danach brachte man sie wieder zurück in das Waffenlager der Leibwache.

[12]Weil Rehabeam seine Schuld einsah, war der Herr nicht länger zornig auf ihn und ließ nicht zu, dass sein Reich völlig vernichtet wurde. Denn auch in Juda gab es noch Menschen, die dem Herrn treu geblieben waren.

Rehabeams Tod
(1. Könige 14,21–24.29–31)

[13]König Rehabeam konnte seine Herrschaft wieder festigen und regierte weiter in Jerusalem. Er war mit 41 Jahren König geworden. Siebzehn Jahre herrschte er in Jerusalem, der Stadt, die der Herr aus allen Stämmen Israels erwählt hat, um dort angebetet zu werden. Rehabeams Mutter war die Ammoniterin Naama. [14]Rehabeam bemühte sich nicht darum, dem Herrn zu dienen, sondern er tat, was unrecht war.

[15]Alles Weitere über sein Leben ist in der Chronik der Propheten Schemaja und Iddo festgehalten. Dort wird auch Rehabeams gesamte Familie aufgeführt. Zwischen Rehabeam und Jerobeam herrschte Krieg, solange sie lebten. [16]Als Rehabeam starb, wurde er in der »Stadt Davids«, einem Stadtteil Jerusalems, beigesetzt. Sein Sohn Abija wurde zum Nachfolger ernannt.

König Abija von Juda
(1. Könige 15,1–8)

13 Abija wurde König von Juda im 18. Regierungsjahr König Jerobeams von Israel. [2]Er regierte drei Jahre in Jerusalem. Seine Mutter hieß Michaja und war eine Tochter Uriëls aus Gibea.

Auch Abija führte Krieg gegen Jerobeam. [3]Er zog mit 400000 erfahrenen Soldaten aus, um Jerobeam anzugreifen.

12,1 1 Kön 2,2–4 **12,4** 11,5–10 **12,5** 15,2; 24,20 **12,9** 9,15–16 **12,13** 1 Kön 9,3*

Jerobeam stellte Abija ein Heer von 800000 guten Soldaten entgegen. [4] Als die beiden Heere sich im Bergland von Ephraim gegenüberstanden, stieg Abija auf den Berg Zemarajim und rief:

»Jerobeam und all ihr Israeliten, hört mir zu! [5] Habt ihr vergessen, dass der Herr, der Gott Israels, mit David einen ewigen Bund geschlossen hat? Er hat ihm und seinen Nachkommen für alle Zeiten die Herrschaft über Israel gegeben[a]. [6] Trotzdem hat Jerobeam, der Sohn Nebats, sich gegen seinen Herrn, den Enkel Davids, aufgelehnt. [7] Er scharte nichtsnutzige Schurken um sich und wiegelte sie gegen Rehabeam, den Sohn Salomos, auf. Rehabeam war noch zu jung und unerfahren, er konnte ihnen nicht die Stirn bieten.

[8] Und jetzt glaubt ihr, die Nachkommen Davids besiegen zu können, denen der Herr die Königsherrschaft anvertraut hat, nur weil ihr so viele seid und weil ihr die goldenen Kälber bei euch habt, die euch Jerobeam als Götter gemacht hat! [9] Die Priester des Herrn, die Nachkommen Aarons, habt ihr vertrieben und ebenso die Leviten. Und dann habt ihr an ihrer Stelle Priester nach eigenem Gutdünken eingesetzt, genau wie die anderen Völker. Wer zum Priester geweiht werden wollte, brauchte nur mit einem Stier und sieben Schafböcken daherkommen, und schon war er ein Priester im Dienst der Götter, die gar keine sind!

[10] Wir aber bezeugen: Der Herr ist unser Gott, ihn verlassen wir nicht. Nur die Nachkommen Aarons sind unsere Priester, sie und die Leviten dienen dem Herrn. [11] Jeden Morgen und jeden Abend bringen sie ihm Brandopfer und wohlriechende Räucheropfer dar. Auf dem heiligen Tisch liegen die aufgeschichteten Brote; die goldenen Leuchter werden jeden Abend angezündet. Ja, wir dienen dem Herrn, unserem Gott, ihr aber habt ihn verlassen. [12] Gott hilft uns, er geht uns im Kampf voran! Seine Priester sind bei uns, und sie werden die Kriegstrompeten gegen euch blasen. Ich warne euch, ihr Israeliten! Kämpft nicht gegen den Herrn, den Gott eurer Vorfahren! Diesen Krieg könnt ihr nicht gewinnen!«

[13] Inzwischen hatte Jerobeam einige Truppen in den Hinterhalt geschickt. Sie sollten die Judäer umgehen und ihnen in den Rücken fallen, während er mit dem übrigen Heer von vorne angreifen wollte. [14] Plötzlich merkten die Judäer, dass die Israeliten sie umzingelt hatten. Sie schrien zum Herrn um Hilfe. Die Priester bliesen ihre Trompeten, [15] und alle Soldaten stimmten ein lautes Kriegsgeschrei an. Da griff Gott ein: Mit seiner Hilfe schlugen Abija und die Judäer Jerobeams Heer. [16] Die Israeliten ergriffen die Flucht, aber Gott gab sie in die Gewalt der Judäer, [17] und so brachten Abija und seine Truppen ihnen eine große Niederlage bei. 500000 erfahrene Soldaten aus Israel fielen in dieser Schlacht. [18] Die Judäer siegten, weil sie ihre Hilfe vom Herrn, dem Gott ihrer Vorfahren, erwartet hatten. Für die Israeliten aber war es eine große Demütigung.

[19] Abija jagte Jerobeam nach und eroberte aus seinem Gebiet die Städte Bethel, Jeschana und Efron mit ihren umliegenden Dörfern. [20] Jerobeams Macht war von da an gebrochen, und schon bald ließ der Herr ihn sterben. [21] Abija dagegen wurde ein mächtiger Herrscher. Er heiratete vierzehn Frauen und hatte zweiundzwanzig Söhne und sechzehn Töchter.

[22] Alles Weitere über Abijas Leben, über seine Worte und Taten, ist in der Chronik des Propheten Iddo festgehalten. [23] Als Abija starb, begrub man ihn in der »Stadt Davids«, einem Stadtteil Jerusalems. Sein Sohn Asa trat die Nachfolge

---

[a] Im hebräischen Text steht hier noch: durch einen Salzbund. – Bündnisse wurden durch das Essen von Salz besiegelt.

13,5 2 Sam 7,16* **13,8–9** 1 Kön 12,28–31 **13,11** 4 Mo 28,3–8; 2 Mo 30,7–8; 3 Mo 24,5–8
13,12 4 Mo 10,9

an. Unter seiner Herrschaft war zehn Jahre lang Frieden im Land.

König Asa von Juda
(1. Könige 15,9–12)

14 Asa tat, was gut und recht war und dem Herrn, seinem Gott, gefiel. [2]Er zerstörte die Götzenaltäre und Höhenheiligtümer und riss die heiligen Steine und Holzpfähle nieder, die anderen Göttern geweiht waren. [3]Er forderte die Bevölkerung Judas auf, wieder dem Herrn, dem Gott ihrer Vorfahren, zu dienen und nach seinen Geboten zu leben. [4]In allen Städten Judas ließ er die Höhenheiligtümer und Räucheropferaltäre der fremden Götter beseitigen.

Zu dieser Zeit herrschte Frieden im Land, [5]denn der Herr sorgte dafür, dass kein Krieg ausbrach. Asa ließ in ganz Juda Städte zu Festungen ausbauen. [6]Er sagte zu den Bewohnern von Juda: »Jetzt ist die beste Gelegenheit, unsere Städte zu befestigen! Lasst uns Stadtmauern und Türme bauen und sie mit Toren und starken Riegeln versehen! Denn noch haben wir in unserem Land freie Hand. Weil wir uns darum bemüht haben, dem Herrn, unserem Gott, zu dienen, darum hat er uns nun ringsum Frieden geschenkt.« So begann man mit dem Ausbau der Städte und konnte die Arbeiten ungehindert abschließen.

Der Sieg über die Äthiopier

[7]Asa besaß ein Heer mit 300 000 Soldaten aus Juda; sie waren mit Langschilden und Lanzen bewaffnet. Dazu kamen 280 000 Mann aus Benjamin mit Rundschilden und Bogen. Sie alle waren erfahrene Soldaten.

[8]Der Äthiopier Serach rückte mit einem riesigen Heer von Fußsoldaten und 300 Streitwagen gegen Juda vor und kam bis Marescha. [9]Asa zog ihm entgegen. Im Zefatatal bei Marescha stellten sich die beiden Heere auf. [10]Asa betete zum Herrn, seinem Gott: »O Herr, nur du kannst uns helfen im Kampf mit dem riesigen Heer der Feinde, gegen die wir schwach sind. Steh uns bei, Herr, unser Gott! Wir verlassen uns auf dich, und nur weil wir dir vertrauen, kämpfen wir gegen diese Übermacht. Du bist der Herr, unser Gott! Gegen dich kommt kein Mensch an!«

[11]Da schenkte der Herr den Judäern den Sieg. Die Äthiopier ergriffen die Flucht. [12]Asa und seine Soldaten verfolgten sie bis nach Gerar. Die Äthiopier erlitten so schwere Verluste, dass sie nach dieser Schlacht kein Heer mehr aufstellen konnten. Der Herr selbst und sein Heer hatten die äthiopischen Truppen zerschlagen. Die Judäer machten große Beute. [13]Sie eroberten die Städte rings um Gerar, denn die Einwohner fürchteten sich vor der Macht des Herrn. Sie plünderten die Städte aus und kehrten mit reicher Beute zurück. [14]Auch die Zeltlager einiger Viehbesitzer griffen sie an und nahmen viele Schafe, Ziegen und Kamele mit. Dann kehrten sie nach Jerusalem zurück.

Asa erneuert den Bund mit dem Herrn
(1. Könige 15,9–15)

15 Der Geist Gottes kam über Asarja, den Sohn Odeds. [2]Darauf ging Asarja zu Asa und sagte: »König Asa und ihr Bewohner von Juda und Benjamin, hört mir zu! Der Herr ist bei euch, solange ihr bei ihm bleibt. Wenn ihr ihn sucht, wird er sich finden lassen. Verlasst ihr ihn aber, so wird er auch euch verlassen! [3]Lange Zeit wollten die Israeliten von dem wahren Gott nichts wissen. Sie kümmerten sich nicht um das, was die Priester sagten, und lebten nicht nach dem Gesetz des Mose. [4]Aber als sie in Not gerieten, kehrten sie wieder zum Herrn, dem Gott Israels, um. Sie suchten ihn, und er ließ

14,2-3 5 Mo 6,4–5*; 12,2–3* **14,4-5** 15,15; 20,30 **14,10** 13,14–18; 2 Mo 14,14* **15,2** 12,5; 24,20 **15,3-6** Ri 2,10–18

sich finden. [5] Damals konnte niemand ungehindert reisen. Alle Länder waren in Kriege verwickelt. [6] Ein Volk kämpfte gegen das andere, und eine Stadt führte gegen die andere Krieg. Doch dahinter stand Gott; er ließ es zu, dass die Völker in Not gerieten. [7] Ihr aber sollt stark sein und euch nicht entmutigen lassen! Was ihr tut, wird der Herr belohnen!«

[8] Als Asa hörte, was der Prophet Asarja[a] ihm sagte, bekam er neuen Mut. Er entfernte alle Götzenstatuen aus Juda, Benjamin und den Städten, die er auf dem Gebirge Ephraim eingenommen hatte. Er ließ den Altar des Herrn im Vorhof des Tempels erneuern. [9] Dann rief er die führenden Männer aus Juda und Benjamin zu sich. Auch die Israeliten, die aus den Gebieten von Ephraim, Manasse und Simeon nach Juda gezogen waren, lud er ein. Denn viele Menschen waren aus Israel zu Asa übergelaufen, als sie sahen, wie der Herr, sein Gott, ihm beistand.

[10] Im 3. Monat des 15. Regierungsjahrs von König Asa versammelten sie sich in Jerusalem [11] und opferten dem Herrn 700 Rinder und 7000 Schafe, die sie erbeutet hatten. [12] Sie erneuerten den Bund, den ihre Vorfahren mit Gott, dem Herrn, geschlossen hatten, und schworen, ihm wieder von ganzem Herzen zu dienen. [13] Wer aber nicht zum Herrn, dem Gott Israels, gehören wollte, der sollte getötet werden, egal ob Jung oder Alt, Mann oder Frau. [14] Mit lauter Stimme schworen sie dem Herrn die Treue, sie jubelten und bliesen die Trompeten und Posaunen. [15] Ganz Juda freute sich über den neuen Bund, denn sie hatten ihr Versprechen mit aufrichtigem Herzen gegeben. Sie waren entschlossen, so zu leben, wie es dem Herrn gefiel. Darum nahm der Herr sie wieder an und schenkte ihnen Frieden mit allen Völkern ringsum.

[16] König Asa entließ seine Großmutter Maacha aus ihrer wichtigen Stellung als Königinmutter, weil sie der Göttin Aschera eine Statue aufgestellt hatte. Die Statue ließ er in Stücke hauen und im Kidrontal verbrennen. [17] Leider verbot Asa nicht auch noch das Opfern in den Höhenheiligtümern des Landes. Doch sonst diente er dem Herrn von ganzem Herzen, solange er lebte. [18] Alle goldenen und silbernen Gegenstände, die sein Vater dem Herrn geweiht hatte, brachte er in den Tempel Gottes, zusammen mit den Geschenken, die er selbst dem Herrn weihte.

[19] Bis zum 35. Regierungsjahr König Asas brach kein Krieg mehr aus.

Asas Bündnis mit Syrien
(1. Könige 15,16–22)

16 Im 36. Regierungsjahr Asas fiel König Bascha von Israel mit seinem Heer in Juda ein und baute die Stadt Rama zu einer Festung aus. Mit der Kontrolle über diesen wichtigen Knotenpunkt konnte er Juda von der Außenwelt abschneiden.

[2] Da schickte König Asa eine Gesandtschaft nach Damaskus zu König Ben-Hadad von Syrien. Er gab den Gesandten Gold und Silber aus dem Tempel des Herrn mit, dazu Geschenke aus der königlichen Schatzkammer. Sie sollten Ben-Hadad Folgendes ausrichten: [3] »Lass uns ein Bündnis miteinander schließen! Es soll so fest und unverbrüchlich sein, als wären schon unsere Väter verbündet gewesen. Dieses Silber und Gold ist mein Geschenk an dich. Ich bitte dich: Brich dein Bündnis mit König Bascha von Israel, und greif ihn an, damit er aus unserem Gebiet wieder abzieht.«

[4] Ben-Hadad willigte ein und schickte seine Truppen gegen Israel. Sie nahmen die Städte Ijon, Dan und Abel-Majim ein, dazu alle Vorratslager der Städte im Gebiet Naftalis. [5] Als Bascha davon erfuhr, ließ er von seinem Vorhaben ab,

---

[a] Im hebräischen Text steht der Name Oded. Oded war der Vater Asarjas. Vgl. Vers 1

15,7 1 Kor 15,58 **15,8** 14,2–4; 1 Kön 14,22–24 **15,12** 2 Mo 24,3–8; 5 Mo 6,4–5* **15,15** 14,4–5; 20,30 **15,17** 5 Mo 12,2–3*

Rama weiter auszubauen, und stellte die Arbeiten ein.

[6]König Asa zog alle Männer von Juda zur Fronarbeit heran. Sie mussten die Steine und Balken, mit denen König Bascha die Stadt Rama befestigen wollte, wieder wegtragen. Asa ließ mit dem Baumaterial die Städte Geba und Mizpa ausbauen.

Asas letzte Jahre und sein Tod
(1. Könige 15,23–24)

[7]Zu dieser Zeit kam der Prophet Hanani zu König Asa von Juda und sagte zu ihm: »Weil du beim König von Syrien Hilfe gesucht hast, anstatt sie vom Herrn, deinem Gott, zu erwarten, darum hast du dich selbst um den Sieg über den König von Syrien gebracht! [8]Hast du schon vergessen, mit welch riesigem Heer von Wagen und Reitern die Äthiopier und Libyer gegen dich anrückten? Und doch hat der Herr dir den Sieg gegeben, weil du ihn um Hilfe gebeten hast. [9]Der Herr steht allen bei, die allein ihm vertrauen. Auf der ganzen Welt sucht er nach solchen Menschen. Dein Bündnis mit dem König von Syrien war ein schwerer Fehler! Von jetzt an wirst du ununterbrochen Krieg haben!« [10]Wutentbrannt ließ König Asa den Propheten ins Gefängnis werfen und seine Füße in einen Holzblock einschließen. Auch andere aus dem Volk wurden von Asa misshandelt.

[11]Alles Weitere über Asas Leben kann man in der Chronik der Könige von Juda und Israel nachlesen. [12]In seinem 39. Regierungsjahr bekam Asa ein schweres Fußleiden. Aber auch diesmal suchte er seine Hilfe nicht beim Herrn, sondern bei Ärzten. [13]Im 41. Regierungsjahr starb König Asa. [14]Er wurde in dem Grab beigesetzt, das er sich in der »Stadt Davids«, einem Stadtteil Jerusalems, aus dem Felsen hatte hauen lassen. Man legte ihn auf ein vorbereitetes Lager, das mit Balsamöl und wohlriechenden Salben getränkt war. Sie waren nach der hohen Kunst der Salbenmischung zubereitet worden. Dann zündete man zu seiner Ehre ein riesiges Feuer an.

König Joschafat von Juda

17 Asas Nachfolger wurde sein Sohn Joschafat. Er baute seine Macht Israel gegenüber aus; [2]in alle befestigten Städte Judas legte er Truppen, und in ganz Juda setzte er Statthalter ein, ebenso in den Städten Ephraims, die sein Vater Asa erobert hatte. [3]Der Herr stand Joschafat bei, weil er dem Vorbild Davids folgte und keine anderen Götter verehrte. [4]Im Gegensatz zu den Königen von Israel diente er dem Gott seines Vaters und befolgte seine Gebote. [5]Darum stärkte der Herr die Macht Joschafats. Menschen aus ganz Juda kamen und brachten ihm Geschenke, und so wurde er reich und angesehen. [6]Das ermutigte ihn, sich ganz auf den Herrn zu verlassen. Er ließ in Juda die Höhenheiligtümer und Steinmale vernichten, die anderen Göttern geweiht waren.

[7]In seinem 3. Regierungsjahr beschloss Joschafat, alle Bewohner Judas im Gesetz des Herrn unterrichten zu lassen. Er beauftragte damit seine Beamten Ben-Hajil, Obadja, Secharja, Netanel und Michaja; [8]dazu die Leviten Schemaja, Netanja, Sebadja, Asaël, Schemiramot, Jonatan, Adonija, Tobija und Tob-Adonija sowie die Priester Elischama und Joram. [9]Diese Männer zogen im Gebiet Judas von Stadt zu Stadt. Sie hatten das Gesetzbuch des Herrn bei sich und unterrichteten das Volk.

[10]Der Herr sorgte dafür, dass alle Königreiche rings um Juda große Angst vor Joschafat bekamen. Kein König wagte es, ihm den Krieg zu erklären. [11]Die Philister zahlten ihm regelmäßig Silber als Tribut, und die Araber brachten ihm 7700 Schafböcke und 7700 Ziegenböcke. [12]So konnte Joschafat seine Macht immer

---

16,7 13,18 **16,8** 14,8–14 **17,6** 15,17; 5 Mo 12,2–3*; 1 Kön 14,22–24 **17,9** 2 Mo 24,4*

mehr ausbauen. Überall in Juda errichtete er Festungen und Vorratsstädte. [13]In den Städten des Landes brachte er reiche Vorräte unter und verlegte seine besten Truppen nach Jerusalem.

[14]Joschafats Heer war in Sippenverbände unterteilt. Der Heerführer vom Stamm Juda hieß Adna, er hatte den Befehl über 300000 erfahrene Soldaten; [15]ihm zur Seite standen Johanan, dem 280000 Mann unterstellt waren, [16]und Amasja, der Sohn Sichris, mit 200000 erfahrenen Soldaten. Amasja hatte sich freiwillig für diese Aufgabe gemeldet, um dem Herrn zu dienen. [17]Der Heerführer vom Stamm Benjamin war Eljada, ein guter Soldat, mit 200000 Mann, die mit Bogen und Schilden bewaffnet waren. [18]Ihm zur Seite stand Josabad, der den Befehl über 180000 gut ausgerüstete Soldaten hatte.

[19]Sie alle dienten im Heer des Königs. Dazu kamen noch die Truppen, die in ganz Juda in den befestigten Städten untergebracht waren.

Wer sagt die Wahrheit – die Propheten Ahabs oder Micha?
(1. Könige 22,1–28)

18 Joschafat war sehr reich und genoss hohes Ansehen. Seinen ältesten Sohn verheiratete er mit einer Tochter König Ahabs von Israel.[a]

[2]Nach einigen Jahren besuchte er Ahab in Samaria. Der israelitische König ließ für seinen Gast und dessen Gefolge viele Schafe und Rinder schlachten. Dann versuchte er, ihn zu einem gemeinsamen Feldzug gegen die Stadt Ramot im Gebiet von Gilead zu überreden. [3]»Willst du nicht mit mir in den Kampf ziehen?«, fragte er den König von Juda. Joschafat antwortete: »Du kannst auf mich zählen! Ich ziehe mit dir und stelle dir meine Truppen zur Verfügung. [4]Doch bitte frag zuerst den Herrn, was er zu diesem Feldzug sagt.«

[5]Da ließ König Ahab von Israel seine Propheten zu sich rufen – es waren etwa 400 – und fragte sie: »Sollen wir Ramot in Gilead angreifen oder nicht?« »Geh nur«, ermutigten sie ihn, »Gott wird dir zum Sieg über diese Stadt verhelfen.«

[6]Aber Joschafat gab sich noch nicht zufrieden. »Gibt es hier in Israel keinen echten Propheten, der für uns den Herrn befragen könnte?«, wollte er wissen. [7]Ahab antwortete: »Doch, es gibt noch einen, durch den man den Herrn befragen kann. Aber ich hasse ihn, denn er kündigt mir immer nur Unglück an, nie etwas Gutes! Es ist Micha, der Sohn Jimlas.« Joschafat entgegnete: »So solltest du als König nicht sprechen!« [8]Da rief König Ahab einen Hofbeamten und befahl ihm: »Hol sofort Micha, den Sohn Jimlas, zu uns!«

[9]In ihren königlichen Gewändern setzten sich Ahab und Joschafat auf zwei Thronsessel, die man für sie auf einem großen Platz beim Stadttor von Samaria aufgestellt hatte. Dorthin kamen die 400 Propheten Ahabs. Sie gerieten alle in Ekstase und prophezeiten den Königen nur Gutes. [10]Einer von ihnen, Zedekia, der Sohn Kenaanas, hatte sich eiserne Hörner gemacht und rief: »Höre, was der Herr dir sagen lässt: ›Wie ein Stier mit eisernen Hörnern wirst du die Syrer niederstoßen und nicht eher ruhen, bis du sie in Grund und Boden gestampft hast!‹« [11]Die anderen Propheten redeten ähnlich: »Geh nur nach Ramot in Gilead! Der Herr wird die Stadt in deine Gewalt geben, und dann kommst du als Sieger zurück!«

[12]Der Hofbeamte, der Micha holen musste, forderte ihn unterwegs auf: »Alle Propheten haben dem König nur Gutes angekündigt. Du weißt also, was du zu tun hast: Sag auch du dem König den Sieg voraus!« [13]Doch Micha widersprach: »So gewiss der Herr lebt: Ich werde nur das sagen, was mein Gott mir aufträgt!«

[14]Als Micha vor Ahab stand, fragte ihn

---

[a] So in Anlehnung an 2. Chronik 21,6. Wörtlich: Er verschwägerte sich mit Ahab.

18,1 17,5.11–13; 2 Kön 8,16–18 **18,4** 2 Mo 28,30*

der König: »Micha, sollen wir gegen Ramot in Gilead in den Kampf ziehen oder nicht?« »Natürlich, greift nur an!«, antwortete der Prophet. »Bestimmt wird die Stadt in eure Gewalt gegeben, und ihr kommt als die großen Sieger zurück!« [15] Doch der König hakte nach: »Wie muss ich dich beschwören, damit du mir nur die reine Wahrheit sagst? Was hat der Herr dir gezeigt?«

[16] Da antwortete Micha: »Ich sah das Heer der Israeliten über alle Berge verstreut wie Schafe, die keinen Hirten mehr haben. Der Herr sprach zu mir: ›Diese Soldaten haben keinen Herrn mehr, der sie führt. Sie können getrost nach Hause zurückkehren.‹«

[17] »Siehst du?«, wandte der König von Israel sich nun an Joschafat. »Ich habe es doch gleich gesagt, dass er mir immer nur Unglück prophezeit und nie etwas Gutes!«

[18] Micha aber fuhr fort: »Hört zu! Ich will euch erzählen, was der Herr mir gezeigt hat: Ich sah ihn auf seinem Thron sitzen, umgeben von seinem himmlischen Hofstaat. [19] Er fragte: ›Wer will Ahab dazu verleiten, gegen Ramot in Gilead zu kämpfen? Der König soll dort ums Leben kommen.‹ Die Versammelten machten diesen und jenen Vorschlag, [20] bis schließlich ein Geist vor den Herrn trat und sagte: ›Ich werde ihn überlisten!‹ ›Wie willst du das tun?‹, fragte der Herr. [21] ›Ich lasse alle Propheten Ahabs Lügen erzählen‹, antwortete er. ›Ich rede durch sie als ein Lügengeist.‹ Da sagte der Herr zu dem Geist: ›Du bist der Rechte, um Ahab in die Irre zu führen! Es wird dir auch gelingen. Geh und mach es so, wie du vorgeschlagen hast!‹ [22] Ahab, der Herr hat beschlossen, Unheil über dich zu bringen, darum hat er diesen Lügengeist zu deinen Propheten geschickt. Dieser Geist spricht nun aus ihrem Mund.«

[23] Jetzt kam Zedekia, der Sohn Kenaanas, nach vorne, gab Micha eine Ohrfeige und rief: »So, du behauptest, der Geist Gottes habe mich und die anderen Propheten verlassen, damit er mit dir reden kann? Beweis es, wenn du kannst!« [24] »Warte nur«, sagte Micha, »bald kommt der Tag, an dem du dich vor den Feinden in die hinterste Kammer deines Hauses verkriechst. Dann wirst du an meine Worte denken!«

[25] Da befahl König Ahab: »Bringt Micha zu Amon, dem Stadtobersten, und zu meinem Sohn Joasch! [26] Meldet ihnen: ›Befehl des Königs: Steckt diesen Mann ins Gefängnis, und gebt ihm eine gekürzte Ration Brot und Wasser!‹ Dort soll er bleiben, bis ich, König Ahab, unversehrt als Sieger aus dem Feldzug zurückkomme.« [27] Da sagte Micha zum König: »Alle sollen es hören: Wenn du je wohlbehalten zurückkehrst, so hat heute nicht der Herr durch mich gesprochen.«

König Ahab fällt in der Schlacht bei Ramot
(1. Könige 22,29–35)

[28] König Ahab von Israel und König Joschafat von Juda zogen gemeinsam in den Kampf gegen die Stadt Ramot in Gilead. [29] Vor der Schlacht sagte Ahab zu Joschafat: »Ich werde mich als einfacher Soldat verkleiden. Du aber kämpfe ruhig in deiner königlichen Rüstung.« Er zog sich einfache Soldatenkleider an, und sie gingen in die Schlacht. [30] Der syrische König aber hatte seinen Wagenkämpfern befohlen: »Greift in der Schlacht einzig und allein den König von Israel an. Lasst euch von keinem ablenken – weder vom Fußvolk noch von den hohen Offizieren!«

[31] Bald hatten die syrischen Wagenkämpfer König Joschafat entdeckt. Sie hielten ihn für den König von Israel und griffen ihn von allen Seiten an. Joschafat schrie laut um Hilfe. Da griff der Herr ein und lenkte die Feinde von ihm ab. [32] Denn die Syrer merkten, dass er nicht König Ahab war, und ließen von ihm ab. [33] Einer ihrer Soldaten schoss auf gut Glück einen Pfeil ab und traf den König

18,16 Jer 10,21; Hes 34,2–6

von Israel genau an einer ungeschützten Stelle zwischen den Trägern seines Panzers. Ahab befahl dem Lenker seines Streitwagens: »Dreh um, und bring mich vom Schlachtfeld; ich bin schwer verwundet!« [34] Doch der Kampf tobte an diesem Tag immer heftiger. Um den Syrern die Stirn zu bieten, blieb Ahab auf dem Schlachtfeld und hielt sich aufrecht in seinem Wagen. Gegen Abend, als die Sonne unterging, starb er.

19 König Joschafat von Juda aber kehrte wohlbehalten nach Jerusalem zurück. Vor seinem Palast [2] kam ihm der Prophet Jehu entgegen, ein Sohn Hananis. Er sagte zum König: »Hältst du es für richtig, einem Mann zu helfen, der von Gott nichts wissen will? Warum schließt du Freundschaft mit denen, die den Herrn hassen? Du hast den Zorn des Herrn heraufbeschworen! [3] Aber er hat bei dir auch etwas Gutes gefunden: Du hast die Steinmale, die anderen Göttern geweiht waren, überall zerstört und dich entschlossen, von ganzem Herzen Gott zu dienen.«

Joschafat ordnet das Rechtswesen neu

[4] Von da an blieb Joschafat in Jerusalem und besuchte das Nordreich Israel nicht mehr. Er reiste aber durch ganz Juda, von Beerscheba im Süden bis zum Gebirge Ephraim im Norden, und ermutigte das Volk, wieder zum Herrn, dem Gott ihrer Vorfahren, umzukehren. [5] In allen befestigten Städten setzte er Richter ein [6] und ermahnte sie: »Denkt immer daran: Ihr müsst eure Urteile nicht allein vor Menschen verantworten, sondern auch vor dem Herrn! Er wird euch helfen, gerechte Urteile zu sprechen. [7] Habt Ehrfurcht vor Gott! Arbeitet gewissenhaft! Denn der Herr, unser Gott, ist nicht ungerecht, er bevorzugt niemanden und lässt sich nicht bestechen.«

[8] In Jerusalem berief Joschafat einige Leviten, Priester und Sippenoberhäupter in das Richteramt. Ihnen wurden Verstöße gegen das Gesetz des Herrn vorgelegt, und gleichzeitig waren sie für die Rechtsstreitigkeiten der Einwohner Jerusalems zuständig.[a] [9] Joschafat ermahnte auch sie: »Übt euer Amt in Verantwortung vor dem Herrn aus! Seid gewissenhaft und unparteiisch! [10] Aus allen Städten des Landes wird man euch Fälle zur Entscheidung vorlegen. Ihr werdet über einen Mordfall oder einen Totschlag zu urteilen haben oder über Fragen, die das Gesetz des Herrn, irgendein Gebot, eine Weisung oder eine Rechtsbestimmung betreffen. Worum es sich auch handelt – sagt ihnen, was der Herr von ihnen will, damit sie nicht vor ihm schuldig werden! Wenn ihr das nicht tut, kommt sein Zorn nicht nur über sie, sondern auch über euch. Wenn ihr aber all das beherzigt, dann trifft euch keine Schuld. [11] Bei Rechtsfällen, die das Gesetz des Herrn betreffen, ist der Hohepriester Amarja der oberste Richter; in Sachen des Königs hat Fürst Sebadja, der Sohn Jismaels, vom Stamm Juda, das letzte Wort. Die Verwaltungsaufgaben werden von den Leviten erfüllt. Geht nun entschlossen an die Arbeit! Wenn ihr recht handelt, wird der Herr bei euch sein.«

Die Ammoniter bedrohen Juda

20 Einige Zeit später erklärten die Moabiter, die Ammoniter und einige Sippen der Mëuniter Joschafat den Krieg. [2] Ein Bote kam und meldete dem König: »Ein riesiges Heer zieht von der Ostseite des Toten Meeres von Edom her gegen uns heran. Sie sind inzwischen schon in Hazezon-Tamar angelangt.« (Hazezon-Tamar ist ein anderer Name für En-Gedi.)

[3] Diese Nachricht jagte Joschafat Angst ein. Er wandte sich an den Herrn um Hil-

---

[a] »gleichzeitig … zuständig« nach der griechischen Übersetzung. Der hebräische Text lautet: und kehrten nach Jerusalem zurück.

19,2 1 Kön 16,30–33 **19,3** 17,3–6; 5 Mo 12,2–3* **19,5–7** 3 Mo 19,15; 5 Mo 16,18–20 **19,8–10** 5 Mo 17,8–13; 19,16–19 **20,3–4** 15,2–4; Ri 20,26; Jer 29,11–14*; Mt 6,17–18; Lk 2,37; Apg 13,2

fe und rief ganz Juda zum Fasten auf. [4]Aus allen Städten Judas kamen die Menschen nach Jerusalem, um zum Herrn um Hilfe zu beten. [5]Sie versammelten sich im neuen Vorhof beim Tempel des Herrn. Joschafat trat nach vorne [6]und betete:

»Herr, du Gott unserer Vorfahren! Du bist Gott im Himmel, du bist Herr über alle Könige der Erde. In deiner Hand sind Macht und Stärke. Niemand kann gegen dich bestehen! [7]Hast du, unser Gott, nicht damals die Bewohner dieses Landes unseretwegen vertrieben? Hast nicht du es den Nachkommen deines Freundes Abraham für alle Zeiten geschenkt? [8]Sie haben sich hier niedergelassen; sie haben dir einen Tempel gebaut und gesagt: [9]›Wenn uns ein Unglück trifft, wenn Krieg, Pest, Hungersnot oder ein anderes Strafgericht über uns hereinbricht, dann wird der Herr uns erhören, wenn wir in diesem Tempel vor ihn treten und zu ihm um Hilfe schreien. Er wird uns retten, denn er wohnt in diesem Tempel.‹

[10]Und nun bedrohen uns die Ammoniter, die Moabiter und die Edomiter vom Gebirge Seïr! Als dein Volk damals aus Ägypten kam, hast du ihm nicht erlaubt, diese Völker anzugreifen. Israel musste ihnen ausweichen und durfte sie nicht ausrotten. [11]Und zum Dank dafür wollen sie uns nun von unserem Grund und Boden vertreiben, den du uns geschenkt hast! [12]Unser Gott, bestrafe sie! Wir selbst können nichts ausrichten gegen dieses riesige Heer, das gegen uns heranzieht. Wir sehen keinen Ausweg mehr, doch wir vertrauen auf dich!«

[13]Alle Männer, Frauen und Kinder von Juda hatten sich im Tempelvorhof vor dem Herrn versammelt. [14]Plötzlich kam der Geist des Herrn über Jahasiël, einen Leviten aus der Sippe Asaf. Sein Vater hieß Secharja, die weiteren Vorfahren waren Benaja, Jehiël und Mattanja. [15]Jahasiël rief: »Hört, ihr Leute von Juda, ihr Einwohner Jerusalems und du, König Joschafat! So spricht der Herr: ›Habt keine Angst! Fürchtet euch nicht vor diesem großen Heer! Ich werde gegen sie kämpfen, nicht ihr! [16]Zieht ihnen morgen entgegen! Sie werden von Ziz her den Berg heraufkommen. Am Ende des Tales, wo die Wüste Jeruël beginnt, werdet ihr auf sie stoßen. [17]Aber ihr braucht nicht zu kämpfen! Geht dorthin, und dann werdet ihr sehen, wie ich, der Herr, euch rette.‹ Habt keine Angst, ihr Bewohner Judas und Jerusalems. Verliert nicht den Mut! Zieht ihnen morgen entgegen, der Herr wird euch helfen!«

[18]Da warf sich Joschafat nieder und berührte mit dem Gesicht den Boden. Auch die Bewohner Judas und Jerusalems warfen sich vor dem Herrn zu Boden und beteten ihn an. [19]Die Leviten aus den Sippen Kehat und Korach standen auf und stimmten ein Loblied an. Sie priesen den Herrn, den Gott Israels, so laut sie konnten.

Der Sieg über die Ammoniter

[20]Früh am nächsten Morgen machte das Heer von Juda sich auf den Weg zur Wüste Tekoa. Beim Aufbruch trat Joschafat vor sie hin und rief: »Hört, ihr Männer von Juda und Jerusalem! Vertraut auf den Herrn, euren Gott, dann wird euch nichts geschehen! Glaubt, was seine Propheten euch gesagt haben, und ihr werdet als Sieger zurückkehren!« [21]Joschafat beriet sich mit den Versammelten und stellte daraufhin an die Spitze des Heeres einige Sänger. In Festgewändern sollten sie vor den Soldaten herziehen und den Herrn loben mit dem Lied:

»Preist den Herrn,
denn seine Gnade hört niemals auf!«

[22]Als die Sänger ihre Loblieder anstimmten, ließ der Herr die Truppen der Ammoniter, Moabiter und der Bewohner des Gebirges Seïr in einen Hinterhalt geraten. Sie wurden in die Flucht ge-

20,9 7,12–15 **20,10** 5 Mo 2,3–6.9.18–19 **20,12.15–17** 2 Mo 14,14*; Ps 33,16–20 **20,21** 1 Chr 15,16–24; Ps 136,1

schlagen. [23] Da verbündeten sich die Ammoniter und die Moabiter gegen die Edomiter, die auf dem Gebirge Seïr wohnten, und vernichteten sie. Dann gerieten sie selbst aneinander und brachten sich gegenseitig um. [24] Als die Israeliten zu der Stelle kamen, von wo aus man die Wüste überblicken konnte, suchten sie das große Heer der Feinde. Da entdeckten sie die Leichen, die überall am Boden lagen. Keiner der Feinde war mit dem Leben davongekommen. [25] Joschafat und sein Heer zogen zu dem Schlachtfeld, um sie auszuplündern. Sie fanden viele Tiere[a], Kleider[b] und wertvolle Gegenstände. Es war so viel, dass sie drei Tage brauchten, um die Beute wegzubringen.

[26] Am vierten Tag kamen sie in einem nahe gelegenen Tal zusammen, um dem Herrn zu danken. Seitdem heißt es Berachatal (»Tal des Dankes«). [27] Voller Freude darüber, dass der Herr ihre Feinde besiegt hatte, kehrten die Männer von Juda und Jerusalem mit Joschafat an ihrer Spitze nach Hause zurück. [28] Begleitet von der Musik der Harfen, Lauten und Trompeten zogen sie in Jerusalem ein und gingen zum Tempel des Herrn. [29] Die Könige der Länder ringsum bekamen große Angst vor der Macht Gottes, als sie hörten, wie der Herr selbst gegen Israels Feinde gekämpft hatte. [30] Von da an konnte Joschafat in Ruhe regieren, denn Gott schenkte Juda Frieden mit den Königreichen ringsum.

Die letzten Jahre Joschafats und sein Tod
(1. Könige 22,41–51)

[31] Mit 35 Jahren war Joschafat König von Juda geworden. Er regierte fünfundzwanzig Jahre in Jerusalem. Seine Mutter hieß Asuba und war eine Tochter Schilhis. [32] Er folgte dem Beispiel seines Vaters Asa und tat wie er, was dem Herrn gefiel, [33] nur schaffte er die Höhenheiligtümer nicht völlig ab. Denn das Volk war noch nicht dazu bereit, von ganzem Herzen dem Gott seiner Vorfahren zu dienen.

[34] Alles Weitere über Joschafats Leben steht in der Chronik Jehus, des Sohnes Hananis. Sie wurde später in die Chronik der Könige von Israel aufgenommen.

[35] König Joschafat von Juda schloss ein Bündnis mit König Ahasja von Israel, obwohl dieser nichts von Gott wissen wollte. [36] Die beiden Könige beschlossen, gemeinsam in Ezjon-Geber eine Handelsflotte aufzubauen. [37] Doch Eliëser aus Marescha, ein Sohn Dodawas, ging zu Joschafat und prophezeite ihm: »Weil du dich mit Ahasja verbündet hast, wird der Herr deine Schiffe zerstören!« So erlitt die Flotte Schiffbruch und kam nie an ihr Ziel.

21 Als Joschafat starb, wurde er in der »Stadt Davids«, einem Stadtteil Jerusalems, im Grab der königlichen Familie beigesetzt. Sein Sohn Joram trat die Nachfolge an.

König Joram von Juda
(2. Könige 8,16–24)

[2] Joschafats weitere Söhne hießen Asarja, Jehiël, Secharja, Asarja, Michael und Schefatja. [3] Joschafat hatte ihnen viel Silber, Gold und andere Schätze geschenkt und ihnen die befestigten Städte in Juda überlassen. Zu seinem Nachfolger hatte er Joram bestimmt, weil er der älteste Sohn war. [4] Als nun Joram die Herrschaft angetreten hatte, ließ er seine Brüder umbringen. Auch einige führende Männer seines Volkes tötete er.

[5] Joram wurde mit 32 Jahren König und regierte acht Jahre in Jerusalem. [6] Er war mit einer Tochter Ahabs verheiratet und folgte in allem dem schlechten Vorbild seines Schwiegervaters. Er verehrte Göt-

---

[a] So nach der griechischen Übersetzung. Der hebräische Text lautet: Sie fanden bei ihnen.
[b] So nach einigen hebräischen Handschriften und alten Übersetzungen. Der hebräische Text lautet: Leichen.

20,29 2 Mo 23,27–28* **20,30** 14,4–5; 15,15 **20,33** 5 Mo 6,4–5*; 12,2–3* **20,35** 19,2; 1 Kön 22,52–54 **21,6** 1 Kön 12,26–32*

zen so wie die Könige von Israel und tat, was der Herr verabscheute. [7]Doch der Herr wollte das Königshaus David nicht vernichten, weil er sich an den Bund hielt, den er mit David geschlossen hatte. Er hatte ihm versprochen: »Immer wird einer deiner Nachkommen König von Juda sein.«

[8]Während Jorams Regierungszeit sagten sich die Edomiter von der Herrschaft Judas los und ernannten einen eigenen König. [9]Da rückte König Joram mit seinen Offizieren und Streitwagen gegen sie aus. Doch die edomitischen Truppen umzingelten sie. In der folgenden Nacht gelang es den Eingeschlossenen zwar, die Reihen der Edomiter zu durchbrechen. [10]Trotzdem konnte sich Edom von der Herrschaft Judas befreien und ist bis heute unabhängig geblieben. Zur selben Zeit lehnte sich auch Libna gegen Juda auf und machte sich unabhängig. Dies alles geschah, weil Joram den Herrn, den Gott seiner Vorfahren, verlassen hatte. [11]Er baute die Heiligtümer auf den Hügeln Judas wieder auf und verleitete die Einwohner Jerusalems dazu, dem Herrn untreu zu werden. Ganz Juda verführte er zum Götzendienst.

[12]Da erhielt er vom Propheten Elia einen Brief, in dem stand: »So spricht der Herr, der Gott deines Vorfahren David: ›Du bist nicht dem Vorbild deines Vaters Joschafat und deines Großvaters Asa, des Königs von Juda, gefolgt. [13]Du hast den gleichen Weg eingeschlagen wie die Könige von Israel. Die Bewohner von Jerusalem und ganz Juda hast du zum Götzendienst verführt, so wie die Familie Ahabs ihn treibt. Aber damit nicht genug: Deine Brüder hast du umgebracht, die doch alle viel besser waren als du! [14]Darum werde ich, der Herr, großes Unheil über dein Volk, deine Söhne und deine Frauen bringen. Deinen ganzen Besitz nehme ich dir weg. [15]Du selbst aber wirst unheilbar krank werden. Du wirst lange leiden, und zuletzt werden deine Eingeweide aus dem Leib hervortreten.‹«

[16]Der Herr brachte die Philister dazu, zusammen mit den Araberstämmen, die neben den Äthiopiern wohnten, Joram den Krieg zu erklären. [17]Sie marschierten in Juda ein, drangen bis Jerusalem vor und plünderten den Palast des Königs aus. Auch seine Söhne und Frauen nahmen sie mit. Nur Joahas, der jüngste Sohn Jorams, konnte entkommen.

[18]Dann ließ der Herr den König unheilbar krank werden. Die Krankheit befiel seine Eingeweide, [19]verschlimmerte sich und war nach zwei Jahren so weit fortgeschritten, dass die Eingeweide aus dem Leib des Königs hervortraten. Joram starb unter furchtbaren Schmerzen. Anders als bei seinen Vorgängern zündete das Volk kein Feuer zu seiner Ehre an.

[20]Joram war mit 32 Jahren König geworden und hatte acht Jahre in Jerusalem regiert. Als er starb, trauerte niemand um ihn. Man begrub ihn in dem Stadtteil Jerusalems, der »Stadt Davids« genannt wurde, jedoch nicht in den Königsgräbern.

König Ahasja von Juda
(2. Könige 8,25–29)

22 Die Einwohner von Jerusalem ernannten Jorams jüngsten Sohn Ahasja zu seinem Nachfolger. Die älteren Söhne Jorams waren alle von den Räuberbanden umgebracht worden, die mit den Arabern ins Heerlager der Judäer eingedrungen waren. Darum trat Ahasja[a], der Sohn Jorams von Juda, die Herrschaft an. [2]Er wurde mit 20[b] Jahren König und regierte ein Jahr in Jerusalem. Seine Mutter hieß Atalja. Sie war eine Enkelin Omris, des früheren Königs von Israel. [3]Auch Ahasja folgte dem schlechten Beispiel Ahabs. Seine Mutter hatte großen Einfluss auf ihn und verleitete ihn immer wieder dazu, sich vom Herrn

---

[a] Ahasja ist eine andere Form für Joahas.
[b] So nach der griechischen Übersetzung. Der hebräische Text lautet: 42.

21,7 2 Sam 7,16* **21,11** 2 Mo 20,3–5*; 5 Mo 12,2–3*; 1 Kön 14,22–24 **22,3** 1 Kön 16,30–33

abzuwenden. [4]Außerdem ließ er sich nach dem Tod seines Vaters von seinen Verwandten aus dem Königshaus Ahab beraten. So tat er, was der Herr verabscheute, und dies wurde ihm zum Verhängnis.
[5]Auch zu einem Feldzug gegen König Hasaël von Syrien verleiteten ihn seine Berater. Ahasja verbündete sich mit Ahabs Sohn Joram, der König von Israel war. Bei Ramot in Gilead kam es zur Schlacht. Joram wurde dabei von den Syrern verwundet. [6]Deshalb zog er sich nach Jesreel zurück, um sich von seinen Verletzungen zu erholen. Dort besuchte ihn König Ahasja[a] von Juda, der Sohn Jorams. [7]Doch Gott fügte es so, dass dieser Besuch Ahasja zum Verhängnis wurde. Kaum war er in Jesreel angekommen, fuhr er mit Joram Jehu, dem Sohn Nimschis, in einem Wagen entgegen. Der Herr aber hatte Jehu dazu bestimmt, die Familie Ahabs auszurotten. [8]Als Jehu das Gericht über das Haus Ahab vollstreckte, da brachte er auch die obersten Beamten von Juda und die Neffen Ahasjas um, die in dessen Dienst standen. [9]Ahasja selbst hielt sich in Samaria versteckt. Jehu ließ ihn suchen. Als seine Männer ihn fanden, nahmen sie ihn gefangen und brachten ihn zu Jehu, wo er hingerichtet wurde. Er erhielt aber ein ehrenvolles Begräbnis, denn Jehu und seine Männer sagten: »Trotz allem war er ein Enkel Joschafats, der dem Herrn von ganzem Herzen dienen wollte.« Das Königshaus von Juda hatte nun keinen Nachkommen mehr, der die Herrschaft hätte übernehmen können.

Atalja reißt die Herrschaft an sich (2. Könige 11,1–3)

[10]Als Ahasjas Mutter Atalja erfuhr, dass ihr Sohn tot war, ließ sie alle königlichen Nachkommen in Juda umbringen. [11]Nur Ahasjas Sohn Joasch überlebte, weil seine Tante Joscheba ihn rechtzeitig vor Atalja gerettet hatte. Joscheba war eine Tochter König Jorams und Schwester Ahasjas. Sie war mit dem Priester Jojada verheiratet. Joscheba hatte Joasch heimlich aus seinem Zimmer geholt und ihn zusammen mit seiner Amme in einer Kammer versteckt, in der Bettzeug aufbewahrt wurde. Dort konnte Atalja ihn nicht finden. [12]Später nahm Joscheba ihn zu sich und hielt ihn sechs Jahre im Tempelbereich verborgen. In dieser Zeit herrschte Atalja als Königin über Juda.

Atalja wird gestürzt – Joasch wird König (2. Könige 11,4–20)

23 Im 7. Regierungsjahr Ataljas nahm Jojada allen Mut zusammen und verbündete sich mit einigen Offizieren. Zu ihnen gehörten Asarja, der Sohn Jerohams, Jismael, der Sohn Johanans, Asarja, der Sohn Obeds, Maaseja, der Sohn Adajas, und Elischafat, der Sohn Sichris. [2]Die Offiziere zogen durch alle Städte Judas, weihten die Leviten und die Sippenoberhäupter in ihre Pläne ein und kehrten zusammen mit ihnen nach Jerusalem zurück. [3]Sie versammelten sich im Tempel des Herrn, und Jojada sagte zu ihnen: »Vor euch steht der Sohn unseres früheren Königs. Er soll uns regieren, denn so hat der Herr es für die Nachkommen Davids bestimmt.«

Die Anwesenden erkannten Joasch als ihren neuen König an und verbündeten sich mit ihm. [4]Jojada gab ihnen einige Anweisungen: »Die Abteilung der Priester und Leviten, die am nächsten Sabbat ihren Dienst antritt, soll sich in drei Gruppen aufteilen: Die erste soll die Eingänge zum Tempel bewachen, [5]die zweite den Königspalast und die dritte das Grundtor. Das Volk aber soll sich in den Vorhöfen des Tempels versammeln. [6]Außer den Priestern und Leviten, die gerade

---

[a] So nach der griechischen, lateinischen und syrischen Übersetzung. Der hebräische Text lautet: Asarja.

22,7–9 2 Kön 9,6–10.24.27; 10,6–7.10–14.17 **22,10** 22,2–3 **23,3** 2 Sam 7,16*

Dienst haben, darf niemand den Tempel des Herrn betreten. Nur sie dürfen hineingehen, denn der Herr hat sie für diese Aufgabe ausgesondert. Das ganze Volk muss die Weisungen des Herrn befolgen. [7]Die übrigen Leviten sollen einen Kreis um den König bilden und ihn mit der Hand an der Waffe auf Schritt und Tritt begleiten. Wer in den Tempel eindringen will, wird auf der Stelle getötet.«

[8]Die Leviten und das Volk taten, was der Priester Jojada gesagt hatte. Am nächsten Sabbat kamen alle mit ihren Männern zu ihm – sowohl die Abteilungen, die vom Dienst abtraten, als auch die Abteilung, die antrat. Denn Jojada hatte keine Gruppe entlassen. [9]Der Priester gab den Offizieren die Speere und die großen und kleinen Schilde, die seit König Davids Regierungszeit im Tempel aufbewahrt wurden, und die Offiziere verteilten sie an ihre Soldaten.[a] [10]Dann stellten sich die Soldaten vor dem Tempel in einem Halbkreis auf, der von der Südseite um den Brandopferaltar herum bis zur Nordseite reichte. Jeder hielt seine Waffe griffbereit. So war Joasch ringsum geschützt. [11]Nun führten Jojada und seine Söhne ihn heraus, um ihn zum König zu krönen. Sie setzten ihm die Krone auf und gaben ihm das Königsgesetz[b] in die Hand. Dann salbten sie ihn zum König und riefen: »Hoch lebe der König!«

[12]Als Atalja das Freudengeschrei der Volksmenge hörte, die sich inzwischen versammelt hatte und dem neuen König zujubelte, kam auch sie zum Tempel. [13]Bei der Säule am Eingang, wo der Platz des Königs war, sah sie einen neuen König stehen, umgeben von Offizieren und Trompetern! Aus ganz Juda war das Volk zusammengeströmt. Alle jubelten vor Freude, und die Trompeten erklangen. Die Sänger sangen ihre Lieder und spielten auf ihren Instrumenten. Entsetzt zerriss Atalja ihr Obergewand und schrie: »Verrat, Verrat!«

[14]Der Priester Jojada rief die Offiziere, die den Befehl über die Abteilungen hatten, herbei und ordnete an: »Führt sie aus dem Tempelbereich hinaus! Ihr sollt sie nicht hier im Heiligtum töten. Wer ihr aber folgt, den stecht an Ort und Stelle mit dem Schwert nieder!« [15]Da ergriffen sie Atalja, führten sie ab und töteten sie beim Rosstor am Eingang zum Palast.

[16]Inzwischen ließ Jojada den König und das Volk einen Bund mit dem Herrn schließen. Sie bekräftigten darin, dass sie als Volk dem Herrn gehören wollten. [17]Dann stürmten sie in den Tempel Baals und rissen ihn nieder. Sie zertrümmerten die Altäre und Götzenfiguren und töteten Mattan, den Priester Baals, bei den Altären.

[18]Jojada setzte die Priester aus dem Stamm Levi wieder in ihr Amt ein, so wie König David es vorgesehen hatte. Nach den Weisungen im Gesetz des Mose sollten sie dem Herrn wieder Brandopfer darbringen und ihre Arbeit mit Freude verrichten, begleitet vom Gesang der Leviten. So hatte es auch David angeordnet. [19]An den Eingängen zum Tempel des Herrn stellte Jojada Wachen auf, damit niemand hineingehen konnte, der nach dem Gesetz auf irgendeine Weise unrein war.

[20]Den Offizieren, den einflussreichen und führenden Männern sowie dem ganzen Volk befahl Jojada, einen Zug zu bilden. Sie geleiteten den König aus dem Tempel durch das obere Tor zum Palast hinab. Dort setzte er sich auf den Königsthron. [21]Die ganze Bevölkerung Judas freute sich mit. In Jerusalem selbst dagegen verhielt man sich ruhig, nachdem Atalja getötet worden war.

---

[a] »und … Soldaten« ist sinngemäß eingefügt.

[b] Das Königsgesetz war ein Buch, in dem alle Rechte und Pflichten des Königs aufgeschrieben waren. Vgl. 1. Samuel 10,25

23,11 5 Mo 17,18–20 **23,13** 4 Mo 10,10; 1 Chr 15,16–24 **23,16** 15,12 **23,18** 2 Mo 28,1; 4 Mo 1,49–50; 1 Chr 15,16–24; 23,1 – 26,30

König Joasch lässt den Tempel ausbessern
(2. Könige 12,1–17)

24 Joasch wurde mit 7 Jahren König und regierte vierzig Jahre in Jerusalem. Seine Mutter hieß Zibja und kam aus Beerscheba. [2] Solange der Priester Jojada lebte, tat Joasch, was dem Herrn gefiel. [3] Jojada suchte zwei Frauen für ihn aus, und Joasch bekam Söhne und Töchter.

[4] Nach einiger Zeit beschloss Joasch, den Tempel des Herrn ausbessern zu lassen. [5] Er rief die Priester und Leviten zu sich und gab ihnen den Auftrag: »Zieht durch die Städte Judas, und sammelt von der ganzen Bevölkerung Geld ein! Damit könnt ihr die Reparaturen bezahlen, die jedes Jahr am Tempel eures Gottes anfallen. Beeilt euch!« Doch die Leviten ließen sich viel Zeit. [6] Da stellte Joasch den Hohenpriester Jojada zur Rede: »Warum haben die Leviten immer noch nicht genügend Geld für die Ausbesserungen am Tempel? Warum hast du ihnen nicht befohlen, in Juda und Jerusalem dafür zu sammeln? Hat nicht schon Mose, der Diener des Herrn, von allen Israeliten eine Abgabe für das heilige Zelt verlangt? [7] Du weißt, dass Atalja, diese gottlose Frau, den Tempel des Herrn verfallen ließ. Ihre Anhänger nahmen die Gaben, die für den Herrn bestimmt waren, für ihre Götzen.«

[8] Auf Befehl des Königs wurde ein Kasten angefertigt und außen beim Tor zum Tempel aufgestellt. [9] In ganz Juda und Jerusalem rief man das Volk auf, dem Herrn die Abgaben zu entrichten, die Mose, der Diener des Herrn, in der Wüste den Israeliten auferlegt hatte. [10] Die führenden Männer und das ganze Volk freuten sich und warfen ihre Gaben in den Kasten, bis er voll war. [11] Dann brachten die Leviten, die gerade Dienst hatten, den Kasten in die Kanzlei des Königs. Der Hofsekretär und ein Beauftragter des Hohenpriesters sahen zu, wie sie den Kasten leerten. Dann brachten die Leviten ihn wieder an seinen Platz zurück. So geschah es jeden Tag, und es kam sehr viel Geld zusammen.

[12] Der König und Jojada händigten das Geld den Bauführern aus, die für die Arbeiten im Tempel verantwortlich waren. Diese wiederum bezahlten damit die Steinhauer, die Zimmerleute, die Eisen- und Bronzegießer. [13] Die Arbeit ging zügig voran. Die Handwerker besserten alle Schäden aus, und schließlich war der Tempel wieder in seinem ursprünglichen guten Zustand. [14] Als sie fertig waren, brachten die Bauführer das restliche Geld zu König Joasch und zu Jojada. Die beiden ließen davon Gegenstände für den Dienst im Tempel des Herrn herstellen: Schalen, goldene und silberne Gefäße und andere Gegenstände, die man zum Opferdienst brauchte. Solange Jojada lebte, wurden im Tempel des Herrn regelmäßig Brandopfer dargebracht.

[15] Jojada hatte ein erfülltes Leben und wurde sehr alt. Mit 130 Jahren starb er. [16] Er wurde in der »Stadt Davids«, einem Stadtteil Jerusalems, in den Königsgräbern beigesetzt, denn er hatte für Israel, für Gott und den Tempel viel Gutes getan.

König Joasch wendet sich vom Herrn ab
(2. Könige 12,18–22)

[17] Nach Jojadas Tod kamen die führenden Männer Judas zu König Joasch und umschmeichelten ihn. Er ließ sich von ihnen dazu verführen, [18] nicht mehr in den Tempel des Herrn, des Gottes seiner Vorfahren, zu gehen. Wie alle anderen verehrte er nun Götzenstatuen und heilige Pfähle, die anderen Göttern geweiht waren. Darum wurde der Herr zornig über Juda und Jerusalem. [19] Er sandte Propheten unter das Volk. Sie sollten die Menschen warnen und zum Herrn zurückführen.

24,5–6 2 Mo 25,2*; Neh 10,33–34; Mt 17,24.27 **24,18** 2 Mo 20,3–5*; 5 Mo 29,16–17

Aber niemand hörte auf sie. [20] Da kam der Geist Gottes über Secharja, den Sohn des Priesters Jojada. Er trat vor das Volk und rief ihnen zu: »So spricht Gott, der Herr: ›Warum übertretet ihr meine Gebote? Von nun an wird euch nichts mehr gelingen! Ihr habt mich verlassen – und jetzt verlasse ich euch!‹«

[21] Da rotteten sie sich gegen Secharja zusammen und steinigten ihn im Vorhof des Tempels. König Joasch hatte es befohlen, [22] denn ihm war das Gute, das Secharjas Vater Jojada ihm erwiesen hatte, inzwischen völlig gleichgültig. Kurz bevor Secharja starb, rief er noch: »Herr, sieh, was sie tun, und vergelte es ihnen!«

[23] Am Anfang des nächsten Jahres erklärten die Syrer Joasch den Krieg. Sie marschierten in Juda ein, eroberten Jerusalem und brachten alle führenden Männer des Volkes um. Die Beute ihres Feldzugs sandten sie nach Damaskus zu ihrem König. [24] Obwohl die Judäer in der Überzahl waren, ließ der Herr die Syrer siegen, denn Juda hatte den Herrn, den Gott seiner Vorfahren, verlassen. So vollstreckten die Syrer an Joasch das Urteil Gottes, [25] sie verwundeten ihn schwer. Kaum waren sie wieder abgezogen, verschworen sich Joaschs Diener gegen ihn. Sie wollten sich dafür rächen, dass er den Sohn des Priesters Jojada ermordet hatte, und brachten den König in seinem Bett um. Er wurde in der »Stadt Davids«, einem Stadtteil Jerusalems, begraben, jedoch nicht in den Königsgräbern. [26] Die beiden Führer der Verschwörung waren Sabad, der Sohn der Ammoniterin Schimat, und Josabad, der Sohn der Moabiterin Schimrit.

[27] In den Erläuterungen zur Chronik der Könige stehen die Namen der Söhne Joaschs, die vielen Prophetenworte, die gegen ihn gesprochen wurden, und der Bericht über die Ausbesserungsarbeiten am Tempel Gottes. Joaschs Nachfolger wurde sein Sohn Amazja.

König Amazja von Juda
(2. Könige 14,1–6)

25 Amazja wurde mit 25 Jahren König und regierte neunundzwanzig Jahre in Jerusalem. Seine Mutter hieß Joaddan und stammte aus Jerusalem. [2] Amazja tat, was dem Herrn gefiel, obwohl er ihm nicht von ganzem Herzen diente. [3] Sobald Amazja die Herrschaft fest in Händen hatte, ließ er die Diener hinrichten, die seinen Vater, König Joasch, ermordet hatten. [4] Doch ihre Söhne ließ er am Leben und folgte so dem Gebot des Herrn, wie es im Gesetzbuch des Mose steht: »Eltern sollen nicht für die Verbrechen ihrer Kinder hingerichtet werden und Kinder nicht für die Schuld ihrer Eltern. Jeder soll nur für seine eigene Sünde bestraft werden.«[a]

Amazjas Krieg gegen die Edomiter
(2. Könige 14,7)

[5] Amazja rief alle Männer aus den Stämmen Juda und Benjamin zusammen und ließ sie nach Sippen geordnet antreten. Er teilte sie in Gruppen von 1000 und 100 Männern ein, mit Hauptleuten und Offizieren an der Spitze. Alle, die zwanzig Jahre und älter waren, wurden zum Kriegsdienst einberufen, und so kam ein Heer von 300000 Mann zusammen. Alle waren mit Langschild und Speer bewaffnet. [6] Danach warb Amazja noch 100000 erfahrene Soldaten aus Israel an, denen er insgesamt 3,5 Tonnen Silber als Sold bezahlte.

[7] Da kam ein Prophet zu Amazja und warnte ihn: »Mein König, zieh ohne die israelitischen Truppen in den Krieg, denn der Herr ist nicht mit ihnen! [8] Wenn du aber meinst, nur mit ihrer Hilfe stark genug zu sein, dann wird Gott euch in der Schlacht zu Fall bringen. Denn es liegt in Gottes Macht, den Sieg zu schenken oder

---

[a] 5. Mose 24,16

24,20 12,5; 15,2 **24,21** Mt 23,35 **24,24** 5 Mo 28,25* **25,2** 5 Mo 6,4–5* **25,3** 24,25
25,4 Hes 18,1–4.20 **25,6–7** 19,2; 20,37 **25,8** 13,14–18; 14,8–14; 16,7–9; 2 Mo 14,14*; Ps 33,16–20

in den Untergang zu stürzen.« [9] Amazja entgegnete: »Und was ist mit den 3,5 Tonnen Silber, die ich den Israeliten bezahlt habe?« Der Bote Gottes antwortete: »Ist der Herr nicht mächtig genug, dir viel mehr als das zu geben?« [10] Da entließ Amazja alle israelitischen Söldner und schickte sie zurück. Sie nahmen es ihm sehr übel und zogen voller Zorn nach Hause.

[11] Amazja wagte trotzdem einen Angriff. Er führte sein Heer in das Salztal und errang einen Sieg über die Edomiter. 10000 von ihnen fielen in der Schlacht, [12] und weitere 10000 wurden gefangen genommen. Die Soldaten von Juda führten die Gefangenen auf einen hohen Felsen und stürzten sie von dort hinunter, so dass alle zerschmettert wurden.

[13] Inzwischen waren die Söldner aus Israel, die Amazja noch vor der Schlacht weggeschickt hatte, in jüdische Städte zwischen Samaria und Bet-Horon eingefallen. Dabei hatten sie 3000 Männer umgebracht und große Beute gemacht.

Amazja verehrt andere Götter

[14] Nach seiner Rückkehr vom Kampf gegen die Edomiter stellte Amazja Götterstatuen auf, die er von dort mitgebracht hatte. Er fiel vor ihnen nieder und brachte ihnen Räucheropfer dar. [15] Da wurde der Herr zornig auf Amazja. Er schickte einen Propheten zu ihm und ließ ihm sagen: »Warum verehrst du diese Götter, die ihr Volk nicht einmal vor dir retten konnten?« [16] Amazja fiel dem Propheten ins Wort: »Habe ich dich etwa zu meinem Berater ernannt? Halt den Mund, sonst lasse ich dich auspeitschen!« Da redete der Prophet nicht weiter. Er sagte nur noch: »Ich weiß, dass Gott dich vernichten wird, weil du andere Götter verehrst und meine Warnung in den Wind schlägst.«

Amazja führt Krieg gegen König Joasch von Israel (2. Könige 14,8–14)

[17] Amazja von Juda sprach mit seinen Beratern und schickte Boten zu König Joasch von Israel, dem Sohn Joahas' und Enkel Jehus. Sie sollten ihm ausrichten: »Lass uns gegeneinander Krieg führen! Dann sehen wir, wessen Heer stärker ist!« [18] Joasch, der König von Israel, ließ ihm antworten: »Ein Dornstrauch auf dem Libanongebirge sagte einmal zu einer mächtigen Zeder: ›Gib meinem Sohn deine Tochter zur Frau!‹ Doch die Tiere auf dem Libanon liefen über den Dornstrauch und zertrampelten ihn. [19] Ist dir der Sieg über die Edomiter zu Kopf gestiegen? Du kannst wohl nicht genug bekommen! Bleib lieber zu Hause! Warum willst du ins Unglück rennen und ganz Juda mit hineinreißen?« [20] Doch Amazja ließ sich nicht warnen. Gott wollte ihn und sein Volk in die Gewalt der Israeliten geben, weil sie sich den Göttern der Edomiter zugewandt hatten.

[21] Da zog König Joasch von Israel mit seinem Heer nach Juda, und bei Bet-Schemesch kam es zur Schlacht zwischen ihm und König Amazja. [22] Die Judäer wurden von den Israeliten besiegt und flohen nach Hause. [23] König Amazja von Juda, der Sohn Joaschs und Enkel Ahasjas, wurde vom israelitischen König noch in Bet-Schemesch gefangen genommen und nach Jerusalem gebracht. Joasch ließ die Stadtmauer auf einer Länge von zweihundert Metern einreißen, vom Ephraimtor bis zum Ecktor. [24] Er plünderte alles Gold und Silber und alle kostbaren Gegenstände aus der Schatzkammer des Tempels, die von Obed-Edom bewacht wurde. Auch die Schatzkammer des Königspalasts raubte er aus. Mit dieser Beute und einer Anzahl von Geiseln kehrte er nach Samaria zurück.

25,14 2 Mo 20,3–5*; 5 Mo 29,16–17 **25,17** 1 Kön 12,22–24 **25,18** Ri 9,14–15 **25,24** 1 Chr 26,15

Amazjas Tod
(2. Könige 14, 17–20)

[25]Nach dem Tod Joaschs, des Königs von Israel, lebte Amazja, der König von Juda, noch fünfzehn Jahre. [26]Alles Weitere über Amazjas Leben steht in der Chronik der Könige von Juda und Israel. [27]Seit er sich vom Herrn abgewandt hatte, begann man sich in Jerusalem gegen ihn zu verschwören. Er konnte zwar nach Lachisch entkommen, aber die Verschwörer ließen ihn verfolgen, und so wurde er schließlich in Lachisch umgebracht. [28]Man lud den Toten auf ein Pferd und brachte ihn zur »Stadt Davids«, einem Stadtteil Jerusalems. Dort wurde er im Grab der Königsfamilie beigesetzt.

König Usija von Juda
(2. Könige 14, 21–22; 15, 1–4)

26 Die Judäer ernannten Amazjas Sohn Usija[a] zum neuen König. Er war damals 16 Jahre alt. [2]Gleich nach dem Tod seines Vaters eroberte er die Stadt Elat zurück und baute sie wieder auf.

[3]Usija wurde mit 16 Jahren König und regierte zweiundfünfzig Jahre in Jerusalem. Seine Mutter hieß Jecholja und stammte aus Jerusalem. [4]Wie sein Vater Amazja tat auch er, was dem Herrn gefiel. [5]Zu der Zeit, als der Hohepriester Secharja noch lebte, bemühte Usija sich, Gott zu gehorchen, denn Secharja zeigte ihm immer wieder, was Gott von ihm wollte. Solange Usija dem Herrn diente, schenkte er ihm Erfolg.

[6]Usija führte Krieg gegen die Philister. Er eroberte die Städte Gat, Jabne und Aschdod und riss ihre Mauern nieder. Andere Städte in der Gegend von Aschdod und im übrigen Gebiet der Philister baute er aus. [7]Gott half Usija aber nicht nur gegen die Philister, sondern auch gegen die Araberstämme in Gur-Baal und gegen die Mëuniter. [8]Die Ammoniter mussten Usija Tribut zahlen. Er wurde ein sehr mächtiger König. Sein Ruf drang bis nach Ägypten.

[9]In Jerusalem ließ Usija beim Ecktor, beim Taltor und beim »Winkel« Festungstürme bauen. [10]Auch im Steppengebiet baute er Wachtürme. Außerdem ließ er viele Zisternen graben, denn er besaß große Viehherden im jüdischen Hügelland und auf der Hochebene. Er beschäftigte viele Landwirte und Weinbauern, die in den fruchtbaren Ebenen und in den Bergen arbeiteten, denn er liebte die Landwirtschaft.

[11]Usija besaß ein gut ausgebildetes Heer. Der Hofsekretär Jeïël und der königliche Verwalter Maaseja hatten unter der Aufsicht Hananjas, eines hohen Beamten des Königs, die Männer gemustert und verschiedene Abteilungen gebildet. [12]Die Abteilungen standen unter dem Befehl von 2600 erfahrenen Hauptleuten. [13]Insgesamt gehörten zum Heer 307 500 mutige Soldaten. Der König konnte sich im Krieg voll und ganz auf sie verlassen. [14]Usija bewaffnete seine Soldaten mit Schilden und Spießen, mit Helmen, Brustpanzern, Bogen und Schleudersteinen. [15]Auf den Türmen und Mauerecken Jerusalems ließ er Wurfvorrichtungen aufstellen, mit denen man Pfeile abschießen und große Steine schleudern konnte.

Usija wird hochmütig
(2. Könige 15, 5–7)

Durch Gottes Hilfe wurde Usija ein mächtiger und sehr berühmter Mann. [16]Doch die Macht stieg ihm zu Kopf. Er setzte sich über die Weisungen des Herrn, seines Gottes, hinweg und drang schließlich sogar in den Tempel ein, um auf dem Räucheropferaltar selbst Weihrauch zu verbrennen. [17]Doch der Hohepriester Asarja folgte ihm mit achtzig Priestern des Herrn, die alle mutige Männer waren. [18]Sie stellten Usija zur Rede: »Es steht dir nicht zu, dem Herrn Räu-

---

[a] In 2. Könige wird er Asarja genannt.

26,4 25,2; 5 Mo 6,4–5* **26,5** 3 Mo 10,11 **26,16–18** 2 Mo 30,7–8; 4 Mo 3,10.38; 18,5–7

cheropfer darzubringen! Das ist die Aufgabe der Priester, der Nachkommen Aarons, denn nur sie sind dazu auserwählt. Geh aus dem Heiligtum! Du hast dich über Gottes Gebot hinweggesetzt, und dafür wird der Herr dich bestimmt nicht belohnen!« [19] Usija stand neben dem Altar und hielt die Räucherpfanne bereits in der Hand. Ihn packte der Zorn, als er die Warnung der Priester hörte. In diesem Moment brach an seiner Stirn Aussatz aus. [20] Als Asarja und die anderen Priester das sahen, trieben sie ihn schnell aus dem Tempel. Auch Usija beeilte sich hinauszukommen, denn der Aussatz war ein Zeichen dafür, dass der Herr ihn gestraft hatte.

[21] König Usija blieb bis zu seinem Tod aussätzig. Wegen seiner Krankheit musste er für den Rest seines Lebens in einem abgesonderten Haus wohnen, er durfte auch nie mehr den Tempel des Herrn betreten. Die Regierungsgeschäfte und die Aufsicht über den Palast übergab er seinem Sohn Jotam.

[22] Alles Weitere über Usijas Leben hat der Prophet Jesaja, der Sohn des Amoz, aufgeschrieben. [23] Als Usija starb, wurde er wegen seines Aussatzes nicht im Grab der königlichen Familie beigesetzt, sondern daneben. Sein Sohn Jotam trat die Nachfolge an.

König Jotam von Juda
(2. Könige 15,32–38)

27 Jotam wurde mit 25 Jahren König und regierte sechzehn Jahre in Jerusalem. Seine Mutter hieß Jeruscha; sie war eine Tochter Zadoks. [2] Jotam tat, was dem Herrn gefiel, und folgte dem Beispiel seines Vaters Usija. Doch anders als dieser versuchte er nicht, eigenmächtig Opfer im Tempel des Herrn darzubringen. Das Volk aber verehrte weiterhin andere Götter.

[3] Jotam baute das obere Tor des Tempels und verstärkte an vielen Stellen die Mauer um den Tempelberg. [4] Im Bergland von Juda baute er viele Städte aus und errichtete Festungen und Wachtürme in den Waldgebieten. [5] Er führte Krieg gegen die Ammoniter und besiegte sie. Die folgenden drei Jahre mussten sie ihm 3,5 Tonnen Silber, 1320 Tonnen Weizen und 1320 Tonnen Gerste als Tribut zahlen. [6] Jotam wurde ein mächtiger König, denn er lebte in Verantwortung vor dem Herrn, seinem Gott.

[7] Alles Weitere über sein Leben und die Kriege, die er führte, steht in der Chronik der Könige von Israel und Juda. [8] Er war mit 25 Jahren König geworden und hatte sechzehn Jahre in Jerusalem regiert. [9] Als er starb, begrub man ihn in der »Stadt Davids«, einem Stadtteil Jerusalems. Sein Sohn Ahas wurde zum Nachfolger bestimmt.

König Ahas von Juda
(2. Könige 16,1–6)

28 Ahas wurde mit 20 Jahren König und regierte sechzehn Jahre in Jerusalem. Er folgte nicht dem Vorbild seines Vorfahren David und tat nicht, was dem Herrn gefiel, [2] sondern er lebte wie die Könige von Israel. Er ließ Statuen des Götzen Baal gießen [3] und opferte im Hinnomtal Weihrauch für die Götter. Er ging sogar so weit, dass er seine Söhne als Opfer verbrannte. Diesen schrecklichen Brauch übernahm er von den Völkern, die der Herr aus dem Land vertrieben hatte, um es seinem Volk Israel zu geben. [4] Ahas brachte in den Höhenheiligtümern, auf den Hügeln und unter den dicht belaubten Bäumen seine Opfer dar.

[5] Darum gab ihn der Herr, sein Gott, in die Gewalt des Königs von Syrien. Die Syrer besiegten die Judäer, nahmen viele von ihnen gefangen und verschleppten sie nach Damaskus. Auch König Pekach von Israel, der Sohn Remaljas, griff Ahas an und brachte seinem Heer eine schwere Niederlage bei. [6] An einem einzigen

---

26,21 4 Mo 5,2 **27,2** 26,4.16–20; 2 Mo 20,3–5* **28,1–2** 1 Kön 3,6; 12,26–32*; 16,30–33 **28,3** 2 Mo 20,3–5*; 3 Mo 18,21* **28,4** 5 Mo 12,2–3*

Tag fielen 120000 erfahrene Soldaten von Juda. Dies alles geschah, weil das Volk dem Herrn, dem Gott seiner Vorfahren, den Rücken gekehrt hatte. [7]Sichri, einer der besten Soldaten aus dem Stamm Ephraim, tötete an jenem Tag Maaseja, den Sohn von König Ahas, sowie den Palastvorsteher Asrikam und Elkana, den obersten Beamten des Königs. [8]Die Israeliten nahmen 200000 judäische Frauen und Kinder gefangen. Sie plünderten das Land aus und brachten reiche Beute nach Samaria.

Israel lässt die Gefangenen frei

[9]In Samaria lebte ein Prophet mit Namen Oded. Als das israelitische Heer von der Schlacht zurückkam, ging Oded den Männern entgegen und rief: »Nur weil der Herr, der Gott eurer Vorfahren, zornig auf Juda war, hat er sie in eure Hand gegeben. Ihr aber habt ein Blutbad angerichtet, das zum Himmel schreit! [10]Doch damit nicht genug: Nun wollt ihr die Überlebenden aus Juda und Jerusalem zu euren Sklaven machen. Meint ihr etwa, dass ihr besser seid als sie? Habt nicht auch ihr gegen den Herrn, euren Gott, gesündigt? [11]So hört nun auf meinen Rat, und schickt die Gefangenen wieder zurück, die ihr aus Juda verschleppt habt. Sonst wird der Zorn des Herrn euch treffen.«

[12]Auch einige Sippenoberhäupter aus dem Stamm Ephraim stellten sich dem Heer in den Weg. Es waren Asarja, der Sohn Johanans, Berechja, der Sohn Meschillemots, Jehiskija, der Sohn Schallums, und Amasa, der Sohn Hadlais. [13]Auch sie redeten den Soldaten ins Gewissen: »Bringt die Gefangenen nicht hierher! Damit ladet ihr noch mehr Schuld auf uns. Wir haben schon genug Unrecht getan, und der Zorn Gottes ist gegen uns entbrannt!«

[14]Da gaben die Soldaten ihre Gefangenen frei und legten die Beute offen vor die führenden Männer und die versammelten Israeliten. [15]Einige Männer wurden dazu bestimmt, sich um die Gefangenen zu kümmern. Sie suchten aus der Beute Kleider aus für diejenigen, die kaum noch etwas auf dem Leib trugen. Danach versorgten sie alle Gefangenen mit Kleidern und Schuhen, gaben ihnen zu essen und zu trinken und verbanden ihre Wunden. Alle, die vor Erschöpfung nicht mehr laufen konnten, setzten sie auf Esel und brachten sie in die Palmenstadt Jericho. Von dort hatten die Judäer es nicht mehr weit nach Hause. Danach kehrten die Männer nach Samaria zurück.

Ahas sucht Hilfe beim König von Assyrien
(2. Könige 16,7–20)

[16]In jener Zeit schickte König Ahas Boten an den Königshof von Assyrien und bat um Hilfe. [17]Denn die Edomiter hatten die Judäer angegriffen, sie besiegt und Gefangene mitgenommen. [18]Auch die Philister fielen immer wieder in das Hügelland und in die südlichen Gebiete von Juda ein. Sie hatten die Städte Bet-Schemesch, Ajalon und Gederot eingenommen, dazu Socho, Timna und Gimso mit den umliegenden Dörfern, und sich darin niedergelassen. [19]So ließ der Herr ganz Juda leiden, weil König Ahas nichts gegen den Götzendienst unternahm und weil er selbst nichts vom Herrn wissen wollte.

[20]Tiglat-Pileser, der König von Assyrien, kam mit seinem Heer nach Juda, jedoch nicht, um Ahas zu helfen, sondern um ihn noch mehr unter Druck zu setzen. [21]Zwar hatte Ahas alle Schätze aus dem Tempel, dem Palast und den Häusern seiner obersten Beamten dem assyrischen König geschenkt, aber er bekam keine Unterstützung von ihm.

[22]Selbst in dieser Zeit der Bedrängnis entfernte König Ahas sich noch weiter vom Herrn. [23]Er brachte den Göttern der Syrer Opfer dar, weil er meinte, sie

---

28,23–25 2 Mo 20,3–5*; 5 Mo 12,2–3*; Jes 44,9–20*; Hab 2,18

hätten ihnen zum Sieg verholfen. Er dachte: »Die Götter der Syrer helfen ihren Königen! Von jetzt an werde ich ihnen Opfer darbringen, dann helfen sie auch mir.« Aber die Götzen wurden König Ahas und dem ganzem Volk zum Verhängnis. [24] Ahas ließ alle heiligen Gefäße und Werkzeuge aus dem Tempel holen und sie zertrümmern. Danach verschloss er die Türen zum Tempel des Herrn. Er stellte an allen Straßenecken in Jerusalem Altäre auf [25] und ließ in jeder Stadt seines Reiches Höhenheiligtümer errichten, um anderen Göttern Weihrauch zu opfern. So forderte er den Zorn des Herrn, des Gottes seiner Vorfahren, heraus.

[26] Alles Weitere über Ahas' Leben ist in der Chronik der Könige von Juda und Israel festgehalten. [27] Als er starb, wurde er in Jerusalem beigesetzt, jedoch nicht in den Königsgräbern. Sein Sohn Hiskia trat die Nachfolge an.

König Hiskia öffnet den Tempel wieder
(2. Könige 18,1–3)

29 Hiskia wurde mit 25 Jahren König und regierte neunundzwanzig Jahre in Jerusalem. Seine Mutter hieß Abi; sie war eine Tochter Secharjas.

[2] Hiskia tat, was dem Herrn gefiel. In allem folgte er dem Beispiel seines Vorfahren David. [3] Schon in seinem 1. Regierungsjahr, im 1. Monat des neuen Jahres, ließ er die Türen des Tempels öffnen und ausbessern. [4] Er rief alle Priester und Leviten zu sich und versammelte sie auf dem Platz im Osten. [5] Er sagte zu ihnen:

»Ihr Leviten, hört mir zu! Reinigt euch, damit ihr euren Dienst wieder ausführen könnt! Reinigt auch den Tempel des Herrn, des Gottes eurer Vorfahren, und schafft alles, was zum Götzendienst gehört, aus dem Heiligtum fort! [6] Unsere Väter haben dem Herrn die Treue gebrochen und ihn verlassen. Sie taten, was der Herr, unser Gott, verabscheute. Auch von seinem Tempel wollten sie nichts mehr wissen. [7] Die Türen der Vorhalle schlossen sie ab, und die Lampen löschten sie aus. Niemand verbrannte noch Weihrauch für den Gott Israels, niemand brachte ihm im Heiligtum Brandopfer dar. [8] Darum wurde der Herr zornig über Juda und Jerusalem. Ihr habt ja selbst erlebt, wie er unser Volk zum Bild des Schreckens gemacht hat; zum Gespött aller Völker sind wir geworden. [9] Darum also sind unsere Väter im Krieg gefallen, darum wurden unsere Frauen und Kinder verschleppt. [10] Es liegt mir am Herzen, mit dem Herrn, dem Gott Israels, einen Bund zu schließen, damit sich sein Zorn wieder von uns abwendet. [11] Macht euch also schnell an die Arbeit! Denn euch hat der Herr zu einer besonderen Aufgabe berufen: In seinem Tempel sollt ihr ihm dienen und für ihn Weihrauch verbrennen.«

[12] Da traten folgende Leviten vor:
Von den Nachkommen Kehats: Mahat, der Sohn Amasais, und Joel, der Sohn Asarjas;
von den Nachkommen Meraris: Kisch, der Sohn Abdis, und Asarja, der Sohn Jehallelels;
von den Nachkommen Gerschons: Joach, der Sohn Simmas, und Eden, der Sohn Joachs;
[13] von den Nachkommen Elizafans: Schimri und Jeïël;
von den Nachkommen Asafs: Secharja und Mattanja;
[14] von den Nachkommen Hemans: Jehiël und Schimi;
von den Nachkommen Jedutuns: Schemaja und Usiël.

[15] Sie riefen die übrigen Leviten zusammen und reinigten sich für den Tempeldienst. Dann gingen sie daran, den Befehl des Königs auszuführen und den Tempel zu reinigen. Dabei hielten sie sich genau an die Weisungen des Herrn.

29,2 1 Kön 3,6 **29,3** 28,24 **29,5** 2 Mo 29,4; 30,17–21; 4 Mo 8,5–7 **29,6–7** 28,22–25 **29,8** 5 Mo 28,37; 1 Kön 9,6–7; Jer 24,9 **29,9** 28,5–8

[16] Die Priester gingen in den Tempel und trugen alles, was zum Götzendienst gehörte, in den Vorhof hinaus. Die Leviten nahmen die Gegenstände und brachten sie aus der Stadt weg ins Kidrontal. [17] Am 1. Tag des 1. Monats hatten sie mit der Tempelreinigung begonnen, und nach einer Woche waren sie in der Vorhalle angelangt. Danach brauchten sie noch eine Woche, um den ganzen Tempel neu zu weihen.

Schließlich, am 16. Tag des 1. Monats, waren sie mit der Arbeit fertig. [18] Sie gingen zu König Hiskia und sagten zu ihm: »Wir haben den ganzen Tempel des Herrn gereinigt, auch den Brandopferaltar, den Tisch für die Gott geweihten Brote und alles, was dazugehört. [19] Die Gegenstände, die König Ahas durch seinen Götzendienst entweiht hat, haben wir wiederhergerichtet und neu dem Herrn geweiht. Sie stehen vor dem Altar des Herrn.«

Die Wiedereinweihung des Tempels

[20] Am nächsten Morgen ließ König Hiskia alle führenden Männer der Stadt zu sich rufen und ging gemeinsam mit ihnen zum Tempel des Herrn. [21] Sieben junge Stiere, sieben Schafböcke und sieben Schafe wurden für das Brandopfer herbeigeführt, dazu sieben Ziegenböcke als Sündopfer für das Königshaus, für das Heiligtum und für ganz Juda. Hiskia befahl den Priestern, den Nachkommen Aarons, die Tiere auf dem Altar des Herrn als Opfer darzubringen. [22] Zuerst wurden die Rinder geschlachtet. Die Priester fingen das Blut auf und sprengten es an den Altar. Danach schlachtete man die Schafböcke, und wieder sprengten die Priester das Blut an den Altar; ebenso taten sie es mit dem Blut der Schafe. [23] Zuletzt wurden die Ziegenböcke für das Sündopfer vor den König und die versammelte Gemeinde gebracht. Alle legten ihre Hände auf die Köpfe der Tiere, [24] dann schlachteten die Priester die Böcke und sprengten ihr Blut als Sündopfer an den Altar, um für Israel Vergebung zu erwirken. Denn der König hatte befohlen, die Brandopfer und das Sündopfer für ganz Israel darzubringen.

[25] Hiskia forderte die Leviten auf, wieder mit Zimbeln, Harfen und Lauten im Tempel des Herrn zu spielen. So hatten es damals König David und seine Propheten Gad und Nathan auf Befehl des Herrn angeordnet. [26] Die Leviten stellten sich mit den Instrumenten auf, die David hatte bauen lassen, und die Priester kamen mit ihren Trompeten dazu. [27] Dann befahl Hiskia, das Brandopfer auf dem Altar darzubringen. Als die Priester mit dem Opfer begannen, stimmten die Leviten ein Loblied für den Herrn an. Sie wurden begleitet von den Trompeten und den Instrumenten aus der Zeit Davids, des Königs von Israel. [28] Alle Versammelten beteten den Herrn an, die Leviten sangen, und die Priester bliesen die Trompeten, solange das Opfer dauerte. [29] Danach knieten Hiskia und alle Versammelten nieder und beteten den Herrn an. [30] Der König und die führenden Männer baten die Leviten, einige der Psalmen zu singen, die David und der Prophet Asaf gedichtet hatten. Die Leviten sangen die Loblieder mit großer Freude. Sie verneigten sich und beteten den Herrn an.

[31] Schließlich ergriff Hiskia wieder das Wort. Er sprach zur versammelten Gemeinde: »Ihr habt euch heute dem Herrn geweiht! Nun kommt und bringt eure Gaben, die ihr für die Schlacht- und Dankopfer zum Tempel des Herrn mitgenommen habt!« Da kamen alle mit ihren Opfergaben nach vorne, und wer besonders viel geben wollte, der brachte noch Gaben für ein Brandopfer. [32] So kamen 70 Rinder, 100 Schafböcke und 200 Schafe für das Brandopfer zusammen. [33] Dazu wurden 600 Rinder und 3000 Schafe als heilige Gaben für den Tempel gestiftet. [34] Doch es waren nicht genug Priester da, um die vielen Opfertiere zu häuten. Deshalb halfen ihnen die Levi-

---

29,17 2 Mo 40,9–11 **29,21** 3 Mo 4,3–26 **29,25** 1 Chr 15,16–24 **29,31** 15,10–15

ten, bis die Arbeit getan war und bis die übrigen Priester sich für ihren Dienst gereinigt hatten. Die Leviten hatten sich mehr als die Priester darum bemüht, wieder möglichst rasch für ihre Aufgaben im Tempel bereit zu sein. [35] Zusätzlich zu den Tieren, die ganz geopfert wurden, verbrannten die Priester das Fett von Tieren, die das Volk aß. Dazu brachten sie Wein als Trankopfer dar.

So wurde der Dienst im Tempel des Herrn wieder aufgenommen. [36] König Hiskia und das ganze Volk freuten sich darüber, dass Gott ihnen geholfen hatte und dass es so schnell geschehen war.

Hiskia lädt zum Passahfest ein

30 Hiskia sandte Boten durch ganz Israel und Juda. Sie sollten das Volk zum Tempel nach Jerusalem einladen, um für den Herrn, den Gott Israels, das Passahfest zu feiern. Auch den Bewohnern von Ephraim und Manasse schickte er Boten mit einer Einladung. [2] Der König, seine Beamten und die Versammelten in Jerusalem hatten beschlossen, das Fest im 2. Monat zu feiern. [3] Normalerweise fand es im 1. Monat statt. Aber bis dahin hatten sich noch nicht alle Priester für den Dienst im Heiligtum gereinigt. Auch konnte das Volk nicht in so kurzer Zeit nach Jerusalem kommen. [4] Darum waren der König und die Anwesenden damit einverstanden, das Passahfest zu verschieben. [5] Sie beschlossen, alle Israeliten von Beerscheba im Süden bis Dan im Norden einzuladen. Sie sollten nach Jerusalem kommen, um das Passahfest für den Herrn, den Gott Israels, zu feiern. Denn so, wie es im Gesetz des Mose vorgeschrieben war, hatte man es schon lange nicht mehr begangen.

[6] Die Boten zogen mit den Briefen des Königs und seiner Beamten durch ganz Israel und Juda. Wie der König es ihnen aufgetragen hatte, riefen sie den Menschen zu: »Ihr Israeliten habt den Krieg mit Assyrien überlebt. Kehrt um zum Herrn, dem Gott Abrahams, Isaaks und Israels! Dann wird er sich auch euch wieder zuwenden. [7] Werdet dem Herrn, dem Gott eurer Vorfahren, nicht untreu wie eure Väter und Brüder. Ihr habt es selbst erlebt, wie er sie dafür bestrafte, so dass alle Völker ringsum entsetzt waren. [8] Seid nicht so stur wie eure Väter! Unterwerft euch dem Herrn, und kommt zu seinem Tempel, den er sich für alle Zeiten zum Heiligtum erwählt hat! Dient wieder dem Herrn, eurem Gott, damit sein Zorn sich von euch abwendet! [9] Wenn ihr jetzt zu ihm kommt, dann wird er sich auch über eure Brüder und Kinder erbarmen, die verschleppt worden sind. Die Assyrer werden sie freigeben und in dieses Land zurückkehren lassen. Denn der Herr, euer Gott, ist gütig und barmherzig. Er wird sich nicht von euch abwenden, wenn ihr zu ihm kommt!«

[10] Die Boten zogen von einer Stadt zur anderen durch die Gebiete von Ephraim und Manasse bis nach Sebulon. Aber die Menschen dort lachten sie nur aus und verspotteten sie. [11] Nur einige Männer aus den Stämmen Asser, Manasse und Sebulon ließen sich aufrütteln und kamen nach Jerusalem. [12] Zu den Bewohnern von Juda redete Gott so eindringlich, dass sie einmütig der Bitte folgten, die der König und seine Beamten im Auftrag Gottes ausgesprochen hatten.

Hiskia und das Volk feiern das Passahfest

[13] Im 2. Monat kamen sehr viele Menschen nach Jerusalem, um das Fest der ungesäuerten Brote zu feiern. [14] Sie beseitigten alle Götzenaltäre, die noch in Jerusalem standen. Auch die kleinen Altäre für die Räucheropfer entfernten sie und warfen alles ins Kidrontal.

[15] Am 14. Tag des 2. Monats wurden

29,35–36 5 Mo 12,5–7 **30,2–3** 4 Mo 9,9–11 **30,5** 2 Mo 12,1–14* **30,7–8** 28,22–25; 5 Mo 12,5*; 1 Kön 9,3* **30,9** 2 Mo 34,6; 3 Mo 26,40–42 **30,14** 28,24

die Passahlämmer geschlachtet. Diesmal hatten die Priester und Leviten sich rechtzeitig für den Dienst im Heiligtum gereinigt. Sie schämten sich, dass sie bisher so nachlässig gewesen waren. So konnten sie nun die Brandopfer im Tempel des Herrn darbringen. [16]Sie stellten sich so auf, wie es im Gesetz des Mose, des Mannes Gottes, vorgeschrieben war. Die Priester sprengten das Opferblut, das die Leviten ihnen brachten, an den Altar.

[17]Viele Festbesucher aber hatten sich nicht nach der Vorschrift gereinigt. Die Leviten schlachteten die Passahlämmer für sie, damit ihre Opfer dem Herrn geweiht werden konnten. [18]Vor allem viele aus den Stämmen Ephraim, Manasse, Sebulon und Issaschar hatten sich nicht richtig gereinigt und aßen das Passahlamm nicht so, wie es im Gesetz vorgeschrieben ist. Doch Hiskia bat Gott für sie: »Herr, vergib in deiner Güte jedem, [19]der von ganzem Herzen mit dir, dem Gott seiner Vorfahren, leben will. Vergib ihnen, auch wenn sie sich nicht so gereinigt haben, wie es für dein Heiligtum angemessen wäre!« [20]Der Herr erhörte das Gebet Hiskias und vergab ihnen.

[21]Sieben Tage lang feierten die Israeliten, die nach Jerusalem gekommen waren, mit großer Freude das Fest der ungesäuerten Brote. Tag für Tag lobten die Leviten und die Priester laut den Herrn mit ihren Instrumenten. [22]König Hiskia dankte den Leviten dafür, dass sie mit so viel Einsicht den Dienst für den Herrn verrichtet hatten.

Die ganze Woche lang brachten die Israeliten dem Herrn Opfer dar und aßen gemeinsam die Opfermahlzeiten. Sie lobten den Herrn, den Gott ihrer Vorfahren.

[23]Als die sieben Tage zu Ende gingen, beschloss die ganze Versammlung, das Fest um eine Woche zu verlängern. Voller Freude feierten sie weitere sieben Tage. [24]König Hiskia von Juda schenkte der Volksmenge 1000 Stiere und 7000 Schafe, und die höchsten Beamten gaben 1000 Rinder und 10000 Schafe. Inzwischen hatten sich sehr viele Priester für ihren Dienst gereinigt. [25]Alle, die gekommen waren, freuten sich, das Fest zu feiern: die Bewohner von Juda, die Priester und Leviten, die Israeliten und die Ausländer, die in Israel oder Juda lebten. [26]In Jerusalem herrschte so große Freude wie seit der Zeit König Salomos, des Sohnes Davids, nicht mehr.

[27]Zum Schluss des Festes standen die Priester aus dem Stamm Levi auf und baten den Herrn um seinen Segen für das Volk. Gott im Himmel hörte ihr Gebet und gab ihnen, worum sie baten.

In ganz Juda wird der Götzendienst abgeschafft
(2. Könige 18,4)

31 Nach dem Fest zogen alle versammelten Israeliten in die judäischen Städte und zerstörten die heidnischen Höhenheiligtümer. Sie zerschlugen die Steinmale, die anderen Göttern geweiht waren, warfen die heiligen Pfähle um und rissen die Götzenaltäre nieder. Sie ruhten nicht eher, bis sie ihr Werk in ganz Juda und Benjamin und in den Gebieten von Ephraim und Manasse vollendet hatten. Dann erst kehrten alle Israeliten nach Hause zurück.

Hiskia ordnet den Tempeldienst neu

[2]Hiskia teilte die Priester und Leviten wieder in Dienstgruppen ein, so wie es früher gewesen war. Zu ihren Aufgaben gehörte das Darbringen der Brand- und Dankopfer, verschiedene Dienste im Tempel, Loblieder und Musik.

[3]Die Opfertiere, die der König aus seinem Besitz stiftete, waren für die Brandopfer bestimmt, die nach dem Gesetz des Herrn jeden Morgen und Abend, an den Sabbaten, Neumondfesten und anderen

---

30,16 35,11; 3 Mo 1,1–17 **30,17–20** 2 Mo 19,10–15; 3 Mo 12,1–8; 15,1–33 **30,21** 5 Mo 12,7*; 1 Chr 15,16–24 **30,26** 7,4–5.8–10 **30,27** 4 Mo 6,22–27 **31,1** 5 Mo 12,2–3* **31,2** 1 Chr 23,2 – 26,32 **31,3** 4 Mo 28,1 – 29,39

Feiertagen im Tempel des Herrn dargebracht wurden.

[4]Hiskia forderte die Einwohner von Jerusalem dazu auf, den Priestern und Leviten Abgaben zu bezahlen, damit sie für den Tempeldienst frei waren, wie es das Gesetz des Herrn verlangte. [5]Als der Aufruf des Königs bekannt wurde, brachten die Israeliten große Mengen von bestem Getreide, Most, Öl, Honig und was sonst noch auf ihren Feldern wuchs. Ein Zehntel ihrer ganzen Ernte brachten sie zum Tempel. [6]Auch die Einwohner der anderen Städte Judas einschließlich der Israeliten, die dort wohnten, lieferten ein Zehntel ihres Ertrags ab. Sie brachten Rinder, Schafe und andere Gaben, die sie dem Herrn, ihrem Gott, geweiht hatten.

Die Gaben wurden auf große Stapel gelegt, einer neben dem anderen. [7]Im 3. Monat hatte man mit der Sammlung begonnen, und im 7. Monat war sie beendet. [8]Als König Hiskia und seine obersten Beamten sahen, wie viel zusammengekommen war, lobten sie den Herrn und dankten dem Volk dafür.

[9]Hiskia erkundigte sich bei den Priestern und Leviten, ob sie mit diesen Gaben auskommen konnten. [10]Da antwortete der Hohepriester Asarja aus der Sippe Zadok: »Seit die Menschen ihre Gaben hierher bringen, haben wir immer reichlich zu essen, und trotzdem blieb noch vieles übrig. Denn der Herr hat sein Volk so reich beschenkt, dass alles, was ihr hier seht, noch übrig ist.«

[11]Da befahl Hiskia, die Kammern im Tempel als Vorratskammern herzurichten. [12]Die freiwilligen Gaben, der zehnte Teil der Ernte und die dem Herrn geweihten Geschenke wurden sorgfältig in den Kammern verstaut. Der Levit Konanja wurde zum Aufseher über diese Vorräte ernannt, sein Bruder Schimi zu seinem Stellvertreter. [13]König Hiskia und der Hohepriester Asarja, der die Verantwortung für den ganzen Tempelbezirk hatte, wählten einige Helfer für Konanja und Schimi aus. Sie hießen Jehiël, Asasja, Nahat, Asaël, Jerimot, Josabad, Eliël, Jismachja, Mahat und Benaja.

[14]Der Levit Kore, ein Sohn Jimnas, war Wächter am Osttor und nahm die freiwilligen Gaben für Gott entgegen. Er war dafür verantwortlich, dass die Priester ihren Anteil an diesen Gaben erhielten. Außerdem sorgte er für die gerechte Verteilung des heiligen Opferfleischs, das nur die Priester essen durften. [15]Ihm unterstellt waren Eden, Minjamin, Jeschua, Schemaja, Amarja und Schechanja. Ihre Aufgabe war es, auch den Priestern in den judäischen Levitenstädten ihren Anteil zu geben. Gewissenhaft sorgten sie dafür, dass alle Priester in den verschiedenen Dienstgruppen ihren Anteil bekamen, die jungen wie die alten. [16]Wer mit seiner Dienstgruppe die täglichen Arbeiten im Tempel des Herrn versah, erhielt seinen Anteil direkt in Jerusalem. Alle männlichen Leviten ab drei Jahren waren in Listen eingetragen. [17]Die Priester wurden nach Sippen geordnet aufgeführt, die übrigen Leviten nach den Aufgaben, die sie in den Dienstgruppen versahen, sobald sie zwanzig Jahre und älter waren. [18]Auch die Familienmitglieder standen in den Listen, die Frauen, die kleinen Kinder und die älteren Söhne und Töchter. Weil die Männer am Heiligtum dienten, galten ihre Angehörigen auch als dem Herrn Geweihte. [19]Auch diejenigen Priester wurden versorgt, die außerhalb der Städte in den Weidegebieten wohnten, die sie als Nachkommen Aarons zugeteilt bekommen hatten: Für jede Stadt waren Männer ausgewählt worden, die den männlichen Mitgliedern der Priesterfamilien und allen im Verzeichnis aufgeschriebenen Leviten ihre Anteile brachten.

[20]Hiskia sorgte dafür, dass es in ganz Juda so geschah. Er lebte so, wie es dem Herrn gefiel, denn er regierte gerecht und blieb dem Herrn, seinem Gott, treu. [21]Bei allem, was er tat, um den Tempeldienst zu ordnen und dem Gesetz wieder

---

31,4 4 Mo 18,8–24 **31,5** 3 Mo 27,30–33* **31,14** 4 Mo 18,8–19* **31,17** 4 Mo 4,3; 1 Chr 23,3.24; Esr 3,8 **31,19** Jos 21,1–8 **31,20–21** 5 Mo 6,4–5*

Geltung zu verschaffen, fragte er nach dem Willen des Herrn, seines Gottes, und diente ihm von ganzem Herzen. Darum schenkte der Herr ihm Erfolg.

Die Assyrer fallen in Juda ein
(2. Könige 18,13)

32 Mit allem, was Hiskia getan hatte, zeigte er seine Treue zum Herrn. Einige Zeit später fiel König Sanherib von Assyrien mit seinem Heer in Juda ein und belagerte die befestigten Städte, um sie zu erobern. [2] Als Hiskia hörte, dass Sanherib mit seinem Heer auf Jerusalem zumarschierte, [3] beriet er sich mit den obersten Beamten und Heerführern. Er schlug vor, alle Quellen außerhalb der Stadt zuzuschütten. Die Berater waren einverstanden [4] und sagten: »Die Assyrer sollen kein Wasser finden, wenn sie uns belagern.« Sie riefen viele Menschen aus dem Volk zusammen, schütteten alle Quellen zu und versperrten den Zugang zur unterirdischen Wasserleitung, durch die das Wasser in die Stadt floss.

[5] Entschlossen ging Hiskia daran, die eingestürzten Stellen der Stadtmauer wieder aufzubauen und ihre Türme zu vergrößern. Außen ließ er eine zweite Mauer um die Stadt ziehen und verstärkte die Befestigungsanlagen in der »Stadt Davids«, einem Stadtteil Jerusalems. Außerdem ließ er viele Wurfgeschosse und Schilde anfertigen. [6] Er setzte Hauptleute ein, die im Falle einer Belagerung Befehlsgewalt über die Einwohner Jerusalems hatten.

Dann ließ Hiskia das Volk zu einer Versammlung auf den Platz beim Stadttor rufen, um ihnen Mut zuzusprechen. Er sagte: [7] »Seid mutig und entschlossen! Lasst euch nicht einschüchtern vom assyrischen König und seinem großen Heer! Denn auf unserer Seite steht einer, der viel mächtiger ist als er. [8] Für den König von Assyrien kämpfen nur Menschen. Wir aber haben den Herrn, unseren Gott, auf unserer Seite! Er will uns helfen, er wird für uns kämpfen!« Das Volk vertraute seinem König und fasste neuen Mut.

Sanherib bedroht Jerusalem
(2. Könige 18,17–37; 19,8–13; Jesaja 36; 37,8–13)

[9] Sanherib, der König von Assyrien, stand mit seinem ganzen Heer vor Lachisch. Von dort schickte er eine Gesandtschaft zu König Hiskia von Juda und den Einwohnern Jerusalems. Sie sollten ihnen folgende Botschaft ausrichten:

[10] »Sanherib, der König von Assyrien, lässt euch sagen: Worauf vertraut ihr eigentlich, dass ihr bei einer Belagerung in Jerusalem bleiben wollt? [11] Lasst euch von Hiskia nichts vormachen! Er führt euch mit seinen Versprechungen geradewegs in den Tod. Er redet euch ein: ›Der Herr, unser Gott, wird uns vor den Assyrern retten.‹ Er lügt! Verhungern und verdursten lassen wird euch euer König! [12] Hat Hiskia nicht alle Opferstätten und Altäre dieses Gottes niedergerissen? Er hat euch doch befohlen, euch nur noch vor dem einen Altar in Jerusalem niederzuwerfen und nur dort eure Räucheropfer darzubringen! [13] Wisst ihr denn nicht, wie ich und meine Vorgänger die anderen Königreiche unterworfen haben? Konnten etwa ihre Götter sie vor mir retten? [14] Nennt mir doch einen Gott, der sein Volk vor unseren Angriffen schützen konnte! Wir haben sie alle ausgemerzt! Und ihr meint, dass ausgerechnet euer Gott euch vor mir retten kann? [15] Glaubt Hiskia kein Wort, lasst euch von ihm nicht an der Nase herumführen! Noch nie konnte irgendein Gott sein Volk vor mir oder meinen Vorgängern retten. Da kann auch euer Gott nichts ausrichten!«

[16] So lästerten die Gesandten Sanheribs immer weiter über Gott, den Herrn, und seinen Diener Hiskia.

[17] Sanherib hatte den Boten auch einen Brief mitgegeben, in dem er sich über den Herrn, den Gott Israels, lustig machte und prahlte: »Die Götter der anderen

---

32,5 25,23 **32,7–8** 13,14–18; 14,8–14; 2 Mo 14,14* **32,11** 30,6–9 **32,12** 30,8.14; 31,1; 5 Mo 12,2–3*.5*

Königreiche konnten ihre Völker nicht vor mir schützen – also wird auch der Gott Hiskias sein Volk nicht vor mir retten können!«

[18] Die Gesandten Sanheribs riefen mit lauter Stimme auf Hebräisch den Einwohnern Jerusalems, die auf der Stadtmauer standen, ihre Botschaft zu. Sie wollten ihnen Angst einjagen und sie einschüchtern, um die Stadt leichter einnehmen zu können. [19] Sie verspotteten den Gott Jerusalems genauso wie die Götter der anderen Völker, die doch nur von Menschen gemacht sind.

Gott selbst bestraft Sanherib
(2. Könige 19,14–19.35–37; Jesaja 37,14–20.36–38)

[20] König Hiskia und der Prophet Jesaja, der Sohn des Amoz, schrien zu Gott um Hilfe. [21] Da schickte der Herr einen Engel ins Lager der Assyrer, der alle guten Soldaten, Offiziere und obersten Befehlshaber tötete. So musste Sanherib mit Schimpf und Schande in sein Land zurückkehren. Als er dort eines Tages in den Tempel seines Gottes ging, erstachen ihn seine eigenen Söhne mit dem Schwert.

[22] So rettete der Herr König Hiskia und die Einwohner Jerusalems vor Sanherib, dem König von Assyrien. Auch vor den Angriffen anderer Völker bewahrte er sie und schenkte ihnen ringsum Frieden. [23] Viele Menschen kamen nach Jerusalem, um dem Herrn Opfergaben zu bringen und um Hiskia, dem König von Juda, kostbare Geschenke zu überreichen. Seit der Vernichtung der Assyrer genoss Hiskia in den Augen aller Völker hohes Ansehen.

Hiskias letzte Regierungsjahre
(2. Könige 20,1–21; Jesaja 38,1–8.21–22; 39)

[24] In dieser Zeit wurde Hiskia todkrank. Er betete zum Herrn, der Herr erhörte sein Gebet und bestätigte ihm dies durch ein Zeichen. [25] Doch Hiskia wurde hochmütig und dankte dem Herrn nicht für seine Heilung. Da wurde der Herr zornig auf ihn und auf ganz Jerusalem und Juda. [26] Hiskia bereute seinen Stolz. Er und die Einwohner Jerusalems bekannten dem Herrn ihre Schuld. Darum traf die Strafe des Herrn noch nicht zu Lebzeiten Hiskias ein.

[27] Hiskia war sehr reich und berühmt. Er baute Schatzkammern für sein Silber und Gold, für die Edelsteine und kostbaren Balsamöle, für die Schilde und alle übrigen wertvollen Gegenstände. [28] Zum Lagern von Getreide, Most und Öl ließ er Vorratsscheunen errichten. Er besaß große Viehherden und viele Stallungen. [29] Ständig mehrte er seinen Besitz an Rindern, Schafen und Ziegen und gründete immer wieder neue Städte. Denn Gott hatte ihm großen Reichtum geschenkt. [30] Hiskia ließ die Gihonquelle abdecken und ihr Wasser unterirdisch in westlicher Richtung zur »Stadt Davids« leiten. Alles, was er unternahm, gelang ihm. [31] Eines Tages kamen Gesandte aus Babylon zu ihm. Sie sollten sich nach dem Wunder erkundigen, das in seinem Land geschehen war. Gott ließ Hiskia tun, was er für richtig hielt. Er wollte prüfen, wie es in seinem Herzen aussah.

[32] Alles Weitere über Hiskias Leben und seine Taten, an denen sich seine Treue zu Gott zeigte, steht im Buch über die Visionen des Propheten Jesaja, des Sohnes von Amoz, und in der Chronik der Könige von Juda und Israel. [33] Als er starb, wurde er an einem erhöhten Platz bei den Gräbern der Nachkommen Davids beigesetzt. Die Bewohner von Jerusalem und ganz Juda erwiesen ihm die letzte Ehre. Sein Sohn Manasse trat die Nachfolge an.

König Manasse von Juda
(2. Könige 21,1–18)

33 Manasse wurde mit 12 Jahren König und regierte fünfundfünfzig Jahre in Jerusalem. [2] Er tat, was der Herr

---

33,2 5 Mo 18,9–13

verabscheute, und übernahm die schrecklichen Bräuche der Völker, die der Herr aus dem Land vertrieben hatte, um es seinem Volk Israel zu geben. [3] Er baute die Höhenheiligtümer wieder auf, die sein Vater Hiskia zerstört hatte. Er errichtete Altäre für den Gott Baal und stellte heilige Pfähle auf. Er betete die Sterne an und verehrte sie. [4] Sogar im Tempel des Herrn stellte er seine Altäre auf, obwohl der Herr über diesen Ort gesagt hatte: »Hier in Jerusalem will ich für immer wohnen.« [5] Manasse aber errichtete in beiden Vorhöfen des Tempels Altäre, um darauf den Sternen zu opfern. [6] Er verbrannte seine Söhne im Hinnomtal als Opfer, trieb Zauberei, Wahrsagerei und Magie und ließ sich von Totenbeschwörern und Hellsehern die Zukunft voraussagen. So tat er vieles, was der Herr verabscheute, und forderte seinen Zorn heraus. [7] Er ließ eine Götzenstatue anfertigen und stellte sie im Tempel auf. Dabei hatte Gott zu David und seinem Sohn Salomo gesagt: »In diesem Tempel und in Jerusalem, der Stadt, die ich aus allen Stämmen Israels erwählt habe, will ich für immer wohnen. [8] Ich will die Israeliten nicht mehr aus dem Land vertreiben, das ich ihren Vorfahren gegeben habe, wenn sie nur auf mich hören und das Gesetz mit seinen Geboten und Weisungen befolgen, das ich ihnen durch Mose gegeben habe.« [9] Doch Manasse verführte Jerusalem und ganz Juda zum Bösen. Schließlich trieben sie es schlimmer als die Völker, die der Herr ausgerottet hatte, bevor er das Land den Israeliten gab.

[10] Der Herr warnte Manasse und sein Volk, aber niemand hörte darauf. [11] Darum ließ der Herr zu, dass die Heerführer des assyrischen Königs mit ihren Truppen Juda eroberten. Sie nahmen Manasse gefangen, legten ihn in Ketten und brachten ihn nach Babylon. [12] In seiner Not flehte Manasse zum Herrn, seinem Gott, beugte sich unter die Macht des Gottes seiner Vorfahren [13] und bat ihn um Hilfe. Gott erhörte sein Rufen und ließ ihn nach Jerusalem zurückkehren, wo er wieder als König regierte. Da erkannte Manasse, dass der Herr der wahre Gott ist.

[14] Nach seiner Heimkehr ließ Manasse eine zweite, sehr hohe Mauer um die »Stadt Davids« ziehen. Sie führte westlich an der Gihonquelle vorbei durch das Kidrontal bis zum Fischtor und um den Tempelberg herum. In allen befestigten Städten Judas setzte er Befehlshaber ein. [15] Er beseitigte alle Götterfiguren und auch die Götzenstatue aus dem Tempel des Herrn. Die Altäre, die er auf dem Tempelberg und in Jerusalem aufgestellt hatte, zerstörte er und ließ sie vor die Stadt hinauswerfen. [16] Er baute den Altar des Herrn wieder auf, brachte auf ihm Dankopfer dar und forderte ganz Juda auf, nur noch dem Herrn, dem Gott Israels, zu dienen. [17] Zwar opferte das Volk immer noch in den Höhenheiligtümern, aber ihre Opfer galten nun allein dem Herrn, ihrem Gott.

[18] Alles Weitere über Manasses Leben steht in der Chronik der Könige von Israel. Dort kann man nachlesen, wie er zu seinem Gott betete und wie die Propheten ihn im Auftrag des Herrn, des Gottes Israels, warnten. [19] Auch in den Schriften Hosaïs wird von Manasses Gebet erzählt und wie Gott es erhörte. Dort steht, wie er Gott untreu geworden war und wie viel Schuld er auf sich geladen hatte. Außerdem findet sich darin ein Verzeichnis der Orte, wo er Höhenheiligtümer, heilige Pfähle und Götzenstatuen errichten ließ. [20] Als Manasse starb, wurde er auf dem Gelände seines Palasts begraben. Sein Sohn Amon wurde zum Nachfolger bestimmt.

König Amon von Juda
(2. Könige 21,19–26)

[21] Amon wurde mit 22 Jahren König und regierte zwei Jahre in Jerusalem. [22] Wie sein Vater Manasse tat auch Amon, was

---

33,3 30,8.14; 31,1; 2 Mo 20,2–5*; 5 Mo 17,2–5 **33,4** 1 Kön 9,3* **33,6** 3 Mo 18,21*; 19,26.31; 5 Mo 18,9–13 **33,8** 5 Mo 4,1* **33,14** 27,3

der Herr verabscheute. Er brachte denselben Götzen Opfer dar, die schon Manasse verehrt hatte, und diente ihnen. [23]Doch anders als Manasse bereute er nicht, was er getan hatte, und kehrte nicht zum Herrn zurück, sondern lud immer mehr Schuld auf sich. [24]Einige seiner Hofbeamten verschworen sich gegen ihn und ermordeten ihn in seinem Palast. [25]Doch das Volk brachte alle Verschwörer um und setzte Amons Sohn Josia als Nachfolger ein.

König Josia von Juda bekämpft den Götzendienst
(2. Könige 22,1–2; 23,4–20)

34 Josia wurde mit 8 Jahren König und regierte einunddreißig Jahre in Jerusalem. [2]Er tat, was dem Herrn gefiel, und folgte dem guten Beispiel seines Vorfahren David. Er ließ sich durch nichts davon abbringen.

[3]In seinem 8. Regierungsjahr, als er noch sehr jung war, begann er nach dem Gott seines Vorfahren David zu fragen. In seinem 12. Regierungsjahr fing er an, die Höhenheiligtümer, die heiligen Pfähle und alle geschnitzten und gegossenen Götzenfiguren aus Jerusalem und ganz Juda zu beseitigen. [4]Unter Josias Aufsicht wurden die Altäre des Götzen Baal niedergerissen. Die Säulen, auf denen Räucheropfer dargebracht wurden, ließ er umwerfen. Man zerschlug die heiligen Pfähle und die geschnitzten oder gegossenen Götzenfiguren, zermalmte sie zu Staub und streute sie auf die Gräber der Menschen, die zu Lebzeiten diesen Götzen Opfer dargebracht hatten. [5]Die Gebeine der Götzenpriester verbrannte Josia auf den Altären, wo sie früher ihre Götzenopfer verbrannt hatten. So setzte Josia in Juda und Jerusalem dem Götzendienst ein Ende. [6/7]Aber auch in den Städten der Gebiete von Manasse, Ephraim, Simeon und Naftali zerstörte er die Altäre und die Plätze, auf denen sie errichtet waren. Er ließ die heiligen Pfähle und Götzenstatuen in Stücke hauen und zermalmen. In ganz Israel riss er die Räucheropferaltäre nieder. Dann kehrte er nach Jerusalem zurück.

Josia lässt den Tempel ausbessern
(2. Könige 22,3–7)

[8]In seinem 18. Regierungsjahr, als Josia immer noch das Land und den Tempel vom Götzendienst reinigte, wollte er den Tempel des Herrn, seines Gottes, ausbessern lassen. Er schickte drei Männer in den Tempel: Schafan, den Sohn Azaljas, den Stadtobersten Maaseja und den königlichen Berater Joach, den Sohn des Joahas. [9]Die drei gingen zum Hohenpriester Hilkija und überreichten ihm das Geld, das im Tempel abgegeben worden war. Die Bewohner von Jerusalem, Juda, Benjamin, Ephraim, Manasse und den übrigen Stammesgebieten Nordisraels hatten das Geld den Leviten gegeben, die den Tempeleingang bewachten.

[10]Dieses Geld wurde nun den Bauführern ausgehändigt, die für die Arbeiten im Tempel des Herrn verantwortlich waren. Sie bezahlten damit die Handwerker, die im Tempel die Schäden ausbesserten. [11]Die Handwerker kauften damit auch Bausteine und Holz für die Balken. Alle Gebäudeteile mussten nämlich mit neuen Balken ausgestattet werden, weil die Könige von Juda sie hatten verfallen lassen. [12]Die Handwerker arbeiteten sehr gewissenhaft. Als Aufseher wurden die Leviten Jahat und Obadja von der Sippe Merari sowie Secharja und Meschullam von der Sippe Kehat eingesetzt. Alle Leviten, die Musikinstrumente spielten, [13]hatten die Aufsicht über die Lastträger und über alle anderen Handwerker. Andere Leviten arbeiteten als Schreiber, Verwalter oder Torwächter.

34,2 1 Kön 3,6 **34,4–7** 33,2–7; 2 Mo 34,13.17; 5 Mo 12,2–3*

Der Hohepriester Hilkija findet im Tempel ein Gesetzbuch (2. Könige 22,8–20)

[14] Als man das Geld holte, das zum Tempel des Herrn gebracht worden war, fand der Priester Hilkija eine Buchrolle mit dem Gesetz, das der Herr durch Mose hatte verkünden lassen. [15] Hilkija gab es dem Hofsekretär Schafan und sagte: »Dieses Gesetzbuch habe ich im Tempel des Herrn gefunden.« [16] Schafan nahm es mit zum König und berichtete ihm: »Die Männer sind bei der Arbeit; sie führen aus, was du ihnen aufgetragen hast. [17] Die Leviten haben den Opferkasten beim Altar geleert und das Geld den Bauführern und Handwerkern ausgehändigt.« [18] Dann berichtete er von dem Buch, das der Hohepriester Hilkija ihm gegeben hatte, und las dem König daraus vor.

[19] Als der König hörte, was in dem Gesetz stand, zerriss er betroffen sein Gewand. [20] Er beauftragte Hilkija, den Hofsekretär Schafan und dessen Sohn Ahikam sowie Achbor, den Sohn Michajas,[a] und Asaja, seinen zuverlässigsten Hofbeamten: [21] »Geht und fragt den Herrn, was wir tun sollen. Denn weder ich noch die Menschen, die in Israel und Juda übrig geblieben sind, haben getan, was in dem Buch steht, das gefunden wurde. Darum also bekamen wir den Zorn des Herrn zu spüren, denn schon unsere Väter haben nicht darauf gehört und die Weisungen des Herrn, die in diesem Buch aufgeschrieben sind, nicht befolgt.«

[22] Da gingen Hilkija und die anderen Männer zu der Prophetin Hulda, um mit ihr zu sprechen. Ihr Mann Schallum, ein Sohn Tokhats und Enkel Harhas[b], war der Aufseher über die Kleiderkammer. Sie wohnte im neuen Stadtteil von Jerusalem. [23/24] Hulda gab der Gesandtschaft eine Botschaft des Herrn für König Josia. Sie sagte:

»So spricht der Herr, der Gott Israels: ›Alle Flüche in dem Buch, das dem König von Juda vorgelesen wurde, werden eintreffen! Das dort angedrohte Unheil will ich über die Stadt und ihre Einwohner hereinbrechen lassen. [25] Denn sie haben mich verlassen und anderen Göttern ihre Räucheropfer dargebracht. Mit ihrem Götzendienst haben sie mich herausgefordert. Mein Zorn über diese Stadt ist wie ein Feuer, das nicht mehr erlöscht. [26] Über den König von Juda sage ich, der Herr und Gott Israels: Du hast nun meine Antwort gehört. [27] Doch du hast dir meine Worte zu Herzen genommen und dich meiner Macht gebeugt. Als du gehört hast, was ich über diese Stadt und ihre Einwohner gesagt habe – dass ein Fluch sie treffen soll und jeden, der es sieht, das Entsetzen packt –, da hast du betroffen dein Gewand zerrissen und bist in Tränen ausgebrochen. Darum will ich dein Gebet erhören. Das verspreche ich, der Herr. [28] Du sollst in Frieden sterben und im Grab der Königsfamilie beigesetzt werden. Das Unheil, das ich über die Stadt und ihre Einwohner kommen lasse, wirst du nicht mehr erleben.‹«

Die Gesandten überbrachten diese Antwort dem König.

Josia schließt einen Bund mit dem Herrn (2. Könige 23,1–3)

[29] Danach ließ der König alle Ältesten von Jerusalem und aus dem ganzen Land Juda zusammenrufen. [30] Er ging zum Tempel des Herrn, wo sich eine große Volksmenge versammelt hatte: Alle Männer von Juda waren gekommen, die Bevölkerung Jerusalems, die Priester und Leviten, alle, vom Einfachsten bis zum Vornehmsten. Vor dieser Versammlung wurde nun das ganze Bundesbuch vorgelesen, das im Tempel des Herrn gefunden worden war.

---

[a] So mit 2. Könige 22,12. Der hebräische Text lautet: Abdon, den Sohn Michas.
[b] So mit 2. Könige 22,14. Im hebräischen Text steht der Name Hasra.

34,14 2 Mo 24,4*; 5 Mo 17,18–20 **34,21** 5 Mo 27,26 **34,23–25** 5 Mo 28,15–68 **34,28** 35,24; 36,6–7.17–20

[31] Der König stand an seinem Platz bei der Säule. Nach der Lesung des Buches schloss er mit dem Herrn einen Bund und schwor: »Wir wollen wieder dem Herrn gehorchen! Von ganzem Herzen wollen wir nach seinem Gesetz leben und seine Gebote und Weisungen befolgen. Wir wollen alle Bundesbestimmungen einhalten, die in diesem Buch aufgeschrieben sind.« [32] Josia forderte das ganze Volk aus Jerusalem und Benjamin dazu auf, sich diesem Versprechen anzuschließen. Von da an hielten die Einwohner Jerusalems sich an den Bund, den sie mit dem Gott ihrer Vorfahren geschlossen hatten.

[33] Josia ließ auch die restlichen Götzenfiguren aus allen Teilen des Landes beseitigen. Alle Bewohner Israels ermahnte er, dem Herrn, ihrem Gott, zu gehorchen. Solange Josia lebte, wandten sie sich nicht mehr vom Herrn, dem Gott ihrer Vorfahren, ab.

Josia feiert das Passahfest
(2. Könige 23,21–23)

35 Am 14. Tag des 1. Monats ließ Josia in Jerusalem Lämmer schlachten, um für den Herrn das Passahfest zu feiern. [2] Er teilte den Priestern ihre Aufgaben zu und ermutigte sie zu ihrem Dienst im Tempel des Herrn. [3] Er sagte zu den Leviten, die ganz Israel im Gesetz unterrichteten und zum Dienst für den Herrn geweiht waren:

»Die Bundeslade hat ihren festen Platz im Tempel, den König Salomo von Israel, der Sohn Davids, gebaut hat! Ihr braucht sie nicht auf euren Schultern von einem Ort zum anderen zu tragen. Darum könnt ihr euch hier im Tempel mit ganzer Kraft dem Dienst für den Herrn, euren Gott, und für sein Volk Israel widmen! [4] Stellt wieder die Dienstgruppen nach euren Sippen zusammen, wie König David sie damals eingeteilt und sein Sohn Salomo sie später aufgeschrieben hat! [5] Jede Dienstgruppe ist für eine bestimmte Anzahl von Sippen aus dem Volk zuständig. Kommt zum Tempel, [6] und reinigt euch für euren heiligen Dienst! Schlachtet für eure Brüder aus dem Volk das Passahopfer, und bereitet es so zu, wie der Herr es uns durch Mose aufgetragen hat!«

[7] Josia schenkte den Israeliten, die zum Fest gekommen waren, aus seinem Besitz 30000 Lämmer und junge Ziegenböcke für das Passahopfer sowie 3000 Rinder für andere Opfer. [8] Auch seine Beamten spendeten Tiere für das Volk, für die Priester und die Leviten. Hilkija, Secharja und Jehiël, die drei obersten Priester, gaben den anderen Priestern 2600 Lämmer und junge Ziegenböcke für das Passahopfer sowie 300 Rinder. [9] Auch die drei Brüder Konanja, Schemaja und Netanel sowie die Führer der Leviten, Haschabja, Jeïël und Josabad, gaben den Leviten 5000 Jungtiere für das Passahopfer und 500 Rinder. [10] Als alle Aufgaben verteilt waren, stellten die Priester sich an ihre Plätze, und die Leviten traten in den Dienstgruppen an, so wie Josia es befohlen hatte. [11] Die Leviten schlachteten die Passahlämmer und zogen ihnen die Haut ab, während die Priester das Blut der Tiere, das sie von den Leviten entgegennahmen, an den Altar sprengten. [12] Die Teile, die für die Brandopfer bestimmt waren, legte man für die Familien aus dem Volk beiseite, damit sie das Fleisch später dem Herrn als Opfer darbringen konnten, wie es im Gesetz des Mose vorgeschrieben war. Ebenso machte man es mit den Rindern. [13] Die Passahlämmer wurden nach Vorschrift am Feuer gebraten, während das übrige Fleisch für die Opfermahlzeiten in Töpfen, Kesseln und Schüsseln gekocht wurde. Sobald es gar war, verteilten die Leviten es an die Festbesucher. [14] Danach bereiteten sie für sich und die Priester die Passah-

---

34,31 15,12; 2 Mo 24,7–8*; 5 Mo 6,4–5* **35,1** 2 Mo 12,1–14* **35,3** 4 Mo 1,49–53; 5 Mo 10,8 **35,4–5** 1 Chr 23,2 – 26,30 **35,6** 2 Mo 29,4; 30,17–21; 4 Mo 8,5–7

lämmer zu. Denn die Priester mussten so viele Brandopfer und Fettstücke darbringen, dass sie bis in die Nacht hinein damit beschäftigt waren.

[15] Während des ganzen Festes blieben die Sänger aus der Sippe Asaf an ihrem Platz, wie es einst David, sein Prophet Jedutun, Asaf und Heman angeordnet hatten. Auch die Torwächter blieben an den Tempeleingängen. Sie brauchten ihre Posten nicht zu verlassen, weil die Leviten auch für sie das Passah zubereiteten. [16] So wurde an jenem Tag auf Befehl Josias alles geordnet, was den Opferdienst betraf. Nun konnte das Volk das Passahfest feiern, und auch die Brandopfer konnten auf dem Altar des Herrn dargebracht werden.

[17] Eine Woche lang feierten die Israeliten, die nach Jerusalem gekommen waren, das Passahfest und das Fest der ungesäuerten Brote. [18] Das Passahfest hatte seit der Zeit des Propheten Samuel in Israel nicht mehr so stattgefunden. Keiner der Könige in Israel hatte es so gefeiert wie Josia, die Priester und Leviten, die Bewohner von Jerusalem, von Juda und alle, die aus Israel nach Jerusalem gekommen waren. [19] Das Fest fand im 18. Regierungsjahr Josias statt.

Josias Tod
(2. Könige 23,28–30)

[20] Nachdem Josia die Arbeiten am Tempel beendet hatte, zog Pharao Necho, der König von Ägypten, mit seinem Heer in Richtung Karkemisch am Euphrat. Josia aber schnitt ihm mit seinen Truppen den Weg ab. [21] Da schickte der Pharao eine Gesandtschaft zu ihm und ließ ihm sagen: »Was habe ich dir getan, König von Juda? Nicht dich greife ich an, sondern das Königshaus, mit dem ich Krieg führe! Gott will, dass ich mich beeile, er steht auf meiner Seite. Stell dich ihm nicht in den Weg, sonst lässt er dich sterben!«

[22] Doch Josia ließ sich nicht umstimmen. Er hörte nicht auf die Worte Nechos, durch die Gott ihn warnen wollte. Er verkleidete sich als einfacher Soldat und zog mit seinem Heer in die Ebene von Megiddo, wo es zum Kampf kam. [23] In der Schlacht wurde König Josia von den feindlichen Bogenschützen getroffen. Da befahl er seinen Dienern: »Bringt mich weg von hier, ich bin schwer verwundet!« [24] Sie hoben ihn aus dem Streitwagen, trugen ihn zu einem anderen Wagen und brachten ihn nach Jerusalem. Dort starb er und wurde in den Königsgräbern seiner Vorfahren beigesetzt. Ganz Juda und Jerusalem trauerte um ihn.

[25] Jeremia schrieb ein Klagelied über den verstorbenen König, und noch heute ist es ein fester Brauch in Israel, dass die Sänger und Sängerinnen Josia in ihren Trauerliedern beklagen. Die Texte stehen im Buch der Klagelieder.

[26/27] Alles Weitere über Josias Leben findet sich in der Chronik der Könige von Israel und Juda. Man kann dort von seinen Taten lesen, an denen sich seine Treue zu Gott zeigte, und wie er alles befolgte, was im Gesetzbuch des Herrn aufgeschrieben ist.

König Joahas von Juda
(2. Könige 23,31–35)

36 Das Volk ernannte Joahas, den Sohn Josias, zum König und setzte ihn in Jerusalem als Nachfolger seines Vaters ein. [2] Joahas wurde mit 23 Jahren König und regierte drei Monate in Jerusalem. [3] Dann setzte der Pharao, der König von Ägypten, ihn ab. Das Land Juda musste 70 Zentner Silber und 36 Kilogramm Gold als Tribut zahlen. [4] Zum neuen König von Juda und Jerusalem ernannte der Pharao Joahas' Bruder Eljakim und änderte seinen Namen in Jojakim. Joahas aber nahm er gefangen und brachte ihn nach Ägypten.

35,25 Jer 22,10 **35,26–27** 34,31–33 **36,4** Jer 22,10–12

König Jojakim von Juda (2. Könige 23,36 – 24,7)

[5]Jojakim wurde mit 25 Jahren König und regierte elf Jahre in Jerusalem. Er tat, was der Herr, sein Gott, verabscheute. [6]König Nebukadnezar von Babylonien griff Juda an, nahm Jojakim gefangen und brachte ihn in Ketten nach Babylon. [7]Nebukadnezar erbeutete auch einen Teil der kostbaren Gegenstände aus dem Tempel des Herrn und stellte sie in seinem Palast in Babylon auf.

[8]Alles Weitere über Jojakim steht in der Chronik der Könige von Israel und Juda. Man kann dort nachlesen, wie er andere Götter verehrte und wie es ihm später erging. Sein Sohn Jojachin trat die Nachfolge an.

König Jojachin von Juda (2. Könige 24,8–17)

[9]Jojachin wurde mit 18 Jahren[a] König und regierte drei Monate und zehn Tage in Jerusalem. Er tat, was der Herr verabscheute. [10]Schon im darauf folgenden Frühling ließ König Nebukadnezar ihn gefangen nehmen und nach Babylon bringen. Auch die kostbaren Gegenstände aus dem Tempel nahm er mit. Nebukadnezar ernannte Jojachins Onkel Zedekia zum neuen König.

König Zedekia von Juda und die Zerstörung Jerusalems (2. Könige 24,18 – 25,21; Jeremia 39,1–10; 52,1–30)

[11]Zedekia wurde mit 21 Jahren König und regierte elf Jahre in Jerusalem. [12]Er tat, was der Herr, sein Gott, verabscheute. Vom Propheten Jeremia, der ihn im Auftrag des Herrn warnte, ließ er sich nichts sagen. [13]Zedekia lehnte sich gegen König Nebukadnezar auf, obwohl er ihm vor Gott einen Treueeid hatte leisten müssen. Hartnäckig widersetzte er sich dem Herrn und kehrte nicht zu ihm zurück.

[14]Aber auch die obersten Priester und das Volk luden immer mehr Schuld auf sich. Sie übernahmen die heidnischen Bräuche der Nachbarvölker und entweihten sogar den Tempel des Herrn in Jerusalem, von dem der Herr gesagt hatte: »Hier will ich für immer wohnen.«

[15]Immer wieder sandte der Herr, der Gott ihrer Vorfahren, seine Boten zu ihnen und ließ sie warnen; denn er wollte sein Volk und seinen Tempel vor Unheil bewahren. [16]Doch die Judäer verspotteten Gottes Propheten nur. Verächtlich lachten sie über ihre Botschaft, bis der Herr so zornig auf sein Volk wurde, dass es für sie keine Rettung mehr gab. [17]Er ließ König Nebukadnezar von Babylonien mit seinem Heer in Juda einfallen. Die Babylonier brachten alle jungen Judäer mit dem Schwert um, sie verfolgten sie sogar bis in den Tempel. Nebukadnezar verschonte niemanden, weder die jungen Männer und Frauen noch die Alten und Greise. Der Herr gab sie alle in seine Gewalt. [18]Nebukadnezar nahm die Gegenstände aus dem Tempel, den Tempelschatz und die Schätze des Königs und seiner obersten Beamten mit nach Babylon. [19]Seine Soldaten steckten den Tempel in Brand, rissen die Stadtmauer von Jerusalem nieder und ließen die Paläste in Flammen aufgehen. So vernichteten sie alle wertvollen Gegenstände, die noch übrig geblieben waren. [20]Alle, die das Blutbad überlebt hatten, ließ der König als Gefangene nach Babylonien verschleppen. Sie mussten ihm und später seinen Nachkommen als Sklaven dienen bis zu der Zeit, als die Perser die Herrschaft übernahmen.

[21]Damit ging in Erfüllung, was der Herr durch seinen Propheten Jeremia voraus-

---

[a] So nach 2. Könige 24,8. Der hebräische Text lautet: mit acht Jahren.

36,5 33,2–7; Jer 22,13–17; 36,20–26 **36,7** Esr 1,7–11 **36,10** Jer 22,24–30 **36,12** Jer 37,1 – 38,28 **36,14** 1 Kön 9,3* **36,15** Jer 25,4–6 **36,16** Mt 5,11–12; 23,29–37 **36,17-20** Jer 25,7–11 **36,21** 3 Mo 25,1–7; 26,33–35; Jer 25,11

gesagt hatte. Das Land sollte so lange brachliegen, bis es alle Ruhejahre bekommen hatte, die von den Königen nicht eingehalten worden waren. Darum blieb das Land nun siebzig Jahre lang verwüstet.

Die Heimkehr aus der Verbannung (Esra 1,1–3)

[22] Im 1. Regierungsjahr des Perserkönigs Kyrus ließ der Herr in Erfüllung gehen, was er durch den Propheten Jeremia vorausgesagt hatte:[a] Er bewegte Kyrus dazu, in seinem ganzen Reich mündlich und schriftlich folgenden Erlass zu verkünden:

[23] »Kyrus, der König von Persien, gibt bekannt: Alle Königreiche der Erde hat Gott, der Herr, der im Himmel regiert, in meine Gewalt gegeben. Er gab mir den Auftrag, ihm zu Ehren in Jerusalem in der Provinz Judäa einen Tempel zu bauen. Wer von euch zu seinem Volk gehört, soll nun nach Jerusalem ziehen. Der Segen des Herrn, eures Gottes, möge euch begleiten.«

---

[a] Vgl. Jeremia 29,10
36,23 Esr 6,14–15; Jes 44,28

Das Buch Esra

Heimkehr aus der Gefangenschaft (2. Chronik 36,22–23)

1 Im 1. Regierungsjahr des Perserkönigs Kyrus ließ der Herr in Erfüllung gehen, was er durch den Propheten Jeremia vorausgesagt hatte: Er bewegte Kyrus dazu, in seinem ganzen Reich mündlich und schriftlich folgenden Erlass zu verkünden:

[2] »Kyrus, der König von Persien, gibt bekannt: Alle Königreiche der Erde hat Gott, der Herr, der im Himmel regiert, in meine Gewalt gegeben. Er gab mir den Auftrag, ihm zu Ehren in Jerusalem in der Provinz Judäa einen Tempel zu bauen. [3] Wer von euch zu seinem Volk gehört, soll nun nach Jerusalem ziehen und beim Wiederaufbau des Tempels mithelfen. Denn der Gott Israels will in Jerusalem angebetet werden. Sein Segen möge euch begleiten! [4] Alle Untertanen meines Reiches sollen den Judäern, die bei ihnen leben, Silber und Gold, Vieh und was sie sonst noch brauchen mitgeben, zusätzlich zu den freiwilligen Gaben für den Tempel in Jerusalem.«

[5] So machten sie sich auf den Weg, die Sippenoberhäupter der Stämme Juda und Benjamin, die Priester und Leviten und alle anderen, die der Herr dazu bewegt hatte, in Jerusalem seinen Tempel zu bauen. [6] Ihre Nachbarn halfen ihnen mit Silber und Gold, mit Vieh und vielen wertvollen und nützlichen Gegenständen, sie schenkten ihnen auch freiwillige Gaben für den Tempelaufbau.

[7] Kyrus, der König von Persien, gab ihnen die Gefäße und Werkzeuge zurück, die Nebukadnezar aus dem Tempel des Herrn in Jerusalem geraubt und in den Tempel seines Gottes gebracht hatte. [8] Kyrus händigte sie seinem Schatzmeister Mitredat aus, und Mitredat legte für Scheschbazar, den Statthalter von Judäa, ein Verzeichnis an. Er führte darin folgende Stücke auf:
[9] 30 goldene Schalen,
1000 silberne Schalen,
29 Messer[a],
[10] 30 goldene Becher,
410 silberne Becher,
1000 andere Gegenstände.

[11] Insgesamt waren es 5400 Werkzeuge und Gefäße aus Gold und Silber. Scheschbazar nahm sie mit, als er die einst nach Babylonien verschleppten Juden wieder nach Jerusalem zurückführte.

Verzeichnis der heimkehrenden Israeliten (Nehemia 7,6–72)

2 Viele Juden, deren Vorfahren König Nebukadnezar nach Babylonien verschleppt hatte, kehrten nun nach Jerusalem und nach ganz Judäa zurück, jeder an den Ort, aus dem seine Familie stammte. [2] Sie wurden angeführt von Serubbabel, Jeschua, Nehemja, Seraja, Reelaja, Mordochai, Bilschan, Misperet, Bigwai, Rehum und Baana.

[3–35] Es folgt ein Verzeichnis der heimkehrenden Sippen mit der Zahl der zu ihnen gehörenden Männer:
2172 von der Sippe Parosch;
372 von Schefatja;
775 von Arach;
2812 von Pahat-Moab, sie waren Nachkommen von Jeschua und Joab;
1254 von Elam;

---

[a] Oder: Weihrauchpfannen. – Das hebräische Wort ist nicht sicher zu deuten.

1,1–4 Jes 45,1–5*; Jer 29,10–14; Dan 1,21 **1,2–3** Jes 44,28; 45,1–5; Sach 1,12–16 **1,4–6** 7,15–16; 2 Mo 12,35–36 **1,7–11** 2 Chr 36,7.18; Jes 52,11 **2,1** 1 Chr 9,2–3 **2,2** 3,8*

945 von Sattu;
760 von Sakkai;
642 von Bani;
623 von Bebai;
1222 von Asgad;
666 von Adonikam;
2056 von Bigwai;
454 von Adin;
98 von Ater, sie waren Nachkommen Hiskias;
323 von Bezai;
112 von Jorah;
223 von Haschum;
95 von Gibbar;
123 aus der Stadt Bethlehem;
56 aus Netofa;
128 aus Anatot;
42 aus Asmawet;
743 aus Kirjat-Jearim, Kefira und Beerot;
621 aus Rama und Geba;
122 aus Michmas;
223 aus Bethel und Ai;
52 aus Nebo;
156 von der Sippe Magbisch;
1254 von der Sippe des anderen Elam;
320 von Harim;
725 aus den Orten Lod, Hadid und Ono;
345 aus Jericho;
3630 von der Sippe Senaa.
[36–39] Aus den Sippen der Priester kehrten zurück:
973 Männer mit ihren Familien von der Sippe Jedaja, sie waren Nachkommen Jeschuas;
1052 von Immer;
1247 von Paschhur;
1017 von Harim.
[40] Von den Leviten:
74 aus den Sippen Jeschua und Kadmiël, sie waren Nachkommen Hodawjas;
[41] von den Tempelsängern:
128 aus der Sippe Asaf;
[42] von den Wächtern an den Tempeltoren:
139 aus den Sippen Schallum, Ater, Talmon, Akkub, Hatita und Schobai;
[43–54] von den Tempeldienern:
die Sippen von Ziha, Hasufa, Tabbaot, Keros, Sia, Padon, Lebana, Hagaba, Akkub, Hagab, Salmai, Hanan, Giddel, Gahar, Reaja, Rezin, Nekoda, Gasam, Usa, Paseach, Besai, Asna, die Meüniter und Nefusiter sowie die Sippen von Bakbuk, Hakufa, Harhur, Bazlut, Mehida, Harscha, Barkos, Sisera, Temach, Neziach und Hatifa.
[55–57] Von den Nachkommen der Diener Salomos kamen zurück:
die Sippen von Sotai, Soferet, Peruda, Jaala, Darkon, Giddel, Schefatja, Hattil, Pocheret-Zebajim und Ami.
[58] Insgesamt kehrten 392 Tempeldiener und Nachkommen der Diener Salomos nach Israel zurück.

[59/60] 652 heimkehrende Familien stammten aus den Orten Tel-Melach, Tel-Harscha, Kerub-Addon und Immer. Sie gehörten zu den Sippen Delaja, Tobija und Nekoda, konnten jedoch ihre israelitische Abstammung nicht nachweisen.
[61/62] Einige der Priester durften keinen Tempeldienst ausüben, denn ihre Abstammungsregister waren nicht aufzufinden. Sie kamen aus den Sippen von Habaja, Hakkoz und Barsillai. Der Ahnherr der Sippe Barsillai hatte eine Tochter des Gileaditers Barsillai geheiratet und den Namen seines Schwiegervaters angenommen. [63] Der persische Statthalter verbot den Priestern aus diesen drei Sippen, von den Opfergaben zu essen, bis wieder ein Hoherpriester im Amt wäre, der das heilige Los werfen durfte, um über ihren Fall zu entscheiden.
[64] Insgesamt kehrten 42360 Israeliten in ihre Heimat zurück, [65] dazu kamen 7337 Sklaven und Sklavinnen und 200 Sänger und Sängerinnen.
[66] Die Israeliten brachten 736 Pferde, 245 Maultiere, [67] 435 Kamele und 6720 Esel mit.
[68] Als sie beim Tempelgelände in Jerusalem ankamen, stifteten einige Sippenoberhäupter freiwillige Gaben, damit das Haus des Herrn wieder an seinem früheren Platz errichtet werden konnte. [69] Jeder gab, so viel er konnte. Insgesamt

---

2,41 1 Chr 6,24 **2,42** 1 Chr 9,17–18 **2,58** Jos 9,26–27 **2,61–62** 2 Sam 17,27; 19,32–41
2,63 2 Mo 28,30*; 4 Mo 18,8–19* **2,68–69** 2 Mo 25,2*; 28,40–43

kamen 61000 Goldmünzen und 3600 Kilogramm Silber zusammen; außerdem wurden 100 Priestergewänder gestiftet.

[70] Die Priester, die Leviten, die Sänger, Torwächter und Tempeldiener ließen sich wie die übrigen Israeliten in ihren früheren Heimatorten nieder.

Opferdienst auf dem neuen Altar

3 Zu Beginn des 7. Monats, als die Israeliten sich in ihren Wohnorten niedergelassen hatten, versammelte sich das ganze Volk in Jerusalem. [2] Jeschua, der Sohn Jozadaks, und die anderen Priester sowie Serubbabel, der Sohn Schealtiëls, und seine Verwandten wollten den Altar des Gottes Israels wieder aufbauen. Auf ihm sollten die Priester Brandopfer darbringen, wie es im Gesetz Moses, des Mannes Gottes, steht. [3] Sie errichteten den Altar an seinem alten Platz, obwohl sie in ständiger Furcht vor den anderen Völkern im Land leben mussten. Jeden Morgen und jeden Abend opferten sie für den Herrn. [4] Das Laubhüttenfest feierten sie wieder nach der Vorschrift des Gesetzes: An jedem Tag der Festwoche schlachteten sie Tiere und verbrannten sie auf dem Altar.

[5] Von nun an wurden alle Brandopfer regelmäßig dargebracht, ebenso die Opfer bei den Neumondfeiern und allen übrigen heiligen Festen. Auch freiwillige Opfergaben stiftete das Volk für den Herrn. [6] Obwohl das Fundament des Tempels noch nicht gelegt war, begannen die Israeliten am 1. Tag des 7. Monats, dem Herrn wieder Brandopfer darzubringen. [7] Dann nahmen sie Steinhauer und Zimmerleute in Dienst und beauftragten Arbeiter aus Sidon und Tyrus, Zedernstämme aus dem Libanon auf dem Seeweg nach Jafo zu bringen. Sie gaben ihnen dafür Nahrungsmittel, Getränke und Öl. Kyrus, der König von Persien, hatte es ihnen erlaubt.

Grundsteinlegung des Tempels

[8] Im 2. Monat des 2. Jahres nach der Rückkehr begannen Serubbabel, der Sohn Schealtiëls, Jeschua, der Sohn Jozadaks, die anderen Priester und Leviten sowie alle, die aus der Verbannung nach Jerusalem heimgekehrt waren, mit dem Wiederaufbau des Tempels. Die Aufsicht über die Bauarbeiten gaben sie den Leviten, die 20 Jahre und älter waren. [9] Jeschua, seine Söhne und Verwandten sowie Kadmiël und seine Söhne (Nachkommen Hodawjas) leiteten gemeinsam die Männer an, die den Tempel wieder errichteten. Die Leviten aus der Sippe Henadad gehörten ebenfalls zu den Aufsehern.

[10] Als die Bauleute den Grundstein für den Tempel des Herrn legten, standen die Priester in ihren Gewändern daneben und bliesen die Trompeten. Die Leviten aus der Sippe Asaf schlugen die Zimbeln und lobten den Herrn. So hatte es schon David, der König von Israel, angeordnet. [11] Sie priesen Gott und sangen im Wechsel das Lied: »Wie gut ist Gott zu uns! Seine Liebe zu Israel hört niemals auf!« Als der Grundstein für den Tempel des Herrn gelegt war und die Loblieder erklangen, brach das ganze Volk in Jubel aus.

[12] Doch während die einen vor Freude jubelten, weinten die älteren Priester, Leviten und Sippenoberhäupter laut, denn sie hatten den ersten Tempel noch gekannt. [13] Man konnte die Freudenschreie vom Weinen kaum unterscheiden. Der Lärm war so groß, dass er noch in der Ferne zu hören war.

Widerstände gegen den Aufbau Jerusalems

4 Die Samariter betrachteten die Judäer und Benjaminiter als ihre Feinde. Als sie erfuhren, dass die Heimgekehrten

---

3,1 4 Mo 29,1–6 **3,2–3** 3,8*; 2 Mo 27,1–8; 4 Mo 28,3–8 **3,4** 3 Mo 23,33–43* **3,5** 4 Mo 28,9 – 29,11 **3,8** 2,2; 3,2; Hag 1,1; 2,20–23; Sach 3,1–10; 4,6–10; 6,9–15 **3,10–11** 2 Chr 5,12–13 **3,12** Hag 2,3 **4,1–2** 2 Kön 17,24–41

schon begonnen hatten, den Tempel des Herrn, des Gottes Israels, wiederaufzubauen, [2]kamen sie zu Serubbabel und den Sippenoberhäuptern und baten: »Lasst uns den Tempel zusammen bauen! Wir dienen doch demselben Gott wie ihr. Seit der Zeit Asarhaddons, des Königs von Assyrien, der uns hier angesiedelt hat, bringen wir diesem Gott unsere Opfer dar.« [3]Doch Serubbabel, Jeschua und die übrigen Sippenoberhäupter Israels entgegneten: »Nein! Nur wir allein können für unseren Gott einen Tempel bauen. Uns hat Kyrus, der König von Persien, damit beauftragt!«

[4]Von da an wurden die Juden von den Samaritern, mit denen sie das Land teilten, immer mehr eingeschüchtert und wagten nicht weiterzubauen. [5]Es gelang den Samaritern sogar, einige Berater des persischen Königs Kyrus zu bestechen und so den Bau des Tempels bis zur Regierungszeit von König Darius zu verhindern.

[6]Später, als Xerxes gerade die Herrschaft übernommen hatte, erhoben die Feinde Israels in einer Klageschrift schwere Anschuldigungen gegen die Bewohner von Jerusalem und Judäa.[a]

[7]Während der Regierungszeit des Artaxerxes schrieben Bischlam, Mitredat, Tabeel und einige andere führende Männer zusammen einen Brief an den König. Er wurde in Aramäisch abgefasst und später übersetzt. [8]Auch Rehum, der Statthalter von Samarien, und sein Schreiber Schimschai schickten einen Brief an Artaxerxes und beschwerten sich über den Wiederaufbau Jerusalems. Als Absender waren genannt: [9]»Der Statthalter Rehum, der Schreiber Schimschai, die Richter, die Beamten, Schreiber und Verwalter, die Männer aus Tripolis, Persien, Erech, Babylon und Susa in Elam, [10]zusammen mit den Volksgruppen, die der mächtige und berühmte Assurbanipal in den Städten Samariens und in den anderen Ortschaften westlich des Euphrat angesiedelt hat.« [11]Das Schreiben lautete:

»An König Artaxerxes, von seinen Untertanen westlich des Euphrat:

[12]Wir müssen dem König mitteilen, dass die Juden, die aus deinem Reich zu uns gekommen sind, die aufrührerische, verruchte Stadt Jerusalem wieder aufbauen wollen. Sie legen die Fundamente neu und errichten die Stadtmauern. [13]Wir geben dem König zu bedenken, dass die Bewohner keinen Tribut, keine Steuern und keine Zölle mehr zahlen werden, sobald die Mauern dieser Stadt wieder stehen. Das Königshaus wird großen Schaden nehmen. [14]Weil wir aber treue Untertanen und dem König verpflichtet sind,[b] können wir nicht länger mit ansehen, wie die Macht des Königs untergraben wird. Darum erstatten wir Bericht und schlagen vor: [15]Lass in den Chroniken deiner Vorgänger nachforschen. Dann wirst du sehen, dass Jerusalem schon immer eine rebellische Stadt war und den Königen und Statthaltern viel Schaden zugefügt hat. Seit jeher war es eine Brutstätte für Verschwörungen; darum wurde die Stadt ja dem Erdboden gleichgemacht. [16]Wenn Jerusalem wieder aufgebaut und seine Mauern errichtet werden, dann verliert dein Reich alle Gebiete westlich des Euphrat.«

[17]Der König schickte folgende Antwort zurück:

»An den Statthalter Rehum, den Schreiber Schimschai und die königlichen Beauftragten in Samarien und im übrigen Gebiet westlich des Euphrat:

Ich grüße euch! [18]Euer Schreiben wurde in meiner Gegenwart übersetzt und verlesen. [19]Auf meinen Befehl hin wurden Nachforschungen angestellt, und tatsächlich fand man in den Chroniken, dass diese Stadt sich seit jeher gegen das Königshaus aufgelehnt und Verschwörun-

---

[a] Die Verse 6–23 schildern ähnliche Schwierigkeiten aus späterer Zeit.

[b] Wörtlich: Weil wir das Salz des Palasts essen. – Vertragsabschlüsse wurden durch das Essen von Salz besiegelt.

4,3 1,1–4 **4,6** Est 1,1 **4,7–13** Neh 2,1–19 **4,19** 2 Kön 24,1.20

gen angezettelt hat. [20] In Jerusalem haben Könige regiert, die ihre Herrschaft über das ganze Gebiet westlich des Euphrat ausdehnten und den Bewohnern Tribut, Steuern und Zölle auferlegten. [21] Darum sollt ihr den Männern dort verbieten, die Bauarbeiten weiterzuführen. Die Stadt darf erst dann wieder aufgebaut werden, wenn ich selbst es befehle. [22] Seid in dieser Angelegenheit nicht nachlässig! Unser Reich darf nicht noch einmal Schaden davontragen!«

[23] Eine Abschrift des Briefes wurde Rehum, Schimschai und den übrigen führenden Männern vorgelesen. Sofort brachen sie nach Jerusalem auf und hinderten die Juden mit Waffengewalt am Weiterbau.

[24] Schon unter Kyrus[a] war der Wiederaufbau des Tempels in Jerusalem verhindert worden. Bis zum 2. Regierungsjahr von Darius, dem König von Persien, konnte in Jerusalem nicht weitergebaut werden.

Der Tempelbau kommt doch voran!

5 Zu dieser Zeit traten die beiden Propheten Haggai und Sacharja, der Sohn Iddos, auf. Im Auftrag des Gottes Israels sprachen sie den Juden in Judäa und Jerusalem Mut zu. [2] Da beschlossen Serubbabel, der Sohn Schealtiëls, und Jeschua, der Sohn Jozadaks, den Bau des Tempels in Jerusalem wieder aufzunehmen. Die beiden Propheten unterstützten sie dabei.

[3] Doch kaum hatten sie begonnen, kamen auch schon Tattenai, der Statthalter über das Gebiet westlich des Euphrat, und Schetar-Bosnai mit ihren Beratern nach Jerusalem. Sie stellten die Männer zur Rede: »Wer hat euch erlaubt, den Tempel wieder aufzubauen und Balken dafür zu zimmern? [4] Wie heißen die Männer, die für das alles verantwortlich sind?« [5] Aber Gott sorgte dafür, dass nichts gegen die Ältesten von Juda unternommen wurde und die Bauarbeiten weitergehen konnten, bis die Sache vor König Darius kommen und er eine Entscheidung treffen würde. [6/7] Tattenai, der Statthalter über das Gebiet westlich des Euphrat, und Schetar-Bosnai mit seinen Beratern und Beamten erstatteten König Darius Bericht. Ihr Brief an ihn lautete:

»An König Darius: Möge es dir wohl ergehen! [8] Wir haben dir Folgendes mitzuteilen: Als wir in der Provinz Judäa waren, sahen wir, dass der Tempel des großen Gottes in Jerusalem wieder aufgebaut wird. Die Einwohner errichten Mauern aus großen Quadersteinen und ziehen Balken in die Wände ein. Sie arbeiten zielstrebig und kommen schnell voran. [9] Wir fragten die Ältesten, wer ihnen das erlaubt habe. [10] Wir wollten auch die Namen der führenden Männer wissen, um sie für dich aufzuschreiben. [11] Sie gaben uns zur Antwort:

›Wir verehren den Gott, der Himmel und Erde erschaffen hat, und bauen seinen Tempel wieder auf, der vor vielen Jahren hier stand. Ein großer König von Israel hatte ihn damals errichtet. [12] Aber weil sich unsere Vorfahren gegen den Gott des Himmels auflehnten, wurde er zornig und gab sie in die Gewalt Nebukadnezars, des Königs von Babylonien. Der zerstörte den Tempel und verschleppte das Volk nach Babylonien. [13] Als jedoch Kyrus König wurde, befahl er schon in seinem ersten Regierungsjahr, den Tempel Gottes wieder aufzubauen. [14] Kyrus gab auch die goldenen und silbernen Gefäße und Werkzeuge zurück, die Nebukadnezar aus dem Tempel in Jerusalem geraubt und nach Babylon in den Tempel seines Gottes gebracht hatte. Kyrus händigte sie einem Mann namens Scheschbazar aus, den er zum Statthalter von Judäa ernannte. [15] Er befahl ihm, diese Gegenstände wieder nach Jerusalem zu bringen und den Tem-

---

[a] »unter Kyrus« ist sinngemäß eingefügt. Vgl. Vers 5

4,20 1 Kön 5,1 **4,24** Hag 1,1 **5,1** Hag 1,2–15; Sach 1,1 **5,2** 3,8* **5,5** Sach 4,6–10 **5,11** 2 Chr 3,1 **5,12** 2 Kön 24,10–14; 25,8–12 **5,13–14** 1,1–7

pel an seinem früheren Platz zu errichten. [16]Darauf kam Scheschbazar nach Jerusalem und legte das Fundament für den Tempel. Seit damals wird an diesem Haus gebaut, es ist aber immer noch nicht fertig.‹

[17]Nun möchten wir dir, König Darius, Folgendes vorschlagen: Lass im königlichen Archiv in Babylon nachforschen, ob es tatsächlich ein Schriftstück mit dem Befehl des Kyrus gibt, den Tempel in Jerusalem wieder aufzubauen. Wir bitten dich, uns deine Entscheidung mitzuteilen.«

König Darius hilft den Juden

6 Darauf ließ Darius in den Archiven nachforschen, in denen die Urkunden des Reiches aufbewahrt wurden. [2]Schließlich fand man in der Festung der Sommerresidenz Ekbatana in der Provinz Medien eine Schriftrolle mit folgendem Inhalt:

[3]»Im 1. Regierungsjahr ordnet König Kyrus an, den Tempel in Jerusalem an seinem früheren Ort wieder aufzubauen, damit dort Opfer dargebracht werden können. Er soll 30 Meter hoch und 30 Meter breit sein. [4]Die Mauern sind abwechselnd aus drei Schichten Quadersteinen und einer Schicht Balken zu errichten. Die Kosten trägt das persische Königshaus. [5]Die goldenen und silbernen Gegenstände, die Nebukadnezar aus dem Tempel in Jerusalem geraubt und nach Babylon mitgenommen hat, sollen zurückgebracht werden, jeder an seinen alten Platz.«

[6]Da schickte Darius eine Antwort nach Judäa:[a]

»An Tattenai, den Statthalter über das Gebiet westlich des Euphrat, und an Schetar-Bosnai mit ihren Beratern: Unternehmt nichts gegen den Bau des Tempels! [7]Der Statthalter von Judäa und die Ältesten sollen ihn ungehindert an seinem früheren Platz errichten.

[8]Ich befehle euch, dass ihr die Ältesten bei ihrer Arbeit unterstützt. Erstattet ihnen die Baukosten aus den Abgaben, die in den Gebieten westlich des Euphrat erhoben werden! Zahlt die Beträge pünktlich aus, damit die Arbeiten zügig vorangehen! [9]Den Priestern in Jerusalem sollt ihr Tag für Tag alles liefern, was sie nach ihren eigenen Angaben zum Brandopfer für den Gott des Himmels benötigen: junge Stiere, Schafböcke und Lämmer, Weizen, Wein, Salz und Öl. Seid dabei nicht nachlässig! [10]Die Priester sollen dem Gott des Himmels Räucheropfer darbringen und für das Leben des Königs und seiner Söhne beten.

[11]Weiter ordne ich an: Jeder, der gegen diesen Erlass verstößt, wird bestraft: Man soll einen Balken aus seinem Haus reißen und ihn an das senkrecht aufgerichtete Holz nageln. Sein Haus soll zu einem Schutthaufen gemacht werden. [12]Der Gott, der dort im Tempel wohnt, möge jeden König und jedes Volk vernichten, die es wagen, sich meinen Anordnungen zu widersetzen und den Tempel in Jerusalem zu zerstören. Ich, Darius, gebe diesen Befehl. Er soll genau befolgt werden.«

Festliche Einweihung des Tempels

[13]Tattenai, der Statthalter über das Gebiet westlich des Euphrat, Schetar-Bosnai und ihre Berater hielten sich gewissenhaft an die Anweisungen von Darius. [14]So konnten die Juden ungehindert weiterbauen. Sie kamen schnell voran, und die Propheten Haggai und Sacharja, der Sohn Iddos, ermutigten sie dabei. Sie vollendeten den Tempel, wie es der Gott Israels befohlen hatte. Die persischen Könige Kyrus und Darius hatten ihnen den Auftrag dazu erteilt. Auch Artaxerxes unterstützte später die Juden.[b]

---

[a] »Da … Judäa« ist sinngemäß eingefügt.
[b] Wörtlich: nach dem Befehl des Gottes Israels und nach dem Befehl des Kyrus, Darius und Artaxerxes, des Königs von Persien.

6,3–5 2 Chr 36,7.18 **6,10** 2 Mo 30,6–8; Jer 29,7; 1 Tim 2,2 **6,12** 1 Kön 9,3* **6,14** 3,8*; 5,1–2; 7,11–26

[15]Im 6. Regierungsjahr des Königs Darius, am 3. Tag des Monats Adar, wurde der Tempel fertig gestellt. [16]Die Priester, die Leviten und alle übrigen Israeliten, die aus der Gefangenschaft heimgekehrt waren, feierten voller Freude das Fest der Einweihung. [17]Sie opferten 100 Stiere, 200 Schafböcke und 400 Lämmer, und für ganz Israel brachten sie als Sündopfer 12 Ziegenböcke dar, für jeden Stamm Israels einen. [18]Dann teilten sie die Priester und Leviten zum Tempeldienst in verschiedene Gruppen ein, wie es das Gesetz des Mose vorschreibt.

Die Israeliten feiern das Passahfest

[19]Am 14. Tag des 1. Monats feierten die zurückgekehrten Israeliten das Passahfest. [20]Die Priester und Leviten hatten sich für das Opferfest gereinigt, um dem heiligen Gott begegnen zu können. Die Leviten schlachteten die Passahlämmer für alle, die aus der Verbannung zurückgekehrt waren, für die Priester und für sich selbst. [21]Doch nicht nur die heimgekehrten Israeliten aßen das Passahlamm, sondern auch alle, die sich vom Götzendienst der heidnischen Bevölkerung im Land losgesagt hatten. Auch sie wollten jetzt ganz dem Herrn, dem Gott Israels, gehören. [22]Voller Freude feierten sie außerdem noch sieben Tage lang das Fest der ungesäuerten Brote. Der Herr hatte sie froh gemacht, denn er hatte dafür gesorgt, dass der König von Persien[a] ihnen wohlgesinnt war und ihnen dabei geholfen hatte, den Tempel des Gottes Israels wieder aufzubauen.

Der Priester Esra wird nach Jerusalem gesandt

7 Während in Persien König Artaxerxes regierte, zog ein Mann namens Esra von Babylon nach Jerusalem. Er war ein Sohn Serajas und Enkel Asarjas; seine weiteren Vorfahren hießen: Hilkija, [2]Schallum, Zadok, Ahitub, [3]Amarja, Asarja, Merajot, [4]Serachja, Usi, Bukki, [5]Abischua, Pinhas, Eleasar und Aaron, der Hohepriester.

[6]Esra war ein Schriftgelehrter, der das Gesetz gut kannte, das der Herr seinem Volk Israel durch Mose anvertraut hatte. Und weil Gott seine schützende Hand über Esra hielt, erfüllte der König alle seine Bitten. [7]Im 7. Regierungsjahr des Königs Artaxerxes zogen viele Israeliten mit Esra nach Jerusalem, darunter Priester und Leviten, Sänger, Torwächter und Tempeldiener. [8/9]Sie verließen Babylonien am 1. Tag des 1. Monats und erreichten Jerusalem am 1. Tag des 5. Monats. Weil Gott ihnen geholfen hatte, waren sie so schnell vorangekommen.

[10]Esra widmete sein Leben der Aufgabe, die Gebote Gottes kennen zu lernen und danach zu leben. Er wollte den Israeliten das Gesetz nahe bringen und es wieder als Grundlage für die öffentliche Rechtsprechung einführen.

Esra bekommt Vollmacht vom König

[11]König Artaxerxes gab Esra, dem Priester, der das Gesetz Gottes so genau kannte und auslegen konnte, eine Vollmacht mit. Sie lautete:

[12]»Artaxerxes, der größte aller Könige, an Esra, den Priester und Beauftragten für das Gesetz des Gottes im Himmel: Sei gegrüßt! [13]Ich ordne hiermit an, dass jeder Israelit in meinem Reich mit dir nach Jerusalem ziehen kann, wenn er es wünscht, auch die Priester und Leviten. [14]Der König und seine sieben Berater senden dich nach Judäa und Jerusalem. Du sollst dort erkunden, ob die Menschen nach dem Gesetz deines Gottes leben, das du ja so gut kennst wie kein anderer. [15]Nimm das Silber und Gold

---

[a] Der hebräische Text lautet: der König von Assyrien. – Gemeint ist Darius, der König von Persien, dessen Herrschaftsgebiet auch das frühere assyrische Reich umschloss.

6,18 4 Mo 4,49 **6,19** 2 Mo 12,1–14* **6,21** 2 Mo 12,48 **6,22** 2 Mo 12,15–20*; 5 Mo 12,7* **7,1–5** 1 Chr 5,29–41 **7,6** 8,22 **7,10** 3 Mo 10,11; 5 Mo 17,8–11 **7,15** 8,25–27

mit, das der König und seine Berater als Opfergaben für den Gott Israels gestiftet haben, dessen Tempel in Jerusalem steht. [16] Auch das Silber und Gold, das du in der Provinz Babylonien bekommen wirst, und die freiwilligen Gaben, die das Volk und die Priester für den Tempel ihres Gottes sammeln, sollst du mitnehmen. [17] Kaufe von dem Geld Stiere, Schafböcke und Lämmer sowie Speiseopfer und Trankopfer. Dann bringt sie auf dem Altar im Tempel eures Gottes in Jerusalem dar. [18] Was ihr übrig behaltet, könnt ihr so verwenden, wie es euch richtig erscheint, nur müssen du und die anderen Priester sich dabei nach dem Willen eures Gottes richten. [19] Bringe deinem Gott in Jerusalem auch die Gegenstände, die man dir für den Dienst im Tempel geben wird. [20] Alles, was du sonst noch für den Tempel deines Gottes brauchst, wird das persische Königshaus bezahlen.

[21] Ich, König Artaxerxes, erteile allen Schatzmeistern in den Gebieten westlich des Euphrat den Befehl: Wenn Esra, der Priester und Beauftragte für das Gesetz des Gottes im Himmel, euch um etwas bittet, so gebt es ihm, [22] und zwar bis zu 3,5 Tonnen Silber, 13 Tonnen Weizen, 2200 Liter Wein und 2200 Liter Öl, dazu Salz in unbegrenzter Menge. [23] Ihr sollt gewissenhaft ausführen, was der Gott des Himmels für seinen Tempel verlangt. Denn sonst trifft sein Zorn unser Königreich, mich und meine Nachfolger. [24] Niemand hat das Recht, von den Priestern, Leviten, Sängern, Torwächtern und Tempeldienern irgendwelche Steuern, Abgaben oder Gebühren zu verlangen.

[25] Dir, Esra, hat dein Gott Weisheit geschenkt. Darum setze für dein Volk, das westlich des Euphrat lebt, rechtskundige Männer und Richter ein! Sie sollen Recht sprechen für alle, die das Gesetz deines Gottes kennen; und wenn jemand es nicht kennt, sollt ihr ihn darin unterweisen. [26] Jeder, der dem Gesetz deines Gottes und meinem Befehl nicht gehorcht, muss nach der Schwere seines Vergehens verurteilt werden: zum Tod, zum Verlust des Bürgerrechts, zu einer Geld- oder Gefängnisstrafe!«

Esra lobt Gott

[27] Gepriesen sei der Herr, der Gott unserer Vorfahren! Er hat den König zu diesem Erlass bewogen, weil er seinem Tempel in Jerusalem Ruhm und Ansehen geben wollte. [28] Er hat mir die Gunst des Königs, seiner Berater und einflussreichen Beamten geschenkt. Weil Gott seine schützende Hand über mir hält, habe ich Mut gefasst, die Sippenoberhäupter aus Israel zur Rückkehr zu bewegen.

Verzeichnis der Israeliten, die mit Esra heimkehrten

8 Es folgt ein Verzeichnis der Sippenoberhäupter und der Zahl der Männer, die zu ihrer Sippe gehörten. Während der Regierungszeit des Königs Artaxerxes reisten sie mit mir von Babylonien nach Jerusalem:

[2/3] Gerschom von der Sippe Pinhas;
Daniel von der Sippe Itamar;
Hattusch, der Sohn Schechanjas, von der Sippe David;[a]
Secharja von der Sippe Parosch und mit ihm 150 Männer, die in die Geschlechtsregister eingetragen waren;
[4] Eljoënai, der Sohn Serachjas, von der Sippe Pahat-Moab, mit 200 Männern;
[5] Schechanja, der Sohn Jahasiëls, von der Sippe Sattu[b], mit 300 Männern;
[6] Ebed, der Sohn Jonatans, von der Sippe Adin, mit 50 Männern;
[7] Jesaja, der Sohn Ataljas, von der Sippe Elam, mit 70 Männern;
[8] Sebadja, der Sohn Michaels, von der Sippe Schefatja, mit 80 Männern;

---

[a] So nach 1. Chronik 3,22 und der griechischen Übersetzung. Der hebräische Text lautet: Hattusch von den Söhnen Davids, von den Söhnen Schechanjas.
[b] So nach der griechischen Übersetzung. Im hebräischen Text fehlt der Name Sattu.
7,16 1,4.6; 2 Mo 12,35–36 **7,20–22** 6,8–9 **7,25** 5 Mo 17,8–11; 31,9–13 **7,27** Spr 21,1

[9] Obadja, der Sohn Jehiëls, von der Sippe Joab, mit 218 Männern;
[10] Schelomit, der Sohn Josifjas, von der Sippe Bani[a], mit 160 Männern;
[11] Secharja, der Sohn Bebais, von der Sippe Bebai, mit 28 Männern;
[12] Johanan, der Sohn Katans, von der Sippe Asgad, mit 110 Männern;
[13] Elifelet, Jeïël und Schemaja, die Letzten von der Sippe Adonikam, mit 60 Männern;
[14] Utai und Sabbud von der Sippe Bigwai, mit 70 Männern.

[15] Ich ließ sie alle an dem Kanal zusammenkommen, der nach Ahawa fließt. Dort lagerten wir drei Tage. Unter den Versammelten sah ich zwar mehrere Priester, aber keinen einzigen Leviten. [16] Da rief ich einige Sippenoberhäupter zu mir: Eliëser, Ariël, Schemaja, Elnatan, Jarib, Elnatan, Nathan, Secharja und Meschullam sowie die beiden Gesetzeslehrer Jojarib und Elnatan. [17] Ich schickte sie zu Iddo, dem Vorsteher des Levitendorfes Kasifja. Ich hatte ihnen genau gesagt, was sie Iddo und seinen Amtsbrüdern, den Tempeldienern, auszurichten hatten. Sie sollten ihn bitten, uns Männer zu schicken, die im Tempel unseres Gottes den Dienst versehen konnten.

[18] Gott half uns, und so sandte man uns einen weisen Mann namens Scherebja. Er stammte aus der Sippe Machli, der ein Enkel Levis und Urenkel Israels war. Scherebja kam zusammen mit seinen Söhnen und Brüdern, insgesamt 18 Mann. [19] Außerdem schickte man uns Haschabja und Jesaja aus der Sippe Merari mit ihren Brüdern und Söhnen, insgesamt 20 Mann. [20] Sie wurden begleitet von 220 Tempeldienern, die alle in ein Verzeichnis eingetragen wurden. Ihre Vorfahren waren von David und seinen Beamten dazu bestimmt worden, den Leviten im Tempel zu helfen.

Vorbereitungen für die Rückkehr nach Jerusalem

[21] Am Kanal bei Ahawa forderte ich die Versammelten auf, zu fasten und sich Gottes Willen zu beugen. Wir wollten ihn bitten, uns und unsere Kinder mit unserem Hab und Gut auf der Reise zu beschützen. [22] Ich hätte mich nämlich geschämt, den König um eine berittene Truppe zu bitten, die uns unterwegs vor Überfällen bewahren könnte. Denn wir hatten vorher zum König gesagt: »Unser Gott hält seine schützende Hand über allen, die ihm vertrauen; doch wer sich von ihm abwendet, bekommt seinen Zorn zu spüren.« [23] So fasteten wir und baten unseren Gott um Bewahrung, und er hat unser Gebet erhört.

[24] Darauf wählte ich zwölf führende Priester aus, dazu Scherebja, Haschabja und zehn weitere Leviten. [25] Vor ihren Augen wog ich das Silber, das Gold und die Gegenstände, die der König, seine Berater und Beamten sowie die versammelten Israeliten als Opfergabe für den Tempel unseres Gottes gestiftet hatten.

[26] Dann übergab ich ihnen alle Schätze. Es waren 468 Zentner Silber, 100 silberne Gegenstände, zusammen 72 Zentner schwer, 72 Zentner Gold, [27] 20 goldene Becher im Wert von 1000 persischen Goldmünzen und 2 Gefäße aus goldglänzender Bronze, genauso wertvoll wie goldene Gefäße.

[28] Ich sagte zu den Männern: »Ihr seid zum Dienst für den Herrn geweiht, und auch diese Gegenstände, das Silber und das Gold sollen allein ihm gehören. Sie sind eine freiwillige Opfergabe für den Herrn, den Gott eurer Vorfahren. [29] Seid also wachsam und bewahrt sie gut auf, bis ihr in Jerusalem eintrefft! Dort sollt ihr sie in die Schatzkammern des Tempels bringen und sie in Gegenwart der führenden Priester, der Leviten und der Sippenoberhäupter noch einmal wiegen.«

---

[a] So nach der griechischen Übersetzung. Im hebräischen Text fehlt der Name Bani.

8,20 Jos 9,26–27 **8,21** 10,6 **8,22** 7,6.28 **8,25–30** 7,15–19

[30] Da nahmen die Priester und Leviten das Silber, das Gold und die Gegenstände in Empfang, um sie sicher nach Jerusalem in den Tempel unseres Gottes zu bringen.

Ankunft in Jerusalem

[31] Am 12. Tag des 1. Monats brachen wir vom Kanal bei Ahawa nach Jerusalem auf. Gott hielt seine schützende Hand über uns und bewahrte uns vor Feinden und Räubern. [32] Als wir in Jerusalem ankamen, ruhten wir uns zuerst drei Tage aus. [33] Am vierten Tag übergaben wir das Silber, das Gold und die Gegenstände dem Priester Meremot, dem Sohn Urias, dann wurden sie im Tempel gewogen. Eleasar, der Sohn des Pinhas, und die Leviten Josabad, der Sohn Jeschuas, und Noadja, der Sohn Binnuis, halfen dem Priester Meremot. [34] Alle Gegenstände wurden genau abgezählt und auf die Waage gelegt; dann schrieb man das Gewicht auf.

[35] Nun brachten alle, die aus der Verbannung heimgekehrt waren, dem Gott Israels Brandopfer dar. Sie schlachteten für ganz Israel 12 Stiere, außerdem 96 Schafböcke, 77 Lämmer und 12 Ziegenböcke als Sündopfer.

[36] Dann wurden die Geleitbriefe des Königs den Statthaltern und den persischen Beauftragten westlich des Euphrat übergeben. Sie unterstützten von nun an das Volk und die Gottesdienste im Tempel.

Ehen mit heidnischen Frauen – Esra betet um Gnade

9 [1/2] Nach einiger Zeit kamen führende Männer Israels zu mir und berichteten: »Das Volk, die Priester und die Leviten haben sich mit anderen Völkern im Land eingelassen, die fremden Göttern dienen. Junge und ältere Männer von uns haben Frauen der Kanaaniter, Hetiter, Perisiter, Jebusiter, Ammoniter, Moabiter, Ägypter und Amoriter geheiratet. So hat sich das heilige Volk Gottes mit diesen Völkern vermischt – allen voran die führenden Männer und Beamten!«

[3] Als ich das hörte, zerriss ich entsetzt mein Gewand, schnitt mir die Haare und den Bart ab und setzte mich auf den Boden. [4] Wie betäubt saß ich da bis zur Zeit des Abendopfers.

Inzwischen hatten sich viele bei mir versammelt. Sie hatten große Angst davor, wie der Gott Israels die Ehe mit Götzendienern bestrafen würde. [5] Zur Zeit des Abendopfers stand ich auf. In meinen zerrissenen Kleidern kniete ich nieder und betete mit erhobenen Händen zum Herrn, meinem Gott:

[6] »Mein Gott, ich schäme mich und wage nicht, mein Gesicht zu dir zu erheben. Welch schwere Schuld haben wir auf uns geladen! Der Berg unserer Sünden reicht bis an den Himmel. [7] Schon unsere Vorfahren haben deine Gebote missachtet, und so ist es bis heute geblieben. Darum sind wir auch immer wieder fremden Herrschern in die Hände gefallen. Sie haben uns, unsere Könige und Priester getötet, verschleppt, ausgeraubt und Schimpf und Schande über uns gebracht. Bis heute hat sich nichts geändert.

[8] Herr, unser Gott! Du hast uns für kurze Zeit deine Gnade erwiesen. Einen Rest unseres Volkes hast du aus der Gefangenschaft entkommen lassen und hierher in die Heimat gebracht, wo dein heiliger Tempel steht. Darum können wir uns wieder freuen und wieder aufatmen, obwohl ein anderes Volk uns regiert. [9] Wir stehen unter fremder Herrschaft, aber du hast uns nicht verlassen, du hast uns sogar die Gunst der persischen Könige verschafft. Darum konnten wir ein neues Leben beginnen und deinen zerstörten Tempel wieder aufbauen. Du hast uns in Judäa und Jerusalem Sicherheit geschenkt.

8,35 3 Mo 1,1–17 **8,36** 7,11–26 **9,1–2** 5 Mo 7,3–4*; Neh 13,23–30 **9,3–15** Neh 1,4–11; 9,1–37; Jer 14,7–9; Dan 9,2–19 **9,7** 5 Mo 28,15 **9,9** 1,1–4; 6,6–10; 7,11–26

[10]Doch was können wir jetzt noch sagen, unser Gott, nach allem, was wir getan haben? Wir haben uns über dein Gebot hinweggesetzt, [11]das du uns durch deine Diener, die Propheten, gegeben hast.

Du sprachst: ›Das Land, das ihr in Besitz nehmen werdet, ist durch den Götzendienst seiner Bevölkerung entweiht. Sie haben eure künftige Heimat durch ihre schrecklichen heidnischen Bräuche und ihre Götterstatuen beschmutzt. [12]Darum sollt ihr mit ihnen keine Ehe eingehen – eure Töchter nicht mit ihren Söhnen und eure Söhne nicht mit ihren Töchtern! Tut nichts, was ihr Glück und ihren Wohlstand noch vergrößern würde. Ihr selbst sollt mächtig werden, die Ernte eures Landes genießen und es euren Nachkommen für alle Zeiten weitervererben.‹

[13]Aber unser Volk war dir ungehorsam und lud immer mehr Schuld auf sich, darum brachtest du großes Unheil über uns. Doch du hast uns nicht so schwer gestraft, wie wir es verdient hätten, sondern uns hier im Land in Sicherheit gebracht. [14]Wie konnten wir nur aufs Neue deine Gebote mit Füßen treten und uns mit diesen heidnischen Völkern einlassen? Muss dich da nicht der Zorn packen, bis du uns ganz vernichtet hast, bis niemand von uns mehr übrig bleibt? [15]Herr, du Gott Israels! Du hast Gnade vor Recht ergehen lassen und hast uns, den Rest deines Volkes, errettet. Doch jetzt stehen wir als Schuldige hier und können nicht vor dir bestehen.«

Trennung von den heidnischen Frauen

10 So betete Esra und weinte. Während er vor dem Tempel kniete und Gott die Schuld seines Volkes bekannte, sammelten sich um ihn viele Männer, Frauen und Kinder aus Israel. Auch sie weinten heftig. [2]Schechanja, der Sohn Jehiëls, aus der Sippe Elam sagte zu Esra:

»Ja, wir sind unserem Gott untreu geworden, weil wir heidnische Frauen geheiratet haben. Doch auch jetzt gibt es für Israel noch Hoffnung: [3]Lasst uns mit unserem Gott einen Bund schließen und schwören, uns von den heidnischen Frauen und ihren Kindern zu trennen. Wir werden tun, was du und die anderen, die Ehrfurcht vor Gottes Geboten haben, uns sagen. Das Gesetz des Herrn muss befolgt werden! [4]Und nun steh auf und nimm die Angelegenheit selbst in die Hand. Wir werden dich dabei unterstützen. Sei mutig und entschlossen!«

[5]Da stand Esra auf. Er ließ alle führenden Männer der Priester, der Leviten und des ganzen Volkes schwören, nach Schechanjas Rat zu handeln. [6]Dann verließ Esra den Platz vor dem Haus Gottes und ging in die Tempelkammer Johanans, des Sohnes Eljaschibs. Dort blieb er die Nacht über,[a] ohne etwas zu essen und zu trinken, denn er trauerte über die Sünde der Israeliten.

[7/8]Auf Beschluss der Ältesten und führenden Männer wurde in Jerusalem und in ganz Judäa folgende Botschaft verbreitet: »Alle aus der Verbannung zurückgekehrten Israeliten haben sich innerhalb von drei Tagen in Jerusalem einzufinden. Wer der Aufforderung nicht folgt, wird aus der Gemeinde ausgeschlossen, und sein gesamter Besitz wird eingezogen.« [9]Da kamen alle Männer aus den Stämmen Juda und Benjamin vor Ablauf des dritten Tages nach Jerusalem. Es war der 20. Tag des 9. Monats. Die Versammelten saßen auf dem Tempelvorplatz. Sie hatten große Angst und zitterten vor Kälte, denn es regnete stark.

[10]Esra, der Priester, stand auf und sagte zu ihnen: »Ihr seid Gott untreu geworden. Ihr habt heidnische Frauen geheiratet und so noch größere Schuld auf Israel geladen. [11]Bekennt jetzt dem Herrn, dem Gott eurer Vorfahren, eure Sünden! Und dann tut, was er euch befohlen hat: Sondert euch ab von den an-

---

[a] So mit der griechischen Übersetzung. Der hebräische Text lautet: Er ging hinein.

9,11–12 3 Mo 18,24–27; 5 Mo 9,4–5 **9,15** Ps 130,3 **10,2** 5 Mo 7,3–4* **10,6** 8,21 **10,7–8** 7,25–26

deren Völkern im Land, trennt euch von euren heidnischen Frauen!«

[12] Alle Versammelten riefen: »Du hast Recht! Was du uns gesagt hast, müssen wir tun! [13] Aber wir sind zu viele, außerdem ist Regenzeit. Wir können nicht im Freien bleiben. Die Angelegenheit lässt sich auch nicht in ein oder zwei Tagen regeln. Zu viele sind davon betroffen. [14] Unsere führenden Männer sollen hier bleiben und die ganze Versammlung vertreten. Alle, die heidnische Frauen geheiratet haben, sollen an einem bestimmten Tag mit den Ältesten und Richtern ihres Ortes vor den führenden Männern erscheinen. Erst wenn wir alles in Ordnung gebracht haben, wird Gott seinen glühenden Zorn wieder von uns abwenden.«

[15] Alle waren einverstanden, bis auf Jonatan, den Sohn Asaëls, und Jachseja, den Sohn Tikwas. Sie wurden von Meschullam und dem Leviten Schabbetai unterstützt. [16/17] Doch die Israeliten setzten ihren Beschluss in die Tat um. Der Priester Esra wählte einige Sippenoberhäupter aus, die alle Fälle untersuchen sollten, in denen jüdische Männer nichtjüdische Frauen geheiratet hatten. Am 1. Tag des 10. Monats begannen sie damit, und am 1. Tag des 1. Monats waren sie fertig.

[18/19] Es folgt ein Verzeichnis der Männer, die mit heidnischen Frauen verheiratet waren. Sie gaben ihre Hand darauf, sich von diesen Frauen zu trennen, und brachten je einen Schafbock als Schuldopfer dar.
Von den Priestern:
Maaseja, Eliëser, Jarib und Gedalja aus den Sippen Jeschuas, des Sohnes Jozadaks, und seiner Brüder;
[20] Hanani und Sebadja aus der Sippe Immer;
[21] Maaseja, Elia, Schemaja, Jehiël und Usija aus der Sippe Harim;
[22] Eljoënai, Maaseja, Jismael, Netanel, Josabad und Elasa aus der Sippe Paschhur.
[23] Von den Leviten:
Josabad, Schimi, Kelaja, den sie auch Kelita nannten, Petachja, Juda und Eliëser.
[24] Von den Sängern:
Eljaschib.
Von den Torwächtern:
Schallum, Telem und Uri.
[25] Von den übrigen Israeliten:
Ramja, Jisija, Malkija, Mijamin, Eleasar, Haschabja und Benaja aus der Sippe Parosch;
[26] Mattanja, Secharja, Jehiël, Abdi, Jeremot und Elia aus der Sippe Elam;
[27] Eljoënai, Eljaschib, Mattanja, Jeremot, Sabad und Asisa aus der Sippe Sattu;
[28] Johanan, Hananja, Sabbai und Atlai aus der Sippe Bebai;
[29] Meschullam, Malluch, Adaja, Jaschub, Scheal und Jeremot aus der Sippe Bani;
[30] Adna, Kelal, Benaja, Maaseja, Mattanja, Bezalel, Binnui und Manasse aus der Sippe Pahat-Moab;
[31/32] Eliëser, Jischija, Malkija, Schemaja, Simeon, Benjamin, Malluch und Schemarja aus der Sippe Harim;
[33] Mattenai, Mattatta, Sabad, Elifelet, Jeremai, Manasse und Schimi aus der Sippe Haschum;
[34–37] Maadai, Amram, Uël, Benaja, Bedja, Keluhi, Wanja, Meremot, Eljaschib, Mattanja, Mattenai, Jaasai aus der Sippe Bani[a];
[38–42] Schimi, Schelemja, Nathan, Adaja, Machnadbai, Schaschai, Scharai, Asarel, Schelemja, Schemarja, Schallum, Amarja und Josef aus der Sippe Binnui[b];
[43] Jeiël, Mattitja, Sabad, Sebina, Jaddai, Joel und Benaja aus der Sippe Nebo.

[44] Alle diese Männer hatten Frauen aus den anderen Völkern geheiratet. Nun trennten sie sich von ihnen und ihren Kindern.[c]

---

[a] So mit der griechischen Übersetzung. Der hebräische Text lautet: Jaasai, Bani, Binnui.
[b] So mit der griechischen Übersetzung. Der hebräische Text lautet: aus der Sippe Bani.
[c] So mit der griechischen Übersetzung. Der hebräische Text ist nicht sicher zu deuten.
10,18–19 3 Mo 5,25–26

Das Buch Nehemia

Nehemia betet für Jerusalem

1 Dies ist der Bericht Nehemias, des Sohnes Hachaljas:

Im 20. Regierungsjahr des Königs Artaxerxes von Persien, im Monat Kislew, hielt ich mich in der königlichen Residenz Susa auf. [2] Da besuchte mich Hanani, einer meiner Brüder, und mit ihm noch andere Männer aus Judäa. Ich fragte sie: »Wie geht es den Juden, die aus der Verbannung heimgekehrt sind, und wie steht es um Jerusalem?« [3] Sie berichteten: »Die Zurückgekehrten leiden bittere Not. Man beschimpft sie. Von der Stadtmauer Jerusalems sind nur noch Trümmer übrig, die Tore liegen in Schutt und Asche.«

[4] Als ich das hörte, setzte ich mich hin und weinte. Ich trauerte tagelang, fastete und betete:

[5] »Ach Herr, du Gott des Himmels, du mächtiger und ehrfurchtgebietender Gott! Du hältst deinen Bund mit uns und erweist Gnade denen, die dich lieben und nach deinen Geboten leben. [6] Verschließe deine Augen und Ohren nicht, wenn ich zu dir flehe! Tag und Nacht bete ich zu dir für das Leben der Israeliten. Du bist unser Herr. Ich bekenne dir, dass wir gegen dich gesündigt haben, auch ich und meine Verwandten. [7] Wir alle haben schwere Schuld auf uns geladen. Wir hielten uns nicht an die Gebote und Weisungen, die dein Diener Mose von dir bekommen hat. [8] Aber denke doch daran, was du zu Mose gesagt hast: ›Wenn ihr mich verlasst, werde ich euch unter die fremden Völker zerstreuen, [9] wenn ihr aber wieder zu mir umkehrt und meine Gebote befolgt, dann lasse ich euch in euer Land zurückkehren, auch wenn ich euch bis ans Ende der Erde vertrieben habe. Ich bringe euch an den Ort, wo ich für immer wohnen will.‹ [10] Ach, Herr, sie gehören ja trotz allem zu dir; sie sind dein Volk, das du durch deine Macht und Stärke befreit hast. [11] Bitte erhöre doch mein Gebet und das Gebet aller, die dir dienen und dich ehren wollen. Und wenn ich beim König vorspreche, dann hilf mir, dass ich ein offenes Ohr bei ihm finde!«

Denn ich war der Mundschenk des Königs.

Nehemia reist nach Jerusalem

2 Vier Monate waren seither vergangen.[a] Eines Tages, als ich König Artaxerxes beim Essen Wein einschenkte und ihm den Becher reichte, fiel ihm auf, dass ich traurig aussah. Das war der König bei mir nicht gewohnt, [2] darum fragte er mich: »Warum siehst du so bedrückt aus? Du bist doch nicht etwa krank? Nein, irgendetwas belastet dich!«

Ich erschrak heftig [3] und antwortete: »Lang lebe der König! Wie könnte ich fröhlich sein, wenn die Stadt, in der meine Vorfahren begraben sind, zerstört ist und ihre Tore in Schutt und Asche liegen?«

[4] Da fragte mich der König: »Worum bittest du?« Ich flehte zum Gott des Himmels, [5] dann sagte ich: »Mein König! Wenn du es für richtig hältst und wenn du mir vertraust, dann sende mich nach Judäa in die Stadt, in der meine Vorfahren begraben liegen. Ich möchte sie wieder aufbauen.«

[6] Der König, neben dem die Königin

---

[a] Wörtlich: Im Monat Nisan, im 20. Regierungsjahr des Königs Artaxerxes.

1,3 3,33–35; 2 Chr 36,18–19 **1,4–11** 9,1–37; Esr 9,3–15; Jer 14,7–9; Dan 9,2–20 **1,5** 2 Mo 19,5; 5 Mo 7,9; 1 Kön 8,23 **1,6** Ps 17,6* **1,7–9** 3 Mo 26,13–45; 5 Mo 30,1–5 **1,10** 2 Mo 20,2* **2,3** 2 Chr 36,18–19; Ps 74,1–7

saß, fragte mich: »Wie lange soll deine Reise dauern? Wann bist du wieder zurück?« Als ich ihm einen Zeitpunkt nannte, stimmte er zu. [7] Dann bat ich ihn: »Mein König, wenn du möchtest, so gib mir bitte Briefe an die Provinzstatthalter westlich des Euphrat mit, damit sie mir die Durchreise nach Judäa gestatten. [8] Außerdem bitte ich dich um ein Schreiben an Asaf, den Verwalter der königlichen Wälder, denn ich brauche Holz für die Torbalken der Burg am Tempel, für die Stadtmauer und für das Haus, in dem ich wohnen werde.« Der König gab mir die Briefe, denn Gott stand mir bei.

[9] Dann befahl Artaxerxes, dass eine Leibgarde von Offizieren und Soldaten mich begleiten sollte. So kam ich zu den Provinzstatthaltern westlich des Euphrat und übergab ihnen die Briefe des Königs. [10] Der Statthalter Sanballat aus Bet-Horon und Tobija, sein Beauftragter für die Provinz Ammon, wurden zornig, als sie hörten, dass jemand den Israeliten helfen wollte.

Nehemia sieht sich die Stadtmauer an

[11] Schließlich kam ich nach Jerusalem. Nach drei Tagen [12] brach ich mitten in der Nacht auf, begleitet von einigen Männern; nur ich hatte ein Reittier dabei. Ich erzählte niemandem, welchen Auftrag Gott mir für Jerusalem gegeben hatte. [13] So verließ ich mitten in der Nacht die Stadt durch das Taltor, ritt in südlicher Richtung an der Drachenquelle vorbei und kam zum Misttor. Ich untersuchte die zerstörten Mauern und die niedergebrannten Tore. [14] Dann zog ich nach Norden zum Quelltor und zum Königsteich. Als mein Reittier keinen Weg mehr durch die Trümmer fand, [15] ritt ich trotz der Dunkelheit das Flusstal aufwärts und untersuchte von dort aus die Mauer. Schließlich kehrte ich um und kam durch das Taltor wieder in die Stadt zurück.

Gespräche mit den führenden Männern

[16] Die führenden Männer Jerusalems wussten nicht, wohin ich gegangen war und was ich getan hatte, denn ich hatte ihnen, den Priestern und allen, die beim Wiederaufbau mithelfen sollten, noch nichts von meinem Vorhaben erzählt. [17] Jetzt aber sagte ich zu ihnen: »Ihr seht selbst unser Elend: Jerusalem ist ein einziger Trümmerhaufen, die Stadttore liegen in Schutt und Asche. Kommt, lasst uns die Mauer wieder aufbauen, damit wir nicht länger dem Gespött der Leute preisgegeben sind!« [18] Ich erzählte ihnen, wie Gott mir geholfen und was der König von Persien mir versprochen hatte. Da erklärten sie: »Gut, wir wollen beginnen!«, und machten sich entschlossen an die Arbeit.

[19] Als Sanballat, Tobija und der Araber Geschem davon hörten, lachten sie uns aus und spotteten: »Da habt ihr euch ja einiges vorgenommen! Wollt ihr euch etwa gegen den König auflehnen?« [20] Ich entgegnete ihnen: »Der Gott des Himmels wird unser Vorhaben gelingen lassen. Wir tun nur, was er von uns möchte; darum werden wir mit dem Bau beginnen. Ihr aber habt kein Anrecht auf Grund und Boden in Jerusalem, und auch aus der Vergangenheit könnt ihr keinerlei Anspruch erheben.«

Wiederaufbau der Stadtmauer

3 Der Hohepriester Eljaschib und die anderen Priester bauten das Schaftor wieder auf, sie weihten es dem Herrn und setzten die Torflügel ein. Auch den angrenzenden Mauerabschnitt weihten sie bis zum »Turm der Hundert« und zum Hananelturm.

[2] Die Männer von Jericho besserten das anschließende Teilstück aus, und Sakkur, der Sohn Imris, den darauf folgenden Abschnitt.

[3] Das Fischtor errichtete die Sippe Se-

2,10 4,1–2* **2,17** Hes 5,14–15 **2,19** 4,1–2* **3,1** 13,28

naa. Sie setzten Balken ein, brachten Torflügel an und versahen sie mit Riegeln und Sperrbalken.

[4] Den Wiederaufbau des nächsten Mauerabschnitts leitete Meremot, der Sohn Urias und Enkel von Hakkoz.

Daneben arbeitete Meschullam, der Sohn Berechjas und Enkel Meschesabels.

Zadok, der Sohn Baanas, besserte das folgende Teilstück aus.

[5] Am nächsten Abschnitt bauten die Einwohner von Tekoa; doch die führenden Männer jener Stadt waren zu stolz, um sich an der Arbeit für den Herrn zu beteiligen.

[6] Das Jeschanator errichteten Jojada, der Sohn Paseachs, und Meschullam, der Sohn Besodjas. Sie setzten Balken ein, brachten Torflügel an und versahen sie mit Riegeln und Sperrbalken.

[7] Das nächste Stück bis zum Sitz des Statthalters für das Gebiet westlich des Euphrat bauten Melatja aus Gibeon, Jadon aus Meronot und einige Männer aus Gibeon und Mizpa.

[8] Für den danebenliegenden Abschnitt war der Goldschmied Usiël, der Sohn Harhajas, verantwortlich.

Der Salbenmischer Hananja leitete die Arbeiten am nächsten Stück. Diese beiden befestigten Jerusalem bis zur »Breiten Mauer«.

[9] Daneben baute Refaja, der Sohn Hurs, dem die eine Hälfte des Bezirks Jerusalem unterstand.

[10] Jedaja, der Sohn Harumafs, leitete die Arbeiten am folgenden Mauerabschnitt, der an seinem eigenen Haus entlangführte.

Das nächste Stück besserte Hattusch, der Sohn Haschabnejas, aus.

[11] Den anschließenden Teil der Mauer und den Ofenturm stellten Malkija, der Sohn Harims, und Haschub, der Sohn Pahat-Moabs, wieder her.

[12] Schallum, der Sohn Loheschs, dem die zweite Hälfte des Bezirks Jerusalem unterstand, besserte den nächsten Abschnitt aus, und seine Töchter halfen mit.

[13] Das Taltor bauten Hanun und die Einwohner von Sanoach. Sie hängten die Torflügel ein und versahen sie mit Riegeln und Sperrbalken. Außerdem errichteten sie die Mauer von dort bis zum Misttor, eine Strecke von ungefähr 500 Metern.

[14] Das Misttor baute Malkija, der Sohn Rechabs, der Vorsteher des Bezirks Bet-Kerem. Er setzte hier die Tore ein und befestigte Riegel und Sperrbalken.

[15] Für den Wiederaufbau des Quelltors übernahm Schallun, der Sohn Kolhoses, die Verantwortung. Er war der Vorsteher des Bezirks Mizpa. Er überdachte das Tor, hängte die Torflügel ein und brachte Riegel und Sperrbalken an. Unter seiner Aufsicht wurde auch die Mauer am Teich beim königlichen Garten ausgebessert, zu dem die Wasserleitung führte. Dieses Teilstück reichte bis zu den Stufen, die von der »Stadt Davids« herabkommen.

[16] Die Arbeiten am nächsten Abschnitt übernahm Nehemja, der Sohn Asbuks, dem die Hälfte des Bezirks Bet-Zur unterstand. Dieser Teil der Mauer lag den Gräbern des Königshauses David gegenüber und erstreckte sich bis zum künstlich angelegten Teich und bis zu den Unterkünften der Leibwache.

[17] Folgende Leviten bauten die nächsten Mauerabschnitte: Rehum, der Sohn Banis, hatte die Oberaufsicht.

Haschabja, der Vorsteher über die Hälfte des Bezirks Keïla, besserte das nächste Teilstück aus.

[18] Daneben arbeiteten die Leviten unter der Führung von Binnui, dem Sohn Henadads. Er war Vorsteher über die andere Hälfte des Bezirks Keïla.

[19] Danach kam Eser, der Sohn Jeschuas, der Vorsteher von Mizpa. Sein Bauabschnitt lag beim Aufgang zur Waffenkammer und ging bis zur Biegung der Mauer.

[20] Besonders fleißig arbeitete Baruch, der Sohn Sabbais. Ihm war der Abschnitt zwischen der Biegung der Mauer und

3,15 2 Kön 20,20

dem Eingang zum Haus des Hohenpriesters Eljaschib zugeteilt.

[21] Das nächste Mauerstück besserte Meremot aus, der Sohn Urias und Enkel von Hakkoz; es reichte vom Eingang bis zum Ende des Hauses Eljaschibs.

[22] Die folgenden Abschnitte wurden von Priestern aus der Umgebung von Jerusalem gebaut.

[23] Benjamin und Haschub leiteten die Arbeiten am nächsten Teilstück, das ihren Häusern gegenüber lag.

Asarja, der Sohn Maasejas und Enkel Ananjas, widmete sich dem nächsten Teil der Mauer in der Nähe seines Hauses.

[24] Den darauf folgenden Abschnitt vom Haus Asarjas bis zur Biegung und zur Ecke der Mauer baute Binnui, der Sohn Henadads, wieder auf.

[25] Palal, der Sohn Usais, war verantwortlich für das Teilstück, das an der Mauerecke begann, und für den oberen Turm, der am königlichen Palast beim Gefängnishof vorspringt.

Pedaja, der Sohn Paroschs, [26] und die Tempeldiener, die auf dem Hügel Ofel wohnten, besserten den anschließenden Abschnitt aus bis zu der Stelle gegenüber dem Wassertor im Osten und dem vorspringenden Turm.

[27] Das nächste Stück vom vorspringenden Turm bis zur Mauer auf dem Hügel Ofel bauten die Einwohner von Tekoa.

[28] Oberhalb des Rosstores arbeiteten die Priester, jeder an dem Stück Mauer, das seinem Haus gegenüber lag.

[29] Auch Zadok, der Sohn Immers, hatte die Verantwortung für den Teil der Mauer, der seinem Haus am nächsten war.

Den folgenden Abschnitt besserte Schemaja aus, der Sohn Schechanjas, der Wächter am Osttor.

[30] Daneben leiteten Hananja, der Sohn Schelemjas, und Hanun, der sechste Sohn Zalafs, die Arbeiten.

Meschullam, der Sohn Berechjas, baute den folgenden Mauerteil gegenüber seinem Haus wieder auf.

[31] Das nächste Teilstück bis zum Haus der Tempeldiener und der Händler gegenüber dem Wachtor und bis zum oberen Raum an der Mauerecke besserte der Goldschmied Malkija aus.

[32] Den letzten Mauerabschnitt von dort bis zum Schaftor errichteten die Goldschmiede und die Händler.

Sanballat verspottet die Juden

[33] Als Sanballat erfuhr, dass wir mit dem Bau der Stadtmauer begonnen hatten, packte ihn der Zorn. Er verspottete uns [34] vor seinen Vertrauten und den Truppen von Samaria: »Was wollen diese armseligen Juden eigentlich? Jerusalem zur Festung ausbauen? Sie meinen wohl, wenn sie Opfer darbringen, können sie an einem Tag fertig werden! Mit diesen verbrannten Steinen und diesem Schutt wollen sie eine neue Stadtmauer errichten?«

[35] Der Ammoniter Tobija stand neben ihm und pflichtete ihm bei: »Sollen sie doch bauen! Wenn ein Fuchs an der Mauer hochspringt, fällt sie wieder in sich zusammen!«

[36] Doch ich betete: »Herr, unser Gott, hör doch, wie sie sich über uns lustig machen! Strafe sie für ihren Spott! Sorge dafür, dass ihnen ihr ganzer Besitz genommen wird und sie in ein fremdes Land verschleppt werden. [37] Vergib ihnen nicht, vergiss niemals, welches Unrecht sie uns angetan haben! Denn sie haben die verspottet, die Jerusalem wieder aufbauen.«

[38] Trotz allem besserten wir die Mauer weiter aus, und schon bald waren ihre Lücken bis zur halben Höhe geschlossen. Denn das Volk arbeitete mit ganzer Kraft.

Die Feinde planen einen Angriff

4 Als Sanballat und Tobija, die Araber, die Ammoniter und die Einwohner von Aschdod erfuhren, dass der Aufbau

3,26 Jos 9,26–27 **3,33–35** 4,1–2* **3,36–37** Jer 11,20; Mt 5,43–48 **4,1–2** 2,10.19; 3,33–35; 6,1–13.17–19

der Jerusalemer Mauer Fortschritte machte und die letzten Lücken schon fast geschlossen waren, gerieten sie in Wut. [2]Sie verbündeten sich, um Jerusalem anzugreifen und unsere Pläne zu durchkreuzen. [3]Wir aber flehten zu unserem Gott und stellten Tag und Nacht Wachen auf. [4]Das Volk der Judäer sang ein Klagelied:

»Die Kraft der Träger reicht nicht mehr,
der Schutt ist viel zu viel.
Alleine ist es uns zu schwer,
wir kommen nie ans Ziel.«

[5]Unsere Feinde dachten: »Noch bevor die Juden uns bemerken, sind wir schon mitten unter ihnen, bringen sie um und zerstören ihr Bauwerk!«

[6]Aber immer wieder kamen Juden, die in ihrer Nähe wohnten, zu uns und erzählten, was die Völker ringsum gegen uns im Schilde führten. [7]Darum stellte ich dort wehrfähige Männer auf, wo die Mauer noch besonders niedrig war und Lücken aufwies. Sie waren nach Sippen eingeteilt und mit Schwertern, Lanzen und Bogen bewaffnet. [8]Ich sah mir alles noch einmal genau an, dann sagte ich zu den führenden Männern und zum übrigen Volk: »Habt keine Angst vor ihnen! Vertraut dem Herrn, denn er ist groß und mächtig. Kämpft für eure Brüder und Söhne, für eure Töchter und Frauen und für eure Häuser!«

[9]Als unsere Feinde hörten, dass wir alles wussten und dass Gott ihre Pläne vereitelt hatte, konnten wir wieder an die Arbeit gehen, jeder an seinen Platz. [10]Allerdings baute von diesem Tag an nur noch die Hälfte der Männer an der Mauer weiter, die anderen hielten in ihren Rüstungen Wache und waren mit Lanzen, Schilden und Bogen bewaffnet. Sie standen mit ihren Offizieren hinter den Männern, [11]die an der Mauer arbeiteten. Die Lastträger trugen mit der einen Hand das Baumaterial, in der anderen hielten sie eine Waffe. [12]Alle Arbeiter hatten ihr Schwert umgeschnallt. Der Mann, der mit dem Horn Alarm blasen sollte, blieb die ganze Zeit in meiner Nähe. [13]Den führenden Männern und dem übrigen Volk hatte ich eingeschärft: »Die Mauerabschnitte, die wieder aufgebaut werden müssen, sind sehr lang. Darum sind auch wir weit voneinander entfernt. [14]Sobald ihr irgendwo das Horn blasen hört, lauft sofort dorthin! Unser Gott wird für uns kämpfen!«

[15]So arbeiteten wir alle vom Morgengrauen bis zum Einbruch der Dunkelheit, und die Hälfte der Männer hielt mit der Lanze in der Hand Wache. [16]Ich hatte allen befohlen: »Übernachtet in Jerusalem, damit ihr nachts eine Wache übernehmen und tagsüber arbeiten könnt.« [17]Sogar nachts zog ich meine Kleider nicht aus, und auch meine Verwandten, meine Mitarbeiter und die Männer meiner Leibwache waren jederzeit einsatzbereit mit der Waffe in der Hand.

Schuldenerlass für die arme Bevölkerung

5 Nach einiger Zeit kamen jüdische Männer und Frauen zu mir und beschwerten sich über Leute aus ihrem eigenen Volk. [2]Die einen klagten: »Wir haben viele Söhne und Töchter und brauchen mehr Getreide, sonst können wir nicht überleben.« [3]Andere sagten: »Wir mussten unsere Felder, Weinberge und Häuser verpfänden, um während der Hungersnot Brot kaufen zu können.« [4]Und wieder andere beklagten sich: »Wir mussten uns Geld leihen, um dem König die Steuern auf unsere Felder und Weinberge bezahlen zu können. [5]Wir gehören doch zum selben Volk wie die anderen Juden! Unsere Kinder sind nicht weniger wert als ihre. Und doch müssen wir ihnen unsere Söhne und Töchter als Sklaven verkaufen; einige unserer Töchter sind schon in ihrer Gewalt. Wir sind machtlos, denn unsere Felder und Weinberge gehören ja ihnen.«

4,14 2 Mo 14,14* **5,1–5** 2 Mo 22,24; 3 Mo 25,39–43; 2 Kön 4,1

[6]Als ich ihre Klagen hörte und von dem Unrecht erfuhr, wurde ich sehr zornig. [7]Ich dachte über alles gründlich nach, dann stellte ich die führenden Männer zur Rede: »Eure eigenen Landsleute beutet ihr skrupellos aus!« Ich berief eine Volksversammlung ein [8]und redete ihnen ins Gewissen: »Menschen aus unserem Volk sind von fremden Völkern zu Sklaven gemacht worden. Wir haben von ihnen so viele wie möglich freigekauft. Und jetzt habt ihr eure eigenen Landsleute zu Sklaven gemacht! Sollen wir sie nun etwa von euch zurückkaufen?« Darauf wussten sie keine Antwort und schwiegen.

[9]Ich fuhr fort: »Ihr begeht ein großes Unrecht! Warum gehorcht ihr Gott nicht und tut, was recht ist? Ihr macht uns zum Gespött unserer Feinde! [10]Auch ich, meine Verwandten und meine Mitarbeiter haben anderen Geld und Getreide geliehen. Doch wir wollen nichts mehr zurückfordern. [11]Gebt auch ihr euren Schuldnern noch heute die gepfändeten Felder und Weinberge, die Ölberge und Häuser zurück. Erlasst ihnen alles, was ihr ihnen an Geld und Getreide, an Wein und Öl geliehen habt!« [12]Sie antworteten: »Gut, wir wollen tun, was du sagst. Wir geben alles zurück und fordern nichts mehr.«

Da rief ich die Priester zu mir und ließ die Gläubiger vor ihnen schwören, ihr Versprechen zu halten. [13]Dann schüttelte ich alles aus, was ich in meinem Gewand trug, und sagte: »Genau so soll Gott jeden, der seinen Eid bricht, aus seiner Sippe und aus seinem Besitz hinauswerfen!«

Alle Versammelten riefen: »Ja, so soll es geschehen!« Sie lobten den Herrn und erfüllten ihr Versprechen.

Nehemia geht mit gutem Beispiel voran

[14]Zwölf Jahre war ich Statthalter der Provinz Judäa, vom 20. bis zum 32. Regierungsjahr des Königs Artaxerxes; in dieser Zeit verzichteten meine Verwandten und ich auf die zusätzlichen Abgaben, die uns zustanden. [15]Meine Vorgänger hatten sich am Volk bereichert. Sie hatten nicht nur Brot und Wein von ihm verlangt, sondern zusätzlich noch 40 Silberstücke pro Tag[a]. Auch ihre Mitarbeiter beuteten das Volk aus. Doch ich handelte nicht so, denn ich hatte Ehrfurcht vor Gott. [16]Ich setzte meine ganze Kraft daran, beim Bau der Stadtmauer Jerusalems mitzuhelfen, und auch alle Männer, die für mich arbeiteten, waren beteiligt. Keiner von uns kaufte für sich selbst Land. [17]An meinem Tisch waren regelmäßig 150 führende Juden zu Gast, dazu alle, die aus den umliegenden Völkern zu uns gestoßen waren. [18]Jeden Tag ließ ich ein Rind, sechs der besten Schafe und viel Geflügel schlachten und zubereiten. Alle zehn Tage wurden die verschiedensten Weine in großen Mengen bereitgestellt. Für die Kosten kam ich selbst auf. Trotzdem verzichtete ich auf die zusätzlichen Abgaben, die mir als Statthalter zustanden, denn das Volk musste für den Bau der Stadtmauer schon genug aufbringen.

[19]Mein Gott, vergiss nicht, wie viel Gutes ich für dieses Volk getan habe!

Mordpläne gegen Nehemia

6 Sanballat, Tobija, der Araber Geschem und unsere übrigen Feinde erfuhren, dass ich die Stadtmauer wieder aufgebaut hatte und dass sie keine Lücken mehr aufwies. Nur die Torflügel hatten wir noch nicht eingesetzt. [2]Da ließen Sanballat und Geschem mir ausrichten: »Wir wollen uns mit dir in Kefirim in der Ebene von Ono treffen!« Weil sie aber einen Anschlag gegen mich planten, [3]schickte ich ihnen einen Boten und ließ ihnen sagen: »Ich kann nicht kommen, denn wir führen hier ein großes Werk aus. Die ganze Arbeit müsste unterbro-

---

[a] So mit der lateinischen Übersetzung. Im hebräischen Text ist kein Zeitraum angegeben.

5,10–11 3 Mo 25,35–37 **5,19** 13,14.22.31 **6,1–13** 4,1–2*

chen werden, wenn ich eurer Aufforderung folgen würde.«

[4]Noch viermal schickten sie mir dieselbe Botschaft, und jedes Mal gab ich ihnen die gleiche Antwort. [5]Doch Sanballat sandte mir zum fünften Mal einen seiner Männer, diesmal mit einem unverschlossenen Brief. [6]Darin stand: »Die anderen Völker des Landes erzählen, dass du mit den Juden einen Aufstand planst und darum die Mauer wieder aufbaust. Auch von Geschem habe ich das gehört. Anscheinend willst du König der Juden werden. [7]Du sollst sogar schon einige Propheten beauftragt haben, dich in Jerusalem zum König von Judäa auszurufen. Von solchen Gerüchten wird natürlich auch der persische König erfahren. Darum lass uns miteinander beraten, was zu tun ist!«

[8]Ich ließ ihm ausrichten: »Keine deiner Behauptungen ist wahr. Sie sind alle frei erfunden!« [9]Unsere Feinde wollten uns Angst einjagen, um die Fertigstellung der Mauer zu verhindern. Doch ich betete: »Herr, gib uns Mut und Kraft!«

[10]Eines Tages besuchte ich Schemaja, den Sohn Delajas und Enkel Mehetabels, denn er konnte nicht zu mir kommen. Er sagte zu mir: »Wir müssen uns im inneren Raum des Tempels treffen und die Türen fest verschließen, sie wollen dich nämlich umbringen – noch heute Nacht!«

[11]Ich entgegnete: »Ein Mann wie ich läuft nicht davon! Außerdem bin ich kein Priester, ich darf den inneren Raum des Tempels überhaupt nicht betreten, sonst hätte ich mein Leben verwirkt. Nein, ich gehe nicht!« [12]Mir war klar geworden, dass Schemaja nicht im Auftrag Gottes sprach. Er tat, als habe er eine Botschaft Gottes empfangen, doch in Wirklichkeit hatten Tobija und Sanballat ihn bestochen. [13]Sie wollten mir Angst einjagen und mich zu einer Tat verleiten, durch die ich mich schuldig machte. So hätten sie meinen guten Ruf zerstören und mich zur Zielscheibe des Spottes machen können.

[14]Ach Gott, vergiss nicht, was mir Tobija und Sanballat angetan haben! Denke daran, dass die Prophetin Noadja und die anderen Propheten mich einschüchtern wollten!

Die Stadtmauer wird fertig gestellt

[15]Die Mauer wurde nach 52 Tagen, am 25. Tag des Monats Elul, fertig. [16]Als unsere Feinde aus den Völkern ringsum das hörten, bekamen sie Angst und verloren allen Mut. Denn sie erkannten, dass unser Gott uns geholfen hatte.

[17]Während dieser ganzen Zeit hatten einige einflussreiche Männer Judäas ständig an Tobija geschrieben und auch Briefe von ihm erhalten. [18]Viele Judäer hatten ihm Beistand geschworen, denn er war der Schwiegersohn Schechanjas, des Sohnes Arachs, und sein Sohn Johanan war mit einer Tochter Meschullams, des Sohnes Berechjas, verheiratet. [19]Darum hoben sie vor mir die Verdienste Tobijas hervor und hinterbrachten ihm alles, was ich gesagt hatte. Tobija wollte mich daraufhin mit Briefen einschüchtern.

7 Als die Stadtmauer wieder ganz aufgebaut war, ließ ich die Torflügel einsetzen. Dann bestimmte ich einige Männer zu Torwächtern am Tempel und wies den Sängern und Leviten ihren Dienst zu. [2]Zum Befehlshaber über Jerusalem ernannte ich meinen Bruder Hanani und Hananja, den Kommandanten der Festung. Hananja war ein zuverlässiger Mann und ging den anderen in seiner Liebe zu Gott mit gutem Beispiel voran. [3]Ich sagte zu den beiden: »Die Tore Jerusalems dürfen erst geöffnet werden, wenn die Sonne schon hoch am Himmel steht. Und sie sollen noch vor Sonnenuntergang wieder geschlossen und verriegelt werden. Stellt einige Einwohner Jerusalems als Wachposten auf, die einen zum Schutz der Stadtmauer, die anderen für die Häuser in der Stadt!«

6,6 2,19; Esr 4,12–13 **6,11** 4 Mo 18,5–7 **6,16** 5 Mo 11,25 **6,17–19** 4,1–2* **7,1** 1 Chr 23,25–32

Verzeichnis der aus Babylonien Heimgekehrten
(Esra 2)

[4] Jerusalem war sehr groß, doch es lebten erst wenig Menschen dort, und die zerstörten Häuser waren noch nicht wieder aufgebaut. [5] Da gab Gott mir in den Sinn, eine Versammlung der führenden Männer und des ganzen Volkes einzuberufen, um ein Verzeichnis der Sippen anzulegen. Dabei fand ich die Buchrolle mit dem Verzeichnis der ersten Judäer, die aus der Verbannung zurückgekehrt waren. Darin hieß es:

[6] »Die hier Eingetragenen stammen aus der persischen Provinz Judäa. Nebukadnezar, der König von Babylonien, hatte ihre Vorfahren in sein Land verschleppt. Sie kehrten in Sippenverbänden nach Jerusalem und Judäa zurück, jeder an den Ort, aus dem er ursprünglich kam.

[7] Sie wurden angeführt von Serubbabel, Jeschua, Nehemja, Asarja, Raamja, Nahamani, Mordochai, Bilschan, Misperet, Bigwai, Rehum und Baana.«

Es folgt ein Verzeichnis der heimkehrenden Sippen mit der Zahl der zu ihnen gehörenden Männer:

[8–38] 2 172 von der Sippe Parosch;
372 von Schefatja;
652 von Arach;
2 818 von Pahat-Moab, sie waren Nachkommen von Jeschua und Joab;
1 254 von Elam;
845 von Sattu;
760 von Sakkai;
648 von Binnui;
628 von Bebai;
2 322 von Asgad;
667 von Adonikam;
2 067 von Bigwai;
655 von Adin;
98 von Ater, sie waren Nachkommen von Hiskia;
328 von Haschum;
324 von Bezai;
112 von Harif;
95 von Gibeon;
188 aus Bethlehem und Netofa;
128 aus Anatot;
42 aus Bet-Asmawet;
743 aus Kirjat-Jearim, Kefira und Beerot;
621 aus Rama und Geba;
122 aus Michmas;
123 aus Bethel und Ai;
52 aus dem anderen Nebo;
1 254 von der Sippe des anderen Elam;
320 von Harim;
345 aus Jericho;
721 aus Lod, Hadid und Ono;
3 930 von der Sippe Senaa.

[39–42] Aus den Sippen der Priester kehrten zurück:
973 Männer mit Familien von der Sippe Jedaja, Nachkommen Jeschuas;
1 052 von Immer;
1 247 von Paschhur;
1 017 von Harim.

[43] Von den Leviten:
74 aus den Sippen Jeschua und Kadmiël, sie waren Nachkommen Hodawjas;[a]
[44] von den Tempelsängern:
148 aus der Sippe Asaf;
[45] von den Wächtern an den Tempeltoren:
138 aus den Sippen Schallum, Ater, Talmon, Akkub, Hatita und Schobai;
[46–56] von den Tempeldienern:
die Sippen von Ziha, Hasufa, Tabbaot, Keros, Sia, Padon, Lebana, Hagaba, Salmai, Hanan, Giddel, Gahar, Reaja, Rezin, Nekoda, Gasam, Usa, Paseach, Besai, die Mëuniter und die Nefusiter sowie die Sippen von Bakbuk, Hakufa, Harhur, Bazlut, Mehida, Harscha, Barkos, Sisera, Temach, Neziach und Hatifa.

[57–59] Von den Nachkommen der Diener Salomos kamen zurück:
die Sippen von Sotai, Soferet, Peruda, Jaala, Darkon, Giddel, Schefatja, Hattil, Pocheret-Zebajim und Amon.

[60] Insgesamt kehrten 392 Tempeldiener und Nachkommen der Diener Salomos nach Israel zurück.

[61/62] 642 heimkehrende Familien stamm-

---

[a] So nach Esra 2,40. Der hebräische Text lautet: Jeschua (Nachkommen von Kadmiël und Hodawja).

7,6 2 Chr 36,17–20 **7,60** Jos 9,26–27

ten aus den Orten Tel-Melach, Tel-Harscha, Kerub-Addon und Immer. Sie gehörten zu den Sippen Delaja, Tobija und Nekoda, konnten jedoch ihre israelitische Abstammung nicht nachweisen.

[63/64] Einige der Priester durften keinen Tempeldienst ausüben, denn ihre Abstammungsregister waren nicht aufzufinden. Sie kamen aus den Sippen von Habaja, Hakkoz und Barsillai. Der Stammvater der Sippe Barsillai hatte eine Tochter des Gileaditers Barsillai geheiratet und den Namen seines Schwiegervaters angenommen. [65] Der persische Statthalter verbot den Priestern aus diesen drei Sippen, von den Opfergaben zu essen, bis wieder ein Hoherpriester im Amt wäre, der das heilige Los werfen durfte, um über ihren Fall zu entscheiden.

[66] Insgesamt kehrten 42360 Israeliten in ihre Heimat zurück, [67] dazu kamen 7337 Sklaven und Sklavinnen und 245 Sänger und Sängerinnen.

[68] Die Israeliten brachten 435 Kamele und 6720 Esel mit.

[69] Einige Sippenoberhäupter stifteten freiwillige Gaben für den Wiederaufbau des Tempels. Der Statthalter gab 1000 Goldmünzen, 50 Opferschalen und 530 Priestergewänder. [70] Die Sippenoberhäupter legten 20000 Goldmünzen und 1500 Kilogramm Silber zusammen. [71] Das übrige Volk spendete 20000 Goldmünzen, 1400 Kilogramm Silber und 67 Priestergewänder.

[72] Die Priester, die Leviten, die Torwächter, Sänger und Tempeldiener ließen sich wie die übrigen Israeliten in ihren früheren Heimatorten nieder.

Esra liest aus dem Gesetz vor

8 Am 1. Tag des 7. Monats, als alle Israeliten wieder in ihren Städten wohnten, [2] versammelte sich das ganze Volk auf dem Platz vor dem Wassertor. Sie baten den Schriftgelehrten Esra, das Buch mit dem Gesetz zu holen, das der Herr dem Volk Israel durch Mose gegeben hatte. [3] Da las der Priester Esra das Gesetz vor den Männern und Frauen und vor den Kindern, die alt genug waren, um es verstehen zu können. Alle hörten aufmerksam zu, vom frühen Morgen bis zum Mittag. [4] Esra stand auf einer Plattform aus Holz, die man eigens dafür errichtet hatte. Rechts neben ihm waren Mattitja, Schema, Anaja, Uria, Hilkija und Maaseja, links Pedaja, Mischaël, Malkija, Haschum, Haschbaddana, Secharja und Meschullam.

[5] Weil Esra einen erhöhten Platz hatte, konnten alle sehen, wie er die Buchrolle öffnete. Da stand das ganze Volk auf. [6] Esra pries den Herrn, den großen Gott, und alle riefen mit erhobenen Händen: »Amen, Amen!« Dann warfen sie sich vor dem Herrn nieder, mit dem Gesicht zu Boden. [7] Die Leviten Jeschua, Bani, Scherebja, Jamin, Akkub, Schabbetai, Hodija, Maaseja, Kelita, Asarja, Josabad, Hanan und Pelaja legten den Versammelten das Gesetz aus. [8] Die vorgelesenen Abschnitte übersetzten sie aus dem Hebräischen in die aramäische Umgangssprache und erklärten das Gesetz, damit das Volk es wirklich verstehen konnte.

[9] Als die Menschen hörten, was im Gesetz stand, begannen sie zu weinen. Aber der Statthalter Nehemia, der Priester und Schriftgelehrte Esra und die Leviten, die das Gesetz auslegten, ermutigten sie: »Seid nicht traurig, und weint nicht! Heute ist ein Festtag; er gehört dem Herrn, eurem Gott! [10] Und nun geht nach Hause, esst und trinkt! Bereitet euch ein Festmahl zu und feiert! Gebt auch denen etwas, die sich ein solches Mahl nicht leisten können! Dieser Tag gehört unserem Gott. Lasst den Mut nicht sinken, denn

---

7,63–64 2 Sam 17,27; 19,32–41 **7,65** 2 Mo 28,30*; 4 Mo 18,8–19* **7,69–71** 2 Mo 25,2*; 28,40–43 **8,1–2** 3 Mo 23,23–25; Esr 7,1–6.10 **8,3–8** 5 Mo 31,9–13; 2 Kön 23,1–3 **8,9** 2 Kön 22,11 **8,10–12** 5 Mo 12,7*

die Freude am Herrn gibt euch Kraft!« [11] Auch die Leviten beruhigten das Volk und sagten: »Seid nicht traurig, denn dieser Tag gehört Gott!«

[12] Da gingen die Versammelten nach Hause und feierten ein großes Freudenfest. Sie aßen und tranken und teilten mit denen, die selbst nichts besaßen, denn sie hatten verstanden, was man ihnen verkündet hatte.

Das Laubhüttenfest

[13] Am zweiten Tag kamen die Sippenoberhäupter des ganzen Volkes, die Priester und Leviten zu Esra, dem Schriftgelehrten, um das Gesetz noch besser zu verstehen. [14] Dabei entdeckten sie, dass der Herr durch Mose befohlen hatte, die Israeliten sollten während des Festes im 7. Monat in Laubhütten wohnen. [15] Darum ließ man in Jerusalem und in allen anderen Städten bekannt geben: »Steigt auf die Hügel und bringt frische Zweige von Ölbäumen, Myrten, Palmen und anderen Bäumen mit dichten Blättern. Dann baut damit Laubhütten, wie es das Gesetz vorschreibt!«

[16] Die Judäer folgten der Aufforderung. Sie schnitten Zweige ab und errichteten Hütten auf den flachen Dächern ihrer Häuser, in ihren Höfen, in den Vorhöfen am Tempel, auf dem Platz am Wassertor und am Tor Ephraim. [17] Alle, die aus der Verbannung zurückgekehrt waren, bauten Laubhütten und wohnten darin. Seit der Zeit Josuas, des Sohnes Nuns, hatten die Israeliten dies nicht mehr getan. Nun aber feierten sie mit großer Freude. [18] An jedem Tag des Festes wurde aus dem Gesetzbuch Gottes vorgelesen. Sieben Tage lang feierten die Israeliten, und am achten Tag beendeten sie das Fest mit einer Versammlung, wie es im Gesetz steht.[a]

Die Israeliten bekennen ihre Schuld

9 Am 24. Tag desselben Monats kamen die Israeliten zu einem Fastentag zusammen. Sie zogen Bußgewänder aus Sacktuch an und streuten sich als Zeichen ihrer Trauer Erde auf den Kopf. [2] Von allen, die nicht zum Volk Israel gehörten, hatten sie sich getrennt und versammelten sich nun, um die Sünden zu bekennen, die sie und ihre Vorfahren begangen hatten. [3] Drei Stunden lang hörten sie im Stehen zu, was aus dem Gesetzbuch des Herrn, ihres Gottes, vorgelesen wurde. Dann warfen sie sich vor dem Herrn, ihrem Gott, nieder und bekannten ihm drei Stunden lang ihre Schuld.

[4] Auf einer Plattform standen die Leviten Jeschua, Bani, Kadmiël, Schebanja, Bunni, Scherebja, Bani und Kenani. Mit lauter Stimme beteten sie zum Herrn, ihrem Gott.

[5] Die Leviten Jeschua, Kadmiël, Bani, Haschabneja, Scherebja, Hodija, Schebanja und Petachja riefen: »Steht auf, preist den Herrn, euren Gott, bis in alle Ewigkeit! Rühmt seinen herrlichen Namen, denn unser Gott ist groß und mächtig; selbst mit unseren Lobliedern können wir ihn nicht beschreiben!«

[6] Dann betete Esra:[b]

»Du bist der Herr, du allein! Du hast den Himmel geschaffen mit all seinen Sternen! Die Erde und das Meer sind dein Werk mit allen Geschöpfen, die es dort gibt. Du hast ihnen das Leben geschenkt, die Mächte im Himmel beten dich an.

[7] Du, o Herr, bist der Gott, der Abram erwählte; du führtest ihn aus Ur in Babylonien und gabst ihm den Namen Abraham.

[8] Du sahst, dass er dir treu war, und versprachst ihm: ›Deinen Nachkommen

---

[a] Vgl. 3. Mose 23,40–43

[b] So nach der griechischen Übersetzung. Im hebräischen Text steht keine Überleitung.

8,14–18 3 Mo 23,33–43* **9,1–37** 1,4–11; Esr 9,3–15; Jer 14,7–9; Dan 9,2–20 **9,2** 10,29–32; 5 Mo 7,3–4* **9,6** 1 Mo 1,1–2*; 5 Mo 6,4 **9,7** 1 Mo 11,31; 17,3–5 **9,8** 1 Mo 12,7*

gebe ich eine Heimat: das Land der Kanaaniter und Hetiter, der Amoriter und Perisiter, der Jebusiter und Girgaschiter.‹ Du hast dein Wort gehalten, denn du bist zuverlässig und gerecht!

[9] Als unsere Vorfahren in Ägypten unterdrückt wurden, hast du dich über sie erbarmt. Am Schilfmeer schrien sie um Hilfe, und du hast sie erhört.
[10] Der Pharao, seine obersten Beamten und sein Volk haben unsere Vorfahren verspottet und gedemütigt. Doch du hast ihnen Einhalt geboten mit großen Wundern und mit Zeichen deiner Macht. So hast du deinen Namen in aller Welt bekannt gemacht, und noch heute spricht man von deinen Taten.
[11] Vor den Augen deines Volkes teiltest du das Meer, trockenen Fußes zogen sie mitten hindurch. Doch ihre Verfolger stürztest du in die Wogen, wie Steine sanken sie in die Tiefe.

[12] Mit einer Wolkensäule führtest du dein Volk bei Tag, in der Nacht mit einer Feuersäule. So zeigtest du ihnen den Weg.
[13] Du stiegst vom Himmel herab auf den Berg Sinai und sprachst zu deinem Volk. Du gabst ihnen klare Bestimmungen, Weisungen, auf die man sich verlassen kann, gute Ordnungen und Gebote.
[14] Du lehrtest sie, den Sabbat als einen Tag zu achten, der dir allein gehört. Durch Mose, deinen Diener, hast du ihnen Gebote, Ordnungen und ein Gesetz gegeben.
[15] Als der Hunger sie quälte, gabst du ihnen Brot vom Himmel; als sie Durst litten, ließest du Wasser aus dem Felsen fließen. Du befahlst ihnen, das Land einzunehmen, das du ihnen zugesagt hattest.

[16] Aber unsere Vorfahren waren hochmütig, sie widersetzten sich dir und schlugen deine Weisungen in den Wind.
[17] Sie wollten dir nicht gehorchen und vergaßen deine großen Wunder, mit denen du ihnen geholfen hattest. Eigensinnig und widerspenstig wie sie waren, wollten sie selbst einen Anführer berufen, der sie in die Sklaverei nach Ägypten zurückbringen sollte. Du aber bist ein Gott, der vergibt, du bist gnädig und barmherzig; deine Geduld ist nie zu Ende, deine Liebe ist grenzenlos. Du hast unsere Vorfahren nicht verlassen,
[18] auch nicht, als sie sich eine Stierfigur gossen und sagten: ›Das ist unser Gott, der uns aus Ägypten geführt hat!‹ Wie sehr haben sie dich damit verletzt!
[19] Du aber hast sie in der Wüste nicht im Stich gelassen, denn du bist barmherzig. Am Tag zeigte die Wolkensäule, wohin sie gehen sollten, und in der Nacht erleuchtete die Feuersäule ihren Weg.
[20] Du schenktest ihnen deinen guten Geist, um sie zur Einsicht zu bringen. Als sie hungrig und durstig waren, hast du sie mit Manna und Wasser versorgt.
[21] Vierzig Jahre wanderten sie in der Wüste umher, und immer bekamen sie von dir, was sie brauchten. Ihre Kleider verschlissen nicht, und ihre Füße schwollen nicht vom langen Marsch.

[22] Königreiche und Völker gabst du in ihre Gewalt, ein Land nach dem anderen konnten sie einnehmen. Sie eroberten Heschbon, das Land von König Sihon, und Baschan, das Land von König Og.
[23] Du hast ihnen viele Kinder gegeben, so zahlreich wie die Sterne am Himmel. Du brachtest sie in das Land, das du ihren Vorfahren versprochen hattest.
[24] Sie eroberten es und ließen sich dort nieder. Die Bewohner Kanaans mussten sich ihnen unterwerfen; die Herrscher und das Volk gabst du in ihre Gewalt, sie waren gezwungen, ihnen zu dienen.
[25] Dein Volk eroberte die befestigten Städte und nahm fruchtbares Ackerland

---

9,9 2 Mo 1,11–14*; 2,23–25*; 14,10–14 **9,10** 5 Mo 4,34* **9,11** 2 Mo 14,21–22* **9,12** 2 Mo 13,21–22* **9,13** 2 Mo 19,16–20; 20,1–19 **9,14** 2 Mo 20,8–11*; 2 Mo 24,4* **9,15** 2 Mo 16,14–15*; 17,3–6 **9,16–17** 2 Mo 32,9–10* **9,18** 2 Mo 32,1–4 **9,19** 2 Mo 13,21–22* **9,20** 4 Mo 11,16–17.24–25 **9,21** 5 Mo 8,2–4 **9,22** 4 Mo 21,21–35 **9,23** 1 Mo 12,2*.7* **9,25** 5 Mo 6,10–11

in Besitz, dazu reich ausgestattete Häuser, ausgehobene Zisternen, viele Weinberge, Olivengärten und Obstbäume. Nun konnten sie essen, so viel sie wollten. Es ging ihnen sehr gut, du hattest sie so reich beschenkt!

[26] Doch trotz allem kehrten sie dir den Rücken und lehnten sich gegen dich auf: Von deinen Geboten wollten sie nichts mehr wissen; sie brachten deine Propheten um, die sie eindringlich ermahnt hatten, wieder zu dir zurückzukehren. Damit haben sie dich selbst beleidigt.
[27] Da ließest du ihre Feinde Macht über sie gewinnen, grausam wurden sie von ihnen unterdrückt. In ihrer Not schrien sie zu dir um Hilfe, und du erhörtest sie im Himmel, weil du Erbarmen mit ihnen hattest. Du schicktest ihnen Retter, die sie von ihren Unterdrückern befreiten.
[28] Doch kaum hatten sie Ruhe vor ihnen, taten sie wieder, was du verabscheust. Erneut ließest du sie in die Hände ihrer Feinde fallen, hilflos waren sie ihnen ausgeliefert. Und wieder schrien sie zu dir, und du erhörtest sie im Himmel. Du brachtest ihnen immer wieder Rettung, weil du Erbarmen mit ihnen hattest.
[29] Du riefst sie zur Besinnung, sie sollten umkehren und sich an dein Gesetz halten. Doch sie waren zu stolz und folgten deinen Weisungen nicht. Sie übertraten deine Gebote, die doch jedem, der sie befolgt, das Leben bringen. Sie wandten sich von dir ab, sie wollten nichts mehr von dir wissen und weigerten sich, dir zu gehorchen.

[30] Viele Jahre lang hattest du Geduld mit ihnen; du ermahntest sie durch deinen Geist und sprachst zu ihnen durch die Propheten. Doch sie stellten sich taub. Da gabst du sie in die Gewalt fremder Völker,
[31] aber weil du erneut Erbarmen mit ihnen hattest, wolltest du sie nicht völlig vernichten; du überließest sie nicht ihrem Schicksal. Denn du bist gnädig und barmherzig.

[32] Unser Gott, du großer, mächtiger und ehrfurchtgebietender Herr! Du hältst dich an deinen Bund mit uns, deine Liebe hört niemals auf. Sieh doch, welches Leid uns getroffen hat! Unsere Könige und führenden Männer, unsere Priester und Propheten, ja, schon unsere Vorfahren und das ganze Volk – sie alle haben schwer gelitten seit der Zeit, als die assyrischen Könige uns unterdrückten, bis zum heutigen Tag.
[33] Doch du hast uns zu Recht bestraft. Du bist uns immer treu geblieben, selbst dann, wenn wir uns von dir lossagten.
[34] Unsere Könige und führenden Männer, unsere Priester und unsere Vorfahren, sie alle haben dein Gesetz missachtet, sie haben deine Gebote übertreten und deine Warnungen in den Wind geschlagen.
[35] Du hattest ihnen die Herrschaft anvertraut, du hattest sie mit Gütern reich beschenkt und ihnen ein großes und fruchtbares Land gegeben. Doch sie weigerten sich, dir zu dienen und von ihren falschen Wegen umzukehren.

[36] Und heute sind wir Sklaven in dem Land, das du unseren Vorfahren anvertraut hast, damit sie seine Früchte und seinen Reichtum genießen sollten. Wir müssen hier als Sklaven dienen!
[37] Die reiche Ernte fällt den Königen zu, die du wegen unserer Sünden über uns herrschen lässt. Nun haben sie Gewalt über uns und über unser Vieh; sie behandeln uns, wie es ihnen gerade passt. Darum sind wir in so großer Not.«

Das Volk verpflichtet sich, das Gesetz zu befolgen

10 Nachdem wir Gott unsere Schuld bekannt hatten, schlossen wir eine

---

9,26 Ri 2,10–13; 1 Kön 18,4; 2 Chr 24,20–22; Mt 23,37 **9,27–28** Ri 2,14–19 **9,29** 5 Mo 4,1* **9,30** 5 Mo 28,25*; Jer 7,25–26 **9,31** Jer 5,15–19; 30,11; 31,1–2 **9,32** 1,5; 2 Kön 17,3; 18,13–16 **9,33** Klgl 3,31–33* **9,36–37** Esr 9,8–9

Vereinbarung und hielten sie schriftlich fest. Unsere führenden Männer, unsere Leviten und Priester unterschrieben die Urkunde und versiegelten sie.

[2] Als Erste unterzeichneten der Statthalter Nehemia, der Sohn Hachaljas, und Zedekia, [3] dann die Priester Seraja, Asarja, Jirmeja, [4] Paschhur, Amarja, Malkija, [5] Hattusch, Schebanja, Malluch, [6] Harim, Meremot, Obadja, [7] Daniel, Ginneton, Baruch, [8] Meschullam, Abija, Mijamin, [9] Maasja, Bilga und Schemaja.

[10] Danach unterschrieben die Leviten Jeschua, der Sohn Asanjas, Binnui von der Sippe Henadad, Kadmiël [11] und ihre Verwandten Schechanja, Hodija, Kelita, Pelaja, Hanan, [12] Micha, Rehob, Haschabja, [13] Sakkur, Scherebja, Schebanja, [14] Hodija, Bani und Beninu.

[15] Als Nächste unterzeichneten die führenden Männer des Volkes: Parosch, Pahat-Moab, Elam, Sattu, Bani, [16] Bunni, Asgad, Bebai, [17] Adonija, Bigwai, Adin, [18] Ater, Hiskia, Asur, [19] Hodija, Haschum, Bezai, [20] Harif, Anatot, Nebai, [21] Magpiasch, Meschullam, Hesir, [22] Meschesabel, Zadok, Jaddua, [23] Pelatja, Hanan, Anaja, [24] Hoschea, Hananja, Haschub, [25] Lohesch, Pilha, Schobek, [26] Rehum, Haschabna, Maaseja, [27] Ahija, Hanan, Anan, [28] Malluch, Harim und Baana.

[29] Auch das übrige Volk schloss sich der Verpflichtung an: weitere Priester und Leviten, die Torwächter, Sänger, Tempeldiener und alle, die sich von den heidnischen Völkern des Landes abgesondert hatten, um das Gesetz des Herrn zu befolgen. Auch ihre Frauen schlossen sich an sowie ihre Söhne und Töchter, sofern sie alt genug waren, die Vereinbarung zu verstehen. [30] Zusammen mit den führenden Männern legten sie einen Eid ab, das Gesetz zu befolgen, das uns Gott durch seinen Diener Mose gegeben hat. Sie wollten nach den Geboten des Herrn, nach seinen Ordnungen und Weisungen leben. [31] Sie schworen:

»Wir verheiraten unsere Söhne und Töchter nicht mit Männern und Frauen aus den anderen Völkern.

[32] Wenn Angehörige fremder Völker uns am Sabbat oder an einem anderen Gott geweihten Tag Getreide und Waren anbieten, so kaufen wir nichts.

Jedes siebte Jahr lassen wir das Land brachliegen und erlassen den Menschen sämtliche Schulden.

[33] Wir verpflichten uns, jährlich eine kleine Silbermünze[a] für den Dienst im Tempel zu zahlen: [34] für das Brot, das Gott geweiht ist, für die täglichen Speiseopfer und Brandopfer, die Opfer am Sabbat, am Neumondfest und an den übrigen Festtagen, für die besonderen Opfergaben und für die Opfer, die Israels Schuld tilgen, sowie für alle Arbeiten im Tempel unseres Gottes.

[35] Wir werfen das Los unter den Priestern, den Leviten und dem übrigen Volk, um zu bestimmen, in welcher Reihenfolge ihre Sippen jedes Jahr zu den festgesetzten Zeiten beim Tempel erscheinen sollen. Sie sollen das Brennholz für die Opfer stiften, die auf dem Altar am Tempel verbrannt werden, wie es im Gesetz vorgeschrieben ist.

[36] Die ersten Früchte unserer Felder und Bäume liefern wir jedes Jahr beim Tempel des Herrn ab.

[37] Wie es im Gesetz steht, bringen wir unseren ersten Sohn zum Tempel und weihen ihn Gott. Die ersten Jungen unserer Kühe, Schafe und Ziegen geben wir den Priestern als Opfer. [38] Bei ihnen liefern wir auch den Brotteig ab, den wir aus dem ersten Getreide des Jahres zubereiten, sowie die besten Früchte unserer Bäume, den ersten Wein und das erste Olivenöl. Diese Gaben bringen wir in die Vorratskammern beim Tempel unseres Gottes.

---

[a] Wörtlich: ein Drittel eines Schekels (etwa 4 Gramm Silber).

10,30–31 5 Mo 7,3–4*; 2 Kön 23,3; Esr 10,7–11 **10,32** 13,15–22; 2 Mo 20,8–11*; 23,10–12; 5 Mo 15,1–4 **10,33–34** 2 Mo 30,11–16; 2 Chr 8,12–13; Mt 17,24–27 **10,35** 3 Mo 6,5–6 **10,36** 5 Mo 26,1–11 **10,37** 2 Mo 13,12–16* **10,38** 4 Mo 15,20–21; 18,12; 3 Mo 27,30–33*

In den Dörfern geben wir den Leviten den zehnten Teil unserer Feldfrüchte. [39] Dabei soll ein Priester, ein Nachkomme Aarons, anwesend sein. Den zehnten Teil dieser Abgaben sollen die Leviten in die Vorratskammern am Tempel unseres Gottes bringen. [40] Das Volk und die Priester werden dort das Getreide, den neuen Wein und das Olivenöl abliefern. In den Räumen werden auch alle Gegenstände für den Tempeldienst aufbewahrt; außerdem haben dort die Priester, Torwächter und Sänger ihre Kammern.

Wir wollen dafür sorgen, dass der Tempeldienst ausgeübt werden kann, so wie es vorgeschrieben ist.«

Die Bewohner von Jerusalem und Judäa

11 Alle führenden Männer hatten sich in Jerusalem niedergelassen. Aus dem übrigen Volk sollte jede zehnte Familie in Jerusalem, der heiligen Stadt, wohnen. Sie wurden durch das Los bestimmt. Die anderen Familien konnten in ihren Heimatorten bleiben. [2] Doch wer freiwillig nach Jerusalem zog, wurde vom Volk besonders geehrt.

[3] In den Städten und Dörfern Judäas wohnten Leute aus dem Volk sowie Priester, Leviten, Tempeldiener und Nachkommen der Diener Salomos, jeder auf dem Grundstück, das er von seinen Vorfahren geerbt hatte.

Folgende Sippenoberhäupter aus Juda ließen sich in Jerusalem nieder:
[4] aus dem Stamm Juda:
Ataja, der Sohn Usijas, zu seinen Vorfahren gehörten Secharja, Amarja, Schefatja, Mahalalel und Perez;
[5] Maaseja, der Sohn Baruchs, zu seinen Vorfahren gehörten Kolhose, Hasaja, Adaja, Jojarib, Secharja und Schela.
[6] Von den Nachkommen des Perez wohnten 468 angesehene Männer mit ihren Familien in Jerusalem.
[7] Aus dem Stamm Benjamin:
Sallu, der Sohn Meschullams, seine Vorfahren reichten über Joëd, Pedaja, Kolaja, Maaseja und Itiël bis zu Jesaja;
[8] Gabbai und Sallai, zwei nahe Verwandte von Sallu;[a] zu den Sippen dieser drei Männer gehörten 928 Familien. [9] Sie alle unterstanden Joel, dem Sohn Sichris; Juda, der Sohn Senuas, war zweiter Stadtoberster.
[10] Die Priester, die in Jerusalem lebten, waren Jedaja, Jojarib, Jachin [11] und der oberste Priester Seraja, ein Sohn Hilkijas, unter seinen Vorfahren waren Meschullam, Zadok, Merajot und Ahitub.
[12] Zu den Sippen dieser Priester gehörten 822 Familien, die Männer verrichteten den Tempeldienst.
Außerdem Adaja, der Sohn Jerohams, seine Vorfahren reichten über Pelalja, Amzi, Secharja und Paschhur bis zu Malkija; [13] seine Sippe umfasste 242 Familien.
Ferner Amaschsai, der Sohn Asarels, zu seinen Vorfahren gehörten Achsai, Meschillemot und Immer; [14] seine Sippe bestand aus 128 Familien, die hohes Ansehen genossen. Sie unterstanden Sabdiël, dem Sohn Haggadolims.
[15] Von den Leviten lebten folgende Sippenoberhäupter in Jerusalem:
Schemaja, der Sohn Haschubs, zu seinen Vorfahren gehörten Asrikam, Haschabja und Bunni;
[16] außerdem Schabbetai und Josabad, die für den Dienst im äußeren Bereich des Tempels verantwortlich waren;
[17] ferner Mattanja, der Sohn Michas, er stammte über Sabdi von Asaf ab; er leitete den Lobgesang und das Dankgebet im Tempel.
Außerdem Mattanjas Bruder Bakbukja, der auch sein Stellvertreter war;
schließlich Abda, der Sohn Schammuas, der über Galal von Jedutun abstammte.
[18] Insgesamt lebten 284 levitische Familien in der heiligen Stadt.
[19] Dazu kamen folgende Sippenoberhäupter der Torwächter:

---

[a] So mit der griechischen Übersetzung. Der hebräische Text lautet: und nach ihm Gabbai und Sallai.
10,39 12,44–47; 4 Mo 18,25–26 **11,17** 1 Chr 6,16

Akkub und Talmon mit ihren Verwandten, insgesamt 172 Familien.

[20] Der Rest des Volkes, der Priester und Leviten lebte außerhalb von Jerusalem in den übrigen Städten Judäas, jeder auf dem Grundstück, das er von seinen Vorfahren geerbt hatte.

[21] Die Tempeldiener wohnten auf dem Hügel Ofel; Ziha und Gischpa hatten die Aufsicht über sie.

[22] Die Leviten in Jerusalem unterstanden Usi, dem Sohn Banis; zu seinen Vorfahren gehörten Haschabja, Mattanja und Micha. Sie stammten von Asaf ab, dessen Familie für die Musik im Tempel verantwortlich war. [23] Der König hatte genau festgelegt, in welcher Reihenfolge die Männer aus der Sippe Asaf den Gesang im Tempel leiten sollten.

[24] Petachja, der Sohn Meschesabels, ein Nachkomme von Serach, dem Sohn Judas, vertrat die Belange der Israeliten am persischen Königshof.

[25] In folgenden Städten wohnten Familien aus dem Stamm Juda: Kirjat-Arba, Dibon und Kabzeel mit den umliegenden Dörfern, [26] Jeschua, Molada, Bet-Pelet, [27] Hazar-Schual, Beerscheba mit seinen Dörfern, [28] Ziklag, Mechona mit seinen Dörfern, [29] En-Rimmon, Zora, Jarmut, [30] Sanoach, Adullam mit den dazugehörenden Dörfern, Lachisch mit den umliegenden Feldern sowie Aseka und seinen Dörfern. Das Gebiet erstreckte sich von Beerscheba im Süden bis zum Hinnomtal im Norden.

[31] Wohnorte für die Familien aus dem Stamm Benjamin waren: Geba, Michmas, Aja, Bethel und die umliegenden Dörfer, [32] Anatot, Nob, Ananja, [33] Hazor, Rama, Gittajim, [34] Hadid, Zeboïm, Neballat, [35] Lod, Ono und das Tal der Handwerker.

[36] Auch einige levitische Sippen aus dem Gebiet von Juda ließen sich im Bereich des Stammes Benjamin nieder.

Verzeichnis der Priester und Leviten

12 Es folgt ein Verzeichnis der Priester und Leviten, die mit Serubbabel, dem Sohn Schealtiëls, und mit Jeschua aus der Verbannung zurückkehrten:
Priester:
Seraja, Jirmeja, Esra, [2] Amarja, Malluch, Hattusch, [3] Schechanja, Rehum, Meremot, [4] Iddo, Ginneton, Abija, [5] Mijamin, Maadja, Bilga, [6] Schemaja, Jojarib, Jedaja, [7] Sallu, Amok, Hilkija und Jedaja. Sie waren die obersten Priester zu der Zeit, als Jeschua Hoherpriester war.

[8] Leviten:
Jeschua, Binnui, Kadmiël, Scherebja, Juda und Mattanja. Sie leiteten den Lobgesang im Tempel. [9] Bakbukja, Unni und ihre Verwandten sangen im Wechsel mit ihnen die Loblieder.

[10] Die Nachkommen des Hohenpriesters Jeschua:
Jeschua war der Vater Jojakims, auf diesen folgten in direkter Linie Eljaschib, Jojada, [11] Johanan und Jaddua.

[12] Als Jojakim das Amt des Hohenpriesters ausübte, waren folgende Priester die Oberhäupter ihrer Sippen:
Meraja von der Sippe Seraja,
Hananja von der Sippe Jirmeja,
[13] Meschullam von der Sippe Esra,
Johanan von der Sippe Amarja,
[14] Jonatan von der Sippe Malluch,
Josef von der Sippe Schebanja,
[15] Adna von der Sippe Harim,
Helkai von der Sippe Meremot,
[16] Secharja von der Sippe Iddo,
Meschullam von der Sippe Ginneton,
[17] Sichri von der Sippe Abija,
...[a] von der Sippe Mijamin,
Piltai von der Sippe Maadja,
[18] Schammua von der Sippe Bilga,
Jonatan von der Sippe Schemaja,
[19] Mattenai von der Sippe Jojarib,
Usi von der Sippe Jedaja,
[20] Kallai von der Sippe Sallu,
Eber von der Sippe Amok,

---

[a] Hier fehlt ein Name im hebräischen Text.
11,21 3,26; 7,60; Jos 9,26-27 **12,1** Esr 3,8*

[21] Haschabja von der Sippe Hilkija, Netanel von der Sippe Jedaja.

[22] Zur Zeit der Hohenpriester Eljaschib, Jojada, Johanan und Jaddua und des persischen Königs Darius wurden Verzeichnisse erstellt, in denen die Sippenoberhäupter der Priester und Leviten aufgeschrieben waren.

[23] Die Sippenoberhäupter der Leviten wurden auch in den Chroniken aufgezeichnet, und zwar bis zur Zeit des Hohenpriesters Johanan, des Enkels von Eljaschib.

[24/25] Die levitischen Sippenoberhäupter Haschabja, Scherebja, Jeschua, Binnui und Kadmiël[a] leiteten Dienstgruppen, die im Tempel Loblieder sangen. Im Wechsel mit ihnen sangen Mattanja, Bakbukja und Obadja mit ihren Gruppen. So hatte es früher David, der Mann Gottes, angeordnet.

Meschullam, Talmon und Akkub waren als Torwächter für die Vorratsräume bei den Tempeltoren eingesetzt.

[26] Diese Männer lebten zur selben Zeit wie der Hohepriester Jojakim, ein Sohn Jeschuas und Enkel Jozadaks, wie der Statthalter Nehemia und wie Esra, der Priester und Schriftgelehrte.

Die Einweihung der Stadtmauer

[27] Zur Einweihung der Stadtmauer wollten wir ein großes Fest feiern. Dazu ließen wir die Leviten aus dem ganzen Land nach Jerusalem kommen, sie sollten Loblieder singen und auf Zimbeln, Harfen und Lauten spielen. [28] Die Sänger kamen aus den Ortschaften rings um Jerusalem, aus den Dörfern der Netofatiter, [29] aus Bet-Gilgal und aus der Gegend von Geba und Asmawet, wo sie sich angesiedelt hatten. [30] Die Priester und Leviten reinigten sich für das Fest, dann besprengten sie auch das Volk, die Stadttore und die Mauer.

[31] Anschließend ließ ich die führenden Männer aus dem Stamm Juda auf die Mauer steigen und teilte die Sänger in zwei große Gruppen ein: die erste zog oben auf der Mauer in südlicher Richtung auf das Misttor zu. [32] Hinter ihnen ging Hoschaja mit der einen Hälfte der führenden Männer. [33] Dann folgten die Priester Asarja, Esra, Meschullam, [34] Juda, Benjamin, Schemaja und Jirmeja. Sie bliesen die Trompeten. [35] Danach kamen Secharja, der über Jonatan, Schemaja, Mattanja, Michaja und Sakkur von Asaf abstammte, [36] sowie seine Verwandten Schemaja, Asarel, Milalai, Gilalai, Maai, Netanel, Juda und Hanani. Sie spielten Saiteninstrumente, wie sie schon David, der Mann Gottes, gespielt hatte. Esra, der Schriftgelehrte, führte die ganze Gruppe an. [37] Beim Quelltor gingen sie geradeaus die Stufen hinauf, die zur »Stadt Davids« führten, und hinter dem früheren Palast Davids vorbei zum Wassertor im Osten der Stadt.

[38] Ich selbst schloss mich mit den übrigen führenden Männern des Volkes der zweiten Gruppe an. Wir gingen auf der Mauer in nördlicher Richtung zum Ofentor und zur »Breiten Mauer«, [39] dann vorbei am Ephraimtor, am Jeschanator, am Fischtor, am Hananelturm, am »Turm der Hundert« und am Schaftor. Schließlich gelangten wir zum Wachtor.

[40] Die beiden Gruppen stellten sich beim Tempel auf. Bei mir standen die zweite Gruppe der führenden Männer [41] und die Priester Eljakim, Maaseja, Mijamin, Michaja, Eljoënai, Secharja und Hananja mit ihren Trompeten. [42] Daneben hatte sich eine weitere Gruppe aufgestellt: Maaseja, Schemaja, Eleasar, Usi, Johanan, Malkija, Elam und Eser. Die Sänger sangen ihre Loblieder unter der Leitung von Jisrachja.

[43] An diesem Tag wurden viele Tiere für das Opfermahl geschlachtet. Gott schenkte uns allen, Männern, Frauen und

---

[a] So mit Vers 8 und Kapitel 9,4; 10,10. Der hebräische Text lautet: Jeschua, der Sohn Kadmiëls.

12,24–25 1 Chr 16,4–6; 26,12–19 **12,27** 2 Chr 7,6; Esr 3,10; 6,16 **12,30** 2 Mo 29,4; 4 Mo 8,5–7 **12,43** 5 Mo 12,7*

Kindern, große Freude. Unser Jubel war noch weit weg von Jerusalem zu hören.

Abgaben für die Priester und Leviten

[44]Damals wurden einige Männer zur Aufsicht über die Vorratsräume bestimmt, in denen die Abgaben für den Dienst am Tempel aufbewahrt wurden: die ersten Früchte der Ernte und der zehnte Teil aller Einkünfte. Dort lagerte man auch die Abgaben, die man in den Dörfern je nach Größe der Felder für die Priester und Leviten eingesammelt hatte. Die Judäer freuten sich, dass die Priester und Leviten den Tempeldienst gewissenhaft versahen, [45]denn sie sorgten dafür, dass die Reinigungsvorschriften eingehalten wurden und der Gottesdienst regelmäßig gefeiert wurde. Auch die Sänger und Torwächter hielten sich an die Anweisungen Davids und seines Sohnes Salomo. [46]Schon seit den Tagen Davids und Asafs wurde Gott im Heiligtum mit Lobliedern gepriesen, und es gab Männer, die den Gesang leiteten.

[47]Ganz Israel versorgte zur Zeit Serubbabels und Nehemias die Sänger und Torwächter mit allem, was sie zum Leben brauchten. Den Leviten lieferte man die Gott geweihten Gaben ab, und die Priester bekamen von den Leviten ihren Anteil.

Trennung von den Moabitern und Ammonitern

13 Zu jener Zeit las man dem Volk aus dem Gesetz des Mose vor. Dabei stieß man auf das Gebot, dass niemals Ammoniter oder Moabiter in das Volk Gottes aufgenommen werden dürfen. [2]Diese Völker hatten sich nämlich geweigert, den Israeliten auf ihrem Durchzug von Ägypten nach Kanaan etwas zu essen und zu trinken zu geben. Die Moabiter hatten sogar Bileam dafür bezahlt, dass er das Volk Israel verfluchte; doch unser Gott hatte den Fluch in Segen verwandelt. [3]Als nun die Israeliten dieses Gebot hörten, schlossen sie die Moabiter und Ammoniter aus dem Volk aus.

Nehemia beseitigt Missstände im Tempel

[4]Schon früher hatte der Priester Eljaschib, der Aufseher über die Vorratskammern des Tempels, seinem Verwandten Tobija [5]erlaubt, eine große Kammer im Tempel für sich zu benutzen. Vorher hatte man dort das Mehl für die Speiseopfer aufbewahrt, ebenso Weihrauch, die Gegenstände für den Tempeldienst und den zehnten Teil vom Getreide, vom neuen Wein und Olivenöl, der für die Leviten, Sänger und Torwächter bestimmt war. Auch der Anteil für die Priester war hier gelagert worden. [6]Zu dieser Zeit hielt ich mich nicht in Jerusalem auf, denn im 32. Regierungsjahr des persischen Königs Artaxerxes war ich an seinen Hof zurückgekehrt. Einige Zeit später bat ich den König, wieder nach Jerusalem gehen zu dürfen. [7]Kaum war ich dort angekommen, erfuhr ich, dass Eljaschib seinem Verwandten Tobija eine Kammer im Vorhof des Tempels überlassen hatte. [8]Darüber war ich sehr erbost und ließ alles, was Tobija gehörte, hinauswerfen. [9]Dann befahl ich, die Räume des Tempels wieder neu zu weihen und die Gegenstände für den Tempeldienst, das Mehl für die Speiseopfer und den Weihrauch zurückzubringen.

[10]Ich erfuhr auch, dass die Leviten und Sänger ihren Dienst im Tempel nicht mehr ausübten, sondern auf ihren Feldern arbeiteten, weil sie die Abgaben nicht bekamen, auf die sie Anspruch hatten. [11]Da stellte ich die zuständigen Männer zur Rede: »Warum wird der Tempeldienst so vernachlässigt?« Ich ließ die Leviten und Sänger zurückholen und teilte sie wieder zum Dienst ein. [12]Nun brachte auch das ganze Volk wieder den

---

12,44 10,36–40; 13,10–12; 3 Mo 27,30–33* **13,1–2** 5 Mo 23,4–7 **13,2** 4 Mo 22,5* **13,6** 1,1; 2,4–6 **13,10–12** 10,36–40; 12,44–47; 3 Mo 27,30–33*; 5 Mo 18,1

zehnten Teil von seinem Getreide, vom neuen Wein und vom Olivenöl in die Vorratskammern. [13]Die Aufsicht über die Vorräte übertrug ich dem Priester Schelemja, dem Schreiber Zadok und dem Leviten Pedaja. Hanan, der Sohn Sakkurs und Enkel Mattanjas, sollte ihnen dabei helfen. Sie alle galten als zuverlässige Männer. Deshalb sollten sie die Vorräte an die Priester und Leviten verteilen.

[14]Denke an mich, mein Gott! Vergiss niemals, was ich für dein Haus und für den Tempeldienst getan habe!

Nehemia verschafft dem Sabbat wieder Geltung

[15]Zu dieser Zeit sah ich in Judäa einige, die am Sabbat in der Kelter Weintrauben auspressten. Andere fuhren Getreide vom Feld ein, beluden ihre Esel damit und brachten es zusammen mit Wein, Trauben, Feigen und anderen Lebensmitteln am Sabbat nach Jerusalem. Nachdrücklich warnte ich sie davor, ihre Waren zum Kauf anzubieten. [16]Es wohnten auch einige Tyrer in Jerusalem; selbst am Sabbat verkauften sie an die Judäer Fische und andere Waren, die sie nach Jerusalem gebracht hatten. [17]Da stellte ich die einflussreichen Männer von Judäa zur Rede: »Warum ladet ihr solche Schuld auf euch und achtet den Sabbat nicht als Ruhetag? [18]Haben eure Vorfahren nicht genauso gehandelt? Darum hat unser Gott so viel Unheil über uns und unsere Stadt gebracht. Und jetzt fordert ihr erst recht seinen Zorn heraus, indem ihr den Sabbat missachtet!«

[19]Ich ordnete an, die Tore Jerusalems am Abend vor dem Sabbat zu schließen, sobald die Dämmerung hereinbrach, und sie erst wieder zu öffnen, wenn der Sabbat vorüber war. Einige meiner Männer stellte ich an den Toren auf; sie sollten darauf achten, dass am Sabbat keine Waren mehr nach Jerusalem gelangten. [20]Da blieben die Kaufleute und Händler mehrmals in der Nacht zum Sabbat vor der Stadt und boten dort ihre Waren an. [21]Ich warnte sie: »Warum schlagt ihr am Sabbat euer Lager vor der Stadtmauer auf? Geschieht das noch ein einziges Mal, lasse ich euch festnehmen!« Von da an kamen sie am Sabbat nicht wieder. [22]Den Leviten befahl ich, sich zu reinigen und die Stadttore zu bewachen, damit der Sabbat nicht wieder verletzt würde.

Denke daran, mein Gott, wie ich mich für dich eingesetzt habe! Hab Erbarmen mit mir, denn deine Gnade ist grenzenlos!

Verbot der Mischehen

[23]Zu dieser Zeit fand ich auch heraus, dass viele jüdische Männer Frauen aus Aschdod, Ammon und Moab geheiratet hatten. [24]Die Hälfte ihrer Kinder redete in der Sprache von Aschdod oder in einer anderen fremden Sprache, doch Hebräisch konnten sie nicht. [25]Da redete ich den Männern ins Gewissen, ja, ich verfluchte sie sogar, schlug auf einige von ihnen ein und zerrte sie an den Haaren. Ich ließ sie vor Gott schwören, ihre Söhne und Töchter niemals mit Angehörigen fremder Völker zu verheiraten. [26]Ich sagte zu ihnen: »Salomo, der König von Israel, lud schwere Schuld auf sich wegen seiner heidnischen Frauen. Dabei gab es keinen so großen König wie ihn. Gott liebte ihn ganz besonders und ließ ihn Herrscher über ganz Israel werden. Doch sogar einen solchen König haben heidnische Frauen zum Götzendienst verführt! [27]Und nun begeht ihr genau dasselbe Unrecht und heiratet Frauen aus fremden Völkern! Damit habt ihr Gott die Treue gebrochen!«

[28]Jojada, ein Sohn des Hohenpriesters Eljaschib, hatte einen Sohn, der mit einer Tochter des Horoniters Sanballat verheiratet war. Deshalb jagte ich ihn aus Jerusalem fort.

13,15–18 10,32; 2 Mo 20,8–11* **13,19** Jer 17,19–27 **13,23** 5 Mo 7,3–4* **13,26** 2 Sam 12,24–25; 1 Kön 11,1–8 **13,28–29** 4,1–2*; 3 Mo 21,13–15

[29] Vergiss nicht, mein Gott, wie diese Männer das Priesteramt in Verruf gebracht und den Bund verletzt haben, den du mit den Priestern und Leviten geschlossen hast!

[30] So setzte ich mich dafür ein, dass unser Volk nicht mehr von heidnischen Völkern beeinflusst wurde. Ich gab den Priestern und Leviten Anordnungen für ihren Dienst und für ihre verschiedenen Aufgaben. [31] Auch sorgte ich dafür, dass die ersten Früchte der Ernte und das Brennholz für die Opfer rechtzeitig abgegeben wurden.

Denke an mich, mein Gott! Lass mich deine Güte erfahren!

13,31 10,35; 3 Mo 6,5–6

Das Buch Esther

Xerxes zeigt seine königliche Macht

1 [1]Zu der Zeit, als Xerxes König von Persien war, gehörten zu seinem Reich 127 Provinzen; sein Herrschaftsgebiet erstreckte sich von Indien bis nach Äthiopien. [2]Er regierte von der Burg Susa aus. [3]In seinem 3. Regierungsjahr gab er ein rauschendes Fest für seine hohen Beamten und Würdenträger. Eingeladen waren die Heerführer von Persien und Medien, der Hofadel und die Statthalter der Provinzen. [4]Sechs Monate lang stellte Xerxes die unvergleichliche Pracht seines Königreichs und seine große Macht zur Schau.

[5]Danach lud der König auch die Bewohner der Residenz Susa zu einem Fest. Alle, vom Vornehmsten bis zum Einfachsten, feierten sieben Tage lang im Hof des Palastgartens. [6]Zwischen Marmorsäulen hingen weiße und violette Vorhänge aus wertvollen Baumwollstoffen und Leinen, befestigt mit weißen und purpurroten Schnüren und silbernen Ringen. Die Gäste lagen auf Kissen, die mit goldenem und silbernem Brokatstoff überzogen waren. Der Boden des Hofes bestand aus einem Mosaik von bunten, kostbaren Marmorsteinen und Perlmutt. [7]Man trank aus goldenen Gefäßen, von denen keines dem anderen glich. Der König ließ Wein in Hülle und Fülle ausschenken. [8]Jeder konnte trinken, soviel er wollte. Denn der König hatte angeordnet, dass seine Diener sich ganz nach den Wünschen der Gäste richten sollten.

Königin Wasti wird verstoßen

[9]Königin Wasti gab im Inneren des Palasts ein Fest für die Frauen. [10]Am siebten Tag des Festes, als der König vom Wein angeheitert war, rief er die sieben Eunuchen zu sich, die ihn persönlich bedienten: Mehuman, Biseta, Harbona, Bigta, Abagta, Setar und Karkas. [11]Er befahl ihnen, die Königin zu holen, geschmückt mit dem königlichen Diadem. Denn er wollte seinen obersten Beamten und allen Gästen zeigen, wie wunderschön sie war. [12]Doch Königin Wasti weigerte sich, der Aufforderung des Königs zu folgen.

Da packte den König der Zorn. [13]Er beriet sich sofort mit dem Rat der Weisen. Es waren Sterndeuter und Rechtsgelehrte, die das Gesetz gut kannten und dem König bei allen Entscheidungen zur Seite standen. [14]Sie hießen Karschena, Schetar, Admata, Tarsis, Meres, Marsena und Memuchan. Diese sieben Fürsten aus den Völkern der Meder und Perser waren die Vertrauten des Königs. Sie durften jederzeit zu ihm und nahmen nach ihm den ersten Rang im Königreich ein. [15]»Was soll nach dem Gesetz mit Königin Wasti geschehen?«, fragte Xerxes. »Sie hat sich meinem Befehl widersetzt, den ihr meine Eunuchen überbracht haben.«

[16]Memuchan antwortete: »Königin Wasti ist nicht nur am König schuldig geworden, sondern auch an seinen Fürsten und am ganzen Volk in allen Provinzen des Reiches. [17]Was sie getan hat, wird bei allen Frauen bekannt werden. Sie werden ihre Männer verachten und sagen: ›König Xerxes hat Königin Wasti befohlen, vor ihm zu erscheinen; aber sie kam einfach nicht!‹ [18]Noch heute werden die Frauen der Fürsten von Persien und Medien dies ihren Männern vorhalten, sobald sie erfahren, was die Königin getan hat. Das wird viel böses Blut geben! [19]Wenn es dem König gefällt, möge er in einem Erlass verkünden,

1,1 Esr 4,5–6; Dan 9,1 **1,19** 8,8; Dan 6,9.16

dass Königin Wasti nie mehr zu ihm kommen darf. Dieser Befehl muss Teil der Gesetze der Meder und Perser werden, damit er nicht mehr rückgängig gemacht werden kann. Der König sollte eine andere Frau zur Königin erwählen, die sich dafür als würdig erweist. [20] Wenn man diesen Erlass im ganzen Reich bekannt gibt, werden alle Frauen ihre Männer achten, in den einfachen wie in den vornehmen Familien.«

[21] Dieser Vorschlag gefiel dem König und seinen Fürsten. Wie Memuchan geraten hatte, [22] schickte Xerxes einen Erlass in alle Provinzen seines Reiches. Jede Volksgruppe erhielt das Schreiben in ihrer eigenen Schrift und Sprache. So wollte der König dafür sorgen, dass jeder Mann in seinem Haus das Sagen hatte. Außerdem ordnete er an, in jeder Familie solle die Sprache des Mannes gesprochen werden.

Eine neue Königin wird gesucht

2 Als sich der Zorn des Königs gelegt hatte, dachte er zurück an das, was Wasti getan hatte, und an seinen Erlass gegen sie. [2] Da schlugen ihm seine Diener vor: »Man könnte doch für den König schöne Mädchen suchen, die noch Jungfrauen sind. [3] In allen Provinzen seines Reiches sollen Beamte des Königs solche Mädchen auswählen und in seinen Harem nach Susa bringen. Dort kommen sie in die Obhut des Eunuchen Hegai, der ja auch für die Frauen des Königs verantwortlich ist. Sie werden alle Schönheitsmittel bekommen, die sie brauchen. [4] Das Mädchen, das dem König am besten gefällt, soll an Wastis Stelle Königin werden.«

Der König war einverstanden und folgte dem Rat seiner Diener.

[5] In der Residenz Susa wohnte ein Jude namens Mordechai aus dem Stamm Benjamin. Er war ein Nachkomme von Jaïr, Schimi und Kisch. [6] Mordechais Vorfahren befanden sich unter den Gefangenen, als König Nebukadnezar damals König Jojachin von Juda und einen Teil der jüdischen Bevölkerung nach Babylonien verschleppte.[a] [7] Mordechai hatte eine Kusine namens Hadassa, die auch Esther genannt wurde. Ihre Eltern lebten nicht mehr, deshalb hatte Mordechai sie als Pflegetochter angenommen. Sie war sehr schön, und ihre Gestalt war besonders anmutig.

[8] Als nun der Erlass des Königs verkündet wurde, brachte man viele Mädchen in die Residenz Susa, wo Hegai sich um sie kümmerte, der die Verantwortung für den königlichen Harem hatte. Auch Esther war unter ihnen. [9] Sie gefiel Hegai ganz besonders und gewann seine Gunst. Er versorgte sie mit den besten Schönheitsmitteln und mit den gesündesten Speisen. Dann gab er ihr sieben ausgewählte Dienerinnen aus dem Königspalast und wies ihr die schönsten Räume des Harems zu.

[10] Ihre jüdische Abstammung verschwieg Esther; so hatte es ihr Mordechai eingeschärft. [11] Mordechai kam jeden Tag zum Hof des Harems, um zu erfahren, ob es ihr gut ging und was man mit ihr vorhatte.

[12/13] Vor der Begegnung mit König Xerxes pflegten sich die Mädchen sechs Monate lang mit Myrrhenöl und sechs Monate mit Balsamöl und anderen Schönheitsmitteln, so wie es vorgeschrieben war. Jedes Mädchen, das an der Reihe war, vor dem König zu erscheinen, konnte sich selbst im Harem Kleider und Schmuck aussuchen. [14] Am Abend ging es in den Palast, und am nächsten Morgen kehrte es in den zweiten Harem zurück. Dort wohnten die Nebenfrauen des Königs, für die der königliche Eunuch Schaaschgas verantwortlich war. Keines der Mädchen durfte noch einmal zum König kommen, es sei denn, es hatte ihm ganz besonders gefallen und er ließ es mit Namen rufen.

---

[a] Vgl. 2. Könige 24,10–16
2,5 1 Sam 9,1–2

Xerxes ernennt Esther zur Königin

[15]So kam auch Esther an die Reihe, die Tochter Abihajils, dessen Neffe Mordechai sie als Pflegetochter angenommen hatte. Sie suchte ihre Kleider und ihren Schmuck nicht selbst aus, sondern folgte dem Rat Hegais. Alle, die sie sahen, bewunderten ihre Schönheit. [16]Im Monat Tebet, dem 10. Monat seines 7. Regierungsjahrs, wurde Esther zu Xerxes in den Palast gebracht.

[17]Der König gewann Esther lieber als jede andere Frau. In seinen Augen stellte sie alle anderen Mädchen weit in den Schatten. Darum setzte er ihr das königliche Diadem auf und ernannte sie an Wastis Stelle zur Königin. [18]Ihr zu Ehren lud er die Beamten und die anderen führenden Männer seines Reiches zu einem großen Fest ein. Er befreite die Bewohner der Provinzen von ihren Steuern und ließ großzügige Geschenke verteilen.

Mordechai rettet Xerxes das Leben

[19]Zu der Zeit, als weitere Mädchen an den Hof des Königs kamen, fand Mordechai eine Anstellung im Palast. [20]Esther hatte niemandem erzählt, dass sie Jüdin war, weil Mordechai es ihr verboten hatte. Sie befolgte seine Anweisungen wie früher, als sie noch seine Pflegetochter war.

[21]Eines Tages, während Mordechai Dienst hatte, verschworen sich die beiden Eunuchen Bigtan und Teresch, die am Königspalast die Eingänge bewachten, gegen Xerxes und planten einen Anschlag auf ihn. [22]Mordechai erfuhr davon, erzählte es Königin Esther, und die meldete es dem König. [23]Xerxes ließ die Angelegenheit untersuchen, und als die Verschwörung aufgedeckt wurde, kamen die beiden Schuldigen an den Galgen. Der König befahl, den Vorfall in der Chronik des persischen Reiches festzuhalten.

Haman will die Juden vernichten

3 Einige Zeit später gab König Xerxes einem Mann namens Haman die höchste Stellung am Königshof. Er war ein Sohn Hammedatas und Nachkomme Agags. [2]Alle Beamten im Palast waren ihm untergeordnet. Sie mussten sich auf Befehl des Königs vor Haman niederwerfen, wenn er an ihnen vorüberging. Nur Mordechai verneigte sich nicht vor ihm.

[3]Da fragten ihn die anderen Beamten: »Weshalb widersetzt du dich der Anordnung des Königs?« [4]»Weil ich Jude bin«, antwortete er. Sie ließen ihm keine Ruhe und machten ihm jeden Tag Vorwürfe. Doch Mordechai hörte nicht auf sie. Da meldeten sie es Haman, um zu sehen, ob er Mordechais Begründung gelten lassen würde.

[5]Als Haman erfuhr, dass Mordechai sich nicht vor ihm niederwarf, packte ihn der Zorn. [6]Er wollte sich aber nicht an Mordechai allein rächen, denn er hatte gehört, dass er Jude war. So schmiedete er einen Plan, um alle Juden im persischen Reich zu vernichten.

[7]Im 12. Regierungsjahr des Königs Xerxes, im 1. Monat, dem Monat Nisan, ließ Haman das Los werfen, das auch »Pur« genannt wurde. Er wollte herausfinden, welcher Zeitpunkt am besten geeignet sei, um seinen Plan durchzuführen. Das Los fiel auf den 13. Tag des 12. Monats, das ist der Monat Adar. [8]Darauf sagte Haman zum König: »In allen Provinzen deines Reiches leben Angehörige eines Volkes, das sich von den anderen Völkern absondert. Sie haben andere Sitten und Gesetze als die übrigen Völker und widersetzen sich deinen Anordnungen. Das darfst du dir nicht gefallen lassen! [9]Wenn du es für richtig hältst, dann befiehl durch einen Erlass die Vernichtung dieses Volkes. Dies wird den königlichen Schatzkammern 350 Tonnen Silber einbringen.«

[10]Da zog der König seinen Siegelring vom Finger, gab ihn Haman, dem erbit-

---

3,1–2 1 Sam 15,7–8.32–33 **3,8** 5 Mo 4,5–9 **3,10** 8,2

terten Feind der Juden, [11] und sagte zu ihm: »Hol dir das Geld dieses Volkes! Und mit den Leuten selbst kannst du tun, was du für richtig hältst.«

[12] Am 13. Tag des 1. Monats ließ Haman die Schreiber des Königs rufen. Sie mussten genau nach seinen Anweisungen Briefe schreiben, die an die Fürsten des Königs, an die Provinzstatthalter und an die höchsten Beamten der einzelnen Völker gerichtet waren. Jede Volksgruppe sollte das Schreiben in ihrer eigenen Schrift und Sprache erhalten. Die Briefe waren im Namen des Königs verfasst und mit seinem Siegel versehen. [13] Sie lauteten:

»An einem einzigen Tag, am 13. Tag des 12. Monats, des Monats Adar, sollen alle Juden getötet werden – Junge und Alte, Kinder und Frauen. Niemand darf überleben! Ihr Besitz ist zu beschlagnahmen.«

Der Erlass sollte von Eilboten in alle Provinzen des Reiches gebracht [14] und dort als Gesetz bestätigt werden, damit alle Volksgruppen auf diesen bestimmten Tag vorbereitet waren. [15] Der König befahl den Eilboten, sich schnell auf den Weg zu machen. Auch in der Residenz Susa wurde der Erlass veröffentlicht. Und während die Menschen in der ganzen Stadt in heller Aufregung waren, hielten der König und Haman ein Trinkgelage ab.

Mordechai bittet Esther um Hilfe

4 Als Mordechai erfuhr, was geschehen war, zerriss er entsetzt seine Kleider, zog sich ein Trauergewand aus Sacktuch an und streute sich Asche auf den Kopf. Dann lief er durch die Stadt und stieß laute Klagerufe aus. [2] So kam er bis ans Tor des königlichen Palasts, durfte aber in seiner Trauerkleidung nicht hindurchgehen. [3] In allen Provinzen des Landes trauerten die Juden, wo immer der Erlass des Königs bekannt wurde. Sie fasteten, klagten und weinten, viele trugen Trauerkleider und hatten sich Asche auf ihr Lager gestreut.

[4] Esthers Dienerinnen und Diener meldeten ihr, was sich vor dem Tor abspielte. Sie erschrak heftig und ließ Mordechai Kleider bringen, damit er die Trauerkleidung ausziehen konnte. Aber dazu war er nicht bereit. [5] Da rief Esther den Eunuchen Hatach, den Xerxes ihr als Diener gegeben hatte, und schickte ihn zu Mordechai hinaus. Er sollte ihn fragen, was geschehen sei.

[6] Hatach ging zu Mordechai auf den Platz vor dem Palasttor. [7] Mordechai berichtete ihm von Hamans Plan. Er erzählte ihm, wie viel Silber Haman dem König dafür versprochen hatte, dass er die Juden töten dürfte. [8] Außerdem übergab Mordechai dem Eunuchen eine Abschrift des königlichen Erlasses, in dem die Vernichtung der Juden angeordnet wurde. Hatach sollte sie Königin Esther zeigen, ihr alles erzählen und sie bitten, beim König für ihr Volk um Gnade zu flehen.

[9] Als Hatach zurückkam und meldete, was Mordechai ihm berichtet hatte, [10] schickte Esther ihn ein zweites Mal zu Mordechai und ließ ihm sagen: [11] »Alle Bediensteten des Königs und alle Bewohner der Provinzen kennen das unumstößliche Gesetz: ›Jeder, ob Mann oder Frau, wird hingerichtet, wenn er unaufgefordert zum König in den innersten Hof des Palasts geht. Er hat sein Leben nur dann nicht verwirkt, wenn ihm der König das goldene Zepter entgegenstreckt.‹ Mich hat der König sogar schon dreißig Tage nicht mehr zu sich rufen lassen.«

[12/13] Da ließ Mordechai Königin Esther ausrichten: »Glaub nur nicht, dass du als einzige Jüdin mit dem Leben davonkommst, nur weil du im Königspalast wohnst! [14] Wenn du jetzt nichts unternimmst, wird von anderswoher Hilfe für die Juden kommen, du aber und deine Familie – ihr werdet sterben! Vielleicht bist du gerade deshalb Königin geworden, um die Juden aus dieser Bedrohung zu retten!«

4,1–3 1 Mo 37,34; Jer 6,26 **4,7–8** 3,6–9.12–13 **4,11** 5,2; 8,4 **4,14** 1 Mo 45,7–8

[15]Esther schickte Mordechai die Antwort: [16]»Geh und ruf alle Juden zusammen, die in Susa wohnen! Fastet für mich! Esst und trinkt drei Tage und Nächte lang nichts! Ich werde mit meinen Dienerinnen ebenfalls fasten. Dann will ich zum König gehen, obwohl ich damit gegen das Gesetz verstoße. Wenn ich umkomme, dann komme ich eben um!«

[17]Da ging Mordechai weg und tat, was Esther ihm gesagt hatte.

Kann Esther ihr Volk retten?

5 Am dritten Fastentag zog Esther königliche Kleider an und ging in den inneren Hof des Palasts, der vor dem Thronsaal lag. Der König saß auf seinem Thron gegenüber dem Eingang. [2]Als er Esther im Hof stehen sah, freute er sich und streckte ihr das goldene Zepter entgegen. Da kam Esther auf ihn zu und berührte die Spitze des Zepters. [3]Der König fragte sie: »Was hast du auf dem Herzen, Königin Esther? Ich will dir jeden Wunsch erfüllen, auch wenn du die Hälfte meines Königreichs forderst!«

[4]Esther antwortete: »Wenn du es für gut hältst, mein König, dann sei heute zusammen mit Haman mein Gast bei dem Mahl, das ich für dich zubereiten ließ.« [5]Xerxes befahl seinen Dienern: »Holt Haman herbei! Wir wollen Esthers Einladung annehmen.«

So kamen der König und Haman zu Esthers Festmahl. [6]Während sie Wein tranken, fragte der König Esther: »Nun, was hast du auf dem Herzen? Ich will dir jeden Wunsch erfüllen, auch wenn du die Hälfte meines Königreichs forderst.« [7]Esther antwortete: »Ja, ich habe eine große Bitte an dich: [8]Wenn du mir eine Gunst erweisen willst, mein König, dann komm morgen noch einmal mit Haman zu einem festlichen Mahl, das ich für dich und für ihn geben möchte. Dann werde ich bestimmt sagen, was mein Wunsch ist.«

Haman will Mordechai töten

[9]Haman war fröhlich und gut gelaunt, als er vom Mahl bei der Königin aufbrach. Er ging durch das Eingangstor am Palast, und dort sah er Mordechai sitzen, der nicht einmal vor ihm aufstand oder ihm sonst seine Achtung zeigte. Haman wurde wütend, [10]doch er beherrschte sich.

Als er zu Hause war, ließ er seine Freunde und seine Frau Seresch zu sich kommen. [11]Dann prahlte er mit seinem großen Reichtum und mit seinen vielen Söhnen. Er erzählte, dass der König ihn zu einem mächtigen Mann gemacht hatte, dem alle anderen Beamten und führenden Männer untergeordnet waren. [12]»Und heute«, fuhr er fort, »hat Königin Esther außer dem König nur noch mich zum Festmahl eingeladen! Auch morgen hat sie mich zusammen mit dem König zum Essen gebeten! [13]Aber das alles bedeutet mir überhaupt nichts, wenn der Jude Mordechai nicht bald aus dem Palast verschwindet.«

[14]Da schlugen ihm seine Frau und seine Freunde vor: »Lass einen Galgen aufrichten, der 25 Meter hoch ist! Und morgen früh bitte den König, dass er Mordechai daran aufhängen lässt! Dann kannst du gut gelaunt mit dem König das Festessen genießen.«

Der Vorschlag gefiel Haman, und er ließ einen Galgen aufrichten.

Mordechai wird vom König geehrt

6 In der folgenden Nacht konnte der König nicht schlafen. Er ließ sich die Chronik des persischen Reiches bringen, in der alle wichtigen Ereignisse seiner Regierungszeit festgehalten waren. Man las dem König daraus vor [2]und stieß dabei auf den Bericht, wie Mordechai die Verschwörung der Eunuchen Bigtan und Teresch aufgedeckt hatte, die am Königspalast die Eingänge bewachten. Sie hatten König Xerxes umbringen wollen.

4,16 Esr 8,21; 10,6 **5,2** 4,11 **5,3.6** 7,2; 9,12 **5,9** 2,21; 3,2–5 **6,1–3** 2,21–23

[3]Der König fragte: »Wie ist Mordechai für diese Tat geehrt und ausgezeichnet worden?« »Er wurde nicht dafür belohnt«, entgegneten die Diener des Königs.

[4]In diesem Augenblick kam Haman in den äußeren Hof des Palasts. Er wollte den König bitten, Mordechai an dem Galgen aufhängen zu lassen, den er aufgerichtet hatte. »Wer ist draußen im Hof?«, fragte der König. [5]»Es ist Haman«, antworteten die Diener. »Er soll hereinkommen!«, befahl der König.

[6]Als Haman den Raum betrat, fragte ihn Xerxes: »Was kann ein König tun, wenn er einen Mann ganz besonders ehren möchte?« Haman dachte: »Das gilt mir! Wen sonst könnte er meinen?« [7]Deshalb erwiderte er: »Man soll dem Mann [8]ein königliches Gewand bringen und ein Pferd mit dem königlichen Kopfschmuck! Es muss ein Gewand sein, das du sonst selbst trägst, und ein Pferd, auf dem du sonst selbst reitest. [9]Übergib das Gewand und das Pferd einem deiner angesehensten Würdenträger. Er soll dem Mann, den du auszeichnen willst, das königliche Gewand anlegen, ihn auf deinem Pferd über den Hauptplatz der Stadt führen und vor ihm her ausrufen: ›So ehrt der König einen Mann, der sich besondere Verdienste erworben hat!‹«

[10]Da sagte Xerxes zu Haman: »Lass dir sofort ein solches Gewand und ein Pferd bringen! Dann ehre den Juden Mordechai, der am Palasteingang Dienst hat. Mach alles genau so, wie du es vorgeschlagen hast! Und lass nichts davon aus!«

[11]Haman tat, was Xerxes ihm befohlen hatte. Er kleidete Mordechai wie den König selbst, ließ ihn auf dessen Pferd über den Hauptplatz der Stadt reiten und rief vor ihm aus: »So ehrt der König einen Mann, der sich besondere Verdienste erworben hat!« [12]Danach kehrte Mordechai wieder zum Palast zurück.

Haman aber war wie vor den Kopf geschlagen. Mit verhülltem Gesicht lief er schnell nach Hause. [13]Er erzählte seiner Frau Seresch und seinen Freunden, was vorgefallen war, denn sie waren seine Ratgeber. Da sagten sie zu ihm: »Du hast verloren! Wenn Mordechai wirklich von den Juden abstammt, bist du jetzt machtlos gegen ihn. Nichts wird deinen Untergang aufhalten.«

[14]Noch während sie mit ihm redeten, trafen die Eunuchen des Königs ein. Sie sollten Haman auf dem schnellsten Weg zum Mahl bei Königin Esther bringen.

Haman wird entlarvt

7 Der König und Haman gingen zum Festmahl bei der Königin. [2]Als sie gerade Wein tranken, stellte der König Esther wieder dieselbe Frage wie am Tag zuvor: »Was hast du auf dem Herzen? Ich will dir jeden Wunsch erfüllen, auch wenn du die Hälfte meines Königreichs forderst.«

[3]Die Königin erwiderte: »Wenn es dir gefällt, mein König, dann gewähre mir eine Bitte: Rette mir und meinem Volk das Leben! [4]Man hat sich gegen mich und mein Volk verschworen und will uns ausrotten. Niemand von uns soll am Leben bleiben! Hätte man uns nur als Sklaven und Sklavinnen verkauft, so hätte ich geschwiegen. Dies wäre es nicht wert gewesen, den König damit zu behelligen.«

[5]Da fragte Xerxes Königin Esther: »Wer wagt, so etwas zu tun? Wo ist dieser Verbrecher zu finden?« [6]Esther antwortete: »Der Feind, der uns vernichten will, ist Haman!«

Haman fuhr erschrocken zusammen. [7]Zornig erhob sich der König von der Tafel und ging in den Palastgarten hinaus. Haman blieb bei der Königin und flehte um sein Leben, denn er wusste, dass Xerxes ihn hinrichten würde.

[8]Als der König wieder in den Saal zurückkehrte, sah er, dass Haman auf das Polster gesunken war, auf dem Esther lag. Aufgebracht rief er: »Will dieser

---

6,4 5,14 **6,14** 5,8 **7,2** 5,3.6; 9,12 **7,4–6** 3,5–9.12–13

Mensch hier im Palast der Königin Gewalt antun – vor meinen Augen?«

Kaum hatte der König das gesagt, da verhüllten seine Diener Hamans Gesicht als Zeichen dafür, dass er zum Tode verurteilt war[a]. [9]Harbona, einer der Eunuchen im Dienst des Königs, sagte: »Haman hat auf seinem Grundstück einen 25 Meter hohen Galgen aufstellen lassen. Er war für Mordechai bestimmt, der dem König das Leben gerettet hat.« »Hängt Haman daran auf!«, befahl der König.

[10]So hängte man Haman an den Galgen, den er für Mordechai errichtet hatte. Da legte sich der Zorn des Königs.

König Xerxes hilft den Juden

8 Noch am selben Tag schenkte Xerxes Königin Esther das Haus, das Haman, der erbitterte Feind der Juden, bewohnt hatte. Der König ließ Mordechai zu sich kommen, denn Esther hatte ihm erzählt, dass er ihr Vetter und Pflegevater war. [2]Der König zog seinen Siegelring, den er Haman abgenommen hatte, vom Finger und gab ihn Mordechai. Esther setzte Mordechai zum Verwalter über Hamans Besitz ein.

[3]Noch einmal bat Esther den König um eine Unterredung. Sie warf sich vor ihm nieder und flehte ihn unter Tränen an: »Verhindere den Anschlag, den Haman, der Nachkomme Agags, gegen uns Juden geplant hat!« [4]Der König streckte Esther sein goldenes Zepter entgegen. Da stand sie auf, trat vor ihn hin [5]und sagte: »Wenn mir der König seine Gunst erweisen möchte und er meine Bitte für gut hält, dann möge er den Erlass aufheben, den der Agagiter Haman, der Sohn Hammedatas, verfasst hat, um die Juden in allen Provinzen des Reiches zu vernichten. [6]Ich kann nicht mit ansehen, wie mein eigenes Volk ins Unglück stürzt und untergeht!«

[7]Da sagte König Xerxes zu Esther und dem Juden Mordechai: »Ich habe Esther Hamans Haus geschenkt. Ihn habe ich an den Galgen hängen lassen, weil er die Juden umbringen wollte. [8]Doch ein Erlass lässt sich nicht mehr widerrufen, wenn er im Namen des Königs niedergeschrieben und mit seinem Siegel versehen wurde. Ihr könnt aber in meinem Namen und mit meinem Siegel einen weiteren Erlass herausgeben, um die Juden zu retten. Geht so vor, wie ihr es für gut haltet!«

[9]Am 23. Tag des 3. Monats, des Monats Siwan, ließ Mordechai die Schreiber des Königs rufen. Sie mussten genau nach seiner Anweisung einen Erlass aufsetzen, der an die Juden im ganzen Reich gerichtet war, an die Fürsten und Statthalter sowie an die höchsten Beamten der 127 Provinzen von Indien bis Äthiopien. Jede Volksgruppe sollte das Schreiben in ihrer eigenen Schrift und Sprache erhalten, auch die Juden. [10]Mordechai ließ die Briefe im Namen des Königs verfassen und mit dem königlichen Siegel kennzeichnen. Boten sollten sie auf den schnellsten Pferden der königlichen Gestüte in alle Provinzen des Reiches bringen. Der Erlass lautete:

[11]»Der König gestattet den Juden in jeder Stadt seines Reiches, sich zu ihrer Verteidigung zu versammeln. Wenn ihre Feinde aus den verschiedenen Volksgruppen und Provinzen ihnen nach dem Leben trachten, dürfen die Juden sie samt Frauen und Kindern töten und ihren Besitz als Beute behalten. [12]Dieser Erlass gilt für einen einzigen Tag in allen Provinzen, und zwar für den 13. Tag des 12. Monats, des Monats Adar.«

[13]In jeder Provinz sollte die Anordnung als Gesetz erlassen und bekannt gemacht werden, damit die Juden vorbereitet waren und sich an ihren Feinden rächen konnten. [14]Der König befahl den Eilboten, auf den besten Pferden so schnell wie möglich loszureiten. Auch in der Residenz Susa wurde der Erlass veröffentlicht.

---

[a] »als Zeichen … war« ist sinngemäß ergänzt.

7,9–10 5,14; Ps 7,13–17* **8,1** 2,7.15 **8,2** 3,10 **8,4** 4,11 **8,5–6** 3,12–13 **8,8** 1,19; Dan 6,9.16 **8,11–12** 3,12–13

[15]Mordechai verließ den Palast in einem königlichen Gewand, das violett und weiß gefärbt war, und in einem Mantel aus feinem weißen Leinen und purpurroter Wolle. Auf dem Kopf trug er eine große goldene Krone. Die Bewohner von Susa jubelten ihm zu. [16]Die Juden in der Stadt waren voller Freude über das Glück, das ihnen auf einmal zuteil wurde; sie konnten die Ehre und Anerkennung kaum fassen, die sie durch den Erlass des Königs bekamen. [17]Auch in allen Provinzen und in jeder Stadt, wo das neue Gesetz bekannt wurde, freuten sich die Juden und jubelten laut. Das Ereignis wurde mit einem Festmahl gefeiert. Die anderen Völker bekamen Angst vor den Juden; darum traten viele von ihnen zum Judentum über.

Die Juden rächen sich an ihren Feinden

9 Dann kam der 13. Tag des 12. Monats, des Monats Adar. An diesem Tag sollten die Bestimmungen des Königs ausgeführt werden. Die Feinde hatten erwartet, sie könnten die Juden vernichten. Aber nun geschah das Gegenteil: Die Juden besiegten ihre Feinde. [2]In allen Städten und Provinzen versammelten sie sich und kämpften gegen diejenigen, die ihnen nach dem Leben trachteten. Die Feinde konnten keinen Widerstand leisten, aus Angst vor den Juden waren sie wie gelähmt. [3]Die führenden Beamten der Provinzen, die Fürsten und Statthalter sowie die Verwalter des königlichen Besitzes unterstützten die Juden, denn sie fürchteten sich vor Mordechai. [4]In allen Provinzen des persischen Reiches hatte es sich nämlich herumgesprochen, welch hohe Stellung Mordechai am Königshof hatte und dass sein Einfluss immer größer wurde.

[5]Die Juden töteten ihre Feinde mit dem Schwert. Sie vernichteten alle, von denen sie gehasst wurden. Niemand hinderte sie daran. [6]In der Residenz Susa brachten sie 500 Männer um, [7–10]auch die zehn Söhne des Judenfeindes Haman, des Sohnes Hammedatas. Sie hießen Parschandata, Dalfon, Aspata, Porata, Adalja, Aridata, Parmaschta, Arisai, Aridai und Wajesata. Doch ihren Besitz plünderten die Juden nicht.

[11]Noch am gleichen Tag meldete man dem König, wie viel Tote es in der Residenz Susa gegeben hatte. [12]Da sagte er zu Königin Esther: »Hier in Susa haben die Juden allein 500 Männer umgebracht, außerdem die zehn Söhne Hamans. Was werden sie dann erst in den übrigen Provinzen des Reiches getan haben! Hast du noch etwas auf dem Herzen? Was du verlangst, will ich tun!« [13]Esther antwortete: »Wenn du es für richtig hältst, dann erlaube den Juden in Susa, morgen noch einmal so wie heute vorzugehen. Und die Leichen der zehn Söhne Hamans sollen an den Galgen gehängt werden!«

[14]Der König ordnete an, Esthers Bitte zu erfüllen. In Susa wurde ein entsprechendes Gesetz veröffentlicht, und die zehn Söhne Hamans hängte man auf. [15]Die Juden der Stadt kamen auch am 14. Tag des Monats zusammen und töteten 300 Mann. Doch auch jetzt nahmen sie keine Beute mit.

[16/17]In den Provinzen des Reiches hatten sich die Juden am 13. Tag des Monats versammelt, um sich zu verteidigen, und hatten 75 000 Feinde umgebracht, ohne jedoch zu plündern. Nun konnten sie wieder in Ruhe und Frieden leben. Am 14. Tag des 12. Monats feierten sie ein großes Fest, sie aßen und tranken zusammen. [18]Die Juden in Susa aber hatten am 13. und am 14. Tag des Monats gegen ihre Feinde gekämpft. Darum feierten sie erst am 15. Tag des Monats Adar. [19]Bis heute begehen die Juden in den Städten und Dörfern des Landes den 14. Tag des 12. Monats als Feiertag, an dem sie ein Festmahl geben und sich gegenseitig beschenken.

8,15 6,6–9 **9,2** 8,11–12 **9,12** 5,3.6; 7,2 **9,16–17** 1 Mo 14,21–24

Mordechai führt das Purimfest ein

[20] Mordechai schrieb auf, was damals geschehen war, und schickte einen Brief an alle Juden bis in die entferntesten Provinzen des persischen Reiches. [21] Darin bestimmte er, dass sie Jahr für Jahr den 14. und 15. Tag des 12. Monats, des Monats Adar, feiern sollten. [22] Denn an diesen Tagen hatten sie sich von ihren Feinden befreit, ihr Leid hatte sich in Freude verwandelt und ihre Trauer in Jubel. Am 14. und 15. Tag des Monats sollten sich die Juden zu festlichen Mahlzeiten treffen, sich gegenseitig beschenken und auch die Armen dabei nicht vergessen.

[23] So wie Mordechai es angeordnet hatte, wurden die beiden Feiertage bei den Juden zum festen Brauch.

[24–26] Man nannte sie auch das »Purimfest«. Denn als Haman, der Todfeind der Juden, sie alle töten wollte, ließ er das Los, das so genannte »Pur«, werfen, um den günstigsten Zeitpunkt für seinen Plan herauszufinden. Als Xerxes davon erfuhr, befahl er in einem Schreiben, Haman solle dasselbe Schicksal erleiden, das er den Juden gewünscht hatte. Er und seine Söhne wurden gehängt.

Weil die Juden dies alles selbst miterlebt oder davon gehört hatten und weil Mordechai es in seinem Brief so anordnete, [27] verpflichteten sie sich, jedes Jahr zur selben Zeit diese beiden Tage genau nach den Vorschriften zu feiern. Dieser Brauch sollte auch für ihre Nachkommen und für alle Nichtjuden gelten, die zum Judentum übertreten würden. [28] Was damals geschehen war, durfte nie in Vergessenheit geraten. In jeder Generation sollten die jüdischen Familien das Purimfest feiern, ganz gleich, in welcher Stadt und Provinz sie wohnten. Der Brauch sollte auch in ferner Zukunft nie untergehen.

[29] Königin Esther, die Tochter Abihajils, und der Jude Mordechai verfassten noch ein zweites Schreiben über das Purimfest. Es enthielt genaue Anweisungen für die Durchführung der Feier [30] und wurde an alle Juden in den 127 Provinzen des persischen Reiches gesandt. Esther und Mordechai wünschten ihnen Frieden und erklärten, dass sie sich stets für sie einsetzen würden. [31] Sie wiesen die Juden noch einmal darauf hin, dass sie und ihre Nachkommen das Fest so feiern sollten, wie es vorgeschrieben war. Der Feier musste eine Zeit des Fastens und Klagens vorangehen. [32] Mit ihrem Erlass führte Esther das Purimfest und seine Vorschriften für alle Juden verbindlich ein; er wurde schriftlich festgehalten.

Mordechai setzt sich weiterhin für sein Volk ein

10 König Xerxes legte den Bewohnern des ganzen persischen Reiches Steuern auf. [2] Seine großen Taten und Verdienste sind in der Chronik der Könige von Medien und Persien beschrieben. Dort steht auch, welch hohe Stellung er Mordechai verlieh: [3] Dieser war nach dem König der mächtigste Mann im Reich. Bei den Juden genoss er ein hohes Ansehen. Er wurde von allen sehr geschätzt, weil ihm das Wohl seines Volkes am Herzen lag und weil er sich stets für sie eingesetzt hatte.

9,31 4,1–3 **10,2** 8,2.15

Das Buch Hiob (Ijob)

Hiobs Frömmigkeit

1 Im Land Uz lebte ein Mann namens Hiob, der rechtschaffen und aufrichtig war. Weil er Ehrfurcht vor Gott hatte, hütete er sich davor, Böses zu tun. [2] Er hatte eine große Familie mit sieben Söhnen und drei Töchtern [3] und besaß riesige Viehherden: 7000 Schafe und Ziegen, 3000 Kamele, 500 Rindergespanne und 500 Esel, dazu sehr viele Hirten und Mägde. Hiob war der reichste und angesehenste von allen Herdenbesitzern im Osten.

[4] Jahr für Jahr feierten seine Söhne reihum in ihren Häusern Feste, zu denen sie auch ihre Schwestern einluden. [5] Immer wenn die Festtage vorbei waren, ließ Hiob seine Kinder zu sich kommen, um sich mit ihnen auf ein Opfer vorzubereiten. Schon früh am Morgen stand er auf und brachte Gott viele Brandopfer dar, für jedes Kind eins. Das tat Hiob jedes Mal, denn er dachte: »Vielleicht haben sie bei ihren Gelagen Gott insgeheim verlassen und sich von ihm losgesagt.«

Hiob wird auf die Probe gestellt

[6] Eines Tages versammelten sich die Engel[a] im Himmel und traten vor den Herrn, unter ihnen auch der Satan[b]. [7] »Woher kommst du?«, fragte ihn der Herr. »Ich habe die Erde durchstreift«, gab dieser zur Antwort. [8] Der Herr erwiderte: »Dann ist dir sicher auch mein Diener Hiob aufgefallen. Ich kenne keinen zweiten auf der Erde, der so rechtschaffen und aufrichtig ist wie er, der mich achtet und sich nichts zuschulden kommen lässt.«

[9] »Überrascht dich das?«, fragte der Satan. »Er tut's doch nicht umsonst! [10] Du hast ihn, seine Familie und seinen ganzen Besitz stets bewahrt. Seine Arbeit war erfolgreich, und seine Herden haben sich gewaltig vermehrt. [11] Aber – versuch es doch einmal und lass ihn Hab und Gut verlieren, dann wird er dich ganz sicher vor allen Leuten verfluchen.«

[12] »Gut«, sagte der Herr, »mach mit seinem Besitz, was du willst, nur ihn selbst taste nicht an!« So verließ der Satan den Herrn und die Engel.

[13] Eines Tages feierten Hiobs Kinder wieder einmal im Haus ihres ältesten Bruders. [14] Da kam ein Bote zu Hiob und meldete: »Wir pflügten gerade mit den Rindern, die Esel weideten nebenan, [15] da überfielen uns Beduinen aus der Gegend von Saba und raubten die Tiere. Alle Hirten haben sie umgebracht, nur ich konnte entkommen, um es dir zu melden.«

[16] Im selben Moment stürzte schon ein anderer Bote herein: »Ein Unwetter[c] hat deine Schaf- und Ziegenherden mitsamt den Hirten vernichtet, nur ich habe es überlebt, und jetzt bin ich hier, um es dir zu berichten.«

[17] Kaum hatte er ausgeredet, als schon der nächste Bote atemlos meldete: »Nomaden aus Babylonien haben unsere Kamelherden von drei Seiten überfallen und weggetrieben. Alle Hirten haben sie umgebracht, ich bin der einzige Überlebende!«

[18] Im nächsten Augenblick kam wieder ein Bote an: »Hiob«, rief er, »deine Kinder feierten gerade, [19] als ein Wirbelsturm aus der Wüste das Haus deines ältesten Sohnes erfasste und einstürzen ließ. Alle

---

[a] Wörtlich: die Gottessöhne.
[b] Wörtlich: der Ankläger.
[c] Wörtlich: Das Feuer Gottes fiel vom Himmel.

1,1 Hes 14,14.20; Jak 5,11

deine Kinder liegen unter den Trümmern begraben! Sie sind tot! Ich habe als Einziger dieses Unglück überlebt.«

[20] Da stand Hiob auf, zerriss sein Obergewand und schor sich den Kopf. Dann fiel er zu Boden und betete: [21] »Nackt bin ich zur Welt gekommen, und nackt verlasse ich sie wieder. Herr, du hast mir alles gegeben, du hast mir alles genommen, dich will ich preisen!«

[22] Obwohl dieses Leid über ihn hereinbrach, versündigte Hiob sich nicht. Kein böses Wort gegen Gott kam über seine Lippen.

Hiobs Krankheit

2 Wieder einmal versammelten sich die Engel und traten vor den Herrn, unter ihnen auch der Satan. [2] »Woher kommst du?«, fragte ihn der Herr. »Ich habe wieder die Erde durchstreift«, gab der Satan zur Antwort. [3] »Dann ist dir sicher auch mein Diener Hiob aufgefallen«, sagte Gott. »Ich kenne keinen Zweiten auf der Erde, der so rechtschaffen und aufrichtig ist wie er, der mich achtet und sich nichts zuschulden kommen lässt. Immer noch vertraut er mir, obwohl du mich dazu verleitet hast, ihn ohne Grund ins Unglück zu stürzen.«

[4] Der Satan erwiderte bloß: »Kein Wunder! Er selbst ist doch noch mit heiler Haut davongekommen. Ein Mensch gibt alles her, was er besitzt, wenn er damit sein eigenes Leben retten kann. [5] Greif nur seinen Körper und seine Gesundheit an, ganz sicher wird er dich dann vor allen Leuten verfluchen!«

[6] Der Herr entgegnete: »Ich erlaube es dir! Greif seine Gesundheit an, doch lass ihn am Leben!« [7] Da verließ der Satan den Herrn und die Engel und schlug zu: Eitrige Geschwüre brachen an Hiobs Körper aus, von Kopf bis Fuß. [8] Voll Trauer setzte Hiob sich in einen Aschehaufen, suchte eine Tonscherbe heraus und begann sich damit zu kratzen.

[9] »Na, immer noch fromm?«,[a] wollte seine Frau wissen. »Mach doch Schluss mit Gott[b] und stirb!« [10] Aber Hiob sagte nur: »Was du sagst, ist gottlos und dumm! Das Gute haben wir von Gott angenommen, sollten wir dann nicht auch das Unheil annehmen?« Selbst jetzt kam kein bitteres Wort gegen Gott über Hiobs Lippen.

Die drei Freunde Hiobs

[11] Hiob hatte drei Freunde: Elifas aus Teman, Bildad aus Schuach und Zofar aus Naama. Als sie von dem Unglück hörten, das über ihn hereingebrochen war, vereinbarten sie, Hiob zu besuchen. Sie wollten ihm ihr Mitgefühl zeigen und ihn trösten. [12] Schon von weitem sahen sie ihn, aber sie erkannten ihn kaum wieder. Da brachen sie in Tränen aus, sie zerrissen ihre Kleider, schleuderten Staub in die Luft und streuten ihn sich auf den Kopf. [13] Dann setzten sie sich zu Hiob auf den Boden. Sieben Tage und sieben Nächte saßen sie da, ohne ein Wort zu sagen, denn sie spürten, wie tief Hiobs Schmerz war.

Warum muss ich noch leben?

3 Dann erst begann Hiob zu sprechen. Er verfluchte den Tag seiner Geburt [2] und sagte:

[3] »Ausgelöscht sei der Tag, an dem ich geboren wurde, und auch die Nacht, in der man sagte: ›Es ist ein Junge!‹ [4] Jener Tag versinke in tiefer Finsternis – kein Licht soll ihn erhellen! Selbst Gott da oben vergesse ihn! [5] Ja, der Tod soll ihn holen – diesen Tag! Ich wünschte, dass sich dunkle Wolken auf ihn legten und die Finsternis sein Licht erstickte!

---

[a] Wörtlich: Hältst du immer noch an deiner Vollkommenheit fest?
[b] Wörtlich: Verfluche Gott.
1,21 Ps 49,18; Pred 5,14; 1 Tim 6,7

[6] Für immer soll sie dunkel bleiben – die Nacht meiner Geburt! Ausgelöscht sei sie aus dem Jahreskreis, nie wieder erscheine sie auf dem Kalender! [7] Stumm und öde soll sie sein, eine Nacht, in der sich keiner mehr freut! [8] Verfluchen sollen sie die Zauberer, die Tag und Nacht verwünschen können und die das Ungeheuer[a] wecken! [9] Jene Nacht soll finster bleiben, ohne alle Sternenpracht! Vergeblich warte sie aufs Sonnenlicht, die Strahlen des Morgenrots sehe sie nicht! [10] Denn sie ließ zu, dass meine Mutter mich empfing, die Mühen des Lebens hat sie mir nicht erspart.

[11] Warum bin ich nicht bei der Geburt gestorben, als ich aus dem Leib meiner Mutter kam? [12] Wozu hat sie mich auf den Knien gewiegt und an ihrer Brust gestillt? [13] Wenn ich tot wäre, dann läge ich jetzt ungestört, hätte Ruhe und würde schlafen [14] so wie die Könige und ihre Berater, die sich hier prachtvolle Paläste bauten – längst zu Ruinen zerfallen –, [15] und wie die Herrscher, die Gold und Silber besaßen und ihre Häuser damit füllten. [16] Warum wurde ich nicht wie eine Fehlgeburt verscharrt, wie Totgeborene, die nie das Tageslicht sahen? [17] Bei den Toten können die Verbrecher nicht mehr toben, und ihre Opfer haben endlich Ruhe. [18] Auch die Gefangenen lässt man dort in Frieden; sie hören nicht mehr das Geschrei des Aufsehers. [19] Ob groß oder klein: Dort sind alle gleich, und der Sklave ist seinen Herrn los.

[20] Warum nur lässt Gott die Menschen leben? Sie mühen sich ab, sind verbittert und ohne Hoffnung. [21] Sie sehnen sich den Tod herbei – aber er kommt nicht! Sie suchen ihn mehr als verborgene Schätze, [22] und erst wenn sie endlich im Grab ruhen, empfinden sie die größte Freude! [23] Warum muss ich noch leben? Gott hat mich eingepfercht; ich sehe nur noch Dunkelheit! [24] Laut schreie ich auf vor Schmerzen, wenn ich essen will, und das Stöhnen bricht aus mir heraus. [25] Meine schlimmsten Befürchtungen sind eingetroffen, und wovor mir immer graute – das ist jetzt da! [26] Ohne Ruhe und Frieden lebe ich dahin, getrieben von endloser Qual!«

Elifas: Kann ein Mensch gerechter sein als Gott?

4 Elifas aus Teman versuchte als Erster, Hiob eine Antwort zu geben.

[2] »Du bist zwar aufgebracht«, sagte er, »doch will ich versuchen, dir etwas zu sagen; ich kann nicht länger schweigen! [3] Du selbst hast zahllose Menschen gelehrt, auf Gott zu vertrauen[b]. Kraftlose Hände hast du wieder gestärkt. [4] War jemand mutlos und ohne Halt, du hast ihn wieder aufgerichtet und ihm neuen Lebensmut gegeben. [5] Jetzt aber, wo du selbst an der Reihe bist, verlierst du die Fassung. Kaum bricht das Unglück über dich herein, bist du entsetzt! [6] Dabei hast du allen Grund zur Hoffnung! Dein Leben war stets tadellos, und Gott hast du von Herzen geehrt. Sei zuversichtlich! [7] Kannst du mir nur ein Beispiel nennen, wo ein gerechter Mensch schuldlos zugrunde ging? [8] Im Gegenteil – immer wieder habe ich gesehen: Wer Unrecht sät, wird Unglück ernten! [9] Denn Gott rafft Übeltäter im Zorn hinweg und richtet sie zugrunde. [10] Wenn sie auch wie die Löwen brüllen, bringt Gott sie doch zum Schweigen und bricht ihnen die Zähne aus. [11] Sie verenden wie Löwen, die keine Beute mehr finden, und ihre Kinder werden in alle Winde zerstreut. [12] Hiob, heimlich habe ich eine Botschaft bekommen, leise wurde sie mir zugeflüstert! [13] Es geschah in jener Zeit der Nacht, wenn man sich unruhig im Traum hin und her wälzt, wenn tiefer Schlaf die

---

[a] Wörtlich: den Leviatan. – Bildhafte Redeweise für gottfeindliche Schicksalsmächte.
[b] »auf Gott zu vertrauen« ist sinngemäß eingefügt.

3,11 10,18 **3,16** 10,19 **3,21** 7,15–16* **4,6–7** Ps 34,20; 37,25; 2 Petr 2,9 **4,8** Spr 22,8

Menschen überfällt: [14]Da packten mich Grauen und Entsetzen; ich zitterte am ganzen Körper. [15]Ein Windhauch wehte dicht an mir vorüber – die Haare standen mir zu Berge! [16]Dann sah ich jemanden neben mir, aber ich konnte ihn nicht erkennen, nur ein Schatten war zu sehen; er flüsterte: [17]›Kann denn ein Mensch gerechter sein als Gott, vollkommener als sein Schöpfer?‹ [18]Selbst seinen Dienern im Himmel vertraut Gott nicht, und an seinen Engeln findet er Fehler. [19]Wie viel weniger vertraut er dann den Menschen! Sie hausen in Lehmhütten, die im Staub auf der Erde stehen, und werden wie eine Motte zertreten. [20]Mitten aus dem Leben werden sie gerissen, unwiederbringlich, und keiner beachtet es! [21]Ja, Gott bricht ihre Zelte ab; sie sterben plötzlich und sind kein bisschen weise geworden!«

Unterwirf dich Gott!

5 »Klag nur, Hiob! Aber meinst du, dich hört jemand? An welchen Engel willst du dich denn wenden? [2]Wer sich Gott in blinder Wut entgegenstellt und in seiner Dummheit aufbegehrt, der bringt sich um! [3]Ich sah solche Leute in Glück und Frieden leben, dann aber verfluchte ich ihr Hab und Gut. [4]Ohne jede Hilfe standen ihre Kinder da; niemand verteidigte sie, als sie vor Gericht verurteilt wurden. [5]Über die Ernte dieser Narren machten sich die Hungrigen her – selbst aus den Dornenhecken rissen sie die Halme heraus und stürzten sich gierig auf all ihren Reichtum. [6]Unheil wächst nicht auf dem Acker, und Mühsal schießt nicht aus der Erde empor. [7]Nein, von Geburt an gehört zum Menschsein die Mühe, so wie zum Feuer die Funken gehören. [8]Ich an deiner Stelle würde mich an Gott wenden und ihm meinen Rechtsfall vortragen. [9]Was Gott tut, ist groß und gewaltig, niemand kann es begreifen; seine Wunder sind unzählbar. [10]Er lässt Regen fallen, und die Felder werden reich getränkt. [11]Wer klein und unbedeutend ist, den macht er groß; die Trauernden können sich wieder freuen, weil er sie rettet. [12]Die Pläne verschlagener Menschen vereitelt er, so dass ihnen gar nichts gelingt. [13]Er fängt die Klugen mit ihrer eigenen Klugheit, und ihre Machenschaften durchkreuzt er. [14]Am helllichten Tage tappen sie umher, als wäre es stockdunkle Nacht. [15]Gott hilft dem Armen aus der Gewalt der Mächtigen und rettet ihn vor ihren mörderischen Plänen. [16]Er gibt den Armen wieder Hoffnung und bringt die Ungerechtigkeit zum Schweigen.

[17]Glücklich ist der Mensch, den Gott zurechtweist! Der Allmächtige will dich erziehen! Sträube dich nicht! [18]Er schlägt dich zwar, doch er heilt auch wieder; er verbindet alle Wunden, die er dir zufügt. [19]Bricht ein Unglück herein, so wird er dich retten; jedes Mal bleibst du vom Untergang verschont. [20]In der Hungersnot erhält er dich am Leben, und im Krieg bewahrt er dich vor gewaltsamem Tod. [21]Er beschützt dich vor übler Nachrede, die wie Peitschenhiebe verletzt. Du musst nicht befürchten, dass dein Besitz verwüstet wird. [22]Verderben und Hungersnot lachst du aus, und vor den wilden Tieren hier im Lande hast du keine Angst. [23]Niemand wird Steine auf deinen Acker werfen,[a] und die wilden Tiere werden dich nicht angreifen. [24]In Ruhe und Frieden kannst du in deinem Haus leben, und schaust du nach deinem Hab und Gut, fehlt nichts. [25]Kinder und Enkel wirst du sehen, so zahlreich wie die Blumen auf dem Feld. [26]Du bleibst rüstig bis ins hohe Alter, und wenn du einst begraben wirst, gleichst du dem Korn, das erst in voller Reife geerntet wird.

[27]Das alles haben wir erforscht. Du

---

[a] Wörtlich: Dein Bund wird sein mit den Steinen auf dem Feld.

4,17 15,14; 25,4; 1 Mo 6,5* **4,18** 15,15 **4,20–21** Ps 39,5–7* **5,8** Ps 35,23; 119,154 **5,9** 9,10 **5,11** 1 Sam 2,7–8; Lk 1,48 **5,13** 1 Kor 3,19 **5,15–16** Ps 140,13* **5,17–18** Ps 94,12; Spr 3,11; Hebr 12,5–11; Offb 3,19

kannst uns glauben, es ist wahr! Nun richte dich danach!«

Hiob: Mein Schmerz ist unerträglich!

6 Da antwortete Hiob:

[2]»Ach könnte mein Schmerz doch gewogen werden! Legte man doch mein Elend auf die Waage! [3]Es wiegt schwerer als der Sand am Meer, und deshalb sind meine Worte so unbeherrscht. [4]Der Allmächtige hat mich mit seinen Pfeilen durchbohrt, tief dringt ihr Gift in mich ein[a]. Gott hat mich mit seinen Schrecken eingekesselt. [5]Kein Wildesel schreit, wenn er Gras hat; an der vollen Futterkrippe brüllt kein Stier. [6]Doch welcher Mensch mag ungesalzene Speise, wer schlürft schon gerne rohes Eiweiß? [7]Ich sträube mich, es anzurühren, denn solche Nahrung macht mich krank!

[8]Warum schlägt Gott mir meine Bitte ab und gibt mir nicht, was ich so sehnlich wünsche? [9]Ich wünsche mir nur eins: dass er mich zermalmt und mir das Lebenslicht ausbläst! [10]Denn einen Trost hätte ich auch dann noch, Grund zum Jubeln trotz schrecklicher Schmerzen: Was der heilige Gott geboten hat, daran habe ich mich immer gehalten! [11]Aber meine Kraft reicht nicht aus, um noch länger zu hoffen! Auf welches gute Ende soll ich geduldig warten? [12]Bin ich denn hart und unverwundbar wie ein Stein? Ist mein Körper kraftvoll, wie aus Erz gegossen? [13]Ich bin völlig hilflos und weiß nicht mehr aus noch ein!

[14]Wer so verzweifelt ist wie ich, braucht Freunde, die fest zu ihm halten, selbst wenn er Gott nicht mehr glaubt. [15]Ihr aber enttäuscht mich wie die Flüsse in der Wüste, deren Bett vertrocknet, sobald kein Regen mehr fällt. [16]Im Frühjahr treten sie über die Ufer, trübe vom Schmelzwasser, in dem Eisschollen treiben. [17]Aber wenn es heiß wird, versiegen sie und versickern im Boden. [18]Karawanen müssen vom Weg abweichen, weil sie dort kein Wasser finden[b]. Sie steigen hinauf in die Wüste und gehen elend zugrunde. [19]Die Karawanen von Tema spähen nach den Wasserstellen, die Händler von Saba sind auf sie angewiesen, [20]doch ihre Hoffnung wird bitter enttäuscht: Sie kommen dorthin – das Flussbett ist leer! [21]Und ihr? Ihr seid genau wie diese Flüsse: trostlos und leer. Ihr helft mir nicht! Ihr seht mein furchtbares Schicksal und weicht entsetzt zurück! [22]Wieso denn? Habe ich euch je gesagt: ›Schenkt mir etwas! Zahlt ein Bestechungsgeld für mich aus euren Taschen, [23]und rettet mich vor dem Erpresser, aus seinen Klauen kauft mich frei!‹?

[24]Gebt mir eine klare Antwort, und weist mir nach, wo ich im Irrtum bin, dann will ich gerne schweigen! [25]Nur wer die Wahrheit sagt, überzeugt mich – eure Vorwürfe beweisen nichts! [26]Wollt ihr meine Worte tadeln, weil sie so verzweifelt klingen? Was ich sage, verhallt ungehört im Wind! [27]Ihr würdet selbst ein Waisenkind verkaufen und euren besten Freund verhökern! [28]Bitte, seht mich an! So wahr ich hier sitze: Ich sage euch die volle Wahrheit! [29]Ihr tut mir Unrecht! Hört endlich auf damit, denn immer noch bin ich im Recht! [30]Rede ich vermessen? Nie und nimmer! Ich kann doch Recht und Unrecht unterscheiden!«

Gott, warum lässt du mich nicht in Ruhe?

7 »Das Leben der Menschen gleicht der Zwangsarbeit, von früh bis spät müssen sie sich abmühen! [2]Ein Landarbeiter sehnt sich nach dem kühlen Schatten am Abend; er wartet darauf, dass ihm sein Lohn bezahlt wird. [3]Und

---

[a] Wörtlich: mein Geist trinkt ihr Gift.
[b] »weil sie … finden« ist sinngemäß eingefügt.
6,4 16,12–14; 34,6 **6,9** 7,15–16* **6,10** 1,8 **6,24** 13,23 **7,1** 1 Mo 3,17–19

was ist mein Lohn? Monate, die sinnlos dahinfliegen, und kummervolle Nächte! [4]Wenn ich mich schlafen lege, denke ich: ›Wann kann ich endlich wieder aufstehen?‹ Die Nacht zieht sich in die Länge, ich wälze mich schlaflos hin und her bis zum Morgen. [5]Mein Körper ist von Würmern und von dreckigem Schorf bedeckt. Meine Haut platzt auf und eitert. [6]Schneller als ein Weberschiffchen sausen meine Tage dahin, sie schwinden ohne jede Hoffnung. [7]O Gott, bedenke, dass mein Leben nur ein Hauch ist! Mein Glück ist dahin; es kommt nie wieder. [8]Noch siehst du mich, doch nicht mehr lange, und wenn du mich dann suchst, bin ich nicht mehr da. [9/10]Wie eine Wolke, die vorüberzieht, so ist ein Mensch, der stirbt: Vom Ort der Toten kehrt er nie zurück, dort, wo er einmal wohnte, ist er bald vergessen.

[11]Nein – ich kann nicht schweigen! Der Schmerz wühlt in meinem Innern. Ich lasse meinen Worten freien Lauf, ich rede aus bitterem Herzen. [12]O Gott, warum lässt du mich so scharf bewachen? Bin ich denn das Meer oder ein Meeresungeheuer? [13/14]Wenn ich dachte: ›Ich will im Schlaf Ruhe finden und mein Elend vergessen‹, dann hast du mich bis in die Träume verfolgt und mir durch Visionen Angst eingejagt. [15]Am liebsten würde ich erhängt! Lieber sterben, als noch länger in diesem elenden Körper leben! [16]Ich gebe auf! So will ich nicht mehr weiterleben! Lass mich in Ruhe, denn mein Leben hat keinen Sinn mehr! [17]Gott, warum nimmst du einen Menschen so ernst? Warum beachtest du ihn überhaupt? [18]Jeden Morgen verlangst du Rechenschaft von ihm; du beobachtest ihn jeden Augenblick. [19]Wie lange schaust du mich noch prüfend an? Du lässt mich keinen Augenblick in Ruhe![a] [20]Du Menschenwächter – hat dich meine Sünde denn verletzt? Warum machst du mich zu deiner Zielscheibe? Bin ich dir zur Last geworden? [21]Warum vergibst du mir mein Unrecht nicht? Kannst du keine Sünde übersehen? Denn bald liege ich unter der Erde, und wenn du mich dann suchst, bin ich nicht mehr da.«

Bildad: Wer Gott die Treue bricht, hat keine Hoffnung mehr!

8 Da entgegnete Bildad aus Schuach: [2]»Wie lange willst du noch so weiterreden und lässt den unbeherrschten Worten freien Lauf? [3]Verdreht Gott, der Allmächtige, etwa das Recht? Meinst du, dass er sein Urteil jemals widerruft? [4]Deine Kinder müssen gegen ihn gesündigt haben, darum hat er sie verstoßen und bestraft; sie haben bekommen, was sie verdienten. [5]Du aber solltest unermüdlich nach Gott suchen und zum Allmächtigen um Gnade flehen. [6]Wenn du aufrichtig und ehrlich bist, dann wird er sich noch heute um dich kümmern und Haus und Hof dir wiedergeben, wie du es verdienst. [7]Was du früher besessen hast, wird dir gering erscheinen verglichen mit dem, was Gott dir schenken wird!

[8]Schau doch nur auf die früheren Generationen, und achte auf die Weisheit unserer Väter! [9]Denn unser Leben währt nur kurze Zeit. Wir wissen gar nichts; wie ein Schatten huschen unsere Tage vorüber. [10]Aber die Alten können dich aus ihrer reichen Erfahrung belehren. Sie sagten: [11]›Die Papyrusstaude steht nur dort, wo Sumpf ist, und ohne Wasser wächst kein Schilf. [12]Noch ehe es emporwächst, ehe man es schneiden kann, ist es schon verdorrt!‹ [13]Genauso geht es dem, der Gott vergisst; wer ihm die Treue bricht, hat keine Hoffnung mehr. [14]Worauf er sich stützte, das zerbricht, und sei-

---

[a] Wörtlich: Du lässt mich nicht einmal so lange in Ruhe, bis ich meinen Speichel heruntergeschluckt habe.

7,6–8 Ps 39,5–7* **7,9–10** 10,21–22; 14,12; 16,22; Ps 6,6* **7,15–16** 3,21; 6,9; 1 Kön 19,4; Jona 4,3.8 **7,17** Ps 8,5 **7,21** Ps 85,3* **8,3** 34,10–12; Ps 7,12* **8,4** 1,4–5.18–19 **8,9** Ps 39,5–7* **8,13–19** 18,5–21*

ne Sicherheit zerreißt wie ein Spinnennetz. [15]In seinem Haus fühlt er sich sicher, aber es bleibt nicht bestehen; er klammert sich daran, findet aber keinen Halt.

[16]Zuerst wächst er auf wie eine Pflanze: Voller Saft steht sie im Sonnenschein, und ihre Triebe breiten sich im Garten aus. [17]Die Wurzeln verzweigen sich über die Steine und finden einen Weg durch jede Ritze. [18]Doch ist die Pflanze mitsamt den Wurzeln einmal ausgerissen, weiß keiner mehr, wo sie gestanden hat.

[19]Wer Gott vergisst, dem geht es ebenso. Von seinem Glück bleibt nichts mehr übrig, und andere nehmen seinen Platz ein.

[20]Vergiss es nicht: Gott lässt einen Unschuldigen niemals fallen, und einen Bösen unterstützt er nicht! [21]Er wird dich wieder lachen lassen und dir Grund zum Jubel geben, [22]aber deine Feinde werden mit Schimpf und Schande überhäuft, und ihr Haus wird vom Erdboden verschwinden!«

Hiob: Wie kann ein Mensch vor Gott sein Recht bekommen?

9 Hiob erwiderte:

[2]»Das alles weiß ich doch schon längst! Nur eins verrate mir:[a] Wie kann ein Mensch vor Gott sein Recht bekommen? [3]Wenn er dich vor Gericht zieht und Anklage erhebt, weißt du auf tausend Fragen keine Antwort. [4]Gott ist weise, stark und mächtig! Wer hat sich je erfolgreich gegen ihn gestellt?

[5]Ohne Vorwarnung verrückt er Berge, und wenn er zornig wird, zerstört er sie. [6]Er lässt die Erde zittern und beben, so dass ihre Säulen schwanken. [7]Er spricht nur ein Wort – schon verfinstert sich die Sonne, die Sterne dürfen nicht mehr leuchten. [8]Er allein hat den Himmel ausgebreitet, ist über die Wogen der Meere geschritten. [9]Den großen Wagen hat er geschaffen, den Orion, das Siebengestirn und auch die Sternbilder des Südens. [10]Er vollbringt gewaltige Taten; unzählbar sind seine Wunder, kein Mensch kann sie begreifen!

[11]Unbemerkt zieht er an mir vorüber; er geht vorbei, er streift mich, und ich nehm es gar nicht wahr! [12]Niemand kann ihn hindern, wenn er einen Menschen aus dem Leben reißt. Wer wagt es, ihn zu fragen: ›Halt! Was tust du da?‹? [13]Gott lässt seinem Zorn freien Lauf; er unterwarf sich seine Feinde, die dem Meeresungeheuer[b] halfen, als es sich ihm widersetzte. [14]Und ich? Was kann ich denn erwidern, mit welchen Worten ihm entgegentreten? [15]Auch wenn ich schuldlos wäre, könnte ich ihm nichts entgegnen, nein, ich müsste ihn als meinen Richter noch um Gnade anflehen!

[16]Selbst wenn ich darauf drängte, dass er mir endlich eine Antwort gibt, würde er mich kaum beachten. [17]Im Gegenteil: Er würde im Orkan mich packen und grundlos meine Qual vermehren. [18]Er gönnt mir keine Atempause und sättigt mich mit Bitterkeit. [19]Wollte ich meine Kraft mit ihm messen – er ist der Stärkere! Aber es geht ums Recht! Warum lädt er mich nicht vor, damit ich mich verteidigen kann? [20]Selbst wenn ich Recht hätte, würde Gott mich zum Geständnis zwingen; ich müsste mich vor ihm für schuldig erklären, auch wenn ich schuldlos wäre. [21]Ja, ich bin unschuldig! Aber es ist mir völlig gleichgültig, so sehr hasse ich mein Leben! [22]Es ist alles einerlei; deshalb sage ich: Egal, ob du gottlos bist oder fromm – er bringt dich doch um! [23]Und

---

[a] »Nur eins verrate mir« ist sinngemäß eingefügt.
[b] Wörtlich: Rahab.

8,20 9,22–23 **9,8** 26,7; 37,18 **9,9** 38,31–32; Am 5,8 **9,10** 5,9 **9,13** 26,12–13; Ps 89,11; Jes 51,9 **9,19** 13,3; 31,35–37 **9,21** 27,5–7* **9,22–23** 8,20

wenn sein Schlag plötzlich Unschuldige trifft, dann spottet er noch über ihren Schmerz! [24]Fällt ein Land Tyrannen in die Hände und werden alle Richter blind für das Recht, so hat Gott das getan! Wenn nicht er – wer sonst?

[25]Meine Jahre sind vorbeigeeilt, schneller als ein Läufer, verschwunden sind sie ohne eine Spur von Glück. [26]Sie gleiten dahin, geschwind wie ein Boot, fliegen rascher als ein Adler, der sich auf die Beute stürzt. [27]Wenn ich mir sage: Jetzt will ich mein Klagen vergessen, will glücklich sein und mich freuen, [28]dann packt mich doch die Angst, dass meine Schmerzen wiederkommen.

O Gott, ich weiß es: Du hältst mich für schuldig! [29]Ich bin ja schon verurteilt – wozu soll ich mich noch abmühen? [30]Wenn ich meine Hände mit Schneewasser wüsche oder mit Lauge reinigte, als Zeichen meiner Unschuld, [31]dann würdest du mich doch in eine Jauchegrube tauchen, dass sich selbst meine Kleider vor mir ekelten!

[32]Wärst du ein Mensch wie ich, dann könnte ich dir antworten! Wir würden beide vor Gericht gehen, damit der Streit entschieden wird. [33]Aber es gibt keinen, der zwischen dir und mir entscheidet und für Recht sorgt[a]. [34]Hör auf, mich zu bestrafen! Halte deine Schrecken von mir fern! [35]Dann kann ich endlich frei und furchtlos reden, denn ich bin mir keiner Schuld bewusst!«

Stell mich nicht als schuldig hin!

10 »Mein Leben ekelt mich an! Darum will ich der Klage freien Lauf lassen und mir die Bitterkeit von der Seele reden. [2]Gott, stell mich nicht als schuldig hin! Erklär mir doch, warum du mich anklagst! [3]Gefällt es dir, dass du mich unterdrückst? Warum verachtest du mich, den du selbst so kunstvoll gebildet hast? Die Pläne gewissenloser Menschen aber führst du zum Erfolg. [4]Hast du denn Menschenaugen? Siehst du die Dinge nur von außen so wie wir? [5]Sind deine Lebenstage auch begrenzt, deine Jahre rasch vergangen so wie unsere?

[6]Warum suchst du dann nach meiner Schuld und hast es eilig, jede Sünde aufzuspüren? [7]Du weißt doch genau, dass ich unschuldig bin und dass es keinen gibt, der mich aus deiner Hand befreit.

[8]Deine Hände haben mich gebildet und geformt. Willst du dich jetzt von mir abwenden und mich zerstören? [9]Bedenke doch, dass du mich wie Ton gestaltet hast! Lässt du mich jetzt wieder zu Staub zerfallen? [10]Dir verdanke ich mein Leben: dass mein Vater mich zeugte und ich im Mutterleib Gestalt annahm.[b] [11]Mit Knochen und Sehnen hast du mich durchwoben, mit Muskeln und Haut mich bekleidet. [12]Ja, du hast mir das Leben geschenkt und mir deine Güte erwiesen; deine Fürsorge hat mich stets bewahrt. [13]Aber tief in deinem Herzen denkst du anders; in Wirklichkeit hast du dies beschlossen: [14]Auf jedes Vergehen willst du mich festnageln und mich von meiner Schuld nicht mehr freisprechen. [15]Habe ich mich schuldig gemacht, dann bin ich verloren! Doch auch wenn ich im Recht bin, kann ich nicht zuversichtlich sein, denn man überhäuft mich mit Schande, und mein Elend steht mir ständig vor Augen. [16]Will ich mich behaupten, jagst du mich wie ein Löwe und richtest mich wieder schrecklich zu. [17]Einen Zeugen nach dem anderen lässt du gegen mich auftreten, dein Zorn wird nur noch größer, auf immer neue Art greifst du mich an.

---

[a] Wörtlich: der seine Hand auf uns beide legt. – Wahrscheinlich eine symbolische Handlung, mit der ein Schiedsspruch verkündet wurde.
[b] Wörtlich: Hast du mich nicht wie Milch ausgegossen und wie Käse gerinnen lassen?

9,25–26 Ps 39,5–7* **9,32–33** Pred 6,10–11 **9,35** 27,5–7* **10,3** Ps 139,15 **10,4** Ps 26,2* **10,5** Ps 39,5–7* **10,7** 27,5–7* **10,8–12** 33,6; Ps 119,73; 139,13–14

[18] Warum hast du zugelassen, dass ich geboren wurde? Wäre ich doch gleich gestorben, kein Mensch hätte mich je gesehen! [19] Vom Mutterleib direkt ins Grab! Ich wäre wie einer, den es nie gegeben hat. [20] Wie kurz ist mein Leben! Schon fast vergangen! Lass mich jetzt in Frieden, damit ich noch ein wenig Freude habe! [21] Bald muss ich gehen und komme nie mehr wieder. Ich gehe in ein Land, wo alles schwarz und düster ist, [22] ins Land der Dunkelheit und tiefen Nacht, ein Land, in dem es keine Ordnungen mehr gibt, wo selbst das Licht nur schwarz ist wie die Nacht.«

Zofar: Gottes Weisheit kannst du nicht begreifen!

11 Darauf erwiderte Zofar aus Naama:

[2] »Soll diese Flut von Worten ohne Antwort bleiben? Darf denn ein Schwätzer Recht behalten? [3] Meinst du etwa, dein leeres Gerede verschlägt uns die Sprache? Willst du weiter spotten, ohne dass dich jemand zurechtweist? [4] Du sagst zu Gott: ›Meine Urteile sind völlig richtig! In deinen Augen bin ich rein!‹

[5] Hiob, ich wünsche nichts sehnlicher, als dass Gott mit dir redet [6] und dir zeigt, wie unendlich tief seine Weisheit ist! Sie hat so viele Seiten! Kein Mensch kann sie begreifen!

Glaub mir: Gott sieht über viele deiner Sünden hinweg! [7] Kannst du die Geheimnisse Gottes erforschen und die Vollkommenheit des Allmächtigen erfassen? [8] Der Himmel oben setzt Gott keine Grenze – dir aber allemal[a]! Gott kennt die Welt der Toten unten in der Tiefe – du aber nicht! [9] Seine Größe überragt die Erde und reicht weiter als das Meer! [10] Wenn er kommt, dich gefangen nimmt und dann Gericht hält – wer kann ihn daran hindern? [11] Nichtsnutzige Menschen kennt er ganz genau; er sieht ihr böses Treiben, auch wenn sie ihn nicht beachten. [12] Ein Hohlkopf kommt nicht zur Vernunft, genauso wenig wie ein Wildesel als Mensch geboren wird.

[13] Hiob, fass einen klaren Entschluss: Streck deine Hände empor und bete zu Gott! [14] Mach deinen Fehler wieder gut, und lass in deinen Zelten kein neues Unrecht geschehen! [15] Dann kannst du jedem wieder offen ins Gesicht sehen, unerschütterlich und furchtlos stehst du im Leben deinen Mann! [16] Bald schon wird all dein Leid vergessen sein wie Wasser, das versickert ist. [17] Dann kann dein Leben noch einmal beginnen und leuchten wie die Mittagssonne, auch die dunkelsten Stunden werden strahlen wie der lichte Morgen. [18] Dann hast du endlich wieder Hoffnung und kannst zuversichtlich sein. Abends siehst du noch einmal nach dem Rechten und legst dich dann in Frieden schlafen. [19] Kein Feind schreckt dich auf – im Gegenteil: Viele werden sich um deine Gunst bemühen. [20] Aber alle, die Gott missachten, schauen sich vergeblich nach Hilfe um; sie haben keine Zuflucht mehr! Ihnen bleibt nur noch der letzte Atemzug.«

Hiob: Was ihr wisst, weiß ich auch!

12 Darauf entgegnete Hiob:

[2] »Jawohl, ihr habt die Weisheit gepachtet, und mit euch stirbt sie eines Tages aus! [3] Auch ich habe Verstand, genauso wie ihr; ich stehe euch in nichts nach. Was ihr sagt, weiß doch jeder! [4] Aber jetzt lachen sogar meine Freunde mich aus, obwohl ich unschuldig bin und keiner mir etwas Schlechtes nachsagen kann.

---

[a] Wörtlich: Was willst du tun?

10,18–19 3,11–16; Pred 4,2–3 **10,20** Ps 39,5–7* **10,21–22** 7,9–10; 14,12; 16,22; 36,30; Ps 6,6* **11,6–9** Pred 8,16–17; Jes 55,8–9; Röm 11,33–36 **11,20** 18,5–21* **12,4** 27,5–7*

Früher hat Gott meine Gebete erhört. Er gab mir Antwort, wenn ich zu ihm rief. [5]Alle, die in Sicherheit leben, behaupten: ›Wen das Unglück trifft, den darf man verachten; was fallen will, das soll man ruhig noch stoßen!‹ [6]Die Gewalttätigen bleiben unbehelligt. Sie fordern Gott heraus und leben doch sicher und ungestört. Das Schwert in ihrer Faust – das ist ihr Gott!

[7]Von den Tieren draußen kannst du vieles lernen, schau dir doch die Vögel an! [8]Frag nur die Erde und die Fische im Meer; hör, was sie dir sagen! [9]Wer von diesen allen wüsste nicht, dass der Herr sie mit seiner Hand geschaffen hat? [10]Alle Lebewesen hält er in der Hand, den Menschen gibt er ihren Atem.

[11]Soll nicht mein Ohr eure Worte prüfen, so wie mein Gaumen das Essen kostet? [12]Man sagt, Weisheit sei bei den Alten zu finden und ein langes Leben bringe Erfahrung. [13]Doch Gott allein besitzt Weisheit und Kraft, nie wird er ratlos; er weiß, was er tun soll. [14]Was er abreißt, wird nie wieder aufgebaut, und wenn er einen Menschen einschließt, kann keiner ihn befreien. [15]Hält er den Regen zurück, dann wird das Land von Dürre geplagt; lässt er die Wasserfluten los, dann wühlen sie es um. [16]Er allein besitzt Macht! Was er sich vornimmt, das gelingt. Gott hat beide in der Hand: den, der sich irrt, und den, der andere irreführt. [17]Königliche Ratgeber nimmt er gefangen; erfahrene Richter macht er zu Narren. [18]Gefangene eines Königs befreit er, doch den König selbst legt er in Fesseln. [19]Er führt die Priester weg mit Schimpf und Schande und vertreibt alteingesessene Familien. [20]Berühmten Rednern entzieht er das Wort, den Alten nimmt er die Urteilskraft. [21]Fürsten gibt er der Verachtung preis, und die Mächtigen macht er schwach. [22]Die Dunkelheit überflutet er mit Licht, ja, die tiefsten Geheimnisse deckt er auf. [23]Er lässt Völker mächtig werden und richtet sie wieder zugrunde; er macht ein Volk groß und vertreibt es wieder. [24]Ihren Königen nimmt er den Verstand und führt sie hoffnungslos in die Irre. [25]Im Dunkeln tappen sie umher und torkeln wie Betrunkene.«

Wollt ihr für Gott Partei ergreifen?

13 »Das alles ist mir bestens bekannt! Ich habe es mit eigenen Augen gesehen, und andere haben es mir berichtet. [2]Was ihr wisst, weiß ich auch, ich stehe euch in nichts nach! [3]Aber ich will mit dem Allmächtigen reden, vor ihm will ich mich verteidigen. [4]Ihr übertüncht ja die Wahrheit mit euren Lügen! Kurpfuscher seid ihr allesamt!

[5]Wenn ihr doch nur schweigen würdet, dann könnte man euch noch für weise halten! [6]Hört jetzt, was ich zu meiner Verteidigung sage, und gebt Acht, wie ich meinen Fall vortrage! [7]Wollt ihr für Gott lügen und mit falschen Aussagen für ihn eintreten? [8]Wollt ihr Partei für ihn ergreifen und seinen Streit ausfechten? [9]Das kann doch nicht gut gehen! Meint ihr, dass er sich täuschen lässt, wenn er euch ins Verhör nimmt? [10]Zurechtweisen wird er euch, weil ihr heimlich für ihn Partei ergreift! [11]Sein Erscheinen wird euch zu Tode erschrecken, die Angst wird euch packen! [12]Eure tiefsinnigen Sprüche sind wertlos wie ein Häufchen Asche! Eure Verteidigung zerbröckelt wie Lehm!

[13]Schweigt jetzt! Ich will reden, komme, was da wolle! [14]Ich bin bereit, Kopf und Kragen zu riskieren, ja, ich setze mein Leben aufs Spiel! [15]Gewiss wird Gott mich töten, dennoch vertraue ich auf ihn, denn ich will mein Leben vor ihm verantworten. [16]Schon das wird meine Rettung

---

12,6 21,6–33; 24,1–17; Ps 73,3–20; Jer 12,1–3 **12,10** 33,4; 34,14–15; 1 Mo 2,7*; Ps 104,29 **12,12–13** 28,12–28; Spr 9,10; 15,33; 28,26; Dan 2,20 **12,16** Ps 89,7–9* **12,23** 1 Sam 2,7; Lk 1,52 **13,3** 9,19; 31,35–37 **13,5** Spr 17,28 **13,12** 12,2

sein, denn wer mit Gott gebrochen hat, darf gar nicht erst in seine Nähe kommen! [17] Hört jetzt genau zu, wenn ich meinen Fall klarstelle! Achtet auf jedes Wort! [18] Ich habe mich auf die Verhandlung bestens vorbereitet und bin sicher, dass ich Recht behalte. [19] Kann mir jemand eine Schuld nachweisen? Dann will ich schweigen und auf der Stelle sterben. [20] Aber zuerst habe ich noch zwei Bitten an dich, o Gott; erfülle sie mir, damit ich dir überhaupt begegnen kann: [21] Nimm dieses schmerzhafte Leiden von mir und die schreckliche Angst, mit der du mich plagst! [22] Rede du zuerst, dann werde ich antworten, oder lass mich beginnen, und dann antworte du!

[23] O Gott, sag mir: Wo bin ich schuldig geworden? Welche Sünden habe ich begangen? Wo habe ich dir die Treue gebrochen? [24] Warum ziehst du dich von mir zurück und betrachtest mich als deinen Feind? [25] Warum verfolgst du mich und jagst mir Schrecken ein? Ich bin doch nur ein welkes Blatt, ein dürrer Halm! [26] Ein bitteres Los hast du über mich verhängt; du strafst mich sogar für die Sünden meiner Jugend. [27] Du legst meine Füße in Ketten, beobachtest jede Bewegung und bewachst mich auf Schritt und Tritt[a]. [28] So zerfalle ich langsam wie ein Holz, das vermodert, wie ein Kleid, das die Motten fressen.«

Gott, versteck mich doch bei den Toten!

14 »Wie vergänglich ist der Mensch! Wie kurz sind seine Jahre! Wie mühsam ist sein Leben! [2] Er blüht auf wie eine Blume – und verwelkt; er verschwindet wie ein Schatten – und fort ist er! [3] Und doch verlierst du ihn nicht aus den Augen und stellst ihn vor dein Gericht! [4] Von Geburt an sind wir mit Schuld beladen und bringen nichts Gutes zustande – keiner von uns![b] [5] Die Jahre eines jeden Menschen sind gezählt; die Dauer seines Lebens hast du festgelegt. Du hast ihm eine Grenze gesetzt, die er nicht überschreiten kann. [6] So schau jetzt weg von ihm, damit er Ruhe hat und seines Lebens noch froh wird, wie ein Arbeiter am Feierabend!

[7] Für einen Baum gibt es immer noch Hoffnung, selbst wenn man ihn gefällt hat; aus dem Stumpf wachsen wieder frische Triebe nach. [8] Auch wenn seine Wurzeln im Erdreich absterben und der Stumpf langsam im Boden vertrocknet, [9] erwacht er doch zu neuem Leben, sobald er Wasser bekommt. Neue Triebe schießen empor wie bei einer jungen Pflanze. [10] Aber wenn ein Mensch gestorben ist, dann ist er dahin. Er hat sein Leben ausgehaucht. Wo ist er nun? [11] Wie Wasser, das aus einem See ausläuft, und wie ein Flussbett, das vertrocknet, [12] so ist der Mensch, wenn er stirbt: Er legt sich nieder und steht nie wieder auf. Ja, die Toten werden niemals erwachen, solange der Himmel besteht! Nie wieder werden sie aus ihrem Schlaf erweckt!

[13] O Gott, versteck mich doch bei den Toten! Schließ mich für eine Weile dort ein, bis dein Zorn verflogen ist! Aber setz dir eine Frist und denk dann wieder an mich! – [14] Meinst du, ein Mensch wird wieder lebendig, wenn er gestorben ist? – Dort bei den Toten würde ich warten und die Tage zählen wie ein Zwangsarbeiter, bis er entlassen wird. [15] Aber dann wirst du mich rufen, und ich werde kommen.

Du wirst dich nach mir sehnen, weil du selbst mich geschaffen hast. [16] Meine Wege siehst du auch dann noch, aber meine Sünden hältst du mir nicht mehr vor. [17] Was immer ich begangen habe, ist dann

[a] Wörtlich: und ritzt die Sohlen meiner Füße ein.
[b] Wörtlich: Wie könnte ein Reiner vom Unreinen kommen? Nicht einer!

13,19 27,5–7* **13,23** 6,24 **13,24** 16,9; 19,11; 33,10 **13,26** Ps 25,7 **13,27** Ps 26,2* **14,1–3** Ps 39,5–7* **14,4** Ps 14,2–3; 143,2; 1 Mo 6,5*; Röm 3,10–12.23 **14,5** Ps 90,10 **14,12** 7,9–10; 10,21–22; 16,22; Ps 6,6* **14,13** Ps 139,8; Am 9,2 **14,17** Ps 85,3*; Mi 7,18–20

vergeben und vergessen,[a] meine Schuld löschst du für immer aus.

[18]Berge stürzen und zerfallen, Felsen rutschen zu Tal. [19]Wasser zermahlt die Steine zu Sand, und Sturzbäche reißen den Erdboden fort. Genauso zerstörst du jede Hoffnung des Menschen. [20]Du überwältigst ihn, zwingst ihn zu Boden; mit entstelltem Gesicht liegt er da und stirbt. Du schickst ihn fort – er kommt nie wieder. [21]Ob seine Kinder einst berühmt sind oder ob man sie verachtet, er weiß nichts davon. Ihre Zukunft bleibt ihm völlig verborgen. [22]Er fühlt nur die eigenen Schmerzen und trauert nur über sich selbst.«

Elifas: Du zerstörst die Ehrfurcht vor Gott!

15 Da antwortete Elifas aus Teman:

[2]»Und du willst ein weiser Mann sein, Hiob? Leere Worte! Du machst nichts als leere Worte![b] [3]Kein Weiser würde reden so wie du! Wie du dich wehrst und zurückschlägst! Das ist doch völlig nutzlos! Was du sagst, hat keinen Wert! [4]Wenn du so weitermachst, wird niemand mehr Ehrfurcht vor Gott haben, niemand wird sich noch auf ihn besinnen. [5]Hinter vielen Worten willst du deine Schuld verstecken, listig lenkst du von ihr ab! [6]Ich muss dich gar nicht schuldig sprechen – du selbst tust es; jedes deiner Worte klagt dich an.

[7]Bist du als erster Mensch geboren worden, noch ehe Gott die Berge schuf? [8]Kennst du etwa Gottes Pläne, hast du die Weisheit gepachtet? [9]Was weißt du denn, das wir nicht auch schon wüssten; was du begriffen hast, begreifen wir schon längst! [10]Hinter uns stehen alte, weise Männer, die älter wurden als dein Vater.

[11]Hiob, Gott will dich trösten! Ist dir das gar nichts wert? Durch uns redet er dich freundlich an. [12]Was erlaubst du dir! Du lässt dich vom Ärger mitreißen, aus deinen Augen sprüht der Zorn; [13]so ziehst du gegen Gott zu Felde und klagst ihn erbittert an! [14]Welcher Mensch ist wirklich schuldlos, wer kann vor Gott bestehen? [15]Selbst seinen Engeln vertraut Gott nicht, in seinen Augen ist sogar der Himmel unvollkommen. [16]Wie viel mehr die Menschen: Abscheulich und verdorben sind sie, am Unrecht trinken sie sich satt, als wäre es Wasser!

[17]Hör mir zu, Hiob! Ich will dir etwas erklären, was ich aus eigener Erfahrung weiß, [18]es stimmt auch mit den Worten der alten, weisen Männer überein. Sie wiederum haben es von ihren Vätern gelernt, [19]denen damals das Land ganz allein gehörte, von jedem fremden Einfluss unberührt[c]. [20]Sie sagten: Der Gewalttäter zittert vor Angst, er, der von Gott nichts wissen wollte, hat nicht mehr lange zu leben. [21]Schreckensrufe gellen ihm in den Ohren, mitten im Frieden wird ihn der Attentäter überfallen. [22]Er glaubt nicht mehr, dass er der Finsternis entkommen wird. Das Schwert des Mörders wartet schon auf ihn. [23]Auf der Suche nach Nahrung irrt er umher, aber findet nichts. Er weiß, dass bald sein letztes Stündlein schlägt. [24]Ihn packt das Grauen, Verzweiflung überfällt ihn wie ein König, der zum Angriff bläst. [25]Denn er hat Gott mit der Faust gedroht und wagte es, den Allmächtigen zu bekämpfen. [26]Starrköpfig wie er war, rannte er gegen Gott an mit seinem runden, dicken Schild. [27]Ja, er fühlte sich stark, wurde selbstsicher und überheblich,[d] [28]aber er wird an verwüsteten Orten hausen, in halb zerfallenen Häusern, in denen es keiner mehr aushält, die bald nur noch Ruinen sind.

---

[a] Wörtlich: Meine Sünde wäre im Beutel versiegelt.
[b] Wörtlich: Darf ein Weiser mit windigem Wissen antworten und seinen Bauch mit Ostwind füllen?
[c] Wörtlich: kein Fremder war unter ihnen umhergezogen.
[d] Wörtlich: Er hat sein Gesicht mit Fett bedeckt und an den Hüften Fett angesetzt.

15,9 12,3 **15,11** 16,2 **15,14** 4,17; 25,4; 1 Mo 6,5*; Röm 3,10–12.23 **15,15** 4,18 **15,20–35** 18,5–21*

[29] Dieser Mensch wird seinen Reichtum nicht behalten, und sein Besitz ist nur von kurzer Dauer. [30] Der Finsternis wird er nicht entrinnen; er ist wie ein Baum, dessen Zweige das Feuer versengt. Gott spricht nur ein Wort, und schon ist er nicht mehr da. [31] Wenn er auf Werte vertraut, die nicht tragen, betrügt er sich selbst, nur Enttäuschung wird sein Lohn sein. [32] Früher als er denkt, wird Gottes Vergeltung ihn treffen. Dann verwelkt er und wird nie wieder grünen. [33] Er gleicht einem Weinstock, der die Trauben verliert, und einem Ölbaum, der seine Blüten abwirft.

[34] So geht es allen, die Gott missachten: Über kurz oder lang sterben sie aus. Mit Bestechungsgeldern bauen sie ihr Haus, aber ein Feuer wird alles verwüsten. [35] Sie tragen sich mit bösen Plänen, Gemeinheiten brüten sie aus und setzen Unheil in die Welt.«

Hiob: Ihr habt gut reden!

16 Hiob erwiderte:

[2] »Ach, solche Worte habe ich schon oft gehört. Ihr alle habt nur schwachen Trost zu bieten! [3] Hört dein hohles Gerede niemals auf? Was reizt dich so, dass du mir ständig widersprechen musst? [4] Auch ich könnte reden so wie ihr, wenn ich an eurer Stelle wäre! Ich könnte euch dann schöne Reden halten und weise mein Haupt schütteln. [5] Mit meinen Worten würde ich euch stärken und euch mein Beileid aussprechen. [6] Doch wenn ich rede, lässt mein Schmerz nicht nach, und schweige ich, so wird es auch nicht besser!«

Gott greift mich immer wieder an!

[7] »O Gott, du hast mir meine Kraft genommen, meine Familie hast du zerstört. [8] Du hast mich gepackt – schon das soll meine Schuld beweisen! Meine Krankheit tritt als Zeuge gegen mich auf. [9] Gott ist mein Feind geworden, er knirscht mit den Zähnen, zerreißt mich im Zorn und durchbohrt mich mit seinen Blicken. [10] Auch die Menschen verbünden sich gegen mich. Sie reißen ihr Maul gegen mich auf und schlagen mir voller Hohn auf die Wange. [11] Gott hat mich bösen Menschen ausgeliefert; Gottlosen bin ich in die Hände gefallen. [12] Ich lebte in Ruhe und Frieden, aber Gott hat mich aufgeschreckt, mich am Genick gepackt und zerschmettert. Er hat mich zu seiner Zielscheibe gemacht, [13] seine Pfeile schießen auf mich zu. Erbarmungslos durchbohrt er meine Nieren, meine Galle tropft zu Boden. [14] Wunde um Wunde fügt er mir zu, wie ein Soldat rennt er gegen mich an.

[15] In Trauerkleidung sitz ich hier, mein Haupt bis in den Staub gebeugt. [16] Ich habe dunkle Ringe um die Augen, und mein Gesicht ist rot vom vielen Weinen, [17] obwohl ich kein Unrecht begangen habe und mein Gebet aus reinem Herzen kommt.«

Ich rufe meinen Zeugen an!

[18] »O Erde, bedecke mein Blut nicht, lass meinen Hilfeschrei niemals verstummen! [19] Doch auch jetzt schon hab ich einen Zeugen hoch im Himmel; der tritt für mich ein! [20] Meine Freunde verspotten mich, darum schaue ich unter Tränen nach Gott aus. [21] Er wird mich freisprechen und mir bei anderen Menschen Recht verschaffen. [22] Nur wenige Jahre hab ich noch zu leben, bis ich den Weg beschreiten muss, von dem es keine Rückkehr gibt.«

16,2 15,11 **16,7** 1,18–19 **16,9** 13,24; 19,11; 33,10 **16,10–11** 17,6; 30,9–14; Ps 22,13–14 **16,12–14** 6,4; 19,6; 34,6 **16,17** 27,5–7* **16,19** 17,3 **16,22** 7,9–10; 10,21–22; 14,12; Ps 6,6*

Ich habe keine Hoffnung mehr!

17 »Meine Kraft ist gebrochen, meine Tage schwinden, und auf mich wartet nur das Grab. [2]Ich muss mit ansehen, wie man mich verspottet; von allen Seiten werde ich bedrängt. [3]O Gott, bürge du selbst für mich! Ich habe sonst keinen, der für mich eintritt! [4]Meinen Freunden hast du jede Einsicht verschlossen, darum wirst du sie nicht triumphieren lassen. [5]Sie gleichen jenem Mann im Sprichwort,[a] der sein Vermögen an viele Freunde verteilt und seine eigenen Kinder hungern lässt. [6]Ich bin dem Spott der Leute preisgegeben, ja, man spuckt mir ins Gesicht! [7]Schmerz und Trauer haben mich fast blind gemacht; ich bin nur noch ein Schatten meiner selbst. [8]Darüber sind aufrichtige Menschen hell entsetzt; sie, die ein reines Gewissen haben, denken über mich: ›Wie gottlos muss der sein!‹ [9]Und doch gehen sie ihren geraden Weg unbeirrbar weiter; sie, die schuldlos sind, bekommen neue Kraft. [10]Kommt nur alle wieder her, ihr Freunde, ich finde dennoch keinen Weisen unter euch! [11]Ach, meine Tage sind verflogen, durchkreuzt sind alle Pläne, die einst mein Herz erfüllten! [12]Meine Freunde erklären meine Nacht zum Tag! ›Das Licht ist nahe!‹, sagen sie, während ich ins Finstere starre! [13]Ich habe nur noch das Grab zu erwarten; in der dunklen Welt der Toten muss ich liegen. [14]Das Grab werde ich bald als ›Vater‹ begrüßen. Die Verwesung nenn ich ›meine Mutter, liebe Schwester‹.

[15]Wo ist meine Hoffnung geblieben, wo denn? Sieht jemand von ihr auch nur einen Schimmer? [16]O nein, auch sie versinkt mit mir im Tode, gemeinsam werden wir zu Staub!«

Bildad: Der Gottlose wird vom Unheil verfolgt

18 Nun ergriff Bildad aus Schuach wieder das Wort:

[2]»Hör endlich auf mit dem Geschwätz, Hiob! Komm zur Vernunft, damit wir dir etwas sagen können! [3]Warum stellst du uns als töricht hin, hältst uns für dumm wie ein Stück Vieh? [4]Du zerfleischst dich selbst in deinem Zorn! Soll das Land verwüstet werden, sollen mächtige Felsen einstürzen, nur damit du Recht behältst?

[5]Mach dir nichts vor: Das Licht des Gottlosen wird verlöschen, und seine Flamme lodert nicht mehr auf. [6]In seinem Zelt wird es dunkel, seine Lampe erlischt. [7]Mit müden Schritten schleppt er sich dahin; seine eigenen Machenschaften bringen ihn zu Fall. [8]Er wird sich im Netz verstricken, in eine überdeckte Grube stürzen. [9]Er tritt in die Falle, und sie schnappt zu. In Schlingen wird er sich verfangen. [10]Versteckt am Boden ist ein Strick für ihn gespannt, auf seinem Weg wartet eine Falle. [11]Angst und Schrecken bedrängen ihn von allen Seiten, sie verfolgen ihn auf Schritt und Tritt. [12]Das Unheil lauert ihm auf, das Unglück wird ihn überfallen. [13]Eine furchtbare Krankheit frisst seine Glieder, als Bote des Todes zehrt sie ihn aus. [14]Sie entwurzelt ihn aus seiner Heimat, wo er sich sicher glaubte, und treibt ihn zum König aller Schrecken – hin zum Tod. [15]Das Feuer wird in seinem Zelte wüten, und man wird Schwefel auf sein Grundstück streuen. [16]Seine Wurzeln verdorren im Erdreich, und seine Zweige sterben ab. [17]Die Erinnerung an ihn wird völlig ausgelöscht, und bald denkt keiner mehr an ihn im ganzen Land. [18]Man wird ihn aus dem Licht ins

---

[a] »Sie … Sprichwort« ist sinngemäß ergänzt.

17,3 16,19 **17,6** 16,10–11; 30,9–14; Ps 22,13–14 **17,10** 18,3 **17,13–14** 14,12; 16,22 **18,3** 17,10 **18,5–21** 8,13–19; 11,20; 15,20–35; 20,4–29; 24,18–25; 27,13–23 **18,17** Spr 10,7

Dunkle stoßen, vom Erdboden verschwinden lassen. [19]Er wird weder Kind noch Enkel haben in seinem Volk, von seiner Familie wird keiner überleben. [20]Über seinen Unglückstag wird jeder sich entsetzen. In Ost und West packt alle, die es hören, kaltes Grausen. [21]Ja, so sieht das Ende böser Menschen aus! So geht es dem, der Gott den Rücken kehrt!«

Hiob: Ich weiß, dass mein Erlöser lebt!

19 Da fragte Hiob:

[2]»Wie lange wollt ihr mich noch quälen und mich mit euren Worten verletzen? [3]Wie oft habt ihr mich schon beleidigt! Schämt ihr euch nicht, mir so grausam zuzusetzen? [4]Denn wäre ich wirklich vom richtigen Weg abgeirrt, müsste ich die Folgen selbst tragen! [5]Wollt ihr euch etwa über mich erheben und mir eine Schuld nachweisen? [6]Merkt ihr denn nicht, dass Gott mir unrecht tut und mich in seinem Netz gefangen hat? [7]Ich schreie: ›Hilfe!‹, aber niemand hört mich. Ich rufe aus Leibeskräften – aber keiner verschafft mir Recht. [8]Gott hat mir den Weg versperrt, ich komme nicht mehr weiter. Meinen Pfad hat er in tiefe Dunkelheit gehüllt. [9]Ich war angesehen und geachtet, aber er hat meine Krone weggerissen. [10]Zerschmettert hat er mich, bald muss ich gehen; meine Hoffnung riss er aus wie einen Baum. [11]Ja, Gottes Zorn ist gegen mich entbrannt, er behandelt mich als seinen Feind. [12]Vereint sind seine Truppen gegen mich herangerückt, sie haben einen Weg zu mir gebahnt und sich rings um mein Zelt aufgestellt. [13]Meine Brüder hat Gott mir entfremdet; die Verwandten wollen nichts mehr von mir wissen. [14]Meine Nachbarn haben sich zurückgezogen, alte Bekannte kennen mich nicht mehr. [15]Alle, die in meinem Hause Zuflucht fanden, betrachten mich als einen Fremden. Meine eigenen Mägde kennen mich nicht mehr! [16]Als ich einen Knecht rufen wollte, gab er keine Antwort. Anflehen musste ich ihn! [17]Meine Frau erträgt meinen stinkenden Atem nicht mehr; meine eigenen Brüder ekeln sich vor mir! [18]Sogar Kinder lachen und spotten über mich; sobald sie mich sehen, fangen sie an zu tuscheln! [19]Meine engsten Freunde verabscheuen mich jetzt; sie, die mir am nächsten standen, lehnen mich ab!

[20]Und ich? Ich bin nur noch Haut und Knochen, bin mit knapper Not dem Tod entkommen.

[21]Barmherzigkeit! Habt Mitleid, meine Freunde! Gottes Hand hat mich geschlagen! [22]Warum verfolgt ihr mich, wie Gott es tut? Habt ihr mich nicht schon genug gequält?[a] [23/24]Ach, würden doch meine Worte in einer Inschrift festgehalten, in Stein gemeißelt und mit Blei noch ausgegossen, lesbar für alle Zeiten!

[25]Doch eines weiß ich: Mein Erlöser lebt; auf dieser todgeweihten Erde spricht er das letzte Wort![b] [26]Auch wenn meine Haut in Fetzen an mir hängt und mein Leib zerfressen ist, werde ich doch Gott sehen![c] [27]Ja, ihn werde ich anschauen; mit eigenen Augen werde ich ihn sehen, aber nicht als Fremden. Danach sehne ich mich von ganzem Herzen! [28]Aber wenn ihr sagt: ›Wir wollen Hiob belauern und etwas finden, das seine Schuld beweist!‹, [29]dann fürchtet euch vor dem Schwert, vor dem Richterschwert Gottes, der eure Schuld im Zorn bestrafen wird! Dann werdet ihr erkennen, dass es einen Richter gibt!«

---

[a] Wörtlich: Werdet ihr von meinem Fleisch nicht gesättigt?
[b] Wörtlich: er wird sich als Letzter über dem Staub erheben!
[c] Oder: Wenn meine Haut so zerfressen ist, werde ich doch in meinem Leib Gott sehen!

19,5 15,6 **19,6** 6,4; 16,12–14; 27,2; 34,6 **19,9** 29,7–10 **19,11** 13,24; 16,9; 33,10 **19,13–19** Ps 69,9*; Mi 7,5–6 **19,20** 33,21 **19,25** Jes 54,8 **19,26–27** 42,5–6 **19,29** Ps 7,12*

Zofar: Unrecht Gut gedeihet nicht!

20 Nun fiel ihm Zofar aus Naama ins Wort:

[2] »Jetzt muss ich dir etwas sagen, Hiob! Ich kann nicht länger warten! [3] Dein Gerede beleidigt mich, doch ich bin klug genug, dir die passende Antwort zu geben! [4/5] Seit Urzeiten, seit Gott den Menschen auf die Erde setzte, gilt dieses eine Gesetz: Die Freude des Gottlosen ist nicht von Dauer; sein Glück währt nur für kurze Zeit! Weißt du das nicht? [6] Steigt er auch in seinem Stolz bis in den Himmel auf und reicht er mit dem Kopf bis an die Wolken, [7] wird er doch für immer vergehen, genauso wie sein eigener Kot. Wer diesen Menschen kannte, wird sich fragen: ›Wo ist er nur geblieben?‹ [8/9] Er wird spurlos verschwinden wie ein Traum, verfliegen wie ein flüchtiger Gedanke; wo er wohnte, wird ihn keiner mehr erblicken. [10] Seine Söhne werden bei den Armen betteln gehen, weil er sein Hab und Gut zurückerstatten musste. [11] Noch strotzt er vor Kraft, doch bald wird er im Staube liegen. [12/13] Böses tun ist ihm ein Vergnügen, ein Leckerbissen, den er sich auf der Zunge zergehen lässt, den er lange im Mund behält, um den Geschmack nicht zu verlieren. [14] Doch sobald er ihn verzehrt hat, wird der Leckerbissen zu Schlangengift. [15] Das unrechte Gut, das er verschlingt, muss er wieder erbrechen, weil Gott ihn dazu zwingt! [16] Was er so gierig in sich aufsaugt, stellt sich als Schlangengift heraus; ein Biss der Viper bringt ihn um. [17] Er wird nicht im Überfluss leben; Ströme von Milch und Honig fließen nicht für ihn. [18] Was er sich mühevoll erworben hat, muss er zurückgeben; er darf es nicht genießen, an seinem großen Gewinn kann er sich niemals freuen. [19] Denn er unterdrückt und beraubt die Armen; Häuser, die er selbst nicht baute, reißt er an sich. [20] Seine Habgier, sie kennt keine Grenzen, doch mit seinen Schätzen wird er nicht entkommen! [21] Nichts ist seiner Fressgier je entgangen, doch wird sein Wohlstand nur von kurzer Dauer sein. [22] Auf der Höhe seiner Macht wird ihm angst und bange, das Unglück trifft ihn mit voller Wucht. [23] Soll er sich doch den Bauch vollschlagen! Irgendwann kommt Gottes Zorn auf ihn herab; er lässt seine Schläge auf ihn niederregnen. [24] Wenn er dann um sein Leben läuft, weil er dem Schwert entkommen will, wird ihn einer mit dem Bogen niederschießen. [25] Der Bogenschütze zielt auf ihn und schießt: Ein Pfeil durchbohrt sein Herz und tritt am Rücken wieder aus; so stirbt er, voller Angst. [26] Seine angehäuften Schätze hat Gott fürs Unglück aufbewahrt; ein Feuer wird sie verzehren, das nicht von Menschenhand entzündet wurde. Und wer in seinem Zelt noch überlebt, dem wird es schlecht ergehen. [27] Der Himmel wird seine ganze Schuld enthüllen und die Erde gegen ihn als Zeuge auftreten. [28] Was er im Laufe seines Lebens erworben hat, wird in nichts zerrinnen, wenn Gott in seinem Zorn Gericht hält. [29] Wer sich Gott widersetzt, hat dieses Ende verdient. Dieses unheilvolle Erbe hat Gott ihm zugedacht.«

Hiob: Wo bleibt denn Gottes Gerechtigkeit?

21 Da erwiderte Hiob:

[2] »Ach, hört mir doch einmal zu! Damit würdet ihr mich trösten! [3] Ertragt mich, wenn ich rede, und spottet hinterher weiter, wenn ihr wollt! [4] Ich trage doch meine Klage nicht einem sterblichen Menschen vor, darum habe ich allen Grund, ungeduldig zu sein! [5] Seht mich an! Lässt euch dieser Anblick kalt? Verschlägt es euch da nicht die Sprache? [6] Ich bin bis ins Innerste aufgewühlt, ich zittere am ganzen Körper, wenn ich über dieser Frage grüble: [7] Warum bleiben die Gottlosen am

---

20,4–29 18,5–21* **20,6–7** Ps 37,35–36 **21,2** 15,11 **21,6–33** 12,6; 24,1–17; Ps 73,3–20; Jer 12,1–3 **21,7** Ps 73,16–17; Mal 3,14–18

Leben, werden alt und immer mächtiger? [8] Ihre Kinder wachsen heran, und auch ihre Enkel haben sie ständig um sich. [9] Gott hält jedes Unglück von ihren Häusern fern; so leben sie in Frieden, ohne Angst. [10] Ihr Stier deckt die Kühe auf der Weide, und diese kalben ohne Fehlgeburt. [11] Ihre Kinder spielen draußen; sie springen herum wie die Lämmer, die Jüngsten tanzen fröhlich umher. [12] Man singt zu Tamburin und Laute und feiert beim Klang der Flöte. [13] Sie verbringen ihre Jahre glücklich und zufrieden und sterben einen sanften Tod.

[14] Und Gott? ›Lass mich in Ruhe!‹, sagen sie zu ihm. ›Ich will von dir nichts wissen und nicht den Weg gehen, den du mir zeigst! [15] Wer ist schon Gott, dass ich ihm dienen sollte, was bringt es mir, wenn ich zu ihm bete?‹ – [16] Und doch: Ihr Glück liegt nicht in ihrer Hand. Von ihren üblen Reden halte ich mich fern! –

[17] Wie oft geschieht's denn, dass ihr Licht verlöscht, das Licht der Menschen, die Gott verachten? Wie oft holt sie das Unheil ein? Wann trifft sie jemals Gottes Zorn? [18] Wann endlich sind sie wie dürres Laub im Wind, wie ein Strohhalm, den der Sturm wegwirbelt?

[19] Ihr sagt: ›Aufgeschoben ist nicht aufgehoben. Gott straft stattdessen ihre Kinder!‹ Nein! Sie selbst sollen Gottes Strafe spüren! [20] Mit eigenen Augen sollen Übeltäter ihr Verderben sehen, vom Zorn des Höchsten bis zur bitteren Neige kosten! [21] Denn was kümmert sie das Schicksal ihrer Kinder, wenn ihr eigenes Leben abgelaufen ist? [22] Gott richtet selbst die höchsten Engel[a]. Wer unter uns will ihn da noch belehren?

[23] Der eine stirbt, noch voll bei Kräften, hat sicher und sorglos gelebt. [24] Seine Melkeimer flossen stets über von frischer Milch; er selbst war gesund und wohlgenährt. [25] Der andere stirbt einsam und verbittert, er hat sein Leben lang nicht eine Spur von Glück gesehen. [26] Nun liegen sie beide unter der Erde, werden beide von Würmern zerfressen!

[27] Ich weiß genau, was ihr jetzt denkt, mit welchen Vorurteilen ihr mir unrecht tut! [28] Ihr sagt: ›Wo ist es geblieben, das Haus des Tyrannen? Von der Bleibe der Gottlosen ist nichts mehr zu sehen!‹ [29] Doch habt ihr noch nie mit Reisenden gesprochen, die weit herumgekommen sind, und noch nie gehört, was sie erzählten: [30] dass der Böse verschont wird, wenn Gott in seinem Zorn Gericht hält? Er kommt mit heiler Haut davon! [31] Wer sagt ihm ins Gesicht, was er getan hat? Wer bestraft ihn, wie er es verdient? Keiner! [32] Nach seinem Tod wird er mit allen Ehren beigesetzt; an seinem Grab hält man noch Ehrenwache! [33] Unübersehbar ist sein Leichenzug, der ihn zur letzten Ruh' geleitet, und Heimaterde deckt ihn freundlich zu.

[34] Wollt ihr mich mit blankem Schwindel trösten? Jede Antwort, die ihr gebt, ist eine glatte Lüge!«

Elifas: Kehr wieder um zu Gott!

22 Ein drittes Mal ergriff Elifas aus Teman das Wort:

[2] »Meinst du, dass ein Mensch für Gott von Nutzen ist? Wer weise und verständig ist, nützt doch nur sich selbst! [3] Machst du Gott damit eine Freude, dass du dir nichts zuschulden kommen lässt? Bringt es ihm Gewinn, wenn du ein tadelloses Leben führst? [4] Nicht wegen deiner Frömmigkeit geht Gott mit dir ins Gericht und zieht dich jetzt zur Rechenschaft, [5] nein, wegen deiner großen Bosheit! Lang ist die Liste deiner Schuld!

---

[a] Wörtlich: die Erhabenen.

21,14–15 22,17 **21,18** Ps 1,4 **21,19–21** 34,11; 5 Mo 24,16; Ps 79,8; Jer 31,29–30; Hes 18,2–4 **21,34** 15,11 **22,3** 35,7

[6]Wenn dir dein Nachbar etwas schuldete, dann hast du ohne Grund sein einziges Gewand als Pfand genommen. [7]Dem Durstigen hast du kein Wasser gegeben und dem Hungrigen das Brot verweigert. [8]Dabei bist du mächtig und angesehen; dir gehört das Land, in dem du wohnst! [9]Witwen hast du mit leeren Händen weggeschickt und den Waisenkindern ihre Bitten abgeschlagen.

[10]Deshalb umgeben dich jetzt tödliche Gefahren und packt dich Furcht und Entsetzen. [11]Deshalb ist es jetzt so dunkel um dich her, dass du keine Handbreit sehen kannst, deshalb überrollt dich jetzt die Wasserflut! [12]Schau dir die Sterne an dort oben – Gott ist noch viel erhabener, er überragt den Himmel! [13/14]Darum sagst du auch: ›Was weiß er schon? Kann uns Gott gerecht beurteilen, wenn dunkle Wolken ihm den Blick versperren? In tiefer Dunkelheit verbirgt er sich, er sieht uns nicht; fern am Rand des Weltalls wohnt er!‹

[15]Willst auch du die falschen Wege gehen, die in alter Zeit gewissenlose Menschen schon gegangen sind? [16]Vorzeitig wurden sie aus dem Leben gerissen, ihre Häuser wurden fortgespült von einer Flut. [17]Sie wagten es, zu Gott zu sagen: ›Geh mir aus dem Weg!‹ und: ›Was kann uns der Allmächtige schon tun?‹ [18]Dabei war er es doch, der in seiner Güte sie zu Wohlstand brachte! – Doch ich will mich hüten, so wie sie zu reden! – [19]Gute und gerechte Menschen werden lachen und sich freuen, wenn sie ihren Untergang sehen! [20]›Jetzt ist unser Feind vernichtet‹, jubeln sie, ›und sein Besitz wurde ein Raub der Flammen!‹

[21]Hiob, versöhn dich wieder mit Gott, schließ mit ihm Frieden, dann wird er dir sehr viel Gutes tun! [22]Gib wieder Acht auf das, was er dir sagt, und nimm dir seine Worte zu Herzen! [23]Wenn du zu Gott, dem Allmächtigen, umkehrst, wird er dich aufrichten. Mach alles Unrecht wieder gut, das du zu Hause begangen hast! [24]Wirf dein kostbares Gold weg, versenk es irgendwo im Fluss! [25]Dann ist Gott selbst dein kostbarer Schatz, dann bedeutet er dir mehr als alles Gold und Silber. [26]Er wird die Quelle deiner Freude sein, und du kannst wieder zu ihm aufschauen. [27]Wenn du zu ihm betest, wird er dich erhören; und du wirst erfüllen, was du ihm in der Not versprochen hast. [28]Deine Pläne werden gelingen; hell strahlt das Licht über allen deinen Wegen! [29]Wenn andere am Boden liegen und du betest: ›Herr, stärke sie wieder!‹, dann wird Gott die Niedergeschlagenen aufrichten. [30]Sogar einen schuldbeladenen Menschen wird Gott retten, weil du mit reinem Herzen für ihn gebetet hast!«

Hiob: Wenn ich Gott nur finden könnte!

23 Hiob sagte:

[2]»Auch heute muss ich bitter klagen, schwer lastet Gottes Hand auf mir, ich kann nur noch stöhnen! [3]Wenn ich doch wüsste, wo ich ihn finden könnte und wie ich zu seinem Thron gelange! [4]Ich würde ihm meinen Fall darlegen und alle Gründe nennen, die zu meinen Gunsten sprechen! [5]Ich wollte wissen, was er mir zur Antwort gibt, und verstehen, was er mir dann sagt. [6]Würde er wohl alle Kraft aufbieten, um mit mir zu streiten? Nein! Er würde mir Beachtung schenken! [7]So könnte ich meine Unschuld beweisen, und Gott würde mich endgültig freisprechen.

[8]Doch ich kann ihn nirgends finden! Ich habe ihn im Osten gesucht – er ist nicht dort, und auch im Westen entdecke ich ihn nicht. [9]Wirkt er im Norden, oder wendet er sich zum Süden hin, sehe ich doch keine Spur von ihm; nirgends ist er zu erblicken!

22,6-9 29,12-17; 31,1-34 **22,6** 2 Mo 22,25-26; 5 Mo 24,12-13 **22,7** Jes 58,7; Mt 25,41-42 **22,9** 2 Mo 22,21-22* **22,17** 21,14-15 **22,24-26** 31,24-25; Mt 6,19-21 **22,27** Ps 17,6*; 4 Mo 30,3*

[10]Doch er kennt meinen Weg genau; wenn er mich prüfte, wäre ich rein wie Gold. [11]Unbeirrbar bin ich dem Weg gefolgt, den er mir zeigte, niemals bin ich von ihm abgeirrt. [12]Ich habe seine Gebote nicht übertreten; seine Befehle zu beachten war mir wichtiger als das tägliche Brot. [13]Aber Gott allein ist der Herr. Was er sich vornimmt, das tut er auch, und niemand bringt ihn davon ab. [14]So wird er ausführen, was er über mich beschlossen hat; und dieser Plan ist nur einer von vielen, die er bereithält.

[15]Darum habe ich Angst vor ihm; wenn ich darüber nachdenke, packt mich die Furcht! [16]Ja, Gott hat mir jeden Mut genommen; der Allmächtige versetzt mich in Angst und Schrecken! [17]Doch die Dunkelheit bringt mich nicht zum Schweigen, diese tiefe Finsternis, die mich jetzt bedeckt.«

Schreiende Ungerechtigkeit!

24 »Warum setzt Gott, der Allmächtige, keine Gerichtstage fest? Warum muss jeder, der ihn kennt, vergeblich darauf warten? [2]Mächtige verrücken die Grenzsteine und erweitern so ihr Land; sie rauben Herden und treiben sie auf die eigene Weide. [3]Den Esel eines Waisenkindes führen sie weg und nehmen einer Witwe den Ochsen als Pfand. [4]Sie drängen die armen Leute beiseite; die Hilflosen müssen sich verstecken, [5]müssen draußen in der Steppe leben wie die Wildesel; dort suchen sie nach etwas Essbarem für ihre Kinder. [6]Auf den Feldern sammeln sie das Futter, und im Weinberg ihrer Unterdrücker halten sie Nachlese. [7]Ohne Kleidung verbringen sie draußen die Nacht; nichts deckt sie in der Kälte zu. [8]Der Regen im Bergland durchnässt sie völlig; sie kauern sich an Felsen, weil sie sonst keinen Unterschlupf finden. [9]Der Witwe wird ihr Kind von der Brust gerissen, und den Armen nimmt man ihren Säugling als Pfand. [10]Ohne Kleidung laufen sie herum, sie arbeiten in der Getreideernte und hungern dabei! [11]In den Olivenhainen pressen sie das Öl, im Weinberg treten sie die Kelter – und leiden doch Durst! [12]In der Stadt stöhnen die Sterbenden. Menschen werden umgebracht, laut schreien sie um Hilfe, doch Gott zieht die Mörder nicht zur Rechenschaft! [13]Sie sind Feinde des Lichts. Was hell und wahr ist, das kennen sie nicht; nein, sie gehen ihm beharrlich aus dem Weg. [14]Nach Einbruch der Dunkelheit zieht der Mörder los, er bringt den Armen und Wehrlosen um. [15]Der Ehebrecher wünscht sich die Dämmerung herbei. ›Mich sieht keiner!‹, denkt er und verhüllt sein Gesicht. [16]Ja, nachts brechen sie in die Häuser ein, aber tagsüber halten sie sich versteckt. Sie alle scheuen das Licht. [17]Tiefe Dunkelheit – das ist ihr Morgenlicht! Mit den Schrecken der Nacht sind sie bestens vertraut.«

Gott hat doch das letzte Wort!

[18]»Der Gottlose vergeht wie Schaum auf dem Wasser; schwer lastet Gottes Fluch auf seinem Land. Sein Weinberg verödet, weil er ihn nicht mehr bearbeiten kann. [19]Sonne und Wärme lassen den Schnee im Nu verschwinden, genauso reißt der Tod jeden Sünder plötzlich aus dem Leben. [20]Dann laben sich die Würmer an ihm; sogar von seiner Mutter wird er vergessen[a]. Nie mehr wird jemand an ihn denken, der Schuldige wird zerbrochen wie trockenes Holz. [21]Er hat die kinderlose Frau ausgebeutet, der Witwe hat er nichts Gutes getan.

[22]Solche Machthaber reißt Gott in seiner Kraft hinweg; wenn er sich erhebt, sind

[a] Wörtlich: der Mutterschoß vergisst ihn.

23,10 Ps 26,2* **24,1–17** 12,6; 21,6–33; Ps 73,3–20; Jer 12,1–3 **24,1** 13,3; 23,3–4 **24,2** 5 Mo 19,14; 27,17 **24,3** 2 Mo 22,21–22* **24,4–8** 5 Mo 15,11 **24,18–25** 18,5–21*

sie ihres Lebens nicht mehr sicher. [23]Mag sein, dass er sie in Ruhe lässt und sie sich in Sicherheit wiegen – er überwacht doch unablässig ihre Wege. [24]Nur für kurze Zeit stehen sie auf der Höhe ihrer Macht, dann ist es vorbei mit ihnen. Wie die Ähren werden sie gepackt und abgeschnitten. [25]Ja, so ist es! Keiner kann mich Lügen strafen und niemand meine Worte widerlegen!«

Bildad: Vor Gott ist keiner vollkommen!

25 Darauf antwortete Bildad aus Schuach:

[2]»Gott allein ist der Herr, in Ehrfurcht müssen alle vor ihm stehen! Für Frieden sorgt er in seinen Himmelshöhen. [3]Niemand zählt die Engelscharen, die ihm dienen; keinen Ort gibt es, über dem sein Licht nicht scheint! [4]Wie kann da ein Mensch gegenüber Gott im Recht sein? Steht ein Sterblicher vor ihm vollkommen da? [5]Wenn in Gottes Augen nicht einmal der Mond hell scheint und dem Sternenlicht die Klarheit fehlt, [6]wie sollte da ein Mensch vor ihm bestehen können – diese Made, dieser Wurm!«

Hiob: Wie klug hast du mich beraten!

26 Darauf entgegnete Hiob:

[2]»Ach, wie gut hast du mir beigestanden, mir, der keine Kraft besitzt! Wie sehr hast du mir geholfen – arm und schwach wie ich bin! [3]Wie hast du mich so gut beraten, mich, dem jede Weisheit fehlt! Welche Einsicht hast du mir vermittelt, tief und umfangreich! [4]Mit wessen Hilfe hast du so geredet? Wer hat dir diese Worte eingegeben?[a]«

Wer kann Gottes Macht begreifen?

[5]»Vor Gott erzittern die Verstorbenen, alle, die im Wasser tief unter der Erde leben. [6]Die Welt der Toten – nackt und bloß liegt sie vor Gott. Der tiefe Abgrund kann sich nicht verhüllen. [7]Gott spannte den Himmel aus über dem leeren Raum; die Erde hängte er auf im Nichts. [8]Er füllt die Wolken mit Wasser, und doch reißen sie nicht unter ihrer Last. [9]Er verhüllt seinen Thron, indem er die Wolken davor ausbreitet. [10]Er spannte den Horizont wie einen Bogen über dem Meer, als Grenze zwischen Licht und Dunkelheit. [11]Wenn er die Säulen des Himmels bedroht, dann zittern und schwanken sie vor Furcht. [12]In seiner Kraft ließ er die Wellen des Meeres tosen, und in seiner Klugheit zerschmetterte er das Ungeheuer im Meer[b]. [13]Durch seinen Hauch wurde der Himmel wieder klar. Eigenhändig durchbohrte er den fliehenden Drachen. [14]Das alles sind nur kleine Fingerzeige, ein leises Flüstern, das wir von ihm hören! Die Donnersprache seiner Allmacht aber – wer kann sie begreifen?«

Ich bin unschuldig!

27 Hiob fuhr fort:

[2]»Das schwöre ich, so wahr Gott, der Allmächtige, lebt, der mir mein Recht verweigert und mich bittere Stunden durchleiden lässt: [3]Solange er mir den Atem gibt, solange ich noch Leben in mir spüre, [4]werde ich nie die Unwahrheit sagen, kein betrügerisches Wort soll über meine Lippen kommen! [5]Verflucht will ich sein, wenn ich euch jemals Recht gebe! Bis zum letzten Atemzug bleibe ich dabei: Ich bin unschuldig! [6]Ich bin im Recht – und davon lasse ich nicht ab! Ich habe

---

[a] Wörtlich: Wessen Geist ging aus von dir?
[b] Wörtlich: Rahab.

25,4 Ps 143,2; 1 Mo 6,5* **25,6** 1 Sam 2,10 **26,7** 1 Mo 1,1–2 **26,12–13** 9,13; Ps 89,11; Jes 51,9
27,3 33,4 **27,5–7** 9,21.35; 10,7; 12,4; 13,9; 31,6; 33,9; 34,5; 35,2

ein reines Gewissen. [7] Wer mich verklagt, sich zu Unrecht gegen mich stellt, der soll schuldig gesprochen werden. Gott soll ihn mit vollem Recht verurteilen!

[8] Wer Gott verachtet, hat nichts mehr zu hoffen, wenn seine Stunde schlägt, wenn Gott von ihm sein Leben fordert. [9] Wenn Angst und Schrecken ihn überfällt, wird Gott sein Schreien nicht erhören. [10] Denn an Gott hat er sich nie gefreut, zu ihm zu beten lag ihm fern. [11] Ich will euch Gottes große Macht vor Augen führen und euch nicht verschweigen, was der Allmächtige tun will. [12] Ihr habt es doch alle selbst gesehen, warum redet ihr dann solchen Unsinn?«

Der Gottlose bleibt nicht am Leben!

[13] »Was steht einem Menschen zu, der Gott verachtet? Welchen Lohn zahlt der Allmächtige ihm für seine skrupellosen Taten? [14] Er hat viele Söhne, doch sie fallen im Krieg; seine Nachkommen müssen bitteren Hunger leiden. [15] Wer dann noch lebt, stirbt an der Pest; ihm selbst weinen seine Witwen keine Träne nach. [16] Er hat Silber aufgehäuft wie Sand und kostbare Kleider gestapelt; [17] doch aufrichtige Menschen werden sie tragen, und wer schuldlos ist, wird seinen Silberschatz verteilen. [18] Sein Haus hält nicht länger als ein Spinngewebe;[a] es verfällt wie ein Unterschlupf, den sich ein Wächter draußen für die Nacht aufstellt. [19] Legt sich der Gottlose abends nieder, fehlt nichts von seinem Reichtum; am nächsten Morgen jedoch ist alles dahin! [20] Wie eine Wasserflut holt ihn das Unheil ein; in der Nacht wirbelt ihn der Sturm davon. [21] Der heiße Wüstenwind packt ihn und weht ihn fort! [22] Hals über Kopf will er fliehen, doch erbarmungslos überfällt ihn der Sturm; [23] er heult und pfeift um ihn her, als wollte er ihn verhöhnen.«

Sag mir, wo die Weisheit ist!

28 »Es gibt Minen, wo man nach Silber gräbt, wir kennen die Stellen, wo das Gold gewaschen wird. [2] Eisenerz holt man aus der Erde, und Kupfer wird aus Gestein geschmolzen. [3] Der Mensch erforscht auch die tiefste Dunkelheit; auf der Suche nach Gestein dringt er immer weiter vor bis ins Innerste der Erde. [4] Fern von jeder menschlichen Siedlung gräbt er einen Schacht, an Orten, wo kein Mensch den Fuß hinsetzt; die Bergleute lassen sich an Stricken hinunter und schweben ohne jeden Halt. [5] Oben auf der Erde wächst das Getreide, doch tief unten wird sie umgewühlt, als wütete ein Feuer. [6] Ihr Gestein birgt den Saphir, auch Goldstaub ist darin. [7] Den Weg zu den Fundorten hat kein Geier erspäht, nicht einmal das scharfe Auge eines Falken. [8] Kein wildes Tier hat diesen Pfad betreten, kein Löwe ist auf ihm geschritten. [9] Doch der Mensch – er arbeitet sich durch das härteste Gestein, ganze Berge wühlt er um. [10] Tief in den Felsen treibt er Stollen, bis er dort findet, was sein Herz begehrt. [11] Die Wasseradern im Gestein dichtet er ab; tief Verborgenes bringt er ans Licht.

[12] Aber die Weisheit – wo ist sie zu finden? Und wo entdeckt man die Einsicht? [13] Kein Mensch kennt den Weg zu ihr,[b] unter den Lebenden findet man sie nicht. [14] Das Meer und seine Tiefen sprechen: ›Die Weisheit ist nicht bei uns!‹ [15] Sie ist unbezahlbar, mit Gold und Silber nicht aufzuwiegen. [16] Man kann sie weder mit Feingold kaufen noch mit kostbarem Onyx oder Saphir. [17] Gold und reines Glas reichen nicht an sie heran, und auch gegen Goldschmuck kann man sie nicht tauschen, [18] ganz zu schweigen von Korallen und Kristall! Ja, der Wert der Weisheit übertrifft alle Rubine. [19] Der Topas-

---

[a] So mit der griechischen Übersetzung. Der hebräische Text lautet: Er hat sein Haus gebaut wie die Motte.

[b] So mit der griechischen Übersetzung. Der hebräische Text lautet: Kein Mensch kennt ihren Wert.

27,13–23 18,5–21* **28,15–19** Spr 3,15; 8,10–11; 16,16; 20,15

Edelstein aus Äthiopien ist nichts im Vergleich zu ihr, mit reinem Gold ist sie nicht aufzuwiegen.

[20] Woher also kommt die Weisheit? Und wo entdeckt man die Einsicht? [21] Ja, sie ist dem menschlichen Auge verborgen, und auch die Raubvögel erspähen sie nicht. [22] Das tiefe Totenreich und selbst der Tod, sie sprechen: ›Wir haben von ihr nur ein Gerücht gehört!‹

[23] Gott allein kennt den Weg zur Weisheit; er nur weiß, wo sie zu finden ist. [24] Denn er blickt über die ganze Welt, er durchschaut Himmel und Erde. [25] Schon damals, als er dem Wind seine Wucht gab und den Wassermassen eine Grenze setzte; [26] als er bestimmte, wo der Regen niedergehen sollte, als er den Gewitterwolken einen Weg vorschrieb – [27] schon da sah er die Weisheit an und rühmte ihren Wert, er erforschte sie und gab ihr Bestand. [28] Und zum Menschen sprach er: ›Weise ist, wer Ehrfurcht vor mir hat, und Einsicht besitzt, wer sich vom Bösen abkehrt.‹«

Wäre mein Leben doch wieder wie früher!

29 Hiob fuhr fort:

[2] »Wäre mein Leben doch wieder wie früher, wie in jenen Tagen, als Gott mich noch bewahrte, [3] als sein Licht noch meine Wege erleuchtete und ich in seinem Licht durchs Dunkle ging! [4] Ja, damals, in der Blüte meines Lebens, da zog Gott mich ins Vertrauen, der Segen seiner Freundschaft stand über meinem Haus. [5] Er, der Allmächtige, war bei mir, und meine Kinder waren um mich her. [6] Milch und Butter hatte ich im Überfluss, aus der Olivenpresse im Felsen floss das Öl in Strömen![a] [7] Wenn ich zum Stadttor hinaufging, um dort im Rat meinen Platz einzunehmen, [8] dann traten die jungen Leute ehrfürchtig zur Seite, die Alten erhoben sich und blieben stehen. [9] Fürsten hörten auf zu reden, ihr Gespräch verstummte, wenn ich kam. [10] Selbst die einflussreichen Leute wurden still und hielten ihre Zunge im Zaum. [11] Jeder, der mich hörte, wusste nur Gutes von mir zu sagen, und wer mich sah, der lobte mich. [12] Denn ich rettete den Armen, der um Hilfe schrie, und das Waisenkind, das von allen verlassen war. [13] Dem Sterbenden stand ich bei, er wünschte mir Segen; der Witwe half ich, und sie konnte wieder fröhlich singen. [14] Ich bekleidete mich mit Gerechtigkeit, hüllte mich ins Recht wie in einen Mantel, trug es wie einen Turban. [15] Meine Augen sahen für den Blinden, meine Füße gingen für den Lahmen. [16] Den Armen wurde ich ein Vater, und den Streitfall eines Unbekannten prüfte ich genau. [17] Einem brutalen Menschen stellte ich mich entgegen, ich schlug ihm den Kiefer ein und riss die hilflosen Opfer aus seinem Maul. [18] Ich dachte: ›Im Kreise meiner Familie werde ich einmal sterben nach einem langen und erfüllten Leben[b].‹ [19] Ich gleiche einem Baum, der seine Wurzeln zum Wasser streckt; auf seine Zweige legt sich nachts der Tau. [20] ›Meine Würde werde ich nicht verlieren‹, so dachte ich, ›bis ins hohe Alter bleibt mir die Kraft erhalten.‹[c] [21] Ja, auf mich hörten alle Leute, sie warteten schweigend auf meinen Rat. [22] Nach mir sprach kein Zweiter mehr; meine Worte sogen sie auf. [23] Sie warteten auf mich wie auf den Regen, lechzten nach meinen Worten wie Felder nach den Frühjahrsschauern. [24] Den Mutlosen lächelte ich aufmunternd zu, und mein froher Blick gab ihnen neue Zuversicht. [25] Ich traf für sie Entscheidungen und saß unter ihnen wie ihr Oberhaupt, ja, ich thronte wie ein

---

[a] Wörtlich: Meine Schritte badeten sich in Dickmilch, und der Fels neben mir goss Öl aus.
[b] Wörtlich: wie Sand werde ich meine Tage machen.
[c] Wörtlich: Meine Ehre wird bei mir frisch bleiben, und mein Bogen in meiner Hand wird sich verjüngen.

28,28 Spr 1,7* **29,2** 1,1–5 **29,12–17** 22,6–9; 31,1–34 **29,19–20** Ps 1,3; 92,13–15

König inmitten seiner Truppen; ich gab ihnen Trost in ihrer Trauer.«

Ausgestoßen!

30 »Und jetzt? Jetzt lachen sie mich aus – sie, die jünger sind als ich; ihre Väter hätte ich nicht einmal für wert geachtet, sie zu den Hunden meiner Herde zu stellen! [2]Was sollen mir diese Schwächlinge nützen, die keine Kraft mehr in den Knochen haben? [3]Ausgezehrt von Hunger und Armut nagen sie die Wurzeln in der Wüste ab, draußen im Land der Einsamkeit. [4]Sie pflücken Salzkraut von den Büschen, und Ginsterwurzeln sind ihr Brot. [5]Aus der menschlichen Gemeinschaft wurden sie verjagt, man schreit ihnen nach wie Dieben. [6]In verlassenen Tälern hausen sie, zwischen Felsen und in Erdhöhlen. [7]Im Gestrüpp, da kauern sie und schreien, unter hohen Distelsträuchern drängen sie sich zusammen. [8]Dieses Gesindel, diese Brut, aus dem Lande weggejagt!

[9]Und jetzt? Jetzt machen sie Spottverse, sie zerreißen sich das Maul über mich. [10]Sie verabscheuen mich und gehen mir aus dem Weg; und wenn sie mir doch einmal begegnen, spucken sie mir ins Gesicht! [11]Gott hat meine Lebenskraft zerbrochen[a] und mich gedemütigt, darum kennen sie in meiner Gegenwart keine Rücksicht mehr. [12]Ja, diese Brut greift mich an! Sie versuchen, mich zu Fall zu bringen, sie schütten einen Belagerungswall rings um mich auf. [13]Sie schneiden mir den Weg ab und zerstören mein Leben, niemand hält sie dabei auf. [14]Sie durchbrechen meine Verteidigungsmauer und zertrümmern, was ihnen in die Quere kommt. [15]Furcht und Entsetzen haben mich gepackt und meine Würde wie im Sturm verjagt; meine Sicherheit ist vertrieben wie eine Wolke. [16]Mein Leben verrinnt, das Elend hat mich fest im Griff. [17]Bohrende Schmerzen rauben mir den Schlaf, sie nagen an mir Nacht für Nacht. [18]Mit gewaltiger Kraft hat Gott mich am Gewand gepackt und schnürt mich ein wie ein zu enger Kragen. [19]Er wirft mich in den Schmutz, ich bin zu Staub und Asche geworden. [20]Ich schreie um Hilfe, o Gott, aber du antwortest nicht; ich stehe vor dir, doch du siehst mich nicht an. [21]Du bist mein grausamer Feind geworden, mit aller Kraft greifst du mich an! [22]Du wirbelst mich empor in die Luft, treibst mich vor dem Sturm dahin und zerschmetterst mich dann mit lautem Krachen. [23]Ja, ich weiß: Du willst mich zu den Toten bringen, hinunter in das Haus, wo alle Menschen sich versammeln.

[24]Doch wer unter Trümmern verschüttet wurde, streckt die Hand nach Rettung aus; schreit man nicht im Unglücksfall um Hilfe? [25]Habe ich nicht damals über die geweint, die ein schweres Los zu tragen hatten? Ich hatte Mitleid mit den Armen!

[26]Und so erwartete ich Gutes, doch das Unglück kam! Ich erhoffte das Licht, doch es kam die Dunkelheit. [27]Mein Inneres ist aufgewühlt, ich finde keine Ruhe, die Tage des Elends haben mich eingeholt. [28]Meine Haut ist schwarz geworden, doch nicht von der Sonnenglut. In der Versammlung stehe ich auf und schreie laut um Hilfe. [29]Mein Heulen klingt wie das der Schakale, wie das Schreien der Strauße. [30]Meine Haut ist schwarz geworden und schält sich, das Fieber glüht in meinem Körper. [31]Meine Laute spielt ein Trauerlied, meine Flöte eine Melodie der Klage.«

Mein letztes Wort: Ich bin unschuldig!

31 »Mit meinen Augen habe ich einen Bund geschlossen, niemals

---

[a] Wörtlich: Gott hat die Sehne meines Bogens schlaff gemacht.

30,1 19,18 **30,9–14** 16,10–11; 17,6; Ps 22,13–14; Klgl 3,14.63 **30,18** 16,8 **30,25** 31,29; Ps 35,13–14 **30,26–31** Ps 102,2–12 **31,1–34** 22,6–9; 29,12–17

ein Mädchen lüstern anzusehen. [2] Was hätte ich von Gott sonst zu erwarten, von ihm, der in der Höhe thront? Welches Urteil hätte der Allmächtige dann über mich verhängt? [3] Den Bösen trifft das Unheil, und den Übeltätern schickt Gott Unglück. [4] Er sieht doch all mein Tun, er kennt jeden Schritt.

[5] War ich jemals verlogen und falsch, habe ich andere betrogen? [6] Gott soll mich wiegen auf seiner gerechten Waage – und er wird feststellen, dass ich unschuldig bin! [7] Wenn ich von seinem Wege abgewichen bin, wenn mein Herz alles begehrte, was meine Augen sahen, oder wenn an meinen Händen irgendein Unrecht klebt, [8] dann soll ein anderer verzehren, was ich gesät und geerntet habe, ausreißen soll man das Getreide auf meinem Feld!

[9] Wenn ich mich von der Frau meines Nachbarn betören ließ und an ihrer Tür auf sie gewartet habe, [10] dann soll meine Frau für einen anderen kochen, und andere sollen sich über sie hermachen! [11] Denn dann hätte ich eine Schandtat begangen, ein Verbrechen, das vor die Richter gehört. [12] Ein Feuer ist der Ehebruch! Es brennt bis in den Tod. Es würde all mein Hab und Gut bis auf den Grund zerstören.

[13] Wenn ich das Recht meines Knechtes oder meiner Magd missachtet hätte, als sie gegen mich klagten, [14] was wollte ich tun, wenn Gott Gericht hält, was könnte ich ihm erwidern, wenn er mich zur Rechenschaft zieht? [15] Denn er, der mich im Mutterleib gebildet hat, er hat auch meinen Knecht geschaffen. Wir beide verdanken unser Leben ihm!

[16] Niemals habe ich die Bitte eines Armen abgeschlagen und keine Witwe weggeschickt, die verzweifelt zu mir kam. [17] Ich habe mein Brot nicht für mich selbst behalten, nein – mit den Waisenkindern habe ich es geteilt. [18] Von meiner Jugend an habe ich sie großgezogen wie ein Vater, für die Witwen habe ich mein Leben lang gesorgt.

[19] Habe ich ruhig zugesehen, wie einer vor Kälte umkam? Ließ ich den Armen ohne warme Kleider weitergehen? [20] Nein, die Wolle meiner Lämmer wärmte ihn, er dankte mir von ganzem Herzen. [21] Wenn ich je ein Waisenkind bedrohte, wohl wissend, dass ich vor Gericht die größere Macht besaß, [22] dann soll mir der Arm von der Schulter fallen, abbrechen soll er, gerade am Gelenk!

[23] Doch ich habe Gottes Strafgericht immer gefürchtet. Die Furcht vor seiner Hoheit hat mich vom Unrecht fern gehalten. [24] Ich habe nicht auf Gold vertraut; zum reinen Gold habe ich niemals gesagt: ›Du sicherst mir das Leben!‹ [25] Ich habe mir auch nichts auf meinen großen Reichtum eingebildet, den ich mit eigener Hand erworben habe. [26/27] Und hätte ich mich heimlich dazu verführen lassen, die strahlende Sonne zu verehren oder den Mond auf seiner silbernen Bahn – [28] auch das wäre ein Vergehen, das vor die Richter gehört, denn damit hätte ich Gott verleugnet, der hoch über allen Gestirnen thront.

[29] Habe ich hämisch gegrinst, wenn meinen Feind das Unglück traf, habe ich über seinen Untergang schadenfroh gelacht? [30] Nein, ich habe mit keinem Wort gesündigt, ich habe ihn nicht verflucht, ihm nicht den Tod gewünscht! [31/32] Kein Gast ist je von meinem Haus hungrig weggegangen, keinen Fremden ließ ich draußen auf der Straße übernachten, nein, meine Tür stand dem Wanderer stets offen – meine Männer können es bezeugen!

[33] Ich habe nie versucht, mein Unrecht zu verbergen oder meine Schuld geheim zu halten, wie alle anderen es tun. [34] Ich bin

---

31,4 Ps 26,2* **31,6** 27,5–7* **31,24–25** 22,24–26 **31,29** 30,25; Ps 35,13–14; Spr 24,17–18

nicht stumm zu Hause geblieben aus Angst, dass meine Sippe mich verachten könnte; ich scheute nicht die große Menge.

[35] Ach, wenn Gott mich nur anhörte! Hier ist die Unterschrift unter meine Verteidigung! Ich erwarte, dass der Allmächtige mir darauf antwortet! Mein Gegner soll seine Anklagen schriftlich niederlegen! [36] Ja, ich würde dieses Schriftstück auf der Schulter tragen und es mir wie eine Krone aufsetzen! [37] Über jeden Schritt würde ich Gott Rechenschaft geben, wie ein Fürst ihm gegenübertreten!

[38] Wenn mein Acker wegen mir um Hilfe schreien musste und seine Furchen von Tränen durchnässt waren, [39] wenn ich seinen Ertrag verzehrt habe, ohne ihm zu geben, was ihm zusteht; wenn ich die Pächter zugrunde gerichtet habe, [40] dann sollen auf dem Acker Dornen statt Weizen wachsen und Unkraut statt der Gerste!«

Hier enden die Reden Hiobs.

Elihu: Jetzt rede ich!

32 Da gaben es die drei Männer auf, weiter mit Hiob zu reden, denn er hielt an seiner Unschuld fest. [2] Doch der Busiter Elihu, der Sohn Barachels, aus der Sippe Ram, wurde von Zorn gepackt. Er war auf Hiob zornig, weil dieser sich für gerechter hielt als Gott. [3] Auch auf die drei Freunde war er wütend, weil sie Hiob gegenüber keine Antwort mehr fanden, obwohl sie ihn ständig für schuldig erklärten. [4] Elihu hatte bis jetzt gezögert, Hiob etwas zu sagen, denn die anderen waren älter als er. [5] Doch als er merkte, dass sie nichts mehr zu entgegnen wussten, packte ihn der Zorn. [6] Er ergriff das Wort:

»Ich bin noch jung, und ihr seid alte Männer, darum wagte ich es nicht, euch mein Wissen mitzuteilen. [7] Ich dachte: ›Lass erst die alten Männer sprechen, sie schöpfen aus reicher Erfahrung!‹ [8] Doch auf den Geist im Menschen kommt es an, auf diese Gabe des Allmächtigen: Sie allein gibt ihm Weisheit! [9] Nein, nicht nur die Betagten sind weise; man muss nicht im vorgerückten Alter sein, um zu begreifen, was richtig ist. [10] Und darum sage ich: Hört mir zu! Jetzt will ich euch zeigen, was ich weiß! [11] Geduldig habe ich euch zugehört und darauf gewartet, dass ihr treffende Worte findet und Hiob eine passende Antwort gebt. [12] Ich habe euer Gespräch aufmerksam verfolgt – doch keiner von euch konnte ihn zurechtweisen.

[13] Sagt jetzt nur nicht: ›Natürlich sind wir weise – doch ihn widerlegen, das soll Gott tun, nicht ein Mensch!‹ [14] Hiobs Reden waren nicht gegen mich gerichtet, und nicht mit euren Worten werde ich ihm begegnen. [15] Ihr seid am Ende, ihr habt nichts mehr zu sagen, euch fehlen die Worte! [16] Soll ich etwa noch länger warten, nur weil ihr euch in Schweigen hüllt, weil ihr dasteht und euch die Worte fehlen? [17] Nein, jetzt bin ich an der Reihe! Ich will Hiob Antwort geben aus meinem reichen Wissensschatz! [18] Denn ich kann meine Gedanken nicht länger zurückhalten, die Worte sprudeln aus mir heraus[a]. [19] Es gärt in mir wie neuer Wein im fest verschlossenen Lederschlauch: Ich platze fast! [20] Ich muss jetzt reden, dann wird mir leichter! Ich kann den Mund nicht länger halten! [21] Keinen von euch werde ich bevorzugen, keinem nach dem Munde reden, [22] nein, vom Schmeicheln halte ich nichts! Sonst würde mich mein Schöpfer bald aus dem Leben reißen!«

Gott spricht auf mancherlei Weise

33 »Hiob, hör mir jetzt zu, gib Acht auf das, was ich dir sage! [2] Meine

[a] Wörtlich: der Geist in mir drängt mich.

31,35–37 9,19; 13,3 **32,1** 2,11 **32,2** 19,6–7; 27,5–6 **32,3** 15,6; 22,4–5 **32,7** 12,12; 15,10

Rede will ich nun beginnen. Die Worte liegen mir schon auf der Zunge. [3]Ich rede mit aufrichtigem Herzen, klar und wahr, sage nur das, was ich weiß. [4]Gottes Geist hat mich geschaffen, der Atem des Allmächtigen hat mir das Leben geschenkt. [5]Antworte mir nur, wenn du kannst, bereite dich vor, und tritt mir entgegen! [6]Schau: Vor Gott, da sind wir beide gleich, auch ich bin nur von Lehm genommen so wie du. [7]Du brauchst keine Angst vor mir zu haben, ich setze dich nicht unter Druck!

[8]Ich hörte zu, wie du geredet hast – und ich habe die Worte noch im Ohr: [9]›Rein bin ich, ohne jede Sünde; unschuldig bin ich, kein Vergehen lastet auf mir! [10]Doch Gott erfindet immer neue Vorwürfe gegen mich, er betrachtet mich als seinen Feind! [11]Er legt meine Füße in Ketten, überwacht mich auf Schritt und Tritt.‹ [12]Doch ich muss dir sagen, Hiob, dass du im Unrecht bist, denn Gott ist größer als ein Mensch! [13]Warum beschwerst du dich bei ihm, dass er auf Menschenworte keine Antwort gibt?

[14]Gott spricht immer wieder, auf die eine oder die andere Weise, nur wir Menschen hören nicht darauf! [15]Gott redet durch Träume, durch Visionen in der Nacht, wenn tiefer Schlaf auf die Menschen fällt. Sie liegen da und schlummern, [16]doch dann erschreckt er sie mit seiner Warnung, und sie hören aufmerksam zu. [17]Gott will sie abbringen von bösem Tun, und ihren Hochmut will er ihnen austreiben. [18]Er will sie vor dem Tod bewahren, davor, dass ihr Leben unter seinem Richterschwert ein jähes Ende findet.

[19]Gott weist einen Menschen auch durch Schmerzen zurecht, wenn er daliegt in seinen Qualen [20]und sich vor jeder Speise ekelt, selbst vor seinem Lieblingsgericht. [21]Seine Gestalt verfällt zusehends, man kann alle seine Knochen zählen. [22]Er steht schon mit einem Fuß im Grab, bald holen ihn die Todesboten. [23]Doch wenn ein Engel sich für ihn einsetzt, einer von den Tausenden, die den Menschen sagen, was richtig für sie ist, [24]wenn dieser Engel Mitleid mit ihm hat und zu Gott sagt: ›Verschone ihn! Lass ihn nicht sterben! Hier ist das Lösegeld!‹, [25]dann blüht er wieder auf, wird gesund und frisch, er wird stark wie damals in der Jugend. [26]Dann betet er zu Gott, und sein Gebet wird gnädig angenommen. Mit lautem Jubel tritt er hin vor ihn und dankt für seine Rettung. [27]Offen bekennt er den Menschen: ›Ich hatte gesündigt und das Recht missachtet, doch Gott hat mir's nicht angerechnet! [28]Er hat mich vor dem sicheren Tod bewahrt, nun darf ich weiterleben und sehe das Licht.‹

[29]Das alles tut Gott mehr als einmal im Leben eines Menschen, [30]um ihn vor dem Tode zu bewahren und ihm die Lebensfreude zu erhalten.

[31]Hör mir zu, Hiob, sei still und lass mich reden! [32]Wenn du jetzt noch etwas zu sagen hast, dann antworte mir! Rede nur, denn ich würde dir gerne Recht geben. [33]Wenn du aber nichts mehr zu sagen weißt, dann schweig und hör mir zu, ich will dir zeigen, was Weisheit ist.«

Gott gibt jedem Menschen, was er verdient

34 Weiter sagte Elihu:

[2]»Hört mir zu, ihr Weisen, ihr gelehrten Männer! Achtet auf das, was ich sage! [3]Denn unser Ohr prüft die Worte, so wie der Gaumen die Speise kostet. [4]Wir müssen ein Urteil fällen, wir wollen gemeinsam erkennen, was gut ist. [5]Denn Hiob behauptet: ›Ich bin unschuldig, und doch verweigert Gott mir mein Recht! [6]Ob-

---

33,4 12,10; 34,14–15; Ps 104,29; Pred 3,20 **33,6** 10,8–12 **33,9** 27,5–7* **33,10** 13,24; 16,9; 19,11 **33,11** 13,27 **33,21** 19,20 **33,27–28** Ps 85,3* **33,30** Ps 30,4 **33,33** 28,20–23 **34,5** 27,5–7* **34,6** 6,4; 16,12–14

wohl ich Recht habe, werde ich als Lügner hingestellt; trotz meiner Unschuld hat mich sein tödlicher Pfeil getroffen!‹ [7]Schaut euch Hiob an, wie er sich im Spott gefällt, [8]wie er mit den Übeltätern Freundschaft schließt und sich mit gottlosen Menschen einlässt! [9]Denn Hiob behauptet: ›Es nützt gar nichts, wenn ein Mensch versucht, Gott zu gefallen!‹

[10]Hört mir zu, ihr klugen Männer: Sollte Gott jemals Böses tun? Nein, niemals! Der Allmächtige verdreht nicht das Recht! [11]Gott bestraft einen Menschen nur für seine eigenen Taten; jedem gibt er zurück, was er verdient. [12]Gott begeht kein Unrecht, das ist unvorstellbar! Der Allmächtige beugt niemals das Recht! [13]Er herrscht über Himmel und Erde, er hat sie geschaffen. Niemand steht über ihm! [14]Wenn er wollte, könnte er seinen Geist und seinen Lebensatem aus dieser Welt zurückziehen, [15]dann würde alles Leben mit einem Schlage sterben, und die Menschen zerfielen zu Staub! [16]Bist du wirklich weise, Hiob, dann hör jetzt genau zu, achte auf jedes Wort: [17]Kann einer regieren, wenn er das Recht mit Füßen tritt? Willst du Gott, den Gerechten, für schuldig erklären, ihn, den Allmächtigen? [18]Er ist es doch, der skrupellose Könige und gottlose Fürsten verurteilt. [19]Er ergreift nicht Partei für die Mächtigen, Hochgestellte zieht er den Armen nicht vor – er hat ja allen das Leben gegeben! [20]Die Fürsten sterben plötzlich, mitten in der Nacht; ihr Volk gerät in Aufruhr, und sie verschwinden. Ja, die Mächtigen werden beseitigt, doch nicht von Menschenhand. [21]Denn Gott sieht die Wege eines jeden und alles, was er unternimmt. [22]Es gibt keine Finsternis und keinen dunklen Ort, wo Übeltäter sich vor Gott verstecken könnten. [23]Er muss Menschen nicht erst lange verhören und sie zu sich laden vor Gericht – [24]nein, ohne Verhandlung stürzt er die Mächtigen und setzt andere an ihrer Stelle ein. [25]Er stürzt sie über Nacht und lässt sie zugrunde gehen, denn er weiß, was sie getrieben haben. [26]Er straft sie für ihre Vergehen, und das in aller Öffentlichkeit. [27]Denn diese Mächtigen wollten Gott nicht mehr gehorchen, seine Weisungen waren ihnen völlig gleichgültig. [28]Darum stieg der Hilfeschrei der Armen zu ihm empor – und er hörte ihn! [29]Aber wenn Gott schweigt, wer will ihn dann beschuldigen? Wenn er sich verbirgt, wer kann ihn noch erblicken? Und doch wacht er über den Völkern, ja, über der ganzen Menschheit; [30]er verhindert, dass ein gottloser Herrscher an die Macht kommt und sein Volk ins Unglück stürzt.

[31]Der Mensch sollte zu Gott sagen: ›Ich bin schuldig geworden, aber ich will nichts Böses mehr tun! [32]Zeig mir die Sünden, die ich selbst nicht erkenne! Ich habe Unrecht begangen, doch ich will es nicht mehr tun!‹

[33]Du aber weigerst dich umzukehren! Und wenn es nach dir ginge, sollte Gott dich dafür noch belohnen! Du musst eine Entscheidung treffen, nicht ich! Also, sag mir nun, was du weißt! [34]Wer noch einen Funken Verstand hat, wird mir zustimmen; jeder Weise, der mich hört, wird sagen: [35]›Hiob plappert daher ohne Sinn und Verstand. Er weiß nicht, was er sagt!‹ [36]Ja, Gott soll Hiob weiter durch das Leiden prüfen, weil er ihm so unverschämt widerspricht! [37]Nicht genug, dass er Schuld auf sich lädt – er lehnt sich auch noch offen gegen Gott auf! Laut spottet er vor unseren Ohren und findet viele Worte gegen ihn.«

34,10–12 8,3; Ps 7,2* **34,11** 21,19–21; 5 Mo 24,16; Ps 79,8; Jer 31,29–30; Hes 18,2–4 **34,14–15** 12,10; 33,4; 1 Mo 2,7*; Ps 104,29; Pred 3,20 **34,21** Ps 26,2* **34,22** Ps 139,11–12 **34,24–25** Lk 1,52 **34,31–32** Ps 19,13

Dir selbst schadet deine Bosheit!

35 Elihu fuhr fort:

[2] »Du behauptest: ›Gott wird mich für unschuldig erklären!‹ Meinst du im Ernst, das sei richtig? [3] Denn du fragst: ›Was nützt es mir, wenn ich nicht sündige, was habe ich davon?‹ [4] Darauf kann ich dir die Antwort geben, dir und deinen Freunden hier:

[5] Schau zum Himmel empor, sieh dir die Wolken an – sie sind unerreichbar für dich! [6] Genauso wenig kann deine Sünde Gott erreichen; selbst wenn du dich offen gegen ihn stellst: ihn triffst du damit nicht! [7] Und umgekehrt: Bringt ihm dein tadelloses Leben irgendeinen Nutzen? Empfängt er damit eine Gabe aus deiner Hand? [8] Nein, deine Bosheit trifft nur deine Mitmenschen, und wenn du Gutes tust, hilft es nur ihnen!

[9] Laut stöhnen die Menschen unter der Last der Gewaltherrschaft, sie schreien nach Befreiung vom Joch der Tyrannei. [10] Doch keiner fragt nach Gott, nach seinem Schöpfer, der in der dunkelsten Stunde uns noch Hoffnung gibt[a]. [11] Keiner wendet sich an Gott, der uns belehrt und der uns weiser macht als alle Tiere draußen, klüger als die Vögel in der Luft. [12] Wenn Menschen um Hilfe schreien, weil die Bosheit siegt, wird Gott sie doch nicht hören. [13] Ja, sie rufen vergeblich; Gott erhört sie nicht, er beachtet sie nicht einmal. [14] Und wie viel weniger wird er dich hören, wenn du sagst, dass du ihn gar nicht siehst!

Warte geduldig, Hiob, dein Fall ist Gott bekannt! [15] Du meinst, dass er niemals zornig wird, dass er Verbrechen nicht bestraft, weil er von ihnen gar nichts weiß. [16] Und deshalb nimmst du den Mund hier so voll! Aber du machst bloß leere Worte, du redest viel und zeigst doch nur, wie unwissend du bist!«

Wer kann Gott begreifen?

36 Weiter sagte Elihu:

[2] »Hab Geduld mit mir und hör noch ein wenig zu! Ich will dir zeigen, dass man noch viel mehr zu Gottes Verteidigung sagen kann. [3] Mein Wissen ist umfassend, ich will meinem Schöpfer Recht verschaffen. [4] Ich sage dir die Wahrheit, vor dir steht ein Mann mit vollkommenem Wissen – darauf kannst du dich verlassen!

[5] Wie mächtig ist Gott! Und doch verachtet er keinen. Ja, mächtig ist er und voll Willenskraft. [6] Den Gottlosen lässt er nicht am Leben, doch dem Unterdrückten verhilft er zum Recht. [7] Wer ihm die Treue hält, den vergisst er nicht, nein, er stellt ihn Königen gleich, betraut ihn für immer mit einem hohen Amt. [8] Und wenn Menschen in Ketten liegen, elend gefangen, mit Stricken gefesselt, [9] dann redet er ihnen ins Gewissen, überführt sie von ihrer Schuld und aller Überheblichkeit. [10] Er macht sie bereit, auf seine Zurechtweisung zu hören, und sagt ihnen, sie sollen vom Unrecht ablassen. [11] Wenn sie Gott gehorchen und ihm dienen, werden sie ihre Lebensjahre glücklich und zufrieden verbringen. [12] Hören sie aber nicht auf ihn, verlieren sie ihr Leben unterm Schwert des Henkers; sie sterben ohne jede Einsicht. [13] Wer Gott verworfen hat, der ist bitter gegen ihn; er fleht nicht einmal dann um Gnade, wenn Gott die Fesseln enger zieht. [14] Und so stirbt er noch in jungen Jahren, verachtet wie Hurer, die sich in einem Tempel für ihren Gott verkaufen. [15] Doch wer sich vor Gott demütigt, den wird er aus dem Elend retten und ihm in der Not die Augen öffnen.

---

[a] Wörtlich: der Loblieder gibt in der Nacht.

35,2 27,5–7* **35,7** 22,2–3; 41,3; Röm 11,35 **35,14** 9,11; 23,8–9 **35,15** Pred 8,11–12 **36,6** Ps 140,13* **36,15** Spr 3,34; Jak 4,6.10; 1 Petr 5,5

[16] Auch dich reißt Gott aus den Klauen der Angst, er will dir wieder die Freiheit schenken; dann füllen die besten Speisen wie früher deinen Tisch. [17] Jetzt aber lastet das Urteil auf dir, das die Gottlosen trifft; die strafende Gerechtigkeit lässt dich nicht entkommen. [18] Pass auf, dass dein Zorn dich nicht zum Spötter macht, lass dich nicht durch Bestechungsgeld verleiten! [19] Kannst du dich etwa selbst aus der Bedrängnis retten? Niemals! Dazu reicht deine ganze Kraft nicht aus. [20] Wünsche dir auch nicht die Nacht herbei, in der ganze Völker verschwinden![a] [21] Sei auf der Hut und wende dich nicht dem Bösen zu! Denn davor wollte dich Gott durch das Leid ja gerade bewahren.

[22] Halte dir Gottes große Kraft vor Augen! Er ist der beste Lehrer, den es gibt! [23] Niemand schreibt ihm vor, was er zu tun hat. Keiner könnte zu ihm sagen: ›Du hast Unrecht getan!‹ [24] Schon immer haben die Menschen seine Taten besungen, nun preise auch du ihn! [25] Alle Welt sieht staunend seine Taten, doch man erblickt sie nur von ferne. [26] Wie mächtig ist Gott, wie unbegreiflich! Wer kann seine Jahre zählen?

[27] Er lässt die Wassertropfen aufsteigen; gereinigt gehen sie als Regen in die Flüsse nieder. [28] Ja, aus den Wolken strömt der Regen, auf viele Menschen kommt er herab. [29] Wer versteht, wie Gott die Wolken auftürmt und wie am Himmelszelt der Donner kracht? [30] Sieh nur, wie Gott Licht um sich verbreitet, die Meerestiefen aber verbirgt er. [31] Er lässt die Regenwolken kommen, so richtet er die Völker, aber zugleich versorgt er sie reichlich mit Nahrung. [32] Den Blitzstrahl nimmt er fest in beide Hände und befiehlt ihm dann, sein Ziel zu treffen. [33] Donnergrollen kündigt das Gewitter an, und selbst das Vieh spürt, dass es kommt.

37 Auch mein Herz klopft vor Angst, wenn das Gewitter naht; es schlägt immer schneller. [2] Hört ihr, wie der Donner rollt? Hört ihr Gottes Stimme? Welch ein Grollen kommt aus seinem Mund! [3] Er lässt den Donner los – der ganze Himmel ist davon erfüllt, und seine Blitze zucken weithin über die Erde! [4] Dann brüllt der Donner; ja, Gottes mächtige Stimme erklingt. Und wieder zucken die Blitze, und wieder kracht der Donner. [5] Gott lässt es donnern – seine Stimme überwältigt uns; er vollbringt große Wunder, die wir nicht begreifen. [6] Zum Schnee sagt er: ›Fall zur Erde nieder!‹ und zum Regen: ›Werde zur Sturzflut!‹ [7] So hindert er uns Menschen an der Arbeit,[b] damit wir alle sehen, was er tut. [8] Die wilden Tiere verkriechen sich und bleiben in ihren Höhlen. [9] Aus seiner Kammer kommt der Sturm, die Nordwinde bringen beißende Kälte. [10] Der Atem Gottes lässt das Eis entstehen, die weite Wasseroberfläche ist erstarrt. [11] Er füllt die Wolken mit Wasser und lässt seine Blitze hindurchzucken. [12] Die Wolken ziehen hin und her, wie er sie lenkt; auf der ganzen Erde führen sie aus, was Gott ihnen befiehlt. [13] Mal lässt er sie zur Strafe kommen für ein Land, mal als Zeichen seiner Güte.

[14] Hör es dir an, Hiob! Steh still und denke über Gottes Wundertaten nach! [15] Weißt du, wie er die Wolken lenkt und wie er seine Blitze zucken lässt? [16] Weißt du, wie die Wolken schweben, diese Wunderwerke aus vollkommener Meisterhand? [17] Du schwitzt ja schon, wenn die drückende Hitze des Südwinds auf dem Land liegt. [18] Wie kannst du dann Gott helfen, den blauen Himmel auszubreiten, fest wie ein Spiegel, aus Bronze gegossen?

[19] Teile uns mit, was wir ihm sagen sollen! Denn wir tappen im Dunkeln und kön-

---

[a] Die Verse 18–20 sind nicht sicher zu deuten.
[b] Wörtlich: Auf die Hand jedes Menschen setzt er sein Siegel.

36,24 Ps 92,2–4* **36,26** Ps 90,2; Jes 44,6 **37,2** Ps 29,3–9 **37,5** 5,19; Ps 40,6* **37,14** Ps 71,17; 77,12–21 **37,18** 9,8

nen unseren Fall nicht vorbringen. [20] Soll es Gott verkündet werden, dass ich mit ihm zu reden wünsche? Niemals! Verlangte je ein Mensch, von ihm verschlungen zu werden? [21] Jetzt hat der Wind die Wolken weggefegt, und die Sonne strahlt so hell, dass niemand von uns in ihr Licht schauen kann. [22] Von Norden naht ein goldener Glanz. Gott kommt in furchterregender Majestät. [23] Ihn, den Allmächtigen, erreichen wir nicht. Gewaltig ist seine Kraft, und er ist reich an Gerechtigkeit. Niemals unterdrückt er das Recht! [24] Darum fürchtet ihn, ihr Menschen! Er lässt sich von keinem blenden, wie weise er auch ist!«

Gott antwortet Hiob

38 Dann aber redete Gott mit Hiob. Er antwortete ihm aus dem Sturm:

[2] »Wer bist du, dass du meine Weisheit anzweifelst mit Worten ohne Verstand? [3] Tritt mir gegenüber wie ein Mann, und gib mir Antwort auf meine Fragen!

[4] Wo warst du, als ich das Fundament der Erde legte? Sag es doch, wenn du so viel weißt! [5] Wer hat ihre Maße festgelegt und wer die Messschnur über sie gespannt? Du weißt es doch, oder etwa nicht? [6] Worin sind die Pfeiler der Erde eingesenkt, und wer hat ihren Grundstein gelegt? [7] Damals sangen alle Morgensterne, und die Engel jubelten vor Freude.

[8] Wer schloss die Schleusentore, um das Meer zurückzuhalten, als es hervorbrach aus dem Mutterschoß der Erde? [9] Ich hüllte es in Wolken und in dichtes Dunkel wie in Windeln; [10] ich setzte dem Meer eine Grenze, schloss seine Tore und Riegel [11] und sprach: ›Bis hierher sollst du kommen und nicht weiter! Hier müssen sich deine mächtigen Wogen legen!‹

[12] Sag, hast du je das Tageslicht herbeigerufen und der Morgenröte ihren Weg gewiesen? [13] Sie fasst die Erde bei den Zipfeln und schüttelt die Übeltäter aus ihrem dunklen Versteck. [14] In ihrem Licht färbt die Erde sich bunt wie ein Kleid; ihre Gestalt tritt hervor, deutlich wie ein Siegelabdruck auf Ton. [15] Dann wird den Übeltätern das schützende Dunkel[a] genommen, und ihr drohend erhobener Arm wird zerbrochen.

[16] Bist du hinab zu den Quellen des Meeres gereist, hast du den Abgrund des Ozeans durchwandert? [17] Haben sich dir die Tore des Todes geöffnet, die den Eingang ins dunkle Land verschließen? [18] Hast du die Weiten der Erde überblickt? Sag es mir, wenn du das alles weißt!

[19] Woher kommt das Licht, und wie gelangt man dorthin? Woher kommt die Finsternis? [20] Kannst du Licht und Dunkelheit an ihre Orte bringen, kennst du den Weg zu ihrem Land? [21] Ganz gewiss, denn du warst schon geboren, als ich sie schuf, du lebst ja seit uralten Zeiten!

[22] Hast du die Vorratskammern gesehen, in denen ich Schnee und Hagel aufbewahre? [23] Ich spare sie auf für den Unglückstag, für Kriegszeiten und Schlachtgetümmel. [24] Weißt du, wo das Licht herkommt und von wo der Ostwind loszieht? Wie gelangt man dorthin?

[25] Wer schafft den Regenfluten eine Bahn, wer ebnet Blitz und Donner den Weg, [26] damit Gewitterregen niedergehn auf unbewohntes Land, über unwegsame Wüsten, [27] damit die ausgedörrte Steppe durchtränkt wird und frisches Grün aus dem Boden sprießt? [28] Hat der Regen einen Vater? Wer lässt den Tau entstehen?

[29] Wer bringt Eis und Frost hervor, [30] wenn das Wasser hart wird wie Stein, wenn Seen und Flüsse zugefroren sind?

---

[a] Wörtlich: ihr Licht.

38,2 34,35; 42,3 **38,5** Spr 30,4; Jes 40,12 **38,11** 1 Mo 1,6–8; Ps 104,6–9; Jer 5,22 **38,22–23** Jos 10,11

[31] Knüpfst du die Bänder des Siebengestirns, kannst du den Gürtel des Orion öffnen? [32] Lässt du die Sternbilder erscheinen, je nach Jahreszeit, bringst du den großen und den kleinen Wagen herauf? [33] Hast du die Gesetze des Himmels entdeckt, und kannst du sie auf die Erde übertragen?

[34] Rufst du den Wolken einen Befehl zu, damit sie Regen auf dich herabströmen lassen? [35] Schleuderst du die Blitze in ihr Ziel? Sagen sie: ›Wir stehen dir zu Diensten‹? [36] Wer lässt die Wolken wohlgeordnet ziehen? Wer bestimmt das Wetter nach einem weisen Plan?[a] [37] Wer ist so klug, dass er die Zahl der Wolken kennt? Wer schüttet ihr Wasser auf die Erde nieder,[b] [38] wenn dort der Boden hart geworden ist wie Eisen und die Schollen aneinander kleben?

[39] Erjagst du die Beute für die Löwin, stillst du den Hunger ihrer Jungen, [40] wenn sie in Höhlen sich verkriechen, im Dickicht auf der Lauer liegen? [41] Wer lässt den Raben Futter finden, wenn seine Jungen zu Gott schreien, wenn sie hungrig und hilflos umherirren?

39 Kannst du mir sagen, wann die Steinböcke werfen, schaust du zu, wie die Hirschkühe kalben? [2] Zählst du die Monate ihrer Tragezeit, und weißt du, wann sie gebären? [3] Sie kauern nieder, bringen ihre Jungen zur Welt, und dann hören ihre Wehen auf. [4] Ihre Jungen wachsen in der Wildnis auf und werden stark; sie ziehen fort und kehren nicht mehr zurück.

[5] Wer hat dem Wildesel die Freiheit gegeben, wer hat seine Fesseln gelöst? [6] Ich gab ihm die Steppe als Lebensraum, die Salzwüste als sein Gebiet. [7] Er lacht über das Lärmen in der Stadt, die Schreie des Treibers hört er nicht. [8] Er wählt sich das Bergland als Weide aus und sucht dort überall nach etwas Grünem.

[9] Meinst du, der Wildstier würde dir freiwillig dienen und über Nacht in deinem Stall an der Krippe stehen? [10] Kannst du ihn mit dem Pfluggeschirr in der Furche halten, im Tal über dein Feld ihn eggen lassen? [11] Kannst du dich auf seine gewaltige Kraft verlassen und ihm deine schwere Arbeit aufbürden? [12] Vertraust du ihm, dass er deine Ernte einbringt und sie zu deinem Dreschplatz zieht?

[13] Fröhlich schlägt die Straußenhenne mit den Flügeln, doch sie sind nicht zu vergleichen mit den Schwingen und Federn eines Storches. [14] Sie lässt ihre Eier auf der Erde liegen, damit der heiße Sand sie wärmt. [15] Dass ein Mensch sie zertreten, dass Tiere sie zertrampeln könnten – so weit denkt sie nicht. [16] Herzlos behandelt sie die Jungen, als wären es nicht ihre eigenen. Und wenn ihre Mühe vergeblich war, kümmert sie das nicht. [17] Denn ich habe ihr die Weisheit versagt; von Klugheit findet sich bei ihr keine Spur! [18] Doch wenn sie ihre Flügel ausbreitet und losrennt, läuft sie jedem Reiter davon.

[19] Sag, hast du das Pferd so stark gemacht, schmückst du seinen Hals mit einer Mähne? [20] Wie es zum Sprung ansetzt! Hast du ihm die Kraft gegeben? Sein gewaltiges Schnauben ist furchterregend. [21] Es stampft auf den Boden, freut sich über seine Kraft und jagt dann der Schlacht entgegen. [22] Es lacht über die Angst, fürchtet nichts und schreckt vor dem feindlichen Schwert nicht zurück. [23] Der Köcher klirrt an seiner Seite, Schwert und Lanze blitzen. [24] Wild und ungestüm fliegt es dahin; sobald das Signal ertönt, gibt es kein Halten mehr. [25] Beim Klang der Hörner wiehert es laut, wittert den Kampf schon von ferne; es hört, wie die

---

[a] Der hebräische Text in Vers 36 ist nicht sicher zu deuten.
[b] Wörtlich: Wer kippt die Krüge des Himmels um.

38,31 9,9 **38,35** 36,32 **38,39–41** Ps 104,27–28; 147,9 **39,13–16** Klgl 4,3

Anführer Befehle schreien und wie der Schlachtruf ertönt.

[26] Breitet der Falke seine Schwingen aus, um nach Süden zu fliegen, weil du den Wandertrieb in ihn gelegt hast? [27] Schwingt sich der Adler auf deinen Befehl so hoch empor und baut in der Höhe sein Nest? [28] Oben im Felsen haust er und baut auf Bergzacken seinen Horst wie eine Festung. [29] Von dort erspäht er seine Beute, seine Augen entdecken sie von weitem. [30] Schon seine Jungen gieren nach Blut; wo Leichen liegen, da ist er zur Stelle.«

Herr, ich kann dir nichts erwidern!

40 Der Herr fragte Hiob:

[2] »Willst du weiter mit mir streiten, mich, den Allmächtigen, immer noch tadeln? Du hast mich angeklagt, nun steh mir Rede und Antwort!«

[3] Darauf antwortete Hiob nur:

[4] »Herr, ich bin zu gering, ich kann dir nichts erwidern; darum lege ich jetzt die Hand auf den Mund. [5] Einmal habe ich geredet und dann noch einmal – aber ich will es nicht wieder tun; ich habe schon zu viel gesagt!«

Gottes Antwort: Besitzt du Macht, wie ich sie habe?

[6] Da sprach Gott zu Hiob aus dem Sturm:

[7] »Tritt mir gegenüber wie ein Mann, und antworte auf meine Fragen! [8] Willst du mein Urteil widerlegen und mich schuldig sprechen, nur damit du recht behältst? [9] Besitzt du Macht wie ich, kannst du mit gleicher Stimme donnern? [10] Dann schmück dich mit Würde und Macht, bekleide dich mit Pracht und Majestät! [11] Dann lass deinen Zorn losbrechen, finde jeden stolzen Menschen heraus und erniedrige ihn! [12] Spür jeden Überheblichen auf, und zwing ihn in die Knie, tritt die Gottlosen an Ort und Stelle nieder! [13] Verscharre sie alle in der Erde, zieh das Leichentuch über ihr Gesicht[a]! [14] Dann will ich der Erste sein, der dich preist, weil du mit eigener Hand den Sieg errungen hast!«

Zwei Beispiele für Gottes Macht und Weisheit

[15] »Schau dir den Behemot[b] an, den ich geschaffen habe wie auch dich! Er frisst Gras wie ein Rind. [16] Wie stark sind seine Lenden, welche Kraft hat er in den Muskeln seines Bauches! [17] Er macht seinen Schwanz steif wie eine Zeder, dicht verflochten sind die Sehnen an den Schenkeln. [18] Seine Knochen sind fest wie Bronzeröhren, seine Rippen gleichen Eisenstangen. [19] Unter meinen Werken nimmt er den ersten Platz ein, und nur ich, sein Schöpfer, kann das Schwert gegen ihn ziehen. [20] Auf den Hügeln wächst das Gras, sein Futter, und die wilden Tiere spielen neben ihm. [21] Er liegt unter Lotusbüschen, versteckt sich im Schilf und im Sumpf. [22] Die Lotusbüsche verbergen ihn und spenden ihm Schatten, bei den Pappeln am Ufer findet er Schutz. [23] Schwillt der Fluss mächtig an – ihm wird nicht bange; er bleibt ruhig, selbst wenn der Jordan ihm ins Maul flutet. [24] Meinst du, ein Mensch kann dieses Tier von vorne packen, es fangen und ihm einen Ring durch die Nase ziehen?

[25] Kannst du den Leviatan[c] am Angelhaken aus dem Wasser ziehen oder seine Zunge mit einem Seil hinunterdrücken? [26] Kannst du ihm einen Strick durch die Nase ziehen oder sein Kinn mit einem

---

[a] Wörtlich: binde ihr Gesicht im Verborgenen.
[b] Ein Riesentier, möglicherweise einem Nilpferd ähnlich.
[c] Ein Riesentier, dem Krokodil ähnlich.

40,2 13,18; Jes 45,9* **40,7** 38,3 **40,8** 18,4; Ps 51,6 **40,9** 37,2 **40,10** Ps 96,5–6 **40,25 – 41,2** Jes 27,1*

Haken durchstechen? [27]Meinst du, er wird dann um Gnade winseln und dich mit Worten umschmeicheln? [28]Meinst du, er wird sich dir ergeben, und du kannst ihn für immer als Knecht behalten? [29]Was willst du mit ihm tun? Ihn anbinden und wie einen Vogel halten, ihn deinen Mädchen zum Spielen geben? [30]Meinst du, die Jäger könnten jemals um seine besten Stücke feilschen und sie an Händler verkaufen? [31]Kannst du seinen Panzer mit Harpunen spicken oder mit Fischerhaken seinen Kopf? [32]Versuch es nur, mit ihm zu kämpfen! Daran wirst du noch lange denken und es nicht noch einmal wagen!

41 Trügerisch ist jede Hoffnung, ihn zu fangen; sein bloßer Anblick wirft dich schon zu Boden! [2]Wenn es niemand wagen kann, ihn auch nur zu reizen, wer will dann mir erst gegenübertreten?

[3]Wer hat mir jemals etwas gegeben, das er nun von mir zurückfordern könnte? Mir gehört die ganze weite Welt. [4]Ich will dir den Leviatan beschreiben, seine Stärke und die Schönheit seiner Gestalt: [5]Wer ist in der Lage, ihm den Panzer auszuziehen, wer wagt es, ihm zwischen die Zähne zu greifen? [6]Wer kann das Tor seines Mauls aufbrechen, verteidigt von den fürchterlichen Zähnen? [7]Und schau dir seinen Schuppenpanzer an: wie eine Reihe von Schilden, fest miteinander verbunden! [8]Eine Schuppenplatte sitzt neben der anderen, kein Lufthauch geht zwischen ihnen hindurch! [9]Sie hängen fest aneinander und sind so eng verbunden, dass niemand sie auseinander reißen kann. [10]Licht blitzt auf, wenn er schnaubt, und seine Augen funkeln wie die ersten Sonnenstrahlen. [11]Aus seinem Rachen schießen Feuerflammen, und die Funken sprühen. [12]Aus seinen Nüstern quillt der Rauch wie aus einem Kessel über dem Feuer. [13]Sein Atemstoß setzt Kohlen in Brand, eine Flamme schießt aus seinem Rachen hervor. [14]Sein Nacken strotzt vor Kraft; wo dieses Ungeheuer hinkommt, da geht die Angst voraus. [15]Die Hautfalten am Bauch sind fest und straff, als wären sie gegossen. [16]Seine Brust ist hart wie Stein, ja, so fest wie ein Mühlstein. [17]Wenn sich der Leviatan erhebt, geraten selbst Helden in Angst und Schrecken und wissen nicht mehr aus noch ein. [18]Jeder Schwerthieb gegen ihn bleibt ohne Wirkung; Speer, Pfeil und Lanze prallen ab. [19]Waffen aus Eisen fürchtet er nicht mehr als einen Strohhalm, und Bronze ist für ihn wie morsches Holz. [20]Mit Pfeilen lässt er sich nicht in die Flucht jagen, Schleudersteine hält er bloß für Grashälmchen [21]und eine Keule für dürres Stroh. Er kann nur lachen, wenn die Speere auf ihn sausen. [22]Unter seinem Bauch ragen Zacken hervor; sie lassen Spuren im Schlamm zurück, als wäre ein Dreschschlitten darüber gefahren. [23]Er lässt die Tiefe brodeln wie kochendes Wasser, das Meer wallt auf wie Salbe im Kochtopf. [24]Er hinterlässt eine glitzernde Spur; man denkt, das Meer hätte silbernes Haar. [25]Keiner auf der Erde reicht an ihn heran – er ist ein Geschöpf, das Furcht nicht kennt. [26]Selbst auf die Größten sieht er herab, er, der König aller stolzen Tiere!«

Hiobs letztes Wort

42 Da antwortete Hiob:

[2]»Herr, ich erkenne, dass du alles zu tun vermagst; nichts und niemand kann deinen Plan vereiteln. [3]Du hast gefragt: ›Wer bist du, dass du meine Weisheit anzweifelst mit Worten ohne Verstand?‹ Ja, es ist wahr: Ich habe von Dingen geredet, die ich nicht begreife, sie sind zu hoch für mich und übersteigen meinen Verstand. [4]Du hast gesagt: ›Hör mir zu, jetzt rede ich, ich will dich fragen, und du sollst mir antworten!‹ [5]Herr, ich kannte dich nur vom Hörensagen, jetzt aber habe ich dich

---

41,3 35,7; Röm 11,35 **41,4–26** Jes 27,1* **42,2** 1 Mo 18,14; Jer 32,17.27; Sach 8,6; Lk 1,37 **42,3** 38,2 **42,4** 38,3; 40,7 **42,5–6** 19,26–27; 40,4–5

mit eigenen Augen gesehen! [6]Darum widerrufe ich meine Worte, ich bereue in Staub und Asche!«

Gott stellt sich hinter Hiob

[7]Nachdem der Herr dies alles zu Hiob gesagt hatte, wandte er sich an Elifas aus Teman: »Ich bin voller Zorn über dich und deine beiden Freunde, ihr habt nicht die Wahrheit über mich gesagt, so wie mein Diener Hiob es tat! [8]Bringt nun sieben junge Stiere und sieben Schafböcke, geht damit zu meinem Diener Hiob, und bringt sie als Brandopfer dar! Hiob soll für euch beten, denn nur ihn will ich erhören und euch um seinetwillen nichts Böses tun. Denn ihr habt nicht wie er die Wahrheit über mich gesagt.«

[9]Da taten Elifas aus Teman, Bildad aus Schuach und Zofar aus Naama, was ihnen der Herr befohlen hatte. Und Gott erhörte Hiobs Gebet.

[10]Als Hiob für seine Freunde betete, da wendete der Herr für ihn alles zum Guten. Er gab ihm doppelt so viel, wie er früher besessen hatte. [11]Alle seine Brüder und Schwestern und die früheren Bekannten besuchten ihn wieder. Sie aßen mit ihm in seinem Haus und trösteten ihn wegen des Unglücks, das der Herr über ihn gebracht hatte. Jeder schenkte ihm ein Silberstück und einen Ring aus Gold.

[12]Der Herr segnete Hiob von jetzt an mehr als zuvor. Bald besaß er 14000 Schafe und Ziegen, 6000 Kamele, 1000 Rindergespanne und 1000 Esel. [13]Er bekam auch wieder sieben Söhne und drei Töchter. [14]Die erste nannte er Jemima (»Täubchen«), die zweite Kezia (»Zimtblüte«) und die dritte Keren-Happuch (»Schminkdöschen«). [15]Im ganzen Land gab es keine schöneren Frauen als Hiobs Töchter; sie durften mit ihren Brüdern das Erbe teilen.

[16]Hiob lebte noch 140 Jahre, er sah Kinder und Enkel bis in die vierte Generation. [17]Schließlich starb er in hohem Alter nach einem reichen und erfüllten Leben.

42,7 2,11; 13,7–10 **42,10** 1,3; Jak 5,11 **42,11** 19,13–19 **42,13–15** 1,2 **42,16–17** 1 Mo 25,8; 35,28–29

Die Psalmen

Entweder – oder!

1 Glücklich ist, wer nicht lebt wie Menschen, die von Gott nichts wissen wollen. Glücklich ist, wer sich kein Beispiel an denen nimmt, die gegen Gottes Willen verstoßen. Glücklich ist, wer sich fern hält von denen, die über alles Heilige herziehen.
[2] Glücklich ist, wer Freude hat am Gesetz des Herrn und darüber nachdenkt – Tag und Nacht.
[3] Er ist wie ein Baum, der nah am Wasser steht, der Frucht trägt jedes Jahr und dessen Blätter nie verwelken. Was er sich vornimmt, das gelingt.
[4] Ganz anders ergeht es allen, denen Gott gleichgültig ist: Sie sind wie dürres Laub[a], das der Wind verweht.
[5] Vor Gottes Gericht können sie nicht bestehen. Weil sie ihn abgelehnt haben, sind sie von seiner Gemeinde ausgeschlossen.
[6] Der Herr sorgt für alle, die nach seinem Wort leben. Doch wer sich ihm trotzig verschließt, der läuft in sein Verderben.

Gottes Sohn: Der König über die Könige

2 Warum geraten die Völker in Aufruhr? Warum schmieden sie Pläne, die doch zu nichts führen?
[2] Die Mächtigen dieser Welt rebellieren: Sie verschwören sich gegen Gott und den König, den er eingesetzt hat.[b]
[3] »Kommt, wir wollen uns befreien«, sagen sie, »wir schütteln seine Herrschaft ab!«
[4] Aber Gott im Himmel kann darüber nur lachen, nichts als Spott hat er übrig für sie.
[5] Dann stellt er sie voller Zorn zur Rede und versetzt sie in Angst und Schrecken.
[6] Er spricht: »Ich selbst habe meinem König die Herrschaft übertragen! Er regiert in Zion, in der Stadt, die ich erwählt habe.«

[7] Und dieser König verkündet:[c] »Ich gebe bekannt, was Gott beschlossen hat. Er hat zu mir gesagt: ›Du bist mein Sohn, heute setze ich dich zum König ein[d].
[8] Fordere von mir die ganze Erde, und ich gebe sie dir zum Besitz. Alle Völker gehören dir.
[9] Zerschlage sie mit eisernem Herrscherstab, zerbrich sie wie Tongeschirr!‹«
[10] Darum, ihr Herrscher, nehmt Vernunft an, lasst euch warnen, ihr Mächtigen der Welt!
[11] Unterwerft euch dem Herrn und erkennt seine Herrschaft an! Jubelt ihm zu, auch wenn ihr zittert!
[12] Erweist seinem Sohn die Ehre, die ihm zusteht![e] Sonst trifft euch sein Zorn, und ihr seid verloren; denn schnell wird er zornig. Aber wenn ihr ihm vertraut, werdet ihr sicher und geborgen sein.

---

[a] Wörtlich: wie Spreu.
[b] Das hebräische Wort heißt »Messias« (= der gesalbte König).
[c] Sinngemäß eingefügt.
[d] Wörtlich: heute habe ich dich gezeugt. – Bildlicher Ausdruck für die Einsetzung des Königs in sein Amt.
[e] Wörtlich: Küsst den Sohn!

1,1 34,12–16; Spr 4,14 **1,2** Jos 1,8 **1,3** 92,13–15 **2,1–2** Apg 4,25–27; Jes 9,6* **2,6** 110,1–2; 1 Kön 8,20–30* **2,7** 2 Sam 7,14*; Apg 13,32–38; Hebr 1,4–5; 5,5 **2,10–12** 72,8–11

Gejagt – und doch geborgen!

3 Ein Lied König Davids aus der Zeit, als er vor seinem Sohn Absalom fliehen musste.

[2] O Herr, überall bedrängen mich Feinde! So viele haben sich gegen mich verschworen.
[3] Sie spotten: »Der ist erledigt! Selbst Gott kann ihm nicht mehr helfen!«

[4] Aber du, Herr, nimmst mich in Schutz. Du stellst meine Ehre wieder her und verhilfst mir zu meinem Recht[a].
[5] Ich schreie zum Herrn: »Hilf mir doch!« Er hört mich in seinem Heiligtum und antwortet mir.
[6] Darum kann ich beruhigt einschlafen, denn ich weiß: Gott beschützt mich.
[7] Ich fürchte mich nicht vor meinen Feinden, auch wenn sie mich zu Tausenden umzingeln.
[8] Greif ein, mein Gott! Weil du mir schon oft geholfen hast, weiß ich auch jetzt: Du wirst meinen Feinden ins Gesicht schlagen und ihre Kraft zerbrechen.[b]
[9] Ja, der Herr lässt uns niemals im Stich. Herr, schenke deinem Volk Frieden und Glück!

Freude im Leid

4 Ein Lied Davids. Mit Saiteninstrumenten zu begleiten.

[2] O Gott, hörst du nicht meinen Hilfeschrei? Du bist es doch, der für mich eintritt, der mich verteidigt! Als ich vor Angst gelähmt nicht mehr weiterwusste, hast du mir den rettenden Ausweg gezeigt. So hilf mir auch jetzt und erhöre mein Gebet!

[3] Ihr Mächtigen im Land, ihr missbraucht euren Einfluss. Ihr zieht meine Ehre in den Dreck und verbreitet Lügen. Ihr habt Freude daran, mich zu verleumden. Wann hört ihr endlich auf damit?
[4] Begreift doch: Wer Gott die Treue hält, steht unter seinem besonderen Schutz. Er hört mich, wenn ich zu ihm rufe.
[5] Plant nichts Böses mehr gegen mich, auch wenn ihr zornig seid! Nehmt euch Zeit, besinnt euch und gebt endlich Ruhe!
[6] Wenn ihr Gott Opfer bringt, dann denkt daran, dass er euer Herr ist, und vertraut ihm!
[7] Viele jammern: »Wann wird es uns endlich besser gehen? Herr, lass uns deine Nähe erfahren, damit wir wieder aufatmen können!«
[8] Und wirklich: Du hast mich wieder froh gemacht. Während andere sich nur über eine reiche Ernte freuen können, ist meine Freude viel größer.
[9] Ich kann ruhig schlafen, auch wenn kein Mensch zu mir hält, denn du, Herr, beschützt mich.

Gott steht auf meiner Seite

5 Ein Lied Davids. Mit Flötenbegleitung zu singen.

[2] Höre doch, Herr, was ich dir sagen will; auch wenn ich nur noch seufzen kann, höre mir zu!
[3] Du bist mein König und mein Gott, zu dir schreie ich, dich flehe ich an!
[4] Schon früh am Morgen bringe ich dir ein Opfer und bete, weil ich weiß: du hörst mich. Gib mir doch Antwort!
[5] Zum Unrecht kannst du nicht schweigen. Die Gottlosen duldest du nicht in deiner Nähe:
[6] Wer dich hochmütig verspottet, den stößt du von dir. Wer deinen Willen missachtet, den kannst du nicht ausstehen.

---

[a] Wörtlich: und hebst mein Haupt empor.
[b] Wörtlich: Du schlägst meinen Feinden ins Gesicht und brichst ihnen die Zähne aus.

3,1 2 Sam 15,13–14 **3,5** 20,3; 28,2; 1 Kön 9,3* **3,6** 4,9 **3,7** 23,4–5; 27,3 **3,8–9** 22,20–22; Jes 43,11
4,4 17,6* **4,7** 27,8 **4,9** 3,6 **5,4** 17,6*

[7] Lügner, Mörder und Heuchler bringst du um, sie ekeln dich an!

[8] Ich aber darf zu dir kommen, denn in deiner großen Gnade hast du mich angenommen. Voller Ehrfurcht bete ich dich in deinem Heiligtum an.
[9] Zeige denen, die mich verleumden, dass du zu mir stehst! Auch ich will dir treu sein – hilf mir, nach deinen Maßstäben zu leben!

[10] Was meine Feinde von sich geben, ist nichts als Lüge. Schlecht und verlogen wie sie sind, können sie gar nicht anders: sie bringen Tod und Untergang.[a]
[11] Herr, rechne mit ihnen ab! Bringe das Unheil über sie, das sie anderen zugefügt haben! Verstoße sie! Nichts, gar nichts ist ihnen heilig; sogar gegen dich lehnen sie sich auf.

[12] Doch alle, die dir vertrauen, werden sich freuen und dich loben, denn bei dir sind sie geborgen. Wer dich liebt, wird jubeln vor Freude.
[13] Wer dir treu bleibt, den beschenkst du mit Frieden und Glück, den umgibst du mit deiner schützenden Liebe.

Herr, strafe mich nicht länger!

6 Ein Lied Davids, mit achtsaitigem Instrument zu begleiten.

[2] Herr, du lässt mich deinen Zorn spüren. Ich flehe dich an: Strafe mich nicht länger!
[3] Hab Erbarmen mit mir, Herr, ich kann nicht mehr! Gib mir wieder Kraft und neuen Mut, ich bin völlig erschöpft!
[4] Ich weiß weder aus noch ein. Herr, wie lange willst du noch zusehen?
[5] Wende dich mir wieder zu! Hilf mir! Du bist doch ein barmherziger Gott. Sei mir gnädig und rette mich!
[6] Wenn ich tot bin, kann ich dir nicht mehr danken. Wie soll ich dich denn im Totenreich loben?

[7/8] Ach, ich bin müde vom Stöhnen. Nachts weine ich wie ein Kind, bis die Kissen durchnässt und meine Augen ganz verquollen sind. Daran sind nur meine Feinde schuld, sie haben mich in die Enge getrieben.
[9] Niederträchtig und gemein seid ihr! Verschwindet, denn der Herr hat meine Tränen gesehen!
[10] Er hat mein Schreien gehört und mein Gebet angenommen.
[11] Meine Feinde ziehen den Kürzeren und geben auf. Schämen müssen sie sich!

Wer anderen eine Grube gräbt …

7 Ein Klagelied Davids. Er trug es dem Herrn vor, als er unter den Anschuldigungen des Benjaminiten Kusch zu leiden hatte.

[2] Herr, mein Gott, bei dir suche ich Schutz. Bring mich in Sicherheit vor meinem Verfolger! Rette mich doch,
[3] sonst bin ich ihm hilflos ausgeliefert, und er zerfleischt mich wie ein Löwe.

[4] Herr, mein Gott, wenn das zutrifft, was er mir vorwirft: wenn ich wirklich anderen Unrecht getan habe,
[5] wenn ich das Vertrauen meines Freundes missbrauchte, oder wenn ich den beraubte, der mich grundlos in die Enge trieb,
[6] dann soll mein Feind mich verfolgen, mich einholen und niedertreten. Dann habe ich diesen ehrlosen Tod verdient!

[7] Greif ein, Herr! Strafe sie in deinem Zorn! Stelle dich meinen Feinden entgegen, denn sie wüten gegen mich! Komm und hilf mir! Recht muss doch Recht bleiben!

---

[a] Wörtlich: Ihre Kehle ist ein offenes Grab.

5,10 Röm 3,10.13 **6,5** 145,8; 5 Mo 4,31 **6,6** 30,10; 88,11–13; 115,17; Hiob 3,13; 14,12–14; Jes 38,18
6,10 17,6*

[8] Versammle alle Völker um dich zum Gericht, du hast das letzte Wort.
[9] Herr, du richtest die Völker. Vor aller Öffentlichkeit verschaffe mir Recht, denn du weißt, dass ich unschuldig bin. Grundlos werde ich beschuldigt.
[10] Mach doch Schluss mit der Bosheit der Bösen und richte den wieder auf, der deinen Willen tut! Du, Gott, bist unbestechlich, und niemand kann dich täuschen!

[11] Ja, Gott beschützt mich; er rettet den, der offen und ehrlich ist.
[12] Gott ist ein gerechter Richter, ein Gott, der noch heute strafen kann!
[13] Schon wieder schärft mein Feind sein Schwert, er spannt seinen Bogen und zielt auf mich.
[14] Doch seine tödlichen Pfeile treffen ihn selbst; was mir den Tod bringen sollte, wird nun ihm zum Verhängnis.
[15] Er brütet Böses aus und richtet Unheil an. Aber bald merkt er, dass er sich damit nur selbst betrogen hat!
[16] Denn wer anderen eine Grube gräbt, fällt selbst hinein.
[17] Das Unheil, das er anderen bereitet hat, bricht nun über ihn herein; er wird zum Opfer seiner eigenen Bosheit.
[18] Den Herrn will ich loben, denn er sorgt für mein Recht. Ihm, dem höchsten Gott, will ich ein Danklied singen!

Die Krone der Schöpfung

8 Ein Lied Davids, zum Spiel auf der Gittit[a].

[2] Herr, unser Herrscher! Groß und herrlich ist dein Name. Himmel und Erde sind Zeichen deiner Macht.
[3] Aus dem Mund der Kinder erklingt dein Lob. Es ist stärker als das Fluchen deiner Feinde. Erlahmen muss da ihre Rachsucht, beschämt müssen sie verstummen.
[4] Ich blicke zum Himmel und sehe, was deine Hände geschaffen haben; den Mond und die Sterne – allen hast du ihre Bahnen vorgezeichnet.
[5] Was ist da schon der Mensch, dass du an ihn denkst? Wie klein und unbedeutend ist er, und doch kümmerst du dich um ihn.[b]
[6] Ja, du hast ihm eine hohe Stellung gegeben – nur wenig niedriger als die Engel. Mit Ruhm und Ehre hast du ihn gekrönt.
[7] Du hast ihm den Auftrag gegeben, über deine Geschöpfe zu herrschen. Alles hast du ihm zu Füßen gelegt:
[8] die Schafe und Rinder, die Tiere des Feldes,
[9] die Vögel unter dem Himmel und die Fische im weiten Meer.
[10] Herr, unser Herrscher! Groß und herrlich ist dein Name. Himmel und Erde sind Zeichen deiner Macht.

Gott richtet und rettet[c]

9 Ein Lied Davids, nach der Melodie: »Vom Sterben des Sohnes.«[d]

[2] Dir, Herr, will ich von ganzem Herzen danken, und erzählen will ich von deinen wunderbaren Taten.
[3] Ich freue mich über dich und juble dir zu. Ich singe und musiziere zu deiner Ehre, du höchster Gott!
[4] Denn du schlägst meine Feinde in die Flucht, sie stürzen und kommen um!
[5] Du bist ein gerechter Richter: Mit deinem Urteil hast du mir Recht verschafft.

---

[a] Gemeint ist ein unbekanntes Musikinstrument oder eine Melodie (so auch Psalm 81,1; 84,1).
[b] Wörtlich: und was ist der Menschensohn, dass du dich um ihn kümmerst?
[c] Die Psalmen 9,10,25,34,37,111,112,119,145 sind alphabetisch angeordnet: Im Hebräischen fängt jeder Vers oder Abschnitt mit einem neuen Buchstaben des Alphabetes an.
[d] Die Anweisung an den Chorleiter ist nicht sicher zu deuten.

7,9 59,5* **7,10** 96,10–13; 98,9 **7,12** 9,5; 58,12; 96,10; Apg 17,31; Röm 3,6; Jak 4,12 **7,13–17** 9,16–17; 10,2; 35,7–8; 57,7; Est 7,9–10; Spr 26,27; 28,10 **7,18** 20,6* **8,3** Mt 21,15–16 **8,4** 74,16; 148,3–6; 1 Mo 1,14–19 **8,5** 144,3–4 **8,6–9** 1 Mo 1,26–29 **9,2.12** 5 Mo 4,9* **9,5** 7,12*

[6]Die feindlichen Völker hast du in ihre Grenzen gewiesen, die Verbrecher umgebracht und alles ausgelöscht, was an sie erinnerte.
[7]Der Feind ist für immer erledigt, seine Städte sind nur noch Ruinen. Keiner denkt mehr an sie.

[8]Aber der Herr regiert für immer und ewig. Sein Richterstuhl steht schon bereit.
[9]Über die ganze Welt wird er ein gerechtes Urteil sprechen und allen Völkern seine Entscheidung verkünden.
[10]Die Unterdrückten finden bei Gott Zuflucht. In schwerer Zeit beschützt er sie.

[11]Herr, wer dich kennen lernt, der wird dir gern vertrauen. Wer sich auf dich verlässt, der ist nie verlassen.
[12]Lobt den Herrn mit euren Liedern, und erzählt allen Völkern von seinen machtvollen Taten! Er regiert auf dem Berg Zion in Jerusalem.
[13]Den Schrei der Wehrlosen überhört er nicht, und keine Bluttat lässt er ungestraft.

[14]Darum habe auch mit mir Erbarmen, Herr! Siehe doch, wie ich leide unter dem Hass meiner Feinde! Ich stehe am Rand des Todes! Bring mich in Sicherheit!
[15]Dann will ich dich in Jerusalem loben. Alle sollen hören, was du für mich getan hast.

[16/17]Die Völker, die andere ins Verderben stürzen wollten, sind in ihre eigene Falle gelaufen. In ihrem eigenen Netz haben sie sich verstrickt! So hat der Herr bewiesen, wer er ist: Sein Urteil kam zur rechten Zeit!
[18]Fahrt zur Hölle, ihr Unheilstifter, ihr Völker, die ihr von Gott nichts wissen wollt!
[19]Wer sein Recht nicht durchsetzen kann, den hat Gott nicht vergessen, auch wenn es zunächst so scheint.
[20]Greif ein, Herr! Lass nicht zu, dass Menschen über dich triumphieren! Ruf die Völker vor deinen Thron und sprich ihnen das Urteil!
[21]Lass sie vor Angst erzittern, Herr, und zeige ihnen, dass sie nur machtlose Menschen sind!

Gott, lass dir das nicht bieten!

10 Herr, warum bist du so weit weg? Warum lässt du uns im Dunkeln umherirren, wenn wir dich am nötigsten brauchen?

[2]Boshafte Menschen schrecken vor nichts zurück. Sie machen den Schwachen und Hilflosen das Leben zur Hölle. Lass sie in ihre eigene Falle laufen!
[3]Diese Gauner sind auch noch stolz auf ihre habgierigen Wünsche. Geld geht ihnen über alles, und für Gott haben sie nichts übrig. Mit wüsten Sprüchen ziehen sie über ihn her.
[4]Hochnäsig behaupten sie: »Gott? Den gibt es doch gar nicht! Was soll er uns denn heimzahlen?« – Was für ein Trugschluss!
[5]Noch geht ihnen alles nach Wunsch. Dass du sie verurteilen wirst, lässt sie kalt. Sie verhöhnen alle, die sich ihnen in den Weg stellen, und spotten: »Euer Gott ist ja so weit weg!
[6]Uns haut nichts um! Das hat noch keiner geschafft, und daran wird sich auch nichts ändern!«
[7]Sobald sie den Mund aufmachen, fluchen, lügen und erpressen sie. Wie viel Unglück richten sie an!
[8]In der Nähe einsamer Dörfer liegen sie im Hinterhalt und lauern ihren hilflosen Opfern auf. Im Versteck bringen sie die Unschuldigen um.
[9]Wie Löwen im Dickicht liegen sie auf der Lauer, um wehrlose Menschen zu überfallen.
[10]Sie stürzen sich auf ihre Opfer und schlagen sie brutal zusammen.

9,10–11 18,3* **9,13** 140,13* **9,15** 20,6* **9,16–17** 7,13–17* **9,19** 140,13* **10,1** 22,2 **10,4** 14,1; 53,2

[11] »Was wir tun, interessiert Gott gar nicht«, reden sie sich ein, »außerdem hat er ein schlechtes Gedächtnis!«

[12] Herr, greif doch ein! Lass dir das nicht bieten! Vergiss die Hilflosen nicht! [13] Warum lässt du es zu, dass solche Schurken deine Ehre in den Schmutz ziehen? Warum dürfen sie sich einbilden, dass du sie nie zur Rechenschaft ziehen wirst? [14] Nein! Du hast das Unrecht nicht vergessen! Du kümmerst dich um die Gequälten und wirst sie retten. Dir können sich alle anvertrauen, denen keiner mehr hilft[a]. [15] Zerbrich die Macht der Übeltäter! Bestrafe sie für ihre Bosheit, damit sie nicht weiter Unheil anrichten!

[16] Der Herr ist König für immer und ewig! Seine Feinde müssen aus Israel verschwinden. [17] Die Hilflosen bestürmen dich mit ihren Bitten. Du, Herr, erhörst sie und schenkst ihnen neuen Mut. [18] Du sorgst für das Recht der Unterdrückten und Waisen, jeder Gewaltherrschaft auf Erden machst du ein Ende.

Wer glaubt, flieht nicht

11 Von David.

Bei dem Herrn suche ich Schutz. Wie könnt ihr da zu mir sagen: »Du musst fliehen! Flieg fort wie ein Vogel! [2] Siehst du denn nicht, dass die Mörder schon die Pfeile aufgelegt und ihre Bogen gespannt haben? Aus dem Hinterhalt wollen sie auf jene schießen, die aufrichtig und ehrlich sind. [3] Alle Ordnungen sind umgestoßen, was kann da noch der bewirken, dem Gottes Ordnungen alles bedeuten?«

[4] Der Herr ist in seinem heiligen Tempel, er thront im Himmel und herrscht über alles. Er durchschaut alle Menschen und weiß, wie sie sind. [5] Er sieht sich jeden ganz genau an, den, der Gott liebt, und jene, die ihn verachten. Der Herr hasst den Gewalttätigen. [6] Auf die Schuldigen wird er Feuer und Schwefel regnen lassen, und der Glutwind wird sie versengen. [7] Der Herr ist zuverlässig und gerecht, deshalb liebt er alle, die gerechte Entscheidungen treffen; sie werden ihn einst schauen.

Gott hält, was er verspricht

12 Ein Lied Davids, mit achtsaitigem Instrument zu begleiten.

[2] Herr, hilf! Wo finde ich noch Menschen, die zu dir halten? Auf keinen kann man sich mehr verlassen. [3] Jeder belügt jeden. Leicht kommen ihnen Komplimente über die Lippen, aber sie heucheln dabei. [4] Herr, rotte diese Schmeichler und Angeber aus! [5] Ich höre, wie sie prahlen: »Wir erreichen alles, denn wir sind gewaltige Redner; gegen uns kommt keiner an!«

[6] »Doch – ich!«, spricht der Herr, »jetzt will ich eingreifen, denn die Armen werden unterdrückt, und die Hilflosen seufzen, weil man ihnen hart zusetzt. Ich werde sie befreien!«[b]

[7] An dieser Zusage des Herrn gibt es nichts zu deuteln. Sie ist eindeutig und klar, echt wie reines Silber[c]. [8] Du, Herr, hältst, was du versprichst, und wirst uns für immer vor diesen selbstherrlichen Menschen beschützen.

---

[a] Wörtlich: die Schwachen und Waisen. – Weil die Waisen sich nicht wehren konnten, wurde ihr Recht oft missachtet.

[b] Oder: Ich werde ihnen Hilfe schaffen, nach der sie sich sehnen.

[c] Wörtlich: wie reines Silber, im Tiegel siebenmal geläutert.

10,11 Mal 3,14–18 **10,12–18** 140,13*; 2 Mo 22,21–22* **10,16** 22,29* **11,4** 26,2*; Jes 40,22 **11,6** 1 Mo 19,24–25 **11,7** 17,15; Mt 5,8 **12,6** 140,13* **12,7–8** 18,31*; Spr 30,5

[9] Denn diese Lügner sind überall, und die Gemeinheit unter den Menschen nimmt ständig zu.

Wie lange noch, Herr?

13 Ein Lied Davids.

[2] Herr, wie lange wirst du mich noch vergessen, wie lange hältst du dich vor mir verborgen?
[3] Wie lange noch sollen Sorgen mich quälen, wie lange soll der Kummer Tag für Tag an mir nagen? Wie lange noch wird mein Feind über mir stehen?

[4] Herr, mein Gott, wende dich mir wieder zu und antworte mir! Lass mich wieder froh werden und Mut gewinnen, sonst holt mich noch der Tod.
[5] Mein Feind würde triumphieren und sagen: »Den habe ich zur Strecke gebracht!« Meine Unterdrücker würden jubeln über meinen Tod.

[6] Ich aber vertraue auf deine Liebe und juble darüber, dass du mich retten wirst. Mit meinem Lied will ich dich loben, denn du hast mir Gutes getan.

Es gibt keinen, der Gutes tut

14 Von David.

Menschen, die sich einreden: »Gott gibt es überhaupt nicht!«, leben an der Wirklichkeit vorbei. Sie führen ein gottloses Leben, und alles, was sie tun, ist abscheulich. Es gibt keinen, der Gutes tut.
[2] Der Herr schaut vom Himmel auf die Menschen. Er will sehen, ob es wenigstens einen gibt, der einsichtig ist und nach seinem Willen fragt.
[3] Aber alle haben sich von ihm abgewandt und sind nun verdorben, einer wie der andere. Es gibt wirklich keinen, der Gutes tut, nicht einen einzigen!

[4] Wissen denn diese Unheilstifter nicht, was sie tun? Sie verschlingen mein Volk wie ein Stück Brot und denken sich nichts dabei. Mit Gott rechnen sie überhaupt nicht mehr.
[5] Aber schon bald werden sie in Angst und Schrecken fallen, denn Gott hält treu zu denen, die sich auf ihn verlassen.
[6] Mit euren heimtückischen Plänen gegen die Wehrlosen werdet ihr scheitern, denn der Herr beschützt sie.[a]

[7] Ach, käme Gott doch vom Berg Zion, um sein Volk zu befreien! Israel wird jubeln vor Freude, wenn der Herr das Schicksal seines Volkes wendet.

Wen nimmt Gott an?

15 Ein Lied Davids.

Herr, wer darf dein heiliges Zelt betreten? Wer darf dich auf dem Berg Zion anbeten?
[2] Jeder, der aufrichtig lebt und andere gerecht behandelt, der durch und durch ehrlich ist
[3] und andere nicht verleumdet. Jeder, der seinen Mitmenschen kein Unrecht zufügt, der Nachbarn und Verwandte nicht bloßstellt.
[4] Jeder, der keine Freundschaft pflegt mit denen, die Gott verworfen hat, der alle achtet, die den Herrn ernst nehmen. Jeder, der hält, was er geschworen hat, auch wenn ihm daraus Nachteile entstehen.
[5] Jeder, der keine Wucherzinsen nimmt, wenn er Geld ausleiht, der sich nicht bestechen lässt, gegen Unschuldige falsch auszusagen. Wer so handelt, den wird nichts mehr zu Fall bringen!

---

[a] Oder: Ihr wolltet die Pläne der Wehrlosen durchkreuzen, aber der Herr beschützt sie.

13,6 20,6* **14,1** 10,4; 53,2 **14,2–3** 1 Mo 6,5*; Röm 3,10–23 **14,5–6** 18,31* **14,7** 20,6* **15,1–5** 24,3–4 **15,3** 2 Mo 20,16*

Ich kann mein Glück nicht fassen!

16

Ein Lied Davids.[a]

Beschütze mich, Gott, denn dir vertraue ich!
[2] Du bist mein Herr, mein ganzes Glück!
[3] Darum freue ich mich über alle, die nach deinem Willen leben. Auf sie kommt es im Land entscheidend an!
[4] Wer sich aber von dem lebendigen Gott abwendet und anderen Göttern nachläuft, der kommt aus dem Kummer nicht mehr heraus. Diesen Göttern will ich kein Opfer bringen und nicht einmal ihre Namen nennen.

[5] Du, Herr, bist alles, was ich habe; du gibst mir alles, was ich brauche. In deiner Hand liegt meine Zukunft.
[6] Was du mir gibst, ist gut. Was du mir zuteilst, gefällt mir.[b]
[7] Ich preise den Herrn, denn er hilft mir, gute Entscheidungen zu treffen. Tag und Nacht sind meine Gedanken bei ihm.[c]
[8] Ich sehe immer auf den Herrn. Er steht mir zur Seite, damit ich nicht falle.
[9] Darüber freue ich mich so sehr, dass ich es nicht für mich behalten kann.[d] Bei dir, Herr, bin ich in Sicherheit.
[10] Denn du wirst mich nicht dem Tod und der Verwesung überlassen, ich gehöre ja zu dir.
[11] Du zeigst mir den Weg, der zum Leben führt. Du beschenkst mich mit Freude, denn du bist bei mir. Ich kann mein Glück nicht fassen, nie hört es auf.

In großer Not

17

Ein Gebet Davids.

Herr, höre meine Bitte, verhilf mir zu meinem Recht! Achte auf mein Schreien und höre mein Gebet, ich will dir nichts vormachen.
[2] Wenn du dein Urteil fällst, dann sprich mich frei; du weißt doch, dass ich unschuldig bin.
[3] Du durchschaust meine geheimsten Gedanken und Gefühle, durchforschst mich auch in der Nacht. Du prüfst mich, aber du findest nichts, nicht einmal zu bösen Worten habe ich mich hinreißen lassen!
[4] Dein Wort war mein einziger Maßstab – auch dann, wenn andere nicht danach lebten. Von gewalttätigen Menschen habe ich mich fern gehalten.
[5] Ich habe mich nach deinen Ordnungen gerichtet, nie bin ich davon abgewichen.
[6] Mein Gott, nun rufe ich dich an. Ich bin sicher, du antwortest mir. Lass mich bei dir ein offenes Ohr finden und höre mein Gebet!
[7] Du rettest alle, die bei dir vor deinen Feinden Schutz suchen. Zeige mir immer wieder, dass du mich liebst!
[8] Bewahre mich, wie man seinen Augapfel behütet! Verstecke mich, wie ein Vogel seine Jungen,
[9] vor den gottlosen Menschen, die mich hart bedrängen, vor meinen Feinden, die mich umzingeln!
[10] Sie sind hartherzig und ohne Mitgefühl, überheblich reden sie daher.
[11] Wohin ich auch gehe – überall umrin-

---

[a] Das hebräische Wort »miktam« in den Überschriften der Psalmen 16 und 56–60 ist nur schwer zu deuten und meint möglicherweise »Besinnungslied«.
[b] Verse 5–6 wörtlich: Der Herr ist mein Erbteil und mein Becher (= Geschick). Du sicherst mir mein Los. Die Messschnüre sind mir in einer lieblichen Gegend zugefallen, ja, mein Erbteil gefällt mir.
[c] Wörtlich: Auch nachts mahnen mich meine Nieren.
[d] Wörtlich: Darüber freut sich mein Herz und jubelt meine Ehre.

16,5 73,26; Klgl 3,24 **16,8–11** Apg 2,25–28 **16,11** 25,4* **17,2** 59,5* **17,3** 26,2* **17,4** 119,105 **17,6** 50,15; 91,15; 145,18–20; 5 Mo 4,7; Jer 33,2–3; Dan 10,12; 1 Joh 5,14–15

gen sie mich. Sie warten nur darauf, mich zu Fall zu bringen.
[12] Sie sind wie Löwen, die im Versteck ihrer Beute auflauern, um sie zu zerfleischen.

[13] Greif ein, Herr, komm ihnen zuvor! Wirf sie zu Boden! Rette mich vor dieser Mörderbande! Du hast doch die Macht dazu!
[14] Bring mich vor ihnen in Sicherheit! Lass nicht zu, dass sie so weiterleben wie bisher! Du wirst es ihnen heimzahlen, du wirst sie bestrafen! Sogar ihre Kinder und Enkel wird dein Gericht noch treffen![a]
[15] Mich aber sprichst du frei von Schuld. Mit eigenen Augen werde ich dich schauen dürfen. Satt sehen will ich mich an dir, wenn ich erwache.

Was für ein Gott!
(2. Samuel 22)

18 Von David, dem Diener Gottes. Nachdem der Herr ihn aus der Gewalt aller Feinde und auch aus der Hand Sauls befreit hatte, sang er folgendes Danklied:

[2] Ich liebe dich, Herr! Du bist meine Kraft!
[3] Der Herr ist mein Fels, meine Festung und mein Erretter, mein Gott, meine Zuflucht, mein sicherer Ort. Er ist mein Schild, mein starker Helfer, meine Burg auf unbezwingbarer Höhe.
[4] Ich preise dich, Herr! Wenn ich zu dir um Hilfe rufe, dann werde ich vor meinen Feinden gerettet.

[5] Ich war in Lebensgefahr, der Tod drohte mich zu verschlingen wie eine mächtige Woge.
[6] Hilflos musste ich zusehen, wie die tödliche Falle schon zuschnappte.
[7] In äußerster Verzweiflung schrie ich zum Herrn. Ja, zu meinem Gott rief ich um Hilfe. Da hörte er mich in seinem Tempel, mein Notschrei drang durch bis an sein Ohr.

[8] Plötzlich erbebte die Erde, selbst die Berge gerieten ins Wanken, denn glühender Zorn hatte Gott gepackt.
[9] Schwarzer Rauch quoll aus seiner Nase, aus seinem Mund loderten Flammen, und glühende Kohlen wurden herausgeschleudert.
[10] In dunklen Wolken kam Gott zur Erde.
[11] Auf einem Cherub-Engel flog er daher und schwebte herab, vom Sturm getragen.
[12] Er verhüllte sich in Finsternis, verbarg sich in dichten und dunklen Regenwolken.
[13] Dann wurden sie von seinem Lichtglanz überstrahlt, Hagel und glühende Kohlen prasselten nieder.
[14] Ein Donnerschlag folgte dem anderen, und darin dröhnte die Stimme des höchsten Gottes.
[15] Er schoss seine Pfeile ab, und die Feinde stoben auseinander. Grelle Blitze zuckten und verwirrten das feindliche Heer.
[16] Sogar den Meeresboden konnte man sehen; offen lagen die Fundamente der Erde da, als du, Herr, meine Feinde bedrohtest und vor Entrüstung schnaubtest.

[17] Der Herr streckte mir seine Hand von oben entgegen und riss mich aus den tosenden Fluten.
[18] Er befreite mich von der Übermacht meiner Feinde, von allen, die mich hassten, denn sie waren viel stärker als ich.
[19] Sie hatten mich überfallen – was war das für ein schrecklicher Tag! Aber der Herr hielt mich fest
[20] und half mir aus Angst und Gefahr. Er befreite mich. So viel bin ich ihm wert!
[21] Weil ich im Recht war, half mir der Herr; er wusste, dass ich unschuldig war, und darum rettete er mich.

---

[a] Wörtlich: Dein Aufgespartes – du füllst ihren Bauch damit; sie sättigen ihre Kinder, und diese hinterlassen ihren Rest ihren Kindern. Oder: Du füllst ihren Bauch mit deinen Gütern; sie sättigen …
17,15 11,7; Mt 5,8 **18,3** 27,1; 46,2; 57,2; 59,17; 91,1–2; Spr 18,10; 2 Kor 4,9; Hebr 12,23 **18,7** 17,6* **18,17** 144,7 **18,21** 59,5*

[22] Denn ich war ihm gehorsam, nie habe ich meinem Gott die Treue gebrochen. [23] Seine Gebote hielt ich mir immer vor Augen, und seine Befehle schlug ich nicht in den Wind. [24] Ich lebte so, dass er mir nichts vorwerfen konnte, und mied das Unrecht wie die Pest. [25] So half mir der Herr, weil ich ihm die Treue hielt, er sah, dass ich unschuldig war.

[26] Wer dich liebt, Herr, den liebst auch du; wer ehrlich ist, den enttäuschst du nicht. [27] Den Aufrichtigen gegenüber bist auch du aufrichtig, doch falsche Menschen führst du hinters Licht. [28] Du hilfst denen, die sich helfen lassen und sich selbst nicht überschätzen. Die Überheblichen aber stößt du von ihrem Thron.

[29] Herr, du machst die Finsternis um mich hell, du gibst mir strahlendes Licht. [30] Mit dir kann ich die Feinde angreifen; mit dir, mein Gott, kann ich über Mauern springen. [31] Was für ein Gott! Sein Handeln ist vollkommen, und was er sagt, ist wahr. Er beschützt alle, die zu ihm flüchten. [32] Gott allein ist der Herr über alles! Gibt es außer ihm noch einen, der so stark und unerschütterlich ist wie ein Fels? [33] Nein! Gott allein gibt mir Kraft zum Kämpfen und ebnet mir meinen Weg. [34] Er macht mich gewandt und schnell, lässt mich laufen und springen wie ein Hirsch. Selbst auf steilen Felsen gibt er mir festen Halt. [35] Er lehrt mich, die Waffen zu gebrauchen, und zeigt mir, wie ich auch den stärksten Bogen noch spannen kann.

[36] Herr, du hast mich beschützt und mir geholfen, du gabst mir Kraft. Du hast dich zu mir herabgebeugt und mich groß gemacht. [37] Du hast mir alle Hindernisse aus dem Weg geräumt, nie bin ich beim Laufen gestürzt. [38] Ich jagte meinen Feinden nach und holte sie ein; ich kehrte erst um, als auch der Letzte von ihnen gefallen war. [39] Ich schlug sie, bis sie nicht mehr aufstehen konnten und tot zu meinen Füßen lagen. [40] Du, Herr, hast mir die Kraft für diesen Kampf gegeben, du hast mir zum Sieg über meine Gegner verholfen. [41] Dass sie fliehen mussten, verdanke ich dir; alle, die mich hassten, konnte ich umbringen. [42] Sie riefen um Hilfe, doch weit und breit war kein Retter. Sie schrien zum Herrn, aber er hörte nicht mehr auf sie. [43] Ich rieb sie auf, zermalmte sie zu Staub, den der Wind verweht. Wie Dreck von der Straße fegte ich sie fort.

[44] Als ein Aufstand meines Volkes mich bedrohte, hast du mir geholfen, und heute bin ich der Herrscher vieler Völker. Sogar Völker, die ich nicht kannte, haben sich mir unterworfen. [45] Fremde sind mir ergeben und gehorchen mir aufs Wort. [46] Zitternd kamen sie aus ihren Festungen heraus und gaben ihren Widerstand auf.

[47] Der Herr lebt! Er ist mein schützender Fels – ich preise ihn! Ihn allein will ich rühmen, denn er hat mich gerettet. [48] Er hat sich an meinen Feinden gerächt, ganze Völker hat er mir unterworfen [49] und mich der Gewalt meiner grausamen Gegner entrissen. So ist mein Gott! Du gabst mir den Sieg über meine Feinde, von diesen brutalen Menschen hast du mich befreit. [50] Darum will ich dich loben, Herr. Alle Völker sollen es hören! Zu deiner Ehre will ich singen. [51] Der Herr hat David, den König, aus großen Gefahren errettet. Ihm erweist er seine Liebe, und auch seine Nachkommen wird er nicht im Stich lassen.

18,28 Lk 1,52 **18,31** 12,7–8; 22,32; 65,6; 111,7; Spr 30,5; 2 Thess 3,3; Offb 15,3 **18,32** 5 Mo 4,35; 1 Sam 2,2; Jes 44,8 **18,50** 57,10; 92,2–4*; Röm 15,9 **18,51** 2 Sam 7,12–16

Gottes gute Ordnungen in der Schöpfung und in seinem Gesetz

19 Ein Lied Davids.

[2] Der Himmel verkündet Gottes Größe und Hoheit, das Firmament bezeugt seine großen Schöpfungstaten.
[3] Ein Tag erzählt es dem nächsten, und eine Nacht sagt es der anderen.
[4] Ohne Worte reden sie, keinen Laut kann man hören.
[5] Doch auf der ganzen Erde hört man diese Botschaft, sie erreicht noch die fernsten Länder. Der Sonne hat Gott am Himmel ein Zelt aufgeschlagen.
[6] Am Morgen geht sie auf und strahlt wie ein Bräutigam bei der Hochzeit. Siegesgewiss wie ein Held beginnt sie ihren Lauf;
[7] wo sie aufgeht und wo sie untergeht, berührt sie den Horizont. Nichts bleibt vor ihrer Hitze verborgen.

[8] Das Gesetz des Herrn ist vollkommen, es macht glücklich und froh. Auf seine Gebote kann man sich verlassen. Sie machen auch den klug, der bisher gedankenlos in den Tag hineinlebte.
[9] Die Ordnungen des Herrn sind zuverlässig, sie erfreuen das Herz. Die Befehle des Herrn sind klar; Einsicht gewinnt, wer auf sie achtet.
[10] Die Ehrfurcht vor dem Herrn ist gut, nie wird sie aufhören. Die Gebote, die der Herr gegeben hat, sind richtig, vollkommen und gerecht.
[11] Sie lassen sich nicht mit Gold aufwiegen, sie sind süßer als der beste Honig.

[12] Herr, ich gehöre zu dir. Wie gut, dass mich dein Gesetz vor falschen Wegen warnt! Wer sich an deine Gebote hält, wird reich belohnt.
[13] Wer aber kann erkennen, ob er nicht doch vom rechten Weg abkommt? Vergib mir die Sünden, die ich selbst nicht bemerkt habe!
[14] Bewahre mich vor gewissenlosen Menschen und lass nicht zu, dass sie Macht über mich gewinnen; dann werde ich dir nie mehr die Treue brechen und frei sein von schwerer Schuld.

[15] Herr, lass dir meine Worte und meine Gedanken gefallen! Bei dir bin ich geborgen, du bist mein Retter!

Gebet für den König

20 Ein Lied Davids.

[2] Der Herr antworte dir, wenn du in großer Not bist, der Gott Jakobs schütze dich!
[3] Aus seinem Heiligtum auf dem Berg Zion komme er dir zu Hilfe!
[4] Er beachte die Gaben, die du ihm bringst, deine Brandopfer nehme er gnädig an!
[5] Er gebe dir, was du von Herzen wünschst, was du dir vorgenommen hast, lasse er gelingen!
[6] Wenn er dich aus der Not befreit hat, werden wir vor Freude jubeln, Fahnen hissen und Gott preisen. Der Herr erfülle alle deine Bitten!

[7] Jetzt weiß ich, dass der Herr seinem König hilft, ihm antwortet aus seinem Heiligtum im Himmel. Machtvoll greift er ein und rettet ihn.
[8] Manche Völker schwören auf gepanzerte Kriegswagen und auf die Kampfkraft ihrer Reiterheere. Wir aber vertrauen auf die Kraft des Herrn, unseres Gottes.
[9] Sie wanken und stürzen, wir aber stehen fest und halten stand.

[10] Herr, hilf dem König![a] Antworte uns, wenn wir zu dir rufen!

---

[a] Oder: Herr, hilf, du (himmlischer) König!

19,2 Röm 1,20 **19,5** Röm 10,18 **19,13** 85,3* **20,2** 17,6* **20,3** 3,5; 28,2 **20,6** 13,6; 27,6; 28,6–7; 54,8–9; 71,7–8; 116,12–13; 118,21; 5 Mo 4,9* **20,8** 2 Mo 14,14*; 1 Sam 17,45; Jes 31,1

Der siegreiche König

21 Ein Lied Davids.

[2] Herr, der König jubelt laut vor Freude, denn du bist mächtig und hast ihm den Sieg geschenkt.
[3] Du gabst ihm, was er sich von Herzen wünschte, und seine Bitten schlugst du nicht ab.
[4] Mit Glück und Segen hast du ihn überschüttet und ihm eine goldene Krone aufs Haupt gesetzt.
[5] Er bat dich um langes Leben, und du gewährtest ihm unendlich reiche Jahre.
[6] Durch deine Hilfe ist er zu Ruhm und Ehren gelangt, Majestät und Würde hast du ihm verliehen.
[7] Du hast ihn dazu auserwählt, deinen Segen für alle Zeiten weiterzutragen. Weil du ihm nahe bist, bleibt seine Freude ungetrübt.
[8] Der König vertraut dem Herrn; und durch die Hilfe des Herrn bleibt seine Macht für immer gesichert.

[9] Du wirst alle deine Feinde zur Rechenschaft ziehen, dein Gericht wird alle treffen, die dich hassen.
[10] Wenn du dich ihnen zeigst, wirst du sie verzehren wie Feuer. Der Herr wird sie in seinem glühenden Zorn vernichten.
[11] Keiner ihrer Nachkommen wird überleben, denn du wirst diese Brut ausrotten.
[12] Sie haben eine Verschwörung gegen dich angezettelt; mit hinterhältigen Plänen wollten sie dich zu Fall bringen, aber sie sind zum Scheitern verurteilt.
[13] Kaum zielst du mit deinem Kampfbogen auf sie, ergreifen sie schon die Flucht.
[14] Herr, zeige ihnen deine Macht! Wir wollen deine großen Siege besingen und dich preisen.

Mein Gott, warum hast du mich verlassen?

22 Ein Lied Davids, nach der Melodie: »Eine Hirschkuh früh am Morgen.«

[2] Mein Gott, mein Gott, warum hast du mich verlassen? Warum bist du so weit weg und hörst mein Stöhnen nicht?
[3] Mein Gott! Den ganzen Tag rufe ich, aber du gibst mir keine Antwort. Ich rufe in schlaflosen Nachtstunden, aber ich finde keine Ruhe.

[4] Du bist doch der heilige Gott! Dein Volk Israel lobt dich mit seinen Liedern.
[5] Unsere Vorfahren haben dir vertraut, und du hast ihnen immer wieder geholfen.
[6] Zu dir schrien sie und wurden errettet. Sie vertrauten dir, und du hast sie nicht enttäuscht.

[7] Und was ist mit mir? Ein Wurm bin ich, kein Mensch mehr – Gespött der Leute, alle behandeln mich wie Dreck.
[8] Von allen Seiten werde ich verspottet. Wer mich sieht, verzieht sein Gesicht und grinst schadenfroh.
[9] »Überlass Gott deine Not!«, lästern sie, »der soll dir helfen! Er wird dich schon nicht sitzen lassen! Du bist ja sein Liebling!«

[10] Herr, du hast mich aus dem Leib meiner Mutter gezogen. Schon an ihrer Brust hast du mir Geborgenheit geschenkt.
[11] Du bist mein Gott, seitdem mein Leben im Mutterleib begann. Seit der Stunde meiner Geburt bin ich auf dich angewiesen.
[12] Wende dich jetzt nicht ab von mir! Groß ist meine Angst! Weit und breit gibt es keinen, der mir hilft.
[13] Viele Feinde kesseln mich ein, umringen mich wie wilde Stiere.

21,10 5 Mo 4,24; Hebr 12,29 **21,14** 57,6; 74,11; 108,6 **22,2** 42,10; Mt 27,46 **22,6** 17,6*; 2 Mo 2,23–25* **22,7–8** Jes 52,14; 53,3; Mt 27,39; Ps 69,9* **22,9** Mt 27,43

[14] Sie reißen ihr Maul auf wie brüllende Löwen, die ihre Beute zerfleischen wollen.
[15] Meine Kraft schwindet wie Wasser, das versickert, und alle meine Knochen lösen sich voneinander. Mein Herz verkrampft sich vor Angst,
[16] und meine ganze Kraft ist dahin. Die Zunge klebt mir am Gaumen. Du lässt mich im Tode versinken.
[17] Eine Meute übler Verbrecher umkreist mich, gierig wie wildernde Hunde. Hände und Füße haben sie mir durchbohrt.
[18] Ich kann alle meine Knochen zählen. Sie aber starren mich an, diese schaulustigen Gaffer!
[19] Schon teilen sie meine Kleider unter sich auf und losen um mein Gewand!

[20] Herr, wende dich nicht länger von mir ab! Nur du kannst mir neue Kraft geben, komm mir schnell zu Hilfe!
[21] Rette mich vor dem tödlichen Schwert, bewahre mich vor der wilden Hundemeute! Ich habe doch nur ein Leben!
[22] Reiß mich aus dem Rachen der Löwen und rette mich vor den Hörnern dieser wilden Stiere!

Herr, du hast mich erhört!
[23] Ich will meinen Brüdern deinen Namen bekannt machen, vor der ganzen Gemeinde will ich dich loben und ehren.
[24] Alle, die ihr den Herrn achtet, preist ihn! Ihr Nachkommen Jakobs, ehrt ihn! Begegne ihm in Ehrfurcht, Volk Israel!
[25] Er hat den Hilflosen nicht verachtet, über sein Elend setzte er sich nicht hinweg. Nie wandte er sich von ihm ab! Er hat ihm geantwortet, als er um Hilfe schrie.
[26] Herr, jetzt habe ich allen Grund, dir vor der großen Gemeinde ein Loblied zu singen. Was ich in meiner Not versprochen habe, löse ich jetzt ein; alle, die dich ehren, sind meine Zeugen.
[27] Die Armen werden sich wieder satt essen. Alle, die den Herrn kennen, sollen ihn loben. Euer Leben lang werdet ihr nicht mehr zu kurz kommen!
[28] Auch in den fernsten Ländern werden Menschen Gott erkennen und zu ihm umkehren, ja, alle Völker werden sich vor ihm niederwerfen.
[29] Denn der Herr regiert als König und herrscht über alle Völker.

[30] Auch die Großen dieser Erde müssen sich niederwerfen vor ihm, sie, die immer mehr als genug zu essen hatten. Vor ihm werden alle sterblichen Menschen ihre Knie beugen.
[31] Alle kommenden Generationen werden ihm dienen. Eine erzählt der nächsten von Gott und von dem, was er Gutes getan hat.
[32] Die noch nicht geboren sind, werden es hören und weitersagen: Gott ist treu, auf seine Hilfe ist Verlass!

Der gute Hirte

23 Ein Lied Davids.

Der Herr ist mein Hirte. Nichts wird mir fehlen.
[2] Er weidet mich auf saftigen Wiesen und führt mich zu frischen Quellen.
[3] Er gibt mir neue Kraft. Er leitet mich auf sicheren Wegen, weil er der gute Hirte ist[a].
[4] Und geht es auch durch dunkle Täler, fürchte ich mich nicht, denn du, Herr, bist bei mir. Du beschützt mich mit deinem Hirtenstab.

[5] Du lädst mich ein und deckst mir den Tisch vor den Augen meiner Feinde. Du begrüßt mich wie ein Hausherr seinen Gast[b] und gibst mir mehr als genug[c].
[6] Deine Güte und Liebe werden mich be-

---

[a] Wörtlich: um seines Namens willen.
[b] Wörtlich: Du salbst mein Haupt mit Öl. – Eine Begrüßungszeremonie für willkommene Gäste.
[c] Wörtlich: mein Becher fließt über.

22,16 Joh 19,28 **22,19** Mt 27,35; Joh 19,23–24 **22,22** Dan 6,23 **22,23–26** 20,6*; 4 Mo 30,3* **22,29** 29,10; 47,8–10; 96,10; 99,1–3; 103,19; Sach 14,9; 1 Tim 6,15–16; Offb 15,3 **22,31** 5 Mo 4,9* **22,32** 18,31* **23,1** Hes 34,11–16* **23,6** 26,8; 27,4; 84,4–5

gleiten mein Leben lang; in deinem Haus darf ich für immer bleiben.

Der König kommt!

24 Ein Lied Davids.

Dem Herrn gehört die ganze Welt und alles, was auf ihr lebt.
[2] Die Erde befestigte er über dem Wasser, ihre Fundamente legte er auf Meeresgrund.

[3] »Wer darf auf den Berg des Herrn gehen und seinen heiligen Tempel betreten?«
[4] »Jeder, der kein Unrecht tut und ein reines Gewissen hat. Jeder, der keine fremden Götter anbetet und keinen falschen Eid schwört.
[5] Einen solchen Menschen wird Gott reich beschenken und für schuldlos erklären; der Herr ist sein Helfer!
[6] Das gilt den Menschen, die sich nach dir richten und im Gebet deine Nähe suchen, du Gott Jakobs.«

[7] »Hebt euch aus den Angeln, ihr Tore! Öffnet euch weit, ihr alten Portale, denn der König will einziehen, die höchste Majestät!«
[8] »Wer ist denn dieser mächtige König?« »Es ist Gott, der Herr, der Starke, der Held. Es ist der Herr, der siegreiche König!«
[9] »Hebt euch aus den Angeln, ihr Tore! Öffnet euch weit, ihr alten Portale, denn der König will einziehen, die höchste Majestät!«
[10] »Wer ist denn dieser mächtige König?« »Es ist der Herr über Himmel und Erde. Er ist der mächtige König!«

Vergib mir meine Schuld!

25 Von David.

Herr, ich sehne mich nach dir!
[2] Mein Gott, auf dich setze ich mein ganzes Vertrauen. Lass mich jetzt nicht fallen! Gönne meinen Feinden nicht diesen Triumph über mich!
[3] Ich weiß: Keiner wird scheitern, der auf dich hofft; wer aber treulos ist und dich leichtfertig verlässt, der wird zu Fall kommen.
[4] Herr, zeige mir, welchen Weg ich einschlagen soll, und lass mich erkennen, was du von mir willst!
[5] Schritt für Schritt lass mich erfahren, dass du zuverlässig bist. Du bist der Gott, der mir hilft, du warst immer meine einzige Hoffnung.
[6] Denke daran, dass du mir schon früher dein Erbarmen und deine Liebe bewiesen hast!
[7] Vergib mir die Sünden meiner Jugendzeit und vergiss meine mutwilligen Vergehen! Erinnere dich an deine Barmherzigkeit und sei mir gnädig!

[8] Der Herr ist gut und gerecht. Darum führt er die auf den richtigen Weg zurück, die ihn verließen.
[9] Allen, die ihre Schuld eingestehen, zeigt er, wie sie leben sollen und was er von ihnen erwartet.
[10] In Liebe und Treue führt er alle, die sich an seinen Bund und seine Gebote halten.
[11] Herr, mach deinem Namen Ehre und vergib mir meine schwere Schuld!
[12] Was ist mit dem, der dem Herrn gehorcht? Der Herr zeigt ihm den richtigen Weg.
[13] Er schenkt ihm Glück und Wohlstand, und seine Nachkommen werden das ganze Land erben.
[14] Der Herr zieht die Menschen, die ihn ernst nehmen, ins Vertrauen. Er lässt sie wissen, wozu er einen Bund mit seinem Volk geschlossen hat.

[15] Hilfesuchend blicke ich zum Herrn, denn er wird mich aus der Schlinge ziehen.

24,1 89,12; 1 Kor 10,26 **24,3–4** 15,1–5 **24,6** 17,6* **24,7–10** 22,29* **25,1** 63,2* **25,2** 56,4; 57,8; 108,2 **25,4** 16,11; 27,11; 32,8; 86,11; 119,105; 139,24; Hos 14,10 **25,5** 18,31* **25,7.11** 85,3*

[16] Wende dich mir zu, Herr, und rechne meine Schuld nicht an, denn ich bin einsam und niedergeschlagen.
[17] Mir ist angst und bange, nimm diese Last von meinem Herzen!
[18] Sieh meinen Jammer und mein Elend an, und vergib mir alle meine Sünden!
[19] Herr, meine Feinde sind nicht zu zählen. Abgrundtief hassen sie mich.
[20] Bewahre mein Leben und rette mich! Lass mich nicht scheitern! Bei dir suche ich Zuflucht.
[21] Hilf mir, dass ich aufrichtig und ehrlich leben kann, Herr, ich vertraue dir!
[22] O Gott, erlöse Israel aus aller Not!

Prüfe mich, Gott!

26 Von David.
Herr, verschaffe mir Recht, denn ich bin unschuldig! Dir vertraue ich, nichts soll mich davon abbringen.

[2] Vor dir, Herr, kann ich nichts verbergen, prüfe meine geheimsten Gedanken und Gefühle!
[3] Deine Liebe habe ich ständig vor Augen, und deine Treue bestimmt mein Leben.
[4] Ich lasse mich nicht mit denen ein, die ein falsches Spiel treiben. Von Heuchlern halte ich mich fern.
[5] Wenn sich Verbrecher zusammentun, bin ich nicht dabei; mit Gottlosen will ich nichts zu schaffen haben.
[6] Ich wasche meine Hände zum Zeichen meiner Unschuld, so darf ich mich deinem Altar nähern und ihn feierlich umschreiten.
[7] Dabei stimme ich ein Loblied an und erzähle von deinen Wundern.
[8] Herr, der Tempel ist erfüllt von deiner Hoheit und Macht; an diesem Haus hängt mein Herz.

[9] Bring mich nicht um wie die Sünder; behandle mich nicht wie blutgierige Mörder!
[10] Wie viele Verbrechen haben sie auf dem Gewissen, wie viel Bestechungsgeld ist durch ihre Hände gegangen!
[11] Aber ich habe mir nichts zuschulden kommen lassen. Hab Erbarmen mit mir und rette mich!

[12] Jetzt bin ich sicher vor allen Gefahren. Dafür lobe ich dich vor deiner Gemeinde, du mein Herr!

Vor Menschen mutig, vor Gott demütig

27 Von David.
Der Herr ist mein Licht, er rettet mich. Vor wem sollte ich mich noch fürchten? Bei ihm bin ich geborgen wie in einer Burg. Vor wem sollte ich noch zittern und zagen?
[2] Wenn mich gewissenlose Leute in die Enge treiben und mir nach dem Leben trachten, wenn sie mich bedrängen und mich offen anfeinden, werden sie dennoch stürzen und umkommen!
[3] Selbst wenn eine ganze Armee gegen mich aufmarschiert, fürchte ich mich nicht. Auch wenn sie einen Krieg gegen mich beginnen, bleibe ich ruhig und zuversichtlich.

[4] Um eines habe ich den Herrn gebeten; das ist alles, was ich will: Solange ich lebe, möchte ich im Hause des Herrn bleiben. Dort will ich erfahren, wie gut der Herr es mit mir meint, still nachdenken im heiligen Zelt.
[5] Er bietet mir Schutz in schwerer Zeit und versteckt mich in seinem Zelt. Er stellt mich auf einen hohen Felsen,
[6] unerreichbar für meine Feinde ringsumher. In seinem Tempel will ich Opfer bringen, und die Posaunen sollen blasen; dankbar will ich für den Herrn singen und auf der Harfe spielen.

25,20 18,3* **26,1** 59,5* **26,2** 11,4; 94,11; 139,1–6.23; 1 Sam 16,7; Hiob 34,21; Jer 17,9–10; Offb 2,23 **26,4–5** 1,1 **26,8** 23,6; 27,4; 84,4–5 **26,12** 20,6* **27,1** 18,3* **27,4** 23,6; 26,8; 84,4–5 **27,6** 20,6*

[7]Höre mich, Herr, wenn ich rufe! Hab Erbarmen mit mir und antworte!
[8]Denn ich erinnere mich, dass du gesagt hast: »Suchet meine Nähe!« Das will ich jetzt tun und zu dir beten.
[9]Verbirg dich nicht vor mir, stoße mich nicht im Zorn zurück! Ich diene dir, und du hast mir bisher immer geholfen. Gib mich nicht auf, verlass mich nicht, du mein Gott und mein Retter!
[10]Wenn Vater und Mutter mich verstoßen, nimmst du, Herr, mich doch auf.
[11]Zeige mir, was ich tun soll! Führe mich auf sicherem Weg, meinen Feinden zum Trotz.
[12]Liefere mich nicht ihrer Rachgier aus! Falsche Zeugen verklagen mich, speien Gift und Galle.
[13]Ich aber vertraue darauf, dass ich am Leben bleibe und sehen werde, wie gut Gott zu mir ist.

[14]Vertraue auf den Herrn! Sei stark und mutig, vertraue auf den Herrn!

Herr, schweige nicht!

28 Von David.

Nur bei dir, Herr, finde ich Schutz, darum rufe ich zu dir. Hülle dich nicht in Schweigen! Wenn du mir die Hilfe verweigerst, werde ich bald sterben und unter der Erde liegen.
[2]Höre, ich flehe dich an, ich schreie zu dir und hebe die Hände zum Gebet empor. Nach Jerusalem wende ich mich, dorthin, wo dein Heiligtum steht.
[3]Bring mich nicht um wie die Gottlosen! Soll es mir so gehen wie denen, die nur Böses im Schilde führen? Mit ihren Mitmenschen reden sie freundlich, aber im Herzen schmieden sie finstere Pläne.
[4]Zahle es ihnen heim; gib ihnen, was sie für ihre gemeinen Taten verdienen! Das Unheil, das sie angerichtet haben, soll sie selbst treffen.
[5]Sie missachten, was der Herr getan hat, und sein Handeln ist ihnen gleichgültig. Deshalb wird er sie vernichten, und niemand wird übrig bleiben.

[6]Lobt den Herrn, denn er hat meinen Hilfeschrei gehört!
[7]Er hat mir neue Kraft geschenkt und mich beschützt. Ich habe ihm vertraut, und er hat mir geholfen. Jetzt kann ich wieder jubeln! Mit meinem Lied will ich ihm danken.
[8]Der Herr beschützt sein Volk, er verteidigt und rettet seinen auserwählten König.
[9]Herr, hilf deinem Volk! Segne uns, denn wir gehören zu dir. Führe uns wie ein Hirte, und sorge allezeit für uns!

Gottes Stimme – herrlich und furchtbar zugleich!

29 Ein Lied Davids.

Lobt den Herrn, ihr mächtigen Engel[a], preist seine Größe und Macht!
[2]Ehrt seinen herrlichen Namen! Werft euch vor ihm nieder, wenn ihr ihm, dem heiligen Gott, begegnet![b]
[3]Die Stimme des Herrn erschallt über die Meere, der erhabene Gott lässt den Donner grollen. Er ist der Herr, der über den Weltmeeren thront.
[4]Wie gewaltig ist seine Stimme, wie herrlich und furchtbar zugleich!
[5]Sie spaltet mächtige Bäume, ja, der Herr zersplittert die starken Libanonzedern.
[6]Das Libanongebirge lässt er wie ein Kalb hüpfen, der Berg Hermon springt wie ein junger Stier.
[7]Die Stimme des Herrn lässt Blitze zucken,
[8]sie erschüttert die Wüste, ja, die Wüste Kadesch bebt.

---

[a] Wörtlich: ihr Gottessöhne.
[b] Oder: Werft euch vor ihm nieder in heiligem Schmuck!

27,7 17,6* **27,8** 105,4; 5 Mo 4,29; Jer 29,12–14 **27,11** 25,4* **28,2** 3,5; 17,6*; 20,2 **28,6–7** 20,6* **28,9** Hes 34,11–16* **29,1–2** Jes 6,1–3

[9] Die Hirschkühe kalben, wenn der Donner des Herrn sie in Schrecken versetzt, sein tosender Sturm reißt die Wälder kahl. In seinem Heiligtum rufen alle: »Ehre sei dem Herrn!«
[10] Der Herr thront über den Fluten, als König herrscht er für alle Zeit.
[11] Der Herr wird seinem Volk Macht verleihen, er wird es segnen und ihm Frieden schenken.

Vor dem sicheren Tod errettet

30 Ein Lied Davids. Es wurde zur Einweihung des Tempels gesungen.

[2] Ich will dich loben, du erhabener Gott, denn du hast mich aus der Tiefe heraufgezogen! Du hast nicht zugelassen, dass sich die Feinde über mein Unglück freuen.
[3] Herr, mein Gott! Zu dir schrie ich um Hilfe, und du hast mich geheilt.
[4] Ich war schon mehr tot als lebendig, doch du hast mich dem sicheren Tod entrissen und mir das Leben neu geschenkt.
[5] Singt dem Herrn eure Lieder, alle, die ihr seine Gnade erfahren habt! Dankt ihm und bezeugt: Er ist der heilige Gott!
[6] Nur einen Augenblick streift uns sein Zorn, aber ein Leben lang währt seine Güte. Wenn wir am Abend noch weinen und traurig sind, so können wir am Morgen doch vor Freude wieder jubeln.
[7] Als ich erfolgreich war und in Sicherheit lebte, dachte ich: »Was kann mir schon passieren?«
[8] Denn du, Herr, hast mein Königreich aufblühen lassen,[a] alles hatte ich deiner Güte zu verdanken. Dann aber hast du dich von mir abgewandt, und mich packte das Entsetzen.
[9] Ich flehte um Erbarmen und schrie zu dir:
[10] »Was hast du davon, wenn ich jetzt sterbe? Kann ein Toter dir noch danken, kann er deine Treue noch rühmen?
[11] Herr, höre mich! Hab Erbarmen und hilf mir!«
[12] Du hast mein Klagelied in einen Freudentanz verwandelt. Du hast mir die Trauerkleider ausgezogen und mich mit einem Festgewand bekleidet.
[13] Nun kann ich dich mit meinen Liedern loben, nie will ich verschweigen, was du für mich getan hast. Immer und ewig will ich dir danken, mein Herr und mein Gott!

Bedrängt, bedrückt, aber nicht besiegt!

31 Ein Lied Davids.

[2] Bei dir, Herr, suche ich Schutz. Lass meine Feinde mich nie besiegen! Hilf mir und rette mich, du gerechter Gott!
[3] Höre mein Gebet! Hilf mir schnell! Bringe mich in Sicherheit! Wie in einer Burg auf hohem Berg beschütze mich!

[4] Ja, Herr, du tust es: Du bietest mir Schutz, du bist meine Burg! Du wirst mich führen und leiten, wie du es versprochen hast!
[5] Du wirst mich aus der Schlinge ziehen, die meine Feinde mir heimlich gelegt haben! Ja, du bist meine einzige Zuflucht.
[6] Mit Leib und Seele vertraue ich mich dir an, denn du erlöst mich, Herr, du treuer Gott!

[7] Ich hasse es, wenn Menschen anderen Göttern nachlaufen, daher vertraue ich dem Herrn.
[8] Ich juble vor Freude, weil du mich liebst. Dir ist meine Not nicht entgangen; du hast erkannt, wie niedergeschlagen ich bin.

---

[a] So nach der griechischen Übersetzung. Der hebräische Text lautet: Du hattest mich auf feste Berge gestellt.

29,10 22,29* **30,1** 1 Kön 8 **30,5** 20,6* **30,6** Jes 54,7–8; Klgl 3,31–33 **30,10** 6,6* **30,12** Jes 61,3 **30,13** 20,6*; 52,11 **31,2–5** 18,3*

[9] Du hast mich vor meinen Feinden bewahrt; jetzt bin ich frei, zu gehen, wohin ich will.

[10] Herr, erbarme dich über mich, denn ich weiß weder aus noch ein! Meine Augen sind vom Weinen ganz verquollen, ich bin mit meiner Kraft am Ende.
[11] Unter Kummer schwindet mein Leben dahin, in Seufzen vergehen meine Jahre. Meine Schuld[a] verzehrt alle Kräfte und lähmt meine Glieder.
[12] Zum Spott meiner Feinde bin ich geworden, selbst meine Nachbarn verhöhnen mich. Meine Bekannten erschrecken, wenn sie mich erblicken, und wer mir auf der Straße begegnet, geht mir aus dem Weg.
[13] Viele haben mich längst vergessen wie einen Toten, den man begraben hat; wie ein zerbrochenes Gefäß bin ich, das achtlos weggeworfen wurde.
[14] Ich merke, wie sie hinter meinem Rücken tuscheln. Sie wollen mir Angst einjagen und tun sich zusammen, um mich aus dem Weg zu räumen.

[15] Ich aber, Herr, vertraue dir. Du bist mein Gott, daran halte ich fest!
[16] Was die Zeit auch bringen mag, es liegt in deiner Hand. Rette mich vor meinen Feinden und Verfolgern!
[17] Lass mich deine Nähe erfahren, ich gehöre doch zu dir! Sei mir gnädig und rette mich!
[18] Herr, ich rufe zu dir, denn ich will nicht an meinen Feinden zerbrechen. Sie aber sollen scheitern, sie sollen umkommen, damit sie endlich stumm sind!
[19] Ja, verstummen sollen diese Lügner, die den Unschuldigen verleumden. Wie überheblich diese Leute sind, und wie verächtlich reden sie daher!

[20] Doch groß ist deine Güte, Herr! Du hältst sie bereit für die Menschen, die dich ernst nehmen. Vor aller Augen zeigst du sie denen, die bei dir Zuflucht suchen.
[21] Du gibst ihnen Schutz in deiner Nähe, so kann ihnen keine Verschwörung etwas anhaben. Du bewahrst sie vor dem zänkischen Geschwätz ihrer Feinde.
[22] Gepriesen sei der Herr! Ich war eingeschlossen in einer belagerten Stadt, doch auch dort habe ich deine wunderbare Liebe erfahren.
[23] Entsetzt hatte ich schon gedacht: »Herr, du hast mich verstoßen!« Du aber hörtest mich, als ich um Hilfe schrie.

[24] Liebt den Herrn, alle, die ihr ihm gerne dient! Wer treu zu ihm hält, steht unter seinem Schutz, doch wer ihm selbstgerecht begegnet, dem zahlt er es doppelt heim.
[25] Seid stark und mutig, alle, die ihr dem Herrn vertraut!

Von Schuld befreit!

32 Ein Lied Davids, zum Nachdenken.[b]

Glücklich sind alle, denen Gott ihre Sünden vergeben und ihre Schuld zugedeckt hat!
[2] Glücklich ist der Mensch, dem Gott seine Sünden nicht anrechnet, und der mit Gott kein falsches Spiel treibt!

[3] Erst wollte ich dir, Herr, meine Schuld verheimlichen. Doch davon wurde ich so schwach und elend, dass ich nur noch stöhnen konnte.
[4] Tag und Nacht bedrückte mich dein Zorn, meine Lebenskraft vertrocknete wie Wasser in der Sommerhitze.
[5] Da endlich gestand ich dir meine Sünde; mein Unrecht wollte ich nicht länger ver-

---

[a] Die griechische Übersetzung lautet: Meine Sorgen.
[b] Das hebräische Wort »maskil« in den Überschriften der Psalmen 32, 42, 44, 45, 52–55, 74, 78, 88, 89, 142 bezeichnet Lieder, die Anstöße zum Nachdenken geben sollen.
31,12 69,9* **31,16** 139,16 **31,20** Klgl 3,22–23* **32,1–2** Röm 4,7–8 **32,5** 85,3*

schweigen. Ich sagte: »Ich will dem Herrn meine Vergehen bekennen!« Und wirklich: Du hast mir meine ganze Schuld vergeben!

[6]Darum sollen auch alle, die dich lieben, Herr, zu dir beten. Wer dich zur rechten Zeit anruft, der bleibt verschont von den Wogen des Unheils.

[7]Bei dir bin ich in Sicherheit; du lässt nicht zu, dass ich vor Angst und Not umkomme. Ich singe und juble: »Du hast mich befreit!«
[8]Und du sprichst zu mir:[a] »Ich will dich lehren und dir sagen, wie du leben sollst; ich berate dich, nie verliere ich dich aus den Augen.
[9]Sei nicht wie ein Pferd oder ein Maultier ohne Verstand! Wenn sie wild ausschlagen, musst du sie mit Zaum und Zügel bändigen, sonst folgen sie dir nicht!«

[10]Wer Gottes Weisungen in den Wind schlägt, der schafft sich Not und Schmerzen. Wer jedoch dem Herrn vertraut, den wird Gottes Güte umgeben.
[11]Freut euch an ihm und jubelt laut, die ihr zum Herrn gehört! Singt vor Freude, die ihr Gott gehorcht!

Der Herr regiert!

33 Jubelt über den Herrn, alle, die ihr zu ihm gehört! Preist ihn, denn das ist eure schönste Aufgabe!
[2]Dankt dem Herrn auf der Zither und spielt für ihn auf der Harfe[b]!
[3]Singt ihm ein neues Lied! Schlagt in die Saiten, so gut und so laut ihr könnt!
[4]Denn was der Herr sagt, das meint er auch so, und auf das, was er tut, kann man sich verlassen.
[5]Er liebt Recht und Gerechtigkeit, seine Güte könnt ihr auf der ganzen Erde erfahren.
[6]Nur ein Wort sprach er, und der Himmel wurde geschaffen, Sonne, Mond und Sterne entstanden, als er es befahl.
[7]Er sammelte das Wasser des Meeres an einem Ort und speicherte die Ozeane in Becken.
[8]Die ganze Welt soll den Herrn fürchten, ehrt ihn, ihr Völker der Erde!
[9]Denn er sprach, und es geschah, er befahl, und die Erde war da.
[10]Er durchkreuzt die Pläne der Nationen, er macht die gottlosen Vorhaben der Völker zunichte.
[11]Doch was er sich vorgenommen hat, das tut er; seine Pläne sind gültig für alle Zeit.
[12]Glücklich ist die Nation, deren Gott der Herr ist! Freuen kann sich das Volk, das er als sein Eigentum erwählte!

[13]Der Herr schaut vom Himmel herab und sieht jeden Menschen.
[14]Von seinem Thron blickt er nieder auf alle Völker der Erde.
[15]Er gibt ihnen die Fähigkeit zum Denken und Handeln; über alles, was sie tun, weiß er Bescheid.

[16]Kein König siegt durch seine Streitkräfte; kein Soldat kehrt heil aus der Schlacht zurück, nur weil er so stark ist.
[17]Wer meint, Reiterheere bringen den Sieg, der hat sich getäuscht. Sie können noch so groß sein und dennoch vernichtend geschlagen werden.
[18]Der Herr aber beschützt alle, die ihm gehorchen und auf seine Gnade vertrauen.
[19]Er bewahrt sie vor dem sicheren Tod, und in der Hungersnot erhält er sie am Leben.

[20]Wir setzen unsere Hoffnung auf den Herrn, er steht uns bei und rettet uns.
[21]Er ist unsere ganze Freude; wir vertrauen ihm, dem heiligen Gott.

---

[a] Sinngemäß eingefügt.
[b] Wörtlich: auf der Harfe mit zehn Saiten.

32,8 25,4* **33,3** 40,4* **33,9** Jes 48,13 **33,12** 2 Mo 19,5–6* **33,13–15** 26,2* **33,17** 20,8; 2 Mo 14,14*

[22] Herr, lass uns deine Güte erfahren, wir hoffen doch auf dich!

Niemand muss verzweifeln!

34 Von David. Er verfasste dieses Lied, nachdem er sich vor Abimelech wahnsinnig gestellt hatte und darum weggejagt wurde.[a]

[2] Ich will den Herrn allezeit preisen; nie will ich aufhören, ihn zu rühmen.
[3] Mit Leib und Seele lobe ich ihn; wer entmutigt ist, soll es hören und sich freuen!
[4] Preist mit mir diesen großen Herrn, lasst uns gemeinsam seinen Namen bekannt machen!

[5] Als ich den Herrn um Hilfe bat, antwortete er mir und befreite mich von meinen Ängsten.
[6] Wer zum Herrn aufschaut, der strahlt vor Freude, und sein Vertrauen wird nie enttäuscht.
[7] Ich war am Ende, da schrie ich zum Herrn, und er hörte mich; aus aller Bedrängnis hat er mich befreit.

[8] Der Engel des Herrn stellt sich schützend vor alle, die Gott ernst nehmen, und bringt sie in Sicherheit.
[9] Probiert es aus und erlebt selbst, wie gut der Herr ist! Glücklich ist, wer bei ihm Zuflucht sucht!
[10] Begegnet dem Herrn mit Ehrfurcht, alle, die ihr zu ihm gehört! Denn wer ihn ernst nimmt, der muss keinen Mangel leiden.
[11] Selbst kräftige junge Löwen finden manchmal keine Beute und müssen hungern, wer aber dem Herrn gehorcht, dem fehlt es an nichts.
[12] Ihr jungen Leute, hört mir zu! Ich will euch zeigen, wie ihr dem Herrn dienen könnt!
[13] Wollt ihr das Leben genießen und gute Tage erleben?
[14] Dann passt auf, was ihr redet: Lügt nicht und verleumdet niemanden!
[15] Wendet euch ab von allem Bösen und tut Gutes! Setzt euch unermüdlich und mit ganzer Kraft für den Frieden ein!
[16] Denn Gott sieht mit Freude auf solche Menschen und wird ihre Gebete erhören.
[17] Alle jedoch, die Böses tun, werden seinen Zorn zu spüren bekommen. Er sorgt dafür, dass niemand mehr an sie denkt, sobald sie gestorben sind.
[18] Wenn aber aufrichtige Menschen zu ihm rufen, hört er sie und rettet sie aus jeder Not.
[19] Der Herr ist denen nahe, die verzweifelt sind, und rettet jeden, der alle Hoffnung verloren hat.
[20] Zwar bleiben auch dem, der treu zu Gott steht, Schmerz und Leid nicht erspart; doch aus allem befreit ihn der Herr!
[21] Vor schwerem Schaden bewahrt er ihn, kein Knochen soll ihm gebrochen werden.
[22] Wer Böses tut, den bringt seine Bosheit um; und wer den Aufrichtigen hasst, muss die Folgen tragen.
[23] Doch der Herr erlöst alle, die ihm von Herzen dienen. Niemand, der bei ihm Zuflucht sucht, muss sein Strafgericht fürchten.

Rufmord und kein Ende?

35 Von David.

Herr, widersetze dich denen, die sich gegen mich stellen! Bekämpfe, die mich bekämpfen!
[2] Greif zu den Waffen[b] und eile mir zu Hilfe!
[3] Nimm den Speer und stell dich meinen Verfolgern in den Weg! Versprich mir, dass du mir beistehst!
[4] Schimpf und Schande über alle, die mich

---

[a] Vgl. 1. Samuel 21,11–16. Der dort genannte Achisch, König von Gat, trägt hier die Würdebezeichnung für Philisterkönige »Abimelech«, d. h. »Königsvater«.
[b] Wörtlich: Ergreife den kleinen und den großen Schild!

34,9 18,3*; 1 Petr 2,3 **34,13–17** 1,1–5; 1 Petr 3,10–12 **34,18–19** 1,6 **34,20** 2 Kor 1,5; 2 Tim 3,12 **34,21** Joh 19,36 **34,22** 7,13–17*

umbringen wollen! Sie, die Böses gegen mich planen, sollen bloßgestellt werden und fliehen!
[5] Wie dürres Laub[a] sollen sie vom Wind verweht werden, wenn der Engel des Herrn sie fortjagt.
[6] Ihr Weg sei finster und glatt, wenn der Engel des Herrn sie verfolgt!
[7] Ohne Ursache haben sie mir eine Falle gestellt, ich habe ihnen doch nichts getan!
[8] Ohne Vorwarnung breche das Verderben über sie herein! In ihre eigene Falle sollen sie laufen und darin umkommen!

[9] Ich aber werde jubeln und mich freuen, wenn der Herr eingreift und mir hilft.
[10] Alle meine Glieder werden einstimmen und dich loben: »Herr, niemand ist wie du!« Du beschützt den Schwachen vor dem Starken und rettest den Armen und Wehrlosen vor dem Räuber.

[11] Falsche Zeugen treten gegen mich auf und werfen mir Verbrechen vor, die ich nie begangen habe!
[12] Was ich ihnen Gutes getan habe, zahlen sie mir mit Bösem heim. Ich bin einsam und verzweifelt.
[13] Wenn einer von ihnen schwer krank war, zog ich Trauerkleidung an, fastete für ihn und betete mit gesenktem Kopf.
[14] Ich verhielt mich so, als ob er mein Freund oder Bruder wäre. Ich trug dunkle Kleider und lief traurig umher – wie jemand, der um seine Mutter weint.

[15] Jetzt aber ist das Unglück über mich hereingebrochen, und voll Schadenfreude laufen sie zusammen. Auch Leute, die ich nicht kenne, hergelaufenes Gesindel, ziehen pausenlos über mich her.
[16] Zynische Spötter sind es, wie Hunde fletschen sie ihre Zähne gegen mich.
[17] Herr, wie lange willst du noch untätig zusehen? Wie gereizte Löwen gehen sie auf mich los! Rette mich! Ich habe doch nur ein Leben!
[18] Dann will ich dir in der Gemeinde danken, vor allem Volk will ich dich loben.
[19] Meine Feinde, die mich ohne Grund hassen, sollen nicht länger über mich triumphieren! Ohne die geringste Ursache hassen sie mich und zwinkern einander vielsagend zu.
[20] Was sie sagen, dient nicht dem Frieden, und gegen friedfertige Menschen erfinden sie falsche Anschuldigungen.
[21] Sie reißen das Maul weit auf und rufen mir zu: »Haha! Da haben wir's! Wir haben genau gesehen, was du getan hast!«
[22] Herr, du siehst, was hier gespielt wird! Schweige nicht länger und bleib nicht fern von mir!
[23] Greif doch endlich ein und verschaffe mir Recht! Mein Herr und mein Gott, führe du meinen Rechtsstreit!
[24] Weil du ein gerechter Richter bist, wirst du mich freisprechen, Herr, mein Gott! Dann können sie mich nicht länger schadenfroh verhöhnen.
[25] Niemals mehr sollen sie sagen können: »Ha, wir haben's geschafft! Den haben wir fertig gemacht!«
[26] All denen, die sich über mein Unglück freuen, soll ihr böser Plan misslingen. Schimpf und Schande über diese großspurigen Leute!

[27] Doch alle, die meinen Freispruch wünschen, sollen vor Freude jubeln und immer wieder sagen: »Der Herr ist groß! Er will, dass jeder, der ihm dient, in Frieden leben kann.«
[28] Ich will immer davon reden, wie gerecht du bist und wie gerecht du handelst. Tag für Tag will ich dich loben!

---

[a] Wörtlich: Wie Spreu.
35,7–8 7,13–17* **35,9** 20,6* **35,10** 140,13* **35,12** 38,21; Röm 12,17; 1 Petr 3,9 **35,18** 20,6* **35,19** 69,5 **35,24** 7,12* **35,28** 5 Mo 4,9*

Gott kennen ist Leben!

36 Von David, dem Diener des Herrn.

[2] Der Gottlose wird durch und durch von der Sünde beherrscht; vor Gott hat er keine Ehrfurcht.
[3] Er bildet sich etwas darauf ein, Unrecht zu tun und andere zu hassen.[a]
[4] Was er sagt, ist Lug und Trug. Längst hat er aufgehört, sinnvoll zu handeln und Gutes zu tun.
[5] Noch vor dem Einschlafen schmiedet er finstere Pläne. Bewusst hat er sich für das Böse entschieden und lässt sich davon nicht abbringen.

[6] Herr, deine Güte ist unvorstellbar weit wie der Himmel, und deine Treue reicht so weit, wie die Wolken ziehen.
[7] Deine Gerechtigkeit ist unerschütterlich wie die mächtigen Berge, deine Entscheidungen sind unermesslich wie das tiefe Meer. Mensch und Tier erfahren deine Hilfe, o Herr!
[8] Wie kostbar ist deine Güte, o Gott: Bei dir finden Menschen Schutz und Sicherheit.
[9] Aus deinem Überfluss schenkst du ihnen mehr als genug, mit Freude und Wonne überschüttest du sie.[b]
[10] Du bist die Quelle – alles Leben strömt aus dir. In deinem Licht sehen wir das Licht.
[11] Erhalte deine Liebe denen, die dich kennen, und zeige deine Treue allen, die dir von ganzem Herzen dienen!
[12] Lass nicht zu, dass hochmütige Menschen meine Ehre in den Dreck ziehen und dass Unheilstifter mich fortjagen!
[13] Da! Sie stürzen zu Boden und sind unfähig, wieder aufzustehen!

Von Gott gehalten

37 Von David.

Entrüste dich nicht über die Unheilstifter und beneide nicht die Menschen, die Böses tun!
[2] Denn sie verdorren so schnell wie Gras, wie Blumen welken sie dahin.
[3] Verlass dich auf den Herrn und tue Gutes! Bleibe in Israel, dem verheißenen Land, und halte dich immer an die Wahrheit!
[4] Freue dich über den Herrn; er wird dir alles geben, was du dir von Herzen wünschst.
[5] Vertrau dich dem Herrn an und sorge dich nicht um deine Zukunft! Überlass sie Gott, er wird es richtig machen.
[6] Dass du ihm treu bist, wird dann keiner mehr leugnen können; dass du Recht hast, wird für jeden sichtbar sein.
[7] Sei geduldig und warte darauf, dass der Herr eingreift! Entrüste dich nicht, wenn Menschen böse Pläne schmieden und ihnen dabei alles gelingt!
[8] Lass dich nicht von Zorn und Wut überwältigen, denn wenn du dich ereiferst, gerätst du schnell ins Unrecht.
[9] Wer Böses tut, den wird Gott ausrotten. Wer jedoch dem Herrn vertraut, der wird das Land besitzen.
[10] Es dauert nicht mehr lange, dann ist es mit den Bösen aus und vorbei! Wo sind sie geblieben? Nicht die Spur wirst du noch von ihnen finden!
[11] Doch alle, die auf Gewalt verzichten, werden dann das Land besitzen und ihr Glück kaum fassen können.
[12] Zähneknirschend planen die Gottlosen Böses gegen alle, die Gott die Treue halten.
[13] Der Herr aber lacht über sie, weil er weiß: der Tag der Abrechnung kommt!

---

[a] Oder: Er bildet sich viel zu viel auf sich ein, um sein Unrecht einzusehen oder es gar zu hassen.
[b] Wörtlich: Sie trinken sich satt am Fett deines Hauses, und du tränkst sie mit dem Strom deiner Wonnen.

36,2 Röm 3,18 **36,6** Klgl 3,22–23* **37,1** Spr 23,17 **37,2** 39,5–7* **37,5** 55,23; Spr 16,3; Mt 6,33–34 **37,11** Mt 5,5

[14] Gewissenlose Leute zücken ihr Schwert und spannen den Bogen. Sie wollen die Unterdrückten und Wehrlosen töten und alle beseitigen, die aufrichtig sind.
[15] Doch ihr Schwert dringt ihnen ins eigene Herz, und ihre Bogen zersplittern.

[16] Lieber wenig besitzen und tun, was Gott will, als in Saus und Braus leben und Gott verachten.
[17] Denn der Herr lässt machtgierige Menschen scheitern, aber er kümmert sich liebevoll um alle, die ihm treu bleiben.
[18] Tag für Tag sorgt er für sie; das versprochene Land bleibt für immer ihr Besitz.
[19] In Zeiten der Not werden sie nicht umkommen. Sogar dann, wenn Hunger herrscht, macht der Herr sie satt.
[20] Die Gottlosen jedoch gehen zugrunde. Die Feinde des Herrn verschwinden so schnell, wie Wiesenblumen verblühen; wie Rauch werden sie vergehen.
[21] Der Gewissenlose leiht sich Geld und zahlt es nicht zurück. Doch wer Gott gehorcht, ist freundlich und schenkt gerne.
[22] Menschen, die Gott segnet, werden das Land besitzen; ausrotten aber wird er alle, auf denen sein Fluch liegt.
[23] Wenn ein Mensch seinen Weg zielstrebig gehen kann, verdankt er das dem Herrn, der ihn liebt.
[24] Und wenn er einmal fällt, bleibt er nicht am Boden liegen, denn der Herr hilft ihm wieder auf.

[25] Ich bin nun ein alter Mann; doch in meinem langen Leben traf ich niemanden, der Gott liebte und dennoch von ihm verlassen wurde. Auch seine Kinder mussten nie um Brot betteln.
[26] Im Gegenteil: Immer konnte er schenken und ausleihen, und auch seine Kinder wurden von Gott gesegnet.

[27] Geh dem Bösen aus dem Weg und tue Gutes, dann werden deine Nachkommen für immer im verheißenen Land wohnen.
[28] Denn der Herr liebt Gerechtigkeit und lässt keinen im Stich, der ihn ehrt. Für alle Zeiten beschützt er ihn, aber die Nachkommen der Gottlosen wird er vernichten.
[29] Alle, die Gott vertrauen, werden das Land besitzen und es für immer bewohnen.
[30] Wer sich ganz auf Gott verlässt, dessen Worte sind weise und gerecht.
[31] Die Gebote seines Gottes trägt er in seinem Herzen, darum kommt er nicht vom richtigen Weg ab.
[32] Wer sich jedoch gegen Gott durchsetzen will, der nutzt jede Gelegenheit, um gerechte Menschen aus dem Weg zu räumen.
[33] Aber der Herr lässt nicht zu, dass sie in seine Hände fallen und unschuldig verurteilt werden.
[34] Hoffe auf den Herrn und tue, was er dir sagt! Dann wirst du zu Ehren kommen, und er wird dir das verheißene Land schenken. Du wirst sehen, wie er die Gottlosen ausrottet.

[35] Ich sah einen gottlosen Menschen, einen Tyrannen, der war mächtig wie ein tief verwurzelter Baum, der alles überragt.
[36] Später kam ich wieder vorbei, und er war weg. Ich suchte nach ihm, doch er war spurlos verschwunden.
[37] Achte auf die Menschen, die aufrichtig und ehrlich sind! Du wirst sehen: Auch in Zukunft werden sie in Frieden leben.
[38] Doch wer sich von Gott lossagt, der wird umkommen; seine Zukunft ist der Tod.
[39] Der Herr steht denen bei, die sich nach seinem Willen richten. Er tröstet und stärkt sie in Zeiten der Not.
[40] Bei ihm finden sie Hilfe und Rettung; ja, er rettet sie vor den Gottlosen und steht ihnen zur Seite, denn bei ihm haben sie Zuflucht gesucht.

Zermürbt von Krankheit und Schuld

38 Ein Lied Davids, beim Gedächtnisopfer zu singen.

37,14–15 7,13–17* **37,16** Spr 15,16 **37,32–33** 59,5* **37,40** 18,3*

[2]Herr, du lässt mich deinen Zorn spüren. Ich flehe dich an: Strafe mich nicht länger!
[3]Deine Pfeile haben sich in mich hineingebohrt, deine Hand drückt mich nieder.
[4]Weil ich unter deinem Strafgericht leide, habe ich keine heile Stelle mehr am Körper. Weil mich die Sünde anklagt, sind alle meine Glieder krank.
[5]Meine Schuld ist mir über den Kopf gewachsen. Wie schwer ist diese Last! Ich breche unter ihr zusammen.
[6]Wie dumm war ich, dich zu vergessen! Das habe ich nun davon: meine Wunden eitern und stinken!
[7]Gekrümmt und von Leid zermürbt schleppe ich mich in tiefer Trauer durch den Tag.
[8]Von Fieber bin ich geschüttelt, die Haut ist mit Geschwüren übersät,
[9]zerschlagen liege ich da, am Ende meiner Kraft. Vor Verzweiflung kann ich nur noch stöhnen.

[10]Herr, du kennst meine Sehnsucht, du hörst mein Seufzen!
[11]Mein Herz rast, ich bin völlig erschöpft, und meine Augen versagen mir den Dienst.
[12]Meine Freunde und Nachbarn ekeln sich vor meinen Geschwüren. Sogar meine Verwandten gehen mir aus dem Weg.
[13]Meine Todfeinde stellen mir Fallen, sie wollen mich verleumden und zugrunde richten. Ja, sie bringen mich in Verruf, wann immer sie nur können.
[14]Und ich? Ich tue so, als hätte ich nichts gehört; ich schweige zu ihren Anklagen wie ein Stummer.
[15]Ich stelle mich taub und gebe ihnen keine Antwort.

[16]Denn auf dich, Herr, hoffe ich, du wirst ihnen die passende Antwort geben, mein Herr und mein Gott!
[17]Lass nicht zu, dass sie über mich triumphieren und sich über mein Unglück freuen!
[18]Es fehlt nicht mehr viel, und ich liege am Boden, ständig werde ich von Schmerzen gequält.
[19]Ich bekenne dir meine Schuld, denn meine Sünde macht mir schwer zu schaffen.
[20]Übermächtig sind meine Feinde, und es gibt viele, die mich ohne jeden Grund hassen.
[21]Sie vergelten mir Gutes mit Bösem und feinden mich an, weil ich das Gute tun will.

[22]Herr, verlass mich nicht! Mein Gott, bleib nicht fern von mir!
[23]Komm und hilf mir schnell! Du bist doch mein Herr und mein Retter!

Viel Lärm um nichts!

39 Ein Lied Davids. Für Jedutun.[a]

[2]Ich hatte mir vorgenommen, vor bösen Menschen meine Zunge im Zaum zu halten; ich wollte mich zusammennehmen und nichts sagen, was man mir als Schuld anrechnen könnte.
[3]Also verstummte ich und sagte kein Wort mehr. Aber das half mir auch nicht weiter, mein Schmerz wurde nur noch schlimmer.
[4]Ich fraß den Kummer in mich hinein. Je mehr ich darüber nachgrübelte, desto tiefer geriet ich in Verzweiflung. Ich konnte es nicht mehr länger aushalten – da schrie ich zu Gott:
[5]»Herr, lass mich erkennen, wie kurz mein Leben ist und wie viel Zeit ich noch habe; wie vergänglich bin ich doch!
[6]Wie begrenzt ist das Leben, das du mir gegeben hast! Ein Nichts ist es in deinen Augen! Jeder Mensch, selbst der stärkste, ist nur ein Hauch, der vergeht –
[7]schnell wie ein Schatten verschwindet

---

[a] Nach 1. Chronik 16,41 der Begründer einer Musikgruppe am Tempel zur Zeit des Königs David. Vgl. auch Psalm 62,1; 77,1

38,2-5 32,3-5 **38,12** 69,9* **38,19** 85,3* **38,21** 35,12; Röm 12,17; 1 Petr 3,9 **39,5-7** 90,3-10; 102,12; 103,14-16; Hiob 7,6-8; Pred 1,2; Jes 40,6-8

er. Sein Tun und Treiben ist viel Lärm um nichts! Er häuft sich Reichtümer an und weiß nicht, was einmal daraus wird.«

[8] Auf was kann ich da noch hoffen? Herr, du allein bist meine Hoffnung!
[9] Vergib mir alle meine Sünden und mach mich nicht zum Gespött dieser Narren!
[10] Ich will jetzt schweigen und nichts mehr sagen, denn du, Herr, du lässt mich leiden!
[11] Befreie mich von den Qualen, die du mir zufügst! Wenn du mich weiter plagst, komme ich um!
[12] Wenn du einen Menschen wegen seiner Schuld strafst, dann vergeht das Wertvollste, was er hat – sein Leben. Es zerfällt wie ein Kleid, das die Motten zerfressen. Jeder Mensch ist nur ein Hauch, der vergeht.

[13] Höre mein Gebet, Herr, und achte auf meinen Hilfeschrei! Schweige nicht, wenn du mein Weinen vernimmst! Denn diese Welt wird nicht für immer meine Heimat sein; schon meine Vorfahren sind hier nur Gäste und Fremde gewesen.
[14] Strafe mich nicht länger in deinem Zorn, damit ich mich noch einmal freuen kann, bevor ich sterben muss und nicht mehr bin!

Echter Gottesdienst

40 Ein Lied Davids.
[2] Voll Zuversicht hoffte ich auf den Herrn, und er wandte sich mir zu und hörte meinen Hilfeschrei.
[3] Ich war in eine verzweifelte Lage geraten – wie jemand, der bis zum Hals in einer Grube voll Schlamm und Kot steckt! Aber er hat mich herausgezogen und auf festen Boden gestellt. Jetzt haben meine Füße wieder sicheren Halt.
[4] Er gab mir ein neues Lied in meinen Mund, einen Lobgesang für unseren Gott. Das werden viele Leute hören, sie werden den Herrn wieder achten und ihm vertrauen.
[5] Glücklich ist, wer sein Vertrauen auf den Herrn setzt und sich nicht mit den Überheblichen und den Lügnern einlässt!
[6] Herr, mein Gott, du bist einzigartig! Du hast so viele Wunder getan, alles hast du sorgfältig geplant! Wollte ich das schildern und beschreiben – niemals käme ich zum Ende!

[7] Tieropfer und Speiseopfer allein können dich nicht zufrieden stellen; du verlangst nicht, dass man dir Tiere schlachtet und zur Sühne auf dem Altar verbrennt, aber offene Ohren hast du mir gegeben, um auf dich zu hören und dir zu gehorchen.
[8/9] Deshalb antworte ich: »Herr, hier bin ich! Im Buch des Gesetzes steht alles, was du mir zu sagen hast. Ich will gerne tun, mein Gott, was du von mir erwartest. Dein Gesetz ist mir ins Herz geschrieben.«
[10] Vor der ganzen Gemeinde erzähle ich voll Freude, dass auf deine Zusagen Verlass ist. Nichts kann mich abhalten, davon zu reden – das weißt du, Herr!
[11] Nie will ich verschweigen, wie du uns befreit hast. Vor der ganzen Gemeinde rede ich von deiner Treue und Hilfe; ich erzähle, wie ich deine Liebe und Zuverlässigkeit erfahren habe.

[12] Herr, du wirst mir auch in Zukunft dein Erbarmen nicht versagen, deine Liebe und Treue werden mich stets bewahren.
[13] Unlösbare Schwierigkeiten haben sich vor mir aufgetürmt, sie nehmen kein Ende. Meine Verfehlungen haben mich eingeholt, und die Folgen sind nicht mehr zu überblicken. Jeder Mut hat mich verlassen.

39,9 85,3* **39,13** 1 Chr 29,15; Hebr 11,13; 1 Petr 2,11 **40,2** 17,6* **40,4** 33,3; 98,1; 144,9; 149,1; Jes 42,10; Offb 5,9 **40,5** 1,1 **40,6** 72,18; 77,15; 86,10; 136,4; 5 Mo 4,34*; Hiob 37,5; Mt 12,38 **40,7–9** 50,7–14; 51,18–19; Jes 1,11–17; Jer 7,21–23; Mi 6,6–8; Hebr 10,5–10 **40,7** 1 Sam 15,22* **40,10–11** 20,6*; 5 Mo 4,9*

[14] Herr, ich bitte dich: Rette mich, komm mir schnell zu Hilfe!
[15] Wer mir nach dem Leben trachtet, der soll scheitern und öffentlich bloßgestellt werden. Wer sich über mein Unglück hämisch freut, den jage mit Schimpf und Schande davon!
[16] Alle, die schadenfroh lästern: »Haha, das geschieht dir recht!«, sollen vor Schreck erstarren über ihre selbstverschuldete Schande!

[17] Aber alle, die sich dir anvertrauen, werden vor Freude jubeln! Wer dich als Retter kennt und liebt, wird immer wieder rufen: »Groß ist der Herr!«
[18] Ich bin hilflos und ganz auf dich angewiesen, Herr, sorge für mich, denn du bist mein Helfer und Befreier. Mein Gott, zögere nicht länger!

Vom Tod gezeichnet, von Freunden verlassen

41 Ein Lied Davids.

[2] Glücklich ist, wer sich für die Schwachen einsetzt! Wenn ihn ein Unglück trifft, hilft der Herr ihm wieder heraus.
[3] Der Herr wird ihn beschützen und am Leben erhalten; im ganzen Land wird man von seinem Glück erzählen. Gott überlässt ihn nicht der Wut seiner Feinde.[a]
[4] Und wenn er auf dem Krankenbett liegt, steht der Herr ihm zur Seite und hilft ihm wieder auf.

[5] Deshalb bete ich zu dir: »Herr, ich habe gegen dich gesündigt, aber sei mir gnädig und mach mich wieder gesund!«
[6] Meine Feinde wünschen mir Böses und fragen hämisch: »Wann ist er endlich hinüber? Niemand soll mehr an ihn denken!«
[7] Wenn mich einer von ihnen besucht, heuchelt er Mitgefühl. In Wirklichkeit sucht er nur Stoff für seine Verleumdungen. Kaum ist er fort, verbreitet er seine Gerüchte über mich.
[8] Alle, die mich hassen, tun sich zusammen und tuscheln hinter meinem Rücken. Sie planen Böses gegen mich und verfluchen mich.
[9] »Die Krankheit soll ihn auffressen!«, sagen sie. »Wer so daniederliegt, steht nicht wieder auf!«
[10] Sogar mein engster Freund, der oft an meinem Tisch saß und dem ich vertraute, tritt mich mit Füßen.

[11] Du aber, Herr, sei mir gnädig, und richte mich wieder auf, damit ich mit meinen Feinden abrechnen kann!
[12] Lass sie nicht über meinen Tod jubeln, damit ich erkenne, dass du mich liebst.
[13] Du hältst zu mir, weil ich unschuldig bin. Für immer darf ich in deiner Nähe bleiben.

[14] Gepriesen sei der Herr, der Gott Israels, von jetzt an bis in alle Ewigkeit! Amen, amen!

Sehnsucht nach Gott[b]

42 Von den Nachkommen Korachs, zum Nachdenken.

[2] Wie ein Hirsch nach frischem Wasser lechzt, so sehne ich mich nach dir, o Gott!
[3] Ja, ich dürste nach Gott, nach dem lebendigen Gott. Wann darf ich in seinen Tempel kommen? Wann darf ich ihn anbeten?

[4] Tag und Nacht weine ich, Tränen sind meine einzige Speise, denn ständig verspottet man mich und fragt: »Wo bleibt er denn, dein Gott?«

---

[a] So nach der griechischen Übersetzung. Der hebräische Text lautet: Überlass ihn nicht der Wut seiner Feinde!
[b] Der dreimal wiederkehrende Refrain (Psalm 42,6.12; 43,5) lässt vermuten, dass die Psalmen 42 und 43 ursprünglich zusammengehörten.

40,15 7,13–17* **41,2** Spr 14,31* **41,10** 55,13–15; Joh 13,18 **41,13** 18,21; 59,5; 116,9 **42,2–3** 63,2*

[5]Es bricht mir das Herz, wenn ich an früher denke: Da ging ich dem großen Festzug voran und führte ihn zum Haus Gottes. Da konnte ich Gott zujubeln und ihm danken!

[6]Warum nur bin ich so traurig? Warum ist mein Herz so schwer? Auf Gott will ich hoffen, denn ich weiß: ich werde ihm wieder danken. Er ist mein Gott, er wird mir beistehen!

[7]Ich stehe auf dem Berg Misar im Hermongebirge. Hier im Ostjordanland, fern von deinem Tempel, denke ich voll Trauer an dich.
[8]Von den Bergen stürzen Wildbäche tosend in die Tiefe. Mir ist zumute, als würden die Fluten mich mitreißen und fortspülen.
[9]Tagsüber seufze ich: »Herr, schenke mir doch wieder deine Gnade!« Und nachts singe und bete ich zu Gott; er allein kann mir das Leben wiedergeben.
[10]Gott, du bist doch mein einziger Halt! Warum hast du mich vergessen? Warum lässt du mich leiden unter der Gewalt meiner Feinde?
[11]Ihr Hohn dringt mir ins Herz, wenn sie Tag für Tag fragen: »Wo bleibt er denn, dein Gott?«

[12]Warum nur bin ich so traurig? Warum ist mein Herz so schwer? Auf Gott will ich hoffen, denn ich weiß: Ich werde ihm wieder danken. Er ist mein Gott, er wird mir beistehen!

43 O Gott, verschaffe mir Recht und verteidige mich gegen die Menschen, denen nichts heilig ist! Befreie mich von diesen Lügnern und Betrügern!
[2]Du bist doch mein Beschützer. Warum lässt du mich jetzt fallen? Warum muss ich leiden unter der Gewalt meiner Feinde?
[3]Gib mir dein Licht und deine Wahrheit! Sie sollen mich zurückführen zu deinem heiligen Berg, zu dem Tempel, wo du wohnst!
[4]An deinem Altar will ich dich anbeten, will mich über dich freuen und dir zujubeln. Dankbar spiele ich dir auf der Zither, dir, meinem Gott!

[5]Warum nur bin ich so traurig? Warum ist mein Herz so schwer? Auf Gott will ich hoffen, denn ich weiß: ich werde ihm wieder danken. Er ist mein Gott, er wird mir beistehen!

Herr, hast du uns vergessen?

44 Von den Nachkommen Korachs, zum Nachdenken.

[2]Gott, mit unseren eigenen Ohren haben wir's gehört; unsere Väter haben uns erzählt, was für große Taten du zu ihrer Zeit vollbracht hast – doch das liegt schon lange zurück!
[3]Du selbst hast fremde Völker aus dem Land vertrieben und es unseren Vorfahren überlassen. Die Völker, die dort wohnten, hast du zerschlagen, damit unser Volk aufblühen und sich entfalten konnte.
[4]Unsere Vorväter haben das Land in Besitz genommen. Aber nicht ihre Schwerter, nicht ihre eigene Kraft verhalf ihnen zum Sieg. Nein, du hast machtvoll eingegriffen und für sie gekämpft. Du hast sie durch deine Gegenwart gestärkt und ihnen deine Liebe gezeigt.
[5]Du bist mein Gott und mein König. Auf deinen Befehl erringt Israel den Sieg.
[6]Mit deiner Hilfe unterwerfen wir die Feinde; in deinem Namen bezwingen wir die Gegner.
[7]Ich verlasse mich nicht auf meinen Bogen, mein Schwert garantiert mir nicht den Sieg.
[8]Du allein befreist uns aus der Gewalt unserer Feinde; du lässt alle scheitern, die uns mit ihrem Hass verfolgen.
[9]Wir sind stolz auf unseren Gott. Darum hören wir nicht auf, dir zu danken, Herr.

43,1 59,5* **44,2** 5 Mo 4,9* **44,3** 5 Mo 11,23 **44,4** 20,8; 2 Mo 14,14*

[10] Und dennoch hast du uns jetzt verstoßen: Mit einer Niederlage hast du Schande über uns gebracht. Als unsere Truppen zum Kampf ausrückten, zogst du nicht mit.
[11] Der Ansturm der Feinde war zu stark – wir mussten fliehen, und in ihrem Hass haben sie uns ausgeplündert.
[12] Du hast uns ans Messer geliefert; sie haben uns abgeschlachtet wie Schafe. Wer mit dem Leben davonkam, wurde unter fremde Völker zerstreut.
[13] Du hast dein Volk zu einem Spottpreis verkauft, und was hast du nun davon? Nichts!
[14] Mit Hohn und Spott werden wir von unseren Nachbarn überschüttet; alle lachen über uns.
[15] Unter den fremden Völkern ist unsere Niederlage schon sprichwörtlich, sie schütteln den Kopf über uns.
[16] Täglich habe ich meine Schande vor Augen. Die Schamröte steigt mir ins Gesicht, [17] wenn ich höre, wie uns die Feinde demütigen, wie diese Rachgierigen über uns lästern.

[18] Das Unglück ist über uns gekommen, obwohl wir dich nicht vergessen haben, nie haben wir deinen Bund mit uns gebrochen!
[19] Niemals sind wir dir untreu geworden, auch deine Gebote haben wir befolgt.
[20] Und doch hast du uns zerschlagen, wie Schakale hausen wir in Ruinen, in tiefer Dunkelheit hältst du uns gefangen.
[21] Hätten wir dich, unseren Gott, vergessen und fremde Götter angebetet,
[22] dann hättest du es ja sofort bemerkt. Denn du kennst unsere geheimsten Gedanken!
[23] Aber unser Unglück hat einen anderen Grund:[a] Weil wir zu dir gehören, werden wir überall verfolgt und getötet – wie Schafe werden wir geschlachtet!
[24] Wach auf, Herr! Warum schläfst du? Wach auf, und verstoße uns nicht für immer!
[25] Warum verbirgst du dich vor uns? Hast du unsere Not und unser Elend vergessen?
[26] Die Schande drückt uns zu Boden, besiegt liegen wir im Staub.
[27] Greif ein, und komm uns zu Hilfe! Erlöse uns, weil du uns liebst!

Zur Hochzeit des Königs

45 Von den Nachkommen Korachs, zum Nachdenken. Nach der Melodie »Lilie«, ein Liebeslied.

[2] Mein Herz ist von Freude erfüllt, ein schönes Lied will ich für den König singen. Wie ein Dichter seine Feder, so gebrauche ich meine Zunge für ein kunstvolles Lied:

[3] Du bist schön und stattlich wie kein anderer! Freundlich und voller Güte sind deine Worte. Jeder kann sehen, dass Gott dich für immer reich beschenkt hat.
[4] Gürte dein Schwert um, du tapferer Held! Zeige deine königliche Majestät und Pracht!
[5] Sei stark und kämpfe für die Wahrheit; regiere dein Volk umsichtig und gerecht! Deine kühnen Taten sollen dir zum Sieg verhelfen.
[6] Deine spitzen Pfeile durchbohren das Herz deiner Feinde. Ja, du wirst die Völker unterwerfen!
[7] Deine Herrschaft, o König, hat Gott dir übertragen; darum bleibt sie für immer bestehen.[b] In deinem Reich herrscht Gerechtigkeit,
[8] du liebst das Recht und hasst die Bosheit. Darum hat dich dein Gott als Herrscher eingesetzt und mehr als alle anderen mit Freude beschenkt.

---

[a] Sinngemäß eingefügt.
[b] Wörtlich: Gott, deine Herrschaft bleibt immer und ewig bestehen.
44,18–19 1 Kön 9,6–7 **44,22** 26,2* **44,23** Röm 8,36; Jes 53,7 **44,24** 121,4 **44,27** 80,4
45,7–8 Hebr 1,8–9

[9] Alle deine Gewänder duften nach kostbarem Parfüm[a]. Aus Palästen, mit Elfenbein verziert, erklingt Musik, um dich zu erfreuen.
[10] Königstöchter sind unter deinen Geliebten,[b] den Ehrenplatz zu deiner Rechten aber nimmt die Gemahlin[c] ein, geschmückt mit feinstem Gold.

[11] Höre, Königstochter, und nimm dir zu Herzen, was ich sage! Vergiss dein Volk und deine Verwandten!
[12] Du bist wunderschön, und der König begehrt dich! Verneige dich vor ihm, denn er ist dein Herr und Gebieter!
[13] Die Bewohner der Stadt Tyrus kommen mit Geschenken, die Vornehmen und Reichen suchen deine Gunst.[d]
[14] Seht, wie prachtvoll zieht die Königstochter in den Festsaal ein! Ihr Kleid ist mit Gold durchwebt,
[15] in ihrem farbenfrohen Gewand wird sie zum König geführt; und Jungfrauen, ihre Freundinnen, begleiten sie.
[16] Mit Freudenrufen und hellem Jubel wird der feierliche Brautzug in den Palast geleitet.

[17] O König! Du wirst viele Söhne haben; auch sie werden regieren wie deine Vorfahren. In allen Ländern wirst du sie zu Herrschern einsetzen.
[18] Mein Lied wird deinen Ruhm durch alle Generationen tragen, darum werden die Völker dich allezeit preisen.

Er ist mit uns!

46 Von den Nachkommen Korachs. Ein Lied für hohe Frauenstimmen.

[2] Gott ist unsere Zuflucht und Stärke, ein bewährter Helfer in Zeiten der Not.
[3] Darum fürchten wir uns nicht, selbst wenn die Erde erbebt, wenn die Berge wanken und in den Tiefen des Meeres versinken,
[4] wenn die Wogen tosen und schäumen und die Berge erschüttert werden.

[5] Ein breiter, mächtiger Strom belebt die Stadt Gottes, die Wohnung des Höchsten, den heiligen Ort.
[6] Gott ist in ihrer Mitte und beschützt sie schon früh am Morgen; nie wird sie zerstört.
[7] Ringsum toben die Völker, aber ihre Macht wird erschüttert. Denn Gott lässt seine mächtige Stimme erschallen, und die Erde vergeht.

[8] Der Herr über Himmel und Erde ist mit uns! Der Gott Jakobs ist unser Schutz.

[9] Kommt und seht, was der Herr Großes getan hat! Seine Taten verbreiten Entsetzen.
[10] In aller Welt bereitet er den Kriegen ein Ende. Die Kampfbogen bricht er entzwei, er zersplittert die Speere und verbrennt die Kriegswagen.
[11] »Hört auf!«, ruft er, »und erkennt, dass ich Gott bin! Ich stehe über den Völkern; ich habe Macht über die ganze Welt.«

[12] Der Herr über Himmel und Erde ist mit uns! Der Gott Jakobs ist unser Schutz!

Gott ist König!

47 Ein Psalm der Nachkommen Korachs.

[2] Freut euch und klatscht in die Hände, alle Völker! Lobt Gott mit lauten Jubelrufen!
[3] Denn der Herr ist der Höchste, ein gro-

---

[a] Wörtlich: nach Myrrhe, Aloe und Kassia.
[b] Wörtlich: Königstöchter sind unter deinen Kostbarkeiten.
[c] Möglicherweise auch die Mutter des Königs.
[d] Oder: Tochter von Tyrus! Die Vornehmen und Reichen kommen mit Geschenken, sie suchen deine Gunst.

45,18 67,4; Röm 15,11 **46,2** 18,3* **46,5–6** Jes 33,20–23; Jer 7,3–7 **46,7** 2,1–2 **46,8** 1 Mo 28,10–15 **46,11** 22,29* **47,3** 22,29*

ßer König über die ganze Welt. Alle müssen vor ihm erzittern!
[4] Er gab uns den Sieg über fremde Völker, und nun herrschen wir über sie.
[5] Er wählte für uns das Land, in dem wir leben, und wir sind stolz darauf. Wir sind Gottes Volk, und er liebt uns.

[6] Gott, der Herr, ist auf seinen Thron gestiegen, begleitet von Trompeten und dem Jubelgeschrei seines Volkes.
[7] Singt zu Gottes Ehre, singt! Singt zur Ehre unseres Königs! Spielt auf allen Instrumenten!
[8] Denn Gott ist König über die ganze Welt, singt ihm ein neues Lied!
[9] Ja, Gott ist König über alle Völker, er sitzt auf seinem heiligen Thron.
[10] Die Mächtigen der Erde versammeln sich mit dem Volk, das sich zu dem Gott Abrahams bekennt. Denn der Herr ist mächtiger als alle Könige,[a] er allein ist hoch erhaben!

Gott liebt Jerusalem

48 Ein Psalm der Nachkommen Korachs.

[2/3] Groß ist der Herr! Lobt ihn in Jerusalem, der heiligen Stadt unseres Gottes! Der Berg Zion[b] ragt in den Himmel – voll Schönheit und Pracht. Die Stadt des großen Königs erfreut die ganze Welt.
[4] In den Palästen wissen es alle: Gott selbst beschützt Jerusalem.
[5] Feindliche Könige verbündeten sich und zogen gegen Jerusalem.
[6] Doch kaum erblickten sie die Stadt, blieben sie erschreckt stehen; in panischer Angst ergriffen sie die Flucht.
[7] Ja, sie zitterten am ganzen Körper – wie eine Frau, die in den Wehen liegt.
[8] Wie stolze Schiffe, die im Sturm zerschellen, so hast du sie vernichtet.
[9] Das alles haben wir nur gehört, doch nun erleben wir es selbst: Gott ist der Herr über Himmel und Erde, an Jerusalem sehen wir, wie mächtig er ist. Durch ihn wird die Stadt auf ewig bestehen.
[10] In deinem Tempel, o Gott, denken wir über deine Güte nach.
[11] In jedem Land kennt man deinen Namen, dein Ruhm reicht bis ans Ende der Welt. Du regierst gerecht,
[12] darum herrscht Freude auf dem Berg Zion. Du richtest gerecht, darum jubeln die Menschen in den Städten Judas dir zu.

[13] Wandert um den Berg Zion, geht rings um die Stadt und zählt ihre Festungstürme!
[14] Bestaunt die unbezwingbaren Mauern und die schönen Paläste! Dann könnt ihr der nächsten Generation erzählen:
[15] »Wir haben einen mächtigen Gott! Er ist unser Herr für immer und ewig; allezeit wird er uns führen![c]«

Das Leben ist nicht käuflich!

49 Ein Lied der Nachkommen Korachs.

[2] Hört zu, all ihr Völker! Horcht auf, ihr Bewohner der Erde!
[3] Ob ihr einfache oder vornehme Leute seid, ob arm oder reich –
[4] ich habe euch Wichtiges zu sagen! Meine Worte sind die Worte eines Weisen, tiefe Einsicht spricht aus ihnen,
[5] denn von Gott empfange ich Sprüche der Weisheit[d]. Wenn ich auf der Zither spiele, will ich ihre Bedeutung enträtseln.

---

[a] Wörtlich: Denn Gott gehören die Schilde der Erde. Vgl. Psalm 84,10; 89,19
[b] Wörtlich: Der Berg Zion, die Höhenzüge des Berges Zaphon.
[c] So mit vielen hebräischen Handschriften und der griechischen Übersetzung. Der hebräische Text lautet: bis zum Tode wird er uns führen.
[d] Wörtlich: mein Ohr will ich zu einem Spruch neigen.

47,5 2 Mo 19,5–6* **47,7** 92,2–4* **47,8–10** 22,29*; 40,4* **48,4** Jer 7,3–7 **48,10** Klgl 3,22–23* **48,11–12** 7,12*

[6] Warum sollte ich mich fürchten, wenn ein Unglück naht, wenn ich umgeben bin von boshaften und hinterhältigen Menschen?
[7] Sie verlassen sich auf ihren Reichtum, mit Geld und Luxus protzen sie.
[8] Doch niemand kann für das Leben seines Freundes bezahlen, niemand kann ihn bei Gott vom Tod freikaufen.
[9] Denn ein Menschenleben kann man nicht mit Gold aufwiegen – aller Reichtum dieser Welt wäre noch zu wenig!
[10] Keiner lebt hier ewig, niemand kann dem Grab entrinnen.
[11] Jeder kann es sehen: Auch einsichtige und vernünftige Menschen werden vom Tod ereilt, genauso wie Tagträumer und Dummköpfe. Ihren Besitz müssen sie zurücklassen – für andere!
[12] Sie bilden sich ein, dass ihre Häuser für alle Ewigkeit gebaut sind und alle Generationen überdauern. Aber es hilft ihnen nichts, selbst wenn sie ganze Länder besessen haben.[a]

[13] Reichtum und Ansehen erhalten keinen Menschen am Leben; er verendet wie das Vieh.
[14] Dieses Schicksal trifft alle, die auf sich selbst vertrauen und sich in ihrem überheblichen Gerede gefallen:
[15] Ahnungslos wie Schafe trotten sie in die Totenwelt; ihr Hirte dort ist der Tod. Ihr Körper verwest im Grab und ihre Villen zerfallen. Aufrichtige Menschen werden an ihre Stelle treten – und das schon am nächsten Tag.[b]
[16] Ich aber bin gewiss: Gott wird mich erlösen, er wird mich den Klauen des Todes entreißen.

[17] Lass dich nicht einschüchtern, wenn einer steinreich wird und sein Haus immer prachtvoller ausstattet!
[18] Nichts kann er davon mitnehmen, wenn er stirbt; was er angehäuft hat, folgt ihm nicht ins Grab.
[19] Er preist sich selbst: »Ich bin meines Glückes Schmied!«, und man schmeichelt ihm, weil er so erfolgreich ist.
[20] Und doch kommt auch er dorthin, wo seine Vorfahren sind, die nie mehr das Licht sehen.

[21] Ein Mensch mag zu Reichtum und Ansehen kommen; aber wenn er keine Einsicht erlangt, verendet er wie das Vieh.

Frömmigkeit ohne Selbstbetrug

50 Ein Lied Asafs.

Gott, der Herr, der Mächtige, spricht; er ruft die Welt vom Osten bis zum Westen.
[2] Auf dem Zion, dem schönsten Berg, erscheint Gott in strahlendem Glanz.
[3] Ja, unser Gott kommt, er kann nicht länger schweigen. Ein verheerendes Feuer lodert vor ihm her, um ihn tobt ein schwerer Sturm.
[4] Himmel und Erde ruft er zu Zeugen, denn über sein Volk hält er Gericht:
[5] »Versammelt alle, die zu mir gehören!«, verkündet er, »alle, die mit mir den Bund geschlossen haben! Damals schworen sie mir Treue und Gehorsam und bekräftigten es mit einem Opfer.«
[6] Der Himmel ist Zeuge dafür, dass Gott seinem Volk die Treue bewahrt hat. Deshalb kann er es jetzt zur Rechenschaft ziehen:
[7] »Höre, Israel, nun rede ich! Mein Volk, ich klage dich an, ich, dein Gott!
[8] Nicht wegen deiner Schlachtopfer weise ich dich zurecht, auch deine Brandopfer bringst du mir regelmäßig.
[9] Doch ich nehme deine Opfer nicht an – weder die Stiere aus deinem Stall, noch die Böcke von deiner Weide.
[10] Denn alle Tiere gehören mir ohnehin:

---

[a] Oder nach der griechischen Übersetzung: Gräber sind auf ewig ihre Behausung, ihre Wohnung für alle Generationen, auch wenn sie ganze Länder besessen haben.
[b] Der hebräische Text ist nur schwer zu deuten.

49,7 52,9 **49,8–9** Mt 16,26 **49,11** Pred 2,16 **49,13–21** Lk 12,15–21 **50,3** 5 Mo 4,24; Hebr 12,29 **50,4** 5 Mo 4,26* **50,7–14** 40,7–9*

das Wild in Wald und Feld, die Tiere auf den Bergen und Hügeln.
[11] Ich kenne jeden Vogel unter dem Himmel und die vielen kleinen Tiere auf den Wiesen.
[12] Selbst wenn ich Hunger hätte, würde ich dich um nichts bitten; denn die ganze Welt gehört mir und alles, was auf ihr lebt.
[13] Denkst du wirklich, ich wollte Fleisch von Stieren essen und Blut von Böcken trinken?
[14] Dank ist das Opfer, das ich von dir erwarte; erfülle die Versprechen, die du mir, dem Höchsten, gegeben hast!
[15] Wenn du keinen Ausweg mehr siehst, dann rufe mich zu Hilfe! Ich will dich retten, und du sollst mich preisen.«

[16] Wer aber Gott die Treue bricht, zu dem sagt er: »Was erlaubst du dir eigentlich? Du sagst immer wieder meine Gebote auf und berufst dich auf meinen Bund.
[17] Doch sagen lässt du dir nichts von mir; du tust, was du willst, und verwirfst meine Ordnungen.
[18] Mit Dieben machst du gemeinsame Sache, und mit Ehebrechern schließt du Freundschaft.
[19] Gemeine Reden kommen dir leicht über die Lippen, du betrügst schon, wenn du nur den Mund aufmachst!
[20] Deine Mitmenschen bringst du in Verruf, sogar deinen eigenen Bruder verleumdest du.

[21] Bis jetzt habe ich zu deinem Treiben geschwiegen, darum dachtest du, ich sei wie du. Aber nun weise ich dich zurecht und halte dir deine Untreue vor Augen.
[22] Ihr habt mich vergessen, euren Gott. Hört doch auf das, was ich sage; sonst werde ich euch vernichten. Dann kommt jede Rettung zu spät!

[23] Wer mir dankt, der bringt ein Opfer, das mich ehrt. Es gibt keinen anderen Weg, nur so kann ich ihn erretten!«

Herr, vergib mir!

51 Ein Lied Davids.
[2] Er schrieb es, nachdem der Prophet Nathan ihn wegen seines Ehebruchs mit Batseba zurechtgewiesen hatte.[a]

[3] Du großer, barmherziger Gott, sei mir gnädig, hab Erbarmen mit mir! Lösche meine Vergehen aus!
[4] Meine schwere Schuld – wasche sie ab, und reinige mich von meiner Sünde!
[5] Denn ich erkenne mein Unrecht, meine Schuld steht mir ständig vor Augen.
[6] Gegen dich habe ich gesündigt – gegen dich allein! Was du als böse ansiehst, das habe ich getan. Darum bist du im Recht, wenn du mich verurteilst, dein Urteil wird sich als wahr erweisen.

[7] Seit mein Leben im Leib meiner Mutter begann, liegt Schuld auf mir; von Geburt an bestimmt die Sünde mein Leben.
[8] Du freust dich, wenn ein Mensch von Herzen aufrichtig und ehrlich ist; verhilf mir dazu, und lass mich weise handeln![b]
[9] Reinige mich von meiner Schuld,[c] dann bin ich wirklich rein; wasche meine Sünde ab, und mein Gewissen ist wieder weiß wie Schnee!
[10] Du hast mich hart bestraft; nun lass mich wieder Freude erfahren, damit ich befreit aufatmen kann!
[11] Sieh nicht länger auf meine Schuld, vergib mir alle meine Sünden!
[12] Erschaffe in mir ein reines Herz, o Gott; erneuere mich und gib mir Beständigkeit!
[13] Stoße mich nicht von dir, und nimm deinen heiligen Geist nicht von mir!
[14] Schenk mir Freude über deine Rettung, und mach mich bereit, dir zu gehorchen!
[15] Dann will ich den Gottlosen deine

---

[a] Vgl. 2. Samuel 12,1–14
[b] Wörtlich: Du willst Wahrheit im Innersten, und im Verborgenen wirst du mir Weisheit kundtun.
[c] Wörtlich: Entsündige mich mit Ysop.

50,14 1 Sam 15,22*; 4 Mo 30,3* **50,15** 17,6* **51,6** Röm 3,4 **51,7** 1 Mo 6,5* **51,11** 85,3*

Wege zeigen, damit sie zu dir zurückfinden.

[16] Herr, ich habe das Blut eines Menschen vergossen – befreie mich von dieser Schuld, Gott, mein Helfer! Dann werde ich deine Gnade preisen und jubeln vor Freude.
[17] Herr, schenke mir die Worte, um deine Größe zu rühmen!
[18] Du willst kein Schlachtopfer, sonst hätte ich es dir gebracht. Dir gefällt nicht, dass man Tiere schlachtet und für dich verbrennt, um von der Sünde freizukommen.
[19] Ich bin zerknirscht und verzweifelt über meine schwere Schuld. Solch ein Opfer gefällt dir, du wirst es nicht ablehnen.

[20] Zeige Zion deine Liebe, und festige die Mauern Jerusalems!
[21] Dann werden dir unsere Opfer wieder gefallen, durch die wir bekennen: »Du bist unser Herr!« Dann werden wir Stiere schlachten und auf dem Altar verbrennen.

Das hast du nun davon!

52 Von David, zum Nachdenken. [2] Dieses Lied stammt aus der Zeit, als der Edomiter Doëg zu Saul gekommen war und ihm verraten hatte: »David war bei Ahimelech!«[a]

[3] Warum lässt du dich als Held feiern und gibst mit deiner Bosheit an? Auch du bist nur von Gottes Güte abhängig!
[4] Mit deinen Worten verletzt du andere wie mit einem scharfen Messer, du Lügner!
[5] Du liebst das Böse mehr als das Gute, die Lüge mehr als die Wahrheit.
[6] Du redest, um zu zerstören, und hast noch deinen Spaß daran, du Heuchler!
[7] Darum wird Gott auch dich für immer zerstören: Er wird dich ergreifen und aus deinem Land verbannen; er wird dich aus dem Leben reißen, so wie man Unkraut ausreißt.
[8] Alle, die Gott vertrauen, werden es sehen und erschrecken. Dann aber werden sie über dich lachen und sagen:
[9] »Schaut ihn an! Statt bei Gott Schutz zu suchen, verließ er sich auf seinen großen Reichtum und glaubte, seine Bosheit mache ihn stark!«

[10] Ich aber darf wachsen und gedeihen wie ein Ölbaum, der im Schutz des Tempels grünt. Für alle Zeiten weiß ich mich geborgen, weil Gott mir gnädig ist.
[11] Herr, immer und ewig will ich dir danken für das, was du getan hast; vor allen, die dich lieben, will ich bezeugen, wie gut du bist! Auf dich vertraue ich!

Es gibt keinen, der Gutes tut

53 Von David, zum Nachdenken.

[2] Menschen, die sich einreden: »Gott gibt es überhaupt nicht!«, leben an der Wirklichkeit vorbei. Sie führen ein gottloses Leben, und alles, was sie tun, ist abscheulich. Es gibt keinen, der Gutes tut.
[3] Gott schaut vom Himmel auf die Menschen. Er will sehen, ob es wenigstens einen gibt, der einsichtig ist und nach seinem Willen fragt.
[4] Aber alle haben sich von ihm abgewandt und sind nun verdorben, einer wie der andere. Es gibt wirklich keinen, der Gutes tut, nicht einen Einzigen!

[5] Wissen denn diese Unheilstifter nicht, was sie tun? Sie verschlingen mein Volk wie ein Stück Brot und denken sich nichts dabei. Mit Gott rechnen sie überhaupt nicht mehr.
[6] Aber schon bald werden sie in Angst und Schrecken fallen, wie sie es vorher noch nie erlebt haben[b]. Denn Gott wird

---

[a] Vgl. 1. Samuel 21,8; 22,9–10
[b] Wörtlich: ohne dass ein Schrecken da sein wird.

51,18–19 40,7–9* **52,4** 55,22; Jak 3,5–6 **52,9** 49,13–21; Lk 12,15–21 **52,11** 30,13; 92,2–4*
53,2–4 1 Mo 6,5* **53,2** 10,4; 14,1

die Feinde seines Volkes vollkommen vernichten, und ihre Gebeine werden achtlos liegen bleiben. Gott hat sie verworfen und wird sie darum scheitern lassen.

[7]Ach käme Gott doch vom Berg Zion, um sein Volk zu befreien! Israel wird jubeln vor Freude, wenn der Herr das Schicksal seines Volkes wendet.

Nur du kannst helfen!

54 Von David, zum Nachdenken. Mit Saiteninstrumenten zu begleiten.
[2]Dieses Lied stammt aus der Zeit, als die Sifiter zu Saul gekommen waren, um ihm mitzuteilen: »David hält sich bei uns versteckt!«[a]

[3]Gott, du bist ein mächtiger Gott! Darum hilf mir und verschaffe mir Recht durch deine Stärke!
[4]Erhöre mein Gebet, achte auf mein Schreien!
[5]Menschen, die ich nicht kenne, fallen über mich her. Selbst vor Gewalt schrecken sie nicht zurück, ja, sie trachten mir nach dem Leben. Du, Gott, bist ihnen völlig gleichgültig!

[6]Ich weiß: Gott ist mein Helfer, er setzt sich für mich ein.
[7]Meine Feinde werden durch ihre eigene Bosheit zu Fall kommen. Gott wird dafür sorgen. Ja, Herr, beseitige sie! Du hast es doch versprochen!
[8]Gern will ich dir Opfer bringen – fröhlich und ohne Zwang. Ich will dich preisen, Herr, denn du bist gut.
[9]Aus jeder Not hast du mich errettet, nur so konnte ich die Feinde besiegen.

Vom besten Freund verraten

55 Von David, zum Nachdenken. Mit Saiteninstrumenten zu begleiten.

[2]Beachte mein Gebet, o Gott, und wende dich nicht ab von meinem Flehen!
[3]Höre doch und gib mir Antwort! Meine Sorgen lassen mir keine Ruhe mehr. Stöhnend irre ich umher
[4]und höre, wie die Feinde mich anpöbeln. Sie bedrängen mich und wollen mir schaden, voller Hass feinden sie mich an.
[5]Mein Herz krampft sich zusammen, Todesangst überfällt mich.
[6]Furcht und Zittern haben mich erfasst, und vor Schreck bin ich wie gelähmt.

[7]Ach, hätte ich doch Flügel wie eine Taube, dann würde ich an einen sicheren Ort fliegen!
[8]Weit weg würde ich fliehen – bis in die Wüste.
[9]Schnell fände ich eine Zuflucht vor dem Unwetter und dem wütenden Sturm.

[10]Herr, verwirre die Sprache meiner Feinde, damit sie sich nicht mehr verständigen können! In der Stadt habe ich gesehen, dass Streit und rohe Gewalt überhand nehmen.
[11]Tag und Nacht machen sie die Runde auf den Mauern. Die Stadt ist erfüllt von Unrecht und Verderben.
[12]In ihren Straßen herrschen Erpressung und Betrug, und das Verbrechen scheint kein Ende zu nehmen.

[13]Wäre es mein Feind, der mich verhöhnt, dann könnte ich es noch ertragen. Würde mein erbitterter Gegner sich über mich erheben, wüsste ich ihm aus dem Weg zu gehen.
[14]Aber du bist es, mein Vertrauter, mein bester und engster Freund!
[15]Wie schön war es, als wir noch unsere Gedanken austauschen konnten, während wir mit den anderen Pilgern auf dem Weg zum Tempel waren!

[16]Ohne Vorwarnung hole der Tod meine Feinde! Mitten aus dem Leben sollen sie

---

[a] Vgl. 1. Samuel 23,19; 26,1
53,7 20,6* **54,3** 140,13* **54,4** 17,6* **54,8–9** 20,6* **55,2–3** 17,6* **55,13–15** 69,9*

gerissen werden, denn die Bosheit herrscht in ihren Herzen und Häusern.
[17] Doch ich schreie zu Gott, und der Herr wird mir helfen.
[18] Den ganzen Tag über klage und stöhne ich, bis er mich hört.
[19] Er rettet mich und gibt mir Sicherheit vor den vielen Feinden, nichts können sie mir anhaben!
[20] Gott, der seit Ewigkeiten herrscht, wird mich erhören. Er bleibt ihnen die Antwort nicht schuldig. Denn vor ihm haben sie keine Ehrfurcht, und ändern wollen sie sich auch nicht.

[21] Ach, mein ehemaliger Freund hat alle seine Freunde verraten und seine Versprechen gebrochen!
[22] Seine Worte sind honigsüß, aber im Herzen ist er voller Hass. Sein Gesicht ist freundlich, aber seine Worte verwunden wie Messerstiche.

[23] Überlass alle deine Sorgen dem Herrn! Er wird dich wieder aufrichten; niemals lässt er den scheitern, der treu zu ihm steht.
[24] Solche Mörder und Betrüger aber wirst du, Gott, ins Grab stürzen; mitten aus dem Leben wirst du sie reißen. Ich aber vertraue dir, Herr!

Besiegte Angst

56 Ein Lied Davids, nach der Melodie: »Die Taube verstummt in der Fremde.« Es stammt aus der Zeit, als die Philister ihn in Gat festgenommen hatten.[a]

[2] Gott, hab Erbarmen mit mir, denn man will mich zur Strecke bringen! Die Feinde verfolgen mich den ganzen Tag und bedrängen mich hart.
[3] Unaufhörlich greifen sie mich an, viele bekämpfen mich in ihrem Hochmut.
[4] Doch gerade dann, wenn ich Angst habe, will ich mich dir anvertrauen.

[5] Ich lobe Gott für das, was er versprochen hat; ihm vertraue ich und fürchte mich nicht. Was kann mir ein Mensch jetzt noch Böses tun?

[6] Unablässig verdrehen sie, was ich sage, und überlegen, wie sie mir schaden können.
[7] Überall muss ich mit einem Hinterhalt rechnen. Sie beschatten mich und warten nur darauf, mich umzubringen.
[8] Gott, wirf diese Leute in deinem Zorn nieder! Sollten sie bei so viel Bosheit ungeschoren davonkommen?
[9] Du siehst doch, wie lange ich schon umherirre! Jede Träne hast du gezählt, ja, alle sind in deinem Buch festgehalten.
[10] Sobald ich dich um Hilfe bitte, werden meine Feinde kleinlaut den Rückzug antreten. Denn das weiß ich: du, Gott, bist auf meiner Seite!

[11] Ich lobe Gott für das, was er versprochen hat, ja, ich lobe die Zusage des Herrn.
[12] Ihm vertraue ich und fürchte mich nicht. Was kann mir ein Mensch jetzt noch Böses tun?

[13] Herr, was ich dir versprochen habe, will ich jetzt einlösen und dir aus Dank Opfer bringen.
[14] Denn du hast mich vor dem Tod gerettet, vor dem Sturz in die Tiefe hast du mich bewahrt. Ich darf weiterleben – in deiner Nähe. Du hast mir das Leben neu geschenkt.

Ich bin geborgen

57 Ein Lied Davids, nach der Melodie: »Richte nicht zugrunde.« Es

---

[a] Vgl. 1. Samuel 21,11–16

55,17–18 17,6* **55,22** 52,4; Jak 3,5–6 **55,23** 37,5; Spr 16,3; Mt 6,33–34 **56,4** 25,2; 57,8; 108,2 **56,5** 118,6 **56,13** 4 Mo 30,3* **57,1** 142,1

stammt aus der Zeit, als er sich auf der Flucht vor Saul in der Höhle aufhielt.[a]

[2]Erbarme dich über mich, o Gott, erbarme dich! Bei dir suche ich Zuflucht, bei dir bin ich geborgen wie ein Küken, das sich unter die Flügel seiner Mutter flüchtet, bis das Unwetter vorbeigezogen ist.
[3]Zu Gott, dem Höchsten, schreie ich, zu ihm, der meine Not wendet und alles zu einem guten Ende führt.
[4]Vom Himmel her wird er mir seine Hilfe schicken und mich retten vor denen, die mir nachstellen und mich gehässig verleumden. Ja, Gott wird zu mir halten, er ist treu.
[5]Ich bin von Feinden umzingelt, wie Löwen lechzen sie nach Blut. Ihre Zähne sind spitz wie Speere und Pfeile, ihre Zungen sind scharf wie geschliffene Schwerter.

[6]Gott, zeige deine Größe, die den Himmel überragt; erweise deine Macht und Herrlichkeit auf der ganzen Welt!

[7]Die Feinde hatten mir Fallen gestellt, ich war völlig verzweifelt. Mir hatten sie eine Grube gegraben, doch nun sind sie selbst hineingestürzt!

[8]Gott, jetzt habe ich neuen Mut gefasst, voller Vertrauen blicke ich in die Zukunft. Darum will ich singen und dir danken, Herr.
[9]Fasse neuen Mut, mein Herz! Wach auf! Harfe und Zither, wacht auf! Ich will den neuen Tag mit meinem Lied begrüßen.
[10]Herr, ich will dir danken vor den Völkern, vor allen Menschen will ich dir singen.
[11]Groß ist deine Güte! Sie reicht bis an den Himmel! Und wohin die Wolken auch ziehen: überall ist deine Treue!
[12]Gott, zeige deine Größe, die den Himmel überragt; erweise deine Macht und Herrlichkeit auf der ganzen Welt!

Wer das Recht bricht, wird selbst zerbrochen

58 Ein Lied Davids, nach der Melodie: »Richte nicht zugrunde.«

[2]Ihr Mächtigen, trefft ihr wirklich gerechte Entscheidungen? Gilt noch gleiches Recht für alle, wenn ihr eure Urteile fällt?
[3]Nein! Schon eure Gedanken sind von Ungerechtigkeit verseucht, mit Willkür und Gewalt versklavt ihr das Land.
[4]Diese Rechtsbrecher sind von Geburt an verlogen und verdorben.
[5]Sie sind giftig wie Schlangen. Doch wenn es darauf ankommt, sich etwas sagen zu lassen, dann stellen sie sich taub
[6]wie eine Schlange, bei der jede Kunst des Beschwörers versagt.

[7]O Gott, schlage ihnen die Zähne ein! Brich diesen Löwen das Gebiss aus, Herr!
[8]Lass diese Mächtigen verschwinden wie Wasser, das im Boden versickert! Wenn sie ihre Waffen einsetzen wollen, schlage sie ihnen aus der Hand![b]
[9]Lass sie eingehen wie Schnecken in sengender Hitze! Wie eine Fehlgeburt sollen sie das Licht der Sonne nicht sehen!
[10]Weg mit ihnen! Noch bevor sie ihre hinterhältigen Pläne verwirklichen, soll der Herr sie davonjagen.[c]

[11]Gott wird mit ihnen abrechnen! Wer ihm die Treue hält, wird sich darüber freuen und im Blut der Rechtsbrecher waten.
[12]Dann werden die Menschen bekennen:

---

[a] Vgl. 1. Samuel 22,1; 24,1–4
[b] Wörtlich: Wenn sie ihre Pfeile schießen, dann seien diese wie abgeknickt.
[c] Der hebräische Text ist nicht sicher zu deuten. Wörtlich: Noch bevor eure (Koch-)Töpfe (das Feuer vom) Dornstrauch verspüren – ob er frisch ist oder ob er schon hell brennt – er (Gott) wird ihn fortwirbeln.

57,2 18,3* **57,3–4** 18,31* **57,6** 89,7–9* **57,7** 7,13–17* **57,8** 25,2; 56,4; 108,2 **57,10** 18,50; 92,2–4* **57,11** Klgl 3,22–23* **58,2–6** Jes 5,7; Mi 3,1–3 **58,12** 7,12*

Wer Gott gehorcht, wird doch belohnt; es gibt tatsächlich einen Gott, der auf dieser Erde dem Recht zum Sieg verhilft!

Gott wird mit meinen Feinden fertig!

59 Ein Lied Davids, nach der Melodie: »Richte nicht zugrunde.« Er verfasste es, als Saul sein Haus überwachen ließ, um ihn zu töten.[a]

[2] Befreie mich von meinen Feinden, o Gott! Sie stellen sich mir überall in den Weg. Lass mich ihnen entkommen!
[3] Rette mich vor diesen böswilligen Menschen, die vor keiner Bluttat zurückschrecken!
[4] Siehst du nicht, wie sie mir auflauern, um mich zu töten? Alles, was in ihrer Macht steht, haben sie gegen mich aufgeboten. Doch niemand kann mir vorwerfen, ich hätte treulos gehandelt oder sonst ein Unrecht begangen, Herr.
[5] Obwohl ich völlig unschuldig bin, kommen sie angelaufen und umstellen mein Haus. Steh auf, Herr! Sieh meine Not an und komm mir zu Hilfe!
[6] Denn du bist Gott, der Herr über Himmel und Erde, du bist Israels Gott! Greif ein! Du richtest doch alle fremden Völker; so strafe auch meine heimtückischen Verfolger erbarmungslos!

[7] Sie gleichen wilden Hunden, die am Abend kläffend die Stadt durchstreifen.
[8] Vor Gier läuft ihnen schon der Geifer aus dem Maul. Jedes Wort, das über ihre Lippen kommt, ist wie ein Dolchstoß. Dabei denken sie: »Keiner hört, was wir hier planen!«

[9] Aber du, Herr, kannst über sie nur lachen. Nichts als Spott hast du für diese Völker übrig.
[10] Du bist meine Stärke[b], an dich will ich mich klammern. Du gibst mir Schutz wie eine Burg.
[11] Du kommst mir in Liebe entgegen und lässt mich über meine Feinde triumphieren.

[12] Herr, töte sie nicht sofort, sonst gerät alles rasch in Vergessenheit, und mein Volk würde nichts daraus lernen. Lass sie ruhelos umherirren und langsam zugrunde gehen! Du bist mächtig genug, Herr, unser Beschützer!
[13] Mit jedem Wort laden sie nur noch mehr Schuld auf sich. Durch ihre Überheblichkeit werden sie sich im Netz ihrer Lügen und Lästerungen verstricken.
[14] Vertilge sie in deinem Zorn! Rotte sie aus mit Stumpf und Stiel! Dann wird die ganze Welt erkennen, dass du, Gott, in Israel regierst.

[15] Sie gleichen wilden Hunden, die am Abend die Stadt durchstreifen.
[16] Sie streunen umher auf der Suche nach Fraß, und wenn sie nicht satt werden, knurren sie wütend[c].

[17] Ich aber singe von deiner Macht. Früh am Morgen juble ich dir zu, weil du so gnädig bist. Du bietest mir Schutz wie eine sichere Burg; zu dir kann ich fliehen, wenn ich weder aus noch ein weiß.
[18] Ja, dir will ich singen und musizieren, denn du bist meine Stärke. Bei dir, Gott, weiß ich mich geborgen. Ja, Herr, wie gut bist du zu mir!

Besiegt, aber nicht mutlos

60 Ein Lied Davids zur Belehrung, nach der Melodie: »Lilien als Zeugnis.«
[2] Es stammt aus der Zeit, als David mit den Aramäern von Mesopotamien und

---

[a] Vgl. 1. Samuel 19,11
[b] So mit anderen hebräischen Handschriften und der griechischen Übersetzung; der hebräische Text lautet: seine Stärke.
[c] So nach der griechischen Übersetzung; der hebräische Text lautet: und wenn sie nicht satt werden, bleiben sie über Nacht.

59,5 7,9; 17,2; 43,1; 116,9; Spr 17,26 **59,10** 18,3* **59,14** 5,11 **59,17** 18,3*

mit den Aramäern von Zoba im Krieg lag. Damals fügte Joab auf dem Rückweg den Edomitern im Salztal eine Niederlage zu, bei der zwölftausend von ihnen fielen.[a]

[3]Gott, du hast uns aufgegeben: Unsere Truppen wurden zersprengt und aufgerieben. Wir haben deinen Zorn zu spüren bekommen, doch nun richte uns wieder auf!
[4]Du hast das Land erschüttert und zerrissen; heile seine Risse, dass es nicht zerbricht!
[5]Du hast dein Volk hart geschlagen, wie betrunken torkeln wir umher.[b]
[6]All denen aber, die dir gehorchen, hast du ein Warnzeichen gegeben. So konnten sie fliehen und den Pfeilen ihrer Verfolger entkommen.
[7]Hilf uns und antworte! Rette uns! Wir sind doch dein geliebtes Volk!
[8]Darauf hat Gott in seinem Heiligtum geantwortet: »Im Triumph will ich meinem Volk die Gegend um Sichem geben; das Tal von Sukkot will ich ihnen zuteilen.
[9]Mir gehören die Gebiete von Gilead und Manasse, Ephraim ist mein Helm auf dem Haupt, Juda das Zepter in meiner Hand.
[10]Das Land Moab dient mir als Waschbecken; auf Edom werfe ich meinen Schuh als Zeichen dafür, dass ich von ihm Besitz ergreife. Und ihr Philister: Jubelt auch ihr mir zu!«

[11]Wer gibt mir Gewalt über die befestigte Stadt? Wer schenkt mir den Sieg über Edom?
[12]Außer dir, Herr, kommt ja niemand in Frage! Doch gerade du hast uns verstoßen. Gerade du, Gott, ziehst nicht mehr mit uns in den Krieg.
[13]Rette du uns vor den Feinden! Denn wer sich auf Menschen verlässt, der ist verlassen!
[14]Mit Gott werden wir große Taten vollbringen; er wird unsere Feinde zertreten!

Herr, wo du wohnst, will auch ich sein

61 Von David, mit Instrumenten zu begleiten.

[2]Höre, Gott, meinen Hilfeschrei, und achte auf mein Gebet!
[3]Aus dem fernen Land rufe ich zu dir, denn ich bin am Ende meiner Kraft. Ich selbst kann mich nicht mehr in Sicherheit bringen, darum hilf du mir und rette mich[c]!

[4]Zu dir kann ich jederzeit fliehen; du bist seit jeher meine Festung, die kein Feind bezwingen kann.
[5]Wo du wohnst, möchte auch ich für immer bleiben – dort, in deinem Heiligtum. Bei dir suche ich Zuflucht wie ein Küken unter den Flügeln seiner Mutter.

[6]Gott, du kennst die Versprechen, die ich dir gegeben habe. Du beschenkst jeden reich, der dich in Ehrfurcht anruft. Auch mir gibst du meinen Anteil.
[7]Gib dem König ein langes Leben, gewähre ihm noch viele Jahre! Viele Generationen sollen erleben, wie er regiert.
[8]Lass ihn stets in Verantwortung vor dir herrschen, beschütze ihn durch deine Güte und Treue!
[9]Dann will ich dich allezeit besingen und deinen Namen preisen. Tag für Tag werde ich erfüllen, was ich dir versprochen habe.

Bei Gott komme ich zur Ruhe

62 Ein Lied Davids. Für Jedutun.

[2]Nur bei Gott komme ich zur Ruhe; geduldig warte ich auf seine Hilfe.

---

[a] Vgl. 2. Samuel 8,1–14; 1. Chronik 18,3–13. – Der Psalm wurde wahrscheinlich vor dem Sieg Joabs über die Edomiter gedichtet.
[b] Wörtlich: Du hast uns einen Wein zu trinken gegeben, der uns zum Taumeln brachte.
[c] Wörtlich: bringe mich zum Felsen, der mir zu hoch ist.
60,13 118,8–9 **60,14** 2 Mo 14,14* **61,2–3** 17,6* **61,4** 18,3* **61,5** 57,2 **61,9** 20,6*; 4 Mo 30,3*

[3] Nur er ist ein schützender Fels und eine sichere Burg. Er steht mir bei, und niemand kann mir schaden.

[4] Wie lange noch wollt ihr alle über einen herfallen und ihm den letzten Stoß versetzen wie einer Wand, die sich schon bedrohlich neigt, oder einer Mauer, die bereits einstürzt?
[5] Ja, sie unternehmen alles, um meinen guten Namen in den Dreck zu ziehen. Es macht ihnen Freude, Lügen über mich zu verbreiten. Wenn sie mit mir reden, sprechen sie Segenswünsche aus, doch im Herzen verfluchen sie mich.

[6] Nur bei Gott komme ich zur Ruhe; er allein gibt mir Hoffnung.
[7] Nur er ist ein schützender Fels und eine sichere Burg. Er steht mir bei, und niemand kann mir schaden.

[8] Gott rettet mich, er steht für meine Ehre ein. Er schützt mich wie ein starker Fels, bei ihm bin ich geborgen.
[9] Ihr Menschen, vertraut ihm jederzeit, und schüttet euer Herz bei ihm aus! Gott ist unsere Zuflucht.

[10] Die Menschen vergehen wie ein Hauch; ob einfach oder vornehm – sie sind wie ein Trugbild, das verschwindet. Legt man sie auf die Waagschale, dann schnellt sie nach oben, als wären die Menschen nur Luft.
[11] Verlasst euch nicht auf erpresstes Gut, lasst euch nicht blenden von unrecht erworbenem Reichtum! Wenn euer Wohlstand wächst, dann hängt euer Herz nicht daran!
[12] Mehr als einmal habe ich gehört, wie Gott gesagt hat: »Ich allein habe alle Macht!«
[13] Du, Herr, bist ein gnädiger Gott; du vergiltst jedem, wie er es verdient.

Herr, ich brauche dich!

63 Ein Lied Davids. Es stammt aus der Zeit, als er in der Wüste Juda war.

[2] Gott! Du bist mein Gott! Ich sehne mich nach dir, dich brauche ich! Wie eine dürre Steppe nach Regen lechzt, so dürste ich, o Gott, nach dir.
[3] Ich suche dich in deinem Heiligtum, um deine Macht und Herrlichkeit zu sehen.
[4] Deine Liebe bedeutet mir mehr als mein Leben! Darum will ich dich loben;
[5] mein Leben lang werde ich dir danken und meine Hände zum Gebet emporheben.
[6] Ich juble dir zu und preise dich, ich bin glücklich und zufrieden wie bei einem Festmahl.[a]
[7] Wenn ich nachts in meinem Bett liege, denke ich über dich nach, meine Gedanken sind dann nur bei dir.
[8] Denn du hast mir immer geholfen; ich preise dich, unter deinem Schutz bin ich sicher und geborgen.
[9] Ich klammere mich an dich, und du hältst mich mit deiner starken Hand.

[10] Die mir nach dem Leben trachten, müssen alle selbst umkommen. Der Tod erwartet sie schon.
[11] Sie werden dem Schwert nicht entkommen – ihre Leichen werden von Schakalen gefressen.

[12] Der König aber freut sich, weil Gott ihm beisteht. Wer sich beim Schwören auf Gott berufen kann, der darf sich glücklich schätzen; den Lügnern aber wird das Maul gestopft.

---

[a] Wörtlich: Wie von Mark und Fett wird meine Seele gesättigt werden, und mit jubelnden Lippen wird mein Mund dich preisen.

62,3 18,3* **62,5** 41,7–8 **62,10** 39,5–7* **62,12** Jes 43,12; 1 Petr 5,11 **62,13** Röm 2,5–6 **63,2** 25,1; 42,2–3; 65,5; 84,3; 86,4; 130,5; 143,6; Jes 26,9 **63,7** 1,2; 119,55 **63,10** 7,13–17*

Bosheit zahlt sich nicht aus!

64 Ein Lied Davids.

[2]Gott, ich bin in großer Not, höre auf mein Schreien! Ich fürchte mich vor meinen Feinden – rette mein Leben!
[3]Eine Bande von Verbrechern hat sich gegen mich verschworen und plant einen Aufstand. Wende die Gefahr von mir ab!
[4]Ihre Zungen sind scharf geschliffene Schwerter, und ihre bissigen Worte verletzen wie Pfeile.
[5]Aus dem Hinterhalt schießen sie auf Unschuldige – ohne Vorwarnung und skrupellos.
[6]Sie stacheln sich gegenseitig zum Bösen an und wollen heimlich Fallen legen. Hämisch fragen sie: »Wer wird's schon merken?«
[7]Sie brüten Gemeinheiten aus und prahlen: »Wir haben's! Unser Plan ist ausgezeichnet!« Abgrundtief böse ist das Herz dieser Menschen.[a]

[8]Doch jetzt schießt Gott seine Pfeile auf sie, und plötzlich sind sie schwer verwundet.
[9]Ihre eigenen Worte bringen sie nun zu Fall;[b] wer sie am Boden liegen sieht, schüttelt nur noch den Kopf.
[10]Da wird jeder von Furcht gepackt und erzählt: »So handelt Gott! So machtvoll greift er ein!«

[11]Wer aber dem Herrn treu bleibt, wird sich über ihn freuen und bei ihm sicher sein. Ja, jeder, der von Herzen aufrichtig ist, darf sich glücklich schätzen!

Du überschüttest uns mit deinen Gaben

65 Ein Lied Davids.

[2]Auf dem Berg Zion kann man dir, o Gott, begegnen: wenn man dich still anbetet, dir Loblieder singt und das einlöst, was man dir versprochen hat.
[3]Weil du Gebete erhörst, kommen die Menschen zu dir.
[4]Schwere Schuld drückt uns[c] zu Boden; doch trotz unserer Untreue wirst du uns vergeben.
[5]Glücklich ist jeder, den du erwählt hast und der zu deinem Heiligtum kommen kann! Dort, in deinem Tempel, segnest du uns mit allem Guten und stillst unsere Sehnsucht.

[6]Gott, du bist treu! Mit gewaltigen Taten antwortest du uns, wenn wir deine Hilfe brauchen. Du bist die Hoffnung aller Völker bis in die fernsten Länder.
[7]Mit deiner Kraft hast du die Berge gebildet, deine Macht ist allen sichtbar.
[8]Du besänftigst das Brausen der Meere, die tosenden Wellen lässt du verstummen; ja, auch die tobenden Völker bringst du zum Schweigen.
[9]Alle Bewohner der Erde erschrecken vor deinen Taten, vom Osten bis zum Westen jubeln die Menschen dir zu.

[10]Du sorgst für das ganze Land, machst es reich und fruchtbar. Du schenkst Wasser im Überfluss, deshalb wächst Getreide in Hülle und Fülle.
[11]Du feuchtest das gepflügte Land und tränkst es mit Regen. Das ausgedörrte

---

[a] Wörtlich: Das Innere eines jeden und sein Herz ist unergründlich.
[b] Wörtlich: Sie brachten ihn zum Straucheln, ihre Zunge kommt über sie.
[c] So mit einigen hebräischen Handschriften und der griechischen Übersetzung. Der hebräische Text lautet: mich.

64,4 52,4; Jak 3,5–6 **65,2** 92,2–4*; 4 Mo 30,3* **65,3** 17,6* **65,5** 63,2* **65,6** 18,31* **65,8** 89,10 **65,10–14** 67,7

Erdreich weichst du auf, und alle Pflanzen lässt du gedeihen.
[12]Du schenkst eine reiche und gute Ernte – die Krönung des ganzen Jahres.
[13]Selbst die Steppe fängt an zu blühen, von den Hügeln hört man Freudenrufe.
[14]Dicht an dicht drängen sich die Herden auf den Weiden, mit wogendem Korn bedecken sich die Täler. Alles ist erfüllt von Jubel und Gesang.

Kommt und seht, was Gott getan hat!

66 Ein Lied.

[2]Jubelt Gott zu, all ihr Menschen auf der Erde! Singt und musiziert zu seiner Ehre, stimmt ein Loblied an auf seine Größe und Pracht!
[3]Sprecht zu Gott: »Wie gewaltig sind deine Taten! Vor deiner Macht müssen sogar deine Feinde sich beugen.
[4]Alle Völker der Erde werden dich anbeten und deinen Namen besingen.«

[5]Kommt und seht, was Gott getan hat, wie gewaltig sind seine Taten unter den Menschen!
[6]Er teilte das Meer und ließ sein Volk sicher hindurchgehen, trockenen Fußes konnten sie den Jordan[a] durchqueren. Darum freuen wir uns über Gott!
[7]Ja, er hat alle Macht und regiert für immer und ewig. Er schaut auf die Völker – ihm entgeht nichts. Wer kann schon gegen ihn bestehen?
[8]Ihr Völker, preist den Herrn! Lobt ihn laut, dass alle es hören!
[9]Gott erhält uns am Leben, er lässt uns nicht untergehen.

[10]Du, o Gott, hast uns geprüft, du hast uns geläutert wie Silber im Schmelzofen.
[11]Wir waren gefangen, stöhnten und jammerten unter der Last, die wir tragen mussten.
[12]Du hast andere Menschen auf uns herumtrampeln lassen, durch viele Feuerproben mussten wir hindurch – aber du hast uns aus der Gefahr befreit und uns mehr gegeben, als wir brauchten.

[13]Ich komme jetzt mit Brandopfern in dein Heiligtum und löse meine Versprechen ein,
[14]die ich in meiner Not herausgeschrien habe.
[15]Nun bringe ich dir die wertvollsten Opfertiere: fette Widder, Rinder und Ziegenböcke. Ihr Rauch soll aufsteigen zu dir.

[16]Kommt und hört mir zu, ihr, die ihr Gott ernst nehmt, ich will euch erzählen, was er für mich getan hat.
[17]Als ich zu ihm um Hilfe schrie, wusste ich: Gott wird mir helfen! Deshalb begann ich, ihn zu loben.
[18]Hätte ich Böses im Sinn gehabt, dann hätte der Herr mich nicht erhört.
[19]Aber er hat mich erhört, mein Gebet hat er angenommen.
[20]Ich preise den Herrn, denn er hat meine Bitten nicht verachtet und mir seine Liebe nicht entzogen.

Erntedank

67 Ein Lied. Mit Instrumenten zu begleiten.

[2]Gott, sei uns gnädig und segne uns! Sieh uns an im Licht deiner Liebe!
[3]Dann wird man auf der ganzen Welt erkennen, dass du uns führst. Alle Völker werden sehen und verstehen: du willst die Menschen retten.

[4]Die Völker sollen dir danken, Gott! Ja, alle Völker sollen dich preisen!

[5]Alle Menschen sollen sich freuen und jubeln, denn du bist ein gerechter Richter, du regierst die ganze Welt.

---

[a] Wörtlich: den Fluss. Vgl. Josua 3,14–17

66,2 92,2–4* **66,4** 117,1* **66,6** 2 Mo 14,21–22* **66,7** 22,29*; 89,7–9* **66,13–15** 4 Mo 30,3* **66,16** 5 Mo 4,9* **66,17–20** 17,6* **67,4** 117,1* **67,5** 7,12*

[6]Die Völker sollen dir danken, Gott! Ja, alle Völker sollen dich preisen!

[7]Das Land brachte eine gute Ernte hervor, unser Gott hat uns reich beschenkt. [8]Er segne uns auch weiterhin! Alle Völker der Erde sollen ihn anbeten!

Gott ist Sieger!

68 Ein Lied Davids.

[2]Gott erhebt sich und zerstreut seine Feinde; alle, die ihn hassen, ergreifen die Flucht.
[3]Gott treibt sie auseinander wie Wind den Rauch. Wie Wachs im Feuer zerschmilzt, so vergehen alle, die Gott verachten, wenn er ihnen begegnet.
[4]Alle aber, die Gott die Treue halten, freuen sich, wenn er sich zeigt. Sie jubeln ihm zu, überwältigt von Freude.

[5]Singt für den Herrn, besingt seinen Namen! Ebnet den Weg für den, der durch die Steppe reitet: »Herr« ist sein Name. Jubelt ihm zu, wenn er erscheint!
[6]Ein Anwalt der Witwen und ein Vater der Waisen ist Gott in seinem Heiligtum.
[7]Den Einsamen gibt er ein Zuhause, den Gefangenen schenkt er Freiheit und Glück. Wer jedoch gegen jede Ordnung verstößt, führt ein trostloses Leben.

[8]Gott, als du vor deinem Volk herzogst und mit ihm die Wüste durchquertest,
[9]da bebte die Erde; vom Himmel strömte der Regen herab, als du dich am Berg Sinai zeigtest, du Gott Israels.
[10]Du ließest so viel Regen fallen, Herr, dass das ausgedörrte Land wieder fruchtbar wurde. Das Land, das du uns zum Erbe gegeben hattest,
[11]wurde so zur Heimat für dein Volk, das keine Bleibe hatte. Du hast für sie gesorgt, du gütiger Gott!

[12]Der Herr gab den Befehl, und viele Frauen verbreiteten die freudige Nachricht vom Sieg:
[13/14]»Die feindlichen Könige jagen mit ihren Heeren in heilloser Flucht davon! Wir Frauen zu Hause teilen die Beute aus: Silber und schimmerndes Gold – alles glitzert und glänzt in herrlicher Pracht![a] Wollt ihr da noch bei den Herden sitzen bleiben?«
[15]Als der allmächtige Gott die feindlichen Könige aus dem Land jagte, da bedeckte die Beute den Boden wie Schnee den dunklen Berg[b].

[16]Mächtig erhebt sich der Berg Baschan, gewaltig ragen seine Kuppen empor.
[17]Du zerklüfteter Berg, warum blickst du neidisch auf den Berg Zion[c], den Gott sich zu seinem Wohnsitz erwählt hat? Ja, für immer wird der Herr dort wohnen.
[18]Unzählige Kampfwagen besitzt Gott, der Herr über die himmlischen Heere[d]. Vom Sinai her zieht er in sein Heiligtum ein.[e]
[19]Du bist in die Höhe hinaufgestiegen und hast Gefangene im Triumphzug mitgeführt. Du hast den Menschen Tribut auferlegt;[f] sogar die hartnäckigsten Feinde sind bereit, sich dir zu unterwerfen.

[20]Gepriesen sei der Herr! Tag für Tag trägt er unsere Lasten. Gott ist unsere Hilfe.
[21]Sind wir in Not, dann greift er ein; er kann sogar vom Tod erretten.

---

[a] Wörtlich: Flügel der Taube, die mit Silber und deren Schwingen mit grünlichem Golde bedeckt sind. – Der hebräische Text ist nur schwer zu deuten.
[b] Wörtlich: da fiel Schnee auf den Zalmon (= dunklen Berg).
[c] Wörtlich: auf den Berg.
[d] »Herr … Heere« ist sinngemäß eingefügt.
[e] Oder: Der Herr ist unter ihnen, Sinai im Heiligtum.
[f] Wörtlich: Du hast von Menschen Gaben empfangen.

67,7 65,10–14 **68,5** 92,2–4* **68,6** 2 Mo 22,21–22* **68,8** 2 Mo 13,17–22 **68,9** 2 Mo 19,16–19; Ri 5,4–5 **68,17** 1 Kön 9,3*

[22] Seinen Feinden aber wird er den Kopf zerschmettern, denen, die sich von ihren Sünden nicht abbringen lassen.
[23] Der Herr hat gesagt: »Ich ziehe meine Feinde zur Rechenschaft, ob sie sich im Baschangebirge verstecken oder gar im tiefen Meer.
[24] Dann wirst du mit deinen Füßen in ihrem Blut stehen, und deine Hunde werden es auflecken.«

[25] Gott, alle sind Zeugen deines Triumphzuges; sie sehen, wie du ins Heiligtum einziehst, du, mein Gott und König!
[26] Die Sänger führen den Zug an, ihnen folgen die Harfenspieler, umringt von Mädchen, die das Tamburin schlagen:
[27] »Preist Gott, ihr Chöre, preist den Herrn, ihr Nachkommen Israels!«
[28] Darauf folgt Benjamin, der kleinste unter den Stämmen, nach ihm kommen die Fürsten von Juda mit ihrem Gefolge, und schließlich die Fürsten von Sebulon und von Naftali.

[29] Gott, zeige deine Macht, die du schon früher an uns erwiesen hast![a]
[30] Dein Tempel ragt hoch über Jerusalem. Dorthin bringen dir Könige ihren Tribut.
[31] Erschrecke die Großmacht Ägypten, das Ungeheuer am Nil! Weise die Machthaber und ihre Völker zurecht! Wirf die Nationen zu Boden, die nach Beute gieren und den Krieg lieben![b]
[32] Aus Ägypten werden Gesandte ankommen, Äthiopien wird herbeieilen und Gott reiche Geschenke bringen[c].

[33] Singt zur Ehre Gottes, spielt für ihn auf euren Instrumenten, ihr Völker dieser Erde!
[34] Er reitet durch den Himmel, der seit Urzeiten besteht. Hört, wie gewaltig seine Stimme ertönt!
[35] Verkündet Gottes Macht; er regiert über Israel, seiner Macht ist auch über den Wolken keine Grenze gesetzt!
[36] Die Menschen erschrecken und staunen, wenn er in seinem Heiligtum erscheint. Der Gott Israels gibt seinem Volk Stärke und Macht. Gelobt sei Gott!

In der Zerreißprobe

69 Von David. Nach der Melodie: »Lilien.«

[2] Rette mich, Gott, das Wasser steht mir bis zum Hals!
[3] Ich versinke im tiefen Schlamm; meine Füße finden keinen Halt mehr. Die Strudel ziehen mich nach unten, und die Fluten schlagen schon über mir zusammen.
[4] Ich habe mich heiser geschrien und bin völlig erschöpft, der letzte Hoffnungsschimmer ist erloschen. Vergeblich halte ich Ausschau nach meinem Gott.
[5] Wie viele hassen mich ohne jeden Grund! Ich habe mehr Feinde als Haare auf dem Kopf. Sie besitzen Macht und wollen mich auslöschen. Ich soll zurückgeben, was ich nie gestohlen habe, so fordern sie lauthals von mir.

[6] Menschen können mir nichts vorwerfen,[d] in deinen Augen jedoch bin ich nicht ohne Schuld; du weißt besser als ich, wie blind ich war.
[7] Herr, du gebietest über alle himmlischen Heere, und du bist Herr und Gott in Israel: Enttäusche nicht die Menschen, die dir vertrauen! Denn wenn sie sehen, dass du mich im Stich lässt, werden sie an dir verzweifeln!
[8] Man verhöhnt mich, weil ich zu dir gehöre, Schimpf und Schande muss ich über mich ergehen lassen.
[9] Meine nächsten Verwandten wollen

---

[a] Oder: Es ist der Wille deines Gottes, dass du machtvoll auftrittst, (Volk) Israel!
[b] Wörtlich: Bedrohe das Tier im Schilf, die Schar der Stiere samt den Völkerkälbern! Zerstampfe, die an Silber Gefallen haben, zerstreue die Völker, die Kriege lieben!
[c] Oder: wird schnell seine Hände zu Gott ausstrecken.
[d] Sinngemäß eingefügt.

68,29 57,6; 108,6 **68,33** 92,2–4* **68,35** 89,7–9* **69,5** 40,15; Joh 15,25 **69,6** 53,4 **69,7** 18,31* **69,8** 44,23; Röm 8,36 **69,9** 22,7–8; 41,10; 88,19; Hiob 19,13–19; Mi 7,5–6; Joh 13,18

nichts mehr mit mir zu tun haben, selbst meinen Brüdern bin ich fremd geworden. [10]Ich verzehre mich in rastlosem Eifer für deinen Tempel. Die Anfeindungen, die dir, Gott, galten, haben mich getroffen.
[11]Ich weinte über den Zustand deines Heiligtums[a] und fastete, aber damit wurde ich erst recht zum Gespött der Leute.
[12]Als ich ein grobes Bußgewand anzog, kam ich noch mehr ins Gerede.
[13]Auf dem Marktplatz zerreißen sie sich das Maul über mich; und bei Zechgelagen grölen sie ihre Spottlieder.

[14]Ich aber bete zu dir, Herr! Jetzt ist die Zeit gekommen, in der du mich erhören wirst! Antworte mir! Du hast so viel Gutes für mich bereit! Ich rechne fest mit deiner Hilfe.
[15]Ziehe mich aus dem Sumpf heraus, lass mich nicht versinken! Rette mich vor denen, die mich hassen! Zieh mich heraus aus dem reißenden Wasser,
[16]sonst schlagen die Fluten über mir zusammen, und der Strudel reißt mich in die Tiefe; hol mich heraus, sonst verschlingt mich der Abgrund!
[17]Antworte mir, Herr, denn deine Güte tröstet mich! Wende dich mir zu in deinem großen Erbarmen.
[18]Verbirg dich nicht länger vor mir, ich gehöre ja zu dir! Ich weiß keinen Ausweg mehr, darum antworte mir schnell.
[19]Komm und rette mich, damit meine Feinde das Nachsehen haben!
[20]Du kennst die Schmach, die man mir zufügt, du weißt, wie man mich mit Hohn und Spott überschüttet. Und du kennst jeden, der mich bedrängt.
[21]Die Schmach bricht mir das Herz, sie macht mich krank. Ich hoffte auf Mitleid, aber nein! Ich suchte Trost und fand ihn nicht!
[22]Sie mischten Gift in meine Speise; und als ich Durst hatte, gaben sie mir Essig zu trinken.
[23]Zur Falle sollen ihre Festessen werden! Lass sie ins Verderben stürzen![b]
[24]Lass sie blind werden, dass sie nichts mehr sehen, und renke ihnen die Hüfte aus!
[25]Schütte deinen Zorn über sie aus, überwältige sie in deinem Grimm!
[26]Ihr Wohnort soll verwüstet werden, in ihren Zelten niemand mehr wohnen!
[27]Denn sie verfolgen noch den erbarmungslos, den du schon gestraft hast. Schadenfroh erzählen sie von seinen Schmerzen.
[28]Vergib ihnen nichts! Rechne ihnen jede einzelne Schuld an, damit sie nicht vor dir bestehen können!
[29]Lösche ihre Namen aus dem Buch des Lebens, damit sie nicht bei denen aufgeschrieben sind, die nach deinem Willen leben!

[30]Ich aber bin elend und von Schmerzen gequält. Beschütze mich, Gott, und hilf mir wieder auf!
[31]Dann will ich dich loben mit meinem Lied; ich will deinen Namen rühmen und dir danken!
[32]Daran hast du mehr Freude als an Rindern, die man dir opfert, oder an fetten Stieren.
[33]Wenn die Unterdrückten das sehen, werden sie froh. Ihr, die ihr Gott vertraut, fasst neuen Mut!
[34]Denn der Herr hört das Rufen der Armen und Hilflosen. Wer um seinetwillen ins Gefängnis geworfen wird, den überlässt er nicht seinem Schicksal.

[35]Himmel und Erde sollen ihn loben, die Meere und alles, was darin lebt!
[36]Denn der Herr wird den Berg Zion befreien und die Städte in Juda wieder aufbauen. Sein Volk wird sich darin nieder-

[a] »über … Heiligtums« ist sinngemäß eingefügt.
[b] So nach der griechischen Übersetzung. Der hebräische Text lautet: Möge ihr Tisch vor ihnen zur Schlinge und den Sicheren zum Fallstrick werden!
69,10 Joh 2,17; Röm 15,3 **69,14** 17,6* **69,23–24** Röm 11,9–10 **69,29** 2 Mo 32,32–33; Mal 3,16 **69,31** 20,6* **69,32** 40,7–9* **69,34** 140,13*

lassen und das Land erneut in Besitz nehmen.
[37] Die Nachkommen derer, die dem Herrn dienen, werden es erben; alle, die ihn lieben, werden darin wohnen.

Herr, hilf mir!

70 Ein Lied Davids, beim Gedächtnisopfer zu singen.

[2] Herr, ich bitte dich: Rette mich, komm mir schnell zu Hilfe!
[3] Wer mir nach dem Leben trachtet, der soll scheitern und öffentlich bloßgestellt werden. Wer sich über mein Unglück hämisch freut, den jage mit Schimpf und Schande davon!
[4] Alle, die schadenfroh lästern: »Haha, das geschieht dir recht!«, sollen kleinlaut davonschleichen wegen ihrer selbstverschuldeten Schande!
[5] Aber alle, die sich dir anvertrauen, werden vor Freude jubeln! Wer dich als Retter kennt und liebt, wird immer wieder rufen: »Groß ist der Herr!«
[6] Ich bin hilflos und ganz auf dich angewiesen, Herr; sorge für mich, denn du bist mein Helfer und Befreier! Komm rasch zu mir! Mein Gott, zögere nicht länger!

Alt und schutzlos?

71 Bei dir, Herr, suche ich Schutz. Lass nicht zu, dass meine Feinde mich zugrunde richten!
[2] Du bist ein gerechter Gott, darum hilf mir und rette mich! Höre mein Gebet! Hilf mir doch!
[3] Schenke mir Geborgenheit, wie ein Haus, in das ich jederzeit kommen kann! Du hast doch beschlossen, mich zu retten! Ja, du bietest mir Schutz, du bist meine Burg.

[4] Mein Gott! Die Gottlosen haben mich in ihrer Gewalt. Sie brechen die Gesetze und schrecken vor keiner Gewalttat zurück. Rette mich aus ihren Klauen!
[5] Du bist meine Hoffnung, Herr, dir vertraue ich von Kindheit an!
[6] Ja, seit meiner Geburt bist du mein Halt. Vom ersten Tag an hast du für mich gesorgt. Darum will ich dich loben mein Leben lang.

[7] Viele, die meine Not und mein Leiden sahen, mussten denken: Gott hat ihn verworfen![a] Aber du hast dich als ein machtvoller Beschützer erwiesen.
[8] Darum will ich dich vor anderen loben, Tag für Tag will ich dich rühmen.

[9] Verstoße mich nicht, jetzt, wo ich alt geworden bin; verlass mich nicht, wenn meine Kräfte nun schwinden!
[10] Meine Feinde wollen mich umbringen; schon tun sie sich zusammen und planen einen Anschlag.
[11] »Gott hat ihn aufgegeben«, sagen sie. »Los, ihm nach! Packt ihn! Jetzt hat er keinen mehr, der ihm beisteht!«

[12] Gott, warum bist du so weit weg? Mein Gott, komm mir schnell zu Hilfe!
[13] Mit allen Mitteln kämpfen sie gegen mich – lass sie scheitern und umkommen! Nichts lassen sie unversucht, um mich ins Unglück zu stürzen. Bring Schimpf und Schande über sie!
[14] Nie werde ich aufhören, auf dich zu hoffen – loben will ich dich, je länger, je mehr.
[15] Laut werde ich es sagen: Auf deine Zusagen ist Verlass! Jeden Tag will ich erzählen, wie du aus der Not befreist; du tust viel mehr, als ich aufzählen kann!
[16] Deine machtvollen Taten will ich rühmen, Herr, mein Gott! Du hältst Wort – das allein werde ich weitersagen!

[17] Von Jugend auf bist du mein Lehrer gewesen, und bis heute erzähle ich von deinen Wundertaten.

---

[a] Wörtlich: Für viele bin ich wie ein Vorzeichen geworden.
70,3–4 7,13–17* **70,5** 92,2–4* **71,2** 17,6* **71,3** 18,3* **71,7–8** 20,6* **71,9** Jes 46,4 **71,15–16** 5 Mo 4,9* **71,17–18** Jes 46,3–4

[18] Lass mich auch jetzt nicht im Stich, o Gott, jetzt, wo ich alt und grau geworden bin! Gib mir noch so viel Zeit, dass ich auch meinen Kindern und Enkeln noch erzählen kann, wie groß und mächtig du bist!

[19] Gott, deine Treue umschließt Himmel und Erde. Du hast große Dinge getan! Wer ist wie du?
[20] Not und Elend hast du mir zwar nicht erspart, aber du erhältst mich am Leben und bewahrst mich vor dem sicheren Tod.
[21] Du bringst mich wieder zu Ehren, ja, du schenkst mir größeres Ansehen als zuvor. Das tröstet mich!
[22] Darum will ich dir mit dem Spiel auf der Harfe danken. Ich lobe deine Treue, du, mein Gott! Zur Laute will ich dir singen, dir, dem heiligen Gott Israels!
[23] Ich juble vor Freude, wenn ich von dir singe, denn du hast mich errettet.
[24] Tag für Tag will ich davon reden, dass du wirklich Wort hältst. Alle, die mich ins Unglück stürzen wollten, haben es nicht geschafft. Mit Schimpf und Schande wurden sie überhäuft!

Der Friedenskönig

72 Von Salomo.

Gott, lass den König an deiner Stelle Recht sprechen! Gib ihm deinen Sinn für Gerechtigkeit ins Herz!
[2] Als oberster Richter soll er dein Volk unparteiisch regieren und dem Rechtlosen zu seinem Recht verhelfen.
[3] Durch seine Herrschaft werden im ganzen Land Frieden und Wohlstand wachsen.[a]
[4] Er wird für die Unterdrückten eintreten und sich zum Anwalt der Armen machen; die Unterdrücker aber wird er zum Tode verurteilen.
[5] Er soll regieren, solange die Erde besteht und solange es Menschen gibt.[b]
[6] Seine Herrschaft sei wohltuend wie der Regen, der auf die Wiesen niedergeht, wie erfrischende Schauer, die trockene Felder bewässern.
[7] Dann werden alle aufblühen, die Gott die Treue halten, Gerechtigkeit und Wohlstand werden herrschen bis ans Ende der Zeit.

[8] Seine Macht reiche von einem Meer zum anderen, vom Euphrat bis zum Ende der Erde!
[9] Ihm sollen sich die Bewohner der Wüste unterwerfen, und auch seine Feinde sollen im Staub vor ihm kriechen.
[10] Die Könige von Tarsis[c] und von den fernen Inseln werden ihm Geschenke bringen, und auch die Herrscher von Saba und Seba[d] werden ihm Abgaben entrichten.
[11] Huldigen sollen ihm alle Könige, und alle Völker ihm dienen!

[12] Denn er rettet den Wehrlosen, der um Hilfe fleht; den Schwachen, dem jeder andere seine Unterstützung versagt.
[13] Am Schicksal der Hilflosen nimmt er Anteil und bewahrt sie vor dem sicheren Tod.
[14] Er befreit sie von Gewaltherrschaft, ihrer Unterdrückung macht er ein Ende, denn in seinen Augen ist ihr Leben wertvoll.

[15] Lang lebe der König! Man bringe ihm Gold von Saba! Man bete allezeit für ihn und wünsche ihm Glück und Segen den ganzen Tag!
[16] Im ganzen Land möge das Getreide wachsen im Überfluss, sogar noch auf

---

[a] Wörtlich: Mögen die Berge dem Volk Heil tragen, und die Hügel durch Gerechtigkeit!
[b] Wörtlich: Er wird dauern so lange wie die Sonne und im Angesicht des Mondes von Geschlecht zu Geschlecht. – So mit der griechischen Übersetzung; der hebräische Text lautet: Sie werden dich (Gott) fürchten, solange …
[c] Wahrscheinlich Südspanien.
[d] Saba ist wahrscheinlich Südarabien, Seba vielleicht Nordost-Afrika.

71,19 40,6* **71,22–23** 20,6* **72,1–2** 3 Mo 24,22*; 5 Mo 17,14–20 **72,8** Sach 9,10 **72,12–14** Spr 29,14

den Gipfeln der Berge soll es gedeihen – so üppig wie die Wälder auf dem Libanon. In den Städten möge reges Leben herrschen.[a]

[17]Der Name des Königs soll nie vergessen werden; sein Ruhm sei unsterblich, solange die Erde besteht[b]! Mögen alle Völker Gott bitten, sie so zu segnen, wie er den König gesegnet hat! Ihn, den König, sollen sie preisen!

[18]Gelobt sei Gott, der Herr, der Gott Israels! Er vollbringt Wunder, er allein! [19]Lobt seinen erhabenen Namen für alle Zeit! Seine Macht und Hoheit erfülle die ganze Welt! Amen!

[20]Hier sind die Gebete Davids, des Sohnes Isais, zu Ende.

Handelt so ein gerechter Gott?

73 Ein Lied Asafs.

Gott ist gut zu Israel, zu allen, die ihm ganz vertrauen. Das kann niemand bestreiten!

[2]Ich aber hätte beinahe an ihm gezweifelt, fast hätte ich den Glauben aufgegeben.

[3]Denn ich beneidete die überheblichen Menschen: Ihnen geht es gut, obwohl Gott ihnen völlig gleichgültig ist.

[4]Ihr Leben lang haben sie keine Schmerzen, sie strotzen vor Gesundheit und Kraft.

[5]Sie müssen sich nicht abplagen wie andere Menschen, und die täglichen Sorgen sind ihnen ganz und gar fremd.

[6]Sie sind stolz auf ihren Stolz und tragen ihn zur Schau, ja, sie prahlen sogar mit ihren Gewalttaten.

[7]In ihren feisten Gesichtern spiegelt sich die Bosheit ihres Herzens wider.

[8]Mit Verachtung schauen sie auf andere herab und verhöhnen sie, mit zynischen Worten setzen sie jeden unter Druck.

[9]Sie tun, als kämen ihre Worte vom Himmel; sie meinen, ihre Sprüche seien für die ganze Menschheit wichtig.

[10]Darum läuft sogar Gottes Volk ihnen nach, es hängt an ihren Lippen und glaubt alles, was man ihm vorsetzt.[c]

[11]Denn diese eingebildeten Leute sagen: »Gott kümmert sich um nichts – wie sollte er auch? Er thront so weit oben und weiß nicht, was sich hier unten abspielt!«

[12]Selbstsicher und sorglos leben sie in den Tag hinein, ihr Vermögen und ihre Macht werden immer größer.

[13]War es denn völlig umsonst, dass ich mir ein reines Gewissen bewahrte und mir nie etwas zuschulden kommen ließ?

[14]Jeder Tag wird mir zur Qual, eine Strafe ist er schon am frühen Morgen!

[15]Hätte ich mir vorgenommen: »Ich will genauso vermessen reden wie sie!«, dann hätte ich dein ganzes Volk verraten.

[16]Also versuchte ich zu begreifen, warum es dem Gottlosen gut und dem Frommen schlecht geht, aber es war viel zu schwer für mich.

[17]Da ging ich in Gottes heiligen Tempel, und dort wurde mir auf einmal klar: entscheidend ist, wie ihr Leben endet!

[18]Du stellst sie auf schlüpfrigen Boden und wirst sie ins Verderben stürzen.

[19]Ganz plötzlich wird sie das Entsetzen packen, sie werden ein Ende mit Schrecken nehmen.

[20]Wie ein Traum beim Erwachen verschwindet, so vergehen sie, wenn du dich erhebst, o Herr.

[21]Als ich verbittert war und mich vor Kummer verzehrte,

[22]da war ich dumm wie ein Stück Vieh, denn ich verstand dich nicht.

[23]Jetzt aber bleibe ich immer bei dir, und du hältst mich bei der Hand.

[24]Du führst mich nach deinem Plan und nimmst mich am Ende in Ehren auf.

---

[a] Wörtlich: Sie sollen hervorblühen aus der Stadt wie das Kraut der Erde.

[b] Wörtlich: vor der Sonne soll aufsprossen sein Name.

[c] Wörtlich: Darum wendet sich sein Volk ihnen zu. Wasser in Fülle wird bei ihnen ausgetrunken.

72,18 40,6* **72,19** 92,2–4* **73,3** Hiob 21,6–7 **73,11–17** Mal 3,14–18 **73,24** 25,4*

[25]Herr, wenn ich nur dich habe, bedeuten Himmel und Erde mir nichts.
[26]Selbst wenn alle meine Kräfte schwinden und ich umkomme, so bist du doch, Gott, allezeit meine Stärke – ja, du bist alles, was ich habe!

[27]Eines ist sicher: Wer dich ablehnt, wird zugrunde gehen; du vernichtest jeden, der dir die Treue bricht.
[28]Ich aber darf dir immer nahe sein, mein Herr und Gott; das ist mein ganzes Glück! Dir vertraue ich, deine wunderbaren Taten will ich weitererzählen.

Gottes Tempel – ein Trümmerhaufen!

74 Von Asaf, zum Nachdenken.

Gott, warum hast du uns für immer verstoßen? Warum lässt du deinen Zorn an uns aus? Wir gehören doch zu dir wie die Schafe zum Hirten!
[2]Erinnere dich daran, dass wir dein Volk sind! Vor langer Zeit hast du uns angenommen und uns aus der Gefangenschaft befreit. Wir alle sind dein Eigentum! Denke an den Berg Zion, den du dir als Wohnsitz erwählt hast!
[3]Geh über die Trümmer, die schon so lange dort liegen; sieh doch: Alles haben die Feinde im Tempel verwüstet!
[4]Ihr lautes Siegesgeschrei entweihte die heilige Stätte, ihre Fahnen haben sie als Zeichen des Sieges aufgestellt.
[5]Im Tempel sieht es aus, als hätte man Kleinholz gehackt:
[6]Die kostbaren Schnitzereien haben sie mit Äxten und Brechstangen zertrümmert.
[7]Danach steckten sie dein Heiligtum in Brand, sie entweihten den Ort, wo du angebetet wurdest.
[8]Sie wollten uns alle vernichtend schlagen, im ganzen Land haben sie die Gotteshäuser niedergebrannt.
[9]Nichts mehr deutet darauf hin, dass du noch Herr der Lage bist.[a] Es gibt keinen Propheten mehr – niemand von uns weiß, wie lange das noch so weitergehen soll.
[10]Wie lange, Gott, willst du dich von den Feinden verhöhnen lassen? Sollen sie für immer deinen Namen in den Schmutz ziehen?
[11]Warum hältst du dich zurück? Warum greifst du nicht ein? Zeige deine Macht und vernichte sie!

[12]Gott, seit uralter Zeit bist du unser König[b], schon oft hast du unser Land gerettet.
[13]Du hast mit deiner Macht das Meer gespalten und den Seedrachen die Schädel zerschmettert.
[14]Ja, du hast dem Seeungeheuer[c] die Köpfe abgehauen und es den Wüstentieren zum Fraß vorgeworfen.
[15]Du ließest Quellen und Bäche hervorsprudeln und brachtest große Ströme zum Versiegen.
[16]Dir gehört der Tag und auch die Nacht, du hast die Sonne und den Mond geschaffen.
[17]Du hast alle Grenzen der Erde festgelegt, hast Sommer und Winter gemacht.

[18]Denke daran, Herr, wie deine Feinde dich verhöhnen! Dieses gewissenlose Pack zieht deinen Namen in den Schmutz!
[19]Liefere uns nicht diesen Raubtieren aus,[d] du weißt doch, wie hilflos wir sind!
[20]Denke an deinen Bund mit uns! Selbst in den Schlupfwinkeln des Landes ist niemand mehr vor roher Gewalt sicher.
[21]Herr, lass nicht zu, dass dein unter-

---

[a] Wörtlich: Zeichen für uns sehen wir nicht.
[b] So mit der griechischen Übersetzung. Der hebräische Text lautet: mein König.
[c] Wörtlich: dem Leviatan.
[d] Wörtlich: Gib das Leben deiner Taube nicht den Tieren preis.

73,25–26 16,5; Klgl 3,21–24 **73,28** 5 Mo 4,9* **74,1** Hes 34,11–16* **74,2** 76,3; 2 Mo 15,17; 5 Mo 7,6–8; 1 Kön 9,3* **74,3–7** 2 Kön 25,9; Jes 64,9–10 **74,11** 89,7–9* **74,12** 22,29* **74,13** 2 Mo 14,21–22; Jes 27,1* **74,16** 1 Mo 1,14–18 **74,20** 2 Mo 24,7–8*

drücktes Volk mit Schande überhäuft wird! Wir sind arm und wehrlos. Rette uns, damit wir dich loben können!
[22] Gott, greife endlich ein, denn ihr Angriff gilt dir! Sorge dafür, dass du Recht behältst! Sieh auf diese Meute, die dich Tag für Tag verspottet!
[23] Ständig lärmen deine Feinde und lehnen sich gegen dich auf. Vergiss ihre Schmähungen nicht!

Schluss mit euren großen Worten!

75 Ein Lied Asafs, nach der Melodie: »Richte nicht zugrunde.«

[2] Wir danken dir, o Gott, wir danken dir! Du bist uns nahe! Wir erzählen von deinen wunderbaren Taten.

[3] Gott spricht: »Wenn meine Zeit gekommen ist, werde ich gerecht richten!
[4] Mag auch die Erde beben, und mögen ihre Bewohner vor Angst zittern – ich selbst habe die Fundamente der Erde unverrückbar festgelegt.
[5] So befehle ich nun den großmäuligen Angebern: Schluss mit euren großen Worten! Denen, die mich ablehnen, sage ich: Blast euch nicht so auf!
[6] Ja, hört auf zu prahlen, und lasst ab von eurem Stolz![a] Tragt eure Nase nicht so hoch!
[7] Wahre Größe kann kein Mensch verleihen – ganz gleich, woher er kommt!«[b]

[8] Denn Gott allein ist Richter: Den einen lässt er fallen, den anderen bringt er zu Ansehen und Macht.
[9] Der Herr hat einen Becher in seiner Hand, gefüllt mit starkem, betäubendem Trank. Alle, die den Herrn verachten, müssen den Becher bis zum letzten bitteren Tropfen austrinken.

[10] Ich aber will immer von Gott erzählen, für ihn, den Gott Jakobs, will ich musizieren.

[11] Er spricht: »Ich werde die Macht der Gottlosen brechen; doch alle, die mir die Treue halten, bringe ich zu Ansehen und Macht[c].«

Gottes Zorn

76 Ein Lied Asafs, mit Saiteninstrumenten zu begleiten.

[2] Gott ist in Juda jedem bekannt, in ganz Israel wird sein Name geehrt.

[3] In Jerusalem[d] wurde sein Heiligtum errichtet; sein Tempel steht auf dem Berg Zion.
[4] Dort zerbrach er Pfeile, Schilde und Schwerter, ja, alles Kriegsgerät!
[5] Du bist glanzvoller und mächtiger als die Feinde in den Bergen, die von dort aus ihre Raubzüge unternahmen.[e]

[6] Diese stolzen Krieger – nun sind sie ihrer Waffen beraubt! Sie schlafen den Todesschlaf, und niemals werden sie wieder zur Waffe greifen.
[7] Du, Gott Jakobs, brauchtest nur zu drohen, und schon fielen Ross und Reiter.
[8] Furchterregend bist du, o Gott! Wer kann vor dir bestehen, wenn dein Zorn losbricht?
[9] Die Menschen auf der Erde erstarrten

---

[a] Verse 5b–6a wörtlich: Denen, die mich ablehnen, sage ich: Erhebt nicht das Horn! Erhebt nicht zur Höhe euer Horn!
[b] Wörtlich: Denn weder vom Osten noch vom Westen, noch von der Wüste (= vom Süden) kommt Erhöhung.
[c] Wörtlich: die Hörner der Treuen werden erhöht werden.
[d] Wörtlich: In Salem. – Anstelle des vollen Namens ist hier der alte Name gewählt, um das Wort »Schalom« (Frieden) anklingen zu lassen.
[e] Wörtlich: Glänzender bist du, mächtiger als die Berge des Raubes. – Gemeint sind wohl die Mächte, die vom Norden und Osten in Israel einfielen.

75,2 5 Mo 4,9* **75,3** 7,12* **75,4** 104,5 **75,8** 7,12*; 1 Sam 2,7 **75,10** 92,2–4* **76,3** 1 Kön 9,3* **76,7** 2 Mo 15,1 **76,8–10** 7,12*

vor Schreck und wurden stumm, als dein Richterspruch vom Himmel ertönte,
[10] als du dich erhobst, um Gericht zu halten und den Entrechteten im Land zu helfen.
[11] Das Wüten der Feinde vermehrt deinen Ruhm, selbst ihr verzweifeltes Toben machst du dir zunutze[a]!

[12] Gebt Gott, dem Herrn, Versprechen und haltet sie! Ihr Völker rings um Israel – bringt ihm eure Gaben, denn groß und gewaltig ist er!
[13] Er bricht den Stolz der hochmütigen Herrscher, die Mächtigen dieser Welt müssen ihn fürchten!

Gott, hast du uns für immer verstoßen?

77 Ein Lied Asafs. Für Jedutun.
[2] Ich rufe zu Gott, ja, ich schreie immer wieder, damit er mich endlich hört.
[3] Ich habe große Angst und sehe keinen Ausweg mehr. Unaufhörlich bete ich zu Gott – sogar in der Nacht strecke ich meine Hände nach ihm aus. Ich bin untröstlich.

[4] Wenn ich an Gott denke, fange ich an zu seufzen; grüble ich über meine Lage nach, so verliere ich allen Mut.
[5] Ich kann nicht schlafen, weil er mich wach hält; die Unruhe treibt mich umher, ich finde keine Worte mehr.

[6] Ich erinnere mich an frühere Zeiten, an Jahre, die längst vergangen sind,
[7] als ich beim Spiel auf der Harfe noch fröhlich sein konnte. Jede Nacht grüble ich nach; das Herz wird mir schwer, weil meine Gedanken immer um die gleichen Fragen kreisen:
[8] Hat der Herr uns für alle Zeiten verstoßen? Wird er nie wieder freundlich zu uns sein?
[9] Ist seine Gnade für immer zu Ende? Gelten seine Zusagen nicht mehr?
[10] Hat Gott vergessen, uns gnädig zu sein? Warum verschließt er uns im Zorn sein Herz?
[11] Das ist es, was mich am meisten schmerzt: Gott, der Höchste, verhält sich jetzt anders als vorher – er setzt sich nicht mehr für uns ein!

[12] Ich erinnere mich an deine großen Taten, Herr, und denke an die Wunder, die du einst vollbracht hast.
[13] Ich führe mir vor Augen, was du getan hast, immer wieder mache ich es mir bewusst.
[14] O Gott, heilig ist alles, was du tust. Kein anderer Gott ist so mächtig wie du!
[15] Du allein bist der Gott, der Wunder vollbringt; du hast die Völker deine Macht spüren lassen.
[16] Mit starker Hand hast du dein Volk aus der Gefangenschaft in Ägypten befreit, die Nachkommen Jakobs und Josefs.
[17] Als dich die Wasserfluten sahen, begannen sie zu brodeln, sogar die Tiefen des Meeres erzitterten.
[18] Aus den Wolken goss strömender Regen, gewaltige Donnerschläge krachten, und deine Blitze durchzuckten die Luft.
[19] Ja, im Sturm donnerte deine Stimme; grelle Blitze erhellten die Erde, sie zitterte und bebte.
[20] Du bahntest dir einen Weg mitten durch das Meer. Dein Pfad führte durch mächtige Fluten, doch deine Spuren konnte niemand erkennen.
[21] Durch Mose und Aaron, deine Diener, hast du dein Volk wie ein Hirte geführt.

Israels Geschichte – Gott straft und rettet sein Volk

78 Von Asaf, zum Nachdenken.
Höre, mein Volk, auf meine Weisungen; gib Acht auf das, was ich dir sage!

---

[a] Wörtlich: auch noch mit dem Rest des Zornes wirst du dich gürten.
76,12 4 Mo 30,3* **77,2–3** 17,6* **77,14** 89,7–9* **77,16** 2 Mo 20,2* **77,20** 2 Mo 14,21–22* **77,21** Hes 34,11–16*

[2]Ich will euch die Geschichte unseres Volkes vor Augen malen. Ihre dunklen Rätsel will ich euch erklären.
[3/4]Was wir gehört und erfahren haben, was schon unsere Väter uns erzählten, das wollen wir auch unseren Kindern nicht verschweigen. Jede Generation soll von den mächtigen Taten Gottes hören, von allen Wundern, die er vollbracht hat.
[5]Er gab Israel sein Gesetz, gab den Nachkommen Jakobs seine Gebote. Unseren Vorfahren befahl er, sie ihren Kindern bekannt zu machen.
[6]So soll jede Generation seine Weisungen kennen lernen – alle Kinder, die noch geboren werden. Auch diese sollen sie ihren Nachkommen einprägen.
[7]Sie alle sollen auf Gott ihr Vertrauen setzen und seine Machttaten nicht vergessen. Was er befohlen hat, sollen sie tun,
[8]und nicht so handeln wie ihre Vorfahren, die sich gegen Gott auflehnten und sich ihm widersetzten: Sie waren untreu und unbeständig.

[9]Die Ephraimiten besaßen starke und gut ausgerüstete Bogenschützen. Trotzdem flohen sie, als es zur Schlacht kam.
[10]Sie hatten den Bund gebrochen, den Gott mit ihnen geschlossen hatte, und weigerten sich, nach seinem Gesetz zu leben.
[11]Sie vergaßen seine großen Taten – alle Wunder, die er sie mit eigenen Augen hatte sehen lassen.
[12]Ja, schon ihre Vorfahren hatten seine Wunder erlebt, damals in Ägypten im Gebiet von Zoan.
[13]Er teilte das Meer und ließ sie hindurchziehen, das Wasser türmte er auf wie einen Wall.
[14]Am Tage führte er sie mit einer Wolke und in der Nacht mit hellem Feuerschein.
[15]In der Wüste spaltete er Felsen und gab ihnen Wasser aus der Tiefe in Hülle und Fülle.
[16]Ganze Bäche brachen aus den Felsspalten hervor und stürzten herab wie ein Wasserfall.

[17]Aber unsere Vorfahren sündigten weiter gegen Gott, den Höchsten, dort in der Wüste lehnten sie sich gegen ihn auf.
[18]Sie forderten Gott heraus und verlangten von ihm die Speise, auf die sie gerade Lust hatten.
[19]Voller Misstrauen fragten sie: »Ist Gott denn überhaupt in der Lage, uns hier in der Wüste den Tisch zu decken?
[20]Den Felsen hat er zwar gespalten, und das Wasser floss in Strömen heraus – aber kann er auch Brot herbeischaffen, kann er für sein Volk Fleisch auftreiben?«
[21]Als der Herr das hörte, wurde er zornig; sein Zorn entflammte über Israel wie ein zerstörendes Feuer.
[22]Denn sie glaubten ihm nicht und rechneten nicht mit seiner Hilfe.

[23]Dennoch gab er den Wolken Anweisungen und öffnete die Schleusen des Himmels.
[24]Er ließ das Manna auf sie herabregnen, Getreide vom Himmel gab er ihnen zu essen.
[25]Sie aßen das Brot der Engel, und Gott gab ihnen genug zum Sattwerden.
[26]Dann ließ er den Ostwind losbrausen und schickte auch den Südwind auf seine stürmische Reise.
[27]Er ließ Fleisch auf sie regnen: Vögel, so zahlreich wie Sand am Meer.
[28]Mitten ins Lager seines Volkes ließ er sie fallen, ihr Zeltplatz war mit ihnen bedeckt.
[29]Sie aßen davon und wurden mehr als satt; Gott gab ihnen alles, was sie verlangten.
[30]Doch ihre Gier war immer noch nicht gestillt, hemmungslos fraßen sie alles in sich hinein.
[31]Da wurde Gott aufs Neue zornig und

78,2–8 5 Mo 4,9* **78,10** 2 Mo 24,7–8* **78,13** 2 Mo 14,21–22* **78,14** 2 Mo 13,21–22* **78,15–16** 2 Mo 17,6; 4 Mo 20,7–11 **78,18–20** 2 Mo 16,3; 4 Mo 11,4–6 **78,21–22** 4 Mo 11,1–3; 16,35 **78,23–25** 2 Mo 16,14–15* **78,26–31** 2 Mo 16,12–13; 4 Mo 11,31–34

brachte ihre stärksten Männer um, er vernichtete die jungen Krieger Israels.

[32] Dennoch sündigten sie weiter und vertrauten ihm nicht, obwohl er all diese Wunder vollbracht hatte.
[33] Da ließ er ihr Leben ohne jeden Sinn verstreichen, von Angst erfüllt gingen ihre Jahre dahin.
[34] Immer wenn Gott einige von ihnen tötete, fragten sie wieder nach ihm, von Reue ergriffen suchten sie Gott.
[35] Dann erinnerten sie sich, dass er ihr Beschützer war, dass er, der Höchste, sie befreit hatte.
[36] Aber ihre Reue war nicht echt: Jedes ihrer Worte war eine Lüge, nichts von dem, was sie sagten, war ehrlich.
[37] Ihr Vertrauen auf Gott war schwach und unbeständig; sie standen nicht treu zu dem Bund, den er mit ihnen geschlossen hatte.
[38] Trotzdem blieb er barmherzig, vergab ihre Schuld und tötete sie nicht. Immer wieder hielt er seinen Zorn zurück, anstatt ihm freien Lauf zu lassen.
[39] Er wusste ja, wie vergänglich sie waren – flüchtig wie ein Hauch, der verweht und nicht wiederkehrt.

[40] Wie oft boten sie Gott die Stirn, wie oft verletzten sie ihn tief, dort in der Wüste!
[41] Immer wieder forderten sie ihn heraus, sie beleidigten den heiligen Gott Israels.
[42] Sie vergaßen seine Macht und den Tag, an dem er sie von ihren Feinden befreit hatte.

[43] Damals vollbrachte er viele Zeichen und Wunder in dem Gebiet von Zoan im Land Ägypten.
[44] Er verwandelte die Ströme und Bäche der Ägypter in Blut, so dass niemand mehr daraus trinken konnte.
[45] Er schickte ihnen Insektenschwärme, die sie plagten, und Frösche, die ihnen Verderben brachten.
[46] Ihre Ernte überließ er gefräßigen Heuschrecken, die den Ertrag ihrer Arbeit vernichteten.
[47] Ihre Weinstöcke zerschlug er durch Hagel, ihre Feigenbäume wurden durch Eisstücke zerstört.
[48] Auch das Vieh lieferte er dem Hagel aus, ganze Herden kamen durch Seuchen[a] um.
[49] Sein Zorn auf die Ägypter war grenzenlos, darum quälte er sie und schickte Scharen von Unglücksengeln gegen sie.
[50] Ja, er hielt seinen Zorn nicht länger zurück; er verschonte sie nicht mehr vor dem Tod, sondern ließ sie durch die Pest umkommen.
[51] Jeden ältesten Sohn tötete er in den Familien der Ägypter, der Nachkommen Hams.
[52] Dann ließ er sein Volk aufbrechen und führte es durch die Wüste wie ein Hirte seine Schafe.
[53] Sie fürchteten sich nicht, so sicher führte er sie; für ihre Feinde aber wurde das Meer zum Grab.
[54] Bis ins heilige Land brachte er sein Volk, bis zu dem Berg Zion, den er zu seinem Heiligtum erklärte.
[55] Ganze Völker vertrieb er aus dem Land und verteilte es unter die Stämme Israels. Die Häuser der vertriebenen Völker waren nun ihre Wohnungen.

[56] Doch erneut forderten sie Gott, den Höchsten, heraus und lehnten sich gegen ihn auf. Seine Gebote waren ihnen gleichgültig.
[57] Sie wandten sich von ihm ab und verlie-

---

[a] Oder: durch Blitze.

78,33 4 Mo 14,22–23 **78,37** 2 Mo 24,7–8* **78,38** 85,3*; 5 Mo 4,31 **78,39** 39,5–7* **78,40–42** 2 Mo 14,11–12* **78,44** 2 Mo 7,17–21 **78,45** 2 Mo 8,1–20 **78,46** 2 Mo 10,4–15 **78,47–48** 2 Mo 9,18–26 **78,50** 2 Mo 9,8–12 **78,51** 2 Mo 12,29* **78,52** 2 Mo 13,21–22*; Hes 34,11–16* **78,54** 1 Kön 9,3* **78,55** Jos 24,8–13 **78,56–59** Ri 2,10–15

ßen ihn treulos wie schon ihre Vorfahren; sie waren unzuverlässig wie ein Bogen, dessen Sehne reißt.
[58] Sie erzürnten Gott, denn sie errichteten auf den Bergen Heiligtümer für fremde Götter; mit ihren Götzenbildern reizten sie ihn zum Zorn.
[59] Ja, er geriet außer sich vor Zorn und gab Israel völlig auf.
[60] Er verließ sein Heiligtum in Silo – das Zelt, in dem er den Menschen nahe gewesen war.
[61] Die Bundeslade, das Zeichen seiner Macht und Ehre, gab er in die Hände der Feinde.
[62] Er war zornig über sein Volk und ließ es durch das Schwert der Gegner umkommen.
[63] Die jungen Männer fielen im Krieg,[a] den Mädchen sang man kein Hochzeitslied mehr.
[64] Die Priester wurden mit dem Schwert umgebracht, ihre Witwen durften nicht einmal die Totenklage anstimmen.

[65] Doch dann erhob sich der Herr, als hätte er geschlafen; er stand auf wie ein starker Krieger, der aus seinem Rausch erwacht.
[66] Er schlug seine Feinde in die Flucht und machte sie für alle Zeiten zum Gespött.
[67] Die Nachkommen Josefs ließ er fallen, vom Stamm Ephraim wollte er nichts mehr wissen.
[68] Den Stamm Juda jedoch wählte er aus, den Berg Zion, dem seine Liebe gehört.
[69] Dort errichtete er sein Heiligtum – hoch ragt es auf; fest und unerschütterlich wie die Erde steht es da.
[70] Er wählte David aus, ihm zu dienen; von den Weiden holte er ihn weg,
[71] wo er die Schafe hütete. Gott machte ihn zum Hirten über Israel, über sein erwähltes Volk.
[72] David regierte es mit aufrichtigem Herzen und führte es mit kluger Hand.

Gott, es geht um deine Ehre!

79

Ein Lied Asafs.

Gott, fremde Völker sind in dein Land eingefallen, das du uns anvertraut hast; sie haben deinen heiligen Tempel entweiht und Jerusalem in einen Trümmerhaufen verwandelt.
[2] Sie haben alle umgebracht, die dir dienten und dir treu waren. Ihre Leichen wurden ein Fraß der Geier und der wilden Tiere.
[3] Auch rings um Jerusalem richteten sie ein schreckliches Blutbad an, und keiner war da, der die Toten begrub.
[4] Unsere Nachbarvölker verhöhnen uns, nur noch Spott haben sie für uns übrig.

[5] Herr, wie lange willst du noch zornig auf uns sein? Soll dein Zorn für immer so weiterbrennen wie ein Feuer?
[6] Lass ihn doch an den Völkern aus, die dich nicht anbeten, und an den Königreichen, die deinen Namen nicht anrufen!
[7] Denn sie haben dein Volk umgebracht und seine Wohnorte verwüstet.
[8] Strafe uns doch nicht für die Sünden unserer Vorfahren! Zögere nicht, erbarme dich über uns, denn wir sind am Ende unserer Kraft!
[9] Hilf uns, Gott, unser Retter! Steh uns bei und vergib uns unsere Schuld! Es geht doch um deine Ehre!
[10] Warum sollen die fremden Völker spotten: »Wo bleibt er denn, ihr Gott?« Zeige ihnen, wie du das Blut deines Volkes an den Feinden rächst! Lass uns das noch erleben!
[11] Lass das Stöhnen der Gefangenen zu dir dringen! Du hast grenzenlose Macht; darum rette die, denen man das Leben nehmen will!
[12] Herr, unsere Nachbarvölker haben dich beleidigt und verspottet. Zahle es ihnen siebenfach zurück!

---

[a] Wörtlich: Das Feuer fraß die jungen Männer.

78,60 Jos 18,1* **78,61** 1 Sam 4,11.17–18; 5,1–2 **78,68** 1 Kön 9,3* **78,70–71** 1 Sam 16,11–13; 2 Sam 7,8 **79,2–3** Jer 9,20–21 **79,4** 44,14–15; 80,7 **79,8** 5 Mo 24,16; Jer 31,29–30; Hes 18,2–9 **79,9** 85,3* **79,11** 89,7–9*; Jes 42,7; 61,1

[13] Wir aber sind dein Volk, wir gehören zu dir wie Schafe zu ihrem Hirten. Allezeit wollen wir dich loben und jeder neuen Generation erzählen, wie groß du bist!

Der verbrannte Weinstock

80 Ein Lied Asafs, nach der Melodie »Lilien«, ein Bekenntnislied.

[2] Höre uns, Gott, du Hirte Israels, der du dein Volk wie eine Herde hütest! Der du über den Cherub-Engeln thronst – erscheine in deinem strahlenden Glanz! [3] Zeige deine Macht den Stämmen Ephraim, Benjamin und Manasse! Komm und hilf uns!

[4] O Gott, richte uns, dein Volk, wieder auf! Wende dich uns in Liebe zu, dann sind wir gerettet!

[5] Herr, du Gott über Himmel und Erde, wie lange willst du noch zornig auf uns sein, obwohl wir zu dir beten? [6] Tränen sind unsere einzige Speise – ganze Krüge könnten wir mit ihnen füllen! [7] Unsere Feinde spotten über unsere Ohnmacht, sie streiten sich schon über unser Land.[a]

[8] Herr, du Gott über Himmel und Erde – richte uns, dein Volk, wieder auf! Wende dich uns in Liebe zu, dann sind wir gerettet!

[9] In Ägypten grubst du den Weinstock Israel aus; du pflanztest ihn ein in einem Land, aus dem du fremde Völker verjagtest. [10] Für ihn hast du den Boden gerodet, so dass er Wurzeln schlagen und sich im ganzen Land ausbreiten konnte. [11] Mit seinem Schatten bedeckte er das Gebirge, bis zu den gewaltigen Zedern im Norden[b] wuchsen seine Reben. [12] Seine Ranken erstreckten sich bis zum Mittelmeer, und bis an den Euphrat gelangten seine Zweige. [13] Warum hast du nur die schützende Mauer niedergerissen? Jetzt kann jeder, der vorüberkommt, ihn plündern! [14] Die Wildschweine aus dem Wald verwüsten ihn, die wilden Tiere fressen ihn kahl.

[15] Herr, du Gott über Himmel und Erde – wende dich uns wieder zu! Schau vom Himmel herab und rette dein Volk[c]!

[16] Kümmere dich um den Weinstock, den du selbst gepflanzt hast; sorge für den jungen Spross, der durch dich erst stark wurde! [17] Unsere Feinde haben ihn abgehauen und ins Feuer geworfen; doch wenn du ihnen entgegentrittst, kommen sie um. [18] Beschütze dein Volk, das du erwählt hast und das durch dich erst stark wurde![d] [19] Dann wollen wir nie mehr von dir weichen. Erhalte uns am Leben, dann wollen wir dich loben.

[20] Herr, du Gott über Himmel und Erde – richte uns, dein Volk, wieder auf! Wende dich uns in Liebe zu, dann sind wir gerettet!

Heilige Feste – nur noch Theater!

81 Von Asaf, zum Spiel auf der Gittit[e].

---

[a] Wörtlich: Du hast uns zum Zankapfel für unsere Nachbarn gemacht.
[b] »im Norden« ist singgemäß eingefügt.
[c] Wörtlich: diesen Weinstock.
[d] Wörtlich: Deine Hand sei über dem Mann deiner Rechten, über dem Menschensohn, den du dir hast stark werden lassen. – Der Vers könnte sich auch auf den König des Volkes beziehen.
[e] Damit ist entweder ein unbekanntes Musikinstrument oder eine Melodie gemeint (so auch Psalm 8,1; 84,1).

79,13 Hes 34,11–16*; 5 Mo 4,9* **80,2** Hes 34,11–16* **80,4** 44,27 **80,7** 44,14–15; 79,4 **80,9–14** Jes 5,1–7*

[2] Jubelt unserem Gott zu, stark und mächtig ist er! Jubelt laut über Gott, den Gott Jakobs!
[3] Stimmt Lieder an und schlagt die Pauken! Lasst die Saiten von Zither und Harfe erklingen!
[4] Stoßt in die Trompete zum jährlichen Fest; blast zu Beginn und zum Abschluss des Festes – bei Neumond und bei Vollmond!
[5] Dies ist für Israel eine bindende Ordnung, ein Gesetz des Gottes Jakobs.
[6] Er gab es dem Volk Gottes, als er gegen die Ägypter kämpfte.

Da! Ich höre eine Stimme, die mir bisher unbekannt war:
[7] »Ich habe deine Schultern von der Last befreit, den schweren Tragekorb habe ich dir abgenommen.
[8] Als du in der Not zu mir schriest, rettete ich dich. Ich antwortete dir aus der Gewitterwolke, in der ich mich verborgen hielt. In Meriba prüfte ich dein Vertrauen zu mir, als es dort in der Wüste kein Wasser mehr gab.
[9] Höre, mein Volk; lass dich warnen, Israel! Wenn du doch auf mich hören würdest!
[10] Du sollst keine anderen Götter neben mir haben, wie sie bei fremden Völkern verehrt werden – bete sie nicht an!
[11] Denn ich allein bin der Herr, dein Gott, ich habe dich aus Ägypten herausgebracht. Nach mir sollst du verlangen, und ich werde dich sättigen, ja, ich schenke dir Segen im Überfluss![a]

[12] Aber mein Volk hat nicht auf mich gehört, sie haben nicht mit sich reden lassen.
[13] Da überließ ich sie ihrer Starrköpfigkeit, und sie machten, was sie wollten.
[14] Wenn doch mein Volk auf mich hören wollte! Wenn doch Israel nach meinen Geboten lebte!
[15] Dann würde ich seine Feinde sofort in die Knie zwingen und denen, die Israel unterdrücken, eine vernichtende Niederlage zufügen.«
[16] Ja, alle, die den Herrn hassen, müssten sich ihm ergeben, und ihre Strafe hätte kein Ende.
[17] Israel aber würde er mit dem besten Weizen versorgen und mit Honig aus den Bergen sättigen.

Gott rechnet mit den Göttern ab

82 Ein Psalm Asafs.

Gott steht auf inmitten der Götter, in ihrer Versammlung erhebt er seine Anklage:
[2] »Wie lange noch wollt ihr das Recht verdrehen, wenn ihr eure Urteile sprecht? Wie lange noch wollt ihr Partei ergreifen für Menschen, die sich mir widersetzen?
[3] Verhelft den Wehrlosen und Waisen zu ihrem Recht! Behandelt die Armen und Bedürftigen, wie es ihnen zusteht!
[4] Reißt sie aus den Klauen ihrer Unterdrücker!«

[5] Aber sie handeln ohne Sinn und Verstand; sie irren im Dunkeln umher und sehen nicht, dass durch ihre Bosheit die Welt ins Wanken gerät.
[6] Zwar hatte ich ihnen gesagt: »Ihr seid Götter! Ihr alle seid Söhne des Höchsten!
[7] Aber wie gewöhnliche Menschen müsst auch ihr sterben; euer Leben wird genauso enden wie das eines jeden Herrschers!«

[8] Erhebe dich, Gott, und richte die Welt, denn dir gehören alle Völker!

Aufstand der Völker

83 Ein Lied Asafs.

[2] Gott, schweige nicht! Sieh nicht untätig zu!

---

[a] Wörtlich: Mache deinen Mund weit auf, und ich will ihn füllen.

81,2 89,7–9* **81,4–6** 4 Mo 10,10 **81,7** 2 Mo 6,6 **81,8** 2 Mo 17,1–7 **81,11** 2 Mo 20,2* **81,12–13** Jer 7,24–26 **81,17** 5 Mo 32,12–14 **82,2–4** 7,12*; 2 Mo 22,21–22* **82,6** Joh 10,34 **82,8** 22,29*

[3] Höre doch, wie deine Feinde rebellieren; alle, die dich hassen, sind stolz und siegessicher.
[4] Sie planen einen heimtückischen Anschlag auf dein Volk; sie halten Kriegsrat gegen jene, die du bisher beschützt hast.
[5] »Kommt!«, sagen sie, »wir wollen dieses Volk ausrotten! Den Namen Israel soll niemand mehr kennen!«
[6] Darin sind sie sich völlig einig, alle haben sich gegen dich verschworen:
[7] die Beduinen von Edom und die Ismaeliter, die Moabiter und die Hagariter,
[8] die von Gebal, Ammon und Amalek, die Philister und die Bewohner von Tyrus;
[9] sogar die Assyrer haben sich ihnen angeschlossen – sie verbünden sich mit den Moabitern und den Ammonitern[a].

[10] Herr, schlage sie in die Flucht wie damals die Midianiter! Besiege sie wie den Kanaaniterkönig Jabin mit seinem Heerführer Sisera am Flusse Kischon!
[11] Bei En-Dor wurden sie vernichtet, und ihre Leichen verrotteten auf dem Acker.
[12] Töte ihre Fürsten wie Oreb und Seeb, bestrafe ihre Machthaber wie Sebach und Zalmunna!
[13] Sie alle hatten einst gesagt: »Wir erobern das Land, das Gott gehört!«
[14] Mein Gott! Wirble sie davon wie ausgedörrte Disteln, wie dürres Laub[b], das der Wind verweht!
[15] Wie ein Flächenbrand, dessen Flammen Berge und Wälder fressen,
[16] so verfolge sie durch ein Unwetter, erschrecke sie mit einem Sturm!
[17] Lass sie vor Scham erröten, damit sie endlich nach dir, Herr, fragen!
[18] Sie sollen scheitern und für immer verstummen, ja, lass sie in ihrer Schande umkommen!
[19] Denn sie müssen erkennen, dass du allein der Herr bist, der Herrscher über die ganze Welt!

Herr, ich liebe deinen Tempel!

84 Ein Lied der Korachiter, zum Spiel auf der Gittit[c].

[2] Herr, du Gott über Himmel und Erde! Wie sehr liebe ich deinen Tempel – den Ort, an dem du wohnst!
[3] Ich kann es kaum noch erwarten, ja, ich sehne mich danach, in die Vorhöfe deines Heiligtums zu kommen! Mit Leib und Seele juble ich dir zu, du lebendiger Gott! Herr, du Gott über Himmel und Erde, du bist mein König und mein Gott!
[4] Sogar die Vögel haben hier ein Nest gebaut, die Schwalben sind hier zu Hause – in der Nähe deiner Altäre ziehen sie ihre Jungen groß.

[5] Glücklich sind alle, die in deinem Tempel wohnen dürfen! Jederzeit können sie dich loben!
[6] Glücklich sind alle, die ihre Stärke in dir suchen, die gerne und voll Freude zu deinem Tempel ziehen[d].
[7] Wenn sie durch ein dürres Tal gehen[e], brechen dort Quellen hervor, und ein erfrischender Regen bewässert das Land.
[8] So wandern sie mit stets neuer Kraft, bis sie vor Gott auf dem Berg Zion stehen.
[9] Herr, du Gott über Himmel und Erde – höre mein Gebet! Verachte es nicht, du Gott Jakobs!
[10] Herr, hilf dem König, der uns beschützt![f] Steh ihm bei, denn du hast ihn erwählt![g]

[11] Herr, ein Tag in deinem Tempel ist

---

[a] Wörtlich: mit den Söhnen Lots. Vgl. 1. Mose 19,30–38
[b] Wörtlich: wie Spreu.
[c] Damit ist entweder ein unbekanntes Musikinstrument oder eine Melodie gemeint (so auch Psalm 8,1; 81,1).
[d] Wörtlich: in deren Herzen gebahnte Wege sind.
[e] Wörtlich: durch das Bakatal.
[f] Wörtlich: Sieh her, o Gott, auf unseren Schild. Vgl. Psalm 47,10; 89,19
[g] Wörtlich: Blicke auf das Antlitz deines Gesalbten!

83,3–5 2,2–3 **83,10** Ri 4,1–24 **83,12** Ri 7,25; 8,21 **83,19** 22,29* **84,3** 63,2* **84,4–5** 23,6; 26,8; 27,4 **84,11** 65,5

mehr wert als tausend andere! Ich möchte lieber ein einfacher Türhüter sein an der Schwelle deines Hauses als bei den Menschen wohnen, die dich missachten!
[12] Denn Gott, der Herr, ist die Sonne, die uns Licht und Leben gibt, schützend steht er vor uns. Niemand ist so gut zu uns wie er, durch ihn gelangen wir zu hohem Ansehen. Wer ihm rückhaltlos ergeben ist, den lässt er nie zu kurz kommen.
[13] Herr, du Gott über Himmel und Erde! Glücklich ist jeder, der sich auf dich verlässt!

Wenn Gott neues Leben schenkt

85 Ein Lied der Korachiter.
[2] Herr, du bist deinem Land gnädig gewesen und hast sein Geschick wieder zum Guten gewendet.
[3] Die Schuld deines Volkes hast du vergeben und alle seine Sünden zugedeckt.
[4] Dein Zorn fand ein Ende, seine Glut ist verloschen.

[5] So hilf uns auch jetzt, damit wir wieder stark werden. Gib deinen Unwillen gegen uns auf!
[6] Willst du für immer zornig auf uns sein – ohne Ende, von einer Generation zur anderen?
[7] Willst du uns nicht wieder neues Leben schenken, damit wir uns über dich freuen können?
[8] Herr, zeige doch, wie sehr du uns liebst! Komm uns zu Hilfe!
[9] Ich will hören, was Gott, der Herr, zu sagen hat: Er verkündet Frieden seinem Volk – denen, die ihn lieben; doch sollen sie nicht in ihre alten Fehler zurückfallen.
[10] Eins ist sicher: Er wird allen helfen, die ihm mit Ehrfurcht begegnen, seine Macht und Hoheit wird wieder in unserem Lande wohnen.
[11] Dann verbünden sich Güte und Treue, dann küssen einander Gerechtigkeit und Frieden.
[12] Treue wird aus der Erde sprießen und Gerechtigkeit vom Himmel herabblicken.
[13] Der Herr selbst wird uns mit vielen Gütern beschenken, und unsere Felder werden reiche Ernte einbringen.
[14] Ja, Gerechtigkeit wird dem Herrn vorausgehen und ihm den Weg bahnen.

Gib mir ein Zeichen deiner Güte!

86 Ein Gebet Davids.
Höre mich, o Herr, und antworte mir, denn ich bin niedergeschlagen und hilflos!
[2] Rette mein Leben – ich gehöre doch zu dir! Hilf mir, denn ich vertraue dir! Du bist mein Gott, und ich diene dir.
[3] Sei mir gnädig, Herr, zu dir rufe ich den ganzen Tag.
[4] Schenke mir wieder neue Freude, nach dir sehne ich mich!
[5] Du, Herr, bist gut und zum Vergeben bereit, unermesslich ist deine Gnade für alle, die zu dir beten.
[6] Höre, Herr, mein Gebet, ich flehe zu dir!
[7] Ich weiß weder aus noch ein. Darum schreie ich zu dir, und du wirst mich erhören.

[8] Kein anderer Gott ist wie du, Herr; niemand kann tun, was du tust!
[9] Du hast alle Völker geschaffen. Sie werden zu dir kommen, sich vor dir niederwerfen und dich verehren.
[10] Denn du bist groß und mächtig, ein Gott, der Wunder tut; nur du bist Gott, du allein!

[11] Herr, zeige mir deinen Weg, ich will dir treu sein und tun, was du sagst. Gib mir nur dies eine Verlangen: dich zu ehren und dir zu gehorchen!
[12] Von ganzem Herzen will ich dir dan-

85,3 19,13; 25,7; 51,11; 130,4; 1 Kön 8,30; Spr 28,13; Jes 1,18; 44,22; Hos 14,3–4; Mi 7,18–20; Mt 6,12 **85,9** Jer 29,11 **85,11–12** Jes 45,6–8 **86,4** 63,2* **86,5** 85,3* **86,6–7** 17,6* **86,9** 117,1* **86,10** 40,6*; 5 Mo 4,35*; Jes 45,5* **86,11** 25,4*

ken, Herr, mein Gott; dich will ich preisen.
[13] Denn deine Liebe zu mir ist grenzenlos! Du hast mich dem sicheren Tod entrissen.

[14] Hochmütige Menschen lehnen sich gegen mich auf! Sie tun sich zusammen und schrecken vor keiner Gewalttat zurück. Sie wollen mich umbringen! Von dir, Herr, wollen sie überhaupt nichts wissen.
[15] Aber du bist ein gnädiger und barmherziger Gott. Deine Geduld ist groß, deine Liebe und Treue kennen kein Ende.
[16] Darum wende dich mir zu und hab Erbarmen! Hilf mir! Gib mir deine Kraft! Dir bin ich treu ergeben.
[17] Herr, gib mir ein sichtbares Zeichen deiner Güte! Dann werden alle, die mich hassen, sich schämen, weil du, Herr, mir geholfen und mich getröstet hast!

Zion, Gottes geliebte Stadt

87 Ein Lied der Korachiter.
Hoch auf dem heiligen Berg hat Gott die Stadt Zion errichtet.
[2] Er liebt Jerusalem mit seinen herrlichen Toren mehr als alle anderen Orte in Israel.

[3] Du bist weltberühmt, du Stadt Gottes! Denn der Herr sagt:[a]
[4] »In Ägypten und Babylon gibt es Menschen, die mich kennen, und auch bei den Philistern, in Tyrus und Äthiopien werde ich angebetet.«[b]

[5] Aber von Jerusalem sagt man: »Alle seine Einwohner kennen Gott!«[c] Ja, er, der Höchste, hat Zion errichtet!
[6] Der Herr wird eine Liste aller Völker aufstellen und bei jedem einen Vermerk machen, der zu Jerusalem gehört.[d]
[7] Sie alle werden tanzen und fröhlich singen: »Was wir haben, verdanken wir dieser Stadt!«

Am Rande des Todes – völlig allein!

88 Ein Lied der Korachiter. Der Esrachiter Heman verfasste es zum Nachdenken.
[2] Herr, mein Gott, du allein kannst mir noch helfen! Tag und Nacht schreie ich zu dir!
[3] Höre mein Gebet, vernimm mein Flehen!
[4] Schweres Leid drückt mich nieder, ich bin dem Tod schon näher als dem Leben.
[5] Jeder rechnet damit, dass ich bald sterbe, so schwach bin ich.
[6] Es geht mir wie den Toten, wie den Erschlagenen in ihrem Grab, die du vergessen hast, die von dir verlassen sind.
[7] Du hast mich in den tiefsten Abgrund gestoßen, in unergründliche Finsternis.
[8] Dein schwerer Zorn lastet auf mir, er wirft mich um wie hohe Brandungswellen.
[9] Meine Freunde haben sich von mir abgewandt. Du hast erreicht, dass sie mich voller Abscheu verlassen haben. Ich bin gefangen und weiß keinen Ausweg mehr.
[10] Meine Augen sind vom Weinen ganz verquollen. Jeden Tag rufe ich zu dir, Herr, im Gebet strecke ich die Hände nach dir aus.

[11] Wirst du an den Toten noch ein Wunder tun? Kommen sie etwa aus ihren Gräbern, um dich zu loben?

---

[a] Sinngemäß eingefügt.
[b] Wörtlich: Ich will Rahab und Babel zählen zu denen, die mich kennen; siehe, Philistäa und Tyrus samt Kusch. Dieser ist dort geboren. – Zu Rahab vgl. Jesaja 30,7
[c] Wörtlich: Mann für Mann ist dort geboren.
[d] Wörtlich: Der Herr wird schreiben beim Verzeichnen der Völker: Dieser ist dort geboren. Vgl. Jesaja 56,5; Hesekiel 13,9

86,17 Klgl 3,22–23* **87,1–2** 1 Kön 9,3* **87,4** 117,1* **87,6** Jes 44,5 **88,9** 69,9* **88,10** 6,7–8; 17,6* **88,11–13** 6,6*

[12]Erzählt man im Totenreich von deiner Gnade, in der Gruft von deiner Treue? [13]Sind deine Wunder am Ort der Finsternis noch bekannt? Denken die Toten, die man vergessen hat, noch daran, dass du deine Versprechen hältst?

[14]Herr, ich schreie zu dir um Hilfe. Schon früh am Morgen klage ich dir mein Leid. [15]Warum hast du mich aufgegeben, Herr? Warum verbirgst du dich vor mir? [16]Schon seit meiner Jugend bin ich schwer krank und dem Tode nah, du hast mir diese schreckliche Last auferlegt – und jetzt bin ich am Ende! [17]Dein strafender Zorn hat mich zu Boden geschmettert, ich bin vernichtet! [18]Die Angst bedrängt mich von allen Seiten wie todbringende Wasserwogen, denen ich nicht mehr entrinnen kann. [19]Du hast erreicht, dass meine Freunde und Nachbarn nichts mehr mit mir zu tun haben wollen! Alle, die mich gekannt haben, kennen mich jetzt nicht mehr.

Hat Gott sein Wort gebrochen?

89 Von Etan, dem Esrachiter. Zum Nachdenken.

[2]Herr, von deiner Gnade will ich singen ohne Ende; allen kommenden Generationen will ich erzählen, wie treu du bist. [3]Ich weiß: Deine Gnade gilt für alle Zeiten und deine Treue, solange der Himmel besteht. [4]Du hast gesagt:[a] »Ich habe einen Bund geschlossen mit dem Mann, den ich erwählte. Ich schwor David, der mir von ganzem Herzen diente: [5]Für alle Zeiten sollen deine Nachkommen herrschen, für immer wird dein Königshaus bestehen!«

[6]Herr, der Himmel lobt dich, denn du tust Wunder; die Schar deiner heiligen Engel[b] preist deine Treue. [7]Denn wer im Himmel ist dir gleich? Kein himmlisches Wesen[c] ist so mächtig wie du! [8]In der himmlischen Ratsversammlung fürchten sie Gott mit heiliger Scheu; ja, Ehrfurcht ergreift alle, die um ihn sind. [9]Herr, du Gott über Himmel und Erde! Niemand ist so mächtig wie du! Was du auch tust: Auf dich ist Verlass! [10]Du hast Gewalt über die Meere, und wenn sich die Wellen auftürmen wie gewaltige Mauern, bändigst du sie! [11]Du hast das Meerungeheuer[d] besiegt und zermalmt; machtvoll hast du deine Feinde in alle Winde zerstreut. [12]Dir gehört der Himmel und dir gehört die Erde, das weite Land und was darauf lebt: Du hast alles geschaffen. [13]Norden und Süden legtest du fest; der Berg Tabor und das Hermongebirge jubeln dir zu. [14]Wie stark ist dein Arm, wie gewaltig deine Hand! Du erhebst sie zum Zeichen deines Sieges! [15]Gerechtigkeit und Recht sind die Säulen deiner Herrschaft; alles, was du tust, zeigt deine Liebe und Treue.

[16]Herr, glücklich ist das Volk, das dich jubelnd als König feiert! Du selbst bist unter ihnen und bringst Licht in ihr Leben. [17]Sie freuen sich jeden Tag über dich und sind fröhlich, weil du deine Versprechen hältst. [18]Du allein machst sie stark, durch deine Liebe gelangen sie zu Ansehen und Macht. [19]Herr, du Heiliger Israels, dir gehört unser König, der uns beschützt.[e]

[20]Gott, vor langer Zeit hast du in einer

---

[a] Sinngemäß eingefügt.
[b] Wörtlich: die Schar deiner Heiligen.
[c] Wörtlich: Keiner von den Göttersöhnen.
[d] Wörtlich: Rahab. Vgl. Hiob 9,13; 26,12; Jesaja 51,9
[e] Wörtlich: Dem Herrn gehört unser Schild, und dem Heiligen Israels unser König.

88,19 69,9* **89,2–3** 136,1; 5Mo 4,9* **89,4–5** 2 Sam 7,16* **89,6** 40,6* **89,7–9** 57,6; 66,7; 68,35; 90,16; 108,6; Hiob 36,5; Jes 44,8; Lk 1,49 **89,15** 85,11–14 **89,16** 22,29* **89,20–21** 1 Sam 16,1–13

Vision zu denen geredet, die dir vertrauten. Du sprachst: »Ich habe mir einen jungen Mann aus dem Volk ausgewählt, den ich zu einem starken Helden machen will.
[21] David ist sein Name, ihn habe ich gefunden und mit heiligem Öl zum König gesalbt.
[22] Ich werde ihn mit meiner Kraft begleiten, stark soll er werden, weil ich ihn stütze.
[23] Kein Feind wird ihn jemals überwältigen, und kein Aufstand kann ihn stürzen.
[24] Vor seinen Augen werde ich seine Feinde niedermachen; alle, die ihn hassen, will ich vernichtend schlagen.
[25] Immer will ich treu zu ihm stehen; und durch mich wird er mächtig werden[a].
[26] Ich werde seine Herrschaft bis zum Meer ausdehnen – ja, über die großen Ströme wird er gebieten.
[27] Wenn er betet, wird er mir sagen: ›Du bist mein Vater, mein Gott, mein Fels, der mich schützt, mein starker Helfer!‹
[28] Und ich statte ihn mit allen Rechten eines erstgeborenen Sohnes aus; ich mache ihn zum größten aller Könige der Welt!
[29] Für alle Zeiten darf er wissen: Ich bin ihm gnädig, mein Bund mit ihm wird für immer bestehen.
[30] Nie wird sein Königsgeschlecht aussterben, sein Thron wird bleiben, solange der Himmel besteht.
[31] Wenn aber seine Nachkommen meinem Gesetz nicht gehorchen und meine Weisungen in den Wind schlagen,
[32] wenn sie meine Ordnungen missachten und meine Gebote nicht halten,
[33] dann werde ich sie für ihre Treulosigkeit bestrafen und ihnen ihre Schuld mit Schlägen heimzahlen.
[34] Aber meine Gnade will ich David nie entziehen, meine Zusagen werde ich halten.
[35] Meinen Bund mit ihm werde ich niemals brechen, versprochen ist versprochen!
[36] Ein für alle Mal habe ich einen Eid geschworen, ich, der Heilige: Nie werde ich David täuschen!
[37/38] Seine Nachkommen werden für alle Zeiten den Thron besitzen. Ihre Herrschaft soll so beständig sein wie Sonne und Mond – die treuen Zeugen in den Wolken!«

[39] Nun aber hast du deinen König doch aufgegeben und verstoßen, dein Auserwählter bekommt deinen großen Zorn zu spüren.
[40] Du hast deinem Diener den Bund aufgekündigt, seine Krone in den Schmutz getreten und entweiht.
[41] Die schützenden Mauern seiner Stadt hast du niedergerissen und alle seine Festungen in Trümmer gelegt.
[42] Jeder, der vorüberzog, hat ihn ausgeplündert, und bei den Nachbarvölkern erntet er nur Hohn und Spott.
[43] Seinen Feinden hast du den Sieg ermöglicht, ihre Schadenfreude ist groß.
[44] Die starken Streitkräfte des Königs hast du zerschlagen, im Kampf hast du ihn im Stich gelassen.
[45] Seinen Glanz und sein Ansehen hast du zerstört und seinen Thron zu Boden gestoßen.
[46] Du hast ihn vorzeitig alt werden lassen; ja, mit Schimpf und Schande hast du ihn bedeckt.

[47] Herr, willst du dich für immer verbergen? Wie lange soll dein Zorn noch brennen?
[48] Bedenke doch, wie kurz mein Leben ist! Nur für einen flüchtigen Augenblick hast du uns Menschen geschaffen.
[49] Welcher Mensch ist unsterblich? Wer kann dem Tod entrinnen?
[50] Herr, wo sind die Beweise deiner Liebe geblieben? Du hast doch David deine Treue zugesichert und einen Eid darauf geschworen!

---

[a] Wörtlich: und durch meinen Namen wird sein Horn erhöht werden.

89,27–28 2 Sam 7,14* **89,29–30** 1 Chr 22,10 **89,31–34** 2 Sam 7,14–16 **89,36–38** 2 Sam 7,16* **89,48** 39,5–7*

[51]Höre doch, wie deine Diener beschimpft werden! Ich leide darunter, dass die Völker uns verachten!
[52]Deine Feinde verspotten den König, den du erwählt hast; sie verhöhnen ihn auf Schritt und Tritt.

[53]Lobt den Herrn allezeit! Amen, so soll es sein!

Ist denn alles vergeblich?

90 Ein Gebet von Mose, dem Mann Gottes.

Herr, solange es Menschen gibt, bist du unsere Zuflucht!
[2]Ja, bevor die Berge geboren wurden, noch bevor Erde und Weltall unter Wehen entstanden, warst du, o Gott. Du bist ohne Anfang und Ende.
[3]Du lässt den Menschen wieder zu Staub werden. »Kehr zurück!«, sprichst du zu ihm.
[4]Tausend Jahre sind für dich wie ein einziger Tag, wie ein Tag, der im Flug vergangen ist, wie eine Stunde Schlaf.
[5]Du reißt die Menschen hinweg, sie verschwinden so schnell wie ein Traum nach dem Erwachen. Sie vergehen wie das Gras:
[6]Morgens sprießt es und blüht auf, doch schon am Abend welkt und verdorrt es im heißen Wüstenwind.

[7]Ja, durch deinen Zorn vergehen wir, schnell geht es mit uns zu Ende!
[8]Unsere Schuld liegt offen vor dir, auch unsere geheimsten Verfehlungen bringst du ans Licht.
[9]Dein Zorn lässt unser Leben verrinnen – schnell wie ein kurzer Seufzer ist es vorbei!
[10]Unser Leben dauert siebzig, vielleicht sogar achtzig Jahre. Doch worauf wir stolz sind, ist nur Mühe, viel Lärm um nichts! Wie schnell eilen die Jahre vorüber! Wie rasch fliegen sie davon!
[11]Doch wer kann begreifen, wie gewaltig dein Zorn ist? Wer fürchtet sich schon davor?
[12]Mach uns bewusst, wie kurz unser Leben ist, damit wir endlich zur Besinnung kommen!

[13]Herr, wende dich uns wieder zu! Wie lange soll dein Zorn noch dauern? Hab Erbarmen mit uns, wir gehören doch zu dir!
[14]Herr, schenke uns deine Liebe jeden Morgen neu! Dann können wir singen und uns freuen, solange wir leben!
[15]So viele Jahre litten wir unter Not und Bedrückung; lass uns nun ebenso viele Jahre Freude erleben!
[16]Zeige uns, wie machtvoll du eingreifst; auch unsere Kinder sollen deine mächtigen Taten sehen!
[17]Herr, unser Gott! Zeige uns deine Güte! Lass unsere Mühe nicht vergeblich sein! Ja, lass unsere Arbeit Früchte tragen!

Unter Gottes Schutz

91 Wer unter dem Schutz des Höchsten wohnt, der kann bei ihm, dem Allmächtigen, Ruhe finden.
[2]Auch ich sage zu Gott, dem Herrn: »Bei dir finde ich Zuflucht, du schützt mich wie eine Burg! Mein Gott, dir vertraue ich!«

[3]Er bewahrt dich vor versteckten Gefahren und vor tödlicher Krankheit.
[4]Er wird dich behüten wie eine Henne, die ihre Küken unter die Flügel nimmt. Seine Treue schützt dich wie ein starker Schild.
[5]Du brauchst keine Angst zu haben vor den Gefahren der Nacht oder den heimtückischen Angriffen bei Tag.
[6]Selbst vor der Pest, die im Dunkeln zuschlägt, oder dem tödlichen Fieber, das am hellen Tag die Menschen befällt, fürchtest du dich nicht.
[7]Wenn tausend neben dir tot umfallen, ja, wenn zehntausend in deiner Nähe sterben – dich selbst trifft es nicht!

90,1 18,3* **90,2** Jes 44,6* **90,3** 1 Mo 3,19 **90,5–10** 39,5–7* **90,8** 26,2* **90,16** 89,7–9* **90,17** Klgl 3,22–23* **91,1–2** 18,3*

[8]Mit eigenen Augen wirst du sehen, wie Gott es denen heimzahlt, die ihn missachten.
[9]Du aber darfst sagen: »Beim Herrn bin ich geborgen!« Ja, bei Gott, dem Höchsten, hast du Heimat gefunden.
[10]Darum wird dir nichts Böses zustoßen, kein Unglück wird dein Haus erreichen.

[11]Denn Gott hat seine Engel ausgesandt, damit sie dich schützen, wohin du auch gehst.
[12]Sie werden dich auf Händen tragen, und du wirst dich nicht einmal an einem Stein verletzen!
[13]Löwen werden dir nichts anhaben, auf Schlangen kannst du treten.
[14]Gott sagt:[a] »Er liebt mich von ganzem Herzen, darum will ich ihn retten. Ich werde ihn schützen, weil er mich kennt und ehrt.
[15]Wenn er zu mir ruft, antworte ich ihm. Wenn er keinen Ausweg mehr weiß, bin ich bei ihm. Ich will ihn befreien und zu Ehren bringen.
[16]Bei mir findet er die Hilfe, die er braucht; ich gebe ihm ein erfülltes und langes Leben!«

Wie gut ist es, dir, Herr, zu danken!

92 Ein Lied zum Sabbat.

[2]Wie gut ist es, dir, Herr, zu danken und dich, du höchster Gott, zu besingen,
[3]schon früh am Morgen deine Gnade zu loben und noch in der Nacht deine Treue zu preisen,
[4]zum Klang der Laute, zur Musik der Harfe und Leier!

[5]Herr, was du tust, macht mich froh, und ich juble über deine großen Taten.
[6]Wie machtvoll sind deine Werke, und wie tief deine Gedanken!
[7]Nur ein unvernünftiger Mensch sieht das nicht ein, nur ein Narr kann nichts damit anfangen.
[8]Mag auch ein Gottloser Erfolg haben, mag er emporwachsen und blühen – er wird doch für immer vertilgt werden.
[9]Du aber, Herr, bist groß und erhaben für immer und ewig!

[10]Eines ist sicher: Deine Feinde werden umkommen; die, die Unrecht tun, werden in alle Winde zerstreut werden!

[11]Doch mir gibst du Kraft, wie ein wilder Stier sie hat; du schenkst mir Freude und neuen Mut.[b]
[12]Ich werde noch miterleben, wie meine Feinde stürzen; ich werde hören, wie sie um Gnade wimmern.

[13]Doch wer Gott liebt, gleicht einer immergrünen Palme, er wird mächtig wie eine Zeder auf dem Libanongebirge.
[14]Er ist wie ein Baum, der im Vorhof des Tempels gepflanzt wurde und dort gedeihen kann.
[15]Noch im hohen Alter wird er Frucht tragen, immer ist er kraftvoll und frisch.
[16]Sein Leben ist ein Beweis dafür, dass der Herr seine Versprechen hält. Bei Gott bin ich sicher und geborgen; was er tut, ist nie verkehrt!

Der ewige Gott

93 Der Herr allein ist König! Hoheit bekleidet ihn wie ein Festgewand, mit Macht ist er umgürtet. Er hat die Fundamente der Erde gelegt, sie wankt und weicht nicht.

[2]Herr, seit Urzeiten steht dein Thron fest, vor Beginn aller Zeiten warst du schon da.
[3]Die Fluten der Meere toben und tosen, sie brüllen ihr mächtiges Lied.
[4]Doch stärker als das Donnern gewalti-

---

[a] Sinngemäß eingefügt.
[b] Wörtlich: Du erhöhst mein Horn wie das eines Büffels, mit frischem Öl hast du mich überschüttet.
91,11–12 Mt 4,6 **91,13** Lk 10,19 **91,15** 17,6* **92,2–4** 18,50; 66,2; 98,4–6; 104,33–34; 135,1–2; 146,1–2; 149,1–3; 150,1–6; 1 Chr 16,8–9; Neh 9,5; Jes 12,5 **92,9** Jes 44,6* **92,13–15** 1,3; 52,10 **93,1** 22,29*

ger Wasser, größer als die Wogen des Meeres ist der Herr in der Höhe!

[5] Herr, dein Wort ist wahr und zuverlässig; der Tempel ist der Ort deiner heiligen Gegenwart für alle Zeit!

Recht muss doch Recht bleiben!

94 O Gott, räche dich! Herr, du Gott der Vergeltung, erscheine in deinem strahlenden Glanz!
[2] Erhebe dich, du Richter der ganzen Welt! Gib den Hochmütigen, was sie verdient haben!
[3] Wie lange noch sollen sie hämisch lachen, wie lange noch schadenfroh spotten?

[4] Einer versucht den anderen zu überbieten, sie schwingen große Reden und prahlen mit ihren Verbrechen.
[5] Herr, sie unterdrücken dein Volk! Alle, die zu dir gehören, leiden unter ihrer Gewalt.
[6] Brutal ermorden sie Witwen und Waisen, Ausländer schlagen sie tot.
[7] »Der Herr sieht es ja doch nicht!«, höhnen sie, »der Gott unserer Vorfahren[a] merkt nichts!«

[8] Ihr Dummköpfe! Seid ihr wirklich so unverständig? Wann kommt ihr Narren endlich zur Vernunft?
[9] Gott, der den Menschen Ohren gegeben hat – sollte er selbst nicht hören? Er gab ihnen Augen – sollte er selbst nicht sehen?
[10] Er, der fremde Völker zurechtweist, sollte er nicht auch euch zur Verantwortung ziehen? Gott allein kann die Menschen zur Vernunft bringen!
[11] Er durchschaut ihre Gedanken und weiß: sie sind oberflächlich und hohl.

[12] Glücklich ist jeder Mensch, den du, Herr, zurechtweist und in deinem Gesetz unterrichtest!
[13] Denn du willst ihn bewahren, wenn die Bösen ihr Unwesen treiben, solange bis die Übeltäter endlich begraben sind.
[14] Denn der Herr wird sein Volk nicht verstoßen; er wird niemanden verlassen, der zu ihm gehört.
[15] Die Richter werden wieder gerechte Urteile sprechen, und die Aufrichtigen werden sie dabei unterstützen.

[16] Wer steht mir bei gegen diese Verbrecher? Wer beschützt mich vor diesen bösen Menschen?
[17] Herr, wenn du mir nicht geholfen hättest, dann wäre ich jetzt tot – verstummt für immer!
[18] Sooft ich dachte: »Jetzt ist alles aus!«, halfst du mir in Liebe wieder auf.
[19] Als quälende Sorgen mir Angst machten, hast du mich beruhigt und getröstet.

[20] Du würdest dich nie mit bestechlichen Richtern verbünden, die Unheil anrichten, indem sie das Gesetz missbrauchen.
[21] Sie aber tun sich zusammen gegen jeden, der Ungerechtigkeit hasst, und sprechen ihn schuldig, obwohl er ohne Schuld ist!
[22] Der Herr aber verteidigt mich, bei ihm finde ich Schutz. Er steht auf meiner Seite.
[23] Die Richter müssen für ihre Untaten büßen, Gott wird sie für ihre Verbrechen bestrafen. Ja, der Herr, unser Gott, wird sie vernichten!

Lobt Gott und hört auf das, was er sagt!

95 Kommt, lasst uns dem Herrn zujubeln! Wir wollen ihn laut preisen, ihn, unseren mächtigen Retter!
[2] Lasst uns dankbar zu ihm kommen und ihn mit fröhlichen Liedern besingen!

---

[a] Wörtlich: der Gott Jakobs.

93,5 18,31* **94,2** 7,12* **94,6** 2 Mo 22,20*.21–22* **94,7** Mal 3,14–18 **94,9** 115,4–8 **94,11** 26,2*; 1 Kor 3,19 **94,12** Spr 3,11; Hebr 12,5–11; Offb 3,19 **94,14** 5 Mo 7,6–8; 1 Sam 12,22; Röm 11,1–2 **94,20** 7,12* **95,1–3** 92,2–4*

[3] Denn der Herr ist ein gewaltiger Gott, der große König über alle Götter!
[4] In seiner Hand liegen die Tiefen der Erde und die Gipfel der hohen Berge.
[5] Ihm gehört das Meer, er hat es ja gemacht, seine Hände haben das Festland geformt.
[6] Kommt, wir wollen ihn anbeten und uns vor ihm beugen; lasst uns niederknien vor dem Herrn, unserem Schöpfer!
[7] Denn er ist unser Gott, und wir sind sein Volk. Er kümmert sich um uns wie ein Hirte, der seine Herde auf die Weide führt.

[8] Hört jetzt auf das, was er euch sagt: »Verschließt eure Herzen nicht, wie es eure Väter getan haben; damals, als sie mir in der Wüste Vorwürfe machten und sich erbittert gegen mich auflehnten[a].
[9] Jeden Tag erlebten sie, dass ich sie führte. Und trotzdem haben sie immer wieder neue Beweise meiner Macht verlangt.
[10] Vierzig Jahre lang ekelte ich mich vor diesem Volk. Schließlich sagte ich: ›Alles, was sie wünschen und wollen, ist verkehrt und führt sie in die Irre. Die Wege, die ich sie führen will, verstehen sie nicht!‹
[11] Darum habe ich in meinem Zorn geschworen: ›Niemals sollen sie in das verheißene Land kommen, nie die Ruhe finden, die ich ihnen geben wollte!‹«

Alle sollen es wissen: Der Herr allein ist König!
(1. Chronik 16,23–33)

96 Singt dem Herrn ein neues Lied, singt dem Herrn, alle Bewohner der Erde!
[2] Singt dem Herrn und preist seinen Namen! Verkündet jeden Tag: Gott ist ein Gott, der rettet!
[3] Erzählt den Völkern von seiner Hoheit! Macht den Menschen alle seine Wunder bekannt!
[4] Denn groß ist der Herr! Jeder soll ihn rühmen! Von allen Göttern soll man ihn allein fürchten.
[5] Die Götter der Völker sind machtlose Figuren, der Herr aber hat den Himmel geschaffen!
[6] Majestät und Pracht gehen von ihm aus, seine Stärke und Schönheit erfüllen den Tempel.
[7] Hört, ihr Völker: Begegnet dem Herrn mit Ehrfurcht! Unterwerft euch seiner Herrschaft!
[8] Ehrt seinen großen Namen, kommt in seinen Tempel, und bringt ihm Opfer dar!
[9] Werft euch vor ihm nieder, wenn er in seiner Größe und Macht erscheint! Die ganze Welt soll vor ihm erzittern!
[10] Sagt den Völkern: Der Herr allein ist König! Er hat die Fundamente der Erde gelegt, sie wankt und weicht nicht. Allen Völkern wird er ein gerechter Richter sein!

[11] Der Himmel soll sich freuen und die Erde in Jubel ausbrechen! Das Meer mit allem, was in ihm lebt, soll brausen und tosen!
[12] Der Acker freue sich mit allem, was auf ihm wächst! Auch die Bäume im Wald sollen jubeln,
[13] wenn der Herr kommt. Ja, er kommt, um die Welt zu richten. Sein Urteil über die Völker ist unbestechlich und gerecht.

Der Herr über die ganze Welt

97 Der Herr allein ist König! Die ganze Welt soll in Jubel ausbrechen, und die fernen Inseln sollen fröhlich sein!
[2] Bedrohliche, dunkle Wolken umhüllen ihn, Gerechtigkeit und Recht sind die Säulen seiner Herrschaft.
[3] Feuer ist sein Vorbote, es verzehrt seine Feinde ringsumher.

---

[a] Vers 8b wörtlich: wie zu Meriba, wie am Tag von Massa in der Wüste. – Meriba bedeutet »Vorwurf«, Massa »Herausforderung«. Vgl. 2. Mose 17,1–7

95,5 1 Mo 1,9–10; 5 Mo 4,35* **95,7** Hes 34,11–16* **95,11** 4 Mo 14,21–23; Hebr 3,7 – 4,11 **96,1** 40,4* **96,2** 92,2–4* **96,4** Jes 45,5* **96,10** 22,29*; 7,12*; Apg 17,31 **96,11–13** 98,7–9 **97,1** 22,29* **97,2** 85,11–14 **97,3** 50,3

[4] Seine Blitze tauchen die Erde in helles Licht, die ganze Welt sieht es und erbebt. [5] Berge zerschmelzen vor ihm wie Wachs, vor ihm, dem Herrn der ganzen Welt. [6] Der Himmel ist Zeuge dafür, dass er sein Versprechen hält, und alle Völker sehen seine Hoheit und Macht.

[7] Alle, die Götterbilder verehren und mit ihren Götzen prahlen, werden im Erdboden versinken vor Scham. Denn ihre Götter müssen sich dem Herrn unterwerfen.
[8] Freude herrscht auf dem Berg Zion, die Bewohner der Städte Judas jubeln dir zu. Denn du, Herr, richtest gerecht.
[9] Ja, Herr, du allein regierst die ganze Welt, du bist mächtiger und größer als alle Götter!

[10] Liebt ihr den Herrn? Dann verabscheut das Böse! Gott beschützt alle, die ihm treu sind, und rettet sie aus der Gewalt der Gottlosen.
[11] Wer Gott gehorcht, der lebt im Licht, und Freude erfüllt jeden, der aufrichtig ist.
[12] Ja, freut euch über den Herrn und dankt ihm! Erinnert euch, was der heilige Gott für euch getan hat!

Freut euch mit uns – Gott hat uns befreit!

98

Ein Lied.

Singt dem Herrn ein neues Lied, denn er hat Wunder getan! Er, der heilige Gott, hat einen gewaltigen Sieg errungen.
[2] Alle Völker wissen es jetzt: Der Herr hat Israel befreit; er hat bewiesen, dass man sich auf ihn verlassen kann!
[3] Er hat sein Versprechen gehalten, seinem Volk gnädig und treu zu sein. Bis in die fernsten Länder ist die Nachricht gedrungen: Gott hat Israel gerettet!

[4] Jubelt dem Herrn zu, ihr Menschen auf der Erde! Preist ihn mit Liedern, singt und jubelt laut vor Freude!
[5] Spielt ihm auf der Laute, lasst die Saiten erklingen und erfreut den Herrn mit Gesang!
[6] Trompeten und Hörner sollen erschallen; lobt Gott, euren König!
[7] Das Meer mit allem, was in ihm lebt, soll zu seiner Ehre brausen und tosen! Die ganze Welt soll in Jubel ausbrechen!
[8] Ihr Flüsse, klatscht in die Hände; ihr Berge, preist unseren Herrn,
[9] denn er kommt, um die Welt zu richten. Sein Urteil über die Völker ist unbestechlich und gerecht!

Betet den heiligen Gott an!

99

Der Herr allein ist König! In Ehrfurcht erschauern die Völker. Er thront über den Cherub-Engeln, darum erzittert die Erde.
[2] Ja, der Herr regiert in Jerusalem[a], er herrscht über alle Völker.
[3] Ihn sollen sie preisen, ihn, den großen und gewaltigen Gott! Heilig ist er!

[4] Mächtiger König! Weil du das Recht liebst, hast du Recht und Ordnung gegründet. Deinem Volk gabst du das Gesetz und sorgtest für Gerechtigkeit.
[5] Betet den Herrn an, unseren Gott! Fallt vor seinem Thron nieder, denn er ist der heilige Gott!

[6] Schon Mose und Aaron gehörten zu seinen Priestern, auch Samuel betete zum Herrn. Sie alle riefen zu ihm, und er gab ihnen Antwort.
[7] Gott sprach zu ihnen aus der Wolkensäule, und sie gehorchten den Geboten und Ordnungen, die er ihnen gab.
[8] Herr, unser Gott! Du hast sie erhört. Du hast deinem Volk die Schuld vergeben, aber auch ihre Vergehen bestraft.

---

[a] Wörtlich: in Zion.

97,5 Mi 1,4 **97,7** Jes 45,5* **97,9** 22,29*; 2 Mo 15,11 **98,1** 40,4* **98,2** 18,31* **98,4–6** 92,2–4* **98,6** 22,29* **98,7–9** 96,11–13 **99,1–3** 22,29*; 2 Mo 25,22; 2 Sam 6,2 **99,4** 33,5; 85,11–14 **99,7** 2 Mo 33,9–11

[9] Betet den Herrn an, unseren Gott! Auf seinem heiligen Berg Zion fallt vor ihm nieder, denn er ist der heilige Gott, unser Herr!

Ein fröhliches Danklied

100 Ein Lied für den Dankgottesdienst.

Jubelt dem Herrn zu, ihr Völker der Erde! Dient ihm voll Freude,
[2] kommt zu ihm mit fröhlichen Liedern!
[3] Erkennt, dass der Herr unser Gott ist! Er hat uns zu seinem Volk gemacht, ihm gehören wir[a]! Er sorgt für uns wie ein Hirte für seine Herde.

[4] Geht durch die Tempeltore ein mit Dank, betretet den festlichen Vorhof mit lautem Lob! Preist ihn! Rühmt ihn!
[5] Denn der Herr ist gut zu uns, seine Gnade hört niemals auf, für alle Zeiten hält er uns die Treue.

Wie der König regieren will

101 Ein Lied Davids.

Von Gnade und Recht will ich singen; dich, Herr, will ich preisen.
[2] Ich möchte aufrichtig und weise regieren – Herr, hilf mir dabei! An meinem Hof soll nur geschehen, was ich vor dir verantworten kann.
[3] Auf unnütze und schädliche Vorhaben lasse ich mich niemals ein. Ich hasse es, wenn sich Menschen bewusst über Gottes Gebote hinwegsetzen. Mir selbst soll das niemand nachsagen!
[4] Einen Heuchler will ich nicht bei mir dulden, und mit einem Menschen, der nur Böses im Sinn hat, will ich nichts zu tun haben.
[5] Wer seinen Mitmenschen heimlich verleumdet, den werde ich für immer zum Schweigen bringen. Hochmut und Stolz verbanne ich aus meiner Nähe.
[6] Wer aber glaubwürdig und zuverlässig ist, nach dem halte ich Ausschau. Solche Leute hole ich mir an den Hof, Menschen mit einem guten Ruf nehme ich in meinen Dienst.
[7] Betrüger und Lügner aber haben nichts in meinem Palast zu suchen – sie sollen mir nicht unter die Augen kommen!
[8] Jeden Morgen halte ich Gericht über die Verbrecher im Land. Denn für Leute, die Unheil stiften, ist kein Platz in der Stadt des Herrn. Ich lasse sie hinrichten!

Herr, erbarme dich über Jerusalem!

102 Gebet eines Menschen, der allen Mut verloren hat und dem Herrn sein Leid klagt.

[2] Höre mein Gebet, Herr, und achte auf meinen Hilfeschrei!
[3] Ich bin in großer Not – verbirg dich nicht vor mir! Höre mir zu und antworte mir schnell!
[4] Mein Leben verflüchtigt sich wie Rauch, mein ganzer Körper glüht, von Fieber geschüttelt.
[5] Meine Kraft vertrocknet wie abgemähtes Gras, selbst der Hunger ist mir vergangen,
[6] ich bin nur noch Haut und Knochen! Laut stöhnend wälze ich mich auf meinem Lager hin und her.
[7] Man hört mich klagen wie eine Eule in der Wüste, wie ein Käuzchen in verlassenen Ruinen.
[8] Ich kann nicht schlafen; ich bin verlassen und fühle mich wie ein einsamer Vogel auf dem Dach.
[9] Tag für Tag beschimpfen mich meine Feinde, und wenn sie andere verfluchen, missbrauchen sie meinen Namen und sagen: »Gott strafe dich wie diesen da!«[b]

---

[a] Oder: wir haben nichts dazu getan.
[b] Vers 9b wörtlich: die mich verspotten, fluchen bei mir.

99,9 1 Kön 9,3* **100,2** 92,2–4* **100,3** Hes 34,11–16* **100,5** 89,2–3; 136,1 **101,1** 89,2–3; 136,1 **101,5** Spr 13,5 **101,6** Spr 14,35 **101,7–8** 72,1–4; Spr 20,26

[10] Ich esse Staub statt Brot, und in meine Getränke mischen sich Tränen.
[11] Denn dein furchtbarer Zorn hat mich getroffen. Du hast mich hoch geworfen und zu Boden geschmettert!
[12] Mein Leben gleicht einem Schatten am Abend, der bald in der Dunkelheit verschwindet. Ich bin wie Gras, das bald verdorrt.

[13] Du aber, Herr, regierst für alle Zeiten; immer wird man von dir erzählen.
[14] Du wirst eingreifen und dich über die Stadt Zion erbarmen. Denn die Zeit ist gekommen, sie zu begnadigen – die Stunde ist da!
[15] Herr, dein Volk liebt die Mauern dieser Stadt und trauert über ihre Trümmer.
[16/17] Aber der Herr wird sie wieder aufbauen und damit zeigen, wie mächtig er ist. Dann werden die Völker ihn fürchten und die Könige der Erde seine Macht anerkennen.
[18] Ja, der Herr wird das Gebet der Hilflosen hören, er wird ihr Flehen nicht verachten.

[19] Dies lasse ich für unsere Nachkommen aufschreiben, damit sie es lesen und den Herrn loben:
[20] Der Herr blickte von seinem Heiligtum auf uns herab, er schaute vom Himmel auf die Erde.
[21] Er hörte das Stöhnen der Gefangenen und rettete sie vor dem sicheren Tod.
[22] Darum wird man den Herrn auf dem Berg Zion rühmen; in ganz Jerusalem wird man ihn loben,
[23] wenn alle Völker und Königreiche sich versammeln, um ihm zu dienen.

[24] Mitten im Leben[a] hat Gott meine Kraft gebrochen, er hat mich vorzeitig alt werden lassen.
[25] Darum flehe ich ihn an: Mein Gott, lass mich nicht so früh sterben!
Herr, dein Leben hat keinen Anfang und kein Ende.
[26] Vor langer Zeit hast du, Herr, alles geschaffen. Die Erde und die Himmel, alles ist das Werk deiner Hände.
[27] Sie werden vergehen, du aber bleibst. Wie alte Kleider werden sie zerfallen, wie ein abgetragenes Gewand wechselst du sie und schaffst sie neu.
[28] Du aber bleibst ein und derselbe, du wirst immer und ewig leben.

[29] Die Nachkommen deines Volkes werden in Sicherheit wohnen, unter deinem Schutz werden sie geborgen sein.

Lobt den Herrn!

103 Ich will den Herrn von ganzem Herzen loben, alles in mir soll seinen heiligen Namen preisen!
[2] Ich will den Herrn loben und nie vergessen, wie viel Gutes er mir getan hat.
[3] Ja, er vergibt mir meine ganze Schuld und heilt mich von allen Krankheiten!
[4] Er bewahrt mich vor dem sicheren Tod und schenkt mir das Leben neu. Seine Liebe und Güte umgeben mich allezeit.[b]
[5] Mein Leben lang gibt er mir Gutes im Überfluss, darum fühle ich mich jung und stark wie ein Adler.

[6] Der Herr hält Wort! Den Unterdrückten verhilft er zu ihrem Recht, so wie er es versprochen hat.
[7] Er weihte Mose in seine Pläne ein und zeigte allen Israeliten, dass er gewaltige Taten vollbringen kann.
[8] Barmherzig und gnädig ist der Herr, groß ist seine Geduld und grenzenlos seine Liebe!

---

[a] Wörtlich: Auf dem Weg.
[b] Wörtlich: Er krönt dein Leben mit Gnade und Erbarmen.

102,12 39,5–7* **102,13** 146,10; 22,29* **102,18** 140,13* **102,20–21** Jes 57,15 **102,23** 117,1*; Jes 2,1–4; Mi 4,1–4 **102,26–28** Hebr 1,10–12 **102,26** 1 Mo 1,1–2* **102,27** Jes 66,22; Mt 24,35–36; 2 Petr 3,10 **102,28** Jes 44,6* **103,1–2** 92,2–4* **103,6** 140,13* **103,8** 86,15; 145,8; 2 Mo 34,6–7

[9] Er beschuldigt uns nicht endlos und bleibt nicht immer zornig.
[10] Er bestraft uns nicht, wie wir es verdienen; unsere Sünden und Verfehlungen zahlt er uns nicht heim.
[11] Denn so hoch, wie der Himmel über der Erde ist, so groß ist seine Liebe zu allen, die ihm mit Ehrfurcht begegnen.
[12] So fern, wie der Osten vom Westen liegt, so weit wirft Gott unsere Schuld von uns fort!
[13] Wie ein Vater seine Kinder liebt, so liebt der Herr alle, die ihn ehren.

[14] Denn er weiß, wie vergänglich wir sind; er vergisst nicht, dass wir nur Staub sind.
[15] Der Mensch ist wie das Gras, er blüht wie eine Blume auf dem Feld.
[16] Wenn der heiße Wüstenwind darüberfegt, ist sie spurlos verschwunden, und niemand weiß, wo sie geblüht hat.
[17] Die Güte des Herrn aber bleibt für immer und ewig; sie gilt allen, die ihm gehorchen. Auf seine Zusagen können sich auch alle kommenden Generationen berufen,
[18] wenn sie sich an seinen Bund halten und seine Gebote befolgen.

[19] Der Herr hat seinen Thron im Himmel errichtet, als König herrscht er über die ganze Welt.
[20] Lobt den Herrn, ihr mächtigen Engel, die ihr seinen Befehlen gehorcht und auf seine Worte hört!
[21] Lobt den Herrn, ihr mächtigen Wesen im Himmel, die ihr ausführt, was er euch befohlen hat!
[22] Lobt den Herrn, alle seine Geschöpfe, an allen Orten seiner Herrschaft! Auch ich will den Herrn von ganzem Herzen loben!

Freude an Gottes Schöpfung

104 Ich will den Herrn von ganzem Herzen loben. Herr, mein Gott, wie groß bist du! Majestätische Pracht ist dein Festgewand,
[2] helles Licht umhüllt dich wie ein Mantel. Du spanntest den Himmel aus wie ein Zeltdach,
[3] über den Wolken[a] hast du deine Wohnung errichtet. Ja, die Wolken sind dein Wagen, du fährst auf den Flügeln des Windes dahin.
[4] Wind und Wetter sind deine Boten, zuckende Blitze deine Diener.

[5] Die Erde hast du auf ein festes Fundament gegründet, damit sie für alle Zeiten nicht wankt.
[6] Wie ein Kleid bedeckte die Urflut ihre Kontinente, noch über den höchsten Bergen standen die Wassermassen.
[7] Doch vor deinem lauten Ruf wichen sie zurück, vor deinem Donnergrollen flohen sie.
[8] Die Berge erhoben sich, und die Täler senkten sich an den Ort, den du für sie bestimmt hattest.
[9] Du hast dem Wasser eine Grenze gesetzt, die es nicht überschreiten darf, nie wieder soll es die ganze Erde überschwemmen.
[10] Du lässt Quellen sprudeln und als Bäche in die Täler fließen, zwischen den Bergen finden sie ihren Weg.
[11] Die Tiere der Steppe trinken davon, Wildesel stillen ihren Durst.
[12] An ihren Ufern nisten die Vögel, in dichtem Laub singen sie ihre Lieder.
[13] Vom Himmel lässt du Regen auf die Berge niedergehen, die Erde saugt ihn auf und wird fruchtbar.
[14] Du lässt Gras für das Vieh wachsen und

---

[a] Wörtlich: in den Wassern. Vgl. 1. Mose 1,6–8

103,9 Jes 57,16; Jer 3,12; Jona 4,2 **103,10–12** 85,3* **103,13** 145,9; 2 Mo 34,6–7 **103,14** 1 Mo 3,19; Pred 3,20 **103,15–16** 39,5–7* **103,17** Klgl 3,22–23* **103,19** 22,29* **103,20–22** 29,1–2; Jes 6,1–3 **104,4** Hebr 1,7 **104,5** 75,4 **104,6–9** 1 Mo 1,9–10

Pflanzen, die der Mensch anbaut. Er pflügt das Land, sät und erntet;
[15]so hat er Wein, der ihn erfreut, Öl, das seinen Körper pflegt, und Brot, das ihn stärkt.
[16]Du, Herr, hast die riesigen Zedern auf dem Libanongebirge gepflanzt und gibst ihnen genügend Regen.
[17]In ihren Zweigen bauen die Vögel ihre Nester, und Störche haben in den Zypressen ihren Brutplatz.
[18]In den hohen Bergen hat der Steinbock sein Revier, und das Murmeltier[a] findet in den Felsen Zuflucht.
[19]Du hast den Mond gemacht, um die Monate zu bestimmen, und die Sonne weiß, wann sie untergehen soll.
[20]Du lässt die Dunkelheit hereinbrechen, und es wird Nacht – dann regen sich die Tiere im Dickicht des Waldes.
[21]Die jungen Löwen brüllen nach Beute; von dir, o Gott, erwarten sie ihre Nahrung.
[22]Sobald aber die Sonne aufgeht, schleichen sie zurück und suchen in den Schlupfwinkeln ihr Lager auf.
[23]Dann aber steht der Mensch auf und geht an seine Arbeit, er hat zu tun, bis es wieder Abend wird.

[24]O Herr, welch unermessliche Vielfalt zeigen deine Werke! Sie alle sind Zeugen deiner Weisheit, die ganze Erde ist voll von deinen Geschöpfen.

[25]Da ist das Meer – so unendlich groß und weit, unzählbar sind die Tiere darin, große wie kleine.
[26]Schiffe ziehen dort vorüber und auch die Seeungeheuer, die du geschaffen hast, um damit zu spielen.
[27]Alle deine Geschöpfe warten auf dich, dass du ihnen rechtzeitig zu essen gibst.
[28]Sie holen sich die Nahrung, die du ihnen zuteilst. Du öffnest deine Hand, und sie werden reichlich satt.
[29]Doch wenn du dich von ihnen abwendest, ist es mit ihnen vorbei. Ja, sie sterben und werden zu Staub, wenn du ihnen den Lebensatem nimmst.
[30]Doch wenn du deinen lebendigen Geist schickst, dann werden sie geschaffen; so schenkst du der Erde neues Leben.

[31]Die Macht und Hoheit des Herrn möge für immer bleiben! Er freue sich an dem, was er geschaffen hat!
[32]Er braucht die Erde nur anzusehen – schon erbebt sie; wenn er die Berge berührt, dann fangen sie an zu rauchen.
[33]Singen will ich für den Herrn, solange ich lebe, für meinen Gott will ich musizieren mein Leben lang.
[34]Wie freue ich mich über den Herrn – möge ihm mein Lied gefallen!
[35]Doch wer sich ihm widersetzt, soll nicht mehr weiterleben, sondern vom Erdboden verschwinden. Ich will den Herrn von ganzem Herzen preisen. Halleluja!

Israels Geschichte zeigt: Gott hat Wort gehalten!
(Verse 1–15: 1. Chronik 16,8–22)

105 Preist den Herrn, und ruft seinen Namen aus, verkündet seine großen Taten allen Völkern!
[2]Singt und musiziert zu seiner Ehre, macht alle seine Wunder bekannt!
[3]Seid glücklich, dass ihr zu ihm, dem heiligen Gott, gehört! Ja, alle, die den Herrn suchen, sollen sich freuen!
[4]Fragt nach dem Herrn, und rechnet mit seiner Macht, wendet euch immer wieder an ihn!
[5/6]Ihr Nachkommen seines Dieners Abraham, ihr Kinder und Enkel Jakobs, den er auserwählte, erinnert euch an die Wunder, die er getan hat! Denkt immer wieder an seine mächtigen Taten und an die Urteile, die er fällte!

---

[a] Wörtlich: der Klippdachs. – Der Klippdachs war ein murmeltierähnlicher Pflanzenfresser von gelb-brauner Farbe. Vgl. 3. Mose 11,5; 5. Mose 14,7

104,15 Pred 10,19 **104,19** 8,4; 74,16; 1 Mo 1,14–18 **104,26** 1 Mo 1,21 **104,29** 1 Mo 3,19; Hiob 12,10; 34,14–15; Pred 3,20 **104,30** 1 Mo 2,7; Hes 37,4–6 **104,31** 1 Mo 1,31 **104,33–34** 92,2–4* **105,4** 27,8; 5 Mo 4,29; Jer 29,12–14

[7] Er ist der Herr, unser Gott! Auf der ganzen Welt hat er das letzte Wort.
[8] Niemals vergisst er seinen Bund mit uns, sein Versprechen, das er gab. Es gilt auch allen Generationen nach uns, selbst wenn es tausend sind.
[9] Schon mit Abraham schloss er diesen Bund; er schwor auch Isaak, sich daran zu halten.
[10] An Jakob bestätigte er ihn als gültige Ordnung, ja, als ewiges Bündnis für ganz Israel.
[11] Er sprach: »Euch gebe ich das Land Kanaan, ihr sollt es für immer besitzen.«

[12] Als sie noch eine kleine Schar waren, nur wenige, dazu noch fremd im Land,
[13] als sie von Volk zu Volk wanderten, von einem Land zum anderen,
[14] da erlaubte der Herr keinem, sie zu unterdrücken. Um sie zu schützen, warnte er die Könige der fremden Völker:
[15] »Rührt mein Volk nicht an! Ich habe es erwählt! Ich habe durch sie etwas Besonderes zu sagen – tut ihnen nichts Böses!«[a]

[16] Der Herr ließ eine Hungersnot ins Land kommen, und die Vorräte an Getreide und Brot gingen schnell zu Ende.
[17] Aber Gott hatte ihnen schon einen Mann nach Ägypten vorausgeschickt: Josef, der als Sklave verkauft worden war.
[18] Man band seine Füße mit Ketten und zwängte seinen Hals in einen eisernen Ring.
[19] Dies änderte sich erst, als alles eintraf, was er vorausgesagt hatte. Es war das Wort, das Gott ihm gab, und so stellte sich heraus, dass Josef unschuldig war.
[20] Da befahl der König, ihn von seinen Fesseln zu befreien; der Mann, der über viele Völker herrschte, gab ihn frei!
[21] Er berief ihn an die höchste Stelle seiner Regierung und machte ihn zum Verwalter seines Vermögens.
[22] Die hohen Beamten wurden ihm unterstellt, und die Ratgeber des Königs sollten bei ihm lernen, wie man weise entscheidet.

[23] Dann kamen Jakob und seine Familie nach Ägypten, und sie lebten dort als Fremde.
[24] Der Herr ließ sein Volk rasch wachsen und schließlich mächtiger als seine Unterdrücker werden.
[25] Er sorgte dafür, dass die Ägypter anfingen, sein Volk zu hassen. Am Ende behandelten sie es heimtückisch und gemein.

[26] Dann sandte er seine Diener Mose und Aaron, die er auserwählt hatte, zu ihnen.
[27] Sie vollbrachten in Ägypten die Zeichen und Wunder, die der Herr vorher angedroht hatte:
[28] Er sandte pechschwarze Finsternis, und dennoch widersetzten sich die Ägypter seinem Befehl[b].
[29] Ihre Gewässer verwandelte er in Blut und ließ die Fische darin umkommen.
[30] Im ganzen Land wimmelte es von Fröschen, die auch vor dem Palast des Königs nicht Halt machten.
[31] Auf Gottes Weisung kam Ungeziefer, ganze Schwärme von Stechmücken bedeckten das Land.
[32] Und als die Ägypter auf Regen warteten, sandte er Hagel; Blitze flammten über das ganze Land und verursachten Brände.
[33] Er zerschlug ihre Weinstöcke und Feigenbäume und zerbrach auch die anderen Bäume im Land.
[34] Auf seinen Befehl rückten Heuschrecken heran, riesige Schwärme, die nicht zu zählen waren.
[35] Sie machten sich über alle Pflanzen im Lande her, alles, was grünte und blühte, fraßen sie kahl.

---

[a] Wörtlich: Rührt meinen Gesalbten nicht an, und tut meinem Propheten nichts Böses!
[b] So mit der griechischen Übersetzung. Der hebräische Text fügt ein »nicht« ein: (Mose und Aaron) – sie widersetzten sich nicht.

105,8 5 Mo 7,8–9 **105,9** 1 Mo 12,7*; 26,2–3 **105,10** 1 Mo 28,13* **105,12–13** 5 Mo 26,5 **105,15** 4 Mo 23,3–12 **105,16** 1 Mo 41,53–54 **105,17** 1 Mo 45,7–8 **105,18–22** 1 Mo 39,19 – 41,46 **105,23** 1 Mo 46,1–7 **105,24–25** 2 Mo 1,6–12 **105,26** 2 Mo 3,10; 4,14–16 **105,27–36** 2 Mo 7,14 – 12,29

[36] Schließlich tötete der Herr in jeder Familie der Ägypter den ältesten Sohn – ihren ganzen Stolz.

[37] Dann führte er sein Volk heraus, gesund und stark, reich beladen mit Silber und Gold.
[38] Die Ägypter waren froh, sie endlich los zu sein, so sehr hatte sie die Furcht vor ihnen gepackt.
[39] Der Herr gab seinem Volk Schutz hinter einer Wolke, und in der Nacht erleuchtete ein Feuer ihnen den Weg.
[40] Sie verlangten nach Speise, da ließ er Wachteln in ihr Lager kommen, und mit Brot vom Himmel machte er sie satt.
[41] Er öffnete einen Felsen: Wasser floss heraus und strömte in die Wüste.

[42] Ja, Gott hat Wort gehalten! Er löste sein heiliges Versprechen ein, das er Abraham, seinem Diener, gegeben hatte.
[43] So führte er sein auserwähltes Volk heraus, und sie sangen und jubelten vor Freude.
[44] Dann gab er ihnen das Land anderer Völker; was diese erarbeitet hatten, wurde nun ihr Besitz.
[45] Diese Wunder ließ er sein Volk erleben,[a] damit sie seinen Weisungen gehorchten und seine Gebote hielten. Halleluja!

Wir haben schwere Schuld auf uns geladen!

106 Halleluja! Preist den Herrn, denn er ist gut, und seine Gnade hört niemals auf!
[2] Wer könnte seine mächtigen Taten alle aufzählen? Wer könnte ihn jemals genug loben?

[3] Glücklich sind alle, die sich an seine Ordnungen halten und immer das tun, was in Gottes Augen recht ist!
[4] Herr, denke auch an mich, wenn du deinem Volk hilfst; komm auch zu mir und rette mich!
[5] Lass mich mit eigenen Augen sehen, wie du deinem auserwählten Volk Gutes tust! Ich will mich gemeinsam mit ihnen freuen und stolz darauf sein, dass ich zu denen gehöre, die du zu deinem Eigentum gemacht hast.

[6] Wir haben schwere Schuld auf uns geladen wie schon unsere Vorfahren. Wir haben Unrecht begangen und dich missachtet!
[7] Schon unsere Väter in Ägypten wollten nicht aus deinen Wundern lernen. Schnell vergaßen sie, wie oft du sie gerettet hattest. Am Ufer des Schilfmeeres lehnte sich dein Volk gegen dich auf.

[8] Trotzdem befreite sie der Herr, wie er es versprochen hatte. So bewies er ihnen seine Macht.
[9] Er befahl dem Schilfmeer, sich zu teilen, und es geschah; die Fluten türmten sich auf, und er führte sein Volk wie auf Wüstenboden hindurch.
[10/11] Das Wasser schlug über ihren Verfolgern zusammen, und nicht einer kam mit dem Leben davon. So rettete er sie aus der Gewalt ihrer Feinde, unter deren Hass sie so lange gelitten hatten.
[12] Da endlich glaubten sie seinen Worten und lobten ihn mit ihren Liedern.

[13] Doch schon bald vergaßen sie, was er für sie getan hatte. Sie wollten nicht auf das warten, was nach seinem Plan geschehen sollte.
[14] In der Wüste forderten sie Gott heraus, in ihrer Gier verlangten sie, Fleisch zu essen.
[15] Da gab er ihnen, wonach sie gierten, aber gleich darauf plagte er sie mit einer schrecklichen Seuche.

---

[a] Sinngemäß eingefügt.

105,37 1 Mo 15,14; 2 Mo 12,35–36 **105,38** 2 Mo 6,1; 11,1.8; 12,31–33 **105,39** 2 Mo 13,21–22* **105,40** 2 Mo 16,13; 16,14–15* **105,41** 2 Mo 17,1–7 **105,42** 1 Mo 12,7* **106,7** 2 Mo 14,11–12* **106,9–11** 2 Mo 14,21–29 **106,14–15** 4 Mo 11,4–34

[16] Im Lager wurden sie neidisch auf Mose und auf Aaron, den der Herr zu seinem Diener erwählt hatte.
[17] Da öffnete sich auf einmal die Erde. Sie verschlang die Aufrührer Datan und Abiram mit ihren Familien und schloss sich wieder über ihnen.
[18] Dann brach ein Feuer aus unter denen, die zu ihnen hielten, und verbrannte sie, weil sie Gott missachteten.

[19] Am Berg Horeb goss sich das Volk Israel ein goldenes Kalb und betete das Standbild an.
[20] Die Macht und Hoheit ihres Gottes tauschten sie ein gegen das Abbild eines Gras fressenden Stieres!
[21] Sie vergaßen Gott, ihren Retter, der in Ägypten mächtige Taten und Wunder vollbracht hatte.
[22] Sie dachten nicht mehr daran, wie er den Ägyptern am Schilfmeer Angst und Schrecken eingejagt hatte.
[23] Schon sprach Gott davon, sie alle zu vernichten, doch Mose, sein Auserwählter, setzte sich für sie ein. Er wandte Gottes Zorn von ihnen ab, so dass sie nicht vernichtet wurden.

[24] Dann verschmähten sie das schöne Land, denn sie glaubten Gottes Zusagen nicht.
[25] Sie blieben in ihren Zelten und schimpften über Gott; längst nahmen sie seine Worte nicht mehr ernst.
[26] Da hob er seine Hand zum Schwur und sagte: »Ich werde sie in der Wüste umkommen lassen
[27] und ihre Nachkommen unter die Völker zerstreuen, damit sie dort untergehen!«
[28] Sie gaben sich dazu her, Baal anzubeten, den Gott vom Berg Peor, und aßen das Fleisch von Opfertieren, die man toten Götzen geweiht hatte.
[29] Durch ihr gottloses Treiben reizten sie den Herrn zum Zorn, da brach eine schreckliche Seuche unter ihnen aus.
[30] Pinhas aber griff ein und hielt Gericht, und die Seuche hörte auf.
[31] So fand er Gottes Anerkennung, er und seine Nachkommen für alle Zeit.

[32] Auch bei der Felsenquelle von Meriba forderte Israel Gottes Zorn heraus, und über Mose brach ihretwegen das Verhängnis herein:
[33] Sie hatten ihn so erbittert, dass er sich zu unbedachten Worten hinreißen ließ.

[34] Sie beachteten nicht den Befehl Gottes, die anderen Völker zu vernichten.
[35] stattdessen vermischten sie sich mit ihnen und übernahmen ihre schrecklichen Gebräuche:
[36] Sie beteten ihre Götter an, die ihnen dann zum Verhängnis wurden.
[37/38] Sie opferten ihre eigenen Söhne und Töchter den Dämonen. Sie vergossen unschuldiges Blut und entweihten das Land, indem sie ihre Kinder zu Ehren der Götzen Kanaans schlachteten.
[39] Durch ihre bösen Taten wurden sie unrein in Gottes Augen – sie brachen ihm die Treue.

[40] Da geriet Gott in Zorn über Israel und verabscheute sein eigenes Volk.
[41] Er gab sie in die Hand fremder Völker; sie wurden beherrscht von denen, die sie hassten.
[42] Ihre Feinde unterdrückten sie, ihrer Gewalt musste Israel sich beugen.
[43] Immer wieder befreite sie der Herr, aber sie dachten nicht im Geringsten daran, ihm zu gehorchen. So sanken sie durch ihre Schuld immer tiefer ins Unglück.
[44] Doch als Gott ihre verzweifelte Lage sah und ihre Hilfeschreie hörte,
[45] da dachte er an seinen Bund mit ihnen. Ja, seine Liebe zu ihnen war stark, darum tat es ihm leid, dass er sie ihren Feinden ausgeliefert hatte.
[46] Er ließ sie Erbarmen finden bei denen, die sie gefangen hielten.

106,19–23 2 Mo 32,1–14 **106,24–27** 4 Mo 13,1–14.32–33 **106,28–31** 4 Mo 25,1–13
106,32–33 4 Mo 20,2–13 **106,34–39** Ri 2,1–13 **106,40–46** Ri 2,14–22

[47] Rette uns, Herr, unser Gott! Führe uns heraus aus den Völkern, die dich nicht kennen, und bring uns wieder zusammen! Dann werden wir deinen heiligen Namen preisen und stolz darauf sein, dass wir dich loben können.
[48] Ja, gelobt sei der Herr, der Gott Israels, jetzt und für alle Zeit! Und das ganze Volk soll antworten: Amen! Halleluja!

Herr, du hast uns gerettet!

107 Preist den Herrn, denn er ist gut, und seine Gnade hört niemals auf!
[2] Dies sollen alle bekennen, die der Herr gerettet hat. Ja, er hat sie aus der Gewalt ihrer Unterdrücker befreit
[3] und aus fernen Ländern wieder zurückgebracht – aus Ost und West, aus Nord und Süd.

[4] Viele irrten in der trostlosen Wüste umher und konnten den Weg zu einer bewohnten Stadt nicht finden.
[5] Vor Hunger und Durst waren sie am Ende ihrer Kraft und verloren allen Mut.
[6] In auswegloser Lage schrien sie zum Herrn, und er rettete sie aus ihrer Not.
[7] Er half ihnen, den richtigen Weg zu finden, und führte sie zu einer Stadt, in der sie wohnen konnten.
[8] Sie sollen den Herrn preisen für seine Gnade und für seine Wunder, die er uns Menschen erleben lässt!
[9] Denn fast wären sie verhungert und verdurstet, doch er gab ihnen genug zu essen und zu trinken.

[10] Andere lagen in finsteren Gefängnissen, gequält und mit eisernen Ketten gefesselt.
[11] Sie hatten missachtet, was Gott ihnen sagte, und seine Weisungen in den Wind geschlagen.
[12] Darum zerbrach er ihren Stolz durch Zwangsarbeit; sie lagen am Boden, und keiner half ihnen auf.
[13] In auswegloser Lage schrien sie zum Herrn, und er rettete sie aus ihrer Not.
[14] Er holte sie aus den finsteren Gefängnissen und riss ihre Fesseln entzwei.
[15] Sie sollen den Herrn preisen für seine Gnade und für seine Wunder, die er uns Menschen erleben lässt.
[16] Denn er hat die gepanzerten Türen zerschmettert und die eisernen Riegel aufgebrochen.

[17] Andere litten unter den Folgen ihrer Sünden und Verfehlungen; sie siechten dahin
[18] und ekelten sich vor jeder Speise – vom Tod gezeichnet.
[19] In auswegloser Lage schrien sie zum Herrn, und er rettete sie aus ihrer Not.
[20] Er sprach nur ein Wort, und sie wurden gesund. So rettete er sie vor dem sicheren Tod.
[21] Sie sollen den Herrn preisen für seine Gnade und für seine Wunder, die er uns Menschen erleben lässt.
[22] Aus Dank sollen sie ihm Opfergaben bringen und voll Freude von seinen Taten erzählen!

[23] Wieder andere fuhren mit ihren Schiffen aufs Meer hinaus, um Handel zu treiben.
[24] Dort erlebten sie Gottes Macht, auf hoher See wurden sie Zeugen seiner wunderbaren Taten.
[25] Nur ein Wort von ihm – und ein Sturm peitschte das Meer. Wogen türmten sich auf,
[26] warfen die Schiffe hoch in die Luft und stießen sie sogleich wieder in gähnende Abgründe. Da verloren sie jede Hoffnung.
[27] Sie wirbelten durcheinander und taumelten wie Betrunkene, mit ihrer Weisheit waren sie am Ende.
[28] In auswegloser Lage schrien sie zum Herrn, und er rettete sie aus ihrer Not.
[29] Er bannte die tödliche Gefahr: Der

106,47–48 20,6*; 5 Mo 4,26–31; Klgl 5,21 **107,1** 136,1 **107,2–3** Jes 43,5–6 **107,6** 17,6* **107,25** Jona 1,4 **107,29** 89,10; Mt 8,26

Sturm legte sich, und die tobenden Wellen wurden ruhig.
[30] Da freuten sie sich, dass es endlich still geworden war! Gott brachte sie in den Hafen, an das ersehnte Ziel.
[31] Sie sollen den Herrn preisen für seine Gnade und für seine Wunder, die er uns Menschen erleben lässt.
[32] Wenn sich das Volk versammelt, sollen sie seine Größe rühmen und ihn vor dem Rat der Ältesten loben.

[33] Der Herr verwandelt wasserreiches Land in dürre Wüste, und wo vorher Quellen sprudelten, entstehen trostlose Steppen.
[34] Fruchtbare Gebiete macht er zur Salzwüste, wenn die Bosheit der Bewohner überhand nimmt.
[35] Doch er verwandelt auch dürres Land in eine Oase und lässt mitten in der Steppe Quellen aufbrechen.
[36] Hungernde Menschen siedeln sich dort an und gründen Städte.
[37] Sie bestellen die Felder, legen Weinberge an und bringen Jahr für Jahr eine reiche Ernte ein.
[38] Gott segnet sie mit vielen Kindern und vergrößert ihre Viehherden immer mehr.
[39] Wenn habgierige Machthaber sie unterdrücken und sie immer weniger werden, gebeugt von Unglück und Leid,
[40] dann macht Gott ihre Unterdrücker zum Gespött und lässt sie in der Wüste umherirren.
[41] Die Hilflosen aber rettet er aus ihrem Elend und lässt ihre Familien wachsen wie große Herden.

[42] Die aufrichtigen Menschen sehen es und freuen sich, und alle niederträchtigen müssen verstummen.
[43] Wer verständig ist, soll immer wieder daran denken. Er wird erkennen, dass der Herr auf vielfache Weise zeigt, wie gnädig er ist!

Gottes Antwort auf die Niederlage

108 Ein Lied Davids.
[2] Voller Vertrauen blicke ich in die Zukunft, mein Gott; darum will ich singen und dir danken, Herr! Fasse neuen Mut, mein Herz! Wach auf!
[3] Harfe und Zither, wacht auf! Ich will den neuen Tag mit meinem Lied begrüßen.
[4] Herr, ich will dir danken vor den Völkern, vor allen Menschen will ich dir singen.
[5] Groß ist deine Güte! Sie reicht über den Himmel hinaus! Und wohin die Wolken auch ziehen: Überall ist deine Treue!
[6] Gott, zeige deine Größe, die den Himmel überragt; erweise deine Macht und Herrlichkeit auf der ganzen Welt!
[7] Hilf uns und antworte! Rette uns! Wir sind doch dein geliebtes Volk!

[8] Darauf hat Gott in seinem Heiligtum geantwortet: »Im Triumph will ich meinem Volk die Gegend um Sichem geben; das Tal von Sukkot will ich ihnen zuteilen.
[9] Mir gehören die Gebiete von Gilead und Manasse, Ephraim ist mein Helm auf dem Haupt, Juda das Zepter in meiner Hand.
[10] Das Land Moab dient mir als Waschbecken; auf Edom werfe ich meinen Schuh als Zeichen dafür, dass ich von ihm Besitz ergreife. Und über die Philister triumphiere ich als Sieger!«

[11] Wer gibt mir Gewalt über die befestigte Stadt? Wer schenkt mir den Sieg über Edom?
[12] Außer dir, Herr, kommt ja niemand in Frage! Doch gerade du hast uns verstoßen. Gerade du, Gott, ziehst nicht mehr mit unseren Truppen in den Kampf.
[13] Rette uns vor den Feinden! Denn wer

107,31–32 92,2–4* **107,34** 1 Mo 19,24–26 **107,35–37** Jes 41,17–20 **107,43** 136,1 **108,2** 25,2; 56,4; 57,8 **108,3–4** 92,2–4*; 117,1* **108,5** Klgl 3,22–23* **108,6** 89,7–9* **108,12–14** 2 Mo 14,14*

sich auf Menschen verlässt, der ist verlassen!
[14] Mit Gott werden wir große Taten vollbringen, er wird unsere Feinde zertreten!

Herr, bestrafe meine Feinde!

109 Ein Lied Davids.

Mein Gott, ich lobe dich und bitte: Schweige nicht!
[2] Rücksichtslos gehen gottlose Menschen gegen mich vor, sie reißen ihren Mund auf und verleumden mich.
[3] Sie bedrängen und beschimpfen mich mit hasserfüllten Worten; sie bekämpfen mich ohne jeden Grund.
[4] Meine Liebe zu ihnen beantworten sie mit Feindschaft, ich aber bete weiter zu dir.
[5] Mit Bosheit zahlen sie mir heim, was ich ihnen Gutes tue; meiner Liebe setzen sie nur Hass entgegen.

[6] O Herr, lass einen Ankläger gegen meinen Feind auftreten und bestimme einen Richter, der sich nicht an deine Gesetze hält![a]
[7] Wenn das Urteil gefällt wird, soll er schuldig gesprochen werden. Selbst sein Gebet rechne ihm als Sünde an!
[8] Er soll nicht mehr lange leben, und seine Stellung soll ein anderer bekommen.
[9] Seine Kinder sollen Waisen werden und seine Frau eine Witwe.
[10] Ruhelos sollen seine Kinder umherirren und betteln, ihr Elternhaus lass zu einer Ruine verfallen.
[11] Seine Gläubiger mögen seinen Besitz an sich reißen, und Fremde sollen rauben, was er sich erworben hat.
[12] Niemand soll sein Andenken in Ehren halten und mit seinen verwaisten Kindern Mitleid haben.
[13] Seine Nachkommen sollen ausgerottet werden, schon in der nächsten Generation möge ihr Name erlöschen.
[14] Der Herr soll meinem Feind das Unrecht seiner Vorfahren nie vergessen, und auch die Schuld seiner Mutter bleibe ungesühnt!
[15] Die Sünden aller seiner Vorfahren sollen dem Herrn stets vor Augen stehen, doch an sie selbst soll niemand mehr denken!
[16] Denn dieser Mensch dachte nicht daran, anderen Gutes zu tun. Die Armen und Hilflosen verfolgte er, und die Niedergeschlagenen trieb er in den Tod.
[17] Er liebte es, andere zu verfluchen – nun soll der Fluch ihn selber treffen! Er hasste es, andere zu segnen – darum bleibe der Segen von ihm fern!
[18] Das Fluchen wurde ihm zur Gewohnheit, er hüllte sich darin ein wie in einen Mantel. Aber nun wird sein Fluch gegen ihn selbst wirksam: er dringt in ihn ein wie Wasser, das man trinkt, und wie Öl, mit dem man sich einreibt.
[19] Er soll ihn bedecken wie ein Gewand und ihn für immer einschnüren wie ein enger Gürtel!

[20] Ja, Herr, damit strafe alle meine Feinde, alle, die mich verleumden!
[21] Herr, mein Gott, tritt für mich ein, es geht um deine Ehre! Rette mich, denn auf deine Gnade ist Verlass!
[22] Ich bin niedergeschlagen und hilflos, im Innersten verwundet.
[23] Mein Leben gleicht einem Schatten am Abend, der bald in der Dunkelheit verschwindet. Ich bin wie eine Heuschrecke, die man vom Arm abschüttelt.
[24] Vom vielen Fasten zittern mir die Knie, ich bin nur noch Haut und Knochen.
[25] Für meine Feinde bin ich zum Gespött geworden; wenn sie mich sehen, schütteln sie den Kopf.
[26] Hilf mir doch, Herr, mein Gott! Steh mir bei – du bist doch ein Gott, der gerne rettet!
[27] Lass meine Feinde erkennen, dass du es bist, der alles so gefügt hat!

---

[a] Möglicherweise zitiert der Beter in den Versen 6–19 die Verwünschungen seiner Gegner. Dann müsste der Abschnitt eingeleitet werden mit: »Sie sagen: Ein Ankläger soll gegen ihn auftreten …«

109,2–5 35,11–12; 38,21; Hiob 30,9–10; 1 Petr 3,9 **109,8** Apg 1,20 **109,18** 7,13–17*

[28] Mögen sie mich auch verwünschen – du wirst mich segnen! Sie greifen mich an, aber sie werden dabei scheitern! Zuletzt werde ich mich doch wieder freuen können.
[29] Schimpf und Schande soll über meine Ankläger kommen, soll sie einhüllen wie ein Mantel!
[30] Mit lauter Stimme will ich dem Herrn danken, vor der großen Menge will ich ihn loben.
[31] Er steht dem Wehrlosen zur Seite; er rettet ihn vor den Richtern, die ihn zum Tode verurteilen wollen.

König und Priester in einer Person

110 Ein Lied Davids.

Gott, der Herr, sprach zu meinem Herrn: »Setze dich auf den Ehrenplatz an meiner rechten Seite, bis ich dir alle deine Feinde unterworfen habe, bis du deinen Fuß auf ihren Nacken setzt!«
[2] Vom Berg Zion aus wird der Herr deine königliche Macht ausweiten – nun herrsche über alle deine Feinde!
[3] Wenn du ein Heer zum Kampf aufstellst, wird dir dein Volk begeistert folgen. Feierlich geschmückt, voll jugendlicher Kraft, stehen dir die jungen Krieger in großer Zahl zur Seite.[a]
[4] Gott, der Herr, hat meinem Herrn geschworen: »In alle Ewigkeit sollst du ein Priester sein, so wie es Melchisedek war!« Diesen Schwur wird er niemals brechen.
[5] Der Herr wird dir zur Seite stehen; am Tag des Gerichtes zerschmettert er Könige.
[6] Wenn er über die Völker sein Urteil spricht, wird das Schlachtfeld mit Leichen bedeckt sein. Den Herrscher über ein großes Land wird er vernichten.
[7] Auf seinem Feldzug wird der Herr nur kurz rasten und aus dem Bach am Wege trinken. So gestärkt erringt er den Sieg.

Was Gott tut, ist einzigartig!

111 Halleluja – lobt den Herrn! Ich will dem Herrn von ganzem Herzen danken vor allen, die ihm treu sind – ja, vor der ganzen Gemeinde!
[2] Wie gewaltig ist alles, was der Herr vollbracht hat! Wer sich über seine Taten freut, denkt immer wieder darüber nach.
[3] Was der Herr tut, ist eindrucksvoll und einzigartig. Für immer und ewig hält er, was er versprochen hat.
[4] Er selbst hat alles dafür getan, dass seine Wunder nicht in Vergessenheit geraten. Gnädig und barmherzig ist der Herr!
[5] Denen, die ihn ehrten und achteten, gab er immer genug zu essen. Niemals vergisst er den Bund, den er mit Israel geschlossen hat.
[6] Er bewies ihnen seine Macht: Die Länder anderer Völker gab er ihnen zum Besitz.
[7] Er ist zuverlässig und gerecht in allem, was er tut; seinen Geboten kann man völlig vertrauen.
[8] Niemals verlieren sie ihre Gültigkeit, für alle Zeiten bleiben sie bestehen. Er hat sie gegeben, um uns seine Treue und Wahrhaftigkeit vor Augen zu führen.
[9] Der Herr hat sein Volk erlöst und mit ihnen einen Bund geschlossen für immer und ewig. Heilig und furchterregend ist unser Gott!
[10] Alle Weisheit fängt damit an, dass wir ihn ernst nehmen. Wer sein Leben nach Gottes Geboten ausrichtet, der allein gewinnt Einsicht. Nie wird das Lob unseres Gottes verstummen!

---

[a] Vers 3 wörtlich: Dein Volk ist willig am Tag deiner Macht. Aus dem Schoß der Morgenröte kommt dir der Tau deiner Kindschaft. – Der Vers ist nicht sicher zu deuten.

109,30–31 140,13* **110,1–2** Jes 9,6* **110,1** Mt 22,44–45; 26,63–64; Apg 2,32–35; 1 Kor 15,25; Hebr 1,3.13 **110,2** 2,6; 1 Kön 9,3* **110,4** 1 Mo 14,18–20; Hebr 5,6–10; 7,17–21 **110,5–6** 7,12* **111,4** 5 Mo 4,9* **111,5** 2 Mo 24,7–8* **111,7** 18,31* **111,10** Spr 1,7*

Geben macht glücklicher als Nehmen!

112 Halleluja – lobt den Herrn! Glücklich ist, wer dem Herrn in Ehrfurcht begegnet und sich über seine Gebote freut!
[2]Seine Nachkommen werden im ganzen Land hohes Ansehen genießen, denn Gottes Segen liegt auf jeder Generation, die sich von ihm nicht abbringen lässt.
[3]Bei einem solchen Menschen sind Reichtum und Wohlstand zu Hause. Unerschütterlich und treu hält er zu Gott.
[4]Selbst in dunklen Stunden leuchtet ihm ein Licht, er ist voll Erbarmen, großmütig und gerecht.

[5]Gut geht es dem, der freundlich zu den Armen ist und ihnen gerne Geld leiht, der sich an das Recht hält bei allem, was er unternimmt!
[6]Nichts wird ihn zu Fall bringen, einen solchen Menschen vergisst man nicht!
[7]Er fürchtet sich nicht vor schlechter Nachricht, denn sein Glaube ist stark – er vertraut dem Herrn.
[8]Er lässt sich nicht erschüttern und hat keine Angst, denn er weiß, dass er über seine Feinde triumphieren wird.
[9]Großzügig schenkt er den Bedürftigen, was sie brauchen; auf seine barmherzige Liebe kann man immer zählen[a]. Darum ist er überall hoch angesehen.[b]
[10]Alle, die Gott missachten, sehen es und ärgern sich, sie knirschen mit den Zähnen und vergehen vor Wut. Denn was sie sich erträumt haben, zerrinnt in nichts.

Hoffnungslos im Elend?

113 Halleluja! Lobt den Herrn, ihr seine Diener! Lobt seinen herrlichen Namen!
[2]Ja, der Name des Herrn werde gepriesen – jetzt und in alle Zukunft!
[3]Von dort, wo die Sonne aufgeht, bis dorthin, wo sie untergeht – überall werde der Herr gelobt!
[4]Er herrscht über alle Völker, seine Macht und Hoheit überragt den Himmel!
[5/6]Einzigartig ist der Herr! Niemand im Himmel und auf der Erde ist ihm gleich. Sein Thron steht hoch über allen Thronen, und doch sieht er, was in der Tiefe vor sich geht.
[7]Wer hoffnungslos im Elend sitzt, den holt er heraus; wer erniedrigt wurde, den bringt er wieder zu Ehren
[8]und gibt ihm einen Platz unter den Angesehenen, die in seinem Volk Rang und Namen haben.
[9]Auch die kinderlose Frau befreit er von ihrer Schmach und macht sie zu einer glücklichen Mutter. Halleluja!

Gott macht Geschichte

114 Als Israel aus Ägypten zog, als die Nachkommen Jakobs das Volk verließen, dessen Sprache sie nicht verstehen konnten,
[2]da machte der Herr das Gebiet Juda zu seinem Heiligtum und Israel zu seinem Herrschaftsbereich.
[3]Das Rote Meer sah das Volk kommen und wich zurück, auch der Jordan hörte auf zu fließen und staute sein Wasser.
[4]Die Berge sprangen wie die Schafe, und die Hügel hüpften wie die Lämmer.

[5]Was ist mit dir geschehen, Meer? Warum bist du so plötzlich zurückgewichen? Jordan, warum hast du aufgehört zu fließen?
[6]Ihr Berge, weshalb seid ihr gesprungen wie die Schafe, und ihr Hügel, warum seid ihr wie die Lämmer gehüpft?

---

[a] Wörtlich genau wie Vers 3b: seine Gerechtigkeit bleibt für immer. – Jedoch gewinnt in diesem Zusammenhang das hebräische Wort für »Gerechtigkeit« den Sinn « Mildtätigkeit«. Vgl. Matthäus 6,1
[b] Wörtlich: Sein Horn ragt in Ehren auf.

112,1–3 1,1–2 **112,5–9** 5 Mo 15,5–11; Spr 22,9; 2 Kor 9,6–9 **113,5–6** 22,29* **113,7–8** 1 Sam 2,8; Lk 1,48 **113,9** 1 Mo 21,6–7; 30,22–23; 1 Sam 2,5; Lk 1,57–58 **114,3–5** 2 Mo 14,21–22*; Jos 3,14–17

[7] Erde, erbebe, wenn der Herr, der Gott Jakobs, erscheint!
[8] Er verwandelte Felsen in Wasserteiche und ließ Quellen sprudeln, wo vorher nur harter Stein zu finden war!

Tote Götzen, aber ein lebendiger Herr

115 Nicht uns, Herr, nicht uns, sondern dir allein steht Ehre zu! Du allein bist gnädig und treu!
[2] Warum dürfen die Völker höhnisch fragen: »Wo bleibt er denn, ihr Gott?«
[3] Unser Gott ist im Himmel, und alles, was er will, das tut er auch!

[4] Doch ihre Götter sind nur Figuren aus Silber und Gold, von Menschenhänden gemacht.
[5] Sie haben einen Mund, aber reden können sie nicht; Augen haben sie, doch sie können nicht sehen.
[6] Mit ihren Ohren hören sie nicht, und mit ihren Nasen riechen sie nichts.
[7] Ihre Hände können nicht greifen, mit ihren Füßen gehen sie nicht. Aus ihren Kehlen kommt kein einziger Laut!
[8] Genauso starr und tot sollen alle werden, die diese Götzen schufen, und auch alle, die solchen Götzen vertrauen!

[9] Ihr Israeliten, vertraut dem Herrn! Er allein gibt euch Hilfe und Schutz.
[10] Ihr Priester, vertraut dem Herrn! Er allein gibt euch Hilfe und Schutz.
[11] Ihr alle, die ihr den Herrn achtet – vertraut ihm! Er allein gibt euch Hilfe und Schutz.

[12] Der Herr denkt an uns und wird uns segnen. Sein Segen gilt ganz Israel. Sein Segen gilt den Priestern.
[13] Sein Segen gilt allen, die ihn achten, ganz gleich, ob unbedeutend oder einflussreich!
[14] Der Herr gebe euch viele Kinder, euch und euren Nachkommen!
[15] Auf euch ruht der Segen des Herrn, der Himmel und Erde geschaffen hat.
[16] Der Himmel gehört dem Herrn allein, die Erde aber hat er den Menschen anvertraut.
[17] Die Toten können den Herrn nicht mehr loben, denn dort, wo sie sind, schweigt man für immer.
[18] Doch wir, wir loben und preisen unseren Gott, jetzt und in Ewigkeit! Halleluja!

Du hast mir das Leben neu geschenkt!

116 Ich liebe den Herrn, denn er hat mich erhört, als ich zu ihm um Hilfe schrie.
[2] Ja, er hat sich zu mir herabgeneigt; mein Leben lang will ich zu ihm rufen!

[3] Ich war schon gefangen in den Klauen des Todes, Angst vor dem Grab überfiel mich, ich war völlig verzweifelt.
[4] Da schrie ich laut zum Herrn, ich flehte ihn an: »O Herr, rette mein Leben!«
[5] Wie gnädig ist der Herr! Was er verspricht, das hält er auch. Unser Gott ist voll Erbarmen!
[6] Er beschützt alle, die sich selbst nicht helfen können. Ich war in großer Gefahr, doch der Herr hat mir herausgeholfen!
[7] Nun sage ich mir: »Werde wieder ruhig! Der Herr hat dir Gutes erwiesen!«
[8] Ja, er hat mich vor dem sicheren Tod errettet. Meine Tränen hat er getrocknet und mich vor dem Untergang bewahrt.
[9] Ich darf am Leben bleiben, in seiner Nähe.
[10] Mein Vertrauen zu ihm blieb unerschüttert, auch als ich zugeben musste: »Jetzt weiß ich nicht mehr aus noch ein!«,
[11] auch als ich bestürzt ausrief: »Keinem Menschen kann man vertrauen!«

114,8 2 Mo 17,1–7; 4 Mo 20,10–11 **115,1–2** 79,9–10 **115,3** 5 Mo 3,24 **115,4–8** 135,15–18; 1 Sam 12,21; Jes 41,28–29; 44,9–20* **115,9–11** 135,19–21 **115,14** 127,3–5 **115,15** 1 Mo 14,19 **115,17** 6,6* **116,1–2** 17,6* **116,5** 86,15; 103,8 **116,6** 140,13* **116,9** 59,5*

[12] Wie soll ich dem Herrn nun danken für all das Gute, das er mir getan hat?
[13] Beim Opfermahl will ich vor allen den Kelch erheben als Zeichen meines Dankes. Denn der Herr hat mich gerettet – das allein will ich bekennen![a]
[14] So will ich vor Gottes Volk erfüllen, was ich dem Herrn versprochen habe.

[15] Der Herr bewahrt alle, die ihn lieben, denn in seinen Augen ist ihr Leben wertvoll[b].
[16] Gott, du bist mein Herr, und ich diene dir, wie meine Mutter es schon tat. Du hast mich den Klauen des Todes entrissen.
[17] Deshalb will ich dir ein Dankopfer bringen; laut will ich bekennen, dass du mein Herr bist.
[18/19] Vor deinem ganzen Volk – auf dem Vorhof des Tempels mitten in Jerusalem – will ich dir, Herr, meine Gelübde erfüllen. Halleluja!

Lobt den Herrn, alle Völker!

117 Lobt den Herrn, alle Völker; preist ihn, alle Nationen!
[2] Denn seine Liebe zu uns ist stark und mächtig, und seine Treue hört niemals auf! Halleluja!

Ein Dankgottesdienst nach dem Sieg

118 Dankt dem Herrn, denn er ist gut, und seine Gnade hört niemals auf!
[2] Alle Israeliten sollen es sagen: Seine Gnade hört niemals auf!
[3] Die Priester sollen rufen: Seine Gnade hört niemals auf!
[4] Alle, die ihm in Ehrfurcht begegnen, sollen einstimmen: Seine Gnade hört niemals auf!
[5] In auswegloser Lage schrie ich zum Herrn: »Hilf mir!« Er holte mich aus der Bedrängnis heraus und schenkte mir Freiheit.
[6] Der Herr ist auf meiner Seite, und ich brauche mich vor nichts und niemandem zu fürchten. Was kann mir ein Mensch schon antun?
[7] Der Herr steht für mich ein und hilft mir; ich werde noch die Niederlage meiner Feinde erleben.

[8] Es ist viel besser, bei dem Herrn Schutz zu suchen, als sich auf Menschen zu verlassen.
[9] Es ist viel besser, bei dem Herrn Schutz zu suchen, als mit denen zu rechnen, die mächtig und einflussreich sind.

[10] Ich war von feindlichen Völkern eingekreist, aber mit der Hilfe des Herrn schlug ich sie in die Flucht.
[11] Sie hatten mich umzingelt, aber mit der Hilfe des Herrn schlug ich sie in die Flucht.
[12] Sie fielen über mich her wie ein Bienenschwarm, aber mit der Hilfe des Herrn schlug ich sie in die Flucht. Wie ein Strohfeuer erlischt, so schnell war es mit ihnen vorbei.
[13] Sie haben mich erbittert bekämpft, um mich zu Fall zu bringen, doch der Herr hat mir geholfen.
[14] Er hat mir Kraft gegeben und mich froh gemacht; nun kann ich wieder singen. Er hat mir den Sieg geschenkt!

[15/16] Hört die Freudenrufe und Siegeslieder in den Zelten der Menschen, die für Gott leben! Sie singen: »Der mächtige Gott vollbringt gewaltige Taten! Er hat die Hand erhoben zum Zeichen des Sieges – ja, er vollbringt Gewaltiges!«

---

[a] Wörtlich: Ich will den Becher des Heils erheben und den Namen des Herrn anrufen.
[b] Wörtlich: denn kostbar ist in den Augen des Herrn der Tod seiner Frommen.

116,12–13 20,6* **116,17–19** 4 Mo 30,3* **117,1** 66,4; 86,9; 102,22–23; Jes 2,1–4; 60,1–12; Mi 4,1–4; Lk 13,29; Röm 15,9–12; Offb 15,4 **117,2** 86,15 **118,1–4** 136,1 **118,5** 140,13* **118,6** Röm 8,31; Hebr 13,6 **118,8–9** 146,3; Spr 3,5–6; Jes 31,1–3; Jer 17,5–8

[17] Ich werde nicht sterben, sondern am Leben bleiben und erzählen, was der Herr getan hat!
[18] Er hat mich hart gestraft, doch er ließ nicht zu, dass ich umkam.

[19] Öffnet mir die Tore des Tempels[a]! Ich will durch sie einziehen und dem Herrn danken.
[20] Ein Priester:[b] »Hier ist das Tempeltor, der Zugang zum Herrn! Wer Gott die Treue hält, darf hier hereinkommen!«

[21] Ich danke dir, Herr, denn du hast mich erhört! Du selbst hast mich gerettet.
[22] Der Stein, den die Bauleute wegwarfen, weil sie ihn für unbrauchbar hielten, ist zum Grundstein des ganzen Hauses geworden!
[23] Was keiner für möglich gehalten hat, das tut Gott vor unseren Augen!
[24] Diesen Tag hat er zum Fest gemacht, lasst uns fröhlich sein und jubeln!
[25] O Herr, hilf uns doch! Gib uns Gelingen!

[26] Ein Priester:[c] »Willkommen ist, wer im Auftrag des Herrn kommt! Wir versehen den Dienst am Tempel, darum segnen wir euch.
[27] Der Herr allein ist Gott, er sieht uns freundlich an. Mit Zweigen in euren Händen beginnt den festlichen Reigen um den Altar![d]«

[28] Du bist mein Gott, dir will ich danken. Mein Gott, dich allein will ich ehren!
[29] Dankt dem Herrn, denn er ist gut zu uns, und seine Gnade hört niemals auf!

Gottes gute Ordnungen sind nicht zu überbieten![e]

119

1.

Glücklich sind die Menschen, denen man nichts Böses nachsagen kann, die sich nach Gottes Gesetz richten.
[2] Glücklich sind alle, die sich an seine Weisungen halten und ihm von ganzem Herzen dienen.
[3] Sie tun kein Unrecht, denn sie leben nach seinem Willen.
[4] Was du, Herr, angeordnet hast, soll jeder genau beachten.
[5] Ich wünsche mir noch mehr Beständigkeit, damit ich mich an deine Ordnungen halten kann.
[6] Deine Gebote verliere ich nicht mehr aus den Augen. Darum brauche ich mich nicht zu schämen,
[7] sondern kann dich mit aufrichtigem Herzen loben. Deine guten Gesetze lerne ich immer besser kennen;
[8] ich will mich an deine Ordnungen halten, hilf mir dabei und lass mich nicht im Stich!

2.

[9] Herr, wie kann ein junger Mensch leben, ohne schuldig zu werden? Indem er sich nach deinen Geboten richtet.
[10] Auch ich will dir treu sein; lass mich nicht von dem Weg abkommen, den du mir gezeigt hast!
[11] Tief präge ich mir dein Wort ein, damit ich nicht vor dir schuldig werde.
[12] Ich will dir danken und dich preisen, Herr! Lehre mich, deinen Ordnungen immer mehr zu gehorchen!

---

[a] Wörtlich: die Tore der Gerechtigkeit.
[b] Sinngemäß eingefügt.
[c] Sinngemäß eingefügt.
[d] Oder: Bindet das Festopfer mit Stricken bis an die Hörner des Altars! – Der hebräische Text ist nicht sicher zu deuten.
[e] Der Psalm besteht im Grundtext aus 22 Strophen zu je 8 Zeilen. Die Strophen folgen den 22 Buchstaben des hebräischen Alphabets. Innerhalb jeder Strophe beginnt jede Zeile mit demselben Buchstaben.

118,17 5 Mo 4,9* **118,19–20** 15,1–5; Jes 26,2 **118,21** 20,6* **118,22–23** Jes 28,16; Mt 21,42; Apg 4,11; 1 Petr 2,4–8 **118,26–27** Joh 12,13 **119,1–2** 1,1–2 **119,11** 5 Mo 6,6–9

[13] Alle deine Anweisungen sage ich mir immer wieder auf.
[14] Ich freue mich über deine Gebote wie über großen Reichtum.
[15] Ich denke über deine Vorschriften nach und halte mich daran.
[16] Deine Gesetze machen mich glücklich; nie werde ich dein Wort vergessen.

3.

[17] Herr, ich bin dein Diener! Gib mir alles, was ich brauche; nur so kann ich leben und dein Wort befolgen.
[18] Öffne mir die Augen, damit ich die Wunder erkenne, die dein Gesetz enthält!
[19] Diese Welt wird nicht für immer meine Heimat sein. Deshalb brauche ich deine Gebote, die mir zeigen, was du für richtig hältst.
[20] Ich sehne mich sehr danach, deine Weisungen noch besser kennen zu lernen.
[21] Du strafst die Selbstgerechten und verfluchst alle, die deine Gebote übertreten.
[22] Weil ich mich nach dem richte, was du angeordnet hast, werde ich mit Hohn und Spott überschüttet. Mach dem ein Ende!
[23] Die Herrschenden sitzen zusammen und schmieden gemeine Pläne gegen mich; ich aber will dir dienen und denke über deine Ordnungen nach.
[24] Über deine Gesetze freue ich mich sehr, denn sie sind hervorragende Ratgeber.

4.

[25] Herr, ich bin am Boden zerstört. Schenke mir neue Kraft, wie du es versprochen hast!
[26] Ich habe dir schon oft meine Not geklagt, und du hast mir immer geholfen. Zeige mir auch jetzt, was ich tun soll!
[27] Hilf mir, deine Anordnungen zu verstehen, damit ich über die Wunder nachdenken kann, von denen dein Wort berichtet.
[28] Vor Kummer weine ich hemmungslos. Richte mich wieder auf, wie du es versprochen hast!
[29] Wenn ich in Versuchung komme, unehrlich zu sein, dann tritt mir in den Weg! Steh mir gnädig bei, und gib mir klare Anweisungen!
[30] Ich habe mich entschlossen, dir treu zu bleiben. Darum will ich mir immer vor Augen halten, was du als göttliches Recht festgelegt hast.
[31] Unbeirrbar halte ich an deinen Anordnungen fest. Herr, lass nicht zu, dass ich deswegen ausgelacht werde!
[32] Zielstrebig will ich den Weg gehen, den deine Gebote mir weisen, denn nur so kann ich froh der Zukunft entgegensehen[a].

5.

[33] Herr, zeige mir, was deine Ordnungen für uns bedeuten! Ich will sie beachten, solange ich lebe.
[34] Gib mir Einsicht, damit ich mich an dein Gesetz halte und es entschieden befolge!
[35] Hilf mir, deine Gebote zu erfüllen, denn sie bereiten mir Freude.
[36] Gib mir Liebe zu deinem Wort, und lass nicht zu, dass ich habgierig werde!
[37] Ich will mich nicht mit dem abgeben, was sinnlos und wertlos ist. Hilf mir dabei und schenke mir Freude, deinen Willen zu tun!
[38] Herr, löse deine Zusagen ein! Sie gelten mir und allen, die dich achten und ehren.
[39] Ich habe Angst, dass man mich verlacht und beschimpft. Bewahre mich davor, und verhilf mir zu meinem Recht[b]!
[40] Ich sehne mich danach, deinen Befehlen zu gehorchen. Wenn du dein Versprechen hältst, lebe ich wieder auf.

6.

[41] Herr, zeige mir immer wieder, wie sehr du mich liebst, und hilf mir, wie du es versprochen hast!
[42] Dann kann ich denen die passende Antwort geben, die mich jetzt noch ver-

---

[a] Wörtlich: denn du machst das Herz mir weit.
[b] Wörtlich: denn deine Rechtsentscheidungen sind gut.

119,19 39,13; 1 Chr 29,15; Hebr 11,13; 1 Petr 2,11 **119,21** 5 Mo 27,26; Jer 11,3; Gal 3,10 **119,26** 20,6*; 25,4* **119,32** 25,4* **119,36** Spr 28,25; Lk 12,15; 1 Tim 6,10

achten. Ich vertraue darauf, dass du Wort hältst.
[43] Auf dein Wort habe ich meine Hoffnung gesetzt. Lass mich darum nicht schweigen, wenn ich deine Treue rühmen soll!
[44] Niemals will ich aufhören, dein Gesetz zu befolgen.
[45] Du gewährst mir großen Freiraum für mein Leben, weil ich deine Ordnungen beständig erforsche.
[46] Sogar vor Königen will ich ohne Scheu bezeugen, dass dein Wort unumstößlich gilt.
[47] Ich befolge deine Gebote mit Freude, denn ich liebe sie.
[48] Ich sehne mich nach deinem Wort, denn es ist mir wertvoll; über alles, was du angeordnet hast, denke ich gründlich nach.

7.

[49] Herr, für dich habe ich mich eingesetzt. Mach dein Versprechen wahr, denn darauf hoffe ich!
[50] Immer, wenn ich in Not war, hat deine Zusage mich wieder aufgerichtet und belebt.
[51] Selbstgefällige Leute reden gehässig über mich, sooft sie nur können. Trotzdem bin ich keinen Fingerbreit von deinem Gesetz abgewichen.
[52] Nie habe ich den Mut verloren, denn ich erinnerte mich daran, wie du schon früher für Recht gesorgt hast.
[53] Wenn ich an die Menschen denke, die sich von dir und deinem Gesetz losgesagt haben, dann packt mich der Zorn.
[54] Nur kurze Zeit lebe ich auf dieser Erde; aber solange ich lebe, werde ich deine Ordnungen besingen.
[55] Herr, sogar in den Nachtstunden denke ich an dich, und deine Gebote werden mir zur festen Gewohnheit.
[56] Immer wieder macht es mich glücklich, unbeirrt nach deinen Leitlinien zu leben.

8.

[57] Das muss ich bekennen: Ich gehöre zu Gott! Deshalb werde ich tun, was er sagt.
[58] Von ganzem Herzen will ich dir gefallen; sei mir gnädig, wie du es versprochen hast!
[59] Ich gebe mir Rechenschaft über mein bisheriges Leben und entschließe mich von neuem, deinen Geboten zu gehorchen.
[60] Ich zögere nicht und will keine Zeit verlieren, das zu tun, was du befohlen hast.
[61] Die Leute, die sich dir widersetzen, wollen mich zu Fall bringen, doch ich vergesse dein Gesetz nicht.
[62] Mitten in der Nacht stehe ich auf, um dir zu danken, weil deine Urteile gerecht sind.
[63] Wer dich achtet und nach deinen Maßstäben lebt, ist mein Freund.
[64] Herr, überall auf dieser Welt können die Menschen deine Güte erleben. Lass mich erkennen, was ich tun soll!

9.

[65] Herr, du bist gut zu mir, wie du es versprochen hast.
[66] Schenke mir Urteilskraft und Verständnis, denn ich vertraue deinem Wort.
[67] Ich bin viele Irrwege gegangen, bis ich mir eingestehen musste: »So geht es nicht weiter!« Daher will ich mich jetzt nach deinem Willen richten.
[68] Gott, du bist gut! Wie viel Gutes hast du mir schon erwiesen! Lass mich verstehen, was ich tun soll!
[69] Unverfrorene Lügner ziehen meinen Namen in den Schmutz, aber ich befolge deine Anordnungen von ganzem Herzen.
[70] Ihr Gewissen ist abgestumpft; an ihnen prallt alles ab, was du sagst. Ich aber freue mich über dein Gesetz.
[71] Für mich war es gut, dass ich erkennen musste: »So geht es nicht weiter!« Denn da erst lernte ich, wie hilfreich deine Gebote sind.

119,52 7,12* Klgl 3,22–23* **119,55** 1,2; 42,9; 63,7 **119,58** Spr 23,17 **119,62** 1,2; 42,9; 63,7 **119,64** 33,5;

[72]Ja, dein Gesetz lässt sich nicht mit Bergen von Gold aufwiegen!

10.

[73]Herr, mein Schöpfer! Du hast mir das Leben gegeben. Schenke mir nun auch die Einsicht, die ich brauche, um nach deinen Geboten zu leben!
[74]Alle, die dich achten und ehren, werden sich über mich freuen, denn ich verlasse mich auf dein Wort.
[75]Herr, ich weiß, dass deine Entscheidungen richtig sind. Selbst als du mich in unlösbare Schwierigkeiten brachtest, meintest du es gut mit mir.[a]
[76]Lass mich deine Gnade erfahren, und tröste mich, wie du es mir versprochen hast!
[77]Dein Gesetz befolge ich gerne. Erbarme dich über mich, und hilf mir, damit ich wieder Freude am Leben habe.
[78]Bring die unverschämten Lügner zu Fall, denn sie haben mich grundlos ins Elend gestürzt. Ich aber denke über deine Ordnungen nach.
[79]Ich wünsche mir, dass alle, die dich ehren und deine Anweisungen befolgen, zu mir halten.
[80]Ich will mich entschlossen nach deinen Geboten richten, damit ich nicht zu Fall komme.

11.

[81]Voller Sehnsucht warte ich auf deine Hilfe, denn du hast sie mir fest versprochen.
[82]Ich vergehe fast vor Ungeduld, bis du deine Zusage erfüllst. Wann endlich tröstest du mich?
[83]Ich fühle mich nutzlos, alt und verbraucht;[b] trotzdem werde ich nicht müde, deine Ordnungen zu befolgen.
[84]Wie lange muss ich noch warten? Wann gehst du endlich mit denen ins Gericht, die es auf mich abgesehen haben?
[85]Diese frechen, überheblichen Menschen haben mir eine Grube gegraben; dein Gesetz ist ihnen völlig gleichgültig.
[86]Hilf mir, denn sie verfolgen mich ohne Grund! Doch auf deine Gebote kann ich mich verlassen.
[87]Ich weigere mich, gegen deine Anordnungen zu verstoßen, obwohl die Feinde mich fast umgebracht hätten.
[88]Sei mir gnädig und erhalte mein Leben! Dann kann ich weiterhin deine Gebote befolgen!

12.

[89]Herr, dein Wort bleibt für immer und ewig. Schon als du den Himmel erschufst, war es gültig.
[90]Deine Treue gilt für alle Zeiten. Durch sie erhältst du die Erde, seitdem du sie ins Dasein gerufen hast.
[91]Himmel und Erde bestehen bis heute, weil du es so willst, denn dir muss alles dienen.
[92]Wenn ich nicht Freude an deinem Wort gehabt hätte, dann wäre ich in meinem Elend umgekommen.
[93]Nie will ich deine Befehle vergessen, denn sie haben mich gestärkt.
[94]Ich gehöre zu dir, Herr. Hilf mir, denn ich habe mich immer nach deinen Geboten gerichtet!
[95]Gewissenlose Menschen liegen auf der Lauer, um mich zu beseitigen. Doch ich achte umso mehr auf das, was du mir zu sagen hast.
[96]Ich sah, dass alles ein Ende findet, auch wenn es noch so vollkommen ist. Nur dein Wort bleibt für immer.

13.

[97]Wie sehr liebe ich dein Gesetz; den ganzen Tag denke ich darüber nach!
[98]Gerade weil es mir immer gegenwärtig ist, bin ich meinen Feinden an Klugheit überlegen.
[99]Ich habe mehr begriffen als alle meine Lehrer, denn ich mache mir ständig Gedanken über deine Ordnungen.

---

[a] Wörtlich: In Treue hast du mich gebeugt.
[b] Wörtlich: Ich bin wie ein Weinschlauch im Rauch.

119,72 19,10–11 **119,73** 139,13–14; Hiob 10,8 **119,89** Jes 40,8; Lk 21,33 **119,97** 1,2 **119,98–100** 5 Mo 4,6

[100] Ich gewinne noch mehr Einsicht als alte Menschen mit ihrer Lebenserfahrung, denn ich habe mein Leben nach deinen Geboten ausgerichtet.
[101] Nie bin ich vorsätzlich krumme Wege gegangen, denn stets befolge ich dein Wort.
[102] Ich habe deine Belehrungen gerne angenommen, denn einen besseren Lehrer als dich gibt es nicht.
[103] Dein Wort ist meine Lieblingsspeise, es ist süßer als der beste Honig.
[104] Dein Gesetz macht mich klug und einsichtig, deshalb hasse ich jede Art von Falschheit.

14.

[105] Dein Wort ist wie ein Licht in der Nacht, das meinen Weg erleuchtet.
[106] Was du in deinem Wort festgelegt hast, das will ich tun, gerechter Gott! Ich habe einen Eid darauf geleistet, und dazu stehe ich.
[107] Doch jetzt bin ich völlig am Ende! Herr, schenke mir neue Kraft, wie du es versprochen hast!
[108] Herr, nimm meinen Dank als ein Opfer an, und lass mich erkennen, was du von mir willst!
[109] Mein Leben ist ständig in Gefahr,[a] trotzdem vergesse ich dein Gesetz nicht.
[110] Die Gottlosen wollen mich in ihre Fallen locken. Doch ich lasse mich nicht von deinen Geboten abbringen.
[111] Was uns als dein Wille überliefert wurde, ist mein kostbarer Besitz für alle Zeit und erfüllt mich mit Freude.
[112] Entschlossen will ich mich an deine Ordnungen halten, solange ich lebe[b].

15.

[113] Herr, ich kann es nicht leiden, wenn Menschen einmal »ja« und einmal »nein« zu dir sagen. Aber dein Gesetz liebe ich mit ungeteiltem Herzen.
[114] Bei dir allein bin ich geborgen, bei dir finde ich Schutz. Deine Zusage ist meine einzige Hoffnung.
[115] Verschwindet, ihr Übeltäter! Ich richte mich nach den Geboten meines Gottes. Hindert mich nicht daran!
[116] Herr, gib mir festen Halt, wie du es versprochen hast! Dann lebe ich wieder auf. Lass nicht zu, dass ich vergeblich hoffe und den Mut verliere!
[117] Richte mich auf, Herr, dann ist mir geholfen! Ich will mich stets mit deinen Anordnungen beschäftigen.
[118] Wer deine Befehle ablehnt, den wirst auch du ablehnen, und wer dich hinters Licht führen will, der schadet sich selbst[c].
[119] Wie Müll beseitigst du alle deine Verächter. Darum liebe ich deine Ordnungen.
[120] Wenn ich daran denke, dass du mich als Richter verurteilen könntest, läuft es mir kalt den Rücken herunter.

16.

[121] Herr, ich habe getan, was richtig und gut ist, darum überlass mich nicht der Willkür meiner Feinde!
[122] Versprich mir, dass alles wieder gut wird, und lass nicht zu, dass mich diese selbstherrlichen Menschen unterdrücken!
[123] Gerechter Gott, ich sehne mich danach, dass du mich befreist und das Versprechen erfüllst, das du mir gegeben hast.
[124] Herr, du hast mich lieb. Bitte hilf mir und lass mich deine Ordnungen verstehen!
[125] Ich stelle mich dir zur Verfügung; nun schenke mir auch das Verständnis für die Überlieferungen, in denen wir deinen Willen erkennen!
[126] Es ist höchste Zeit, dass du eingreifst, Herr, denn die Menschen missachten deine Gesetze.
[127] Ich aber liebe deine Gebote. Sie bedeuten mir mehr als reines Gold.

---

a Wörtlich: Mein Leben halte ich ständig in der Hand.
b Oder: für ewig ist mein Lohn.
c Vers 118b wörtlich: denn umsonst ist ihr Trug. Oder: denn Lüge ist ihr Trug.

119,101 Spr 4,26–27 **119,103** 19,10–11 **119,105** 25,4* **119,113** 1 Kön 18,21; Mt 5,37 **119,114** 18,3*

[128] Jede Art von Falschheit ist mir verhasst. Nur deine Gebote garantieren einen guten und geraden Weg.[a]

17.

[129] Herr, deine Gebote sind wunderbar, deshalb befolge ich sie gern.
[130] Im Leben eines Menschen wird es hell, wenn er anfängt, dein Wort zu verstehen. Wer bisher gedankenlos durchs Leben ging, der wird jetzt klug.
[131] Mein Verlangen nach deinen Geboten ist stärker als der Durst eines Menschen, der in der Hitze nach Wasser lechzt.
[132] Herr, wende dich mir zu, und sei mir gnädig, so wie du es allen versprochen hast, die dich lieben.
[133] Beschütze mich, und mach mich stark, wie du es zugesagt hast! Lass nicht zu, dass das Böse über mich Macht gewinnt!
[134] Rette mich vor den Menschen, die mich gewaltsam unterdrücken; dann kann ich nach deinen Ordnungen leben!
[135] Lass mich erleben, wie gut du es mit mir meinst, und zeige mir, was ich nach deinem Willen tun soll!
[136] Ich weine hemmungslos, wenn ich sehe, wie andere dein Gesetz missachten.

18.

[137] Herr, auf dich kann man sich verlassen, und alles, was du beschließt, ist richtig.
[138] Deine Gebote beweisen: Du bleibst dir selber treu und hältst an der Wahrheit fest.
[139] Ich bin außer mir vor Zorn, weil ich sehe, wie meine Feinde deine Worte übergehen.
[140] Dein Wort ist zuverlässig[b], darum liebe ich es.
[141] Ich bin klein und verachtet; trotzdem werde ich dein Wort nicht vergessen.
[142] Deine Gerechtigkeit bleibt für immer bestehen; dein Gesetz ist die reine Wahrheit.
[143] Selbst wenn ich vor Angst keinen Ausweg mehr weiß, freue ich mich über deine Gebote;
[144] sie sind gerecht, und daran wird sich nie etwas ändern. Hilf mir, sie besser zu verstehen, damit ich wieder auflebe.

19.

[145] Herr, ich flehe dich an: Antworte mir! Entschlossen will ich mich an deine Ordnungen halten.
[146] Ich bitte dich: Hilf mir; ich möchte doch deine Gebote befolgen!
[147] Schon vor Tagesanbruch schreie ich zu dir um Hilfe, ich setze alle meine Hoffnung auf dein Wort;
[148] auch die ganze Nacht denke ich darüber nach.
[149] Höre mich doch, Herr; ich vertraue ganz auf deine Gnade. Schenke mir neuen Mut durch deine gerechten Gebote.
[150] Böse Menschen machen sich an mich heran, um mir zu schaden; wie weit haben sie sich von deinem Gesetz entfernt!
[151] Aber du, Herr, du bist mir nahe! Auf alle deine Worte kann ich mich verlassen.
[152] Ich habe mich in dein Gesetz vertieft und dabei erkannt: Es gilt für alle Zeiten!

20.

[153] Sieh doch, wie niedergeschlagen ich bin! Hilf mir, denn ich habe dein Gesetz nie aus den Augen verloren!
[154] In meinem Rechtsstreit vertrete du mich als mein Anwalt, und sorge für meinen Freispruch! Rette mich, wie du es mir versprochen hast!
[155] Wer sich dir widersetzt, kann nicht damit rechnen, dass du ihn rettest, denn deine Ordnungen sind ihm gleichgültig.
[156] Herr, schon oft hast du dein Erbarmen gezeigt; nun gib auch mir wieder neuen Mut durch dein gerechtes Urteil!
[157] Viele Feinde verfolgen und bedrängen mich, trotzdem bin ich von deinen Geboten keinen Fingerbreit abgewichen.
[158] Ich empfinde Abscheu und Ekel, wenn ich mir die Menschen ansehe, die dir un-

---

[a] Die griechische Übersetzung lautet: Darum halte ich alle deine Ordnungen für recht.
[b] Wörtlich: ganz durchläutert.

119,130 19,8 **119,135** 25,4* **119,147–148** 1,2; 42,9; 63,7 **119,154** 35,23

treu sind und sich über dein Wort hinwegsetzen.
[159]Herr, ich liebe deine Befehle. Zeige mir nun auch deine Liebe, und schenke mir wieder Freude am Leben!
[160]Jedes Wort, das du sagst, ist wahr. Was du, gerechter Gott, entschieden hast, gilt für immer und ewig.

21.

[161]Herr, die Mächtigen verfolgen mich ohne Grund. Doch mich beeindruckt allein das, was du mir zu sagen hast.
[162]Ich freue mich über dein Wort wie jemand, der einen wertvollen Schatz findet.
[163]Ich verabscheue gemeine Lügen, dein Gesetz aber liebe ich.
[164]Siebenmal am Tag lobe ich dich, Herr, denn deine Entscheidungen sind gut und gerecht.
[165]Wer dein Gesetz lieb hat, lebt in Frieden und wird niemals scheitern.
[166]Herr, ich hoffe darauf, dass du mich rettest, denn ich habe mich nach deinen Geboten gerichtet.
[167]Deine Weisungen sind der Maßstab für mein Handeln; ich habe sie fest ins Herz geschlossen.
[168]Ja, alle deine Befehle und Mahnungen befolge ich aufrichtig, denn du siehst alles, was ich tue.

22.

[169]Herr, ich flehe dich an: Erhöre mich! Lass mich dein Wort immer besser verstehen!
[170]Höre auf mein Schreien, und rette mich, wie du es versprochen hast!
[171]Mein Herz ist erfüllt von deinem Lob. Ich singe und juble, denn du lässt mich deine Ordnungen erkennen.
[172]Fröhlich besinge ich dein Wort, denn alles, was du befiehlst, ist gut.
[173]Greif ein und hilf mir! Ich habe meine Wahl getroffen: Nur deine Gebote sind der Maßstab für mein Leben.
[174]Sehnsüchtig warte ich auf deine Hilfe, Herr; dein Gesetz ist meine größte Freude.
[175]Schenke mir ein langes Leben, damit ich dich immer mehr preisen kann, und hilf mir durch deine Ordnungen!
[176]Heimatlos irre ich umher wie ein Schaf, das seine Herde verloren hat. Suche doch nach mir, denn ich gehöre noch immer zu dir! Ich habe nicht vergessen, was du befohlen hast.

Herr, rette mich vor den Lügnern

120 Ein Lied für die Festbesucher, die nach Jerusalem hinaufziehen.[a]

Ich schrie zum Herrn, als ich nicht mehr aus noch ein wusste, und er half mir aus meiner Not.
[2]Herr, rette mich auch jetzt vor diesen Lügnern und Betrügern, die die Wahrheit verdrehen!
[3]Ihr Lügner, glaubt ihr denn, ihr könntet der Strafe Gottes entgehen? Er wird es euch heimzahlen!
[4]Er, der mächtige Gott, wird euch mit seinen Pfeilen treffen und mit glühenden Kohlen versengen!
[5]Bei euch zu leben ist schlimmer als unter den gewalttätigen Völkern von Meschech und Kedar![b]
[6]Viel zu lange wohne ich schon hier bei euch. Ihr hasst den Frieden,
[7]ich dagegen liebe ihn. Aber sobald ich ein Gespräch beginne, fangt ihr Streit an!

---

[a] Wörtlich wie zu Beginn aller Psalmen von 120–134: »Lied der Hinaufgänge« oder »Lied der Stufen«. Es sind Wallfahrtslieder für Festbesucher, die aus der Jordanebene zum hoch gelegenen Jerusalem hinaufziehen oder im Tempelgebiet die Stufen zum Altar hinaufsteigen.
[b] Wörtlich: Wehe mir, dass ich ein Fremder bin in Meschech, dass ich wohne bei den Zelten Kedars. – Meschech war das Volk der Moscher im Gebiet zwischen dem Schwarzen und dem Kaspischen Meer (vgl. 1. Mose 10,2), Kedar war ein räuberischer Nomadenstamm in der syrisch-arabischen Wüste (vgl. 1. Mose 25,13). Beide Völker wurden zu Sinnbildern für »Heiden und Barbaren«.
119,160 33,4 **119,168** 26,2* **119,176** Jes 53,6 **120,1** 20,6*

Unterwegs unter Gottes Schutz

121 Ein Lied für Festbesucher, die nach Jerusalem hinaufziehen.

Ich schaue hinauf zu den Bergen – woher kann ich Hilfe erwarten?
[2]Meine Hilfe kommt vom Herrn, der Himmel und Erde gemacht hat!

[3]Der Herr wird nicht zulassen, dass du fällst; er, dein Beschützer, schläft nicht.
[4]Ja, der Beschützer Israels schläft und schlummert nicht.
[5]Der Herr gibt auf dich Acht; er steht dir zur Seite und bietet dir Schutz vor drohenden Gefahren[a].
[6]Tagsüber wird dich die Sonnenglut nicht verbrennen, und in der Nacht wird der Mond dir nicht schaden.
[7]Der Herr schützt dich vor allem Unheil, er bewahrt dein Leben.
[8]Er gibt auf dich Acht, wenn du aus dem Hause gehst und wenn du wieder heimkehrst. Jetzt und für immer steht er dir bei!

Frieden für Jerusalem!

122 Ein Lied Davids für Festbesucher, die nach Jerusalem hinaufziehen.

Wie sehr habe ich mich gefreut, als man zu mir sagte: »Komm mit, wir gehen zum Tempel, zum Haus des Herrn!«
[2]Nun sind wir am Ziel! Wir haben die Stadttore durchschritten und stehen in Jerusalem.
[3]Jerusalem, du herrliche Stadt, wie mächtig und schön bist du gebaut!
[4]Zu dir ziehen alle Stämme Israels hinauf – das ganze Volk Gottes. Dort preisen sie den Herrn, wie er es ihnen geboten hat.
[5]Jerusalem, in dir regiert das Königshaus Davids, in dir übt der König das höchste Richteramt aus.
[6]Wünscht Jerusalem Frieden! Alle, die dich lieben, sollen hier glücklich leben!
[7]Hinter deinen festen Mauern soll Frieden herrschen und Sicherheit in deinen Palästen!
[8]Weil mir meine Brüder und Freunde am Herzen liegen, wünsche ich dir, Jerusalem, Frieden.
[9]Weil in dir der Tempel des Herrn, unseres Gottes, steht, setze ich mich für dein Wohlergehen ein.

Das Maß ist voll!

123 Ein Lied für Festbesucher, die nach Jerusalem hinaufziehen.

Herr, ich richte meine Augen auf dich, der du im Himmel wohnst.
[2]Wie ein Knecht auf ein Handzeichen seines Herrn wartet und eine Magd auf einen Wink ihrer Herrin achtet – so blicken wir auf den Herrn, unseren Gott, bis er uns ein Zeichen seiner Gnade gibt.
[3]Hab Erbarmen mit uns, Herr, hilf uns! Schon viel zu lange haben wir Verachtung erlitten!
[4]Wir haben das Gespött dieser selbstsicheren und überheblichen Gegner satt! Wir können es nicht länger ertragen, dass uns diese Hochmütigen verachten!

Frei!

124 Ein Lied Davids für Festbesucher, die nach Jerusalem hinaufziehen.

Israel soll bekennen: Hätte der Herr uns nicht geholfen,
[2]als die Feinde uns angriffen, wäre er nicht für uns eingetreten,
[3]dann hätten sie uns wutentbrannt bei lebendigem Leib verschlungen.
[4]Dann hätten uns mächtige Wogen überschwemmt und Wildbäche uns fortgerissen.

---

[a] Wörtlich: der Herr ist ein Schatten über deiner rechten Hand.

121,2 124,8 **121,3–4** 1 Kön 18,27 **121,8** 5 Mo 28,6 **122,1** 42,2–3 **122,4** 2 Mo 23,14–17 **122,5** 1 Kön 7,7

[5]Wir alle wären in den tosenden Fluten versunken! [6]Lasst uns den Herrn loben! Er hat nicht zugelassen, dass sie uns zerfleischten. [7]Wir sind ihnen entkommen wie ein Vogel aus dem Netz des Fallenstellers. Das Netz ist zerrissen, und wir sind frei! [8]Ja, unsere Hilfe kommt vom Herrn, der Himmel und Erde erschaffen hat.

Auf Gottes Schutz ist Verlass!

125 Ein Lied für Festbesucher, die nach Jerusalem hinaufziehen.

Wer dem Herrn vertraut, ist wie der Berg Zion; er steht fest und unerschütterlich. [2]Berge erheben sich rings um Jerusalem – genauso umgibt der Herr schützend sein Volk, jetzt und für alle Zeit. [3]Nicht mehr lange werden gottlose Könige über unser Land herrschen, das Gott den Gerechten zum Besitz gegeben hat. Sonst könnte es noch so weit kommen, dass auch die dem Unrecht verfallen, die Gott bisher gehorcht haben. [4]Herr, tue denen Gutes, die Gutes tun, denen, die nach deinem Willen leben! [5]Aber alle, die sich von dir abwenden und krumme Wege gehen, wirst du verstoßen wie alle anderen Übeltäter! Frieden komme über Israel!

Die Befreiung ist kein leerer Traum!

126 Ein Lied für Festbesucher, die nach Jerusalem hinaufziehen.

Als der Herr uns aus der Gefangenschaft nach Jerusalem zurückbrachte,[a] wussten wir nicht, ob wir wachen oder träumen. [2]Doch dann lachten und jubelten wir laut vor Freude. Auch die anderen Völker mussten zugeben: »Was der Herr für sie getan hat, ist groß und gewaltig!« [3]Ja, der Herr hat große Taten für uns vollbracht! Wir waren außer uns vor Freude.

[4]Herr, wende auch jetzt unser düsteres Geschick zum Guten,[b] so wie du ausgetrocknete Bäche wieder mit Wasser füllst! [5]Wer die Saat mit Tränen aussät, wird voller Freude die Ernte einbringen. [6]Weinend geht er hinaus und streut die Saat aufs Feld; doch wenn er zurückkommt, jubelt er über die reiche Ernte.

An Gottes Segen ist alles gelegen!

127 Ein Lied Salomos für Festbesucher, die nach Jerusalem hinaufziehen.

Wenn der Herr nicht das Haus baut, dann ist alle Mühe der Bauleute umsonst. Wenn der Herr nicht die Stadt bewacht, dann wachen die Wächter vergeblich. [2]Ihr steht frühmorgens auf und gönnt euch erst spät am Abend Ruhe, um das sauer verdiente Brot zu essen. Doch ohne Gottes Segen ist alles umsonst! Denn Gott gibt denen, die ihn lieben, alles Nötige im Schlaf!

[3]Auch Kinder sind ein Geschenk des Herrn; wer sie bekommt, wird damit reich belohnt. [4]Die Söhne eines jungen Mannes sind wie Pfeile in der Hand eines Kriegers. [5]Wer viele solcher Pfeile in seinem Köcher hat, der ist glücklich zu nennen! Seine Söhne werden ihm Recht verschaffen, wenn seine Feinde ihn vor Gericht anklagen.

Eine glückliche Familie

128 Ein Lied für Festbesucher, die nach Jerusalem hinaufziehen.

---

[a] Oder: Als der Herr das Geschick Zions (zum Guten) wendete.
[b] Oder: Herr, bringe auch jetzt unsere Gefangenen zurück.

124,6 20,6* **124,8** 121,2 **125,1–2** 20,8 **126,1–3** 14,7; 40,6*; 2 Chr 36,11–23 **127,1–2** 5 Mo 8,17–18; Mt 6,25–34 **127,3–5** 115,14; 128,3

Glücklich ist jeder, der dem Herrn gehorcht und nach seinen Weisungen lebt!
[2]Was du dir erarbeitet hast, wirst du auch genießen können. Es geht dir gut, und das Glück ist auf deiner Seite.
[3]Deine Frau gleicht einem fruchtbaren Weinstock, der viele Reben trägt: Die Kinder um deinen Tisch sind so zahlreich wie die jungen Triebe eines Ölbaums!
[4]So segnet Gott einen Mann, der ihn achtet und ehrt.
[5]Der Herr segne dich – er, der auf dem Berg Zion wohnt! Dein Leben lang sollst du sehen, dass es Jerusalem gut geht.
[6]Mögest du so lange leben, dass du dich noch an deinen Enkeln erfreuen kannst! Frieden komme über Israel!

Ständig verfolgt, aber nie vernichtet!

129 Ein Lied für Festbesucher, die nach Jerusalem hinaufziehen.

Das soll Israel bekennen: Solange wir zurückdenken können, wurden wir ständig unterdrückt.
[2]Ja, solange es uns Israeliten gibt, hat man uns verfolgt. Und doch konnten sie uns nicht auslöschen!
[3]Unseren Rücken haben sie bearbeitet wie einen Acker, in den man tiefe Furchen pflügt.
[4]Doch der Herr hat gezeigt, dass auf ihn Verlass ist: Er durchschnitt die Stricke, mit denen uns die Unterdrücker gefangen hielten.

[5]Alle, die Gottes Tempel auf dem Zionsberg hassen, sollen beschämt zurückweichen!
[6]Es soll ihnen ergehen wie dem Gras auf den Dächern, das verdorrt, bevor es aufschießen kann!
[7]Kein Schnitter kann es schneiden, und niemand bindet es zu Bündeln zusammen.
[8]Kein Wanderer ruft im Vorbeigehen den Schnittern zu: »Der Herr segne euch!« Wir aber segnen euch im Auftrag des Herrn!

Herr, ich bin völlig am Ende!

130 Ein Lied für Festbesucher, die nach Jerusalem hinaufziehen.

Herr, ich bin völlig am Ende. Darum schreie ich zu dir!
[2]Höre mich, Herr! Ich flehe dich an, bitte höre mir zu!
[3]Wenn du jedes Vergehen gnadenlos anrechnest, wer kann dann vor dir bestehen?
[4]Doch bei dir finden wir Vergebung. Ja, du vergibst, damit wir dir in Ehrfurcht begegnen.

[5]Ich setze meine ganze Hoffnung auf den Herrn; voller Sehnsucht warte ich darauf, dass er zu mir spricht.
[6]Ja, ich warte auf den Herrn, mehr als die Wächter auf den Morgen!

[7]Volk Israel, setze deine Hoffnung auf den Herrn! Denn er allein ist gnädig, er erlöst ganz und gar!
[8]Er wird Israel von aller Schuld befreien.

Das Geheimnis der Zufriedenheit

131 Ein Lied Davids für Festbesucher, die nach Jerusalem hinaufziehen.

Herr, ich bin nicht hochmütig und schaue nicht auf andere herab. Ich maße mir nicht an, deine Geheimnisse und Wunder zu ergründen.
[2]Ich bin zur Ruhe gekommen. Mein Herz ist zufrieden und still. Wie ein Kind in den Armen seiner Mutter, so ruhig und geborgen bin ich bei dir!
[3]Volk Israel, vertraue dem Herrn, jetzt und für alle Zeiten!

128,3 115,14; 127,3–5 **128,5** 1 Kön 9,3* **129,1–4** 2 Mo 5,10–18; 5 Mo 26,5–8; Jes 51,22–23 **130,3** 51,6–7 **130,4** 85,3* **130,5** 63,2* **130,7** Jes 40,31 **130,8** Mt 1,21 **131,2** 62,2

Gottes Heiligtum und Davids Königshaus

132 Ein Lied für Festbesucher, die nach Jerusalem hinaufziehen.

Herr, erinnere dich doch, welche Mühe David auf sich nahm!
[2]Denke an den feierlichen Schwur, den er dir leistete, dir, dem starken Gott Jakobs!
[3]Er schwor: »Ich will mein Wohnzelt nicht mehr betreten und mich nicht mehr zur Ruhe legen,
[4]ich will mir keinen Schlaf gönnen und mich nicht mehr ausruhen,
[5]bis ich einen Platz gefunden habe, der dem Herrn, dem starken Gott Jakobs, als Wohnstätte dienen kann!«

[6]In Ephrata bekamen wir Nachricht über die Bundeslade; wir fanden sie dann im Gebiet von Jaar.
[7]Kommt, wir gehen zur Wohnung des Herrn! Wir wollen uns zu seinen Füßen niederwerfen!

[8]Herr, erhebe dich! Begleite die Bundeslade, das Zeichen deiner großen Macht! Lass dich im Heiligtum für immer nieder![a]
[9]Die Priester, die dir dienen, sollen sich treu an deinen Bund halten! Jeder, der dich liebt, soll jubeln vor Freude!

[10]Herr, denke daran, was du David, deinem Diener, versprochen hast, und weise auch jetzt den König nicht ab, den du erwähltest!
[11]Ja, der Herr hat David einen Treueeid geschworen, und diesen Schwur wird er niemals brechen! Er versprach ihm: »Einen deiner Söhne mache ich zu deinem Thronfolger!
[12]Wenn deine Nachkommen sich an meinen Bund und an meine Gebote halten, die ich ihnen einprägen werde, dann sollen auch ihre Nachkommen König sein für alle Zeit!«

[13]Der Herr hat den Berg Zion ausgewählt, denn dort wollte er wohnen.
[14]Er sprach: »An diesem Ort lasse ich mich für alle Zeiten nieder. Hier soll mein Ruheplatz sein – so habe ich es gewollt!
[15]Die ganze Stadt Jerusalem werde ich reich beschenken mit allem, was sie braucht, auch die Armen sollen genug zu essen haben!
[16]Die Priester sollen dem Volk mein Heil bezeugen.[b] Alle, die mich lieben, sollen laut jubeln vor Freude.
[17]In dieser Stadt festige ich die Herrschaft der Nachkommen Davids, ja, sein Königshaus wird für immer bestehen![c]
[18]Schimpf und Schande komme über die Feinde des Königs, aber der Ruhm seiner Krone soll immer heller erstrahlen!«

Bruderliebe – kein leeres Wort

133 Ein Lied Davids für Festbesucher, die nach Jerusalem hinaufziehen.

Wie schön und angenehm ist es, wenn Brüder in Frieden zusammenleben!
[2]Das ist so wohltuend wie duftendes Öl, das auf den Kopf des Priesters Aaron gegossen wird und nun herunterrinnt in seinen Bart, bis zum Halssaum seines Gewandes.
[3]Es ist so wohltuend wie frischer Tau, der vom Berg Hermon auf die Berge Zions niederfällt. Ja, dort schenkt der Herr seinen Segen und Leben, das niemals aufhört.

---

[a] Wörtlich: Erhebe dich, Herr, zu deinem Ruheort, du und die Lade deiner Macht.
[b] Wörtlich: Ihre Priester werde ich mit Heil bekleiden.
[c] Wörtlich: Dort will ich das Horn Davids wachsen lassen, meinem Gesalbten habe ich ein Licht bereitet.

132,2–5 2 Sam 7,2–3; 1 Chr 28,2 **132,6** 1 Sam 7,1 **132,8** 4 Mo 10,35–36 **132,10–12** 2 Sam 7,16* **132,13–14** 1 Kön 9,3* **133,2** 2 Mo 29,7

Nächtliches Lob im Tempel

134 Ein Lied für Festbesucher, die nach Jerusalem hinaufziehen.

Kommt und lobt den Herrn, alle seine Diener, die ihr nachts in seinem Tempel steht!
[2]Streckt eure Hände in seinem Heiligtum anbetend empor und preist den Herrn!
[3]Der Herr segne dich, er, der auf dem Berg Zion wohnt! Er hat Himmel und Erde geschaffen!

Der Herr ist mächtiger als alle Götter!

135 Halleluja – preist den Herrn, lobt den Namen des Herrn! Lobt ihn, alle seine Diener,
[2]die ihr in seinem Tempel steht, in den Vorhöfen am Hause unseres Gottes!
[3]Preist ihn, denn er ist gut zu uns; musiziert zu seiner Ehre, denn er ist freundlich.
[4]Er hat die Nachkommen Jakobs auserwählt und ganz Israel zu seinem Eigentum erklärt.

[5]Ja, ich habe erkannt: Groß ist der Herr! Unser Herr ist mächtiger als alle Götter.
[6]Was er will, das tut er auch – sei es im Himmel oder auf der Erde, im Meer oder in den tiefsten Tiefen.
[7]Er lässt Wolken aufsteigen am Horizont und sendet Regen und Blitze, den Sturmwind holt er aus seiner Kammer und schickt ihn auf die Reise.
[8]In Ägypten tötete er alle Erstgeborenen von Mensch und Vieh.
[9]Er vollbrachte dort Zeichen und Wunder am Pharao und allen seinen Dienern.

[10]Er besiegte viele Völker und tötete mächtige Könige:
[11]Sihon, den König der Amoriter, Og, den König von Baschan, und die anderen Könige Kanaans.
[12]Ihre Länder übergab er Israel, so bekam sein Volk das ganze Gebiet zum bleibenden Besitz.

[13]Herr, dein Name wird nie in Vergessenheit geraten; an dich wird man denken, solange es Menschen gibt.
[14]Du, Herr, wirst dafür sorgen, dass deinem Volk kein Unrecht geschieht. Du erbarmst dich über alle, die zu dir gehören.

[15]Die Götter der anderen Völker sind nur Figuren aus Silber und Gold, von Menschenhänden gemacht.
[16]Sie haben einen Mund, aber reden können sie nicht; Augen haben sie, doch sie können nicht sehen.
[17]Mit ihren Ohren hören sie nicht, auch können sie nicht atmen.
[18]Genauso starr und tot werden einmal alle sein, die diese Götzen schufen, und auch alle, die solchen Götzen vertrauen!

[19]Volk Israel, lobe den Herrn! Ihr Priester, lobt den Herrn!
[20]Ihr Leviten, lobt den Herrn! Alle, die ihr dem Herrn in Ehrfurcht begegnet – lobt ihn!
[21]Lobt den Herrn auf dem Berg Zion, denn dort in Jerusalem steht sein Tempel. Halleluja!

Seine Gnade hört niemals auf!

136 Dankt dem Herrn, denn er ist gut, seine Gnade hört niemals auf!
[2]Dankt ihm, dem Gott über alle Götter, seine Gnade hört niemals auf!
[3]Dankt ihm, dem Herrn über alle Herren, seine Gnade hört niemals auf!
[4]Er vollbringt große Wunder, er allein. Seine Gnade hört niemals auf!

134,1–2 92,2–4* **134,3** 1 Kön 9,3* **135,1–3** 92,2–4* **135,4** 2 Mo 19,5 **135,5–6** 89,7–9* **135,8** 2 Mo 12,29* **135,9** 2 Mo 7,14 – 12,30 **135,10–12** 4 Mo 21,21–35; Jos 10,28 – 11,23 **135,13** 102,13; 145,13; 146,10 **135,15–18** 115,4–8; 1 Sam 12,21; Jes 41,28–29 **136,1** 89,2–3; 106,1; 118,1; 2 Chr 5,13 **136,4** 40,6*

[5] Mit Weisheit hat er den Himmel geschaffen, seine Gnade hört niemals auf!
[6] Die Fundamente der Erde legte er auf den Meeresgrund, seine Gnade hört niemals auf!
[7] Er hat die großen Lichter geschaffen; seine Gnade hört niemals auf!
[8] Die Sonne, um den Tag zu regieren – seine Gnade hört niemals auf!
[9] Mond und Sterne für die Nacht, seine Gnade hört niemals auf!
[10] In jeder Familie der Ägypter tötete er den ältesten Sohn. Seine Gnade hört niemals auf!
[11] Er führte sein Volk Israel aus Ägypten heraus. Seine Gnade hört niemals auf!
[12] Das alles vollbrachte er durch seine gewaltige Macht, seine Gnade hört niemals auf!
[13] Er teilte das Rote Meer – seine Gnade hört niemals auf!
[14] Sein Volk ließ er mitten hindurchziehen, seine Gnade hört niemals auf!
[15] Den Pharao und sein Heer aber ließ er in die Fluten stürzen, seine Gnade hört niemals auf!
[16] Er führte sein Volk durch die Wüste, seine Gnade hört niemals auf!
[17] Er tötete mächtige Könige, seine Gnade hört niemals auf!
[18] Ja, gewaltige Herrscher brachte er um – seine Gnade hört niemals auf!
[19] Sihon, den König der Amoriter, seine Gnade hört niemals auf!
[20] Og, den König von Baschan, seine Gnade hört niemals auf!
[21] Ihre Länder übergab er Israel, seine Gnade hört niemals auf!
[22] So bekam sein Volk, das ihm diente, das ganze Gebiet zum bleibenden Besitz. Seine Gnade hört niemals auf!
[23] Er vergaß uns nicht, als wir unterdrückt wurden, seine Gnade hört niemals auf!
[24] Er befreite uns von unseren Feinden, seine Gnade hört niemals auf!
[25] Allen Geschöpfen gibt er zu essen, seine Gnade hört niemals auf!
[26] Ja, dankt ihm, dem Gott, der im Himmel regiert, seine Gnade hört niemals auf!

Klagelied der Gefangenen

137 Wir saßen an den Flüssen Babylons und weinten, wenn wir an Zion dachten.
[2] Unsere Lauten hängten wir an die Zweige der Pappeln, wir hatten aufgehört, auf ihnen zu spielen.[a]
[3] Unsere Peiniger hielten uns gefangen und wollten Lieder von uns hören; sie verlangten von uns, dass wir Freudengesänge anstimmen. Höhnisch forderten sie: »Singt doch eins von euren Zionsliedern!«
[4] Doch wie hätten wir im fremden Land Lieder zur Ehre Gottes singen können?
[5] Jerusalem, wenn ich dich jemals vergesse, dann soll meine rechte Hand lahm werden!
[6] Die Zunge soll mir am Gaumen kleben bleiben, wenn ich nicht mehr an dich denke, wenn du, Jerusalem, nicht mehr meine größte Freude bist!

[7] Herr, vergiss es den Edomitern nicht, wie sie jubelten, als Jerusalem in die Hand der Feinde fiel! Damals grölten sie: »Reißt sie nieder, diese Stadt! Zerstört ihre Häuser bis auf die Grundmauern!«
[8] Babylon, auch dich wird man niederreißen und verwüsten! Glücklich ist, wer dir heimzahlt, was du uns angetan hast!
[9] Glücklich ist, wer deine kleinen Kinder packt und am Felsen zerschmettert!

Gott steht zu seinem Wort!

138 Von David.

Herr, von ganzem Herzen will ich dir danken! Dir und keinem anderen Gott will ich singen.
[2] Vor deinem heiligen Tempel werfe ich mich anbetend nieder, ich preise dich,

---

[a] »wir … spielen« ist sinngemäß eingefügt.

136,7–9 8,4; 74,16; 1 Mo 1,14–18 **136,10** 2 Mo 12,29* **136,11** 2 Mo 12,31–40 **136,13–15** 2 Mo 14,21–29 **136,16** 5 Mo 8,2–6 **136,17–22** 4 Mo 21,21–35; Jos 10,28 – 11,23 **137,8** Jer 51,52–56 **137,9** Jes 13,16; Hos 10,14; Nah 3,10; Röm 12,19 **138,1–2** 92,2–4*

deine Liebe und Treue. Ja, du hast deine Versprechen eingelöst und alle meine Erwartungen übertroffen.
[3]Als ich zu dir um Hilfe schrie, hast du mich erhört und mir neue Kraft geschenkt.[a]

[4]Herr, alle Herrscher dieser Welt werden dich preisen, wenn sie erfahren, dass du zu deinem Wort stehst!
[5]Sie werden besingen, was du, Herr, getan hast, denn deine Macht und Hoheit ist unermesslich.
[6]Ja, du bist hoch erhaben – trotzdem sorgst du für die, nach denen keiner mehr fragt, und durchschaust die Stolzen schon von ferne!

[7]Selbst wenn ich von allen Seiten bedrängt werde, erhältst du mich am Leben! Du stellst dich meinen zornigen Feinden entgegen und rettest mich durch deine Macht.
[8]Ja, Herr, du wirst dich auch in Zukunft um mich kümmern, deine Gnade hört niemals auf! Was du angefangen hast, das führe zu einem guten Ende!

Herr, du durchschaust mich!

139 Ein Lied Davids. Herr, du durchschaust mich, du kennst mich durch und durch.
[2]Ob ich sitze oder stehe – du weißt es, aus der Ferne erkennst du, was ich denke.
[3]Ob ich gehe oder liege – du siehst mich, mein ganzes Leben ist dir vertraut.
[4]Schon bevor ich rede, weißt du, was ich sagen will.
[5]Von allen Seiten umgibst du mich und hältst deine schützende Hand über mir.
[6]Dass du mich so genau kennst – unbegreiflich ist das, zu hoch, ein unergründliches Geheimnis!

[7]Wie könnte ich mich dir entziehen; wohin könnte ich fliehen, ohne dass du mich siehst?
[8]Stiege ich in den Himmel hinauf – du bist da! Wollte ich mich im Totenreich verbergen – auch dort bist du!
[9]Eilte ich dorthin, wo die Sonne aufgeht, oder versteckte ich mich im äußersten Westen, wo sie untergeht,[b]
[10]dann würdest du auch dort mich führen und nicht mehr loslassen.
[11]Wünschte ich mir: »Völlige Dunkelheit soll mich umhüllen,[c] das Licht um mich her soll zur Nacht werden!« –
[12]für dich ist auch das Dunkel nicht finster; die Nacht scheint so hell wie der Tag und die Finsternis so strahlend wie das Licht.

[13]Du hast mich geschaffen – meinen Körper und meine Seele, im Leib meiner Mutter hast du mich gebildet.
[14]Herr, ich danke dir dafür, dass du mich so wunderbar und einzigartig gemacht hast! Großartig ist alles, was du geschaffen hast – das erkenne ich!
[15]Schon als ich im Verborgenen Gestalt annahm, unsichtbar noch, kunstvoll gebildet im Leib meiner Mutter[d], da war ich dir dennoch nicht verborgen.
[16]Als ich gerade erst entstand, hast du mich schon gesehen. Alle Tage meines Lebens hast du in dein Buch geschrieben – noch bevor einer von ihnen begann!

[17]Deine Gedanken sind zu schwer für mich, o Gott, es sind so unfassbar viele!
[18]Sie sind zahlreicher als der Sand am

---

[a] So mit der griechischen Übersetzung. Der hebräische Text lautet: Du machtest mich unruhig, in meiner Seele war Kraft.
[b] Wörtlich: Erhöbe ich die Flügel des Morgenrots, ließe ich mich nieder am äußersten Ende des Meeres.
[c] So mit der griechischen Übersetzung. Der hebräische Text lautet: Nur Finsternis möge mich zermalmen.
[d] Wörtlich: in den Tiefen der Erde. – Hier wahrscheinlich als Bezeichnung für den Mutterleib.

138,3 17,6* **138,8** 136,1 **139,1–6** 26,2* **139,7** 1 Mo 3,8–9 **139,8–10** Jer 23,23–24 **139,13–15** 1 Mo 2,7* **139,16** 31,16 **139,17–18** 92,6

Meer; wollte ich sie alle zählen, so käme ich doch nie an ein Ende[a]!

[19]Mein Gott! Wie sehr wünsche ich, dass du alle tötest, die sich dir widersetzen! Ihr Mörder, an euren Händen klebt Blut! Mit euch will ich nichts zu tun haben!
[20]Herr, wenn diese Leute von dir reden, tun sie es in böser Absicht, sie missbrauchen deinen Namen.
[21]Herr, wie hasse ich alle, die dich hassen! Wie verabscheue ich alle, die dich bekämpfen!
[22]Deine Feinde sind auch meine Feinde. Ich hasse sie mit grenzenlosem Hass!
[23]Durchforsche mich, o Gott, und sieh mir ins Herz, prüfe meine Gedanken und Gefühle!
[24]Sieh, ob ich in Gefahr bin, dir untreu zu werden, dann hol mich zurück auf den Weg, der zum ewigen Leben führt!

Hinterlistige Feinde

140 Ein Lied Davids.

[2]Herr, rette mich vor bösen Menschen! Beschütze mich vor denen, die sich mit roher Gewalt durchsetzen!
[3]Ständig brüten sie Gemeinheiten aus und versuchen, Streit anzufangen.
[4]Sie reden mit spitzer Zunge, und was über ihre Lippen kommt, ist bösartig und todbringend wie Schlangengift.
[5/6]Es sind deine Feinde, Herr. Lass nicht zu, dass ich in ihre Gewalt gerate! Diesen überheblichen Leuten ist jedes Mittel recht, mich zu Fall zu bringen. Verschone mich vor ihnen! Heimlich haben sie mir Fallen gestellt. Auf allen Wegen lauert die Gefahr.

[7]Herr, du bist mein Gott! Höre meinen Hilfeschrei!
[8]Herr, mein Gott, ich habe schon so oft deine Hilfe erfahren. Im Kampf hast du mich beschützt, und kein Haar wurde mir gekrümmt!
[9/10]So hilf mir auch jetzt: Durchkreuze die Pläne der Unheilstifter, die mich umringen, damit sie nicht noch überheblicher werden! Lass sie selbst von dem Leid überwältigt werden, das sie mir zufügen wollten!
[11]Sprich ihnen das Urteil: Lass glühende Kohlen auf sie fallen, stürze sie ins Feuer, in tiefe Schluchten, aus denen sie nicht mehr entkommen können!

[12]Wer den guten Ruf eines anderen zerstört, der soll in diesem Land kein Glück haben. Und wer vor brutaler Gewalt nicht zurückschreckt, der soll vom Unglück verfolgt werden.

[13]Ich weiß, dass der Herr den Unterdrückten beisteht und den Wehrlosen Recht verschafft.
[14]Deshalb werden dich, Herr, alle preisen, die dir treu ergeben sind. Deine Nähe erfährt jeder, der offen und ehrlich vor dir lebt.

Wenn es mich reizt, Böses zu tun

141 Ein Lied Davids.

Herr, höre mich an, wenn ich zu dir rufe! Hilf mir schnell!
[2]Ich hebe meine Hände zu dir empor im Gebet. Nimm mein Flehen an, so wie du das Rauchopfer und das Speiseopfer annimmst!
[3]Herr, hilf mir, den Mund zu halten, wenn ich schweigen soll!
[4]Wenn es mich reizt, Böses zu tun, dann bewahre mich, und hilf mir, dass ich mich von den Übeltätern nicht mitreißen lasse! Ihre Schlemmereien sollen mir nicht den Mund wässrig machen.

[5]Wer Gott gehorcht, darf mich zurechtweisen, wenn ich schuldig werde, denn

---

[a] So mit einigen alten Handschriften. Der hebräische Text lautet: ich erwache und bin noch bei dir.
139,23 26,2*; 44,22 **139,24** 25,4* **140,9–10** 7,13–17* **140,13** 9,13; 12,6; 35,10; 102,18; 146,7–9; 2 Mo 22,21–22* **141,3** Spr 10,19; Jak 3,2–12 **141,4** Spr 1,10 **141,5** Spr 27,5–6

er meint es gut mit mir. Es ist eine große Hilfe, wenn er mir meine Fehler vorhält. Ich wehre mich nicht gegen seinen Rat.

Die Übeltäter tun weiter viel Böses, aber ich bete darum, dass Gott eingreift.[a]
[6/7] Die Mächtigen werden bald selbst zum Tode verurteilt und die Felswand hinabgestoßen werden. Man lässt ihre[b] Knochen achtlos liegen. Dann wird man wieder auf mich hören und erkennen, dass meine Worte Hilfe und Orientierung geben.[c]

[8] Mein Herr und Gott, dir vertraue ich. Bei dir suche ich Schutz. Lass nicht zu, dass sie mich umbringen,
[9] und bewahre mich vor den tückischen Fallen, die sie mir gelegt haben! Rette mich vor den Verbrechern, die mir nachstellen!
[10] Lass sie alle miteinander in die Gruben fallen, die sie mir gegraben haben; mich aber lass sicher vorbeigehen!

»Niemand will etwas von mir wissen!«

142 Ein Gebet Davids, zum Nachdenken. Er verfasste es, als er sich auf der Flucht vor Saul in einer Höhle versteckte.[d]

[2] Ich schreie zum Herrn, so laut ich kann, und flehe um sein Erbarmen.
[3] Ihm klage ich meine Not; ihm sage ich, was mich bedrängt.
[4] Wenn ich niedergeschlagen bin und nicht mehr weiter weiß, kennst du noch einen Ausweg. Wohin ich auch gehe: überall will man mich ins Unglück stürzen.
[5] Wohin ich auch sehe: nirgendwo will man etwas von mir wissen. Ich finde keine Hilfe mehr, und keiner kümmert sich um mich.

[6] Deshalb schreie ich zu dir, Herr! Du allein bist meine Zuflucht! Du sorgst dafür, dass ich am Leben bleibe.
[7] Höre auf meinen Hilfeschrei, denn ich bin völlig verzweifelt! Rette mich vor meinen Verfolgern, denn ich bin ihnen hilflos ausgeliefert!
[8] Hole mich aus dieser Höhle[e] heraus! Dann will ich dir danken vor allen, die dir vertrauen. Denn du hast eingegriffen und mir geholfen.

In die Enge getrieben

143 Ein Lied Davids.

Herr, erhöre mein Gebet! Achte auf mein Flehen und antworte mir! Auf dich kann ich mich verlassen, denn du hältst Wort.
[2] Bring mich nicht vor dein Gericht, denn vor dir ist kein Mensch unschuldig.
[3] Der Feind verfolgt mich und treibt mich in die Enge. Mein Leben ist aufs äußerste bedroht.[f]
[4] Ich weiß nicht mehr weiter und bin vor Angst wie gelähmt.

[5] Ich denke zurück an früher, an das, was du damals getan hast, und halte mir deine großen Taten vor Augen.

---

[a] Vers 5 wörtlich: Schlägt mich der Gerechte, (ist es) Güte, züchtigt er mich, ist es Öl für mein Haupt. Mein Haupt weigere sich dessen nicht. Denn noch ist mein Gebet bei ihren Bosheiten. – Der Text ist nicht sicher zu deuten.
[b] So mit alten griechischen Übersetzungen. Der hebräische Text lautet »unsere«.
[c] Verse 6–7 wörtlich: Ihre Richter (= Machthaber) werden den Felsen hinabgestürzt; und nun hören sie meine Sprüche, dass sie lieblich sind. Wie ein Pflügender und Spaltender auf der Erde werden unsere Knochen ausgestreut an den Eingang des Totenreiches. – Der hebräische Text ist nicht sicher zu deuten.
[d] Vgl. 1. Samuel 22,1
[e] Wörtlich: aus dem Gefängnis.
[f] Wörtlich: Er lässt mich in Finsternissen wohnen wie die Toten auf Ewigkeit.

141,10 7,13–17* **142,1** 57,1; 1 Sam 24,1–4 **142,2–4** 140,13* **142,5** 69,9* **142,6** 18,3* **142,8** 20,6* **143,2** 51,6–7; 130,3; 1 Mo 6,5*

[6] Zu dir strecke ich meine Hände empor im Gebet. Wie ausgedörrtes Land auf Regen, so warte ich sehnsüchtig auf dein Eingreifen.

[7] Herr, antworte mir doch jetzt, denn ich bin völlig am Ende! Lass mich nicht allein, sonst lebe ich nicht mehr lange!
[8] Zeige mir schon früh am Morgen, dass du es gut mit mir meinst, denn ich vertraue dir. Ich brauche dich![a] Zeige mir, wohin ich gehen soll,
[9] und rette mich vor meinen Feinden! Nur bei dir bin ich geborgen.
[10] Hilf mir, so zu leben, wie du es willst, denn du bist mein Gott! Führe mich durch deinen guten Geist! Dann werde ich erleben, wie du mir Hindernisse aus dem Weg räumst.
[11] Herr, stehe zu deinem Wort und hilf mir aus der Not! Es wird deinem Namen Ehre machen, wenn du mich am Leben erhältst.
[12] Lass meine Feinde umkommen und vernichte alle, die mich in diese ausweglose Lage gebracht haben! Ich verlasse mich ganz auf dich, denn du bist mein Herr, und ich diene dir.

Der König betet

144 Von David.

Gepriesen sei der Herr! Bei ihm bin ich geschützt wie hinter einem großen Felsen. Er hat mir gezeigt, wie ich mich wehren kann und wie ich im Kampf die Waffen gebrauchen muss.
[2] Wie gut ist Gott zu mir! Er gewährt mir Zuflucht und Sicherheit. Er ist mein Schild, der mich vor Bösem bewahrt. Er hat mich zum Herrscher über sein Volk gemacht.[b]

[3] Herr, was ist schon der Mensch! Warum schenkst du ihm überhaupt Beachtung? Warum kümmerst du dich um ihn?
[4] Sein Leben ist vergänglich und gleicht einem Schatten, der vorüberhuscht.

[5] Herr, komm vom Himmel herab; berühre die Berge – und sie stoßen Rauch aus!
[6] Schleudere deine Blitze, schieße deine Pfeile, und jage die Feinde auf und davon!
[7] Strecke mir deine Hand von oben entgegen, und reiße mich aus den tosenden Fluten!

Rette mich vor der Macht der feindlichen Völker!
[8] Ihre Worte sind Lug und Trug. Selbst wenn sie schwören, lügen sie.

[9] Gott, für dich will ich ein neues Lied singen und es auf der Harfe[c] begleiten.
[10] Denn du gibst den Königen Sieg und rettest auch David, deinen Diener, aus tödlicher Gefahr.

[11] Befreie mich, rette mich vor der Macht der feindlichen Völker! Ihre Worte sind Lug und Trug. Selbst wenn sie schwören, lügen sie.

[12] Wenn du uns rettest, können unsere Kinder ungestört aufwachsen. Unsere Söhne werden stark und groß sein wie Bäume. Unsere Töchter werden schön sein wie gemeißelte Statuen, die prächtige Paläste zieren.
[13] Unsere Vorratskammern sind dann randvoll, so dass wir mehr haben, als wir zum Leben brauchen. Unsere Schafe und Ziegen auf den Weiden werfen Tausende von Lämmern,
[14] und unsere Kühe bringen ihre Kälber ohne Fehlgeburten zur Welt. Dann muss niemand mehr auf unseren Märkten klagen und jammern.
[15] Glücklich das Volk, das so etwas erlebt!

---

[a] Wörtlich: Zu dir erhebe ich meine Seele.
[b] Einige griechische Übersetzungen lauten: Er hat mich zum Herrscher über Völker gemacht.
[c] Wörtlich: auf der Harfe mit zehn Saiten.

143,6 63,2* **143,7** 17,6*; 28,1 **143,10** 25,4* **144,1–2** 18,3* **144,3–4** 8,5; 39,5–7* **144,9** 40,4* **144,12–14** 128,3; Jer 17,7–8 **144,15** 33,12; 5 Mo 33,29

Glücklich das Volk, dessen Gott der Herr ist!

Gottes Liebe ist grenzenlos

145 Ein Loblied Davids.

Dich will ich ehren, mein Gott und König! Dich will ich preisen für alle Zeit! [2] Jeden Tag will ich dich loben und deinen Namen überall bekannt machen. [3] Groß ist der Herr! Jeder soll ihn rühmen! Seine Größe kann niemand erfassen. [4] Eine Generation soll der anderen von deinen großen Taten erzählen und schildern, wie machtvoll du eingegriffen hast. [5] Deine Hoheit und Macht wird in aller Munde sein, und auch ich will stets über deine Wunder nachdenken. [6] Immer wieder wird man davon sprechen, wie dein Handeln den Menschen Ehrfurcht eingeflößt hat. Auch ich will ihnen sagen, wie groß du bist. [7] Wenn sie dann zurückdenken, werden sie deine unermessliche Güte rühmen. Weil du deine Versprechen gehalten hast, werden sie dich laut loben: [8] »Der Herr ist gnädig und barmherzig; seine Geduld hat kein Ende, und seine Liebe ist grenzenlos! [9] Der Herr ist gut zu allen und schließt niemanden von seinem Erbarmen aus, denn er hat allen das Leben gegeben.«

[10] Darum sollen dich alle deine Geschöpfe loben. Jeder, der dich liebt, soll dich rühmen [11] und weitersagen, wie großartig deine Königsherrschaft ist! Sie alle sollen erzählen von deiner Stärke, [12] damit die Menschen erfahren, wie du deine Macht gezeigt hast und wie prachtvoll und herrlich dein königliches Reich ist! [13] Deine Herrschaft hat kein Ende, sie wird bestehen von einer Generation zur anderen.

Auf das Wort des Herrn kann man sich verlassen, und was er tut, das tut er aus Liebe.[a] [14] Wer keinen Halt mehr hat, den hält der Herr; und wer schon am Boden liegt, den richtet er wieder auf. [15] Alle schauen erwartungsvoll zu dir, und du gibst ihnen zur rechten Zeit zu essen. [16] Du öffnest deine Hand und sättigst deine Geschöpfe; allen gibst du, was sie brauchen. [17] Der Herr ist gerecht in allem, was er tut; auf ihn ist Verlass! [18] Der Herr ist denen nahe, die zu ihm beten und es ehrlich meinen. [19] Er geht auf die Wünsche derer ein, die voll Ehrfurcht zu ihm kommen. Er hört ihren Hilfeschrei und rettet sie. [20] Gott bewahrt alle, die ihn lieben, aber wer mit ihm nichts zu tun haben will, den lässt er umkommen.

[21] Ich will den Herrn loben, und alles, was lebt, soll ihn allezeit rühmen. Er ist der heilige Gott!

Gott schützt die Schwachen

146 Halleluja – lobt den Herrn! Ich will den Herrn loben, [2] ich will ihn loben, solange ich lebe! Zur Ehre Gottes will ich singen mein Leben lang.

[3] Setzt euer Vertrauen nicht auf Männer, die Einfluss haben und Macht ausüben! Sie sind vergängliche Menschen wie ihr und können euch nicht erretten. [4] Sie müssen sterben, und mit ihnen vergehen ihre Pläne.

---

[a] Vers 13b ist eine Ergänzung nach einer hebräischen Handschrift, nach der griechischen und der syrischen Übersetzung.

145,4–5 5 Mo 4,9* **145,7–9** 86,15; 103,8; Klgl 3,22–23* **145,13** 22,29*; 102,13; 146,10 **145,14** 140,13* **145,15–16** 104,27–28 **145,18–20** 17,6* **146,1–2** 92,2–4* **146,3–4** 39,5–7*; Jes 31,1–3

[5] Glücklich aber ist der Mensch, der seine Hilfe von dem Gott Jakobs erwartet! Glücklich ist, wer seine Hoffnung auf den Herrn setzt!
[6] Denn er hat Himmel und Erde geschaffen, das Meer und alles, was darin lebt. Niemals bricht er sein Wort!
[7] Den Unterdrückten verschafft er Recht, den Hungernden gibt er zu essen, und die Gefangenen befreit er.
[8/9] Der Herr macht die Blinden wieder sehend und richtet die Niedergeschlagenen auf. Er bietet den Ausländern Schutz und versorgt die Witwen und Waisen. Wer treu zu ihm steht, der erfährt seine Liebe, aber wer ihn verachtet, den führt er in die Irre.

[10] Der Herr regiert für immer und ewig. Jerusalem[a], dein Gott wird herrschen für alle Zeiten! Halleluja!

Der Herr baut Jerusalem wieder auf

147 Halleluja – lobt den Herrn! Es ist gut, unserem Gott Loblieder zu singen; es macht Freude, ihn zu loben.

[2] Der Herr baut Jerusalem wieder auf. Er bringt die Israeliten zurück, die aus ihrem Land verschleppt wurden.
[3] Er heilt den, der innerlich zerbrochen ist, und verbindet seine Wunden.
[4] Er hat die Zahl der Sterne festgelegt und jedem einen Namen gegeben.
[5] Wie groß ist unser Herr und wie gewaltig seine Macht! Unermesslich ist seine Weisheit.
[6] Der Herr richtet die Erniedrigten auf und tritt alle, die sie unterdrückt haben, in den Staub.

[7] Singt dem Herrn Danklieder! Spielt für unseren Gott auf der Harfe!
[8] Er überzieht den Himmel mit Wolken und lässt es auf der Erde regnen. Er sorgt dafür, dass Gras auf den Weiden wächst,
[9] und gibt den Tieren Futter – auch den jungen Raben, wenn sie danach krächzen.

[10] Viele Menschen erwarten ihre Sicherheit von starken Armeen und guten Soldaten. Gott aber lässt sich davon nicht beeindrucken.[b]
[11] Er freut sich über alle, die ihm in Ehrfurcht begegnen und von seiner Gnade alles erwarten.

[12] Jerusalem, lobe den Herrn! Du Stadt auf dem Berg Zion, rühme deinen Gott!
[13] Er gewährt dir Schutz in deinen Mauern und segnet deine Kinder.
[14] Er gibt deinem Land Frieden und Wohlstand und schenkt dir bei jeder Ernte die besten Erträge.
[15] Er sagt nur ein Wort zur Erde, und was er befiehlt, geschieht sofort.
[16] Er lässt es in dichten Flocken schneien und überzieht alles mit Raureif.
[17] Dicke Hagelkörner lässt er auf die Erde prasseln, er schickt klirrende Kälte, die kaum zu ertragen ist.
[18] Er gibt einen Befehl, und schon schmilzt der Schnee; er lässt den Frühlingswind wehen, und schon taut das Eis.
[19] Auch Israel hat er sein Wort verkündet, damit sein Volk nach seinen Gesetzen und Ordnungen lebt.
[20] An keinem anderen Volk hat Gott so gehandelt. Kein anderes kennt seine Ordnungen. Halleluja!

Lobt Gott im Himmel und auf der Erde!

148 Halleluja – lobt den Herrn! Lobt den Herrn im Himmel, lobt ihn dort in der Höhe!

---

[a] Wörtlich: Zion
[b] Wörtlich: Er hat nicht Lust an der Stärke des Rosses, er findet nicht Gefallen an den Schenkeln des Mannes.

146,5 118,8–9; Jer 17,5–8 **146,7–9** 140,13* **146,10** 22,29*; 102,13; 145,13 **147,1** 92,2–4* **147,2** Jes 43,5–7 **147,3** Jes 61,1–3 **147,6** 1 Sam 2,6–8; Lk 1,52 **147,9** 104,27–28 **147,10** 118,8–9; 146,3–5; Jer 17,5–8 **147,20** 2 Mo 19,5–6* **148,1–2** 103,20–22

[2]Lobt ihn, alle seine Engel, lobt ihn, ihr himmlischen Heere!
[3]Lobt ihn, Sonne und Mond, lobt ihn, ihr leuchtenden Sterne!
[4]Lobt ihn auch im fernsten Weltall,[a] lobt ihn, ihr Wassermassen über dem Himmel!

[5]Sie alle sollen den Herrn loben! Denn auf seinen Befehl wurden sie erschaffen.
[6]Er wies ihnen für alle Zeiten ihren Platz im Weltall zu und gab ihnen feste Gesetze, denen sie für immer unterworfen sind.

[7]Lobt den Herrn auf der Erde! Lobt ihn, ihr Walfische und alle Meerestiefen!
[8]Lobt ihn,[b] Blitze, Hagel, Schnee und Nebel, du Sturmwind, der du Gottes Befehle ausführst!
[9]Lobt ihn, ihr Berge und Hügel, ihr Obstbäume und Tannen!
[10]Lobt ihn, ihr wilden und ihr zahmen Tiere, ihr Vögel und alles Gewürm!
[11]Lobt ihn, ihr Könige und alle Völker, ihr Herrscher und Machthaber dieser Welt!
[12]Lobt ihn, ihr jungen Männer und ihr Mädchen, Alte und Junge miteinander!

[13]Sie alle sollen den Herrn loben, denn er allein ist hoch erhaben. Seine Majestät erstreckt sich über Himmel und Erde!
[14]Er hat seinem Volk wieder Kraft und Hoffnung geschenkt.[c] Deshalb lobt ihn Israel. Es ist das Volk, das ihm am nächsten steht und treu zu ihm hält. Halleluja!

Sieg und Vergeltung

149 Halleluja – lobt den Herrn! Singt dem Herrn ein neues Lied! Preist ihn, wenn ihr euch versammelt mit allen, die ihn lieben!
[2]Ganz Israel freue sich über seinen Schöpfer. Jubelt ihm zu, ihr Einwohner Jerusalems! Er ist euer König.
[3]Tanzt zu seiner Ehre, und schlagt den Rhythmus auf dem Tamburin! Spielt für ihn auf der Harfe!

[4]Denn der Herr liebt sein Volk. Er wird die Unterdrückten befreien.
[5]Darüber sollen sie sich freuen und ihn rühmen, selbst noch in der Nacht.
[6]Sie sollen ihre Stimme erheben und Gott loben. In ihren Händen halten sie scharfe Schwerter,
[7]um an den gottlosen Völkern Vergeltung zu üben und sein Strafgericht zu vollziehen.
[8]Dann werden sie die Könige dieser Völker in Ketten legen und ihre hohen Beamten in Handschellen abführen,
[9]um Gottes Urteil zu vollstrecken. So steht es in seinem Gesetz. Für alle, die treu zu Gott halten, ist dies ein Tag des Triumphes. Halleluja!

Lobt den Herrn mit allen Instrumenten!

150 Halleluja – lobt den Herrn! Lobt Gott in seinem Tempel! Lobt ihn, den Mächtigen im Himmel!
[2]Lobt ihn für seine gewaltigen Taten! Lobt ihn, denn seine Größe ist unermesslich!
[3]Lobt ihn mit Posaunen, lobt ihn mit Harfe und Zither!
[4]Lobt ihn mit Tamburin und Tanz, lobt ihn mit Saitenspiel und Flötenklang!
[5]Lobt ihn mit Zimbelschall und Paukenschlag!
[6]Alles, was lebt, lobe den Herrn! Halleluja!

---

[a] Wörtlich: Lobt ihn, Himmel der Himmel.
[b] Im hebräischen Grundtext fehlt von Vers 8–12 beim jeweiligen Versanfang der Ausruf: »Lobt ihn«.
[c] Wörtlich: Er hat das Horn seines Volkes erhöht.

148,3–6 8,4; 74,16; 1 Mo 1,14–18 **148,14** 147,19–20 **149,1** 40,4* **149,2** 22,29* **149,3** 92,2–4* **149,4** 140,13* **150,1–6** 92,2–4*

Die Sammlung der Sprüche

Der Wert dieses Buches

1 Die folgenden Lebensweisheiten sind in Sprüche gefasst von Salomo, dem Sohn Davids und König von Israel.
[2]Wenn du sie beachtest, wirst du lernen, dich im Leben zurechtzufinden. Sie helfen dir, dich selbst zu beherrschen, und machen dich fähig, gute Ratschläge zu erkennen und anzunehmen. [3]Durch sie gewinnst du Einsicht; du lernst, aufrichtig und ehrlich zu sein und andere gerecht zu behandeln. [4]Wer jung und unerfahren ist, wird urteilsfähig, er bekommt das Gespür für gute Entscheidungen. [5]Selbst wer darin schon geübt ist, kann noch dazulernen. Neue Gedankenanstöße helfen ihm, [6]die Sprichwörter der weisen Lehrer zu verstehen und ihre Bilder und verschlüsselten Sprüche zu enträtseln.
[7]Alle Erkenntnis beginnt damit, dass man Ehrfurcht vor dem Herrn hat. Nur ein Dummkopf lehnt Lebensweisheit und Selbstbeherrschung ab.

Gib dich nicht mit gewissenlosen Menschen ab!

[8]Mein Sohn[a], denke immer an die Ermahnungen deines Vaters, und habe die Weisung deiner Mutter stets vor Augen; [9]wenn du auf ihre Worte hörst, wirst du Ehre und Anerkennung erlangen.[b] [10]Wenn gottlose Leute dich beschwatzen, dann hör nicht auf sie! [11]Sie wollen dich überreden und sagen: »Komm, wir legen uns auf die Lauer und erschlagen jeden, der vorbeikommt – am liebsten rechtschaffene Menschen! [12]Wir überraschen und beseitigen sie restlos – so schnell, als hätte der Erdboden sie verschluckt! [13]Denk an die Beute, die uns winkt, wir werden reich sein! [14]Mach mit, wir teilen gerecht!«
[15]Mein Sohn, lass dich nicht von ihren Überredungskünsten täuschen, gib dich bloß nicht mit ihnen ab! [16]Denn sie haben nur Böses im Sinn, jederzeit sind sie zum Mord bereit. [17]Es ist sinnlos, ein Fangnetz vor den Augen der Vögel auszubreiten – sie fliegen davon. [18]Ganz anders diese Verbrecher: Sie stellen sich selbst eine Falle und rennen auch noch hinein, sie verspielen ihr eigenes Leben. [19]So geht es jedem, der darauf brennt, sich an fremdem Hab und Gut zu bereichern: Er wird dabei umkommen.

Die Weisheit ruft

[20]Hört! Die Weisheit ruft laut auf den Straßen, auf den Marktplätzen erhebt sie ihre Stimme. [21]Im Lärm der Stadt macht sie sich bemerkbar und ruft allen Menschen zu: [22]»Ihr Dummköpfe! Wann kommt ihr endlich zur Vernunft? Wie lange noch wollt ihr spötteln und euch mit einem Lächeln über alles hinwegsetzen? Ist euch jede Einsicht verhasst? [23]Hört, was ich euch sagen will! Dann überschütte ich euch mit dem Reichtum meiner Weisheit[c] und teile mit euch meine Lebenserfahrung.

[24]Schon oft rief ich euch und bot meine Hilfe an, aber niemand hat je gehört. [25]Jeden Rat verachtet ihr, über meine Weisungen rümpft ihr nur die Nase. [26]Aber eines Tages bricht das Unheil

---

[a] »Mein Sohn« ist hier wohl die Anrede eines Weisheitslehrers an seinen Schüler.
[b] Wörtlich: denn ihre Worte sind wie ein schöner Kranz auf deinem Kopf oder wie eine Halskette.
[c] Wörtlich: Dann lasse ich euch meinen Geist sprudeln.

1,7 2,2–6; 9,10; 15,33; Hiob 28,28; Ps 111,10; Jes 11,2 **1,8–9** 6,20–21* **1,10** 16,29; Ps 1,1; 141,4 **1,18** Ps 7,13–17* **1,20–21** 8,1–3; 9,3 **1,24–26** 5 Mo 28,62–63; Jes 65,12; 66,4

über euch herein, dann lache ich euch aus und spotte über euer Elend. [27]Wie ein Gewitter wird es euch überfallen, wie ein Sturm, der Angst und Schrecken mit sich bringt. [28]Dann werdet ihr um Hilfe schreien, ich aber antworte nicht. Ihr werdet mich überall suchen, aber ich lasse mich nicht mehr finden.

[29]Vor jeder Erkenntnis verschließt ihr die Augen, Gott wollt ihr nicht gehorchen. [30]Jeden Rat von mir weist ihr zurück – [31]dann tragt auch die Folgen eures Handelns, bis ihr genug davon habt!

[32]Schon viele Tagträumer fanden ein schlimmes Ende, weil sie mich verachteten, und viele Dummköpfe täuschten sich selbst durch ihre Sorglosigkeit. [33]Wer aber auf mich hört, lebt ruhig und sicher, vor keinem Unglück braucht er sich zu fürchten.«

Der Wert der Weisheit

2 Mein Sohn, höre auf mich, und befolge meine Ratschläge! [2]Nimm dir die Lebensweisheiten zu Herzen, die ich dir weitergebe, achte auf sie, und werde klug! [3]Ringe um Verstand und Urteilskraft, [4]suche danach voller Eifer wie nach einem wertvollen Schatz! [5]Dann wirst du Gott immer besser kennen lernen und Ehrfurcht vor ihm haben. [6]Er allein gibt Weisheit, und nur von ihm kommen Wissen und Urteilskraft. [7]Aufrichtigen Menschen verleiht er Glück; er hilft allen, die offen und ehrlich sind. [8]Wer andere gerecht behandelt und Gott verehrt, steht unter seinem Schutz.
[9]Mein Sohn, wenn du auf mich hörst, wirst du vertraut mit dem, was richtig, gerecht und gut ist. So kannst du ein Leben führen, das Gott gefällt. [10]Du erlangst Weisheit und lernst, das Leben zu meistern; darüber wirst du dich selbst am meisten freuen. [11]Du lernst, wohlüberlegt zu handeln und dir selbst ein Urteil zu bilden. [12]So wirst du vor Fehlern bewahrt. Du bist gewappnet gegen Menschen, die mit ihren Worten andere täuschen [13–15]und selbst krumme Wege gehen. Vom Guten haben sie sich abgewandt, sie verdrehen die Wahrheit und haben ihre helle Freude daran. Alles, was sie sagen und tun, ist verlogen und verkommen.
[16]Besonnenheit schützt dich auch vor einer fremden Frau, die dich mit schmeichelnden Worten umgarnt und dich verführen will. [17]Dem Mann, den sie in ihrer Jugend geheiratet hat, ist sie untreu – und damit bricht sie den Bund, den sie vor Gott geschlossen hat. [18]Wer sich ihrem Haus nähert, begibt sich in tödliche Gefahr. [19]Niemand, der sich mit ihr einlässt, findet wieder auf den richtigen Weg zurück.
[20]Suche stattdessen nach guten Vorbildern, die dir zeigen, wie man ein gutes Leben führt. [21]Wer aufrichtig ist, wird dieses Land bewohnen; [22]wer aber unehrlich ist und Gott verachtet, wird daraus vertrieben.

Vergiss nie, was du gelernt hast!

3 Mein Sohn, vergiss nie, was ich dir beigebracht habe! Nimm dir meine Ratschläge zu Herzen, und bewahre sie! [2]Dann wird es dir gut gehen, ein langes und erfülltes Leben liegt vor dir. [3]Sei gütig und treu, und werde nicht nachlässig, sondern sporne dich immer wieder an! [4]So wirst du Freundschaft und Ansehen bei Gott und Menschen finden.
[5]Verlass dich nicht auf deine eigene Urteilskraft, sondern vertraue voll und ganz dem Herrn! [6]Denke bei jedem Schritt an ihn; er zeigt dir den richtigen Weg und krönt dein Handeln mit Erfolg. [7]Halte dich nicht selbst für klug; gehorche Gott

---

1,28 Jes 59,1–2; Jer 11,11; Mi 3,4 **1,32** 14,8 **2,3–4** 14,6; 16,16; 23,23 **2,5–8** 1,7*; Hiob 32,8; Dan 2,20–23 **2,9–11** 1 Kor 1,30 **2,12–15** 1,10; 16,29; Ps 1,1; 125,5 **2,16–19** 5,3–23; 6,24–35; 7,5–27; 2 Mo 20,14; Mt 5,27–28 **2,20–22** 3,31; 4,14–15; Ps 1,1; 37,9–11; Mt 5,5; Röm 15,2 **3,1–2** 4,4.10.21–22; 7,1–2; 8,34–36 **3,5–6** Ps 25,4*; 118,8; Jer 17,5–8 **3,7** 26,12; Jes 5,21; Röm 12,16

und meide das Böse! [8]Das heilt und belebt deinen ganzen Körper, du fühlst dich wohl und gesund. [9]Ehre den Herrn mit deinen Opfergaben: Schenke ihm das Beste deiner Ernte. [10]Dann wird er deine Vorratskammern füllen und deine Weinfässer überfließen lassen.
[11]Mein Sohn, wenn der Herr dich zurechtweist, dann sei nicht entrüstet, sondern nimm es an, [12]denn darin zeigt sich seine Liebe. Wie ein Vater den Sohn erzieht, den er liebt, so erzieht dich auch der Herr.

Wertvoller als der größte Reichtum

[13]Glücklich der Mensch, der weise und urteilsfähig geworden ist! [14]Er ist reicher als jemand, der Silber und Gold besitzt. [15]Selbst die größten Schätze und die schönsten Perlen verblassen gegenüber dem Wert der Einsicht. [16]Wer weise ist, wird lange leben und Reichtum und Ansehen erwerben. [17]Ja, die Weisheit schenkt Glück und Sicherheit; [18]sie allein gibt ein erfülltes Leben,[a] und wer an ihr festhält, ist glücklich! [19]Durch Weisheit schuf Gott die Erde, mit seinem Verstand entwarf er das Weltall. [20]Seine Klugheit ließ die Quellen aus der Tiefe hervorsprudeln und Regen aus den Wolken fallen.
[21]Mein Sohn, achte darauf, dass du die Weisheit und Besonnenheit nie aus den Augen verlierst! [22]Sie wird dein Leben erfüllen und dir Ansehen bei den Menschen geben.[b] [23]Dann kannst du sicher deinen Weg gehen, nichts bringt dich zu Fall. [24]Dein Schlaf ist ruhig und tief; [25]vor nichts brauchst du dich zu fürchten – auch nicht vor dem Unglück, das gottlose Menschen plötzlich trifft. [26]Denn der Herr beschützt dich; er lässt dich nicht in eine Falle laufen.

Hilf deinem Mitmenschen!

[27]Wenn jemand deine Unterstützung braucht und du ihm helfen kannst, dann weigere dich nicht. [28]Vertröste ihn nicht auf morgen, wenn du heute helfen kannst! [29]Nutze niemals einen Menschen aus, der dir sein Vertrauen schenkt. [30]Brich keinen Streit vom Zaun mit einem, der dir nichts getan hat.
[31]Beneide einen gewalttätigen Menschen nicht, und nimm ihn dir nicht zum Vorbild. [32]Denn der Herr verachtet den, der krumme Wege geht, der Aufrichtige aber ist sein Vertrauter. [33]Der Fluch des Herrn trifft alle, die ihn missachten; aber er segnet den, der ihm gehorcht. [34]Er treibt seinen Spott mit allen, die ihn verspotten; aber er hilft denen, die wissen, dass sie ihn brauchen. [35]Wer klug und vernünftig ist, wird Anerkennung finden; aber ein Dummkopf erntet nichts als Verachtung.

Es lohnt sich, nach Weisheit zu suchen

4 Ihr jungen Männer, hört auf mich wie auf euren Vater! Achtet auf meine Lehre, damit ihr klug werdet! [2]Was ich euch zu sagen habe, ist gut – darum vergesst es nicht. [3]Ich war das einzige Kind meiner Eltern, mein Vater und meine Mutter kümmerten sich sehr um mich.
[4]Mein Vater sagte zu mir:
»Denk allezeit über das nach, was ich dir beigebracht habe. Wenn du dich danach richtest, wirst du ein erfülltes Leben haben. [5]Erwirb Einsicht und übe dich im richtigen Urteilen. Vergiss meine Ratschläge nicht! [6]Trenne dich nie von der Weisheit, liebe sie, so wird sie dich beschützen und bewahren. [7]Nur eins im Leben ist wirklich wichtig: Werde weise!

---

[a] Wörtlich: sie ist ein Baum des Lebens für alle, die sie ergreifen.
[b] Wörtlich: Sie werden Leben sein für deine Seele und Schmuck für deinen Hals.

3,9–10 Mal 3,10 **3,11–12** 5 Mo 8,5; Ps 94,12; Hebr 12,5–11; Offb 3,19 **3,15** 8,10–11; 16,16; 20,15; Hiob 28,15–19 **3,19** 8,22–31 **3,24** Ps 4,9 **3,27** 5 Mo 15,7; Mt 5,42 **3,31** 2,20; 4,14–15 **3,33** Jes 3,10–11 **3,34** Hiob 36,15; Jak 4,6.10; 1 Petr 5,5 **4,7** 23,23

Werde verständig! Kein Preis darf dir zu hoch dafür sein. [8]Liebe die Weisheit, sie wird dir Ansehen verschaffen; ehre sie – dann erlangst du Ehre. [9]Sie wird dich schmücken wie eine wertvolle Krone.«
[10]Mein Sohn, höre auf meine Worte; dann wirst du lange leben. [11]Ich lehre dich, damit du weise wirst, und zeige dir den richtigen Weg. [12]Auf diesem Weg wird kein Hindernis dich aufhalten; selbst beim Laufen wirst du nicht stolpern. [13]Richte dich nach dem, was du gelernt hast, verwirf niemals die Lehre deiner Eltern! Nur so ist dein Leben gesichert.
[14]Handle nicht so wie Menschen, denen Gott gleichgültig ist, nimm sie dir nicht zum Vorbild! [15]Folg nicht ihrem Beispiel, sondern meide das Böse – ja, flieh vor ihm, und bleib auf dem geraden Weg! [16]Diese gottlosen Menschen können nicht einschlafen, bevor sie nicht Schaden angerichtet haben; sie finden keine Ruhe, bis sie jemandem Unrecht zugefügt haben. [17]Was sie essen und trinken, haben sie durch Betrug und Gewalttat an sich gerissen. [18/19]Ihr Leben ist finster wie die Nacht, im Dunkeln tappen sie umher; und wenn sie fallen, wissen sie nicht einmal, worüber sie gestolpert sind. Wer aber Gott gehorcht, dessen Leben gleicht einem Sonnenaufgang: Es wird heller und heller, bis es lichter Tag geworden ist.
[20]Mein Sohn, hör gut zu, und pass auf, was ich dir sage! [21]Verachte meine Worte nicht, sondern präg sie dir fest ein! [22]Sie geben dir ein erfülltes Leben und erhalten dich gesund. [23]Was ich dir jetzt rate, ist wichtiger als alles andere: Achte auf deine Gedanken und Gefühle, denn sie beeinflussen dein ganzes Leben! [24]Verbreite keine Lügen, vermeide jede Art von Falschheit! [25]Verliere nie dein Ziel aus den Augen, sondern geh geradlinig darauf zu. [26]Überleg sorgfältig, was du tun willst, und dann lass dich davon nicht mehr abbringen! [27]Schau weder nach rechts noch nach links, damit du nicht auf Abwege gerätst.

Warnung vor Ehebruch

5 Mein Sohn, sei aufmerksam, und hör auf meine Lehre, denn ich weiß, wovon ich rede! [2]Dann lernst du, überlegt zu handeln, und an deinen Worten erkennt man, wie vernünftig du bist.
[3]Die Frau eines anderen Mannes kann sehr verführerisch sein, wenn sie dich mit schönen Worten betört. [4]Aber das Ende wird schmerzhaft sein und der Nachgeschmack bitter. [5]Sie bringt dich an den Rand des Abgrunds und reißt dich mit in den Tod. [6]Sie umgarnt dich, damit du nicht merkst, wie du in dein Verderben läufst.
[7]Ihr jungen Männer, hört auf mich, und vergesst nie, was ich jedem von euch sage: [8]Geh einer solchen Frau aus dem Weg, lass dich nicht einmal in der Nähe ihres Hauses blicken! [9]Sonst verlierst du dein Ansehen, und in der Blüte deines Lebens richten grausame Menschen dich völlig zugrunde! [10]Fremde werden deinen Besitz an sich reißen; der Lohn deiner Arbeit gehört dann einem anderen. [11]Schließlich bist du völlig abgemagert, du siechst dahin und stöhnst mit letzter Kraft:
[12]»Hätte ich doch die Ratschläge ernst genommen! Warum habe ich mich nur gegen die Ermahnung gewehrt? [13]Warum habe ich meinen Lehrern keine Aufmerksamkeit geschenkt und nicht auf sie gehört? [14]Fast hätte ich mich vor aller Augen ins Unglück gestürzt!«
[15]Freu dich doch an deiner eigenen Frau! Ihre Liebe ist wie eine Quelle, aus der immer wieder frisches Wasser sprudelt. [16]Willst du sie verlieren, weil du dich mit anderen einlässt?[a] [17]Dir allein soll ihre Liebe gehören, mit keinem anderen sollst

---

[a] Wörtlich: Sollen sich denn deine Quellen auf die Straße ergießen und deine Bäche auf die Plätze?

4,10 3,1–2; 7,1–2; 8,34–36 **4,13** 6,20–21* **4,14–15** 2,20; 3,31; Ps 1,1 **4,18–19** Hiob 36,30 **4,21–22** 3,1–2; 7,1–2 **4,26–27** Ps 119,101 **5,2** 17,28 **5,3–23** 2,16–19* **5,11–14** 2,1–2; 12,15 **5,15–19** Pred 9,9 **5,16** Mal 2,13–16

du sie teilen! [18]Erfreue dich an deiner Frau, die du als junger Mann geheiratet hast. [19]Bewundere ihre Schönheit und Anmut![a] Berausche dich immer wieder an ihren Brüsten und an der Liebe, die sie dir schenkt!

[20]Mein Sohn, willst du dich wirklich mit einer anderen vergnügen und mit einer fremden Frau schlafen? [21]Der Herr sieht genau, was du tust; nichts bleibt ihm verborgen. [22]Wer Gottes Gebote missachtet, dreht sich selbst einen Strick und ist gefangen in seiner Schuld. [23]Wer sich nicht beherrschen kann, schaufelt sich sein eigenes Grab.

Vier Gefahren

6 Mein Sohn, hast du dich mit Handschlag dazu verpflichtet, für die Schulden eines anderen aufzukommen? [2]Bist du an ein Versprechen gebunden, das du gegeben hast? [3]Dann gibt es nur einen Rat: Versuch so schnell wie möglich, davon freizukommen! Der Gläubiger hat dich in seiner Gewalt – also geh zu ihm, und bestürme ihn so lange, bis er dich freigibt. [4]Schieb es nicht auf – gönn dir keine Ruhe! [5]Versuch mit allen Mitteln, dich herauszuwinden und zu fliehen wie ein Tier vor seinem Jäger!

[6]Beobachte die Ameisen, du Faulpelz! Nimm dir ein Beispiel an ihnen: [7]Kein Vorgesetzter treibt sie an; [8]trotzdem arbeiten sie den ganzen Sommer über fleißig, und im Herbst haben sie einen Vorrat für den Winter angelegt. [9]Wie lange willst du noch im Bett bleiben, du Faulpelz? Wann stehst du endlich auf? [10]»Lass mich noch ein bisschen schlafen«, sagst du, »nur noch ein Weilchen!« – [11]und während du dich noch ausruhst, ist die Armut plötzlich da, und die Not überfällt dich wie ein Räuber.

[12]Einen nichtswürdigen und gemeinen Menschen erkennt man an seinem Verhalten: Er verbreitet Lügen [13]und will dich mit seinen Gesten und Gebärden täuschen.[b] [14]Sein Wesen ist falsch und heimtückisch, er hat ständig Böses im Sinn und legt es immer auf einen Streit an. [15]Darum wird ihn das Unglück plötzlich treffen; so unerwartet kommt sein Ende, dass er nicht mehr entrinnen kann.

[16–19]Sechs Dinge sind dem Herrn verhasst, und auch das siebte verabscheut er:[c]

Augen, die überheblich blicken; eine Zunge, die Lügen verbreitet; Hände, die unschuldige Menschen töten; ein Kopf, der heimtückische Pläne ausheckt; Füße, die schnell laufen, um Böses zu tun; ein Zeuge, der falsche Aussagen macht; ein Mensch, der Freunde gegeneinander aufhetzt.

[20]Mein Sohn, denke immer an die Lehren deines Vaters, und die Weisung deiner Mutter habe stets vor Augen! [21]Erinnere dich zu jeder Zeit an die Worte deiner Eltern, und bewahre sie in deinem Herzen! [22]Tag und Nacht sollen sie dich begleiten und dein Denken und Handeln bestimmen. [23]Die Erziehung deiner Eltern ist wie ein Licht, das dir den richtigen Weg weist; ihre Ermahnungen zeigen dir, wie du leben sollst. [24]Sie warnen dich vor der fremden Frau, der Frau eines anderen, die dich mit betörenden Worten lockt. [25]Lass dich nicht von ihren Reizen einfangen, fall nicht auf sie herein, wenn sie dir schöne Augen macht. [26]Für eine Hure bezahlst du nur so viel wie für ein Brot, aber wenn du mit einer verheirateten Frau die Ehe brichst, gefährdest du dich selbst.

[27]Kann man etwa Feuer in der Manteltasche tragen, ohne den Mantel in Brand

---

[a] Wörtlich: Sie ist (anmutig) wie eine Hirschkuh und wie eine Gazelle.

[b] Wörtlich: Er zwinkert mit den Augen, scharrt mit den Füßen und gibt einen Hinweis mit den Fingern.

[c] Es handelt sich um einen so genannten »Zahlenspruch«: Verschiedene Beispiele werden zusammengestellt und an ein bestimmtes Zahlenschema gebunden.

5,21 Ps 26,2* **6,1–5** 11,15; 17,18; 20,16 **6,6–8** 30,24–28 **6,9–11** 19,15; 20,13; 24,30–34 **6,12–15** 26,22–28 **6,20–21** 1,8–9; 4,13; 13,1; 23,22; 30,17; 2 Mo 20,12* **6,24–35** 2,16–19*

zu stecken? [28]Kann man etwa barfuß über glühende Kohlen gehen, ohne sich die Füße zu verbrennen? [29]Genauso schlimm sind die Folgen, wenn man mit der Frau eines anderen schläft: Jeder, der es tut, wird bestraft. [30]Wer Brot stiehlt, weil er Hunger hat, wird nicht verachtet. [31]Wenn er ertappt wird, muss er es siebenfach ersetzen, aber das kostet ihn höchstens seinen ganzen Besitz. [32]Wer dagegen die Ehe bricht, hat den Verstand verloren und richtet sich selbst zugrunde. [33]Schimpf und Schande wird er ernten und sein Leben lang verachtet werden. [34]Ein eifersüchtiger Ehemann schnaubt vor Wut, und in seiner Rachsucht kennt er kein Erbarmen. [35]Keine Entschädigung, die du ihm anbietest, kein noch so großes Geschenk wird ihn besänftigen.

Die treulose Frau

7 Mein Sohn, beachte, was ich dir sage, halte unter allen Umständen daran fest! [2]Lebe danach, so wirst du ein gutes Leben führen. Hüte meine Worte wie einen wertvollen Schatz, [3]denke jederzeit über sie nach, und schreibe sie dir ins Herz! [4]Kümmere dich um die Weisheit wie um deine Schwester, mach dir die Einsicht zur besten Freundin! [5]Das wird dich schützen vor jeder fremden Frau, die dir mit schmeichelnden Worten den Kopf verdrehen will.

[6]Einmal stand ich am Fenster und schaute hinaus auf die Straße. [7]Dort sah ich eine Gruppe noch unerfahrener junger Männer. Einer von ihnen fiel mir durch sein kopfloses Verhalten auf. [8]Er lief die Straße hinunter, an deren Ecke eine bestimmte Frau wohnte, und ging auf ihr Haus zu. [9]Inzwischen war es schon dunkel geworden. [10]Da kam sie ihm entgegen, herausgeputzt und zurechtgemacht wie eine Hure. Sie war sich ihres Erfolgs sicher. [11]Leidenschaftlich und hemmungslos wie sie war, hielt sie es zu Hause nie lange aus. [12]Man sah sie jeden Tag draußen auf den Straßen und Plätzen, an jeder Straßenecke stand sie und schaute sich suchend um.

[13]Jetzt ging sie auf den jungen Mann zu, umarmte und küsste ihn. Mit herausforderndem Blick sagte sie: [14]»Heute habe ich Gott ein Dankopfer gebracht, und davon ist noch Fleisch übrig. [15]Darum bin ich hinausgegangen, um dich zu suchen. Endlich habe ich dich gefunden! [16]Ich habe mein Bett mit schönen bunten Decken aus Ägypten gepolstert [17]und mit Parfüm besprengt[a]. [18]Komm doch mit! Wir wollen uns die ganze Nacht hindurch lieben und uns bis zum Morgen vergnügen! [19/20]Mein Mann ist nicht da. Er ist auf Reisen und kommt noch lange nicht zurück[b]!«

[21]Mit diesen Worten reizte und erregte sie den jungen Mann. [22]Er folgte ihr ins Haus wie ein Ochse, der zum Schlachten geführt wird – in sein eigenes Verderben rannte dieser Dummkopf! [23]Ohne es zu wissen, lief er in eine tödliche Falle. Sie hatte ihn gefangen wie einen Vogel im Netz.

[24]Darum hört auf meine Warnung, ihr jungen Männer, und befolgt sie! [25]Lasst euch von solch einer Frau nicht verführen, sondern geht ihr aus dem Weg! [26]Denn sie hat schon viele Männer zu Fall gebracht, die Zahl ihrer Opfer ist groß. [27]Ihr Haus steht am Rand des Abgrunds; wer zu ihr geht, den reißt sie mit in den Tod.

Die Weisheit ruft

8 Hört! Die Weisheit ruft, und die Einsicht lässt ihre Stimme erschallen! [2/3]Man sieht sie auf allen Straßen und Plätzen, an den Toren der Stadt – dort, wo jeder sie sehen kann – steht sie und ruft:

[4]»Hört her, ja, ich meine euch alle!

---

[a] Wörtlich: und mit Myrrhe, Aloe und Zimt besprengt.

[b] Wörtlich: und kommt erst bei Vollmond wieder zurück.

7,1–2 3,1–2; 4,4.10.21–22; 8,34–36 **7,5–27** 2,16–19* **8,1–3** 1,20–21; 9,3

[5] Ihr Unerfahrenen, werdet reif und vernünftig! Ihr Tagträumer, wacht auf und nehmt Verstand an!
[6] Hört auf mich, denn es ist wichtig für euch. Was ich sage, ist aufrichtig und ehrlich.
[7] Meine Worte sind wahr, denn ich hasse die Lüge.
[8] Ich sage immer die Wahrheit, Hinterlist oder Betrug sind mir fremd.
[9] Meine Worte sind klar und deutlich für jeden, der sie verstehen will.
[10] Meine Ratschläge sollt ihr dankbarer annehmen als Silber oder Gold.
[11] Denn Weisheit ist wertvoller als die kostbarste Perle, unvergleichlich mehr als alles, was ihr euch erträumt.

[12] Ich bin die Weisheit, und zu mir gehört die Klugheit. Ich handle überlegt und besonnen.
[13] Wer Ehrfurcht vor Gott hat, der hasst das Böse. Ich verachte Stolz und Hochmut, ein Leben voller Bosheit und Lüge ist mir ein Gräuel!
[14] Ich stehe euch mit Rat und Tat zur Seite; so werdet ihr klug und fähig zum Handeln.
[15] Mit meiner Hilfe regieren Könige und erlassen Staatsmänner gerechte Gesetze.
[16] Alle Machthaber der Welt können nur durch mich regieren.
[17] Ich liebe den, der mich liebt; wer sich um mich bemüht, der wird mich finden.
[18] Ansehen und Reichtum biete ich an, bleibender Besitz und Erfolg sind mein Lohn.
[19] Was ihr von mir bekommt, ist wertvoller als das feinste Gold, besser als das reinste Silber.
[20] Wo Menschen gut und gerecht miteinander umgehen und nach Gottes Willen fragen, bin ich zu Hause;
[21] alle, die mich lieben, beschenke ich mit Reichtum, ja, ich vergrößere ihr Vermögen!
[22] Der Herr schuf mich vor langer Zeit, ich war sein erstes Werk, noch vor allen anderen.
[23] In grauer Vorzeit hat er mich geschaffen; und so war ich schon da, als es die Erde noch nicht gab.
[24] Lange bevor das Meer entstand, wurde ich geboren. Zu dieser Zeit gab es noch keine Quellen,
[25] und es standen weder Berge noch Hügel.
[26] Ich war schon da, bevor Gott die Erde mit ihren Feldern erschuf.
[27] Ich war dabei, als Gott den Himmel formte, als er den Horizont aufspannte über dem Ozean,
[28] als die Wolken entstanden und die Quellen aus der Tiefe hervorsprudelten,
[29] als er das Meer in die Schranken wies, die das Wasser nicht überschreiten durfte, als er das Fundament der Erde legte –
[30] da war ich als Kind an seiner Seite. Ich erfreute mich an Gott und seinen Werken,
[31] ich spielte auf seiner Erde und war glücklich über die Menschen.

[32] Darum hört auf mich, ihr jungen Männer! Richtet euch nach mir, und ihr werdet glücklich.
[33] Nehmt Belehrung an und weist sie nicht zurück, werdet vernünftig!
[34] Glücklich ist, wer auf mich hört und mich immerzu erwartet!
[35] Wer mich findet, der findet das Leben und wird von Gott geliebt.
[36] Wer mich aber verachtet, der zerstört sein Leben; wer mich hasst, der liebt den Tod.«

Die Weisheit und die Torheit

9 Frau Weisheit hat ein Haus gebaut und es mit sieben Säulen ausgestattet.
[2] Sie hat ein Festessen vorbereitet, guten Wein geholt und den Tisch gedeckt.

8,10–11 3,15; 16,16; 20,15; Hiob 28,15–19 **8,15–16** 1 Kön 3,9 **8,22–31** 3,19 **8,29** Hiob 38,10–11; Ps 104,9 **8,34–36** 3,1–2; 4,4.10.21–22; 7,1–2 **9,1–6** 9,13–18

[3] Ihren Dienstmädchen befahl sie: »Geht auf den Marktplatz der Stadt, und ruft:
[4] ›Ihr Unerfahrenen – kommt zu mir! Ihr Tagträumer,
[5] euch lade ich ein. Kommt, esst euch satt, und trinkt meinen guten Wein!
[6] Bleibt nicht länger unvernünftig, fangt ein neues Leben an, werdet reif und besonnen!‹«

[7] Wer einen Spötter ermahnt, erntet nichts als Verachtung, und wer einen gottlosen Menschen tadelt, wird von ihm gemieden. [8] Darum weise nie einen Spötter zurecht, sonst hasst er dich. Ermahne lieber einen verständigen Menschen, denn er wird dich dafür lieben. [9] Unterweise den Klugen, und er wird noch klüger. Belehre den, der Gott gehorcht, und er wird immer mehr dazulernen.
[10] Alle Weisheit beginnt damit, dass man Ehrfurcht vor Gott hat. Den heiligen Gott kennen, das ist Einsicht! [11] Ich, die Weisheit, schenke dir ein langes und erfülltes Leben. [12] Du tust dir selbst etwas Gutes, wenn du weise bist; aber wenn du über alles mit Spott hinweggehst, schadest du dir selbst.

[13] Frau Torheit gleicht einer unverschämten Hure, die sich auf nichts anderes versteht, als die Leute zu verführen.
[14] Sie sitzt vor ihrer Haustür am Marktplatz der Stadt
[15] und ruft allen, die vorbeigehen und an nichts Böses denken, zu:
[16] »Wer unerfahren ist, den lade ich ein!« Sie beschwatzt die Unvernünftigen:
[17] »Es ist reizvoll, heimlich vom Wasser zu trinken, das anderen gehört, und gestohlenes Brot schmeckt am besten!«
[18] Wer auf sie hereinfällt, weiß nicht, dass es seinen sicheren Tod bedeutet. Alle, die zu ihr gegangen sind, ruhen schon im Totenreich.

Eine Sammlung von Sprichwörtern Salomos

10 Die folgenden Sprichwörter stammen von König Salomo:

Worte, die Leben bewirken

Ein vernünftiger Sohn macht seinen Eltern Freude, ein uneinsichtiger aber bereitet ihnen Kummer.
[2] Unrecht erworbener Besitz schadet nur, aber Ehrlichkeit rettet vor dem Verderben.
[3] Gott gibt dem, der ihn liebt, alles Nötige. Wer jedoch von ihm nichts wissen will, dessen Hunger stillt er nicht.
[4] Wer nachlässig arbeitet, wird arm; fleißige Hände aber bringen Reichtum.
[5] Klug ist, wer schon im Sommer einen Vorrat anlegt. Wer dagegen die Erntezeit verschläft, ist ein Dummkopf.
[6] Gott beschenkt jeden reich, der ihm gehorcht. Wer Gott missachtet, zeigt mit jedem Wort seine Hartherzigkeit.
[7] An einen aufrichtigen Menschen erinnert man sich auch nach seinem Tod noch gerne; Gottlose dagegen sind schnell vergessen.
[8] Ein verständiger Mensch lässt sich belehren, aber wer sich nichts sagen lässt und nur Unsinn redet, richtet sich selbst zugrunde.
[9] Wer ehrlich ist, lebt gelassen und ohne Furcht; ein Unehrlicher aber wird irgendwann ertappt.
[10] Betrug richtet Schaden an, und ein Schwätzer rennt in sein eigenes Unglück.
[11] Wer Gott dient, dessen Worte sind eine Quelle des Lebens. Wer Gott missachtet, zeigt mit jedem Wort seine Hartherzigkeit.
[12] Hass führt zu Streit, aber Liebe sieht über Fehler hinweg.
[13] Ein vernünftiger Mensch findet das

9,3 1,20–21; 8,1–3 **9,7–9** 10,8; 12,1; 15,12.31–32; 23,9; Ps 141,5 **9,10** 1,7* **9,12** 14,6; 21,24
9,13–18 9,1–6 **9,17** 20,17 **9,18** 21,16 **10,1** 15,20; 17,25; 23,24–25 **10,2** 13,11; 15,27; 16,8; 20,17
10,4–5 12,24; 19,15; 20,4.13 **10,7** 12,7; Hiob 18,5–17 **10,8** 9,7–9; 12,1; 15,12.31–32; 23,9
10,11 Ps 141,3; Jak 3,2–12 **10,12** 15,1; 1 Kor 13,5–7

richtige Wort; ein unvernünftiger sollte geschlagen werden.
[14]Wer klug ist, überlegt sich, was er sagt; aber ein Narr spricht vorschnell und richtet Schaden an.
[15]Dem Reichen gibt sein Besitz Sicherheit; den Armen aber schützt nichts vor dem Untergang.
[16]Wer Gott gehorcht, wird mit dem Leben belohnt; der Gottlose dagegen verstrickt sich in Schuld.
[17]Wenn du Ermahnungen annimmst, bist du auf dem richtigen Weg; wenn du dich gegen sie sträubst, läufst du in die Irre.
[18]Wer seinen Hass versteckt, ist ein Heuchler, und wer andere hinter ihrem Rücken verleumdet, ist ein hinterhältiger Mensch.
[19]Wer viele Worte macht, wird sicher schuldig – darum hält der Kluge sich zurück.
[20]Wer Gott gehorcht, spricht Worte so wertvoll wie reines Silber; die Gedanken des Gottlosen dagegen sind völlig wertlos.
[21]Wer Ehrfurcht vor Gott hat, hilft vielen Menschen durch das, was er sagt; ein Narr aber zerstört sich selbst durch seine Dummheit.
[22]Reich wird nur der, dem Gott Gelingen schenkt; eigene Mühe allein hilft nicht weiter!
[23]Der Unvernünftige freut sich an bösen Taten; ein Verständiger aber hat Freude an der Weisheit.
[24]Wer von Gott nichts wissen will, dem stößt das zu, was er am meisten fürchtet; wer jedoch zu Gott gehört, bekommt, was er sich wünscht.
[25]In der Stunde der Bewährung kann der Gottlose nicht bestehen,[a] aber wer Gott gehorcht, der steht auf festem Fundament.
[26]Lass niemals einen Faulpelz für dich arbeiten, denn er wird dir schaden wie Zucker[b] deinen Zähnen und Rauch deinen Augen!
[27]Wer Ehrfurcht vor Gott hat, wird lange leben. Wer sich von ihm lossagt, wird früh sterben.
[28]Wer Gott gehorcht, auf den wartet Freude; wer von ihm nichts wissen will, dessen Hoffnungen zerrinnen.
[29]Der Herr beschützt die Aufrichtigen; aber er stürzt den ins Verderben, der Unrecht tut.
[30]Wer Gott gehorcht, lebt ruhig und sicher; wer ihn missachtet, hat keine Heimat.
[31]Wer Gott liebt, sagt in jeder Lage das passende Wort; einem Lügner aber wird der Mund verboten.
[32]Wer Gott gehorcht, dessen Worte sind wohltuend und hilfreich; aber was der Gottlose von sich gibt, richtet nur Schaden an.

Gott freut sich über aufrichtige Menschen

11 Gott hasst eine falsch eingestellte Waage, aber er freut sich, wenn die Gewichte stimmen.
[2]Hochmut kommt vor dem Fall, ein weiser Mensch ist bescheiden.
[3]Der Ehrliche geht aufrichtig und sicher seinen Weg; ein Unehrlicher zerstört sich selbst durch seine Falschheit.
[4]Reichtum bewahrt nicht vor Gottes Zorn; wer aber Gott gehorcht, bleibt von dem Verderben verschont.
[5]Wer ehrlich ist und sich nach Gottes Geboten richtet, geht ungehindert seinen Weg; aber ein gottloser Betrüger wird zu Fall kommen.
[6]Den Aufrichtigen rettet seine Ehrlichkeit; doch der, dem man nicht trauen kann, ist durch seine eigene Gier gefangen.
[7]Mit dem Tod eines Gottlosen sterben

---

[a] Wörtlich: Wenn ein Sturm vorüberfegt, ist der Gottlose nicht mehr da.
[b] Wörtlich: wie Essig.

10,14 13,3; 17,27 **10,15** 11,28; 1 Tim 6,17 **10,19** Ps 141,3; Mt 12,36; Jak 3,2–12 **10,22** 5 Mo 8,17–18; Ps 127,1–2; Mt 6,25–34 **10,26** 26,13 **10,32** Ps 37,30 **11,1** 16,11* **11,2** 16,18; 18,12

auch seine Hoffnungen; alles, worauf er sich bisher verlassen hatte, hilft dann nicht mehr weiter.
[8]Wer Ehrfurcht vor Gott hat, wird aus der Not errettet; stattdessen gerät der ins Unglück, der von Gott nichts wissen will.
[9]Wer Gott missachtet, schadet anderen mit seinen Worten; wer Gott gehorcht, hilft anderen durch sein Wissen.
[10]Die ganze Stadt feiert den Erfolg eines guten Menschen und bejubelt den Untergang eines Übeltäters.
[11]Eine Stadt blüht auf durch ehrliche Menschen; aber die Worte der Gottlosen bringen ihr Unglück.
[12]Wer verächtlich über seinen Mitmenschen herzieht, hat den Verstand verloren. Ein vernünftiger Mensch hält seine Zunge im Zaum.
[13]Wer klatschsüchtig ist, wird auch anvertraute Geheimnisse ausplaudern; ein zuverlässiger Mensch schweigt.
[14]Ohne eine gute Regierung geht jedes Volk zugrunde; wo aber viele Ratgeber sind, gibt es Sicherheit.
[15]Wer sich für die Schulden eines anderen verbürgt hat, wird es eines Tages bereuen. Wer sich darauf gar nicht erst einlässt, hat seine Ruhe.
[16]Eine Frau gewinnt Ansehen durch ein liebenswürdiges Wesen; andere werden durch Gewalt reich und berühmt.
[17]Wer freundlich zu anderen ist, hilft sich selbst damit; der Unbarmherzige schneidet sich ins eigene Fleisch.
[18]Wer Gott missachtet, sammelt nur trügerischen Gewinn; wer Gott treu bleibt, erhält beständigen Lohn.
[19]Wer sich unbeirrbar für das Gute einsetzt, der wird leben; wer Unrecht plant, kommt um.
[20]Gott hasst die Heuchler und freut sich über jeden Aufrichtigen.
[21]Du kannst sicher sein: Keiner, der Unheil stiftet, kommt ungeschoren davon; aber alle, die Gott gehorchen, bleiben verschont.
[22]An einer Frau ohne Anstand wirkt Schönheit wie ein goldener Ring im Rüssel einer Sau.
[23]Wer Gott die Treue hält, hat nur Gutes zu erwarten; aber die Hoffnungen der Gottlosen werden zerschlagen – nur Zorn bleibt zurück!
[24]Manche sind freigebig und werden dabei immer reicher, andere sind geizig und werden arm dabei.
[25]Wer anderen Gutes tut, dem geht es selber gut; wer anderen hilft, dem wird geholfen.
[26]Wer in Notzeiten sein Getreide hortet, um es dann umso teurer verkaufen zu können, den verwünschen die Leute; aber sie danken dem, der für sein Getreide keine Wucherpreise verlangt.
[27]Wer auf Gutes bedacht ist, findet Zustimmung. Wer Böses ausheckt, den wird es selbst treffen.
[28]Wenn du auf dein Geld vertraust, wirst du fallen wie ein welkes Blatt im Herbst. Lebe so, wie Gott es will, dann wirst du aufblühen wie die Pflanzen im Frühling.
[29]Wer Haus und Familie vernachlässigt, wird schließlich vor dem Nichts stehen; und der Dummkopf wird zum Diener eines Klugen.
[30]Wer Gott gehorcht, verhilft anderen zum Leben;[a] ein weiser Mensch gewinnt die Herzen.
[31]Wer Gott mit Ehrfurcht begegnet, wird hier auf Erden schon dafür belohnt; erst recht wird jeder bestraft, der von Gott nichts wissen will!

Lügen haben kurze Beine

12 Wer dazulernen möchte, lässt sich gern sagen, was er falsch macht. Wer es hasst, auf Fehler hingewiesen zu werden, ist dumm.
[2]Der Herr freut sich über gute Men-

[a] Wörtlich: Die Furcht des Gerechten ist ein Baum des Lebens.
11,11 28,12.28; 29,2 **11,12** 12,18; 13,3; Jak 3,2 **11,13** 20,19 **11,15** 6,1–5; 17,18; 20,16 **11,17** Ps 7,13–17* **11,24–25** 14,31* **12,1** 9,7–9; 10,8; 15,12; 23,9; Ps 141,5

schen, aber er verurteilt jeden, der hinterlistige Pläne schmiedet.
[3]Wer sich von Gott lossagt, verliert jede Sicherheit; nur wer Gott vertraut, steht fest wie ein tief verwurzelter Baum.
[4]Eine tüchtige Frau verhilft ihrem Mann zu Ehre und Glück[a]; eine faule Schlampe aber ist Gift für ihn und raubt ihm jede Lebensfreude.
[5]Wer zu Gott gehört, behandelt seine Mitmenschen gerecht; wer Gott missachtet, versucht andere hereinzulegen.
[6]Die Worte des Gottlosen bringen andere in tödliche Gefahr; aber was ein ehrlicher Mensch sagt, hilft ihnen wieder heraus.
[7]Die Familie des Gottlosen wird aussterben – sein Name verschwindet für immer. Die Familie des Mannes, der Gott gehorcht, bleibt bestehen.
[8]Jeder bewundert einen klugen Menschen, ein Dummkopf aber wird verachtet.
[9]Wer kein Ansehen genießt, sich aber einen Diener leisten kann, ist besser dran als ein Wichtigtuer, der nichts zu essen hat.
[10]Ein guter Mensch sorgt für seine Tiere, der Gottlose aber behandelt sie grausam.
[11]Wer seine Felder bestellt, hat genug zu essen; wer unsicheren Geschäften nachjagt, ist leichtsinnig.
[12]Wer Gott missachtet, schreckt selbst vor unrechtmäßigem Gewinn nicht zurück; aber wer mit Gott lebt, ist freigebig[b].
[13]Die Worte eines bösen Menschen sind eine Falle; doch wer Gott gehorcht, fällt nicht hinein.
[14]Wer Gutes sagt und tut, dem wird es gut ergehen. Denn der Mensch bekommt, was er verdient.
[15]Ein Dummkopf weiß immer alles besser, ein Kluger nimmt auch Ratschläge an.
[16]Wird ein Dummkopf gekränkt, macht er seinem Ärger sofort Luft; der Kluge beherrscht sich, wenn er bloßgestellt wird.
[17]Wer vor Gericht die Wahrheit aussagt, fördert die Gerechtigkeit; ein falscher Zeuge unterstützt den Betrug.
[18]Die Worte eines gedankenlosen Schwätzers verletzen wie Messerstiche; was ein weiser Mensch sagt, heilt und belebt.
[19]Lügen haben kurze Beine, die Wahrheit aber bleibt bestehen.[c]
[20]Wer Böses ausheckt, betrügt sich selbst um das Beste; denn Freude erfährt nur, wer sich für Frieden einsetzt[d].
[21]Kein Unglück geschieht den Menschen, die Gott gehorchen; über den Ungehorsamen aber bricht das Unheil zusammen.
[22]Der Herr hasst Lügner, aber er freut sich über ehrliche Menschen.
[23]Der Kluge prahlt nicht mit Wissen, ein Dummkopf aber kann seine Dummheit nicht verbergen.
[24]Wer hart arbeitet, hat Erfolg und kommt nach oben; der Faule dagegen muss als Sklave dienen.
[25]Sorgen drücken einen Menschen nieder – aber freundliche Worte richten ihn wieder auf.
[26]Wer Gott gehorcht, kann anderen den richtigen Weg zeigen; wer Gott missachtet, läuft in die Irre.
[27]Der Faulpelz erlangt nicht, was er begehrt; der Fleißige dagegen schafft sich einen bleibenden Besitz.
[28]Wer Gott gehorcht, wird gut und sicher leben; auf seinem Weg lauert keine tödliche Gefahr.[e]

---

[a] Wörtlich: ist die Krone ihres Mannes.
[b] Wörtlich: aber die Wurzel der Gerechten bringt Frucht.
[c] Wörtlich: Die wahrhaftige Lippe bleibt für immer, aber nur einen Augenblick lang die lügnerische Zunge.
[d] Oder: denn Freude erfährt nur der, der wertvollen Rat gibt.
[e] Der hebräische Text ist nicht sicher zu deuten.

12,4 31,10–11 **12,6** 10,21 **12,7** 10,7; Hiob 18,5.17 **12,14** 18,20–21; 21,23 **12,15** 9,7–9; 12,1; 15,12; 23,9; Mt 7,6 **12,16** 14,29; 16,32; 29,22; Pred 7,9 **12,17** 14,25; 2 Mo 20,16* **12,18** 11,12; 13,3; Jak 3,2 **12,23** 13,16; 15,2; 17,28 **12,25** 16,24; 17,22 **12,27** 13,4

Wer klug ist, lässt sich etwas sagen

13 Ein vernünftiger Sohn lässt sich von seinen Eltern zurechtweisen, der Spötter aber verachtet jede Belehrung.
[2] Wer Gutes sagt und tut, wird auch Gutes erfahren; ein hinterlistiger Mensch aber sucht die Gewalt.
[3] Wer seine Zunge im Zaum halten kann, schützt sich selbst. Ein Großmaul richtet sich zugrunde.
[4] Der Faulpelz will zwar viel, erreicht aber nichts; der Fleißige bekommt, was er sich wünscht, im Überfluss.
[5] Wer Gott liebt, hasst die Lüge; der Gottlose aber macht andere hinter ihrem Rücken schlecht.
[6] Wer mit Gott lebt, lebt gut; den Gottlosen aber stürzt seine Schuld ins Verderben.
[7] Einer gibt vor, reich zu sein – ist aber bettelarm. Ein anderer stellt sich arm und besitzt ein Vermögen.
[8] Vom Reichen fordert man Lösegeld für sein Leben; der Arme braucht dies nicht zu fürchten.
[9] Wer Gott treu bleibt, gleicht einem hell brennenden Licht. Der Gottlose aber ist wie ein Licht, das erlischt.
[10] Wer überheblich ist, zettelt Streit an; der Kluge lässt sich etwas sagen.
[11] Erschwindelter Reichtum schwindet bald; was man langsam erwirbt, das vergrößert sich noch.
[12] Endloses Hoffen macht das Herz krank; ein erfüllter Wunsch schenkt neue Lebensfreude[a].
[13] Wer guten Rat in den Wind schlägt, muss die Folgen tragen; wer sich etwas sagen lässt, wird belohnt.
[14] Der Rat eines weisen Menschen hilft anderen zum Leben[b] und bewahrt sie vor tödlichen Fallen.
[15] Der Vernünftige findet Anerkennung, wer aber nicht vertrauenswürdig ist, läuft in sein Unglück.
[16] Der Kluge überlegt, bevor er handelt. Die Taten des Dummen zeigen, wie unüberlegt er ist.
[17] Ein unzuverlässiger Botschafter richtet Schaden an, ein vertrauenswürdiger bringt Versöhnung.
[18] Wer sich nichts sagen lässt, erntet Armut und Verachtung. Wer auf Ermahnungen hört, wird hoch angesehen.
[19] Wie erfreulich ist es, wenn ein Wunsch in Erfüllung geht! Darum kann der Dummkopf von seinen bösen Wünschen nicht lassen.
[20] Wenn du mit vernünftigen Menschen Umgang pflegst, wirst du selbst vernünftig. Wenn du dich mit Dummköpfen einlässt, schadest du dir nur.
[21] Wer von Gott nichts wissen will, wird vom Unglück verfolgt. Wer aber Gott gehorcht, wird mit Glück belohnt.
[22] Ein guter Mensch hinterlässt ein Erbe für Kinder und Enkelkinder, aber das Vermögen des Gottlosen geht über an den, der Gott dient.
[23] Auf den steinigen Feldern der Armen wächst gerade genug zum Überleben, aber rücksichtslose Menschen nehmen ihnen auch das Letzte noch weg.
[24] Wer sein Kind nie schlägt, der liebt es nicht. Wer sein Kind liebt, der bestraft es beizeiten.
[25] Wer Gott gehorcht, hat genug zu essen. Wer sich aber von ihm lossagt, muss Hunger leiden.

Der Kluge überlegt, bevor er handelt

14 Eine tüchtige Frau hält das Haus in Ordnung und sorgt für die Familie, eine leichtfertige aber zerstört alles.
[2] Wer aufrichtig ist, nimmt Gott ernst; wer krumme Wege geht, missachtet ihn.

---

[a] Wörtlich: ein erfüllter Wunsch ist ein Baum des Lebens.
[b] Wörtlich: ist eine Quelle des Lebens.

13,1 6,20–21* **13,3** 11,12; 12,18; 18,20–21; 21,23; Jak 3,2 **13,4** 12,27; 21,25 **13,9** 24,19–20; Hiob 18,5 **13,11** 10,2; 15,27; 16,8; 20,17 **13,16** 12,23; 15,2; 17,28 **13,17** 26,6 **13,18** 9,7–9; 12,1 **13,24** 19,18; 22,6

[3] Ein unverbesserlicher Starrkopf verrät sich durch hochmütiges Gerede, ein verständiger Mensch überlegt, was er sagt.
[4] Ein leerer Stall bleibt zwar sauber – aber ohne Rinder gibt es keinen Ertrag!
[5] Ein ehrlicher Zeuge sagt immer die Wahrheit aus, ein falscher Zeuge verbreitet Lügen.
[6] Wer für alles nur Spott übrig hat, wird die Weisheit vergeblich suchen; wer aber vernünftig ist, findet sie schnell.
[7] Gib dich nicht mit Dummköpfen ab – von ihnen hörst du nichts Vernünftiges!
[8] Wer ist klug? Jeder, der sich richtig einschätzen kann. Wer ist ein Tagträumer? Jeder, der sich selbst betrügt.
[9] Leichtfertigen Menschen ist ihre Sünde gleichgültig – ja, sie spotten darüber; aufrichtige dagegen finden Gefallen bei Gott.
[10] Deine innersten Gefühle kannst du mit niemandem teilen – im tiefsten Leid und in der höchsten Freude ist jeder Mensch ganz allein!
[11] Das Haus des Gottlosen wird abgerissen, aber die Familie des Aufrichtigen blüht auf.
[12] Manch einer wähnt sich auf dem richtigen Weg – und läuft geradewegs in den Tod.
[13] Hinter schallendem Gelächter verbirgt sich oft großer Kummer. Wenn die Freude verrauscht ist, bleibt die Trauer zurück.
[14] Wer krumme Wege geht, bekommt, was er verdient; der Gute aber wird belohnt.
[15] Nur ein gedankenloser Mensch glaubt jedes Wort! Der Vernünftige prüft alles, bevor er handelt.
[16] Der Kluge ist vorsichtig, um Unrecht zu vermeiden; ein Dummkopf braust schnell auf und fühlt sich auch noch im Recht.
[17] Wer jähzornig ist, richtet viel Schaden an. Wer heimlich Rachepläne schmiedet, macht sich verhasst.
[18] Ein unverständiger Mensch kann nur Unwissenheit vorweisen, ein Kluger gewinnt Ansehen durch sein Wissen.
[19] Der Böse wird dem Guten dienen, und der Gottlose muss sich erniedrigen vor dem, der Gott gehorcht.
[20] Der Arme gilt nichts, sogar seine Nachbarn wollen nichts mit ihm zu tun haben; der Reiche aber hat viele Freunde.
[21] Wer seinen Mitmenschen verachtet, der sündigt. Doch glücklich ist, wer den Hilflosen beisteht!
[22] Wer Böses plant, gerät auf Abwege; wer Gutes im Sinn hat, wird Liebe und Treue erfahren.
[23] Wer hart arbeitet, bekommt seinen Lohn – wer allerdings nur dumm schwätzt, wird arm!
[24] Verständige Menschen werden mit Reichtum belohnt, Dummköpfe können nur ihre Gedankenlosigkeit vorweisen.
[25] Ein ehrlicher Zeuge rettet unschuldige Menschen vor dem Todesurteil, ein falscher Zeuge ist ein gefährlicher Betrüger.
[26] Wer Gott ehrt, lebt sicher und geborgen; sogar seine Kinder leben noch in dieser Geborgenheit.
[27] Wer Gott in Ehrfurcht begegnet, hat die Quelle des Lebens gefunden und vermeidet tödliche Fehler.
[28] Stark und mächtig ist der Herrscher, der ein großes Volk regiert, aber wie kläglich steht er da, wenn seine Bevölkerung kleiner wird!
[29] Wer seine Gefühle beherrscht, hat Verstand. Der Jähzornige stellt nur seine Unvernunft zur Schau!
[30] Wer gelassen und ausgeglichen ist, lebt gesund. Der Eifersüchtige wird von seinen Gefühlen innerlich zerfressen.
[31] Wer den Armen unterdrückt, verhöhnt dessen Schöpfer. Wer dem Hilflosen beisteht, der ehrt Gott.
[32] Wer sich von Gott lossagt, kommt durch seine eigene Bosheit um. Wer Gott vertraut, ist selbst im Tod noch geborgen.
[33] Das Kennzeichen des vernünftigen

14,3 17,28 **14,5** 14,25; 2 Mo 20,16* **14,6** 9,12; 21,24 **14,11** 12,7 **14,14** 3,32; 15,10 **14,17** 14,29; 15,18; 19,19; 29,22; Pred 7,9 **14,20** 19,6–7 **14,25** 12,17 **14,29** 12,16; 15,18; 16,32; 19,19; 29,22; Pred 7,9 **14,31** 11,24–25; 19,17; 5 Mo 15,7–11; Ps 41,2; Dan 4,24; Mt 5,7

Menschen ist Weisheit, sogar die Unvernünftigen können das erkennen.
[34]Wenn ein Volk Gottes Gesetz befolgt, wird es stark. Verstößt es dagegen, stürzt es sich ins Verderben.
[35]Ein kluger Diener erntet den Dank des Königs; aber den, der nur Schaden anrichtet, trifft sein Zorn.

Der Weise hat ein Ziel vor Augen

15 Eine freundliche Antwort vertreibt den Zorn, aber ein kränkendes Wort lässt ihn aufflammen.
[2]Wenn kluge Menschen sprechen, wird Wissen begehrenswert; ein Dummkopf gibt nur Geschwätz von sich.
[3]Gott durchschaut alles; er sieht, wenn Menschen Gutes oder Böses tun.
[4]Ein freundliches Wort schenkt Freude am Leben, aber eine böse Zunge verletzt schwer.
[5]Nur ein unverständiger Mensch verachtet die Erziehung seiner Eltern; wer sich ermahnen lässt, ist klug.
[6]Wer Gott gehorcht, hat immer mehr als genug zum Leben; wer von ihm nichts wissen will, verliert seinen Besitz.
[7]Ein verständiger Mensch gibt sein Wissen weiter, aber ein Dummkopf versteht nichts, weiß nichts und hat nichts zu sagen.
[8]Der Herr hasst die Opfergaben gottloser Menschen, aber er freut sich über die Gebete der Aufrichtigen.
[9]Gott verabscheut die Lebensweise der Menschen, die ihn missachten; aber er liebt den, der seine Gebote liebt.
[10]Wer krumme Wege geht, wird hart bestraft; und wer jede Ermahnung verwirft, schaufelt sich sein eigenes Grab.
[11]Gott sieht hinab bis in den Abgrund des Totenreiches – erst recht durchschaut er die innersten Gedanken und Gefühle eines Menschen!
[12]Ein Hochmütiger will nicht ermahnt werden, darum meidet er den Umgang mit klugen Menschen.
[13]Einen fröhlichen Menschen erkennt man an seinem strahlenden Gesicht, aber einem verbitterten fehlt jede Lebensfreude.
[14]Vernünftige Menschen möchten ihr Wissen vergrößern, Dummköpfe haben nur am Unsinn ihren Spaß.
[15]Für den Niedergeschlagenen ist jeder Tag eine Qual, aber für den Glücklichen ist das Leben ein Fest.
[16]Lieber arm und Gott gehorsam als reich und voller Sorgen.
[17]Lieber eine einfache Mahlzeit mit guten Freunden als ein Festessen mit Feinden!
[18]Ein Hitzkopf schürt Zank und Streit, ein Geduldiger aber schafft Versöhnung.
[19]Der Weg eines Faulpelzes ist dornenreich, dem Zuverlässigen aber stehen alle Wege offen.
[20]Ein vernünftiger Sohn macht seinen Eltern Freude, ein Dummkopf zeigt ihnen die kalte Schulter.
[21]Wer unvernünftig ist, hat Spaß an Dummheiten; ein weiser Mensch handelt zielbewusst.
[22]Ohne Ratgeber sind Pläne zum Scheitern verurteilt; aber wo man gemeinsam überlegt, hat man Erfolg.
[23]Jeder freut sich, wenn er treffend zu antworten weiß – wie gut ist ein wahres Wort zur rechten Zeit!
[24]Der Kluge geht zielstrebig den Weg, der zum Leben führt; er meidet den Weg hinab ins Verderben.
[25]Der Herr zerstört das Haus der Hochmütigen, aber den Grund und Boden der Witwen verteidigt er.
[26]Böse Pläne sind dem Herrn verhasst, aber aufrichtige Worte erfreuen ihn.
[27]Wer sich auf unehrliche Weise Gewinn verschafft, stürzt seine ganze Familie ins Unglück; wer keine Bestechungsgelder annimmt, führt ein gutes Leben.

15,1 16,32; 25,15 **15,2** 12,23; 13,16; 17,28 **15,3** Ps 26,2* **15,5** 6,20–21* **15,8–9** 21,27; 28,9; 1 Sam 15,22* **15,10** 3,32; 14,14; 29,1 **15,11** Ps 26,2* **15,12** 9,7–9; 10,8; 12,1; 23,9 **15,13** 17,22 **15,16–17** 17,1; Ps 37,16 **15,18** 14,17.29; 16,32; 29,22 **15,20** 6,20–21* **15,27** 10,2; 13,11; 16,8; 20,17

[28] Ein zuverlässiger Mensch überlegt sich, was er sagt; ein gewissenloser platzt mit giftigen Worten heraus.
[29] Gott ist denen fern, die von ihm nichts wissen wollen; aber er hört auf das Gebet derer, die ihn lieben.
[30] Ein freundlicher Blick erfreut jeden, und eine gute Nachricht gibt neue Kraft.
[31] Wer auf hilfreiche Ermahnung hört, den kann man klug nennen!
[32] Wenn du jeden Tadel in den Wind schlägst, schadest du dir selbst. Wenn du dir etwas sagen lässt, dann gewinnst du Einsicht.
[33] Wer Ehrfurcht vor Gott hat, erlangt Weisheit; bevor man zu Ehren kommt, muss man Bescheidenheit lernen.

Der Mensch denkt – Gott lenkt

16 Der Mensch denkt über vieles nach und macht seine Pläne, das letzte Wort aber hat Gott.
[2] Der Mensch hält sein Handeln für richtig, aber Gott prüft die Motive.
[3] Vertraue Gott deine Pläne an, er wird dir Gelingen schenken.
[4] Alles hat Gott zu einem bestimmten Zweck geschaffen – der Gottlose ist für das Verderben gemacht.
[5] Gott verabscheut die Hochmütigen. Du kannst sicher sein: Keiner entkommt seiner gerechten Strafe!
[6] Wer Gott treu ist und Liebe übt, dem wird die Schuld vergeben; und wer Gott gehorcht, der meidet das Böse.
[7] Wenn dein Handeln Gott gefällt, bewegt er sogar deine Feinde dazu, sich mit dir zu versöhnen.
[8] Besser wenig Besitz, der ehrlich verdient ist, als großer Reichtum, durch Betrug erschlichen.
[9] Der Mensch plant seinen Weg, aber der Herr lenkt seine Schritte.
[10] Der König spricht in Gottes Auftrag, darum irrt er sich nicht, wenn er Recht spricht.
[11] Gott möchte, dass die Waage richtig eingestellt wird und dass die Gewichte stimmen, denn er selbst hat diese Ordnung aufgestellt.[a]
[12] Könige hassen das Unrecht, denn Gerechtigkeit festigt eine Regierung.
[13] Könige möchten die Wahrheit hören, darum achten sie ehrliche Menschen.
[14] Im Zorn wird ein König töten, deshalb versucht ein kluger Mensch, ihn freundlich zu stimmen.
[15] Wer in der Gunst des Königs steht, dem geht es gut; seine Anerkennung ist wie Regen, der Leben spendet.
[16] Weisheit und Urteilsvermögen zu erlangen ist viel kostbarer als Silber oder Gold!
[17] Wer ehrlich ist, meidet das Böse; wer dies beachtet, wird sein Leben retten.
[18] Der Stolze wird gestürzt: ja, Hochmut kommt vor dem Fall!
[19] Lieber bescheiden und arm sein als Beute teilen mit den Hochmütigen!
[20] Wer auf das hört, was ihm beigebracht wird, ist erfolgreich; und wer dem Herrn vertraut, der findet Glück.
[21] Man vertraut dem Urteil eines vernünftigen Menschen; und wenn er dazu noch gut reden kann, überzeugt er jeden.
[22] Wer Verstand besitzt, hat ein erfülltes Leben; aber einen Dummkopf zu belehren, ist reine Zeitverschwendung.
[23] Der Kluge redet so, dass man ihn leicht verstehen kann; deshalb überzeugen seine Worte.
[24] Ein freundliches Wort ist wie Honig: angenehm im Geschmack und gesund für den Körper.
[25] Manch einer wähnt sich auf dem richtigen Weg – und läuft geradewegs in den Tod.
[26] Hunger treibt den Menschen an; er muss arbeiten, um satt zu werden.

---

[a] Wörtlich: Waagebalken und Waagschalen sind Sache des Herrn, sein Werk sind alle Gewichtssteine im Beutel.

15,29 Ps 17,6* **15,31–32** 9,7–9; 10,8; 12,1; 15,12; 23,9 **15,33** 1,7* **16,1–3** 19,21; 20,24; Ps 37,5; 55,23; Mt 6,33–34 **16,5** Mal 3,16–18 **16,8** 10,2; 13,11; 15,27; 20,17 **16,11** 11,1; 20,10.23; 3 Mo 19,35–36; 5 Mo 25,13–16; Am 8,5–6; Mi 6,10–11 **16,12–15** 19,12; 20,2.28; 22,11; 29,14 **16,16** 3,15; 8,10–11; 20,15; Hiob 28,15–19 **16,18** 18,12; 29,23; Est 5,9 – 7,10 **16,22** 9,7–9; 23,9 **16,24** 12,25

[27] Ein gemeiner Mensch gräbt vergangene Fehler anderer wieder aus[a]; seine Worte zerstören wie Feuer.
[28] Ein hinterlistiger Mensch sät Zank und Streit, und ein Lästermaul bringt Freunde auseinander.
[29] Ein verbrecherischer Mensch beschwatzt seinen Freund und bringt ihn auf krumme Wege.
[30] Wer listig mit den Augen zwinkert, führt Böses im Schilde; wer entschlossen die Lippen zusammenpresst, hat es schon getan.
[31] Graues Haar ist ein würdevoller Schmuck – angemessen für alle, die Gottes Geboten folgen.
[32] Geduld zu haben ist besser, als ein Held zu sein; und sich selbst beherrschen ist besser, als Städte zu erobern!
[33] Der Mensch wirft das Los, um Gott zu befragen; und Gott allein bestimmt die Antwort.

Weisheit lässt sich nicht erkaufen

17 Lieber in Ruhe und Frieden ein trockenes Stück Brot essen als ein Festmahl mit Zank und Streit!
[2] Ein fähiger Diener ist höher angesehen als ein nichtsnutziger Sohn, ja, er wird zusammen mit den anderen Söhnen zum Erben eingesetzt.
[3] Gold und Silber prüft man durch Schmelzen, aber was im Herzen des Menschen vorgeht, prüft allein der Herr.
[4] Ein Übeltäter fühlt sich von bösen Plänen angezogen, und einem Lügner gefallen betrügerische Worte, die andere ins Unglück stürzen.
[5] Wer den Armen verspottet, verhöhnt dessen Schöpfer. Wer sich am Unglück anderer freut, bekommt seine Strafe.
[6] Alte Menschen sind stolz auf ihre Enkelkinder, und Kinder sind stolz auf ihre Eltern.
[7] Zu einem Dummkopf passen keine vernünftigen Worte, wie viel weniger passt Lüge zu einem zuverlässigen Menschen!
[8] Manche glauben, Bestechung sei ein Zaubermittel, das ihnen überall Erfolg verspricht.
[9] Wer über die Fehler anderer hinwegsieht, gewinnt ihre Liebe; wer alte Fehler immer wieder ausgräbt, zerstört jede Freundschaft.
[10] Ein vernünftiger Mensch lernt durch Tadel mehr als ein Dummkopf durch hundert Schläge!
[11] Ein Unruhestifter sucht nur den Aufstand, darum wird ihn eine grausame Strafe treffen[b].
[12] Lieber einer Bärin begegnen, der man die Jungen geraubt hat, als einem Dummen, der nur Unsinn im Kopf hat!
[13] Wer Gutes mit Bösem vergilt, in dessen Familie ist das Unglück ein ständiger Gast.
[14] Ein angefangener Rechtsstreit ist so schwer aufzuhalten wie gestautes Wasser, das plötzlich losbricht – darum lass es gar nicht erst so weit kommen!
[15] Gott verabscheut es, wenn der Schuldige für unschuldig erklärt und der Unschuldige verurteilt wird.
[16] Ein Dummkopf kann sich Weisheit nicht erkaufen, sie würde ihm auch gar nichts nützen – er hat ja doch keinen Verstand!
[17] Auf einen Freund kannst du dich immer verlassen; wenn es dir schlecht geht, ist er für dich wie ein Bruder.
[18] Wer sich mit Handschlag für die Schulden eines anderen verbürgt, hat den Verstand verloren!
[19] Der Streitsüchtige liebt die Bosheit; und wer zu hoch hinaus will, wird tief fallen[c].
[20] Ein Heuchler hat nichts Gutes zu erwarten; und wer Lügen verbreitet, stürzt ins Unglück.

---

[a] Wörtlich: gräbt Unheil.
[b] Wörtlich: ein grausamer Bote wird gegen ihn gesandt.
[c] Wörtlich: und wer seine Tür zu hoch baut, sucht den Einsturz.

16,27 17,9 **16,29** 1,10; Ps 141,4 **16,31** 20,29 **16,32** 12,16; 14,29; 15,18 **17,1** 15,16–17 **17,3** Ps 26,2* **17,9** 16,27 **17,15** 18,5; 24,23–25; 5 Mo 1,16–17 **17,17** 18,24; 27,10 **17,18** 6,1–5; 11,15; 20,16 **17,19** 11,2; 16,18

[21] Wer einen nichtsnutzigen und charakterlosen Sohn hat, kennt nur Sorge und Leid.
[22] Ein fröhlicher Mensch lebt gesund; wer aber ständig niedergeschlagen ist, wird krank und kraftlos.
[23] Ein gottloser Richter nimmt heimlich Bestechungsgelder an und verdreht das Recht.
[24] Ein vernünftiger Mensch bemüht sich um Weisheit, aber die Gedanken des Dummkopfes sind sprunghaft; er denkt nichts zu Ende und kommt auch zu nichts[a].
[25] Ein leichtsinniger Sohn bereitet seinen Eltern Ärger und Enttäuschung.
[26] Es ist empörend, wenn ein Unschuldiger mit einer Geldstrafe belegt wird; und wenn ein anständiger Mann Prügelstrafe bekommt, wird das Recht missachtet.
[27] Ein weiser Mensch gibt Acht auf seine Worte, denn wer sich selbst beherrschen kann, ist vernünftig.
[28] Sogar einen Dummkopf könnte man für klug halten – wenn er sich nicht durch seine eigenen Worte verraten würde!

Worte haben Macht

18 Wer andere Menschen meidet, denkt nur an sich und seine Wünsche; heftig wehrt er sich gegen alles, was ihn zur Einsicht bringen soll.
[2] Ein Dummkopf bemüht sich erst gar nicht, etwas zu begreifen. Er will nur jedem zeigen, wie klug er ist.
[3] Wer sich von Gott lossagt, wird zwangsläufig schuldig, Schuld aber bringt Schande und Hohn.
[4] Die Worte eines Menschen können eine Quelle sein, aus der immerfort Weisheit sprudelt: unerschöpflich und von tiefer Wahrheit.
[5] Ein Richter tut Unrecht, wenn er den Schuldigen begnadigt und den Unschuldigen verurteilt.
[6] Wenn ein unverständiger Mensch seinen Mund aufmacht, gibt es nur Streit und Schläge.
[7] Ein Dummkopf schwätzt sich sein eigenes Unglück herbei, kopflos rennt er in seine eigene Falle.
[8] Das Geschwätz eines Verleumders ist so verlockend! Es wird begierig verschlungen wie ein Leckerbissen und bleibt für immer im Gedächtnis haften.
[9] Wer seine Arbeit nachlässig tut, richtet genauso viel Schaden an wie einer, der alles zerstört.
[10] Gott, der Herr, ist wie eine starke Festung: Wer auf ihn vertraut, ist in Sicherheit.
[11] Der Reiche bildet sich ein, sein Besitz würde ihn schützen wie eine hohe Stadtmauer.
[12] Stolz führt zum Sturz, Bescheidenheit aber bringt zu Ehren.
[13] Wer antwortet, bevor er überhaupt zugehört hat, zeigt seine Dummheit und macht sich lächerlich.
[14] Ein Mensch kann durch festen Willen sogar körperliche Krankheit ertragen; aber wer den Mut zum Leben verloren hat, ist zu nichts mehr in der Lage.
[15] Ein kluger Mensch möchte sein Wissen vergrößern, darum läuft er mit offenen Augen und Ohren durch die Welt.
[16] Ein Geschenk eröffnet viele Möglichkeiten, sogar den Zugang zu einflussreichen Menschen.
[17] Wer als Erster vor Gericht aussagt, scheint Recht zu haben; dann aber kommt sein Gegner und zeigt die andere Seite auf.
[18] Bei einem Prozess kann das Los zwischen den Gegnern entscheiden, besonders wenn beide gleich stark und einflussreich sind.
[19] Ein Freund, den du enttäuscht hast, ist schwerer zurückzugewinnen als eine bewachte Festung; wenn man sich entzweit, ist jede Tür verschlossen.
[20] Du musst mit den Folgen deiner Worte leben – seien sie nun gut oder böse.

---

[a] Wörtlich: aber die Augen des Dummkopfs sind am Ende der Erde.

17,22 12,25; 15,13 **17,23** 19,6; 2 Mo 23,8 **17,26** Ps 59,5* **17,27** 10,19; Jak 1,19 **17,28** 12,23; 13,16; 15,2; Hiob 13,5 **18,5** 17,15; 24,23–25; 5 Mo 1,16–17 **18,7** 13,3 **18,10** Ps 18,3* **18,11** 10,15; 11,28; 1 Tim 6,17 **18,12** 11,2; 16,18; 29,23 **18,18** 16,33 **18,20–21** 12,14; 13,3; 21,23

[21]Worte haben Macht: sie können über Leben und Tod entscheiden. Darum ist jeder für die Folgen seiner Worte verantwortlich.
[22]Wer eine Frau gefunden hat, der hat es gut; es ist ein Zeichen der Güte Gottes.
[23]Wenn ein Armer etwas braucht, muss er bescheiden fragen; ein Reicher aber antwortet hart und stolz.
[24]Viele so genannte Freunde schaden dir nur, aber ein wirklicher Freund steht mehr zu dir als ein Bruder.

Hilf den Armen!

19 Lieber arm und ehrlich als ein selbstherrlicher Dummkopf, der Lügen verbreitet!
[2]Ein eifriger Mensch, der nicht nachdenkt, richtet nur Schaden an; und was übereilt begonnen wird, misslingt.
[3]Manch einer ruiniert sich durch eigene Schuld, macht dann aber Gott dafür verantwortlich!
[4]Der Reiche ist immer von Freunden umgeben, aber der Arme verliert jeden Freund.
[5]Wer als Zeuge einen Meineid schwört, wird bestraft; für ihn gibt es kein Entrinnen.
[6]Einflussreiche Leute werden von vielen umschmeichelt; und wer freigebig ist, hat alle möglichen Freunde.
[7]Den Armen lassen seine Verwandten im Stich – noch mehr halten seine Bekannten sich von ihm fern. Er erinnert sich an ihre Versprechungen, aber sie sind wertlos geworden.
[8]Wer sich um Weisheit bemüht, tut sich selbst einen Gefallen; und wer Einsicht bewahrt, findet das Glück.
[9]Wer als Zeuge einen Meineid schwört, kommt nicht ungeschoren davon – er hat sein Leben verspielt.
[10]Ein Leben im Überfluss passt nicht zu einem leichtsinnigen und oberflächlichen Menschen – noch verkehrter ist es, wenn ein Sklave über Machthaber herrscht.
[11]Ein vernünftiger Mensch kann seine Gefühle beherrschen; es ehrt ihn, wenn er über Fehler hinwegsehen kann.
[12]Der Zorn eines Königs jagt Angst ein wie das Brüllen eines Löwen, aber seine Anerkennung erfrischt wie der Morgentau.
[13]Ein nichtsnutziger Sohn bringt seinen Vater ins Unglück; und eine ewig nörgelnde Frau ist so unerträglich wie ein ständig tropfendes Dach.
[14]Haus und Besitz kann man von den Eltern erben; aber eine vernünftige Frau schenkt nur Gott, der Herr.
[15]Ein Faulpelz liebt seinen Schlaf – und erntet Hunger dafür.
[16]Wer sich an Gottes Gebote hält, bewahrt sein Leben; wer sie auf die leichte Schulter nimmt, kommt um.
[17]Wer den Armen etwas gibt, gibt es Gott, und Gott wird es reich belohnen.
[18]Erzieh deine Kinder mit Strenge, solange sie noch jung sind[a], aber lass dich nicht dazu hinreißen, sie zu misshandeln[b]!
[19]Wer jähzornig ist, muss seine Strafe dafür zahlen. Wenn du versuchst, ihn zu beschwichtigen, machst du alles nur noch schlimmer!
[20]Höre auf guten Rat, und nimm Ermahnung an, damit du endlich weise wirst!
[21]Der Mensch macht viele Pläne, aber es geschieht, was Gott will.
[22]Wer freigebig und gütig ist, wird von allen geschätzt; und besser ein Armer als ein Betrüger.
[23]Wer Gott achtet und ehrt, hat ein gutes Leben. Er kann ruhig schlafen, denn Angst vor Unglück kennt er nicht.
[24]Ein fauler Mensch streckt seine Hand nach dem Essen aus, aber er kriegt sie nicht zum Mund zurück!
[25]Wenn ein Lästermaul bestraft wird, werden wenigstens Unerfahrene etwas davon lernen; wenn man aber den Ver-

---

[a] Wörtlich: solange noch Hoffnung da ist.
[b] Wörtlich: sie zu töten.

18,22 19,14 **18,24** 17,17; 27,10 **19,5** 5 Mo 19,18–19 **19,6** 17,23; 2 Mo 23,8 **19,11** 12,16; 14,17; 15,18; 16,32; 29,22 **19,12** 16,12–15 **19,13** 21,9.19; 27,15–16 **19,14** 18,22 **19,15** 6,9–11; 20,13; 24,30–34; 26,13–16 **19,17** 14,31* **19,19** 14,17.29; 29,22 **19,21** 16,1; 20,24 **19,22** 28,6

nünftigen zurechtweist, lernt er selbst daraus.
[26]Wer seine Eltern schlecht behandelt und fortjagt, ist ein gemeiner und nichtsnutziger Mensch.
[27]Wenn du jede Ermahnung sowieso in den Wind schlägst – dann hör doch gar nicht erst darauf!
[28]Ein betrügerischer Zeuge verhöhnt jedes Recht; die Worte eines gewissenlosen Menschen säen Unheil und Verderben.
[29]Wer sich über alles mit Spott hinwegsetzt, wird seine gerechte Strafe bekommen; und auf den Rücken des überheblichen Besserwissers gehört der Stock!

Ein Menschenkenner durchschaut die Gedanken

20 Ein Biertrinker wird unangenehm laut, und ein Weinsäufer redet Blödsinn; wer sich betrinkt, ist unvernünftig!
[2]Vor einem König nimmt man sich in Acht wie vor einem brüllenden Löwen; denn wer seinen Zorn herausfordert, setzt sein Leben aufs Spiel.
[3]Es ehrt einen Menschen, wenn er sich auf keinen Streit einlässt; nur ein törichter Streithahn wettert sofort los.
[4]Wer faul ist, kümmert sich nicht um seine Saat; wenn er dann ernten will, sucht er vergeblich.
[5]Die Gedanken eines Menschen sind unergründlich wie ein tiefer See, aber ein Menschenkenner durchschaut sie und bringt sie ans Licht.
[6]Viele Menschen betonen, wie freundlich und zuverlässig sie sind; aber wo findet man einen, auf den man sich wirklich verlassen kann?
[7]Wer aufrichtige Eltern hat, die Gott dienen, der kann sich glücklich schätzen!
[8]Wenn der König Gericht hält, deckt er jedes Unrecht auf.
[9]Wer kann schon behaupten: »Ich bin frei von jeder Schuld und habe ein reines Gewissen.«?
[10]Gott verabscheut das Messen mit zweierlei Maß und hasst das Wiegen mit zweierlei Gewicht.
[11]Schon im Verhalten eines Kindes zeigt sich, ob es ehrlich und zuverlässig ist.
[12]Gott hat uns Augen gegeben, um zu sehen, und Ohren, um zu hören.
[13]Liebe nicht den Schlaf, sonst bist du bald arm! Steh früh genug auf, damit du immer genug zu essen hast!
[14]»Das ist viel zu teuer!«, schimpft der Käufer beim Handeln; doch hinterher lacht er sich ins Fäustchen.
[15]Worte der Weisheit und der Erkenntnis sind viel kostbarer als Gold und Juwelen.
[16]Wenn jemand zu dir kommt, der aus Leichtsinn für die Schulden eines Fremden gebürgt hat, so leihe ihm nur etwas gegen Pfand!
[17]Was man durch Betrug erworben hat, mag zuerst zwar angenehm sein, aber früher oder später hinterlässt es einen bitteren Nachgeschmack.
[18]Pläne sind erst durch Beratung erfolgreich; darum überlege gut, bevor du in einen Kampf ziehst!
[19]Wer Geheimnisse ausplaudert, der lästert auch über seine Mitmenschen. Darum meide jeden, der seinen Mund nicht halten kann!
[20]Wer Vater und Mutter verflucht, dessen Leben wird verlöschen wie eine Lampe in tiefster Dunkelheit.
[21]Ein Erbe, das man übereilt an sich reißt, wird am Ende nicht gesegnet sein.
[22]Nimm dir nicht vor, Unrecht heimzuzahlen! Vertraue dem Herrn, denn er wird dir zum Recht verhelfen!
[23]Gott verabscheut es, wenn man beim Abwiegen mit zweierlei Gewicht und einer gefälschten Waage betrügt.
[24]Gott lenkt die Schritte des Menschen; wie kann der Mensch sein Leben überblicken?

19,26 20,20; 30,17; 2 Mo 20,12*; 5 Mo 21,18–21 **19,28** 12,17 **20,1** 23,29–35 **20,2** 16,12–15 **20,3** 12,16; 15,18 **20,4** 6,6–11 **20,9** Ps 143,2; Röm 3,23 **20,10** 16,11* **20,13** 6,9–11; 19,15; 24,30–34; 26,13–16 **20,15** 3,15; 8,10–11; 16,16; Hiob 28,15–19 **20,16** 6,1–5; 11,15; 17,18 **20,17** 10,2; 13,11; 15,27; 16,8 **20,19** 11,12–13 **20,20** 19,26; 30,17; 2 Mo 21,17; 5 Mo 21,18–21 **20,22** 24,29; 5 Mo 32,34–35; 1 Thess 5,15 **20,23** 16,11* **20,24** 16,1–3; 19,21

[25] Wer Gott vorschnell ein Versprechen gibt und erst hinterher die Folgen bedenkt, bringt sich selbst in ausweglose Schwierigkeiten.
[26] Ein weiser König entdeckt die Verbrecher und gibt ihnen eine harte Strafe[a].
[27] Gott, der Herr, gab dem Menschen den Verstand,[b] damit er seine innersten Gedanken und Gefühle überprüfen kann.
[28] Wenn ein König freundlich und zuverlässig ist, dann steht seine Regierung fest und sicher.
[29] Der Schmuck junger Menschen ist ihre Kraft, und die Würde der Alten ist ihr graues Haar.
[30] Schläge sind ein wirksames Mittel gegen Bosheit – sie helfen dem Menschen, sich zu bessern.

Wer auf Gott hört, ist auf dem richtigen Weg

21 Wie man Wasser durch Kanäle in die gewünschte Richtung leitet, so lenkt Gott die Gedanken des Königs, wohin er will.
[2] Der Mensch hält das, was er tut, für richtig; aber Gott, der Herr, prüft, warum der Mensch das tut.
[3] Gott will, dass die Menschen gut und gerecht miteinander umgehen; das ist ihm viel lieber als ihre Opfergaben.
[4] Wer von Gott nichts wissen will, ist stolz und überheblich; bei allem, was er tut, lädt er Schuld auf sich[c].
[5] Was der Fleißige plant, bringt ihm Gewinn; wer aber allzu schnell etwas erreichen will, hat nur Verlust.
[6] Reichtum, den man durch Betrug erworben hat, zerrinnt schnell und reißt mit in den Tod.
[7] Wer Gott missachtet und sich weigert, ihm zu gehorchen, schadet sich selbst durch seine Bosheit und Gewalt.
[8] Verschlungen und undurchsichtig sind die Wege des Menschen, der Schuld auf sich geladen hat; der Ehrliche aber führt ein aufrichtiges Leben.
[9] Lieber in einer kleinen Ecke unter dem Dach wohnen als in einem prächtigen Haus mit einer ständig nörgelnden Frau!
[10] Wer Gott verachtet, giert nach Bösem; sogar sein Nachbar kann von ihm kein Mitgefühl erwarten.
[11] Wenn man dem Lästermaul eine Geldstrafe auferlegt, werden wenigstens Unerfahrene etwas davon lernen; wenn man aber einen weisen Menschen belehrt, lernt er selbst daraus.
[12] Der gerechte Gott[d] achtet auf alle, die ihn ablehnen, und stürzt sie ins Unglück.
[13] Wer sich beim Hilferuf eines Armen taub stellt, wird selbst keine Antwort bekommen, wenn er Hilfe braucht.
[14] Wenn jemand wütend auf dich ist, kannst du ihn besänftigen, indem du ihm heimlich ein Geschenk zusteckst.
[15] Wenn das Recht beachtet wird, freut sich ein ehrlicher Mensch; aber für einen Übeltäter bedeutet es Angst und Schrecken.
[16] Wer sich weigert, Vernunft anzunehmen, auf den wartet der Tod!
[17] Wer ausgelassene Feste liebt, wird bald arm – ein aufwendiges Leben hat noch keinen reich gemacht!
[18] Die Gerechtigkeit wird siegen: Nicht den Ehrlichen, sondern den Gottlosen trifft das Unglück.[e]
[19] Lieber in einer einsamen und trostlosen Wüste leben als mit einer schlecht gelaunten Frau, die ständig nörgelt!
[20] Ein weiser Mensch kann mit seinem Reichtum gut umgehen, ein Dummkopf aber verschleudert ihn sofort.

---

[a] Wörtlich: und lässt das Rad über sie gehen.
[b] Wörtlich: Der Geist des Menschen ist eine Lampe von Gott.
[c] Wörtlich: die Leuchte der Gottlosen ist Sünde.
[d] Wörtlich: Der Gerechte. – Es könnte auch ein gerechter Herrscher gemeint sein.
[e] Wörtlich: Lösegeld für den Ehrlichen ist der Gottlose, an die Stelle des Aufrichtigen tritt der Unaufrichtige.

20,25 Pred 5,3–5; 4 Mo 30,3* **20,29** 16,31 **21,3*** 1 Sam 15,22* **21,9** 19,13; 21,19; 27,15–16 **21,14** 18,16 **21,17** 23,19–21 **21,19** 19,13; 21,9; 27,15–16

[21] Wer freundlich ist und andere gerecht behandelt, hat ein erfülltes Leben, er findet Anerkennung und Ehre.
[22] Der Kluge kann sogar eine gut bewachte Stadt erobern und alle Befestigungen niederreißen, auf die sich die Einwohner verlassen.
[23] Überlege deine Worte, und dir bleibt viel Ärger erspart!
[24] Wer sich über alles mit Spott hinwegsetzt, ist überheblich und eingebildet.
[25] Ein Faulpelz hat viele Wünsche, ist aber zu bequem, auch nur einen Finger krumm zu machen. Dieser Zwiespalt bringt ihn langsam um.
[26] Den ganzen Tag überlegt er, wie er für sich etwas bekommen kann; wer aber zu Gott gehört, der gibt gerne und knausert nicht.
[27] Gott verabscheut die Opfergaben der Gottlosen, erst recht, wenn sie damit schlechte Ziele verfolgen.
[28] Einem falschen Zeugen wird man auf Dauer nicht glauben; wer aber bei der Wahrheit bleibt, wird immer wieder angehört.
[29] Wer Gott missachtet, will durch ein überhebliches Gesicht Sorglosigkeit vortäuschen; aber nur ein aufrichtiger Mensch ist seiner Sache wirklich sicher.
[30] Die größte Weisheit, die tiefste Einsicht und die besten Pläne können nicht bestehen, wenn sie gegen Gott gerichtet sind.
[31] Man kann sich noch so gut auf einen Kampf vorbereiten – den Sieg schenkt Gott allein!

Wer andere ungerecht behandelt ...

22 Ein guter Ruf ist wertvoller als großer Reichtum; und beliebt sein ist besser, als Silber und Gold zu besitzen.
[2] Reiche und Arme haben eines gemeinsam: Gott, der Herr, schenkte ihnen das Leben.
[3] Der Kluge sieht das Unglück voraus und bringt sich in Sicherheit; ein Unerfahrener läuft hinein und muss die Folgen tragen.
[4] Wer Gott achtet und ihm gehorcht, besitzt Reichtum und Anerkennung und hat ein erfülltes Leben.
[5] Der Weg hinterlistiger Menschen ist verschlungen und dornenreich; wer sein Leben liebt, hält sich fern von ihnen!
[6] Erziehe dein Kind schon in jungen Jahren – es wird die Erziehung nicht vergessen, auch wenn es älter wird.
[7] Der Reiche hat die Armen in seiner Hand; denn wer sich Geld leiht, ist abhängig von seinem Gläubiger.
[8] Wer andere ungerecht behandelt, stürzt sich selbst ins Unglück; mit der Unterdrückung seiner Mitmenschen ist es dann vorbei!
[9] Wer Mitleid zeigt und den Armen hilft, den wird Gott segnen.
[10] Schicke den ewigen Spötter fort, dann haben Zank und Streit ein Ende!
[11] Wer ehrlich ist und treffende Worte findet, den nimmt der König zum Freund.
[12] Der Herr sorgt dafür, dass die Wahrheit siegt, denn er entlarvt die Worte der Lügner.
[13] Der Faulpelz findet immer eine Ausrede. »Ich kann nicht zur Arbeit gehen«, sagt er, »auf der Straße könnte ja ein Löwe sein, der mich anfällt und tötet!«
[14] Die verführerischen Worte einer fremden Frau sind so gefährlich wie eine tiefe Grube; wem Gott zürnt, der fällt hinein!
[15] Ein Kind, das nur Dummheiten im Kopf hat, wird durch Strenge zur Vernunft gebracht.
[16] Wer sich bei reichen Leuten mit Geschenken einschmeichelt oder wer den Armen unterdrückt, um sich Gewinn zu verschaffen, der wird schließlich im Elend enden.[a]

---

[a] Oder: Wer den Armen unterdrückt, macht ihn reich; wer dem Reichen gibt, macht ihn arm.

21,23 12,14; 18,20–21 **21,24** 9,12; 14,6 **21,27** 15,8–9; 28,9; 1 Sam 15,22* **21,28** 19,5.9; 5 Mo 19,18–19 **22,1** Pred 7,1 **22,5** 4,14–15; Ps 1,1 **22,8** Hiob 4,8 **22,9** 14,31* **22,11** 16,12–15 **22,14** 2,16–19* **22,15** 29,15.17

Dreißig Worte weiser Menschen

[17] Höre, ich will dir erzählen, was weise Menschen gesagt haben. Nimm dir meine Worte zu Herzen, [18] behalte sie immer im Gedächtnis und rede davon; sie werden dir helfen. [19] Ich unterrichte gerade dich, damit du es lernst, dem Herrn zu vertrauen. [20] Schon vor einiger Zeit habe ich dir meine Ratschläge aufgeschrieben, um dir Einsicht zu vermitteln.[a] [21] Sie werden dir zeigen, wie zuverlässig die Wahrheit ist. Dann wirst auch du gute Antworten geben können, wenn dich Menschen um Rat fragen.

1.

[22] Beraube nicht den Armen, der sich nicht wehren kann, und hintergehe keinen Hilflosen vor Gericht! [23] Denn der Herr sorgt für ihr Recht, und denen, die sie hintergehen, raubt er das Leben.

2.

[24] Lass dich nicht mit einem Jähzornigen ein, halte dich von einem Hitzkopf fern, [25] sonst übernimmst du seine Gewohnheiten und bringst dich selbst zu Fall!

3.

[26] Verpflichte dich nie durch einen Handschlag, für die Schulden eines anderen zu bürgen! [27] Denn wenn du dann selbst nicht bezahlen kannst, nimmt man dir sogar dein Bett weg!

4.

[28] Versetze niemals die Grenzsteine, die deine Vorfahren festgesetzt haben!

5.

[29] Kennst du jemanden, der geschickt ist bei seiner Arbeit? Er wird erfolgreich sein, und du wirst ihn nur bei einflussreichen Leuten finden.

6.

23 Wenn du mit einem mächtigen Herrn am Tisch sitzt, dann bedenke, wen du vor dir hast! [2] Beherrsche dich, selbst wenn du heißhungrig bist! [3] Stürze dich nicht auf seine Leckerbissen, denn wenn du meinst, sie seien dir zu Ehren aufgetischt, täuschst du dich selbst[b].

7.

[4] Versuche nicht, mit aller Gewalt reich zu werden, denn das ist unvernünftig! [5] Schneller, als ein Adler fliegen kann, ist dein Geld plötzlich weg – wie gewonnen, so zerronnen!

8.

[6] Iss nicht mit einem Geizhals, sei nicht begierig nach seinen Leckerbissen, [7] denn er ist berechnend und gönnt dir nichts. «Iss und trink nur!«, fordert er dich auf und verabscheut dich dabei. [8] Wenn du es merkst, wirst du erbrechen, was du gegessen hast; dann waren alle freundlichen Worte vergeudet!

9.

[9] Versuche nicht, einem Dummkopf etwas zu erklären; er wird deine Worte ohnehin nur verachten!

10.

[10] Versetze keine alten Grenzsteine, mache den Armen und Bedrängten niemals ihr Eigentum streitig[c]! [11] Der Herr ist ihr starker Befreier, er selbst wird gegen dich auftreten und ihnen Recht verschaffen.

11.

[12] Sei offen für Ermahnung, achte aufmerksam auf kluge Worte!

12.

[13] Erspare deinem Kind die harte Strafe nicht! Ein paar Hiebe werden es nicht

---

[a] Der hebräische Text ist nicht sicher zu deuten.
[b] Wörtlich: denn sie sind eine trügerische Speise.
[c] Wörtlich: dringe nicht in die Felder der Waisen ein.

22,22–23 2 Mo 22,21–26; 23,6–7 **22,24–25** 19,19 **22,26–27** 6,1–5; 11,15; 17,18; 20,16 **22,28** 23,10–11; 5 Mo 19,14; 27,17; 1 Kön 21; Mi 2,1–2 **23,9** 9,7–9; 16,22 **23,10–11** 22,28; 5 Mo 19,14; 27,17; 1 Kön 21; Mi 2,1–5 **23,13–14** 19,18

umbringen! [14]Im Gegenteil: du rettest sein Leben damit!

13.

[15]Mein Sohn, wenn du weise bist, dann freue ich mich darüber. [16]Wenn das auch deine Worte zeigen, bin ich glücklich.

14.

[17]Ereifere dich nicht über Menschen, die Schuld auf sich laden; sondern eifere danach, Gott zu gefallen! [18]Dann hast du eine gute Zukunft, und deine Hoffnung wird nicht enttäuscht.

15.

[19]Höre, mein Sohn, und werde weise! Bemühe dich, auf dem geraden Weg zu bleiben! [20]Halte dich fern von den Weinsäufern und Schlemmern! [21]Auf sie wartet die Armut; denn wer nur noch isst, trinkt und schläft, hat bald nichts als Lumpen am Leib!

16.

[22]Höre auf deinen Vater – er hat dich gezeugt! Und verachte deine Mutter nicht, wenn sie alt geworden ist!
[23]Bemühe dich um das wirklich Wichtige: Weisheit, Selbstbeherrschung und Einsicht. Sie sind schwer zu erwerben, gib sie daher nie wieder auf!
[24]Der Vater eines zuverlässigen Sohnes hat allen Grund zur Freude. Wie glücklich macht doch ein vernünftiger Sohn!
[25]Erfreue also deine Eltern!

17.

[26]Mein Sohn, vertraue dich mir an, und nimm dir mein Leben zum Vorbild! [27]Huren und Ehebrecherinnen sind so gefährlich wie ein tiefer Brunnen, schon mancher hat sich durch sie in den Tod gestürzt. [28]Sie lauern dir auf wie Räuber und verführen viele zur Untreue.

18.

[29]Bei wem sieht man Kummer und Klage? Bei wem Streit und Gejammer? Wer hat Wunden durch grundlose Schlägereien, wer hat trübe Augen? [30]Wer noch spät beim Wein sitzt und jede neue Sorte ausprobiert. [31]Lass dich nicht vom Wein verlocken, wenn er so rötlich schimmert, wenn er im Glas funkelt und so glatt die Kehle hinuntergleitet! [32]Denn zuletzt wirkt er wie der Biss einer giftigen Schlange. [33]Deine Augen sehen seltsame Dinge, deine Gedanken und Gefühle wirbeln durcheinander. [34]Es geht dir wie einem Seekranken auf hoher See – du fühlst dich wie im Mastkorb eines schaukelnden Schiffes. [35]»Man muss mich geschlagen haben«, sagst du, »aber es hat mir nicht wehgetan; ich bin verprügelt worden, aber ich habe nichts davon gemerkt! Wann wache ich endlich aus meinem Rausch auf? Ich brauche wieder ein Glas Wein!«

19.

24 Sei nicht neidisch auf böse Menschen, und bemühe dich nicht um ihre Freundschaft! [2]Denn sie trachten nur nach Gewalt, ihre Worte verletzen und richten Schaden an.

20.

[3]Wer ein Haus baut, braucht Weisheit und Verstand; [4]wer dazu noch Geschick besitzt, kann es mit wertvollen und schönen Dingen füllen.

21.

[5]Ein weiser Mann setzt seine Stärke richtig ein, und ein verständiger gebraucht seine Kraft sinnvoll. [6]Denn nur durch Überlegung führt man einen Kampf, und wo viele Ratgeber sind, da stellt sich der Sieg ein.

22.

[7]Für den Dummkopf ist Weisheit unerreichbar; wenn Wichtiges besprochen wird, dann bleibt ihm nur eins übrig: Schweigen!

23,17 Ps 37,1; 119,58 **23,19–21** 21,17 **23,22** 6,20–21* **23,23** 4,7 **23,24–25** 10,1; 15,20; 17,25 **23,26–28** 2,16–19* **24,1–2** 3,31–32

23.

[8] Wer nur darauf aus ist, Böses zu tun, der ist bald als Lump verschrien. [9] Wer Gemeines plant und sich nicht ermahnen lässt, macht sich schuldig; und wer für alles nur Spott übrig hat, zieht sich den Hass der Menschen zu.

24.

[10] Wenn du in der Not schwach und mutlos bist, dann bist du es auch sonst!

25.

[11] Rette die unschuldig zum Tode Verurteilten; befreie den, der zur Hinrichtung geschleppt wird! [12] Vielleicht sagst du: »Wir wussten doch nichts davon!« – aber du kannst sicher sein: Gott weiß Bescheid! Er sieht dir ins Herz! Jedem gibt er das, was er verdient.

26.

[13] Mein Sohn, iss Honig, denn das ist gut! So süß wie Honig für deinen Gaumen, [14] so wertvoll ist Weisheit für dein Leben. Suche sie, dann hast du eine gute Zukunft, und deine Hoffnungen werden nicht enttäuscht!

27.

[15] Du Gottloser, versuche nicht, mit List oder mit Gewalt einem ehrlichen Menschen Grund und Boden zu entreißen! [16] Denn der Aufrichtige mag zwar vom Unglück verfolgt werden, aber er steht immer wieder auf. Der Gottlose dagegen kommt darin um.

28.

[17] Freue dich nicht über das Unglück deines Feindes; juble nicht über seinen Sturz! [18] Denn der Herr sieht alles, und Schadenfreude missfällt ihm – er könnte deshalb sogar deinen Feind verschonen!

29.

[19] Sei nicht entrüstet über die Gottlosen, und ereifere dich nicht über sie! [20] Denn sie haben keine Zukunft – ihr Leben gleicht einem glimmenden Docht, der bald ganz erlischt.

30.

[21] Mein Sohn, ehre Gott und achte den König! Lass dich nicht mit Aufrührern ein, die gegen sie rebellieren! [22] Denn plötzlich können Gott oder der König alle ins Verderben stürzen!

Weitere Sprüche weiser Männer

[23] Auch folgende Sprüche stammen von weisen Männern:
Ein Richter muss immer unparteiisch sein! [24] Wenn er den Schuldigen für unschuldig erklärt, wird er vom Volk verachtet und gehasst. [25] Wenn er sich aber für das Recht einsetzt, dann genießt er Ansehen und Glück.
[26] Eine aufrichtige Antwort ist ein Zeichen echter Freundschaft, so wie ein Kuss auf die Lippen!
[27] Bestelle erst dein Feld, und sorge für deinen Lebensunterhalt, bevor du eine Familie gründest!
[28] Sage nicht ohne Grund als Zeuge gegen jemand aus, betrüge nicht mit deinen Worten!
[29] Sprich nicht: »Wie du mir, so ich dir! Ich zahle jedem heim, was er mir angetan hat!«

[30] Ich ging durch die Felder und Weinberge eines faulen und dummen Mannes. [31] Das Unkraut wucherte überall und bedeckte alles. Die Schutzmauer ringsum war schon verfallen. [32] Als ich das sah, dachte ich nach und zog eine Lehre daraus:
[33] »Lass mich noch ein bisschen schlafen«, sagst du, »nur noch ein kleines Weilchen!« –

24,11–12 Ps 82,2–4; Mt 16,27; Röm 2,6 **24,13–14** Pred 7,11–12 **24,17–18** Hiob 31,29–30 **24,19–20** 13,9; Hiob 18,5 **24,23–25** 17,15; 18,5; 5 Mo 1,16–17 **24,28** 2 Mo 20,16* **24,29** 20,22; 5 Mo 32,34–35; 1 Thess 5,15 **24,30–34** 6,9–11; 19,15; 20,13; 26,13–16

[34]und während du dich ausruhst, ist die Armut plötzlich da, und die Not überfällt dich wie ein Räuber.

Weitere Sprüche Salomos

25 Auch die folgenden Sprüche sind von König Salomo. Männer am Hof Hiskias, des Königs von Juda, haben sie gesammelt.

Wer sich nicht beherrschen kann ...

[2]Gott wird geehrt für das, was er verborgen hält; aber der König erlangt nur Ansehen, wenn er alles erforscht.
[3]So hoch der Himmel ist und so weit die Erde, so unergründlich sind die Gedanken des Königs.
[4]Entferne die Schlacken aus dem Silber, dann gestaltet der Schmied kunstvollen Schmuck daraus; [5]entferne die Verräter vom Hof des Königs, dann ist seine gerechte Herrschaft gesichert.
[6]Wenn du vor dem König stehst, dann spiel dich nicht auf, und halte dich nicht für die wichtigste Person! [7]Denn es ist besser, man gibt dir eine höhere Stellung, als dass du einem, der bedeutender ist als du, deinen Platz überlassen musst!
Wenn du etwas Verdächtiges gesehen hast, [8]geh nicht übereilt vor Gericht! Denn was machst du, wenn ein anderer Zeuge zeigt, dass du im Unrecht bist?
[9]Führst du einen Rechtsstreit mit deinem Nachbarn, dann zieh niemanden mit hinein, der dir im Vertrauen etwas mitgeteilt hat! Plaudere nicht die Geheimnisse aus, die ein anderer dir anvertraut hat; [10]denn sonst wird jeder wissen, dass du nichts für dich behalten kannst, und du kommst selbst ins Gerede!
[11]Wie goldene Äpfel auf einer silbernen Schale, so ist ein rechtes Wort zur rechten Zeit. [12]Auf die Ermahnung eines weisen Menschen zu hören ist so wertvoll wie der schönste Schmuck aus Gold!
[13]Ein zuverlässiger Bote ist für den, der ihn sendet, so erquickend wie ein kaltes Getränk[a] in der heißen Erntezeit.
[14]Wer sich selbst anpreist mit dem, was er zu bieten hat, und dann seine Versprechungen nicht hält, der gleicht den Wolken, die den ersehnten Regen nicht bringen.
[15]Durch Geduld wird ein Herrscher umgestimmt, und Sanftmut kann den stärksten Widerstand brechen.
[16]Wenn du Honig findest, dann iss nur so viel, wie dir bekommt; sonst wirst du ihn satt und musst dich am Ende noch übergeben! [17]Besuche deinen Nachbarn nicht zu oft, sonst wirst du ihm lästig, und er beginnt dich abzulehnen!
[18]Wer gegen seinen Nachbarn falsch aussagt, der richtet so großen Schaden an wie ein Hammer, ein Schwert oder ein spitzer Pfeil.
[19]In der Not auf einen Treulosen zu vertrauen – das ist so, als wollte man mit einem kranken Zahn kauen oder mit einem verkrüppelten Fuß gehen!
[20]Für einen Traurigen Lieder zu singen ist so unsinnig, als würde man im Winter den Mantel ausziehen oder Salz in eine Wunde streuen[b].
[21]Wenn dein Feind hungrig ist, dann gib ihm zu essen; ist er durstig, gib ihm zu trinken. [22]So wirst du ihn beschämen,[c] und der Herr wird dich belohnen.
[23]Nordwind bringt Regen – und heimliches Geschwätz bringt verdrießliche Gesichter!
[24]Lieber in einer kleinen Ecke unter dem Dach wohnen als in einem prächtigen Haus mit einer ständig nörgelnden Frau!
[25]Eine gute Nachricht aus der Ferne ist wie ein Schluck Wasser für eine durstige Kehle!
[26]Ein guter Mensch, der sich von einem

---

[a] Wörtlich: wie Schnee.
[b] Wörtlich: oder Essig auf Natron schütten.
[c] Wörtlich: So wirst du glühende Kohlen auf sein Haupt häufen.

25,6-7 Lk 14,7-11 **25,9-10** 11,13; 20,19 **25,11** 15,23 **25,15** 15,1 **25,21-22** 2 Mo 23,4-5; 2 Kön 6,21-23; Lk 6,27; Röm 12,20 **25,24** 19,13; 21,9.19; 27,15-16

Gottlosen beeinflussen lässt, ist so unbrauchbar wie eine trübe Quelle oder ein verschmutzter Brunnen.
[27] Zu viel Honig ist nicht gut – genauso spare mit anerkennenden Worten![a]
[28] Wer sich nicht beherrschen kann, ist so schutzlos wie eine Stadt ohne Mauer.

Ein Dummkopf

26 Ehre und Anerkennung passen zu einem Übermütigen so wenig wie Schnee zum Sommer oder Regen zur Erntezeit.
[2] Ein Fluch, der unbegründet ist, wird nicht eintreffen. Er gleicht den Vögeln, die fortfliegen und nicht wiederkommen.
[3] Die Peitsche für das Pferd, das Zaumzeug für den Esel – und der Stock für den Rücken des Menschen, der keine Vernunft annimmt!
[4] Antworte nicht auf eine dumme Frage, sonst begibst du dich auf die gleiche Ebene mit dem, der sie gestellt hat! [5] Oder gib die passende Antwort auf eine dumme Frage! So merkt der, der sie gestellt hat, dass er nicht so klug ist, wie er denkt.
[6] Wer eine Botschaft durch einen Unzuverlässigen überbringen lässt, der kann sich genauso gut die Füße abhacken – es bringt ihm nichts als Unglück!
[7] Ein Tagträumer kann mit einem Weisheitsspruch genauso wenig umgehen wie ein Lahmer mit seinen Beinen.
[8] Wer einem Übermütigen Ehre und Anerkennung erweist, handelt genauso sinnlos wie jemand, der einen Stein in der Schleuder festbindet.
[9] Der Betrunkene kann sich nicht erklären, wie ein Dorn in seine Hand geriet – genauso unerklärlich ist ein Weisheitsspruch im Mund eines Dummkopfs.
[10] So unverantwortlich wie ein Schütze, der wild um sich schießt, handelt, wer einen Unverständigen oder einen Dahergelaufenen für sich arbeiten lässt.
[11] Ein Tagträumer, der auf seiner Dummheit beharrt, gleicht einem Hund, der wieder frisst, was er herausgewürgt hat.
[12] Kennst du jemanden, der sich selbst für weise hält? Ich sage dir: Für einen Dummkopf gibt es mehr Hoffnung als für ihn!
[13] Der Faulpelz hat immer eine Ausrede: »Ich kann nicht zur Arbeit gehen«, sagt er, »auf der Straße könnte ja ein Löwe auf mich warten!«
[14] Die Tür dreht sich in der Angel – und der Faule in seinem Bett!
[15] Ein fauler Mensch streckt seine Hand nach dem Essen aus, aber er ist zu bequem, sie zurück zum Mund zu führen!
[16] Ein Faulpelz meint, es mit sieben Verständigen aufnehmen zu können.
[17] Wer sich in einen fremden Streit einmischt, handelt sich unnötig Ärger ein[b] wie jemand, der einen vorbeilaufenden Hund bei den Ohren packt.
[18] Wer einen anderen betrügt und dann sagt: »Ich habe doch nur Spaß gemacht!«, [19] der ist wie ein Verrückter, der mit tödlichen Waffen um sich schießt!
[20] Ohne Holz geht ein Feuer aus, und ohne Verleumder legt sich der Streit.
[21] Ein streitsüchtiger Mensch lässt den Zank aufflammen wie Kohle die Glut und Holz das Feuer.
[22] Das Geschwätz eines Verleumders ist so verlockend! Es wird begierig verschlungen wie ein Leckerbissen und bleibt für immer im Gedächtnis haften.
[23] Schmeichelnde Worte, die böse Gedanken verbergen, sind wie eine Silberglasur über billigem Tongeschirr.
[24] Ein gehässiger Mensch will andere täuschen und verstellt sich mit schönen Worten. [25] Darum traue ihm nicht, auch wenn seine Stimme noch so freundlich klingt, denn seine Seele ist mit Hass durchtränkt!
[26] Mag er seinen Hass auch durch Heuchelei verbergen – früher oder später kommt seine Bosheit vor aller Augen ans Licht!

---

a So mit der griechischen Übersetzung. Der hebräische Text ist nicht sicher zu deuten.
b »handelt … ein« ist sinngemäß eingefügt.

25,28 12,16; 19,11; 29,11 **26,1** 26,8 **26,6** 13,17 **26,8** 26,1 **26,9** 23,29–35 **26,12** 3,7; Jes 5,21; Röm 12,16 **26,13–16** 6,6–11; 10,26; 19,15; 24,30–34 **26,20–21** 15,18; 20,3; 22,10 **26,22–28** 6,12–15

[27]Wer anderen eine Grube gräbt, fällt selbst hinein; und wer mit Steinen wirft, wird selbst getroffen!
[28]Ein Lügner ist voller Hass und kennt kein Mitleid; wer andere verleumdet, bringt sie zu Fall.[a]

Liebe, die offen zurechtweist

27 Brüste dich nicht mit dem, was du morgen tun willst, denn du weißt nicht, was der Tag dir bringt!
[2]Überlass es anderen, dich zu loben! Es ist besser, ein Fremder rühmt dich, als du selbst!
[3]Schon ein Stein oder eine Karre Sand sind sehr schwer – aber der Ärger über einen Dummkopf wiegt mehr als beide zusammen!
[4]Heftiger Zorn und große Wut sind grausam – gegen die Eifersucht aber verblassen sie beide!
[5]Liebe, die offen zurechtweist, ist besser als Liebe, die sich ängstlich zurückhält.
[6]Ein Freund meint es gut, selbst wenn er dich verletzt; ein Feind aber schmeichelt dir mit übertrieben vielen Küssen.
[7]Wer satt ist, will auch den besten Honig nicht mehr sehen; dem Hungrigen aber schmeckt sogar das Bittere süß.
[8]Wer seine Heimat verlässt, ist wie ein Vogel, der seinem Nest entflieht.
[9]Duftendes Öl und Weihrauch erfreuen das Herz, aber noch angenehmer und wertvoller ist der gute Rat eines Freundes.
[10]Verlass niemals deinen Freund oder den Freund deines Vaters! Wenn du in Not gerätst, dann geh nicht bis zum Haus deines Bruders! Ein Nachbar in der Nähe kann dir besser helfen als der Bruder in der Ferne.
[11]Sei verständig, mein Sohn! Damit machst du mir Freude, und ich kann denen entgegentreten, die meine Arbeit verachten.
[12]Der Kluge sieht das Unglück voraus und bringt sich in Sicherheit; ein Unerfahrener rennt mitten hinein und muss die Folgen tragen.
[13]Wenn jemand so unüberlegt war, für die Schulden eines Fremden zu bürgen, dann nimm von seinem Besitz etwas als Pfand!
[14]Wenn jemand seinen Nachbarn frühmorgens mit lauter Stimme begrüßt, dann wird es ihm als Verwünschung ausgelegt.
[15]Eine Frau, die ständig nörgelt, ist so unerträglich wie ein tropfendes Dach bei Dauerregen! [16]Sie zum Schweigen zu bringen, ist so sinnlos, wie den Wind zu fangen oder Öl mit den Händen zu halten!
[17]Wie man Eisen durch Eisen schleift, so schleift ein Mensch den Charakter eines anderen.
[18]Wer seinen Feigenbaum pflegt, kann die Früchte ernten; wer sich für seinen Herrn einsetzt, der findet Anerkennung.
[19]Im Wasser spiegelt sich dein Gesicht, und in deinen Gedanken und Gefühlen erkennst du dich selbst!
[20]Der Abgrund des Totenreiches ist unersättlich – ebenso die Augen des Menschen: sie wollen immer mehr!
[21]Gold und Silber werden im Ofen und im Tiegel geprüft, der Prüfstein eines Menschen ist sein Ruf.
[22]Du kannst einen Unverständigen noch so lange schlagen[b] – seine Dummheit wirst du doch nicht aus ihm herausprügeln!
[23]Kümmere dich um deine Viehherden, sorge für deine Schafe und Ziegen, [24]denn Reichtum bleibt nicht für immer, und selbst Königreiche vergehen! [25]Mähe die Wiesen, damit frisches Gras nachwachsen kann, und hole das Heu von den Bergen! [26]Aus der Wolle der Schafe kannst du Kleider anfertigen, und von dem Geld, das du für die Ziegenböcke

---

[a] Wörtlich: Eine Lügenzunge hasst die von ihr Zermalmten, und ein glatter Mund bereitet Sturz.
[b] Wörtlich: Wenn du auch den Unverständigen mit dem Stößel im Mörser mitten unter den Körnern zerstampfen würdest.

26,27 Ps 7,13–17* **27,1** Jak 4,13–15 **27,5–6** Ps 141,5 **27,10** 17,17; 18,24 **27,13** 6,1–5; 11,15; 17,18; 20,16 **27,15–16** 19,13; 21,9.19 **27,20** 30,15–16 **27,21** 22,1 **27,23–27** 12,10–11; 28,19

bekamst, kaufst du neues Land. [27] Die Ziegen geben Milch für dich und deine Familie und für alle deine Bediensteten.

Glücklich ist, wer Gott gehorcht

28 Wer sich von Gott losgesagt hat, ist auf der Flucht, auch wenn niemand ihn verfolgt; wer aber Gott gehorcht, fühlt sich sicher wie ein Löwe.
[2] Wenn ein Volk sich in Schuld verstrickt, dann spielen viele sich als Herrscher auf. Aber durch einen vernünftigen und einsichtsvollen Mann an der Spitze herrschen Recht und Ordnung.
[3] Ein Armer, der die Armen ausbeutet, ist so schrecklich wie ein Unwetter, das den Ackerboden wegschwemmt und die Ernte verdirbt.
[4] Wer Gottes Gesetz nicht beachtet, lobt den, der Unrecht tut. Wer sich aber an das Gesetz hält, bekämpft die Gottlosen.
[5] Böse Menschen verstehen nicht, was richtig und gut ist; wer aber dem Herrn dient, weiß, worauf es ankommt.
[6] Lieber arm sein und ehrlich leben, als reich sein und betrügen!
[7] Ein junger Mann, der das Gesetz Gottes beachtet, ist klug. Wer aber mit Verschwendern Umgang pflegt, macht seinen Eltern Schande.
[8] Wer seinen Reichtum durch Aufpreis und Zinsen vermehrt, muss sein Vermögen einmal dem überlassen, der den Armen hilft.
[9] Wer auf Gott nicht hören will, den will auch Gott nicht hören – sein Gebet ist Gott zuwider!
[10] Wer aufrichtige Menschen dazu verführt, Böses zu tun, wird in seine eigene Falle stürzen. Der Ehrliche aber wird reich belohnt.
[11] Der Reiche hält sich selbst für klug, aber ein Armer, der Verstand besitzt, durchschaut ihn.
[12] Wenn Menschen, die Gott gehorchen, an die Macht kommen, brechen herrliche Zeiten an; aber wenn Gottlose regieren, verstecken sich die Leute.
[13] Wer seine Sünden vertuscht, hat kein Glück; wer sie aber bekennt und meidet, über den erbarmt sich der Herr.
[14] Glücklich ist, wer Gott zu jeder Zeit gehorcht! Wer sich aber innerlich verhärtet, wird ins Unglück stürzen.
[15] Ein Herrscher, der Gott missachtet, gleicht einem brüllenden Löwen und einem gereizten Bären – ein armes Volk ist machtlos gegen ihn!
[16] Ein Machthaber ohne Verstand beutet seine Untergebenen aus; wer aber unehrlich erworbenen Gewinn hasst, der hat ein langes Leben.
[17] Ein Mörder ist bis zu seinem Tode immer auf der Flucht – niemand soll ihn dabei aufhalten!
[18] Wer ehrlich ist, dem wird immer geholfen; wer aber krumme Wege geht, wird plötzlich zu Fall kommen.
[19] Wer seine Felder bestellt, hat genug zu essen; wer unsicheren Geschäften nachjagt, auf den wartet die Armut!
[20] Ein zuverlässiger Mensch wird reich beschenkt; doch wer sich um jeden Preis bereichern will, bleibt nicht ungestraft.
[21] Es ist nicht gut, parteiisch zu sein; aber manch einer lässt sich schon für einen Bissen Brot zum Unrecht verleiten!
[22] Ein neidischer Mensch giert nach Reichtum und weiß nicht, dass Armut über ihn kommen wird!
[23] Wer einen anderen zurechtweist, wird letzten Endes mehr Dank bekommen als jemand, der den Leuten nur nach dem Munde redet.
[24] Wer Vater oder Mutter beraubt und sagt: »Das ist kein Unrecht!«, der ist nicht besser als ein Verbrecher!
[25] Habgier führt zu Streit; wer aber dem Herrn vertraut, dem fehlt nichts.
[26] Wer sich nur auf seinen Verstand verlässt, ist ein Dummkopf. Gestalte dein Leben nach der Weisheit, die Gott gibt, dann bist du in Sicherheit!

28,4–5 5 Mo 12,28; 1 Kön 18,18 **28,6** 10,9; 11,5; 16,8 **28,8** 2 Mo 22,24; 3 Mo 25,35–37 **28,9** 15,8; 21,27; 1 Sam 15,22* **28,10** Ps 7,13–17* **28,12** 11,11; 28,28; 29,2 **28,13** Ps 85,3* **28,18.20** 10,9; 11,5; 16,17 **28,22** 1 Tim 6,8–10 **28,24** 2 Mo 20,12*; Mt 15,4–6 **28,25** Ps 119,36; Lk 12,15; 1 Tim 6,10 **28,26** 1,7*; Hiob 12,12–13; 28,12–28

[27] Hilf dem Armen, dann wirst du selbst nie Mangel leiden! Wenn du deine Augen vor der Not verschließt, werden viele dich verfluchen.
[28] Wenn gottlose Herrscher regieren, verstecken sich die Leute. Doch wenn sie umkommen, leben alle, die Gott gehorchen, wieder auf.

Ein Volk braucht weise Menschen

29 Wer oft ermahnt wird und trotzdem eigensinnig bleibt, der nimmt plötzlich ein schreckliches Ende – ohne jede Hoffnung auf Rettung!
[2] Wenn Menschen, die Gott gehorchen, die Herrschaft ausüben, freut sich ein Volk. Wenn aber ein gottloser Herrscher regiert, kann es nur noch stöhnen.
[3] Wenn du Weisheit liebst, machst du deinen Eltern Freude. Wenn du dich mit Huren einlässt, verschleuderst du dein Vermögen!
[4] Wenn ein König das Recht beachtet, lebt sein Volk in Glück und Sicherheit; doch wenn er immer neue Steuern aus ihnen herauspresst, richtet er das Land zugrunde.
[5] Wer andere mit schmeichelnden Worten umgarnt, breitet ein Fangnetz vor ihren Füßen aus.
[6] Der Böse verstrickt sich immer tiefer in seine Schuld; wer aber Gott gehorcht, singt vor Freude und Glück!
[7] Wer Gott liebt, verhilft den Armen zu ihrem Recht; doch der Gottlose empfindet für sie kein Mitgefühl.
[8] Spötter bringen die ganze Stadt in Aufruhr, weise Menschen jedoch wenden den Zorn ab.
[9] Wenn ein verständiger Mensch mit einem unverbesserlichen einen Rechtsstreit führt, dann lacht dieser nur, oder er fängt an zu toben – aber sagen lässt er sich nichts!
[10] Mörder hassen jeden Unschuldigen; ehrliche Menschen aber setzen alles ein, um das Leben der Unschuldigen zu retten.
[11] Nur ein Dummkopf lässt seinem Zorn freien Lauf, ein Verständiger hält seinen Unmut zurück.
[12] Wenn ein Herrscher auf die Worte von Lügnern hört, werden alle seine Untergebenen zu Betrügern!
[13] Der Arme und sein Ausbeuter haben eins gemeinsam: Gott gab beiden das Augenlicht!
[14] Wenn ein König die Armen gerecht behandelt, dann steht seine Regierung fest und sicher.
[15] Strenge Erziehung bringt ein Kind zur Vernunft. Ein Kind, das sich selbst überlassen wird, macht seinen Eltern Schande.
[16] Je mehr gottlose Menschen, desto mehr Verbrechen. Wer aber Gott vertraut, wird den Untergang dieser Leute erleben.
[17] Erziehe dein Kind mit Strenge! Dann wird es dir viel Freude machen.
[18] Ohne die Weisung von Propheten verwildert ein Volk; doch es blüht auf, wenn es Gottes Gesetz befolgt!
[19] Einen Sklaven kannst du nicht mit Worten allein ermahnen. Er versteht sie zwar, aber er wird sie nicht beachten.
[20] Kennst du jemanden, der redet, ohne vorher überlegt zu haben? Ich sage dir: Für einen Dummkopf gibt es mehr Hoffnung als für ihn!
[21] Wenn du einen Sklaven von Anfang an verwöhnst, wird er sich schließlich über dich erheben!
[22] Wer schnell aufbraust, ruft Streit hervor; und ein Jähzorniger lädt viel Schuld auf sich!
[23] Wer hochmütig ist, wird schließlich erniedrigt werden; der Bescheidene dagegen wird geehrt.
[24] Wer mit einem Dieb die Beute teilt, der muss lebensmüde sein! Er hört den Fluch des Gerichts, aber anzeigen kann er den Räuber nicht.

28,27 14,31* **28,28** 11,11; 28,12; 29,2 **29,1** 15,10 **29,2** 11,10–11; 28,12.28 **29,3** 10,1; Lk 15,11–32 **29,4** 1 Kön 12,1–16 **29,7** 14,31* **29,11** 12,16; 14,29 **29,12** 16,12–13 **29,14** 14,31*; 20,28; Ps 72,1–5 **29,15.17** 19,18; 22,6.15; 1 Kön 1,5–6 **29,20** 26,12; Mt 12,36; Jak 1,19 **29,22** 12,16; 15,18; 19,19; Pred 7,9 **29,23** 11,2; 18,12

[25] Wer das Urteil der Menschen fürchtet, gerät in ihre Abhängigkeit; wer dem Herrn vertraut, ist gelassen und sicher.
[26] Viele suchen die Gunst eines Herrschers, doch der Herr allein verschafft jedem Recht!
[27] Wer Gott liebt, verabscheut den Übeltäter. Wer Gott missachtet, verabscheut den Aufrichtigen.

Worte Agurs

30 Folgende Worte stammen von Agur, dem Sohn Jakes aus Massa. Dieser Mann sagte:
Ich habe mich abgemüht, o Gott, ich habe mich abgemüht und bin am Ende![a] [2] Denn ich bin dümmer als jeder andere Mensch und besitze keinen Verstand. [3] Ich habe keine Weisheit erlangt, ich weiß fast nichts über den lebendigen Gott und bin mit ihm nicht vertraut.

[4] Sag mir: Wer ist jemals zum Himmel hinauf- und wieder hinabgestiegen? Wer hat den Wind mit seinen Händen gezähmt oder die Wassermassen gebändigt? Wer setzte die Grenzen der Erde fest? Wenn du einen solchen Menschen kennst, dann nenn mir seinen Namen und den seines Sohnes!

[5] Was Gott sagt, ist wahr und zuverlässig; er beschützt alle, die Schutz bei ihm suchen.
[6] Füge seinen Worten nichts hinzu, sonst zieht er dich zur Rechenschaft, und du stehst als Lügner da!

[7] Herr, ich bitte dich um zweierlei, erfülle mir doch diese Bitten, solange ich lebe: [8] Bewahre mich davor, zu lügen und zu betrügen, und lass mich weder arm noch reich sein! Gib mir nur so viel, wie ich zum Leben brauche! [9] Denn wenn ich zu viel besitze, bestreite ich vielleicht, dass ich dich brauche, und frage: »Wer ist denn schon der Herr?« Wenn ich aber zu arm bin, werde ich vielleicht zum Dieb und bereite dir, meinem Gott, damit Schande!

[10] Mach einen Diener bei seinem Herrn nicht schlecht, sonst verflucht er dich, und du musst es büßen!

[11] Was müssen das für Leute sein, die ihren Vater verfluchen und ihre Mutter missachten!
[12] Was müssen das für Leute sein, die sich selbst für untadelig halten und doch besudelt sind mit ihrer Schuld!
[13] Was müssen das für Leute sein, die hochmütig und überheblich auf andere herabschauen!
[14] Was müssen das für Leute sein, die alle Armen und Hilflosen rücksichtslos ausbeuten und von der Erde vertilgen[b]!

[15] Manche Leute sind wie Blutegel: »Gib her, gib her!«, fordern sie und saugen andere damit aus.[c]
Drei sind unersättlich, und auch das Vierte bekommt niemals genug:[d] [16] das Reich der Toten, eine unfruchtbare Frau, die gerne Kinder haben möchte, trockener Boden, der nach Regen dürstet, und das Feuer, das gierig immer weiterfrisst.
[17] Wer spöttisch auf seinen Vater herabsieht und seiner Mutter nicht gehorchen will, dem werden die Raben die Augen

---

[a] Der hebräische Text ist nicht sicher zu deuten. Man kann auch übersetzen: aus Massa. Ausspruch des Mannes zu Itiel, zu Itiel und Ukal.
[b] Wörtlich: deren Zähne Schwerter sind und Messer ihr Gebiss, um wegzufressen die Elenden von der Erde und die Armen weg aus der Mitte der Menschheit.
[c] Wörtlich: Der Blutegel hat zwei Töchter: Gib her, gib her!
[d] Es handelt sich hier um einen so genannten »Zahlenspruch«: Verschiedene Beispiele werden zusammengestellt und an ein bestimmtes Zahlenschema gebunden.

30,4 Hiob 38,5; Jes 40,12 **30,5** Ps 18,31* **30,7–9** 1 Tim 6,6–10 **30,15–16** 27,20 **30,17** 6,20–21*; 19,26; 20,20; 2 Mo 20,12*

aushacken, und die Geier werden ihn auffressen!
[18]Drei Dinge sind mir rätselhaft, und auch das Vierte verstehe ich nicht: [19]der Flug des Adlers am Himmel, das Schleichen der Schlange über einen Felsen, die Fahrt des Schiffes über das tiefe Meer und die Liebe zwischen Mann und Frau!
[20]So benimmt sich eine untreue Frau: Sie schläft mit einem anderen Mann, wäscht sich und sagt:[a] »Ich habe doch nichts Böses getan!«
[21]Durch drei Begebenheiten wird ein Land erschüttert, und auch das Vierte kann es nicht ertragen: [22]wenn ein Sklave König wird, wenn ein Unverständiger Reichtum erlangt, [23]wenn eine von allen verschmähte Frau geheiratet wird und wenn eine Sklavin die Herrin aus ihrer Stellung verdrängt.
[24]Vier Tiere sind sehr klein und doch überaus klug: [25]die Ameisen – sie sind ein schwaches Volk, und doch legen sie im Sommer einen Vorrat an; [26]die Klippdachse – sie sind nicht kräftig, aber sie bauen ihren Unterschlupf in den unzugänglichen Felsklüften; [27]die Heuschrecken – sie haben zwar keinen König, aber sie ziehen in geordneten Scharen aus; [28]die Eidechsen – du kannst sie mit den Händen fangen, und doch findest du sie in Palästen!
[29]Drei schreiten stolz umher, und auch der Vierte hat einen majestätischen Gang: [30]der Löwe, König der Tiere, der vor nichts Angst hat; [31]ein Hahn, der umherstolziert; ein Ziegenbock und ein König, der sein Heer anführt.
[32]Wenn du meinst, du seist besser als andere, ob zu Recht oder zu Unrecht, dann halte den Mund, und schweig lieber! [33]Denn wenn man Milch schlägt, gibt es Butter; schlägt man die Nase, kommt Blut heraus; und reizt man den Zorn, dann gibt es Streit!

Worte Lemuels

31 Folgende Worte stammen von König Lemuel; seine Mutter gab sie ihm mit auf den Weg.[b] [2]Sie sagte: »Du bist mein Sohn – ich habe Gott um einen Sohn gebeten, und du bist die Antwort! Was soll ich dir raten? [3]Lass nicht deine ganze Kraft bei den Frauen, das hat schon viele Könige zu Fall gebracht[c]!
[4]Höre, Lemuel, ein König soll sich nicht betrinken und dem Wein nicht ergeben sein! [5]Er könnte sonst im Rausch das Recht vernachlässigen und die Not der Bedürftigen vergessen. [6]Gebt den Wein lieber denen, die dahinsiechen und verbittert sind! [7]Lasst sie trinken und im Rausch ihre Armut und Mühsal vergessen!
[8]Du aber tritt für die Leute ein, die sich selbst nicht verteidigen können! Schütze das Recht der Hilflosen! [9]Sprich für sie, und regiere gerecht! Hilf den Armen und Unterdrückten!«

Ein Loblied auf die tatkräftige Frau

[10]Eine tüchtige Frau – wer findet sie schon? Sie ist wertvoller als viele Juwelen! [11]Ihr Mann kann sich auf sie verlassen, sie bewahrt und vergrößert seinen Besitz. [12]Ihr Leben lang tut sie ihm Gutes, niemals fügt sie ihm Leid zu.
[13]Sie besorgt sich Wolle und Flachs und verarbeitet es mit geschickten Händen.
[14]Von weit her schafft sie Nahrung herbei, wie ein Handelsschiff aus fernen Ländern.
[15]Noch vor Tagesanbruch steht sie auf und bereitet das Essen; den Mägden sagt sie, was zu tun ist. [16]Sie hält Ausschau nach einem ertragreichen Feld und kauft es; von dem Geld, das ihre Arbeit einbringt, pflanzt sie einen Weinberg.
[17]Unermüdlich und voller Tatkraft ist sie bei der Arbeit; was getan werden muss,

---

[a] Wörtlich: Sie isst, wäscht ihren Mund und sagt.
[b] Oder: Folgende Worte stammen von Lemuel, König von Massa.
[c] Oder: und sei nicht darauf aus, viele Könige zu Fall zu bringen.

30,23 1 Mo 16,1–5 **30,24–28** 6,6–8 **30,32** 27,2 **31,4–7** 20,1; 23,29–35 **31,8–9** 29,14; 3 Mo 19,15; Ps 72,1–4; Jer 22,16 **31,10–11** 12,4; 19,14

das packt sie an! [18]Sie merkt, dass ihr Fleiß Gewinn bringt; beim Licht der Lampe arbeitet sie bis spät in die Nacht. [19]Ihre Stoffe webt und spinnt sie selbst. [20]Sie erbarmt sich über die Armen und gibt den Bedürftigen, was sie brauchen. [21]Den kalten Winter fürchtet sie nicht, denn ihre ganze Familie hat Kleider aus guter und warmer Wolle. [22]Sie fertigt schöne Decken an, und ihre Kleider macht sie aus feinem Leinen und purpurroter Seide.

[23]Ihr Mann ist überall bekannt, und was er sagt, hat großes Gewicht im Rat der Stadt.

[24]Sie näht Kleidung aus wertvollen Stoffen und verkauft sie, ihre selbst gemachten Gürtel bietet sie den Händlern an.

[25]Sie ist eine würdevolle und angesehene Frau, zuversichtlich blickt sie in die Zukunft. [26]Sie redet nicht gedankenlos, und ihre Anweisungen gibt sie freundlich. [27]Sie kennt und überwacht alles, was in ihrem Haus vor sich geht – nur Faulheit kennt sie nicht!

[28]Ihre Söhne reden voller Stolz von ihr, und ihr Mann lobt sie mit überschwänglichen Worten: [29]»Es gibt wohl viele gute und tüchtige Frauen, aber du übertriffst sie alle!«

[30]Anmut kann täuschen, und Schönheit vergeht wie der Wind – doch wenn eine Frau Gott gehorcht, verdient sie Lob! [31]Rühmt sie für ihre Arbeit und Mühe! In der ganzen Stadt soll sie für ihre Taten geehrt werden!

31,23 Hiob 29,7–11 **31,26** 29,20 **31,30** Pred 11,10

Der Prediger Salomo

Es gibt nichts Neues unter der Sonne

1 In diesem Buch sind die Worte des Predigers aufgeschrieben. Er war ein Sohn Davids und herrschte als König in Jerusalem.

[2]Alles ist vergänglich und vergeblich, sagte der Prediger, nichts hat Bestand, ja, alles ist völlig sinnlos! [3]Der Mensch plagt sich ab sein Leben lang, doch was bringt es ihm ein? Hat er irgendeinen Gewinn davon? [4]Generationen kommen und gehen, nur die Erde bleibt für alle Zeiten bestehen! [5]Die Sonne geht auf und wieder unter, dann eilt sie dorthin, wo sie aufs Neue aufgeht. [6]Der Wind weht bald von Norden, bald von Süden, ruhelos dreht er sich, schlägt ständig um und kommt dann am Ende wieder aus der alten Richtung. [7]Unaufhörlich fließen die Flüsse, sie alle münden ins Meer, und doch wird das Meer niemals voll.

[8]Nichts kann der Mensch vollkommen in Worte fassen, so sehr er sich auch darum bemüht! Das Auge sieht sich niemals satt, und auch das Ohr hat nie genug gehört. [9]Was früher geschehen ist, wird wieder geschehen; was man früher getan hat, wird man wieder tun: Es gibt nichts Neues unter der Sonne! [10]Zwar sagt man ab und zu: »So etwas ist noch nie da gewesen!«, aber auch dies hat es schon einmal gegeben, in längst vergangenen Zeiten! [11]Niemand denkt mehr an das, was früher geschehen ist, und auch an die Taten unserer Nachkommen werden sich deren Kinder einmal nicht mehr erinnern.

Lohnt es sich, alles zu erforschen?

[12]Ich, der Prediger, war König von Israel und regierte in Jerusalem. [13]Ich gab mir viel Mühe, alles auf der Welt mit meiner Weisheit zu erforschen und zu begreifen. Doch was für eine große Last ist das! Gott hat sie den Menschen auferlegt, sie sollen sich damit abmühen! [14]Ich beobachtete, was auf der Welt geschieht, und erkannte: Alles ist vergebliche Mühe – gerade so, als wollte man den Wind einfangen. [15]Was krumm gewachsen ist, kann man nicht gerade biegen, und was nicht da ist, kann man nicht zählen.

[16]Ich überlegte und sagte mir: »Ich habe große Weisheit erlangt und viel Wissen erworben, mehr als jeder andere, der vor mir in Jerusalem regierte.« [17]Doch dann dachte ich darüber nach, was die Weisheit ausmacht und worin sie sich von Unvernunft und Verblendung unterscheidet, und ich erkannte: Wer sich um Weisheit bemüht, kann genauso gut versuchen, den Wind einzufangen! [18]Je größer die Weisheit, desto größer der Kummer; und wer sein Wissen vermehrt, der vermehrt auch seinen Schmerz.

Was ist der Sinn?

2 Also sagte ich mir: »Versuch fröhlich zu sein und das Leben zu genießen!« Doch ich merkte, dass auch dies sinnlos ist. [2]Mein Lachen erschien mir töricht, und das Vergnügen – was hilft es schon? [3]Da nahm ich mir vor, mich mit Wein zu berauschen und so zu leben wie die Unverständigen – doch bei allem sollte die Weisheit mich führen. Ich wollte herausfinden, was für die Menschen gut ist und ob sie in der kurzen Zeit ihres Lebens irgendwo Glück finden können.

[4]Ich schuf große Dinge: Ich baute mir Häuser und pflanzte Weinberge. [5]Ich legte Ziergärten und riesige Parks für mich

---

1,2 Ps 39,5–7* **1,3** 2,22–23 **1,9** 3,15 **1,17** 7,25

an und bepflanzte sie mit Fruchtbäumen aller Art. [6]Ich baute große Teiche, um den Wald mit seinen jungen Bäumen zu bewässern. [7]Ich erwarb Knechte und Mägde zu denen hinzu, die schon lange bei uns lebten und zu Zeiten meines Vaters in unserem Haus geboren wurden. Ich besaß größere Rinder- und Schafherden als alle, die vor mir in Jerusalem regiert hatten. [8]Meine Schatzkammern füllte ich mit Silber und Gold, mit Schätzen aus anderen Königreichen. Ich ließ Sänger und Sängerinnen an meinen Hof kommen und hatte alle Frauen[a], die ein Mann sich nur wünschen kann.

[9]So wurde ich berühmter und reicher als jeder, der vor mir in Jerusalem regiert hatte, und meine Weisheit verlor ich dabei nicht. [10]Ich gönnte mir alles, was meine Augen begehrten, und erfüllte mir jeden Herzenswunsch. Meine Mühe hatte sich gelohnt: Ich war glücklich und zufrieden.

[11]Doch dann dachte ich nach über das, was ich erreicht hatte, und wie hart ich dafür arbeiten musste, und ich erkannte: Alles war letztendlich sinnlos – als hätte ich versucht, den Wind einzufangen! Es gibt auf dieser Welt keinen bleibenden Gewinn.

Auf alle wartet das gleiche Schicksal

[12]Ich überlegte: Worin unterscheidet sich der Weise vom Unverständigen und Verblendeten? Was wird der Mann tun, der einmal als mein Nachfolger auf dem Königsthron sitzen wird? Was schon jeder vor ihm getan hat?

[13]Ja, ich weiß, dass man sagt: »Weisheit ist besser als Unvernunft, so wie Licht besser ist als Finsternis. [14]Der Weise läuft mit offenen Augen durch die Welt, doch der Unvernünftige tappt im Dunkeln.« Und trotzdem wartet auf beide das gleiche Los! [15]Als ich das erkannte, fragte ich mich: Wenn mich das gleiche Schicksal trifft wie den Unverständigen – wozu habe ich dann überhaupt nach Weisheit gesucht? Da begriff ich, dass auch das Streben nach Weisheit sinnlos ist. [16]Denn später erinnert sich niemand mehr an den Weisen, genauso wenig wie an den Unwissenden. Wie bald sind beide vergessen – der Tod macht keinen Unterschied!

[17]Da begann ich das Leben zu verabscheuen, alles auf der Welt war mir zuwider. Denn es ist so sinnlos, als wollte man den Wind einfangen. [18]Auch mein Besitz, für den ich mich mein Leben lang abgemüht hatte, war mir verleidet, denn ich begriff, dass ich einmal alles meinem Nachfolger hinterlassen muss. [19]Und wer weiß schon, ob der weise oder töricht sein wird? Doch er wird alles besitzen, was ich durch meine Arbeit und mein Wissen erworben habe. Wie sinnlos!

[20]Als ich das erkannte, begann ich zu verzweifeln, weil ich mich mein Leben lang so geplagt hatte. [21]Da hat man mit seinem Wissen, seinen Fähigkeiten und seinem Fleiß etwas erreicht und muss es dann an einen anderen abtreten, der sich nie darum gekümmert hat! Das ist so sinnlos und ungerecht! [22]Denn was bleibt dem Menschen von seiner Mühe und von all seinen Plänen? [23]Sein Leben lang hat er nichts als Ärger und Sorgen, sogar nachts findet er keine Ruhe! Und doch ist alles vergeblich.

[24]Das Beste, was ein Mensch da tun kann, ist: essen und trinken und die Früchte seiner Arbeit genießen. Doch das kann nur Gott ihm schenken! [25]Denn wer kann essen und genießen ohne ihn? [26]Dem Menschen, der ihm gefällt, gibt er Weisheit, Erkenntnis und Freude. Doch wer Gott missachtet, den lässt er sammeln und anhäufen, um dann alles dem zu geben, den er liebt. Dann war die ganze Mühe des einen vergeblich, als hätte er versucht, den Wind einzufangen!

---

[a] Das Wort, das hier mit »Frauen« übersetzt wird, ist nicht sicher zu deuten.

2,14–16 6,3–6; 9,1–3; Ps 49,11 **2,22–23** 1,3; Hiob 7,1–4 **2,24–25** 3,12.22; 5,17–19; 8,15; 9,7–10

Alles hat seine Zeit

3 Jedes Ereignis, alles auf der Welt hat seine Zeit:

[2] Geborenwerden und Sterben,
Pflanzen und Ausreißen,
[3] Töten und Heilen,
Niederreißen und Aufbauen,
[4] Weinen und Lachen,
Klagen und Tanzen,
[5] Steinewerfen und Steinesammeln,
Umarmen und Loslassen,
[6] Suchen und Finden,
Aufbewahren und Wegwerfen,
[7] Zerreißen und Zusammennähen,
Reden und Schweigen,
[8] Lieben und Hassen,
Krieg und Frieden.

[9] Was also hat der Mensch davon, dass er sich abmüht?

[10] Ich habe erkannt: Gott legt ihm diese Last auf, damit er schwer daran zu tragen hat. [11] Für alles auf der Welt hat Gott schon vorher die rechte Zeit bestimmt. In das Herz des Menschen hat er den Wunsch gelegt, nach dem zu fragen, was ewig ist. Aber der Mensch kann Gottes Werke nie voll und ganz begreifen.

[12] So kam ich zu dem Schluss, dass es für den Menschen nichts Besseres gibt, als sich zu freuen und das Leben zu genießen. [13] Wenn er zu essen und zu trinken hat und sich über die Früchte seiner Arbeit freuen kann, ist das allein Gottes Geschenk.

[14] Ich begriff, dass Gottes Werk für immer bestehen wird. Niemand kann etwas hinzufügen oder wegnehmen. Damit bewirkt Gott, dass die Menschen Ehrfurcht vor ihm haben. [15] Was immer sich auch ereignet oder noch ereignen wird – alles ist schon einmal da gewesen. Gott lässt von neuem geschehen, was in Vergessenheit geriet.

Was ist der Mensch?

[16] Ich habe beobachtet, wie es auf dieser Welt zugeht: Wo man eigentlich Recht sprechen und gerechte Urteile fällen sollte, herrscht schreiende Ungerechtigkeit. [17] Doch dann dachte ich: Am Ende wird Gott den Schuldigen richten und dem Unschuldigen zum Recht verhelfen. Denn dafür hat er eine Zeit vorherbestimmt, so wie für alles auf der Welt.

[18] Ich habe begriffen, dass Gott die Menschen prüft. Sie sollen erkennen: Nichts unterscheidet sie von den Tieren. [19] Denn auf Mensch und Tier wartet das gleiche Schicksal: Beiden gab Gott das Leben, und beide müssen sterben. Der Mensch hat dem Tier nichts voraus, denn auch er ist vergänglich. [20] Sie alle gehen an denselben Ort – aus dem Staub der Erde sind sie entstanden, und zum Staub der Erde kehren sie zurück. [21] Wer weiß schon, ob der Geist des Menschen wirklich nach oben steigt, der Geist des Tieres aber in die Erde hinabsinkt?

[22] So erkannte ich: Ein Mensch kann nichts Besseres tun, als die Früchte seiner Arbeit zu genießen – das ist sein einziger Lohn. Denn niemand kann sagen, was nach dem Tod geschehen wird!

Selbst den Toten geht es besser!

4 Dann wieder sah ich, wie viele Menschen auf dieser Welt ausgebeutet werden. Die Unterdrückten weinen, und niemand setzt sich für sie ein. Keiner hilft ihnen, denn ihre Unterdrücker sind zu mächtig und schrecken auch vor Gewalt nicht zurück. [2] Wie glücklich sind doch die Toten, sie haben es viel besser als die Lebenden! [3] Noch besser aber geht es denen, die gar nicht erst geboren wurden! Sie haben das schreiende Unrecht auf dieser Welt nie sehen müssen.

3,11 8,16–17; 9,1 **3,12** 2,24–25* **3,15** 1,9 **3,16** 4,1 **3,17** Ps 7,12* **3,19–21** 1 Mo 3,19; Hiob 12,10; 34,14–15; Ps 39,5–7*; 104,27–29 **3,22** 2,24–25* **4,1** 3,16; Spr 14,31* **4,2–3** Hiob 3,11–13; 10,18–19

Weniger ist mehr

[4]Nun weiß ich, warum die Menschen so hart arbeiten und so viel Erfolg haben: Sie tun es nur, um die anderen in den Schatten zu stellen! Auch das ist so sinnlos, als wollten sie den Wind einfangen. [5]Zwar sagt man: »Der dumme Faulpelz legt die Hände in den Schoß und verhungert«, [6]ich aber meine: Besser nur eine Hand voll besitzen und Ruhe genießen als viel Besitz haben und alle Hände voll zu tun. Denn im Grunde lohnt sich das ja nicht.

Zwei haben es besser als einer allein

[7]Noch etwas Sinnloses habe ich auf dieser Welt beobachtet:

[8]Manch einer lebt völlig allein, niemand ist bei ihm. Auch einen Sohn oder Bruder hat er nicht. Trotzdem arbeitet er ohne Ende und ist nie zufrieden mit seinem Besitz. Aber für wen mühe ich mich dann ab und gönne mir nichts Gutes mehr? Das ist doch kein Leben, so vergeudet man nur seine Zeit!

[9]Zwei haben es besser als einer allein, denn zusammen können sie mehr erreichen. [10]Stürzt einer von ihnen, dann hilft der andere ihm wieder auf die Beine. Doch wie schlecht steht es um den, der alleine ist, wenn er hinfällt! Niemand ist da, der ihm wieder aufhilft! [11]Wenn zwei in der Kälte zusammenliegen, wärmt einer den anderen, doch wie soll einer allein warm werden? [12]Einer kann leicht überwältigt werden, doch zwei sind dem Angriff gewachsen. Man sagt ja auch: »Ein Seil aus drei Schnüren reißt nicht so schnell!«

Die Gunst des Volkes ist trügerisch!

[13]Besser ein junger Mann, der arm, aber weise ist, als ein alter und törichter König, der keine Ratschläge annimmt!

[14]Ich sah, wie man einen jungen Mann aus dem Gefängnis holte und ihn zum König machte, obwohl er arm zur Welt gekommen war, als der alte König bereits regierte. [15]Alle Menschen stellten sich auf die Seite des jungen Mannes, er sollte die Herrschaft übernehmen. [16]Die begeisterte Volksmenge lief ihm nach, aber bald schon waren sie auch mit ihm nicht mehr zufrieden, und sein Ruhm erlosch schnell. So war alles umsonst, als hätte er versucht, den Wind einzufangen!

Begegne Gott mit Ehrfurcht!

[17]Besinne dich, bevor du zum Tempel Gottes gehst! Geh nur hin, wenn du wirklich auf Gott hören willst. Das ist viel wertvoller als die Opfer der Unverständigen. Denn sie wissen nicht, worauf es ankommt; sie merken nicht, wenn sie Böses tun.

5 Denk erst nach, bevor du betest, sei nicht zu voreilig! Denn Gott ist im Himmel, und du bist auf der Erde – also sei sparsam mit deinen Worten!

[2]Man sagt doch: »Wer zu geschäftig ist, träumt bald unruhig, und wer zu viel redet, sagt leicht etwas Dummes.«

[3]Wenn du vor Gott ein Gelübde abgelegt hast, dann zögere nicht, es zu erfüllen! Menschen, die leichtfertige Versprechungen machen, gefallen Gott nicht – darum tu, was du ihm geschworen hast! [4]Besser du versprichst gar nichts, als dass du ein Versprechen nicht hältst!

[5]Leg kein unbedachtes Gelübde ab, sonst lädst du Schuld auf dich! Hast du es doch getan, dann behaupte nicht vor dem Priester: »Ich habe es gar nicht so gemeint!«! Oder willst du, dass Gott zornig wird und die Früchte deiner Arbeit vernichtet?

[6]Wer viel träumt, träumt manches Sinnlose, und wer viel redet, sagt manches Unnütze.[a] Du aber begegne Gott mit Ehrfurcht!

---

[a] Der hebräische Text ist nicht sicher zu deuten.

4,5–6 Spr 6,6–11; 24,30–34 **4,8** Spr 27,20 **4,9–12** 1 Mo 2,18 **4,13** Spr 12,15 **4,17** Jes 1,11–17; 1 Sam 15,22* **5,1** Mt 6,7–8 **5,2** Spr 29,20 **5,3–5** 4 Mo 30,3*; Spr 20,25 **5,6** Spr 10,19

Die Gewaltherrschaft der Mächtigen

[7]Wundere dich nicht, wenn du siehst, wie die Armen im Land unterdrückt werden und wie man das Recht beugt! Denn ein Mächtiger belauert den anderen, und beide werden von noch Mächtigeren beherrscht. [8]So ist es wohl besser für ein Land, wenn es einen König hat, der für Recht und Ordnung sorgt[a].

Reichtum garantiert noch kein Glück

[9]Wer geldgierig ist, bekommt nie genug, und wer den Luxus liebt, hat immer zu wenig – auch das ist völlig sinnlos! [10]Je reicher einer wird, umso mehr Leute scharen sich um ihn, die auf seine Kosten leben wollen – und er kann nur dabei zusehen. Was also hat der Reiche von seinem Besitz? [11]Der Fleißige kann gut schlafen – egal, ob er viel oder wenig zu essen hat. Dem Reichen aber raubt sein voller Bauch den Schlaf.

[12]Etwas Schlimmes habe ich auf dieser Welt beobachtet: wenn einer seinen Besitz sorgsam hütet und ihn dann doch verliert. [13]Nur ein misslungenes Geschäft – und schon ist sein ganzes Vermögen dahin, auch seinen Kindern kann er nichts hinterlassen. [14]So wie er auf diese Welt gekommen ist, muss er sie wieder verlassen – nackt und besitzlos! Nicht eine Hand voll kann er mitnehmen von dem, wofür er sich hier abmühte. [15]Es ist zum Verzweifeln! Wie er kam, muss er wieder gehen. Was hat er also von seiner harten Arbeit – es ist ja doch alles umsonst! [16]Sein ganzes Leben bestand aus Mühe und Trauer; er hatte nichts als Ärger und Sorgen und plagte sich mit vielen Krankheiten.

[17]Eines habe ich begriffen: Das größte Glück genießt ein Mensch in dem kurzen Leben, das Gott ihm gibt, wenn er isst und trinkt und es sich gut gehen lässt bei aller Mühe. Das ist sein einziger Lohn! [18]Wenn Gott einen Menschen reich und wohlhabend werden lässt und ihm auch noch Freude dabei schenkt, dann kann der Mensch es dankbar annehmen und die Früchte seiner Arbeit genießen. Denn das ist ein Geschenk Gottes! [19]Weil Gott ihm so viel Freude gibt, denkt er nicht darüber nach, wie kurz sein Leben ist.

6 Noch ein großes Unglück habe ich auf dieser Welt gesehen, es trifft sehr viele Menschen:

[2]Da schenkt Gott einem Mann Reichtum, Wohlstand und Ehre – ja, alles, was er sich nur wünschen kann, nichts fehlt! Und trotzdem lässt er ihn nichts davon genießen, sondern es fällt einem Fremden in die Hände. Was für eine Sinnlosigkeit und welch ein Unglück! [3]Mag ein Mann auch hundert Kinder haben und sehr lange leben – wenn er sein Glück nicht genießen kann und am Ende nicht einmal begraben wird, was hat er dann davon? Selbst einer Fehlgeburt geht es besser! [4]Als ein Nichts kommt sie, ins Dunkel geht sie, dorthin, wo sie für immer vergessen wird. [5/6]Das Licht der Sonne hat sie nie erblickt, und doch geht es ihr besser als jenem Mann, der nie das Glück genießen wird, selbst wenn er zweitausend Jahre leben würde! Am Ende müssen beide an den gleichen Ort!

[7]Der Mensch müht sich ab sein Leben lang, nur um genug zum Essen zu haben, doch nie wird sein Verlangen gestillt. [8]Was also hat der Weise dem Unverständigen voraus? Was nützt dem Armen ein rechtschaffenes Leben? [9]Sei zufrieden mit dem, was du hast, und verlange nicht ständig nach mehr, denn das ist vergebliche Mühe – so als wolltest du den Wind einfangen.

---

[a] Wörtlich: der das Land bebauen lässt.

5,7–8 Spr 14,31*; 20,28; Ps 72,1–4 **5,9–10** Spr 28,22 **5,14–16** Hiob 1,21; Ps 49,11; 1 Tim 6,7
5,17–19 2,24–25* **6,3–6** 2,14–16; 4,3; Hiob 3,11–16; Ps 49,11 **6,9** Spr 27,20

Gegen Gott kommt niemand an!

[10]Alles auf der Welt ist schon seit langer Zeit vorherbestimmt, und auch das Schicksal jedes Menschen ist schon vor seiner Geburt festgelegt. Mit dem, der mächtiger ist als er, kann er nicht darüber streiten. [11]Er kann ihn noch so sehr anklagen – es hat ja doch keinen Sinn und hilft ihm nicht weiter!

[12]Welcher Mensch weiß schon, was für ihn gut ist in seinem kurzen und sinnlosen Leben, das schnell wie ein Schatten vorbeieilt? Wer kann ihm sagen, was nach seinem Tod auf dieser Welt geschehen wird?

Was ist gut?

7 »Ein guter Ruf ist mehr wert als kostbares Parfüm«, heißt es, und ich sage: Der Tag des Todes ist besser als der Tag der Geburt.

[2]Geh lieber in ein Haus, wo man trauert, als dorthin, wo gefeiert wird. Denn im Trauerhaus wird man daran erinnert, dass der Tod auf jeden Menschen wartet. [3]Leid ist besser als Lachen, Trauer verändert den Menschen zum Guten. [4]Der Weise geht dorthin, wo man trauert, aber der Unverständige liebt den Ort, wo gefeiert wird.

[5]Es ist wertvoller, auf die Zurechtweisung eines verständigen Menschen zu achten, als sich die Loblieder von Dummköpfen anzuhören! [6]Denn das Schmeicheln eines Törichten ist so unbeständig wie ein Strohfeuer.

[7]Wenn ein Verständiger sich unter Druck setzen lässt, wird er zum Narren; wer bestechlich ist, richtet sich selbst zugrunde.

[8]Das Ende einer Sache ist besser als ihr Anfang; Geduld hilft mehr als Überheblichkeit.

[9]Werde nicht zu schnell zornig, denn nur ein Dummkopf braust leicht auf.

[10]Frag nicht: »Warum war früher alles besser?«! Damit zeigst du nur, wie wenig Weisheit du besitzt.

[11]Weisheit ist so wertvoll wie ein Erbbesitz, sie ist für jeden Menschen nützlich. [12]Sie bietet so viel Sicherheit wie Geld, ja, sie schenkt sogar noch mehr: Wer die Weisheit besitzt, den erhält sie am Leben.

[13]Halte dir vor Augen, was Gott tut! Wer kann gerade machen, was er gekrümmt hat?

[14]Wenn es dir gut geht, dann freu dich über dein Glück, und wenn es dir schlecht geht, dann bedenke: Gott schickt dir beides, und du weißt nie, was die Zukunft bringen wird.

Vermeide die Extreme!

[15]In meinem kurzen Leben habe ich viel gesehen: Manch einer richtet sich nach Gottes Geboten und kommt trotzdem um; ein anderer will von Gott nichts wissen, aber er genießt ein langes Leben. [16]Sei nicht zu fromm, und übertreib es nicht mit deiner Weisheit! Warum willst du dich selbst zugrunde richten? [17]Sei aber auch nicht gewissenlos und unvernünftig! Warum willst du sterben, bevor deine Zeit gekommen ist? [18]Es ist gut, wenn du ausgewogen bist und die Extreme meidest. Wer Gott gehorcht, der findet den richtigen Weg.

[19]Diese Weisheit beschützt einen Menschen mehr, als zehn Machthaber einer Stadt ihm helfen können. [20]Denn es ist kein Mensch auf der Erde so gottesfürchtig, dass er nur Gutes tut und niemals sündigt.

[21]Hör nicht auf das Geschwätz der Leute; dann hörst du auch nicht, wie dein Untergebener über dich lästert! [22]Du weißt genau, dass auch du sehr oft über andere hergezogen hast.

6,10–11 Jes 45,9* **6,12** Hiob 14,1–2 **7,1** Spr 22,1 **7,5–6** Spr 27,5–6 **7,7** 2 Mo 23,8; Spr 17,23 **7,9** Spr 12,16; 14,29; 29,22 **7,11–12** Spr 24,13–14 **7,15** 8,14; Hiob 21,6–7; Ps 73,16–17; Mal 3,14–18 **7,19** 9,14–18 **7,20** Spr 20,9; Ps 143,2; Röm 3,23 **7,21–22** Spr 11,12

Wer ist weise?

[23]Ich habe alles versucht, um weise zu werden; ich wollte Einsicht erlangen, aber sie blieb mir unerreichbar fern. [24]Was geschieht, kann man nicht ergründen – es ist tief verborgen und nicht zu verstehen. [25]Trotzdem bemühte ich mich mit aller Kraft, herauszufinden, was die Weisheit ausmacht; ich wollte wissen, wie man zu einem rechten Urteil kommt. Auch dachte ich darüber nach, ob Gottlosigkeit mit Verblendung zusammenhängt und Unwissenheit mit mangelnder Einsicht.

[26]Ich habe erkannt: Schlimmer als der Tod ist jene Frau, die einem Fangseil gleicht, deren Liebe dich einfängt wie ein Netz und deren Arme dich umschließen wie Fesseln. Ein Mann, der Gott gefällt, kann sich vor ihr retten, aber der Gottlose wird von ihr gefangen.

[27]Ja, sagt der Prediger, das habe ich nach und nach herausgefunden, während ich nach Antworten suchte. [28]Doch was ich mir von Herzen wünsche, habe ich immer noch nicht gefunden. Unter tausend Menschen fand ich nur einen Mann, dem ich mein Vertrauen schenken konnte, aber keine Frau.

[29]Nur dieses eine habe ich gelernt: Gott hat die Menschen aufrichtig und wahrhaftig geschaffen, jetzt aber sind sie falsch und berechnend.

8 Wen kann man zu den Weisen zählen? Wer versteht es, das Leben richtig zu deuten? Ein weiser Mensch hat ein fröhliches Gesicht, alle Härte ist daraus verschwunden.

Die Macht der Herrscher

[2]Ich rate dir: Gehorch den Befehlen des Königs, denn du hast ihm vor Gott die Treue geschworen. [3]Hüte dich davor, ihm abtrünnig zu werden, und lass dich nicht auf Intrigen ein, denn der König setzt ja doch alles durch, was ihm gefällt. [4]Seine Worte haben Macht, niemand kann ihn zur Rede stellen und fragen: »Was tust du da?« [5]Weise ist, wer den Befehlen des Königs gehorcht und nichts gegen ihn unternimmt. Er hat erkannt, dass auch die Regierungszeit des Königs begrenzt ist und Gott ihn richten wird.[a]

[6]Denn für alles hat Gott die Zeit bestimmt, er spricht das Urteil. Aber auf dem Menschen lastet eine schwere Not: [7]Er weiß nicht, was auf ihn zukommt, und niemand kann ihm sagen, wie es geschehen wird. [8]Er besitzt keine Macht über den Wind und kann ihn nicht aufhalten, ebenso wenig kann er dem Tod entfliehen. Ein Soldat im Krieg wird nie vom Dienst befreit, und wer schuldig geworden ist, muss die Folgen tragen.

[9]Dies alles habe ich gesehen, als ich beobachtete, was auf dieser Welt geschieht – einer Welt, in der einige Menschen Macht besitzen und die anderen darunter leiden müssen.

Das Unrecht in der Welt

[10]Ich sah, wie Menschen, die von Gott nichts wissen wollten, in Ehren begraben wurden, während man andere, die Gott gehorchten, aus der Nähe des Heiligtums vertrieb und sie vergaß in der Stadt. Auch das ist sinnlos!

[11]Die Verbrecher werden nicht schnell genug bestraft, und das verführt viele dazu, Böses zu tun. [12]Manch einer hat schon hundert Verbrechen begangen – und lebt immer noch!

Ja, auch ich weiß: »Wer Gott ehrt und ihm gehorcht, dem geht es gut. [13]Wer Gott missachtet, muss die Folgen tragen: Er verschwindet so plötzlich wie ein Schatten, weil er keine Ehrfurcht hat vor Gott.« [14]Und trotzdem geschieht so viel Sinnloses auf der Welt: Da geht es recht-

---

[a] Wörtlich: Wer auf das Gebot achtet, der weiß nichts von einer bösen Sache. Das Herz des Weisen weiß um Zeit und Gericht.

7,26 Spr 2,16–19* **8,1** Spr 15,13; 17,22 **8,6–8** 3,1–8; 9,12 **8,11–14** 7,15; Hiob 21,6–7; Ps 73,16–17; Mal 3,14–18

schaffenen Menschen so schlecht, wie es den Gottlosen gehen sollte. Und da haben Gottlose ein so schönes Leben, als hätten sie Gottes Gebote befolgt. Das ist völlig sinnlos!

[15] Darum rühme ich die Freude, denn es gibt für den Menschen nichts Besseres auf der Welt, als zu essen und zu trinken und sich zu freuen. Das wird ihn bei seiner Mühe begleiten das kurze Leben hindurch, das Gott ihm gegeben hat.

Was Gott tut, ist unbegreiflich!

[16/17] Ich bemühte mich, die Weisheit kennen zu lernen und das Tun und Treiben auf dieser Welt zu verstehen. Doch ich musste einsehen: Was Gott tut und auf der Welt geschehen lässt, kann der Mensch nicht vollständig begreifen, selbst wenn er sich Tag und Nacht keinen Schlaf gönnt. So sehr er sich auch anstrengt, alles zu erforschen, er wird es nicht ergründen! Und wenn ein weiser Mensch behauptet, er könne das alles verstehen, dann irrt er sich!

9 Über dies alles habe ich nachgedacht, und ich habe erkannt: Auch der Rechtschaffene und Verständige ist bei allem, was er tut, von Gott abhängig. Ja, der Mensch versteht nicht einmal, warum er liebt oder hasst. Alles ist schon vorher festgelegt – [2] bei jedem Menschen. Ein und dasselbe Schicksal trifft sie alle, ob sie nun Gott gehorchen oder ihn missachten, ob sie Gutes tun und sich an die Reinheitsgebote halten oder nicht, ob sie Gott Opfer bringen oder es sein lassen. Dem Guten ergeht es genauso wie dem Sünder, dem, der schwört, ebenso wie dem, der den Schwur scheut.

[3] Es ist ein großes Unglück, dass alle Menschen auf dieser Welt ein und dasselbe Schicksal erleiden! Ihr Leben lang sind sie verblendet, und ihr Herz ist voller Bosheit, bis sie schließlich sterben.

[4] Wer lebt, hat noch Hoffnung, denn ein lebendiger Hund ist besser dran als ein toter Löwe! [5] Die Lebenden wissen wenigstens, dass sie sterben werden, die Toten aber wissen gar nichts. Ihre Mühe wird nicht mehr belohnt, denn niemand erinnert sich noch an sie. [6] Ihr Lieben, ihr Hassen, ihre Eifersucht – alles ist mit ihnen gestorben. Nie mehr werden sie beteiligt sein an dem, was auf der Welt geschieht.

Freu dich am Leben!

[7] Also iss dein Brot, trink deinen Wein, und sei fröhlich dabei! Denn schon lange gefällt Gott dein Tun! [8] Trag immer schöne Kleider[a], und salbe dein Gesicht mit duftenden Ölen! [9] Genieße das Leben mit der Frau, die du liebst, solange du dein vergängliches Leben führst, das Gott dir auf dieser Welt gegeben hat. Genieße jeden flüchtigen Tag, denn das ist der einzige Lohn für deine Mühen. [10] Alles, was du tun kannst, wozu deine Kraft ausreicht, das tu! Denn im Totenreich, wohin auch du gehen wirst, gibt es weder Tun noch Denken, weder Erkenntnis noch Weisheit.

Verkehrte Welt!

[11] Ich habe beobachtet, wie es auf dieser Welt zugeht: Nicht die Schnellen gewinnen den Wettlauf und nicht die Starken den Krieg. Weisheit garantiert noch keinen Lebensunterhalt, Klugheit führt nicht immer zu Reichtum, und die Verständigen sind nicht unbedingt beliebt. Sie alle sind gefangen in der Zeit, ein Spielball des Schicksals. [12] Kein Mensch weiß, wann seine Zeit gekommen ist. Wie Fische im Netz gefangen werden, wie Vögel in die Falle geraten, so enden auch die Menschen: Der Tod ereilt sie, wenn sie es am wenigsten erwarten.

---

[a] Wörtlich: weiße Kleider.

8,15 2,24–25* **8,16–17** 3,11; Jes 55,8–9; Röm 11,33–36 **9,1–3** 3,11; 6,10–11; Hiob 9,22
9,7–10 2,24–25* **9,9** Spr 5,15–19 **9,12** 8,6–8

[13] Noch etwas habe ich beobachtet – ein gutes Beispiel dafür, wie die Weisheit auf dieser Welt beurteilt wird:[a]

[14] Da war eine kleine Stadt mit wenig Einwohnern. Ein mächtiger König zog mit seinem Heer gegen sie aus, schloss sie ein und schüttete ringsum einen hohen Belagerungswall auf. [15] In der Stadt lebte ein armer Mann, der war sehr weise. Er hätte die Stadt durch seine Weisheit retten können, aber niemand dachte an ihn. [16] Da sagte ich mir: Zwar ist Weisheit wertvoller als Stärke, aber ein Armer wird nicht für klug gehalten; seine Worte beachtet man nicht. [17] Es ist besser, auf die bedächtigen Worte eines Weisen zu hören als auf das Geschrei eines Königs von Dummköpfen. [18] Weisheit bewirkt mehr als Waffen, aber ein einziger, der Böses tut, kann viel Gutes zerstören.

Die kleinste Dummheit wiegt schwerer als die größte Weisheit

10 Tote Fliegen bringen duftende Salben zum Stinken, und schon eine kleine Dummheit zerstört die Weisheit und das Ansehen eines Menschen.

[2] Ein vernünftiger Mensch unternimmt das Richtige, ein törichter dagegen nur das Falsche. [3] Welchen Weg der Törichte auch einschlägt – ihm fehlt der Verstand; jeder kann erkennen, wie dumm er ist.

[4] Wenn ein Machthaber zornig auf dich ist, dann vergiss nicht, dass du ihm unterstellt bist! Bleib gelassen, dadurch vermeidest du große Fehler!

[5] Etwas Schlimmes habe ich auf dieser Welt beobachtet, einen großen Fehler, den Machthaber immer wieder begehen:

[6] Die Törichten bekommen die höchsten Posten, und die Vornehmen werden übergangen. [7] Ich habe Knechte hoch zu Ross gesehen und Fürsten, die wie Knechte zu Fuß gehen mussten.

[8] Wer eine Grube gräbt, kann hineinfallen, und wer eine Mauer abreißt, kann von einer Schlange gebissen werden. [9] Wer im Steinbruch arbeitet, kann sich dabei verletzen, und wer Holz spaltet, bringt sich in Gefahr.

[10] Wenn die Axt stumpf geworden ist, weil ihr Benutzer sie nicht geschliffen hat, muss er sich doppelt anstrengen. Der Kluge hält sein Werkzeug in Ordnung.[b]

[11] Dem Schlangenbeschwörer hilft seine Kunst nicht weiter, wenn die Schlange zubeißt, bevor er sie beschworen hat!

[12] Ein weiser Mensch wird geachtet für seine Worte; aber ein Dummkopf richtet sich durch sein Gerede selbst zugrunde. [13] Wenn er seinen Mund aufmacht, hört man nichts als dummes Geschwätz – es bringt nur Unheil und Verblendung! [14] Ja, solch ein Mensch redet ununterbrochen. Dabei weiß keiner, was die Zukunft bringt; niemand sagt ihm, was nach seinem Tod geschehen wird. [15] Wann endlich wird der Dummkopf vom vielen Reden müde? Nicht einmal den Weg in die Stadt findet er![c]

[16] Wehe dem Land, dessen König noch ein Kind ist und dessen Machthaber schon früh am Morgen Feste feiern! [17] Wohl dem Land, dessen König frei regieren kann und dessen Machthaber zur richtigen Zeit feiern, sich dabei beherrschen können und sich nicht wie die Säufer aufführen!

[18] Wenn jemand die Hände in den Schoß legt und zu faul ist, das Dach seines Hauses auszubessern, tropft bald der Regen durch, und das Gebälk fällt in sich zusammen.

[19] Ein gutes Essen macht fröhlich, Wein macht lustig, und Geld macht beides möglich!

[20] Nicht einmal in Gedanken schimpfe auf den König, nicht einmal in deinem Schlafzimmer fluche über den Reichen! Denn die Spatzen pfeifen es von den Dächern, und schon bist du verraten.

---

[a] Wörtlich: Auch dieses sah ich als Weisheit unter der Sonne, und es kam mir bedeutsam vor.
[b] Wörtlich: Es ist von Nutzen, wenn die Weisheit etwas tauglich macht.
[c] Der hebräische Text ist nicht sicher zu deuten.

9,14–18 Spr 24,5–6 **10,5–7** Spr 18,16; 30,21–23 **10,12–15** 5,2; Spr 14,3; 17,27–28 **10,16** Jes 3,4; 5,11–12 **10,19** Ps 104,15

Wer wagt, gewinnt!

11 Setz dein Hab und Gut ein, um Handel zu treiben, und eines Tages wird es dir Gewinn bringen.[a] [2] Verteil deinen Besitz auf möglichst viele Stellen, denn du weißt nicht, ob ein großes Unglück über das Land kommt und alles zerstört.

[3] Wenn die Wolken voll Wasser sind, wird es auch regnen, und wohin ein Baum fällt, dort bleibt er liegen.

[4] Wer ängstlich auf den Wind achtet, wird nie säen; und wer auf die Wolken schaut, wird nie ernten.

[5] Du weißt nicht, aus welcher Richtung der Wind kommen wird; du siehst nicht, wie ein Kind im Mutterleib Gestalt annimmt. Ebenso wenig kannst du die Taten Gottes ergründen, der alles bewirkt.

[6] Säe am Morgen deine Saat aus, leg aber auch am Abend die Hände nicht in den Schoß! Denn du weißt nicht, ob das eine oder das andere gedeiht – oder vielleicht sogar beides zusammen!

Genieß deine Jugend!

[7] Wie schön ist das Licht, und wie wohltuend ist es, die Sonne zu sehen! [8] Freu dich über jedes neue Jahr, das du erleben darfst! Auch wenn noch viele vor dir liegen – denk daran, dass die Dunkelheit danach lange dauert! Alles, was dann geschieht, ist sinnlos!

[9] Du junger Mensch, genieße deine Jugend, und freu dich in der Blüte deines Lebens! Tu, was dein Herz dir sagt und was deinen Augen gefällt! Aber sei dir bewusst, dass Gott dich für alles zur Rechenschaft ziehen wird! [10] Lass dich nicht von Kummer und Sorgen beherrschen, und schütze dich vor Krankheit! Denn Jugend und Schönheit[b] sind vergänglich.

12 Denk schon als junger Mensch an deinen Schöpfer, bevor die beschwerlichen Tage kommen und die Jahre näher rücken, in denen du keine Freude mehr am Leben hast. [2] Dann wird selbst das Licht immer dunkler für dich: Sonne, Mond und Sterne verfinstern sich, und nach einem Regenschauer ziehen die Wolken von neuem auf. [3] Deine Hände, mit denen du dich schützen konntest, zittern; deine starken Beine werden schwach und krumm. Die Zähne fallen dir aus, du kannst kaum noch kauen, und deine Augen werden trübe. [4] Deine Ohren können den Lärm auf der Straße nicht mehr wahrnehmen, und deine Stimme wird immer leiser. Schon frühmorgens beim Zwitschern der Vögel wachst du auf, obwohl du ihren Gesang kaum noch hören kannst. [5] Du fürchtest dich vor jeder Steigung und hast Angst, wenn du unterwegs bist. Dein Haar wird weiß, mühsam schleppst du dich durch den Tag, und deine Lebenslust schwindet.[c] Dann trägt man dich in deine ewige Wohnung, und deine Freunde laufen trauernd durch die Straßen.

[6] Ja, koste das Leben aus, ehe es zu Ende geht – so wie eine silberne Schnur zerreißt oder eine goldene Schale zerspringt, so wie ein Krug bei der Quelle zerbricht oder das Schöpfrad in den Brunnen fällt und zerschellt. [7] Dann kehrt der Leib zur Erde zurück, aus der er genommen wurde; und der Lebensgeist geht wieder zu Gott, der ihn gegeben hat.

---

[a] Wörtlich: Lass dein Brot über das Wasser fahren, dann wirst du es wiederfinden nach langer Zeit.

[b] Wörtlich: und Schwärze (dunkles Haar).

[c] Der hebräische Text beschreibt in den Versen 3–5a das Altern mit vielen dichterischen Bildern: [3] Zu der Zeit, wenn die Wächter im Haus zittern und die starken Männer sich krümmen und die Müllerinnen müßig sind, weil nur noch wenige von ihnen übrig geblieben sind. Dann verfinstern sich jene, die durch die Fenster sehen, [4] und die Türen zur Straße werden geschlossen. Das Geräusch der Mühle wird leise; man erwacht beim Vogelzwitschern, obwohl die Töchter des Gesangs nur gedämpft zu hören sind. [5] Auch vor der Höhe fürchtet man sich dann, und Schrecken lauert auf dem Weg. Der Mandelbaum blüht, die Heuschrecke schleppt sich mühsam voran, und die Kaper platzt auf.

11,5 8,16–17 **11,8** Hiob 10,21–22 **11,9** 9,7–10 **11,10** Spr 31,30 **12,7** 3,18–20; 1 Mo 3,19; Hiob 12,10; 34,14–15

[8] Ja, alles ist vergänglich und vergeblich, sagte der Prediger, alles ist völlig sinnlos!

Ein Nachwort

[9] Der Prediger war ein weiser Mensch, der seine Erkenntnisse an das Volk weitergab. Er dachte über viele Lebensweisheiten nach, prüfte ihren Inhalt und brachte sie in eine schöne Form. [10] Er bemühte sich, ansprechende Worte zu finden, dabei aber aufrichtig zu sein und die Wahrheit zu schreiben.

[11] Ja, die Worte der Weisen sind wie ein Stock, mit dem der Bauer sein Vieh antreibt; Lebensweisheiten, in Sprüche gefasst, gleichen eingeschlagenen Nägeln: Sie verleihen dem Menschen einen festen Halt. Gott, der eine große Hirte der Menschen, hat sie uns gegeben.

[12] Mein Sohn, lass dich warnen! Es nimmt kein Ende mit dem vielen Bücherschreiben, und zu viel Lernen macht den ganzen Körper müde.

[13] Zu guter Letzt lasst uns das Wichtigste von allem hören: Begegne Gott mit Ehrfurcht, und halte seine Gebote! Das gilt für jeden Menschen. [14] Denn Gott wird Gericht halten über alles, was wir tun – sei es gut oder böse –, auch wenn es jetzt noch verborgen ist.

12,8 1,2; Ps 39,5–7* **12,13** 5 Mo 10,12–13; Spr 1,7* **12,14** 11,9; Ps 62,13; 2 Kor 5,10

Das Lied von der Liebe (Das Hohelied)

Du bist mein König

1 Das schönste aller Lieder, von Salomo.

[2] Komm und küss mich, küss mich immer wieder! Ich genieße deine Liebe mehr als den besten Wein.

[3] Der Duft deiner Salben betört mich. Dein Name ist wie ein besonderes Parfüm, darum lieben dich die Mädchen.

[4] Nimm mich bei der Hand! Schnell, lass uns laufen, zu dir nach Hause wollen wir eilen!

Du bist mein König! Ich freue mich über dich, du bist mein ganzes Glück.[a]

Deine Liebe ist kostbarer als der edelste Wein. Kein Wunder, dass die Mädchen für dich schwärmen!

Schaut nicht auf mich herab!

[5/6] Schaut nicht auf mich herab, ihr Mädchen von Jerusalem, weil meine Haut so dunkel ist, braun wie die Zelte der Nomaden. Ich bin dennoch schön, so wie die wertvollen Zeltdecken Salomos. Meine Brüder waren streng mit mir, sie ließen mich ihre Weinberge hüten. Doch mich selbst zu pflegen, meinen Weinberg, dafür hatte ich keine Zeit! Darum hat die Sonne mich dunkel gebrannt.

Wo bist du?

[7] Sag mir, mein Geliebter, wo lässt du deine Schafe weiden, wo lässt du sie am Mittag lagern? Lass mich nicht vergebens nach dir suchen, nicht umherirren bei den Herden andrer Hirten!

[8] Weißt du's wirklich nicht, du schönste aller Frauen? Folg den Spuren meiner Schafe, und weide deine kleinen Ziegen bei den Hirtenzelten!

Du bist schön!

[9] Wie schön du bist, meine Freundin, schön wie eine Stute vor dem Prachtwagen des Pharaos!
[10] Deine Wangen sind von Ohrringen umrahmt, deinen Hals schmückt eine Muschelkette.
[11] Ein Geschmeide aus Gold sollst du haben und Perlen um den Hals, in Silber gefasst!

[12] Wenn mein König mit mir speist, riecht er den Duft meines Nardenöls.
[13] Mein Geliebter ruht an meiner Brust wie ein mit Myrrhe gefüllter Beutel.
[14] Er duftet wie die Blüten des Hennastrauchs, der in den Weingärten von En-Gedi wächst.

[15] Wie schön du bist, meine Freundin, wunderschön bist du, deine Augen glänzen wie das Gefieder der Tauben.

[16] Schön bist auch du, mein Liebster – wie freue ich mich über dich! Das Gras ist unser Lager,

---

[a] Wörtlich: Wir jubeln und freuen uns über dich.

[17]Zedern sind die Balken unsres Hauses und die Zypressen unser Dach.

Du bist einzigartig!

2 Ich bin nur eine Narzisse in der Scharonebene, eine Lilie aus den Tälern.

[2]Wie eine Lilie unter Dornen, so ist meine Freundin unter allen andren Mädchen!

[3]Wie ein Apfelbaum unter den Bäumen des Waldes, so ist mein Liebster unter allen andren Männern! In seinem Schatten möchte ich ausruhn und seine Früchte genießen.

Ich bin krank vor Liebe

[4]Ins Weinhaus[a] hat er mich geführt, dort zeigt er mir, dass er mich liebt.
[5]Stärkt mich mit Rosinenkuchen, erfrischt mich mit Äpfeln, denn ich bin krank vor Liebe!
[6]Sein linker Arm liegt unter meinem Kopf, und mit dem rechten hält er mich umschlungen.
[7]Ihr Mädchen von Jerusalem, ich beschwöre euch: Lasst uns jetzt allein! Wir sind wie scheue Rehe und Gazellen – schreckt uns nicht auf, wir lieben uns.

Der Frühling ist da!

[8]Da kommt mein Geliebter! Er springt über die Berge und hüpft über die Hügel.
[9]Schnell wie eine Gazelle läuft er, flink wie ein Hirsch. Schon steht er vor dem Haus! Er späht durch das Gitter, blickt zum Fenster herein.

[10]Er sagt zu mir: »Steh auf, meine Freundin, meine Schöne, und komm!
[11]Die Regenzeit liegt hinter uns, der Winter ist vorbei!
[12]Die Blumen beginnen zu blühen, die Vögel zwitschern, und überall im Land hört man die Turteltaube gurren.
[13]Die ersten Feigen werden reif, die Reben blühen und verströmen ihren Duft. Steh auf, meine Freundin, meine Schöne, und komm!
[14]Versteck dich nicht wie eine Taube im Felsspalt! Zeig mir dein schönes Gesicht, und lass mich deine wunderbare Stimme hören!«

[15]Fangt uns doch die kleinen Füchse, denn sie verwüsten den Weinberg, wenn die Reben in schönster Blüte stehn.

[16]Nur mir gehört mein Liebster, und ich gehöre ihm, dem Hirten, der seine Schafe auf Wiesen voller Lilien weidet.
[17]Abends, wenn es kühl wird und die Nacht ihre Schatten über das Land breitet, dann komm zu mir, mein Liebster! Sei schnell wie eine Gazelle, flink wie ein junger Hirsch, der von den rauen Bergen kommt!

Nächtliche Sehnsucht

3 Nachts auf meinem Bett sehnte ich mich nach meinem Liebsten. So gern wollte ich bei ihm sein, doch er war nicht da!
[2]»Ich will aufstehn, die Stadt durchstreifen, durch die Gassen und über die Plätze laufen. Meinen Liebsten muss ich finden!« Ich suchte nach ihm, doch vergebens.
[3]Bei ihrem Rundgang griff die Wache mich auf: »Habt ihr meinen Liebsten gesehen?«, fragte ich sie.
[4]Kaum war ich an ihnen vorbei, da fand ich ihn, dem mein Herz gehört. Ich hielt ihn fest und ließ ihn nicht mehr los. Ich führte ihn in das Haus meiner Mutter, in jene Kammer, in der sie mich geboren hat.

[5]Ihr Mädchen von Jerusalem, ich beschwöre euch: Lasst uns jetzt allein! Wir sind wie scheue Rehe und Gazellen – schreckt uns nicht auf, wir lieben uns.

---

[a] Vermutlich ein frei stehendes Haus, in dem immer wieder Feste gefeiert wurden.

Der Hochzeitszug

[6]Wer kommt dort herauf aus der Wüste, umgeben von Rauchsäulen aus Weihrauch und Myrrhe und allen Parfümen der Händler?
[7]Seht! Es ist die Sänfte Salomos, von sechzig Männern ist sie umringt, von Israels tapferen Soldaten.
[8]Sie alle sind im Kampf erprobt, sie tragen das Schwert an der Seite zum Schutz gegen Überfälle in der Nacht.
[9]Eine Sänfte ließ König Salomo sich bauen aus dem kostbaren Holz des Libanon.
[10]Die Pfosten sind mit Silber beschlagen und die Lehnen mit Gold überzogen. Der Stoff des Thronsitzes ist purpurrot, liebevoll bestickt von Jerusalems Frauen.

[11]Kommt heraus, ihr Mädchen von Jerusalem! Seht König Salomo mit seiner Krone! Heute hat ihn seine Mutter gekrönt, am Tag seiner Hochzeit, am Tag seines Glücks!

Wie schön du bist!

4 Wie schön du bist, meine Freundin, wie wunderschön! Deine Augen hinter dem Schleier glänzen wie das Gefieder der Tauben. Dein Haar fließt über deine Schultern wie eine Herde Ziegen, die vom Gebirge Gilead ins Tal zieht.
[2]Deine Zähne sind weiß wie geschorene Schafe, wenn sie aus der Schwemme kommen. Keiner von ihnen fehlt.
[3]Wie ein scharlachrotes Band leuchten deine Lippen, sie sind schön geschwungen. Hinter dem Schleier schimmern deine Wangen wie eine Scheibe vom Granatapfel.
[4]Dein Hals ist rund und hoch wie der Turm Davids, dein Schmuck wie tausend Schilde, die daran hängen.
[5]Deine Brüste sind wie junge Zwillinge einer Gazelle, die auf Blumenwiesen weiden.
[6]Abends, wenn es kühl wird und die Nacht ihre Schatten über das Land breitet, will ich zu dem Hügel kommen, der nach Myrrhe und Weihrauch duftet.
[7]Deine Schönheit ist vollkommen, meine Freundin, kein Makel ist an dir.

Du hast mich verzaubert

[8]Komm mit mir, meine Braut, steig mit mir herab vom Libanon, verlass den Gipfel des Amanaberges, den steilen Senir und den Hermon! Denn dort leben die Löwen und Panther!

[9]Du hast mich verzaubert, mein Mädchen, meine Braut! Mit einem einzigen Blick hast du mein Herz geraubt. Schon eine Kette deines Halsschmucks zog mich in deinen Bann!

[10]Wie glücklich macht mich deine Liebe, mein Mädchen, meine Braut! Ich genieße deine Liebe mehr als den besten Wein. Dein Duft ist bezaubernder als jedes Parfüm.
[11]Wie Honig schmecken deine Lippen, meine Braut, ja, süße Honigmilch ist unter deiner Zunge! Und wie der Wald dort auf dem Libanon, so duften deine Kleider!

Ein Garten voll edler Pflanzen

[12]Mein Mädchen ist ein Garten, in dem die schönsten Pflanzen wachsen. Aber noch ist er mir verschlossen. Meine Braut ist eine Quelle mit frischem Wasser, aber noch kann ich nicht davon trinken.
[13]An Granatbäumen reifen köstliche Früchte, und die Hennasträucher blühen.
[14]Dort wachsen Narde und Safran, Kalmus und Zimt, Weihrauchsträucher, Myrrhe und Aloë und die edelsten Balsamgewächse.
[15]Eine Quelle bewässert den Garten, ihr Wasser sprudelt herab vom Libanon.

[16]Kommt, Nordwind und Südwind, durchweht meinen Garten, tragt seine Düfte hinaus! Komm, mein Liebster, in deinen Garten, und genieße die köstlichen Früchte!

5 Ich betrete den Garten, mein Mädchen, meine Braut. Ich pflücke die Myrrhe und ernte den Balsam. Ich öffne die Wabe und esse den Honig. Ich trinke den Wein und genieße die Milch. Esst auch ihr, Freunde, trinkt euren Wein! Berauscht euch an der Liebe!

Suche in der Nacht

[2] Ich schlief, doch mein Herz war wach. Da, es klopft! Mein Liebster kommt!

Mach auf, mein Mädchen, meine Freundin, meine Liebste, meine Vollkommene! Mach auf, denn mein Haar ist nass vom Tau der Nacht.

[3] Ich habe mein Kleid schon ausgezogen, soll ich es deinetwegen wieder anziehn? Meine Füße habe ich schon gewaschen, ich würde sie nur schmutzig machen.

[4] Jetzt streckt er seine Hand durch die Öffnung in der Tür. Mein Herz schlägt bis zum Hals, weil er in meiner Nähe ist. [5] Ich springe auf und will dem Liebsten öffnen; meine Hände greifen nach dem Riegel, sie sind voll von Myrrhenöl. [6] Schnell öffne ich die Tür für meinen Liebsten, doch weg ist er, spurlos verschwunden. Entsetzen packt mich: Er ist fort! Ich suche ihn, doch ich kann ihn nirgends finden; ich rufe laut nach ihm, doch er gibt keine Antwort. [7] Bei ihrem Rundgang greifen mich die Wächter auf. Sie schlagen und verwunden mich, sie reißen mir das Kopftuch weg. [8] Ihr Mädchen von Jerusalem, ich beschwöre euch: Wenn ihr meinen Liebsten findet, dann sagt ihm, dass ich krank vor Liebe bin.

[9] Warum beschwörst du uns, du schönste aller Frauen? Was hat dein Liebster anderen voraus?

[10] Mein Liebster ist schön und kräftig[a], unter Tausenden ist keiner so wie er! [11] Sein Gesicht schimmert wie Gold, sein Haar ist rabenschwarz, seine Locken erinnern an die Blütenrispen einer Dattelpalme. [12] Seine Augen sind von vollkommener Schönheit, so wie Tauben, die in Milch baden und aus vollen Bächen trinken. [13] Seine Wangen duften nach Balsamkräutern, nach kostbaren Salben. Seine Lippen leuchten wie rote Lilien, sie sind benetzt mit Myrrhenöl. [14] Seine Arme sind wie Goldbarren, mit Türkissteinen verziert. Sein Leib gleicht einer Statue aus Elfenbein, über und über mit Saphiren bedeckt. [15] Seine Beine sind Alabastersäulen, die auf goldenen Sockeln stehn. Eindrucksvoll wie der Libanon ist seine Gestalt, stattlich wie mächtige Zedern. [16] Seine Küsse sind zärtlich, alles an ihm ist wunderschön.

So ist mein Liebster, mein Freund, ihr Mädchen von Jerusalem.

6 Wohin ist dein Liebster denn gegangen, du schönste aller Frauen? Wir wollen mit dir gehn und nach ihm suchen, wo könnte er denn sein?

[2] Mein Liebster ging in seinen Garten, wo Balsamkräuter wachsen. Dort ist die Weide seiner Herde, dort pflückt er schöne Lilien. [3] Nur mir gehört mein Liebster, und ich gehöre ihm, dem Hirten, der seine Schafe auf Wiesen voller Lilien weidet.

Schöner als alle bist du!

[4] Schön bist du, meine Freundin, schön wie Tirza[b], bezaubernd wie Jerusalem; du hast mich erobert wie ein mächtiges Heer, das zum Krieg auszieht.

---

[a] Wörtlich: weiß und rot.
[b] Tirza war die Hauptstadt des Nordreichs Israel zur Zeit der Könige Jerobeam I. bis Omri. Der Name lässt sich mit »Anmut« wiedergeben.

[5] Wende deine Augen von mir ab, denn dein Blick überwältigt mich.

Dein Haar fließt über deine Schultern wie eine Herde Ziegen, die vom Gebirge Gilead ins Tal zieht.
[6] Deine Zähne sind weiß wie Schafe, wenn sie aus der Schwemme kommen; keiner von ihnen fehlt.
[7] Hinter dem Schleier schimmern deine Wangen wie eine Scheibe vom Granatapfel.

[8] Mag der König sechzig Ehefrauen haben, achtzig Nebenfrauen und Mädchen ohne Zahl:
[9] Ich liebe nur die eine, meine Liebste, die Vollkommene. Sie ist die einzige Tochter ihrer Mutter, ihr Lieblingskind, dem sie das Leben gab. Könnten die Frauen und Nebenfrauen des Königs sie sehen, sie alle würden von ihr schwärmen:

[10] Sie ist so schön wie das Morgenrot, so herrlich wie der Mond und der Schein der Sonne! Sie kann einen Mann erobern wie ein mächtiges Heer, das zum Krieg auszieht.

Sehnsucht

[11] Ich ging hinunter ins Tal, in den Garten, wo die Walnussbäume stehen. Ich wollte sehen, ob die Bäume schon blühen, ob der Weinstock neue Blätter treibt und ob am Granatbaum Knospen sprießen.
[12] Ohne dass ich es merkte, trieb mich die Sehnsucht zu meinem Mädchen, hin zu meiner Liebsten.[a]

Dreh dich im Tanz!

7 Dreh dich, Sulamith, dreh dich beim Tanz im Kreise, denn wir wollen dich bewundern!

Was gibt es denn zu sehen, wenn ich den Reigen von Mahanajim tanze?

[2] Wie schön sind deine Füße in den Sandalen, du Fürstentochter! Die Rundungen deiner Hüften sind wie ein Halsgeschmeide, ein Werk aus Künstlerhand.
[3] Dein Schoß gleicht einer runden Schale, die stets mit edlem Wein gefüllt ist. Dein Bauch ist golden wie Weizen, von Lilien umkränzt.
[4] Deine Brüste sind wie junge Zwillinge einer Gazelle.
[5] Dein Hals gleicht einem Turm aus Elfenbein, und deine Augen sind wie die Teiche von Heschbon am Bat-Rabbim-Tor. Deine Nase ist wie der Libanonturm, der nach Damaskus blickt.
[6] Dein Kopf ist schön und majestätisch wie das Karmelgebirge. Dein Haar schimmert wie Purpur, deine Locken können einen König fesseln.

Deine Liebe macht mich glücklich

[7] Wie schön du bist! Deine Liebe macht mich glücklich.
[8] Deine Gestalt gleicht einer hohen Dattelpalme, und deine Brüste sind wie ihre Früchte.
[9] Ich will auf die Palme steigen und ihre reifen Früchte genießen. Freuen will ich mich an deinen Brüsten, die den Trauben am Weinstock gleichen. Deinen Atem will ich trinken, der wie frische Äpfel duftet;
[10] deine Lippen will ich spüren, denn sie schmecken mir wie edler Wein.

Ja, möge der Wein dich erfreuen, dass du ihn im Schlaf noch auf den Lippen spürst.
[11] Ich gehöre meinem Liebsten, und sein Herz sehnt sich nach mir.

Ich will dir meine Liebe schenken

[12] Komm, wir gehn hinaus aufs Feld, mein Liebster, unter Hennasträuchern lass uns die Nacht verbringen!
[13] In der Frühe wollen wir zum Weinberg gehen und sehen, ob der Weinstock

[a] Oder: Ich wusste nicht, dass mein Verlangen mich auf die Wagen des Volkes des Fürsten setzte. – Der hebräische Text ist nur sehr schwer zu deuten.

treibt, ob seine kleinen Blüten aufgegangen sind und der Granatbaum schon die ersten Knospen hat. Dort will ich dir meine Liebe schenken!
[14]Die Liebesäpfel[a] verströmen ihren Duft. Köstliche Früchte liegen vor unsrer Tür, frisch geerntete und solche, die ich für dich, mein Liebster, aufbewahrt habe.

Könnten wir doch ungestört sein!

8 Ach wärst du doch mein Bruder, hätte meine Mutter dich gestillt! Dann könnte ich dich unbekümmert küssen, wenn wir uns auf der Straße treffen, und niemand würde Anstoß daran nehmen!
[2]Ins Haus meiner Mutter würde ich dich führen, dort könntest du mir deine Liebe zeigen; ich gäbe dir gewürzten Wein zu trinken und Nektar von den Früchten des Granatbaums.

[3]Sein linker Arm liegt unter meinem Kopf, und mit dem rechten hält er mich umschlungen.
[4]Ihr Mädchen von Jerusalem, ich beschwöre euch: Lasst uns jetzt allein! Schreckt uns nicht auf, wir lieben uns.

Die Macht der Liebe

[5]Wer ist sie, die heraufkommt aus der Wüste, Arm in Arm mit ihrem Liebsten?

Unter dem Apfelbaum, da habe ich deine Liebe geweckt, dort, wo deine Mutter dich empfing, wo sie dir das Leben gab.

[6]Lass mich deinem Herzen nahe sein, so wie der Siegelring auf deiner Brust. Ich möchte einzigartig für dich bleiben, so wie der Siegelreif um deinen Arm.

Unüberwindlich wie der Tod, so ist die Liebe, und ihre Leidenschaft so unentrinnbar wie das Totenreich! Wen die Liebe erfasst hat, der kennt ihr Feuer: Sie ist eine Flamme Gottes!
[7]Mächtige Fluten können sie nicht auslöschen, gewaltige Ströme sie nicht fortreißen. Böte einer seinen ganzen Besitz, um die Liebe zu kaufen, so würde man ihn nur verspotten.

Leicht zu erobern?

[8]Unsre Schwester ist fast noch ein Kind und hat noch keine Brüste. Doch kommt einmal die Zeit, dass jemand um sie werben wird, dann müssen wir zur Stelle sein!
[9]Wenn sie uneinnehmbar ist wie eine Mauer, dann schmücken wir sie mit einem silbernen Turm. Doch wenn sie leicht zu erobern ist wie eine offene Tür, dann verriegeln wir sie mit Zedernbalken.

[10]Ich bin wie eine Mauer, und meine Brüste sind wie Wachtürme. Doch meinem Liebsten gebe ich mich hin.

Reicher als Salomo

[11]Salomo besaß einen Weinberg in Baal-Hamon. Er überließ ihn den Pächtern, und bei der Ernte sollte jeder ihm tausend Silbermünzen zahlen.

[12]Die tausend gönne ich dir, Salomo, und zweihundert den Pächtern, doch mein Weinberg gehört mir allein!

Rufe nur mich

[13]Du Mädchen in den Gärten, noch andre Männer lauschen, ob du sie rufst. Nur mich lass deine Stimme hören!

[14]Ja, komm rasch zu mir, mein Liebster! Sei schnell wie eine Gazelle, flink wie ein junger Hirsch, der von den Bergen kommt, wo duftende Kräuter wachsen!

---

[a] Gemeint sind die Früchte der Alraune, die als Symbol der Liebe galten.

Der Prophet Jesaja

1 In diesem Buch sind die Botschaften Jesajas aufgeschrieben, der ein Sohn des Amoz war. Während der Regierungszeit der judäischen Könige Usija, Jotam, Ahas und Hiskia ließ Gott ihn sehen, was mit Juda und seiner Hauptstadt Jerusalem geschehen würde.

Gottes Volk will nichts von Gott wissen

[2]Himmel und Erde rufe ich als Zeugen an! Hört gut zu, was der Herr sagt:

»Die Kinder, die ich großgezogen und ernährt habe, wollen nichts mehr von mir wissen. [3]Jeder Ochse kennt seinen Besitzer, und jeder Esel weiß, wo die Futterkrippe seines Herrn steht. Was aber macht mein Volk Israel? Sie haben vergessen, wem sie gehören, und sie wollen es auch gar nicht mehr wissen! [4]Wie viel Schuld habt ihr auf euch geladen! Das wird euch teuer zu stehen kommen! Eine Bande von Übeltätern seid ihr, durch und durch verdorben.«

Ihr habt euren Herrn verlassen. Voller Verachtung habt ihr dem heiligen Gott Israels den Rücken gekehrt. [5]Seid ihr noch nicht genug bestraft? Müsst ihr euch immer weiter vom Herrn entfernen? Ihr seid doch schon an Leib und Seele krank! [6]Von Kopf bis Fuß seid ihr voller Beulen, blutiger Striemen und frischer Wunden. Nichts mehr an euch ist gesund, und keiner ist da, der eure Wunden reinigt, mit Salbe behandelt und verbindet. [7]Euer Land ist eine Öde: Die Städte sind verbrannt; ihr müsst zusehen, wie sich Fremde über eure Ernte hermachen, und wenn sie abziehen, sind die Äcker verwüstet!

[8]Nur Jerusalem ist übrig geblieben, verloren wie eine Stadt, die von Feinden eingeschlossen ist. Einsam steht sie da wie ein Wächterhäuschen im Weinberg, wie eine Hütte im Gurkenfeld. [9]Hätte nicht der allmächtige Gott eingegriffen und einen kleinen Rest von uns gerettet, dann wären wir alle umgekommen wie damals die Leute von Sodom und Gomorra.

[10]Ihr Führer des Volkes gleicht den Fürsten Sodoms. Hört, was der Herr euch zu sagen hat! Und ihr vom Volk seid wie die Einwohner Gomorras; achtet genau auf die Weisung unseres Gottes! [11]Der Herr fragt: »Was soll ich mit euren vielen Opfern anfangen? Ich habe genug von euren Schafböcken und dem Fett eurer Mastkälber; das Blut eurer Opfertiere ist mir zuwider, sei es von Stieren, Ziegenböcken oder Lämmern. [12]Ihr kommt zum Tempel und denkt: ›Hier ist Gott gegenwärtig.‹ Doch in Wirklichkeit zertrampelt ihr nur meinen Vorhof. Wer hat euch das befohlen? [13]Hört endlich mit diesen nutzlosen Opfern auf! Ich kann euren Weihrauch nicht mehr riechen. Ihr feiert bei Neumond und am Sabbat, ihr kommt zu den Festen zusammen, aber ich verabscheue sie, weil ihr an euren Sünden festhaltet. [14]Darum hasse ich alle diese Festversammlungen! Sie sind mir eine Last, ja, sie sind unerträglich für mich! [15]Streckt nur eure Hände zum Himmel, wenn ihr betet! Ich halte mir die Augen zu. Betet, soviel ihr wollt! Ich werde nicht zuhören, denn an euren Händen klebt Blut. [16]Wascht euch, reinigt euch von aller Bosheit! Lasst eure Gräueltaten, hört auf mit dem Unrecht! [17]Lernt wieder, Gutes zu tun! Sorgt für Recht und Gerechtigkeit, tretet den Ge-

---

1,1 2 Kön 15,1–7; 15,32–38; 16,1–20; 18,1 – 20,21 **1,2** 5 Mo 4,26* **1,3** Jer 8,7 **1,5–9** 2 Kön 18,13 – 19,37 **1,5** Jer 2,30 **1,9** 1 Mo 19,24–25*; Röm 9,29 **1,10** 1 Mo 18,20 **1,11–17** Ps 40,7–9*; Am 5,21–27 **1,12** Jer 7,4 **1,15** Spr 15,29; Joh 9,31 **1,17** 2 Mo 22,21–22*; Am 5,24

walttätern entgegen, und schafft den Waisen und Witwen Recht!«

Gott richtet sein Volk

[18]So spricht der Herr: »Kommt, wir wollen miteinander verhandeln, wer von uns im Recht ist, ihr oder ich. Eure Sünden sind blutrot, und doch sollt ihr schneeweiß werden. Sie sind so rot wie Purpur, und doch will ich euch rein waschen wie weiße Wolle. [19]Wenn ihr mir von Herzen gehorcht, dann könnt ihr wieder die herrlichen Früchte eures Landes genießen. [20]Wenn ihr euch aber weigert und euch weiter gegen mich stellt, dann werdet ihr von euren Feinden umgebracht. Darauf gebe ich, der Herr, mein Wort!«

[21]Ach, Jerusalem, früher warst du dem Herrn treu. Jetzt aber bist du zur Hure geworden, weil du anderen Göttern nachläufst[a]. Damals ging es in der Stadt gerecht und redlich zu. Und heute? Heute herrschen dort Mord und Totschlag! [22]Jerusalem, damals warst du wie reines Silber, heute bist du mit vielen Schlacken vermischt; früher warst du ein guter Wein, heute bist du mit Wasser gepanscht. [23]Deine führenden Männer sind Aufrührer und machen mit Betrügern gemeinsame Sache. Sie lieben Geschenke und Bestechungsgelder. Um das Recht von hilflosen Waisen kümmern sie sich nicht, und Hilfe suchende Witwen lassen sie gleich an der Tür abweisen.

[24]Deshalb spricht der Herr, der allmächtige und starke Gott Israels: »Ich lasse meinem Zorn freien Lauf und räche mich an euch; ihr seid meine Feinde. [25]Jerusalem, ich werde dich packen und in den Schmelztiegel werfen. Wie ein Silberschmied die Schlacken ausschmilzt, um reines Silber zu bekommen, so schmelze ich bei dir die Bosheit und Unreinheit aus. [26]Ich gebe dir wieder unbestechliche Richter und unvoreingenommene Berater. Dann wird man Jerusalem wieder so nennen wie früher: ›Stadt, in der Recht geübt wird‹ und ›Stadt, die Gott treu ist‹.«

[27]Ja, der Herr wird Jerusalem erlösen und dort das Recht wiederherstellen. Und er wird allen die Schuld vergeben, die zu ihm zurückkehren. [28]Doch wer sich vom Herrn lossagt und sein Gesetz ständig missachtet, der kommt um. Jeder, der dem Herrn den Rücken kehrt, läuft ins Verderben.

[29]Ihr verehrt heilige Bäume und legt kunstvolle Gärten an für eure Götzen. Das wird ein böses Erwachen geben, wenn ihr einsehen müsst, dass sie nicht helfen können! Beschämt werdet ihr dastehen [30]und einem Baum mit verdorrten Blättern gleichen, einem Garten ohne Wasser. [31]Wer sich für stark hielt, ist dann wie trockenes Stroh. Sein Götzendienst wird zum überspringenden Funken, der Götzendiener und Götzen in Flammen aufgehen lässt. Dieses Feuer kann niemand löschen!

Jerusalem, der Mittelpunkt eines neuen Reiches

2 In einer Vision empfing Jesaja, der Sohn des Amoz, diese Botschaft für Juda und Jerusalem:

[2]Am Ende der Zeit wird der Berg, auf dem der Tempel des Herrn steht, alle anderen Berge und Hügel weit überragen. Menschen aller Nationen strömen dann herbei. [3]Viele Völker ziehen los und rufen einander zu: »Kommt, wir wollen auf den Berg des Herrn steigen, zum Tempel des Gottes Israels! Dort wird er uns seinen Weg zeigen, und wir werden lernen, so zu leben, wie er es will.«

Denn vom Berg Zion aus wird der Herr seine Weisungen geben, dort in Jerusalem wird er der ganzen Welt seinen Willen verkünden. [4]Gott selbst schlichtet

---

[a] »weil … nachläufst« ist sinngemäß eingefügt.

1,18 Ps 85,3* **1,19** 3 Mo 25,18–19 **1,20** 3 Mo 26,25 **1,21** Hos 1,2* **1,23** 2 Mo 23,6–8 **1,24** Hes 22,17–22 **1,26** 5 Mo 16,18–20; Sach 8,3 **1,28** 5 Mo 28,15 **1,29** 17,10; 57,5; 65,3 **2,2–4** Mi 4,1–3 **2,2–3** 45,22–24*; Ps 117,1*; Jer 3,17; Sach 2,15 **2,3** Joh 4,22 **2,4** 9,4–6; Ps 46,10–11

den Streit zwischen den Völkern, und unter den Nationen spricht er Recht. Dann schmieden sie ihre Schwerter zu Pflugscharen um und ihre Speere zu Winzermessern. Kein Volk wird mehr das andere angreifen; niemand lernt mehr, Krieg zu führen.[a]

[5] Kommt, ihr Nachkommen Jakobs, wir wollen schon jetzt mit dem Herrn leben. Er ist unser Licht!

Der schreckliche Gerichtstag Gottes

[6] Herr, du hast dich von deinem Volk Israel abgewandt, weil sie die heidnischen Bräuche aus dem Osten übernommen haben. Sie treiben Zauberei wie ihre Nachbarn im Westen, die Philister. Bedenkenlos haben sie sich anderen Völkern angepasst. [7] Israel hat in jeder Hinsicht Überfluss: Das Land ist voll von Gold, Silber und anderen Schätzen; Pferde und Streitwagen sind in großer Zahl vorhanden. [8] Doch auch mit Götzenstatuen ist das Land übersät. Vor selbst gemachten Figuren werfen die Menschen sich nieder und beten sie an. [9] Herr, verzeih ihnen das nicht! Du wirst jeden in die Knie zwingen, alle müssen sich vor dir beugen.

[10] Ja, versteckt euch in den Höhlen, kriecht in die Erdlöcher! Denn der Herr verbreitet Furcht und Schrecken, wenn er sich in seiner Macht und Hoheit zeigt. [11] Es kommt der Tag, an dem der Hochmut der Menschen ein Ende hat und ihr Stolz gebrochen wird. Dann wird nur einer groß sein: der Herr! [12] Der allmächtige Gott hat einen Tag bestimmt, an dem er über die stolzen und hochmütigen Menschen Gericht hält und sie erniedrigt. [13] Alle hoch gewachsenen Zedern auf dem Libanon und die mächtigen Eichen in der Baschanebene wird er umhauen, [14] jeden hohen Berg und Hügel einebnen, [15] starke Türme und feste Mauern einreißen; [16] alle Handelsschiffe, die bis nach Tarsis in Spanien fahren, wird er mit ihrem ganzen Reichtum versenken. [17/18] So macht er den Hochmut der Menschen zunichte. Die stolzen Herren liegen dann im Staub, und mit den Götzen ist es aus und vorbei. An diesem Tag wird nur einer groß sein: der Herr!

[19] Wenn Gott sich in seiner Macht und Hoheit zum Gericht erhebt und die Erde in Schrecken versetzt, fliehen seine Feinde voller Angst in die Felsenklüfte und verkriechen sich in Erdlöchern. [20] Sie werfen ihre silbernen und goldenen Götzenfiguren, die sie mit viel Mühe angefertigt haben, achtlos den Ratten und Fledermäusen hin, [21] um so schnell wie möglich in Felsspalten und Höhlen zu verschwinden. Angst und Grauen wird sie packen, wenn der Herr sich erhebt, um Gericht zu halten. Vor seiner Macht und Hoheit muss jeder vergehen. [22] Hört endlich auf, euch auf Menschen zu verlassen! Sie vergehen wie ein Lufthauch. Was bleibt von ihnen übrig?

Der Zusammenbruch Judas

3 Der allmächtige Herr und Gott nimmt den Bewohnern von Juda und Jerusalem alles weg, worauf sie sich heute verlassen: jeden Vorrat an Brot und Wasser, [2] alle tapferen Helden, Soldaten, Richter und Propheten, Wahrsager und Ältesten, [3] alle Offiziere, angesehenen Leute, Rechtsgelehrten, geschickten Handwerker und klugen Beschwörer.

[4] Dafür gibt er ihnen unreife Kinder als Herrscher, die mit Willkür regieren. [5] Schreckliche Zustände werden herrschen: Einer unterdrückt den anderen; die Jungen lehnen sich gegen die Alten auf, die Ehrlosen gegen die geachteten Leute.

[6] Die Männer einer Sippe werden sich an einen von ihnen klammern und ihn

---

[a] Vgl. Micha 4,1–3

2,5 60,1–2 **2,7** 31,1; Ps 33,17 **2,8** 44,10; Ps 115,4 **2,11–12** 10,12–14; 23,9; 26,5; Hes 7,10–11; 31,10–11; Hos 5,5; Am 6,8; Obd 3–4 **2,12** Joel 1,15* **2,20** 30,22; 31,7 **2,22** 31,3 **3,1** 3 Mo 26,26 **3,5** 3 Mo 19,32

bestürmen: »Du hast wenigstens noch einen Mantel, wir dagegen haben alles verloren. Sei unser Anführer, übernimm doch das Kommando über diesen Trümmerhaufen!« [7]Doch der wird sich heftig wehren: »Lasst mich in Ruhe! Erwartet bloß keine Hilfe von mir! Ich habe selbst nichts zu essen und anzuziehen. Ich kann unmöglich unser Volk regieren. Schlagt euch das aus dem Kopf!«

[8]Jerusalem, ja, das ganze Land Juda geht dem Untergang entgegen, denn ihre Bewohner beleidigen den Herrn mit Wort und Tat, sie widersetzen sich seiner Macht und Hoheit. [9]Ihre Bosheit steht ihnen im Gesicht geschrieben. Ohne Hemmungen reden sie offen von ihren Sünden wie damals die Leute in Sodom. Aber das wird ihnen schlecht bekommen! Sie stürzen sich selbst ins Unglück.

[10]Vergesst nicht: Wer Gott gehorcht, dem geht es gut; was er erarbeitet hat, das kann er auch genießen. [11]Aber wehe dem, der sich Gott widersetzt! Für seine Bosheit wird er die gerechte Strafe erhalten: Was er anderen zugefügt hat, wird er selbst zu spüren bekommen.

[12]Ach, mein armes Volk! Merkst du nicht, was für Herrscher du hast? Sie machen mit dir, was sie wollen, und beuten dich aus, wo sie nur können[a]. Du hast keine Anführer, sondern Verführer. Mit ihren falschen Ratschlägen verwirren sie mein Volk, und deshalb weiß niemand mehr, was gut und richtig ist.

[13]Der Herr erhebt sich zur Gerichtsverhandlung, er steht auf, um die Völker zu richten. [14]Die Ältesten und die führenden Männer seines Volkes werden vorgeladen. »Ihr habt meinen Weinberg Israel geplündert«, klagt der Herr sie an. »Ihr nehmt den Armen ihren letzten Besitz und füllt damit eure eigenen Häuser. [15]Wer gibt euch das Recht, mein Volk zu unterdrücken und die Hilflosen auszubeuten?«, fragt der Herr, der allmächtige Gott.

Gott richtet über Hochmut und Eitelkeit

[16]So spricht der Herr: »Hochmütig sind sie, die Frauen Jerusalems. Sie recken stolz den Kopf in die Höhe und werfen den Männern aufreizende Blicke zu. Sie gehen mit tänzelnden Schritten, damit ihre Fußkettchen klirren.« [17]Darum wird der Herr ihnen die Haare ausfallen lassen und sie nackt ausziehen. [18]Ja, es kommt der Tag, da nimmt der Herr den vornehmen Frauen allen Schmuck weg: die Fußspangen, die Stirnbänder und die Halsketten mit ihren kleinen Halbmonden, [19]die prachtvollen Ohrgehänge, die Armreifen und die Schleier, [20]die kostbaren Diademe, die Fußkettchen und Gürtel, die teuren Parfüme und alle Amulette, [21]die Finger- und Nasenringe, [22]ebenso ihre Festkleider, Umhänge, Mäntel, Täschchen [23]und Spiegel, die Unterwäsche, die Kopftücher und die weiten Überwürfe. [24]Statt nach Parfüm zu duften, werden sie stinken. Anstelle der kostbaren Gürtel binden sie sich Stricke um. Von ihren kunstvollen Frisuren bleibt nichts übrig, denn die Haare fallen ihnen aus. Statt feiner Seidenkleider tragen sie Gewänder aus Sacktuch. Mit ihrer Schönheit ist es dann vorbei. Nur Scham und Schande bleiben zurück.

[25]Ach, Jerusalem! Alle deine Männer, auch die besten Soldaten, werden im Krieg fallen. [26]Die ganze Stadt wird erfüllt sein vom lauten Klagen und Weinen. Zerstört und ausgeplündert liegt sie da.

4 In dieser Zeit werden sieben Frauen einem Mann nachlaufen und ihn anflehen: »Heirate uns doch alle sieben! Für unser Essen und die Kleidung wollen wir selbst aufkommen. Wir möchten nur deinen Namen tragen. Erspar uns die Schande, keinen Mann und keine Kinder zu haben!«

---

[a] So mit der griechischen Übersetzung. Der hebräische Text lautet: und Frauen beherrschen es.
3,9 1 Mo 19,5 **3,10–11** Spr 3,33 **3,12** 1,23 **3,14** 5,1–7 **3,16** 1 Tim 2,9

Gott schenkt einen Neuanfang

[2]Zu jener Zeit lässt der Herr alle Pflanzen sprießen und prächtig gedeihen; ja, das ganze Land blüht auf und bringt reiche Ernte. Die Überlebenden in Israel werden sich daran freuen, sie können stolz darauf sein. [3]Alle, die noch in Jerusalem übrig geblieben sind, schreibt Gott in einem Buch auf. Sie werden leben und ihm ganz gehören. [4]Durch seinen Geist, der Gericht hält und wie ein Feuer brennt, hat der Herr die Einwohner Jerusalems geläutert. So wie man Schmutz abwäscht, hat er sie von ihrer schweren Schuld befreit. [5]Der Herr wird etwas Neues schaffen: Den ganzen Berg Zion und alle, die sich dort versammeln, bedeckt er am Tag mit einer Wolke und in der Nacht mit Rauch und Feuerschein. Es wird sein, als liege ein Schutzdach über diesem herrlichen Ort, [6]das Schatten bietet vor der Sonnenglut und Zuflucht vor Regen und Sturm.

Das Lied vom unfruchtbaren Weinberg

5 Hört! Ich will ein Lied singen, ein Lied von meinem besten Freund und seinem Weinberg:

»Auf einem Hügel, sonnig und fruchtbar, lag das Grundstück meines Freundes. Dort wollte er einen Weinberg anlegen. [2]Er grub den Boden um und räumte alle großen Steine fort. Die beste Rebensorte pflanzte er hinein. Er baute einen Wachturm mittendrin und meißelte einen Keltertrog aus dem Felsen. Wie freute er sich auf die erste Ernte, auf saftige und süße Trauben! Doch die Trauben waren klein und sauer!

[3]Urteilt selbst, ihr Leute von Jerusalem und Juda:
[4]Habe ich für meinen Weinberg nicht alles getan? Konnte ich nicht mit Recht eine reiche Ernte erwarten? Warum brachte er nur kleine, saure Trauben?
[5]Wisst ihr, was ich jetzt mit meinem Weinberg mache? Zaun und Schutzmauer reiße ich weg! Tiere sollen kommen und ihn kahl fressen, Ziegen und Schafe, sie sollen ihn zertrampeln!
[6]Nie mehr werde ich die Reben beschneiden, nie mehr den harten Boden mit der Hacke lockern; Dornen und Disteln sollen ungehindert wuchern. Ich verbiete den Wolken, ihm Regen zu bringen. Soll der Weinberg doch vertrocknen!«

[7]Dies ist eure Geschichte, ihr Israeliten. Ihr seid der Weinberg, und euer Besitzer ist der Herr, der allmächtige Gott. Ihr aus Israel und Juda, ihr seid die Pflanzung, auf deren Erträge er sich freute. Er wollte von euch gute Taten sehen, doch er sah nur Bluttaten; ihr habt nicht Recht gesprochen, sondern es gebrochen!

Wehe denen, die Böses gut und Gutes böse nennen!

[8]Wehe denen, die sich ein Haus nach dem anderen bauen und ein Grundstück nach dem anderen kaufen, bis keines mehr übrig ist! Sie finden erst Ruhe, wenn das ganze Land ihnen gehört. [9]Ich habe die Worte des Herrn, des allmächtigen Gottes, noch im Ohr. Er schwor: »Die großen und schönen Häuser werden verwüstet daliegen, und niemand wird mehr darin wohnen. [10]Ein Weinberg von über zwei Hektar bringt dann nur ein kleines Fass Wein ein, und von drei Zentnern Saatgut wird man höchstens ein Säckchen Getreide ernten.

[11]Wehe denen, die schon früh am Morgen losziehen, um sich zu betrinken. Bis spät in die Nacht bleiben sie sitzen und lassen sich mit Wein voll laufen. [12]Gitarren und Harfen, Pauken und Flöten und natürlich der Wein fehlen bei ihren Gelagen nie! Doch für mich, den Herrn, haben sie keinen Gedanken übrig; was ich

---

4,3 Mal 3,16 **4,4** 1,18 **4,5** 2 Mo 13,21–22 **5,1–7** 27,2–5; Ps 80,9–14; Jer 2,21; 12,10; Hes 15,1–8; Hos 10,1; Mt 21,33–46 **5,7** 1,17 **5,8** 3 Mo 25,23–28 **5,11–12** 28,1.7; Hos 4,18; Am 6,5–6

in der Welt tue, nehmen sie nicht wahr. [13]Weil sie das nicht einsehen wollen, wird mein Volk in die Verbannung verschleppt werden. Dann müssen die vornehmen Herren Hunger leiden, und das einfache Volk wird umkommen vor Durst. [14]Das Totenreich reißt wie ein gieriges Ungeheuer seinen Schlund auf und verschlingt die ganze Pracht Jerusalems mitsamt der johlenden und lärmenden Menge. [15]So werde ich die Menschen in die Knie zwingen, sie müssen vor mir in den Staub. Wer früher eingebildet und hochmütig war, wird beschämt den Blick zu Boden senken.«

[16]Der Herr, der allmächtige Gott, vollstreckt sein Gerichtsurteil und erweist so seine Macht. Er zeigt, dass er ein heiliger und gerechter Gott ist. [17]Zwischen den Trümmern der Stadt werden Lämmer weiden. Umherziehende Hirten werden essen, was die vertriebenen Reichen in den Ruinen zurücklassen mussten.

[18]Wehe denen, die an die Sünde gefesselt sind und ihre Schuld hinter sich herschleifen wie ein Ochse seinen Karren. [19]Sie spotten: »Er soll sich beeilen, der ›heilige Gott Israels‹, wir möchten endlich sehen, wie er straft! Ständig spricht er von seinem Gericht. Also los, er soll zeigen, was er kann!«

[20]Wehe denen, die Böses gut und Gutes böse nennen, die Finsternis als Licht bezeichnen und Licht als Finsternis, die Saures für süß erklären und Süßes für sauer.

[21]Wehe denen, die sich selbst für klug und verständig halten!

[22]Wehe denen, die Helden sind im Weintrinken und tapfere Männer, wenn es darum geht, starke Getränke zu mischen. [23]Als Richter sind sie bestechlich, für Geld sprechen sie Schuldige frei und verurteilen die Unschuldigen. [24]Darum werden sie brennen wie die Stoppeln auf dem Acker, ja, wie ein Strohhaufen. Sie werden zugrunde gehen wie eine Blume, deren Wurzeln verfaulen, wie Blüten, die der Wind zerstreut. Denn sie haben das Gesetz des Herrn, des allmächtigen Gottes, abgelehnt und sich nicht zu Herzen genommen, was der heilige Gott seinem Volk Israel gesagt hat.

Die assyrischen Heere bedrohen Juda

[25]Darum ist der Herr voller Zorn über sein Volk. Schon hat er seine Hand erhoben und schlägt zu, dass die Berge erbeben. Die Leichen liegen überall auf den Straßen herum wie Unrat. Aber noch hat sich der Zorn des Herrn nicht gelegt, noch ist seine strafende Hand erhoben.

[26]Er gibt den Völkern in der Ferne ein Zeichen. Ein Pfiff – und die Heere eilen vom Ende der Erde herbei; in kürzester Zeit sind sie da. [27]Keiner der Soldaten ist müde und erschöpft, niemand gönnt sich eine Pause oder gar eine Stunde Schlaf. Der Gürtel mit dem Schwert sitzt fest, und die Schuhriemen reißen nicht. [28]Ihre Pfeilspitzen sind scharf geschliffen, die Bogen gespannt. Die Hufe ihrer Pferde sind hart wie Stein, und die Räder der Streitwagen drehen sich wie ein Wirbelwind. [29]Beim Angriff brüllen die Männer wie hungrige Löwen, die ihre Beute packen und knurrend wegschleppen. Kein Mensch wagt, sie daran zu hindern.

[30]Genauso werden diese Heere eines Tages über Juda und Jerusalem herfallen. Ihr Siegesgebrüll gleicht dem Tosen des Meeres. Wohin man auch blickt: Dichte Wolken verdunkeln das Licht, Finsternis lastet auf dem Land und verbreitet Angst und Schrecken.

Gott beruft Jesaja zum Propheten

6 Es war in dem Jahr, als König Usija starb. Da sah ich den Herrn auf einem hohen, gewaltigen Thron sitzen. Der Saum seines Gewandes füllte den ganzen Tempel aus. [2]Er war umgeben von mächtigen Engeln, jeder von ihnen

---

5,19 Jer 17,15; Hes 12,21–23; 2 Petr 3,3–4 **5,21** Spr 3,7; Röm 12,16 **5,23** 5 Mo 16,18–20 **5,25** 9,11.16.20; 10,4 **5,26–29** 7,18–20 **6,1** 2 Kön 15,7 **6,2–3** Ps 29,1–2; Offb 4,8

hatte sechs Flügel. Mit zwei Flügeln bedeckten sie ihr Gesicht, mit zweien ihren Leib, und zwei brauchten sie zum Fliegen. [3] Sie riefen einander zu:

»Heilig, heilig, heilig ist der Herr, der allmächtige Gott! Seine Herrlichkeit erfüllt die ganze Welt.«

[4] Ihre Stimme ließ die Fundamente des Tempels erbeben, und das ganze Heiligtum war voller Rauch. [5] Entsetzt rief ich: »Ich bin verloren! Denn ich bin ein Sünder und gehöre zu einem Volk von Sündern. Mit jedem Wort, das über unsere Lippen kommt, machen wir uns schuldig! Und nun habe ich den Herrn gesehen, den allmächtigen Gott und König!«

[6] Da flog einer der Engel zu mir mit einer glühenden Kohle in der Hand, die er mit der Zange vom Altar geholt hatte. [7] Er berührte damit meinen Mund und sagte: »Die glühende Kohle hat deine Lippen berührt. Deine Schuld ist jetzt weggenommen, dir sind deine Sünden vergeben.«

[8] Danach hörte ich den Herrn fragen: »Wen soll ich als Boten zu meinem Volk senden? Wer ist bereit zu gehen?« Ich antwortete: »Ich bin bereit, sende mich!« [9] Da sprach er: »Geh und sag diesem Volk: ›Hört mir nur zu, so lange ihr wollt, ihr werdet doch nichts verstehen. Seht nur her, ihr werdet doch nichts erkennen!‹ [10] Sag ihnen das, und mach ihre Herzen hart und gleichgültig, verstopf ihre Ohren, und verkleb ihre Augen! Sie sollen weder sehen noch hören, noch mit dem Herzen etwas verstehen, damit sie nicht umkehren und geheilt werden.«

[11] Ich fragte: »Herr, wie lange soll das so gehen?«, und er antwortete: »Bis die Städte entvölkert und zerstört sind, bis die Häuser leer stehen und das ganze Land zur Wüste geworden ist. [12] Ich werde seine Bewohner in fremde Länder verschleppen. Ganz Israel wird einsam und verlassen daliegen. [13] Und sollte auch nur ein Zehntel der Bevölkerung im Land zurückgeblieben sein, wird es noch einmal verwüstet werden. Mein Volk gleicht dann einem gefällten Baum, von dem nur noch der Stumpf übrig geblieben ist. Doch aus diesem Wurzelstock wird einmal etwas Neues wachsen: ein Volk, das mir gehört.«

Der Herr wendet die drohende Gefahr von Jerusalem ab

7 Als Ahas, der Sohn Jotams und Enkel Usijas, König von Juda war, versuchten König Rezin von Syrien und König Pekach von Israel, der Sohn Remaljas, Jerusalem zu erobern. Doch sie konnten die Stadt nicht einnehmen. [2] Dem Königshaus wurde gemeldet: »Syrische Truppen sind in Israel angekommen.« Der judäische König und das Volk zitterten vor Angst wie Bäume im Sturm.

[3] Da gab der Herr dem Propheten Jesaja den Auftrag: »Geh mit deinem Sohn Schear-Jaschub[a] dem König entgegen. Du wirst ihn am Ende der Wasserleitung antreffen, die vom oberen Teich herkommt, an der Straße zu dem Feld, auf dem die Tuchmacher ihre Stoffe bleichen. [4] Sag ihm, er soll nichts Unüberlegtes tun, sondern Ruhe bewahren. Ermutige ihn mit dieser Botschaft: Hab keine Angst, und lass dich nicht einschüchtern! Rezin und der Sohn Remaljas stürmen zwar wutschnaubend mit ihren Heeren gegen dich heran, doch sie sind nichts als verkohlte, qualmende Holzstummel. [5] Der syrische und der israelitische König haben sich einen bösen Plan ausgedacht. [6] Die beiden sagen: ›Wir wollen nach Juda hinaufziehen. Erst schüchtern wir die Leute ein, dann erobern wir Jerusalem, und zuletzt machen wir den Sohn Tabeals zu ihrem neuen König.‹ [7] Aber ich, der allmächtige Gott, sage: Daraus wird nichts! Es wird ihnen nicht gelingen! [8] Damaskus bleibt auch weiterhin nur die Hauptstadt Syriens, Rezin muss seine Er-

---

[a] Schear-Jaschub bedeutet »Ein Rest kehrt zurück«.

6,4 Offb 15,8 **6,5** Ps 51,7; 2 Mo 33,20–23* **6,7** Jer 1,9; Dan 10,16 **6,9–10** Mt 13,13–15; Joh 12,39–41; Apg 28,25–27 **6,13** 10,21–22*; Am 5,3 **7,1** 2 Kön 16,5–9 **7,3** 2 Kön 18,17; 20,20

oberungspläne aufgeben. Und das Königreich Israel wird nur noch fünfundsechzig Jahre bestehen; das Volk wird getötet oder verschleppt. [9] Bis dahin bleibt Samaria Hauptstadt, und der Sohn Remaljas muss sich mit der Herrschaft über Israel begnügen.

Vertraut jetzt mir, dem Herrn! Wenn euch der Glaube an mich nicht hält, dann hält euch gar nichts mehr!«

Der Herr gibt Ahas ein Zeichen

[10] Kurz darauf ließ der Herr wieder eine Botschaft an König Ahas überbringen: [11] »Fordere von mir, dem Herrn, deinem Gott, ein Zeichen; ich will dir mein Versprechen bestätigen. Verlang, was du willst: ein Zeichen hoch oben am Himmel oder aus der Tiefe der Totenwelt.«

[12] Doch Ahas wehrte ab: »Nein, nein, darauf lasse ich mich nicht ein! Ich will den Herrn nicht auf die Probe stellen.«

[13] Aber Jesaja erwiderte: »Hört, ihr vom Königshaus! Reicht es euch nicht, dass ihr den Menschen zur Last fallt? Müsst ihr auch noch meinem Gott zur Last fallen? [14] Jetzt gibt euch der Herr von sich aus ein Zeichen: Eine Jungfrau wird schwanger werden und einen Sohn bekommen. Immanuel[a] wird sie ihn nennen. [15] Nur von Butter und Honig ernährt er sich, bis er alt genug ist, zwischen Gut und Böse zu unterscheiden. [16] Doch ehe der Junge dieses Alter erreicht, werden die Länder der beiden Könige, vor denen du so schreckliche Angst hast, verwüstet sein.«

Auch Juda wird verwüstet werden

[17] »Aber auch für dich, deine Familie und dein Volk brechen schlimme Zeiten an. Sie werden schrecklicher sein als alles, was geschehen ist, seit sich Israel von Juda trennte. Das Unglück kommt in Gestalt des Königs von Assyrien. [18] Der Herr wird die Feinde herbeipfeifen. Wie ein Fliegenschwarm kommen sie von den weit entfernten Nilarmen, aus Assyrien ziehen sie heran und bedecken das Land wie ein riesiges Bienenvolk. [19] Überall lassen sie sich nieder: in steilen Schluchten und engen Felsspalten, in den Dornenhecken und an jeder Wasserstelle. [20] Dann wird der Herr den assyrischen König vom Euphrat ins Land holen und als ›Rasiermesser‹ benutzen. Er wird euch die Haare am Kopf und am ganzen Körper abrasieren.

[21] In dieser Zeit wird jede Familie nur eine Kuh und zwei Ziegen besitzen. [22] Die aber werden so viel Milch geben, dass man sogar noch Butter daraus machen kann. Wer überlebt hat und im Land bleiben konnte, wird sich von Butter und Honig ernähren.

[23] Die großen Weinberge mit ihren tausend Weinstöcken, jeder einzelne ein Silberstück wert, sind dann mit Dornengestrüpp und Unkraut überwuchert. [24] So verwildert das Land. Man geht dort nur noch hin, um mit Pfeil und Bogen zu jagen. [25] Die fruchtbaren Berghänge, die man heute mit der Hacke bearbeitet, verwandeln sich in ein unwegsames Dickicht aus Dornengestrüpp und Unkraut. Jeder meidet diese Gegend. Nur Rinder, Schafe und Ziegen treibt man zum Weiden dorthin.«

Schnelle Beute, rascher Raub

8 Der Herr sprach zu mir: »Nimm eine große Tafel, und schreib darauf in gut lesbarer Schrift: ›Schnelle Beute, rascher Raub‹.« [2] Ich zeigte die Tafel zwei zuverlässigen Zeugen, und zwar dem Priester Uria und Secharja, dem Sohn Jeberechjas.

[3] Als ich dann mit meiner Frau, der Prophetin, schlief, wurde sie schwanger und bekam einen Sohn. Der Herr befahl mir: »Nenn ihn ›Schnelle Beute, rascher

---

[a] Immanuel bedeutet »Gott ist mit uns«.

7,9 28,16; 30,15 **7,11** Ri 6,17; 1 Kön 13,3–5; 2 Kön 20, 8–11 **7,12** 5 Mo 6,16 **7,14** Mt 1,23 **7,16** 8,4; 2 Kön 16,9 **7,18–20** 5,26–29 **8,1** 30,8; Hab 2,2 **8,2** 5 Mo 19,15* **8,3** 7,3; Hos 1,3–9

Raub‹. [4]Denn bevor das Kind ›Vater‹ und ›Mutter‹ sagen kann, wird der König von Assyrien die Städte Damaskus und Samaria erobern und ihre Schätze plündern.«

Juda wird vom assyrischen Heer überrollt

[5]Weiter sagte der Herr zu mir: [6]»Dieses Volk verachtet das ruhig fließende Wasser des Siloahkanals in Jerusalem. Doch Rezin und Pekach verehren sie. [7]Deshalb hetze ich den König von Assyrien auf sie, er wird mit seinem Heer ins Land einfallen. So wie der Euphrat bei Hochwasser zu einem reißenden Strom anschwillt und über die Ufer tritt, [8]so wird sich dieses Heer auf Juda zuwälzen und das Land überfluten. Das Wasser wird dem Volk bis zum Hals stehen. Dein ganzes Land, Immanuel, wird von ihnen bedeckt sein.«

Wer Gott verachtet, muss die Folgen tragen

[9]Erhebt nur das Kriegsgeschrei, ihr Völker – es wird euch angst und bange werden! Hört genau zu, ihr fernen Nationen: Rüstet euch ruhig zum Krieg – wenn es so weit ist, werdet ihr weiche Knie bekommen! [10]Schmiedet Pläne und fasst Beschlüsse, soviel ihr wollt – sie werden scheitern, nichts wird euch gelingen! Denn Gott ist mit uns.

[11]Der Herr hat mich mit seiner starken Hand gepackt. Er warnte mich davor, den Irrweg dieses Volkes mitzugehen. [12]Er sagte zu mir: »Du und alle, die auf deiner Seite stehen, lasst euch nicht beirren, wenn dieses Volk euch als Verschwörer beschimpft. Habt keine Angst vor dem, was sie fürchten! [13]Ich bin der Herr, der allmächtige und heilige Gott. Wenn jemand zu fürchten ist, dann ich! [14]Für die einen bin ich ein sicherer Zufluchtsort[a], für andere bin ich der Stein, über den sie stolpern. Ich bin ein Fels, über den Israel und Juda stürzen, eine versteckte Falle, in die die Einwohner Jerusalems hineinlaufen. [15]Viele werden stolpern und sich beim Sturz die Knochen brechen, viele werden in die Falle laufen und sich darin verfangen. [16]Vertrau meine Botschaft und meine Weisung denen an, die mir die Treue halten; sie sollen meine Botschaft hüten und bewahren.«

[17]Der Herr hat sich von seinem Volk Israel abgewandt. Aber ich warte auf seine Hilfe; ich hoffe darauf, dass er sich uns wieder zuwendet. [18]Ich und meine Kinder, die der Herr mir gegeben hat, wir sind lebende Botschaften. Durch uns spricht der Herr, der allmächtige Gott, der auf dem Berg Zion wohnt, zu seinem Volk.

[19]Doch die Leute lehnen das Wort des Herrn ab. Sie suchen lieber Rat bei Menschen, die mit den Geistern der Verstorbenen Verbindung aufnehmen, oder sie befragen Wahrsager, die geheimnisvoll flüstern und murmeln. Wenn sie auch euch dazu verführen wollen, dann entgegnet: »Warum wendet ihr euch nicht eurem Gott zu? Wissen die Toten etwa mehr über die Lebenden als der Herr?« [20]Richtet euch nach Gottes Weisungen, und glaubt dem, was er euch sagt! Wer sich daran nicht hält, dessen Nacht nimmt kein Ende! [21]Verdrossen und hungrig muss er durch das Land streifen. Der Hunger quält ihn, er wird rasend vor Wut und verflucht seinen König und seinen Gott. Wohin er auch blickt, zum Himmel [22]oder zur Erde, er sieht nur erdrückende Finsternis, Elend und Unglück. Er ist im dunklen Tal der Hoffnungslosigkeit gefangen.

Die dunkle Zeit wird ein Ende haben

[23]Aber die Zeit der Finsternis und der Hoffnungslosigkeit wird einmal ein Ende

---

[a] Wörtlich: ein Heiligtum.

8,4 7,16; 2 Kön 16,9 **8,8** 7,18–20 **8,10** 7,7 **8,12** 1 Petr 3,14 **8,13** Mt 10,28 **8,14** Röm 9,32–33 **8,18** 7,3; 8,1–4; 20,1–3 **8,19** 3 Mo 19,31 **8,23 – 9,1** Mt 4,12–16

haben. Früher hat Gott Schande gebracht über das Gebiet der Stämme Sebulon und Naftali, in Zukunft aber bringt er gerade diese Gegend, die Westseite des Sees Genezaret, zu Ehren; ebenso das Ostjordanland und das nördliche Galiläa, wo andere Völker wohnen.

9 Das Volk, das im Finstern lebt, sieht ein großes Licht; hell strahlt es auf über denen, die ohne Hoffnung sind. [2]Du, Herr, machst Israel wieder zu einem großen Volk und schenkst ihnen überströmende Freude. Sie sind fröhlich wie nach einer reichen Ernte; sie jubeln wie nach einem Sieg, wenn die Beute verteilt wird. [3]So wie du Israel damals aus der Gewalt der Midianiter errettet hast, so befreist du sie dann von der schweren Last der Fremdherrschaft. Du zerbrichst die Peitsche, mit der sie zur Zwangsarbeit getrieben werden. [4]Die Soldatenstiefel, die beim Marschieren so laut dröhnen, und all die blutverschmierten Kampfgewänder werden ins Feuer geworfen und verbrannt.

[5]Denn uns ist ein Kind geboren! Ein Sohn ist uns geschenkt! Er wird die Herrschaft übernehmen. Man nennt ihn »Wunderbarer Ratgeber«, »Starker Gott«, »Ewiger Vater«, »Friedensfürst«. [6]Er wird seine Herrschaft weit ausdehnen und dauerhaften Frieden bringen. Wie sein Vorfahre David herrscht er über das Reich, festigt und stützt es, denn er regiert bis in alle Ewigkeit mit Recht und Gerechtigkeit. Der Herr, der allmächtige Gott, sorgt dafür, er verfolgt beharrlich sein Ziel.

Der Zorn des Herrn hat sich noch nicht gelegt

[7]Der Herr hat ein hartes Urteil über die Nachkommen Jakobs verhängt. Das Reich Israel wird es zu spüren bekommen, [8]ja, es wird die Bewohner von Israel und die Einwohner Samarias treffen. Voller Hochmut prahlen sie: [9]»Unsere Häuser aus Ziegelsteinen sind zwar zerstört, doch nun bauen wir uns neue aus Quadersteinen. Die knorrigen Maulbeerbäume wurden alle gefällt. Was soll's, wir pflanzen Zedern dafür an!« [10]Darum hat der Herr die Feinde Israels[a] stark gemacht und sie zum Krieg angestachelt. [11]Die Syrer sind von Osten her ins Land eingefallen, und die Philister griffen von Westen an. Sie stürzten sich mit weit aufgerissenem Maul auf Israel und verschlangen ganze Stücke des Landes. Aber noch hat sich der Zorn des Herrn nicht gelegt, noch ist seine strafende Hand erhoben.

[12]Der Herr, der allmächtige Gott, bestraft sein Volk hart, aber es kehrt nicht zu ihm zurück, ja, es fragt nicht einmal nach ihm. [13/14]Darum wird der Herr an ein und demselben Tag Kopf und Schwanz von Israel abschlagen. Der Kopf, das sind die Führer des Volkes, die angesehenen Männer und die Ältesten; der Schwanz, das sind die angeblichen Propheten mit ihren falschen Weissagungen. Wie man die obersten Zweige der Palmen und die Binsen im Sumpf abschneidet, so wird der Herr an einem Tag das ganze Volk vernichten. [15]Denn die Führer dieses Volkes sind Verführer. Wer sich ihnen anvertraut, wird in die Irre geleitet. [16]Darum verschont der Herr die jungen Männer nicht und hat kein Mitleid mit den Witwen und Waisen. Denn sie sind alle ohne Ausnahme gewissenlose und bösartige Lästermäuler. Ihr ganzes Leben ist eine ständige Auflehnung gegen Gott. Aber noch hat sich der Zorn des Herrn nicht gelegt; noch ist seine strafende Hand erhoben.

[17]Durch ihre Gottlosigkeit sprechen sie sich selbst das Urteil. Ihre Bosheit gleicht einer lodernden Flamme, die Unkraut und Dornensträucher verzehrt und das dichte Unterholz im Wald in Brand steckt, bis schwarze Rauchsäulen aufstei-

---

[a] Wörtlich: die Feinde Rezins.

9,1 60,1–2; Lk 1,79 **9,3** Ri 7,1–25 **9,5** 7,14 **9,6** 11,1–2; 2 Sam 7,12–16; Ps 2,1–12; 110,1–2; Jer 23,5; 33,15; Sach 9,9–10 **9,11** 5,25; 10,4 **9,15** 3,12

gen. [18]In seinem glühenden Zorn denkt der Herr, der allmächtige Gott, gar nicht daran, dieses Feuer einzudämmen. Zurück bleibt ein zerstörtes Land, ein Land, in dem jeder gegen jeden kämpft. Niemand kümmert sich um den anderen, [19]jeder will nur seinen Hunger stillen. Gierig und rücksichtslos fällt man über alles Essbare her und wird trotzdem nicht satt. Am Ende zerfleischen sie sich gegenseitig: [20]Die Leute vom Stamm Manasse stürzen sich auf den Stamm Ephraim. Die von Ephraim gehen auf Manasse los, und zusammen fallen sie über Juda her. Und immer noch ist der Zorn des Herrn nicht gestillt; drohend schwebt seine Hand über diesem Volk.

10 Der Herr sagt: »Wehe denen, die Gesetze verabschieden, um andere ins Unglück zu stürzen, und Verordnungen erlassen, um andere zu unterdrücken! [2]Sie betrügen die Armen und Schwachen meines Volkes um ihr Recht. Kaltblütig beuten sie Witwen und hilflose Waisen aus. [3]Doch was wollt ihr tun, wenn die Zeit gekommen ist, in der ich euch bestrafe, wenn das Unglück von ferne über euch hereinbricht? Zu wem wollt ihr dann fliehen, bei wem Hilfe suchen? Wo wollt ihr euer ganzes Vermögen in Sicherheit bringen? [4]Ihr werdet entweder als Gefangene gefesselt daherstolpern oder tot bei den Gefallenen liegen.« Und auch dann ist der Zorn des Herrn noch nicht gestillt; drohend schwebt seine Hand über diesem Volk.

Assyrien missbraucht seine Macht

[5]»Wehe den Assyrern!« ruft der Herr. »Noch gebrauche ich sie als Stock, mit dem ich mein Volk bestrafe. Mein grimmiger Zorn gegen Israel treibt die Assyrer an. [6]Ich schicke sie in den Kampf gegen dieses gottlose Volk, das immer und immer wieder meinen Zorn erregt. Ich lasse das assyrische Heer das Land ausplündern und reiche Beute machen. Sollen sie es doch zertrampeln wie Dreck auf der Straße!«

[7]Doch der König von Assyrien will nicht wahrhaben, dass er vom Herrn diese Macht bekommen hat. Er verfolgt seine eigenen Pläne. Vernichten will er, Völker auslöschen – je mehr, desto besser! [8]»Jeder Befehlshaber über meine Truppen ist so mächtig wie ein König!«, prahlt er. [9]»Habe ich nicht eine Stadt nach der anderen eingenommen? Kalne war ebenso unfähig zum Widerstand wie Karkemisch, Hamat genauso schwach wie Arpad, und Samaria besiegte ich so leicht wie Damaskus. [10]Ich habe Königreiche erobert, deren Götterstatuen die von Samaria und Jerusalem weit übertrafen an Anzahl, Macht und Prunk. [11]Samaria und seine Götter habe ich bereits zerstört, sollte ich Jerusalem und seine Götter davonkommen lassen?«

[12]Doch der Herr entgegnet: »Sobald ich die Assyrer nicht mehr brauche, weil ich mein Ziel mit Jerusalem erreicht habe, gehe ich mit dem König von Assyrien ins Gericht. Selbstherrlich ist er und hochnäsig, voller Stolz blickt er auf andere herab. [13]Er brüstet sich und behauptet: ›Aus eigener Kraft habe ich das alles geschafft! Meiner Klugheit ist es zu verdanken! Ich bestimme, wo die Grenzen zwischen den Völkern verlaufen, ich plündere ihre Schätze und stürze die Könige von ihren Thronen. So groß ist meine Macht! [14]Wie man Vogelnester ausnimmt, so habe ich den Reichtum der Völker zusammengerafft. Alle Länder habe ich eingesammelt wie Eier aus einem verlassenen Nest. Keiner hat es gewagt, auch nur mit den Flügeln zu schlagen, sie haben den Schnabel gehalten und keinen Piepser von sich gegeben.‹

[15]Aber ich, der Herr, sage: Behauptet etwa eine Axt, sie sei stärker als der Holzarbeiter? Ist die Säge mehr als der, der sie gebraucht? Das wäre ja so, als ob ein Stock den schwingt, der ihn in der

---

10,2 1,17 **10,4** 5,25; 9,11.16.20 **10,5–19** 10,24–27; 14,24–27; 30,27–33; 31,8–9; 37,22–35; Nah 1,1 – 3,19; Zef 2,13–15 **10,6** 5,26; 7,20 **10,9–11** 2 Kön 18,33–35 **10,12–14** 2,11–12*

Hand hält, oder als ob ein Stab den Menschen hochhebt.«

[16] Weil sie so prahlen und lästern, wird der Herr, der allmächtige Gott, die feisten Assyrer spindeldürr werden lassen. Unter ihren Reichtümern lässt er ein Feuer aufflammen, das alles verzehrt. [17] Der heilige Gott, Israels Licht – er ist dieses Feuer! An einem einzigen Tag verbrennt es Assyrien mitsamt Dornen und Disteln. [18] Der Herr rodet die prächtigen Wälder und zerstört die fruchtbaren Gärten so gründlich, dass keine Pflanze übrig bleibt. Assyrien wird es ergehen wie einem Todkranken, der langsam dahinsiecht. [19] Es wird nur noch so wenig Bäume geben, dass sogar ein Kind sie zählen kann.

Ein kleiner Rest wird gerettet

[20] Die Nachkommen Jakobs aber, die dann noch übrig geblieben sind, werden ihre Hilfe nicht mehr von den Assyrern erwarten, von denen sie doch nur Schläge erhielten. Auf den Herrn, den heiligen Gott Israels, werden sie sich verlassen und ihm die Treue halten. [21] Ein Überrest des Volkes, ein kleiner Rest wird zurückkehren zu seinem starken Gott. [22] Auch wenn ihr Israeliten heute noch ein riesiges Volk seid, zahlreich wie der Sand am Meer, so bleiben doch nur wenige von euch übrig, die zu Gott zurückkehren. Der Herr wird sich Recht verschaffen: Wie eine Sturmflut wird seine gerechte Strafe euch überrollen. [23] Er ist fest entschlossen, das ganze Land zu verwüsten.

[24] So spricht der Herr, der allmächtige Gott: »Mein Volk in Jerusalem, fürchtet euch nicht vor den Assyrern, auch wenn sie euch so hart unterdrücken wie damals die Ägypter eure Vorfahren. [25] Es dauert nicht mehr lange, dann bin ich nicht mehr zornig über euch. Stattdessen werde ich mit den Assyrern abrechnen.« [26] Der Herr, der allmächtige Gott, wird seine Peitsche über den Assyrern schwingen. Er schlägt sie wie die Midianiter, die damals beim Orebfelsen endgültig besiegt wurden.[a] Er streckt seinen Stab über sie aus wie Mose, der damals seinen Stock über das Meer und über das ägyptische Heer ausstreckte.[b] [27] Dann wird dir, Israel, die Last von der Schulter genommen. Vom Joch Assyriens wirst du befreit.[c]

Jerusalem wird nicht überrannt werden

[28] Seht, das mächtige Heer der Assyrer ist im Vormarsch! Schon sind sie in Aja, jetzt in Migron. Ihre Ausrüstung lassen sie in Michmas zurück [29] und überqueren den Pass. Sie übernachten in Geba. Die Menschen in Rama zittern vor Angst, die in Gibea, der Stadt Sauls, ergreifen die Flucht. [30] Ja, schreit nur laut, ihr Leute von Gallim, ihr habt allen Grund dazu! Hört, ihr Einwohner von Lajescha, die Feinde rücken immer näher! Armes Anatot, was steht dir bevor! [31] Alle Einwohner Madmenas fliehen; die von Gebim laufen um ihr Leben. [32] Noch heute trifft das Heer in Nob ein und schlägt dort sein Lager auf. Der assyrische König ballt drohend die Faust gegen Jerusalem und den Berg Zion.

[33/34] Doch seht, jetzt greift der Herr ein! Mit furchtbarer Gewalt schlägt er, der allmächtige Gott, das assyrische Heer. Wie ein Holzfäller im Wald auf dem Libanon schwingt er die Axt. Er fällt die hohen Stämme und schlägt die Äste ab. Selbst das größte Dickicht im Wald haut er um. Er, der Mächtige, fällt sie alle!

---

[a] Vgl. Richter 7,25
[b] Vgl. 2. Mose 14,26–28
[c] Wörtlich: Sein Joch wird von deinem Hals genommen, das Joch wird zerbrochen, weil du so fett geworden bist.

10,20 10,5 **10,21–22** 6,13; 17,6; 37,32; Jer 23,3*; Hes 6,8; 12,16; Am 5,3 **10,22–23** Röm 9,27–28 **10,22** 1 Mo 22,17 **10,24** 2 Mo 1,11

Das Friedensreich des Messias

11 Was von Davids[a] Königshaus noch übrig bleibt, gleicht einem alten Baumstumpf. Doch er wird zu neuem Leben erwachen:

Ein junger Trieb sprießt aus seinen Wurzeln hervor. [2]Der Geist des Herrn wird auf ihm ruhen, ein Geist der Weisheit und der Einsicht, ein Geist des Rates und der Kraft, ein Geist der Erkenntnis und der Ehrfurcht vor dem Herrn. [3]Dieser Mann wird den Herrn von ganzem Herzen achten und ehren. Er richtet nicht nach dem Augenschein und fällt seine Urteile nicht nach dem Hörensagen. [4]Unbestechlich verhilft er den Armen zu ihrem Recht und setzt sich für die Rechtlosen im Land ein. Sein Urteilsspruch wird die Erde treffen; ein Wort von ihm genügt, um die Gottlosen zu töten. [5]Gerechtigkeit und Treue werden sein ganzes Handeln bestimmen.[b]

[6]Dann werden Wolf und Lamm friedlich beieinander wohnen, der Leopard wird beim Ziegenböckchen liegen. Kälber, Rinder und junge Löwen weiden zusammen, ein kleiner Junge kann sie hüten. [7]Kuh und Bärin teilen die gleiche Weide, und ihre Jungen liegen beieinander. Der Löwe frisst Heu wie ein Rind. [8]Ein Säugling spielt beim Schlupfloch der Viper, ein Kind greift in die Höhle der Otter.

[9]Auf dem ganzen heiligen Berg wird niemand etwas Böses tun und Schaden anrichten. Alle Menschen kennen den Herrn, das Wissen um ihn erfüllt das Land wie Wasser das Meer. [10]In dieser Zeit ist der Trieb, der aus der Wurzel Davids[c] hervorsprießt, als Zeichen für alle Völker sichtbar. Sie werden nach ihm fragen, und der Ort, an dem er wohnt, wird herrlich sein.

Der Herr wird sein Volk zurückholen

[11]Wenn diese Zeit da ist, streckt der Herr noch einmal seine Hand aus, um den Rest seines Volkes zu befreien. Von überall holt er die übrig gebliebenen Israeliten zurück: aus Assyrien, aus Unter- und Oberägypten, aus Äthiopien, aus Elam in Persien, aus Babylonien, aus Hamat in Syrien und von den fernen Inseln und Küsten. [12]In allen Ländern richtet er ein Zeichen auf, das seinem Volk den Weg weist. So sammelt er die Menschen, die aus Israel und Juda vertrieben und in die ganze Welt zerstreut wurden. Aus allen Himmelsrichtungen holt er sie zurück. [13]Dann verschwindet die alte Eifersucht zwischen Israel und Juda, nie mehr bekämpfen sie sich gegenseitig. [14]Gemeinsam ziehen sie nun gegen ihre Feinde in den Kampf: Sie stürzen sich auf die Philister im Westen und plündern die Völker im Osten aus; die Länder der Edomiter und Moabiter nehmen sie in Besitz. Auch die Ammoniter werden sie unterwerfen. [15]Der Herr wird den Golf von Suez austrocknen lassen. Dem Euphrat droht er mit geballter Faust und zerteilt ihn mit seinem glühenden Atem in sieben kleine Bäche, die man zu Fuß durchqueren kann. [16]So bahnt er seinem Volk den Weg, damit es aus Assyrien heimkehren kann, wie er es damals tat, als die Israeliten aus Ägypten wegzogen.

Danklied der Befreiten

12 Am Tag deiner Rettung wirst du, Israel, singen:

»Dich will ich loben, o Herr! Du warst zornig auf mich, doch dein Zorn hat sich gelegt, und du hast mich wieder getröstet. [2]Ja, so ist mein Gott: Er hat mich errettet

---

[a] Im hebräischen Text steht hier der Name von Davids Vater Isai.
[b] Wörtlich: Gerechtigkeit und Treue werden der Gürtel um seine Hüften sein.
[c] Im hebräischen Text steht hier der Name von Davids Vater Isai.

11,1 Mi 5,1 **11,2** 42,1; 61,1; 1 Sam 16,13; Joh 1,32–34 **11,3–5** Ps 72,1–4.12–14 **11,6–9** 65,25; Hes 34,25; Hos 2,20 **11,8** 1 Mo 3,14–15 **11,9** Hab 2,14 **11,10** 2,2–4; Röm 15,12 **11,11–12** 43,5–6; 49,18.22; 60,4; 62,10; 66,20; Jer 23,3*; Hes 28,25* **11,13** 1 Kön 12,16.19; Jer 3,18* **11,16** 2 Mo 14,29 **12,2** 2 Mo 15,2; Ps 118,14

und mir geholfen, ich vertraue ihm und habe keine Angst. Der Herr allein gibt mir Kraft. Denke ich an ihn, dann beginne ich zu singen, denn er hat mich gerettet.«

[3]Seine Hilfe gleicht einer sprudelnden Quelle. Voller Freude werdet ihr Wasser daraus schöpfen.

[4]An jenem Tag werdet ihr sagen: »Lobt den Herrn, ruft in die Welt hinaus, wer euer Gott ist! Sagt den Völkern, was er getan hat! Rühmt ihn, und erzählt, wie groß und erhaben er ist!
[5]Singt zur Ehre des Herrn, denn er hat wunderbare Taten vollbracht. Das soll auf der ganzen Erde bekannt werden.
[6]Ihr Einwohner von Jerusalem, jubelt und singt, denn groß und mächtig ist der heilige Gott Israels, der mitten unter euch wohnt.«

Der Herr schickt ein Heer nach Babylon

13 In einer Vision gab der Herr dem Propheten Jesaja, dem Sohn des Amoz, diese Botschaft über die Stadt Babylon:

[2]»Stellt ein Feldzeichen auf, oben auf einem kahlen Berg! Ruft die Soldaten, winkt sie herbei, und lasst sie durch die Tore in die Stadt der mächtigen Herren einziehen! [3]Ich, der Herr, habe dieses Heer aufgeboten und meine besten Soldaten herbeigerufen, damit sie mein Urteil vollstrecken. Sie jubeln über meine große Macht.«

[4]Hört ihr das laute Getöse, das von den Bergen widerhallt? Es ist eine unzählbare Menschenmenge, ganze Völker und Königreiche sind angetreten. Der Herr, der allmächtige Gott, mustert sein Kriegsheer. [5]Aus fernen Ländern kommen sie, von weit her: der Herr und seine Truppen, die sein Gerichtsurteil vollstrecken. Sie rücken heran, um das ganze babylonische Reich zu verwüsten.

[6]Schreit vor Angst, denn jetzt naht der Gerichtstag des Herrn, der Allmächtige holt zum Vernichtungsschlag aus. [7]Da werden alle vor Angst wie gelähmt sein, jeden wird der Mut verlassen. [8]Von Furcht und Schrecken sind sie gepackt, sie winden sich vor Schmerzen wie eine Frau in den Wehen. Mit totenbleichen Gesichtern[a] starren sie einander hilflos an.

[9]Ja, der Gerichtstag des Herrn kommt! An diesem grausamen Tag lässt der Herr seinem glühenden Zorn freien Lauf, er macht die Erde zu einer Wüste und vernichtet die Sünder. [10]Dann leuchten am Himmel keine Sterne mehr, den Orion und die anderen Sternbilder sucht man vergeblich. Die Sonne ist schon verdunkelt, wenn sie aufgeht, und auch der Mond scheint nicht mehr.

[11]Der Herr sagt: »Ich werde die ganze Welt bestrafen, weil sie voller Bosheit ist. Die gottlosen Übeltäter erhalten die gerechte Strafe für ihre Verbrechen. Ich mache der Großtuerei aller hochmütigen Menschen ein Ende, ich breche den Stolz der grausamen Tyrannen. [12]Nur wenige Menschen werden überleben. Sie werden schwerer zu finden sein als reines Gold, seltener noch als das edelste Gold aus Ofir.«

[13]An diesem Tag wird der Himmel erzittern und die ganze Welt ins Wanken geraten, weil der Zorn des Herrn, des allmächtigen Gottes, sie trifft. [14]Alle Menschen laufen dann auseinander wie aufgescheuchte Gazellen, wie eine Schafherde ohne Hirten. Jeder versucht, zurück in seine Heimat und zu seinem Volk zu fliehen. [15]Wen man auf der Flucht entdeckt und fasst, der wird mit dem Schwert niedergestochen. [16]Vor ihren Augen wird man ihre Kinder zerschmet-

---

[a] Wörtlich: Mit glühenden Gesichtern. – Die Bedeutung dieser Redewendung ist nicht sicher.
12,3 55,1; Joh 7,37 **12,4** Ps 105,1 **12,6** Ps 20,3; 48,2–3; 87,1–2 **13,1–22** 14,4–23; 21,1–10; 47,1–15; Jer 50,1 – 51,64; Hab 1,1–3,19; Offb 17,1 – 18,24 **13,3** Jer 51,27 **13,6** Joel 1,15* **13,8** 26,17 **13,10** Hes 32,7–8; Joel 2,10; Mt 24,29; Offb 6,12–13 **13,11** 1 Mo 6,5* **13,14** Jer 50,16

tern, ihre Häuser plündern und ihre Frauen vergewaltigen.

[17] Der Herr sagt: »Ich werde die Meder gegen diese Stadt aufstacheln. Sie lassen sich weder mit Gold noch mit Silber besänftigen. [18] Ihre Pfeile werden die jungen Männer durchbohren. Sie bringen sogar Säuglinge erbarmungslos um und haben mit den Kindern kein Mitleid.«

Die Weltstadt Babylon – ein Schlupfwinkel für wilde Tiere

[19] Babylon, heute noch die glanzvollste Stadt aller Königreiche, der ganze Stolz der Babylonier, wird restlos zerstört. Der Herr vernichtet sie wie damals die Städte Sodom und Gomorra. [20] Danach wird Babylon nie wieder aufgebaut. Generationen kommen und gehen, doch diese Stadt bleibt unbewohnt. Nicht einmal Nomaden werden für kurze Zeit ihre Zelte dort aufschlagen, und niemals werden Hirten ihre Herden dort weiden lassen. [21] Stattdessen suchen wilde Wüstentiere zwischen den Trümmern Unterschlupf. Eulen bevölkern die ehemaligen Wohnhäuser. Strauße leben dort, und nachts kommen die Dämonen und führen ihre Tänze auf. [22] In den Hallen der Paläste hört man nur noch das Geheul der Hyänen und Schakale. Ja, Babylons Ende ist nahe, seine Strafe wird um keinen einzigen Tag hinausgeschoben.

Die Israeliten kehren heim

14 Der Herr wird sich über die Nachkommen Jakobs erbarmen; er nimmt die Israeliten wieder als sein Volk an und bringt sie in ihre Heimat zurück. Auch Menschen anderer Länder werden sich ihnen anschließen und in Israel wohnen. [2] Fremde Völker werden den Israeliten bei der Rückkehr in ihre Heimat helfen und ihnen dort als Sklaven dienen. Dann halten die Israeliten die gefangen, von denen sie einst in die Gefangenschaft geführt wurden. Sie herrschen über ihre ehemaligen Unterdrücker. [3] Nach all dem Leid, der Ruhelosigkeit und der harten Arbeit, zu der man euch Israeliten gezwungen hat, werdet ihr endlich in Frieden leben.

Ein Spottlied über den König von Babylonien

[4] Dann werdet ihr über den König von Babylonien ein Spottlied anstimmen:

»Welch jähes Ende hat der Tyrann gefunden! Seine Schreckensherrschaft ist vorbei.
[5] Der Herr hat den Gotteslästerern die Macht genommen, zerbrochen hat er das Zepter des Tyrannen,
[6] der in seiner Wut unablässig auf die Völker einschlug, der sie grausam und rücksichtslos verfolgte und seinen Zorn an ihnen ausließ.
[7] Nun ist es friedlich geworden, und die Erde kommt zur Ruhe. Die ganze Welt bricht in Jubel aus.
[8] Sogar der Wald triumphiert über dich, Zypressen und Zedern auf dem Libanon freuen sich und singen: ›Seit du gestürzt am Boden liegst, kommt keiner mehr herauf, um uns zu fällen.‹

[9] Die Welt der Toten ist in Aufregung: Gespannt erwartet man dort unten deine Ankunft. Frühere Herrscher, die nun dort als Schatten leben, sind aufgeschreckt, Könige, die längst im Reich der Toten sind, erheben sich von ihren Thronen.
[10] Sie begrüßen dich mit einem Spottlied: ›Nun hat auch dich die Kraft verlassen, jetzt geht es dir wie uns!
[11] Dahin ist deine Pracht, du nahmst sie mit ins Grab. Die Musik deiner Harfenspieler ist verstummt. Nun liegst du auf einem Bett von Maden, und Würmer decken dich zu.‹

13,17 Jer 51,11 **13,19** 1 Mo 19,24–25* **13,20–22** Jer 50,39 **14,1** Sach 2,15; 8,20–23 **14,2** 49,22–23 **14,4–23** 13,1–22* **14,10** Hes 32,21

[12] Wie bist du vom Himmel gefallen, du hell leuchtender Morgenstern! Zu Boden wurdest du geschmettert, du Welteroberer!
[13] Du hattest dir vorgenommen, immer höher hinauf bis zum Himmel zu steigen. Du dachtest: ›Hoch über den Sternen will ich meinen Thron aufstellen. Auf dem Berg im äußersten Norden, wo die Götter sich versammeln, dort will ich meine Residenz errichten.
[14] Hoch über die Wolken steige ich hinauf, dann bin ich dem allerhöchsten Gott endlich gleich!‹
[15] Doch hinunter ins Totenreich wurdest du gestürzt, hinunter in die tiefsten Tiefen der Erde.

[16] Wer dich sieht, traut seinen Augen nicht. Er starrt dich an und denkt: ›Ist das der Mann, vor dem die ganze Welt zitterte, der Mann, der viele Königreiche in Angst und Schrecken versetzte?
[17] Er war es doch, der ganze Städte dem Erdboden gleichmachte und der die Erde verwüstete. Wen er gefangen nahm, der kam nie zurück.‹

[18] Die Könige aller Völker werden ehrenvoll in prächtigen Gräbern beigesetzt,
[19] aber deine Leiche liegt da wie ein abgerissener Zweig. Weit entfernt von der Ruhestätte deiner Vorfahren versinkst du in einem Massengrab, unter den Leichen der Soldaten, die das Schwert durchbohrt hat. Achtlos wirst du zertrampelt wie ein totes Tier.
[20] Nie sollst du bei deinen Vorfahren bestattet werden, denn du hast sogar dein eigenes Reich zugrunde gerichtet und dein Volk grausam umgebracht. Für alle Zeiten soll diese Sippe von Verbrechern vergessen sein.
[21] Bringt seine Söhne her, und schlachtet sie ab! Denn auf ihren Vorfahren lastet schwere Schuld. Nie wieder dürfen sie an die Macht kommen, nie wieder die Erde in Besitz nehmen und überall ihre Städte errichten!«

Das Ende Babylons ist beschlossen

[22] So spricht der Herr, der allmächtige Gott: »Ich werde eingreifen und Babylon vollständig vernichten. Die ganze Sippe samt Kindern und Kindeskindern soll ausgelöscht werden. Darauf könnt ihr euch verlassen! [23] Babylon mache ich zum Sumpfgebiet, in dem die Vögel nisten. Ich werde diese Stadt mit dem Besen der Zerstörung auskehren. Mein Wort gilt!«

Assyriens Heer wird vernichtet

[24] Ja, der Herr, der allmächtige Gott, hat geschworen: »Was ich mir vorgenommen habe, das tue ich. Was ich beschlossen habe, das geschieht. [25] Ich werde das assyrische Heer zerschlagen, noch während es in meinem Land Israel wütet; im Bergland Israels kommt es um. Dann wird mein Volk nicht länger von den Assyrern unterjocht, es muss nicht mehr unter ihrer schweren Last leiden.«

[26] So hat der Herr es für die ganze Erde beschlossen. Schon erhebt er seine Hand drohend gegen alle Völker, bereit zuzuschlagen. [27] Wenn der Herr, der allmächtige Gott, sich etwas vorgenommen hat, wer kann seinen Plan dann noch durchkreuzen? Wenn seine Hand zum Schlag erhoben ist, wer kann ihn dann noch hindern?

Der Untergang der Philister naht

[28] In dem Jahr, als König Ahas von Juda starb, empfing ich diese Botschaft von Gott:

[29] »Freut euch nicht zu früh, ihr Philister, dass der König von Assyrien tot ist, der euch unterdrückte! Der Stock, der euch schlug, ist zwar nun zerbrochen,

14,12 Lk 10,18 **14,13–15** Jer 51,53 **14,24–27** 10,5–19* **14,25** 10,26–27 **14,27** Hiob 9,12
14,28–32 Jer 47,1–7; Hes 25,15–17; Joel 4,4–8; Am 1,6–8; Zef 2,4–7; Sach 9,5–7
14,28 2 Kön 16,19–20

doch aus der toten Schlange wird eine giftige Viper und aus dieser ein fliegender Drache! [30]Die Ärmsten meines Volkes Israel werden reichlich zu essen haben, und die Notleidenden können wieder ohne Sorge leben. Euch aber lasse ich am Hunger zugrunde gehen, bis auch der letzte Rest von euch ausgelöscht ist.

[31]Ihr Wächter an den Toren, schreit laut! Heult, ihr Stadtbewohner! Zittert vor Angst, ihr Philister! Denn von Norden naht eine Rauchwolke. Es ist ein gewaltiges Heer, und keiner der Soldaten bleibt zurück.« [32]Was sollen wir den Boten aus dem Philisterland sagen? Wir antworten ihnen: »Der Herr selbst hat Jerusalem gegründet. Dort findet sein bedrängtes Volk Schutz.«

Moabs Untergang

15 Dies sagt Gott über die Moabiter: »In einer einzigen Nacht werden Ar und Kir gestürmt, in einer Nacht werden sie vernichtet, die beiden wichtigsten Städte Moabs! [2]Die Menschen steigen zu ihren Tempeln hinauf, die Einwohner von Dibon laufen zu ihren Opferstätten auf den Hügeln, um dort zu weinen. Auch in den Städten Nebo und Medeba klagen und weinen die Moabiter. Die Männer haben sich vor Kummer den Kopf kahl geschoren und die Bärte abrasiert. [3]Auf den Straßen sieht man nur noch Leute in Trauergewändern aus Sacktuch. Sie schreien und klagen auf den flachen Dächern der Häuser und auf den Marktplätzen der Städte. Alle sind in Tränen aufgelöst. [4]In Heschbon und Elale rufen die Menschen verzweifelt um Hilfe, noch in Jahaz sind sie zu hören. Selbst die mutigsten moabitischen Soldaten schreien vor Angst und Grauen. Ganz Moab zittert.«

[5]Darüber bin ich tief erschüttert und schreie um Hilfe für das Land Moab. Seine Bewohner fliehen bis nach Zoar und bis nach Eglat-Schelischija. Unter Tränen ziehen die Menschen den steilen Weg nach Luhit hinauf. Sie klagen laut über ihren Untergang und fliehen nach Horonajim. [6]Selbst der Bach von Nimrim ist ausgetrocknet, das Gras ist verdorrt, und junge Pflanzen wachsen nicht mehr nach. Kein grünes Hälmchen ist zu sehen. [7]Darum packen die Moabiter ihre letzte Habe und alle Vorräte zusammen und fliehen damit über den Pappelbach. [8]Ganz Moab hallt wider von den verzweifelten Rufen des Volkes. Ihr Weinen ist bis nach Eglajim zu hören, bis nach Beer-Elim, [9]denn die Gewässer von Dimon sind schon rot von Blut. »Doch das ist noch nicht alles«, sagt der Herr. »Ich bringe noch mehr Elend über die Gegend von Dimon: Löwen werden über die Flüchtlinge herfallen und sich auf die übrig gebliebenen Moabiter stürzen.«

Moab sucht Hilfe bei den Israeliten

16 Schickt aus Sela Boten mit einem Schafbock durch die Wüste. Sie sollen zum Herrscher von Israel auf den Berg Zion gehen und ihm ausrichten: [2]»Die Moabiter gleichen herumflatternden Vögeln, die man aus dem Nest aufgescheucht hat. Ziellos irren sie an den Ufern des Arnon umher. [3]Gib uns doch einen Rat! Triff eine Entscheidung! Gib den Flüchtlingen ein Versteck in deinem Land, liefere sie nicht dem Feind aus. Biete ihnen Schutz wie ein Schatten in der Mittagshitze, in dem sie sich bergen können wie im Dunkel der Nacht! [4]Nimm die Vertriebenen bei dir auf, schütze das moabitische Volk vor dem furchtbaren Ansturm der Feinde!«

Doch der Misshandlung wird ein Ende gesetzt: Der Feind, der das Volk so grausam unterdrückt und das Land verwüstet hat, muss verschwinden. [5]Dann wird ein Königsthron aufgestellt, ein Nachkomme Davids wird ihn besteigen. Gütig und beständig wird er regieren, er kennt das

---

14,31 Jer 1,13–15* **14,32** Ps 20,3; 48,2–3; 87,1–2 **15,1 – 16,14** 25,10–12; Jer 48,1–47; Hes 25,8–11; Am 2,1–3; Zef 2,8–10 **15,2** Jer 41,5; 48,37 **15,5** 16,11 **16,1** 2 Kön 3,4 **16,2** 10,14 **16,5** 9,6*

Recht genau und sorgt als ein guter Richter für Gerechtigkeit.

Trauer über die verdiente Strafe für Moab

[6]Wir haben gehört, wie stolz und hochmütig die Moabiter sind. Eingebildet und selbstherrlich reden sie daher, doch ihre Prahlerei ist nichts als Geschwätz!

[7]»Darum werden die Moabiter laut um ihr Land klagen müssen. Mit Wehmut denken sie an die Traubenkuchen, die es in Kir-Heres gab, sie sind ganz verzweifelt. [8]Die Terrassenfelder von Heschbon sind verdorrt, vertrocknet sind die Weinstöcke von Sibma, deren Wein die Herrscher der Völker berauschte. Ihre Ranken erstreckten sich bis Jaser, sie reichten bis in die Wüste und hinunter zum Toten Meer. [9]Darum weine ich zusammen mit den Einwohnern von Jaser um die zerstörten Weinstöcke von Sibma. Ich vergieße viele Tränen um euch, Heschbon und Elale, denn gerade in der Zeit eurer Ernte und Weinlese sind die Feinde mit lautem Kriegsgeschrei über euer Gebiet hergefallen. [10]In den Obstgärten und Weinbergen singt und jubelt man nicht mehr, niemand presst mehr Trauben in der Weinkelter aus. Dem Singen der Winzer habe ich, der Herr, ein Ende gemacht.«

[11]Darüber bin ich tief erschüttert. Ich zittere wie die Saite einer Harfe, wenn ich an Moab und an Kir-Heres denke. [12]Die Moabiter werden sich zwar heftig anstrengen, um ihre Götter zufrieden zu stimmen. Sie steigen hinauf zu den Heiligtümern auf den Hügeln und bringen Opfer dar und beten. Doch es nützt ihnen nichts.

[13]Das alles hat der Herr ihnen schon lange angekündigt. [14]Jetzt sagt er: »In genau drei Jahren – nicht früher und nicht später – wird man über den heutigen Ruhm und Glanz der Moabiter nur noch verächtlich lächeln. Von ihrem großen Volk wird nichts übrig bleiben als ein kleiner Rest, winzig und bedeutungslos.«

Syrien und Israel werden in Trümmern liegen

17 Dies sagt Gott über Damaskus: »Die Stadt Damaskus gibt es bald nicht mehr. Von ihr bleibt nur ein Trümmerhaufen übrig. [2]Auch Aroër und die Städte in der Nähe liegen dann verlassen da. Friedlich weiden Schafe und Ziegen zwischen den Ruinen, niemand jagt sie weg. [3]Auch das Nordreich Israel wird seine starken Befestigungen verlieren, und das Königreich von Damaskus wird verschwinden. Die überlebenden Syrer trifft das gleiche Schicksal wie die Israeliten: Von ihrem früheren Glanz bleibt nicht viel. Darauf gebe ich, der Herr, der allmächtige Gott, mein Wort.

[4]Es kommt der Tag, da wird die Pracht der Nachkommen Jakobs gänzlich verblassen. Ihr fetter Leib magert bis auf die Knochen ab. [5]Dann gleicht Israel den Weizenfeldern in der Refaïmebene: In der Erntezeit fasst man die Ähren mit der Hand, mäht sie ab und sammelt zuletzt noch ein, was am Boden liegt. [6]Doch ein kleiner Rest des Volkes wird übrig bleiben, so wie die wenigen Oliven, die nach der Ernte noch am Baum hängen. Zwei oder drei bleiben oben im Wipfel zurück und vielleicht noch einige unter den Blättern. Das verspreche ich, der Herr, Israels Gott.

[7]Dann endlich werden die Menschen wieder an mich, ihren Schöpfer, denken und ihren Blick wieder auf den heiligen Gott Israels richten. [8]Ihre Altäre und selbst gemachten Götterfiguren würdigen sie keines Blickes. Sie verehren keine heiligen Pfähle mehr und verbrennen auf den Altären keinen Weihrauch.

[9]Es kommt eine Zeit, in der die befestigten Städte der Israeliten verlassen daliegen. Sie gleichen den ausgestorbenen Dörfern in den Wäldern und auf den Ber-

---

16,6 2,11–12* **16,8** Jer 48,11–12 **16,11** 15,5 **16,12** 1 Kön 18,26 **16,14** 21,16–17 **17,1–3** Jer 49,23–27; Am 1,3–5 **17,3** 2 Kön 16,9; 17,6 **17,6** 10,21–22* **17,9** Jos 24,11–12

gen, die von den Bewohnern des Landes einst aus Angst vor den Israeliten verlassen wurden. Das Land wird zur Einöde, [10]weil du, Volk Israel, mich, deinen Gott, vergessen hast, der dich rettet. Du hast keinen Gedanken mehr übrig für deinen Gott, der dich schützt wie ein mächtiger Fels. Nein, du legst lieber schöne Gärten an für andere Götter und bepflanzt sie mit exotischen Reben. [11]Du zäunst sie sorgfältig ein und bringst sie noch am selben Morgen zum Blühen. Doch das alles hilft dir nichts! Wenn du glaubst, die Früchte deiner Mühen einsammeln zu können, wirst du nur tiefe Wunden und unsägliches Leid ernten.«

Vergeblicher Ansturm der Völker

[12]Hört ihr den Lärm? Ganze Völkermassen kommen auf uns zu, riesige Heere stürmen heran! Es klingt wie das Brausen gewaltiger Meereswogen, [13]wie das Donnern wütender Wellen in sturmgepeitschter See. Doch Gott bringt sie zum Schweigen. Nur ein Wort – und sie suchen das Weite. Sie werden auseinander gejagt wie dürres Laub, das der Wind davonbläst, wie Strohhalme, die der Sturm vor sich herwirbelt. [14]Am Abend sind wir alle noch vor Schreck wie gelähmt, doch bevor der Morgen graut, gibt es das feindliche Heer nicht mehr. So geht es denen, die uns überfallen und ausplündern wollen. Sie werden keinen Erfolg haben!

Der Herr zerschlägt Äthiopiens Pläne

18 Lass dich warnen, Äthiopien, du Land der Heuschreckenschwärme, Land am oberen Nil und seinen Nebenflüssen. [2]Du schickst deine Gesandten nilabwärts; in leichten Booten aus Papyrusrohr schießen sie über das Wasser. Ihr schnellen Boten, geht heim zu eurem Volk, zu den hoch gewachsenen Menschen mit glänzender Haut! Geht zu eurem Volk, das weit und breit gefürchtet wird, weil es sehr stark ist und alles in Grund und Boden trampelt. Es ist die Nation, deren Land von vielen Flüssen durchschnitten wird.

[3]Ihr Bewohner der ganzen Erde, ich habe euch etwas zu sagen: Sobald auf den Bergen ein Feldzeichen errichtet wird, schaut genau hin! Hört ihr das Trompetensignal, dann passt gut auf! [4]Denn der Herr hat zu mir gesagt: »Von meiner heiligen Wohnung aus schaue ich zu, unbewegt und still wie die brütende Mittagshitze und wie eine Dunstwolke in der heißen Sommerzeit. [5]Aber noch vor der Ernte, wenn die Blüten abgefallen sind und die kleinen Trauben heranreifen, greife ich ein! Ich schneide die Reben mit dem Winzermesser ab; die Ranken reiße ich aus und werfe sie fort. [6]So ergeht es dem Heer der Äthiopier. Die Gefallenen werden zum Fraß für die Raubvögel und die wilden Tiere. Im Sommer stürzen sich die Geier auf die Leichen, und den Winter über nagen wilde Tiere die Knochen ab.

[7]Doch es kommt die Zeit, da bringt dieses Volk von hoch gewachsenen Menschen mit glänzender Haut mir, dem allmächtigen Gott, Geschenke. Noch wird dieses Volk überall gefürchtet, weil es sehr stark ist und alles in Grund und Boden trampelt. Dann aber werden die Bewohner des Landes, das von vielen Flüssen durchschnitten wird, zum Berg Zion kommen, zu meinem Heiligtum; dort werde ich, der Herr, der allmächtige Gott, verehrt.«

Ägypten ist ratlos, wenn der Herr eingreift

19 Dies sagt Gott über Ägypten: Auf einer schnell dahingleitenden Wolke kommt der Herr nach Ägypten. Da beginnen die Götter des Landes zu zittern, und den Menschen bleibt vor Angst das Herz stehen. [2]So spricht der

---

17,10 1,29; 1 Sam 2,2 **17,12–13** Ps 46,1–4; 65,8 **17,14** 2 Kön 19,35 **18,4** Ps 33,13–14 **18,7** Ps 68,32; Apg 8,26–28 **19,1–15** Jer 46,2–26; Hes 29,1 – 32,32 **19,1** Ps 18,10–11

Herr: »Ich werde sie gegeneinander aufhetzen, bis jeder gegen jeden kämpft: Bruder gegen Bruder, Nachbar gegen Nachbar, Stadt gegen Stadt, Provinz gegen Provinz. [3]Dann können sie keinen klaren Gedanken mehr fassen; sogar die weisen Berater sind mit ihrer Kunst am Ende. Dafür sorge ich! Weil sie keinen Ausweg mehr wissen, suchen sie bei den Götzen Rat. Sie fragen Zauberer, Hellseher und Totenbeschwörer. [4]Doch ich werde Ägypten einem grausamen Tyrannen ausliefern, der das Volk mit brutaler Gewalt beherrscht. Darauf gebe ich, der Herr, der allmächtige Gott, mein Wort!«

[5]Dann versiegen die Wasserströme des Nils, der Fluss trocknet aus. [6]Die Nebenarme werden zu abgestandenen, stinkenden Tümpeln, und die Kanäle versanden. Schilf und Binsen verdorren, [7]die fruchtbaren Wiesen und Felder an den Ufern und im Nildelta fallen der Dürre zum Opfer. Die verdorrten Pflanzen weht der Wind weg, nichts bleibt übrig. [8]Die Fischer klagen. Wer mit der Angelrute oder mit dem Netz seinen Lebensunterhalt verdient hat, steht vor dem Nichts. [9]Alle, die Flachs verarbeiten, sind verzweifelt, und die Leinenweber werden bleich. [10]Die Weber und ihre Arbeiter – alle sind mutlos und niedergeschlagen.

[11]Dummköpfe sind die Fürsten von Zoan, sie, die weisen Berater des Pharaos! Ihre Ratschläge sind lauter Unsinn. Wagt ihr es etwa immer noch, vor dem Pharao mit eurer »Weisheit« anzugeben? »Wir stammen von den weisen Männern Ägyptens ab«, prahlt ihr, »Nachkommen berühmter Könige sind wir!« [12]Wo sind sie denn, deine gelehrten Alleswisser, Pharao? Sollen sie doch herausfinden und dir verkünden, was der Herr, der allmächtige Gott, mit Ägypten vorhat! [13]Doch die weisen Männer von Zoan stehen dumm da, und auch die gelehrten Herren von Memfis haben sich getäuscht. Die Führer der Ägypter sind Verführer. [14]Der Herr hat ihren Geist verwirrt, und nun bringen ihre Ratschläge ganz Ägypten durcheinander; das Volk gleicht einem Betrunkenen, der in seinem Erbrochenen herumtorkelt. [15]Die Ägypter bringen nichts mehr zustande, was Hand und Fuß hat. Weder den Vornehmen und Angesehenen noch dem einfachen Volk gelingt etwas.[a]

[16]In dieser Zeit werden die Ägypter allen Mut verlieren. Erschrocken und zitternd ducken sie sich, weil der Herr, der allmächtige Gott, drohend die Faust gegen sie ballt. [17]Vor dem Land Juda werden die Ägypter furchtbare Angst haben. Wenn sie nur den Namen Juda hören, schrecken sie schon zusammen, denn ihnen graut vor dem Plan, den der Herr, der allmächtige Gott, gegen Ägypten gefasst hat.

Ägypten, Assyrien und Israel dienen gemeinsam dem Herrn

[18]Zu der Zeit werden fünf Städte in Ägypten dem Herrn, dem allmächtigen Gott, die Treue schwören. Dort spricht man dann Hebräisch. Eine dieser Städte heißt Ir-Heres[b].

[19]Mitten in Ägypten wird ein Altar stehen, der dem Herrn geweiht ist, und an der Grenze des Landes wird man eine Gedenksäule für ihn errichten. [20]Diese beiden bezeugen den Herrn, den allmächtigen Gott, im Land Ägypten. Wenn das Volk ihn dann zu Hilfe ruft gegen die Unterdrücker, sendet er ihnen einen Retter, der sie befreit. [21]So wird der Herr sich den Ägyptern zu erkennen geben. Ja, in jener Zeit werden sie ihn kennen und ihm Tiere und andere Gaben opfern. Sie halten sich an das, was sie dem Herrn in ihren Gelübden feierlich versprochen haben. [22]Zwar muss er sie erst hart bestrafen, doch gerade durch die Schläge

---

[a] Wörtlich: Ägypten wird nichts zustande bringen, das Kopf oder Schwanz, Palmzweig oder Binse zustande bringen könnten. Vgl. Kapitel 9,13–14

[b] Das bedeutet »Stadt der Zerstörung«. In einigen hebräischen Handschriften steht der Name Ir-Cheres (»Sonnenstadt«).

19,11–12 1 Mo 41,8 **19,14** 29,9–10; 1 Kön 22,20–22 **19,20** Ri 2,16–18

bringt er sie auf den richtigen Weg: Sie werden sich ihm zuwenden, und er wird ihre Gebete erhören und sie heilen.

[23]In dieser Zeit wird eine Straße von Ägypten nach Assyrien führen. Die Assyrer und Ägypter besuchen einander und dienen gemeinsam dem Herrn. [24]Israel ist dann der Dritte im Bunde, ein Segen für die ganze Erde. [25]Der Herr, der allmächtige Gott, wird sich diesen Völkern zuwenden und sagen: »Ich segne euch Ägypter, ihr seid mein Volk! Ich segne auch euch Assyrer; ich habe euch geschaffen. Und ich segne euch Israeliten; ihr gehört zu mir.«

Von Ägypten und Äthiopien ist keine Hilfe zu erwarten

20 Der assyrische König Sargon schickte seinen obersten Heerführer mit Truppen nach Aschdod. Sie belagerten die Philisterstadt und nahmen sie ein.

[2]Drei Jahre vorher hatte der Herr dem Propheten Jesaja, dem Sohn des Amoz, befohlen: »Zieh dein Obergewand und deine Sandalen aus!« Jesaja gehorchte und lief von da an nur noch im Hemd[a] und barfuß herum. [3]Als Aschdod dann eingenommen wurde, sagte der Herr: »Mein Diener Jesaja ist drei Jahre lang nur im Hemd und barfuß umhergelaufen. Er hat damit gezeigt, was für ein Schicksal Ägypten und Äthiopien treffen wird: [4]Der König von Assyrien wird die Ägypter und Äthiopier gefangen nehmen und verschleppen – Junge und Alte, alle barfuß und kaum bekleidet oder sogar mit entblößtem Gesäß. Welch eine Schande für Ägypten!

[5/6]Die Bewohner Palästinas werden zutiefst bestürzt sein, wenn sie davon hören. Sie hatten doch ihre ganze Hoffnung auf Äthiopiens Stärke gesetzt und dessen mächtigen Verbündeten Ägypten in den höchsten Tönen gerühmt! Verzweifelt fragen sie: ›Wenn es schon denen so schlecht geht, die unsere einzige Hoffnung waren und von denen wir Hilfe gegen den assyrischen König erwartet hatten, gibt es dann für uns noch eine Rettung?‹«

Eine Vision über den Untergang Babyloniens

21 Dies sagt Gott über Babylonien:[b] Wie ein Sturm, der über den Negev hinwegfegt, so naht großes Unheil aus der Wüste, dem schrecklichen Land. [2]In einer Vision zeigt mir der Herr furchtbare Dinge: Räuberhorden ziehen plündernd durchs Land, und Banden schlagen alles zusammen. »Auf, ihr Elamiter!«, höre ich den Herrn rufen. »Rückt aus gegen die Stadt Babylon! Ihr Meder, belagert sie! Die Völker haben genug unter ihr gelitten. Jetzt ist Schluss!«

[3]Wegen dieser schrecklichen Vision werde ich von heftigen Krämpfen geschüttelt. Rasende Schmerzen haben mich überfallen wie die Wehen eine schwangere Frau. Ich krümme mich vor Angst, so erschreckt mich, was ich hören und sehen muss. [4]Mein Puls rast, ein Schauer des Entsetzens läuft mir den Rücken hinunter. Mir graut vor der kühlen Abenddämmerung, die ich sonst so liebe.

[5]Doch in Babylon feiert man sorglos ein großes Bankett: Die Tische sind gedeckt, die Polster zurechtgerückt; man isst und trinkt. Da – plötzlich ein Schrei: »Auf, ihr Fürsten, greift zu den Waffen! Schnell, rüstet eure Schilde!«

[6]Der Herr befahl mir dann: »Stell einen Beobachter auf Posten. Er soll dir genau berichten, was er sieht. [7]Sobald er Streitwagen entdeckt, mit Pferden bespannt, und Reiter auf Eseln und Kamelen, muss er besonders gut aufpassen und

---

[a] Wörtlich: nackt. – Das hebräische Wort kann auch »kaum, leicht bekleidet« bedeuten.
[b] Wörtlich: Dies sagt Gott über die Meereswüste. – Der Euphrat wurde auch Meer genannt.

19,23–25 Ps 47,10; Zef 2,11; 3,9 **19,24** 1 Mo 12,3* **20,1–6** 30,1–7; 31,1–3; 36,6 **20,2** 8,18 **20,5–6** 18,1–2; 30,3 **21,1–10** 13,1–22* **21,2** 13,17 **21,3–4** Dan 7,28; 8,27

genau hinhören.« [8] Da ruft er auch schon laut wie ein Löwe: »Tag für Tag, o Herr, stehe ich hier auf dem Wachturm, und auch nachts verlasse ich meinen Posten nicht. [9] Da, was sehe ich? Tatsächlich, da kommt ein Zug von Reitern und Wagen!« Und schon ruft einer: »Babylon ist gefallen, endlich! Alle Götzenstatuen sind zerstört – zertrümmert liegen sie am Boden.«

[10] Mein armes Volk Israel, du wirst wie Weizen gedroschen und geschüttelt! Ich habe euch weitergesagt, was ich vom Herrn, dem allmächtigen Gott Israels, gehört habe.

Wie lange dauert die Nacht noch?

[11] Diese Botschaft gilt Edom, dem Land der Totenstille:[a]

Vom Gebirge Seïr aus ruft man mir zu: »Wächter, wie lange ist es noch dunkel? Wann ist die Nacht endlich vorbei?« [12] Und der Wächter antwortet: »Der Morgen bricht bald an, aber jetzt ist es noch Nacht. Wenn ihr wollt, kommt etwas später wieder, und fragt mich noch einmal!«

Arabiens Glanz hat ein Ende

[13] Das ist die Botschaft für Arabien:

Ihr Dedaniter müsst mit euren Karawanen in der Wildnis der arabischen Steppe übernachten. [14] Ihr Bewohner der Oase von Tema, bringt doch den durstigen Wanderern Wasser! Geht den hungrigen Flüchtlingen mit Brot entgegen! [15] Sie sind auf der Flucht vor den bewaffneten Feinden, vor ihren gezückten Schwertern und gespannten Bogen, vor den Schrecken des Krieges.

[16] Der Herr hat mir gesagt: »Genau in einem Jahr – nicht früher und nicht später – ist es aus mit dem Ruhm und Reichtum des arabischen Stammes von Kedar. [17] Von den Scharen seiner mutigen Bogenschützen wird nur ein kleiner Rest übrig bleiben. Darauf gebe ich, der Herr, Israels Gott, mein Wort!«

Jerusalems Schicksal

22 Das ist Gottes Botschaft für den Ort, an dem er sich immer wieder offenbart hat:

Was ist los, ihr Einwohner von Jerusalem? Warum seid ihr alle auf die flachen Dächer eurer Häuser gestiegen? [2] Du lebenslustige Stadt voller Betriebsamkeit und Lärm: Wurden die Leichen, die herumliegen, etwa mit dem Schwert getötet? Sind sie ehrenvoll im Krieg gefallen? [3] Nein, deine Heerführer haben sich alle aus dem Staub gemacht. Doch einer nach dem anderen wurde vom Feind aufgestöbert und gefangen genommen, auch wenn sie schon weit geflohen waren. Sie wurden gefasst, ehe sie auch nur einen Pfeil abschießen konnten.

[4] Ach, lasst mich allein! In meinem großen Schmerz muss ich den Tränen freien Lauf lassen. Redet doch nicht länger auf mich ein, versucht mich nicht mehr zu trösten über den Zusammenbruch meiner geliebten Stadt! [5] Der Herr, der allmächtige Gott, ließ einen Tag voller Schrecken über Jerusalem hereinbrechen: Verwirrung herrscht in der Stadt, Angst und Entsetzen hat alle gepackt. Schon reißen die Feinde die Stadtmauer ein. Die umliegenden Berge hallen wider von verzweifelten Hilfeschreien.

[6] Die elamitischen Bogenschützen brausen auf Streitwagen heran, sie hängen ihre vollen Köcher um, bereit zum Schießen; und die Söldner aus Kir packen ihre Schilde aus den Hüllen. [7] Feindliche Streitwagen und Reiter füllen die prächtigen Täler rund um Jerusalem. Schon dringen sie bis zu den Stadttoren vor und errichten dort ihre Stellungen. [8] Judas letzter Zufluchtsort, Jerusalem, liegt schutzlos da. Und ihr? Ihr rennt zum Waffenlager und schaut, ob die Waffen

---

[a] Wörtlich: Das ist die Botschaft für Duma. – »Duma« bedeutet Stille und bezieht sich auf Edom.

21,9 Jer 51,8; Offb 14,8; 18,2 **21,11** Jer 49,7–22 **21,13–17** Jer 49,28–33 **21,16–17** 16,14
22,1 Ps 132,13–14 **22,4** Jer 8,23; Lk 19,41–44

alle griffbereit sind. [9–11] Alle Häuser der Stadt tragt ihr in eine Liste ein und wählt einige zum Abreißen aus. Mit ihren Steinen wollt ihr die Stadtmauer ausbessern. Denn ihr seht, dass die Mauer der Stadt Davids brüchig ist und viele gefährliche Risse aufweist. Das Wasser des unteren Teiches staut ihr auf. Für das Wasser, das vom oberen Teich abfließt, baut ihr ein Sammelbecken zwischen dem inneren und äußeren Mauerring. Doch was nützt euch dieses fieberhafte Treiben, solange ihr für Gott blind seid? Ihr seht nicht, dass er euch in diese verzweifelte Lage kommen ließ. Ihr wollt ja nichts wissen von ihm, der schon seit langem dieses Unheil über euch beschlossen hat.

[12] Der Herr, der allmächtige Gott, hat euch damals aufgefordert, eure Sünden zu bereuen. Er wollte sehen, wie ihr weint und eure Schuld beklagt, wie ihr euch als Zeichen der Trauer den Kopf kahl schert und in Trauergewändern aus Sacktuch herumlauft. [13] Doch stattdessen habt ihr ausgelassen gefeiert. Bei euren Festgelagen wurden Berge von Fleisch verzehrt, ihr habt euch mit Wein voll laufen lassen und gerufen: »Heute wollen wir essen und trinken, denn morgen sind wir tot!« [14] Es klingt mir noch in den Ohren, was der Herr, der allmächtige Gott, dazu gesagt hat: »Diese Sünde wird euch nie vergeben, solange ihr lebt!« Ja, das hat der Herr, der allmächtige Gott, geschworen.

Schebna verliert seinen Posten an Eljakim

[15] Der Herr, der allmächtige Gott, befahl mir: »Geh zu Schebna, dem Palastvorsteher, dem obersten Beamten! Sag ihm: [16] Was hast du eigentlich hier zu suchen? Und für wen hältst du dich, dass du dir hier eine Grabkammer aus dem Felsen meißelst? Ja, hoch oben in der Felswand lässt du dir ein Prachtgrab aushauen, eine letzte Ruhestätte willst du dir schaffen. [17] Doch ich, der Herr, werde dich in hohem Bogen fortschleudern. Mit eisernem Griff werde ich dich packen, [18] wie Wolle zu einem Knäuel zusammenwickeln und dich dann wie einen Ball wegwerfen in ein großes, weites Land. Dort wirst du enden mitsamt deinen Prachtwagen, du Schandfleck des königlichen Hofes. [19] Ja, ich, der Herr, vertreibe dich aus deinem Amt und stoße dich von deinem hohen Posten hinunter!

[20] Dann berufe ich meinen Diener Eljakim, den Sohn Hilkijas, zu deinem Nachfolger. [21] Ich ziehe ihm deine Amtstracht an und binde ihm deinen Gürtel um. Alle Vollmachten, die du bisher innehattest, übertrage ich ihm. Er wird wie ein Vater sein für die Einwohner Jerusalems und für das ganze Volk von Juda. [22] Ihm vertraue ich den Schlüssel des Königshauses David an. Was er öffnet, wird kein anderer verschließen, und was er zuschließt, wird niemand öffnen. [23] Ich festige seine Macht, und er gleicht einem Pflock, der tief in eine Mauer eingeschlagen ist. Seine ganze Verwandtschaft wird durch ihn zu Ansehen kommen.

[24] Doch dann hängen sie sich an ihn, mit Kind und Kegel. So gleicht er einem Pflock, an dem man das ganze Geschirr eines Haushalts aufhängt – Schüsseln, Becken und Krüge. [25] Eines Tages kann der starke Pflock die Last nicht mehr tragen, obwohl er tief eingeschlagen ist. Er bricht ab und fällt zu Boden. Und mit ihm zerbricht alles, was sich an ihn gehängt hat. Ich, der Herr, der allmächtige Gott, habe es angekündigt!«

Tyrus und Sidon liegen in Schutt und Asche

23 Das ist Gottes Botschaft an Tyrus: Heult, ihr Leute auf den großen Handelsschiffen, denn eure Stadt liegt in Schutt und Asche! In euren Hafen könnt ihr nicht mehr einfahren. Die Gerüchte, die ihr auf Zypern gehört habt – sie sind

---

22,9–11 Jer 33,4–5 **22,13** 56,12; 1 Kor 15,32 **22,15.20** 36,3 **22,22** Mt 16,19; Offb 3,7
23,1–16 Hes 26,1 – 28,19; Joel 4,4–8; Am 1,9–10; Sach 9,1–4; Mt 11,21–22

alle wahr! [2]Es soll euch die Sprache verschlagen, ihr Bewohner der phönizischen Küste! Vorbei ist die Zeit, in der zahlreiche Händler aus Sidon eure Gegend bevölkerten. Mit ihren Handelsschiffen segelten sie in ferne Länder [3]und unternahmen mühevolle Reisen über das weite Meer. Was in Ägypten am Nil gesät und geerntet wurde, das verkauften die Phönizier in alle Welt. Ja, Sidon war zum Handelsplatz der Völker geworden.

[4]Beschämt stehst du da, Sidon, und du, Tyrus, die Festung am Meer! Denn das Meer klagt: »Ach, es ist, als hätte ich nie Kinder geboren, nie Söhne und Töchter großgezogen!« [5]Wenn die Ägypter diese Nachricht über Tyrus hören, werden sie sich winden vor Entsetzen. [6]Weint und klagt, ihr Küstenbewohner! Rettet euch und segelt hinüber nach Tarsis in Spanien! [7]Soll das Tyrus sein, die Stadt, die früher so fröhlich und berühmt war? Sie, die in grauer Vorzeit schon gegründet wurde? Ihre Abgesandten reisten doch immer bis in die fernsten Länder, gründeten überall Kolonien [8]und setzten Könige als Herrscher über diese Gebiete ein. Die phönizischen Händler waren Fürsten und gehörten zu den angesehensten Männern der Erde. Wer hat dieses Unheil über Tyrus beschlossen? [9]Der Herr, der allmächtige Gott, hat es getan! Er wollte dem Hochmut der Phönizier ein Ende bereiten; die angesehensten Männer der Erde hat er gedemütigt.

[10]Ihr Bewohner von Tarsis, breitet euch in eurem Land aus wie der Nil, wenn er die Felder überschwemmt! Jetzt hält euch keine Fessel mehr zurück! [11]Der Herr hat seine Hand über das Meer ausgestreckt und ganze Königreiche zum Zittern gebracht. Er hat befohlen, die starken Festungen der Phönizier zu zerstören. [12]So spricht der Herr: »Nie mehr werdet ihr feiern und jubeln, ihr Einwohner von Sidon. Eure Stadt gleicht nun einem Mädchen, das vergewaltigt wurde. Auf, flieht nur nach Zypern hinüber! Auch dort werdet ihr keine Ruhe finden. [13]Denkt daran, wie es Babylonien ergangen ist! Das Volk der Chaldäer ist heute bedeutungslos. Die Assyrer haben das Land zu einer Einöde gemacht, in der die Wüstentiere hausen. Sie stellten Belagerungstürme auf und zerstörten die Paläste Babylons bis auf die Grundmauern. Sie haben die Stadt in einen Trümmerhaufen verwandelt.

[14]Heult, ihr Leute auf den großen Handelsschiffen, denn eure starke Festung ist verwüstet! [15]Für siebzig Jahre – so lange, wie ein König lebt – soll Tyrus in Vergessenheit geraten. Nach diesen Jahren gleicht die Stadt jener alten Hure, von der es in dem Lied heißt:

[16]›Du Hure, die man fast vergessen hat, nimm deine Harfe, und versuch dein Glück! Sing deine Lieder in der ganzen Stadt, vielleicht kommt mancher Kunde dann zurück.‹«

[17]Danach wird der Herr die Stadt Tyrus wieder aufblühen lassen. Wie früher geht sie ihren Geschäften nach und lässt sich gut bezahlen. Sie verkauft sich an alle Königreiche weit und breit für teures Geld. [18]Doch was die Stadt bei ihren Geschäften und Handelsreisen verdient, ist dann dem Herrn geweiht. Die Tyrer häufen ihr Geld nicht mehr auf, um es für sich zu behalten. Es wird den Priestern des Herrn zugute kommen, damit sie reichlich zu essen haben und prächtige Kleider tragen können.

Der Herr richtet die ganze Erde

24 Seht ihr, wie der Herr die Erde leer fegt? Wie er alles zerstört und auf den Kopf stellt? Seht ihr, wie er ihre Bewohner in alle Himmelsrichtungen zerstreut? [2]Volk und Priester, Knecht und Herr, Magd und Herrin, Käufer und Verkäufer, Gläubiger und Schuldner, solche, die verleihen, und solche, die borgen – alle trifft das gleiche Los. [3]Denn die Erde wird völlig verwüs-

---

23,9 2,11–12*

tet, ausgeplündert liegt sie da. Der Herr selbst hat es angekündigt. [4]Die Erde vergeht und verdorrt; die ganze Welt zerfällt, auch die Mächtigen der Erde gehen zugrunde. [5]Die Menschen haben die Erde entweiht, denn sie haben Gottes Gebote und Ordnungen missachtet und so den Bund gebrochen, den er damals für alle Zeiten mit ihnen geschlossen hat.

[6]Darum trifft sein Fluch die Erde und zehrt sie aus. Die Menschen müssen ihre gerechte Strafe tragen. Sie schwinden dahin, nur ein kleiner Rest wird überleben. [7]Die Weinberge verdorren, und die Trauben hängen zusammengeschrumpft an den Reben. Lachen verkehrt sich in Seufzen, [8]die fröhliche Musik von Tamburinen und Zithern verstummt, der Lärm der Feiernden bricht plötzlich ab. [9]Weder Wein noch Gesang kann sie erheitern, jedes berauschende Getränk stößt ihnen bitter auf. [10]Die Stadt liegt in Trümmern; die Ruinen sind verriegelt, damit niemand hineingehen kann. [11]Lautes Geschrei hallt durch die Gassen, weil es keinen Tropfen Wein mehr gibt. Jede Freude ist vergangen, aller Frohsinn verflogen. [12]Von der Stadt bleibt nur ein großes Trümmerfeld, alle Tore sind zerstört.

[13]Ja, so wird es den Völkern auf der ganzen Erde ergehen. Es wird aussehen wie am Ende der Ernte, wenn am Ölbaum alle Oliven abgeschlagen wurden und im Weinberg kaum noch Trauben zu finden sind. [14]Die wenigen Überlebenden aber werden laut jubeln vor Freude. Im Westen besingt man die Größe und Majestät des Herrn, [15]und auch ihr im Osten: Erweist ihm Ehre! Lobt den Herrn, den Gott Israels, ihr Bewohner der fernsten Inseln! [16]Vom Ende der Erde her hört man Gesang: »Preist den Herrn, denn er allein ist gerecht!«

Ich aber schreie: »Hilfe, ich vergehe! Ich bin verloren!« Skrupellose Verbrecher geben den Ton an. Kein Betrug ist ihnen zu hinterhältig, vor nichts schrecken sie zurück. [17]Angst und Schrecken werden euch packen, in Fallgruben und Schlingen werdet ihr geraten, ihr Bewohner der Erde! [18]Wer dem Schrecken entfliehen will, stürzt in die Grube, und wer sich daraus noch befreien kann, der verfängt sich in der Schlinge. Ja, die Schleusen des Himmels öffnen sich, und die Erde wird in der Tiefe erschüttert. [19]Sie bebt, reißt auf und bricht auseinander. [20]Sie torkelt wie ein Betrunkener und wankt wie ein alter Schuppen im Sturm. Die unzähligen Sünden der Menschen lasten schwer auf ihr: Sie bricht darunter zusammen und steht nie wieder auf.

[21]In jener Zeit wird der Herr ins Gericht gehen mit den Mächten des Himmels oben und mit den Königen unten auf der Erde. [22]Sie werden als Gefangene zusammengetrieben und in ein unterirdisches Verlies gestoßen. In diesem finsteren Kerker müssen sie lange Zeit sitzen und auf ihre spätere Verurteilung warten. [23]Der blasse Mond wird schamrot, und die glühende Sonne erbleicht, denn nun regiert der Herr, der allmächtige Gott, auf dem Berg Zion in Jerusalem. Die Ältesten, die ihn umgeben, werden ganz von seinem herrlichen Glanz überstrahlt.

Dankgebet für Gottes Hilfe

25 Herr, du bist mein Gott! Ich lobe und preise dich, denn du vollbringst wunderbare Taten. Was du vor langer Zeit beschlossen hast, das hast du in großer Treue ausgeführt.

[2]Die mächtige Stadt – in einen Schutthaufen hast du sie verwandelt! Ihre Befestigungen hast du in Trümmer gelegt und die Paläste der Fremden zerstört, die dich nicht kennen. Die Stadt ist dem Erdboden gleichgemacht, und sie wird nie wieder aufgebaut.

[3]Darum ehren dich nun mächtige Völker; in den Hauptstädten der Welteroberer wirst du gefürchtet.

[4]Die Armen und Schwachen fliehen zu dir; bei dir sind sie sicher in Zeiten der

---

24,4 51,6; Mk 13,31; Offb 20,11 **24,5** 1 Mo 9,1–17 **24,9** 16,10 **24,13** 17,6 **24,17–18** Jer 48,43–44; Am 5,19 **24,18** 1 Mo 7,11 **24,19** 2 Petr 3,10 **24,23** 60,19; 2 Mo 24,9–11; Offb 4,4 **25,4** 4,5–6; Ps 9,10

Not. Du gibst ihnen Schutz wie ein Dach im Wolkenbruch, wie kühler Schatten in der Mittagshitze. Das Wüten der Gewalttäter gleicht dem Gewitterregen, der an die Mauern prasselt.
[5]Ihre Mordlust brennt wie die Sonne in der Wüste. Doch du bringst ihren Lärm zum Schweigen. Du dämpfst ihr Siegesgeschrei wie eine Wolke die Sonnenhitze.

Ein Festmahl für alle Völker

[6]Hier auf dem Berg Zion wird der Herr, der allmächtige Gott, alle Völker zu einem Festmahl mit köstlichen Speisen und herrlichem Wein einladen, einem Festmahl mit bestem Fleisch und gut gelagertem Wein.
[7]Dann zerreißt er den Trauerschleier, der über allen Menschen liegt, und zieht das Leichentuch weg, das alle Völker bedeckt. Hier auf diesem Berg wird es geschehen! [8]Er wird den Tod für immer und ewig vernichten. Der Herr, der allmächtige Gott, wird die Tränen von jedem Gesicht abwischen. Er befreit sein Volk von der Schande, die es auf der ganzen Erde erlitten hat. Das alles trifft ein, denn der Herr hat es vorausgesagt. [9]In jenen Tagen wird man bekennen: »Der Herr allein ist unser Gott! Auf ihn haben wir unsere Hoffnung gesetzt, und er hat uns gerettet. Ja, so ist der Herr! Nun wollen wir Danklieder singen und uns über seine Hilfe freuen!«

Der Herr reißt Moabs Festungen nieder

[10]Der Herr hält seine Hand schützend über Jerusalem. Das Land Moab dagegen wird zertreten wie Stroh in der Jauche. [11]Verzweifelt schlägt Moab um sich wie ein Ertrinkender. Doch alle Schwimmversuche nützen nichts mehr: Der Herr zerbricht seinen Stolz und seinen Hochmut. [12]Alle eure hohen und starken Befestigungen, ihr Moabiter, wird der Herr niederreißen und dem Erdboden gleichmachen!

Unser Gott ist ein starker Fels

26 In jener Zeit wird man im Land Juda dieses Lied singen:
»Unsere Stadt ist eine sichere Festung; der Herr hat Mauern und Wall zu unserem Schutz errichtet.
[2]Öffnet die Tore, damit das Volk einzieht, das Gott gehorcht und ihm treu ist!
[3]Herr, du gibst Frieden dem, der sich fest an dich hält und dir allein vertraut!
[4]Ja, vertraut dem Herrn für immer, denn er, unser Gott, ist ein starker Fels für alle Zeiten.
[5]Alle, die in stolzer Höhe wohnten, stieß der Herr tief hinab. Die Stadt, sie ragte hoch empor, doch er hat sie zerstört, hinunter in den Staub geworfen.
[6]Wer früher arm war und gering, tritt nun die Trümmer nieder.«

Ein Gebet

[7]Herr, wer dir gehorcht, den führst du auf geradem Weg, du machst seinen Lebensweg eben.
[8]Wir hoffen auf dich, auch wenn du uns strafst. Wir sehnen uns nach dir – wie könnten wir dich je vergessen?
[9]Bei Nacht sind meine Gedanken bei dir, voller Sehnsucht suche ich dich.

Wenn du die Erde richtest, lernen die Menschen, was Gerechtigkeit bedeutet.
[10]Doch wenn du die Gottlosen begnadigst, begreifen sie nicht, was Recht ist. Auch in diesem Land, in dem dein Recht gilt, würden sie weiter Unrecht tun und dich nicht als den höchsten Gott erkennen.
[11]Herr, deine Hand ist drohend erhoben – sie merken es nicht. Beschämt werden sie dastehen, wenn sie sehen, wie leiden-

25,6 2 Mo 24,9–11; Mt 8,11; Offb 19,9 **25,8** 1 Kor 15,54–55; Offb 7,17; 21,4 **25,10–12** 15,1 – 16,14* **26,1** Ps 48,13–15 **26,2** Ps 24,3–6; 118,19–20 **26,4** Ps 18,3* **26,5** 2,11–12*; 25,2 **26,9** Ps 63,2*.7

schaftlich du dein Volk verteidigst. Dein glühender Zorn soll sie verzehren!

[12] Aber uns, Herr, wirst du Frieden schaffen, denn dir verdanken wir alles, was wir erreicht haben.
[13] Zwar haben außer dir, unser Gott, auch andere Herren über uns geherrscht. Doch nur deinen Namen nennen wir voller Ehrfurcht.
[14] Sie alle sind tot und werden nicht wieder lebendig; sie sind Schatten, die nie wieder aufstehen. Du hast sie bestraft und ausgerottet. Längst sind ihre Namen vergessen.

[15] Unser Volk aber machst du, Herr, sehr groß. Du weitest unsere Grenzen nach allen Seiten aus und beweist deine herrliche Macht.

[16] In äußerster Not suchen wir dich. Wenn uns deine Schläge treffen, schreien wir zu dir.
[17] Wir liegen vor dir am Boden wie eine Schwangere, die sich in Wehen windet und schreit.
[18] Ja, wir winden uns in Geburtswehen, doch wir gebären nichts als Luft. Unsere Mühe ist umsonst: Wir können das Land nicht befreien und keinem Menschen das Leben schenken.

[19] Herr, die Toten deines Volkes werden wieder leben, ihre Leichen werden auferstehen! Wacht auf und singt vor Freude, alle, die ihr unter der Erde ruht! Du, Herr, bist wie erfrischender Tau am Morgen. Durch deine belebende Kraft gibt die Erde die Leiber der Verstorbenen zurück.

Der Herr rechnet mit Israels Feinden ab

[20] Ihr aus meinem Volk, geht in eure Häuser, und verschließt die Türen hinter euch! Haltet euch solange dort verborgen, bringt euch dort in Sicherheit, bis der Zorn des Herrn vergangen ist. Es dauert nur noch kurze Zeit. [21] Schon verlässt er seine Stätte im Himmel, um die Menschen auf der Erde wegen ihrer Vergehen zur Rechenschaft zu ziehen. Alles unschuldig vergossene Blut wird die Erde wieder herausgeben, keinen Ermordeten verbirgt sie weiterhin.

27 In dieser Zeit wird der Herr mit dem Leviatan abrechnen, diesem schnellen Ungeheuer, das sich windet wie eine Schlange. Gottes mächtiges und scharfes Schwert wird ihn treffen, diesen Meeresdrachen[a]. Der Herr wird ihn töten.

Das neue Weinberglied

[2] An jenem Tag wird der Herr sagen:

»Einen prächtigen Weinberg habe ich. Kommt, singt ein Lied zu seiner Ehre!
[3] Ich selbst, der Herr, bin sein Wächter. Ich bewässere ihn immer wieder. Tag und Nacht behüte ich ihn, damit nichts und niemand ihm schaden kann.
[4] Mein Zorn ist längst vergangen! Wenn Dornengestrüpp und Disteln meinen Weinberg überwuchern wollen, erkläre ich ihnen den Krieg! Ausreißen und verbrennen werde ich sie!
[5] So geht es allen, die nicht Schutz bei mir suchen und nicht Frieden mit mir schließen. Ja, Frieden schließen müssen sie mit mir!«

Bestrafung und Begnadigung Israels

[6] Es kommt die Zeit, da werden die Nachkommen Jakobs wieder in ihrem Land Wurzeln schlagen. Israel wird grünen und blühen und mit seinen Früchten die ganze Erde bedecken. [7] Gab der Herr seinem Volk genauso harte Schläge wie ihren Gegnern? Ließ er sie auf dieselbe Weise umkommen wie ihre Feinde, die niedergemetzelt wurden? [8] Nein, Herr,

---

[a] Wörtlich: Rahab.

26,17 13,8 **26,19** Hes 37,1–14; Lk 20,38; Röm 14,8 **26,20** 2 Mo 12,22–23 **26,21** Mi 1,2–4
27,1 Hiob 40,25 – 41,26; Ps 74,13–14; Offb 12,3; 20,2 **27,2–5** 5,1–7* **27,7–8** Jer 30,11

du hast den Israeliten eine erträgliche Strafe auferlegt: Du hast sie aus ihrer Heimat vertrieben, sie weggeblasen wie ein stürmischer Ostwind.

[9]Gott wird die Schuld der Israeliten vergeben. Weil er sie von ihren Sünden befreit, sagen sie sich vom Götzendienst los: Sie werden die heidnischen Altäre zerstören und sie in tausend Stücke schlagen. Die Statuen der Göttin Aschera und die Räucheropferaltäre bauen sie nie wieder auf. [10]Aber noch liegt die befestigte Stadt entvölkert da, stehen ihre Häuser leer, gleicht alles einer trostlosen Wüste. Nur einige Kälber weiden noch dort, ungestört fressen sie die Büsche kahl und ruhen sich aus. [11]Wenn die Zweige dürr geworden sind, kommen Frauen, die sie abbrechen und als Brennholz verwenden.

Diesem Volk fehlt jede Einsicht! Darum hat sein Schöpfer auch kein Erbarmen mit ihnen. Er, der sie doch zum Volk gemacht hat, wird ihnen nicht einfach vergeben.

[12]Doch es kommt eine Zeit, da wird der Herr die Israeliten wieder sammeln. Vom Euphrat bis zum Grenzfluss nach Ägypten liest er einen nach dem anderen auf, wie ein Bauer, der sorgfältig seine Ähren ausklopft und die Körner zusammenliest. [13]An diesem Tag wird laut das Horn geblasen als Signal für die vielen Verschleppten und Vertriebenen. Aus Assyrien und Ägypten kommen sie nach Jerusalem und beten auf dem heiligen Berg den Herrn an.

Die stolze Stadt Samaria – eine welkende Blume

28 Lasst euch warnen, ihr Leute von Ephraim! Trinker seid ihr, ganz und gar vom Wein abhängig. Eurer stolzen Hauptstadt Samaria wird es schlecht ergehen! Noch liegt sie wie eine prächtige Krone auf dem Hügel, hoch über dem fruchtbaren Tal. Sie schmückt ihn wie ein bunter Blumenkranz, doch die Blüten welken schon. [2]Denn der Herr hält ein starkes und mächtiges Heer bereit. Wie ein Orkan wird es über euch hinwegfegen, wie ein Hagelsturm mit sintflutartigen Regenfällen, deren Wassermassen alles fortspülen. Mit Wucht wird es euch zu Boden werfen. [3]Dann wird sie zertrampelt, die prunkvolle Krone, der Stolz aller Weinseligen von Ephraim. [4]Heute schmückt sie noch wie ein prächtiger Blumenkranz den Hügel, hoch über dem fruchtbaren Tal. Doch die Blüten welken schon, und bald geht es ihr wie einer Feige, die schon vor der Ernte reif geworden ist: Wer sie am Baum erblickt, pflückt sie schnell und schlingt sie hinunter.

[5]Es kommt der Tag, da wird der Herr selbst, der allmächtige Gott, die glanzvolle Krone für die Überlebenden seines Volkes sein. Dann ist er ihr prächtiger Blumenkranz. [6]Den Richtern gibt er Sinn für Gerechtigkeit, wenn sie ihre Urteile fällen, und die Soldaten rüstet er mit Mut und Kraft aus, damit sie die Feinde aus der Stadt vertreiben.

Die betrunkenen Propheten von Jerusalem

[7]Sogar die Priester und Propheten torkeln. Von Wein und anderen berauschenden Getränken benebelt, können sie sich kaum noch auf den Beinen halten. Taumelnd und torkelnd empfangen die Propheten ihre Visionen, und die Priester schwanken hin und her, wenn sie Recht sprechen. [8]Die Tische, an denen sie sitzen, sind voll von Erbrochenem, alles ist besudelt.

[9]»Für wen hält dieser Jesaja uns eigentlich, dass er uns belehren will?«, lallen sie. »Uns braucht niemand mehr zu erzählen, was Gott gesagt hat. Sind wir denn kleine Kinder, die eben erst von der Mutterbrust entwöhnt wurden? [10]Was soll dieses Blabla: ›Tut dies, tut das; dies ist verboten, das ist verboten; macht hier etwas, macht dort etwas!‹?«

27,9 17,8; 30,22; Röm 11,27 **27,11** 1,3; Am 3,2 **27,12–13** 11,11–12* **28,1** 5,11–12; 1 Kön 16,23–24 **28,2** 2 Kön 17,5–6 **28,6** 1,26 **28,9** Jer 18,18

[11] Darum wird Gott Ausländer mit einer fremden Sprache zu diesem Volk schicken und nur noch in unverständlichen Lauten zu ihm reden. [12] Er hatte ihnen zwar gesagt: »Dieses Land soll für euch ein Ort der Ruhe werden. Gönnt den Erschöpften eine Pause! Hier könnt ihr in Frieden wohnen!« Doch sie wollten nicht auf ihn hören. [13] Darum wird der Herr von nun an nur noch das zu ihnen sagen, was sie als Blabla verspotteten: »Tut dies, tut das; dies ist verboten, das ist verboten; macht hier etwas, macht dort etwas!« Sie werden nach hinten stürzen und sich das Genick brechen. Sie werden den Feinden ins Netz gehen, und man wird sie gefangen fortschaffen!

Gottes unmissverständliche Botschaft

[14] So hört nun, was der Herr euch sagt, ihr Lästermäuler, ihr Herrscher Jerusalems! [15] Ihr fühlt euch sicher und prahlt: »Wir haben uns mit dem Tod verbündet und mit der Totenwelt ein Abkommen geschlossen! Wenn das Unheil über unser Land hereinbricht, kann uns nichts geschehen!« Ihr verlasst euch auf eure verlogenen Intrigen und meint, durch Betrug hättet ihr euch rundum abgesichert! [16] Doch Gott, der Herr, sagt: »Ich lege in Jerusalem ein Fundament. Es ist ein Grundstein, ein kostbarer Eckstein, der felsenfest steht. Wer auf ihn baut und ihm vertraut, braucht nicht zu fliehen. [17] Das Recht ist meine Richtschnur und die Gerechtigkeit mein Lot.

Doch eure Lügengebäude werden vom Hagel zerschlagen; ein Sturzbach reißt eure Sicherheiten fort. [18] Dann nützt euch der Pakt mit dem Tod und mit der Totenwelt nichts mehr. Das Unheil wird euch treffen, wie eine Flutwelle bricht es über euch herein und macht alles dem Erdboden gleich. [19] Tag und Nacht werdet ihr überflutet, die Wellen erfassen euch und reißen euch mit sich fort. Jede Botschaft, die ihr in dieser Zeit von mir erhaltet, jagt euch nichts als Angst und Schrecken ein. [20] Dann trifft das Sprichwort auf euch zu: ›Das Bett ist zu kurz, um sich auszustrecken, die Decke ist zu schmal, um sich zuzudecken.‹«

[21] Ja, der Herr wird in den Kampf ziehen wie einst gegen die Philister am Berg Perazim, er wird wüten wie damals im Tal Gibeon. Alles, was er sich gegen euch vorgenommen hat, wird er tun – so seltsam und befremdend es auch ist. [22] Lacht nicht über meine Warnungen, sonst werden eure Fesseln noch straffer angezogen! Denn ich weiß vom Herrn, dem allmächtigen Gott, dass er fest entschlossen ist, das ganze Land zu verwüsten.

Das Gleichnis vom tüchtigen Bauern

[23] Hört genau zu, was ich euch sage: [24] Pflügt und eggt ein Bauer vor der Aussaat mehrfach dasselbe Feld? [25] Nein! Sobald er den Acker einmal vorbereitet hat, sät er alles Mögliche an: Dill und Kümmel, dann Weizen, Hirse und Gerste, jedes an seinem bestimmten Platz, und schließlich am Rand des Feldes noch anderes Getreide. [26] Er weiß genau, was zu tun ist, denn sein Gott hat es ihn gelehrt. [27] Dill und Kümmel wird er nicht wie Getreide mit einer schweren Walze ausdreschen, sondern mit einem Stock klopft er die Samen sorgfältig aus. [28] Und das Getreide – wird es etwa schonungslos zermalmt? Nein, natürlich nicht! Der Bauer drischt es nicht länger als nötig. Er lässt zwar seine Zugtiere die schwere Dreschwalze darüber ziehen, doch er achtet darauf, dass die Körner nicht zerquetscht werden. [29] Das hat er von Gott gelernt, vom allmächtigen Herrn. Denn der ist ein weiser und wunderbarer Ratgeber.

Lass dich warnen, Jerusalem!

29 »Lass dich warnen, Ariël, du Stadt, in der auf meinem Altar die

---

28,11 5 Mo 28,49 **28,12** Mt 11,28–29 **28,16** Ps 118,22; Röm 9,33; 10,11; Eph 2,20; 1 Petr 2,4.6 **28,17** 11,5 **28,21** Jos 10,10–13; 2 Sam 5,20 **28,22** 10,22–23 **29,1** 2 Sam 5,6–9

Opfer verbrannt werden! Ja, es wird dir schlecht ergehen, Jerusalem, du Stadt, in der einst David sich niederließ![a] Macht nur weiter so! Feiert ruhig Jahr für Jahr eure Feste! [2]Doch ich werde Jerusalem in so schwere Bedrängnis bringen, dass die Stadt von lautem Klagen und Stöhnen widerhallt. Dann wird sie zu dem, was ihr Name bedeutet: Ariël, ein Altar voller Glut. [3]Ich, der Herr, werde zu eurem Feind und schlage mein Lager rings um die Stadt auf. Ich schütte einen Wall auf und belagere euch. [4]Dann liegt sie am Boden, die stolze Stadt. Dumpf klingen eure Worte, als ob sie aus der Erde kämen. Wie die Stimme eines Geistes aus der Unterwelt, so klingt euer Wispern aus dem Staub.«

[5/6]Dann aber wird das große Heer der Feinde weggeblasen wie feiner Staub. Die vielen Belagerer gleichen dem dürren Laub, das der Wind aufwirbelt. Plötzlich wird es geschehen, in einem Augenblick. Der Herr, der allmächtige Gott, greift ein. Mit Donnerschlägen, Erdbeben und lautem Krachen, mit Wirbelsturm, Unwetter und loderndem Feuer kommt er der Stadt zu Hilfe. [7]Die zahlreichen Völker, die gegen Jerusalem Krieg geführt, euch belagert und bestürmt haben, erscheinen euch dann nur noch wie ein böser Traum, wie eine unheimliche Vision in der Nacht. [8]Euren Feinden geht es dann wie einem Verhungernden, der vom Essen träumt, doch wenn er erwacht, ist er hungrig wie zuvor; oder wie einem, der verdurstet und vom Wasser träumt, doch wenn er erwacht, ist er immer noch ausgedörrt und schwach vor Durst. Ja, so geht es den vielen Völkern, die gegen Jerusalem Krieg führen!

Der Schein trügt

[9]Starrt einander nur an, bis ihr vor Entsetzen erstarrt! Verschließt nur weiter eure Augen, bis ihr wirklich blind seid! Ihr wankt, doch nicht weil ihr vom Wein berauscht seid; ihr torkelt, aber nicht weil ihr zu viel getrunken habt. [10]Der Herr hat einen Geist über euch kommen lassen, der euch in tiefen Schlaf versetzt hat. Ja, eure Augen, die Propheten, hat er verschlossen und eure Köpfe, die Seher, verhüllt.

[11]Darum ist nun jede Botschaft Gottes an euch wie eine versiegelte Buchrolle. Zeigt man sie einem, der lesen kann, und bittet ihn vorzulesen, so sagt er: »Das darf ich nicht, es ist versiegelt!« [12]Drückt man die Buchrolle einem, der nicht lesen kann, in die Hand, erwidert er: »Es tut mir leid, aber ich kann nicht lesen.«

[13]So spricht der Herr: »Dieses Volk gibt vor, mich zu ehren – doch sie tun es nur mit den Lippen, mit dem Herzen sind sie nicht dabei. Ihre Frömmigkeit beruht nur auf Vorschriften, die Menschen aufgestellt haben. [14]Deshalb handle ich auch weiterhin unverständlich für dieses Volk. Ja, sie werden nicht begreifen, wie ich mit ihnen umgehe: Die Weisen sollen ihre Weisheit verlieren, und die Ratgeber werden guten Rat suchen.«

[15]Passt nur auf, die ihr eure Pläne vor dem Herrn verbergen wollt. Ihr wickelt eure Geschäfte im Schutze der Dunkelheit ab und denkt: »Uns sieht niemand; keiner merkt, was wir treiben!« [16]Was für ein Trugschluss! Ist denn ein Klumpen Ton dem Töpfer ebenbürtig, der ihn bearbeitet? Behauptet ein Kunstwerk von seinem Künstler, er habe es nicht gemacht? Oder sagt ein Tonkrug über seinen Töpfer: »Er hat keine Ahnung!«?

Die große Wandlung

[17]Bald schon wird das wilde Bergland des Libanon in einen üppigen Obstgarten verwandelt, dicht bewachsen wie ein Wald. [18]Dann werden sogar Taube hören,

[a] Wörtlich: Wehe dir, Ariël, du Stadt, in der David sich niederließ. – Mit Ariël ist wohl der oberste Teil des Opferaltars im Tempel gemeint, der Herd, in dem die Glut lag.

29,3 Hes 4,1–3; Lk 19,43 **29,5–8** 17,12–14 **29,9–10** 6,9–10; Röm 11,8 **29,13** Mt 15,8–9 **29,14** Jer 8,8–9; 1 Kor 1,19 **29,15** Ps 94,7; Hes 8,12 **29,16** 45,9* **29,18–19** 26,19; 35,5–6; 42,7; 61,1; Mt 11,5; Lk 4,18

was aus der Buchrolle vorgelesen wird, und die Blinden kommen aus ihrer Dunkelheit hervor und können sehen. [19]Wer niedergeschlagen war, freut sich wieder, weil der Herr selbst der Grund seiner Freude ist. Und die ärmsten Menschen brechen in Jubel aus über den heiligen Gott Israels. [20]Dann ist es aus mit den Tyrannen, und die frechen Lästermäuler gehen zugrunde. Ausgerottet werden alle, die nur darauf aus sind, das Recht zu verdrehen, [21]die andere auf die bloße Anklage hin verurteilen, die dem Richter Fallen stellen, der ein gerechtes Urteil sprechen will, und die Unschuldige um ihr Recht bringen.

[22]Darum sagt der Herr, der schon Abraham erlöst hat, zu den Nachkommen Jakobs: »Die Israeliten sollen nicht länger bloßgestellt werden; nie mehr müssen sie sich schämen! [23]Denn wenn alle Nachkommen Jakobs meine Taten sehen, die ich unter ihnen vollbringe, dann werden sie meinen heiligen Namen ehren. Ja, in Ehrfurcht werden sie mir begegnen, dem Gott Israels, der schon der heilige Gott Jakobs war. [24]Alle, die verwirrt waren, kommen wieder zur Einsicht, und Widerspenstige lassen sich belehren.«

Ägyptens Versprechungen sind wertlos

30 So spricht der Herr: »Ihr seid wie widerspenstige Kinder! Lasst euch warnen! Ihr führt eure eigenen Pläne aus, die nicht von mir stammen. Ihr schließt Verträge ab, die nicht meinem Willen entsprechen. So ladet ihr immer mehr Schuld auf euch. [2]Ohne mich zu fragen, sucht ihr in Ägypten Zuflucht und wollt euch den Schutz des Pharaos sichern. [3]Doch euer Vertrauen in den Pharao wird enttäuscht werden: Ohne den erhofften Schutz von Ägypten müsst ihr wieder abziehen, gedemütigt und beschämt. [4]Zwar haben eure führenden Männer die Stadt Zoan erreicht; die Boten, die ihr gesandt habt, sind bis nach Hanes im Süden gekommen. [5]Trotzdem werdet ihr von diesem Volk nur enttäuscht. Ein Bündnis mit ihnen nützt euch nichts! Es bringt euch keine Hilfe und keinerlei Vorteile, sondern nur Schimpf und Schande.«

[6]Das sagt Gott über die Tiere im Süden:

»Eine Karawane zieht durch die grauenvolle Wüste, in der überall Gefahren lauern. Da gibt es Löwen, Giftschlangen und fliegende Drachen. Die Abgesandten aus Juda haben ihre Esel und Kamele mit reichen Schätzen schwer beladen, denn sie wollten sich die Freundschaft eines Volkes erkaufen. Aber dieses Volk wird ihnen nichts nützen: [7]Ägyptens Versprechungen sind wertlos, seine Hilfe kommt vergeblich. Daher nenne ich es ›Rahab, der lahme Drache‹.«

[8]Der Herr befahl mir: »Geh nun, und schreib meine Worte vor den Augen dieser Leute auf eine Tafel! Ritz die Buchstaben tief ein, damit sie nicht verwittern, sondern für alle Zeiten erhalten bleiben. [9]Denn mein Volk ist ein widerspenstiges Volk. Wie missratene, verlogene Kinder sind sie, die sämtliche Weisungen von mir in den Wind schlagen. [10]Sie verbieten den Propheten zu weissagen. ›Wir wollen die Wahrheit gar nicht hören‹, wehren sie ab. ›Prophezeit uns lieber, was uns gefällt. Lasst uns in schönen Trugbildern leben, täuscht uns ruhig. [11]Biegt doch die Wahrheit ein wenig zurecht! Nur lasst uns endlich in Ruhe, verschont uns mit diesem heiligen Gott Israels.‹

[12]Doch ich, der heilige Gott Israels, antworte ihnen: Ihr haltet es nicht für nötig, auf meine Warnungen und Befehle zu hören. Lieber verlasst ihr euch auf Gewalt und Intrigen. [13]Doch das wird euch zum Verhängnis werden. Dann gleicht ihr einer hohen Mauer, die einen Riss bekommen hat. Er wird immer größer und tiefer, bis die Mauer plötzlich zusammen-

29,22 45,17; 54,4 **30,1–7** 20,1–6; 31,1–3; 36,6 **30,1** 1,2 **30,2** 2 Kön 18,21 **30,7** Hes 29,3 **30,10** Am 2,12*

bricht. [14] Ihr werdet wie ein Tonkrug sein, der schonungslos in tausend Stücke zerschmettert wird. Keine der Scherben ist noch groß genug, um damit Glut aus der Feuerstelle zu holen oder Wasser aus dem Teich zu schöpfen.«

Vertraut mir, habt Geduld!

[15] So spricht der Herr, der heilige Gott Israels: »Kehrt doch um zu mir, und werdet ruhig, dann werdet ihr gerettet! Vertraut mir, und habt Geduld, dann seid ihr stark! Doch das wollt ihr nicht.

[16] Ihr prahlt: ›Wir haben gute und schnelle Pferde, wir bringen uns rechtzeitig in Sicherheit.‹ Jawohl – ihr werdet fliehen, aber eure Verfolger bleiben euch auf den Fersen! [17] Ein einziger von ihnen schlägt tausend von euch in die Flucht; und wenn nur fünf euch angreifen, dann lauft ihr alle schon davon. Zuletzt bleibt nur ein kleines Häufchen von euch übrig, einsam und verlassen wie eine Fahnenstange auf der Bergspitze.«

[18] Doch sehnt sich der Herr danach, euch gnädig zu sein. Bald wird er zu euch kommen und sich wieder über euch erbarmen, denn er ist ein gerechter Gott. Wie glücklich sind alle, die auf seine Hilfe warten!

[19] Ihr Einwohner Jerusalems, ihr Menschen aus Zion, ihr werdet nicht mehr weinen! Der Herr wird euer Rufen erhören und euch in Liebe antworten. [20] Und schickt er euch auch Zeiten der Not, in denen Brot und Wasser knapp werden, so lässt er euch doch nicht umkommen. Er wird sich nicht länger vor euch verborgen halten, sondern euch unterweisen. Mit eigenen Augen werdet ihr ihn als euren Lehrer sehen. [21] Und kommt ihr vom richtigen Weg ab, so hört ihr hinter euch eine Stimme: »Halt, dies ist der Weg, den ihr einschlagen sollt!« [22] Dann sind eure geschnitzten und gegossenen, mit Gold und Silber überzogenen Götzenfiguren für euch auf einmal nur noch Abfall. Verächtlich ruft ihr: »Bloß weg mit diesem Dreck!«

[23] Eure bestellten Felder wird der Herr mit Regen tränken. Üppig steht euer Getreide da, ihr bringt eine reiche Ernte ein. Eure Herden weiden auf weiten, saftigen Wiesen. [24] Die Rinder und Esel, mit denen ihr die Felder bearbeitet, bekommen Kraftfutter zu fressen, das man sorgfältig für sie mischt und zubereitet. [25] An dem Tag, an dem eure Feinde in einer großen Schlacht fallen und ihre Festungen einstürzen, da werden wasserreiche Bäche von den Bergen und Hügeln herunterfließen. [26] Der Mond leuchtet so hell wie die Sonne, und die Sonne scheint siebenmal heller als sonst, als würde sie das Licht einer ganzen Woche verbreiten. An diesem Tag wird der Herr die Wunden, die er seinem Volk zugefügt hat, verbinden und ihre Brüche heilen.

Der Herr rechnet mit den Assyrern ab

[27] Seht ihr den Herrn nahen? Er kommt von weither, gepackt von glühendem Zorn. Seine Lippen beben vor Wut, und seine Zunge sprüht Feuer. [28] Sein Atem reißt alles mit sich fort wie ein tosender Bach, der einem bis zum Hals reicht. Er kommt, um die Völker im Sieb zu schütteln und wegzuwerfen. Wie wilde Pferde wird er sie bändigen, er wird ihnen einen Zaum anlegen und sie daran ins Verderben führen.

[29] Ihr aber werdet Lieder singen wie in den Nächten, in denen ihr heilige Feste feiert. Ihr werdet fröhlich sein wie die Pilger, die unter Flötenspiel zum Berg des Herrn ziehen, zum starken und mächtigen Gott Israels.

[30] Der Herr lässt seine Donnerstimme hören; in schrecklichem Zorn schlägt er zu, mit loderndem Feuer, Wolkenbruch, Sturm und Hagel. [31] Die Assyrer werden zu Tode erschrecken, wenn sie die Donnerstimme des Herrn hören und seine

---

30,14 Jer 19,10–11 **30,15** 7,9 **30,16** 31,1–3; 2 Kön 25,4–5 **30,17** 5 Mo 32,30 **30,18** 2 Mo 34,6 **30,22** 27,9 **30,27–33** 10,5–19* **30,27–28** Hab 3,3–15

Stockschläge spüren. [32]Sie bekommen die vom Herrn verhängte Strafe; ein Rutenhieb nach dem anderen klatscht auf sie nieder, begleitet von Trommelwirbel und Harfenklängen. Ja, der Herr selbst wird gegen sie kämpfen! [33]Der Platz ihrer Hinrichtung ist längst vorbereitet. Auch auf den König wartet der Scheiterhaufen. Die Feuerstelle wurde ausgehoben, tief und weit; eine große Menge Brennholz hat man aufgeschichtet. Der Atem des Herrn, feurig wie ein glühender Lavastrom, setzt alles in Brand.

Der Herr allein rettet Jerusalem

31 Wehe denen, die nach Ägypten gehen, um Hilfe zu holen! Sie setzen ihre Hoffnung auf Pferde, sie vertrauen auf die unzähligen Streitwagen und die starken Reitertruppen. Den heiligen Gott Israels aber lassen sie außer Acht, den Herrn bitten sie nicht um Hilfe. [2]Doch er weiß genau, was er tut: Unglück lässt er über euch kommen. Er nimmt seine Drohungen nicht zurück. Gegen euch, ihr Übeltäter, und gegen alle, von denen ihr Hilfe erwartet, wird er sich erheben. [3]Die Ägypter sind doch nur Menschen und nicht Gott; ihre Pferde sind aus Fleisch und Blut und haben keine göttliche Kraft. Der Herr braucht nur drohend seine Hand zu erheben, schon stolpert der Helfer, der Hilfesuchende stürzt, und alle beide kommen um.

[4]So spricht der Herr: »Ein junger Löwe verteidigt knurrend seine Beute. Er lässt sich nicht einschüchtern vom Geschrei der vielen Hirten, die ihm das Schaf wieder entreißen wollen. Genauso furchtlos werde ich, der allmächtige Gott, auf den Berg Zion herabkommen und die Stadt Jerusalem verteidigen. [5]Wie ein Vogel über seinem Nest kreist und seine Jungen ständig im Auge behält, so werde ich, der allmächtige Gott, Jerusalem beschützen. Ich beschirme und verteidige die Stadt, ich verschone sie vor dem Untergang und befreie sie schließlich von ihren Feinden.«

[6]Kehrt um, ihr Israeliten, zurück zum Herrn! Ihr habt euch schon so weit von ihm entfernt. [7]Noch verehrt ihr eure selbst gemachten Götzenfiguren aus Silber und Gold, noch begeht ihr diese schwere Sünde. Doch es kommt der Tag, an dem ihr sie alle verabscheuen werdet.

[8]»Assyrien wird fallen«, sagt der Herr. »Mit dem Schwert wird das Heer geschlagen. Doch keine menschliche Waffe, sondern mein Schwert bringt sie um. Sie werden davor fliehen, und die jungen Soldaten müssen Zwangsarbeit leisten. [9]Die Heerführer der Assyrer vergehen fast vor Angst.[a] Sie lassen ihre Truppen im Stich und ergreifen die Flucht. Das sage ich, der Herr, der in Jerusalem wohnt, dessen Feuer auf dem Berg Zion brennt.«

Ein gerechter Herrscher

32 Eines Tages wird ein gerechter König regieren. Auch seine obersten Beamten werden sich an das Recht halten. [2]Jeder von ihnen wird für das Volk sein wie ein windgeschützter Ort im Sturm, wie ein Schutzdach beim Wolkenbruch, wie ein sprudelnder Bach in der Steppe, wie der kühle Schatten eines hohen Felsens in glühend heißer Wüste.

[3]Dann wird keiner mehr verblendet sein; alle sehen wieder klar und hören aufmerksam hin. [4]Hitzköpfe lernen, überlegt und einsichtsvoll zu handeln, und selbst Menschen, denen das Reden schwer fiel, können dann fließend und deutlich sprechen. [5]Ein unverbesserlicher Dummkopf wird dann nicht mehr vornehm genannt, kein Betrüger wird mehr als ehrlich hingestellt. [6]Denn ein gottloser Mensch wird immer Schlechtes reden. Er will nur Unheil anrichten und schreckt vor keiner Grausamkeit zurück. Was er über den Herrn sagt, ist verkehrt

---

[a] Wörtlich: Und sein Fels wird vor Schrecken vergehen.

31,1–3 20,1–6; 30,1–7; 36,6 **31,1** 5 Mo 17,16; Ps 20,8 **31,3** Sach 4,6 **31,5** 5 Mo 32,11; Lk 13,34 **31,7** 2,20 **31,8–9** 10,5–19* **32,1** 9,6* **32,3** 29,9–10 **32,5** 5,20.23

und führt andere in die Irre. Den Hungrigen gibt er nichts zu essen, und Durstige lässt er nicht trinken. [7] Auch der Betrüger hat nichts als üble Machenschaften im Sinn: Er schmiedet hinterlistige Pläne, um die Armen mit falschen Aussagen zugrunde zu richten, selbst wenn diese im Recht sind. [8] Ein ehrlicher Mensch dagegen ist auf das Gute bedacht und setzt sich dafür ein, dass die Wahrheit siegt.

Das sorglose Leben hat ein Ende

[9] Sorglos lebt ihr in den Tag hinein, ihr Frauen – hört, was ich euch sage! Ihr unbekümmerten Mädchen, hört mir zu! [10] Noch gut ein Jahr, dann werdet ihr vor Angst zittern, ihr leichtfertigen Frauen. Dann gibt es keine Weinlese und auch keine Obsternte mehr. [11] Ja, fürchtet euch, ihr Sorglosen, und zittert, ihr Unbekümmerten! Legt eure feinen Gewänder ab, und zieht Trauerkleider aus Sacktuch an! [12] In eurer Verzweiflung werdet ihr alle die Hände an die Brust schlagen und um die schönen Felder und die fruchtbaren Weinberge klagen: [13] Unkraut und Dornengestrüpp überwuchern die Äcker im ganzen Land. Die Häuser sind zerstört, in denen ihr so viel Freude erlebt habt; die Stadt, die heute noch so lebenslustig ist, wird in Trümmern liegen. [14] Verlassen steht der Palast da; alles Leben ist aus den Straßen verschwunden; Totenstille liegt über der Stadt. Burghügel und Wachturm werden für immer zu Schlupfwinkeln der Tiere: Wildesel schreien dort, und Herden weiden zwischen den Ruinen.

Gottes Geist schenkt Glück und Frieden

[15] So wird es bleiben, bis der Geist Gottes aus der Höhe über uns kommt. Dann wird die Wüste in einen Obstgarten verwandelt, dicht wie im Wald stehen die Bäume beieinander. [16] Im ganzen Land beachtet man das Recht. Überall herrscht Gerechtigkeit, in der Wüste wie im fruchtbaren Land. [17] Und wo es gerecht zugeht, da herrschen auch Friede, Ruhe und Sicherheit – für immer.

[18] So spricht der Herr: »Mein Volk lebt dann in einem Land, wo Frieden ist. Ruhig und ohne Sorgen wohnen sie dort. Ihre Häuser sind vor jeder Gefahr sicher. [19] Den Wald der Feinde aber wird der Hagel zerschlagen, ihre Stadt wird untergehen. [20] Doch euch geht es gut. Bäche und Flüsse durchziehen euer Land, ihr könnt auf fruchtbaren Boden säen, und eure Rinder und Esel laufen frei herum.«

Herr, hilf uns!

33 Nimm dich in acht, du Zerstörer! Du verwüstest ganze Länder, doch dein eigenes Land ist bisher verschont geblieben. Du betrügst, doch dich selbst konnte noch niemand in die Irre führen. Nun ist die Reihe an dir: Wenn du alle Länder verwüstet hast, dann wird auch dein Land zerstört. Hast du endlich alle hinters Licht geführt, wirst du selbst überlistet.

[2] Herr, hab Erbarmen mit uns! Auf dich allein setzen wir unsere Hoffnung. Schütze und stärke unser Volk jeden Tag neu! Hilf uns in Zeiten der Not!

[3] Wenn die Feinde deine Donnerstimme hören, ergreifen sie die Flucht. Ganze Völker stieben auseinander, wenn du, Herr, aufstehst und eingreifst. [4] Dann wird man sich auf die reiche Beute stürzen wie ein Heuschreckenschwarm, wie gefräßige Insekten, die im Nu alles kahl fressen.

[5] Groß und mächtig ist der Herr. Er regiert im Himmel und wacht darüber, dass auf dem Berg Zion Recht und Gerechtigkeit herrschen. [6] Ihr Einwohner von Jerusalem, ihr werdet in Sicherheit leben, und es wird euch in jeder Hinsicht gut gehen. Weisheit und Erkenntnis besitzt ihr dann in reichem Maß, euer größter Schatz aber wird die Ehrfurcht vor dem Herrn sein.

32,9 Am 6,1 **32,11** 3,24 **32,13–14** 6,11 **32,15** 29,17 **33,1** Hab 2,6–8 **33,3** 29,5–8 **33,5** 1,21

Vom Feind betrogen – vom Herrn gerettet

[7] Seht, die Kriegshelden laufen schreiend durch die Straßen! Die Boten, die die Nachricht vom Frieden schon überall verkündet hatten, kommen laut weinend zurück. [8] Die Wege sind menschenleer, kein Reisender zieht durch das Land. Verträge werden gebrochen, Zeugenaussagen gelten nichts mehr, und ein Menschenleben ist wertlos. [9] Das ganze Land verkümmert und verwelkt: Die Zedern auf dem Libanon verdorren – welch ein trauriger Anblick! Die fruchtbare Scharonebene gleicht einer Wüste, die Bäume im Gebiet von Baschan und auf dem Berg Karmel verlieren ihre Blätter.

[10] Doch der Herr sagt: »Nun handle ich! Jetzt greife ich ein und beweise meine Macht! [11] Eure Pläne sind nutzlos wie dürres Stroh, und was dabei herauskommt, ist nicht mehr wert als Stoppeln. Voller Wut speit ihr Feuer, aber es wird euch selbst verzehren. [12] Ja, die feindlichen Völker sollen verbrannt werden, bis nur noch feine, weiße Asche von ihnen übrig bleibt. Es wird ihnen gehen wie dürrem Dornengestrüpp, das man ins prasselnde Feuer wirft. [13] Ihr Völker in der Ferne, hört, was ich getan habe; und ihr in der Nähe, erkennt meine Macht an!«

[14] Die gottlosen Menschen in Jerusalem fahren erschrocken zusammen. Die Angst packt alle, die von Gott nichts wissen wollen. Sie fragen: »Wer hält es neben diesem Feuer aus? Wer von uns kann bei dieser Glut wohnen, die nie erlischt?« [15] Wer gerecht ist und die Wahrheit sagt; wer Ausbeutung und Erpressung verabscheut; wer Bestechungsgelder ablehnt; wer sich nicht in Mordpläne einweihen und verstricken lässt; wer nicht zuschaut, wo Böses geschieht. [16] Wer richtig handelt, der wird ruhig und sicher leben wie auf einer hohen Burg, die von schützenden Mauern umgeben ist. Er hat immer genug zu essen, und auch an Wasser fehlt es ihm nie.

Ihr werdet den König sehen in seiner Schönheit

[17] Ihr werdet euren König sehen in seiner Majestät und Schönheit. Ihr blickt über ein weites Land. [18] Dann denkt ihr an die früheren Schreckenszeiten zurück: »Wo sind sie nun, die Unterdrücker, denen wir hohen Tribut zahlen mussten? Wo sind sie denn, die unsere Festungen überwachten? Damit ist es jetzt vorbei!« [19] Nie wieder seht ihr eure Unterdrücker, dieses überhebliche Volk mit seiner fremden Sprache, die in euren Ohren wie sinnloses Gestammel klingt.

[20] Schaut auf die Stadt Zion, in der wir unsere Feste feiern! Ihr werdet noch erleben, wie Jerusalem zu einem friedlichen Wohnort wird. Dann gleicht die Stadt einem Zelt, das nie mehr abgebrochen wird; seine Pflöcke zieht man nicht mehr heraus, und keiner löst seine Seile.

[21–23] Der Herr wird in seiner Größe und Macht bei uns sein. Dann wohnen wir in Jerusalem so sicher wie an einem breiten Strom mit vielen Nebenflüssen. Keine feindlichen Galeeren sind dort zu sehen, keine mächtigen Segelschiffe fahren darauf. Und wenn doch eines kommt, dann hängen die Taue schlaff herab, sie können den Mastbaum nicht halten und kein Segel spannen. Die kostbare Ladung wird unter die Einwohner Jerusalems verteilt, selbst Lahme und Blinde machen Beute. Der Herr allein ist unser Richter, der uns führt; er gibt uns die Gesetze, er ist unser König. Nur er kann uns helfen. [24] Im ganzen Land wird keiner mehr klagen: »Ach, ich bin schwach und krank!«, denn dem Volk wird jede Schuld vergeben sein.

33,14–15 Ps 15,1–5; 24,3–5 **33,14** 5 Mo 4,24 **33,19** 28,11 **33,24** 2 Mo 23,25

Der Herr kündigt sein Gericht über Edom an

34 Ihr Völker, kommt her und hört zu! Die ganze Welt, alle Bewohner der Erde sollen aufmerksam zuhören: [2] Der Herr ist zornig über die Völker, ihre Heere werden seinen schrecklichen Zorn zu spüren bekommen. Er hat sie dem Untergang geweiht, abgeschlachtet sollen sie werden. [3] Dann liegen die Leichen herum, und niemand beerdigt sie. Widerlicher Verwesungsgestank erfüllt die Luft. Das Blut der Erschlagenen durchtränkt die Berge. [4] Die Gestirne vergehen, der Himmel wird zusammengerollt wie eine Buchrolle. Die Sterne fallen herab wie dürre Weinblätter, wie trockene Blätter vom Feigenbaum.

[5] Der Herr sagt: »Mein Schwert im Himmel ist rot von Blut. Es fährt auf das Land Edom nieder und vollstreckt mein Urteil. Dieses Volk habe ich dem Untergang geweiht.« [6] Das Schwert des Herrn trieft von ihrem Blut und Fett, so wie es beim Schlachten vom Blut der Lämmer und Böcke trieft, wie es bedeckt ist vom Nierenfett der Schafböcke. Denn in Bozra, der Hauptstadt Edoms, feiert der Herr ein großes Opferfest. Ja, in ganz Edom ist großer Schlachttag. [7] Die Menschen werden niedergemetzelt wie Büffel, Rinder und Stiere. Ihr Blut durchtränkt das ganze Land, der Boden trieft von ihrem Fett. [8] Das alles wird geschehen, wenn der Herr mit Edom abrechnet.

In diesem Jahr zahlt er Edom alles Unrecht an Jerusalem heim. [9] Dann wird das Wasser der Bäche in Edom zu Pech, und der Boden verwandelt sich in Schwefel. Das ganze Land steht in Flammen wie eine Fackel, [10] Tag und Nacht erlischt das Feuer nicht. Unaufhörlich steigt schwarzer Rauch zum Himmel auf. Generationen kommen und gehen, doch dieses Land bleibt verwüstet für alle Zeiten. Nie mehr wird ein Mensch diese öde Gegend durchstreifen. [11] Eulen und Igel hausen dort, Käuzchen und Raben lassen sich nieder. Der Herr zieht mit der Messschnur eine Grenze um das ganze Land und macht es zu einer wilden, menschenleeren Gegend. [12] Keine Fürsten rufen je wieder ein Königtum aus, von den vornehmen Herren bleibt niemand übrig. [13] An den Mauern der Paläste ranken Dornen empor, Nesseln und Disteln überwuchern die alten Festungen. Schakale wohnen in den Ruinen, und Strauße siedeln sich an. [14] Hyänen und andere Wüstentiere hausen dort, Dämonen begegnen einander, und Gespenster lassen sich nieder. [15] Schlangen nisten dort, legen Eier und brüten sie aus, bis die Jungen schlüpfen. Auch Aasgeier zieht es in großer Zahl dorthin.

[16] Forscht im Buch des Herrn, und lest nach: Nicht eines dieser Tiere fehlt, alle finden sich in Edom. Denn der Herr selbst hat es befohlen, und sein Geist bringt sie dort zusammen. [17] Eigenhändig wird er das Land vermessen und jedem Tier durch das Los sein Gebiet zuweisen. Dann besitzen sie es für alle Zeiten, eine Generation nach der anderen wird darin wohnen.

Der Herr befreit sein Volk aus der Gefangenschaft

35 Freuen wird sich die Wüste, jubeln das dürre Land, die Steppe wird singen vor Freude: Sie ist aufgeblüht, ein Meer von Lilien.

[2] In voller Blüte steht sie da und singt und jubelt vor Freude. Schön wie der Wald im Libanon soll sie werden, prächtig wie der Berg Karmel und fruchtbar wie die Scharonebene. Dann wird jeder die Herrlichkeit und Pracht des Herrn, unseres Gottes, sehen.

[3] Stärkt die kraftlosen Hände! Lasst die zitternden Knie wieder fest werden!

34,4 Mt 24,29; 2 Petr 3,10; Offb 6,13–14 **34,5–17** 63,1–6; Jer 49,7–22; Hes 25,12–14; 35,1–15; Am 1,11–12; Obd 1–15; Mal 1,2–5 **34,8** Klgl 4,21–22 **34,9** 1 Mo 19,24–28 **34,10** Offb 14,11; 19,3 **34,17** Jos 14,1–2 **35,1** 32,15; 55,12–13 **35,2** 40,5 **35,3** Hebr 12,12

[4]Sagt denen, die sich fürchten: »Fasst neuen Mut! Habt keine Angst mehr, denn euer Gott ist bei euch! Jetzt wird er euren Feinden alles Unrecht vergelten, das sie euch angetan haben. Gott selbst kommt, um euch zu helfen und euch zu befreien.«

[5]Dann bekommen die Blinden ihr Augenlicht wieder, und die Tauben können hören.
[6]Gelähmte springen wie ein Hirsch, und Stumme singen aus voller Kehle. In der Wüste brechen Quellen hervor, Bäche fließen durch die öde Steppe.
[7]Teiche entstehen, wo vorher heißer Wüstensand war. In der dürren Landschaft sprudelt Wasser aus dem Boden. Wo heute noch Schakale lagern, wachsen dann Gras, Binsen und Schilf.

[8]Eine Straße wird es dort geben, die man »Heilige Straße« nennt. Kein unreiner Mensch wird sie betreten, sie ist nur für das Volk des Herrn bestimmt. Wer auf dieser Straße reist, kann sich nicht verirren, auch wenn er sich nicht auskennt.
[9]Kein Löwe liegt auf der Lauer, auch andere Raubtiere gibt es dort nicht. Nur die erlösten Menschen betreten diese Straße.

[10]Alle, die der Herr befreit hat, kehren jubelnd aus der Gefangenschaft zum Berg Zion zurück. Von Freude ergriffen, jubelnd vor Glück, kommen sie heim. Trauer und Sorge sind für immer vorbei.

Die Assyrer belagern Jerusalem
(2. Könige 18,13–37; 2. Chronik 32,1–19)

36 Im 14. Regierungsjahr König Hiskias marschierte der assyrische König Sanherib mit seinen Truppen in Juda ein und eroberte alle befestigten Städte des Landes. [2]Von der Stadt Lachisch aus schickte er einen seiner höchsten Würdenträger – er trug den Titel Rabschake – mit einem starken Heer nach Jerusalem. Dort stellte sich das Heer bei der Wasserleitung des oberen Teiches auf. Sie liegt an der Straße zu dem Feld, auf dem die Tuchmacher ihre Stoffe bleichen. [3]Hiskia schickte drei seiner Hofbeamten zu ihnen hinaus: den Palastverwalter Eljakim, einen Sohn Hilkijas, den Hofsekretär Schebna und den Berater Joach, einen Sohn Asafs. [4]Der Rabschake gab ihnen eine Botschaft an König Hiskia mit:

»Der mächtige König von Assyrien lässt dir sagen: Worauf vertraust du eigentlich, dass du dich so sicher fühlst? [5]Schöne Worte allein erringen keinen Sieg. Was du brauchst, sind gute Berater und lange Kriegserfahrung. Von wem erhoffst du dir Rückendeckung, dass du es wagst, dich gegen mich aufzulehnen? [6]Ausgerechnet von Ägypten erwartest du Hilfe? Auf diesen zerbrochenen Stab willst du dich stützen? Er hat noch jedem die Hand durchbohrt, der sich auf ihn stützte. So ist nämlich der Pharao: Er lässt alle im Stich, die sich auf ihn verlassen! [7]Vielleicht sagt ihr jetzt: ›Wir vertrauen auf den Herrn, unseren Gott!‹ Aber hast du, Hiskia, nicht alle Altäre und Opferstätten dieses Gottes niedergerissen? Hast du nicht dem Volk in ganz Juda und Jerusalem befohlen, sich nur noch vor dem einen Altar in Jerusalem niederzuwerfen? Und da sollte dieser Gott euch nun noch helfen wollen?[a]

[8]Der König von Assyrien bietet dir folgende Wette an: Er schenkt dir zweitausend Pferde, wenn du die Reiter dafür aufbringen kannst. Wetten, dass es dir nicht gelingt? [9]Ihr könnt doch nicht einmal irgendeinem unbedeutenden Truppenführer meines Herrn die Stirn bieten. Ihr setzt ja eure ganze Hoffnung auf die Ägypter, weil sie viele Streitwagen besitzen. [10]Und noch etwas lässt dir der König sagen: Du denkst wohl, wir seien

[a] »Und da … wollen« ist sinngemäß eingefügt.
35,4 40,9 **35,5-6** 29,18–19* **35,7** 41,17–19 **35,8** 40,3–4; 43,19 **35,10** 51,11; 65,18–19; Offb 21,4
36,2 7,3 **36,3** 22,15–25 **36,6** 31,1–3; Hes 29,6–7 **36,7** 2 Kön 18,4 **36,10** 10,5–6

gegen den Willen des Herrn hier einmarschiert, um alles zu verwüsten? Dann irrst du dich aber! Der Herr selbst hat mir befohlen, dieses Land zu erobern und zu zerstören.«

[11] Hier unterbrachen Eljakim, Schebna und Joach den Rabschake. »Bitte, rede aramäisch mit uns, Herr«, baten sie. »Sprich nicht hebräisch! Die Leute aus dem Volk oben auf der Mauer verstehen sonst jedes Wort.« [12] Doch der Rabschake erwiderte: »Meint ihr, mein Herr habe mich mit dieser Botschaft nur zu euch und eurem Herrn geschickt? Nein, gerade die Männer dort oben auf der Stadtmauer sollen es hören! Bald schon werden sie so wie ihr den eigenen Kot fressen und Harn saufen.«

[13] Dann wandte er sich zur Stadtmauer hin und rief laut auf Hebräisch: [14] »Hört, was der mächtige König von Assyrien euch zu sagen hat: Lasst euch von Hiskia nicht täuschen! Der kann euch ja doch nicht helfen. [15] Er vertröstet euch auf den Herrn und behauptet: ›Ganz sicher wird der Herr uns retten und verhindern, dass der König von Assyrien die Stadt erobert.‹ Fallt nicht darauf herein! [16] Hört nicht auf Hiskia, sondern hört auf den König von Assyrien! Er will Frieden mit euch schließen und lässt euch sagen: Ihr könnt euch mir getrost ergeben! Dann werdet ihr wieder die Früchte eurer Weinstöcke und Feigenbäume essen und das Wasser eurer Brunnen trinken, [17] bis ich euch in ein Land hole, das so fruchtbar ist wie eures. Dort gibt es Getreidefelder und Weinberge, Brot und Most in Hülle und Fülle. [18] Lasst euch von Hiskia nicht an der Nase herumführen, wenn er behauptet: ›Der Herr wird uns helfen!‹ Haben etwa die Götter anderer Völker sie vor mir retten können? [19] Was ist mit den Göttern von Hamat und Arpad und mit den Göttern von Sefarwajim? Konnten sie ihre Städte vor meinen Angriffen schützen? Und wie war es mit Samaria? Haben sie uns etwa dort zum Abzug gezwungen? [20] Nein, nicht ein einziger Gott konnte sein Land vor meinen Eroberungen schützen. Und da sollte ausgerechnet euer Gott, den ihr ›Herr‹ nennt, Jerusalem vor mir bewahren?«

[21] Die Leute auf der Mauer blieben ruhig und antworteten ihm nichts. Hiskia hatte ihnen nämlich befohlen, kein Wort zu sagen. [22] Entsetzt zerrissen Eljakim, Schebna und Joach ihre Gewänder. Sie eilten zu Hiskia und wiederholten ihm die ganze Rede des Rabschake.

Der Herr ermutigt Hiskia
(2. Könige 19,1–7)

37 Als König Hiskia das hörte, zerriss auch er sein Gewand und hüllte sich in ein Trauergewand aus Sacktuch. Dann ging er in den Tempel. [2] Den Palastverwalter Eljakim, den Hofsekretär Schebna und einige führende Priester schickte er in Trauergewändern zum Propheten Jesaja, dem Sohn des Amoz. [3] »Wir haben dir etwas von Hiskia auszurichten«, begannen sie. »Er lässt dir sagen: Heute ist ein schrecklicher Tag, die Assyrer haben uns schwer beleidigt. Das ist die Strafe für unsere Sünden. Die Lage ist so ernst wie bei einer Geburt, wenn die Mutter keine Kraft mehr hat, ihr Kind zu gebären. [4] Doch vielleicht hat der Herr, dein Gott, alle Lästerungen des Rabschake gehört. Der Gesandte des assyrischen Königs hat den lebendigen Gott verhöhnt! Sicher hat der Herr seine Worte gehört und bestraft ihn dafür. O Jesaja, bete für uns, bete für die Überlebenden!«

[5] Als sie die Botschaft Hiskias ausgerichtet hatten, [6] gab Jesaja ihnen gleich eine Antwort für den König mit: »So spricht der Herr: ›Hab keine Angst vor den Drohungen, die du gehört hast. Lass dich nicht einschüchtern, wenn die Boten des assyrischen Königs über mich lästern! [7] Ich will ihn dazu bringen, dass er seine Truppen von hier abzieht. Er wird ein Gerücht hören und darüber so beunruhigt sein, dass er umgehend in sein Land

---

36,16 1 Kön 5,5 **37,4** 1 Sam 17,26 **37,6** 7,9

zurückkehrt. Dort lasse ich ihn durch das Schwert umkommen.«‹

Sanheribs Drohungen – Hiskias Gebet
(2. Könige 19,8–19; 2. Chronik 32,17)

[8] Der Rabschake kehrte zu König Sanherib zurück, der inzwischen wieder von Lachisch aufgebrochen war und nun die Stadt Libna belagerte.

[9] Sanherib hörte, der äthiopische König Tirhaka sei mit einem Heer unterwegs, um die Assyrer anzugreifen. Da schickte er noch einmal eine Gesandtschaft zu König Hiskia [10] und ließ ihm einen Brief überbringen. »Überschätze deinen Gott nicht«, hieß es darin, »lass dich nicht von ihm täuschen, wenn er dir sagt: ›Jerusalem wird nicht fallen, der assyrische König kann die Stadt nicht einnehmen!‹ [11] Du weißt doch, wie die assyrischen Könige gegen ihre Feinde vorgehen: Ihre Länder verwüsten sie, und die Bewohner metzeln sie nieder. Und da solltest gerade du verschont bleiben? [12] Wurden denn Städte wie Gosan, Haran oder Rezef von ihren Göttern beschützt? Wie war es mit den Einwohnern von Telassar im Land Eden? Kein Gott half ihnen, als meine Vorgänger sie vernichteten! [13] Und wo sind heute die Könige von Hamat und Arpad, Sefarwajim, Hena und Awa?«

[14] Die Boten überbrachten Hiskia das Schreiben. Er las es und ging damit in den Tempel. Dort breitete er den Brief vor dem Herrn aus [15] und begann zu beten:

[16] »Allmächtiger Gott, du Gott Israels, der du über den Cherub-Engeln thronst, du allein bist Gott über alle Königreiche der Welt. Himmel und Erde hast du geschaffen. [17] Herr, erhöre mich! Sieh doch, wie schlimm es um uns steht! Höre, wie Sanherib dich, den lebendigen Gott, verhöhnt! [18] Es ist wahr, Herr: Die assyrischen Könige haben die Länder aller ihrer Feinde verwüstet. [19] Sie haben deren Götter ins Feuer geworfen, denn es waren ja keine lebendigen Götter, sondern nur Figuren aus Holz oder Stein, von Menschen gemacht. Darum konnten die Assyrer sie verbrennen. [20] Nun bitte ich dich, Herr, unser Gott: Errette uns aus der Gewalt des assyrischen Königs! Alle Länder der Erde sollen erkennen, dass nur du der Herr bist!«

Gottes Antwort auf den Spott des assyrischen Königs
(2. Könige 19,20–37; 2. Chronik 32,20–21)

[21] Da schickte Jesaja, der Sohn des Amoz, einen Boten zu König Hiskia, der ihm sagen sollte: »So spricht der Herr, der Gott Israels: Ich habe dein Gebet wegen Sanherib gehört. [22] Hör nun, was ich zum König von Assyrien sage:

Die Stadt Zion verachtet und verspottet dich! Ganz Jerusalem lacht über dich. [23] Weißt du überhaupt, wen du verhöhnt und gelästert hast? Weißt du, mit wem du dich angelegt hast? Mit dem heiligen Gott Israels! [24] Durch deine Boten hast du mich, den Herrn, verspottet. Du prahlst:

›Mit meinen vielen Streitwagen habe ich die Berge bezwungen, bis zum höchsten Gipfel des Libanon bin ich vorgestoßen. Seine mächtigen Zedern habe ich gefällt und die schönsten Zypressen abgeholzt. Ich erreichte seine entlegensten Höhen und drang in jedes Dickicht seiner Wälder vor. [25] In fremden Ländern habe ich mir Brunnen gegraben. Die Nilarme in Ägypten waren kein Hindernis für mich: Unter meinen Schritten trockneten sie aus.‹

[26] Höre, König von Assyrien: Womit du jetzt prahlst, das habe ich schon in grauer Vorzeit geplant, seit langem ist es vorbereitet! Nur darum habe ich zugelassen, dass du befestigte Städte einreißt und sie in Trümmerhaufen verwandelst. [27] Ihre Einwohner waren machtlos gegen dich, du hast Schrecken und Schande über sie gebracht. Sie waren wie junges Grün auf

---

37,12 36,18 **37,16** 1 Sam 4,4 **37,19** 44,9–20* **37,22–35** 10,5–19*

dem Feld, wie zartes Gras auf Lehmdächern, das im heißen Ostwind verdorrt. [28]Ich kenne dich ganz genau. Ich weiß, ob du sitzt oder stehst. Ich sehe, wann du kommst und wann du gehst. Ich weiß auch, wie du gegen mich wütest. [29]Dein Prahlen habe ich gehört. Weil du so gegen mich tobst, will ich dir einen Ring durch die Nase ziehen und meinen Zaum ins Maul legen. Dann treibe ich dich den Weg wieder zurück, den du gekommen bist.

[30]Dir, Hiskia, gebe ich ein Zeichen, an dem du erkennen kannst, dass ich mein Versprechen halte: In diesem und im nächsten Jahr müsst ihr von dem leben, was auf euren Feldern von allein nachwächst. Doch im übernächsten Jahr könnt ihr wieder säen und ernten, Weinberge anlegen und ihre Früchte essen wie früher. [31]Die Bewohner von Juda, die diese schwere Zeit überstehen, werden in Frieden in ihrer Heimat leben können wie Pflanzen, die Wurzeln schlagen und Frucht bringen. [32]Denn in Jerusalem werden Menschen überleben und das Land wieder bevölkern. Ich, der Herr, der allmächtige Gott, sorge dafür und verfolge mein Ziel beharrlich.

[33]Ich sage dir auch, was mit dem assyrischen König geschehen wird: Seine Truppen werden Jerusalem mit keinem Fuß betreten. Sie werden keinen einzigen Pfeil abschießen und nicht im Schutz ihrer Schilde gegen die Stadtmauer anstürmen. Nicht einmal einen Belagerungswall werden sie aufschütten. [34]Die Assyrer werden Jerusalem nicht stürmen, sondern auf demselben Weg abziehen, den sie gekommen sind. Darauf gebe ich, der Herr, mein Wort. [35]Um meiner Ehre willen beschütze ich diese Stadt. Ich rette sie, weil ich es meinem Diener David versprochen habe.«

[36]Der Herr schickte seinen Engel in das Lager der Assyrer. Er tötete 185 000 Soldaten. Am nächsten Morgen war alles mit Leichen übersät.

[37]Da ließ Sanherib zum Aufbruch blasen, zog seine Truppen ab und kehrte nach Assyrien zurück. Er blieb in der Hauptstadt Ninive. [38]Eines Tages, als er im Tempel seines Gottes Nisroch betete, stachen ihn seine Söhne Adrammelech und Sarezer mit dem Schwert nieder. Die beiden flohen in das Land Ararat, und Asarhaddon, ein anderer Sohn Sanheribs, wurde sein Nachfolger.

Gott heilt den todkranken König
(2. Könige 20, 1–11; 2. Chronik 32, 24)

38 In dieser Zeit wurde Hiskia todkrank. Der Prophet Jesaja, der Sohn des Amoz, besuchte ihn und sagte: »So spricht der Herr: ›Regle noch die letzten Dinge, denn du bist unheilbar krank und wirst bald sterben.‹«

[2]Als Hiskia das hörte, drehte er sich zur Wand und betete: [3]»Ach Herr, denk doch daran, dass ich mein Leben lang treu bei dir geblieben bin und mit ganzer Hingabe getan habe, was dir gefällt.« Er fing laut an zu weinen.

[4/5]Da sandte der Herr den Propheten noch einmal mit einer Botschaft zu Hiskia: »Hör, was der Herr, der Gott deines Vorfahren David, dir sagen lässt: ›Ich habe dein Gebet gehört und deine Tränen gesehen. Ich verlängere dein Leben um fünfzehn Jahre. [6]Auch will ich dich und diese Stadt vor dem assyrischen König bewahren. [7]Ich gebe dir ein Zeichen, an dem du erkennen wirst, dass ich mein Versprechen halte: [8]Ich lasse den Schatten an den Treppenstufen, die dein Vater Ahas gebaut hat, um zehn Stufen zurückgehen.‹« Da ging der Schatten zehn Stufen zurück.

Hiskia dankt Gott für seine Heilung

[9]Dieses Gedicht schrieb König Hiskia von Juda, nachdem er wieder gesund geworden war:

[10]»Ich dachte:
In den besten Jahren meines Lebens

37,32 10,21–22* **37,36** 31,8 **38,3** 2 Kön 18,3–6 **38,10** Ps 102,24–25

muss ich an der Schwelle des Todes stehen, mitten aus dem Leben werde ich herausgerissen.
[11] Nie wieder darf ich dem Herrn begegnen hier unter den Lebenden, nie mehr Menschen auf dieser Erde sehen.
[12] Mein Leben gleicht einem Nomadenzelt, das abgebrochen und weggetragen wird. Es ist wie ein Tuch, das zu Ende gewebt wurde. Du schneidest seine Fäden ab, mit denen es am Webstuhl hing. Tag und Nacht spüre ich, dass du meinem Leben ein Ende machst.
[13] Bis zum Morgen versuche ich ruhig zu bleiben, aber du überfällst mich wie ein Löwe, der alle meine Knochen zermalmt. Tag und Nacht spüre ich, dass du meinem Leben ein Ende machst.
[14] Meine Stimme ist dünn und schwach wie das Zwitschern einer Schwalbe, ich krächze wie ein Kranich, und mein Klagen klingt wie das Gurren einer Taube. Mit fiebrigen Augen starre ich nach oben; ich bin am Ende, Herr, komm mir doch zu Hilfe!

[15] Was soll ich nun im Nachhinein noch sagen? Nur das: Er hat mir versprochen, mich zu heilen, und er hat es auch getan. Nun kann ich den Rest meines Lebens gelassen verbringen. Doch nie will ich vergessen, welch bitteres Leid ich erlitten habe.
[16] O Herr, von deinen Worten und Taten lebe ich, sie geben mir alles, was ich brauche. Du hast mich wieder gesund gemacht und mir von neuem das Leben geschenkt.

[17] Ja, mein bitteres Leid musste der Freude weichen. In deiner Liebe hast du mich vor Tod und Grab bewahrt. Du hast alle meine Sünden weit hinter dich geworfen.
[18] In der Unterwelt dankt dir niemand, kein Toter preist dich mit Liedern. Die Leichen in den Gräbern hoffen nicht mehr auf deine Treue.
[19] Aber die Lebenden, sie danken dir, so wie ich dich heute lobe und dir danke. Die Väter erzählen ihren Kindern, dass du treu bist und deine Versprechen hältst.
[20] Herr, du hast mich gerettet, darum wollen wir dich preisen unser Leben lang, dich loben in deinem Tempel mit Musik und Liedern.«

Ein Nachtrag
(2. Könige 20,7–8)

[21] Als Jesaja den todkranken König besuchte, ordnete er an, man solle einen Umschlag aus gepressten Feigen auf Hiskias Geschwür legen, damit er bald wieder gesund werde. [22] Hiskia aber wollte von Jesaja wissen: »Woran kann ich erkennen, dass ich geheilt werde und zum Tempel gehen kann, um den Herrn anzubeten?«[a]

Hiskia begeht einen großen Fehler
(2. Könige 20,12–19; 2. Chronik 32,31)

39 Kurze Zeit später kam eine Gesandtschaft des babylonischen Königs Merodach-Baladan zu Hiskia. Merodach-Baladan war ein Sohn Baladans. Er hatte gehört, dass Hiskia nach schwerer Krankheit wieder gesund war, und ließ ihm einen Brief und Geschenke überbringen. [2] Hiskia empfing die Gesandten freundlich und zeigte ihnen sein ganzes Schatzhaus. In alle Kammern ließ er sie schauen. Sie sahen das Silber und das Gold, die kostbaren Öle und Gewürze. Sogar das Waffenlager und die Vorratshäuser zeigte er ihnen. Im ganzen Palast und im ganzen Reich gab es nichts Bedeutendes, was diese Männer nicht gesehen hätten.

[3] Da ging der Prophet Jesaja zu König Hiskia. »Woher kamen diese Männer, und was wollten sie von dir?«, fragte er, und Hiskia antwortete: »Aus einem fernen Land sind sie gekommen, aus Baby-

---

[a] Dem Zusammenhang nach gehören die Verse 21–22 zwischen Vers 6 und 7. Vgl. 2. Könige 20,6–9
38,12 Hiob 4,21 **38,17** Ps 103,3–4 **38,18** Ps 6,6* **38,19** 5 Mo 4,9*

lonien.« [4]»Was haben sie im Palast gesehen?«, wollte Jesaja wissen. Hiskia erwiderte: »Sie haben alles gesehen, was ich besitze. In jede einzelne Schatzkammer ließ ich sie schauen.«

[5]Da sagte Jesaja: »Hör, was der Herr, der allmächtige Gott, dazu sagt: [6]›Eines Tages wird der ganze Reichtum in deinem Palast – alle Schätze, die du und deine Vorfahren angehäuft haben – nach Babylon fortgebracht werden. Nichts wird übrig bleiben. [7]Auch einige deiner Söhne, die dir noch geboren werden, wird man verschleppen. Sie müssen als Eunuchen im Palast des babylonischen Königs dienen.‹«

[8]Hiskia sagte nur: »Der Herr weiß, was er tut; ich beuge mich seinem Urteil. Wenn nur zu meinen Lebzeiten noch Friede und Ruhe herrschen!«

Trost für Gottes Volk

40 So spricht euer Gott: »Tröstet, ja, tröstet mein Volk! [2]Ermutigt die Einwohner Jerusalems! Ruft ihnen zu: Nun habt ihr genug gelitten! Die schreckliche Zeit ist vorbei! Der Herr hat euch ohne Mitleid für eure Sünden bestraft. Eure Schuld ist beglichen.«

[3]Hört! Jemand ruft: »Bahnt dem Herrn einen Weg durch die Wüste! Baut eine Straße durch die Steppe für unseren Gott! [4]Jedes Tal soll aufgefüllt, jeder Berg und Hügel abgetragen werden. Alles Unebene soll eben werden und alles Hügelige flach. [5]Denn der Herr wird kommen in seiner Macht und Hoheit. Alle Menschen werden ihn sehen. Er selbst hat es angekündigt.«

[6]Hört! Jemand sagt zu mir: »Sprich zu den Menschen!« »Was soll ich ihnen denn sagen?«, frage ich. »Sag: Die Menschen sind wie das Gras, und ihre Schönheit gleicht den Blumen: [7]Das Gras verdorrt, die Blumen verwelken, wenn der Herr seinen Atem darüber wehen lässt. Ja, nichts als Gras ist das Volk. [8]Das Gras verdorrt, die Blumen verwelken, aber das Wort unseres Gottes bleibt gültig für immer und ewig.«

[9]Steig auf einen hohen Berg, Jerusalem! Du hast eine gute Nachricht zu verkünden, Berg Zion. Ruf sie mit lauter Stimme in die Welt hinaus! Ruf laut, und scheue dich nicht! Sag den Städten im Land Juda: »Seht, da kommt euer Gott!«

[10]Ja, der Herr kommt als ein mächtiger Gott. Er herrscht mit großer Kraft. Den Lohn für seine Mühe bringt er mit: sein Volk, das er sich erworben hat. Es geht vor ihm her. [11]Er sorgt für sein Volk wie ein guter Hirte. Die Lämmer nimmt er auf den Arm und hüllt sie schützend in seinen Umhang. Die Mutterschafe führt er behutsam ihren Weg.

Die unvergleichliche Größe Gottes

[12]Kann jemand die Wassermassen der Meere mit der hohlen Hand messen oder die Weite des Himmels mit der Handspanne bestimmen? Und kann jemand die Erdmassen in Eimer abfüllen, die Berge wiegen und alle Hügel auf die Waagschale legen? [13]Wer kann den Geist des Herrn fassen? Wer war sein Lehrer, wer hat ihn beraten? [14]Braucht der Herr jemanden, bei dem er sich Rat holt, einen, der ihn unterrichtet und ihm zeigt, was richtig ist? Musste ihm je einer neue Erkenntnisse vermitteln und ihm die Augen öffnen für das, was er zu tun hat? [15]Nein, niemals! Denn in seinen Augen sind die Völker nur wie Tropfen im Eimer, wie Stäubchen auf der Waage. Die Inseln im Meer hebt er hoch, als wären sie Sandkörner. [16]Würde man alle Wälder auf dem Libanon zu Brennholz machen und alles Wild darin schlachten – es wäre immer noch zu wenig als Opfer für den Herrn! [17]Vor ihm sind alle Völker wie ein Nichts; ihre Macht hat für ihn kein Gewicht.

39,6 2 Kön 24,13 **39,7** Dan 1,3–4 **39,8** 1 Sam 3,18 **40,1** 51,12; 66,13 **40,2** 2 Kön 25,8–21; Jer 16,18 **40,3–5** Lk 3,4–6 **40,3** Mt 3,3; Lk 1,76 **40,4** 49,11 **40,5** 35,4 **40,6–8** Ps 39,5–7*; Mt 24,35; Jak 1,10; 1 Petr 1,24–25 **40,10** 62,11 **40,11** Hes 34,11–16* **40,12–14** Hiob 38,1 – 40,2 **40,13** Röm 11,34; 1 Kor 2,16 **40,17** Dan 4,32

[18]Mit wem wollt ihr Gott vergleichen? Gibt es für ihn überhaupt ein passendes Bild? [19]Da gießt der Künstler eine Figur aus Bronze, und der Goldschmied überzieht sie mit Gold und schmückt sie mit silbernen Kettchen. [20]Wem eine solche Götterstatue zu teuer ist, der nimmt Holz, das nicht fault. Er lässt sich von einem geschickten Künstler eine Figur daraus schnitzen, die fest steht und nicht wankt.

[21]Ihr aber – wisst ihr es nicht besser? Oder wollt ihr es nicht hören? Hat man es euch nicht von Anfang an erzählt? Ist euch wirklich nicht bekannt, wer die Erde gemacht hat? [22]Es ist der Herr! Hoch thront er über der Welt; ihre Bewohner sind für ihn klein wie Heuschrecken. Er spannt den Himmel aus wie einen Schleier, er schlägt ihn auf wie ein Zelt, unter dem die Menschen wohnen können. [23]Er stürzt die Mächtigen und nimmt den obersten Richtern die Gewalt. [24]Sie gleichen jungen Pflanzen: Kaum sind sie gesetzt, kaum haben sie Wurzeln geschlagen, da bläst der Herr sie an, und sie verdorren. Wie dürres Laub werden sie vom Sturm verweht.

[25]»Mit wem also wollt ihr mich vergleichen?«, fragt der heilige Gott. »Wer hält einem Vergleich mit mir stand?« [26]Blickt nach oben! Schaut den Himmel an: Wer hat die unzähligen Sterne geschaffen? Er ist es! Er ruft sie, und sie kommen hervor; jeden nennt er mit seinem Namen. Kein einziger fehlt, wenn der starke und mächtige Gott sie ruft.

[27]Ihr Nachkommen Jakobs, ihr Israeliten, warum behauptet ihr: »Der Herr weiß nicht, wie es uns geht! Es macht unserem Gott nichts aus, wenn wir Unrecht leiden müssen.«? [28]Begreift ihr denn nicht? Oder habt ihr es nie gehört? Der Herr ist der ewige Gott. Er ist der Schöpfer der Erde – auch die entferntesten Länder hat er gemacht. Er wird weder müde noch kraftlos. Seine Weisheit ist unendlich tief. [29]Den Erschöpften gibt er neue Kraft, und die Schwachen macht er stark. [30]Selbst junge Menschen ermüden und werden kraftlos, starke Männer stolpern und brechen zusammen.

[31]Aber alle, die ihre Hoffnung auf den Herrn setzen, bekommen neue Kraft. Sie sind wie Adler, denen mächtige Schwingen wachsen. Sie gehen und werden nicht müde, sie laufen und sind nicht erschöpft.

Der Herr fordert die Götter heraus

41 So spricht der Herr: »Ihr Bewohner der Inseln und der fernen Küsten, seid still und hört mir zu! Nehmt euren ganzen Mut zusammen, ihr Völker, und kommt her! Hier könnt ihr eure Sache vorbringen. Lasst uns die Gerichtsverhandlung beginnen.

[2]Wer hat den Mann aus dem Osten berufen, diesen Welteroberer, den niemand bremsen kann in seinem Siegeslauf? Wer verhilft ihm zum Sieg über ganze Völker? Wer gibt ihm Macht, Könige zu stürzen, sie mit seinen Waffen zu bezwingen und wie Staub und Spreu durch die Luft zu wirbeln? [3]Er scheint zu fliegen, wenn er ihnen nachjagt. Seine Füße berühren kaum den Boden. Niemand kann ihm Schaden zufügen. [4]Wer steht dahinter, wer bewirkt das alles? Es ist derselbe, der von Anfang an die Geschichte der Menschheit gelenkt hat: ich, der Herr! Vor der ersten Generation war ich schon da, und auch bei der letzten bin ich noch derselbe.«

[5]Als die Bewohner der Inseln und der fernen Länder die Taten des Herrn sahen, bekamen sie es mit der Angst zu tun. Zitternd liefen sie zusammen. [6]Einer hilft nun dem anderen, gegenseitig sprechen sie sich Mut zu. [7]Sie wollen eine neue Götterstatue herstellen. Der Kunsthandwerker glättet die gegossene Figur mit dem Hammer und fordert den Goldschmied auf: »Beeil dich!« Der hämmert das Goldblech und überzieht damit sorgfältig die Statue. »Das wird gut halten«,

---

40,18–20 44,9–20* **40,18** 46,5; 2 Mo 20,3–5* **40,22** Ps 104,2–3 **40,23** 2,11–12*; Lk 1,51–52 **40,26** 1 Mo 1,14–18; Ps 147,4 **40,27** 49,14 **40,31** Ps 103,5 **41,2** 45,1–5* **41,4** 44,6*

sagt er. Schließlich wird das Standbild auf einem Sockel festgenagelt, damit es nicht wackelt.

Hab keine Angst, denn ich bin dein Gott

[8]Der Herr sagt: »Israel, du bist das Volk, das mir dient. Dich habe ich erwählt. Du stammst von meinem Freund Abraham ab, [9]dich allein habe ich vom Ende der Erde herbeigeholt. Von weither habe ich dich gerufen und zu dir gesagt: ›Du sollst mir dienen!‹ Dich habe ich erwählt und nicht verstoßen. [10]Fürchte dich nicht, denn ich bin bei dir; hab keine Angst, denn ich bin dein Gott! Ich mache dich stark, ich helfe dir, mit meiner siegreichen Hand[a] beschütze ich dich! [11]Alle, die voller Wut gegen dich toben, werden am Ende in Schimpf und Schande dastehen. Die Männer, die dich bekämpfen, werden zugrunde gehen. Niemand redet dann mehr von ihnen. [12]Vergeblich wirst du dich umsehen nach denen, die Krieg mit dir führten – du wirst sie nicht mehr finden. Wo sind sie geblieben, deine Feinde? Sie sind verschwunden, als ob es sie nie gegeben hätte. [13]Denn ich bin der Herr, dein Gott. Ich nehme dich an deiner rechten Hand und sage: Hab keine Angst! Ich helfe dir.

[14]Israel, du kleines Volk, das von Jakob abstammt, hab keine Angst, auch wenn du schwach bist und völlig hilflos. Ich helfe dir; ich, der Herr, der heilige Gott Israels, bin dein Befreier. [15]Ich mache dich zu einem neuen Dreschschlitten mit scharfen Zähnen. Berge und Hügel wirst du dreschen und zu Staub zermalmen. [16]Du wirst sie mit einer Schaufel in die Luft werfen wie Getreide, damit der Wind sie wie Spreu forträgt und in alle Himmelsrichtungen zerstreut. Du aber wirst jubeln über mich, den Herrn; den heiligen Gott Israels wirst du rühmen.«

Gott gibt Wasser in der Wüste

[17]Der Herr sagt: »Mein Volk steckt tief im Elend. Sie suchen Wasser, aber finden keins. Vor Durst klebt ihnen die Zunge am Gaumen. Doch ich, der Herr, antworte auf ihre Hilfeschreie. Ich bin der Gott Israels und lasse mein Volk nicht im Stich. [18]Auf den kahlen Hügeln lasse ich Bäche hervorbrechen, und in öden Tälern sollen Quellen entspringen. Ich verwandle die Wüste in fruchtbares Land mit Teichen und sprudelnden Quellen. [19]Viele Bäume pflanze ich dort an: Zedern, Akazien und Myrten, Ölbäume und Wacholder, Platanen und Zypressen. [20]Wer das sieht, wird erkennen, dass ich, der Herr, hier eingegriffen habe; jeder weiß dann: Der heilige Gott Israels hat dies alles gemacht.«

Die Götter sind nichts und können nichts

[21]Der Herr, der König Israels, sagt zu den Göttern der Völker[b]: »Jetzt habt ihr Gelegenheit, euch vor Gericht zu verteidigen. Legt eure Beweise vor! [22]Zeigt eure Macht, und lasst uns wissen, was sich alles ereignet. Ihr wisst doch, was in der Vergangenheit geschah. Was hat es zu bedeuten? Erklärt es uns, damit wir es verstehen können! Oder sagt uns jetzt die Zukunft voraus, damit wir sehen, ob es eintrifft. [23]Kündigt an, was einmal geschehen wird, damit wir erkennen, dass ihr Götter seid! Sagt uns, was kommt, ganz gleich, ob es etwas Gutes oder Schlimmes ist. Dann werden wir große Achtung vor euch haben. [24]Aber dazu seid ihr gar nicht in der Lage: Ihr seid nichts und könnt nichts! Wer euch verehrt, ist mir verhasst.

[25]Ich habe den Mann aus dem Norden berufen und auf den Weg geschickt. In meinen Dienst habe ich ihn gestellt, und

---

[a] Wörtlich: mit der rechten Hand meiner Gerechtigkeit.
[b] »zu … Völker« ist sinngemäß ergänzt.

41,8 Ps 135,4; Jak 2,23 **41,9** 5 Mo 7,6 **41,10** 43,1* **41,18** 35,7; 43,19 **41,21–29** 44,9–20*; 44,7* **41,25** 45,1–5*

er stürmt von Osten heran. Er wird mächtige Fürsten wie Lehmklumpen zertreten, so wie ein Töpfer den Ton stampft und knetet. [26]Hat etwa einer von euch Göttern das lange Zeit im Voraus angekündigt, so dass man es wiedererkennt, wenn es eintrifft? Dann hätten wir gerufen: ›Richtig, so hat er es vorausgesagt!‹ Aber keiner hat es prophezeit, keiner hat es angekündigt. Niemand hörte von euch auch nur ein einziges Wort darüber! [27]Ich bin der Erste und Einzige, der Jerusalem die Befreiung durch diesen Mann angekündigt hat. Ich schickte einen Boten mit dieser frohen Nachricht zum Berg Zion.

[28]Doch wenn ich diese Götter anschaue, so finde ich keinen, den ich um Rat fragen könnte. Von keinem einzigen kann ich eine Antwort erwarten. [29]Sie alle sind nichts als ein großer Betrug. Gar nichts bringen sie zustande. In ihren Statuen ist kein Leben. Diese Götter sind hohl und leer!«

Der Bote Gottes und sein Auftrag

42 Der Herr spricht: »Seht, hier ist mein Bote, zu dem ich stehe. Ihn habe ich auserwählt, und ich freue mich über ihn. Ich habe ihm meinen Geist gegeben, und er wird den Völkern mein Recht verkünden. [2]Aber er schreit es nicht hinaus; er ruft nicht laut und lässt seine Stimme nicht durch die Straßen der Stadt hallen. [3]Das geknickte Schilfrohr wird er nicht abbrechen und den glimmenden Docht nicht auslöschen. Unbeirrbar sagt er allen, was wahr und richtig ist. [4]Er selbst wird nicht müde, nie verliert er den Mut, bis er auf der ganzen Erde für Recht gesorgt hat. Schon lange warten die Bewohner der Inseln und der fernen Küsten auf seine Weisung.«

[5]Gott, der Herr, hat den Himmel geschaffen und ihn wie ein Zeltdach ausgespannt. Die Erde in ihrer ganzen Weite hat er gebildet, die Pflanzen ließ er hervorsprießen, und den Menschen hat er Leben und Atem gegeben. Und nun sagt er zu seinem Boten:

[6]»Ich, der Herr, habe dich berufen, meine gerechten Pläne auszuführen. Ich fasse dich an der Hand und helfe dir, ich beschütze dich. Du wirst den Völkern zeigen, was ich von ihnen will, ja, für alle Völker mache ich dich zu einem Licht, das ihnen den Weg zu mir zeigt.[a] [7]Den Blinden sollst du das Augenlicht geben und die Gefangenen aus ihren Zellen holen. Alle, die in Finsternis sitzen, sollst du aus ihrer Gefangenschaft befreien. [8]Ich heiße ›Herr‹, und ich bin es auch. Die Ehre, die mir zusteht, lasse ich mir nicht rauben. Ich dulde nicht, dass Götterfiguren für meine Taten gerühmt werden. [9]Ihr könnt sehen, dass meine Vorhersagen eingetroffen sind. Und nun kündige ich etwas Neues an. Ich sage euch, was geschehen wird, ehe man das Geringste davon erkennt.«

Singt dem Herrn ein neues Lied!

[10]Singt dem Herrn ein neues Lied, und rühmt ihn überall auf der Welt. Besingt ihn, ihr Seefahrer und ihr Bewohner der Inseln und fernen Küsten! [11]Auch die Wüste und ihre Bewohner sollen in das Lied mit einstimmen. Singt und jubelt, ihr Beduinen von Kedar! Ihr aus dem Bergland, steigt auf die Gipfel, und jubelt ihm zu! [12]Ihr alle – gebt dem Herrn die Ehre, und verkündet den Bewohnern der fernen Inseln, was für unfassbare Taten er vollbracht hat!

[13]Der Herr zieht aus in den Krieg wie ein Held. Wie ein Kämpfer macht er sich zur Schlacht bereit. Dann erhebt er sein lautes Kriegsgeschrei und bezwingt seine Feinde.

[14]»Sehr lange habe ich geschwiegen«, sagt der Herr. »Ich blieb ruhig und hielt mich zurück. Aber jetzt kann ich nicht

---

[a] Wörtlich: Ich mache dich zu einem Bund für das Volk und zum Licht für die Völker.

41,27 40,9; 52,7 **42,1–4** 49,1–6*; Mt 12,18–21 **42,1** Mt 3,17 **42,4** 51,4–5 **42,5** 40,22 **42,6** 49,6; Lk 2,32 **42,7** 29,18–19* **42,9** 44,7* **42,10** Ps 40,4* **42,13** 2 Mo 15,3

mehr an mich halten. Nun stöhne ich wie eine Frau in den Wehen, ich keuche und schnappe nach Luft. [15] Berge und Hügel lasse ich austrocknen, alle Pflanzen darauf verdorren. Die Flüsse und Sümpfe sollen versanden und zu festem Boden werden. [16] Mein blindes Volk werde ich auf Straßen und Wegen führen, die sie nicht kennen. Ich mache die Dunkelheit um sie her zum Licht. Alle Steine räume ich zur Seite, die Schlaglöcher fülle ich aus, damit sie auf einer ebenen Straße gehen können. Das alles will ich tun, mein Plan steht fest.

[17] Aber alle, die ihre Hilfe von einer selbst gemachten Statue erwarten und zu ihr sagen: ›Du bist mein Gott‹, werden sich schämen und weglaufen.«

Israel verschließt die Augen vor dem Herrn

[18] »Ach, wie seid ihr taub und blind!«, sagt der Herr. »Warum wollt ihr nicht hören, warum nicht sehen? [19] Wenn je ein Volk blind war, dann mein Volk Israel. Gibt es überhaupt einen, der so taub ist wie mein Volk, das ich als meinen Boten senden will? Gibt es ein Volk, das so blind ist wie Israel, mein Vertrauter, den ich in meinen Dienst gestellt habe? [20] Was habt ihr nicht alles an Gutem gesehen, aber es lässt euch kalt! Was habt ihr nicht alles gehört, aber es war vergeblich!« [21] Der Herr wollte euch stets in seiner Nähe behalten, darum hat er sein Gesetz klar und unübertrefflich gemacht. Was aber ist aus euch geworden? [22] Ihr seid ein beraubtes und ausgeplündertes Volk. Gefesselt hockt ihr in Erdlöchern; man hat euch in Kerker gesteckt. Man hat euch ausgeplündert und verschleppt. Niemand hilft euch, niemand fordert eure Freilassung.

[23] Ach, wenn euch das doch zum Nachdenken brächte! Wenn ihr doch für euer weiteres Leben eine Lehre daraus ziehen wolltet! [24] Wer hat denn zugelassen, dass Israel ausgeplündert wurde? Wer hat die Nachkommen Jakobs an die Räuber ausgeliefert? Ist es nicht der Herr, dem wir ungehorsam waren? Er hat es getan, weil Israel nicht auf ihn hören wollte, weil es seinen Geboten keine Beachtung schenkte. [25] Darum bekamen sie seinen glühenden Zorn zu spüren: Er ließ Krieg ausbrechen; sie waren eingeschlossen von loderndem Feuer. Das ganze Land brannte – aber sie wollten nicht einsehen, dass der Herr sie straft. Sie ließen sich nicht belehren.

Ich bringe euch wieder in die Heimat zurück!

43 Aber jetzt sagt der Herr, der euch geschaffen hat, ihr Nachkommen Jakobs, der euch zu seinem Volk gemacht hat: »Hab keine Angst, Israel, denn ich habe dich erlöst! Ich habe dich bei deinem Namen gerufen, du gehörst zu mir. [2] Wenn du durch tiefes Wasser oder reißende Ströme gehen musst – ich bin bei dir, du wirst nicht ertrinken. Und wenn du ins Feuer gerätst, bleibst du unversehrt. Keine Flamme wird dich verbrennen. [3] Denn ich, der Herr, bin dein Gott, der heilige Gott Israels. Ich bin dein Retter. Ich bezahle ein hohes Lösegeld für deine Befreiung: Ägypten, Äthiopien und Seba. [4] So viel bist du mir wert, dass ich Menschen und ganze Völker aufgebe, um dich am Leben zu erhalten. Diesen hohen Preis bezahle ich, weil ich dich liebe.

[5] Habt keine Angst, denn ich, der Herr, bin bei euch! Wohin ihr auch vertrieben wurdet – ich werde euer Volk wieder sammeln. Vom Osten und vom Westen hole ich euch zurück. [6] Ich fordere die Völker im Norden und Süden auf: ›Gebt mein Volk heraus! Haltet es nicht mehr fest! Bringt meine Söhne und Töchter auch aus den fernsten Winkeln der Erde zurück!‹ [7] Denn sie alle gehören zu dem Volk, das meinen Namen trägt. Ich habe

---

42,16 40,3–4 **42,17** Ps 97,7 **42,18** 43,8 **42,19** 41,8 **43,1** 41,10.13–14; 44,1–2.8; 51,7; 54,4; Jer 30,10; 46,27–28 **43,2** 2 Mo 14,21–22*; Ps 66,12; Dan 3,24–27 **43,5–6** 11,11–12* **43,7** 48,11

sie zu meiner Ehre geschaffen, ja, ich habe sie gemacht.

[8]Mein Volk soll vortreten! Sie haben Augen, und doch sind sie blind, sie haben Ohren, und doch sind sie taub. [9]Alle Völker sind zu einer Gerichtsverhandlung versammelt. Welcher ihrer Götter hat etwas im Voraus angekündigt? Wer von ihnen hat früher etwas vorausgesagt, das inzwischen eingetroffen ist? Wir wollen es hören! Die Völker sollen Zeugen aufstellen, die die Aussagen ihrer Götter bestätigen! [10]Meine Zeugen seid ihr Israeliten! Ich, der Herr, habe euch erwählt, damit ihr mir dient. Ich möchte, dass ihr mich kennt und mir vertraut. Ihr sollt begreifen: Ich bin der einzige Gott. Es gibt keinen Gott, der vor mir da war, und es wird auch in Zukunft nie einen anderen geben. [11]Ich, der Herr, bin der einzige Gott. Nur ich kann euch retten. [12]Ich habe es euch wissen lassen und euch immer geholfen. Durch die Propheten habt ihr von mir gehört. Habt ihr je einen anderen Gott mit solcher Macht gekannt? Ihr seid Zeugen, dass ich allein Gott bin, [13]und ich werde auch in Zukunft immer derselbe sein. Niemand kann meiner Hand entfliehen. Ist jemand in der Lage, das rückgängig zu machen, was ich getan habe?

[14]Ich, der Herr, euer Erlöser, der heilige Gott Israels, verspreche: Um euch zu befreien, werde ich ein großes Heer nach Babylonien schicken. Die Bewohner des Landes, die Chaldäer, werde ich als Flüchtlinge vertreiben. Ihre Prachtschiffe, auf denen sie sonst immer gefeiert haben, werden dann zu Fluchtschiffen. [15]Ich bin der Herr, euer heiliger Gott, ich habe euch, Volk Israel, geschaffen, und ich bin euer König.

[16]Ich habe für eure Vorfahren einen Weg durch das Meer gebahnt und sie sicher durch die Fluten geführt. [17]Das Heer der Feinde mit seinen Streitwagen und Pferden ließ ich ins Verderben laufen. Da lagen sie nun, die Helden, und standen nie wieder auf! Ihr Leben erlosch wie ein verglimmender Docht. [18]Doch hängt nicht wehmütig diesen Wundern nach! Bleibt nicht bei der Vergangenheit stehen! [19]Schaut nach vorne, denn ich will etwas Neues tun! Es hat schon begonnen, habt ihr es noch nicht gemerkt? Durch die Wüste will ich eine Straße bauen, Flüsse sollen in der öden Gegend fließen. [20]Schakale und Strauße und alle wilden Tiere werden mich preisen, weil ich Wasser in der Wüste fließen lasse. Ich will, dass mein geliebtes Volk auf dem Weg genug zu trinken hat. [21]Ich habe sie geschaffen und zu meinem Volk gemacht. Überall werden sie mich rühmen und erzählen, welch große Dinge ich für sie getan habe.«

Ihr habt es mir schwer gemacht mit euren Sünden!

[22]»Ach ihr Israeliten, ihr Nachkommen Jakobs, mich habt ihr nicht angebetet, für mich habt ihr keine Mühe auf euch genommen! [23/24]Ihr habt Lämmer als Opfer verbrannt – doch waren sie wirklich für mich bestimmt? Habt ihr mich geehrt mit euren Opferfesten? Habt ihr für mich Geld ausgegeben, um Gewürze für das Salböl zu kaufen? Und wie war es mit den besten Teilen der Opfertiere, mit dem Fett? Mich habt ihr nicht damit erfreut! Ich wollte nicht, dass die Opfer eine Last für euch sind. War es etwa zu schwer für euch, Weihrauch für mich zu verbrennen? Nein, ihr habt es nicht euch schwer gemacht, sondern mir, und zwar mit euren Sünden! Mit eurer Schuld habt ihr mir zu schaffen gemacht. [25]Und trotzdem: Ich werde euch alles vergeben – aus freien Stücken. Ich werde alles Böse für immer vergessen.

[26]Kommt, wir wollen noch einmal vor Gericht gehen. Klagt mich an! Verteidigt euch, und beweist, dass ihr im Recht seid, wenn ihr könnt! [27]Hat nicht schon

---

43,8 42,18 **43,9–13** 44,7* **43,10** 44,8 **43,11** 5 Mo 32,39 **43,14** 45,1–5* **43,16–21** Jer 16,14–15 **43,16–17** 2 Mo 14,21–29 **43,18–19** Offb 21,4–5 **43,19** 40,3–4; 41,18 **43,21** 1 Petr 2,9 **43,23–24** 1,11–15 **43,25** 44,22 **43,26** 1,18 **43,27** Hos 12,4

euer Vorfahre Jakob gegen mich gesündigt? Und haben eure führenden Männer mir nicht immer wieder die Treue gebrochen? [28] Darum habe ich die Priester aus ihrem Dienst am Heiligtum entlassen. Ganz Israel habe ich zugrunde gerichtet und zum Gespött der Völker gemacht.«

Neues Leben für Gottes Volk

44 [1/2] So spricht der Herr: »Höre, Israel, du auserwähltes Volk, das mir dient: Ich habe dich geschaffen wie ein Kind im Mutterleib. Von Anfang an habe ich dir geholfen. Habt keine Angst, ihr Nachkommen Jakobs, ihr seid meine Diener, mein auserwähltes und angesehenes Volk[a]. [3] Denn ich gieße Wasser auf das durstige Land und Ströme auf das ausgetrocknete Feld. Ja, ich gieße meinen Geist über euren Nachkommen aus, mit meinem Segen überschütte ich eure Kinder. [4] Sie werden sich ausbreiten wie Schilf am Bach und wachsen wie Weiden am Flussufer.

[5] Viele Menschen werden kommen, um sich meinem Volk anzuschließen. ›Ich gehöre dem Herrn!‹, wird der eine sagen, und ein anderer: ›Ich zähle mich zu den Nachkommen Jakobs!‹ Wieder ein anderer schreibt es sich auf die Hand: ›Ich diene dem Herrn!‹, und ein vierter nimmt ›Israel‹ als Ehrennamen an.

[6] Ich, der Herr, der König und Befreier Israels, der allmächtige Gott, sage: Ich bin der Erste und der Letzte. Außer mir gibt es keinen Gott! [7] Niemand ist mir gleich. Keiner kann tun, was ich seit Menschengedenken getan habe. Kann etwa ein anderer Gott voraussagen, was die Zukunft bringt? Dann soll er es tun, laut und deutlich soll er es vortragen!

[8] Erschreckt nicht, ihr Israeliten, habt keine Angst! Ich habe euch doch schon lange gezeigt, wer ich bin und was ich tue. Ihr seid meine Zeugen. Sagt, kennt ihr außer mir noch einen Gott, der so mächtig ist wie ein Fels? Ich kenne keinen!«

Selbstgebastelte Götter

[9] »Ohnmächtige Menschen sind sie alle, die sich Götterfiguren anfertigen! Ihre Götzen, die sie mit solcher Hingabe verehren – auch sie sind machtlos! Die Götzenanbeter sollten die Taten ihrer Götter bezeugen. Aber sie stehen beschämt da, weil sie nie ein Wunder gesehen haben.

[10] Wie kann man nur auf den Gedanken kommen, sich einen Gott zu basteln, eine völlig nutzlose Metallfigur? [11] Wer sich auf diese Machwerke verlässt, wird bitter enttäuscht. Sie sind ja doch nur von Menschen hergestellt. Sollen die doch einmal gemeinsam antreten, um ihre Götter zu verteidigen! Was können sie vorbringen? Gar nichts! Erschrocken stehen sie da und müssen sich schämen.

[12] Der Schmied nimmt ein passendes Stück Eisen, bringt es im Feuer zum Glühen und bearbeitet es dann auf dem Amboss. Er hämmert mit aller Kraft, um es in die gewünschte Form zu bringen. Dabei wird er müde und hungrig. Vor lauter Arbeit vergisst er Essen und Trinken und ist schließlich ganz erschöpft. [13] Bei Holzfiguren nimmt der Schnitzer Maß, zeichnet die Umrisse der Figur vor und haut sie grob aus. Dann zieht er die feinen Linien und schnitzt das Standbild, bis es aussieht wie ein Mensch von schöner Gestalt, der dann als Gott in ein Haus gestellt wird.

[14] Für jede Götterstatue sucht sich der Künstler das passende Holz aus. Er geht in den Wald und fällt eine Zeder, eine Eiche oder einen Lorbeerbaum, die er vor Jahren gesetzt hat. Der Regen ließ die Bäume wachsen. [15] Mit ihrem Holz machen die Menschen Feuer. Sie heizen damit ihre Häuser und den Ofen zum Brot-

---

[a] Hier steht im hebräischen Grundtext für Israel der Name Jeschurun. Das bedeutet »der Redliche«, »der Gerade« und ist ein Ehrentitel für Israel.

44,1–2 43,1* **44,3** 32,15; Joel 3,1 **44,5** 45,22–24* **44,6** 41,4; 48,12; Ps 90,2; Offb 1,8.17; 22,13 **44,7** 41,21–29; 43,9–13; 45,21; 46,10; 48,3–5 **44,8** 43,1*; Ps 89,7–9* **44,9–20** 37,19; 40,18–20; 41,21–29; 46,5–9; Jer 10,1–16; Ps 115,4–8; Apg 17,29 **44,11** 42,17

backen. Aus dem gleichen Holz schnitzen sie aber auch ihre Götterfiguren, die sie verehren und anbeten. [16]Den einen Teil des Holzes werfen sie ins Feuer, braten ihr Fleisch darüber und lassen es sich schmecken. Sie sitzen an der Glut und sagen: ›Ah, diese wohlige Wärme, das tut gut!‹ [17]Aus dem übrigen Holz aber schnitzen sie sich einen Götzen. Sie verbeugen sich vor ihm, werfen sich zu Boden und beten: ›Rette mich doch, denn du bist mein Gott!‹

[18]Welche Verblendung, welche Unwissenheit! Die Augen dieser Götzendiener sind verklebt, sie sehen nichts! Ihr Herz ist abgestumpft, sie verstehen nichts! [19]Keiner denkt einmal gründlich nach und sagt sich: ›Einen guten Teil des Baumes habe ich zu Brennholz zerhackt. Über der Glut habe ich Brot gebacken, ich habe Fleisch gebraten und mich satt gegessen. Aus dem restlichen Holz schnitze ich nun so etwas Abscheuliches! Dieser Holzklotz soll mein Gott sein, vor dem ich mich niederwerfe?‹ Würde einer von ihnen einmal so weit denken, dann sähe er den Widersinn ein. [20]Genauso gut könnte er die Asche des verbrannten Holzes anbeten! Sein Herz hat ihn verführt und betrogen. Er verspielt sein Leben und will nicht wahrhaben, dass er an einem Lügengebilde festhält.«

Der Herr erlöst sein Volk

[21]»Ihr Israeliten, ihr Nachkommen Jakobs, denkt immer daran: Ich habe euch geschaffen, ihr gehört zu mir und seid meine Diener! Niemals werde ich euch vergessen. [22]Eure Schuld und alle eure Sünden habe ich euch vergeben. Sie sind verschwunden wie Wolken, wie Nebelschwaden in der Sonne. Kommt zurück zu mir, denn ich habe euch erlöst!«

[23]Freut euch, ihr Himmelswelten, denn der Herr hat gehandelt! Singt, ihr Tiefen der Erde, und ihr Berge, brecht in Jubel aus! Ihr Wälder, stimmt ein in das Lied, jeder Baum soll mitsingen! Denn der Herr hat sein Volk erlöst. An den Nachkommen Jakobs beweist er seine große Macht.

[24]Israel, so spricht der Herr, dein Befreier, der dich geschaffen hat wie ein Kind im Mutterleib: »Ich bin der Herr, der alles bewirkt: Ich allein habe den Himmel ausgespannt wie ein Zelt, und als ich die Erde ausbreitete, half mir niemand dabei. [25]Ich bin es, der die Wunder der Zauberer vereitelt und die Wahrsager als Narren bloßstellt. Ich zerstöre die Gedankengebäude dieser Weisen, ihre Erkenntnisse entlarve ich als Hirngespinste. [26]Aber was meine Boten voraussagen, das lasse ich eintreffen; was sie, die Propheten, verkünden, das führe ich aus.

Ich, der Herr, sage über die Stadt Jerusalem: ›Sie soll wieder bewohnt werden!‹, und über die Städte im Land Juda: ›Sie sollen wieder aufgebaut werden!‹ Aus den Trümmerhaufen des Landes will ich neue Städte und Dörfer erstehen lassen. [27]Wenn ich den Meerestiefen befehle: ›Trocknet aus!‹, dann versiegen ihre Fluten. [28]Zu König Kyrus sage ich: ›Du bist der Hirte für mein Volk!‹ Er wird alles ausführen, was ich ihm befehle. In meinem Auftrag wird er anordnen: ›Jerusalem soll wieder aufgebaut werden! Auch der Tempel soll wieder an seinem alten Platz stehen!‹«

Der Herr ruft Kyrus in seinen Dienst

45 Der Herr hat Kyrus für eine besondere Aufgabe erwählt: Er wird diesem Herrscher zur Seite stehen, wenn er sich ganze Völker unterwirft; er wird den Königen die Waffen abnehmen und ihm verriegelte Türen und Tore öffnen.

So spricht der Herr zu Kyrus: [2]»Ich gehe vor dir her und räume dir alle Hindernisse aus dem Weg. Ich zertrümmere die bronzenen Stadttore und zerbreche ihre eisernen Riegel. [3]Die verborgenen Schätze und die versteckten Reichtümer

44,22 43,25; Ps 85,3* **44,23** Ps 96,11–13 **44,24** 40,22 **44,25** 1 Mo 41,8; 2 Mo 8,14–15 **44,26** Am 3,7 **44,28** 45,1–5*; Esr 1,1–4 **45,1–5** 41,2; 43,14; 44,28; 45,13; 46,11; 48,14–15; Esr 1,1–4

gebe ich dir. Daran sollst du erkennen, dass ich der Herr bin, der Gott Israels, der dich, Kyrus, in seinen Dienst ruft. [4]Warum berufe ich dich und verleihe dir einen Ehrentitel, obwohl du mich gar nicht kennst? Ich tue es für Israel, mein Volk, das ich erwählt habe, damit es mir dient. [5]Ich bin der Herr, ich allein. Außer mir gibt es keinen Gott. Ich rüste dich aus für deinen Eroberungszug, auch wenn du mich nicht kennst.

[6]Der Westen und der Osten, ja, die ganze Welt soll daran erkennen, dass es außer mir keinen Gott gibt. Ich bin der Herr, ich allein. [7]Ich bilde das Licht und schaffe die Finsternis; ich wirke den Frieden, und auch das Unglück lasse ich kommen. Ich bin der Herr, dies alles vollbringe ich. [8]Ihr Wolken am Himmel, lasst Gerechtigkeit herabströmen; und du, Erde, sauge sie auf und lass Heil und Gerechtigkeit hervorsprießen! Ich, der Herr, bewirke dies alles.«

Wehe dem, der seinen Schöpfer anklagt!

[9]Wehe dem, der seinen Schöpfer anklagt! Er ist doch in Gottes Augen nicht mehr als ein Tonkrug unter anderen. Fragt denn ein Tonklumpen den Töpfer: »Was tust du da mit mir?« Oder macht er sich lustig und sagt: »Mein Meister hat zwei linke Hände!«? [10]Wehe dem, der seinem Vater vorwirft: »Warum hast du mich gezeugt?«, und der Mutter: »Weshalb hast du mich in die Welt gesetzt?«

[11]So spricht der Herr, der heilige Gott und Schöpfer Israels: »Wenn ihr euch Sorgen um die Zukunft macht, dann kommt damit zu mir! Ich weiß doch, wie ich mit meinen Kindern und mit all meinen Geschöpfen umgehen muss. Vertraut euch mir an! [12]Ich habe die Erde gemacht; und die Menschen, die darauf leben, habe ich geschaffen. Eigenhändig habe ich den Himmel ausgespannt wie ein Zelt und jedem einzelnen Stern seinen Platz zugewiesen. [13]Ich bin es auch, der Kyrus berufen hat, meine gerechten Pläne in die Tat umzusetzen. Ich will ihm alle Hindernisse aus dem Weg räumen. Er wird meine Stadt Jerusalem wieder aufbauen und mein verschlepptes Volk freilassen, ohne Lösegeld oder Bestechungsgeschenke. Das verspreche ich, der Herr, der allmächtige Gott!«

Es gibt keinen Gott außer dem Herrn

[14]So spricht der Herr zu seinem Volk: »Die Ägypter und Äthiopier werden zu euch kommen und ihren ganzen Reichtum bringen, allen Gewinn aus ihren Handelsgeschäften. Auch die hoch gewachsenen Leute aus Seba unterwerfen sich euch und werden eure Sklaven. In Ketten ziehen sie hinter euch her. Sie werden vor euch auf die Knie fallen und bekennen: ›Wirklich, nur bei euch ist Gott! Außer ihm gibt es keinen anderen.‹« [15]Ja, Herr, du bist ein Gott, der sich verborgen hält, du Gott und Retter Israels. [16]Schämen müssen sich alle, die Götterstatuen anfertigen! Sie enden mit Schimpf und Schande. [17]Israel aber wird vom Herrn gerettet für alle Zeiten. Nie mehr müsst ihr euch schämen, in alle Ewigkeit werdet ihr bestehen.

[18]Der Herr ist der einzige Gott. Er ist es, der den Himmel geschaffen hat. Er gab der Erde ihre Form und legte ihre Fundamente. Nicht als einsame Wüste hat er sie gebildet, sondern als Wohnraum für seine Geschöpfe. Dieser Gott spricht: »Ich bin der Herr, außer mir gibt es keinen Gott. [19]Ich habe nicht im Verborgenen geredet, nicht irgendwo im Dunkeln. Nie habe ich zu den Israeliten gesagt: ›Sucht mich vergeblich!‹ Ich bin der Herr, und was ich sage, das ist gerecht; was ich ankündige, das trifft ein!

[20]Kommt alle her, die ihr den Untergang eurer Völker überlebt habt! Tretet

---

45,4 Esr 1,3 **45,7** 1 Sam 2,6; Klgl 3,38; Am 3,6 **45,9** Hiob 40,2; Jes 29,16; Jer 18,6; Röm 9,20–21 **45,12** 44,24 **45,13** 45,1–5* **45,14** 45,22–24* **45,15** Röm 11,33–34 **45,16** 44,11 **45,18** 1 Mo 1,11.24.26–28 **45,19** 48,16; Jer 29,13; Mt 7,7 **45,20** 44,9–20*

noch einmal zu einer Gerichtsverhandlung an! Wer hölzerne Götterfiguren herumträgt, hat keinen Verstand. Er fleht einen Gott an, der ihm nicht helfen kann. [21] Berichtet von den Taten eurer Götter! Ja, beratet euch, und bringt Beweise für ihre Gottheit vor! Wer hat vor langer Zeit angekündigt, was nun geschehen ist? Wer hat es längst vorausgesagt? War ich es nicht, der Herr? Es gibt keinen Gott außer mir, keinen, der gerecht ist und der rettet. Ich bin der einzige Gott.

[22] Kommt zu mir, und lasst euch retten, ihr Menschen aus den fernsten Ländern der Erde! Denn ich bin der einzige Gott. [23] Ich habe bei meinem Namen geschworen, und ich nehme mein Wort nicht zurück: Vor mir werden alle Menschen niederknien, und jeder wird überzeugt bekennen: [24] ›Nur beim Herrn gibt es Rettung und Hilfe!‹«

Auch die, die den Herrn einmal gehasst haben, werden beschämt zu ihm kommen. [25] Dann wird der Herr das Recht der Nachkommen Israels wiederherstellen, und sie werden ihn dafür preisen.

Die Götzen sind eine Last

46 »Die babylonischen Götter Bel und Nebo sind zusammengebrochen und liegen am Boden. Früher wurden ihre Statuen feierlich umhergetragen, jetzt hat man sie dem Lastvieh aufgeladen. Die Tiere brechen unter dem Gewicht fast zusammen. [2] Ihr Babylonier, was ist los? Ihr liegt wie eure Götter am Boden und könnt diese schweren Kolosse nicht in Sicherheit bringen. Sie fallen gemeinsam mit euch in die Hände der Feinde!

[3] Hört mir zu, ihr Nachkommen Jakobs, alle, die ihr von Israel noch übrig seid! Von Anfang an habe ich euch getragen, seit eurer Geburt sorge ich für euch. [4] Ich bleibe derselbe; ich werde euch tragen bis ins hohe Alter, bis ihr grau werdet. Ich, der Herr, habe es bisher getan, und ich werde euch auch in Zukunft tragen und retten.

[5] Mit wem wollt ihr mich vergleichen? Gibt es einen, den ihr mit mir auf die gleiche Stufe stellen könnt? Ist einer mir auch nur ähnlich? [6] Da schütten die Menschen ihr Gold und Silber aus dem Beutel und wiegen es ab. Anschließend bringen sie es zu einem Goldschmied und lassen daraus eine Götterfigur herstellen. Kaum ist sie fertig, werfen sie sich zu Boden und beten sie an. [7] Sie tragen ihren neuen Gott auf den Schultern durch die Straßen und stellen ihn an seinen vorbereiteten Platz. Dort steht er dann und rührt sich nicht vom Fleck. Und wenn jemand in äußerster Not zu diesem Gott um Hilfe schreit, bekommt er keine Antwort. Sein Gott kann ihm nicht helfen!

[8/9] Denkt nach, und kommt zur Besinnung, ihr treulosen Israeliten! Erinnert euch an das, was ich vor langer Zeit getan habe, und nehmt es euch zu Herzen! Ich bin der einzige, wahre Gott. Keiner dieser Götter ist mir gleich.

[10] Ich habe von Anfang an vorausgesagt, was geschehen wird; lange im Voraus kündigte ich die ferne Zukunft an. Meine Pläne verwirkliche ich, und was mir gefällt, das führe ich aus. [11] Ich rufe einen Adler aus dem Osten herbei; aus einem fernen Land hole ich den Mann, der mein Vorhaben ausführen soll. So habe ich es gesagt, und genauso wird es eintreffen. Ich habe diesen Plan gefasst und werde ihn verwirklichen.

[12] Ihr Starrköpfe, hört auf mich! Ihr denkt wohl, für euch gibt es keine Hilfe mehr. [13] Doch ich bin da, ich will euch retten, und zwar jetzt! Meine Hilfe lässt nicht länger auf sich warten. Ich will Jerusalem Heil und Frieden schenken und in Israel meine Herrlichkeit und Größe zeigen.«

45,21 44,7* **45,22–24** 2,2–3; 19,21; 44,5; 45,14; 55,5; 60,6; Mi 4,1–2; Sach 8,20–23; Röm 14,11; Phil 2,10–11 **46,1** 1 Sam 5,1–4; Jer 50,2 **46,3–4** 2 Mo 19,4; 5 Mo 1,31; Hos 11,3 **46,5–9** 44,9–20* **46,10** 44,7* **46,11** 45,1–5* **46,12** 40,27

Der Herr wird mit Babylon abrechnen

47 »Babylon, du junge Dame, steig herab von deinem Thron! Ja, setz dich in den Staub, du Tochter der Chaldäer! Alle nannten dich die Zarte, Feine – doch diese Zeiten sind vorbei!

[2] Los, dreh den Mühlstein, mahle Korn! Weg mit dem Schleier! Wirf die Schleppe ab, raff dein Kleid hoch, und wate durch die Flüsse! [3] Alle sollen deine Blöße sehen, diese Schande bleibt dir nicht erspart. Jetzt rechne ich schonungslos mit dir ab, und niemand wird mich daran hindern. Darauf gebe ich, der Herr, mein Wort!«

[4] Der Herr ist unser Retter, »allmächtiger Gott« – das ist sein Name. Er ist der heilige Gott Israels.

[5] Er spricht: »Babylon, du Tochter der Chaldäer, verkriech dich in der Dunkelheit! Setz dich, und brüte vor dich hin! Denn dein Ehrentitel ist vergessen: ›Herrin vieler Königreiche‹ wird dich nie mehr jemand nennen.

[6] Ich war sehr zornig auf mein Volk und verstieß es – sie gehörten nicht mehr zu mir, und darum gab ich sie in deine Hand. Doch du zeigtest kein Erbarmen: Selbst die alten Menschen hast du erbarmungslos zu schwerer Arbeit gezwungen. [7] ›Für immer und ewig werde ich regieren!‹, hast du stolz geprahlt und keinen Gedanken daran verschwendet, dass auch du zu Boden stürzen könntest. An ein solches Ende hast du nie gedacht.

[8] Du genusssüchtiges Weib! Noch lebst du sorglos in den Tag hinein. Eingebildet wie du bist, siehst du nur dich, und außer dir zählt nichts. Du sagst: ›Ich werde niemals Witwe sein! Einsam leben, ohne Kinder? Nein, das gibt es nicht!‹ Doch nun hör, was ich, der Herr, dir sage: [9] Beides wird dich am selben Tag treffen: Auf einen Schlag wirst du Mann und Kinder verlieren. In voller Härte bricht dieses Unglück über dich herein, obwohl du dich mit vielen Zauberformeln und Bannsprüchen davor schützen wolltest. [10] Auf deine Bosheit hast du dich verlassen und gedacht: ›Es sieht ja niemand, was ich treibe!‹

Deine Weisheit und dein Wissen haben dich so stolz gemacht. Du siehst wirklich nur dich selbst. Alles andere nimmst du nicht wahr! [11] Du ahnst nicht, dass du in dein Unglück rennst. Doch plötzlich ist es da; unversehens bricht es über dich herein! Kein Zauberspruch kann dich davor bewahren, und auch durch Opfer wendest du es nicht mehr ab. [12] Versuch es nur mit der Beschwörungskunst! Los, wende deine Zaubersprüche an, die du von Jugend an mühsam gelernt hast! Wer weiß, ob das nicht hilft! Vielleicht fällt dir ein Zauberspruch ein, der selbst dieses drohende Unglück verscheucht.

[13] Du hast dich schon immer bemüht, guten Rat zu erhalten. So lass auch jetzt die Sterndeuter kommen, sollen sie dir doch helfen, die dir jeden Monat die Zukunft vorhersagen! [14] Doch wie Stroh werden sie ein Raub der Flammen. Nichts können sie retten vor dem fressenden Feuer, nicht einmal das eigene Leben. Es wird kein Feuer sein, um das man in der Runde sitzt und an dessen Glut man sich die Hände wärmt!

[15] So werden sie enden, deine Wahrsager, um die du dich von Jugend an bemüht hast. Sie machen sich aus dem Staub und schleppen sich nach Hause. Alle lassen dich hilflos zurück.«

Der Herr verteidigt seine Ehre

48 Hört, ihr Nachkommen Jakobs aus dem Stamm Juda! Ihr tragt den Ehrennamen »Israel«. Wenn ihr einen Eid ablegt, dann schwört ihr beim Namen des Herrn. Ihr bekennt euch zu Israels Gott, aber ihr liebt ihn nicht und seid ihm nicht treu. [2] Ihr seid stolz auf eure heilige Stadt Jerusalem, und ihr beruft

---

47,1–15 13,1–22* **47,3** Nah 3,5 **47,6–7** Sach 1,15 **47,8–9** Offb 18,7–8 **47,10** Jer 9,22–23 **47,12** Dan 2,2 **48,1** 1 Mo 32,29; 35,10 **48,2** Jer 7,4

euch auf den Gott Israels, der »allmächtiger Gott« heißt. Hört, was er euch sagt:

[3]»Was früher geschah, hatte ich schon längst im Voraus verkündet; ich selbst hatte es gesagt, für alle hörbar, und genauso traf es ein. [4]Ich kenne euch doch und weiß, wie starrköpfig ihr seid! Unbeugsam seid ihr, als wäre euer Nacken aus Eisen; euer Schädel ist hart wie Stein! [5]Darum habe ich euch lange im Voraus wissen lassen, was ich tun werde; ihr habt davon gehört, bevor es geschah, damit ihr nicht behauptet: ›Das war unser Götze! Die goldene Statue unseres Gottes hat es so gefügt.‹ [6]Ihr habt also davon gehört, und es ist eingetroffen. Schaut euch nur um! Warum wollt ihr es nicht zugeben?

Doch von heute an will ich etwas Neues ankündigen, etwas, das ihr noch nicht wisst, weil ich es bisher geheim gehalten habe. [7]Ich habe es nicht schon vor vielen Jahren geschehen lassen, sondern gerade jetzt. Ihr habt noch nie davon gehört! Darum könnt ihr auch nicht behaupten: ›Das haben wir schon lange gewusst!‹ [8]Nein, davon ist euch bisher noch nichts zu Ohren gekommen, ihr könnt es nicht wissen. Ich habe absichtlich geschwiegen, denn ich wusste, wie treulos ihr seid. Nicht umsonst nennt man euch ›das Volk, das sich von Anfang an gegen seinen Gott aufgelehnt hat‹. [9]Damit mein Name weiter gepriesen wird, halte ich meinen Zorn zurück. Ich beherrsche mich und vernichte euch nicht, denn meine Ehre steht auf dem Spiel. [10]Doch bestrafen musste ich euch. Wie ein Silberschmied bin ich mit euch umgegangen: Er schmilzt das Silber, um es von allen Schlacken zu reinigen. So habe ich euch in den Schmelzofen des Elends geworfen. [11]Um meinetwillen will ich euch jetzt retten, nur um meinetwillen! Mein Name soll nicht in den Schmutz gezogen werden. Nein, die Ehre, die mir zusteht, teile ich mit keinem anderen!«

Der Herr ist Israels Befreier

[12]»Hört mir zu, ihr Nachkommen Jakobs, die ich als mein Volk auserwählt habe: Ich bin Gott. Ich bin der Erste und der Letzte. [13]Ich habe mit eigener Hand die Fundamente der Erde gelegt und den Himmel ausgespannt. Nur ein Wort von mir – und alles stand an seinem Platz. [14]Versammelt euch und hört mir zu! Der Mann, den ich liebe, wird mein Urteil an Babylonien vollstrecken. Mit meiner Hilfe wird er das Heer der Chaldäer besiegen. Hat etwa einer der Götter dies schon angekündigt? [15]Nein, nur ich habe es gesagt. Ich habe diesen Mann gerufen und ihn auf den Weg geschickt. Sein Plan wird gelingen. [16]Kommt her und hört zu: Von Anfang an habe ich kein Geheimnis aus meinem Vorhaben gemacht. Jetzt führe ich es aus und halte die Fäden in der Hand.«

Und nun hat Gott, der Herr, mich gesandt und mir seinen Geist gegeben. [17]So spricht der Herr, euer Erlöser, der heilige Gott Israels:

»Ich bin der Herr, euer Gott. Ich lehre euch, was gut für euch ist, und zeige euch den Weg, den ihr gehen sollt. [18]Ach, hättet ihr doch meine Gebote befolgt! Dann wäre euer Friede wie ein Strom, der nie versiegt. Euer Glück würde sich ausbreiten wie die Meereswellen. [19]Unzählbar wären eure Nachkommen, so wie der Sand am Meer. Nie würde ich sie verstoßen oder vernichten.

[20]Schnell, verlasst Babylonien, ihr Israeliten, flieht aus dem Land der Chaldäer! Singt und jubelt vor Freude! Die ganze Welt soll hören, was geschehen ist. Erzählt es überall: ›Der Herr hat Israel, das Volk, das ihm dient, befreit! [21]Als der Herr sie durch die Wüste führte, mussten sie keinen Durst leiden, denn er sorgte für Wasser: Er spaltete den Felsen, und ein Bach sprudelte hervor.‹

48,3–5 44,7* **48,4** 2 Mo 32,9 **48,6** 43,19 **48,9** 2 Mo 32,11–12 **48,10** 1,25 **48,11** 42,8 **48,12** 44,6* **48,13** Ps 33,9 **48,14–15** 45,1–5* **48,18** 5 Mo 5,29 **48,19** 1 Mo 22,17 **48,20** Jer 50,8; Offb 18,4 **48,21** 2 Mo 17,6

[22]Doch alle, die sich gegen mich auflehnen, werden keinen Frieden finden. Darauf gebe ich, der Herr, mein Wort!«

Der Bote des Herrn – ein Licht für alle Völker

49 Hört mir zu, ihr Bewohner der Inseln und ihr Völker in der Ferne! Schon vor meiner Geburt hat der Herr mich in seinen Dienst gerufen. Als ich noch im Mutterleib war, hat er meinen Namen genannt. [2]Er hat mir Worte in den Mund gelegt, die durchdringen wie ein scharfes Schwert. Schützend hält er seine Hand über mir. Er hat mich zu einem spitzen Pfeil gemacht und mich griffbereit in seinen Köcher gesteckt. [3]Er hat zu mir gesagt: »Israel, du bist mein Bote. An dir will ich meine Herrlichkeit zeigen.«

[4]Ich aber dachte: »Vergeblich habe ich mich abgemüht, für nichts und wieder nichts meine Kraft vergeudet. Dennoch weiß ich, dass der Herr für mein Recht sorgt, von ihm, meinem Gott, erhalte ich meinen Lohn.«

[5]Und nun spricht der Herr zu mir. Er hat mich von Geburt an zum Dienst für sich bestimmt. Die Nachkommen Jakobs soll ich sammeln und zu ihm zurückbringen. Gott selbst hat mir diese ehrenvolle Aufgabe anvertraut, er gibt mir auch die Kraft dazu. [6]Er spricht zu mir: »Du sollst nicht nur die zwölf Stämme Israels wieder zu einem Volk vereinigen und die Überlebenden zurückbringen. Dafür allein habe ich dich nicht in meinen Dienst genommen, das wäre zu wenig. Nein – ich habe dich zum Licht für alle Völker gemacht, damit du der ganzen Welt die Rettung bringst, die von mir kommt!«

[7]So spricht der Herr, der Erlöser und heilige Gott Israels, zu dem, der überall verachtet ist, verabscheut von den Völkern und unterdrückt von den Herrschern dieser Welt: »Könige und Fürsten werden erkennen, dass du in meinem Auftrag handelst. Voller Ehrfurcht erheben sie sich von ihren Thronen und werfen sich vor dir nieder. Denn ich, der heilige Gott Israels, habe dich erwählt, und ich stehe treu zu dir!

[8]Ich verspreche dir: Ich will dein Gebet erhören. Es wird eine Zeit der Gnade für dich geben, einen Tag, an dem du meine Hilfe erfährst. Ich will dich vor Schaden bewahren und durch dich einen Bund mit meinem Volk schließen: Durch dich soll das Land Israel wieder aufgebaut werden. Du wirst die zerstörten Ländereien unter die Israeliten aufteilen [9]und den Gefangenen zurufen: ›Kommt heraus aus euren dunklen Kerkern! Kommt ans Licht, ihr seid frei!‹ Es wird ihnen gehen wie einer Schafherde, die an den Wegen und selbst auf kahlen Hügeln Nahrung findet. [10]Sie leiden weder Hunger noch Durst, Hitze und Sonnenglut schadet ihnen nicht. Denn ich habe Erbarmen mit ihnen und führe sie zu sprudelnden Quellen. [11]Auch die Berge dürfen für sie kein Hindernis sein: Ich ebne sie ein. Mein Volk soll auf gut gebauten Straßen heimkehren.«

[12]Seht, von weither strömen sie herbei, vom Norden kommen sie und vom Westen, auch aus Ägypten. [13]Himmel und Erde, jubelt, ihr Berge, brecht in Freudenschreie aus! Denn der Herr hat sein Volk getröstet. Voll Erbarmen nimmt er sich der leidenden Menschen an.

Niemals vergisst der Herr sein Volk!

[14]Jerusalem klagt: »Ach, der Herr hat mich im Stich gelassen, er hat mich längst vergessen!« [15]Doch der Herr antwortet:

»Kann eine Mutter ihren Säugling vergessen? Bringt sie es übers Herz, das Neugeborene seinem Schicksal zu überlassen? Und selbst wenn sie es vergessen würde – ich vergesse dich niemals! [16]Unauslöschlich habe ich deinen Namen auf

---

48,22 57,20–21 **49,1–6** 42,1–4; 50,4–11; 52,13 – 53,12 **49,1** Jer 1,5; Gal 1,15 **49,2** Hebr 4,12; Offb 1,16 **49,6** 42,6; Lk 2,32; Apg 13,47 **49,7** 60,10 **49,8** 2 Kor 6,2 **49,10** Joh 7,37; Offb 7,16 **49,11** 40,3–4 **49,12** Lk 13,29 **49,13** 40,1 **49,14** 40,27 **49,15** 1 Kön 3,26; Ps 27,10; Jer 31,20

meine Handflächen geschrieben, deine zerstörten Mauern habe ich ständig vor Augen!

[17] Viele Menschen eilen herbei, um dich wieder aufzubauen, und deine Feinde, die dich zerstört und verwüstet haben, machen sich davon. [18] Schau dich um! Von überall strömen die Heimkehrer herbei. So wahr ich lebe: Du wirst dich mit ihnen schmücken wie mit kostbarem Schmuck; dann stehst du da wie eine Braut an ihrem Hochzeitstag. Das verspreche ich dir!

[19] Noch liegst du in Trümmern. Das ganze Land ist verwüstet und zerstört. Doch schon bald werden so viele Menschen bei dir wohnen, dass der Platz knapp wird. Aber alle, die dich verschlingen wollten, sind für immer verschwunden. [20] Lange Zeit warst du wie eine Frau, der man die Kinder geraubt hat. Doch schon bald wirst du mit eigenen Ohren hören, wie deine Kinder klagen: ›Es wird uns zu eng hier! Wir brauchen mehr Platz zum Wohnen!‹

[21] Erstaunt wirst du dich fragen: ›Woher kommen sie alle? Wer hat sie geboren? Man hat mir doch alle Kinder geraubt, und ich konnte keine mehr bekommen. Ich war verbannt und ausgestoßen, von allen verlassen saß ich da. Wer hat diese Kinder großgezogen, wo kommen sie her?‹

[22] Ja, ich, der Herr, kündige dir an: Ich will die Völker herbeiwinken und ihnen das Zeichen zum Aufbruch geben. Sie werden deine Söhne auf ihren Armen herbeitragen und deine Töchter auf den Schultern. [23] Könige hüten deine Kinder, und Königinnen sind deine Kindermädchen. Voll Ehrfurcht werfen sie sich vor dir zu Boden und küssen dir die Füße. Wenn das geschieht, wirst du erkennen, wer ich bin: Ich bin der Herr! Ich enttäusche keinen, der mir sein Vertrauen schenkt.

[24] Du wendest ein: ›Man kann doch einem mächtigen Herrscher nicht die Beute abnehmen, und einem Tyrannen kann man die Gefangenen nicht entreißen!‹ [25] Doch ich, der Herr, verspreche: Genau das wird geschehen! Dem Tyrannen werden die Opfer entrissen, und der mächtige Herrscher wird seine Beute verlieren. Wer dich angreift, bekommt es mit mir zu tun! Ich selbst werde deine Kinder befreien. [26] Deine Unterdrücker aber bringe ich dazu, dass sie sich gegenseitig zerfleischen; sie werden sich an ihrem eigenen Blut berauschen wie an neuem Wein! Daran werden alle Menschen erkennen: Ich bin der Herr, dein Retter, dein Erlöser, der starke Gott Israels!«

Ihr tragt die Folgen eurer eigenen Sünden!

50 So spricht der Herr: »Ihr werft mir vor, ich hätte Israel, eure Mutter, verstoßen und mich von ihr getrennt. Wo ist dann die Scheidungsurkunde? Ihr klagt, ich hätte euch als Sklaven verkauft, um meinem Gläubiger die Schulden zu bezahlen. Doch wer ist denn dieser Gläubiger? All euer Elend habt ihr selbst verursacht. Wegen eurer eigenen Schuld wurdet ihr verkauft! Und weil ihr mich verlassen habt, habe ich eure Mutter verstoßen.

[2] Warum war kein Mensch da, als ich zu euch kam? Warum erhielt ich keine Antwort, als ich euch rief? Meint ihr, ich könnte euch nicht befreien? Ihr denkt wohl, ich sei zu schwach, um euch zu helfen. O nein! Ich sage nur ein Wort, schon vertrocknet das Meer, und die Ströme versiegen; die Fische gehen elend zugrunde und stinken, weil kein Wasser da ist. [3] Ich kann den Himmel mit schwarzen Wolken verhängen, als trüge er ein Trauerkleid.«

Gott, der Herr, verteidigt mich!

[4] Gott, der Herr, gibt mir die richtigen Worte, damit ich erschöpfte Menschen

49,18 11,11–12* **49,19–20** 54,1–3; 60,22 **49,22** 60,4 **49,23** 60,16 **49,24** Mt 12,29 **49,26** Ri 7,22 **50,1** 5 Mo 24,1; Jes 54,6–8 **50,2** 59,1; 2 Mo 14,21–22* **50,3** 2 Mo 10,21 **50,4–11** 49,1–6*

zur rechten Zeit ermutigen kann. Morgen für Morgen weckt er mich, und dann höre ich zu: Der Herr lehrt mich wie ein Lehrer seinen Schüler. [5]Ja, Gott, der Herr, hat mich bereit gemacht, auf ihn zu hören. Ich habe mich nicht gesträubt und bin meiner Aufgabe nicht ausgewichen. [6]Meinen Rücken habe ich hingehalten, als man mich schlug; ich habe mich nicht gewehrt, als sie mir den Bart ausrissen. Ich hielt ihren Beschimpfungen stand und verdeckte mein Gesicht nicht, als sie mich anspuckten.

[7]Und doch werde ich mich ihnen nicht beugen, denn Gott, der Herr, verteidigt mich. Darum habe ich auch die Kraft, ihnen die Stirn zu bieten. Ich weiß, ich werde nicht in Schimpf und Schande dastehen. [8]Der Richter, der mich freisprechen wird, ist schon unterwegs. Wer will mir da noch den Prozess machen? Lasst uns nur vor Gericht gehen! Wer will mich anklagen? Soll er doch herkommen! [9]Ja, Gott, der Herr, verteidigt mich! Wer kann mich da noch schuldig sprechen? Alle meine Ankläger werden umkommen, sie vergehen wie ein Kleid, das die Motten zerfressen.

[10]Erschreckt nicht, ihr Menschen, die ihr an den Herrn glaubt und auf die Worte seines Boten hört! Erschreckt nicht in dunklen Tagen! Verlasst euch auf den Herrn, auch wenn ihr nirgends einen Hoffnungsschimmer seht, denn er hält euch fest! [11]Ihr anderen aber, die ihr ein Feuer schürt und euch mit Brandpfeilen rüstet – lauft hinein in euer eigenes Feuer, eure glühenden Pfeile sollen euch selbst treffen! Der Herr spricht: »Ich stürze euch ins Unglück. Ihr werdet auf dem Boden liegen und euch vor Qual winden.«

Der Herr schenkt Rettung für immer

51 »Hört alle her, die ihr mir, dem Herrn, gefallen wollt und die ihr nach mir fragt! Erinnert euch an den Felsen, aus dem ihr herausgemeißelt worden seid, und an den Steinbruch, aus dem ihr gebrochen wurdet! [2]Ja, denkt an euren Vater Abraham und an Sara, eure Mutter. Als ich Abraham rief, war er kinderlos. Doch dann habe ich ihn gesegnet und ihm viele Nachkommen geschenkt.

[3]Und nun will ich Jerusalem trösten. Noch liegt die Stadt in Trümmern, doch ich werde mich über sie erbarmen und das ganze Land wieder aufblühen lassen. Ich werde diese Wildnis in einen blühenden Garten verwandeln, schön und prächtig wie der Garten Eden. Freudenschreie und lauten Jubel wird man dort hören und Lieder, mit denen die Menschen mir danken.

[4]Ihr Israeliten, beachtet meine Worte! Hört mir zu! Ich werde jetzt auch den anderen Völkern meine Gebote geben, mein Recht soll unter ihnen aufleuchten wie ein helles Licht! [5]Bald erfülle ich mein Versprechen, euch zu helfen. Die Rettung lässt nicht mehr lange auf sich warten! Mit starker Hand werde ich Gericht halten über die Völker. Die Bewohner der Inseln und der fernen Küsten setzen ihre Hoffnung auf mich. Sie warten darauf, dass ich auch vor ihnen meine Macht erweise. [6]Schaut hinauf zum Himmel: Er wird sich auflösen wie Rauch. Blickt zur Erde: Sie wird zerfallen wie ein altes Kleid, und ihre Bewohner sterben wie die Fliegen. Doch euch rette ich für alle Zeiten, meine gerechte Herrschaft hat kein Ende.

[7]Ihr Menschen meines Volkes, hört mir zu: Ihr wisst doch, was es heißt, so zu leben, wie es mir gefällt; meine Gebote sind in euer Herz geschrieben. Habt keine Angst, wenn Menschen euch verhöhnen. Lasst euch durch ihr Gespött nicht aus der Fassung bringen! [8]Denn sie werden vergehen wie ein Kleid und wie ein Wolltuch, das die Motten fressen. Doch meine gerechte Herrschaft besteht für alle Zeiten und die Rettung, die ich schenke, von einer Generation zur anderen.«

50,6 Mt 5,39; 26,67 **50,7** Jer 1,18–19; Hes 3,8–9 **50,8–9** Röm 8,31–34 **51,2** 1 Mo 12,1–2; 17,15–19 **51,3** 35,1–2; 1 Mo 2,8 **51,4** 2,3 **51,5** 42,4 **51,6** 24,4; Ps 102,26–28 **51,7** 43,1*; 5 Mo 30,11–14

Der Herr tröstet und befreit sein Volk

[9] Greif ein, Herr, greif doch ein! Zeig deine Macht, Herr! Greif ein wie damals vor langer Zeit! Du warst es doch, der das Heer der Ägypter schlug, der dem Drachen im Meer[a] den Todesstoß gab! [10] Du hast das tiefe Meer ausgetrocknet und mitten hindurch einen Weg gebahnt, damit das befreite Volk hindurchziehen konnte.

[11] Ja, alle, die der Herr befreit hat, werden jubelnd aus der Gefangenschaft zum Berg Zion heimkehren. Dann sind Trauer und Sorge für immer vorbei, Glück und Frieden halten Einzug, und die Freude hört niemals auf.

[12] Der Herr spricht: »Ich bin es, der euch tröstet, ich allein. Und da fürchtet ihr euch noch vor der Macht eines Menschen? Was ist schon ein Mensch? Sterben muss er, verdorren wie das Gras! [13] Habt ihr vergessen, wer ich bin? Euer Schöpfer! Ich habe den Himmel wie ein Zelt aufgespannt, ich habe die Fundamente der Erde gelegt. Warum zittert ihr den ganzen Tag vor eurem Unterdrücker? Ihr erwartet jeden Moment, dass er euch in seiner Wut vernichtet. Was ist nun aus all seinen Drohungen geworden? [14] Bald schon werdet ihr alle befreit, die ihr jetzt noch im Gefängnis sitzt! Keiner wird im Kerker verhungern, für alle ist genug zu essen da. [15] Denn ich bin der Herr, euer Gott, der die Wellen des Meeres tosen lässt. Ich, der allmächtige Gott, [16] sage euch, was ihr in meinem Auftrag reden sollt. Schützend halte ich meine Hand über euch. Ich habe den Himmel ausgespannt und den Grundstein der Erde gelegt. Und zu Jerusalem sage ich: ›Du gehörst zu mir!‹«

Steh auf, Jerusalem!

[17] Steh auf, Jerusalem, steh auf! Erheb dich! Du hast den Kelch, den der Herr in seiner Hand hielt, leer getrunken. Er war gefüllt mit seinem Zorn. Bis zum letzten Tropfen musstest du ihn schlucken, diesen Trank, der jeden zum Taumeln bringt. [18] Niemand nahm dich dann bei der Hand und führte dich. Keines deiner vielen Kinder, die du geboren und großgezogen hattest, kam dir zu Hilfe. [19] In doppelter Weise traf dich das Unglück, aber niemand empfand Mitleid mit dir: Du wurdest verwüstet, und du hast deine Einwohner verloren; Hunger und Schwert haben sie umgebracht. Ach, ich weiß nicht, wie ich dich trösten soll, Jerusalem! [20] Deine Kinder brachen ohnmächtig zusammen; an allen Straßenecken lagen sie, hilflos wie Rehe im Fangnetz. Der Zorn des Herrn hat sie getroffen, das Drohen deines Gottes ließ sie stürzen. [21] Tief steckst du im Elend, Jerusalem; du wankst – doch nicht, weil du vom Wein betrunken bist!

Höre nun, was der Herr dir sagt; [22] er ist dein Herr und dein Gott, dein Anwalt, der für dich eintritt: »Ich nehme euch den Becher mit dem starken Trank meines Zornes wieder aus der Hand. Ihr braucht nicht länger daraus zu trinken. [23] Ich gebe ihn denen, die euch so grausam unterdrückt und euch zugerufen haben: ›Werft euch nieder, damit wir über euch schreiten!‹ Dann musstet ihr euch auf den Boden legen, und sie sind über euren Rücken hinweggeschritten wie über eine Straße.«

Reiß die Fesseln ab!

52 Wach auf, du Stadt auf dem Berg Zion, wach auf! Sei wieder stark! Zieh dein Festkleid an, Jerusalem, du

---

[a] Wörtlich: Rahab.

51,9 2 Mo 14,28; Hiob 26,12–13; Ps 74,12–14 **51,10** 2 Mo 14,21–22* **51,11** 35,10; 65,19; Offb 21,4 **51,12** 40,1.6–8 **51,15–16** Jer 31,35–36 **51,17** Jer 25,15* **51,20** Klgl 2,11.19 **52,1** Offb 21,2.27

heilige Stadt! Denn von nun an darf kein Mensch mehr durch deine Tore gehen, der nicht zu Gottes Volk gehört.[a] [2]Steh auf, und schüttle den Staub ab! Setz dich wieder auf deinen Thron, Jerusalem! Wirf die Halsfesseln ab, du Gefangene! [3]Denn so spricht der Herr: »Ich habe euch zwar als Sklaven verkauft, doch ich habe von euren Herren kein Geld verlangt. Und so sollt ihr nun auch befreit werden, ohne dass ich ein Lösegeld für euch bezahle.

[4]Am Anfang kam mein Volk nach Ägypten. Es wollte friedlich dort wohnen, aber es wurde zu harter Arbeit gezwungen[b]. Später wurde Israel dann von den Assyrern unterdrückt. [5]Und was muss ich jetzt sehen? Wieder ist mein Volk versklavt, und seine Herren haben nichts dafür bezahlt. Sie lachen hämisch über ihren guten Fang und ziehen ständig, den ganzen Tag lang, meine Ehre in den Schmutz. [6]Doch ich werde eingreifen, und mein Volk wird erkennen, wer ich bin. Sie werden merken, dass ich es war, der Herr, der zu ihnen gesprochen hat!«

[7]Was für ein herrlicher Augenblick, wenn ein Bote über die Berge kommt, der eine gute Nachricht bringt![c] Er eilt herbei und ruft der Stadt auf dem Berg Zion zu: »Jetzt ist Friede, die Rettung ist da! Jerusalem, dein Gott herrscht als König!« [8]Schon brechen die Wächter auf der Mauer in Freudengeschrei aus; alle miteinander jubeln, denn mit eigenen Augen sehen sie, wie der Herr zum Berg Zion zurückkehrt.

[9]Noch ist Jerusalem ein einziger Trümmerhaufen. Doch ihr Ruinen, singt und jubelt vor Freude! Denn der Herr tröstet sein Volk. Er befreit Jerusalem. [10]Vor den Augen aller Völker greift Gott, der Heilige, nun machtvoll ein. Die ganze Welt ist Zeuge, wie er sein Volk errettet.

[11]Verlasst Babylonien, geht los! Nehmt nichts aus den heidnischen Tempeln mit! Und wer die heiligen Gefäße für den Tempel des Herrn trägt, der soll sich reinigen, damit er sie nicht entweiht. [12]Ihr müsst nicht in aller Hast verschwinden! Ihr braucht Babylonien nicht als Flüchtlinge zu verlassen. Der Herr, der Gott Israels, geht euch voran, und er beschützt euch von allen Seiten.

Er trug unsere Sünde

[13]So spricht der Herr: »Mein Bote wird seine Aufgabe erfüllen. Er wird eine überragende Stellung erlangen und hoch geehrt sein. [14]Viele waren entsetzt, als sie ihn sahen. Denn in der Tat: Er war völlig entstellt und kaum mehr als Mensch zu erkennen. [15]Dann aber werden viele Völker über ihn staunen[d], sprachlos werden die Könige dastehen. Gerade die sollen ihn sehen, denen er nicht angekündigt war, und die noch nichts von ihm gehört haben, werden ihn begreifen!«

53 Doch wer glaubt schon unserer Botschaft? Wer erkennt, dass Gott es ist, der diese mächtigen Taten vollbringt? [2]Der Herr ließ seinen Boten emporwachsen wie einen jungen Trieb aus trockenem Boden. Er war weder stattlich noch schön. Nein, wir fanden ihn unansehnlich, er gefiel uns nicht! [3]Er wurde verachtet, von allen gemieden. Von Krankheit und Schmerzen war er gezeichnet. Man konnte seinen Anblick kaum ertragen. Wir wollten nichts von ihm wissen, ja, wir haben ihn sogar verachtet.

---

[a] Wörtlich: Denn von nun an darf kein Unbeschnittener und kein Unreiner dich mehr betreten.
[b] »aber … gezwungen« ist sinngemäß eingefügt.
[c] Wörtlich: Wie lieblich sind auf den Bergen die Füße dessen, der eine gute Botschaft bringt.
[d] So mit der griechischen Übersetzung. Der hebräische Text lautet: Dann aber wird er viele Völker besprengen.

52,3 45,13; 50,1 **52,4** 1 Mo 46,5–7; 2 Kön 17,6 **52,7** 40,9; 41,27; Röm 10,15; Eph 2,17; 6,15 **52,8** 62,6; Hes 43,1–9 **52,11** 2 Kön 25,14–15; Esr 1,7–11; 2 Kor 6,17 **52,12** 2 Mo 12,11; 13,21–22* **52,13 – 53,12** 49,1–6* **52,15** 65,1; Röm 15,21 **53,1** Joh 12,38; Röm 10,16 **53,2** 11,1 **53,3** Ps 22,7–8; Mk 9,12

[4] Dabei war es unsere Krankheit, die er auf sich nahm; er erlitt die Schmerzen, die wir hätten ertragen müssen. Wir aber dachten, diese Leiden seien Gottes gerechte Strafe für ihn. Wir glaubten, dass Gott ihn schlug und leiden ließ, weil er es verdient hatte. [5] Doch er wurde blutig geschlagen, weil wir Gott die Treue gebrochen hatten; wegen unserer Sünden wurde er durchbohrt. Er wurde für uns bestraft – und wir? Wir haben nun Frieden mit Gott! Durch seine Wunden sind wir geheilt. [6] Wir alle irrten umher wie Schafe, die sich verlaufen haben; jeder ging seinen eigenen Weg. Der Herr aber lud alle unsere Schuld auf ihn.

[7] Er wurde misshandelt, aber er duldete es ohne ein Wort. Er war stumm wie ein Lamm, das man zur Schlachtung führt. Und wie ein Schaf, das sich nicht wehrt, wenn es geschoren wird, hat er alles widerspruchslos ertragen. Man hörte von ihm keine Klage. [8] Er wurde verhaftet, zum Tode verurteilt und grausam hingerichtet. Niemand glaubte, dass er noch eine Zukunft haben würde. Man hat sein Leben auf dieser Erde ausgelöscht. Wegen der Sünden meines Volkes wurde er zu Tode gequält! [9] Man begrub ihn bei Gottlosen, im Grab eines reichen Mannes,[a] obwohl er sein Leben lang kein Unrecht getan hatte. Nie kam ein betrügerisches Wort über seine Lippen.

[10] Doch es war der Wille des Herrn: Er musste leiden und blutig geschlagen werden. Wenn er mit seinem Leben für die Schuld der anderen bezahlt hat, wird er Nachkommen haben. Er wird weiterleben und den Plan des Herrn ausführen. [11] Wenn er dieses schwere Leid durchgestanden hat, sieht er wieder das Licht[b] und wird für sein Leiden belohnt. Der Herr sagt:

»Mein Bote kennt meinen Willen, er ist schuldlos und gerecht. Aber er lässt sich für die Sünden vieler bestrafen, um sie von ihrer Schuld zu befreien. [12] Deshalb gebe ich ihm die Ehre, die sonst nur mächtige Herrscher erhalten. Mit großen Königen wird er sich die Beute teilen. So wird er belohnt, weil er den Tod auf sich nahm und zu den Verbrechern gezählt wurde. Doch er hat viele von ihren Sünden erlöst, denn er ließ sich für ihre Verbrechen bestrafen.«

Die schwere Zeit ist vorbei!

54 Sei fröhlich, du Unfruchtbare, auch wenn du nie ein Kind geboren hast! Juble und singe, du Kinderlose! Denn du, die du allein bist, wirst mehr Kinder haben als eine Frau, die einen Mann hat. [2] Vergrößere dein Zelt! Spann die Zeltdecken weiter aus! Spare nicht! Verlängere die Seile, und schlag die Pflöcke fest ein! [3] Denn du wirst dich nach allen Seiten hin ausbreiten: Deine Kinder werden das Land anderer Völker in Besitz nehmen und die zerfallenen Städte neu besiedeln.

[4] Hab keine Angst, du wirst nicht mehr erniedrigt werden! Niemand darf dich je wieder beschämen. Du wirst vergessen, wie man dich in deiner Jugend gedemütigt hat, und nicht mehr an die schwere Zeit zurückdenken, in der du als Witwe allein dastandst. [5] Denn der Herr, der dich erschaffen hat, ist dein Ehemann. Er heißt »der Herr, der allmächtige Gott«. Er ist der heilige Gott Israels, dein Erlöser, und der Gott der ganzen Welt.

[6] Jerusalem, du bist wie eine verstoßene Frau, die tief enttäuscht ist, weil ihr Mann, der sie als junge Frau liebte, sie verlassen hat.

---

[a] »Man begrub ihn bei Gottlosen, im Grab eines reichen Mannes« ist die Übersetzung des hebräischen Textes. Möglicherweise hat der Text ursprünglich gelautet: »Man begrub ihn bei Gottlosen und Übeltätern«.

[b] Das Wort »Licht« ist nach der griechischen Übersetzung eingefügt. Im hebräischen Text fehlt es.

53,4 Hiob 8,20; Mt 8,17 **53,5–6** 1 Petr 2,24–25 **53,5** Röm 4,25 **53,6** 2 Kor 5,21 **53,7–8** Apg 8,32–33 **53,7** Mk 14,61.65; Joh 1,29; Offb 5,6.9 **53,8** 1 Kor 15,3 **53,9** 1 Petr 2,22; 1 Joh 3,5 **53,10** Mt 20,28; Gal 1,4 **53,11** Röm 5,18–19; 1 Kor 1,30 **53,12** Mk 15,27–28; Lk 22,37; Phil 2,9–11 **54,1–3** 49,19–20 **54,1** Gal 4,27 **54,4** 43,1* **54,5** Hos 2,21

Doch der Herr ruft dich zu sich zurück [7]und sagt zu dir: »Nur für kurze Zeit habe ich dich verlassen. Ich will dich wieder zu mir holen, denn ich liebe dich immer noch. [8]Im Zorn habe ich mich für einen Augenblick von dir zurückgezogen. Doch ich habe Erbarmen mit dir, und meine Liebe wird nie mehr aufhören. Das verspreche ich, der Herr, dein Erlöser.

[9]Damals nach der großen Flut schwor ich Noah: Nie mehr wird die ganze Erde überschwemmt werden! Und heute schwöre ich: Ich bin nicht mehr zornig auf dich, Jerusalem! Nie mehr werde ich dir drohen! [10]Berge mögen einstürzen und Hügel wanken, aber meine Liebe zu dir wird nie erschüttert, und mein Friedensbund mit dir wird niemals wanken. Das verspreche ich, der Herr, der dich liebt!«

Die neue Stadt Jerusalem

[11]So spricht der Herr: »Jerusalem, du leidgeprüfte Stadt, vom Sturm gepeitscht, von keinem getröstet – ich will dich wieder aufbauen. Dein Fundament lege ich aus Saphiren, fest gemauert mit bestem Mörtel. [12]Für die Brüstung deiner Mauern verwende ich Rubine und für die Tore Kristalle; auch die Mauer soll aus Edelsteinen sein. [13]Deine Kinder werden meine Schüler sein, und ich schenke ihnen Frieden und Glück. [14]Dann ist die Gerechtigkeit dein festes Fundament. Du brauchst keine Angst mehr zu haben, denn Kummer und Not dürfen dich nicht mehr bedrücken; nichts wird dich mehr in Schrecken versetzen. [15]Und sollte dich doch ein feindliches Volk angreifen, dann ist es nicht von mir gesandt! Ja, wer es dann noch wagt, gegen dich zu kämpfen, der wird dabei zu Fall kommen.

[16]Ich habe den Waffenschmied geschaffen, der die Kohlenglut anbläst und das glühende Eisen zu Waffen schmiedet. Auch der Soldat, der mit ihnen Tod und Verderben anrichtet, ist mein Geschöpf. [17]Doch alle Waffen, die man gegen dich richtet, Jerusalem – sie treffen ins Leere. Wer dich vor Gericht anklagen will, den wirst du als den Schuldigen entlarven. Das gilt für alle, die in meinem Dienst stehen; ich sorge für ihr Recht. Mein Wort gilt!«

Kommt, es kostet nichts!

55 Der Herr ruft: »Ihr habt Durst? Kommt her, hier gibt es Wasser! Auch wer kein Geld hat, kann kommen. Nehmt euch Brot und esst! Hierher! Hier gibt es Wein und Milch. Bedient euch, es kostet nichts! [2]Warum gebt ihr euer sauer verdientes Geld aus für Brot, das nicht sättigt? Hört doch auf mich, und tut, was ich sage, dann bekommt ihr genug! Ihr dürft köstliche Speisen genießen und euch satt essen. [3]Hört mir zu, und kommt her! Ja, nehmt meine Weisungen an, damit ihr am Leben bleibt!

Ich will einen Bund für alle Zeiten mit euch schließen. Was ich schon David versprochen habe, das werde ich erfüllen. [4]Ich habe ihm den Auftrag gegeben, vielen Völkern meine Wahrheit zu bezeugen, und ich habe ihn als Herrscher über sie eingesetzt. [5]Auch ihr sollt Menschen aus anderen Völkern zu euch rufen, die ihr nicht kennt und die euch nicht kennen. Sie werden zu euch eilen, weil ich, der Herr, euer Gott bin. Ja, sie kommen, um mich kennen zu lernen, den heiligen Gott Israels. Denn ich bin es, der euch Israeliten zu Ehren bringt.«

Mein Wort bleibt nicht ohne Wirkung

[6]Sucht den Herrn, solange er sich finden lässt! Betet zu ihm, solange er euch nahe ist! [7]Hast du dich gegen Gott aufgelehnt? Bist du eigene Wege gegangen und eigenen Plänen gefolgt? Dann hör auf damit!

54,7–8 60,10; Klgl 3,31–32 **54,9** 1 Mo 9,8–17 **54,10** Hes 37,26 **54,11–12** Offb 21,18–21 **54,13** Jer 31,34; Joh 6,45 **54,14** 1,21 **55,1** Joh 7,37; Offb 22,17 **55,2** Jer 2,13 **55,3** 2 Sam 7,16*; Jer 31,31–34; Apg 13,34 **55,5** 45,22–24* **55,6** Jer 29,13; Apg 17,27 **55,7** Hes 18,27–28; 33,11

Kehr deinem alten Leben den Rücken, und komm zum Herrn! Er wird sich über dich erbarmen. Unser Gott vergibt uns, was auch immer wir getan haben.

[8] Er sagt: »Meine Gedanken sind nicht eure Gedanken, und meine Wege sind nicht eure Wege. [9] Denn wie der Himmel die Erde überragt, so sind auch meine Wege viel höher als eure Wege und meine Gedanken als eure Gedanken.

[10] Denkt an den Regen und den Schnee! Sie fallen vom Himmel und bleiben nicht ohne Wirkung: Sie tränken die Erde und machen sie fruchtbar; alles sprießt und wächst. So bekommt der Bauer wieder Samen für die nächste Aussaat, und er hat genügend Brot. [11] Genauso ist mein Wort: Es bleibt nicht ohne Wirkung, sondern erreicht, was ich will, und es führt das aus, was ich ihm aufgetragen habe.

[12] Ihr werdet voller Freude das Land eurer Gefangenschaft verlassen und wohlbehütet in eure Heimat zurückkehren. Berge und Hügel brechen in Jubel aus, und die Bäume am Weg klatschen in die Hände. [13] Anstelle der Dornenbüsche wachsen Zypressen, und wo heute Brennnesseln wuchern, schießen Myrtensträucher empor. Dadurch wird mein Name überall bekannt. Mit eurer Heimkehr setze ich für immer ein Zeichen, das nicht mehr aus der Welt zu schaffen ist.«

Jeder darf zu Gottes Volk gehören

56 So spricht der Herr: »Haltet euch an meine Ordnungen, und sorgt für Gerechtigkeit! Es dauert nicht mehr lange, dann werdet ihr erleben, wie ich euch befreie und euch zum Recht verhelfe.« [2] Glücklich ist, wer den Sabbat nicht durch Arbeit entweiht, sondern ihn als Ruhetag achtet. Glücklich ist, wer kein Unrecht begeht.

[3] Ein Ausländer, der sich dem Herrn zugewandt hat, soll nicht sagen: »Bestimmt wird der Herr mich wieder ausschließen aus der Gemeinschaft seines Volkes.« Und wer entmannt wurde, soll nicht klagen: »Ach, ich bin nicht mehr wert als ein dürrer Baum.«

[4] Denn der Herr sagt: »Auch Entmannte zähle ich zu meiner Gemeinde, wenn sie die Sabbate als Ruhetage achten, wenn sie gerne tun, was mir gefällt, und sich an meine Ordnungen halten. [5] Für sie ist Platz in meinem Tempel, und ich werde sie in alle Ewigkeit nicht in Vergessenheit geraten lassen. Das ist besser, als wenn sie viele Söhne und Töchter hätten, die ihren Namen weitertragen.

[6] Ich, der Herr, verspreche: Die Ausländer, die sich mir zugewandt haben, die mir dienen und mich allein lieben, die den Sabbat achten und ihn nicht durch Arbeit entweihen, die sich an meine Weisungen halten, [7] sie werde ich zu meinem heiligen Berg führen. Sie dürfen meinen Tempel betreten und sich an diesem Ort des Gebets von Herzen freuen. Sie dürfen auch auf meinem Altar Brand- und Schlachtopfer darbringen, und ich werde ihre Opfer annehmen. Denn in meinem Tempel sollen alle Völker zu mir beten.

[8] Ich, der Herr, der die vertriebenen Israeliten wieder sammelt, sage: Euch habe ich nun aus der ganzen Welt zurückgeholt. Doch ich werde noch andere zu euch bringen!«

Die Führer des Volkes – faule, gefräßige Hunde

[9] »Ihr wilden Tiere aus Wald und Feld, kommt und fresst mein Volk! [10] Denn seine Führer taugen nichts. Sie sind blinde Wächter, die nicht merken, wenn dem Volk Gefahr droht. Stumme Hunde sind sie, die nicht bellen können. Sie liegen faul herum und träumen, Schlafen ist ihre liebste Beschäftigung. [11] Gefräßig sind sie, diese Hunde, sie bekommen nie ge-

---

55,8–9 Röm 11,33 **55,11** 40,8; Ps 33,4; Mt 13,8.23 **55,12** 44,23 **56,2** 58,13; 2 Mo 20,8–11* **56,3** 5 Mo 23,2–9 **56,7** 1 Kön 8,41–43; Mt 21,13 **56,8** 45,22–24*; Joh 10,16 **56,10** 1,23 **56,11** Hes 34,1–10

nug. Und so etwas will Hirte sein! Sie haben ja keine Ahnung, was es heißt, die Herde – mein Volk – zu hüten. Stattdessen gehen sie alle ihren eigenen Geschäften nach. Jeder will nur möglichst viel Gewinn machen. [12]›Kommt‹, rufen sie, ›lasst uns feiern! Einer soll Wein holen, und dann betrinken wir uns! Und was machen wir morgen? Morgen feiern wir weiter. Je mehr, desto besser!‹«

Der Herr richtet die Gottlosen

57 Menschen, die dem Herrn die Treue halten, kommen um, aber niemanden kümmert das. Sie werden aus dem Leben gerissen, aber keiner schert sich darum. Der Herr will diese Menschen vor noch schlimmeren Zeiten bewahren. [2]Sie haben ein aufrichtiges Leben geführt, nun ruhen sie in Frieden.

[3]»Ihr aber, ihr Hexensöhne«, ruft der Herr, »tretet vor, um euer Urteil zu hören, ihr Brut von Ehebrechern und Huren! [4]Über mich macht ihr euch lustig. Gegen mich reißt ihr frech das Maul auf und streckt mir die Zunge heraus. Wisst ihr überhaupt, was ihr da tut, bösartiges und verlogenes Pack?

[5]Ihr seid nur noch hinter euren Götzen her! Unter jeder Terebinthe und unter allen dicht belaubten Bäumen hurt ihr zu Ehren eurer Götzen. Ihnen opfert ihr sogar Kinder! In den Felshöhlen unten im Tal schlachtet ihr sie! [6]Ihr verehrt die abgeschliffenen Kieselsteine im Bachbett. Sie allein bestimmen euer Schicksal – denkt ihr. Und darum opfert ihr ihnen Wein und gute Speisen. Und da sollte ich ruhig zusehen? [7]Ihr steigt hinauf zur Spitze eines hohen Berges, um eure Opfer darzubringen. Dort schlagt ihr euer Lager auf. [8]Ihr bringt magische Zeichen an der Innenseite der Tür und den Torpfosten an. Von mir aber habt ihr euch abgewandt. Wie eine Hure bezieht ihr euer Bett für einen anderen und richtet es schön für ihn her. Ihr handelt den Lohn aus, und schließlich geht ihr mit ihm ins Bett. Ihr habt sogar noch Spaß an dem, was ihr da seht und tut! [9]Zum Götzen Moloch pilgert ihr und bringt ihm kostbares Öl mit, dazu eine Menge wohlriechender Salben. Ihr schickt Boten auf eine lange Reise: Bis zur Totenwelt sollen sie vordringen. [10]Für die Götzen ist euch keine Anstrengung zu groß, nie gebt ihr zu: ›Ach, das nützt doch alles nichts!‹ Nein – ihr kommt immer wieder zu Kräften, und darum gebt ihr nicht auf.

[11]Wer sind sie denn, diese Götzen, vor denen ihr solche Ehrfurcht habt? Warum fürchtet ihr euch vor ihnen mehr als vor mir und betrügt mich? Warum habt ihr keinen Gedanken mehr für mich übrig, warum vergesst ihr mich? Doch nur, weil ich eurem Treiben so lange schweigend zugesehen habe. Deshalb denkt ihr wohl, ihr hättet von mir nichts zu befürchten.

[12]Doch ich werde euch nun zeigen, was eure Anstrengungen wirklich wert sind: Alle eure Mühe nützt euch gar nichts! [13]Schreit nur um Hilfe – sollen sie euch doch helfen, eure vielen Götzen! Ein kleiner Windstoß reicht, um sie wegzublasen. Nur ein Hauch – und fort sind sie!

Doch wer bei mir Zuflucht sucht, der wird das Land erben und darf auf meinem heiligen Berg wohnen.«

Ich will mein Volk heilen

[14]Der Herr befiehlt: »Macht euch an die Arbeit, schnell! Baut eine Straße! Räumt meinem Volk alle Hindernisse aus dem Weg! [15]Ich, der Hohe und Erhabene, der ewige und heilige Gott, wohne in der Höhe, im Heiligtum. Doch ich wohne auch bei denen, die traurig und bedrückt sind. Ich gebe ihnen neuen Mut und erfülle sie wieder mit Hoffnung. [16]Ich will sie nicht ständig anklagen und nicht für immer zornig sein. Denn sonst würden sie ver-

---

56,12 5,11–12 **57,1** 59,15; Ps 12,2; Mi 7,2 **57,2** Dan 12,13 **57,3** Hos 2,4 **57,5** 2 Kön 16,3; Hes 16,21 **57,8** Jer 2,20 **57,10** Jer 2,25 **57,11** Ps 50,21 **57,13** 44,9; Ps 37,9–11 **57,14** 40,3–4 **57,15** 6,3; 66,2; Ps 51,19; 113,5–9 **57,16** Ps 130,3

gehen, die Menschen, die ich doch selbst geschaffen habe. [17]Ich war zornig über mein Volk wegen seiner Habgier. Sie taten, was sie wollten, und gingen ihre eigenen Wege. Darum bestrafte ich sie und wandte mich von ihnen ab. [18/19]Ich sah ihre Taten genau. Und doch will ich ihnen wieder zurechthelfen und sie führen. Die Trauernden will ich trösten; ein Freudenlied lege ich ihnen in den Mund. Dann werden sie alle in Frieden leben, ob in der Nähe oder in der Ferne, denn ich will mein Volk heilen. Das verspreche ich, der Herr.

[20]Die Gottlosen aber sind wie das ungestüme Meer: Es kommt nicht zur Ruhe, seine Wellen wühlen immer wieder Dreck und Schlamm auf. [21]Ja, alle, die sich gegen mich auflehnen, werden keinen Frieden finden. Darauf gebe ich mein Wort!«

Ein Fasten, das dem Herrn gefällt

58 »Ruf, so laut du kannst! Lass deine Stimme erklingen, mächtig wie eine Posaune! Halte meinem Volk seine Vergehen vor, zähl den Nachkommen Jakobs ihre Sünden auf! [2]Sie rufen Tag für Tag nach mir und fragen nach meinem Willen. Sie gehen gern zum Tempel, in meine Nähe. Weil sie sich für ein frommes Volk halten, das nach den Geboten seines Gottes lebt, darum fordern sie von mir auch ihre wohlverdienten Rechte. [3]›Warum siehst du es nicht, wenn wir fasten?‹, werfen sie mir vor. ›Wir plagen uns, aber du scheinst es nicht einmal zu merken!‹

Darauf antworte ich: Wie verbringt ihr denn eure Fastentage? Ihr geht wie gewöhnlich euren Geschäften nach und treibt eure Arbeiter noch mehr an als sonst. [4]Ihr fastet zwar, aber gleichzeitig zankt und streitet ihr und schlagt mit roher Faust zu. Wenn das ein Fasten sein soll, dann höre ich eure Gebete nicht! [5]Denkt ihr, mir einen Gefallen zu tun, wenn ihr euch selbst quält und nichts esst und trinkt, wenn ihr den Kopf hängen lasst und euch in Trauerkleidern in die Asche setzt? Nennt ihr so etwas ›Fasten‹? Ist das ein Tag, an dem ich, der Herr, Freude habe?

[6]Nein – ein Fasten, das mir gefällt, sieht anders aus: Löst die Fesseln der Menschen, die ihr zu Unrecht gefangen haltet, befreit sie vom drückenden Joch der Sklaverei, und gebt ihnen ihre Freiheit wieder! Schafft jede Art von Unterdrückung ab! [7]Gebt den Hungrigen zu essen, nehmt Obdachlose bei euch auf, und wenn ihr einem begegnet, der in Lumpen herumläuft, gebt ihm Kleider! Helft, wo ihr könnt, und verschließt eure Augen nicht vor den Nöten eurer Mitmenschen! [8]Dann wird mein Licht eure Dunkelheit vertreiben wie die Morgensonne, und in kurzer Zeit sind eure Wunden geheilt. Eure barmherzigen Taten gehen vor euch her, meine Macht und Herrlichkeit beschließt euren Zug. [9]Wenn ihr dann zu mir ruft, werde ich euch antworten. Wenn ihr um Hilfe schreit, werde ich sagen: ›Ja, hier bin ich.‹

Beseitigt jede Art von Unterdrückung! Hört auf, verächtlich mit dem Finger auf andere zu zeigen, macht Schluss mit aller Verleumdung! [10]Nehmt euch der Hungernden an, und gebt ihnen zu essen, versorgt die Notleidenden mit allem Nötigen! Dann wird mein Licht eure Finsternis durchbrechen. Die Nacht um euch her wird zum hellen Tag. [11]Immer werde ich euch führen. Auch in der Wüste werde ich euch versorgen, ich gebe euch Gesundheit und Kraft. Ihr gleicht einem gut bewässerten Garten und einer Quelle, die nie versiegt. [12]Euer Volk wird wieder aufbauen, was seit langem in Trümmern liegt, und wird die alten Mauern wieder errichten. Man nennt euch dann ›das Volk, das die Lücken der Stadtmauer schließt‹ und ›Volk, das die Ruinen bewohnbar macht‹.

[13]Achtet den Sabbat als einen Tag, der

57,20 Jud 13 **57,21** 48,22 **58,2** 29,13 **58,5** Sach 7,5; Mt 6,16–18 **58,6** Neh 5,1–13 **58,7** 5 Mo 15,7–8; Mt 25,35–36 **58,9** 65,24 **58,11** Jer 31,12 **58,12** Neh 2,16–17 **58,13** 56,2

mir geweiht ist und an dem ihr keine Geschäfte abschließt! Er soll ein Feiertag für euch sein, auf den ihr euch freut. Entweiht ihn nicht durch eure Arbeit, durch Geschäfte oder leeres Geschwätz! Achtet ihn vielmehr als einen Tag, an dem ihr Zeit habt für mich, den Herrn. [14]Wenn ihr das tut, werde ich die Quelle eurer Freude sein. Ich werde euch über Berge und Schluchten tragen und euch das ganze Land mit seinem reichen Ertrag schenken, das ich eurem Stammvater Jakob zum Erbe gegeben habe. Mein Wort gilt!«

Eure Schuld trennt euch von eurem Gott

59 Ihr meint wohl, der Herr sei zu schwach, um euch zu helfen, und dazu noch taub, so dass er eure Hilferufe gar nicht hört. O nein! [2]Eure Schuld – sie steht wie eine Mauer zwischen euch und eurem Gott! Eure Sünden verdecken ihn, darum hört er euch nicht. [3]An euren Händen klebt Blut, sie sind besudelt von all dem Unrecht, das ihr tut. Ihr lügt und betrügt bei jeder Gelegenheit. [4]Ihr geht vor Gericht, aber es geht euch nicht um Gerechtigkeit; in der Verhandlung sagt keiner die Wahrheit. Lieber erhebt ihr falsche Anschuldigungen, um andere zu täuschen. Ihr brütet immer neues Unheil aus! [5/6]Was immer ihr ausheckt – es ist als ob ihr Schlangeneier ausbrütet: Wer davon isst, stirbt, und wenn jemand darauf tritt, schießt eine Viper hervor. Ihr gleicht Spinnen, die ihr Netz weben. Bekleiden kann man sich damit nicht, und man kann auch keine warme Decke daraus machen. Die Fäden, die ihr spinnt, sind Fäden des Unrechts. Gewaltsam wickelt ihr eure Opfer darin ein. [7]Ihr seid sofort zur Stelle, wenn es darum geht, einen Unschuldigen umzubringen oder andere Verbrechen zu begehen. Ihr denkt nur an Unrecht, und wo ihr geht, hinterlasst ihr eine Spur der Verwüstung. [8]Den Weg zum Frieden kennt ihr nicht, und Aufrichtigkeit ist euch fremd! Lieber schlagt ihr krumme Wege ein. Keiner, der so lebt, weiß, was Friede ist.

Ein Bußgebet

[9]Darum verhilft Gott uns nicht zu unserem Recht, darum erreicht uns seine Hilfe nicht. Wir hoffen auf den Tagesanbruch, doch es bleibt finster. Wir sehnen uns nach einem Lichtstrahl, doch wir müssen im Dunkeln bleiben. [10]Wir tasten uns wie Blinde an der Wand entlang; wir tappen umher, als sähen wir nichts mehr. Am hellen Mittag stolpern wir, als wäre es schon dunkel, als gehörten wir mitten im Leben schon zu den Toten. [11]Wir brummen wie hungrige Bären, unser Klagen klingt wie das Gurren von Tauben. Wir warten darauf, dass Gott uns Recht verschafft, aber nichts geschieht. Wir sehnen uns nach seiner Hilfe, doch weit und breit ist keine Rettung in Sicht.

[12]Denn wir haben dir, o Gott, den Rücken gekehrt. Unsere Schuld ist groß, und unsere Sünden klagen uns an. Wir sehen ein, dass wir dir untreu waren, unsere Vergehen stehen uns vor Augen. [13]Herr, wir wollten nichts mehr mit dir zu tun haben; wir haben dich verleugnet und uns von dir, unserem Gott, abgewandt. Mit harten Worten haben wir unsere Mitmenschen unterdrückt und uns von dir losgesagt. Unsere Lügen haben wir uns gut überlegt, um sie dann im passenden Moment auszusprechen. [14]So wurde das Recht mit Füßen getreten und die Gerechtigkeit verdrängt. Die Wahrheit hat im Alltag nichts mehr zu suchen, Ehrlichkeit ist unerwünscht. [15]Und Treue – die gibt es nicht mehr! Und wer mit all dem Unrecht nichts zu tun haben will, wird angegriffen und ausgeplündert.

58,14 5 Mo 32,13 **59,1** 50,2 **59,3** 1,15 **59,4** 1,23; 5,20.23 **59,7–8** Röm 3,15–17 **59,10** 5 Mo 28,29 **59,11** 38,14 **59,12** Ps 51,5 **59,15** 57,1

Der Herr schreitet ein

Der Herr hat gesehen, was sein Volk treibt, und die Rechtlosigkeit missfällt ihm. [16] Er wundert sich, dass kein Mensch einschreitet und etwas dagegen unternimmt. Nun greift er selbst ein, machtvoll und gerecht. [17] Er zieht die Gerechtigkeit an wie einen Brustpanzer, die rettende Macht ist sein Helm. Mit Rache kleidet er sich, Entschlossenheit umgibt ihn wie ein Mantel. [18] Seine Feinde werden seinen Zorn zu spüren bekommen, er wird ihnen alles Unrecht heimzahlen. Jeder erhält seinen gerechten Lohn, selbst die fernen Küstenländer müssen mit seiner Vergeltung rechnen. [19] Alle Völker werden dann große Ehrfurcht vor dem Herrn haben, vom Osten bis zum Westen wird man sich seiner Macht beugen. Denn er kommt wie ein reißender Strom, den der Atem des Herrn antreibt. [20] Für Jerusalem aber kommt er als Erlöser, als ein Befreier für alle in Israel, die sich von ihrem gottlosen Leben lossagen.

[21] So spricht der Herr: »Ich will einen Bund mit euch schließen: Mein Heiliger Geist, der auf euch ruht, wird bei euch bleiben, und die Worte, die ihr von mir empfangen habt, werden von Mund zu Mund gehen. Auch eure Kinder, Enkel und Urenkel werden sie noch kennen. Das bleibt für alle Zeiten so, denn mein Wort gilt!«

Jerusalem – eine Stadt voller Licht

60 Steh auf, Jerusalem, und leuchte! Denn das Licht ist gekommen, das deine Finsternis erleuchtet. Die Herrlichkeit des Herrn geht auf über dir wie die Sonne. [2] Noch bedecken dunkle Wolken die Erde, alle Völker leben in finsterer Nacht. Doch über dir leuchtet das Licht des Herrn auf, und seine Herrlichkeit überstrahlt dich. [3] Andere Völker werden von diesem Licht angezogen, ihre Könige eilen herbei, um den strahlenden Glanz zu sehen, der über dir aufgegangen ist.

[4] Schau dich um! Aus allen Richtungen strömen sie zu dir: Von weither kommen deine Söhne, und deine Töchter werden auf den Armen herbeigetragen. [5] Was du da siehst, lässt dein Herz höher schlagen, du wirst vor Freude strahlen. Denn die Händler, die über das Meer reisen, werden ihre Schätze zu dir bringen; den Reichtum der Völker wird man bei dir aufhäufen. [6] Unaufhörlich treffen Handelskarawanen aus Midian und Efa bei dir ein. Mit ihren Kamelen kommen sie aus Saba und bringen Gold und Weihrauch mit sich. Laut loben die Händler den Herrn und erzählen von seinen großen Taten. [7] Der Herr sagt: »Die Nomaden aus Kedar in Arabien treiben ihre Schafherden nach Jerusalem, und die Bewohner von Nebajot schenken dir ihre Schafböcke. Du sollst sie mir als Opfer darbringen, an dem ich meine Freude habe. So werde ich meinen Tempel noch herrlicher schmücken.«

[8] Wer jagt wie Wolken über das Meer? Wer kehrt zurück wie Tauben zu ihren Schlägen? [9] Schnelle Segelschiffe sind es. Denn die Bewohner der fernen Inseln haben nur noch auf einen Wink des Herrn gewartet. Handelsschiffe bringen deine Kinder von weit her nach Hause, zusammen mit goldenen und silbernen Schätzen als Ehrengeschenke für den Herrn, deinen Gott. So ehrt der heilige Gott Israels sein Volk vor den Augen der ganzen Welt.

[10] Ausländer werden deine Mauern wieder aufbauen, und ihre Könige werden dir dienen. Der Herr sagt: »Ich war zwar zornig über dich und habe dich bestraft. Doch nun will ich dir wieder meine ganze Liebe schenken und dir helfen. [11] Deine Stadttore werden Tag und Nacht offen stehen, damit die Völker der Erde jederzeit ihren Reichtum hineinbringen

---

59,16 63,5 **59,17** Eph 6,14–17; 1 Thess 5,8 **59,20** Röm 11,26–27 **60,1–2** 9,1; Offb 21,23 **60,3** 2,2–3; Offb 21,24 **60,4** 11,11–12*; 49,22; 66,20 **60,6** 45,22–24*; Ps 72,10; Mt 2,1–11 **60,7** 42,11 **60,9** 43,6 **60,10** 12,1; 54,8; 61,5 **60,11** Offb 21,25–26

können. Sogar ihre Könige werden sie als Gefangene zu dir bringen. [12] Wenn aber ein Volk oder Königreich sich weigert, dir zu dienen, wird es nicht mehr lange bestehen bleiben, sondern bald zugrunde gehen.

[13] Die prächtigen Bäume des Libanon – Wacholder, Platanen und Zypressen – wird man in die Stadt bringen, um mein Heiligtum zu schmücken. Es ist der Ort, auf dem meine Füße ruhen, darum soll er herrlich sein. [14] Die Nachkommen deiner Unterdrücker werden kommen und sich vor dir verneigen. Alle, die damals nur Spott für dich übrig hatten, werden sich dir zu Füßen werfen. ›Stadt des Herrn‹ werden sie dich nennen und ›Berg Zion, auf dem der heilige Gott Israels wohnt‹. [15] Du sollst nicht mehr die verachtete und verhasste Stadt von früher sein, die niemand betreten wollte. Nein, in Zukunft ist jeder stolz, der dich gesehen hat, weil du so prächtig bist. Eine Generation nach der anderen wird sich über deine Schönheit freuen.

[16] Die Völker und ihre Könige werden für dich sorgen wie eine Mutter, die ihren Säugling stillt. Dann wirst du erkennen, dass ich, der Herr, dein Retter bin, der dich befreit, der starke Gott Israels.

[17] Ich werde dir das beste Baumaterial bringen: Gold statt Bronze, Silber statt Eisen, Bronze statt Holz und Eisen statt Steine. Im ganzen Land werden Friede und Gerechtigkeit regieren. [18] Dann gibt es kein Verbrechen mehr, keine Verwüstung und keine Vernichtung. Du wirst sicher in deinen Mauern leben, und deine Tore werden weltberühmt sein.

[19] Das Licht der Sonne wirst du nicht mehr brauchen und auch nicht das Leuchten des Mondes. Denn ich, der Herr, werde dein ewiges Licht sein, dein Gott, die Sonne, die dir scheint. [20] Es wird nie wieder dunkel um dich werden. Denn anders als Sonne und Mond werde ich nie aufhören, dein Licht zu sein. Dann ist deine Trauerzeit vorbei.

[21] Alle deine Bewohner leben nach meinen Geboten. Sie werden das Land für immer besitzen. Ich habe sie dort eingepflanzt, und ich lasse sie zu meiner Ehre wachsen. [22] Die kleinste Familie ist bald eine Sippe von tausend Menschen, und ein kleiner Stamm wird rasch zum großen Volk. Wenn die Zeit gekommen ist, werde ich dies alles ganz schnell tun. Darauf gebe ich mein Wort!«

Die Trauerzeit ist vorbei

61 Der Geist des Herrn ruht auf mir, weil er mich berufen hat. Er hat mich gesandt, den Armen die frohe Botschaft zu bringen und die Verzweifelten zu trösten. Ich rufe Freiheit aus für die Gefangenen, ihre Fesseln werden nun gelöst und die Kerkertüren geöffnet. [2] Ich rufe ihnen zu: »Jetzt erlässt Gott eure Schuld!«[a] Doch nun ist auch die Zeit gekommen, dass der Herr mit seinen Feinden abrechnet. Er hat mich gesandt, alle Trauernden zu trösten. [3] Vorbei ist die Leidenszeit der Einwohner Jerusalems! Sie streuen sich nicht mehr voller Verzweiflung Asche auf den Kopf, sondern schmücken sich mit einem Turban. Statt der Trauergewänder gebe ich ihnen duftendes Öl, das sie erfreut. Ihre Mutlosigkeit will ich in Jubel verwandeln, der sie schmückt wie ein Festkleid.

Wer sie dann sieht, vergleicht sie mit Bäumen, die der Herr gepflanzt hat. Man wird sie »Garten des Herrn« nennen, an dem er seine Größe und Macht zeigt. [4] Sie werden alles wiederherstellen, was vor vielen Jahren zerstört wurde und seither in Trümmern liegt. Die zerfallenen Städte, die seit Generationen Ruinen sind, bauen sie wieder auf. [5] Ausländer verrichten dann eure Arbeit: Sie weiden eure Herden, bebauen die Äcker und be-

---

[a] Wörtlich: Jetzt ist das Erlassjahr des Herrn!

60,13 Hag 2,6–9 **60,15** 54,6 **60,16** 49,23 **60,19–20** 24,23; Offb 21,23; 22,5 **60,22** 49,19–20; 54,1–3 **61,1** 29,18–19*; Lk 4,18 **61,2** 3 Mo 25,10* **61,3** Ps 30,12 **61,4** 58,12

arbeiten eure Weinberge. [6]Ihr aber bekommt eine neue Aufgabe: »Priester des Herrn« wird man euch nennen, »Diener unseres Gottes«.

Was die Völker besitzen, werdet ihr genießen; die herrlichsten Schätze der Welt werden euch gehören. [7]Ihr sollt doppelt so viel zurückerhalten, wie die Feinde euch weggenommen haben, als sie solche Schande über euch brachten. Anstatt euch weiter zu schämen, dürft ihr euch für immer freuen über euer Erbe in Kanaan.

[8]Der Herr sagt: »Ich liebe Gerechtigkeit und hasse Raub und Unrecht. Ich halte mein Wort und gebe den Menschen meines Volkes den Lohn, der ihnen zusteht; ich will einen Bund für alle Zeiten mit ihnen schließen. [9]In allen Ländern wird man ihre Nachkommen kennen und achten. Wer sie sieht, wird merken: Dies ist das Volk, das der Herr gesegnet hat.«

[10]Ich freue mich über den Herrn und juble laut über meinen Gott! Denn er hat mir seine Rettung und Hilfe geschenkt. Er hat mich damit bekleidet wie mit einem schützenden Mantel. Nun stehe ich da wie ein Bräutigam mit festlichem Turban, wie eine Braut im Hochzeitsschmuck. [11]Gott, der Herr, wird uns retten und das Gute bei uns wachsen lassen, so wie auf dem Feld und im Garten die Aussaat sprießt und wächst. Alle Völker werden es sehen und uns glücklich preisen.

Jerusalem, die geliebte Stadt des Herrn

62 Mein Herz schlägt für Jerusalem, darum kann ich nicht schweigen. Ich halte mich nicht zurück, bis Gottes Hilfe über der Stadt auf dem Berg Zion aufstrahlt wie die Morgensonne, bis ihre Rettung aufleuchtet wie ein heller Schein bei Nacht.

[2]Dann sehen alle Völker, wie der Herr dir Recht verschafft, Jerusalem, und ihre Könige bestaunen deinen neuen Glanz. Du wirst einen neuen Namen tragen, der Herr selbst wird ihn dir geben. [3]Ein Schmuckstück wirst du sein, das der Herr in seiner Hand hält wie ein König seine Krone. [4]Man nennt dich nicht länger »die verstoßene Frau« und dein Land nicht »die Verlassene«. Nein, du heißt dann »meine Liebste« und dein Land »die glücklich Verheiratete«. Denn der Herr wird dich lieben und sich über dich freuen, und dein Land wird nicht mehr vereinsamt sein. [5]Wie ein junger Mann sein Mädchen heiratet, so werden deine Einwohner sich mit dir verbinden. Wie ein Bräutigam sich an seiner Braut freut, so wird dein Gott sich über dich freuen.

[6]Jerusalem, ich habe Wächter auf deine Mauern gestellt, die den Herrn Tag und Nacht an sein Versprechen erinnern sollen. Ihr Wächter, hört nicht auf zu beten – nicht einen Augenblick –, gönnt euch keine Ruhe! [7]Lasst auch dem Herrn keine Ruhe, bis er Jerusalem wieder aufgebaut hat und die Stadt auf der ganzen Erde bewundert wird. [8/9]Der Herr hat geschworen: »Nie mehr werde ich zulassen, dass die Feinde euer Korn verzehren oder dass Fremde den Wein trinken, für den ihr so hart gearbeitet habt. Ihr, die ihr die Ernte einbringt, sollt auch davon leben. Und wer die Trauben liest, soll auch den Wein trinken. Dafür bürge ich, der starke Gott. Ihr werdet essen und trinken im Vorhof meines heiligen Tempels und mich dabei loben.

[10]Zieht ein durch die Tore der Stadt, zieht ein! Ebnet einen Weg für das Volk, das unterwegs ist zur Stadt. Baut eine Straße, räumt die Steine aus dem Weg! Stellt ein Feldzeichen auf, das alle Völker sehen können!«

[11]Hört, was der Herr verkündet! Seine Stimme dringt bis zum Ende der Erde: »Sagt den Einwohnern Jerusalems: Der Herr kommt, euer Retter! Den Lohn für seine Mühe bringt er mit: sein Volk, das

---

61,6 2 Mo 19,5–6* **61,8** 54,10; 55,3 **62,1** Ps 137,5–6 **62,2** 65,15; Offb 2,17 **62,4** 54,6–8; Hos 2,21–22 **62,6** 52,8 **62,8–9** 65,21–22; 5 Mo 28,30 **62,10** 40,3–4; 57,14 **62,11** 40,9–10

er sich erworben hat; es geht vor ihm her. [12]Man wird es ›das heilige Volk‹ nennen und ›das Volk, das der Herr erlöst hat‹. Und du, Jerusalem, heißt dann ›die Begehrte‹ und ›die Stadt, die nie verlassen wird‹.«

Gott richtet die Völker

63 »Wer kommt in roten Kleidern von Bozra her, aus dem Land der Edomiter? Prächtig sieht er aus in seinem Gewand. Stolz schreitet er daher, mit ungebrochener Kraft.« »Ich bin es, der für Recht sorgt«, antwortet der Herr. »Ich kann euch helfen, es steht in meiner Macht.« [2]»Warum sind deine Kleider so rot? Hast du Trauben in der Kelter zerstampft?«

[3]»Ja, ich habe in einer Kelter gestanden. Allein musste ich sie treten, niemand half mir. In meinem Zorn habe ich die Völker zerstampft. Ihr Blut spritzte auf meine Kleider, alles ist damit besudelt. [4]Denn die Zeit war reif, um mit den Völkern abzurechnen und mein Volk von ihrer Unterdrückung zu befreien. [5]Ich schaute mich suchend um, aber weit und breit war niemand, der mir helfen wollte. Ich war erstaunt, dass keiner mir beistand. Darum half ich mir selbst, mein Zorn trieb mich an. [6]Ich war erbost und ließ meinen Zorn an ihnen aus. Ich zertrat sie und ließ ihr Blut zur Erde fließen.«

Wie wunderbar hat der Herr sein Volk geführt!

[7]Ich will bekennen, wie der Herr uns seine Gnade erwiesen hat; immer wieder denke ich an seine ruhmvollen Taten – wie er mit Liebe und Güte das Volk Israel umsorgte und es mit Wohltaten überschüttete.

[8]Er dachte: »Sie sind mein Volk, meine Kinder, sicher werden sie mich nicht enttäuschen!« Und so half er ihnen aus ihrer Not. [9]Denn wenn sie in Bedrängnis waren, litt auch er. Immer wieder ist sein Engel zu ihnen gekommen und hat sie gerettet. Er befreite sie damals vor langer Zeit, weil er sie liebte und Mitleid mit ihnen hatte. Er nahm sie auf die Arme und trug sie Tag für Tag.

[10]Sie aber lehnten sich auf und beleidigten immer wieder seinen heiligen Geist. Darum wurde er ihr Feind und kämpfte gegen sie.

[11]Da erst dachten sie wieder an die früheren Zeiten, an Mose und sein Volk: »Wo ist der Gott, der damals Israel durch das Meer führte mit Mose an der Spitze[a]? Wo ist er, der sie mit seinem heiligen Geist beschenkte? [12/13]Wo ist der mächtige Gott, der Mose beistand?

Damals teilte er das Wasser des Roten Meeres und ließ sein Volk hindurchziehen. Keiner glitt aus; alle liefen so sicher wie Wildpferde in der Steppe. Tat Gott diese Wunder nicht, damit sein Name für alle Zeiten berühmt würde? [14]Der Geist Gottes führte das Volk und brachte sie schließlich ins Land Kanaan. Hier durften sie sich niederlassen wie eine Herde, die von den Berghängen hinunter in ein grünes Tal kommt.«

So hast du, o Gott, dein Volk damals geführt, damit dein herrlicher Name geehrt wird.

Herr, wende dich uns wieder zu!

[15]Herr, schau doch herab vom Himmel, von deinem heiligen und majestätischen Thron! Warum setzt du dich nicht mehr mit ganzer Kraft für uns ein? Wo sind deine großen Taten? Warum hältst du dich zurück? Schlägt dein Herz nicht mehr für uns? Ist deine Liebe erloschen? [16]Du bist doch unser Vater! Abraham weiß nichts von uns, und auch Jakob kennt uns nicht. Du, Herr, du bist unser Vater. »Unser Erlöser« – so hast du von

---

[a] Wörtlich: der damals den Hirten samt seiner Herde aus dem Meer heraufführte?

63,1–6 34,5–17* **63,2** Offb 19,13 **63,3** Joel 4,13; Offb 14,19–20; 19,15 **63,4** 13,9; 61,2 **63,5** 59,16 **63,8** 2 Mo 6,7 **63,12–13** 2 Mo 14,21–29 **63,15** Hos 11,8 **63,16** 64,7; 2 Mo 4,22*

jeher geheißen. [17]Warum lässt du uns vom richtigen Weg abirren? Warum hast du uns so eigensinnig werden lassen, dass wir keine Ehrfurcht mehr vor dir haben? Bitte, wende dich uns wieder zu! Wir sind doch immer noch deine Diener, das Volk, das dir gehört. [18]Für kurze Zeit haben die Feinde dein heiliges Volk vertrieben und dein Heiligtum zertreten. [19]Es geht uns so, als hättest du nie über uns geherrscht, als wären wir nie das »Volk des Herrn« gewesen!

Ach Herr, reiß doch den Himmel auf, und komm zu uns herab! Lass vor deiner Erscheinung die Berge ins Wanken geraten!

64 Komm schnell – so wie ein Feuer, das im Nu einen Reisighaufen verzehrt und Wasser zum Sieden bringt! Lass deine Gegner erfahren, wer du bist. Die Völker sollen vor dir zittern. [2]Denn du vollbringst so furchterregende Taten, wie wir sie uns nicht vorstellen können. Ja, komm doch herab, lass vor deiner Erscheinung die Berge ins Wanken geraten! [3]Denn noch nie hat man so etwas gehört. Seit die Erde steht, hat noch niemand einen Gott wie dich gehört oder gesehen. Nur du kannst den Menschen, die auf dich vertrauen, wirklich helfen.

[4]Du stehst dem bei, der mit Freude das Rechte tut, der sich nach deinen Geboten richtet und mit dir lebt. Aber auf uns, Herr, bist du zornig, und das mit Recht: Wir haben gesündigt und uns völlig in unsere Irrwege verrannt. [5]In deinen Augen sind wir unrein geworden, selbst unsere guten Werke sind bloß ein schmutziges Kleid. Wegen unserer Sünden sind wir wie verdorrtes Laub, das zu Boden fällt und vom Wind weggeblasen wird.

[6]Doch niemand sucht bei dir Hilfe, Herr. Keiner will an dir festhalten. Denn du selbst hast dich von uns abgewandt. Du lässt uns die Folgen unserer Sünden tragen, auch wenn wir dabei fast zusammenbrechen.

[7]Dennoch bist du, Herr, unser Vater! Wir sind der Ton, und du bist der Töpfer! Wir alle sind Gefäße aus deiner Hand. [8]Ach, Herr, sei nicht für immer zornig auf uns! Trag es uns nicht ewig nach, dass wir gegen dich gesündigt haben! Sieh uns an, wir sind doch immer noch dein Volk. [9]Die Städte deines heiligen Landes liegen verwüstet da. Jerusalem ist zerstört; von der einst prächtigen Stadt auf dem Berg Zion stehen nur noch Ruinen. [10]Und unser heiliger Tempel, dieser wunderbare Bau, in dem schon unsere Vorfahren dich angebetet haben – er ist ein Raub der Flammen geworden. Die vielen Stätten, an denen unser Herz hing, liegen unter den Trümmern begraben.

[11]Herr, wie lange willst du noch warten? Wie lange schaust du noch schweigend zu? Willst du uns ganz im Elend versinken lassen?

Mein Zorn wird euch treffen!

65 Der Herr spricht: »Von denen, die mich gar nicht gesucht haben, ließ ich mich finden, und denen, die nie nach mir fragten, habe ich mich gezeigt. Zu Menschen, die nicht aus meinem Volk waren, habe ich gesagt: ›Seht her, hier bin ich!‹

[2]Auch nach meinem eigenen Volk, das sich nichts sagen lässt, habe ich meine Hände ausgestreckt. Immer wieder wollte ich sie einladen. Doch sie weisen mich ständig ab, sie machen, was sie wollen, und gehen falsche Wege. [3]Dauernd fordern sie mich heraus. Sie opfern in den Gärten, die sie für ihre Götzen angelegt haben, auf Ziegelsteinen verbrennen sie Weihrauch für ihre Götter. [4]Sie sitzen in Grabhöhlen und übernachten an geheimen Orten, um mit Geistern Verbindung aufzunehmen[a]. Schweinefleisch essen sie und trinken Brühe vom Fleisch, das heidnischen Götzen geweiht ist. [5]Begegnet man ihnen, dann rufen sie schon von wei-

---

[a] »um … aufzunehmen« ist sinngemäß eingefügt.

63,17 6,9–10 **63,18** Ps 79,1 **64,1** Ps 77,17 **64,2** Ps 18,8 **64,7** 63,16; Jer 18,6 **64,11** 63,15; Ps 74,10–11 **65,1–2** Röm 10,20–21 **65,4** 3 Mo 11,7

tem: ›Halt! Keinen Schritt näher! Rühr mich nicht an, denn ich bin zu heilig für dich!‹

Diese Leute sind wie beißender Rauch in meiner Nase, wie ein ständig schwelendes Feuer. [6]Ich habe ihre Gräueltaten aufschreiben lassen und komme erst zur Ruhe, wenn ich ihnen alles heimgezahlt habe. [7]Die Folgen ihrer eigenen Sünden und die ihrer Vorfahren müssen sie dann tragen. Darauf gebe ich, der Herr, mein Wort. Denn schon ihre Väter haben auf den Bergen Weihrauch für die Götzen verbrannt. Auf ihren heiligen Hügeln haben sie mich verhöhnt. Doch nun will ich abrechnen! Alle früheren Untaten zahle ich ihnen voll zurück.«

Wähle zwischen Tod und Leben!

[8]So spricht der Herr: »Solange in Trauben auch nur ein bisschen Saft ist, sagt man: ›Wirf sie nicht weg, da ist noch etwas Gutes drin.‹ Genauso gehe ich mit dem Volk Israel um: Ich will nicht das ganze Volk vernichten, denn es gibt darin noch Menschen, die mir dienen. [9]Darum werde ich einige Nachkommen Jakobs am Leben erhalten, und einige aus dem Stamm Juda werden meine Berge als Erbe erhalten. Mein auserwähltes Volk wird das Land besitzen; alle, die mir dienen, dürfen dort wohnen. [10]Diese Menschen, die nach mir gefragt haben, weiden dann in der Scharonebene ihre Schafe und Ziegen und im Achortal ihre Rinderherden.

[11]Ganz anders aber wird es euch übrigen Israeliten gehen! Denn ihr kehrt mir den Rücken und vergesst meinen heiligen Berg Zion. Ihr richtet reich beladene Opfertische her und füllt ganze Krüge mit gewürztem Wein. Euren Glücks- und Schicksalsgöttern Gad und Meni bringt ihr diese Opfer dar. [12]Hört, welches Schicksal ich für euch bestimme: Das Schwert wird euch treffen! Man wird euch in die Knie zwingen und wie Opfertiere abschlachten. Denn als ich euch rief, bekam ich keine Anwort; ich habe mit euch geredet, doch ihr habt mir nicht zugehört. Lieber habt ihr getan, was ich hasse, und das vorgezogen, was ich verabscheue.

[13]Darum kündige ich, der Herr, euch an: Meine Diener, die treu zu mir stehen, bekommen zu essen und zu trinken, ihr aber werdet Hunger und Durst leiden. Sie werden fröhlich sein, ihr aber müsst euch schämen. [14]Ja, singen und jubeln werden sie vor Lebenslust, während ihr vor Leid und Verzweiflung schreit. [15]Euer Name wird zum Fluchwort. ›Gott soll dich töten wie jene Götzenverehrer!‹, werden meine erwählten Diener sagen, wenn sie einen Fluch aussprechen. Denn ich, der Herr, werde euch töten. Doch denen, die treu zu mir stehen, gebe ich einen Ehrennamen. [16]Wer dann in Israel jemandem etwas Gutes wünschen will, wird sagen: ›Der Gott, der seine Zusagen erfüllt, segne dich!‹ Und wer einen Eid leistet, wird schwören bei ›dem Gott, der zu seinem Wort steht‹. Sie werden das frühere Elend vergessen, und auch ich denke nicht mehr daran. Das verspreche ich, der Herr!«

Eine neue Zeit bricht an

[17]So spricht der Herr:

»Ich will einen neuen Himmel und eine neue Erde schaffen. An den alten Himmel und die alte Erde wird niemand mehr denken, sie werden vergessen sein.

[18]Freut euch und jubelt über das, was ich tue: Jerusalem wird von fröhlichem Gesang erfüllt sein, und die Menschen sind voller Freude. [19]Auch ich werde jubeln über Jerusalem und über mein Volk glücklich sein.

Weinen und Klagen werden verstummen. [20]Dann wird kein Säugling mehr nur wenige Tage leben, und alte Menschen sterben erst nach einem erfüllten Leben. Wer mit hundert Jahren stirbt,

---

65,8 1 Mo 18,26–33 **65,10** Jos 7,26 **65,12** 66,4; Jer 7,13–15 **65,15** Jer 24,9; 29,22 **65,17** 66,22; 2 Petr 3,13; Offb 21,1 **65,18–19** Offb 21,4 **65,20** Ps 90,10

wird als junger Mensch betrauert, und wer die hundert Jahre nicht erreicht, gilt als von Gott verflucht.

[21/22] Dann wird man sich Häuser bauen und sie auch selbst bewohnen, kein Fremder lässt sich darin nieder. Man wird Weinberge anpflanzen und ihren Ertrag selbst genießen. Kein Fremder isst von ihren Früchten. Denn in meinem geliebten Volk werden die Menschen so alt wie Bäume und genießen die Frucht ihrer Mühe. [23] Keine Arbeit ist dann mehr vergeblich. Die Kinder, die sie zur Welt bringen, werden nicht mehr früh sterben. Denn sie sind das Volk, das ich, der Herr, segne. Zusammen mit ihren Kindern und Enkeln werden sie im Land leben. [24] Ehe sie zu mir um Hilfe rufen, stehe ich ihnen bei, noch während sie beten, habe ich sie schon erhört.

[25] Wolf und Lamm werden friedlich zusammen weiden, der Löwe wird Heu fressen wie ein Rind, und die Schlange wird sich von Erde ernähren. Sie werden nichts Böses mehr tun und niemandem schaden auf meinem ganzen heiligen Berg. Mein Wort gilt!«

Niemand kann zwei Herren dienen!

66 So spricht der Herr: »Der Himmel ist mein Thron und die Erde mein Fußschemel. Und da wollt ihr mir ein Haus bauen? An welchem Ort soll ich mich denn niederlassen? [2] Ich habe das alles doch geschaffen, Himmel und Erde kommen aus meiner Hand! Dennoch achte ich auf die Menschen, die in Not sind. Ja, ich kümmere mich um die Verzweifelten und um alle, die voll Ehrfurcht auf meine Worte hören.

[3] Aber die Opfer von Menschen, die eigene Wege gehen, verabscheue ich. Sie schlachten ein Rind für mich, aber zugleich opfern sie ihren Göttern auch Menschen. Sie bringen mir ein Schaf dar, aber heimlich opfern sie auch Hunde. Mir setzen sie ein Speiseopfer vor, und zugleich gießen sie Schweineblut als Trankopfer aus. Sie verbrennen Weihrauch für mich und preisen auch ihre Götzen. Sie haben ihre Wahl getroffen: Ihnen gefällt alles, was ich hasse. [4] So habe auch ich für sie gewählt: Ich lasse Unheil über sie hereinbrechen. All das, wovor ihnen graut, soll sie nun treffen. Denn als ich sie rief, hat mir keiner geantwortet. Ich habe mit ihnen geredet, doch niemand hat mir zugehört. Lieber haben sie getan, was ich hasse, und sich für das entschieden, was ich verabscheue.«

Freut euch mit Jerusalem!

[5] Hört nun, was der Herr euch sagt, die ihr voll Ehrfurcht auf seine Worte achtet:

»Die Menschen eures eigenen Volkes hassen euch und stoßen euch aus, weil ihr zu mir haltet. Ständig spotten sie: ›Soll der Herr doch seine Macht zeigen und euch helfen, damit wir euch endlich einmal fröhlich sehen!‹ Doch es kommt die Zeit, da werden diese Spötter in Schimpf und Schande dastehen.

[6] Hört ihr den Lärm in der Stadt? Er kommt vom Tempel her. Ich, der Herr, halte Gericht! Mein Vergeltungsschlag trifft alle meine Feinde.

[7/8] Kann eine Frau ein Kind gebären, noch ehe die Wehen über sie kommen? Wer hat so etwas schon gesehen oder davon gehört? Kann ein ganzes Land an einem einzigen Tag zur Welt kommen? Wird ein Volk in einem Augenblick geboren? Ja, Zion wird es so ergehen! Kaum spürt sie die ersten Wehen – schon sind ihre Kinder da. [9] Warum sollte ich diese Geburt erst einleiten und dann im letzten Moment noch verhindern? Meint ihr, ich verschließe den Mutterleib, damit das Kind nicht zur Welt kommt – ich, euer Gott?

[10] Freut euch mit Jerusalem! Jubelt über diese Stadt, alle, die ihr sie liebt! Früher habt ihr um sie getrauert, doch jetzt dürft ihr singen und jubeln vor Freu-

---

65,21–22 62,8–9; 5 Mo 28,30 **65,24** 58,9 **65,25** 11,6–9; 1 Mo 3,14 **66,1–2** Apg 7,49–50 **66,1** 1 Kön 8,27; Apg 17,24 **66,2** 57,15 **66,3** 57,5 **66,4** 65,12 **66,5** Mk 13,13 **66,7–8** 49,21

de. [11] Lasst euch von ihr trösten wie ein Kind an der Mutterbrust. Trinkt euch satt! Genießt die Pracht dieser Stadt! [12] Denn ich, der Herr, sage euch: Frieden und Wohlstand werden Jerusalem überfluten wie ein großer Strom. Ich lasse den Reichtum der Völker hereinfließen wie einen nie versiegenden Bach. Und an dieser Fülle dürft ihr euch satt trinken. In dieser Stadt werdet ihr euch wie Kinder fühlen, die ihre Mutter auf den Armen trägt, auf den Schoß nimmt und liebkost. [13] Ich will euch trösten wie eine Mutter ihr Kind. Die neue Pracht Jerusalems lässt euch den Kummer vergessen. [14] Wenn ihr das alles seht, werdet ihr wieder von Herzen fröhlich sein, und neue Lebenskraft wird euch durchströmen.«

Dann zeigt der Herr seinen treuen Dienern, wie mächtig er ist; seine Feinde aber werden seinen Zorn spüren. [15] Denn der Herr kommt, umgeben von loderndem Feuer, seine Kriegswagen brausen daher wie ein Sturm. Er kommt in glühendem Zorn, um Vergeltung zu üben. Sein Drohen ist wie ein schreckliches Feuer! [16] Ja, mit Feuer und Schwert hält der Herr Gericht über alle Menschen, und viele sterben, wenn er zuschlägt.

[17] Er bestraft alle, die sich anderen Göttern weihen. Sie nehmen Reinigungszeremonien auf sich, um Zugang zu den »heiligen Gärten« zu haben. Dort sitzen sie um ihren Meister herum, essen Schweinefleisch, Mäuse und andere unreine Speisen. Darum sagt der Herr: »Auf sie alle wartet ein schreckliches Ende. [18] Ich weiß, was sie treiben, und kenne ihre Gedanken!«

Nicht nur Israeliten werden den Herrn anbeten

»Ich komme, um Menschen aller Völker und Sprachen zu versammeln. Von überall strömen sie herbei und sehen meine Größe und Macht. [19] Ich werde den Völkern ein deutliches Zeichen meiner Macht geben: Einige aus meinem Volk, die dem Gericht entronnen sind, sende ich in solche Länder, wo man noch nichts von mir gehört und meine Herrlichkeit noch nicht gesehen hat. Sie werden nach Tarsis in Spanien reisen, zu den Libyern und Lydern, den berühmten Bogenschützen; sie werden vordringen bis zum Stamm der Tibarener am Schwarzen Meer und auch nach Griechenland. Allen diesen Völkern sollen sie von meiner Größe und Macht erzählen.

[20] Dann werden sie die Menschen eures Volkes, die noch über die ganze Welt zerstreut sind, zurückbringen nach Jerusalem. Auf Pferden und in Wagen reisen sie, in Sänften werden sie getragen; auf Maultieren und Kamelen wird man sie nach Jerusalem führen. Wie ihr Israeliten eure Opfergaben in reinen Gefäßen zu meinem Tempel bringt, so bringen diese Völker die Menschen eures Volkes aus der ganzen Welt zu meinem heiligen Berg nach Jerusalem, um sie mir als Gabe zu weihen. [21] Auch aus diesen fremden Völkern wähle ich mir einige als Priester und Leviten aus.

[22] So wie der neue Himmel und die neue Erde, die ich schaffe, nie mehr vergehen, genauso wenig werden eure Nachkommen untergehen. Euer Volk wird für immer bestehen. Dafür bürge ich, der Herr. [23] Jeden Monat am Neumondfest und auch an jedem Sabbat werden alle Menschen nach Jerusalem kommen, um mich dort im Tempel anzubeten. [24] Sie werden vor die Stadt hinausgehen und die Leichen jener Menschen sehen, die sich zu Lebzeiten gegen mich aufgelehnt haben. Ihr Anblick wird bei allen Abscheu und Entsetzen hervorrufen. Denn für diese Verdammten wird die Qual nie enden, sie brennen in ewigem Feuer.«

66,12 60,5 **66,13** Ps 131,2 **66,15** Ps 50,3 **66,18** 45,22–24* **66,19** Mt 28,19 **66,20** 60,4 **66,22** 65,17; Hebr 12,27 **66,24** Mk 9,48

Der Prophet Jeremia

Jeremia – ein Prophet des Herrn

1 In diesem Buch sind die Worte Jeremias aufgeschrieben. Er war ein Sohn Hilkijas und stammte aus einer Priesterfamilie aus Anatot, das im Stammesgebiet von Benjamin liegt. [2] Jeremia empfing Botschaften vom Herrn ab dem 13. Regierungsjahr des judäischen Königs Josia, des Sohnes Amons. [3] Auch später noch sprach der Herr zu Jeremia, während der Regierungszeit des judäischen Königs Jojakim, des Sohnes Josias, bis zum 5. Monat des 11. Regierungsjahres König Zedekias, der auch ein Sohn Josias war. In diesem Monat wurden die Einwohner Jerusalems in die Verbannung geführt.

Jeremia wird von Gott berufen

[4] Eines Tages sprach der Herr zu mir: [5] »Ich habe dich schon gekannt, ehe ich dich im Mutterleib bildete, und ehe du geboren wurdest, habe ich dich erwählt. Du sollst ein Prophet sein, der den Völkern meine Botschaften verkündet.«

[6] Ich aber erwiderte: »O nein, mein Herr und Gott! Ich habe keine Erfahrung im Reden, denn ich bin noch viel zu jung!« [7] Doch der Herr entgegnete: »Sag nicht: Ich bin zu jung! Zu allen Menschen, zu denen ich dich sende, sollst du gehen und ihnen alles verkünden, was ich dir sagen werde. [8] Fürchte dich nicht vor ihnen, ich bin bei dir und werde dich beschützen. Darauf gebe ich, der Herr, mein Wort.«

[9] Er streckte mir seine Hand entgegen, berührte meinen Mund und sagte: »Ich lege dir meine Worte in den Mund [10] und gebe dir Vollmacht über Völker und Königreiche. Du wirst sie niederreißen und entwurzeln, zerstören und stürzen, aber auch aufbauen und einpflanzen!«

[11] Dann fragte er mich: »Jeremia, was siehst du dort?« »Einen Mandelbaumzweig, dessen Blüten bald aufgehen.« [12] »Richtig!«, sagte er. »Genauso wird alles in Erfüllung gehen, was ich ankündige. Dafür sorge ich.«

[13] Wieder fragte mich der Herr: »Jeremia, was siehst du dort?« »Ich sehe einen Topf mit kochendem Wasser, der vom Norden her kommt und umkippt.« [14] Da sprach der Herr zu mir: »Aus dem Norden wird das Unheil über alle Bewohner dieses Landes hereinbrechen. [15] Denn ich rufe alle Völker aus dem Norden herbei – sie werden heranziehen, und jeder König wird seinen Thron vor den Toren Jerusalems aufstellen. Dann rücken ihre Soldaten gegen Jerusalem und gegen alle Städte in Juda vor. [16] Ich werde mein Volk verurteilen für alles, was sie getan haben: Mich haben sie verlassen, anderen Göttern Weihrauch geopfert und sich vor selbst gemachten Götzenstatuen niedergeworfen.

[17] Und nun mach dich auf, geh zu ihnen und verkünde ihnen alles, was ich dir auftrage! Fürchte dich nicht vor ihnen, sonst sorge ich dafür, dass du noch viel mehr Angst bekommst, wenn sie dir gegenüberstehen. [18] Ich mache dich stark, Jeremia, stark wie eine Festung, wie eine Säule aus Eisen, wie eine Mauer aus Bronzeplatten. Denn du wirst allein gegen das ganze Land stehen, gegen die Könige Judas und die führenden Männer, gegen die Priester und gegen das Volk. [19] Sie alle werden dich bekämpfen – doch

---

1,1 11,21–22; 32,7; Jos 21,17–18 **1,2** 2 Kön 22,1 – 23,30 **1,3** 2 Kön 23,36 – 25,21 **1,5** Jes 49,1; Gal 1,15 **1,6–8** 2 Mo 4,10–12; Ri 6,15–16 **1,8** 15,20; Hes 2,6 **1,9** Jes 6,7; Hes 2,8 – 3,3 **1,10** 18,7–10; 24,6; 31,28; 42,10 **1,11–12** Hes 12,21–23 **1,13–15** 4,6; 6,1; 10,22; 15,12; 25,9; 46,20; 47,2; 50,3; Jes 14,31; Hes 38,15 **1,16** 2,13 **1,18–19** 15,20; Jes 50,7; Hes 3,8–9

ohne Erfolg, denn ich stehe dir bei und beschütze dich. Das verspreche ich dir.«

Mein Volk läuft einem Trugbild nach

2 Der Herr befahl mir: [2] »Geh nach Jerusalem, und rufe den Menschen dort zu: So spricht der Herr: Ich denke daran, Israel, wie du mir treu gewesen bist, als du noch jung warst. Du liebtest mich wie eine Braut ihren Bräutigam. Selbst durch die Wüste bist du mit mir gegangen, dorthin, wo man weder sät noch erntet. [3] Du gehörtest mir allein, so wie die ersten Früchte der Ernte mir gehören. Wer sich an dir vergriff, machte sich schuldig, und ich brachte Unheil über ihn.

[4] Hört, was ich euch sage, ihr Nachkommen Jakobs, ihr Sippen Israels: [5] Was habe ich euren Vorfahren Böses getan, dass sie sich so weit von mir entfernten? Sie liefen einem Trugbild nach, sie verehrten andere Götter und betrogen sich selbst damit. [6] Von mir wollten sie nichts mehr wissen, dabei hatte ich sie doch aus Ägypten geführt, durch die Wüste hatte ich sie geleitet, durch ein dürres und zerklüftetes Land, das trocken und dunkel ist, das niemand durchwandert und wo kein Mensch wohnt. [7] Ich brachte euch in ein fruchtbares Land, damit ihr seine besten Früchte genießen könnt. Doch kaum wart ihr angekommen, da habt ihr es entweiht; mein eigenes Land habt ihr zu einem Ort gemacht, den ich verabscheue. [8] Die Priester haben nicht nach mir gefragt, sie, die mit dem Gesetz vertraut sein sollten, kannten mich nicht einmal! Die Führer meines Volkes haben sich gegen mich aufgelehnt, und die Propheten haben im Namen des Gottes Baal geweissagt, nutzlosen Götzen sind sie nachgelaufen! [9] Darum muss ich euch weiterhin anklagen, euch und sogar noch eure Enkel!

[10] Fahrt doch einmal übers Meer nach Zypern, sendet Boten ins Wüstenland Kedar, und forscht nach, ob es so etwas jemals gab: [11] Hat eines dieser Völker je seine Götter gewechselt? Und dabei sind sie doch gar keine Götter! Mein Volk aber hat seinen herrlichen Gott mit einem Götzen vertauscht, der ihm nicht helfen kann! [12] Entsetzt euch darüber, ihr Himmel, zittert vor Schreck und Empörung! [13] Denn mein Volk hat eine doppelte Sünde begangen: Erst haben sie mich verlassen, die Quelle mit frischem Wasser, und dann haben sie sich rissige Zisternen ausgehauen, die das Wasser nicht halten.«

Deine Untreue bringt dich zu Fall

[14] »Israel, bist du denn ein Knecht, schon als Sklave geboren, dass jeder dich als Beute nimmt? [15] Deine Feinde brüllen wie die Löwen, sie brüllen und verwüsten dein Land, die Städte sind niedergebrannt und menschenleer. [16] Die Ägypter aus Memfis und Tachpanhes kommen und scheren dir den Kopf kahl.

[17] Das alles hast du dir selbst zuzuschreiben, weil du mich, den Herrn, verlassen hast, deinen Gott, der dich so sicher geführt hat! [18] Was versprichst du dir davon, nach Ägypten und Assyrien zu reisen? Willst du etwa aus dem Nil und aus dem Euphrat trinken? [19] Deine eigene Bosheit wird dich strafen, deine Untreue bringt dich zu Fall: Erkenne doch, wie schmerzlich und bitter es ist, dass du mich, den Herrn, deinen Gott, verlassen hast und mir keine Ehrfurcht mehr erweist. Das sage ich, der allmächtige Herr und Gott.

[20] Schon seit jeher hast du dich geweigert, mir zu dienen, du hast dich losgerissen, dich von mir befreit wie von einem drückenden Joch. Und dann warfst du dich anderen Göttern an den Hals wie eine Hure. Auf allen Hügeln und unter jedem dicht belaubten Baum bautest du deine Altäre auf. [21] Ich hatte dich als ed-

---

2,2 Hos 2,17; 13,5 **2,3** 2 Mo 13,12–16*; 5 Mo 25,17–19 **2,5** 2 Mo 32,1–6 **2,7** 2 Mo 3,8; 3 Mo 18,24–25 **2,8** Hes 22,25–28 **2,11** Jes 44,9–20* **2,13** 17,13; Ps 36,10; Joh 4,10 **2,15** Jes 1,7–8 **2,17** 2,13 **2,18** 2,36–37 **2,20** 3,1–2; Hos 1,2* **2,21** Jes 5,1–7*

len Weinstock eingepflanzt, als Rebe aus bester Züchtung. Wie kommt es dann, dass du zu einem wilden Weinstock wurdest, zu einer schlechten Rebe? [22]Du kannst dich waschen, soviel du willst, mit Seife, sogar mit Natronlauge – den Schmutz deiner Schuld wirst du nicht los, das sage ich, der Herr!

[23]Wie kannst du da behaupten: ›Ich habe nichts getan! Niemals bin ich anderen Göttern nachgelaufen.‹? Führ dir doch vor Augen, was du da unten im Hinnomtal treibst, denk über deine Taten nach! Du bist wie eine brünstige Kamelstute, die ständig hin und her läuft, [24]wie eine wilde Eselin, die jeden Pfad in der Wüste kennt; vor Gier schnappt sie nach Luft, und niemand kann sie zurückhalten. Kein Hengst, der sie sucht, muss sich müde laufen: In ihrer Brunstzeit wird er sie schnell finden. [25]Israel, lauf dir nicht die Füße wund, sieh zu, dass du nicht verdurstest, wenn du den Göttern hinterherrennst! Du aber sagst: ›Es hat keinen Zweck, mich zu ermahnen! Ich liebe sie nun einmal, die anderen Götter, und hinter ihnen bin ich her!‹

[26]Doch wie ein Dieb, der auf frischer Tat ertappt wird, kleinlaut dasteht, so wird auch Israel sich schämen: die Könige und führenden Männer, die Priester und Propheten, [27]sie, die zu einer Holzstatue sagen: ›Du bist mein Vater!‹, und zu einer Steinsäule: ›Du hast mir das Leben geschenkt!‹ Mir kehren sie nur noch den Rücken zu. Doch wenn sie in Not geraten, dann schreien sie zu mir: ›O Herr, rette uns!‹ [28]Ihr Judäer, wo sind nun eure Götter, die ihr euch selbst angefertigt habt? Sollen sie doch kommen und euch aus dem Unglück retten! Denn ihr habt so viele Götter wie Städte im Land! [29]Warum klagt ihr mich an? Schließlich habt ihr alle mich verlassen! [30]Vergeblich habe ich euch geschlagen, ihr wolltet euch nicht ändern. Ich sandte Propheten zu euch, doch ihr habt euch auf sie gestürzt wie wilde Löwen und sie mit euren Schwertern umgebracht.

[31]Ihr seid ein Volk von Mördern! Hört, was ich, der Herr, euch sage: War ich etwa gefährlich für euch wie die Wüste, wie ein Land, in dem Finsternis herrscht? Warum ruft ihr denn: ›Wir wollen weg von dir und kehren nie wieder zurück!‹ [32]Vergisst ein Mädchen seinen Schmuck oder eine Braut ihr Hochzeitskleid[a]? Mein Volk jedoch hat mich seit langer Zeit vergessen!

[33]Überall hast du nach Liebhabern gesucht, Israel – und hattest Erfolg damit! Selbst vor Verbrechen schreckst du nicht zurück. [34]Das Blut unschuldiger, armer Menschen klebt an deinen Kleidern. Sie waren keine Einbrecher, du hast sie nicht in Notwehr getötet. Doch trotz allem [35]behauptest du: ›Ich habe nichts getan! Gott wird schon nicht länger zornig auf mich sein!‹ Aber ich werde dich zur Rechenschaft ziehen, gerade weil du dich für unschuldig hältst!

[36]Warum läufst du überall umher und suchst einen Bündnispartner? Ägypten wird dich genauso bitter enttäuschen, wie Assyrien es tat! [37]Auch von dort wirst du völlig verzweifelt zurückkehren. Denn ich, der Herr, will von diesen Völkern, auf die du dein Vertrauen setzt, nichts wissen, du wirst mit ihnen kein Glück haben!«

Israel hat mich betrogen

3 So spricht der Herr: »Wenn ein Mann sich von seiner Frau scheiden lässt und sie einen anderen heiratet, darf er sie dann später wieder zur Frau nehmen? Würde dadurch nicht das ganze Land entweiht? Du aber, Volk Israel, hast dich mit vielen Liebhabern eingelassen – und jetzt willst du zu mir zurückkommen?

[2]Sieh dich doch um! Kannst du mir einen Hügel nennen, auf dem du nicht

---

[a] Wörtlich: ihren Gürtel.

2,22 6,29; 17,1 **2,24** Hes 16,34 **2,27** 5 Mo 32,6 **2,28** Jes 44,9–20* **2,30** Mt 5,12; 21,33–36; 22,6; 23,37 **2,34** 2 Kön 21,16 **2,36–37** 2,18; Jes 30,1–7; Hes 29,6–7 **3,1** 5 Mo 24,1–4 **3,2** 2,20

Ehebruch begangen und andere Götter angebetet hast? Wie die Araber in der Wüste im Hinterhalt auf Beute lauern, so hast du ständig Ausschau nach deinen Liebhabern gehalten. Mit deiner Hurerei und Bosheit hast du das ganze Land entweiht. [3]Darum sind auch die Herbst- und Frühjahrsregen ausgeblieben. Doch du bist eine richtige Hure: Du kennst keine Scham! [4]Und jetzt plötzlich rufst du zu mir: ›Mein Vater! Du liebst mich doch von meiner Kindheit an! [5]Du wirst doch nicht für immer zornig auf mich sein! Willst du mir nie mehr vergeben?‹ Jawohl, so redest du, und dabei treibst du es mit deiner Bosheit immer weiter und setzt deinen Kopf durch.«

[6]Während der Regierungszeit König Josias sprach der Herr zu mir: »Hast du gesehen, wie Israel mir die Treue bricht? Auf jedem Hügel, unter jedem dicht belaubten Baum, überall betrügt sie mich mit ihren Liebhabern. [7]Ich dachte: ›Bestimmt kehrt sie wieder zu mir zurück, wenn sie genug davon hat.‹ Aber sie kam nicht! Juda, Israels Schwester, die ebenso treulos ist wie sie, sah zu. [8]Sie sah auch, wie ich Israel die Scheidungsurkunde gab und sie wegjagte, weil sie die Ehe gebrochen hatte. Doch Juda ließ sich davon nicht abschrecken: Auch sie wurde mir untreu und fing an, Hurerei zu treiben. [9]Dabei kannte sie keine Scham! Holz- und Steinfiguren hat sie verehrt und den Bund mit mir gebrochen. So entweihte sie das Land. [10]Und danach kehrte sie zu mir, dem Herrn, zurück, aber es war nur geheuchelt.«

Komm zu mir zurück!

[11]Weiter sprach der Herr zu mir: »Israel hat sich zwar von mir losgesagt, aber trotz allem kann sie eher vor mir bestehen als Juda, diese treulose Frau! [12]Deshalb ruf dem Nordreich Israel zu: So spricht der Herr: Komm zurück zu mir! Du warst mir untreu, doch ich will nicht länger zornig auf dich sein! Denn ich bin ein barmherziger Gott und werde dir vergeben.

[13]Nur – bekenne offen deine Schuld! Gib zu, dass du dich von mir, deinem Gott, losgesagt hast, dass du hinter anderen Göttern hergelaufen bist und nicht mehr auf mich hören wolltest. [14]Kehr um, abtrünniges Volk, denn ich bin immer noch dein Herr! Ich werde aus jeder Stadt und aus jeder Sippe einige von euch zum Berg Zion zurückbringen.

[15]Dann setze ich wieder Könige über euch ein, die euch weise und verständig regieren, so wie es mir gefällt. [16]Ich verspreche euch: Wenn ihr dann zahlreich geworden seid und euch im Land ausgebreitet habt, dann werdet ihr nicht mehr nach der Bundeslade fragen, sie kommt euch nicht mehr in den Sinn. Ihr werdet sie nicht vermissen und auch keine neue anfertigen. [17]Denn in jener Zeit wird man ganz Jerusalem ›Thron des Herrn‹ nennen, und alle Völker werden sich dort versammeln, um mich anzubeten. Sie werden nicht länger das tun, wozu ihr böses und eigensinniges Herz sie treibt. [18]Dann werden Juda und Israel sich wieder zusammenschließen; gemeinsam kehrt ihr aus dem Norden in das Land zurück, das ich euren Vorfahren für immer geschenkt habe.

[19]Israel, ich wollte dich als mein Kind annehmen und dir ein herrliches Land geben, das prächtigste weit und breit. Ich dachte, du würdest mich dann ›Vater‹ nennen und dich nicht mehr von mir abwenden. [20]Doch wie eine Frau ihren Mann betrügt, so bist auch du mir untreu geworden.

[21]Hört ihr die Schreie auf den kahlen Hügeln? Die Israeliten weinen und flehen um Gnade, denn sie sind in die Irre gegangen und haben mich, den Herrn, ihren Gott, vergessen. [22]Kehrt um zu mir,

---

3,3 5,24–25; Am 4,7–8 **3,4** 2,27; 3,19; Jes 63,16 **3,8** 2 Kön 17,5–6 **3,9** 2,27 **3,11** Hes 16,51; 23,11 **3,12** Jes 57,16 **3,13** 2 Kön 17,9–10 **3,16** 2 Mo 25,10–22 **3,17** Hes 43,7; Mi 4,2 **3,18** 31,1; 50,4; Jes 11,12–13; Hes 37,15–28; Hos 2,2; Sach 10,6 **3,19** 2,27; 2 Mo 4,22* **3,20** 2,20 **3,22–25** Esr 9,6–7; Neh 9,6–37; Jes 59,9–15

ihr Kinder, die ihr von mir weggelaufen seid, ich will euch von eurer Untreue heilen!«

»Ja, wir kommen zu dir, o Herr, denn nur du bist unser Gott! [23] Es ist wahr: Die Götter, zu denen wir auf den Hügeln laut geschrien haben, helfen uns nicht. Nur bei dir, Herr, dem Gott Israels, finden wir Rettung! [24] Wir haben diesem schrecklichen Gott Baal gedient und ihm alles hergegeben, was wir seit Generationen mühsam erworben haben: unseren ganzen Besitz, unsere Schafe und Rinder. Ja, sogar unsere Söhne und Töchter haben wir ihm geopfert. [25] Nun liegen wir am Boden und schämen uns. Welch eine Schande! Wir haben gegen dich, den Herrn, unseren Gott, gesündigt, wir und unsere Vorfahren, von jeher bis heute. Wir haben nicht auf dich gehört, Herr, unser Gott!«

Fangt neu an!

4 Der Herr lässt dir verkünden: »Kehr um, Israel, komm zurück zu mir! Wirf deine abscheulichen Götzen weg, und wende dich nicht länger von mir ab. [2] Wenn du bei meinem Namen schwörst, sei aufrichtig, ehrlich und halte dich daran. Dann werden auch die anderen Völker einander in meinem Namen Segen wünschen und sich glücklich schätzen, mich zu kennen.

[3] Ich, der Herr, sage zu den Bewohnern von Juda und Jerusalem: Pflügt neues Land, streut eure Saat dort aus und nicht im Dornengestrüpp! [4] Haltet euch an euren Bund mit mir, wendet euch von ganzem Herzen mir zu![a] Wenn ihr nicht von euren falschen Wegen umkehrt, entbrennt mein Zorn wie ein Feuer, das niemand löschen kann.«

Unheil aus dem Norden

[5] »Schlagt Alarm in Juda und in Jerusalem! Blast das Signalhorn überall im Land! Ruft, so laut ihr könnt: ›Sammelt euch und flieht in die befestigten Städte!‹ [6] Stellt Wegweiser nach Zion auf! Lauft und bleibt nicht stehen! Denn aus dem Norden bringe ich, der Herr, schreckliches Unheil und Zerstörung über das Land.

[7] Ein Löwe kommt aus seinem Versteck und geht auf Raubzug: Ganze Völker will er verschlingen. Ja, er verlässt sein Versteck, um euer Land zu verwüsten! Zerstört und entvölkert wird er eure Städte zurücklassen.

[8] Zieht Trauerkleider an, weint und klagt: ›Immer noch lastet Gottes glühender Zorn auf uns!‹

[9] Wenn das geschieht, werden der König und die führenden Männer allen Mut verlieren, die Priester werden entsetzt sein und die Propheten starr vor Schreck. Darauf gebe ich, der Herr, mein Wort!«

[10] »Herr, allmächtiger Gott«, rief ich, »du hast dieses Volk und die Einwohner Jerusalems getäuscht! Frieden hast du ihnen versprochen, und nun sitzt ihnen das Messer an der Kehle!« [11] Der Herr erwiderte: »Wenn es so weit ist, wird man den Einwohnern Jerusalems und dem ganzen Volk zurufen: ›Ein Glutwind kommt von den kahlen Höhen in der Wüste!‹ Er wird meinem Volk direkt ins Gesicht blasen. Es ist kein Wind, mit dem man Spreu und Weizen voneinander trennen kann, [12] dazu ist er zu stark. Er kommt auf meinen Befehl. Jetzt werde ich mein Urteil über euch vollstrecken!

[13] Ihr schreit: ›Seht! Der Feind rückt heran wie eine Gewitterfront! Seine Streitwagen brausen daher wie ein Wirbelsturm, seine Pferde sind schneller als Adler! Wir sind dem Untergang geweiht, wir sind verloren!‹

[14] Jerusalem, reinige dein Herz von aller Bosheit, damit du gerettet wirst! Wie lange noch willst du Unheil ausbrüten?

[15] Boten kommen aus der Stadt Dan und vom Bergland Ephraim. Sie bringen eine Schreckensnachricht: [16] ›Meldet Je-

---

[a] Wörtlich: Beschneidet euch für den Herrn, und entfernt die Vorhaut von eurem Herzen!

3,24 7,31 **4,2** 5,2; 12,6 **4,3–4** Hos 10,12 **4,6** 1,13–15* **4,7** 2,15 **4,8** 2,35 **4,10** 14,13 **4,14** Jes 1,16

rusalem und den umliegenden Völkern: Aus einem fernen Land rückt ein Heer zur Eroberung heran!‹ Vor den Städten Judas werden sie das Kriegsgeschrei anstimmen, [17] sich aufstellen und sie umringen wie Wächter, die ein Feld bewachen; denn dieses Volk hat sich gegen mich aufgelehnt. [18] Das alles habt ihr euch selbst zu verdanken, eure eigenen Taten und Irrwege haben es euch eingebracht. Nun bekommt ihr den Lohn für eure Bosheit und müsst spüren, wie bitter und schmerzlich es ist, mich zu verlassen!«

Jeremia leidet mit seinem Volk

[19] Ich winde mich vor Schmerzen und leide Qualen. Das Herz klopft mir bis zum Hals. Ich kann nicht schweigen, denn ich höre das Signalhorn und das Kriegsgeschrei! [20] Man meldet eine Niederlage nach der anderen, das ganze Land ist schon verwüstet! Ganz plötzlich wurden unsere Zelte zerstört und ihre Decken zerfetzt. [21] Wie lange muss ich die Feldzeichen der Feinde noch sehen und ihre Signalhörner hören?

[22] Der Herr spricht: »Mein Volk ist töricht und verbohrt, sie wollen mich nicht kennen. Sie sind wie unverständige und dumme Kinder. Böses zu tun, daran haben sie sich gewöhnt, aber wie man Gutes tut, das wissen sie nicht mehr!«

[23] Ich sah die Erde an – sie war leer und ohne Leben. Ich blickte zum Himmel empor – dort schien kein Stern. [24] Ich schaute zu den Bergen hinüber – sie bebten, und alle Hügel schwankten. [25] Im ganzen Land gab es keine Menschen mehr, selbst die Vögel waren fortgeflogen. [26] Die einst fruchtbaren Felder waren eine trostlose Wüste, und die Städte lagen in Trümmern. Das hat der Herr getan in seinem glühenden Zorn. [27] Er sprach: »Ich will dieses Land verwüsten – doch nicht ganz und gar! [28] Die Erde trauert, und der Himmel verfinstert sich. Ich, der Herr, habe den Befehl dazu gegeben und bereue es nicht. Mein Entschluss steht fest.

[29] Die Reiter und Bogenschützen stürmen mit lautem Geschrei heran, die Einwohner der Städte fliehen in die dichten Wälder und verstecken sich in Höhlen. Alle Städte sind verlassen und unbewohnt.

[30] Aber du, Jerusalem, was machst du da? Deine Eroberer stehen schon vor der Tür, und du ziehst dein leuchtend rotes Festkleid an, hängst dir goldenen Schmuck um den Hals und schminkst deine Augen? Umsonst machst du dich schön! Deine Liebhaber haben dich satt, jetzt trachten sie dir nach dem Leben.« [31] Da, ein Schrei wie von einer Frau, die zum ersten Mal in den Wehen liegt! Es ist die Stadt Jerusalem. Sie ringt nach Luft, streckt Hilfe suchend ihre Hände aus und ruft: »Ich bin verloren! Sie bringen mich um!«

Keine Vergebung mehr!

5 »Geht doch einmal durch die Straßen von Jerusalem, und schaut euch um! Sucht alle Plätze ab! Wenn ihr auch nur einen Einzigen findet, der sich an das Recht hält und auf den man sich verlassen kann, dann will ich ganz Jerusalem vergeben. [2] Denn die Leute in dieser Stadt lügen selbst dann noch, wenn sie bei meinem Namen schwören.«

[3] Doch du, Herr, suchst nach aufrichtigen Menschen. Du hast dieses Volk geschlagen, aber sie haben sich nicht davon beeindrucken lassen; du hast sie fast ausgelöscht, und doch blieben sie unbelehrbar und starrsinnig. Sie weigern sich beharrlich, zu dir umzukehren. [4] Ich dachte: »So sind nur die Ungebildeten, die den Willen des Herrn und die Gebote ihres Gottes nicht kennen. [5] Ich will mich an die führenden Männer dieses Volkes wenden und mit ihnen reden. Sie kennen ja den Willen Gottes und wissen, was er im Gesetz von ihnen verlangt.« Doch ge-

4,18 2,17 **4,22** Jes 1,2–3 **4,23–26** 1 Mo 1,2 **4,27** 5,10.18; 46,28 **4,30** Hes 16,37.39–41
5,1 1 Mo 18,20–32; Ps 14,2–3 **5,2** 4,2 **5,3** 2,30; 7,28; 8,5; Am 4,6–11 **5,5** 2,8

rade sie wollen von Gott nichts mehr wissen. Seine Gebote sind für sie wie ein schweres Joch, das sie abgeworfen haben.

[6]»Darum werden die Feinde kommen und sie zerreißen wie Löwen, die plötzlich aus dem Dickicht springen, wie Steppenwölfe werden sie über sie herfallen und wie Panther draußen vor der Stadt lauern. Wer hinausgeht, wird zerfleischt. Denn dieses Volk hat große Schuld auf sich geladen und mir immer wieder die Treue gebrochen.

[7]Wie sollte ich euch da vergeben? Ihr habt mich verlassen und schwört bei Göttern, die keine sind. Ich habe euch genug zu essen gegeben – und ihr? Ihr treibt Ehebruch und lauft scharenweise ins Hurenhaus! [8]Ihr seid wie überfütterte, geile Hengste: Jeder wiehert nach der Frau des anderen. [9]Und das sollte ich ungestraft lassen? Muss ich ein solches Volk nicht zur Rechenschaft ziehen? [10]Zerstört die Mauern dieses Weinbergs, doch verwüstet ihn nicht ganz. Reißt seine Ranken ab, denn er gehört mir nicht mehr!«

Ich ziehe euch zur Rechenschaft

[11]»Ich, der Herr, sage: Die Bewohner von Juda und Israel sind mir untreu geworden. [12]Mich, ihren Herrn, haben sie verleugnet, als sie behaupteten: ›Er kümmert sich um nichts! Uns wird schon kein Unglück treffen. Von Krieg und Hungersnot bleiben wir verschont. [13]Was die Propheten uns angedroht haben, ist leeres Geschwätz! Gott spricht nicht durch sie. Das Unheil soll sie selbst treffen!‹«

[14]Doch der Herr, der allmächtige Gott, hat zu mir gesagt: »Weil dieses Volk so vermessen redet, lasse ich deine Worte zu einem Feuersturm werden. Das Volk mache ich zu Brennholz, das vom Feuer verzehrt wird. [15]Hört, ihr Israeliten, ich sorge dafür, dass ein Volk von weither kommt und in euer Land einfällt. Das Volk ist sehr viel älter als ihr, es ist unbezwingbar, und seine Sprache versteht ihr nicht. [16]Seine Bogenschützen treffen mit tödlicher Sicherheit, und die Soldaten sind alle erfahrene Kämpfer. [17]Dieses Volk wird eure Ernte und eure Vorräte vernichten, eure Söhne und Töchter töten, eure Schafe und Rinder schlachten und eure Weinstöcke und Feigenbäume umhauen. Eure befestigten Städte, auf die ihr euch verlasst, wird es blutig erobern.

[18]Doch auch dann werde ich euch, mein Volk, nicht völlig auslöschen. Darauf gebe ich, der Herr, mein Wort. [19]Und wenn sie dich, Jeremia, fragen: ›Warum hat uns Gott, der Herr, dies angetan?‹, dann sollst du antworten: ›Ihr habt ihn verlassen und in eurem eigenen Land fremden Göttern gedient, nun müsst ihr in einem anderen Land fremden Herren dienen!‹

[20]Verkündet den Nachkommen Jakobs, sagt dem Volk von Juda: [21]Hört, ihr Leute ohne Sinn und Verstand! Ihr habt Augen und Ohren, und trotzdem seht und hört ihr nicht! [22]Ich, der Herr, frage euch: Solltet ihr mich nicht fürchten und vor mir zittern? Ich habe dem Meer eine Grenze aus Sand gesetzt, die es niemals überschreiten kann. Wie wild seine Wellen auch toben, wie hoch die Wogen sich auch türmen – über die Grenze kommen sie nicht hinaus.

[23]Aber ihr wagt es, euch gegen mich aufzulehnen, und geht eigene Wege. Ihr seid stur und widerspenstig. [24]Keiner von euch sagt: ›Wir sollten dem Herrn, unserem Gott, mit Ehrfurcht begegnen! Denn er sendet uns den Herbst- und Frühjahrsregen zur rechten Zeit und lässt Jahr für Jahr die Früchte reifen, damit wir sie ernten können.‹ [25]Aber nun sind Regen und Ernte ausgeblieben, weil ihr so viel Schuld auf euch geladen habt.

[26]Ja, in meinem Volk gibt es gewissenlose Menschen, die wie Vogelfänger auf

---

5,6 4,7 **5,7** 2,13 **5,8** Hes 22,11 **5,9** 9,8 **5,10** 4,27; Jes 5,5 **5,12** Jes 28,15 **5,14** 23,29 **5,15–17** 5 Mo 28,49–51 **5,18** 4,27 **5,19** 2,13 **5,21** 4,22; Jes 6,9–10 **5,22** Hiob 38,8–11 **5,24–25** 3,3; 5 Mo 11,13–14

der Lauer liegen. Sie warten darauf, dass ihnen Menschen in die Falle laufen. [27] Ihre Häuser sind vollgestopft wie der Käfig eines Vogelfängers, sie häufen dort ihren Besitz auf, den sie mit Trug und List erbeutet haben. Mächtig und reich sind sie geworden, [28] fett und feist. Ihre Bosheit kennt keine Grenzen. Sie verhelfen keinem Waisenkind zu seinem Recht, den Armen verweigern sie jede Gerechtigkeit. [29] Und das sollte ich ungestraft lassen? Muss ich ein solches Volk nicht zur Rechenschaft ziehen?

[30] Was in diesem Land geschieht, ist abscheulich und unerhört: [31] Die Propheten weissagen im Namen der Lüge, die Priester herrschen eigenmächtig, und meinem Volk gefällt das auch noch. Doch was werden sie tun, wenn das Ende kommt?«

Lass dich warnen, Jerusalem!

6 »Flieht, ihr Leute von Benjamin, lauft weg aus Jerusalem! Blast das Signalhorn in Tekoa, richtet oberhalb von Bet-Kerem Zeichen auf, die den Menschen den Fluchtweg weisen. Denn von Norden her droht euch Unheil, euer Untergang naht!

[2] Jerusalem ist schön und verwöhnt, doch ich mache die Stadt auf dem Berg Zion dem Erdboden gleich. [3] Hirten ziehen mit ihren Herden heran, schlagen ringsumher die Zelte auf und weiden Jerusalem ab, ein jeder bekommt seinen Anteil. [4] ›Los‹, sagen sie, ›bereitet den Angriff vor! Noch am Mittag stürmen wir die Stadt!‹ ›Zu spät! Der Tag ist vergangen, es wird schon dunkel.‹ [5] ›Dann greifen wir eben bei Nacht an und legen die Paläste Jerusalems in Trümmer.‹

[6] Ich, der allmächtige Gott, habe ihnen befohlen: ›Fällt Bäume, und schüttet einen Belagerungswall auf!‹ Diese Stadt hat die Strafe verdient, denn in ihr herrscht nichts als Unterdrückung! [7] Wie aus einem Brunnen Wasser fließt, so sprudelt die Bosheit aus ihr hervor. Sie ist voll von Gewalttaten und Raubüberfällen, ihre Krankheit und ihre Wunden stehen mir ständig vor Augen.

[8] Lass dich warnen, Jerusalem, sonst reiße ich mich von dir los und mache dich zur Wüste, zu einem menschenleeren Land!

[9] Ich, der Herr, der allmächtige Gott, sage: Jeremia, wende dich noch einmal diesem Volk zu wie ein Winzer, der Ranke für Ranke umdreht. Halte Nachlese an denen, die vom Volk Israel übrig bleiben.«

[10] Herr, wen soll ich überhaupt noch warnen? Keiner hört mir zu, sie haben ihre Ohren verschlossen und schlagen meine Worte in den Wind. Was du sagst, finden sie lächerlich, es ist ihnen ganz und gar zuwider. [11] Dein Zorn über sie glüht auch in mir, ich kann ihn nicht mehr zügeln!

Da sprach der Herr: »Gieß meinen Zorn über sie aus, damit alle ihn zu spüren bekommen: die spielenden Kinder auf der Straße und die jungen Leute, die beieinander stehen. Alle werden davon betroffen sein, Männer und Frauen, sogar die älteren Menschen und die Greise. [12] Ja, ich, der Herr, kündige ihnen an: Ihre Frauen, ihre Häuser und Felder werden Fremde an sich reißen. Denn ich strecke meine Hand aus zum Gericht über die Bewohner dieses Landes! [13] Sie alle, vom einfachen Volk bis zu den Einflussreichen, wollen nur eines: Gewinn um jeden Preis! Auch die Priester und Propheten betrügen das Volk, [14] weil sie seine tiefen Wunden nur schnell verbinden. ›Es ist nur halb so schlimm, es wird alles wieder gut!‹, sagen sie. Nein, nichts wird gut![a] [15] Schämen müssten sie sich über ihre abscheulichen Taten, aber sie kennen keine Scham mehr, sie werden nicht einmal rot! Doch wenn die Zeit gekommen ist, werden sie stürzen; wenn ich sie strafe, werden sie sterben. Darauf gebe ich, der Herr, mein Wort.«

---

[a] Wörtlich: Sie sagen: ›Friede, Friede!‹, und da ist doch kein Friede!

5,29 5,9 **5,31** 2,8; Hes 7,2 **6,1** 1,13–15* **6,2** Mi 3,12 **6,7** 2,34; 5,26–28 **6,8** 4,23–28 **6,9** 2,21 **6,10** 5,12–13 **6,12–15** 8,10–12 **6,14** 23,16–17; Hes 13,10

Fragt nach dem richtigen Weg!

[16]So spricht der Herr zu seinem Volk: »Stellt euch an die Straßen, und erkundigt euch, welchen Weg eure Vorfahren gegangen sind. Fragt nach dem richtigen Weg, und dann beschreitet ihn. So findet ihr Ruhe für euer Leben. Aber ihr sagt: ›Nein, diesen Weg gehen wir nicht!‹ [17]Immer wieder habe ich euch Wächter gegeben und euch befohlen: ›Achtet auf ihre Warnsignale!‹, aber ihr habt euch beharrlich geweigert.

[18]Hört, ihr Völker, ihr seid meine Zeugen; gebt Acht, was nun mit ihnen geschieht. [19]Die ganze Erde soll es hören: Ich will Unheil bringen über dieses Volk, es ist der gerechte Lohn für ihre Machenschaften. Denn sie haben meine Worte in den Wind geschlagen und meine Weisungen missachtet. [20]Was soll ich mit ihrem Weihrauch aus Saba und mit den kostbaren Gewürzen, die sie aus fernen Ländern holen? Ihre Brand- und Schlachtopfer sind mir zuwider, ich nehme sie nicht an! [21]Seht, ich lege diesem Volk Hindernisse in den Weg, über die sie stürzen werden. Väter und Söhne, Nachbarn und Freunde, sie alle kommen um! Darauf könnt ihr euch verlassen!«

Ein starker Feind aus dem Norden

[22]So spricht der Herr: »Seht, von Norden zieht ein Volk heran, eine mächtige Nation macht sich auf den Weg vom Ende der Erde her. [23]Mit Schwertern und Bogen sind sie bewaffnet, sie sind grausam und kennen kein Erbarmen. Wenn sie auf ihren Pferden heranstürmen, klingt es wie das Tosen des Meeres. Sie haben sich zum Kampf gerüstet gegen dich, du Stadt auf dem Berg Zion!

[24]›Wir haben die Nachricht bekommen‹, sagt man in Jerusalem, ›und uns hat aller Mut verlassen. Wir zittern vor Angst wie eine Frau in den Wehen.‹ [25]Verlasst die Stadt nicht mehr, um euch auf dem Land in Sicherheit zu bringen, lasst euch auf den Straßen nirgends blicken! Denn dort trifft euch das Schwert des Feindes – überall herrscht Angst und Schrecken!

[26]Jerusalem, zieh Kleider aus Sacktuch an, und wälz dich in der Asche! Trauere, als ob dein einziges Kind gestorben wäre! Stimm ein bitteres Klagelied an, denn plötzlich ist der Feind da. Er wird alles verwüsten!«

Jeremia soll sein Volk prüfen

[27]Der Herr sprach zu mir: »Prüfe mein Volk, so wie man Metalle prüft! Ich gebe dir den Auftrag, herauszufinden, wie es um sie steht.« [28]Herr, sie sind widerspenstig, schlimmer geht es nicht mehr. Sie begehen Verbrechen und verleumden andere. Sie sind nichts als Bronze und Eisen – nur unedles Metall! [29]Der Blasebalg schnaubte, das Feuer war heiß genug, doch das Silber ließ sich von den Schlacken nicht trennen. Alles Schmelzen war umsonst – die Gottlosen wurden nicht ausgeschieden. [30]Das ganze Volk ist wertloses Silbererz, der Herr hat es verworfen.

Ändert euer Leben!

7 Der Herr sprach zu Jeremia: [2]»Stell dich an den Eingang des Tempels, und verkünde dort diese Botschaft: Ihr Bewohner von Juda, hört, was der Herr euch sagt! Ihr kommt hierher zum Tempel, um den Herrn anzubeten. [3]Doch der Herr, der allmächtige Gott Israels, spricht: Ihr müsst euer Leben vollkommen ändern, nur dann werde ich euch weiter in diesem Land wohnen lassen. [4]Glaubt den Lügnern nicht, die euch einreden: ›Hier sind wir sicher, denn dies ist der Tempel des Herrn. Es ist die Wohnung Gottes, er hat sich hier niedergelas-

---

6,16 Mt 11,29 **6,17** Hes 3,17–21; 33,1–9 **6,20** Ps 40,7–9* **6,22–24** 50,41–43 **6,22** 1,13–15* **6,26** Am 8,10 **6,27–30** Jes 1,25; Hes 22,17–22 **7,1–15** 26,1–6 **7,3** 18,11; 26,13

sen.‹ [5]Ich sage euch: Ändert euer Leben von Grund auf! Geht gerecht und gut miteinander um, [6]unterdrückt nicht die Ausländer, die Waisen und die Witwen, und hört auf, unschuldige Menschen hinzurichten! Lauft nicht mehr anderen Göttern nach, denn damit schadet ihr euch nur selbst. [7]Erst dann lasse ich euch für immer in diesem Land leben, das ich euren Vorfahren geschenkt habe.

[8]Doch ihr vertraut auf falsche Versprechungen, die euch nichts nützen. [9]Ihr stehlt und mordet, brecht die Ehe und schwört Meineide, ihr bringt dem Götzen Baal Räucheropfer dar und verehrt fremde Götter, die ihr früher nicht kanntet. [10]Dann kommt ihr in meinen Tempel, tretet vor mich hin und sagt: ›Hier kann uns nichts geschehen!‹ Danach treibt ihr es genauso schlimm wie vorher.

[11]Meint ihr etwa, dieses Haus, das meinen Namen trägt, sei eine Räuberhöhle? Ich, der Herr, sehe genau, was ihr tut, darauf könnt ihr euch verlassen! [12]Geht doch einmal zur Stadt Silo, wo früher mein Heiligtum stand. Schaut euch an, wie ich es damals zerstören ließ wegen der Bosheit meines Volkes Israel. [13]Ich, der Herr, sage euch: Ihr handelt genauso vermessen wie eure Vorfahren, und obwohl ich immer wieder zu euch geredet habe, wolltet ihr nicht hören. Ich habe euch gerufen, aber ihr habt mir keine Antwort gegeben. [14]Darum werde ich diesen Tempel, der meinen Namen trägt und in dem ihr euch so sicher fühlt, restlos zerstören. Ja, dieser Ort, den ich euren Vorfahren gab, wird dasselbe Schicksal erleiden wie Silo. [15]Ich werde euch aus meiner Nähe verstoßen, so wie ich eure Brüder, den Stamm Ephraim, vertrieben habe.«

Ich will eure Opfer nicht mehr!

[16]Der Herr sprach zu mir: »Bete nicht mehr für dieses Volk, fleh nicht für sie um Gnade, bestürme mich nicht mehr mit Bitten, denn ich werde dich nicht erhören! [17]Siehst du nicht, was sie in den Städten von Juda und auf den Plätzen von Jerusalem tun? [18]Die Kinder sammeln Brennholz, die Männer machen damit Feuer, und die Frauen kneten einen Teig, um Kuchen als Opfergabe für die Himmelskönigin zu backen. Sie gießen Wein aus als Trankopfer für andere Götter und beleidigen mich damit.

[19]Doch fügen sie mir dadurch etwa Schaden zu, mir, dem Herrn? Nein, sie schaden sich selbst und bringen Schande über sich! [20]Ich, der Herr, der allmächtige Gott, sage: Mein glühender Zorn wird sich über diesen Ort ergießen, über Mensch und Tier, über Bäume und Felder. Mein Zorn wird brennen wie ein Feuer und nicht erlöschen.«

[21]So spricht der Herr, der allmächtige Gott Israels: »Ich will eure Brandopfer nicht mehr! Esst das Fleisch der Tiere doch auf, wenn ihr eure Opfermahlzeit haltet! [22]Als ich eure Vorfahren aus Ägypten führte, habe ich ihnen nicht aufgetragen, mir Opfer darzubringen. [23]Ich habe ihnen nur dies eine befohlen: ›Hört auf mich, dann will ich euer Gott sein, und ihr sollt mein Volk sein. Lebt nach meinen Weisungen, dann wird es euch gut gehen.‹ [24]Aber sie gehorchten mir nicht, ja, sie hörten mir nicht einmal zu, sondern lebten so, wie sie es wollten, und taten, wozu ihr Eigensinn sie trieb. Sie wandten sich von mir ab und kehrten mir den Rücken. [25]So ist es bis heute geblieben. Von Anfang an, seit eure Vorfahren aus Ägypten gezogen sind, habe ich immer wieder meine Boten, die Propheten, zu euch gesandt, [26]aber ihr wolltet nicht auf mich hören und mir nicht gehorchen. Starrköpfig seid ihr, schlimmer noch als eure Vorfahren!

[27]Und selbst wenn du, Jeremia, ihnen dies alles verkündest, werden sie doch nicht auf dich hören. Dein Rufen wird

---

7,5 Mi 6,8 **7,6** 2 Mo 22,20*.21–22* **7,8** 6,14 **7,9** 2 Mo 20,3–5.13–17 **7,11** Mt 21,13 **7,12** Jos 18,1*; Ps 78,60 **7,14** 2 Kön 25,8–9 **7,15** 2 Kön 17,5–6 **7,16** 11,14; 15,1; 37,3–5; 2 Mo 32,10 **7,17–18** 44,15–19 **7,21** Ps 40,7–9* **7,22** Am 5,25 **7,23** 2 Mo 19,5–6* **7,25–26** 25,4–5; 2 Mo 32,9–10*

ohne Antwort bleiben. [28]Sag ihnen: Ihr seid das Volk, das dem Herrn, seinem Gott, nicht gehorcht und sich nichts sagen lässt. Treue und Wahrheit habt ihr verloren, ihr sprecht nicht einmal mehr darüber!«

Hinnomtal – Tal der Toten

[29]»Trauere, Israel! Schneide dein langes Haar ab, und wirf es fort! Stimm die Totenklage an, draußen auf den kahlen Hügeln! Denn ich, der Herr, habe dich verstoßen, ich will nichts mehr von dir wissen, mein Zorn lastet schwer auf dir!

[30]Die Bewohner von Juda haben etwas getan, was ich hasse: Im Tempel, der meinen Namen trägt, haben sie ihre abscheulichen Götzen aufgestellt und ihn so entweiht. [31]Im Hinnomtal haben sie den Tofet errichtet und verbrennen auf dieser Opferstätte ihre Kinder. Niemals habe ich so etwas befohlen, mit keinem Gedanken je daran gedacht!

[32]Darum hört nun, was ich sage: Es kommt die Zeit, da wird man diesen Ort nicht mehr Tofet oder Hinnomtal nennen, sondern Mordtal. Man wird die Toten dort begraben, weil anderswo der Platz fehlt. [33]Die Geier und Schakale werden die herumliegenden Leichen fressen, ohne dass jemand sie verscheucht. [34]In den Straßen Jerusalems und in den anderen Städten Judas bereite ich allem Jubel und aller Freude ein Ende, es wird auch keine fröhlichen Hochzeitsfeiern mehr geben, denn das Land soll zur trostlosen Wüste werden.

8 Es kommt der Tag, da wird man die Gebeine der Könige und führenden Männer von Juda, die Gebeine der Priester und Propheten, ja, aller Einwohner Jerusalems wieder aus den Gräbern holen. Darauf gebe ich, der Herr, mein Wort! [2]Man wird sie ausstreuen vor der Sonne, dem Mond und den Sternen, vor ihren Göttern, die sie liebten, denen sie gehorsam dienten, die sie befragt und angebetet haben. Keiner wird die Gebeine je wieder einsammeln und begraben, sie werden zu Dünger auf dem Acker. [3]Und die Leute aus diesem treulosen Volk, die übrig bleiben und an den Orten leben, wohin ich sie vertreibe, wollen dann lieber tot als lebendig sein. Das sage ich, der allmächtige Gott!«

Ein Volk rennt ins Verderben

[4]»Sag ihnen: So spricht der Herr: Wenn jemand hingefallen ist, steht er gleich wieder auf, und wenn einer vom Weg abkommt, kehrt er gern wieder um. [5]Warum verlässt dann dieses Volk immer wieder den richtigen Weg? Warum geht Jerusalem ständig in die Irre? Sie klammern sich an ihre falschen Götter und weigern sich beharrlich, zu mir umzukehren. [6]Ich habe genau gehört, was sie reden: Die Wahrheit ist es nicht! Keiner bereut seine schlechten Taten und sagt: ›Was habe ich getan!‹ Alle rennen auf ihrem falschen Weg weiter wie Schlachtrosse, die in den Kampf stürmen. [7]Selbst ein Storch weiß, wann er zurückkehren muss, Taube, Schwalbe und Drossel kommen zur rechten Zeit wieder. Nur mein Volk weiß nicht, welche Ordnungen ich ihm gegeben habe.

[8]Ihr behauptet: ›Wir sind weise, wir besitzen ja das Gesetz des Herrn!‹ Aber eure Priester haben mein Gesetz durch ihre Auslegung völlig verdreht. [9]Eure Weisen werden sich schämen und zu Tode erschrecken, wenn man sie gefangen wegführt. Denn sie haben mein Wort abgelehnt – welche Weisheit bleibt ihnen da noch?

[10]Darum werde ich eure Frauen anderen Männern geben und eure Äcker neuen Besitzern. Ihr alle, vom einfachen Volk bis zu den Mächtigen, wollt nur eines: Gewinn um jeden Preis! Auch die Priester und Propheten betrügen euch,

---

7,28 8,5 **7,29** Mi 1,16 **7,30** 2 Kön 21,7; 23,4–7; Hes 8,5.10 **7,31** 3,24; 19,5; 3 Mo 18,21* **7,33** 5 Mo 28,26 **7,34** 16,9; 25,10; 33,10–11 **8,1–2** 19,12–13; 5 Mo 4,19 **8,5** 5,3 **8,7** Jes 1,3 **8,10–12** 6,12–15

[11] weil sie eure tiefen Wunden nur schnell verbinden. ›Es ist nur halb so schlimm, es wird alles wieder gut!‹, sagen sie. Nein, nichts wird gut![a]

[12] Schämen müssten sie sich über ihre abscheulichen Taten, aber sie kennen keine Scham mehr, sie werden nicht einmal rot! Doch wenn die Zeit gekommen ist, werden sie stürzen; wenn ich sie strafe, werden sie sterben. Darauf gebe ich, der Herr, mein Wort.

[13] Ich werde sie ausrotten, denn sie sind wie ein schlechter Weinstock, der keine Trauben hat, und wie ein Feigenbaum, der keine Früchte hervorbringt, ja, selbst die Blätter sind welk! Darum werde ich ihnen ihre Feinde schicken, die sie umbringen sollen.

[14] ›Warum sitzen wir hier noch unschlüssig herum?‹, fragen die Leute von Juda. ›Kommt, wir ziehen uns in die befestigten Städte zurück. Lieber sterben wir dort als hier! Der Herr, unser Gott, hat uns ja doch zum Tod verurteilt; vergiftetes Wasser gibt er uns zu trinken, weil wir gegen ihn gesündigt haben. [15] Wir hofften auf Frieden, aber es kommt nichts Gutes auf uns zu. Wir hofften auf eine Zeit, in der die Wunden des Landes heilen, aber wir hören nur Schreckensmeldungen: [16] Die Feinde haben bereits die Stadt Dan erreicht. Schon hören wir das Schnauben und Wiehern ihrer Pferde. Das ganze Land erbebt davon. Die Feinde wollen unsere Felder und Städte verwüsten, sie werden alle Menschen töten!‹

[17] Ich, der Herr, sage: Ich lasse Schlangen auf euch los, giftige Ottern, die ihr nicht beschwören könnt, und sie werden euch beißen!«

Jeremia beweint sein Volk

[18] Niemand kann mich trösten! Der Kummer hat mich überwältigt und macht mich ganz krank! [19] Hört, wie mein Volk überall im Land verzweifelt schreit: »Wohnt der Herr nicht mehr auf dem Berg Zion, regiert er dort nicht mehr als König?« Und er antwortet: »Warum habt ihr mich herausgefordert und eure Götzenstatuen errichtet, die euch doch nicht helfen können?«

[20] Das Volk klagt: »Der Sommer ist vergangen, die Ernte ist vorüber, und noch immer hat der Herr uns nicht geholfen!«

[21] Wenn ich den Untergang meines Volkes mit ansehe, packt mich das Entsetzen. Ich trauere und bin völlig niedergeschlagen. [22] Gibt es denn in Gilead keine Salben mehr, ist dort kein Arzt zu finden? Warum heilen die Wunden meines Volkes nicht? [23] Ich wünschte, mein Kopf wäre ein Brunnen und meine Augen Tränenquellen, dann würde ich unsere Toten Tag und Nacht beweinen!

Ein Volk von Betrügern

9 Wenn ich doch eine Herberge wüsste, irgendwo in der Wüste, wo Karawanen die Nacht verbringen, dann würde ich mein Volk verlassen und mich dorthin zurückziehen. Denn Ehebrecher sind sie, einer wie der andere, eine Bande von Betrügern!

[2] Der Herr spricht: »Sie schießen ihre Lügen ab wie Pfeile; sie besitzen die Macht im Land, weil sie betrügen, und nicht, weil sie die Wahrheit lieben. Sie begehen ein Verbrechen nach dem anderen und wollen mich nicht als ihren Gott anerkennen. [3] Nimm dich vor deinem Freund in Acht! Trau deinem eigenen Bruder nicht über den Weg! Denn ein Bruder betrügt den anderen, wie es schon damals Jakob getan hat, und ein Freund legt den anderen herein. [4] Sie überlisten sich gegenseitig, keines ihrer Worte ist wahr. Sie haben sich an das Lügen gewöhnt und können das Böse nicht lassen. [5] Unter Betrügern wohnst du, die vor lauter Lug und Trug von mir, dem Herrn, nichts mehr wissen wollen.

---

[a] Wörtlich: Sie sagen: ›Friede, Friede!‹, und da ist doch kein Friede!

8,13 Mt 21,18–19; Lk 13,6 **8,14** 4,5; 9,14 **8,15** 14,19 **8,16** 4,15 **8,22** 30,17; 46,11; 1 Mo 37,25 **8,23** 13,17; 14,17; Klgl 3,48 **9,3** 1 Mo 27,36; Hos 12,4

[6]Darum sage ich, der Herr, der allmächtige Gott: Ich will sie schmelzen und läutern wie Metall im Feuer; was sollte ich sonst mit meinem Volk tun? [7]Jedes ihrer Worte ist ein tödlicher Pfeil, sie lügen unentwegt. Nach außen geben sie sich freundlich, aber insgeheim stellt einer dem anderen Fallen. [8]Und das sollte ich ungestraft lassen, ich, der Herr? Muss ich ein solches Volk nicht zur Rechenschaft ziehen?«

Stimmt Klagelieder an!

[9]Ich klage und weine über das Bergland, ich stimme ein Trauerlied an über die Weiden in der Steppe. Denn sie sind verbrannt, kein Hirte zieht hindurch, und man hört keine Herden mehr. Die Tiere sind geflohen, selbst die Vögel sind fortgezogen. [10]Der Herr sagt: »Ich werde Jerusalem zum Schutthaufen machen, wo die Schakale hausen; die Städte Judas verwandle ich in eine Wüste, in der niemand wohnt!«

[11]Wer ist weise genug, um zu verstehen, warum dies so kommen musste? Wem hat der Herr gezeigt, wieso das Land verödet und verdorrt ist wie eine Wüste, die keiner durchquert? Wer kann es erklären?

[12]Der Herr antwortet: »Ich habe es so weit kommen lassen, weil sie meine Weisung in den Wind geschlagen haben, nicht danach lebten und nicht auf mich hörten. [13]Stattdessen taten sie, wozu ihr Eigensinn sie trieb, und liefen den Götzen nach, wie sie es von ihren Vorfahren gelernt hatten.

[14]Darum sage ich, der Herr, der allmächtige Gott Israels: Ich werde diesem Volk bittere Kost zu essen und giftiges Wasser zu trinken geben. [15]Ich will sie unter fremde Völker zerstreuen, die weder sie noch ihre Vorfahren gekannt haben; mit dem Schwert verfolge ich sie, bis sie vernichtet sind. [16]Ich, der Herr, der allmächtige Gott, fordere euch auf: Begreift doch endlich, wie schlimm es um euch steht! Holt die Klageweiber, ja, lasst die weisen Frauen kommen!«

[17]»Schnell«, rufen die Judäer, »sie sollen über uns die Klage anstimmen, bis wir in Tränen ausbrechen und nicht mehr aufhören zu weinen!«

[18]Da! Vom Berg Zion hört man laute Klagerufe: »Die Stadt ist verwüstet, welch unerträgliche Schande! Wir müssen unser Land verlassen, denn unsere Häuser sind zerstört!«

[19]Hört, ihr Frauen, was der Herr euch sagt, achtet auf jedes Wort: »Bringt euren Töchtern die Totenklage bei, lernt miteinander dieses Trauerlied:

[20]›Durch die Fenster stieg der Tod herein in unsre Häuser und Paläste. Draußen auf der Straße bringt er unsre Kinder um, und auf dem Marktplatz schlachtet er die jungen Männer ab!‹«

[21]So spricht der Herr: »Die Leichen werden überall verstreut liegen wie Dünger auf dem Feld, wie abgemähtes Korn, das niemand aufliest.

[22]Ich, der Herr, sage: Ein Weiser soll nicht stolz sein auf seine Weisheit, der Starke nicht auf seine Stärke und ein Reicher nicht auf seinen Reichtum. [23]Nein, Grund zum Stolz hat nur, wer mich erkennt und begreift, dass ich der Herr bin. Ich bin barmherzig und sorge auf der Erde für Recht und Gerechtigkeit. Wer dies verstanden hat, an dem habe ich, der Herr, Gefallen.

[24/25]Es kommt der Tag, an dem ich die Ägypter, Judäer, Edomiter, Ammoniter und Moabiter strafen werde sowie alle Beduinenstämme der Wüste, die sich das Haar an den Schläfen stutzen. Denn all diese Völker halten sich zwar an die Vorschrift der Beschneidung, aber ihr Herz gehört mir nicht – und selbst in Israel ist es nicht anders!«

9,6 Jes 1,25 **9,8** 5,29 **9,10** 10,22 **9,12–13** 2,13 **9,14** 8,14; 23,15 **9,21** 7,32–33; Ps 79,2–3
9,22–23 1 Kor 1,31; 2 Kor 10,17

Die Götzen helfen euch nicht!

10 Hört, ihr Israeliten, was der Herr euch zu sagen hat: [2]»Dient nicht den Götzen, wie die anderen Völker es tun! Wenn sie ungewöhnliche Himmelserscheinungen sehen, bekommen sie große Angst. Ihr aber braucht euch nicht zu fürchten. [3]Denn die Religion dieser Völker ist eine Täuschung: Da fällen sie im Wald einen Baum, und der Kunsthandwerker fertigt daraus eine Figur an. [4]Er verziert das Standbild mit Silber und Gold und nagelt es fest, damit es nicht wackelt. [5]Und dann steht sie da, die Götterfigur, wie eine Vogelscheuche im Gurkenfeld! Sie kann weder reden noch gehen, sie muss getragen werden. Fürchtet euch nicht vor diesen Göttern! Sie können euch nichts Böses tun, und noch weniger können sie euch helfen.«

[6]Herr, dir ist niemand gleich! Du bist erhaben und stellst deine Macht unter Beweis. [7]Wer sollte dich nicht fürchten, du König aller Völker? Dir allein gebührt die Ehre, denn kein Weiser und König auf dieser Welt ist dir gleich. [8]Sie sind allesamt dumm und ohne Verstand. Was können sie von Holzfiguren schon lernen? [9]Sie holen Silber aus Tarsis und Gold aus Ufas; der Bildhauer und der Goldschmied fertigen die Figur an. Dann bekommt sie ein Gewand aus blauem und violettem Purpurstoff. Ja, diese Götter werden von Kunsthandwerkern hergestellt!

[10]Der Herr aber ist der wahre und lebendige Gott, der ewige König. Wenn er zornig wird, dann bebt die Erde, kein Volk kann seinen Zorn ertragen.

[11]Sagt den Völkern: Diese Götter, die Himmel und Erde nicht erschaffen haben, sie werden aus dem Himmel und von der Erde verschwinden. [12]Der Herr aber hat die Erde durch seine Macht geschaffen. In seiner großen Weisheit hat er ihr Fundament gelegt und den Himmel ausgebreitet. [13]Wenn er es befiehlt, tosen die Wassermassen oben am Himmel; er lässt die Wolken aufsteigen vom Horizont. Er sendet Blitz und Regen und schickt den Wind aus seinen Kammern auf die Reise. [14]Davor muss jeder Mensch verstummen! Dumm ist er gegenüber Gottes großer Weisheit. Und die Goldschmiede müssen sich schämen über ihre Götterfiguren, denn sie sind blanker Betrug, kein Leben ist in ihnen. [15]Eine Täuschung sind sie und verdienen nichts als Spott! Wenn Gott sein Urteil spricht, ist es aus mit ihnen. [16]Der Gott Jakobs ist mächtiger als diese Götter, er hat das Weltall geschaffen und Israel als Volk erwählt, das ihm allein gehört. »Herr der ganzen Welt« wird er genannt.

Jerusalems Wunden heilen nicht mehr

[17]Ihr Einwohner von Jerusalem, die Stadt ist belagert! Rafft euer Hab und Gut zusammen! [18]Denn so spricht der Herr: »Es ist so weit! Diesmal werde ich die Bewohner aus dem Land fortjagen und in große Bedrängnis bringen: Ihre Feinde werden sie überwältigen.

[19]›Ich bin verloren‹, schreit Jerusalem, ›ich bin schwer verletzt, meine Wunden heilen nicht mehr! Dabei hatte ich gedacht: Es ist nur eine leichte Krankheit, die ich gut ertragen kann. [20]Doch nun ist mein Zelt zerstört, die Seile sind zerrissen. Meine Kinder sind fortgegangen, keins von ihnen ist mehr bei mir. Niemand baut mein Zelt wieder auf und spannt die Decken darüber. [21]Unsere Hirten sind ohne Verstand – sie dienen nicht mehr dem Herrn. Kein Wunder, dass ihnen nichts mehr gelingt und ihre ganze Herde verstreut ist.

[22]Da! Der Feind rückt aus dem Norden an, man hört schon den Lärm! Er wird die Städte Judas zu Ruinen machen, in denen die Schakale hausen.‹«

10,1–16 Jes 44,9–20* **10,5** Ps 115,5–7 **10,6** Ps 86,8 **10,7** Ps 47,6–10 **10,10** Ps 18,8 **10,12–16** 51,15–19 **10,12** Ps 121,2 **10,13** Hiob 38,34–38 **10,16** 1 Mo 1,1; 2 Mo 19,5–6* **10,19** 14,19 **10,21** 23,1–2; Hes 34,1–6 **10,22** 1,13–15*

[23] Herr, ich habe erkannt: Das Leben eines Menschen liegt nicht in seiner Hand. Niemand kann seine Schritte nach eigenem Plan lenken. [24] Strafe uns, o Herr, aber geh nicht zu hart mit uns ins Gericht! Lass deinen Zorn nicht an uns aus, denn dann wären wir verloren! [25] Gieß deinen Zorn aus über die Völker, die dich nicht anerkennen und dich nicht verehren. Denn sie haben dein Volk vernichtet, es völlig ausgerottet und seine Heimat verwüstet!

Das Volk hat den Bund mit Gott gebrochen

11 [1/2] Der Herr sprach zu mir und befahl mir, den Bewohnern von Jerusalem und ganz Juda zu sagen: »Erinnert euch doch an meinen Bund mit euch! [3] Mein Fluch wird jeden treffen, der sich nicht an seine Bestimmungen hält! Darauf gebe ich, der Herr, der Gott Israels, mein Wort!

[4] Ich habe diesen Bund mit euren Vorfahren geschlossen, als ich sie aus Ägypten herausholte wie aus dem Feuer eines Schmelzofens. Damals sagte ich: ›Hört auf mich, lebt nach meinen Geboten – dann seid ihr mein Volk, und ich bin euer Gott! [5] Dann werde ich mich auch an den Eid halten, den ich euren Vorfahren geschworen habe.‹ Ich versprach ihnen ein Land, wo Milch und Honig fließen – es ist das Land, das ihr heute besitzt.«

Ich sagte: »Ja, Herr, ich werde deine Botschaft verkünden.«

[6] Dann befahl mir der Herr: »Geh in alle Städte Judas, geh auf die Straßen Jerusalems und verkünde den Menschen dort: Denkt an meinen Bund mit euch, und haltet euch daran! [7] Seit ich eure Vorfahren aus Ägypten führte, habe ich euch immer wieder ermahnt, nach meinen Weisungen zu leben. [8] Aber schon eure Vorfahren haben mir nicht gehorcht, ja, sie haben mir nicht einmal zugehört. Sie taten das, wozu ihr eigensinniges, böses Herz sie trieb, und hielten sich nicht an meine Gebote. Darum ließ ich all die Flüche über sie kommen, die ich ihnen damals schon angedroht hatte, als ich den Bund mit ihnen schloss.«

[9] Weiter sagte mir der Herr: »Die Bewohner von Jerusalem und ganz Juda haben sich gegen mich verschworen. [10] Sie begehen dieselben Sünden wie ihre Vorfahren, die sich damals weigerten, meine Weisungen zu beachten, und anderen Göttern nachliefen. Das Volk von Israel und von Juda hat den Bund gebrochen, den ich mit ihren Vorfahren schloss.

[11] Darum werde ich, der Herr, Unheil über sie bringen, dem sie nicht entrinnen können. Und wenn sie zu mir um Hilfe schreien, höre ich nicht darauf. [12] Dann werden die Bewohner von Jerusalem und ganz Juda ihre Götter anflehen, denen sie Opfer bringen, aber die werden sie nicht retten können. [13] Jede Stadt hat doch ihren eigenen Gott, und in Jerusalem steht an jeder Straßenecke ein Altar für den abscheulichen Götzen Baal! [14] Und du, Jeremia, bete nicht für dieses Volk! Fleh nicht zu mir um Gnade, bestürme mich nicht mehr mit Bitten. Wenn das Unheil sie trifft und sie zu mir schreien, werde ich sie nicht erhören.

[15] Mein geliebtes Volk tut, was ich verabscheue. Was habt ihr da noch in meinem Tempel zu suchen? Meint ihr, der Strafe zu entgehen, nur weil ihr mir geweihtes Opferfleisch bringt? Eure Machenschaften gefallen euch doch nach wie vor!«

[16] Früher wart ihr für den Herrn wie ein grünender Ölbaum, der herrliche Früchte bringt. Doch nun höre ich Feuer prasseln: Der Herr hat den Baum angezündet, die Zweige bersten. [17] Ja, der Herr, der allmächtige Gott, hat dich gepflanzt, Israel und Juda, doch nun hat er deinen Untergang beschlossen. Denn du hast seinen Zorn herausgefordert, weil du getan hast, was er verabscheut: Du brachtest dem Gott Baal Räucheropfer dar.

10,23 Spr 16,9 **10,24** Ps 38,2 **10,25** Ps 79,5–7 **11,3** 5 Mo 27,26 **11,4** 2 Mo 19,5–6* **11,5** 4 Mo 13,27* **11,7–8** 7,24–25 **11,11** Ps 18,42; Jes 1,15; Hes 8,18 **11,12–13** 2,28 **11,14** 7,16

Jeremia in Lebensgefahr

[18]Der Herr sagte mir, dass meine Feinde mich umbringen wollten. Vorher hatte ich nicht damit gerechnet, [19]ich war ahnungslos wie ein Lamm, das zum Schlachten geführt wird; ich wusste nichts von ihren Plänen. Sie beschlossen: »Wir hauen diesen Baum um, solange er noch in voller Blüte steht. Wir lassen diesen Mann vom Erdboden verschwinden, dann wird keiner mehr an ihn denken.«

[20]Da betete ich: »Herr, allmächtiger Gott! Du bist ein gerechter Richter, du kennst jeden Menschen ganz genau. Lass mich mit eigenen Augen sehen, wie du sie für ihre Bosheit bestrafst! Dir habe ich meinen Fall anvertraut.

[21/22]Die Leute von Anatot trachten mir nach dem Leben. ›Hör auf, im Namen des Herrn zu weissagen‹, drohen sie, ›sonst bringen wir dich um!‹« Doch der Herr, der allmächtige Gott, sprach zu mir: »Ich werde sie dafür strafen! Ihre jungen Männer werden im Krieg fallen und die Kinder verhungern. [23]Keiner von ihnen wird überleben. Wenn die Zeit gekommen ist, bringe ich Unheil über die Leute von Anatot.«

Warum geht es den Gottlosen so gut?

12 Herr, wenn ich dich anklagte, dann würdest du am Ende ja doch Recht behalten. Trotzdem will ich mit dir über deine Gerechtigkeit reden: Warum geht es den Menschen, die dich missachten, so gut? Warum leben alle, die dir untreu sind, in Ruhe und Frieden? [2]Du hast sie eingepflanzt, und sie haben Wurzeln geschlagen; sie wachsen und bringen Frucht. Ständig führen sie deinen Namen im Mund, aber ihr Herz ist weit von dir entfernt. [3]Herr, du kennst mich ganz genau, du siehst mich und weißt, dass mein Herz dir gehört. Herr, lass diese Menschen sterben wie Schafe, die geschlachtet werden! Sie dürfen dem Todesurteil nicht entgehen!

[4]Wie lange soll die Dürre in unserem Land noch dauern? Das Gras ist längst vertrocknet, das Vieh ist verendet, und die Vögel sind fortgezogen. Dies alles geschah wegen der Bosheit der Menschen. Sie sagen: »Gott sieht doch gar nicht, was wir tun.«

[5]Gott sprach zu mir: »Wenn du schon mit Fußgängern kaum Schritt halten kannst, wie willst du dann mit Pferden um die Wette laufen? Und wenn du dich nur im friedlichen Land sicher fühlst, was willst du dann erst im gefährlichen Dickicht am Jordan tun? [6]Denn sogar deine Brüder und andere Verwandte haben dich betrogen und verleumden dich hinter deinem Rücken. Trau ihnen nicht, selbst wenn sie freundlich mit dir reden!«

Gott klagt über sein Land

[7]»Ich habe Israel aufgegeben; das Volk, das ich liebte, habe ich verstoßen und es seinen Feinden ausgeliefert. [8]Mein eigenes Volk hat sich gegen mich gewandt, es führte sich auf wie ein brüllender Löwe, darum hasse ich es! [9]Nun sind sie wie ein bunter Vogel, über dem Raubvögel kreisen und auf ihn herabstoßen. Auf, bringt alle wilden Tiere her, damit sie mein Volk fressen! [10]Viele fremde Hirten sind durch meinen Weinberg gezogen und haben ihn zerstört, meine Felder haben sie zertrampelt und meinen schönen Acker zur Einöde gemacht. [11]Ja, das ganze Land ist verwüstet; kahl und einsam liegt es da vor meinen Augen. Es ist zur Einöde geworden, aber niemand kümmert sich darum.

[12]Über die kahlen Hügel in der Wüste rücken die Eroberer heran. Denn ich, der Herr, habe einen Krieg ausbrechen lassen, der die Bewohner des ganzen Landes ausrottet; niemand bleibt davon verschont.

[13]Dieses Volk hat Weizen gesät, aber

11,19 Jes 53,7 **11,20** 15,15; 17,18 **11,21–22** 1,1; Am 2,12* **12,1** Hiob 21,7–15 **12,2** Jes 29,13 **12,4** 14,1–6; 23,10 **12,6** 9,3 **12,10** 6,3; Jes 5,1–7*

Dornen geerntet. Alle Mühe war umsonst: Sie konnten sich nicht über die Ernte freuen – mein glühender Zorn hat alles vernichtet.«

Gottes Botschaft für die Nachbarvölker

[14]So spricht der Herr: »Die Nachbarvölker, die das Land zerstören, das ich meinem Volk Israel gegeben habe, werde ich aus ihrer Heimat fortjagen, ebenso wie das Volk von Juda. [15]Aber nachdem ich sie vertrieben habe, werde ich mit ihnen Erbarmen haben und jedes Volk wieder in sein Land und in seine Heimat zurückbringen. [16]Und wenn diese Völker den Glauben der Israeliten von ganzem Herzen annehmen, wenn sie in meinem Namen schwören: ›So wahr der Herr lebt!‹, wie sie früher Israel gelehrt haben, im Namen Baals zu schwören, dann dürfen sie mitten unter meinem Volk wohnen. [17]Wenn aber ein Volk nicht auf mich hören will, reiße ich es mitsamt der Wurzel aus und lasse es zugrunde gehen. Darauf gebe ich, der Herr, mein Wort.«

Der verrottete Gürtel

13 Der Herr sprach zu mir: »Kauf dir einen Gürtel aus Leinen, binde ihn dir um und sorg dafür, dass er nicht nass wird!« [2]Ich kaufte einen Gürtel und legte ihn an. [3]Da gab mir der Herr einen neuen Auftrag: [4]»Geh mit deinem neuen Gürtel an den Euphrat, und versteck ihn dort in einer Felsspalte!« [5]Ich tat, was der Herr mir gesagt hatte, ging zum Euphrat und versteckte den Gürtel dort. [6]Nach langer Zeit sprach der Herr zu mir: »Geh wieder an den Euphrat, und hol den Gürtel, den du auf meinen Befehl dort versteckt hast!« [7]Da wanderte ich wieder zum Euphrat und holte den Gürtel aus seinem Versteck hervor. Er war verrottet und zu nichts mehr zu gebrauchen.

[8]Der Herr sprach zu mir: [9]»Genauso werde ich den Hochmut der Bewohner von Jerusalem und ganz Juda zunichte machen. [10]Sie sind ein boshaftes Volk, das sich weigert, auf mich zu hören, und tut, wozu sein Eigensinn es treibt. Anderen Göttern laufen sie nach, dienen ihnen und beten sie an – darum werden sie diesem Gürtel gleichen, der zu nichts mehr zu gebrauchen ist! [11]Wie sich ein Mann seinen Gürtel umlegt, so wollte ich, der Herr, mich mit Israel und Juda schmücken. Mein Volk sollten sie sein, meinen Namen bekannt machen, mir Lob und Ehre bringen – doch sie haben mir nicht gehorcht!«

Die Weinkrüge sind voll

[12]»Sag ihnen: So spricht der Herr, der Gott Israels: Weinkrüge müssen voll sein. Wenn sie dir entgegnen: ›Wer weiß das nicht, dass Weinkrüge voll sein müssen?‹, [13]dann antworte: Der Herr kündigt euch an: Die Bewohner dieses Landes, die Könige, die Davids Nachfolger sind, die Priester und Propheten, ja, alle Einwohner von Jerusalem – sie sind die Krüge, und ich werde sie mit Wein füllen, bis sie betrunken sind! [14]Und dann schlage ich sie gegeneinander, so dass einer am anderen zerbricht, die Väter und die Söhne. Ich werde kein Mitleid mit ihnen haben und sie nicht schonen, sondern sie erbarmungslos zerschmettern. Darauf gebe ich, der Herr, mein Wort.«

Die Schrecken der Gefangenschaft

[15]Der Herr hat zu euch gesprochen, seid nicht überheblich, sondern hört genau zu, und nehmt es euch zu Herzen! [16]Ehrt den Herrn, euren Gott, bevor er die Nacht hereinbrechen lässt und ihr in der Dämmerung auf den Hügeln umherstolpert, ehe er das Licht, auf das ihr wartet, in tiefe Nacht und hoffnungslose Dunkelheit verwandelt. [17]Doch wenn ihr seine Warnungen in den Wind schlagt, werde ich

12,14 10,25 **12,16** 3,17 **13,11** 33,9 **13,13** 25,27; Jes 29,9–10; Hes 23,31–34 **13,16** Jes 59,9; Am 8,9 **13,17** 8,23

heimlich über euren Hochmut weinen; dann kann ich meine Tränen nicht mehr zurückhalten, weil Gottes Volk, seine Herde, in die Gefangenschaft getrieben wird.

[18] Der Herr sagt: »Richtet dem König und seiner Mutter aus: Steigt herab vom Thron, und setzt euch auf den Boden, denn die Zeit eurer glanzvollen Herrschaft ist vorbei! [19] Die Städte im Süden Judas werden belagert, und niemand kann zu ihnen durchkommen. Ganz Juda wird in die Gefangenschaft verschleppt.

[20] Jerusalem, siehst du, wie deine Feinde von Norden her kommen? Was soll nun aus deiner Herde werden, die du beschützen solltest und auf die du so stolz warst? [21] Was wirst du sagen, wenn ich die als Herren über dich einsetze, die du für deine Freunde hieltest? Schmerzen werden dich überfallen wie die Wehen eine schwangere Frau. [22] Und wenn du dich dann fragst: ›Warum trifft mich dieses Unheil?‹, dann sollst du wissen: Wegen deiner unzähligen Sünden reißt man dir jetzt dein Kleid hoch und vergewaltigt dich.

[23] Ich, der Herr, sage dir: Kann ein Schwarzer etwa seine Hautfarbe wechseln oder ein Leopard sein geflecktes Fell? Genauso wenig kannst du Gutes tun, die du ans Böse gewöhnt bist! [24] Zerstreuen werde ich deine Einwohner wie Spreu im Wüstenwind!

[25] Dieses Los erwartet dich, das ist der gerechte Lohn, den ich dir gebe, weil du mich vergessen und falschen Göttern geglaubt hast. [26] Darum werde auch ich dir jetzt das Kleid hochreißen, hoch bis über dein Gesicht, damit alle dich nackt sehen. [27] Dein ständiges Ehebrechen, dein aufreizendes Lachen und deine schamlose Hurerei: Das alles ist mir nicht entgangen! Auf den Hügeln und Feldern hast du abscheuliche Götzen verehrt. Ich warne dich, Jerusalem! Du willst nicht damit aufhören – wie lange soll es noch so weitergehen?«

Die große Dürre

14 Der Herr sprach zu Jeremia während der großen Dürre:

[2] »Das Land Juda trauert, seine Städte leiden Not, verzweifelt sitzen die Menschen auf der Erde, und in Jerusalem hört man lautes Klagen. [3] Die Reichen schicken ihre Diener los, um Wasser zu holen. Sie gehen zu den Zisternen, aber alle sind ausgetrocknet. Mit leeren Krügen kehren sie zurück, enttäuscht und traurig verhüllen sie ihr Gesicht. [4] Und auch die Bauern verhüllen ihr Gesicht in Trauer; der Boden zeigt tiefe Risse, weil der Regen so lange ausbleibt. [5] Die Hirschkuh verlässt ihr Junges gleich nach der Geburt, weil sie kein Futter findet. [6] Die Wildesel stehen auf den kahlen Höhen, sie schnappen nach Luft wie Schakale und verenden, weil nirgendwo mehr Gras wächst.«

[7] Herr, unsere Sünden klagen uns an, doch hilf uns und mach deinem Namen Ehre! Wir haben dir oft die Treue gebrochen, gegen dich haben wir gesündigt. [8] Du bist Israels einzige Hoffnung, sein Retter in Zeiten der Not. Warum verhältst du dich wie ein Fremder bei uns im Land, wie ein Wanderer, der nur für eine Nacht bleibt? [9] Warum bist du wie ein Soldat, der überwältigt wurde und niemandem mehr helfen kann? Du wohnst doch mitten unter uns! Wir tragen deinen Namen. Herr, verlass uns nicht!

Bete nicht mehr für dieses Volk!

[10] Aber der Herr antwortete mir: »Dieses Volk liebt es, mir davonzulaufen, sie wollen einfach nicht bei mir bleiben. Darum finde ich kein Gefallen mehr an ihnen, ich verschone sie nicht mehr, sondern ziehe sie für ihre Sünden zur Rechenschaft.« [11] Und weiter sprach der Herr zu mir: »Jeremia, bete nicht mehr für das Wohl dieses Volkes! [12] Wenn sie auch fasten und mich um Gnade anflehen, werde ich sie

13,18 2 Kön 24,10–16 **13,20** 1,13–15* **13,21** 2 Kön 20,12–13 **13,23** 17,1 **13,25** 2,13 **13,27** 2,20
14,1 12,4 **14,3–4** 2 Sam 15,30 **14,7** Dan 9,4–9 **14,8** 17,13 **14,11** 7,16 **14,12** 6,20; 7,21–22

doch nicht erhören. Wenn sie mir Brand- und Speiseopfer bringen, nehme ich ihre Opfer nicht an; nein, ich werde sie auslöschen durch Kriege, Hungersnot und Seuchen.«

[13]»Aber Herr«, erwiderte ich, »die Propheten reden ihnen ein: ›Ihr werdet keinen Krieg und keine Hungersnot erleben. Der Herr wird unserem Land bleibenden Frieden geben.‹«

[14]Doch der Herr sprach zu mir: »Was diese Propheten in meinem Namen verkünden, ist nichts als Lüge! Ich habe sie weder beauftragt noch gesandt, kein Wort habe ich mit ihnen geredet! Erlogene Visionen geben sie euch weiter, trügerische Wahrsagerei und ihre eigenen Wunschgedanken. [15]Das sage ich, der Herr, über diese Propheten, die in meinem Namen auftreten: Ich habe sie nicht gesandt, und doch behaupten sie: ›Weder Krieg noch Hungersnot wird dieses Land je treffen!‹ Genau diese Propheten werden im Krieg umkommen oder vor Hunger sterben! [16]Und die Menschen, denen sie geweissagt haben, werden auf den Straßen von Jerusalem liegen, verhungert oder vom Schwert durchbohrt: Männer, Frauen und Kinder, niemand wird sie begraben. Ihre Bosheit werde ich ihnen reichlich vergelten.«

Herr, vergib uns, wir haben gesündigt!

[17]Der Herr befahl mir: »Verheimliche ihnen deine Trauer nicht! Sag ihnen: ›Ich weine hemmungslos, meine Tränen fließen Tag und Nacht. Denn mein Volk ist schwer verwundet, zerschlagen liegt es am Boden. [18]Wenn ich hinaus aufs Land gehe, sehe ich die Leichen daliegen – vom Schwert durchbohrt; gehe ich zurück in die Stadt, sehe ich verhungernde Menschen. Die Priester und Propheten werden in ein Land verschleppt, das sie nicht einmal kennen.‹«

[19]Herr, hast du Juda aufgegeben? Verabscheust du Jerusalem, die Stadt auf dem Berg Zion? Warum hast du uns so verwundet, dass wir nicht mehr gesund werden? Wir hofften, alles werde wieder gut – doch vergeblich! Wir dachten, die Wunden unseres Volkes würden heilen – aber wir erleben nichts als Schrecken!

[20]Herr, gegen dich haben wir gesündigt, wir bekennen dir unsere Schuld und die Schuld unserer Vorfahren. [21]Herr, verstoß uns jetzt nicht, es geht doch um deine Ehre! Gib den Tempel, deinen herrlichen Thron, nicht dem Gespött preis! Denk an den Bund, den du mit uns geschlossen hast, und brich ihn nicht! [22]Kein Götze der Heiden kann uns helfen, keiner kann Regen bringen, und auch der Himmel gibt den Regen nicht von selbst. Nein, du bist es, Herr, unser Gott! Du hast alles geschaffen. Darum hoffen wir auf dich!

Zu spät!

15 Der Herr sprach zu mir: »Selbst wenn Mose und Samuel jetzt vor mir stünden und um Gnade flehten, würde ich sie nicht erhören. Ich habe kein Herz mehr für dieses Volk! Vertreib sie aus meiner Nähe, fort mit ihnen! [2]Und wenn sie dich fragen: ›Wohin sollen wir gehen?‹, dann antworte: So spricht der Herr: Wer für die Pest bestimmt ist, der sterbe an der Pest![a] Wer für das Schwert bestimmt ist, der sterbe durchs Schwert! Wer für den Hungertod bestimmt ist, der sterbe an Hunger, und wer für die Gefangenschaft bestimmt ist, der ziehe in die Gefangenschaft! [3]Mit vierfachem Verderben will ich sie strafen: mit dem Schwert, das die Menschen umbringt, mit Hunden, die die Leichen fortzerren, mit wilden Tieren und Raubvögeln, die den Rest fressen, bis nichts mehr übrig ist. Darauf gebe ich, der Herr, mein

---

[a] Wörtlich: Wer für den Tod bestimmt ist, der soll sterben.

14,13 6,14; 28,1–4 **14,14** 23,21–22; 27,15 **14,17** 8,23 **14,19** 8,15 **14,21** 17,12 **14,22** Hiob 38,34–38
15,1 2 Mo 32,11; 1 Sam 7,9; Ps 99,6; Hes 14,14.20 **15,2** 43,11; Hes 5,2.12 **15,3** Hes 14,21

Wort! [4]Ich mache sie zum Bild des Schreckens für alle anderen Königreiche, weil Manasse, der Sohn Hiskias, damals gegen mich gesündigt hat, als er König von Juda in Jerusalem war.

[5]Jerusalem, wer wird Mitleid mit dir haben und mit dir trauern? Wer wird dich besuchen, um zu fragen, wie es dir geht? [6]Mich, deinen Herrn, hast du abgelehnt und mir den Rücken gekehrt. Darum erhebe ich meine Hand, um dich niederzuschlagen. Ich bin es müde, Erbarmen mit dir zu haben.

[7]Mein Volk, aus den Städten des Landes werde ich euch hinauswerfen wie einer, der mit der Schaufel das Getreide in die Luft wirft, damit der Wind Spreu und Weizen trennt. Ich werde euch eurer Kinder berauben und euch vernichten, weil ihr von euren falschen Wegen nicht umkehren wollt. [8]Es wird bei euch mehr Witwen geben als Sand am Meer. Über die Mütter der Soldaten lasse ich am hellen Tag Tod und Verderben kommen, plötzlich werden sie von Angst und Schrecken überwältigt. [9]Eine Mutter, die sieben Kinder hatte, wird vom Kummer verzehrt. Ihr ist nichts mehr geblieben, woran sie sich freuen könnte. Jede Hoffnung hat sie verloren, und an diesem Schmerz ist sie zerbrochen. Wer noch übrig bleibt, den liefere ich dem Schwert des Feindes aus. Darauf könnt ihr euch verlassen!«

Jeremia leidet unter seiner Aufgabe

[10]Ich unglücklicher Mensch! Warum bin ich überhaupt geboren? Jeder im Land streitet mit mir und bekämpft mich. Ich habe niemals Geld gegen Wucherzinsen verliehen und schulde niemandem etwas. Trotzdem verfluchen mich alle! [11]Da antwortete der Herr: »Ich werde dich bewahren und dafür sorgen, dass alles für dich ein gutes Ende nimmt. Das verspreche ich dir. Deine Verfolger werden in Not und Bedrängnis geraten und dich anflehen.

[12]Denn es wird ein mächtiger Feind aus dem Norden kommen, unüberwindlich wie eine Mauer aus Eisen und Bronze.[a] [13]Den Besitz und die Schätze dieses Volkes gebe ich zur Plünderung frei wegen ihrer Sünden, die sie im ganzen Land begangen haben. [14]Sie werden ihren Feinden dienen müssen in einem fremden Land. Denn mein Zorn ist wie ein Feuer, das sie verbrennt.«

[15]Herr, du siehst doch alles! Denk an mich, und setz dich für mich ein! Lass meine Feinde ihre gerechte Strafe bekommen. Halte deinen Zorn gegen sie nicht länger zurück, sonst komme ich noch um! Du weißt doch, dass sie mich deinetwegen beschimpfen. [16]Immer wenn du mit mir sprachst, nahm ich deine Worte mit großem Verlangen auf. Ja, dein Wort ist meine Freude und mein Glück, denn ich gehöre dir, Herr, allmächtiger Gott. [17]Nie saß ich fröhlich mit anderen Menschen zusammen, ich konnte nicht mit ihnen lachen. Nein, einsam war ich, weil deine Hand auf mir lag; dein Zorn über dieses Volk hatte auch mich gepackt. [18]Warum hören meine Schmerzen nicht auf? Warum wollen meine Wunden nicht heilen? Du hast mich enttäuscht, du bist wie ein Bach, der versiegt.

[19]Da antwortete der Herr: »Kehr um zu mir, dann nehme ich dich wieder in meinen Dienst. Wenn du nicht leichtfertig daherredest, sondern das sagst, was Wert hat, wirst du mein Bote bleiben. Das Volk soll wieder auf dich hören, du aber höre nicht auf sie! [20]Ich werde dich ihnen gegenüber stark machen wie eine Mauer aus Bronzeplatten. Sie werden dich bekämpfen – doch ohne Erfolg, denn ich bin bei dir und werde dich retten und bewahren. Ich, der Herr, verspreche es dir. [21]Aus der Hand boshafter und ge-

---

[a] Wörtlich: Kann man Eisen durchbrechen, Eisen aus dem Norden, oder Bronze?

15,4 2 Kön 21,1–16; 24,3–4 **15,7** Mt 3,12 **15,10** 11,21–22; Hiob 3,1 **15,11** 1,8 **15,12** 1,13–15* **15,15** 17,18 **15,16** Ps 119,111 **15,17** 16,8; Ps 69,9* **15,18** Hiob 6,15–20 **15,20** 1,8.18 **15,21** 26,24; 36,26; 38,10–13

walttätiger Menschen werde ich dich befreien.«

Niemand wird um euch trauern!

16 Der Herr sprach zu mir: [2]»In einem Land wie diesem sollst du nicht heiraten und keine Kinder haben! [3]Denn höre, was ich über die Kinder sage, die hier geboren werden, und über ihre Mütter und Väter: [4]An unheilbaren Krankheiten werden sie alle sterben, niemand wird um sie trauern und sie begraben – sie bleiben wie Dünger auf der Erde liegen. Durch Krieg und Hunger kommen sie um, Aasgeier und wilde Tiere werden ihre Leichen fressen.

[5]Ich, der Herr, sage dir: Betritt kein Trauerhaus, sprich niemandem dein Beileid aus, trauere nicht mit ihnen, denn ich werde diesem Volk keinen Frieden mehr geben und nicht mehr gnädig und barmherzig mit ihnen umgehen. [6]Reiche und Arme werden hier sterben, doch niemand wird sie begraben, keiner wird sich aus Trauer um sie die Haut einritzen oder den Kopf kahl scheren. [7]Und wenn jemand Vater oder Mutter verloren hat, so wird man nicht einmal mit ihm essen und trinken, um ihn zu trösten. [8]Betritt auch kein Haus, in dem ein Fest gefeiert wird, setz dich nicht zu den Gästen, um mit ihnen zu essen und zu trinken! [9]Denn ich, der Herr, der allmächtige Gott Israels, sage: Ich bereite allem Jubel und aller Freude ein Ende, es wird auch keine fröhlichen Hochzeitsfeiern mehr geben. Noch zu euren Lebzeiten und vor euren Augen wird das geschehen!

[10]Wenn du ihnen dies verkündigt hast, werden sie fragen: ›Warum spricht der Herr dieses harte Urteil über uns? Was haben wir getan? Womit haben wir gegen den Herrn, unseren Gott, gesündigt?‹ [11]Dann antworte: Schon eure Vorfahren haben mich, den Herrn, verlassen; anderen Göttern liefen sie nach, sie dienten ihnen und warfen sich vor ihnen nieder. Von mir wollten sie nichts mehr wissen, meine Weisungen schlugen sie in den Wind. [12]Und ihr treibt es noch schlimmer als sie! Keiner von euch will auf mich hören, jeder tut, was sein böses und eigensinniges Herz ihm eingibt. [13]Darum jage ich euch fort aus eurer Heimat in ein Land, in dem weder ihr noch eure Vorfahren je gewesen seid. Dort müsst ihr Tag und Nacht fremden Göttern dienen, denn ich werde euch nicht mehr gnädig sein.«

Israel und die anderen Völker werden den Herrn erkennen

[14]So spricht der Herr: »Es kommt der Tag, an dem man beim Schwören nicht mehr sagt: ›So wahr der Herr lebt, der Israel aus Ägypten geführt hat‹, [15]sondern: ›So wahr der Herr lebt, der Israel aus dem Land im Norden zurückgebracht hat und aus allen anderen Ländern, in die er sie vertrieb.‹ Ja, ich werde sie wieder in ihre Heimat bringen, in das Land, das ich ihren Vorfahren geschenkt habe.

[16]Aber jetzt schicke ich, der Herr, viele Fischer los, die mein Volk fangen sollen; danach lasse ich viele Jäger kommen, damit sie mein Volk auf allen Bergen und Hügeln jagen und sie aus jedem Felsversteck hervorholen. [17]Denn ich sehe alles, was sie tun, sie können sich nicht vor mir verbergen. Ihre ganze Schuld liegt offen vor mir. [18]Nun werde ich sie für ihre schweren Sünden ohne Mitleid strafen, denn sie haben mein Land mit ihren leblosen Götzenstatuen entweiht und überall ihre abscheulichen Figuren aufgestellt.«

[19]Herr, du bist meine Stärke und mein Schutz! In der Bedrängnis fliehe ich zu dir. Auch die fremden Völker aus aller Welt werden zu dir kommen und bekennen: »Unsere Vorfahren dienten wertlosen Götzen, die nicht helfen können

---

16,4 9,21; 14,16 **16,5** Hes 24,15–17 **16,6** 3 Mo 19,27–28 **16,7** Hes 24,22 **16,8** 15,17 **16,9** 7,34; 33,10–11 **16,12** 7,26 **16,14–15** 23,7–8; Jes 43,16–21 **16,16** Hes 12,13; Am 4,2; Hab 1,14–15 **16,17** 32,19; Hiob 34,21 **16,18** 3 Mo 18,24–28 **16,19–20** Jes 45,22–24*

und ein großer Betrug sind. [20]Kann ein Mensch sich überhaupt selbst Götter machen? Sie können doch niemals echte Götter sein!«

[21]So spricht der Herr: »Diesmal lasse ich die Völker meine Macht erfahren! Ich führe ihnen meine Stärke vor Augen, damit sie erkennen, dass ich allein der Herr bin.«

Glücklich ist, wer mir vertraut

17 »Volk von Juda, eure Sünde ist tief in euer Herz und auf die Ecken eurer Altäre geschrieben. Unauslöschlich ist sie eingraviert, wie von einem Eisengriffel mit Diamantenspitze. [2]Selbst eure Kinder denken schon an die Opferaltäre und an die Pfähle, die der Göttin Aschera geweiht sind. Unter den dicht belaubten Bäumen, auf den hohen Hügeln [3]und auf den Bergen – überall habt ihr sie aufgestellt. Darum gebe ich euren Besitz und eure Schätze den Feinden zur Plünderung preis,[a] ebenso all eure Opferstätten, denn im ganzen Land habt ihr dort gegen mich gesündigt.

[4]Ich hatte euch dieses Land für immer geschenkt; doch ihr werdet es wieder verlieren, und daran seid ihr selbst schuld! In einem Land, das ihr nicht kennt, werdet ihr euren Feinden dienen müssen. Denn ihr habt meinen Zorn herausgefordert, er brennt wie ein unauslöschliches Feuer.

[5]Ich, der Herr, sage: Mein Fluch lastet auf dem, der sich von mir abwendet, seine Hoffnung auf Menschen setzt und nur auf menschliche Kraft vertraut. [6]Er ist wie ein Dornstrauch in der Wüste, der vergeblich auf Regen wartet. Er steht in einem dürren, unfruchtbaren Land, wo niemand wohnt. [7]Doch ich segne jeden, der mir ganz und gar vertraut. [8]Er ist wie ein Baum, der nah am Bach steht und seine Wurzeln zum Wasser streckt: Die Hitze fürchtet er nicht, denn seine Blätter bleiben grün. Auch wenn ein trockenes Jahr kommt, sorgt er sich nicht, sondern trägt Jahr für Jahr Frucht.

[9]Nichts ist so undurchschaubar wie das menschliche Herz, es ist unheilbar krank. Wer kann es ergründen? [10]Ich, der Herr, durchschaue es; ich kenne jeden Menschen ganz genau und gebe ihm, was er für seine Taten verdient.

[11]Wer auf unehrliche Weise zu Reichtum gekommen ist, gleicht einem Vogel, der Eier ausbrütet, die er nicht gelegt hat. In der Mitte seines Lebens wird er seinen Reichtum verlieren, und am Ende steht er als Narr da!«

[12]Unser Tempel ist der herrliche Thron Gottes, seit jeher hoch erhaben. [13]Herr, du bist die Hoffnung Israels! Wer dich verlässt, der wird scheitern. Wer sich von dir abwendet, dessen Name vergeht so schnell wie ein Wort, das man in den Sand schreibt. Denn er hat dich verlassen, die Quelle mit frischem Wasser.

Herr, du hast mich berufen – hilf mir jetzt!

[14]Heile du mich, Herr, dann werde ich geheilt, hilf mir, dann ist mir geholfen! Ich preise dich allein! [15]Immer wieder fragen sie mich: »Wo bleibt das Unheil, das der Herr uns angedroht hat? Soll es doch eintreffen!« [16]Herr, du hast mich zum Hirten deines Volkes berufen, und diesem Auftrag bin ich nicht ausgewichen. Ich habe ihnen nie den Untergang gewünscht – das weißt du! Alles, was ich verkündigt habe, ist dir bekannt. [17]Stürze mich nicht in Angst und Schrecken! Bei dir suche ich Zuflucht, wenn das Unheil hereinbricht. [18]Bring Schande über meine Verfolger, aber nicht über mich! Sorg dafür, dass sie das Entsetzen packt, doch mich verschone! Lass den Tag des Unheils über sie hereinbrechen, sie sollen vom Erdboden verschwinden!

---

[a] So mit einigen alten Übersetzungen. Der hebräische Text lautet: Unter den dicht belaubten Bäumen und auf den hohen Hügeln habt ihr sie aufgestellt. Meinen Berg im Land, euren Besitz und eure Schätze gebe ich der Plünderung preis.

17,1 2,22; 6,29; 13,23; 3 Mo 16,18–19 **17,5–8** Ps 118,8–9; 146,3; Spr 3,5–6; Jes 31,1–3 **17,7–8** Ps 1,3 **17,9–10** Ps 26,2* **17,11** Lk 12,20 **17,13** 2,13 **17,15** Jes 5,19; Hes 12,22; 2 Petr 3,4 **17,18** 11,18–20

Der Sabbat – ein heiliger Tag der Ruhe

[19] Der Herr sprach zu mir: »Stell dich ans Volkstor, durch das die Könige von Juda ein- und ausziehen! Stell dich auch an die anderen Stadttore von Jerusalem [20] und ruf: Hört die Botschaft des Herrn, ihr Könige von Juda, ihr Bewohner von Jerusalem und ganz Juda, die ihr durch diese Tore geht!

[21] So spricht der Herr: Wenn euch euer Leben lieb ist, dann hütet euch davor, am Sabbat irgendeine Last durch diese Tore hereinzutragen! [22] Tragt an diesem Tag nichts aus euren Häusern, verrichtet am Sabbat keine Arbeit, sondern ehrt ihn als heiligen Tag. So habe ich es euren Vorfahren befohlen, [23] aber sie gehorchten mir nicht, ja, sie hörten nicht einmal hin! Sie haben sich stur gestellt und wollten sich nichts sagen lassen.

[24] Ich, der Herr, verspreche euch: Wenn ihr wirklich auf mich hört und am Sabbat keine Lasten durch die Tore dieser Stadt tragt, wenn ihr diesen Tag als heilig achtet und keine Arbeit verrichtet, [25] dann werden durch diese Tore weiterhin Könige einziehen, die Davids Nachfolger sind. Mit Pferden und Wagen werden sie in die Stadt kommen, begleitet von den führenden Männern und den Bewohnern Judas und Jerusalems. Dann wird diese Stadt für immer bewohnt bleiben. [26] Aus dem ganzen Land werden Menschen hierher kommen: aus den Städten von Juda und den Dörfern um Jerusalem, aus dem Gebiet von Benjamin, vom Hügelland an der Westküste, aus dem Bergland und vom Negev. Sie werden ihre Opfer zum Tempel bringen: Brand- und Schlachtopfer, Speiseopfer, Weihrauch und Dankopfer. [27] Wenn ihr aber mein Gebot nicht befolgt, wenn ihr den Sabbat nicht als heilig achtet, sondern Lasten durch die Stadttore Jerusalems hereintragt, dann werde ich in den Toren ein Feuer entfachen, das die Paläste der Stadt verzehrt. Keiner kann dieses Feuer löschen!«

Ich bin der Töpfer, ihr seid der Ton

18 Der Herr sprach zu mir: [2] »Geh hinab zum Haus des Töpfers, dort werde ich dir eine Botschaft geben!« [3] Ich ging dorthin und sah, wie der Töpfer gerade ein Gefäß auf der Scheibe drehte. [4] Doch es misslang ihm. Er nahm den Ton und formte ein neues Gefäß daraus, das ihm besser gefiel.

[5] Da sprach der Herr zu mir: [6] »Volk Israel, kann ich mit euch nicht genauso umgehen wie dieser Töpfer mit dem Ton? Ihr seid in meiner Hand wie Ton in der Hand des Töpfers! [7] Wenn ich einem Volk oder Königreich androhe, es auszureißen und zu vernichten, [8] dieses Volk sich aber von seiner Bosheit abwendet, dann werde ich meinen Entschluss ändern – ich lasse das angedrohte Unheil nicht über sie hereinbrechen. [9] Doch wenn ich einem Volk oder Königreich zusage, es einzupflanzen und aufzubauen, [10] dieses Volk aber Böses tut und nicht auf mich hört, dann lasse ich das Gute, das ich vorausgesagt habe, nicht geschehen.

[11] Verkünde den Bewohnern von Jerusalem und ganz Juda: So spricht der Herr: Ich lasse Unheil über euch hereinbrechen und plane Böses gegen euch. Kehrt um von euren falschen Wegen, jeder von euch soll sein Leben von Grund auf ändern. [12] Aber sie werden entgegnen: ›Spar dir die Worte! Wir machen, was wir wollen – und sei es noch so eigensinnig und böse!‹«

Schnell hat mein Volk mich vergessen!

[13] So spricht der Herr: »Fragt doch die anderen Völker, ob es so etwas schon gegeben hat: Mein Volk Israel hat etwas Abscheuliches getan! [14] Taut jemals der Schnee auf den felsigen Gipfeln des Liba-

17,19–27 Neh 13,15–22 **17,21–22** 2 Mo 20,8–11* **17,24–27** 22,3–5 **18,6** Jes 45,9* **18,7–10** 1,10; Hes 33,13–16 **18,11** 7,3 **18,12** 2,25; 22,21 **18,13–15** 2,10–13

non? Hört das Wasser auf zu fließen, das aus fernen Quellen kommt? [15] Mein Volk aber hat mich vergessen! Sie bringen Räucheropfer den Götzen dar, die ihnen nicht helfen können, und das brachte sie zu Fall. Nun gehen sie nicht mehr die guten Wege, die sie seit alter Zeit kennen. Ihre Götter haben sie auf falsche und ungebahnte Wege geführt. [16] Darum wird ihr Land für alle Zeiten zu einem Ort des Grauens und zur Zielscheibe des Spottes. Wer an ihm vorbeizieht, schüttelt entsetzt den Kopf. [17] Wenn der Feind kommt, will ich mein Volk in alle Winde zerstreuen, so wie ein Sturm aus dem Osten den Staub davontreibt. Wenn das Unheil über sie hereinbricht, kehre ich ihnen den Rücken und komme ihnen nicht zu Hilfe.«

Herr, strafe meine Feinde!

[18] Die Israeliten berieten sich untereinander: »Wir müssen uns etwas einfallen lassen, um Jeremia loszuwerden! Es wird immer ein Priester da sein, der uns im Gesetz Gottes unterrichtet, wir werden immer genug Berater haben und Propheten, die uns Gottes Botschaft verkünden. Jeremia glauben wir nichts! Klagen wir ihn doch mit seinen eigenen Worten an!«

[19] Da betete ich: »Hilf mir, o Herr! Hör, was meine Ankläger gegen mich vorbringen! [20] Sie vergelten mir Gutes mit Bösem, eine Grube haben sie mir gegraben. Denk daran, wie ich bei dir für sie eingestanden bin und für sie gebetet habe, um deinen Zorn von ihnen abzuwenden. [21] Lass ihre Kinder verhungern und sie selbst durch das Schwert der Feinde umkommen! Die Frauen sollen ihre Kinder verlieren und zu Witwen werden! Lass die Männer den Tod finden, und die jungen Soldaten sollen im Kampf niedergemetzelt werden! [22] Lass Räuberbanden plötzlich über sie herfallen, damit man Schreie des Entsetzens in ihren Häusern hört! Denn sie haben mir eine Grube gegraben und mir Fallen gestellt.

[23] Herr, du kennst ihre finsteren Pläne gegen mich und ihre Mordgedanken. Vergib ihnen nicht ihre Schuld! Vergiss nicht, was sie getan haben! Bring sie vor deinen Augen zu Fall an dem Tag, wenn dein Zorn sie trifft!«

Der zerschmetterte Krug

19 Der Herr befahl mir: »Kauf dir beim Töpfer einen Tonkrug. Dann nimm einige von den Ältesten des Volkes und den Priestern mit, [2] und geh zum Scherbentor hinaus ins Hinnomtal! Dort sollst du verkünden, was ich dir sage! [3] Richte ihnen aus:

Hört die Botschaft des Herrn, ihr Könige von Juda und ihr Einwohner Jerusalems! So spricht der Herr, der allmächtige Gott Israels: Ich werde über diesen Ort so großes Unheil bringen, dass keiner es ertragen kann, davon zu hören. [4] Denn die Bewohner haben mich verlassen und diesen Ort ihren Götzen geweiht. Sie verbrennen Weihrauch für Götter, die weder sie noch ihre Vorfahren, noch die Könige von Juda gekannt haben. Dazu haben sie dieses Tal mit dem Blut unschuldiger Menschen getränkt. [5] Für den Gott Baal haben sie Opferstätten errichtet, wo sie ihm ihre Kinder verbrennen. Niemals habe ich so etwas befohlen, nie davon gesprochen, ja, nicht einmal daran gedacht!

[6] Darum hört nun, was ich sage: Es kommt die Zeit, in der man diesen Ort nicht mehr Hinnomtal oder Tofet, sondern Mordtal nennen wird! [7] An diesem Ort will ich die Pläne der Bewohner von Juda und Jerusalem vereiteln. Ich lasse sie ihren Todfeinden in die Hände fallen, und die werden sie umbringen. Ihre Leichen gebe ich den Geiern und Schakalen zum Fraß. [8] Ich mache diese Stadt zu einem Ort des Grauens und zur Zielscheibe des Spotts. Wer an ihr vorüber-

18,16 29,18 **18,18** 2,8; 11,18–19 **18,20** 14,19–21 **19,3** 1 Sam 3,11; 2 Kön 21,12 **19,5** 7,31; 3 Mo 18,21* **19,8** 18,16

zieht, wird entsetzt sein und sie verachten. [9] Wenn ihre Todfeinde die Stadt belagern, wird die Hungersnot darin so groß, dass die Einwohner ihre Kinder und schließlich auch sich gegenseitig essen werden.

[10] Nachdem du ihnen das angekündigt hast, sollst du den Tonkrug vor den Augen der Männer, die dich begleitet haben, zerschmettern [11] und sagen: So spricht der Herr, der allmächtige Gott: Ich will dieses Volk und diese Stadt zerschmettern wie den Tonkrug, den man nicht wiederherstellen kann. Man wird die Toten im Tofet begraben, weil anderswo der Platz fehlt. [12] Auch diese Stadt mache ich, der Herr, zu einem einzigen Leichenfeld! [13] Die Häuser in Jerusalem und die Paläste der Könige von Juda sollen dadurch unrein werden wie der Tofet: alle Häuser, auf deren Dächern man den Sternen Räucheropfer brachte und anderen Göttern Trankopfer ausgoss.«

[14] Nachdem Jeremia im Tofet die Botschaft des Herrn verkündet hatte, ging er in die Stadt zurück. Er stellte sich in den Tempelvorhof und rief den Menschen dort zu: [15] »So spricht der allmächtige Herr, der Gott Israels: ›Ich werde über diese Stadt und über die anderen Städte Judas all das Unheil bringen, das ich ihnen angedroht habe. Denn ihr weigert euch hartnäckig, auf meine Worte zu hören!‹«

Jeremia wird misshandelt

20 Als der Priester Paschhur, der Sohn Immers, ein Oberaufseher im Tempel, diese Weissagungen Jeremias hörte, [2] ließ er ihn schlagen und in einen Raum im oberen Benjamintor bringen, das zum Tempelbezirk führte. Dort schloss er Jeremias Hände und Füße in einen Holzblock ein.

[3] Am nächsten Morgen ließ Paschhur Jeremia wieder frei. Da sagte der Prophet zu ihm: »Der Herr nennt dich nicht mehr Paschhur, sondern Magor Missabib – ›Schrecken überall‹. [4] Denn so spricht der Herr: ›Ich mache dich zum Schrecken – für dich selbst und für all deine Freunde! Mit eigenen Augen wirst du sehen, wie sie durchs Schwert der Feinde umkommen. Ich liefere die Bewohner von ganz Juda dem König von Babylonien aus; er wird die einen in sein Land verschleppen und die anderen hinrichten lassen. [5] Den ganzen Reichtum dieser Stadt übergebe ich ihren Feinden: die wertvollen Gegenstände, den mühsam erworbenen Besitz und die Schätze der Könige von Juda. Alles wird geplündert und nach Babylon gebracht. [6] Dich, Paschhur, wird man samt deinen Hausbewohnern nach Babylonien in die Gefangenschaft führen. Dort wirst du sterben, und dort wird man dich begraben, dich und all deine Freunde, denen du hier falsche Prophetien verkündet hast!‹«

Herr, du hast den Kampf gewonnen!

[7] Herr, du hast mich überredet, und ich habe mich überreden lassen! Du bist stärker als ich und hast den Kampf gewonnen. Und nun werde ich lächerlich gemacht – tagaus, tagein; alle verhöhnen mich! [8] Denn sooft ich das Wort ergreife, schreie ich: »Gewalt und Zerstörung erwarten euch!« Deine Botschaft bringt mir nichts als Hohn und Spott. [9] Wenn ich mir aber vornehme: »Ich will nicht mehr an den Herrn denken und nicht länger in seinem Namen reden«, dann brennt dein Wort in meinem Herzen wie ein Feuer, ja, es glüht tief in mir. Ich habe versucht, es zurückzuhalten, aber ich kann es nicht! [10] Ich höre viele hinter meinem Rücken tuscheln: »Von ihm hört man nichts als Schreckensmeldungen! Zeigt ihn an, wir wollen ihn verklagen!« Alle, denen ich vertraut habe, lauern darauf, wann ich zu Fall gebracht werde.

19,9 3 Mo 26,29* **19,11** Jes 30,14 **19,12–13** 8,1–2 **20,2** 29,26 **20,4** 2 Kön 25,11.18–21 **20,5** 2 Kön 25,13–17 **20,6** 28,15–16 **20,7** 1,4–8; Hiob 30,9–10 **20,9** Am 3,8; 1 Kor 9,16 **20,10** 18,18; Mk 3,2

»Vielleicht lässt er sich hereinlegen, dann ist er in unserer Gewalt, und wir können uns an ihm rächen!«, sagen sie.

[11] Aber du, Herr, stehst mir bei wie ein mächtiger Held! Darum werden meine Feinde stürzen und nicht den Sieg davontragen. Nein, es wird ihnen niemals gelingen! Unvergesslich und groß wird ihre Schande sein! [12] Herr, allmächtiger Gott, du prüfst die Menschen, die dir dienen, du kennst sie ganz genau. Lass mich mit eigenen Augen sehen, wie du meine Feinde für ihre Bosheit bestrafst! Dir habe ich meinen Fall anvertraut. [13] Singt für den Herrn und lobt ihn! Denn er rettet den Armen aus der Gewalt boshafter Menschen.

Warum nur bin ich geboren?

[14] Verflucht sei der Tag, an dem ich geboren wurde; der Tag, an dem meine Mutter mich zur Welt brachte, soll für immer vergessen werden! [15] Verflucht sei der Mann, der meinem Vater die frohe Nachricht brachte: »Du hast einen Sohn bekommen!« [16] Es möge ihm ergehen wie den Städten, die der Herr erbarmungslos vernichtet hat! Schon am Morgen soll er Schreckensschreie hören und am Mittag Kriegsalarm! [17] Wäre ich doch im Mutterleib gestorben. Dann wäre meine Mutter mein Grab geworden und für immer schwanger geblieben! [18] Warum nur bin ich geboren? Um ein Leben zu führen, das mir nichts als Leid und Elend bringt? Um jeden Tag nur Schimpf und Schande zu ernten?

Die Babylonier werden Jerusalem erobern

21 [1/2] König Zedekia sandte Paschhur, den Sohn Malkijas, und den Priester Zefanja, den Sohn Maasejas, zu Jeremia. Sie sollten ihm mitteilen: »Nebukadnezar, der König von Babylonien, führt Krieg gegen uns. Befrage doch den Herrn und bitte ihn, ob er nicht ein Wunder für uns tut wie schon so oft und Nebukadnezar zum Abzug zwingt!«

Da empfing Jeremia eine Botschaft vom Herrn. [3] Er sagte zu den Männern, sie sollten Zedekia ausrichten: [4] »So spricht der Herr, der Gott Israels: ›Noch kämpft ihr vor den Stadttoren gegen Nebukadnezar und die Babylonier, die Jerusalem belagern. Doch ich werde euch zwingen, euch in die Stadt zurückzuziehen und die Waffen niederzulegen. [5] Ich selbst werde erbarmungslos gegen euch kämpfen mit meiner starken Hand und aller Kraft, ihr werdet meinen Zorn in seiner ganzen Schärfe zu spüren bekommen. [6] Ich werde alle ausrotten, die in dieser Stadt leben, Mensch und Tier! An einer schweren Seuche sollen sie sterben. [7] König Zedekia von Juda werde ich in die Gewalt des babylonischen Königs Nebukadnezar geben, zusammen mit seinen obersten Beamten und den Einwohnern der Stadt, die von Seuchen, Hunger und dem Schwert der Feinde verschont geblieben sind. Ihren Todfeinden werden sie in die Hände fallen. Nebukadnezar wird sie allesamt hinrichten lassen, ohne Gnade und Erbarmen. Darauf gebe ich, der Herr, mein Wort.

[8] Sag diesem Volk: So spricht der Herr: Ihr habt die Wahl zwischen Leben und Tod! [9] Wer in dieser Stadt bleibt, wird entweder im Kampf fallen, verhungern oder an einer Seuche sterben. Wer aber die Stadt verlässt und sich den Babyloniern, die euch belagern, ergibt, wird wenigstens sein Leben retten.

[10] Ich, der Herr, bin fest entschlossen, diese Stadt nicht zu verschonen, sondern sie ins Unglück zu stürzen. Der König von Babylonien wird sie erobern und niederbrennen lassen.‹«

[11] Der Herr gab mir den Auftrag, dem judäischen Königshaus eine Botschaft auszurichten:

[12] »Hört, was der Herr euch sagt, ihr Nachkommen Davids: ›Sprecht jeden

---

20,12 Ps 59,5* **20,14** 15,10; Hiob 3,3–16; 10,18–19 **21,1–2** 52,3–5; 2 Kön 19,35–36 **21,5** 5 Mo 4,34* **21,7** 39,1–10 **21,8** 5 Mo 30,15 **21,9** 38,2 **21,12** 22,3; Ps 72,1–4.12–14

Tag gerechte Urteile! Helft den Menschen, die beraubt und unterdrückt werden! Doch wenn ihr weiterhin Böses tut, fordert ihr meinen Zorn heraus. Er brennt wie ein Feuer, das niemand löschen kann.

[13] Jerusalem, du thronst auf dem Felsen hoch über dem Tal und sagst: Wer kann uns schon überfallen und in unsere Festung eindringen? – Doch nun greife ich dich an, ich, der Herr! [14] Du bekommst von mir den Lohn für deine Bosheit. Ich selbst lege Feuer an deine Häuser[a], die Flammen werden alles verzehren.‹«

Der Königspalast – ein Raub der Flammen

22 Der Herr befahl mir, in den Königspalast zu gehen [2] und zu sagen: »Höre, was der Herr dir verkündet, König von Juda, du Nachfolger Davids, dir, deinen obersten Beamten und deinem Volk, das durch diese Tore zum Palast hineingeht! [3] So spricht der Herr: ›Sorgt für Recht und Gerechtigkeit! Helft den Menschen, die beraubt und unterdrückt werden! Den Ausländern, Waisen und Witwen tut keine Gewalt an, und übervorteilt sie nicht! Hört auf, hier vor Gericht unschuldige Menschen hinzurichten! [4] Wenn ihr euch daran haltet, dann werden auch weiterhin Könige regieren, die Nachkommen Davids sind. Sie, ihre obersten Beamten und ihr Gefolge werden mit Pferden und Wagen durch die Tore in diesen Palast einziehen. [5] Doch wenn ihr nicht auf meine Worte hört, wird dieser Palast zum Trümmerhaufen. Das schwöre ich, der Herr.

[6] Prächtig bist du, Palast der Könige von Juda, wie der Wald im Land Gilead und wie der Gipfel des Libanon – und dennoch will ich dich zur Ruine machen, zu einem unbewohnten Ort! [7] Ich sende Männer, die dich zerstören sollen. Mit ihren Äxten werden sie deine Zedernsäulen fällen und ins Feuer werfen. [8] Dann werden fremde Völker hier vorüberziehen und fragen: Warum hat der Herr dies mit der großen Stadt getan? [9] Und man wird antworten: Ihre Einwohner haben den Bund mit dem Herrn, ihrem Gott, gebrochen. Sie haben andere Götter verehrt und ihnen gedient.‹«

König Schallum wird nicht zurückkehren

[10] »Beweint nicht den Tod von König Josia,[b] trauert nicht um ihn! Weint vielmehr über König Schallum[c], der nun fortziehen muss! Denn er kehrt nicht mehr zurück und wird seine Heimat nie wiedersehen.

[11] Ich, der Herr, sage über Schallum, den Sohn Josias, der nach Josias Tod König von Juda wurde: Er musste fortziehen von hier und wird niemals zurückkehren. [12] Sterben wird er dort, wohin er als Gefangener verschleppt wurde, und sein Land wird er nie wiedersehen!«

König Jojakim schreckt vor nichts zurück

[13] »Wehe dem, der seinen Palast ausbaut und dabei Unrecht tut, indem er seine Untertanen unentgeltlich arbeiten lässt und sie um den gerechten Lohn bringt! [14] Wehe dem, der sich vornimmt: ›Einen großen Palast lasse ich mir errichten, mit geräumigen Zimmern im Obergeschoss. Ich setze große Fenster ein, kleide den Palast mit Zedernholz aus und lasse ihn rot anstreichen.‹ [15] Bist du deshalb ein großer König, weil du prunkvolle Bauten aus Zedernholz errichtest, die schöner sind als andere? Auch dein Vater liebte auserlesene Speisen, doch er sorgte für Recht und Gerechtigkeit, und darum ging es ihm gut. [16] Er verhalf den Wehr-

---

[a] Wörtlich: an euren Wald. Vgl. Kapitel 22,6
[b] Wörtlich: Beweint nicht den Toten.
[c] Josias Sohn, sonst »Joahas« genannt. Vgl. 2. Chronik 36,1–4

22,3–5 17,24–27 **22,3** 3 Mo 24,22* **22,6** 1 Kön 7,1–12 **22,8–9** 5 Mo 29,23–24; 1 Kön 9,8–9 **22,10** 2 Kön 23,29 **22,11–12** 2 Kön 23,31–34 **22,13** 3 Mo 19,13; 5 Mo 24,14

losen und Armen zu ihrem Recht und hatte Erfolg bei dem, was er tat. Wer so lebt, hat mich, den Herrn, wirklich erkannt. [17] Aber du hast nur eins im Sinn: Gewinn um jeden Preis! Du bringst unschuldige Menschen um, wenn du irgendeinen Vorteil davon hast; vor Unterdrückung und Erpressung schreckst du nicht zurück.

[18] Hört darum, was ich, der Herr, über Jojakim sage, den Sohn König Josias von Juda: Man wird um ihn nicht trauern und das Klagelied ›Ach, mein Bruder‹[a] anstimmen. Um ihn wird keiner weinen: ›Ach, unser König und Herrscher!‹ [19] Nein, wie einen toten Esel schleift man ihn fort und wirft ihn weg, draußen vor die Tore von Jerusalem!«

König Konja wird seinen Feinden ausgeliefert

[20] »Steig hinauf auf den Libanon, Jerusalem, und schrei! Geh ins Hochland von Baschan und weine laut! Klage auf den Bergen von Abarim, denn all deine Verbündeten sind geschlagen. [21] Ich habe dich gewarnt, als du noch in Sicherheit lebtest, aber du hast dich geweigert, auf mich zu hören. Von Anfang an war es deine Art, meine Worte zu missachten. [22] Deine Führer werden weggeführt, weggefegt wie von einem Sturm, und deine Verbündeten werden gefangen genommen und verschleppt. Dann wirst du gedemütigt und musst dich schämen wegen all deiner Bosheit! [23] Noch wohnst du ungestört im Libanonpalast, du hast dich in Zedernbauten eingenistet – doch wie wirst du stöhnen, wenn dich die Schmerzen überfallen wie Geburtswehen eine Frau!

[24] Ich, der Herr, sage zu Konja[b], dem König von Juda, dem Sohn Jojakims: Ich schwöre dir, so wahr ich lebe: Selbst wenn ich dich als Siegelring an meiner rechten Hand trüge, würde ich dich doch vom Finger reißen! [25] Ich werde dich deinen Todfeinden ausliefern, vor denen du dich so sehr fürchtest, König Nebukadnezar und seinen Truppen. [26] Dich und deine Mutter jage ich fort in ein fremdes Land, aus dem keiner von euch beiden stammt, und dort werdet ihr sterben. [27] Doch in eure Heimat, nach der ihr euch sehnt, werdet ihr nie mehr zurückkehren!«

[28] Ihr fragt: »Ist König Konja wirklich wie ein zerbrochenes Tongefäß, das keiner mehr gebrauchen kann? Warum jagt man ihn und seine Kinder fort in ein unbekanntes Land?«

[29] Hört her, ihr Bewohner des ganzen Landes, hört auf das Wort des Herrn! [30] So spricht der Herr: »Tragt diesen Mann als kinderlos in die Verzeichnisse ein; sein Leben lang hat er kein Glück! Keinem seiner Kinder wird es gelingen, als Nachfolger Davids in Juda zu regieren!«

Ein König, der Gott gefällt

23 So spricht der Herr: »Wehe euch, ihr Führer meines Volkes! Ihr seid Hirten, die ihre Herde auseinander treiben und zugrunde richten! [2] Ich hatte euch befohlen, mein Volk, meine Herde, zu weiden. Aber ihr habt sie zerstreut und davongejagt, anstatt für sie zu sorgen. Darum werde ich euch für eure Vergehen zur Rechenschaft ziehen, ich, der Herr, der Gott Israels.

[3] Ich selbst werde die Menschen meines Volkes sammeln, die übrig geblieben sind. Aus allen Ländern, in die ich sie vertrieben habe, bringe ich sie zurück in ihre Heimat. Dort werden sie viele Kinder haben, ihr Volk wird immer größer werden. [4] Ich werde Hirten über sie einsetzen, die sie auf gute Weide führen. Dann werden

---

[a] Wörtlich: Ach, Bruder! Ach, Schwester!

[b] Sonst »Jojachin« genannt.

22,17 26,23 **22,18** 16,6 **22,19** 36,30 **22,21** 2,25; 18,12 **22,24–27** 2 Kön 24,8–16 **22,30** 1 Chr 3,17–18 **23,1–2** 10,21; Hes 34,1–6 **23,3** 24,6; 29,13–14; 31,7–8; 50,19–20; Jes 11,11–12*; Hes 28,25* **23,4** 3,15

sie sich nicht mehr fürchten und keine Angst mehr haben, niemand von ihnen geht verloren. Das verspreche ich, der Herr.

[5] Es kommt der Tag, an dem ich einen Nachkommen Davids zum König mache, den man wirklich als gerecht bezeichnen kann. Er wird weise regieren und in seinem Land für Recht und Gerechtigkeit sorgen. [6] Unter seiner Regierung wird Juda Hilfe finden und Israel in Sicherheit leben. ›Der Herr, unsere Rettung‹, so wird man diesen König nennen.

[7] Es kommt der Tag, an dem man beim Schwören nicht mehr sagt: ›So wahr der Herr lebt, der das Volk Israel aus Ägypten geführt hat‹, sondern: [8] ›So wahr der Herr lebt, der die Nachkommen der Israeliten aus dem Land im Norden zurückgebracht hat und aus allen Ländern, in die er sie vertrieb.‹ Dann werden sie wieder in ihrem eigenen Land wohnen. Das verspreche ich, der Herr!«

Glaubt den Lügenpropheten nicht!

[9] Über die Propheten sagte Jeremia:

»Mir bricht das Herz, ich zittere am ganzen Körper. Ich taumle wie ein Betrunkener, der vom Wein benommen ist. Denn die Worte des Herrn, des heiligen Gottes, haben mich getroffen.

[10] Unser Land ist voll von Ehebrechern, darum lastet Gottes Fluch auf uns. Ausgedörrt ist das Land, vertrocknet sind die Weideplätze in der Wüste. Die Propheten haben einen falschen Weg eingeschlagen, sie missbrauchen ihre Macht. [11] So spricht der Herr: ›Gottlos sind sie alle – Priester und Propheten. Und selbst in meinem Tempel muss ich ihr Treiben mit ansehen! [12] Doch die Wege, die sie gehen, werden glatt und schlüpfrig sein; in die Dunkelheit wird man sie stoßen, und dort kommen sie zu Fall! Ja, ich lasse Unheil über sie hereinbrechen, ich, der Herr! Es kommt der Tag, an dem ihre Strafe sie trifft.

[13] Unter den Propheten von Samaria habe ich Abscheuliches gesehen: Sie haben im Namen des Gottes Baal geweissagt und mein Volk in die Irre geführt. [14] Aber was ich unter den Propheten von Jerusalem sehe, ist noch viel erschreckender: Sie begehen Ehebruch, sie lügen und betrügen; und den, der ein gottloses Leben führt, bestärken sie noch darin, anstatt ihn davon abzubringen. In meinen Augen sind sie keinen Deut besser als die Einwohner von Sodom und Gomorra! [15] Darum spreche ich, der allmächtige Gott, dieses Urteil über die Propheten: Ich werde ihnen bittere Kost zu essen und giftiges Wasser zu trinken geben. Denn die Propheten Jerusalems haben die Gottlosigkeit im ganzen Land verbreitet.

[16] Hört, was ich, der allmächtige Gott, sage: Achtet nicht auf die Weissagungen dieser Propheten! Sie machen euch falsche Hoffnungen und verkünden euch Visionen, die aus ihrem eigenen Herzen kommen, aber nicht mein Wort sind. [17] Denen, die nichts mehr von mir wissen wollen, verkünden sie in meinem Namen: Es wird euch weiterhin gut gehen. – Und zu allen, die so stur weiterleben wie bisher, sagen sie: Kein Unheil wird euch treffen! – [18] Keiner dieser Propheten kennt meine geheimen Gedanken, keiner hat mein Wort gehört oder meine Pläne durchschaut. Keiner weiß, was ich gesagt habe.‹«

[19] Der Zorn des Herrn bricht los wie ein Sturm, wie ein Wirbelsturm fegt er über die hinweg, die den Herrn verachten. [20] Er wird sich erst legen, wenn alles ausgeführt ist, was der Herr sich vorgenommen hat. Die Zeit kommt, in der ihr das klar erkennen werdet!

[21] Der Herr spricht: »Ich habe diese Propheten nicht gesandt, und doch sind sie losgezogen. Ich habe ihnen keine Botschaft anvertraut, trotzdem haben sie geweissagt. [22] Wenn sie wirklich meine Gedanken kennen würden, dann hätten sie

---

23,5–6 33,15–16 **23,5** Jes 9,6* **23,7–8** 16,14–15; Jes 43,16–21 **23,10** 12,4 **23,11** 5,31 **23,14** 1 Mo 18,20; Jes 1,10 **23,15** 9,14 **23,16–18** 14,14–15; 27,14–15 **23,19–20** 30,23–24 **23,22** 18,11

meinem Volk meine Botschaft verkündet, damit es von seinen falschen Wegen umkehrt und aufhört, Böses zu tun.

[23] Ich, der Herr, sage: Ich bin nicht nur der Gott in eurer Nähe, sondern auch der ferne Gott, über den ihr nicht verfügt. [24] Meint ihr, jemand könnte sich so vor mir verstecken, dass ich ihn nicht mehr sehe? Ich bin es doch, der den Himmel und die Erde erfüllt, ich, der Herr!

[25] Ich weiß ganz genau, was die Propheten reden: ›Hört, was euch Gott durch unsere Träume sagen will!‹ Und dann weissagen sie Lügen und berufen sich dabei auf mich! [26] Wie lange soll das noch so weitergehen? Was wollen diese Propheten damit erreichen, dass sie Lügen und selbst erfundene Botschaften verbreiten? [27] Sie denken wohl, wenn sie ihre Träume erzählen, vergisst mich mein Volk, so wie ihre Vorfahren mich vergessen haben, weil sie dem Götzen Baal dienten! [28] Ein Prophet, der Träume hat, sollte sagen, dass es nur Träume sind, aber wer mein Wort empfängt, soll es gewissenhaft als mein Wort verkünden. Meint ihr, Spreu und Weizen seien dasselbe?

[29] Ich, der Herr, sage euch: Mein Wort ist wie ein Feuer und wie ein Hammer, der Felsen in Stücke schlägt! [30] Diese Propheten bekommen es mit mir zu tun, sie, die einander die Worte stehlen und behaupten, sie hätten sie von mir! [31] Sie werden mir nicht entkommen, diese Propheten, die ihre eigenen Gedanken von sich geben und dann sagen: ›Der Herr hat gesprochen.‹ [32] Nein, mir entgehen diese Lügner nicht, die ihre Träume als mein Wort ausgeben! Sie führen mein Volk in die Irre und täuschen es mit ihrer zusammengereimten Botschaft. Ich, der Herr, habe sie nicht gesandt und ihnen keinen Auftrag gegeben. Sie helfen diesem Volk keinen Schritt weiter!«

Ihr seid die Last, die auf mir liegt!

[33] »Jeremia, wenn das Volk, ein Priester oder ein Prophet dich fragen: ›Welche Botschaft hat der Herr dir heute wieder aufgelastet?‹[a], sollst du ihnen in meinem Auftrag antworten: Ihr seid die Last, die auf mir liegt, aber ich werde euch abwerfen! [34] Wenn ein Prophet, ein Priester oder jemand aus dem Volk sagt: ›Der Herr hat mir eine Botschaft aufgelastet‹, dann werde ich ihn bestrafen, ihn und seine ganze Familie!

[35] Fragt einander lieber: ›Was hat der Herr geantwortet?‹ oder: ›Was sagt der Herr?‹ [36] Aber bezeichnet meine Botschaft nicht mehr als Last! Denn wer dies tut, der bürdet sich selbst damit eine Last auf, weil er die Botschaft des lebendigen Gottes verfälscht, die Worte des Herrn der ganzen Welt! [37] Darum fragt einen Propheten: ›Was hat dir der Herr geantwortet?‹ oder: ›Was sagt der Herr?‹ [38] Wenn ihr aber weiterhin meine Botschaft als Last bezeichnet, obwohl ich euch durch meine Boten davor warnen ließ, [39] dann will ich euch hochheben wie eine Last[b] und euch wegwerfen, ebenso die Stadt Jerusalem, die ich euch und euren Vorfahren gegeben habe. [40] Die Schande, in die ich euch dann stürze, wird ewig dauern und nie vergessen werden!«

Zwei Körbe mit Feigen

24 Der babylonische König Nebukadnezar hatte den judäischen König Jojachin, den Sohn Jojakims, von Jerusalem in die Gefangenschaft nach Babylonien gebracht, zusammen mit den obersten Beamten, Schmieden und Schlossern. Danach gab mir der Herr eine Vision:

Ich sah zwei Körbe mit Feigen vor dem Tempel stehen. [2] Die Feigen im einen Korb waren sehr gut, wie reife Frühfei-

---

[a] Im Hebräischen gibt es ein Wort für »Last«, das zugleich »prophetische Botschaft« bedeuten kann.

[b] So mit der griechischen Übersetzung. Der hebräische Text lautet: dann will ich euch vergessen.

23,24 Ps 139,7–12 **23,29** Hebr 4,12 **24,1** 2 Kön 24,15–16

gen, im anderen Korb lagen nur schlechte, man konnte sie nicht mehr essen.

[3]Der Herr fragte mich: »Jeremia, was siehst du?« »Feigen«, antwortete ich. »Die guten sind vorzüglich, und die schlechten sind schon völlig ungenießbar.«

[4]Da empfing ich eine Botschaft vom Herrn: [5]»So spricht der Herr, der Gott Israels: Wie man sich über die guten Feigen freut, so habe ich Gefallen an den Judäern, die ich von hier nach Babylonien verschleppen ließ. [6]Ich habe einen guten Plan mit ihnen und bringe sie in ihr Land zurück. Dort werde ich sie aufbauen und nicht mehr niederreißen, einpflanzen und nicht wieder entwurzeln. [7]Ich gebe ihnen ein verständiges Herz, damit sie erkennen, dass ich der Herr bin. Sie werden mein Volk sein, und ich werde ihr Gott sein; von ganzem Herzen werden sie wieder zu mir umkehren.

[8]Aber König Zedekia, seine obersten Beamten, die restlichen Bewohner von Jerusalem und Juda und alle, die nach Ägypten geflohen sind – sie behandle ich wie diese ungenießbaren Feigen. [9]In allen Königreichen der Erde wird man über ihr Unglück entsetzt sein und sie verspotten. Wohin ich sie auch verjage, überall wird ihr Elend sprichwörtlich sein. Wer einen anderen verhöhnen oder verfluchen will, wird ihm das gleiche Schicksal herbeiwünschen, das sie getroffen hat. [10]Kriege, Hungersnot und Seuchen will ich über sie bringen, bis sie ausgerottet sind aus dem Land, das ich einst ihren Vorfahren geschenkt habe.«

Siebzig Jahre in Babylonien

25 Im 4. Regierungsjahr Jojakims, des Sohnes Josias, empfing Jeremia eine Botschaft für das ganze Volk von Juda. Es war das 1. Regierungsjahr des babylonischen Königs Nebukadnezar. [2]Der Prophet Jeremia gab die Botschaft weiter an alle Einwohner von Jerusalem und an das ganze Volk von Juda. [3]Er sagte:

»Dreiundzwanzig Jahre lang – vom 13. Regierungsjahr unseres Königs Josia, des Sohnes Amons, bis zum heutigen Tag – hat der Herr immer wieder zu mir gesprochen. Ich habe euch seine Worte verkündet, aber ihr wolltet sie nie annehmen. [4]Der Herr hat ständig seine Boten, die Propheten, zu euch gesandt, aber ihr habt euch beharrlich geweigert, auf sie zu hören. Ihr habt sie gar nicht ernst genommen, [5]wenn sie euch sagten: ›Jeder von euch soll umkehren von seinen falschen Wegen! Hört auf, Böses zu tun! Dann könnt ihr für immer in diesem Land bleiben, das der Herr euch und euren Vorfahren geschenkt hat.‹ [6]Der Herr warnte euch: ›Dient nicht anderen Göttern, macht euch keine Götzenfiguren, und verehrt sie nicht, sonst fordert ihr meinen Zorn heraus, und ich bringe Unheil über euch!‹

[7]Aber ihr habt alle meine Worte in den Wind geschlagen. Mit eurem Götzendienst habt ihr meinen Zorn heraufbeschworen und euch selbst damit geschadet.« [8]So spricht der Herr, der allmächtige Gott: ›Weil ihr nicht auf mich gehört habt, [9]rufe ich alle Völker aus dem Norden herbei, auch meinen Diener Nebukadnezar, den König von Babylonien. Sie werden euch und alle eure Nachbarvölker überfallen. Über euch alle habe ich mein Urteil gesprochen – eure Länder werden zerstört und für immer zur Wüste gemacht. Ein Bild des Schreckens werdet ihr sein, das nur Verachtung erntet. [10]Ich bereite bei euch allem Jubel und aller Freude ein Ende, es wird auch keine fröhlichen Hochzeitsfeiern mehr geben; dann hört man keine Kornmühle mehr in den Häusern, und die Öllampen verlöschen. [11]Euer ganzes Land wird zu einem Trümmerfeld, zu einer unbewohnten Wüste. Siebzig Jahre lang

---

24,6 23,3* **24,7** 31,33–34; Hes 36,26–27* **24,8–10** 2 Kön 25,1–7.18–21 **24,9** 5 Mo 28,37 **24,10** 15,2 **25,1** 36,1; 45,1; 46,2 **25,3** 1,2 **25,4** 7,25–26 **25,5** 7,3 **25,6** 2 Mo 20,3–5* **25,7** 7,19 **25,9** 1,13–15* **25,10** 7,34 **25,11** 29,10; 2 Chr 36,21; Dan 9,2

werdet ihr und eure Nachbarvölker dem König von Babylonien unterworfen sein.

[12]Aber nach den siebzig Jahren gehe ich mit dem König von Babylonien und seinem Volk ins Gericht und mache ihr Land für immer zur Wüste. [13]Ich lasse alle Drohungen, die ich gegen dieses Land ausgesprochen habe, in Erfüllung gehen, alle Weissagungen Jeremias über die Völker, wie sie in diesem Buch aufgeschrieben sind. [14]Viele Völker und mächtige Könige werden kommen und die Babylonier unterwerfen. So ziehe ich sie zur Rechenschaft für alles, was sie getan haben.‹«

Den bitteren Kelch müssen alle Völker trinken!

[15]Der Herr, der Gott Israels, sprach zu mir: »Nimm diesen Kelch, den ich dir reiche! Er ist gefüllt mit meinem Zorn. Gib allen Völkern, zu denen ich dich sende, davon zu trinken! [16]Sie sollen trinken, taumeln und den Verstand verlieren, wenn ich Krieg und Tod über sie bringe!«

[17]Da nahm ich den Kelch aus der Hand des Herrn entgegen und ließ alle Völker daraus trinken, zu denen mich der Herr sandte: [18]zuerst Jerusalem und die anderen Städte im Land Juda mit ihren Königen und führenden Männern; da wurde das ganze Land zu einem einzigen Trümmerfeld, an dem die Leute entsetzt vorübergingen, über dessen Schicksal sie spotteten und es auch anderen herbeiwünschten – so wie es schon heute geschieht.

[19]Dann kam der Pharao an die Reihe, der König von Ägypten, mit seinem Hofstaat, den obersten Beamten und dem ganzen Volk [20]samt allen Ausländern in seinem Land. Danach mussten die Könige des Landes Uz aus dem Kelch trinken, die Könige des Landes der Philister mit den Städten Aschkelon, Gaza, Ekron und der restlichen Bevölkerung von Aschdod, [21]dann die Edomiter, Moabiter und Ammoniter, [22]die Könige der Hafenstädte Tyrus und Sidon sowie die Herrscher der Inseln jenseits des Mittelmeers, [23]die Beduinen von Dedan, Tema und Bus und die anderen Stämme, die sich das Haar an den Schläfen stutzen, [24]alle Könige Arabiens und der Nomadenstämme in der Wüste, [25]alle Könige von Simri, Elam und Medien, [26]dann die Herrscher der nahen und fernen Länder im Norden, einer nach dem anderen, ja, alle Königreiche der ganzen Welt. Zuletzt musste der König von Babylonien[a] aus dem Kelch trinken.

[27]Dann befahl mir der Herr, ihnen allen diese Botschaft auszurichten: »So spricht der Herr, der allmächtige Gott Israels: Trinkt aus diesem Kelch, bis ihr betrunken seid und euch erbrechen müsst; trinkt, bis ihr zu Boden stürzt und nicht mehr aufstehen könnt, weil mein Schwert unter euch wütet!« [28]Weiter sprach der Herr zu mir: »Wenn sie sich weigern, den Kelch aus deiner Hand entgegenzunehmen und daraus zu trinken, dann befiehl: Im Namen des allmächtigen Gottes: Ihr müsst ihn austrinken! [29]Über die Stadt, die meinen Namen trägt, lasse ich das Unheil zuerst hereinbrechen – und ihr meint, ich würde euch verschonen? Nein, ihr entkommt eurer Strafe nicht! Ich bringe Krieg und Tod über alle Bewohner der Erde, ich, der allmächtige Gott.«

Gott hält Gericht über alle Völker

[30]»Und du, Jeremia, verkünde ihnen in meinem Auftrag alles, was ich dir gesagt habe! Richte ihnen aus: Mächtig wie das Brüllen eines Löwen erklingt die Stimme des Herrn aus der Höhe, wie Donnergrollen ertönt sie von dort, wo er, der heilige Gott, wohnt. Seinem eigenen Land droht

---

[a] Wörtlich: von Scheschach. – Das ist ein verschlüsselter Name für Babylonien.

25,13 46,1 – 51,64 **25,14** 27,7 **25,15** 49,12; 51,39; Jes 51,17; Klgl 4,21; Hes 23,31–34; Hab 2,15–16; Sach 12,2; Offb 14,10 **25,18** 6,1–8 **25,19** 46,1–28 **25,20** 47,1–7 **25,21** 48,1 – 49,22 **25,23** 49,28–33 **25,25** 49,34–39 **25,26** 50,1 – 51,64 **25,29** 21,13–14 **25,30** Joel 4,16; Am 1,2

er, er ruft so laut wie einer, der Trauben in der Kelter zerstampft. Alle Bewohner der Erde werden ihn hören. [31] Ja, bis ans Ende der Erde hallt sein Ruf, denn der Herr bringt alle Völker vor Gericht. Er fällt sein Urteil über alle Menschen, und die Schuldigen liefert er dem Henker aus.

[32] So spricht der allmächtige Gott: Seht, das Unheil trifft ein Volk nach dem anderen, ein gewaltiger Sturm zieht auf vom Ende der Erde! [33] Dann liegen die Leichen derer, die ich, der Herr, erschlagen habe, überall verstreut; keiner trauert um sie, niemand sammelt sie ein, um sie zu begraben. Sie werden zum Dünger auf den Feldern.

[34] Ihr Mächtigen, weint und schreit um Hilfe! Wälzt euch vor Trauer in der Asche, ihr Hirten eurer Völker, denn jetzt ist der Tag gekommen, an dem ihr fortgejagt und geschlachtet werdet! Ich werfe euch zu Boden und zerschmettere euch wie ein Gefäß. [35] Ihr könnt nicht mehr vor mir fliehen, es gibt kein Entrinnen mehr! [36] Hört, wie erbärmlich die Mächtigen um Hilfe schreien und wie die Hirten der Völker heulen, weil ich ihre Weide verwüstet habe! [37] In Frieden lag sie da, doch nun habe ich sie in meinem furchtbaren Zorn zerstört. [38] Ich habe mich erhoben wie ein Löwe, der aus seinem Versteck hervorkommt, um auf Raubzug zu gehen. Voller Zorn habe ich die Länder mit meinem Schwert verwüstet.«

Kehrt um zum Herrn!

26 Nicht lange nachdem Jojakim, der Sohn Josias, König von Juda geworden war, sprach der Herr zu Jeremia: [2] »Geh in den Tempelvorhof, und richte allen Menschen, die aus den Städten Judas kommen, um mich im Tempel anzubeten, meine Botschaft aus! Lass kein Wort davon weg! [3] Vielleicht hören sie darauf und kehren um von ihren falschen Wegen. Dann werde ich meinen Entschluss ändern und das angedrohte Unheil nicht über sie hereinbrechen lassen.

[4] Sag ihnen: So spricht der Herr: Wenn ihr nichts von mir wissen wollt und euch nicht an meine Weisungen haltet, [5] wenn ihr die Warnungen der Propheten nicht beachtet, wenn ihr nicht auf meine Boten hört, die ich immer wieder zu euch sende, [6] dann werde ich diesen Tempel zerstören so wie damals das Heiligtum in Silo. Alle anderen Völker der Erde werden jedem, den sie verfluchen wollen, das Schicksal Jerusalems herbeiwünschen.«

Jeremia vor Gericht

[7] Die Priester, die Propheten und das Volk hatten zugehört, wie Jeremia diese Warnungen vor dem Tempel aussprach. [8] Kaum hatte er ihnen die Botschaft des Herrn ausgerichtet, nahmen sie ihn fest. »Das wirst du mit dem Leben bezahlen!«, schrien sie. [9] »Wie kannst du im Namen des Herrn behaupten, dass es diesem Tempel wie dem Heiligtum in Silo ergeht und dass Jerusalem zerstört und menschenleer sein wird?« Im Nu war Jeremia auf dem Tempelvorplatz von einer großen Menschenmenge umringt.

[10] Als die führenden Männer von Juda erfuhren, was geschehen war, gingen sie vom Königspalast zum Tempel hinauf und nahmen ihre Plätze vor dem Neuen Tor ein, um Gericht zu halten. [11] Die Priester und Propheten klagten Jeremia vor den führenden Männern und allen Versammelten an: »Dieser Mann verdient den Tod! Er hat unserer Stadt ein böses Ende angekündigt, ihr habt es ja selbst gehört!«

[12] Darauf erwiderte Jeremia: »Der Herr hat mich beauftragt, dies alles gegen den Tempel und die Stadt vorauszusagen. [13] Ändert euer Leben, und hört wieder auf den Herrn, euren Gott! Dann wird er einlenken und das angedrohte Unheil nicht über euch hereinbrechen lassen. [14] Macht mit mir ruhig, was ihr wollt! Ich bin in eurer Hand. [15] Doch eins sollt ihr wissen: Wenn ihr mich hinrichten lasst, dann ladet ihr Schuld auf euch, auf diese

---

25,31 Dan 7,9–10 **26,1–6** 7,1–15 **26,1** 2 Kön 23,34–37 **26,3** 18,7–8 **26,13** 7,3 **26,15** 5 Mo 19,10

Stadt und ihre Einwohner, weil ihr einen Unschuldigen umgebracht habt! Denn so wahr ich hier stehe: Der Herr hat mich zu euch gesandt, um euch alles anzukündigen, was ihr gehört habt.«

[16] Da waren sich die Richter und das Volk einig. »Dieser Mann hat auf keinen Fall die Todesstrafe verdient«, sagten sie zu den Priestern und Propheten, »denn er hat im Auftrag des Herrn zu uns geredet.«

[17] Dann traten einige von den Ältesten des Landes nach vorne und erzählten: [18] »Als König Hiskia noch regierte, gab es einen Propheten namens Micha aus Moreschet. Im Auftrag des Herrn weissagte er dem ganzen Volk: ›So spricht der Herr, der allmächtige Gott: Der Berg Zion wird zu einem umgepflügten Acker werden, die Stadt Jerusalem zu einem Trümmerhaufen, und auf dem Tempelberg wird das Dornengestrüpp wuchern!‹[a] [19] Doch weder König Hiskia von Juda noch das Volk ließen ihn deswegen töten; nein, Hiskia erschrak und flehte zum Herrn um Erbarmen. Da ließ der Herr das Unheil nicht geschehen, das er angekündigt hatte. – Wenn wir jetzt Jeremia töten, bringen wir großes Unglück über uns!«

Der Prophet Uria bezahlt seine Botschaft mit dem Leben

[20] In jener Zeit gab es noch einen anderen Propheten, der wie Jeremia im Auftrag des Herrn weissagte: Uria, der Sohn Schemajas, aus Kirjat-Jearim. Auch er kündigte Jerusalem und dem ganzen Land Juda Unheil an.

[21] Als König Jojakim, seine Heerführer und die führenden Männer davon hörten, wollten sie ihn töten lassen. Uria erfuhr es und floh voller Angst nach Ägypten. [22] Doch Jojakim schickte Elnatan, den Sohn Achbors, mit einigen anderen Männern dorthin. [23] Sie nahmen Uria gefangen und brachten ihn zu Jojakim zurück. Der ließ ihn mit dem Schwert hinrichten und seine Leiche auf dem Armenfriedhof verscharren.

[24] Jeremia aber kam mit dem Leben davon. Er wurde nicht dem Volk ausgeliefert, das ihn umgebracht hätte, denn Ahikam, der Sohn Schafans, setzte sich für ihn ein.

Beugt euch unter Nebukadnezars Joch!

27 Als Zedekia, der Sohn Josias, die Herrschaft über Juda angetreten hatte, empfing ich eine Botschaft vom Herrn. [2] Der Herr sprach zu mir:

»Fertige dir ein Joch aus Holz an, binde die Stangen mit Lederriemen zusammen, und leg dir das Joch auf den Nacken! [3] Dann geh zu den Gesandten der Könige von Edom, Moab, Ammon, Tyrus und Sidon, die gerade bei König Zedekia in Jerusalem sind! [4] Sie sollen ihren Königen diese Botschaft von mir ausrichten: So spricht der Herr, der allmächtige Gott Israels: [5] Ich habe mit meiner starken Hand die Erde geschaffen, die Menschen und die Tiere. Ich lasse über sie herrschen, wen ich dazu erwähle. [6] Alle eure Länder gebe ich in die Gewalt Nebukadnezars, des Königs von Babylonien, der mein Diener ist. Selbst die wilden Tiere sind seiner Macht unterworfen. [7] Alle Völker werden ihm und später seinem Sohn und Enkel dienen müssen, so lange, bis ich auch der Herrschaft der Babylonier ein Ende setze. Dann werden mächtige Könige aus anderen Ländern kommen und Babylonien erobern. [8] Doch wenn sich jetzt ein Volk oder Königreich nicht unter das Joch Nebukadnezars beugen will und seine Herrschaft nicht anerkennt, dann lasse ich Krieg, Hungersnot und Seuchen über dieses Land kommen, bis Nebukadnezar es ganz erobert hat! Darauf gebe ich, der Herr, mein Wort.

---

[a] Micha 3,12

26,16 5 Mo 18,20 **26,19** 18,7–8 **26,22** 36,12.25 **26,23** 2,30; 22,17 **26,24** 15,21; 2 Kön 22,12
27,1 2 Kön 24,17–18 **27,5** 10,12 **27,6** 25,9; 28,14 **27,7** 25,11–14

[9] Ihr Könige, hört nicht auf eure Propheten, Wahrsager und Traumdeuter, auf eure Geisterbeschwörer und Magier, die euch weismachen wollen, ihr müsstet dem König von Babylonien nicht dienen! [10] Was sie euch erzählen, ist nichts als Lüge, und wenn ihr auf sie hört, werdet ihr aus eurer Heimat vertrieben, ja, ich selbst vertreibe euch dann, und ihr kommt dabei um. [11] Doch wer sich unter das Joch Nebukadnezars beugt und ihm dient, dessen Volk lasse ich in seiner Heimat bleiben, damit es das Land bebauen und darin leben kann. Das verspreche ich, der Herr.«

[12] Dann ging ich auch zu König Zedekia und wiederholte meine Warnungen: »Du und dein Volk, beugt euch dem König von Babylonien, unterwerft euch ihm und den Babyloniern, dann bleibt ihr am Leben! [13] Oder willst du, dass dein Volk mit dir im Krieg umkommt, verhungert oder an Seuchen stirbt? Denn diese Folgen hat der Herr jedem Land angedroht, das sich nicht dem König von Babylonien unterwirft. [14] Hört nicht auf eure Propheten, die euch weismachen wollen, ihr müsstet Nebukadnezars Herrschaft nicht anerkennen! Was sie euch sagen, ist nichts als Lüge! [15] So spricht der Herr: ›Ich habe diese Propheten nicht zu euch gesandt; sie erzählen euch Lügen und berufen sich dabei auch noch auf mich! Wenn ihr auf sie hört, werde ich euch vertreiben, und ihr werdet umkommen, ihr und diese Propheten, die euch nur täuschen wollen!‹«

[16] Dann wandte ich mich an die Priester und an das ganze Volk: »So spricht der Herr: ›Hört nicht auf eure Propheten, wenn sie euch weismachen, die Gegenstände aus dem Tempel würden bald von Babylon nach Jerusalem zurückgebracht werden! Sie belügen euch. [17] Hört nicht auf sie! Unterwerft euch Nebukadnezar, dann bleibt ihr am Leben! Oder wollt ihr, dass er diese Stadt zu einer Trümmerstätte macht? [18] Wenn eure Propheten wirklich Propheten wären, zu denen ich, der Herr, der allmächtige Gott, spreche, dann würden sie zu mir beten. Sie würden mich darum bitten, dass die übrigen wertvollen Tempelgegenstände, die es noch im Tempel, im Königspalast oder anderswo in Jerusalem gibt, nicht auch nach Babylon gebracht werden.

[19-22] Noch sind sie hier, die Bronzesäulen, das große Wasserbecken, die Kesselwagen, die Tempelgefäße und -werkzeuge. Nebukadnezar hat sie nicht mitgenommen, als er den judäischen König Jechonja, den Sohn Jojakims, mit den führenden Männern von Jerusalem und Juda nach Babylonien verschleppen ließ. Aber ich, der Herr, der allmächtige Gott Israels, sage euch: Alle wertvollen Gegenstände, die noch im Tempel, im Königspalast oder anderswo in Jerusalem zurückgeblieben sind, werden auch nach Babylon gebracht. Dort bleiben sie, bis ich mich wieder ihrer annehme und sie nach Jerusalem zurückholen lasse. Darauf gebe ich, der Herr, mein Wort.‹«

Jeremia oder Hananja – wer ist vom Herrn gesandt?

28 Im 5. Monat desselben Jahres, dem 4. Regierungsjahr des judäischen Königs Zedekia, kam der Prophet Hananja, der Sohn Asurs, aus Gibeon in den Tempel und sagte in Gegenwart der Priester und des Volkes zu Jeremia: [2] »So spricht der Herr, der allmächtige Gott Israels: ›Ich werde das Joch des Königs von Babylonien zerbrechen! [3] Innerhalb von zwei Jahren lasse ich alle wertvollen Tempelgegenstände, die Nebukadnezar nach Babylon mitgenommen hat, hierher zurückbringen. [4] Ich sorge auch dafür, dass König Jechonja von Juda, der Sohn Jojakims, wieder nach Jerusalem zurückkehrt, er und alle anderen Judäer, die nach Babylonien verschleppt wurden. Ja, ich will der Herrschaft Nebukadnezars ein Ende setzen!‹«

27,9–10 28,1–4 **27,13** 21,9 **27,14–15** 14,14–15 **27,16** 28,3; 2 Chr 36,7.10 **27,19–22** 1 Kön 7,15–50; 2 Kön 24,13; Esr 1,7–11 **28,1–2** 51,59–60 **28,3** 27,16 **28,4** 22,24–27

[5] Da entgegnete Jeremia dem Propheten Hananja vor dem Volk und den Priestern, die sich im Tempel aufhielten: [6] »Möge der Herr tun, was du gesagt hast! Ich wünschte, er ließe deine Verheißung in Erfüllung gehen und brächte alle verschleppten Menschen und die wertvollen Tempelgegenstände wieder zurück! [7] Doch jetzt hör gut zu, Hananja, was ich dir und den Versammelten sage: [8] Propheten hat es schon immer gegeben, lange bevor du und ich lebten; sie haben vielen Völkern und mächtigen Königreichen Unheil, Kriege und Seuchen angekündigt. [9] Gewiss kann ein Prophet auch Glück und Frieden voraussagen, doch ob er wirklich vom Herrn gesandt ist, wird sich erst zeigen, wenn seine Weissagung eintrifft!«

[10] Da nahm der Prophet Hananja das hölzerne Joch von Jeremias Nacken, zerbrach es [11] und rief: »So spricht der Herr: ›Genauso werde ich innerhalb von zwei Jahren das Joch Nebukadnezars zerbrechen. Alle Völker will ich von der Last seiner Herrschaft befreien!‹« Daraufhin verließ der Prophet Jeremia den Tempel.

[12] Kurze Zeit nachdem Hananja das Joch zerbrochen hatte, das Jeremia auf der Schulter trug, empfing Jeremia eine Botschaft vom Herrn: [13] »Geh und sag zu Hananja: So spricht der Herr: Das hölzerne Joch hast du zerbrechen können – doch nun kommt ein Joch aus Eisen! [14] Ich selbst lege allen Völkern ringsum ein eisernes Joch auf den Nacken: Sie werden Nebukadnezar, dem König von Babylonien, dienen müssen, ja, selbst die wilden Tiere sind seiner Macht unterworfen! Mein Wort gilt, denn ich bin der Herr, der allmächtige Gott Israels.«

[15] Dann sagte Jeremia zu Hananja: »Der Herr hat dich nicht gesandt, du verführst das Volk dazu, auf deine Lügen zu vertrauen! [16] So spricht der Herr: ›Weil du das getan hast, lasse ich dich vom Erdboden verschwinden. Noch in diesem Jahr wirst du sterben, denn du hast zum Ungehorsam gegen mich aufgerufen!‹«

[17] Zwei Monate später, im 7. Monat desselben Jahres, starb der Prophet Hananja.

Jeremias Brief an die Verbannten in Babylonien

29 Der Prophet Jeremia schickte aus Jerusalem einen Brief an die Ältesten, die Priester, die Propheten und alle anderen, die den Angriff der Babylonier überlebt hatten und von Nebukadnezar nach Babylonien verschleppt worden waren. [2] König Jechonja, seine Mutter, die Hofbeamten und die führenden Männer von Juda und Jerusalem waren zusammen mit den Schmieden und Schlossern Jerusalems in die Verbannung geführt worden. [3] Elasa, der Sohn Schafans, und Gemarja, der Sohn Hilkijas, nahmen Jeremias Brief mit, als Zedekia sie zu König Nebukadnezar nach Babylon sandte. [4] Jeremia schrieb:

»So spricht der Herr, der allmächtige Gott Israels, zu allen Verbannten, die er von Jerusalem nach Babylonien wegführen ließ:

[5] ›Baut euch Häuser und wohnt darin! Legt Gärten an und ernährt euch von ihren Früchten! [6] Heiratet und zeugt Kinder! Wählt für eure Söhne Frauen aus, und lasst eure Töchter heiraten, damit auch sie Kinder zur Welt bringen. Euer Volk soll wachsen und nicht kleiner werden. [7] Bemüht euch um das Wohl der Stadt, in die ich euch wegführen ließ, und betet für sie. Wenn es ihr gut geht, wird es auch euch gut gehen.

[8] Ich, der Herr, der allmächtige Gott Israels, warne euch: Lasst euch nicht von euren Propheten und Wahrsagern in die Irre führen! Wenn sie euch ihre Träume verkünden, dann hört nicht darauf![a] [9] Sie

---

[a] So mit der griechischen Übersetzung. Der hebräische Text lautet: Hört nicht auf eure Träume, die ihr träumt!

28,8 Jes 13,1 – 23,18; Am 1,1 – 2,16 **28,9** 5 Mo 18,21–22 **28,14** 27,6 **28,15–16** 29,31–32 **28,16** 5 Mo 13,6 **29,2** 2 Kön 24,14–16 **29,7** Esr 6,10; 1 Tim 2,2 **29,8–9** 23,16–18

erzählen euch Lügen und berufen sich dabei auch noch auf mich. Ich, der Herr, habe sie nicht gesandt. [10]Denn ich sage euch: Die Babylonier werden siebzig Jahre herrschen, und wenn diese Zeit um ist, werde ich Erbarmen mit euch haben. Dann lasse ich meine Verheißung in Erfüllung gehen und bringe euch wieder in euer Land zurück. [11] Denn ich allein weiß, was ich mit euch vorhabe: Ich, der Herr, werde euch Frieden schenken und euch aus dem Leid befreien. Ich gebe euch wieder Zukunft und Hoffnung. [12]Wenn ihr dann zu mir ruft, wenn ihr kommt und zu mir betet, will ich euch erhören. [13]Wenn ihr mich sucht, werdet ihr mich finden. Ja, wenn ihr mich von ganzem Herzen sucht, [14]will ich mich von euch finden lassen. Das verspreche ich euch. Ich werde eurer Gefangenschaft ein Ende machen: Aus allen Ländern, in die ich euch zerstreut habe, will ich euch wieder sammeln und in das Land zurückbringen, aus dem ich euch damals fortgejagt habe.

[15]Ihr behauptet: Der Herr hat uns hier in Babylonien Propheten gegeben, die uns die Zukunft voraussagen. – [16]Doch ich, der Herr, kündige etwas ganz anderes an: Über den König, der ein Nachkomme Davids ist, und über die restlichen Einwohner von Jerusalem, die nicht mit euch in die Gefangenschaft ziehen mussten, [17]sage ich, der Herr, der allmächtige Gott: Ich bringe Kriege, Hungersnot und Seuchen über sie; sie sind für mich wie verfaulte Feigen, die man wegwirft, weil man sie nicht mehr essen kann. [18]Ja, Krieg, Hungersnot und Seuchen lasse ich über sie hereinbrechen. In allen Königreichen ringsum, in allen Ländern, in die ich sie vertreibe, wird man über ihr Unglück entsetzt sein, sie verachten und verspotten; wer einen anderen verfluchen will, wird ihm dasselbe Schicksal herbeiwünschen, das sie getroffen hat. [19]Denn sie haben meine Warnungen in den Wind geschlagen, die meine Boten, die Propheten, ihnen immer wieder überbrachten. Was ich, der Herr, ihnen zu sagen hatte, war ihnen völlig gleichgültig.

[20]Ihr aber, die ich aus Jerusalem nach Babylonien verschleppen ließ, hört auf mich! [21]Denn ich, der Herr, der allmächtige Gott Israels, sage euch: Ahab, der Sohn Kolajas, und Zedekia, der Sohn Maasejas, führen euch mit ihren Weissagungen in die Irre und berufen sich dabei auf mich. Darum gebe ich sie in die Gewalt des Königs Nebukadnezar. Er wird sie vor euren Augen hinrichten. [22]Wenn ihr Verbannten in Babylonien dann jemanden verwünscht, werdet ihr sagen: Der Herr strafe dich wie Zedekia und Ahab, die der König von Babylonien bei lebendigem Leib rösten ließ! – [23]Sie haben große Schuld auf sich geladen: Mit den Frauen anderer Männer brachen sie die Ehe, sie gaben sich als meine Propheten aus und erzählten Lügen. Niemals habe ich sie damit beauftragt! Das bezeuge ich, der Herr.‹«

Gottes Botschaft an den Propheten Schemaja in Babylonien

[24/25]Der Herr, der allmächtige Gott Israels, gab mir den Auftrag, Schemaja aus Nehelam diesen Brief zu schreiben: »Eigenmächtig hast du von Babylonien aus Briefe an die Einwohner von Jerusalem und an alle Priester geschickt. An den Priester Zefanja, den Sohn Maasejas, schriebst du:

[26]›Der Herr hat dich an Jojadas Stelle zum Priester berufen. Als Tempelaufseher musst du jeden Wahnsinnigen, der als Prophet auftritt, ins Gefängnis werfen, seine Hände und Füße in einen Holzblock einschließen und ihm das Halseisen umlegen. [27]Warum unternimmst du dann nichts gegen Jeremia aus Anatot, der sich als Prophet ausgibt? [28]Er hat einen Brief an uns in Babylonien geschickt und darin behauptet, wir müssten

---

29,10 25,11–14; 23,3* **29,11** 24,4–7 **29,12–14** 5 Mo 4,29–31; Ps 50,15; Jes 55,6; Mt 7,7–8 **29,14** 23,3* **29,16–18** 24,8–10 **29,19** 25,4–5 **29,23** 23,14.21 **29,26** 20,1–2

noch lange hier bleiben. Wir sollten uns Häuser bauen und darin wohnen, Gärten anlegen und uns von ihren Früchten ernähren.‹

[29]Das alles hast du Zefanja geschrieben. Doch er hat mir deinen Brief vorgelesen, [30]und der Herr hat mich beauftragt, [31]allen Verbannten in Babylonien diese Botschaft über dich weiterzugeben: ›Schemaja aus Nehelam spricht zu euch, als wäre er ein Prophet, doch ich habe ihn nicht gesandt. Er verführt euch dazu, auf Lügen zu vertrauen. [32]Hört nun, was ich, der Herr, sage: Ich werde Schemaja aus Nehelam strafen, ihn und seine Kinder. Seine Nachkommen werden alle sterben, und auch er selbst wird das Gute nicht erleben, das ich meinem Volk einst schenken werde. Denn er hat zum Ungehorsam aufgerufen gegen mich, den Herrn!‹«

Gott befreit sein Volk aus der Gefangenschaft

30 Jeremia empfing diese Botschaft vom Herrn: [2]»So spricht der Herr, der Gott Israels: Schreib alle meine Worte auf einer Buchrolle nieder! [3]Es kommt die Zeit, in der ich das Schicksal der Israeliten und Judäer, die mein Volk sind, wieder zum Guten wende. Ich bringe sie zurück in das Land, das ich ihren Vorfahren gegeben habe, und sie können es wieder in Besitz nehmen.

[4]Ich, der Herr, sage zu Israel und Juda: [5]Ich höre Angstgeschrei, Entsetzen macht sich breit, und der Friede ist unerreichbar fern. [6]Können Männer denn Kinder gebären? Warum sehe ich, wie alle Männer sich krümmen vor Schmerz, als hätten sie Wehen? Warum sind sie alle totenbleich?

[7]Ja, es wird ein Tag kommen – so furchtbar wie kein zweiter! Die Nachkommen Jakobs geraten in große Not, aber ich werde sie retten. [8]An jenem Tag werde ich das Joch, das auf ihnen lastet, zerbrechen und ihre Fesseln zerreißen. Das verspreche ich, der allmächtige Gott. Keine fremden Völker werden mein Volk mehr unterwerfen. [9]Nein, mir wird es dienen, dem Herrn, seinem Gott, und einem Nachkommen Davids, den ich als König über sie einsetze.

[10]Fürchtet euch nicht, ihr Nachkommen Jakobs, meine Diener! Hab keine Angst, Volk Israel! Ich, der Herr, werde euch aus einem fernen Land zurückholen. Ich befreie eure Nachkommen aus dem Land, in dem sie Gefangene sind. Dann werdet ihr in Frieden und Sicherheit leben, niemand bedroht euch mehr. [11]Denn ich, der Herr, bin bei euch, um euch zu helfen. Die Völker, in deren Länder ich euch vertrieb, lasse ich vom Erdboden verschwinden, doch euch lösche ich nicht aus. Zwar werde ich auch euch bestrafen, aber nicht mehr als unbedingt nötig.

[12]Israel, du bist böse zugerichtet worden, deine Wunden sind unheilbar. [13]Keiner tritt für dich ein, niemand verbindet deine Wunden, es gibt keine Hoffnung auf Heilung mehr für dich! [14]Alle deine Freunde haben dich vergessen, sie lassen dich im Stich. Du hast große Schuld auf dich geladen und unzählige Sünden begangen. Darum habe ich dich geschlagen – unbarmherzig und grausam wie ein Feind.

[15]Warum klagst du jetzt über deine Wunden, warum schreist du in deinem Schmerz, den niemand lindern kann? Weil deine Schuld so groß ist und du viele Sünden begangen hast, darum habe ich dich so zugerichtet!

[16]Doch alle Völker, die dich ausrotten wollen, sollen auch ausgerottet werden. Deine Feinde werden wie du in die Gefangenschaft ziehen. Sie haben dich beraubt – nun fallen sie selbst anderen zur Beute; dich haben sie ausgeplündert, nun gebe ich auch sie der Plünderung preis.

29,31–32 28,15–16 **30,2** 51,59–60; Jes 30,8; Hab 2,2 **30,3** 23,3* **30,7** Joel 1,15* **30,8** 28,10–14; 29,10 **30,9** 23,5; Hes 34,23–24 **30,10** Jes 43,1* **30,11** 4,27 **30,13** 14,19 **30,16** 10,25; Jes 17,14; 33,1

[17] Aber zu dir sage ich, der Herr: Ich will dich wieder gesund machen und deine Wunden heilen, auch wenn deine Feinde meinen, du seist von mir verstoßen worden. ›Zion, um die sich niemand kümmert‹, nennen sie dich. [18] Doch ich verspreche dir: Ich wende das Schicksal meines Volkes wieder zum Guten und sorge dafür, dass ihre Häuser neu errichtet werden. Aus den Ruinen wird Jerusalem wiederaufgebaut, und der Königspalast wird an seiner alten Stelle stehen.

[19] Dann hört man dort wieder Danklieder und frohes Lachen. Ich lasse mein Volk immer größer werden und verleihe ihnen so viel Ansehen, dass niemand sie mehr verachtet. [20] Ihre Kinder können in Sicherheit aufwachsen wie früher, ja, das ganze Volk wird von mir geschützt. Doch alle, die sie unterdrücken, bekommen meine Strafe zu spüren!

[21] Ein König aus dem eigenen Volk wird sie regieren; einer aus ihrer Mitte wird ihr Herrscher sein. Er darf vor mich treten, weil ich es ihm gewähre. Denn wer sonst könnte es wagen, sich mir zu nähern, mir, dem Herrn? Er würde sein Leben aufs Spiel setzen. [22] Ihr Israeliten sollt wieder mein Volk sein, und ich will euer Gott sein!«

[23] Der Zorn des Herrn bricht los wie ein Sturm, wie ein Wirbelsturm fegt er über die hinweg, die den Herrn verachten. [24] Er wird sich erst legen, wenn alles ausgeführt ist, was der Herr sich vorgenommen hat. Die Zeit kommt, in der ihr das klar erkennen werdet!

Ich bringe euch in euer Land zurück

31 So spricht der Herr: »Es kommt die Zeit, in der ich der Gott aller Stämme Israels sein werde, und sie werden mein Volk sein. [2] Alle, die dem Schwert der Feinde entkommen sind, ziehen durch die Wüste zurück in ihr Land, wo sie in Ruhe und Sicherheit leben können.

Denn ich, der Herr, habe Erbarmen mit ihnen. [3] Ich bin ihnen von ferne erschienen und habe zu ihnen gesagt: ›Ich habe euch schon immer geliebt, darum bin ich euch stets mit Güte begegnet.‹ [4] Ich baue dich wieder auf, Volk Israel, deine Städte und Dörfer werden neu errichtet. Dann wirst du fröhlich sein und mit dem Tamburin hinausgehen zum Reigentanz. [5] Im Bergland von Samaria legst du wieder Weinberge an. Die Weinbauern bepflanzen sie und genießen ihre Früchte. [6] Die Wächter im Bergland von Ephraim rufen: ›Auf, wir wollen zum Berg Zion gehen, zum Herrn, unserem Gott!‹

[7] Ich, der Herr, sage: Freut euch über die Nachkommen Jakobs, jubelt über das bedeutendste aller Völker! Singt mir Loblieder und ruft laut: ›Der Herr hat sein Volk befreit, er hat alle gerettet, die von Israel übrig geblieben sind!‹ [8] Ich, der Herr, bringe sie aus dem Land im Norden zurück, ich hole sie vom Ende der Erde herbei. Blinde und Lahme sind unter ihnen, schwangere Frauen und solche, die gerade erst ein Kind geboren haben. Sie alle kehren als großes Volk in ihr Land zurück. [9] Weinend werden sie kommen, sie werden zu mir beten, während ich sie nach Hause bringe. Ich führe sie zu Bächen mit frischem Wasser, ich lasse sie auf gut gebahnten Wegen gehen, damit sie nicht stürzen. Denn ich bin Israels Vater, und der Stamm Ephraim ist mein erster Sohn.

[10] Ihr Völker, hört, was ich, der Herr, sage, verkündet es auf den fernsten Inseln! Ruft: ›Der Herr hat die Israeliten in alle Winde zerstreut, aber nun sammelt er sie wieder und schützt sein Volk wie ein Hirte seine Herde.‹ [11] Ja, ich, der Herr, habe die Nachkommen Jakobs erlöst, ich habe sie aus der Gewalt ihrer Unterdrücker befreit. [12] Sie werden auf den Berg Zion kommen und jubeln vor Freude; dann genießen sie die guten Ga-

---

30,17 Jes 62,4 **30,18–19** Ps 126,1–3 **30,21** 5 Mo 17,15 **30,22** 7,23; 24,7 **30,23–24** 23,19–20 **31,1** 3,18* **31,3** 5 Mo 7,7–8; Mal 1,2 **31,4** 33,10–11 **31,6** 50,4–5; 51,10 **31,7–8** 23,3* **31,9** Jes 49,9–11; Hos 11,1.8 **31,10** Hes 34,11–16* **31,12–13** Jes 35,10

ben, die ich ihnen schenke: Korn, jungen Wein und Olivenöl in Fülle, dazu junge Schafe und Rinder. Mein Volk wird einem gut bewässerten Garten gleichen, nie wieder werden sie Mangel leiden. [13]Die Mädchen tanzen im Reigen, die jungen Männer und die Alten feiern miteinander. Denn ich verwandle ihre Trauer in Freude, ich tröste sie und schenke ihnen Glück nach all ihrem Leid. [14]Den Priestern gebe ich das beste Fleisch der Opfertiere; mein Volk soll satt werden von meinen guten Gaben. Darauf gebe ich, der Herr, mein Wort.«

[15]So spricht der Herr: »Schreie der Angst hört man in der Stadt Rama, das Klagen nimmt kein Ende. Rahel weint um ihre Kinder, sie will sich nicht trösten lassen, denn ihre Kinder wurden ihr genommen.[a]

[16]Doch ich, der Herr, sage: Du brauchst nicht mehr zu weinen und zu klagen! Wisch dir die Tränen ab, denn ich werde dich für das belohnen, was du für deine Nachkommen getan hast: Sie kehren aus dem Land ihrer Feinde zurück. [17]Du hast eine Zukunft! Du darfst neue Hoffnung schöpfen! Denn deine Kinder kommen in ihre Heimat zurück.

[18]Ich habe genau gehört, wie Ephraim stöhnt: ›Herr, du hast mich gestraft, ich musste geschlagen werden wie ein junges Rind, das sich nicht ans Joch gewöhnen will, ich habe deine Strafe verdient! Doch jetzt bring mich zurück zu dir, lass mich umkehren, denn du bist der Herr, mein Gott. [19]Ich komme zu dir zurück, und jetzt packt mich die Reue über das, was ich getan habe. Ich erkenne meine Sünden, sie tun mir leid. Ich schäme mich, und mein Gewissen quält mich. Die Schuld meiner Jugend hat mich in Verruf gebracht.‹

[20]Ich, der Herr, antworte: Ephraim ist mein geliebter Sohn, mein Lieblingskind! Immer wenn ich ihm Strafe androhe, muss ich doch in Liebe an ihn denken. Es bricht mir das Herz, ich muss Erbarmen mit ihm haben!

[21]Ihr Israeliten, stellt euch Wegweiser auf, kennzeichnet die Straßen! Erinnert euch, auf welchem Weg ihr gekommen seid, und dann kehrt in eure Städte zurück! [22]Wie lange willst du noch umherirren, mein Volk, das mir die Treue gebrochen hat? Wenn du wieder in deinem Land bist, lasse ich etwas ganz Neues geschehen: Du wirst bei mir bleiben wie eine Frau bei ihrem Mann.[b]«

Israel und Juda werden wieder besiedelt

[23]Der Herr, der allmächtige Gott Israels, sprach zu mir: »Wenn ich das Schicksal meines Volkes zum Guten wende, werden die Einwohner der Städte Judas sagen: ›Der Herr segne dieses Land, das ihm gehört, und den Berg Zion, auf dem er wohnt!‹ [24]Alle Menschen werden im Land Juda friedlich zusammenleben: Bauern und Nomaden, die mit ihren Herden umherziehen. [25]Ich will den Erschöpften neue Kraft geben, und alle, die vom Hunger geschwächt sind, bekommen von mir zu essen.«

[26]Da wachte ich auf, ich war erfrischt und gestärkt.

[27]Der Herr sprach: »Es kommt die Zeit, in der ich Israel und Juda wieder mit Menschen und Tieren bevölkern werde. [28]Damals habe ich sie entwurzelt und ausgerissen, nun werde ich sie wieder einpflanzen und gedeihen lassen. Das verspreche ich, der Herr. [29]Dann wird man nicht mehr das Sprichwort anführen: ›Die Väter haben saure Trauben gegessen, und die Söhne haben davon stumpfe Zähne bekommen.‹ [30]Nein, wer saure Trauben isst, wird selbst stumpfe Zähne bekommen; jeder wird für seine eigene Schuld sterben.«

---

[a] Rahel, die Mutter Josefs und Benjamins, war in Rama begraben. Hier steht sie bildhaft für die Stämme des Nordreichs.

[b] Wörtlich: Die Frau wird den Mann umgeben.

31,14 4 Mo 18,8–19* **31,15** 1 Sam 10,2; Mt 2,18 **31,18–19** 4,1; 7,3 **31,20** Jes 49,15; 63,9; Hos 11,8 **31,23** Ps 122,6–9 **31,28** 1,10; 18,7–10 **31,29–30** 2 Mo 20,5–6*; Hes 18,2–4

Der neue Bund

[31] So spricht der Herr: »Es kommt die Zeit, in der ich mit dem Volk Israel und dem Volk von Juda einen neuen Bund schließe. [32] Er ist nicht mit dem zu vergleichen, den ich damals mit ihren Vorfahren schloss, als ich sie mit starker Hand aus Ägypten befreite. Diesen Bund haben sie gebrochen, obwohl ich doch ihr Herr war!

[33] Der neue Bund mit dem Volk Israel wird ganz anders aussehen: Ich schreibe mein Gesetz in ihr Herz, es soll ihr ganzes Denken und Handeln bestimmen. Ich werde ihr Gott sein, und sie werden mein Volk sein. [34] Niemand muss dann den anderen noch belehren, keiner braucht seinem Bruder mehr zu sagen: ›Erkenne doch den Herrn!‹ Denn alle – vom Kleinsten bis zum Größten – werden erkennen, wer ich bin. Ich vergebe ihnen ihre Schuld und denke nicht mehr an ihre Sünden. Mein Wort gilt!

[35] Ich, der Herr, habe die Sonne dazu bestimmt, den Tag zu erhellen, den Mond und die Sterne, damit sie nachts leuchten. Sie alle folgen einer festen Ordnung. Ich lasse die Wellen des Meeres tosen, denn ich bin der Herr, der allmächtige Gott. [36] Ich sage: So wie diese feste Ordnung für immer besteht, wird auch Israel für immer mein Volk sein. [37] Und wie man die Weite des Himmels und die Fundamente der Erde niemals ermessen kann, so werde ich Israel nicht verstoßen trotz allem, was es getan hat. Darauf gebe ich, der Herr, mein Wort!«

Jerusalem wird wieder aufgebaut

[38] So spricht der Herr: »Es kommt die Zeit, in der man die Stadt Jerusalem für mich wieder aufbauen wird. Ihre Mauer verläuft vom Hananelturm bis zum Ecktor, [39] von dort weiter bis zum Garebhügel und im Bogen bis nach Goa. [40] Das ganze Tal, in dem man die Leichen verbrennt und die Opferasche ausschüttet, außerdem die Terrassenfelder bis zum Bach Kidron und zur Ecke des Rosstors im Osten – alles wird dann einzig und allein mir gehören. Nie mehr wird man die Stadt abreißen und zerstören.«

Jeremia kauft einen Acker

32 Im 10. Regierungsjahr des judäischen Königs Zedekia empfing Jeremia eine Botschaft vom Herrn. Es war das 18. Regierungsjahr König Nebukadnezars, [2] und das babylonische Heer belagerte damals gerade Jerusalem. Jeremia wurde im Wachhof beim Königspalast gefangen gehalten. [3] Zedekia hatte ihn verhaften lassen, weil er immer wieder verkündet hatte: »So spricht der Herr: ›Ich gebe diese Stadt in die Gewalt des babylonischen Königs, er wird sie erobern. [4] Auch König Zedekia entkommt ihm nicht, er wird Nebukadnezar Auge in Auge gegenüberstehen und ihm Rechenschaft ablegen müssen. [5] Dann verschleppt man Zedekia nach Babylon, und dort wird er bleiben, bis ich, der Herr, mich wieder seiner annehme. Ihr könnt noch so sehr gegen die Babylonier kämpfen, ihr werdet doch nicht siegen!‹«

[6] Jeremia berichtet über die Botschaft, die Gott ihm gab:

Der Herr sprach zu mir: [7] »Hanamel, der Sohn deines Onkels Schallum, wird zu dir kommen und dich auffordern, seinen Acker in Anatot zu kaufen, weil du als nächster Verwandter das Vorkaufsrecht hast.« [8] Wie der Herr es angekündigt hatte, kam Hanamel zu mir in den Wachhof und sagte: »Ich muss meinen Acker verkaufen, der in Anatot im Gebiet von Benjamin liegt. Du bist der nächste Verwandte und hast das Vorkaufsrecht. Nimm den Acker, damit er unserer Sippe nicht verloren geht!«

Ich wusste, dass durch ihn der Herr zu

31,31–34 32,40; Hes 36,26–27*; Lk 22,20; 2 Kor 3,6; Hebr 8,6–13; 9,15; 10,14–18
31,32 2 Mo 19,5–6*; 24,3–8 **31,34** Jes 11,9; Hab 2,14 **31,35–36** 33,20–21 **31,35** 1 Mo 1,16–18
31,38–40 Sach 14,10–11 **32,2** 2 Kön 25,1; Jer 37,21; 38,28 **32,3–5** 21,4–10; 34,2–5; 37,3–21
32,7–8 3 Mo 25,23–25 **32,7** 1,1

mir sprach, [9]darum kaufte ich Hanamel den Acker ab und gab ihm siebzehn Silberstücke dafür. [10]Ich unterzeichnete den Kaufvertrag, ließ die Zeugen unterschreiben und versiegelte das Schriftstück. Die Silberstücke wog ich auf der Waage ab. [11/12]In Gegenwart Hanamels, der Zeugen, die den Vertrag beglaubigt hatten, und der anderen Judäer, die sich im Wachhof aufhielten, gab ich dann den versiegelten Vertrag und eine unversiegelte Abschrift Baruch, dem Sohn Nerijas und Enkel Machsejas. [13]Ich sagte zu ihm:

[14]»So spricht der Herr, der allmächtige Gott Israels: ›Nimm diesen versiegelten Kaufvertrag und die offene Abschrift, und bewahre sie in einem Tonkrug auf, damit sie lange erhalten bleiben. [15]Denn ich, der Herr, der allmächtige Gott Israels, verspreche: Es kommt die Zeit, in der man in diesem Land wieder Häuser, Äcker und Weinberge kaufen wird!‹«

Jeremia lobt Gott

[16]Nachdem ich den Kaufvertrag Baruch, dem Sohn Nerijas, übergeben hatte, betete ich:

[17]»Herr, allmächtiger Gott, durch deine starke Hand und deine Macht hast du den Himmel und die Erde geschaffen. Nichts ist dir unmöglich. [18]Die Söhne strafst du für die Schuld ihrer Väter, aber deine Güte erweist du an Tausenden von Generationen. Du bist groß und unüberwindlich, Herr, allmächtiger Gott! [19]Deine Gedanken sind weise, und alles, was du tust, zeigt deine unerschöpfliche Macht. Vor deinen Augen liegen die Wege aller Menschen offen da, du gibst jedem, was er für seine Taten verdient.

[20]Du hast damals in Ägypten Zeichen und Wunder vollbracht, und so tust du es bis heute an Israel und an allen Menschen. Dein Name ist in aller Welt bekannt. [21]Du hast dein Volk Israel mit starker Hand aus Ägypten befreit, durch deine Wunder und die Zeichen deiner Macht hast du ihre Feinde in Angst und Schrecken versetzt. [22]Deinem Volk gabst du dieses Land, das du schon ihren Vorfahren mit einem Eid versprochen hattest, ein Land, wo Milch und Honig fließen.

[23]Doch als unsere Vorfahren es in Besitz genommen hatten, hörten sie nicht mehr auf dich, den Herrn, sie richteten sich nicht nach deinen Geboten, und was du ihnen sagtest, war ihnen völlig gleichgültig. Darum hast du nun das Unheil über sie hereinbrechen lassen. [24]Die Belagerungswälle reichen schon bis dicht an die Stadtmauer! Die Babylonier werden Jerusalem erobern, und wir halten ihrem Angriff nicht mehr stand, denn wir sind von Hunger und Seuchen geschwächt. Herr, sieh doch, es ist alles so gekommen, wie du es angedroht hast. [25]Und obwohl die Stadt bald den Babyloniern in die Hände fallen wird, hast du, Herr, allmächtiger Gott, mir noch befohlen, den Acker zu kaufen und den Vertrag von Zeugen beglaubigen zu lassen!«

Gottes Antwort

[26]Da sprach der Herr zu mir: [27]»Ich bin der Herr über alle Menschen, mir ist nichts unmöglich. [28]Ich liefere diese Stadt König Nebukadnezar und den Babyloniern aus. [29]Noch belagern sie Jerusalem, doch dann werden sie es erobern und niederbrennen. Alle Häuser, auf deren Dächern man für Baal Räucheropfer darbrachte und anderen Göttern Trankopfer ausgoss, werden in Flammen aufgehen. Denn die Einwohner haben meinen Zorn damit herausgefordert.

[30]Die Israeliten und die Judäer haben von Anfang an nur das getan, was ich verabscheue, ständig haben sie mich zornig gemacht. [31]Seit Jerusalem gegründet wurde, haben die Menschen dort mich bis aufs äußerste gereizt! Darum werde ich diese Stadt nun dem Erdboden

---

32,11–12 45,1 **32,17** 1 Mo 18,14; Hiob 42,2 **32,18** 2 Mo 34,6–7 **32,20–21** 5 Mo 4,34* **32,22** 1 Mo 12,7*; 2 Mo 3,8 **32,28** 21,10 **32,29** 2 Kön 25,1–11

gleichmachen. [32]Ja, mich haben sie herausgefordert mit ihrer Bosheit, die Könige und führenden Männer, die Priester, Propheten und das ganze Volk von Juda und Jerusalem. [33]Sie haben mir den Rücken gekehrt und wollten nichts mehr von mir wissen. Obwohl ich ihnen immer wieder meine Weisungen gab, weigerten sie sich beharrlich, auf mich zu hören und mir zu gehorchen. [34]Sogar in meinem Tempel haben sie ihre abscheulichen Götzen aufgestellt und ihn so entweiht. [35]Und nicht genug damit: Im Hinnomtal errichteten sie Opferstätten für Baal und verbrannten ihre Kinder als Opfer für den Gott Moloch. Niemals habe ich ihnen so etwas befohlen, mit keinem Gedanken je daran gedacht, dass sie sich in so entsetzliche Schuld verstricken sollten! Damit haben sie ganz Juda zur Sünde verführt.

[36]Ihr sagt: ›Jerusalem wird dem König von Babylonien in die Hände fallen, denn die Kämpfe, der Hunger und die Seuchen haben unseren Widerstand gebrochen.‹ Doch hört, was ich dieser Stadt verkünde, ich, der Herr und Gott Israels:

[37]Zwar zerstreue ich ihre Einwohner voller Zorn in alle Länder, aber ich will sie wieder von dort sammeln und zurückbringen, damit sie hier in Ruhe und Frieden wohnen können. [38]Sie sollen mein Volk sein, und ich will wieder ihr Gott sein. [39]Dann werden sie nur ein Ziel haben: mich zu achten und zu ehren, denn ich selbst lege ihnen diesen Wunsch ins Herz. Darum wird es ihnen und ihren Nachkommen gut gehen.

[40]Ich will einen Bund mit ihnen schließen, der für alle Zeiten gilt: Nie werde ich aufhören, ihnen Gutes zu tun. Ich gebe ihnen Ehrfurcht vor mir, damit sie sich nie mehr von mir abwenden. [41]Es wird mir Freude bereiten, ihnen Gutes zu tun, und wenn ich sie wieder in diesem Land wohnen lasse, dann tue ich dies von ganzem Herzen und bleibe auch dabei. [42]Ich, der Herr, verspreche: Ich lasse all das Gute eintreffen, das ich diesem Volk angekündigt habe, so wie ich auch das Unheil über sie hereinbrechen ließ. [43]Jetzt klagt ihr noch: ›Unser Land wird verwüstet und bald von Menschen und Tieren verlassen sein, denn es fällt den Babyloniern in die Hände.‹ Doch ich, der Herr, sage euch: Man wird im ganzen Land wieder Felder kaufen [44]und verkaufen, den Preis aushandeln und Verträge abschließen, sie von Zeugen bestätigen lassen und versiegeln: im Stammesgebiet von Benjamin, in den Dörfern um Jerusalem, in den Städten Judas und des Berglandes, in den Städten des Hügellandes im Westen und im Negev. Ich, der Herr, werde das Schicksal meines Volkes wieder zum Guten wenden.«

In Jerusalem wird wieder Freude herrschen

33 Während Jeremia im Wachhof gefangen gehalten wurde, redete der Herr ein zweites Mal mit ihm: [2]»So spricht der Herr, der allmächtige Gott, der die Erde geschaffen hat, der sie formte und ihr Bestand gab: [3]Rufe zu mir, dann will ich dir antworten und dir große und geheimnisvolle Dinge zeigen, von denen du nichts weißt!

[4/5]Ihr Einwohner von Jerusalem, hört meine Botschaft: Ihr habt Teile des Königspalasts und anderer Häuser der Stadt abgerissen. Ihr wolltet die Steine und Balken dazu verwenden, euch gegen die angreifenden Babylonier mit ihren Belagerungswällen zu schützen. Doch ich sage euch: In den Ruinen dieser Häuser werden überall die Leichen der Gefallenen liegen, die ich in meinem glühenden Zorn umkommen lasse. Denn wegen ihrer Bosheit habe ich mich von dieser Stadt abgewandt.

[6]Doch ich sorge dafür, dass eure Häuser neu errichtet werden; ich gebe euch dauerhaften Frieden und Sicherheit. [7]Ja, ich wende das Schicksal Judas und Israels

---

32,34 2 Kön 21,7; 23,4–7; Hes 8,5.10 **32,35** 19,5; 3 Mo 18,21* **32,37** 23,3* **32,39** Hes 36,26–27* **32,40** 31,31–34* **32,43–44** 32,9–10 **33,1** 32,1–2 **33,2–3** Ps 17,6* **33,4–5** Jes 22,9–11 **33,7** 24,6

zum Guten und baue das Land wieder auf wie früher. [8]Mein Volk werde ich von aller Schuld befreien. Sie haben mir die Treue gebrochen und gegen mich gesündigt, doch ich will ihnen vergeben! [9]Dann werde ich mich über Jerusalem freuen, die Stadt wird mir Ruhm und Ehre bringen; ja, alle Völker werden mich preisen, wenn sie hören, wie viel Gutes ich Jerusalem tue. Sie werden von Ehrfurcht überwältigt sein, weil ich der Stadt Glück und Frieden schenke.

[10]Ihr sagt: ›Unsere Stadt ist verwüstet, es leben keine Menschen und Tiere mehr darin; die Städte Judas und die Straßen Jerusalems sind wie ausgestorben.‹ Doch ich, der Herr, verspreche euch: [11]Überall wird wieder Freude und Jubel herrschen, es wird fröhliche Hochzeitsfeiern geben. Ihr werdet hören, wie die Menschen mich preisen und sagen: ›Lobt den Herrn, den allmächtigen Gott, denn er ist gut, und seine Gnade hört niemals auf!‹ Ihr werdet sehen, wie sie wieder in den Tempel gehen, um mir Dankopfer darzubringen. Ja, ich wende das Schicksal eures Landes zum Guten, so wie es früher war!«

[12]So spricht der Herr, der allmächtige Gott: »Jetzt ist eure Stadt verwüstet, von Menschen und Tieren verlassen. Aber hier und in den anderen Städten wird es wieder Weideplätze geben, auf denen Hirten ihre Herden lagern lassen. [13]In den Städten des Berglandes und des Hügellandes im Westen, im Negev, im Stammesgebiet von Benjamin, in den Dörfern um Jerusalem und in den Städten Judas – überall werden die Hirten ihre Schafe zählen. Das verspreche ich, der Herr.«

Ich schließe mit euch einen ewigen Bund

[14]So spricht der Herr: »Es kommt die Zeit, da erfülle ich meine Verheißung für Israel und Juda: [15]Ich mache einen Nachkommen Davids zum König, den man wirklich als gerecht bezeichnen kann. Er wird in seinem Land für Recht und Gerechtigkeit sorgen. [16]Unter seiner Regierung wird Juda Hilfe finden und Jerusalem in Sicherheit leben. ›Der Herr, unsere Rettung‹, so wird man Jerusalem nennen. [17]Ich, der Herr, sage euch: Immer wird ein Nachkomme Davids als König über Israel regieren. [18]Und aus dem Stamm Levi werden immer Priester kommen, die mir dienen und regelmäßig Brandopfer, Speiseopfer und andere Opfergaben darbringen.«

[19]Wieder empfing Jeremia eine Botschaft vom Herrn: [20]»So spricht der Herr: Ich habe mit dem Tag und der Nacht einen Bund geschlossen, dass sie zur rechten Zeit aufeinander folgen; niemand kann diese Ordnung umstoßen. [21]Auch mit meinem Diener David habe ich einen Bund geschlossen, dass immer einer seiner Nachkommen als König regieren wird, ebenso mit den Priestern aus dem Stamm Levi, dass sie mir immer dienen werden. Diese Bündnisse kann niemand aufheben. [22]Ich lasse die Nachkommen Davids und die Nachkommen der Leviten so zahlreich werden wie die Sterne und wie den Sand am Meer.«

[23]Dann sprach der Herr zu Jeremia: [24]»Hörst du, was die Leute sagen? ›Der Herr hat Israel und Juda als sein Volk erwählt, aber jetzt hat er es verstoßen!‹ Mit Verachtung schauen sie auf die Israeliten herab, als wären sie gar kein Volk mehr. [25]Doch ich, der Herr, sage: Meinen Bund mit dem Tag und der Nacht werde ich niemals brechen, und die Ordnungen von Himmel und Erde lasse ich für alle Zeiten gelten. [26]Genauso sicher könnt ihr sein, dass ich die Nachkommen Jakobs und Davids nie verstoßen werde; immer wird einer von ihnen König sein über das Volk Abrahams, Isaaks und Jakobs. Dann will ich ihr Schicksal wieder zum Guten wenden und Erbarmen mit ihnen haben.«

33,8 31,34 **33,9** 13,11 **33,10** 32,43 **33,11** Ps 136,1 **33,15–16** 23,5–6 **33,17** 2 Sam 7,16* **33,18** 5 Mo 10,8 **33,20–21** 31,35–36 **33,22** 1 Mo 22,17

König Zedekia wird nicht im Krieg umkommen

34 König Nebukadnezar von Babylonien belagerte Jerusalem und die umliegenden Städte mit seinem Heer und mit den Truppen der Völker, die er unterworfen hatte. In dieser Zeit empfing Jeremia eine Botschaft vom Herrn:

[2] »So spricht der Herr, der Gott Israels: Geh zu König Zedekia und sag ihm: Ich, der Herr, gebe deine Stadt in die Gewalt des babylonischen Königs, und er wird sie in Brand stecken. [3] Du selbst wirst ihm nicht entkommen, nein, du wirst gefangen genommen, musst ihm Auge in Auge gegenüberstehen und ihm Rechenschaft ablegen. Dann wird man dich nach Babylon bringen. [4] Doch höre, Zedekia, König von Juda, was ich, der Herr, dir außerdem sage: Du wirst nicht im Krieg umkommen, [5] sondern einmal in Frieden sterben. Dann wird man dir zu Ehren ein großes Feuer anzünden wie bei deinen Vorgängern, man wird um dich trauern und rufen: ›Unser König ist tot!‹ Ich selbst gebe dir darauf mein Wort.«

[6] Der Prophet Jeremia gab diese Botschaft dem König in Jerusalem weiter, [7] als die Babylonier noch um Jerusalem, Lachisch und Aseka kämpften. Von allen befestigten Städten Judas leisteten nur diese noch Widerstand.

Ein folgenschwerer Wortbruch

[8/9] König Zedekia befahl den Einwohnern von Jerusalem, alle jüdischen Sklaven und Sklavinnen freizulassen und niemanden aus dem eigenen Volk mehr als Sklaven zu halten. [10] Die führenden Männer und das ganze Volk willigten ein, verpflichteten sich mit einem Eid und schenkten ihren Sklaven die Freiheit. [11] Doch dann überlegten sie es sich anders, holten ihre Sklaven zurück und zwangen sie wieder zum Dienst. [12] Da empfing Jeremia eine Botschaft vom Herrn:

[13] »So spricht der Herr, der Gott Israels: Als ich eure Vorfahren aus der Sklaverei befreite und sie aus Ägypten herausführte, schloss ich mit ihnen einen Bund und befahl: [14] ›Lasst jeden jüdischen Sklaven, der sich euch verdingt hat, im siebten Jahr seines Dienstes frei!‹ Aber eure Vorfahren wollten nicht auf mich hören, sie haben mein Gebot missachtet. [15] Ihr nun habt getan, was mir gefällt: Ihr habt eure Sklaven freigelassen und euch sogar mit einem Eid vor mir in meinem Tempel dazu verpflichtet. [16] Doch jetzt habt ihr eure Meinung geändert, eure Sklaven zurückgeholt und wieder zum Dienst gezwungen, obwohl ihr sie freigelassen hattet und sie gehen konnten, wohin sie wollten. Damit habt ihr meinem Namen Schande bereitet!

[17] Und nun hört, was ich euch sage: Ihr habt meine Worte in den Wind geschlagen und den Sklaven aus eurem Volk nicht die Freiheit geschenkt. Darum gebe ich, der Herr, euch nun die Freiheit, im Krieg zu fallen, an einer Seuche zu sterben oder zu verhungern! In allen Königreichen der Welt wird man entsetzt sein über das, was ich euch antue. [18/19] Die führenden Männer von Juda und Jerusalem, die Hofbeamten, die Priester und das Volk haben mit mir einen Bund geschlossen: Sie zerlegten ein Kalb in zwei Hälften und schritten zwischen ihnen hindurch. Doch dann haben sie den Bund mit mir gebrochen und sich nicht an ihre Verpflichtungen gehalten. Darum werde ich sie so zurichten wie das Kalb, zwischen dessen Teilen sie hindurchgegangen sind. [20] Ich lasse sie ihren Todfeinden in die Hände fallen und werfe ihre Leichen den Geiern und Schakalen zum Fraß vor.

[21] Auch König Zedekia von Juda und die führenden Männer gebe ich in die Gewalt ihres erbitterten Feindes, des Königs von Babylonien. Selbst wenn sein Heer jetzt von euch abgezogen ist, [22] wird es auf meinen Befehl wieder umkehren

---

34,1 2 Kön 25,1–2 **34,2–3** 32,3–5 **34,5** 2 Chr 16,14 **34,7** 2 Chr 11,5–10 **34,8–9** Neh 5,5.8 **34,14** 2 Mo 21,2–4 **34,15** 4 Mo 30,3* **34,17** 24,10 **34,18–19** 1 Mo 15,9–10.17–18 **34,21–22** 37,5.8

und diese Stadt belagern, sie erobern und niederbrennen. Auch die anderen Städte Judas mache ich zu einer menschenleeren Wüste. Mein Wort gilt!«

Jeremia soll die Rechabiter auf die Probe stellen

35 Als Jojakim, der Sohn Josias, noch König von Juda war, sprach der Herr zu mir: [2] »Geh zur Sippe der Rechabiter, bitte sie, in einen der Räume des Tempels zu kommen, und biete ihnen dort Wein an!«

[3] Da lud ich die ganze Sippe der Rechabiter ein: Jaasanja, den Sohn Jirmejas und Enkel Habazzinjas, mit seinen Kindern und Verwandten. [4] Ich führte sie in den Raum der Söhne Hanans; Hanan war ein Sohn des Propheten Jigdalja. Dieser Raum lag neben dem der Fürsten, im ersten Stock über dem Zimmer Maasejas, der ein Sohn des Torwächters Schallum war. [5] Dort stellte ich den Rechabitern volle Weinkrüge hin, gab ihnen Becher und forderte sie zum Trinken auf.

[6] »Wir trinken keinen Wein«, erwiderten sie, »denn unser Stammvater Jonadab, der Sohn Rechabs, hat es uns und unseren Nachkommen verboten. [7] Er befahl uns auch: ›Baut keine Häuser, kauft keine Äcker und Weinberge, und bepflanzt sie nicht! Ihr sollt immer in Zelten wohnen. Nur dann werdet ihr lange in dem Land leben, durch das ihr als Nomaden zieht.‹ [8] Und so halten wir uns an die Anordnungen unseres Stammvaters Jonadab, des Sohnes Rechabs: Wir trinken keinen Wein, weder wir noch unsere Frauen und Kinder. [9] Wir bauen auch keine Häuser, um sesshaft zu werden; wir besitzen weder Felder noch Weinberge und Saatgut. [10] Wir sind Nomaden und wohnen immer in Zelten, denn wir befolgen die Weisungen unseres Stammvaters Jonadab genau. [11] Erst als König Nebukadnezar von Babylonien unser Land angriff, entschlossen wir uns, nach Jerusalem zu ziehen, um vor dem Heer der Babylonier und Aramäer Schutz zu suchen. Nur deshalb halten wir uns jetzt in der Stadt auf!«

[12] Da empfing ich eine Botschaft vom Herrn:

[13] »So spricht der Herr, der allmächtige Gott Israels: Geh zu den Bewohnern von Juda und Jerusalem, und richte ihnen aus: Warum lasst ihr euch nichts sagen? Warum missachtet ihr meine Gebote? [14] Jonadab, der Sohn Rechabs, befahl seinen Nachkommen, keinen Wein zu trinken, und sie gehorchten ihm. Bis heute halten sich die Rechabiter daran. Ich aber kann mit euch reden, sooft ich will, und ihr stellt euch taub.

[15] Immer wieder habe ich meine Boten, die Propheten, zu euch gesandt und euch durch sie aufgefordert: ›Kehrt um von euren falschen Wegen! Jeder von euch soll sein Leben von Grund auf ändern! Lauft nicht anderen Göttern nach, dient ihnen nicht! Nur dann lasse ich euch weiter in diesem Land wohnen, das ich euren Vorfahren gegeben habe.‹ Doch ihr habt mir keine Beachtung geschenkt und euch nicht nach meinen Geboten gerichtet. [16] Die Nachkommen Jonadabs, des Sohnes Rechabs, haben sich an die Weisung ihres Stammvaters gehalten, aber dieses Volk hier schlägt meine Worte in den Wind!

[17] Darum sage ich, der Herr, der allmächtige Gott Israels: Ich lasse über die Bewohner von Juda und Jerusalem das Unheil hereinbrechen, das ich ihnen angedroht habe. Denn ich redete mit ihnen, doch sie stellten sich taub; ich rief sie, aber sie antworteten nicht!«

[18] Zur Sippe der Rechabiter sagte ich im Auftrag des Herrn: »So spricht der allmächtige Gott Israels: ›Weil ihr das Gebot eures Stammvaters Jonadab befolgt und euch an alle seine Weisungen gehalten habt, [19] wird es immer einen Nachkommen Jonadabs geben, der mir dient. Das verspreche ich, der Herr!‹«

35,1 2 Kön 23,24 **35,6** 2 Kön 10,15–16 **35,11** 4,5; 8,14 **35,15** 25,4–7; 2 Mo 20,3–5*

Baruch liest Jeremias Buchrolle im Tempel vor

36 Im 4. Regierungsjahr König Jojakims, des Sohnes Josias, sprach der Herr zu Jeremia: [2]»Nimm eine Buchrolle und schreib alle Botschaften auf, die ich dir seit der Regierungszeit Josias für Israel, Juda und die anderen Völker gegeben habe! [3]Wenn die Bewohner Judas von dem Unheil hören, das ich über sie bringen will, werden sie vielleicht von ihren falschen Wegen umkehren und ihr Leben ändern. Dann will ich ihre Schuld und Sünde vergeben.«

[4]Da rief Jeremia Baruch, den Sohn Nerijas, zu sich und diktierte ihm alles, was der Herr zu ihm gesprochen hatte. Baruch schrieb es auf eine Buchrolle. [5]Jeremia durfte den Tempel nicht betreten, darum gab er Baruch den Auftrag: [6]»Geh in den Tempel, und lies alle Worte des Herrn vor, so wie ich sie dir diktiert habe! Die Einwohner Jerusalems und der anderen Städte Judas werden sich am Fastentag dort versammeln. [7]Vielleicht flehen sie dann den Herrn um Gnade an und kehren von ihren falschen Wegen um, denn der Herr ist voller Zorn über sie und hat ihnen großes Unheil angedroht.«

[8]Baruch befolgte die Anweisungen Jeremias und verkündete die Botschaft des Herrn im Tempel. [9]Im 9. Monat des 5. Regierungsjahres Jojakims, des Sohnes Josias, hatte man nämlich das ganze Volk von Juda und Jerusalem zum Fasten aufgerufen, um den Herrn um Gnade zu bitten. [10]Baruch las die Worte Jeremias im Tempel vor, und alle hörten gespannt zu. Er saß in der Kammer Gemarjas, der ein Sohn des Hofsekretärs Schafan war; die Kammer lag am oberen Vorhof, dicht beim Neuen Tor.

[11]Als Michaja, ein Sohn Gemarjas und Enkel Schafans, die Worte des Herrn hörte, [12]lief er zum Königspalast und ging in den Raum des Hofsekretärs. Dort saßen alle führenden Männer beieinander: der Hofsekretär Elischama, Delaja, der Sohn Schemajas, Elnatan, der Sohn Achbors, Gemarja, der Sohn Schafans, Zedekia, der Sohn Hananjas, und die übrigen hohen Würdenträger. [13]Michaja berichtete ihnen, was Baruch aus der Buchrolle vorgelesen hatte. [14]Da schickten die führenden Männer einen Mann namens Jehudi, den Sohn Netanjas, Enkel Schelemjas und Urenkel Kuschis, zu Baruch und ließen ihm sagen: »Komm zu uns, und bring die Buchrolle mit!« Baruch nahm sie und ging zu ihnen.

[15]»Setz dich und lies uns daraus vor«, baten sie ihn. Und so las Baruch ihnen alles vor. [16]Als die Männer die Weissagungen hörten, schauten sie sich entsetzt an und sagten zu Baruch: »Wir müssen das unbedingt dem König melden! [17]Wie bist du dazu gekommen, dies alles aufzuschreiben?« [18]»Jeremia hat mir jedes Wort diktiert«, antwortete Baruch, »und ich habe alles mit Tinte auf dieser Buchrolle niedergeschrieben.«

[19]»Ihr müsst euch verstecken, du und Jeremia«, rieten die Männer. »Niemand darf wissen, wo ihr seid!«

Jojakim verbrennt die Buchrolle

[20]Sie bewahrten die Rolle im Raum des Hofsekretärs Elischama auf, gingen in den inneren Hof des Palasts und erstatteten dem König Bericht. [21]Jojakim ließ Jehudi die Buchrolle aus dem Raum Elischamas holen. Dann las Jehudi sie dem König und den führenden Männern vor, die sich um ihn versammelt hatten.

[22]Weil es der neunte Monat des Jahres war, saß der König im Winterhaus, und vor ihm stand ein Kohlenbecken, in dem ein Feuer brannte. [23]Sobald Jehudi drei oder vier Spalten vorgelesen hatte, schnitt der König sie mit einem Federmesser ab und warf sie ins Feuer, bis er die ganze Buchrolle verbrannt hatte.

[24]Weder der König noch seine Wür-

36,1 25,1; 45,1; 46,2 **36,2** 25,3; 30,2 **36,3** 18,11; 26,3 **36,5** 20,1–6; 26,7–9 **36,10** 26,24; 2 Kön 22,3 **36,24** 2 Kön 22,10–11

denträger waren entsetzt über das, was sie gehört hatten; niemand zerriss in Trauer sein Gewand. [25]Nur Elnatan, Delaja und Gemarja flehten den König an, die Buchrolle nicht zu verbrennen, aber er hörte nicht auf sie. [26]Er befahl seinem Sohn Jerachmeel sowie Seraja, dem Sohn Asriëls, und Schelemja, dem Sohn Abdeels, sie sollten den Schreiber Baruch und den Propheten Jeremia gefangen nehmen. Aber der Herr sorgte dafür, dass man die beiden nicht fand.

Baruch schreibt Gottes Botschaft noch einmal auf

[27]Nachdem der König die Buchrolle verbrannt hatte, die Jeremia Baruch diktiert hatte, sprach der Herr zu Jeremia:

[28]»Nimm eine andere Rolle, und schreib alle Botschaften nieder, die auf der ersten standen! [29]Richte Jojakim aus:

So spricht der Herr: Du hast die erste Rolle verbrannt und Jeremia gefragt: ›Warum kündigst du an, dass der König von Babylonien unser Land zu einer Wüste machen wird, in der es keine Menschen und Tiere mehr gibt?‹ [30]Höre nun, König von Juda, was ich, der Herr, über dich sage:

In Zukunft wird niemand aus deiner Familie mehr als Nachkomme Davids über Juda regieren. Deine Leiche wird man draußen liegen lassen, tagsüber ist sie der Hitze und nachts der Kälte ausgesetzt. [31]Ich bestrafe dich, deine Nachkommen und deine Würdenträger wegen eurer Schuld. Ja, über euch, über die Einwohner Jerusalems und alle Judäer lasse ich das Unheil hereinbrechen, das ich euch angedroht habe, denn ihr wolltet nicht auf mich hören!«

[32]Jeremia nahm eine andere Buchrolle und gab sie dem Schreiber Baruch, dem Sohn Nerijas. Baruch schrieb nach Jeremias Anweisung alle Botschaften der alten Rolle nieder, die König Jojakim von Juda verbrannt hatte. Außerdem wurden noch viele andere Worte des Herrn hinzugefügt.

Jeremia warnt König Zedekia

37 König Nebukadnezar von Babylonien setzte Zedekia, den Sohn Josias, als König von Juda ein. Er trat an die Stelle Jojachins, des Sohnes Jojakims. [2]Zedekia, seine obersten Beamten und das Volk hörten nicht auf das, was der Herr ihnen durch den Propheten Jeremia sagte.

[3]Eines Tages schickte Zedekia Juchal, den Sohn Schelemjas, und den Priester Zefanja, den Sohn Maasejas, zu Jeremia mit der Bitte: »Bete für uns zum Herrn, unserem Gott!«

[4]Man hatte Jeremia noch nicht gefangen genommen, er konnte sich frei unter dem Volk bewegen. [5]Das Heer des Pharaos war gerade aus Ägypten aufgebrochen, und als die Babylonier, die vor Jerusalem ihr Lager aufgeschlagen hatten, davon erfuhren, zogen sie ab. [6]Da gab der Herr dem Propheten Jeremia eine Botschaft für die Abgesandten des Königs:

[7]»So spricht der Herr, der Gott Israels: Sagt dem König von Juda, der euch zu mir gesandt hat und mich um Rat fragen will: Das Heer des Pharaos ist losgezogen, um euch zu helfen, aber es wird wieder nach Ägypten umkehren. [8]Dann werden die Babylonier zurückkommen und eure Stadt angreifen, sie werden sie einnehmen und in Brand stecken. [9]Ja, ich, der Herr, warne euch: Täuscht euch nur nicht! Ihr hofft, dass die Babylonier endgültig abgezogen sind. Aber sie werden wiederkommen! [10]Selbst wenn ihr das ganze Heer besiegen würdet und nur ein paar Verwundete in ihren Zelten übrig

36,26 15,21 **36,29** 25,8–11 **36,30** 22,18–19 **37,1** 2 Kön 24,17 **37,3** 21,1–2; 7,16 **37,4** 37,11–16 **37,7–8** 34,21–22

blieben, würden sie aufstehen und eure Stadt niederbrennen!«

Jeremia wird ins Gefängnis geworfen

[11] Die Babylonier waren von Jerusalem abgezogen, weil das ägyptische Heer heranrückte. [12] Jeremia wollte Jerusalem verlassen und ins Stammesgebiet von Benjamin gehen, um dort mit seinen Verwandten das Familienerbe zu teilen. [13] Am Benjamintor hielt ihn der wachhabende Offizier Jirija an, der Sohn Schelemjas und Enkel Hananjas. »Du willst zu den Babyloniern überlaufen«, sagte er. [14] »Das ist nicht wahr«, entgegnete Jeremia, »ich bin kein Überläufer!« Aber Jirija glaubte ihm nicht, sondern nahm ihn fest und brachte ihn zu den anderen Offizieren. [15] Sie wurden zornig und ließen Jeremia schlagen. Dann führten sie ihn zum Haus des Hofsekretärs Jonatan, das sie zum Gefängnis gemacht hatten, [16] und sperrten ihn in ein unterirdisches Verlies, eine ehemalige Zisterne. Dort musste er lange bleiben.

[17] Eines Tages ließ König Zedekia ihn heimlich zu sich in den Palast holen und fragte: »Hast du eine Botschaft vom Herrn für mich?« »Ja«, erwiderte Jeremia, »du wirst dem König von Babylonien in die Hände fallen!« [18] Dann fuhr er fort: »Welches Unrecht habe ich dir, deinen Beamten oder dem Volk getan, dass du mich ins Gefängnis werfen ließest? [19] Wo sind nun eure Propheten geblieben, die euch weissagten, der babylonische König werde euch und euer Land nicht angreifen? [20] Und nun, mein Herr und König, hör mich an und gewähre mir eine Bitte: Lass mich nicht wieder ins Haus Jonatans bringen. Dort komme ich um!«

[21] Da ordnete König Zedekia an, Jeremia in den Wachhof zu verlegen. Er ließ ihm täglich einen Laib Brot aus der Bäckergasse bringen, bis es in der Stadt kein Brot mehr gab. So blieb Jeremia im Wachhof.

Jeremia soll sterben

38 Schefatja, der Sohn Mattans, Gedalja, der Sohn Paschhurs, Juchal, der Sohn Schelemjas, und Paschhur, der Sohn Malkijas, hörten, wie Jeremia dem ganzen Volk verkündete:

[2] »So spricht der Herr: ›Wer in der Stadt bleibt, muss sterben – durch Schwert, Hunger oder Seuchen! Aber wer hinausgeht und sich den Babyloniern ergibt, der wird wenigstens sein Leben retten! [3] Diese Stadt wird dem babylonischen König in die Hände fallen. Er wird sie erobern. Darauf könnt ihr euch verlassen!‹«

[4] Da sagten die obersten Beamten zum König: »Man sollte diesen Mann hinrichten! Er raubt den wenigen Soldaten in der Stadt allen Mut zur Verteidigung und ebenso dem ganzen Volk! Jeremia will uns nicht helfen, sondern nur schaden!«

[5] »Macht mit ihm, was ihr wollt«, erwiderte König Zedekia, »ich kann euch nicht hindern.« [6] Da griffen sie Jeremia und ließen ihn an Stricken in die Zisterne des Prinzen Malkija hinab, die beim Wachhof lag. In der Zisterne war kein Wasser mehr, sondern nur noch Schlamm, und Jeremia sank tief darin ein.

[7] Doch der Äthiopier Ebed-Melech, ein Hofbeamter, erfuhr, was mit Jeremia geschehen war. Als der König im Benjamintor saß, um Gericht zu halten, [8] verließ Ebed-Melech den Palast, ging zu Zedekia und sagte: [9] »Mein Herr und König, was diese Männer dem Propheten Jeremia angetan haben, ist ein schreiendes Unrecht! Sie haben ihn in die Zisterne geworfen, und dort muss er elendig verhungern, weil es fast kein Brot mehr in der Stadt gibt!«

[10] Da befahl der König dem Äthiopier Ebed-Melech: »Nimm dreißig Männer von hier mit, und dann zieht Jeremia aus der Zisterne, ehe er stirbt!« [11] Ebed-Melech ging mit den Männern in einen

37,12 32,7–8 **37,19** 14,13–15 **37,21** 32,2 **38,2–3** 21,9–10 **38,4** Am 7,10 **38,10–13** 15,21; 39,15–18

Raum unter den Vorratskammern im Palast. Er nahm von dort Lumpen und zerrissene Kleider mit und ließ sie an Stricken zu Jeremia in die Zisterne hinab. [12]»Leg dir die Lumpen unter die Achseln, damit die Stricke nicht einschneiden!«, rief er dem Propheten zu. Als Jeremia fertig war, [13]zogen sie ihn an den Stricken aus der Zisterne heraus. Dann wurde er wieder im Wachhof gefangen gehalten.

Eine letzte Warnung an Zedekia

[14]König Zedekia sandte einen Boten zum Propheten Jeremia und ließ ihn heimlich zum dritten Tempeleingang bringen. »Ich will dich fragen, ob du eine Botschaft des Herrn für mich hast«, begann Zedekia, »verschweige mir nichts!« [15]Jeremia erwiderte: »Wenn ich dir die Wahrheit sage, dann wirst du mich töten lassen, und wenn ich dir einen Rat gebe, beachtest du ihn sowieso nicht!« [16]Da schwor ihm der König: »So wahr der Herr lebt, der uns das Leben gegeben hat – ich lasse dich nicht töten und liefere dich nicht denen aus, die dich umbringen wollen!«

[17]Jeremia entgegnete:

»So spricht der Herr, der allmächtige Gott Israels: ›Wenn du dich den Heerführern des babylonischen Königs ergibst, bleibst du mit deiner ganzen Familie am Leben und verhinderst, dass die Stadt niedergebrannt wird. [18]Doch wenn du dich ihnen nicht ergibst, werden sie die Stadt erobern und in Brand stecken. Du wirst ihnen nicht entkommen!‹«

[19]»Aber ich habe Angst vor den Judäern, die schon zu den Babyloniern übergelaufen sind«, entgegnete Zedekia, »man könnte mich ihnen ausliefern, und sie würden mich vielleicht misshandeln.« [20]»Du wirst ihnen nicht ausgeliefert«, versicherte Jeremia, »gehorche dem Herrn, und tu, was ich dir sage, dann wird es dir gut gehen, und du bleibst verschont! [21]Der Herr hat mir in einer Vision gezeigt, was geschieht, wenn du dich nicht ergibst: [22]Dann wird man alle deine Frauen, die noch im königlichen Harem wohnen, zu den Heerführern des babylonischen Königs hinausbringen. Sie werden über dich klagen und rufen: ›Seine besten Freunde haben ihn getäuscht und überwältigt! Und jetzt, wo er tief im Sumpf steckt, lassen sie ihn im Stich!‹ [23]Ja, alle deine Frauen und Kinder wird man zu den Babyloniern hinausführen, und auch du wirst ihnen nicht entkommen. Man wird dich dem König von Babylonien gefangen vorführen. Und Jerusalem wird niedergebrannt!«

[24]Zedekia warnte Jeremia: »Niemand darf erfahren, was wir geredet haben, sonst bringen sie dich um! [25]Wenn meine Beamten von unserem Treffen hören, werden sie dich fragen: ›Worüber habt ihr gesprochen? Erzähl es uns, sonst töten wir dich!‹ [26]In diesem Fall sag einfach: ›Ich habe den König angefleht, mich nicht wieder ins Gefängnis im Haus Jonatans werfen zu lassen, weil ich dort sterben würde.‹«

[27]Tatsächlich kamen alle Beamten zu Jeremia, um ihn auszufragen. Aber er erzählte ihnen nur, was ihm der König geraten hatte, und so ließen sie ihn in Ruhe. Niemand hatte seine Unterredung mit dem König gehört.

[28]Jeremia blieb als Gefangener im Wachhof bis zu dem Tag, an dem Jerusalem erobert wurde.

Jerusalem wird erobert
(2. Könige 24,20 – 25,21; 2. Chronik 36,16–21)

39 Im 9. Regierungsjahr König Zedekias, im 10. Monat, zog König Nebukadnezar von Babylonien mit seinem ganzen Heer nach Jerusalem und belagerte die Stadt. [2]Im 11. Regierungsjahr Zedekias, am 9. Tag des 4. Monats, schlugen die Babylonier eine Bresche in die Mauer. [3]Alle Heerführer Nebukadnezars zogen in die Stadt zum Mitteltor und übernahmen dort die Befehlsgewalt: Nergal-Sarezer, der Fürst von Sin-Magir, Ne-

38,14 37,3.17 **38,17–18** 21,9 **38,23** 2 Kön 25,5–7.9–10 **38,26** 37,15.20 **38,28** 37,21 **39,1–10** 52,4–16

buschasban, ein hoher Offizier, Nergal-Sarezer, ein anderer hoher Beamter, und alle übrigen Würdenträger des babylonischen Königs.

[4] Als König Zedekia und seine Soldaten das sahen, flohen sie in der Nacht. Sie verließen die Stadt durch das Tor, das zwischen den beiden Mauern beim Garten des Königs lag, dann flüchteten sie in Richtung Jordanebene. [5] Die babylonischen Truppen verfolgten Zedekia und nahmen ihn bei Jericho gefangen. Sie brachten ihn zu König Nebukadnezar nach Ribla im Gebiet von Hamat, und der sprach das Urteil über ihn: [6] Zedekia musste zusehen, wie alle seine Söhne hingerichtet wurden. Auch die führenden Männer von Juda wurden umgebracht. [7] Nebukadnezar ließ Zedekia die Augen ausstechen und ihn in Ketten nach Babylon bringen.

[8] Die Babylonier steckten den Königspalast und die Häuser Jerusalems in Brand und rissen die Stadtmauer ein. [9] Nebusaradan, der Oberbefehlshaber der Leibwache, nahm alle Judäer gefangen, die sich noch in der Stadt befanden oder zu den Babyloniern übergelaufen waren, und brachte sie nach Babylonien. [10] Nur die arme Landbevölkerung, die nichts besaß, ließ er zurück und teilte ihnen Weinberge und Äcker zu.

[11] König Nebukadnezar sagte zu Nebusaradan: [12] »Du bist für Jeremia verantwortlich. Nimm ihn unter deinen Schutz, und tu ihm kein Leid an! Gewähre ihm alles, worum er dich bittet!«

[13] Nebusaradan, Nebuschasban, ein hoher Offizier, Nergal-Sarezer, ein hoher Beamter, und die anderen Würdenträger des babylonischen Königs [14] ließen Jeremia aus dem Wachhof holen. Sie stellten ihn unter den Schutz Gedaljas, des Sohnes Ahikams und Enkel Schafans. Gedalja gab ihm die Erlaubnis, in seinen Heimatort zurückzukehren. So wohnte Jeremia mitten unter seinem Volk.

Hoffnung für Ebed-Melech

[15] Als Jeremia noch im Wachhof gefangen war, sprach der Herr zu ihm:

[16] »Geh zu dem Äthiopier Ebed-Melech und sag ihm: So spricht der Herr, der allmächtige Gott Israels: Das Unheil, das ich dieser Stadt angedroht habe, lasse ich über sie hereinbrechen. Du wirst es mit eigenen Augen sehen. [17] Dich aber werde ich retten, das verspreche ich dir. Du wirst nicht in die Hände deiner Feinde fallen, vor denen du dich so sehr fürchtest. [18] Ich lasse dich entkommen, damit du nicht getötet wirst. Du sollst am Leben bleiben, weil du mir vertraut hast. Darauf gebe ich, der Herr, mein Wort!«

Jeremia wird befreit

40 Jeremia war gefesselt nach Rama gebracht worden, zusammen mit den Gefangenen aus Juda und Jerusalem, die in die Verbannung nach Babylonien geführt werden sollten. Dort empfing er auch weiterhin Botschaften vom Herrn. Nebusaradan, der Oberbefehlshaber der babylonischen Leibwache, sorgte dafür, dass Jeremia freigelassen wurde. [2] Er ließ ihn zu sich holen und sagte: »Der Herr, euer Gott, hat Jerusalem dieses Unheil angekündigt. [3] Nun ist es eingetroffen – Gott hat seine Weissagung erfüllt. Ihr habt gegen den Herrn gesündigt und wolltet nicht auf ihn hören, darum müsst ihr dies nun erleben. [4] Doch dir nehme ich jetzt die Fesseln von den Händen ab. Du bist frei! Wenn du willst, komm mit mir nach Babylonien. Dort stehst du unter meinem Schutz. Aber du kannst auch hier bleiben, wenn es dir lieber ist. Das ganze Land steht dir offen. Geh, wohin du möchtest!«

[5] Während Jeremia noch überlegte, schlug Nebusaradan vor: »Geh doch zu Gedalja, dem Sohn Ahikams und Enkel Schafans! Ihn hat der babylonische König

---

39,7 21,7; 34,3 **39,11–14** 40,1–4 **39,12** 40,4–5 **39,14** 38,28; 40,5–6 **39,18** 38,10–13; 45,5 **40,1–6** 39,11–14 **40,5** 26,24

zum Statthalter über die Städte der Provinz Judäa ernannt. Bleib bei ihm wohnen, mitten unter deinem Volk, oder zieh, wohin du möchtest!«

Nebusaradan gab Jeremia Verpflegung und Geschenke mit und ließ ihn gehen. [6]Jeremia kam zu Gedalja nach Mizpa und wohnte dort unter der Bevölkerung, die im Land übrig geblieben war.

Mordpläne gegen Gedalja
(2. Könige 25,22–24)

[7]Im Landesinneren hielten sich immer noch judäische Offiziere mit ihren Einheiten versteckt. Sie hörten, dass der König von Babylonien Gedalja, den Sohn Ahikams, zum Statthalter von Judäa ernannt und ihm die Verantwortung für die arme Landbevölkerung übertragen hatte, die nicht in die Verbannung nach Babylonien ziehen musste. [8]Da gingen die Offiziere zu Gedalja nach Mizpa. Es waren Jismael, der Sohn Netanjas, Johanan und Jonatan, die Söhne Kareachs, Seraja, der Sohn Tanhumets, die Söhne Efais aus Netofa und Jaasanja aus Maacha. Einige ihrer Soldaten begleiteten sie. [9]Gedalja sagte zu ihnen: »Unterwerft euch den Babyloniern! Ich gebe euch mein Wort: Ihr habt von ihnen nichts zu befürchten. Siedelt euch im Land an, und dient Nebukadnezar, dann wird es euch gut gehen! [10]Ich bleibe hier in Mizpa und setze mich bei den Babyloniern für euch ein. Haltet die Weinlese, erntet die Sommerfrüchte und Oliven, und hebt sie in Vorratskrügen auf! Bewohnt die Städte, die man euch überlassen hat!«

[11]Viele Judäer waren nach Moab, Ammon, Edom und in die anderen Nachbarländer geflohen. Als sie hörten, dass der König von Babylonien einen Teil der Bevölkerung in Judäa zurückgelassen und Gedalja als Statthalter eingesetzt hatte, [12]kehrten sie zurück und meldeten sich bei Gedalja in Mizpa. In jenem Sommer brachten sie eine reiche Wein- und Obsternte ein.

[13]Johanan, der Sohn Kareachs, und die anderen Offiziere, die sich im Landesinneren versteckt hatten, gingen noch einmal zu Gedalja [14]und warnten ihn: »Sei vorsichtig! König Baalis von Ammon hat Jismael, den Sohn Netanjas, beauftragt, dich umzubringen!« Aber Gedalja glaubte ihnen nicht. [15]Da traf sich Johanan heimlich mit Gedalja und bot ihm an: »Ich werde Jismael töten, ohne dass jemand erfährt, wer es war. Denn wenn ich es nicht tue, bringt er dich um! Dann werden die Babylonier alle Judäer, die noch im Land sind, verschleppen, und es wird kein Mensch mehr hier wohnen!«

[16]»Nein«, widersprach Gedalja, »du beschuldigst Jismael zu Unrecht! Tu ihm nichts!«

Jismael ermordet den Statthalter Gedalja
(2. Könige 25,25–26)

41 Jismael, der Sohn Netanjas und Enkel Elischamas, ein Mann von königlicher Herkunft, hatte zu den hohen Beamten des Königs von Juda gehört. Im 7. Monat kam er mit zehn Männern zu Gedalja nach Mizpa. Als sie zusammen beim Gastmahl saßen, [2]zogen Jismael und seine Männer plötzlich das Schwert, fielen über Gedalja her und stachen ihn nieder. So brachte Jismael den Statthalter um, den der babylonische König über die Provinz Judäa eingesetzt hatte. [3]Er tötete auch alle Judäer, die bei Gedalja in Mizpa waren, und die babylonischen Soldaten, die dort Wache hielten.

[4]Am Tag nach der Ermordung Gedaljas, als noch niemand davon wusste, [5]waren achtzig Männer aus Sichem, Silo und Samaria unterwegs nach Jerusalem. Sie wollten Speiseopfer und Weihrauch an die Stelle bringen, wo früher der Tempel gestanden hatte. Als Zeichen ihrer Trauer trugen sie zerrissene Gewänder, sie hatten sich ihre Bärte abrasiert und die Haut eingeritzt. [6]Jismael ging ihnen von Mizpa aus weinend entgegen. Als er auf

---

40,8 41,1.11 **41,1-3** 40,13–14

sie traf, bat er sie: »Kommt und seht, was mit Gedalja geschehen ist!«

[7] Doch kaum waren sie in der Stadt, da stachen Jismael und seine Verbündeten die Männer nieder und warfen ihre Leichen in eine Zisterne. [8] Nur zehn von ihnen ließ Jismael am Leben, denn sie baten ihn: »Töte uns nicht! Wir geben dir alle unsere Vorräte an Weizen, Gerste, Öl und Honig, die wir auf den Feldern draußen versteckt haben.«

[9] Die Zisterne, in die Jismael die Leichen der Ermordeten werfen ließ, war sehr groß.[a] König Asa von Juda hatte sie seinerzeit anlegen lassen, als er im Krieg gegen König Bascha von Israel die Stadt Mizpa ausbaute. Nachdem Jismael die Leichen hineingeworfen hatte, [10] nahm er die restlichen Einwohner von Mizpa gefangen: die Töchter des Königs und alle anderen, über die Nebusaradan, der Oberbefehlshaber der babylonischen Leibwache, Gedalja als Statthalter eingesetzt hatte. Jismael wollte mit seinen Gefangenen zu den Ammonitern fliehen.

[11] Doch Johanan, der Sohn Kareachs, und die anderen Offiziere hörten von Jismaels Verbrechen. [12] Sie riefen ihre Truppen zusammen und jagten ihm nach. Am großen Teich von Gibeon holten sie ihn ein. [13] Als Jismaels Gefangene Johanan und seine Offiziere sahen, waren sie erleichtert. [14] Sie liefen weg und schlossen sich ihm an. [15] Jismael aber konnte mit acht Männern entkommen und floh zu den Ammonitern.

[16] Johanan und die Offiziere seiner Truppen übernahmen nun die Verantwortung für die Soldaten, Frauen, Kinder und Hofbeamten, die Jismael entführt hatte und die von ihnen befreit worden waren. [17] Sie zogen mit ihnen fort und rasteten in der Nähe von Bethlehem bei der Herberge Kimhams, um von dort weiter nach Ägypten zu fliehen. [18] Sie fürchteten die Rache der Babylonier, weil Jismael den Statthalter Gedalja umgebracht hatte, der vom babylonischen König über die Provinz Judäa eingesetzt worden war.

Zieht nicht nach Ägypten!

42 Johanan, der Sohn Kareachs, und Asarja[b], der Sohn Hoschajas, kamen mit den anderen Offizieren und allen, die sie befreit hatten, [2] zum Propheten Jeremia und baten ihn: »Wir flehen dich an: Bete für uns zum Herrn, deinem Gott! Wir waren einmal ein großes Volk, aber jetzt ist nur noch ein kleiner Rest von uns übrig geblieben, du siehst es ja selbst! [3] Bitte den Herrn, deinen Gott, uns zu zeigen, wohin wir gehen und was wir tun sollen!«

[4] »Gut«, erwiderte der Prophet Jeremia, »ich will eure Bitte vor den Herrn, euren Gott, bringen. Und ich verspreche, dass ich euch alles sagen werde, was der Herr antwortet. Ich verheimliche euch nichts.« [5] Da entgegneten sie: »Der Herr soll als wahrhaftiger und unbestechlicher Zeuge gegen uns auftreten, wenn wir nicht jede seiner Weisungen befolgen! [6] Ganz gleich, ob uns seine Antwort gefällt oder nicht, wir wollen auf den Herrn, unseren Gott, hören, zu dem du in unserem Auftrag betest. Wir wollen tun, was er sagt, denn dann geht es uns gut!«

[7] Zehn Tage später empfing Jeremia die Antwort vom Herrn. [8] Er rief Johanan, die anderen Offiziere und alle Leute, Jung und Alt, zu sich. [9] »Ihr habt mich beauftragt, eure Bitte vor den Herrn zu bringen«, sagte Jeremia. »So spricht der Herr, der Gott Israels: [10] ›Wenn ihr in diesem Land bleibt, will ich euch aufbauen und nicht niederreißen, euch einpflanzen und nicht mehr entwurzeln, denn mir tut das Unheil leid, das ich über euch hereinbrechen ließ. [11] Jetzt fürchtet ihr euch vor dem König von Babylonien. Aber ich, der Herr, sage: Habt keine Angst! Denn ich

---

[a] So mit der griechischen Übersetzung. Der hebräische Text lautet: Die Zisterne, in die Jismael die Leichen werfen ließ, die er wegen Gedalja ermordet hatte, hatte König Asa …

[b] So mit der griechischen Übersetzung. Der hebräische Text lautet: Jesanja. Vgl. Kapitel 43,2

41,9 1 Kön 15,16.22 **41,11** 40,8.13–16 **41,12** 2 Sam 2,13 **41,17** 43,7 **42,1** 41,16 **42,2** 5 Mo 28,62 **42,3** 37,3 **42,10** 18,7–8 **42,11** 41,18

bin bei euch, ich werde euch retten und vor ihm schützen. [12] Weil ich Erbarmen mit euch habe, sorge ich dafür, dass er sich gnädig zeigt und euch im Land bleiben lässt.

[13] Hört auf mich, den Herrn, euren Gott! Sagt nicht: Wir wollen das Land verlassen [14] und nach Ägypten fliehen, wo wir nichts mehr vom Krieg sehen, keine Alarmsignale hören und nicht mehr hungern müssen! – [15] Denn ich, der Herr, der allmächtige Gott Israels, sage euch: Wenn ihr Judäer, die ihr nicht verschleppt worden seid, nach Ägypten ziehen wollt, [16] dann werden Krieg und Hunger, vor denen ihr so große Angst habt, euch gerade dort treffen. Ihr werdet in diesem Land umkommen. [17] Jeder, der nach Ägypten geht, wird im Krieg, an Hunger oder an einer Seuche sterben. Keiner entkommt dem Unheil, das ich dann über euch bringe.

[18] Ja, ich, der Herr, der allmächtige Gott Israels, kündige euch an: Wie mein glühender Zorn die Einwohner Jerusalems getroffen hat, so wird er auch euch treffen, wenn ihr nach Ägypten zieht. Man wird entsetzt sein über euer Schicksal, ihr werdet verhöhnt und verachtet. Wer einen anderen verfluchen will, wünscht ihm das gleiche Unglück, das ihr erlitten habt. Eure Heimat seht ihr dann nie wieder!‹

[19] Ihr Judäer, die ihr noch übrig geblieben seid, hört, was der Herr euch sagt! Zieht nicht nach Ägypten! Ich warne euch davor! [20] Ihr setzt nur euer Leben aufs Spiel. Ihr habt mich beauftragt, für euch zum Herrn, eurem Gott, zu beten. Ich sollte euch seine Antwort weitergeben, und ihr habt fest versprochen, ihm zu gehorchen. [21] Heute habe ich euch seine Botschaft verkündet. Doch ich weiß, ihr wollt nicht auf die Worte des Herrn, eures Gottes, hören. [22] Wenn ihr wirklich in Ägypten Zuflucht sucht, werdet ihr im Krieg, an Hunger oder an einer Seuche sterben. Darauf könnt ihr euch verlassen!«

Jeremias Warnung wird überhört
(2. Könige 25,26)

43 Jeremia hatte den Judäern alles verkündet, was er ihnen im Auftrag des Herrn, ihres Gottes, sagen sollte. [2] Da erwiderten Asarja, der Sohn Hoschajas, Johanan, der Sohn Kareachs, und die anderen Männer verächtlich: »Du lügst! Der Herr, unser Gott, hat dich nicht zu uns gesandt. Er hat uns nicht vor der Flucht nach Ägypten gewarnt. [3] Baruch, der Sohn Nerijas, steckt dahinter; er hetzt dich gegen uns auf! Er will doch nur, dass wir den Babyloniern in die Hände fallen, damit sie uns umbringen oder verschleppen!«

[4] Johanan, die anderen Offiziere und alle, die zu Jeremia gekommen waren, schlugen die Weisung des Herrn in den Wind und blieben nicht in Judäa. [5] Sie machten sich auf den Weg und nahmen alle Judäer mit, die aus den Nachbarländern zurückgekehrt waren, in denen sie Schutz gesucht hatten: [6] Männer, Frauen und Kinder sowie die Töchter des Königs und alle anderen, die Nebusaradan, der Oberbefehlshaber der babylonischen Leibwache, unter Gedaljas Aufsicht zurückgelassen hatte. Auch der Prophet Jeremia und Baruch, der Sohn Nerijas, mussten mitkommen. [7] So missachteten sie die Weisung des Herrn und zogen nach Ägypten bis zur Grenzstadt Tachpanhes.

Auch Ägypten wird besiegt

[8] In Tachpanhes empfing Jeremia eine Botschaft vom Herrn: [9] »Hol ein paar große Steine, und vergrab sie im Lehmboden unter dem Ziegelweg am Eingang zum Palast des Pharaos! Die Judäer sollen dir dabei zusehen. [10] Sag ihnen: So

---

42,13–14 4 Mo 14,3–4 **42,17** 29,18 **42,21** 43,4–7 **43,2** 42,1 **43,3** 45,1 **43,5** 40,11–12
43,10–13 Hes 29,19–20

spricht der Herr, der allmächtige Gott Israels: Ich lasse meinen Diener, König Nebukadnezar von Babylonien, in dieses Land einfallen und seinen Thron über diesen Steinen errichten, die Jeremia hier vergraben hat. Über ihnen wird Nebukadnezar seinen Baldachin ausbreiten. [11] Ja, er wird kommen und Ägypten besiegen. Wer für den Tod bestimmt ist, wird sterben, wer für die Gefangenschaft bestimmt ist, wird in die Gefangenschaft ziehen, und wer im Krieg umkommen soll, wird im Krieg umkommen. [12/13] Nebukadnezar wird[a] die Tempel niederbrennen und die ägyptischen Götterstatuen mitnehmen. Wie ein Hirte die Läuse von seinem Gewand aufliest, so wird er in Ägypten alles packen und zerstören. Er reißt die Steinsäulen von Heliopolis nieder und steckt die Tempel der ägyptischen Götter in Brand. Dann zieht er unbehelligt fort.«

Warum verehrt ihr immer noch andere Götter?

44 Jeremia empfing eine Botschaft für alle Judäer in Unterägypten – in Migdol, Tachpanhes und Memfis – und in Oberägypten:

[2] »So spricht der Herr, der allmächtige Gott Israels: ›Ihr habt mit eigenen Augen gesehen, welches Unheil ich über Jerusalem und die anderen Städte Judas hereinbrechen ließ. Nun liegen sie in Trümmern und sind menschenleer, [3] denn ihre Einwohner wollten nichts von mir wissen. Sie haben meinen Zorn herausgefordert, weil sie anderen Göttern Opfer darbrachten und sie verehrten, Götzen, die weder sie noch ihre Vorfahren jemals gekannt haben. [4] Immer wieder habe ich meine Boten, die Propheten, zu ihnen gesandt und sie gewarnt: Hört auf mit dem Götzendienst, denn ich hasse ihn! – [5] Aber sie haben mich nicht ernst genommen und nicht auf mich gehört. Sie sind nicht von ihren falschen Wegen umgekehrt, sondern haben weiterhin anderen Göttern Räucheropfer dargebracht.

[6] Da bekamen sie meinen glühenden Zorn zu spüren. Er zerstörte die Städte Judas und verwüstete die Straßen Jerusalems. Noch heute liegen sie in Trümmern, niemand wohnt mehr dort.

[7] Ich, der Herr, der allmächtige Gott Israels, frage euch: Warum beschwört ihr wieder ein so schreckliches Unheil herauf? Wollt ihr unbedingt, dass Mann und Frau, Kind und Säugling aus dem Volk Juda ausgerottet werden, bis keiner von euch mehr übrig bleibt? [8] Mit euren Taten fordert ihr mich heraus. Auch hier in Ägypten, wo ihr Zuflucht sucht, bringt ihr anderen Göttern Räucheropfer dar. Wollt ihr wirklich ausgerottet werden, wollt ihr ein abschreckendes Beispiel sein, verhöhnt und verspottet von den anderen Völkern der Erde? [9] Habt ihr schon vergessen, was ihr in Juda und auf den Straßen Jerusalems getan habt, ihr und eure Frauen, eure Vorfahren, eure Könige und deren Frauen? [10] Bis heute hat keiner von euch seine Schuld zugegeben, keiner erweist mir Ehrfurcht und lebt nach meinem Gesetz, nach den Geboten, die ich euch und euren Vorfahren gegeben habe.

[11] Darum sage ich, der Herr, der allmächtige Gott Israels: Ich bin fest entschlossen, Unheil über euch zu bringen und das ganze Volk von Juda auszurotten. [12] Ich lasse alle von euch umkommen, die sich in Ägypten in Sicherheit bringen wollten. Jung und Alt werden im Krieg oder an Hunger sterben. Man wird entsetzt sein über euer Schicksal, von allen werdet ihr verhöhnt und verachtet. Wer einen anderen verfluchen will, wünscht ihm das gleiche Los, das euch getroffen hat. [13] Euch Judäer in Ägypten werde ich ebenso strafen wie damals die Einwohner von Jerusalem: durch Krieg, Hunger und Seuchen. [14] Das Unheil wird alle treffen,

---

[a] So mit der griechischen Übersetzung. Der hebräische Text lautet: Ich werde.

43,11 15,2 **43,12–13** 46,13.25 **44,1** 46,14 **44,4–5** 25,4–7 **44,9** 7,17–18 **44,12** 24,9

die hier in Ägypten Schutz gesucht haben. Niemand von euch wird nach Juda zurückkehren, wo ihr so gerne wieder leben würdet, niemand außer ein paar Flüchtlingen!«

Wir haben die Himmelskönigin viel zu wenig verehrt!

[15] Alle Judäer in Unter- und Oberägypten, Männer und Frauen, hatten sich zu einer großen Versammlung eingefunden. Die Männer wussten sehr wohl, dass ihre Frauen anderen Göttern Räucheropfer darbrachten. Sie alle entgegneten Jeremia: [16] »Was du uns da im Auftrag des Herrn sagst, werden wir auf keinen Fall befolgen! [17] Wir wollen weiterhin der Himmelskönigin Räucheropfer und Trankopfer darbringen, so wie wir, unsere Vorfahren, unsere Könige und führenden Männer es schon früher getan haben. Unser Entschluss steht fest, und wir lassen uns durch niemanden davon abbringen! Als wir die Himmelskönigin noch in der Heimat verehrten, ging es uns gut. Wir hatten genug zu essen und blieben vom Unglück verschont. [18] Aber seit wir das Opfern unterlassen, geht es uns in jeder Hinsicht schlecht, viele von uns sind im Krieg umgekommen oder verhungert.« [19] Dann sagten die Frauen: »Unsere Männer erlauben uns, der Himmelskönigin zu opfern. Wir verbrennen Weihrauch für die Göttin, wir backen Kuchen, die sie darstellen sollen, und gießen Wein als Trankopfer für sie aus.«

Nur ein kleiner Rest von euch wird übrig bleiben

[20] Jeremia erwiderte den Männern und Frauen, die ihm widersprochen hatten: [21] »Meint ihr, der Herr hätte nicht gesehen, was ihr in den Städten Judas und auf den Straßen Jerusalems getrieben habt? Anderen Göttern habt ihr Räucheropfer dargebracht, ihr und eure Vorfahren, die Könige, die führenden Männer und das ganze Volk. [22] Der Herr konnte eure Bosheit und euren abscheulichen Götzendienst nicht länger ertragen. Darum hat er euer Land zu einer trostlosen Wüste und zu einem Bild des Schreckens gemacht. Wer einen anderen verfluchen will, wünscht ihm dasselbe Schicksal, das euch getroffen hat. [23] Das Unheil ist über euch hereingebrochen, gerade weil ihr der Himmelskönigin Räucheropfer dargebracht und damit gegen den Herrn gesündigt habt. Ihr wolltet nicht auf ihn hören und habt nicht nach seinem Gesetz, nach seinen Geboten und Weisungen gelebt.«

[24] Dann verkündete Jeremia dem ganzen Volk und besonders den Frauen: »Hört, was der Herr euch sagt, ihr Judäer, die ihr nach Ägypten gezogen seid! [25] So spricht der Herr, der allmächtige Gott Israels: ›Ihr und eure Frauen habt geschworen, der Himmelskönigin Räucheropfer und Trankopfer darzubringen, und ihr habt euer Gelübde erfüllt. Ja, haltet euch nur an eure Versprechen, tut, was ihr geschworen habt!

[26] Aber hört, was ich, der Herr, euch sage, ihr Judäer in Ägypten: Ich, der Herr, schwöre bei mir selbst: Es wird in diesem Land bald keinen mehr geben, der in meinem Namen einen Eid leistet und sagt: So wahr der Herr lebt. – [27] Ich lasse euch nur noch Leid und nichts Gutes mehr erfahren. Ihr alle fallt im Krieg oder verhungert. [28] Nur wenige werden den Schwertern der Feinde entkommen und nach Juda zurückkehren. Dann werden sie erkennen, wessen Ankündigung sich erfüllt hat – ihre oder meine. [29] Ich, der Herr, gebe euch ein Zeichen, damit ihr wisst: Meine Drohungen sind keine leeren Worte, hier im Land trifft euch meine Strafe. [30] Wie ich König Zedekia seinem Todfeind Nebukadnezar ausgeliefert habe, so werde ich auch den Pharao Hofra in die Gewalt seiner Todfeinde geben. Mein Wort gilt!‹«

44,17 7,17-18 **44,19** 4 Mo 30,11-16 **44,28** 1,11-12 **44,30** 39,5; 46,26

Eine Botschaft für Baruch

45 Im 4. Regierungsjahr des judäischen Königs Jojakim, des Sohnes Josias, sagte der Prophet Jeremia zu Baruch, dem Sohn Nerijas, der gerade Jeremias Botschaften auf eine Buchrolle geschrieben hatte: [2]»So spricht der Herr, der Gott Israels: [3]›Du klagst: Ich unglücklicher Mensch! Leide ich nicht schon genug? Und nun lädt mir der Herr noch neuen Kummer auf! Vom vielen Seufzen bin ich völlig erschöpft und finde keine Ruhe! – [4]Ich, der Herr, sage dir: Was ich in diesem Land aufgebaut habe, zerstöre ich wieder, und was ich eingepflanzt habe, reiße ich wieder aus! [5]Und da hoffst du, du könntest in Glück und Frieden leben? Erwarte nicht zu viel! Denn ich, der Herr, lasse Unheil über die ganze Welt hereinbrechen. Doch eines verspreche ich dir: Wo immer du hingehst, wirst du mit dem Leben davonkommen!‹«

Ägyptens Heer wird geschlagen

46 Dies sind die Botschaften, die der Herr dem Propheten Jeremia über die anderen Völker gab. [2]Eine davon richtete sich gegen das Heer des ägyptischen Pharaos Necho. Es wurde im 4. Regierungsjahr des judäischen Königs Jojakim, des Sohnes Josias, vom babylonischen König Nebukadnezar bei Karkemisch am Euphrat geschlagen. [3/4]Da sprach der Herr:

»Eure Heerführer rufen: ›Haltet die Schilde bereit! Rund- und Langschilde! Spannt die Pferde vor die Streitwagen! Die Reiter sollen aufsitzen! Alle in Schlachtordnung! Helme auf! Speere schärfen! Brustpanzer umschnallen! Jetzt zieht in den Kampf!‹ [5]Doch was sehe ich? Entsetzt weichen sie zurück! Ihre kampferprobten Soldaten sind gefallen, andere fliehen Hals über Kopf, ohne noch einmal zurückzuschauen. Überall herrschen Angst und Schrecken. [6]Selbst die schnellen Läufer können nicht mehr entkommen, die besten Soldaten nicht mehr fliehen. Am Euphrat im Norden stolpern sie und fallen.

[7]Wer steigt da herauf wie die Fluten des Nil, wie Ströme, die alles überschwemmen? [8]Das ist Ägypten, es sagt: ›Ich will aufsteigen, alle Länder der Erde überfluten, die Städte zerstören und die Bewohner auslöschen! [9]Ihr Pferde, galoppiert! Rast, ihr Streitwagen! Stürzt euch in den Kampf, ihr mutigen Soldaten! Ihr Soldaten aus Äthiopien und Libyen, greift zu euren Schilden, und ihr aus Lydien, nehmt eure Bogen!‹

[10]Doch dieser Tag gehört mir, dem Herrn, dem allmächtigen Gott. An diesem Tag werde ich mich an meinen Feinden rächen. Mein Schwert wird sie auffressen, bis es satt geworden ist, und es wird ihr Blut trinken, bis sein Durst gestillt ist. Ja, ich, der Herr, der allmächtige Gott, richte meine Feinde im Norden hin, am Ufer des Euphrat!

[11]Volk von Ägypten, zieh nur ins Land Gilead, und hol dir Salben für deine Wunden! Es nützt ja doch nichts! Deine Wunden heilen nicht mehr, da kannst du noch so viele Salben nehmen. [12]Die Völker erfahren von deiner beschämenden Niederlage, dein Klagegeschrei ist im ganzen Land zu hören. Deine Soldaten fliehen, in Panik stürzt einer über den anderen.«

Nebukadnezar fällt in Ägypten ein

[13]Als der babylonische König Nebukadnezar mit seinem Heer nach Ägypten zog, um das Land anzugreifen, sprach der Herr zu Jeremia:

[14]»Richte den ägyptischen Städten Migdol, Memfis und Tachpanhes aus, sie sollen sich zum Kampf rüsten! Denn es wird Krieg geben, schon wurden die Nachbarländer zerstört.

[15]Ägypten, warum sind deine Soldaten

45,1 32,11–12; 36,4–32; 43,3 **45,4** 1,10 **45,5** 39,18 **46,2–26** 25,19; Jes 19,1–15* **46,2** 25,1; 36,1; 45,1; 2 Kön 23,29 **46,10** Zef 1,7 **46,11** 8,22; 1 Mo 37,25 **46,13** 43,8–13 **46,14** 44,1

gestürzt? Sie konnten nicht standhalten, weil ich, der Herr, sie zu Boden stieß! [16] Ja, ich ließ viele von ihnen stürzen, einer fiel über den anderen. Die Söldner rufen einander zu: ›Kommt, wir fliehen und kehren zurück in unsere Heimat, bevor wir alle umkommen!‹ [17] Sie sagen: ›Der Pharao von Ägypten ist ein Angeber, der seine Gelegenheit verschlafen hat!‹

[18] Ich, der allmächtige Gott, bin König. Ich schwöre euch, so wahr ich lebe: Einer wird euch angreifen, der mächtiger ist als alle anderen, so wie der Tabor die anderen Berge überragt und wie der Gipfel des Karmel hoch über dem Meer liegt! [19] Ihr Ägypter, packt zusammen, was ihr in die Verbannung mitnehmen müsst, denn Memfis wird zu einer trostlosen Wüste werden, zerstört und menschenleer.

[20] Ägypten ist wie eine schöne junge Kuh, die von einer Bremse aus dem Norden angegriffen wird. [21] Ihre Söldner sind wie gemästete Kälber, sie ergreifen die Flucht, nicht einer leistet Widerstand. Der Tag des Verderbens ist für sie gekommen, jetzt hat ihre Stunde geschlagen! [22] Ägypten weicht zurück, es zischt wie eine fliehende Schlange, während das Heer der Feinde heranrückt. Sie kommen mit Äxten wie Holzfäller, [23] sie zerschlagen Ägypten, wie man ein Walddickicht abholzt. Ein riesiges Heer rückt heran, sie fallen über das Land her, als wären sie ein Heuschreckenschwarm. [24] Ägypten erntet Verachtung, es ist dem Volk aus dem Norden hilflos ausgeliefert.

[25] Ich, der Herr, der allmächtige Gott Israels, werde Amon, den Gott von Theben, strafen, ebenso den Pharao und ganz Ägypten mit seinen Göttern und Königen! Ja, der Pharao und alle, die sich auf ihn verlassen, bekommen meine Strafe zu spüren. [26] Ich gebe sie in die Gewalt ihrer Todfeinde, ich lasse sie dem babylonischen König Nebukadnezar und seinen Heerführern in die Hände fallen. Aber danach soll Ägypten wieder bewohnt werden wie früher. Darauf gebe ich, der Herr, mein Wort!

[27] Fürchtet euch nicht, ihr Nachkommen Jakobs, meine Diener! Hab keine Angst, Volk Israel! Ich, der Herr, werde euch aus einem fernen Land zurückholen. Ich befreie eure Nachkommen aus dem Land, in dem sie Gefangene sind. Dann werdet ihr in Frieden und Sicherheit leben, niemand bedroht euch mehr. [28] Fürchtet euch nicht, ihr Nachkommen Jakobs, meine Diener! Denn ich, der Herr, bin bei euch, um euch zu helfen! Die Völker, in deren Länder ich euch vertrieb, lasse ich vom Erdboden verschwinden, doch euch lösche ich nicht aus. Zwar werde ich auch euch bestrafen, aber nicht mehr als unbedingt nötig.«

Die Philister werden ausgerottet

47 Ehe der Pharao die Stadt Gaza angriff, empfing der Prophet Jeremia vom Herrn eine Botschaft für die Philister:

[2] »So spricht der Herr: ›Seht, aus dem Norden droht eine Flut; das Wasser wird zum reißenden Strom, der über die Ufer tritt. Er überschwemmt das Land und die Felder, er reißt Städte und Menschen mit fort. Die Bewohner rufen um Hilfe, im ganzen Land schreien sie laut! [3] Denn sie hören Pferde galoppieren, Räder rasseln, Streitwagen herandonnern. Die Väter fliehen und sehen sich nicht mehr nach ihren Kindern um, die Angst hat sie gepackt! [4] Der Tag ist gekommen, an dem das Land der Philister verwüstet wird; die letzten Verbündeten von Tyrus und Sidon werden ausgerottet. Ja, ich, der Herr, lösche die restlichen Philister aus, die einst von der Insel Kreta gekommen sind.

[5] Die Einwohner von Gaza sind verzweifelt und scheren sich den Kopf kahl, die Menschen in Aschkelon wurden alle umgebracht. Wie lange ritzt ihr euch vor

---

46,20.24 1,13–15* **46,25** 43,12–13 **46,26** Hes 29,13–16 **46,27–28** Jes 43,1* **47,1–7** 25,20; Jes 14,28–32* **47,2** 1,13–15* **47,4** 5 Mo 2,23; Am 9,7; Zef 2,5 **47,5** Zef 2,4; Sach 9,5; Jos 11,21–22

Trauer die Haut blutig, ihr Nachkommen der Enakiter[a]? [6]Ihr schreit: Du Schwert des Herrn, wie lange willst du noch zustechen? Hör auf damit, lass uns endlich in Ruhe! – [7]Doch wie kann das Schwert ruhen, wenn ich, der Herr, ihm einen Auftrag gegeben habe? Ich selbst habe ihm befohlen, Aschkelon und das Gebiet an der Küste zu zerstören!‹«

Moabs Untergang

48 So spricht der Herr, der allmächtige Gott Israels, über Moab:

»Verloren ist die Stadt Nebo, sie liegt in Trümmern! Kirjatajim ist erobert worden, seine Bergfestung wurde niedergerissen. Nun hat man nur noch Verachtung übrig für die Stadt. [2]Moabs Ruhm ist dahin! In Heschbon haben die Feinde seinen Untergang geplant. ›Kommt und lasst uns die Moabiter ausrotten!‹, sagen sie. Auch du, Stadt Madmen, wirst vom Erdboden verschwinden! Der Feind wird dich überrollen.

[3]In Horonajim rufen sie schon: ›Unser Land ist verwüstet, alles liegt in Trümmern!‹ [4]Ja, die Moabiter sind geschlagen. Hört ihr, wie ihre kleinen Kinder schreien? [5]Weinend schleppen sich die Menschen den steilen Weg nach Luhit hinauf. Sie klagen laut über ihren Untergang, auf der Flucht nach Horonajim rufen sie: [6]›Flieht! Lauft, so schnell ihr könnt! Wir müssen in der Wüste leben![b]‹

[7]Ihr Moabiter habt euch auf eure Stärke und euren Reichtum verlassen, und gerade darum wird euer Land jetzt erobert. Euren Gott Kemosch wird man in die Verbannung bringen, zusammen mit den Priestern und den führenden Männern. [8]Der Feind zieht heran und verwüstet ganz Moab; keine Stadt bleibt verschont. Ob unten im Jordantal oder auf der Hochebene – alle trifft das gleiche Los, so wie ich, der Herr, es angekündigt habe. [9]Gebt den Moabitern Flügel, denn sie werden Hals über Kopf fliehen müssen. Ihre Städte werden zu Ruinen, in denen keiner mehr wohnt.

[10]Verflucht sei, wer meinen Auftrag nachlässig ausführt! Verflucht sei, wer nicht zuschlägt und die Moabiter tötet! [11]Sie haben lange Zeit in Sicherheit gelebt, nie mussten sie in Gefangenschaft ziehen. Sie gleichen einem Wein, der lange lagert und nicht von einem Fass ins andere umgegossen wird. So ist er in Ruhe ausgereift, sein Duft und sein Geschmack konnten sich voll entfalten. [12]Doch es kommt der Tag, an dem ich, der Herr, den Moabitern Leute schicke, die den Wein ausschütten, die Fässer leeren und die Weinkrüge zerschlagen! [13]Dann wird Moab von seinem Gott Kemosch bitter enttäuscht sein, so wie das Nordreich Israel enttäuscht wurde, als es auf seine Götzen in Bethel vertraute.

[14]Ihr Moabiter prahlt: ›Wir sind Helden und kampferprobte Soldaten!‹ [15]Doch ich, der Herr, sage euch: Euer Land wird zur Wüste, bald sind eure Städte erobert! Eure Elitetruppen werden zur Schlachtbank geführt. Ich bin der allmächtige Gott und König. Mein Wort gilt!«

Moabs Macht ist gebrochen

[16]»Moabs Untergang steht kurz bevor, das Unheil lässt nicht mehr lange auf sich warten! [17]Sprecht den Moabitern euer Beileid aus, ihr Nachbarvölker und alle, die ihr sie kennt! Klagt: ›Moabs Macht und Ruhm ist dahin! Sein Zepter ist zerbrochen!‹

[18]Ihr Einwohner von Dibon, steigt herab von eurem hohen Ross, und setzt euch in den Staub! Denn der Feind, der Moab verwüstet, zieht auch gegen euch heran und zerstört eure Festungen! [19]Stellt euch an die Straße, und seht euch

---

[a] So mit der griechischen Übersetzung. Der hebräische Text lautet: ihr restlichen Bewohner der Talebene.

[b] Wörtlich: Werdet wie ein Dornstrauch in der Wüste!

47,6 46,10 **48,1–47** 25,21; Jes 15,1 – 16,14* **48,7** 49,3–4; 4 Mo 21,29 **48,13** 1 Kön 12,28–29

um, ihr Einwohner von Aroër! Fragt die Flüchtlinge und die Vertriebenen, was geschehen ist. [20] ›Moab ist erobert, Angst und Schrecken herrschen überall‹, klagen sie und fordern euch auf: ›Weint und schreit! Sagt den Leuten am Fluss Arnon, dass ihr Land verwüstet ist!‹

[21] Jetzt halte ich, der Herr, Gericht über die Städte auf der Hochebene: über Holon, Jahaz, Mefaat, [22] Dibon, Nebo, Bet-Diblatajim, [23] Kirjatajim, Bet-Gamul, Bet-Meon, [24] Kerijot, Bozra und alle anderen moabitischen Städte nah und fern!

[25] Moab ist machtlos geworden, seine Kraft ist gebrochen! [26] Macht Moab betrunken, bis es sich in seinem Erbrochenen wälzt und von allen verspottet wird, denn es hat mich, den Herrn, herausgefordert!

[27] Ihr Moabiter, ständig habt ihr euch über die Israeliten lustig gemacht. Ihr habt auf sie herabgesehen, als seien sie Diebe, die auf frischer Tat ertappt wurden. [28] Verlasst eure Städte, und haust in Höhlen, lebt wie die Tauben, die ihr Nest am Felsabhang bauen!«

[29] »Wir haben gehört, wie stolz und hochmütig die Moabiter sind. Eingebildet und selbstherrlich benehmen sie sich, hochtrabend und überheblich!«

[30] »Doch ich, der Herr, durchschaue ihre Prahlerei – es ist nichts als Geschwätz! Sie gaukeln anderen nur etwas vor. [31] Darum klage ich laut über die Moabiter und ihr Land, ich trauere um die Einwohner von Kir-Heres. [32] Mehr als über die Einwohner von Jaser weine ich über die Stadt Sibma. Sie war berühmt für ihren Wein, ihre Ranken erstreckten sich bis zum Toten Meer, bis nach Jaser. Doch dann fiel der Feind über ihre Weintrauben und ihre ganze Ernte her. [33] In den Obstgärten und auf den Feldern Moabs singt und jubelt man nicht mehr. Ich habe dafür gesorgt, dass niemand mehr die Trauben presst, kein Wein fließt aus der Kelter. Man hört zwar lautes Rufen – aber Freudenschreie sind es nicht!

[34] In Heschbon rufen die Menschen verzweifelt um Hilfe, sie sind noch in Elale und Jahaz zu hören, und die Schreie in Zoar dringen bis Horonajim und Eglat-Schelischija. Selbst der Bach von Nimrim ist ausgetrocknet. [35] Ich, der Herr, lasse es nicht mehr zu, dass man in Moab zu den heiligen Höhen hinaufsteigt, um dort den Göttern zu opfern und Weihrauch zu verbrennen. Alle, die dies tun, rotte ich aus!«

[36] Darüber bin ich tief erschüttert. Ich trauere um Moab und die Einwohner von Kir-Heres wie jemand, der ein Klagelied auf der Flöte spielt. Denn sie haben alles verloren, was sie erspart haben. [37] Vor Kummer und Sorgen haben sich alle Männer den Kopf kahl geschoren und den Bart abrasiert. Sie ritzen sich die Hände blutig und ziehen Trauergewänder aus Sacktuch an. [38] Auf den Dächern der Häuser und auf den Straßen hört man lautes Klagen.

So spricht der Herr: »Ich habe Moab zerschmettert wie ein unbrauchbares Tongefäß. [39] Ja, Moab ist zerschlagen! Es schreit verzweifelt, vor Scham wendet es sich ab. Bei allen Nachbarvölkern ist es zum Gespött geworden, zum Bild des Schreckens!«

Moab hat den Herrn herausgefordert

[40] So spricht der Herr: »Seht, der Feind greift schon an, wie ein Adler kreist er über Moab, [41] er erobert die Städte und Festungen. Dann zittern die mutigen Soldaten vor Angst wie eine Frau in den Wehen! [42] Ja, Moab wird ausgelöscht, es wird kein Volk mehr sein, denn es hat mich herausgefordert.

[43] Ich, der Herr, sage: Angst und Schrecken werden euch packen, in Fallgruben und Schlingen werdet ihr geraten, ihr Moabiter! [44] Wer dem Schrecken entfliehen will, stürzt in die Grube, und wer sich daraus noch befreien kann, der verfängt sich in der Schlinge. Ja, es kommt das Jahr, in dem ich Gericht halte über Moab. Mein Wort gilt!

48,27 Zef 2,10 **48,36** Jes 15,7 **48,37** 3 Mo 19,27–28 **48,40** 49,22 **48,43–44** Jes 24,17–18

[45] Erschöpft suchen die Flüchtlinge Schutz in der Stadt Heschbon, wo König Sihon früher regierte. Doch von Heschbon geht ein Feuer aus, mitten aus der Stadt lodern die Flammen hervor. Sie versengen den Moabitern, diesen vorlauten Angebern, den Kopf. [46] Ihr seid verloren, ihr Moabiter! Euer Volk, das Kemosch verehrte, ist zugrunde gegangen. Denn eure Söhne und Töchter wurden in die Gefangenschaft verschleppt.

[47] Doch es kommt der Tag, da werde ich euer Schicksal wieder zum Guten wenden. Darauf gebe ich, der Herr, mein Wort!«

Hier endet die Gerichtsbotschaft über Moab.

Die Ammoniter haben mein Volk beraubt!

49 Dies ist die Botschaft des Herrn an die Ammoniter:

»Hat Israel denn keine Kinder, keine Erben, die das Land verteidigen? Warum hat ein Volk, das den Götzen Milkom verehrt, sich im Land Gad niedergelassen? Warum wohnen nun die Ammoniter in Israels Städten? [2] Ich, der Herr, sage: Es kommt der Tag, an dem man in Rabba, der Hauptstadt der Ammoniter, den Kriegsruf hören wird. Die Stadt soll zu einem einzigen Trümmerhaufen werden, und die Orte ringsum gehen in Flammen auf. Dann erobert Israel das Land von denen zurück, die es ihm genommen haben. Das verspreche ich, der Herr.

[3] Weint, ihr Einwohner von Heschbon, denn Ai ist verwüstet! Ihr Frauen von Rabba, schreit vor Verzweiflung! Zieht euch Trauerkleider an! Lauft durch eure Stadt und klagt! Denn Milkom, euer Gott, wird verbannt und mit ihm die Priester und führenden Männer. [4] Ihr prahlt mit euren fruchtbaren Tälern. Ihr verlasst euch auf euren Reichtum, doch von mir wollt ihr nichts wissen. Ihr behauptet: ›Uns greift keiner an!‹ [5] Doch ich, der Herr, der allmächtige Gott, werde euch in Angst und Schrecken stürzen. Die Völker ringsum fallen über euch her, und ihr werdet in alle Richtungen zerstreut. Niemand wird euch mehr in euer Land zurückführen.

[6] Doch später will ich das Schicksal der Ammoniter wieder zum Guten wenden. Darauf gebe ich, der Herr, mein Wort!«

Edom muss den Kelch bis zur Neige leeren

[7] So spricht der allmächtige Gott über Edom:

»Die Einwohner von Teman wissen nicht mehr, was sie tun sollen. Sind ihren klugen Beratern die Einfälle ausgegangen? Hat die Weisheit sie verlassen?

[8] Schnell, flieht! Ihr Einwohner von Dedan, sucht euch sichere Verstecke! Denn ich lasse Unheil über euch hereinbrechen, ihr Nachkommen Esaus, jetzt trifft euch meine Strafe! [9] Die Feinde kommen und plündern euer Land wie Winzer, die keine Nachlese mehr übrig lassen. Sie überfallen euch wie ein Dieb in der Nacht und nehmen alles mit, was ihnen gefällt. [10] Ich liefere euch euren Feinden schutzlos aus und nehme euch alle Schlupfwinkel, in denen ihr euch verstecken konntet. Eure Verwandten, eure Nachbarn und Freunde – sie alle kommen um. [11] Nur wenige Kinder überleben und bleiben als Waisen zurück. Sie sollt ihr meiner Fürsorge anvertrauen. Ich erhalte sie am Leben, und auch eure Witwen finden bei mir Schutz.

[12] Selbst Völker, die nicht dazu verurteilt waren, müssen den bitteren Kelch austrinken. Und da solltet ihr verschont bleiben? Nein, auch ihr werdet diesen Kelch bis zur Neige leeren müssen. Darauf könnt ihr euch verlassen! [13] Ich, der Herr, habe bei meinem Namen geschworen: Die Stadt Bozra und alle Städte

---

48,45–46 4 Mo 21,26–29 **48,47** 46,26; 49,6.39 **49,1–6** 25,21; Hes 21,33–34; 25,1–7; Am 1,13–15; Zef 2,8–11 **49,1** Jos 13,24–28 **49,3–4** 48,7 **49,3** 1 Kön 11,5 **49,6** 48,47 **49,7–22** 25,21; Jes 34,5–17* **49,7** Obd 8 **49,8** 1 Mo 36,19 **49,11** 2 Mo 22,21–22* **49,12** 25,15*

ringsum sollen zu Trümmerfeldern werden! Man wird über ihr Unglück entsetzt sein und sie verachten. Wer einen anderen verfluchen will, wird ihm dasselbe Schicksal herbeiwünschen, das sie getroffen hat.«

[14] Der Herr hat mir gesagt, dass er einen Boten zu den Völkern gesandt hat. Er soll ihnen befehlen: »Versammelt euch, und zieht gegen die Edomiter in den Krieg!«

[15] Der Herr kündigt euch an: »Ich lasse euch Edomiter zu einem kleinen Volk werden, das von den anderen Völkern verachtet wird. [16] Eure Feinde fürchteten sich vor eurer Macht, ihr seid überheblich geworden und habt euch damit selbst getäuscht. Ihr wohnt oben in den Felsen und beherrscht das ganze Gebirge. Doch selbst wenn ihr euer Nest in der Höhe baut wie ein Adler, stoße ich, der Herr, euch von dort hinunter!

[17] Ja, das Land der Edomiter soll verwüstet werden; wer daran vorüberzieht und sieht, wie schlimm es zugerichtet wurde, ist entsetzt und schüttelt voller Verachtung den Kopf. [18] Edom wird dasselbe Schicksal erleiden wie damals Sodom und Gomorra samt den Nachbarstädten. Kein Mensch wird mehr dort wohnen. Darauf gebe ich, der Herr, mein Wort. [19] Wie ein Löwe, der aus dem Dickicht am Jordan hervorbricht und in fruchtbares Weideland einfällt, so werde ich die Edomiter aus ihrem Land vertreiben. Dann wird einer, den ich selbst erwählt habe, über Edom regieren. Wer ist mir gleich und kann mich zur Rechenschaft ziehen? Welcher Herrscher ist imstande, sich mir zu widersetzen?

[20] So hört nun, welches Urteil ich über die Edomiter spreche und was ich den Einwohnern von Teman antun will: Man wird sie alle, auch die Jüngsten unter ihnen, fortschleppen. Jeder, der davon erfährt, wird entsetzt sein.[a] [21] Edoms Sturz lässt die Erde erbeben; noch am Roten Meer sind laute Hilfeschreie zu hören. [22] Seht, der Feind greift schon an, wie ein Adler kreist er über der Stadt Bozra und stürzt sich auf seine Beute. Edoms mutige Soldaten zittern vor Angst wie eine Frau in den Wehen!«

Damaskus ist verloren!

[23] So spricht der Herr über Damaskus:

»Die Einwohner von Hamat und Arpad sind wie gelähmt, denn sie haben eine schlimme Nachricht bekommen. Jeder Mut hat sie verlassen, sie sind unruhig wie ein aufgewühltes Meer im Sturm. [24] Die Menschen in Damaskus sind hilflos, Hals über Kopf ergreifen sie die Flucht. Angst und Schmerzen haben sie überfallen wie die Wehen eine schwangere Frau.

[25] Warum hat man Damaskus nicht schon früher aufgegeben? Jetzt ist sie verloren, die berühmte Stadt, die mir so gefiel! [26/27] Die jungen Männer kommen in den Straßen um, und alle Soldaten fallen im Kampf. Ich lege ein Feuer an die Mauern von Damaskus, es brennt die Paläste des Königs Ben-Hadad nieder. Darauf gebe ich, der Herr, der allmächtige Gott, mein Wort.«

Die Beduinen werden in alle Winde zerstreut

[28] Dies ist die Botschaft des Herrn über die Beduinenstämme von Kedar und Hazor. Als König Nebukadnezar von Babylonien sie angriff, befahl der Herr ihm und seinen Soldaten:

»Zieht gegen Kedar in den Krieg! Besiegt die Beduinenstämme im Osten! [29] Raubt ihre Zelte, die Viehherden und Kamele! Nehmt ihre Zeltdecken und all ihren Besitz mit! Ruft ihnen zu: ›Es gibt kein Entkommen!‹

---

[a] Wörtlich: Man wird die jungen Herdentiere fortschleppen, und ihretwegen wird die Weide entsetzt sein.

49,18 50,40; 1 Mo 19,24–25* **49,19** 4,7 **49,22** 48,40 **49,23–27** Jes 17,1–3* **49,28–33** 25,23; Jes 21,13–17

[30]Ich, der Herr, fordere die Beduinen auf: Flieht schnell und versteckt euch gut, ihr Stämme in der Gegend von Hazor! Denn König Nebukadnezar von Babylonien will euch angreifen – sein Entschluss steht fest! [31]Ich habe den Babyloniern befohlen: Zieht in den Krieg gegen ein Volk, das fern von allen anderen sicher und sorglos lebt! Ihre Städte haben weder Mauern noch Tore. [32]Ihre Kamele sollen geraubt und die großen Viehherden als Beute weggetrieben werden. Ja, ich, der Herr, werde dieses Volk, das sich die Haare an den Schläfen stutzt, in alle Winde zerstreuen! Von allen Seiten lasse ich das Unheil über sie hereinbrechen. [33]Hazor bleibt für immer ein Ort voller Ruinen, in dem die Schakale hausen. Kein Mensch wird mehr dort wohnen!«

Ich zerbreche die Bogen der Elamiter

[34]Zu Beginn der Regierungszeit König Zedekias von Juda empfing der Prophet Jeremia vom Herrn diese Botschaft über Elam:

[35]»So spricht der allmächtige Gott: ›Ich zerbreche die Bogen der Elamiter, durch die sie vorher unschlagbar waren. [36]Aus allen vier Himmelsrichtungen lasse ich Stürme über sie hereinbrechen. Ich vertreibe sie aus ihrem Land, ja, in alle Winde werden sie zerstreut. Es wird kein Volk mehr geben, zu dem sich nicht vertriebene Elamiter flüchten. [37]Sie sollen keinen Mut mehr haben, gegen ihre Todfeinde zu kämpfen. Ich, der Herr, will Unheil über sie bringen, mein glühender Zorn soll sie treffen! Mit dem Schwert verfolge ich sie, bis ich sie ausgerottet habe. [38]Dann stelle ich meinen Thron im Land der Elamiter auf und bringe den König und die führenden Männer um.

[39]Aber später werde ich das Schicksal der Elamiter wieder zum Guten wenden. Das verspreche ich, der Herr!‹«

Der Untergang Babyloniens

50 Der Herr gab dem Propheten Jeremia diese Botschaft, die an Babylonien und seine Hauptstadt gerichtet war:

[2]»Sagt es den Völkern, verkündet es überall! Stellt Feldzeichen auf und haltet die Neuigkeit nicht zurück! Ruft: ›Die Stadt Babylon ist erobert worden! Marduk, der Götze, der sie schützen sollte, ist vernichtet, ja, Babylons Götter, diese hilflosen Figuren, wurden zerschmettert. Ein Bild der Schande sind sie geworden!‹ [3]Aus dem Norden zieht ein Volk heran zum Angriff gegen Babylonien; das ganze Land wird es verwüsten. Menschen und Tiere ergreifen die Flucht, bis keiner mehr dort lebt.

[4]Ich, der Herr, sage: Wenn diese Zeit gekommen ist, kehren die Israeliten und die Judäer aus der Verbannung zurück. Sie weinen und rufen nach mir, dem Herrn, ihrem Gott. [5]Sie fragen: ›Welcher Weg führt zum Berg Zion?‹ und gehen in diese Richtung weiter. ›Kommt‹, fordern sie einander auf, ›wir wollen wieder dem Herrn gehören! Wir schließen mit ihm einen Bund, an den wir uns für immer halten werden!‹ [6]Mein Volk war wie eine Herde, die sich verlaufen hat. Seine Hirten führten es auf einen falschen Weg und ließen es in den Bergen umherirren. So zog es über Berge und Hügel und vergaß, wohin es gehört. [7]Wer immer diese Herde fand, griff sie an und schlachtete sie ab. Die Feinde Israels sagten: ›Wir begehen kein Unrecht, denn schließlich haben sie den Herrn vergessen, den Gott, bei dem sie ganz sicher Weide finden und dem schon ihre Vorfahren vertrauten!‹«

Flieht aus Babylonien!

[8]»Ihr Israeliten, flieht aus Babylonien und aus seiner Hauptstadt! Geht den anderen Völkern voran wie Leittiere den

49,32 9,24–25 **49,34–38** 25,25; Hes 32,24–25 **49,39** 48,47 **50,1 – 51,64** Jes 13,1–22* **50,2** 51,44; Jes 21,9 **50,3** 1,13–15* **50,4** 3,18*; 31,9 **50,5** 32,40 **50,6** 23,1–2 **50,8** 51,6.45; Jes 48,20

Schafen! [9]Denn ich sorge dafür, dass mächtige Völker aus dem Norden ein Bündnis schließen und sich zum Angriff gegen Babylon rüsten. Dann werden sie kommen und die Stadt erobern. Ihre Soldaten sind treffsichere Schützen, die ihr Ziel niemals verfehlen. [10]Sie werden Babylonien plündern, keiner von ihnen kehrt mit leeren Händen zurück. Darauf gebe ich, der Herr, mein Wort.

[11]Jetzt triumphiert ihr noch und jubelt, ihr Babylonier, weil ihr mein Land ausgeraubt habt! Ihr seid ausgelassen und springt vor Freude umher wie Kälber auf der Weide[a], ihr wiehert wie übermütige Hengste! [12]Doch das Land, in dem ihr geboren seid, wird nun auch unterworfen und von allen verachtet. Es soll ein unbedeutender Fleck Erde sein, eine dürre und trostlose Wüste. [13]Mein Zorn wird Babylon treffen und es zu einem Trümmerhaufen machen, in dem niemand mehr wohnt. Wer vorüberzieht und die Ruinen sieht, schüttelt entsetzt den Kopf.

[14]Ihr Bogenschützen, stellt euch rings um die Stadt zum Angriff auf und schießt! Spart nicht mit Pfeilen! Denn Babylon hat gegen mich, den Herrn, gesündigt. [15]Umzingelt die Stadt und stimmt das Kriegsgeschrei an! – Da, sie ergibt sich! Ihre Türme stürzen ein, die Mauern reißt man nieder! Ich, der Herr, strafe sie für all ihre Bosheit. Rächt auch ihr euch an Babylon! Zahlt ihm das heim, was es euch angetan hat! [16]In Babylon soll es keinen mehr geben, der die Saat ausstreut und die Ernte einbringt! Alle Ausländer, die in der Stadt lebten, werden vor dem Schwert des Feindes fliehen und in ihre Heimat zurückkehren.

[17]Israel ist wie eine Herde, die von Löwen auseinander getrieben wurde. Zuerst ist der König von Assyrien über sie hergefallen, und dann hat König Nebukadnezar von Babylonien ihre Knochen abgenagt. [18]Ich, der Herr, der allmächtige Gott Israels, sage: Ich bestrafe den König von Babylonien und sein ganzes Land, so wie ich auch den König von Assyrien zur Rechenschaft gezogen habe. [19]Aber mein Volk, meine Herde, bringe ich zurück zu ihrem Weideplatz, dann breitet sie sich beim Berg Karmel und im Hochland von Baschan aus, und auch im Bergland von Ephraim und in Gilead findet sie genug zu essen. [20]Ich, der Herr, verspreche euch: Wer zu dieser Zeit nach Israels Schuld sucht, wird sie nicht finden. Man wird den Bewohnern Judas keine einzige Sünde vorhalten können. Denn wer mein Gericht überlebt, dem werde ich vergeben.«

Gott übt Rache für seinen zerstörten Tempel

[21]»Ich, der Herr, sage euch: Tut, was ich euch befehle! Greift das Land Meratajim an, zieht gegen die Bewohner von Pekod in den Kampf![b] Vernichtet sie, zerstört alles ohne Erbarmen!

[22]Hört das Kriegsgeschrei, Babyloniens Untergang naht! [23]Alle Völker hat es niedergeschlagen wie ein Hammer, doch nun liegt es selbst zerschmettert am Boden. Bei diesem Anblick werden die Völker von Entsetzen gepackt.

[24]Ich habe dir eine Falle gestellt, Babylonien, und du bist hineingelaufen, ehe du wusstest, was geschah! Man hat dich eingeholt und überwältigt, denn du hast gegen mich, den Herrn, Krieg geführt. [25]Ich öffne meine Waffenkammer und hole die Waffen heraus, mit denen ich dich voller Zorn angreifen werde. Ja, für mich, den allmächtigen Gott, gibt es in diesem Land viel zu tun!

[26]Nehmt es von allen Seiten ein, brecht seine Kornspeicher auf, und schüttet die Beute auf einen Haufen! Dann vernichtet alles, und zerstört das ganze Land – lasst nichts mehr übrig! [27]Stecht all seine

---

[a] So mit der griechischen Übersetzung. Der hebräische Text lautet: wie eine dreschende Kuh.

[b] Meratajim (»unbeugsamer Trotz«) und Pekod (»Strafe«) sind zwei Gebiete in Babylonien, die hier bildhaft für das ganze Land stehen.

50,15 25,14; Offb 18,6 **50,17** 2 Kön 17,5–6; 25,1–11 **50,18** 2 Kön 19,35 **50,19** 23,3* **50,20** 31,31–34* **50,23** 51,20

Soldaten nieder, schlachtet sie ab! Sie sind verloren! Denn nun ist der Tag gekommen, an dem ihre Strafe sie trifft.

[28] Hört, was die Flüchtlinge aus Babylonien erzählen! In Jerusalem berichten sie: ›Der Herr, unser Gott, hat sich an den Feinden gerächt, er hat sie gestraft, weil sie seinen Tempel zerstört haben.‹

[29] Ruft die Bogenschützen zum Kampf gegen Babylon herbei! Belagert die Stadt und lasst keinen entkommen! Vergeltet ihr alles Unrecht! Zahlt ihr heim, was sie euch angetan hat. Denn Babylon hat sich voller Stolz gegen mich, den heiligen Gott Israels, aufgelehnt. [30] Die jungen Männer kommen in den Straßen um, und alle Soldaten fallen im Kampf.

[31] Ich, der Herr, der allmächtige Gott, greife dich an, du stolze Stadt! Deine Strafe lässt nicht länger auf sich warten. [32] Du wirst stürzen, und niemand richtet dich wieder auf. Ich stecke dich und deine Nachbarstädte in Brand, das Feuer wird alles ringsum verzehren.«

Der Herr befreit sein Volk

[33] So spricht der Herr, der allmächtige Gott: »Noch werden die Israeliten und Judäer unterdrückt. Ihre Feinde halten sie gefangen und lassen sie nicht in ihr Land zurückkehren. [34] Aber ich, der Herr, der allmächtige Gott, bin stärker und werde sie befreien. Ich selbst verhelfe ihnen zu ihrem Recht. Auf der ganzen Welt sorge ich für Ruhe und Frieden, aber die Bewohner von Babylonien stürze ich in Angst und Schrecken.

[35] Ich, der Herr, sage: Tod den Babyloniern und der Stadt Babylon mit ihren führenden Männern und Beratern! [36] Tod ihren Wahrsagern, diesen Schwätzern! Tod ihren Soldaten – die Angst soll sie packen! [37] Tod den Pferden und Streitwagen und allen Söldnern, die Babylonien unterstützt haben, sie werden sich nicht mehr wehren können. Die Schätze Babyloniens gebe ich der Plünderung preis. [38] Alle Gewässer des Landes sollen austrocknen! Denn Babylonien ist ein Land voll abscheulicher Götzenstatuen, die seinen Bewohnern den Verstand geraubt haben. [39] Wilde Wüstentiere werden in den Trümmern hausen, Schakale und Strauße streifen dort umher. Ja, Babylonien wird nie mehr bewohnt sein, für alle Zeiten bleibt es unbesiedelt. [40] Es soll zerstört werden wie damals Sodom und Gomorra mit ihren Nachbarstädten; kein Mensch wird mehr dort leben. Darauf gebe ich, der Herr, mein Wort.«

Der Feind aus dem Norden

[41] »Seht, von Norden zieht ein großes Volk heran, eine mächtige Nation macht sich auf den Weg vom Ende der Erde her. Viele Königreiche wollen gegen Babylonien Krieg führen. [42] Mit Schwertern und Bogen sind sie bewaffnet, sie sind grausam und kennen kein Erbarmen. Wenn sie auf ihren Pferden heranstürmen, klingt es wie das Tosen des Meeres. Sie haben sich zum Kampf gerüstet gegen dich, Babylonien! [43] Dein König hört die Schreckensmeldung, ihn hat aller Mut verlassen. Er zittert vor Angst wie eine Frau in den Wehen.

[44] Ja, ich will die Babylonier aus ihrem Land vertreiben wie ein Löwe, der aus dem Dickicht am Jordan hervorbricht und in fruchtbares Weideland einfällt. Dann wird einer, den ich selbst erwählt habe, über Babylonien regieren. Wer ist mir gleich und kann mich zur Rechenschaft ziehen? Welcher Herrscher ist imstande, sich mir zu widersetzen?

[45] So hört nun, welches Urteil ich über die Babylonier spreche und was ich ihnen antun will: Man wird sie alle, auch die jüngsten unter ihnen, fortschleppen. Jeder, der davon erfährt, wird entsetzt sein.[a]

---

[a] Wörtlich: Man wird die jungen Herdentiere fortschleppen, und ihretwegen wird die Weide entsetzt sein.

50,28 51,11; 2 Kön 25,8–9 **50,37** 51,30 **50,39** Jes 13,20–22; Offb 18,2 **50,40** 49,18; 1 Mo 19,24–25* **50,41–43** 6,22–24 **50,44** 4,7

[46] Babyloniens Sturz lässt die Erde erbeben, selbst die anderen Völker hören noch die lauten Hilfeschreie.«

Babyloniens Zeit ist abgelaufen

51 So spricht der Herr: »Seht, ich lasse einen verheerenden Sturm über Babylonien und seine Bewohner kommen, denn dort haben sich meine Feinde zusammengerottet. [2] Fremde werden das Land erobern und die Menschen davonjagen, so wie der Wind die Spreu fortweht. Ja, ganz Babylonien wird verwüstet. An dem Tag, den ich für seinen Untergang bestimme, fallen die Feinde von allen Seiten über das Land her. [3] Ich befehle ihnen: Schießt die babylonischen Schützen nieder, tötet die Soldaten in ihren Rüstungen! Bringt die jungen Männer schonungslos um, vernichtet das gesamte Heer!

[4] Dann werden die Leichen der Gefallenen überall herumliegen, vom Schwert Durchbohrte füllen die Straßen Babylons. [5] Ich, der allmächtige Gott, habe Israel und Juda nicht verlassen, sie sind immer noch mein Volk. Doch auf dem Land der Babylonier lastet eine schwere Schuld: Sie haben gegen mich, den heiligen Gott Israels, gesündigt. [6] Flieht aus Babylon! Lauft um euer Leben! Sonst trifft auch euch die Strafe für seine Schuld. Denn jetzt ist die Stunde gekommen, nun ziehe ich, der Herr, die Babylonier zur Rechenschaft. Sie bekommen von mir, was sie verdienen.

[7] Babylon war wie ein goldener Kelch voll Wein in meiner Hand. Alle Völker mussten daraus trinken, bis sie taumelten und den Verstand verloren. [8] Doch nun ist der Kelch heruntergefallen und zerbrochen. Trauert um Babylonien! Holt Salben, um seinen Schmerz zu lindern, vielleicht wird es wieder gesund! [9] Aber die Fremden, die dort leben, erwidern: ›Wir wollten ihnen helfen, doch es war zu spät! Babyloniens Wunden sind unheilbar. Kommt, wir verlassen das Land und ziehen in unsere Heimat! Denn Babylonien ist grausam bestraft worden, die Folgen sind nicht zu beheben.‹[a]

[10] Die Israeliten sagen: ›Jetzt hat der Herr uns zum Recht verholfen. Kommt, wir gehen nach Jerusalem und erzählen, was der Herr, unser Gott, getan hat!‹

[11] Ich, der Herr, habe die Könige von Medien dazu gebracht, Babylon anzugreifen, denn ich will die Stadt verwüsten. Ich räche mich an ihren Einwohnern, weil sie meinen Tempel zerstört haben. Schärft die Pfeile! Nehmt die Schilde! [12] Richtet euer Feldzeichen vor den Mauern Babylons auf! Verstärkt die Wachen! Stellt Beobachtungsposten auf! Legt einen Hinterhalt! Ja, ich, der Herr, führe aus, was ich Babylon angedroht habe.

[13] Du große Stadt, von vielen Wasserläufen durchzogen, dein Reichtum ist unermesslich! Doch jetzt ist dein Ende gekommen, deine Zeit ist abgelaufen! [14] Ich, der allmächtige Gott, schwöre, so wahr ich lebe: Ich lasse Feinde über dich herfallen wie einen Heuschreckenschwarm. Sie werden dich erobern und ein Triumphlied über dich anstimmen.«

[15] Der Herr hat die Erde durch seine Macht geschaffen. In seiner großen Weisheit hat er ihr Fundament gelegt und den Himmel ausgebreitet. [16] Wenn er es befiehlt, tosen die Wassermassen oben am Himmel; er lässt die Wolken aufsteigen vom Horizont. Er sendet Blitz und Regen und schickt den Wind aus seinen Kammern auf die Reise. [17] Davor muss jeder Mensch verstummen! Dumm ist er gegenüber Gottes großer Weisheit. Und die Goldschmiede müssen sich schämen über ihre Götterstatuen, denn sie sind blanker Betrug, kein Leben ist in ihnen. [18] Eine Täuschung sind sie und verdienen nichts als Spott! Wenn Gott sein Urteil spricht, ist es aus mit ihnen. [19] Der Gott Jakobs ist mächtiger als diese Götter, er

---

[a] Wörtlich: Bis an den Himmel reicht sein Gericht, es geht bis zu den Wolken hinauf.

51,5 Jes 54,4 **51,6** 50,8 **51,8** 46,11 **51,10** 31,6; 50,4–5 **51,11** Jes 13,17–18; Jer 50,28 **51,13** Offb 17,1 **51,15–19** 10,12–16

hat das Weltall geschaffen und Israel als Volk erwählt, das ihm allein gehört. »Herr der ganzen Welt« wird er genannt.

Jetzt greife ich dich an!

[20]»Babylonien, du warst wie ein Hammer in meiner Hand; ich benutzte dich als Waffe, um ganze Völker zu vernichten und Königreiche zu zerstören. [21]Mit dir zerschmetterte ich Pferde und Reiter, Streitwagen mitsamt den Wagenlenkern. [22]Ich erschlug Männer und Frauen, Kinder und Alte, junge Männer und Mädchen! [23]Hirten und Herden habe ich mit deiner Hilfe ausgerottet, Bauern und ihre Rindergespanne, Provinzstatthalter und mächtige Fürsten fielen dir zum Opfer.

[24]Doch ich will dir und allen deinen Bewohnern das Unrecht vergelten, das ihr Jerusalem zugefügt habt. Mit eigenen Augen werden die anderen Völker es sehen. Darauf gebe ich, der Herr, mein Wort.

[25]Babylonien, du bist wie ein Vulkan, der Verderben und Zerstörung über die ganze Welt bringt.[a] Aber jetzt greife ich dich an, ich lasse deine Felsen einstürzen und mache dich zu einem Berg von verkohlten Steinen, [26]mit denen keiner mehr ein Fundament legen kann. Für alle Zeiten bleibst du ein Trümmerfeld, das sage ich, der Herr!

[27]Gebt das Zeichen zum Angriff gegen Babylonien! Alle Völker sollen die Trompeten blasen und sich für den Kampf rüsten. Ruft die Königreiche von Ararat, Minni und Aschkenas herbei! Wählt euch Heerführer aus! Überfallt das Land mit einem Reiterheer, das so groß ist wie ein Heuschreckenschwarm! [28]Die Völker sollen sich auf den Krieg vorbereiten, die Könige der Meder, ihre Statthalter, ihre Befehlshaber und die Heere aller Länder, über die sie herrschen! [29]Die ganze Erde bebt und erzittert, denn ich, der Herr, will Babylonien zerstören und zur Wüste machen, in der keiner mehr wohnt. Mein Entschluss steht fest!

[30]Die Elitetruppen Babyloniens ziehen nicht in den Krieg, sie bleiben in ihren Festungen, denn sie sind erschöpft und haben allen Mut verloren. Schon sind die Stadttore aufgebrochen, und die Häuser stehen in Flammen. [31]Von überall kommen die Boten angelaufen und melden dem König von Babylonien: ›Die Stadt ist von allen Seiten eingenommen worden! [32]Die Feinde besetzen die Übergänge am Euphrat und brennen die Festungen nieder. Unsere Soldaten sind in Panik geraten!‹

[33]Ich, der Herr, der allmächtige Gott Israels, sage: Die Stadt Babylon wird niedergetreten werden wie ein Dreschplatz, den man fest stampft, bevor die Erntezeit kommt.«

Jerusalem, ich verhelfe dir zum Recht

[34]»Jerusalem klagt: ›König Nebukadnezar hat mich zerfleischt und aufgefressen. Wie ein Drache hat er mich verschlungen, hat sich den Bauch voll geschlagen mit dem, was ich besaß – und mich dann weggeworfen wie ein leeres Gefäß! [35]Doch nun soll Babylon für das Unrecht bestraft werden, das es an mir begangen hat. Die Babylonier haben unser Blut vergossen – nun soll ihres fließen!‹

[36]Ich, der Herr, sage zu Jerusalem: Ich selbst werde dir zum Recht verhelfen und mich an deinen Feinden rächen. Ich lasse Babyloniens Teiche und Flüsse vertrocknen und die Quellen versiegen. [37]Seine Hauptstadt soll zu einem einzigen Trümmerfeld werden, wo die Schakale hausen und kein Mensch es mehr aushält. Wer das sieht, wird entsetzt sein und die Stadt verabscheuen.

[38]Noch brüllen die Babylonier wie Löwen und knurren wie Löwenjunge. [39]Sie sind voller Gier! Darum bereite ich, der Herr, ihnen ein Festmahl und

---

[a] Wörtlich: Babylonien, du Berg des Verderbens.

51,20 50,23 **51,27** Jes 13,3 **51,39** 25,15*

mache sie betrunken, bis sie fröhlich und ausgelassen sind. Dann versinken sie in ewigen Schlaf und werden nie mehr erwachen. [40]Ich führe sie fort zum Schlachten wie Lämmer, Schaf- und Ziegenböcke.

[41]Babylon ist gefallen! Die weltberühmte Stadt wurde erobert! Welch ein Bild des Schreckens bietet sie nun der ganzen Welt! [42]Das Meer hat Babylon überflutet, seine tosenden Wellen sind über die Stadt hereingebrochen. [43]Die Städte des Landes sind verwüstet; sie liegen da wie eine dürre, wasserlose Steppe. Kein Mensch wohnt mehr dort, niemand reist hindurch.

[44]Ich werde ihren Götzen Marduk strafen. Was er verschlungen hat, muss er nun wieder ausspucken! Die Völker kommen nicht mehr, um ihn anzubeten. Babylons Mauern sind gefallen!

[45]Flieht, ihr Israeliten! Lauft um euer Leben, damit euch mein glühender Zorn nicht auch trifft!

[46]Verliert nicht den Mut, habt keine Angst, wenn ihr die Gerüchte hört, die man sich im Land erzählt. Jedes Jahr wird ein anderes Gerücht umgehen – Meldungen über blutige Aufstände und über Machtkämpfe zwischen den Herrschern. [47]Glaubt mir, es kommt die Zeit, in der ich die Götzen Babyloniens strafen werde! Dann ist der Ruhm des Landes dahin, und überall liegen die Gefallenen am Boden. [48]Die ganze Welt bricht in Jubel aus, wenn die Völker aus dem Norden heranziehen, Babylonien angreifen und zerstören. Darauf gebe ich, der Herr, mein Wort.

[49]Babylonien hat unzählige Menschen auf der ganzen Welt umgebracht, doch nun wird es selbst zugrunde gehen, weil es so viele Israeliten tötete.

[50]Ihr Menschen aus Israel, die ihr dem Schwert eurer Feinde entkommen seid, flieht! Bleibt nicht stehen! Auch wenn ihr weit von eurem Land entfernt seid, denkt an mich, euren Herrn, und vergesst Jerusalem nicht! [51]Ihr sagt: ›Es ist eine Schande! Fremde sind in den Tempel eingedrungen, in das Haus unseres Gottes! Sie haben uns verspottet und verhöhnt.‹

[52]Doch hört, was ich, der Herr, euch antworte: Es kommt die Zeit, in der ich Babyloniens Götter strafen werde. Dann hört man im ganzen Land die Verwundeten stöhnen. [53]Selbst wenn die Mauern Babylons bis an den Himmel reichten und seine Festungstürme uneinnehmbar hoch wären, würde ich doch die Feinde schicken, die alles in Schutt und Asche legen. Mein Wort gilt!

[54]Hört ihr, wie Babylonien um Hilfe schreit? Das ganze Land ist dem Untergang geweiht, [55]denn ich, der Herr, zerstöre es nun und bringe es zum Schweigen. Die Feinde donnern heran wie mächtige Meereswogen, hört ihr das laute Gebrüll? [56]Ja, sie verwandeln Babylonien in eine Wüste, sie nehmen die Soldaten gefangen und zerbrechen ihre Bogen. Denn ich, der Herr, bin ein Gott, der Vergeltung übt und sie so straft, wie sie es verdienen.

[57]Ich, der allmächtige Gott, der König der ganzen Welt, mache sie alle betrunken – die führenden Männer von Babylonien, ihre weisen Berater, die Statthalter, Befehlshaber und die einfachen Soldaten; dann versinken sie in ewigen Schlaf und werden nie mehr erwachen.

[58]Die starken Mauern Babylons werden dem Erdboden gleichgemacht und die hohen Tore niedergebrannt. So trifft auch für diese Stadt das Wort zu: ›Was Völker mühsam errichtet haben, hat keinen Bestand – ihre Bauwerke werden ein Raub der Flammen!‹[a] Das sage ich, der allmächtige Gott.«

---

[a] Vgl. Habakuk 2,13

51,44 50,2 **51,45** 50,8; 51,6; Jes 48,20 **51,48–49** Offb 18,20.24 **51,50** Ps 137,5–6 **51,51** Ps 79,1–4; Klgl 1,10 **51,53** Jes 14,13–15 **51,57** 25,15*

Jeremias Botschaft wird nach Babylon gesandt

[59] In seinem 4. Regierungsjahr reiste der judäische König Zedekia nach Babylon. Als Jeremia davon hörte, gab er Seraja, der den König begleitete und für sein Wohlergehen verantwortlich war, eine Botschaft mit; Seraja war ein Sohn Nerijas und Enkel Machsejas.

[60] Jeremia hatte auf einer Buchrolle niedergeschrieben, welches Unheil der Herr Babylonien androhte, alle Botschaften gegen das Land waren darauf festgehalten. [61] Er sagte zu Seraja: »Wenn du nach Babylon kommst, so lies alles, was ich aufgeschrieben habe, laut vor! [62] Dann bete: ›Herr, du hast dieser Stadt die Zerstörung angekündigt. Sie soll für alle Zeiten zu einer Wüste werden, in der weder Menschen noch Tiere leben.‹ [63] Wenn du diese Buchrolle vorgelesen hast, binde einen Stein daran, wirf sie in den Euphrat [64] und ruf: ›Genauso wird Babylon untergehen und nie wieder nach oben kommen! Denn der Herr wird großes Unheil über seine Einwohner bringen!‹«

Hier enden die Worte Jeremias.

Flucht und Gefangennahme Zedekias
(2. Könige 24,20 – 25,7; 2. Chronik 36,16–17)

52 Zedekia war 21 Jahre alt, als er König wurde; er regierte elf Jahre in Jerusalem. Seine Mutter hieß Hamutal, sie war eine Tochter Jirmejas aus Libna. [2] Wie Jojakim tat auch Zedekia, was der Herr verabscheute. [3] Der Herr war voller Zorn über die Bewohner von Jerusalem und Juda, und so wandte er sich von ihnen ab.

Zedekia lehnte sich gegen die Herrschaft des babylonischen Königs auf. [4] Darum zog Nebukadnezar mit seinem ganzen Heer nach Jerusalem, um die Stadt anzugreifen.

Im 9. Regierungsjahr Zedekias, am 10. Tag des 10. Monats, begannen die Babylonier mit der Belagerung Jerusalems. Rings um die Stadt schütteten sie einen Wall auf. [5] Bis ins 11. Regierungsjahr Zedekias hielt Jerusalem der Belagerung stand. [6] Doch schließlich waren alle Vorräte aufgebraucht, und die Einwohner litten unter einer schweren Hungersnot.

Am 9. Tag des 4. Monats [7] schlugen die Babylonier eine Bresche in die Stadtmauer. In der Nacht darauf gelang Zedekia mit allen seinen Soldaten die Flucht, obwohl die Feinde einen geschlossenen Belagerungsring um die Stadt gebildet hatten. Sie nahmen den Weg durch das Tor, das zwischen den beiden Mauern beim Garten des Königs lag, und flohen in Richtung Wüste. [8] Doch die Babylonier nahmen die Verfolgung Zedekias auf. In der Nähe von Jericho holten sie ihn ein. Seine Soldaten liefen in alle Richtungen davon, und so wurde er allein gefangen genommen. [9] Die Babylonier führten ihn zu ihrem König nach Ribla in der Provinz Hamat, dort sprach Nebukadnezar das Urteil über ihn: [10] Zedekia musste zusehen, wie alle seine Söhne hingerichtet wurden. Auch die obersten Beamten von Juda ließ der babylonische König töten. [11] Danach stach man Zedekia die Augen aus und brachte ihn in Ketten nach Babylon. Dort wurde er ins Gefängnis geworfen, wo er bis zu seinem Tod blieb.

Jerusalem und der Tempel werden zerstört
(2. Könige 25,8–21; 2. Chronik 36,18–21)

[12] Im 19. Regierungsjahr König Nebukadnezars von Babylonien, am 10. Tag des 5. Monats, traf Nebusaradan in Jerusalem ein. Er war der Oberbefehlshaber der königlichen Leibwache und ein enger Vertrauter Nebukadnezars. [13] Er ließ den Tempel des Herrn, den Königspalast und alle großen Häuser in Flammen aufgehen. [14] Seine Soldaten rissen die Stadt-

---

51,59 32,11–12 **51,60** 30,1–2 **51,63–64** Offb 18,21 **52,4–16** 39,1–10 **52,11** 32,5 **52,13** 7,14; 17,27

mauer nieder. [15] Nebusaradan ließ alle Judäer gefangen nehmen: die restliche Bevölkerung der Stadt, die ärmsten Bewohner Judas und die übrig gebliebenen Handwerker. Auch alle, die zu den Babyloniern übergelaufen waren, führte er in die Verbannung. [16] Nur einige der ärmsten Landarbeiter ließ er zurück, um die Äcker und Weinberge zu bestellen.

[17] Im Tempel zerschlugen die Babylonier die beiden Säulen aus Bronze, die Kesselwagen und das runde Wasserbecken und brachten die Bronze nach Babylon. [18] Auch die Eimer, Schaufeln, Messer, Schüsseln und Schalen sowie alle anderen bronzenen Gegenstände, die für den Tempeldienst gebraucht worden waren, nahmen sie mit, [19] ebenso die Kelche, die Eimer zum Tragen der glühenden Kohlen, die Schüsseln, Töpfe, Leuchter und Opferschalen aus reinem Gold und Silber. Dies alles ließ der Oberbefehlshaber der Leibwache nach Babylon bringen. [20] Auch die Bronze der beiden Säulen, des runden Wasserbeckens, der zwölf Rinderfiguren und der Kesselwagen, die Salomo für den Tempel des Herrn hatte anfertigen lassen, wurde mitgenommen. Es kam so viel Bronze zusammen, dass man sie gar nicht mehr wiegen konnte. [21] Allein die beiden Säulen waren schon neun Meter hoch, und ihr Umfang betrug sechs Meter. Sie waren innen hohl und hatten eine Wandstärke von acht Zentimetern. [22] Auf jeder Säule ruhte noch ein bronzenes Kapitell von zweieinhalb Metern Höhe. Die Kapitelle waren ringsum verziert mit Ketten und Granatäpfeln, ebenfalls aus Bronze. [23] Bei jeder Säule gab es insgesamt hundert Granatäpfel an den Ketten ringsum, sechsundneunzig davon konnte man von unten sehen.

[24] Nebusaradan, der Oberbefehlshaber der königlichen Leibwache, ließ einige Männer von den Gefangenen aussondern: den Hohenpriester Seraja, seinen Stellvertreter Zefanja und die drei Priester, die den Tempeleingang bewachten, [25] einen Hofbeamten, der die Aufsicht über die Truppen in der Stadt hatte, sieben Männer aus Jerusalem, die zu den engsten Vertrauten des Königs gehörten, den Offizier, der für die Musterung der Truppen verantwortlich war, und schließlich sechzig Männer aus Juda, die sich gerade in Jerusalem aufhielten. [26] Sie alle sonderte Nebusaradan aus und brachte sie nach Ribla in der Provinz Hamat zum König von Babylonien. [27] Dort ließ Nebukadnezar sie alle hinrichten.

Die Bevölkerung von Juda wurde aus ihrer Heimat vertrieben.

[28] In seinem 7. Regierungsjahr ließ Nebukadnezar 3023 Judäer in die Verbannung führen, [29] im 18. Jahr 832 Einwohner von Jerusalem, [30] und im 23. Jahr ließ Nebusaradan, der Oberbefehlshaber der königlichen Leibwache, 745 Judäer verschleppen. Insgesamt wurden 4600 Judäer nach Babylonien gebracht.

Jojachin wird begnadigt
(2. Könige 25,27–30)

[31] 37 Jahre nach der Gefangennahme Jojachins, des früheren Königs von Juda, wurde Ewil-Merodach König von Babylonien. Im 1. Jahr seiner Regierung, am 25. Tag des 12. Monats, begnadigte er Jojachin von Juda und holte ihn aus dem Gefängnis. [32] Er behandelte ihn freundlich und gab ihm eine bevorzugte Stellung unter den Königen, die in Babylon gefangen gehalten wurden. [33] Jojachin durfte seine Gefängniskleidung ablegen und bis an sein Lebensende an der königlichen Tafel essen. [34] Der König sorgte auch sonst für seinen Unterhalt. Jojachin bekam täglich, was er zum Leben brauchte.

52,17–23 27,19–22 **52,31–34** 22,24–30

Die Klagelieder des Jeremia

Jerusalem ist zerstört!

1 Ach, wie einsam und verlassen liegt sie da, die Stadt Jerusalem, in der sich einst die Menschen drängten! Sie war berühmt bei allen Völkern, jetzt gleicht sie einer Witwe ohne Schutz. Sie, die über andere Länder herrschte, wird nun zum Sklavendienst gezwungen.
[2] Sie weint und weint die ganze Nacht, die Tränen laufen ihr übers Gesicht. Unter all ihren Liebhabern ist niemand, der sie tröstet. Alle Freunde haben sie verlassen und sind nun ihre Feinde!
[3] Schwer musste Juda arbeiten und viel Elend erdulden, nun hat man sie gefangen fortgeschleppt. Jetzt wohnt sie unter fremden Völkern und findet keine Ruhe; ihre Verfolger haben sie überfallen, als sie sich nicht wehren konnte.
[4] Die Wege, die nach Zion führen, sind verödet, weil niemand mehr zu den Festen kommt. Alle Tore Jerusalems sind zerstört. Die Priester seufzen, und die jungen Mädchen trauern. Die Stadt leidet bitteren Schmerz.
[5] Die sie hassen, haben die Macht über sie, ihre Feinde fühlen sich sicher. Der Herr hat Leid über Jerusalem gebracht, weil er ihre vielen Sünden strafen will. Die Feinde nahmen ihre Kinder gefangen und trieben sie vor sich her aus dem Land.
[6] Zion hat all ihre Pracht verloren. Ihre Fürsten sind wie Hirsche, die keine Weide mehr finden; ihnen fehlt die Kraft, den Verfolgern zu entfliehen.
[7] Mitten im Elend, weit weg von ihrer Heimat, denkt Jerusalem an die Schätze, die sie seit langer Zeit besaß. Als sie dem Feind in die Hände fiel, war niemand da, der ihr half.
[8] Jerusalem hat große Schuld auf sich geladen, nun schüttelt man den Kopf über sie. Die sie früher verehrten, verachten sie jetzt, weil sie nackt und hilflos vor ihnen liegt. Sie aber seufzt und vergräbt ihr Gesicht in den Händen.
[9] Dass ihre Untreue aufgedeckt wird, hat sie nicht bedacht. Nun ist sie tief gefallen – und keiner ist da, der sie tröstet. »Ach Herr«, fleht sie, »sieh doch mein Elend an, und sieh auch, wie die Feinde prahlen!«
[10] Sie raubten alle ihre Schätze. Jerusalem musste mit ansehen, wie Fremde in den heiligen Tempel eindrangen. Dabei hatte der Herr ihnen verboten, den Ort zu betreten, wo sich seine Gemeinde versammelt.
[11] Das Volk seufzt und sucht nach Brot, sie geben all ihr Hab und Gut, nur um am Leben zu bleiben. Jerusalem fleht: »Herr, sieh mich an! Ich werde von allen verachtet!

[12] Schaut her, ihr Fremden, die ihr vorüberzieht! Habt ihr noch nichts davon gehört? Gibt es ein größeres Leid als meines? Der Herr hat es mir zugefügt, sein Zorn hat mich getroffen.
[13] Er ließ Feuer vom Himmel auf mich fallen, das in meinem Innern wütete. Er hat mir eine Falle gestellt und mich zu Boden geworfen. Er hat mich zu einer Trümmerstätte gemacht, die von allen gemieden wird.
[14] Schwer lasten meine Sünden auf mir wie ein Joch, das der Herr mir aufgebürdet hat. Er legte es um meinen Nacken, und ich brach darunter zusammen. Der Herr hat mich meinen Feinden ausgeliefert, die stärker waren als ich.
[15] Meine besten Soldaten hat er vernich-

1,2 Jer 30,14 **1,6** 2 Kön 25,4–7 **1,8** Hes 16,37 **1,9** Jes 40,1–2 **1,10** 2 Kön 25,13–17; Ps 79,1–4 **1,11** 4,9 **1,15** Jes 63,3

tet. Er hat meine Feinde zu einem Fest eingeladen, und dort brachten sie unsere jungen Männer um. Der Herr hat Juda zertreten wie Trauben in der Kelter.
[16]Darüber weine ich Tag und Nacht, die Tränen verschleiern mir die Augen. Denn weit und breit habe ich keinen, der mich tröstet, niemanden, der mir wieder Mut zuspricht. Meine Söhne sind hilflos, der Feind hat uns in seiner Gewalt.«

[17]Verzweifelt streckt Zion ihre Hände aus, doch keiner ist da, der sie tröstet! Der Herr hat Israels Feinde von allen Seiten herbeigerufen. Voller Abscheu blicken sie auf Jerusalem.
[18]»Zu Recht hat der Herr mich bestraft, denn ich habe mich seinen Geboten widersetzt! Ihr Völker, hört her! Seht doch, wie groß mein Schmerz ist! Die Mädchen und die jungen Männer wurden als Gefangene verschleppt.
[19]Ich rief nach meinen Liebhabern, aber sie haben mich verlassen. Meine Priester und Ältesten sind mitten in der Stadt zusammengebrochen, als sie Nahrung suchten, um am Leben zu bleiben.
[20]Ach Herr, sieh doch, wie verzweifelt ich bin! In mir wühlt der Schmerz; mir bricht das Herz, wenn ich daran denke, wie ich mich gegen dich aufgelehnt habe. Draußen raubte das Schwert mir meine Kinder, und drinnen raffte die Seuche sie dahin.
[21]Man hört mich seufzen, doch keiner tröstet mich. Stattdessen jubeln meine Feinde, wenn sie erfahren, welches Unglück du über mich gebracht hast. Doch wenn dein Gerichtstag kommt, den du angekündigt hast, dann wird es ihnen ergehen wie mir.
[22]Zieh sie zur Rechenschaft für all ihre Bosheit! Vergelte ihnen alles, so wie du auch mich für meine Schuld bestraft hast! Denn ich seufze ohne Ende, der Kummer macht mich krank.«

Der Zorn des Herrn hat Jerusalem getroffen

2 Der Zorn des Herrn liegt über Zion wie eine große, dunkle Wolke. Wie ein Stern vom Himmel auf die Erde stürzt, so verging Jerusalems ganze Pracht. An dem Tag, als der Zorn des Herrn losbrach, wollte er sogar von seinem Tempel[a] nichts mehr wissen!
[2]Er hat die Dörfer und Felder Israels erbarmungslos zerstört. Die befestigten Städte Judas hat er niedergerissen, in seinem Zorn hat er über das Königreich Schande gebracht und die Mächtigen gestürzt.
[3]Der Herr hat Israel aller Macht beraubt. Als der Feind kam, zog er seine schützende Hand zurück. Er hat das Land in Brand gesteckt wie ein loderndes Feuer, das alles ringsum verzehrt.
[4]Er spannte seinen Bogen und stellte sich auf, die Hand bereit zum Schuss. Wie ein Feind hat er alle getötet, die uns lieb und teuer waren. Über die Häuser Zions goss er seinen Zorn aus wie Feuer.

[5]Der Herr ist Israels Feind geworden: Er hat das Land verwüstet und alle Paläste zerstört. Die befestigten Städte machte er dem Erdboden gleich und brachte unermessliches Leid über die Bewohner Judas.
[6]Er hat seinen Tempel niedergerissen wie eine Hütte; den Ort, an dem wir uns vor ihm versammelten, hat er zerstört. Den Festtagen und Sabbatfeiern hat der Herr ein Ende bereitet. In seinem furchtbaren Zorn hat er den König und die Priester verstoßen.
[7]Der Herr will von seinem Tempel nichts mehr wissen, seinen Altar hat er entweiht. Die Feinde ließ er bis in die Paläste eindringen, und selbst im Tempel hörte man sie lärmen wie an einem Festtag.
[8]Der Herr wollte die Mauern Jerusalems zerstören. Und so spannte er die Mess-

[a] Wörtlich: vom Schemel seiner Füße.

1,18 3,42; 5,16 **1,20** Jer 15,2 **1,21** Jer 25,31 **1,22** Ps 137,7–9 **2,1** Jer 7,14 **2,4–5** Jer 21,5–6 **2,6** Hos 2,13 **2,8** 2 Kön 21,13

schnur über sie, um sie völlig zu vernichten. Er riss Mauern und Schutzwälle nieder, nun liegen sie verödet da.
[9]Die Stadttore machte er dem Erdboden gleich, er brach die Riegel auf und zerschlug sie. Unser König und seine Beamten müssen unter fremden Völkern leben. Niemand verkündet uns die Weisungen Gottes, und die Propheten empfangen vom Herrn keine Visionen mehr.
[10]Die Ältesten sitzen stumm am Boden, sie haben sich Staub auf den Kopf gestreut und Trauerkleider angezogen. Die Mädchen von Jerusalem gehen mit gesenktem Kopf umher.

[11]Ich weine mir fast die Augen aus, der Schmerz überwältigt mich, und es bricht mir das Herz, dass ich den Untergang meines Volkes miterleben musste. Ich sah Säuglinge und kleine Kinder auf den Plätzen der Stadt verhungern.
[12]»Ich habe Hunger! Ich habe Durst!«, sagten sie zu ihrer Mutter. Dann brachen sie zusammen und lagen auf der Straße wie tödlich Verwundete. In den Armen ihrer Mutter erlosch ihr Leben.

[13]Ach, Jerusalem, was soll ich dir sagen? Hat es jemals solches Elend gegeben? Wie kann ich dich nur trösten, du einst blühende Stadt? Schrecklich war dein Untergang. Gibt es einen, der dir noch helfen kann?
[14]Deine Propheten weissagten nichts als Lug und Trug; sie deckten deine Schuld nicht auf – nur so hätten sie das Unheil von dir abgewendet. Mit ihren Botschaften haben sie dich betrogen und verführt.
[15]Wer vorübergeht, verspottet dich; er lacht verächtlich und schüttelt den Kopf beim Anblick Jerusalems: »Ist das die Stadt, die als vollendete Schönheit galt, eine Augenweide für die ganze Welt?«
[16]Deine Feinde ziehen über dich her. Sie verhöhnen dich und weiden sich an deinem Untergang: »Wir haben sie vernichtet! Auf diesen Tag haben wir lange gewartet, nun ist er endlich da, wir haben unser Ziel erreicht!«
[17]Was der Herr sich vorgenommen hatte, das hat er auch getan! Er hat die Drohung wahr gemacht, die er seit langer Zeit verkünden ließ. Erbarmungslos hat er dich zerstört, er schenkte deinen Feinden den Triumph und stärkte ihre Macht.

[18]Zion, schrei laut zum Herrn![a] Lass wie einen Bach die Tränen fließen Tag und Nacht, hör nicht auf damit, gönn dir keine Ruhe!
[19]Steh jede Nacht auf, flehe zu Gott um Hilfe, und schütte ihm dein Herz aus! Heb deine Hände zu ihm empor, und bitte für das Leben deiner Kinder, die an allen Straßenecken verhungern.

[20]Herr, sieh doch die Menschen, über die du solches Leid gebracht hast! Frauen aßen ihre eigenen Kinder, die sie vorher liebevoll gepflegt hatten. Und in deinem heiligen Tempel wurden Priester und Propheten totgeschlagen. Warum hast du das zugelassen?
[21]Kinder und Greise liegen auf den Straßen, Mädchen und junge Männer – durchbohrt vom Schwert der Feinde. Am Tag, als dein Zorn sie traf, hast du sie ohne Mitleid abgeschlachtet.
[22]Meine Feinde hast du von allen Seiten herbeigerufen wie zu einer Festversammlung. Dein Zorn kam über mich, da gab es kein Entrinnen! Meine Kinder, die ich mit viel Liebe großzog, sind dem Feind zum Opfer gefallen.

Hoffnung in der größten Not

3 Ach, wie viel Elend muss ich ertragen! Ich bin der Mann, den Gott mit seiner Rute schlägt.
[2]Er hat mich immer tiefer in die Finsternis getrieben.

---

[a] So mit leichter Textänderung. Wörtlich: Ihr Herz schrie zum Herrn – du Mauer der Stadt Zion.
2,9 Jer 18,18 **2,11** Jer 8,23 **2,14** Jer 14,14; 23,16–18 **2,15** Ps 48,2–3 **2,17** Sach 1,6 **2,20** 3 Mo 26,29*

[3] Tag für Tag trifft mich seine strafende Hand.
[4] Davon bin ich abgemagert, alt geworden; meine Knochen hat er zerschlagen.
[5] Bitteres Leid und Erschöpfung haben mich überwältigt, er hat es über mich gebracht.
[6] In Dunkelheit lässt er mich zurück, als wäre ich schon lange tot.
[7] Mit schweren Ketten hat er mich gefesselt und mit hohen Mauern umgeben, ich komme nicht mehr heraus!
[8] Wenn ich schreie und um Hilfe rufe, so verschließt er sich meinem Gebet.
[9] Wohin ich mich auch wende – er hat meine Wege mit großen Steinen versperrt. Ich komme nicht mehr weiter.
[10] Gott hat mir aufgelauert wie ein Bär, wie ein Löwe in seinem Versteck.
[11] Er hat mich vom Weg gedrängt, mich zerfleischt und hilflos liegen lassen.
[12] Er spannte seinen Bogen, zielte mit seinem Pfeil auf mich
[13] und schoss mir mitten durch das Herz.
[14] Mein Volk verlacht mich Tag für Tag, sie singen Spottlieder auf mich.
[15] Gott reicht mir bittere Kräuter zu essen und füllt mir den Becher mit Wermut.
[16] Er gibt mir Steine statt Brot, er tritt mich tief in den Staub.
[17] Was Frieden und Glück ist, weiß ich nicht mehr. Du, Herr, hast mir alles genommen.

[18] Darum sagte ich: »Meine Kraft ist geschwunden, und meine Hoffnung auf den Herrn ist dahin.
[19] Meine Not ist groß, ich habe keine Heimat mehr. Schon der Gedanke daran macht mich krank.
[20] Und doch denke ich ständig daran und liege am Boden.«

[21] Aber eine Hoffnung bleibt mir noch, an ihr halte ich fest:
[22] Die Güte des Herrn hat kein Ende[a], sein Erbarmen hört niemals auf,
[23] es ist jeden Morgen neu! Groß ist deine Treue, o Herr!
[24] Darum sage ich: Herr, ich brauche nur dich![b] Auf dich will ich hoffen.
[25] Denn der Herr ist gut zu dem, der ihm vertraut und ihn von ganzem Herzen sucht.
[26] Darum ist es das Beste, geduldig zu sein und auf die Hilfe des Herrn zu warten.
[27] Und es ist gut für einen Menschen, wenn er schon früh lernt, Schweres zu tragen.
[28] Wenn Gott ihm die Last auferlegt, soll er sich darunter beugen und ruhig bleiben.
[29] Geduldig ertrage er sein Leid, vielleicht gibt es noch Hoffnung.
[30] Wenn er geschlagen wird, soll er die Wange hinhalten und die Demütigung ertragen.

[31] Denn der Herr verstößt uns nicht für immer.
[32] Er lässt uns leiden, aber dann erbarmt er sich wieder, denn seine Gnade ist groß.
[33] Wenn er uns straft und Leid über uns bringt, so schmerzt es ihn selbst.

[34] Sie treten unsere Gefangenen.
[35] Sie beugen das Recht vor den Augen des höchsten Gottes.
[36] Sie betrügen uns vor Gericht. – Hat der Herr das nicht gesehen?
[37] Wer kann etwas geschehen lassen, wenn der Herr es nicht befiehlt?
[38] Kommt nicht Glück und Unglück aus seiner Hand?
[39] Warum klagen wir? Der Herr ließ uns doch am Leben! Er straft uns nur für unsere Sünden.
[40] Kommt, wir wollen unser Leben prüfen und dann zurückkehren zum Herrn!
[41] Ihm wollen wir unsere Herzen öffnen,

---

[a] So nach einigen hebräischen Handschriften und alten Übersetzungen. Der hebräische Text lautet: Durch die Güte des Herrn sind wir noch nicht am Ende.
[b] Wörtlich: Der Herr ist mein Erbteil.

3,7 Hiob 3,23; 19,8 **3,8** Ps 22,3; 69,4 **3,10** Hiob 10,16 **3,12–13** Hiob 6,4; 16,12–14 **3,14** Hiob 30,9; Jer 20,7 **3,15** Hiob 9,18; Jer 9,14 **3,22–23** 2 Mo 34,6; Ps 31,20; 48,10; 57,11; 103,17; 108,5 **3,26** Ps 62,2 **3,30** Jes 50,6; Mt 5,39 **3,31–33** Ps 30,6; Jes 54,7–8 **3,37** Am 3,6 **3,38** Jes 45,7

zu ihm, der im Himmel wohnt, die Hände erheben und beten:

[42]»Herr, wir haben dir die Treue gebrochen, wir haben uns gegen dich aufgelehnt – und du hast uns nicht vergeben! [43]Dein Zorn hat uns getroffen, du hast uns verfolgt und erbarmungslos getötet! [44]Du hast dich in dichte Wolken gehüllt, kein Gebet ist zu dir durchgedrungen. [45]Du hast dafür gesorgt, dass die Völker uns verachten; sie behandeln uns wie Dreck und Abfall. [46]Unsere Feinde lästern über uns. [47]Wir haben Schrecken und Zusammenbruch erlebt, wir haben Angst und schweben ständig in Gefahr.«

[48]Ich weine hemmungslos über den Untergang meines Volkes. [49]Meine Tränen fließen unaufhörlich, ich finde keine Ruhe, [50]bis der Herr vom Himmel herabschaut und uns sieht. [51]Mir bricht das Herz, wenn ich sehe, was mit den Frauen und Mädchen in meiner Stadt geschieht. [52]Ich habe meinen Feinden nichts getan, und doch haben sie mich gefangen wie einen Vogel. [53]Sie warfen mich in einen Brunnen und ließen Steine auf mich fallen. [54]Das Wasser schlug über mir zusammen, und ich dachte schon: »Das ist das Ende!«

[55]Da schrie ich zu dir um Hilfe, o Herr, unten aus der Grube: [56]»Verschließe dein Ohr nicht vor meinem Seufzen und Schreien!« Und du hast mich erhört! [57]Als ich rief, kamst du zu mir und sprachst: »Fürchte dich nicht!« [58]Herr, du hast mir geholfen und mein Leben gerettet. [59]Du siehst, wie viel Unrecht ich immer noch erleide. Schaffe du mir Recht! [60]Du kennst die Rachsucht meiner Feinde und ihre finsteren Pläne gegen mich. [61]Herr, du hast gehört, wie sie mich schmähten, ihre bösen Verleumdungen sind dir nicht verborgen. [62]Tagein, tagaus verhöhnen sie mich, immer ziehen sie über mich her. [63]Herr, hör doch: Von früh bis spät singen sie ihre Spottlieder über mich! [64]Vergelte es ihnen, o Herr! Gib ihnen den gerechten Lohn für ihre schrecklichen Taten! [65]Lass ihre Herzen hart und gleichgültig werden, möge dein Fluch über sie kommen! [66]Verfolge sie, bis dein Zorn sie trifft, und lass sie vom Erdboden verschwinden!

Jerusalems Elend

4 Das Gold hat seinen schönen Glanz verloren, stumpf und matt ist es geworden. Die kostbaren Steine des Tempels liegen verstreut an allen Straßenecken. [2]Die jungen Männer Zions, die uns wertvoll sind wie reines Gold, werden verächtlich behandelt wie gewöhnliches Tongeschirr. [3]Selbst Schakale säugen ihre Jungen, aber die Mütter meines Volkes sind grausam zu ihren Kindern wie ein Strauß in der Wüste. [4]Dem Säugling klebt vor Durst die Zunge am Gaumen, kleine Kinder verlangen nach Brot, doch niemand gibt es ihnen. [5]Wer früher nur das Feinste aß, bricht nun vor Hunger auf der Straße zusammen. Wer früher auf purpurfarbenen Kissen schlief, liegt jetzt auf einem Abfallhaufen.

[6]Mein Volk hat schwerer gesündigt als Sodom, das ohne menschliches Zutun plötzlich unterging. [7]Wie herrlich sahen unsere Fürsten aus! Sie waren gesund und kräftig und hatten eine schöne Gestalt. [8]Jetzt aber ist ihr Gesicht eingefallen, sie sind bis auf die Knochen abgemagert,

---

3,42 1,18 **3,44** Jes 1,15; 59,1–2 **3,46** 2,16 **3,48** Jer 8,23 **3,51** 5,11 **3,53** Jer 38,6 **3,54** Ps 69,2–3; Jona 2,6 **3,64** Jer 11,20 **4,3** Hiob 39,13–17 **4,4** 2,11–12 **4,6** 1 Mo 19,24–25*; Hes 16,48

man erkennt sie auf der Straße nicht mehr wieder.[a]
[9]Wer vom Schwert der Feinde durchbohrt wurde, hatte es besser als jene, die überlebten. Sie starben einen qualvollen Tod, weil keine Früchte mehr vom Feld in die Stadt gebracht wurden.
[10]Und in der größten Hungersnot haben selbst liebevolle Mütter ihre eigenen Kinder gekocht und gegessen!

[11]Der Herr hat seinen Zorn gestillt und ihn über uns alle ausgegossen. Er legte in Jerusalem ein Feuer, das die Stadt bis auf die Grundmauern niederbrannte.
[12]Die Feinde sind durch die Tore Jerusalems eingezogen. Niemand hat das für möglich gehalten, auch die Könige der anderen Völker nicht!
[13]Doch es geschah wegen der Sünden unserer Propheten und Priester: Sie haben in der Stadt unschuldige Menschen umgebracht.
[14]Jetzt taumeln sie wie Blinde durch die Straßen. Sie sind so mit Blut besudelt, dass niemand sie berühren darf.
[15]»Aus dem Weg!«, ruft man ihnen zu. »Ihr seid unrein! Aus dem Weg! Rührt uns nicht an!« So müssen sie fliehen und irren umher. Sogar in anderen Ländern sagt man: »Bei uns können sie nicht bleiben!«
[16]Der Herr hat sich von ihnen abgewandt und sie aus dem Land vertrieben. Niemand nimmt noch Rücksicht auf die alten Männer.

[17]Wir warteten unentwegt auf Hilfe, doch vergeblich! Auch das Volk, auf das wir unsere Hoffnung setzten, konnte uns nicht retten.
[18]Die Feinde verfolgten uns auf Schritt und Tritt, wir konnten uns nicht mehr auf die Straße wagen. Unsere Tage waren gezählt, das Ende war da!
[19]Die Verfolger stürzten sich auf uns so schnell wie ein Adler. Auf der Flucht ins Bergland holten sie uns ein, und in der Wüste lauerten sie uns auf.
[20]Unseren König, den der Herr erwählte, haben sie uns genommen, und mit ihm unser Leben! Und wir hatten gehofft, er würde uns vor den anderen Völkern schützen!

[21]Lacht nur schadenfroh, ihr Edomiter im Land Uz! Der Kelch mit Gottes Zorn kommt auch zu euch! Ihr müsst ihn trinken, dann werdet ihr taumeln und nackt am Boden liegen.
[22]Jerusalem, deine Schuld ist gesühnt! Der Herr wird dich nie mehr in die Gefangenschaft führen. Aber eure Schuld, ihr Edomiter, bringt er ans Licht! Er wird euch zur Rechenschaft ziehen.

Herr, führe uns wieder zurück zu dir!

5 Ach Herr, vergiss nicht, was man uns angetan hat! Sieh doch, wie wir gedemütigt werden!
[2]Unser Grund und Boden gehört einem anderen Volk, in unseren Häusern wohnen Fremde!
[3]Wir sind verlassen wie Waisenkinder, unsere Mütter schutzlos wie Witwen!
[4]Unser eigenes Trinkwasser müssen wir bezahlen, und auch Brennholz bekommen wir nur gegen Geld.

[5]Der Feind sitzt uns im Nacken; wir sind völlig erschöpft, doch man gönnt uns keine Ruhe.
[6]Wir unterwarfen uns den Ägyptern und Assyrern, damit wir genug Brot zu essen hatten.
[7]Unsere Vorfahren haben gegen dich gesündigt. Sie leben nun nicht mehr, wir aber müssen für ihre Schuld bezahlen.
[8]Sklaven herrschen über uns, und keiner schützt uns vor ihrer Willkür.

---

[a] Verse 7 und 8 wörtlich: [7]Ihre Fürsten waren reiner als Schnee, weißer als Milch; ihr Leib war röter als Korallen, wie Saphir war ihre Gestalt. [8]Ihr Aussehen ist schwarz wie Ruß geworden. Man kennt sie auf der Straße nicht. Ihre Haut ist runzlig an den Knochen, sie sind trocken wie Holz.

4,9 1,11 **4,10** 2,20; 3 Mo 26,29* **4,12** Jer 39,3 **4,13** Jer 2,8 **4,16** 3 Mo 19,32 **4,17** Hes 29,6–7 **4,19** 2 Kön 25,4–7 **4,21** Jer 25,15* **4,22** Jes 40,2 **5,6** 2 Kön 16,7; Jes 30,2; Jer 2,18 **5,7** 5,16

[9] Räuberbanden machen das Land unsicher. Wenn wir die Stadt verlassen, um draußen nach Nahrung zu suchen, setzen wir unser Leben aufs Spiel.
[10] Wir sind vom Hunger ausgezehrt, unsere Körper glühen vor Fieber.
[11] In Jerusalem haben sie unsere Frauen vergewaltigt, in den Städten von Juda waren die Mädchen ihnen hilflos ausgeliefert.
[12] Sie haben unsere Fürsten aufgehängt, und selbst den Ältesten erweist man keine Ehrfurcht mehr.
[13] Unsere Männer müssen Korn mahlen wie die Sklaven, die Jungen schleppen Brennholz und brechen unter der Last zusammen.
[14] Die Alten sitzen nicht mehr am Stadttor beieinander, und die Jungen spielen keine Instrumente mehr.
[15] Unsere Freude ist verflogen, das Singen und Tanzen ist zum Trauerlied geworden.
[16] Wir haben unseren Ruhm und Glanz verloren; die Strafe trifft uns, weil wir gegen Gott gesündigt haben.
[17] Darum ist unser Herz voll Trauer, und unsere Augen sind müde vom Weinen.
[18] Denn der heilige Berg Zion ist verwüstet, Schakale streunen durch die Ruinen.

[19] Herr, du regierst für immer und ewig, du bist König für alle Zeiten.
[20] Warum vergisst du uns? Wird sich das nie ändern? Willst du uns für immer verlassen?
[21] Herr, führe uns zurück zu dir, dann können wir zu dir umkehren! Lass unser Leben wieder so wie früher sein!
[22] Oder hast du uns für immer verstoßen? Hat dein Zorn über uns kein Ende?

5,12 2 Kön 25,18–21 **5,16** 1,18 **5,18** Jer 7,14; Mi 3,12 **5,19** Ps 22,29* **5,21** Jer 31,18–19

Der Prophet Hesekiel (Ezechiel)

Hesekiel sieht Gott in seiner Herrlichkeit

1 [1–3]Im 30. Jahr[a] lebte ich, der Priester Hesekiel, der Sohn Busis, mit den verbannten Judäern am Fluss Kebar in Babylonien. Fünf Jahre war es her, dass König Jojachin nach Babylon verschleppt worden war. Am 5. Tag des 4. Monats öffnete sich plötzlich über mir der Himmel, und ich sah eine Erscheinung Gottes. Der Herr sprach zu mir und legte seine Hand auf mich.

[4]Ich sah von Norden einen Sturm heranbrausen, der eine große Wolke vor sich hertrieb. Blitze schossen aus ihr hervor, und ein heller Glanz umgab sie. Dann öffnete sich die Wolke, und aus ihrem Inneren strahlte ein Licht wie glänzendes Gold.

[5]In dem Licht erschienen vier lebendige Wesen, die wie Menschen aussahen. [6]Doch jedes von ihnen hatte vier Gesichter und vier Flügel. [7]Ihre Beine waren gerade wie die eines Menschen, aber statt der Füße hatten sie die Hufe eines Stieres, die wie polierte Bronze glänzten. [8/9]Jede Gestalt besaß vier Hände, je eine Hand unter jedem Flügel. Mit ihren Flügeln berührten die Gestalten einander. Beim Gehen brauchten sie sich nie umzudrehen, denn in jede Richtung blickte eines ihrer Gesichter. [10]Jedes sah anders aus: Vorne war das Gesicht eines Menschen, rechts das eines Löwen, links das eines Stieres und hinten das eines Adlers. [11]Zwei ihrer Flügel[b] hatten sie nach oben ausgespannt, und ihre Spitzen berührten die der anderen Gestalten. Mit den anderen zwei Flügeln bedeckten sie ihren Leib. [12]Sie gingen, wohin Gottes Geist sie trieb; sie brauchten sich nie umzudrehen, denn in jede Richtung blickte eines ihrer Gesichter.

[13]Zwischen den Gestalten bemerkte ich etwas, das wie glühende Kohlen aussah und wie Fackeln, die sich hin- und herbewegten. Das Feuer leuchtete, und Blitze schossen aus ihm. [14]Die Gestalten liefen so schnell umher, dass sie selbst zuckenden Blitzen glichen.

[15]Als ich sie genauer betrachtete, entdeckte ich vier Räder auf dem Boden – eines vor jeder Gestalt. [16]Sie schienen aus Edelsteinen zu bestehen. Alle vier waren gleich gebaut; mitten in jedes Rad war ein zweites im rechten Winkel eingefügt, [17]und so konnten sie in jede beliebige Richtung laufen, ohne zu wenden. [18]Die Felgen der Räder waren sehr groß und ringsum mit Augen bedeckt. [19]Wenn die vier Gestalten gingen, dann liefen auch die Räder mit; und wenn die Gestalten sich von der Erde erhoben, dann hoben sich auch die Räder. [20]Sie gingen, wohin Gottes Geist sie trieb, und die Räder bewegten sich mit ihnen, denn die Lebewesen hatten Macht über sie[c]. [21]Wenn die Gestalten sich bewegten, dann liefen auch die Räder; blieben die Gestalten stehen, standen auch die Räder still. Erhoben sich die Lebewesen, dann hoben sich auch die Räder mit ihnen, denn die Lebewesen lenkten sie, wohin sie wollten.

[22]Über den Köpfen der Gestalten entdeckte ich etwas, das aussah wie ein Gewölbe aus leuchtendem Kristall, und ich erschrak bei seinem Anblick. [23]Jedes der Lebewesen darunter hatte zwei seiner

---

[a] Das »30. Jahr« bezieht sich vermutlich auf Hesekiels Alter.
[b] So mit der griechischen Übersetzung. Der hebräische Text lautet: Ihre Gesichter und ihre Flügel.
[c] Wörtlich: denn der Geist der lebendigen Wesen war in den Rädern.

1,1–3 2 Kön 24,10–16 **1,10** Offb 4,6–8 **1,11** Jes 6,2

Flügel zu der Gestalt neben sich ausgestreckt; mit den beiden anderen Flügeln bedeckte es seinen Leib. [24]Wenn die vier sich bewegten, rauschten ihre Flügel wie das Brausen gewaltiger Wassermassen, wie die Stimme des allmächtigen Gottes. Es war so laut wie die Rufe einer großen Menschenmenge, wie der Lärm in einem Heerlager. Wenn sie stillstanden, ließen sie ihre Flügel herabhängen.

[25]Plötzlich hörte ich eine Stimme aus dem Gewölbe über ihnen, da blieben sie stehen und senkten ihre Flügel. [26]Oberhalb des Gewölbes über ihren Köpfen bemerkte ich einen Thron aus Saphir. Darauf saß eine Gestalt, die einem Menschen glich. [27]Von der Hüfte an aufwärts schimmerte sein Leib wie Gold in einem Feuerkranz; unterhalb der Hüfte sah er aus wie ein Feuer, umgeben von hellem Lichtglanz. [28]In dem Licht konnte ich alle Farben des Regenbogens entdecken. Es war die Erscheinung Gottes in seiner Herrlichkeit. Bei ihrem Anblick fiel ich nieder und berührte mit meinem Gesicht den Boden. Dann hörte ich eine Stimme.

Hesekiel wird zum Propheten berufen

2 Jemand sagte zu mir: »Du sterblicher Mensch, steh auf, ich will mit dir reden!« [2]Noch während er dies sprach, erfüllte mich der Geist Gottes und richtete mich auf. Dann hörte ich die Stimme sagen:

[3]»Du sterblicher Mensch, ich sende dich zu den Israeliten, zu einem widerspenstigen Volk, das sich gegen mich auflehnt. Schon ihre Vorfahren haben sich von mir abgewandt, und daran hat sich bis heute nichts geändert. [4]Starrköpfig und hartherzig sind sie; ich aber sende dich zu ihnen. Du sollst ihnen ausrichten: Hört, was der Herr, der allmächtige Gott, euch zu sagen hat! [5]Ob dieses widerspenstige Volk dann hört oder nicht – sie werden schon noch erkennen, dass ein Prophet unter ihnen war. [6]Du aber, sterblicher Mensch, fürchte dich nicht vor ihnen, hab keine Angst vor ihrem Spott! Ihre Worte verletzen dich wie Dornen – ja, du lebst mitten unter Skorpionen.[a] Trotzdem brauchst du dich nicht vor ihnen und ihrem Gerede zu fürchten! Sie sind ein Volk, das von mir nichts mehr wissen will. [7]Sag ihnen meine Botschaft – ob sie hören wollen oder nicht. Sie haben mir ohnehin den Rücken gekehrt. [8]Du aber, sterblicher Mensch, hör mir zu! Lehn dich nicht auf wie dieses widerspenstige Volk! Öffne deinen Mund und iss, was ich dir gebe!«

[9]Dann sah ich eine Hand, die sich mir entgegenstreckte und eine Buchrolle hielt. [10]Die Hand breitete die Buchrolle aus; sie war auf beiden Seiten beschrieben mit Klagen, Seufzern und Trauerrufen.

3 Gott sprach zu mir: »Du sterblicher Mensch, iss, was du vor dir siehst, ja, iss diese Buchrolle! Dann geh zum Volk Israel und rede zu ihnen!« [2]Er gab mir die Rolle, und ich öffnete den Mund, um sie zu essen. [3]Dabei sagte er: »Iss dieses Buch, und füll deinen Bauch damit!« Ich aß es, und es schmeckte süß wie Honig. [4]Dann sprach er zu mir:

»Du sterblicher Mensch, geh zum Volk Israel, und sag ihnen, was ich dir in den Mund lege. [5]Ich sende dich nicht zu einem Volk mit fremder Sprache, die du nicht verstehst, sondern zum Volk Israel. [6]Wenn ich dich zu anderen Völkern mit fremder Sprache schickte, so würden diese trotzdem auf dich hören. [7]Das Volk Israel aber wird deine Worte in den Wind schlagen, denn sie weigern sich, meine Weisungen anzunehmen. Das ganze Volk ist starrköpfig und hartherzig. [8]Darum will ich dich genauso unbeirrbar machen

---

[a] So mit der griechischen Übersetzung. Der hebräische Text lautet: Sie sind widerspenstig, und Dornen umgeben dich.

1,26–28 2 Mo 24,10; Dan 7,9–10; Offb 4,2–3 **2,2** 3,24 **2,3** 3,7; 12,2–3; 20,8; 44,6 **2,5** 3,11.27; 33,30–33 **2,6** 3,9; Jer 1,8 **2,9–10** Offb 10,2.8 **3,1–3** Ps 19,10–11; 119,103; Offb 10,9–10 **3,7** 2,3; Jes 6,9; Jer 7,27–28 **3,8–9** 2,6; Jes 50,7; Jer 1,18–19

wie sie, und ich gebe dir die Kraft, ihnen die Stirn zu bieten. [9] Ja, ich mache dich unnachgiebig, härter noch als einen Kieselstein, hart wie einen Diamanten. Hab keine Angst vor diesem widerspenstigen Volk!«

[10] Und weiter sprach er zu mir: »Du sterblicher Mensch, achte auf alles, was ich dir sage, und nimm es dir zu Herzen! [11] Geh zu den Menschen deines Volkes, die nach Babylonien verschleppt worden sind, und richte ihnen aus, was ich, der Herr, der allmächtige Gott, ihnen sagen möchte – ganz gleich ob sie es annehmen oder nicht.«

[12] Dann hob der Geist Gottes mich empor, und ich hörte hinter mir eine laute, gewaltige Stimme, die rief: »Preist die Macht und Hoheit des Herrn in seiner himmlischen Wohnung!« [13] Die Flügel der vier Gestalten rauschten und schlugen in der Luft aneinander, gleichzeitig rasselten die Räder neben ihnen; es dröhnte wie bei einem Erdbeben. [14] Der Geist Gottes, der mich emporgehoben hatte, trug mich fort. Ich war verstört und niedergeschlagen, denn was der Herr mir gezeigt hatte, lastete schwer auf mir. [15] So kam ich zu den Verschleppten, die in Tel-Abib nahe beim Fluss Kebar wohnten, und ich blieb sieben Tage lang bei ihnen – wie betäubt von dem, was ich gesehen hatte.

Warne mein Volk!

[16] Nach diesen sieben Tagen sprach der Herr zu mir:

[17] »Du sterblicher Mensch, ich mache dich zum Wächter für das Volk Israel. So hör mir nun genau zu, und warne die Israeliten in meinem Auftrag!

[18] Wenn ich einem Menschen, der mich verachtet, den Tod androhe, und du warnst ihn nicht, um ihn von seinen falschen Wegen abzubringen und sein Leben zu retten, dann wird er wegen seiner Sünde sterben. Dich aber werde ich für seinen Tod zur Rechenschaft ziehen. [19] Wenn er sich jedoch von seiner Schuld und von seinen falschen Wegen nicht abbringen lässt, obwohl du ihn gewarnt hast, dann wird er wegen seiner Sünde sterben. Du aber hast dein Leben gerettet.

[20] Wenn einer, der mir gedient hat, sich von mir abwendet und Unrecht tut, und du warnst ihn nicht, werde ich ihn zu Fall bringen: Er muss sterben. Ja, wegen seiner Sünde wird er umkommen, und das Gute, das er zuvor getan hat, wird vergessen sein. Dich aber werde ich für seinen Tod zur Rechenschaft ziehen. [21] Warnst du ihn jedoch davor zu sündigen, und er sündigt nicht, dann wird er am Leben bleiben. Und auch du hast dein Leben gerettet.«

[22] Wieder legte der Herr seine Hand auf mich und sprach zu mir: »Steh auf und geh hinaus ins Tal, denn dort will ich mit dir reden!«

[23] Ich stand auf und ging ins Tal hinaus. Dort erblickte ich die Macht und Herrlichkeit des Herrn, so wie ich sie schon am Fluss Kebar gesehen hatte. Ich fiel nieder und berührte mit meinem Gesicht den Boden. [24] Da erfüllte mich der Geist Gottes und richtete mich wieder auf. Der Herr sprach zu mir: »Geh in dein Haus, und schließ dich ein! [25] Man wird dich, du sterblicher Mensch, mit Stricken fesseln, damit du nicht mehr unter die Leute gehen kannst. [26] Ich lasse dir die Zunge am Gaumen kleben, du wirst stumm und kannst die Israeliten nicht mehr ermahnen. Denn sie sind ein widerspenstiges Volk. [27] Wenn ich aber wieder mit dir rede, löse ich deine Zunge; dann sollst du ihnen ausrichten: Achtet auf das, was der Herr, der allmächtige Gott, euch zu sagen hat! Wer es hören will, soll hören; wer es nicht annehmen will, der lasse es! Denn dieses Volk ist widerspenstig.«

3,11 2,5 **3,12** 8,3; 11,1.24 **3,14** Dan 7,28; 8,27 **3,15** 1,1–3 **3,17–21** 33,2–9 **3,20** 18,24 **3,22** 8,1 **3,23** 1,1–28 **3,24** 2,2 **3,27** 2,5

Jerusalem wird bedroht

4 »Sterblicher Mensch, nimm dir einen Ziegelstein, leg ihn vor dich hin, und ritz die Umrisse der Stadt Jerusalem hinein! [2] Mit diesem Stein sollst du zeigen, wie Jerusalem belagert werden wird: Schütte einen Wall auf, bau eine Angriffsrampe, und setz Rammböcke rings um die Mauer. Leg ein befestigtes Heerlager an! [3] Nimm eine Eisenplatte, und stell sie als eiserne Mauer zwischen dich und die Stadt! Wende dich gegen die Stadt, und belagere sie! So sollst du den Israeliten zeigen, was sie erwartet.

[4/5] Dann leg dich auf die linke Seite als Zeichen dafür, dass du die Schuld des Volkes Israel auf dich nimmst! Viele Jahre haben sie Schuld auf sich geladen, und genauso viele Tage wirst du hier liegen: 390 Tage sollst du für sie leiden, denn 390 Jahre lang haben sie mich verlassen. [6] Danach leg dich auf die rechte Seite, und trag die Schuld des Reiches Juda: 40 Tage bürde ich dir diese Last auf, denn 40 Jahre lang haben sie sich von mir abgewandt. [7] Richte deinen Blick auf das belagerte Jerusalem, droh den Leuten mit erhobener Faust, und sag ihnen voraus, was sie erwartet. [8] Mit Stricken binde ich dich fest, damit du dich nicht von einer Seite auf die andere drehen kannst, bis du diese schweren Tage durchgestanden hast.

[9] Hol dir vorher noch Weizen, Gerste, Bohnen, Linsen, Hirse und anderes Korn, vermenge sie in einem Gefäß, und backe Brot daraus. Solange du auf der linken Seite liegst, 390 Tage lang, sollst du davon essen. [10/11] 250 Gramm Brot und einen Liter Wasser darfst du an einem Tag zu dir nehmen. Wieg sie genau ab, und dann iss und trink zu festgelegten Zeiten!

[12] Bereite das Brot so zu wie Gerstenbrot, und back es vor aller Augen auf Menschenkot! [13] Wenn ich nämlich die Israeliten verstoße und sie unter fremden Völkern leben, werden sie Brot essen müssen, das nach dem Gesetz als unrein gilt.« [14] Entsetzt erwiderte ich: »Ach, Herr und Gott! Ich habe mich noch nie verunreinigt! In meinem ganzen Leben habe ich nie das Fleisch von einem verendeten oder zerrissenen Tier gegessen, nie habe ich unreines Fleisch in den Mund genommen!« [15] Da antwortete der Herr: »Ich gestatte dir, das Brot auf dem Mist von Rindern statt auf Menschenkot zu backen.«

[16] Und er fügte hinzu: »Sterblicher Mensch, ich lasse in Jerusalem die Brotvorräte zu Ende gehen. Dann müssen sie Brot und Wasser genau einteilen und ständig in Angst und Sorge leben. [17] Ja, Brot und Wasser werden knapp in Jerusalem, die Einwohner sind verzweifelt, einer wie der andere, und gehen elend zugrunde. So bestrafe ich sie für ihre Schuld.«

Gottes Strafe trifft Jerusalem

5 Dann sprach der Herr: »Du sterblicher Mensch, nimm ein scharfes Schwert! Benutz es als Schermesser, und schneide dir damit die Haare und den Bart ab! Dann hol eine Waage, und wieg die Haare! [2] Ein Drittel sollst du mitten in Jerusalem verbrennen, wenn die Zeit der Belagerung vorbei ist. Das zweite Drittel zerkleinere mit dem Schwert, und verteile es rings um die Stadt, das letzte Drittel streu in den Wind! Denn ich werde die Einwohner Jerusalems mit gezücktem Schwert vertreiben. [3] Behalte nur wenige Haare zurück, und binde sie in dein Gewand ein! [4] Aber auch von ihnen sollst du noch einige herausnehmen: Wirf sie ins Feuer, und lass sie verbrennen! Das Feuer wird sich ausbreiten, und das ganze Volk Israel kommt darin um.

[5] Ich, der Herr, sage: Schaut euch Jerusalem an! Ich habe es zum Mittelpunkt aller Völker und Länder gemacht, [6] aber seine Einwohner haben sich gegen mich aufgelehnt und meine Weisungen in den Wind geschlagen. Darin haben sie alle Völker ringsum übertroffen. Ja, sie verwerfen mein Gesetz, sie wollen nicht

---

4,2 17,17 **4,12** 5 Mo 23,13–15 **4,13** Hos 9,3–4 **4,14** 2 Mo 22,30; Apg 10,14 **4,16–17** 5,16–17; 3 Mo 26,26; Jes 3,1 **5,1–4** 4,1–3 **5,6–9** 22,1–16

nach meinen Geboten leben. [7]Nun kündige ich, der Herr, ihnen an: Weil ihr es noch schlimmer getrieben habt als die Völker um euch her, weil ihr euch nicht nach meinen Weisungen und Geboten, ja, nicht einmal nach Recht und Sitte der anderen Völker gerichtet habt, [8]darum wird meine Strafe euch treffen. Vor den Augen aller Völker ziehe ich euch zur Rechenschaft. [9]Weil ihr genau das tut, was ich verabscheue, werde ich euch so hart bestrafen, wie ich es vorher noch nie getan habe und auch nie wieder tun werde. [10]Mitten in Jerusalem werden Väter und Kinder sich gegenseitig töten und aufessen. Ich halte Gericht über euch und zerstreue die Überlebenden in alle Winde.

[11]Ich, der Herr, schwöre, so wahr ich lebe: Weil ihr meinen heiligen Tempel mit euren widerlichen Götzen und abscheulichen Taten verunreinigt habt, werde ich euch vernichten. Keine Träne werde ich um euch vergießen, kein Mitleid mit euch haben. [12]Ein Drittel von euch geht in der Stadt zugrunde – durch Seuchen oder Hunger. Das zweite Drittel wird vor den Mauern Jerusalems mit dem Schwert niedergemetzelt, und den Rest zerstreue ich in alle Winde – mit gezücktem Schwert werde ich sie vertreiben. [13]Ich nehme Rache und lasse meinen Zorn an euch aus. Wenn er euch mit voller Härte trifft, werdet ihr erkennen, dass ich, der Herr, euch mit ganzem Ernst gewarnt habe.

[14/15]Dich, Jerusalem, mache ich zu einem Trümmerhaufen. Alle Völker ringsum werden dich verhöhnen – ja, jeder, der an dir vorübergeht, hat dann nur noch Hohn und Spott für dich übrig. Deine Nachbarvölker wenden sich schaudernd ab und lassen sich warnen, wenn ich mit dir ins Gericht gehe und dich verurteile. Dann trifft dich die ganze Härte meines Zornes. Darauf gebe ich, der Herr, mein Wort.

[16/17]Ihr Einwohner von Jerusalem, euren Brotvorrat lasse ich zu Ende gehen, der Hunger wird euch quälen wie tödliche Pfeile. Hungersnot und wilde Tiere rauben euch die Kinder; Seuchen, Krieg und Gewalt richten euch zugrunde. Mein Wort gilt!«

Ich reiße eure Opferstätten nieder!

6 Der Herr sprach zu mir: [2]»Du sterblicher Mensch, blick in die Richtung, wo die Berge Israels liegen, und kündige ihnen mein Strafgericht an! [3]Sag ihnen: Ihr Berge Israels, hört die Botschaft des Herrn! Er spricht zu euch Bergen und Hügeln, zu euch Bachbetten und Tälern: Ich vernichte eure Götzenopferstätten, ja, ich zerschlage sie mit dem Schwert. [4]Eure Altäre werden niedergerissen und die Räuchertische zerbrochen. Wer vor den abscheulichen Götzenstatuen geopfert hat, wird dort umkommen. [5]Die Leichen werfe ich den Götterfiguren vor die Füße, und ihre Knochen verstreue ich rings um die Altäre. [6]In ganz Israel liegen dann die Städte in Trümmern, und die Opferstätten auf den Bergen werden zerstört. Von den Altären bleibt nur noch Schutt übrig, die widerlichen Götzenstatuen liegen zerschmettert am Boden, und die Räuchertische sind zerschlagen. Ja, all eure Bauwerke wird es nicht mehr geben! [7]Dann ist das ganze Land mit Leichen übersät, die Überlebenden aber werden erkennen, dass ich der Herr bin.

[8]Ich werde von euch Israeliten einige übrig lassen, die dem Schwert entkommen und in fremde Länder verschleppt werden. [9]Wenn dies alles eintrifft, werdet ihr wieder an mich denken. Ihr werdet begreifen, wie viel Leid ihr mir zugefügt habt, weil ihr mir untreu geworden und anderen Göttern nachgelaufen seid. Ihr werdet euch selbst und euren grässlichen Götzendienst verabscheuen. [10]Dann erkennt ihr, dass ich der Herr bin und dass

---

5,10 3 Mo 26,29* **5,11** 8,7–18 **5,12** 5,2 **5,14–15** 22,4–5; 5 Mo 28,37 **5,16–17** 4,16–17; 5 Mo 32,23–25 **6,2** 36,1 **6,8** 5,3; Jes 10,21–22* **6,9** 16,61–63 **6,10** 5,13

ich euch dieses Unheil nicht umsonst angedroht habe.«

[11] Weiter sprach Gott, der Herr, zu mir: »Schlag die Hände zusammen, stampf mit dem Fuß auf den Boden, und rufe: Unheil wird über das Volk Israel hereinbrechen wegen seiner abscheulichen Taten! Sie werden durch Krieg, Hunger und Seuchen umkommen. [12] Wer in der Verbannung lebt, stirbt an der Pest; wer in Israel wohnt, fällt im Krieg; und wer dann noch übrig bleibt, wird verhungern. Ich lasse meinen Zorn an Israel aus, [13] damit sie erkennen, dass ich der Herr bin. Dann liegen die Toten rings um die Altäre zwischen den Götzenstatuen – überall dort, wo die Menschen ihren abscheulichen Göttern Opfer darbrachten, um sie zufrieden zu stellen. Auf allen Bergen und Hügeln liegen die Leichen, unter jedem dicht belaubten Baum. Dann werden die Israeliten erkennen, dass ich der Herr bin. [14] Drohend erhebe ich meine Hand, um ihr Land zu zerstören. Ich mache es zu einer menschenleeren, schrecklichen Einöde, von der Wüste Juda im Süden bis nach Ribla im Norden. Dann werden sie erkennen, dass ich der Herr bin.«

Das bittere Ende

7 Der Herr sprach zu mir: [2] »Sterblicher Mensch, höre, was ich, der Herr, dem Volk Israel sage: Das Ende kommt, es kommt für das ganze Land! [3] Israel, jetzt ist es aus und vorbei mit dir, ich lasse meinen Zorn an dir aus und ziehe dich zur Rechenschaft. Ja, jede deiner Sünden zahle ich dir heim. [4] Keine Träne werde ich um dich vergießen, kein Mitleid mit dir haben! Was du gesät hast, erntest du – ja, deine Taten hinterlassen ihre Spuren. So wirst du erkennen, dass ich der Herr bin.

[5/6] Ein Unglück jagt das andere, das Ende ist gekommen! Ja, euer Ende ist da, niemand kann es mehr aufhalten. Darauf gebe ich, der Herr, mein Wort. [7] Jetzt seid ihr an der Reihe, ihr Bewohner des Landes Israel. Die Zeit ist da, nahe ist der Tag: Die Winzer in den Weinbergen sind bestürzt, sie haben keinen Grund mehr zu jubeln. [8] Schon bald werdet ihr die ganze Gewalt meines Zornes spüren. Ich ziehe euch zur Rechenschaft; jede eurer Sünden zahle ich euch heim. [9] Keine Träne werde ich um euch vergießen, kein Mitleid mit euch haben! Was ihr gesät habt, erntet ihr – ja, eure abscheulichen Taten hinterlassen ihre Spuren. Dann werdet ihr erkennen, dass ich, der Herr, Gericht halte.

[10] Der Tag steht kurz bevor! Noch blühen Hochmut und Gewalt, [11] die Menschen begehen immer mehr Verbrechen und entfernen sich immer weiter von mir. Doch von ihnen wird nichts übrig bleiben – nichts von ihrem Reichtum, nichts von ihrer Pracht und ihrem Ruhm. [12/13] Die Zeit ist gekommen, der Tag des Gerichts ist da! Wer jetzt noch etwas kauft, soll sich gar nicht erst darüber freuen! Wer etwas verkaufen muss, braucht nicht traurig zu sein. Er wird sein Hab und Gut sowieso verlieren, selbst wenn er am Leben bleibt. Denn mein glühender Zorn trifft das ganze Volk,[a] keiner kann meine Strafe aufhalten. Weil alle schuldig sind, wird niemand sein Leben retten können. [14] Sie blasen die Posaune und bieten ihre ganze Streitmacht auf – aber keiner zieht mehr in den Krieg, denn schon vorher wird sie mein glühender Zorn vernichten.

[15] In den Straßen wird das Schwert unter ihnen wüten, und in den Häusern werden sie durch Hunger und Seuchen umkommen. Wer auf dem Feld ist, wird von den Feinden niedergestochen, und wer sich in der Stadt aufhält, den raffen Hunger und Seuchen hinweg. [16] Wer entkommen kann, muss im Gebirge hausen. Jeder leidet unter seiner Schuld und klagt wie eine verängstigte Taube. [17] Wie ge-

---

[a] Oder: Mein glühender Zorn richtet sich gegen ihren Prunk.

6,11–12 5,12.16–17 **6,13** 1 Kön 14,23 **7,2** Am 8,1–2 **7,4** 5,11; 8,18; 9,10 **7,10–11** Jes 2,11–12*; Joel 1,15* **7,12–13** 3 Mo 27,24 **7,15** 6,11–12 **7,17** Jes 13,7

lähmt lassen alle die Hände sinken, und ihre Knie schlottern[a].

[18] Als Zeichen der Trauer tragen sie Gewänder aus Sacktuch, sie zittern am ganzen Körper. Die Scham steht ihnen im Gesicht geschrieben; die Köpfe haben sie sich kahl geschoren. [19] Silber und Gold werfen sie voller Ekel hinaus auf die Straßen, als wäre es Abfall. Denn ihre Schätze können ihnen nicht helfen an dem Tag, wenn mein Zorn losbricht. Ihren Hunger können sie damit nicht mehr stillen und ihren Bauch nicht mit ihnen füllen. Gold und Silber haben sie dazu verleitet, sich gegen mich aufzulehnen! [20] Sie waren stolz auf ihren kostbaren Schmuck und fertigten daraus ihre abscheulichen Götterfiguren an. Darum müssen sie ihr Gold jetzt wegwerfen wie Abfall.

[21] Fremde Völker lasse ich über ihre Schätze herfallen, Gottlose werden sie plündern und die Götzenstatuen entweihen. [22] Ich wende mich ab von meinem Volk, ja, ich lasse zu, dass mein Heiligtum geschändet wird: Räuber werden in den Tempel eindringen [23] und ein großes Blutbad anrichten.[b] Denn das ganze Land hat durch Mord und Totschlag Schuld auf sich geladen, und in Jerusalem herrscht die Gewalt. [24] Die grausamsten Völker lasse ich heranrücken, damit sie die Häuser in Besitz nehmen. Die Bewohner Israels waren stolz auf ihre Macht, doch nun werde ich ihnen ihren Hochmut austreiben und alle ihre Heiligtümer entweihen.

[25] Sie werden von Angst gepackt, sie suchen Frieden, aber es wird keinen Frieden geben. [26] Unglück über Unglück bricht über sie herein, eine Schreckensnachricht jagt die andere. Sie flehen die Propheten um Hilfe an, doch die haben keine Visionen; die Priester können das Volk nicht mehr im Gesetz des Herrn unterweisen, und die Ältesten wissen keinen Rat. [27] Der König trauert, die Fürsten sind völlig verzweifelt, alle Bewohner des Landes zittern vor Angst. Ich gehe mit ihnen um, wie sie es verdient haben; ich richte sie so erbarmungslos, wie sie andere gerichtet haben. Dann werden sie erkennen, dass ich der Herr bin.«

Der Götzendienst im Tempel von Jerusalem

8 Im 6. Jahr der Verbannung unseres Volkes, am 5. Tag des 6. Monats, saß ich in meinem Haus, und die führenden Männer von Juda waren bei mir. Da legte Gott, der Herr, seine Hand auf mich [2] und gab mir eine Vision. Ich sah eine Gestalt, die der eines Mannes glich[c]. Unterhalb der Hüfte sah sie aus wie Feuer, oberhalb leuchtete sie wie glänzendes Gold. [3] Sie streckte etwas wie eine Hand nach mir aus und packte mich bei den Haaren. In der Vision hob mich der Geist Gottes weit über die Erde empor und brachte mich nach Jerusalem in den inneren Tempelvorhof, zum Eingang des Nordtors. Dort stand eine Götzenstatue, die den Zorn des Herrn herausforderte.

[4] Ich erblickte den Gott Israels in seiner Macht und Herrlichkeit, so wie ich ihn schon im Tal am Fluss Kebar gesehen hatte. [5] Er sprach zu mir: »Sterblicher Mensch, richte deinen Blick nach Norden!« Ich schaute nach Norden und sah außerhalb des Tores einen Altar; im Toreingang stand die Götzenstatue, über die der Herr so zornig war. [6] »Sterblicher Mensch«, sagte er zu mir, »siehst du, was das Volk Israel hier tut? Es opfert anderen Göttern, um mich aus meinem Heiligtum zu vertreiben. Doch warte – es kommt noch schlimmer!«

[7] Er brachte mich zum Eingang des äußeren Tempelvorhofs, und dort entdeckte ich ein Loch in der Wand. [8] Gott befahl

---

[a] Wörtlich: triefen von Wasser.
[b] So mit der griechischen Übersetzung. Der hebräische Text lautet: Fertige die Kette an! Denn …
[c] So mit der griechischen Übersetzung. Der hebräische Text lautet: die aussah wie Feuer.

7,18 Jes 15,2–3; Jer 48,37 **7,19** Zef 1,18 **7,20** 16,17 **7,21–24** 2 Kön 25,8–17 **7,26** Am 8,11–12; Mi 3,6–7 **8,1** 14,1; 20,1 **8,3** 3,12 **8,4** 1,1–28 **8,6** 11,23

mir: »Sterblicher Mensch, durchbrich die Wand!« Ich tat es und fand eine Tür. [9] Dann forderte er mich auf: »Geh hinein und sieh, was für entsetzliche Dinge sie dort treiben!«

[10] Ich ging durch die Tür und sah: In die Wände ringsum waren Bilder von Tieren eingeritzt, die das Volk Israel als Götter verehrte – Bilder von Kriechtieren und anderem scheußlichen Getier. [11] Siebzig der führenden Männer Israels standen davor, unter ihnen auch Jaasanja, der Sohn Schafans. Jeder hielt eine Räucherpfanne in der Hand, und eine Duftwolke von Weihrauch stieg empor.

[12] Der Herr sprach zu mir: »Hast du gesehen, was die führenden Männer des Volkes Israel heimlich treiben? Jeder von ihnen hat in seinem Haus ein Zimmer voller Götterbilder. Sie behaupten: ›Der Herr sieht uns nicht, er hat unser Land verlassen!‹ [13] Doch warte – es kommt noch schlimmer!«

[14] Er brachte mich zum Nordtor des inneren Tempelvorhofs; dort saßen Frauen, die den Tod des Gottes Tammus[a] beweinten. [15] Der Herr fragte mich: »Hast du das gesehen, sterblicher Mensch? Aber es kommt noch schlimmer!«

[16] Er brachte mich in den inneren Tempelvorhof. Am Eingang zum Heiligtum, zwischen der Vorhalle und dem Altar, standen etwa fünfundzwanzig Männer mit dem Rücken zum Tempel und dem Gesicht nach Osten. Sie warfen sich vor der Sonne im Osten nieder und beteten sie an.

[17] Der Herr sagte zu mir: »Hast du das gesehen, sterblicher Mensch? Sind den Leuten von Juda die widerlichen Dinge noch nicht genug, die sie hier treiben? Das ganze Land haben sie mit Unrecht und Gewalt erfüllt und mich immer wieder beleidigt. Sieh nur, wie sie sich bei ihren Opferfeiern Weinreben an die Nase halten! [18] Darum lasse ich meinen Zorn an ihnen aus. Keine Träne werde ich um sie vergießen, kein Mitleid mit ihnen haben! Auch wenn sie mir mit ihrem Geschrei in den Ohren liegen – ich werde sie nicht erhören!«

Jerusalem wird zerstört

9 Ich hörte, wie Gott mit lauter Stimme rief: »Kommt und vollstreckt das Urteil über Jerusalem! Jeder soll seine Waffe in die Hand nehmen, um die Stadt zu zerstören!« [2] Da kamen sechs Männer durch das nördliche Tempeltor, jeder von ihnen hielt eine Mordwaffe in der Hand. Bei ihnen war ein Mann, der ein Gewand aus Leinen trug. An seinem Gürtel hing etwas zum Schreiben. Die Männer kamen näher und stellten sich neben den bronzenen Altar.

[3] Die herrliche Erscheinung des Gottes Israels entfernte sich von den Engeln, über denen sie thronte, und ließ sich an der Türschwelle des Tempels nieder. Der Herr rief den Mann mit dem Leinengewand und dem Schreibzeug am Gürtel zu sich [4] und befahl ihm: »Geh durch ganz Jerusalem, und zeichne ein Kreuz auf die Stirn all der Menschen, die seufzen und klagen über die schrecklichen Dinge, die in dieser Stadt getrieben werden!« [5] Ich hörte, wie er zu den anderen Männern sagte: »Folgt ihm überallhin, und schlagt zu! Zeigt kein Mitleid, verschont niemanden! [6] Tötet die alten und die jungen Männer, die jungen Frauen, die Mütter und die Kinder! Bringt sie alle ohne Ausnahme um! Doch rührt keinen von denen an, die das Kreuz auf der Stirn haben! Beginnt in meinem Heiligtum!«

Da töteten sie die Führer des Volkes, die vor dem Tempel standen. [7] Dann sagte Gott zu den sechs Männern: »Bringt die Leichen in die Vorhöfe des Tempels – ja, verunreinigt ihn damit! Dann geht in die Stadt!« Sie gingen hinaus, [8] und wäh-

---

[a] Ein mesopotamischer Fruchtbarkeitsgott. Seine Anhänger glaubten, dass sein jährliches Sterben und Auferstehen sich in der Natur widerspiegele.

8,10 Röm 1,23 **8,11** 4 Mo 11,16 **8,12** 9,9; Ps 94,7 **8,16** 5 Mo 17,2–3; 2 Kön 23,5.11 **8,18** 7,4; 9,10; Jes 1,15 **9,2** 8,14 **9,3** 1,28 **9,4** Offb 7,2–4 **9,6** 1 Mo 4,15; 2 Mo 12,23 **9,7** 4 Mo 19,11 **9,8** 11,13

rend sie dort die Menschen niedermetzelten, blieb ich allein auf dem Tempelvorhof zurück.

Ich warf mich zu Boden und schrie: »Ach Herr, mein Gott! Bist du so zornig über Jerusalem, dass du auch noch den letzten Rest deines Volkes ausrotten willst?« [9] Da antwortete der Herr: »Die Leute von Israel und Juda hören nicht auf, Schuld auf sich zu laden. Im ganzen Land haben sie Menschen umgebracht, und in Jerusalem herrschen Unrecht und Gewalt. Sie behaupten: ›Der Herr hat das Land verlassen, er sieht uns nicht!‹ [10] Darum werde ich keine Träne um sie vergießen und kein Mitleid mit ihnen haben. Sie bekommen von mir, was sie verdienen!«

[11] Da kam der Mann mit dem Leinengewand und dem Schreibzeug am Gürtel zurück und berichtete dem Herrn: »Ich habe getan, was du mir befohlen hast!«

10 Ich schaute auf das Gewölbe über den Köpfen der Cherub-Engel. Darüber entdeckte ich etwas, das aussah wie ein Thron aus Saphir. [2] Der Herr sagte zu dem Mann, der das Gewand aus Leinen trug: »Geh zu den Engeln oberhalb der Räder. Zwischen den Engeln findest du glühende Kohlen. Nimm zwei Hände voll, und streu sie über die Stadt!« Da ging der Mann vor meinen Augen in die Mitte zwischen die Engel. [3] Sie standen an der Südseite des Tempels, und eine Wolke erfüllte den inneren Vorhof.

[4] Die Erscheinung der Herrlichkeit des Herrn erhob sich vom Thron über den Engeln und ließ sich an der Schwelle des Tempels nieder. Der ganze Tempel wurde von der Wolke erfüllt, und der Vorhof erstrahlte im Licht der Herrlichkeit des Herrn. [5] Das Flügelrauschen der Engel war bis zum äußersten Vorhof zu hören. Es klang wie die Stimme des allmächtigen Gottes. [6] Als nun der Herr dem Mann mit dem Leinengewand befohlen hatte: »Hol von dem Feuer, das zwischen den Rädern bei den Engeln brennt!«, da ging er und stellte sich neben ein Rad. [7] Einer der Cherub-Engel streckte seine Hand nach dem Feuer aus, das zwischen ihnen brannte, nahm glühende Kohlen und legte sie in die Hände des Mannes mit dem Leinengewand. Der ging damit hinaus.

Der Herr verlässt seinen Tempel

[8] Ich bemerkte, dass jeder Cherub-Engel unter seinen Flügeln etwas wie eine menschliche Hand hatte. [9] Neben jedem Engel sah ich eines der vier Räder. Die Räder schimmerten wie ein Türkis [10] und waren alle gleich gebaut: Mitten in jedes Rad war ein zweites im rechten Winkel eingefügt. [11] Darum konnten sie in jede beliebige Richtung laufen und brauchten dabei nicht zu wenden. Wohin das erste von ihnen lief, dorthin liefen die anderen auch, ohne zu wenden. [12/13] Der ganze Körper der Engel, ihr Rücken und ihre Flügel waren überall mit Augen bedeckt. Auch die Räder, die »Wirbelwind« genannt wurden, waren voller Augen.

[14] Jeder Engel hatte vier Gesichter: das eines Engels, das eines Menschen, das eines Löwen und das eines Adlers. [15] Es war dieselbe Erscheinung wie am Fluss Kebar. Wenn die Engel sich erhoben [16] und fortbewegten, dann liefen auch die Räder mit; und wenn die Engel ihre Flügel schwangen, um zu fliegen, dann waren die Räder immer an ihrer Seite. [17] Blieben die Engel stehen, dann standen auch die Räder still. Hoben sich die Engel vom Boden, dann erhoben sich auch die Räder mit ihnen. Denn die Engel lenkten die Räder, wohin sie wollten.[a]

[18] Die Erscheinung des Herrn in seiner Herrlichkeit verließ die Schwelle des Tempels und nahm wieder den Platz über den Engeln ein. [19] Die Engel schwangen ihre Flügel und erhoben sich vor meinen Augen von der Erde. Sie bewegten sich fort, und die Räder liefen mit ihnen. Vor

---

[a] Wörtlich: Denn der Geist des lebenden Wesens war in ihnen.

9,9 8,12 **9,10** 7,4; 8,18 **10,1** 1,25–26 **10,2** 9,2 **10,4** 2 Mo 16,10; 40,34–35; 1 Kön 8,10–11
10,8–17 1,5–21 **10,18–19** 9,3; 11,22–23; 43,1–7

dem Eingang am Osttor des Tempels blieben sie stehen. Über ihnen thronte der Herr in seiner Herrlichkeit.

[20] Es waren dieselben Lebewesen, die ich unter dem Thron des Gottes Israels am Fluss Kebar gesehen hatte; und ich erkannte, dass es Engel waren. [21] Jeder von ihnen hatte vier Gesichter und vier Flügel. Unter ihren Flügeln erblickte ich etwas, das wie Menschenhände aussah. [22] Auch ihre Gesichter waren dieselben wie die am Fluss Kebar. Wohin die Engel auch liefen, in jede Richtung blickte eines ihrer Gesichter.

Gottes grausame Strafe für die führenden Männer von Jerusalem

11 Der Geist Gottes hob mich empor und brachte mich zum Osttor des Tempels. Am Eingang standen fünfundzwanzig Männer; unter ihnen sah ich Jaasanja, den Sohn Asurs, und Pelatja, den Sohn Benajas. Beide gehörten zu den Führern Israels. [2] Gott sprach zu mir: »Sterblicher Mensch, das sind die Männer, die in dieser Stadt böse Pläne schmieden und mit ihren Ratschlägen andere ins Unglück stürzen. [3] Sie prahlen: ›Haben wir nicht erst vor kurzem die Häuser wieder aufgebaut?[a] Unsere Stadt ist wie ein Topf, und wir sind das gute Fleisch darin!‹ [4] Darum teile ihnen mit, was ich zu sagen habe, sterblicher Mensch – ja, kündige ihnen an, welches Unheil sie treffen wird!«

[5] Der Geist des Herrn kam über mich und befahl mir: »Richte ihnen diese Botschaft des Herrn aus: Ihr Israeliten, ich habe gehört, was ihr gesagt habt, und ich kenne eure geheimsten Gedanken! [6] Ihr habt viele Menschen in dieser Stadt ermordet, überall in den Straßen liegen die Leichen.

[7] Darum sage ich, der Herr: Die Leichen, mit denen ihr die Stadt gefüllt habt – sie sind das Fleisch! Die Stadt ist der Topf, euch aber werde ich daraus vertreiben. [8] Ihr habt Angst vor dem Schwert, darum sollt ihr mit dem Schwert getötet werden. Darauf könnt ihr euch verlassen! [9] Ich jage euch aus Jerusalem fort und gebe euch in die Gewalt fremder Völker. Ich halte Gericht über euch [10] und lasse euch durch das Schwert umkommen. An der Grenze Israels werde ich mein Urteil an euch vollstrecken; so müsst ihr erkennen, dass ich der Herr bin. [11] Jerusalem wird für euch nicht der Topf sein, und ihr seid nicht das gute Fleisch darin. Nein, an der Grenze Israels werdet ihr meinen Zorn zu spüren bekommen. [12] So sollt ihr erkennen, dass ich euer Herr bin. Meine Weisungen habt ihr in den Wind geschlagen und meine Gebote missachtet; stattdessen habt ihr Recht und Sitte eurer Nachbarvölker angenommen!«

[13] Während ich dies weissagte, fiel Pelatja, der Sohn Benajas, tot um. Ich warf mich zu Boden und schrie laut: »Ach, allmächtiger Herr, willst du auch den letzten Rest von Israel noch ausrotten?«

Trost für die Verschleppten: Ich bringe euch zurück!

[14] Der Herr sprach zu mir: [15] »Du sterblicher Mensch, die Einwohner von Jerusalem sagen über deine Verwandten und über alle Israeliten, die nach Babylonien verschleppt worden sind: ›Der Herr hat sie verstoßen,[b] darum gehört das Land nun uns.‹ [16] Denen, die so reden, sollst du ausrichten: So spricht Gott, der Herr: Es ist wahr, ich habe sie weit weg zu anderen Völkern vertrieben und in alle Länder zerstreut. Sie leben fern von meinem Tempel, aber mich können sie trotzdem verehren.[c] [17] Und ich, der Herr, werde sie wieder zurückholen aus allen Ländern, in die sie verschleppt wurden. Dann gebe ich ihnen das Land Israel zurück.

---

[a] So mit der griechischen Übersetzung. Der hebräische Text ist nicht sicher zu deuten.
[b] Wörtlich: Sie sind fern vom Herrn.
[c] Wörtlich: Ich bin ihnen ein wenig zum Heiligtum geworden in den Ländern, in die sie gekommen sind.

11,1 3,12 **11,3–12** 24,1–14 **11,10** 2 Kön 25,18–21 **11,13** 9,8 **11,15** 33,23–29; Jer 24,1–10 **11,17** 28,25*

[18]Wenn sie hierher kommen, werden sie all die abscheulichen Götzen beseitigen. [19]Ich will ihnen ein anderes Herz und einen neuen Geist geben. Ich nehme das versteinerte Herz aus ihrer Brust und gebe ihnen ein lebendiges Herz. [20]Dann werden sie nach meinen Weisungen leben, meine Gebote wieder achten und befolgen. Sie werden mein Volk sein, und ich werde ihr Gott sein. [21]Die aber, deren Herz an den widerlichen Götzen hängt, werde ich bestrafen. Alles, was sie getan haben, fällt auf sie zurück. Mein Wort gilt!«

Der Herr verlässt Jerusalem

[22]Dann schwangen die Engel ihre Flügel, und die Räder bewegten sich mit ihnen. Darüber thronte der Gott Israels in seiner Macht und Hoheit. [23]Seine herrliche Erscheinung erhob sich aus der Stadt und ließ sich auf dem Berg nieder, der östlich von Jerusalem liegt. [24]In meiner Vision hob Gottes Geist mich empor und brachte mich wieder zu den Verschleppten nach Babylonien. Dann verschwanden die Bilder, die ich in der Vision gesehen hatte. [25]Ich erzählte den Judäern alles, was der Herr mir gezeigt hatte.

Hesekiel packt sein Bündel – eine Botschaft für Jerusalem

12 Der Herr sprach zu mir: [2]»Sterblicher Mensch, du lebst in einem widerspenstigen Volk. Sie haben Augen, sehen aber nichts; sie haben Ohren, doch sie wollen nicht hören, denn sie lehnen sich gegen mich auf.

[3]Du aber, sterblicher Mensch, pack dir ein Bündel, wie es Flüchtlinge bei sich tragen! Verlass am helllichten Tag dein Zuhause, und mach dich auf den Weg, so dass alle es sehen können! Vielleicht gehen diesem widerspenstigen Volk dann die Augen auf. [4]Trag dein Flüchtlingsgepäck am Tag aus dem Haus, während sie dir zuschauen. Am Abend sollst du dann fortziehen wie ein Verbannter: [5]Brich vor ihren Augen ein Loch in deine Hauswand, und zwäng dich hindurch! [6]Nimm dein Bündel auf die Schultern, und zieh in der Dunkelheit fort! Verhüll dein Gesicht, damit du das Land nicht mehr sehen kannst. So sollst du dem Volk Israel zeigen, was sie erwartet!«

[7]Ich tat, was der Herr mir befohlen hatte: Bei Tag trug ich mein Flüchtlingsgepäck aus dem Haus, und am Abend brach ich mit der Hand ein Loch in die Hauswand und kroch hinaus. Vor aller Augen packte ich das Bündel in der Dunkelheit auf meine Schultern.

[8]Am nächsten Morgen sprach der Herr zu mir: [9]»Sterblicher Mensch, die Israeliten, dieses widerspenstige Volk, haben dich gefragt, was dein Verhalten zu bedeuten hat. [10]Ich, der Herr, lasse ihnen sagen: Diese Botschaft gilt dem König in Jerusalem und allen Israeliten, die dort wohnen. [11]Mach ihnen klar, dass sie an dir sehen können, was ihnen bevorsteht. Was du gezeigt hast, wird mit ihnen geschehen: Sie werden gefangen in die Verbannung geführt. [12]Ihr König nimmt in der Dunkelheit sein Bündel auf die Schultern und flieht durch ein Loch in der Stadtmauer, das für ihn herausgebrochen wurde. Er verhüllt sein Gesicht, um das Land nicht mehr zu sehen. [13]Ich aber werfe mein Fangnetz über ihn, und er wird sich darin verfangen. Ich bringe ihn zur Stadt Babylon, in das Land der Chaldäer; dort wird er sterben, ohne die Stadt je gesehen zu haben. [14]Die Beamten an seinem Königshof, seine Ratgeber und seine Leibwache werde ich in alle Winde zerstreuen. Ja, ich verfolge sie mit gezücktem Schwert, [15]ich vertreibe sie zu fremden Völkern und in fremde Länder. Dann werden sie erkennen, dass ich der Herr bin. [16]Ich sorge dafür, dass nur wenige von ihnen Krieg, Hunger und Seuchen überleben. Sie sollen den Völkern, bei denen sie wohnen, von den abscheuli-

---

11,19–20 36,26–27* **11,20** 14,11; 34,30; 3 Mo 26,12 **11,22–23** 10,18–19; 43,2–4 **11,24** 8,3
12,2 2,3; Jes 6,9; Jer 5,21 **12,11** 24,24 **12,12–13** 2 Kön 25,4–7 **12,16** 6,8; Jes 10,21–22*

chen Taten der Israeliten erzählen. So werden auch diese Völker erkennen, dass ich der Herr bin.«

Das Zittern Hesekiels – ein Zeichen für Israel

[17]Der Herr sprach zu mir: [18]»Sterblicher Mensch, nur noch mit Zittern sollst du dein Brot essen, und wenn du trinkst, sollst du beben vor Angst! [19]Sag deinem Volk in der Verbannung: So spricht Gott, der Herr: Die Menschen, die in Jerusalem und in ganz Israel übrig geblieben sind, werden voller Angst ihr Brot essen und zitternd vor Entsetzen ihr Wasser trinken. Denn ihr Land wird verwüstet und seines ganzen Reichtums beraubt sein. So strafe ich die Bewohner für Unrecht und Gewalt. [20]Die blühenden Städte liegen in Trümmern, und die fruchtbaren Felder sind nur noch eine trostlose Wüste. So werdet ihr erkennen, dass ich der Herr bin.«

Eine beliebte Redensart und eine unbequeme Botschaft

[21]Der Herr sprach zu mir: [22]»Sterblicher Mensch, welche Redensart geht da bei euch in Israel um? Ihr sagt: ›Die Zeit vergeht, aber die Visionen der Propheten erfüllen sich nie!‹ [23]Darum richte dem Volk aus, was ich, der Herr, ihnen zu sagen habe: Ich werde dafür sorgen, dass man diese Redensart in Israel nicht mehr gebraucht! Sag ihnen: Die Zeit ist gekommen, die Visionen erfüllen sich! [24]In Zukunft wird es in Israel keine falschen Propheten mehr geben, die euch nach dem Munde reden und von Erscheinungen berichten, die sie gar nicht gesehen haben. [25]Denn ich, der Herr, rede zu euch; und was ich verkünde, das trifft ein! Es lässt nicht mehr lange auf sich warten. Noch zu euren Lebzeiten, ihr widerspenstigen Israeliten, werden sich alle meine Voraussagen erfüllen. Darauf gebe ich, der Herr, mein Wort!«

[26]Weiter sagte der Herr zu mir: [27]»Sterblicher Mensch, die Israeliten behaupten über dich: ›Seine Visionen betreffen uns nicht, er weissagt für eine ferne Zukunft!‹ [28]Darum richte ihnen aus: So spricht Gott, der Herr: Was ich voraussage, lässt nicht mehr lange auf sich warten! Was ich verkünde, das trifft ein! Mein Wort gilt!«

Die falschen Propheten werden umkommen!

13 Der Herr sprach zu mir: [2]»Sterblicher Mensch, klag alle selbst ernannten Propheten in Israel an! Sie sollen auf meine Botschaft hören! [3]Sag ihnen von mir, dem Herrn:

Ich warne euch, ihr törichten Propheten, die ihr euren eigenen Eingebungen folgt und von Visionen redet, die ihr gar nicht gesehen habt! [4]Ihr fühlt euch bei Israels Untergang so wohl wie Füchse, die in Ruinen hausen![a] [5]Keiner von euch bewacht die großen Lücken in Israels Befestigungsmauer, keiner bessert sie aus, damit mein Volk gewappnet sein könnte für den Tag, an dem ich, der Herr, Gericht halte. [6]Was ihr als Visionen ausgebt, ist eine Täuschung, und wenn ihr weissagt, lügt ihr! Ihr verkündet: ›So spricht der Herr!‹, obwohl ich euch gar nicht beauftragt habe – und dann erwartet ihr auch noch, dass ich eure Voraussagen eintreffen lasse! [7]Eure Visionen führen die Menschen in die Irre, eure Weissagung ist nichts als Lüge. Denn ihr behauptet, meine Worte zu verkünden, obwohl ich euch gar keine Botschaft mitgeteilt habe.

[8]Darum sage ich, der Herr: Weil ihr leere Worte macht und von trügerischen Visionen erzählt, bekommt ihr es mit mir zu tun! [9]Drohend erhebe ich meine Hand, um euch zu strafen, ihr Lügenpro-

---

[a] Wörtlich: Wie Füchse in Ruinen sind deine Propheten geworden, Israel!

12,19 7,10–11 **12,22** Jes 5,19; 2 Petr 3,4 **12,23** 7,2.5–8; Jer 1,12 **12,24** 13,1–23 **13,5** 22,30; Joel 1,15* **13,6** 22,28 **13,9** 14,9; Ps 69,29

pheten! Ich schließe euch aus meinem Volk aus – in den Verzeichnissen der Bewohner Israels wird man eure Namen nicht mehr finden. Nie mehr könnt ihr in euer Land zurückkehren! So werdet ihr erkennen, dass ich Gott, der Herr, bin. [10]Ihr führt mein Volk in die Irre, denn ihr ruft: ›Wir werden glücklich und in Frieden leben!‹ Doch es gibt keinen Frieden! Mein Volk hat eine dünne Schutzwand aus losen Steinen aufgeschichtet, und ihr habt sie mit weißer Farbe übertüncht, als sei sie eine feste Mauer[a]. [11]Ihr Schönfärber! Eure Wand wird einstürzen! Es kommt ein Wolkenbruch, Hagelkörner so groß wie Steine prasseln auf sie herab, und ein schwerer Sturm peitscht dagegen. [12]Und siehe da – die Wand stürzt ein! Dann verspottet man euch: ›Wo ist nun eure schöne Farbe geblieben?‹

[13]Ich, der Herr, sage es noch einmal: Mein Zorn über euch ist gewaltig, darum schicke ich Sturm, Regen und Hagel mit zerstörerischer Macht. [14]Ich reiße die Wand ein, die ihr so schön angemalt habt, ich lasse sie zu Boden stürzen, ihr Fundament wird bloßgelegt. Und wenn sie einstürzt, werdet ihr unter ihren Trümmern begraben. Dann sollt ihr erkennen, dass ich der Herr bin. [15]So werde ich an der Wand und an euch Schönfärbern meinen Zorn auslassen. Ja, ich spotte über euch: Die Wand ist weg und mit ihr alle, die sie übermalt haben! [16]Ihr habt dem Volk von herrlichen Visionen erzählt und ihm Glück und Frieden prophezeit, obwohl sein Untergang nahe ist! Darum wird keiner von euch Propheten überleben. Darauf könnt ihr euch verlassen!«

[17]Weiter sprach der Herr zu mir: »Sterblicher Mensch, tritt den selbst ernannten Prophetinnen aus deinem Volk entgegen! Klage sie an, und richte ihnen meine Worte aus:

[18]Ich warne euch, ihr Frauen, die ihr Zauberbänder für die Handgelenke anfertigt und magische Schleier für Leute jeder Größe näht, um Macht zu besitzen über die Menschen! Meint ihr, ihr könntet in meinem Volk Menschenleben auslöschen oder verschonen – je nachdem, was es euch für einen Nutzen bringt? [19]Mit euren Zaubereien raubt ihr mir die Ehre, und das für eine Hand voll Gerste und einen Bissen Brot! Menschen, die nicht sterben sollten, liefert ihr dem Tod aus und verschont solche, die es nicht verdienen, am Leben zu bleiben. Mein Volk hört gerne Lügen, und ihr habt ihnen Lügen aufgetischt.

[20]Darum sage ich, der Herr: Ich hasse eure Zauberbänder, mit denen ihr die Menschen wie Vögel fangt! Ich reiße sie von euren Handgelenken und lasse alle frei, die sich darin verfangen haben! [21]Ich zerfetze eure magischen Schleier und rette mein Volk aus eurer Gewalt. Es soll keine leichte Beute mehr für euch sein! Dann werdet ihr erkennen, dass ich der Herr bin.

[22]Mit euren Lügenmärchen quält ihr aufrichtige Menschen, denen ich Kummer ersparen wollte. Die Gottlosen aber ermutigt ihr und verhindert damit, dass sie ihre üblen Machenschaften aufgeben und ihr Leben retten. [23]Doch nun ist es vorbei mit euren verlogenen Visionen und mit eurer Wahrsagerei! Ich will mein Volk aus eurer Gewalt retten. Dann müsst ihr erkennen, dass ich der Herr bin.«

Warum Gott nicht mehr antwortet

14 Einige Führer Israels kamen zu mir, weil sie Gott durch mich befragen wollten[b]. Sie setzten sich vor mich hin und warteten. [2]Da sprach der Herr zu mir: [3]»Sterblicher Mensch, diese Männer haben ihr Herz an ihre Götzen gehängt. Sie haben nur noch ihre Götter im Sinn –

---

[a] »als … Mauer« ist sinngemäß eingefügt.
[b] »weil … wollten« ist sinngemäß eingefügt.

13,10 Jer 6,14; 23,16–17 **13,18** 3 Mo 19,26.31 **13,19** 18,5–13 **13,22** 33,8 **14,1** 8,1; 20,1

und nun soll ich ihnen antworten und helfen? [4]Richte ihnen aus: So spricht Gott, der Herr: Wenn jemand vom Volk Israel Götzen anbetet, sich gegen mich auflehnt und dann auch noch zum Propheten kommt, um mich zu befragen, werde ich, der Herr, ihm tatsächlich eine Antwort geben – die Antwort, die er bei der Menge seiner Götzen verdient hat! [5]Ja, ich werde die Israeliten hart anfassen, weil sie sich von mir abgewandt haben und ihre Götzen verehren.

[6]Darum verkünde dem ganzen Volk, was ich, der Herr, ihnen sage: Kehrt um, wendet euch ab von euren Göttern, und sagt euch los von eurem abscheulichen Götzendienst! [7]Ich sage es noch einmal:

Wenn jemand vom Volk Israel und von den Fremden, die bei euch leben, sich von mir abwendet, seine Götzen anbetet und von mir nichts mehr wissen will, wenn er dann noch zum Propheten kommt, um mich um Rat zu fragen, werde ich selbst, der Herr, ihm die passende Antwort geben. [8]Ja, ein solcher Mensch bekommt es mit mir zu tun! Was ich ihm antue, soll allen zur Warnung dienen; sein Unglück wird sprichwörtlich sein. Ich verstoße ihn aus meinem Volk und vernichte ihn. Dann werdet ihr erkennen, dass ich der Herr bin.

[9]Lässt ein Prophet sich dazu hinreißen, dem Götzendiener eigenmächtig ein Wort von mir zu verkünden, dann nur, weil ich, der Herr, ihn dazu verleitet habe! Drohend strecke ich meine Hand auch gegen ihn aus, ich verstoße ihn aus meinem Volk und vernichte ihn. [10]Also müssen beide – der Götzendiener, der fragt, und der Prophet, der eigenmächtig antwortet – die gleiche Strafe tragen, denn ihre Schuld ist gleich groß. [11]So warne ich das Volk Israel, damit sie mir nicht mehr den Rücken kehren und sich nicht länger durch ihre Sünden verunreinigen. Sie werden mein Volk sein, und ich werde ihr Gott sein. Das verspreche ich, der Herr!«

Gottes Strafe ist gerecht!

[12]Der Herr sprach zu mir: [13]»Sterblicher Mensch, stell dir vor, ein Land bricht mir die Treue und lehnt sich gegen mich auf, und ich schicke zur Strafe eine Hungersnot ins Land, an der Menschen und Tiere zugrunde gehen. [14]Wenn dann in diesem Land die drei Männer Noah, Daniel und Hiob lebten, könnten sie durch ihre Treue zu mir nur ihr eigenes Leben retten! Das schwöre ich, der Herr.

[15]Oder stell dir vor, ich lasse Raubtiere ein Land durchstreifen und die Bewohner töten, und das Land wird zur trostlosen Wüste, weil aus Angst kein Mensch mehr hindurchreist. [16]Wenn dann diese drei Männer darin lebten, könnten sie noch nicht einmal ihre Söhne und Töchter retten, sondern nur sich selbst. Das Land aber würde zur menschenleeren Wüste. Das schwöre ich, der Herr, so wahr ich lebe!

[17]Oder stell dir vor, ich lasse Krieg in einem Land ausbrechen und vernichte Mensch und Tier durch tödliche Waffen. [18]Wenn dann diese drei Männer darin lebten, könnten sie noch nicht einmal ihre Söhne und Töchter retten, sondern nur sich selbst. Das schwöre ich, der Herr, so wahr ich lebe!

[19]Oder stell dir vor, ich schicke die Pest in ein Land und rotte in meinem Zorn Mensch und Tier aus. [20]Wenn dann Noah, Daniel und Hiob darin lebten, könnten sie noch nicht einmal ihre Söhne und Töchter retten, sondern nur sich selbst, weil sie mir treu waren. Das schwöre ich, der Herr, so wahr ich lebe!

[21]Und nun sage ich, der Herr: Selbst wenn ich meine vier schrecklichsten Strafen – Krieg, Hunger, Raubtiere und Pest – auf einen Schlag über Jerusalem hereinbrechen lasse und Mensch und Tier ausrotte, [22]so werden doch einige Menschen in der Stadt verschont bleiben. Zusammen mit ihren Söhnen und Töchtern werden sie zu euch in die Verban-

---

14,6 18,30; 33,11 **14,9** 13,9 **14,11** 11,20 **14,14** 1 Mo 6,9; Hiob 1,1; Jer 15,1 **14,21** 5,16–17 **14,22** 5,3; 6,8

nung verschleppt. Wenn ihr dann ihr abscheuliches Tun und Treiben mit anschauen müsst, werdet ihr einsehen, dass mein Gericht über Jerusalem die einzig gerechte Strafe war. [23]Es wird euch trösten, wenn ihr seht, dass ich Jerusalem nicht ohne Grund zerstört habe. Darauf gebe ich, der Herr, mein Wort.«

Jerusalem, das unnütze Holz eines Weinstocks

15 Der Herr fragte mich: [2]»Du sterblicher Mensch, was hat das Holz eines Weinstocks dem Holz der Sträucher voraus, die zwischen den Bäumen im Wald wachsen? [3]Kann man irgendetwas daraus herstellen? Oder kann man es wenigstens als Pflock an der Wand benutzen, um allerlei Werkzeuge daran aufzuhängen? [4]Nein! Das Holz einer Weinranke taugt einzig und allein als Brennholz! Wenn die Flammen die beiden Enden der Ranke verzehrt haben und sie auch in der Mitte schon versengt ist, kann man sie dann noch zu etwas gebrauchen? [5]Schon als sie noch nicht verbrannt war, konnte man nichts mit ihrem Holz anfangen – wie viel weniger, wenn das Feuer sie nun verkohlt hat!

[6]Darum sage ich, der Herr: Das Holz eines Weinstocks ist kein bisschen wertvoller als das der Sträucher zwischen den Bäumen im Wald! Ich werfe es ins Feuer – und genau dasselbe werde ich mit den Einwohnern Jerusalems tun! [7]Bisher sind sie dem Feuer noch knapp entronnen, jetzt aber werden sie von ihm verzehrt. Wenn mein Strafgericht sie trifft, werdet ihr erkennen, dass ich der Herr bin. [8]Das ganze Land mache ich zur menschenleeren Wüste, weil seine Bewohner mir die Treue gebrochen haben. Darauf könnt ihr euch verlassen!«

Jerusalem, die untreue Frau

16 Der Herr sprach zu mir: [2]»Sterblicher Mensch, mach den Einwohnern Jerusalems deutlich, was für schreckliche Dinge sie getrieben haben! [3]Verkünde ihnen: So spricht Gott, der Herr: Jerusalem, du bist in Kanaan zur Welt gekommen; dein Vater war ein Amoriter, deine Mutter eine Hetiterin. [4]Nach deiner Geburt wurde nicht einmal deine Nabelschnur abgeschnitten. Niemand hat dich gewaschen und mit Salz abgerieben, niemand dich gewickelt. [5]Kein Mensch hatte Mitleid mit dir und erbarmte sich über dich. Noch am Tag deiner Geburt warf man dich aufs freie Feld, weil jeder nur Verachtung für dich übrig hatte.

[6]Ich kam an dir vorüber und sah dich hilflos und blutverschmiert am Boden liegen. Da sagte ich zu dir: ›Du sollst am Leben bleiben [7]und heranwachsen wie eine Blume auf dem Feld!‹ Du blühtest auf und wurdest zu einer schönen Frau voller Anmut. Deine Brüste wuchsen, dein Haar war voll und schön. Aber immer noch warst du völlig nackt.

[8]Wieder kam ich an dir vorüber, und ich sah, dass du alt genug warst, einen Mann zu lieben. Da breitete ich meinen Mantel über dich aus und bedeckte deinen nackten Körper als Zeichen dafür, dass du meine Frau sein solltest. Ich, der Herr, schwor dir Treue und schloss mit dir einen Bund fürs Leben. So wurdest du meine Frau.

[9]Ich badete dich, wusch dir das Blut ab und salbte dich mit duftenden Ölen. [10]Ich zog dir ein buntes, kostbares Kleid und Sandalen aus bestem Leder an. Du bekamst von mir ein Stirnband aus feinem Leinen und einen seidenen Umhang. [11]Ich gab dir wertvollen Schmuck, legte dir Spangen an die Arme und eine Kette um den Hals. [12]Deine Nase schmückte ich mit einem Ring, ich gab dir Ohrringe und setzte dir eine prachtvolle Krone auf. [13]Du warst geschmückt mit Silber und Gold, du kleidetest dich in Leinen, Seide und bunt gewebte Stoffe. Die feinsten Speisen bekamst du: Brot, gebacken aus bestem Mehl, Honig und Öl. So wurdest

---

15,1–8 17,5–10; 19,10–14; Jes 5,1–7*; Joh 15,6 **16,3** Jos 15,63*; 2 Sam 5,6–9 **16,8** Ruth 3,9

du wunderschön und würdig, eine Königin zu sein. [14] Bei allen Völkern erzählte man sich von deiner Schönheit; sie war makellos und vollkommen durch den Schmuck, den ich, der Herr, dir geschenkt hatte.

[15] Aber du – du hast dir viel auf deine Schönheit eingebildet. Dass sie überall gerühmt wurde, nutztest du reichlich aus: Jedem, der dir über den Weg lief, hast du dich angeboten und dich ihm an den Hals geworfen. [16] Aus deinen bunten Kleidern machtest du dir ein Lager auf den Höhen, wo den Götzen geopfert wird. Dort schliefst du mit jedem, den du bekommen konntest. So etwas hätte niemals geschehen dürfen! [17] Du nahmst den Schmuck aus Silber und Gold, den ich dir geschenkt hatte, und machtest dir männliche Götterfiguren daraus. Mit ihnen hast du mich betrogen. [18] Deine bunt gewebten Kleider zogst du ihnen an und brachtest ihnen als Opfer den Weihrauch und das Öl dar, die du von mir bekommen hattest. [19] Das Brot aus bestem Mehl, Honig und Öl, das ich dir gegeben hatte, hast du ihnen geopfert, um sie für dich zu gewinnen. Das alles hast du getan; dies bezeuge ich, der Herr.

[20] Die Söhne und Töchter, die du mir geboren hattest, warfst du den Götzen zum Fraß vor. War die Hurerei, die du getrieben hattest, dir noch zu wenig? [21] Musstest du auch noch meine Kinder schlachten und als Opfer für andere Götter verbrennen? [22] Während du den widerlichen Götzen Opfer darbrachtest und die Ehe mit mir brachst, hast du keinen Gedanken an die Zeit verschwendet, in der du nackt und hilflos in deinem Blut lagst.

[23] Darum sage ich, der Herr: Es wird dir schlecht ergehen! Denn dein schlimmes Treiben war dir noch nicht genug: [24/25] An jedem öffentlichen Platz hast du dir ein Bett für deine Hurerei errichtet, ja, an jeder Straßenecke bautest du deine Heiligtümer. Du hast deine Schönheit missbraucht und deine Beine gespreizt für jeden, der vorüberkam. Unaufhörlich triebst du deine schamlose Hurerei. [26] Du ließest dich mit den Ägyptern ein, deinen Nachbarn mit dem großen Glied. Du schliefst mit ihnen, um mich zu kränken. [27] Darum hob ich drohend meine Hand und nahm dir einen Teil von dem weg, was ich dir geschenkt hatte. Ich lieferte dich den gierigen Philisterinnen aus, die dich hassen; doch sogar sie verabscheuten deine schamlose Hurerei.

[28] Als Nächstes warfst du dich den Assyrern an den Hals, weil du immer noch nicht genug hattest. Du schliefst mit ihnen, aber dein Verlangen war auch dann noch nicht gestillt. [29] Du triebst es auch mit den Babyloniern, dem Händlervolk, doch selbst danach hattest du noch nicht genug. [30] Ich, der Herr, sage dir: Wie sehr warst du von brennender Begierde beherrscht, du hast es schlimmer getrieben als die schlimmste Hure! [31] An jeder Straßenecke hast du einen Altar für deine Liebesdienste errichtet und an jedem öffentlichen Platz ein Bett für deine Hurerei aufgestellt. Dabei benahmst du dich nicht einmal wie eine gewöhnliche Hure, denn du lehntest jede Bezahlung ab. [32] Du Ehebrecherin! Andere Männer hast du deinem Ehemann vorgezogen! [33] Jeder Hure gibt man Geld, du aber hast deinen Liebhabern sogar noch Geschenke gegeben und sie bestochen, damit sie von überall her kommen und mit dir schlafen! [34] So machtest du genau das Gegenteil von dem, was andere Huren tun: Du warfst dich jedem an den Hals, während dir keiner nachlief; niemand gab dir Geld, im Gegenteil: Du bezahltest, damit man mit dir schlief. So weit ist es mit dir gekommen!

[35] Darum, du Hure, höre, was ich, der Herr, dir sage: [36] Du hast deinen Körper schamlos entblößt, um mit allen deinen Liebhabern zu schlafen; du hast deinen abscheulichen Götzen gedient und für sie deine Kinder geschlachtet. [37] Darum

16,15 Hos 4,12–14 **16,17** 7,20 **16,20–21** 3 Mo 18,21* **16,24–25** Hos 1,2* **16,26** Jes 30,1–7 **16,28** 2 Kön 16,5–9 **16,37** Jer 13,22; Hos 2,12

werde ich nun deine Liebhaber zusammenrufen – alle, die du geliebt, und alle, die du verachtet hast. Von überall her lasse ich sie kommen, damit sie gegen dich aussagen. Dann ziehe ich dir vor ihren Augen die Kleider aus, damit sie deinen nackten Körper sehen. [38]Ich werde dich verurteilen, so wie man Mörderinnen und Ehebrecherinnen verurteilt. Weil ich eifersüchtig und zornig bin, spreche ich dir das Todesurteil.

[39]Ich gebe dich in die Gewalt deiner Liebhaber; sie werden deine Hurenaltäre und deine Heiligtümer zerstören. Sie reißen dir die Kleider vom Leib, nehmen deinen prächtigen Schmuck weg und lassen dich nackt und hilflos liegen. [40]Sie hetzen die Volksmenge gegen dich auf, die dich steinigt und mit ihren Schwertern zerstückelt. [41] Deine Häuser brennen sie nieder und vollstrecken das Urteil an dir vor den Augen vieler Frauen. So bereite ich deiner Hurerei ein Ende – dann kannst du dir keinen Liebhaber mehr kaufen!

[42]Wenn sich schließlich mein Zorn gelegt hat, ist auch meine Eifersucht verflogen, und ich bin wieder ruhig und gelassen. [43]Keinen Gedanken hast du mehr verschwendet an die Zeit, wo du hilflos warst und ich, der Herr, dir geholfen habe[a]. Dadurch hast du mich zornig gemacht, und jetzt bekommst du die Folgen deiner abscheulichen Taten zu spüren. Du hast schon so viel Schuld auf dich geladen, warum musstest du auch noch die Ehe brechen?

[44]Man wird über dich einen Spottvers verbreiten: ›Wie die Mutter, so die Tochter!‹ [45]Ja, du bist eine echte Tochter deiner Mutter! Auch sie hat ihren Mann und ihre Kinder verachtet! Du bist wie deine Schwestern, die von ihren Männern und Kindern nichts mehr wissen wollten. Eure Mutter war eine Hetiterin und euer Vater ein Amoriter. [46]Deine ältere Schwester ist Samaria mit ihren Töchtern, sie wohnt nördlich von dir; im Süden wohnt deine jüngere Schwester Sodom mit ihren Töchtern. [47]Es war dir noch nicht genug, ihrem schlechten Beispiel zu folgen und die gleichen abscheulichen Dinge wie sie zu tun – nein, nach kurzer Zeit hast du es in allem noch schlimmer getrieben als sie! [48]Darum schwöre ich, Gott, der Herr, so wahr ich lebe: Deine Schwester Sodom und ihre Töchter haben nicht so viel Schuld auf sich geladen wie du und deine Töchter! [49]Sie sahen hochmütig auf andere herab, sie lebten im Überfluss und in sorgloser Ruhe, ohne den Armen und Hilflosen zu helfen. [50]Sie waren stolz und überheblich und taten vor meinen Augen, was ich verabscheue. Als ich dies sah, habe ich sie verstoßen. [51]Und auch Samaria hat nicht halb so viele Sünden begangen wie du. Du hast mehr widerliche Dinge getan als deine beiden Schwestern zusammen. Im Vergleich zu dir sind die beiden geradezu unschuldig! [52]Darum musst du nun deine Schande tragen – du hast sie dir selbst zuzuschreiben! Mit deinen abscheulichen Taten übertriffst du die Schuld deiner Schwestern bei weitem. Neben dir sind sie geradezu unschuldig. Schäm dich und trag deine Schande!«

Ich bleibe euch treu!

[53]»Doch ich wende das Schicksal Sodoms und Samarias mit ihren Tochterstädten zum Guten, und auch dich, Jerusalem, werde ich wiederherstellen. [54]Dann wirst du deine Schande eingestehen und dich schämen für alles, was du getan hast. Wenn Sodom und Samaria dies sehen, werden sie daraus Trost schöpfen. [55]Was für sie gilt, soll auch mit dir geschehen, Jerusalem: Eure Tochterstädte werden wieder aufgebaut, und ihr bekommt eure frühere Stellung zurück.

[56]Als du noch voller Hochmut auf alle anderen herabgesehen hast, warst du dir

---

[a] Wörtlich: an die Tage deiner Jugend.

16,38 3 Mo 20,1–2.10 **16,41** 2 Kön 25,9 **16,43** 11,21 **16,45** 16,3 **16,46** 1 Mo 18,20; 19,4–9; Am 3,9; 4,1 **16,48** Mt 10,15

zu schade, den Namen deiner Schwester Sodom in den Mund zu nehmen. [57] Doch dann kam deine Bosheit ans Licht, und jetzt verhöhnen dich alle deine Nachbarinnen, die Edomiterinnen und die Philisterinnen. Sie haben nur Verachtung für dich übrig. [58] So trage nun die Folgen deines schamlosen Treibens und deiner üblen Machenschaften!

[59] Ich, der Herr, sage dir: Ich habe dich so behandelt, wie du es verdienst, denn du hast dein Treueversprechen nicht gehalten und unseren Bund gebrochen. [60] Ich aber werde mich an den Bund erinnern, den ich mit dir in deiner Jugend geschlossen habe. Einen neuen Bund will ich mit dir eingehen, der für alle Zeiten bestehen bleibt. [61] Dann wirst du dich an das erinnern, was du früher getan hast. Du wirst dich schämen, wenn ich dir die Herrschaft über deine beiden Schwestern gebe, so dass sie für dich wie Töchter sind. Das geht weit über den Bund hinaus, den ich damals mit dir geschlossen habe. [62] Ich selbst werde den Bund mit dir erneuern, und du wirst erkennen, dass ich der Herr bin. [63] Alles, was du getan hast, werde ich dir vergeben; doch du wirst dich immer wieder daran erinnern und dich schämen. Vor lauter Scham wirst du kein Wort herausbringen. Das verspreche ich, der Herr.«

Das Gleichnis vom Weinstock und den Adlern

17 Der Herr sprach zu mir: [2] »Sterblicher Mensch, gib dem Volk Israel ein Rätsel auf, erzähl ihnen ein Gleichnis! [3] Denn sie sollen erkennen, was ich, der Herr, ihnen zu sagen habe. Erzähl ihnen: Ein großer Adler mit riesigen Flügeln und weiten Schwingen, mit dichtem und buntem Gefieder flog auf den Libanon. Dort riss er den Wipfel einer Zeder ab, [4] brachte den obersten Zweig in ein Land, in dem es viele Kaufleute gab, und dort in eine Händlerstadt. [5] Dann holte er aus der Erde Israels ein Samenkorn und flog damit zu einem fruchtbaren Feld an einem Fluss. Dort pflanzte der Adler das Samenkorn am Ufer ein. [6] Aus ihm sollte ein breit wuchernder, aber niedrig wachsender Weinstock werden. Seine Ranken sollte er dem Adler entgegenstrecken und seine Wurzeln tief in die Erde wachsen lassen. So wurde aus dem Samenkorn ein Weinstock, der kräftige Ranken und immer neue Triebe bildete.

[7] Doch dann kam ein anderer großer Adler mit riesigen Flügeln und dichtem Gefieder. Und siehe da: Der Weinstock drehte seine Wurzeln diesem Adler zu und streckte ihm seine Ranken entgegen. Er hoffte, der Adler würde ihm Wasser geben – mehr als das Feld, in das er gepflanzt worden war. [8] Dabei hatte er doch guten Boden und reichlich Wasser. Er hätte Zweige treiben und Früchte tragen können und wäre zu einem prächtigen Weinstock geworden.

[9] Ich, der Herr, frage euch Israeliten: Wird der Weinstock jetzt noch gedeihen? Wird man ihn nicht mitsamt den Wurzeln ausreißen und seine Trauben abpflücken, so dass alle grünen Triebe verdorren? Dazu braucht man nicht viel Kraft, und nicht viele Menschen müssen mit anpacken! [10] Der fruchtbare Boden hilft dann auch nichts mehr! Der Weinstock wird dort vertrocknen, sobald der heiße Ostwind ihn trifft, ja, völlig verdorren wird er.«

[11] Weiter sprach der Herr zu mir: [12] »Frag das widerspenstige Volk, ob sie dieses Gleichnis verstehen. Erklär es ihnen: Der babylonische König fiel mit seinem Heer in Jerusalem ein. Er nahm den König von Juda und seine Beamten gefangen und verschleppte sie in sein Land. [13] Mit einem Nachkommen der königlichen Familie schloss er ein Bündnis und ließ ihn Treue schwören. Die mächtigen und einflussreichen Männer des Volkes nahm er gefangen, [14] um das Land Juda mit dem neuen König klein und schwach

---

16,59–60 16,8 **16,60** 36,26–27*; Jer 31,31–34* **16,61** 20,43 **16,63** 36,31–32 **17,5–10** 15,1–8; Jes 5,1–7* **17,12** 2 Kön 24,10.15–16 **17,13** 2 Kön 24,15–17

zu halten. Er wollte verhindern, dass man einen Aufstand gegen ihn anzettelte und den Treueeid brach. [15] Aber der König von Juda lehnte sich gegen den König von Babylonien auf und schickte Boten nach Ägypten, um von dort Pferde und Soldaten zu bekommen. Wird ihm das gelingen? Soll er ungestraft davonkommen? Nein! Er kann sich nicht über seinen Treueeid hinwegsetzen und dann ohne Strafe bleiben!

[16] Ich, der Herr, schwöre, so wahr ich lebe: Weil er seinen Schwur gebrochen hat, wird er in Babylon sterben, am Hof des Königs, der ihm die Herrschaft über Juda anvertraut hatte. [17] Auch das gewaltige Heer des Pharaos aus Ägypten wird ihm nicht zu Hilfe kommen, wenn die Babylonier einen Belagerungswall um Jerusalem aufschütten und Belagerungstürme bauen, um die Menschen dort zu vernichten. [18] Denn der König von Juda hat sein Versprechen nicht gehalten, obwohl er sich mit Handschlag dazu verpflichtet hatte. Er wird nicht mit dem Leben davonkommen. [19] Ich, der Herr, schwöre, so wahr ich lebe: Weil er sich über den Bund hinwegsetzt, den ich mit ihm geschlossen habe, weil er den Eid bricht, den er mir geschworen hat, darum lasse ich ihn die Folgen tragen. [20] Ich werfe mein Netz über ihn, und er wird sich darin verfangen. Ich bringe ihn nach Babylonien, und dort halte ich Gericht über ihn, weil er mir die Treue gebrochen hat. [21] Seine Soldaten versuchen zu fliehen, doch die meisten von ihnen fallen, und die Überlebenden werden in alle Winde zerstreut. Dann erkennt ihr, dass ich euch nicht umsonst gewarnt habe.

[22] Aber nun verkünde ich, der Herr: Ich selbst werde einen zarten Zweig aus dem Wipfel einer hohen Zeder brechen und ihn auf einem hohen Berg einpflanzen. [23] Ja, auf Israels höchstem Berg setze ich ihn in die Erde. Dort treibt er neue Zweige, trägt Früchte und wird zu einer großen Zeder. Vögel aller Art werden in seinen Zweigen wohnen und dort Schatten finden. [24] Dann werden alle Bäume in Israel erkennen, dass ich, der Herr, den hohen Baum niedrig mache, den niedrigen aber hoch. Ich lasse den grünen Baum verdorren, den dürren aber lasse ich grün werden. Darauf gebe ich, der Herr, mein Wort, und ich halte mich daran.«

Jeder ist für sich selbst verantwortlich!

18 Der Herr sprach zu mir: [2] »Was denkt ihr euch dabei, wenn ihr Israeliten dieses Sprichwort verwendet: ›Die Väter essen saure Trauben, und den Söhnen werden die Zähne davon stumpf.‹? [3] Ich, der Herr, schwöre, so wahr ich lebe: Keiner von euch wird dieses Sprichwort jemals wieder gebrauchen! [4] Alle Menschen gehören mir – die Väter wie die Söhne! Nur wer Schuld auf sich lädt, soll sterben!

[5] Stell dir einen Menschen vor, der mir dient und für Recht und Gerechtigkeit eintritt. [6] Die Götzen, die das Volk Israel verehrt, betet er nicht an. An den Opfermahlzeiten, die ihnen zu Ehren auf den Bergen veranstaltet werden, beteiligt er sich nicht. Er schläft nicht mit einer verheirateten Frau und auch nicht mit einer, die ihre Tage hat. [7] Er unterdrückt und beraubt niemanden. Wenn er von einem Menschen, der ihm etwas schuldet, ein Pfand nimmt, gibt er es auch wieder zurück. Den Hungrigen gibt er zu essen, und er versorgt die mit Kleidung, die kaum etwas anzuziehen haben. [8] Wenn er Geld verleiht, nimmt er keine Wucherzinsen. Er beteiligt sich nicht am Unrecht und fällt ein gerechtes Urteil zwischen zwei Streitenden. [9] Er richtet sich nach meinen Geboten und befolgt gewissenhaft, was ich angeordnet habe. Ein sol-

---

17,15 2 Chr 36,13 **17,16** 12,13; 2 Kön 25,7 **17,17** 4,1–3; 2 Kön 25,1 **17,20–21** 12,13–14; 2 Kön 25,4–7 **17,22** Jes 11,1 **17,23** 20,40 **17,24** 1 Sam 2,7–8 **18,2–4** Hiob 21,19–21 **18,2** Jer 31,29 **18,6** 7,20; 22,9; 3 Mo 18,19–20 **18,7** 2 Mo 22,25–26; 3 Mo 19,13; 5 Mo 15,7 **18,8** 2 Mo 22,24; 23,6–8 **18,9** 3 Mo 18,5

cher Mensch kann vor mir, dem Herrn, bestehen. Er wird leben. Darauf gebe ich, der Herr, mein Wort.

[10]Nun hat dieser Mann einen gewalttätigen Sohn, der andere Menschen umbringt und alles das tut, [11]wovon sein Vater sich fern gehalten hat. Er beteiligt sich an den Opfermahlzeiten, die auf den Bergen für die Götzen veranstaltet werden. Er bricht die Ehe mit einer verheirateten Frau, [12]er unterdrückt und beraubt die Armen und Hilflosen. Das Pfand, das er von einem Schuldner verlangt hat, gibt er nicht wieder zurück. Er betet die Götzen an, obwohl ich dies verabscheue. [13]Wenn er Geld verleiht, nimmt er Wucherzinsen. Soll dieser Mann leben? Nein, er muss getötet werden! Weil er diese widerlichen Dinge getan hat, ist er selbst schuld an seinem Tod!

[14]Nun stell dir vor, dieser zweite Mann hat wiederum einen Sohn. Der sieht alle Sünden mit an, die sein Vater begeht, aber er folgt dem schlechten Vorbild nicht. [15]Die Götzen, die das Volk Israel verehrt, betet er nicht an. An den Opfermahlzeiten, die ihnen zu Ehren auf den Bergen veranstaltet werden, beteiligt er sich nicht. Er schläft nicht mit einer verheirateten Frau, [16]er unterdrückt und beraubt niemanden. Wenn er von einem Menschen, der ihm etwas schuldet, ein Pfand nimmt, gibt er es auch wieder zurück. Den Hungrigen gibt er zu essen, und er versorgt die mit Kleidung, die kaum etwas anzuziehen haben. [17]Er beteiligt sich nicht am Unrecht,[a] und wenn er Geld verleiht, nimmt er keine Wucherzinsen. Er befolgt, was ich angeordnet habe, und richtet sich nach meinen Geboten. Dieser Sohn wird nicht wegen der Schuld seines Vaters sterben – nein, er wird leben! [18]Sein Vater aber hat andere erpresst und beraubt. Dem ganzen Volk war er ein schlechtes Vorbild. Darum muss er wegen seiner Schuld sterben!

[19]Ihr aber fragt: ›Warum soll nicht auch der Sohn für die Schuld seines Vaters bestraft werden?‹, und ich antworte euch: Weil er für Recht und Gerechtigkeit eingetreten ist! Er hat auf alle meine Gebote geachtet und sie befolgt, darum wird er am Leben bleiben. [20]Nur wer sündigt, muss sterben. Ein Sohn soll nicht für die Schuld seines Vaters zur Rechenschaft gezogen werden und ein Vater nicht für die Schuld seines Sohnes. Wer mir dient, kann vor mir bestehen, und wer mir den Rücken kehrt, wird seine Strafe bekommen.

[21]Wenn aber ein Mensch, der mich verachtet hat, sich von dem abwendet, was er bisher getan hat, wenn er auf alle meine Weisungen achtet und für Recht und Gerechtigkeit eintritt, dann wird er nicht sterben, sondern am Leben bleiben. [22]Alle Schuld, die er vorher auf sich geladen hat, rechne ich ihm nicht mehr an. Weil er mir nun dient, wird er leben. [23]Ich, der Herr, frage euch: Meint ihr, ich hätte Freude daran, dass der Gottlose sterben muss? Nein, ich freue mich, wenn er von seinen falschen Wegen umkehrt und am Leben bleibt!

[24]Wenn aber ein Mensch, der mir gedient hat, von mir nichts mehr wissen will, wenn er die gleichen bösen und abscheulichen Dinge treibt wie jemand, der mich verachtet, sollte ich ihn dann etwa verschonen? Nein, alles Gute, was er bisher getan hat, soll vor mir nichts mehr gelten! Weil er mir die Treue gebrochen und Schuld auf sich geladen hat, wird er sterben.

[25]Ihr aber behauptet: ›Was der Herr tut, ist nicht gerecht!‹ Hört doch, ihr vom Volk Israel: Wer handelt ungerecht, ich oder ihr? [26]Wenn ein Mensch, der mir gedient hat, nichts mehr von mir wissen will, dann muss er sterben, und zwar wegen seiner eigenen Schuld. [27]Wenn aber ein Mensch, der mich verachtet hat, sich von seinem gottlosen Leben abwendet

---

[a] So mit der griechischen Übersetzung. Der hebräische Text lautet: Er hält seine Hand von den Hilflosen zurück.

18,19 2 Mo 20,5–6 **18,20** 18,4; 2 Mo 20,5–6*; 5 Mo 24,16 **18,21–32** 33,10–20 **18,21–24** Jer 18,7–10 **18,23** Jes 55,6–7; Joel 2,12–13; 1 Tim 2,4

und von nun an für Recht und Gerechtigkeit eintritt, dann rettet er sein Leben. [28] Ja, wenn er seine Schuld einsieht und die alten Wege verlässt, wird er nicht sterben, sondern am Leben bleiben. [29] Und da behauptet ihr Israeliten: ›Der Herr handelt nicht gerecht!‹ Bin wirklich ich ungerecht, oder seid nicht vielmehr ihr es?

[30] Darum sage ich, der Herr: Ich gehe mit euch ins Gericht, ihr vom Volk Israel; ich spreche jedem Einzelnen das Urteil, das er verdient hat. Kehrt um, wendet euch ab von allem Unrecht, das ihr getan habt, damit ihr euch nicht weiter in Schuld verstrickt! [31] Werft alles Böse von euch ab! Ändert euch von Grund auf, ja, reinigt euer Herz! Warum wollt ihr sterben, ihr Israeliten? [32] Ich habe doch keine Freude daran, dass der Gottlose sterben muss. Darauf gebe ich, der Herr, mein Wort. Kehrt um von euren falschen Wegen, damit ihr am Leben bleibt!«

Ein Klagelied

19 »Du aber, Hesekiel, stimm ein Klagelied an über die führenden Männer von Israel! [2] Das sollst du singen:

›Eine majestätische Löwin war deine Mutter! Sie hatte ihr Lager bei kräftigen Löwen, und dort zog sie ihre Jungen auf. [3] Um einen jungen Löwen kümmerte sie sich besonders; er wurde stark und lernte, auf Raubzüge zu gehen und Menschen zu fressen.
[4] Ganze Völker erklärten ihm den Krieg, sie fingen ihn in einer Grube und zerrten ihn an Haken nach Ägypten.

[5] Die Löwin sah, dass die Hoffnung, die sie auf ihn gesetzt hatte, umsonst war, und so zog sie ein anderes ihrer Jungen auf.
[6] Auch dieser Löwe wurde stark und mächtig, er lernte, auf Raubzüge zu gehen und Menschen zu fressen.
[7] Er zerstörte Festungen und legte ganze Städte in Trümmer; die Bewohner des Landes erstarrten vor Schreck, wenn sein Gebrüll ertönte.
[8] Da versammelten sich die Völker ringsum, um gegen ihn zu kämpfen. Sie fingen ihn in einer Grube und warfen ihr Fangnetz über ihn.
[9] An Haken zerrten sie ihn in einen Käfig und brachten ihn zum König von Babylonien. Dort hielt man ihn gefangen, denn seine Stimme sollte nicht mehr auf den Bergen Israels zu hören sein.

[10] Deine Mutter war wie ein Weinstock,[a] der nahe am Fluss gepflanzt wurde. Nie fehlte es ihm an Wasser, er hatte viele Ranken und trug reiche Frucht.
[11] Seine Zweige wurden kräftig genug, um aus ihnen Zepter für Könige zu machen. Der Weinstock wuchs hoch hinauf – bis zum dichten Laub der Bäume, die ihn umgaben; weithin sichtbar war er durch seine Größe und seine vielen Ranken.
[12] Doch schließlich riss man ihn im Zorn aus dem Boden und warf ihn fort. Der heiße Ostwind trocknete ihn aus, seine Früchte wurden abgerissen. Sein kräftiger Stamm verdorrte und wurde vom Feuer verzehrt.
[13] Dann pflanzte man den Weinstock in die Wüste ein, in dürres und trockenes Land.
[14] Seine Zweige fingen Feuer, und alle seine Früchte wurden ein Raub der Flammen. Kein kräftiger Zweig war mehr an ihm zu finden, aus dem man ein Zepter anfertigen konnte.‹«

Dies ist ein Klagelied, das immer wieder gesungen wird.

Die Geschichte von Israels Untreue

20 Im 7. Jahr unserer Verbannung in Babylonien, am 10. Tag des 5. Mo-

[a] So mit der aramäischen Übersetzung. Der hebräische Text lautet: Deine Mutter war wie ein Weinstock in deinem Blut.

18,30 14,6; 33,11 **19,3–4** 2 Kön 23,31–33 **19,5–9** 2 Kön 24,18 – 25,7 **19,10–14** 15,1–8; Jes 5,1–7* **20,1** 8,1; 14,1

nats, kamen einige führende Männer des Volkes Israel zu mir, um den Herrn zu befragen. Sie setzten sich vor mich hin und warteten. [2]Da sprach der Herr zu mir: [3]»Sterblicher Mensch, richte den Führern Israels aus, was ich ihnen zu sagen habe: Ihr seid gekommen, um mich zu befragen? Ich schwöre, so wahr ich lebe, dass ich euch keine Antwort gebe!«

[4]Dann fragte mich der Herr: »Bist du bereit, Gericht über sie zu halten, sterblicher Mensch? Dann tu es! Erinnere sie daran, dass ihre Vorfahren ständig getan haben, was ich verabscheue! [5]Sag ihnen:

So spricht Gott, der Herr: Als ich die Israeliten zu meinem Volk erwählte, erhob ich meine Hand zum Schwur und band mich durch ein Versprechen an sie, die Nachkommen Jakobs. Während sie in Ägypten lebten, offenbarte ich mich ihnen und schwor: ›Ich bin der Herr, euer Gott. [6]Ich verspreche, euch aus Ägypten herauszuführen und in ein Land zu bringen, das ich für euch ausgesucht habe. Es ist ein Land, wo Milch und Honig fließen, weitaus schöner als alle anderen.‹ [7]Ich forderte sie auf: ›Werft eure abscheulichen Götterfiguren fort, die ihr bisher angebetet habt! Macht euch nicht schuldig, verehrt nicht die Götter Ägyptens! Denn ich, der Herr, bin euer Gott.‹

[8]Aber sie lehnten sich gegen mich auf und wollten nicht auf mich hören. Kein Einziger warf die widerlichen Götzen weg, die er angebetet hatte; das ganze Volk verehrte weiterhin die anderen Götter. Da wollte ich meinen Zorn an ihnen auslassen, noch in Ägypten sollten sie ihn zu spüren bekommen. [9]Aber ich tat es nicht, denn sonst wäre mein Name bei allen Völkern ringsum in den Schmutz gezogen worden. Denn vor ihrer aller Augen hatte ich mich als der Gott Israels offenbart und geschworen, mein Volk aus Ägypten zu befreien.

[10]Darum führte ich sie heraus und ließ sie in die Wüste ziehen. [11]Dort gab ich ihnen meine Gebote und Weisungen, die jedem Leben bringen, der sie befolgt. [12]Ich setzte auch den Sabbat als Ruhetag ein; er war das Zeichen meines Bundes mit ihnen. Daran sollten sie erkennen: Ich, der Herr, hatte sie als ein Volk erwählt, das mir allein gehört.

[13]Aber auch dort in der Wüste lehnten sich die Israeliten gegen mich auf; sie hielten sich nicht an meine Gebote und schlugen meine Weisungen in den Wind, die doch jedem Leben bringen, der sie befolgt. Auch den Sabbat achteten sie nicht als Ruhetag. Da wollte ich meinen Zorn an ihnen auslassen und sie in der Wüste vernichten. [14]Aber ich tat es nicht, denn sonst wäre mein Name zum Gespött geworden bei allen Völkern, vor deren Augen ich die Israeliten aus Ägypten herausgeführt hatte. [15]Ich erhob jedoch meine Hand zum Schwur und sagte: ›Ich werde euch nicht in das verheißene Land führen, das reich und fruchtbar ist und weitaus schöner als alle anderen Länder. [16]Denn ihr habt meine Weisungen in den Wind geschlagen, ihr habt nicht nach meinen Geboten gelebt und den Ruhetag nicht eingehalten. Stattdessen seid ihr euren Götzen nachgelaufen und habt sie angebetet.‹

[17]Doch wieder hatte ich Mitleid mit ihnen, und darum rottete ich sie dort in der Wüste nicht völlig aus. [18]Ihre Kinder warnte ich: ›Lebt nicht nach den Geboten und Ordnungen, die eure Väter aufgestellt haben! Betet ihre Götzen nicht an, denn sonst ladet ihr Schuld auf euch! [19]Ich bin doch der Herr, euer Gott. Richtet euch nach meinen Geboten, achtet auf meine Ordnungen und befolgt sie. [20]Sorgt dafür, dass der Sabbat ein heiliger Ruhetag bleibt als Zeichen für den Bund zwischen mir und euch. Dieser Tag soll euch daran erinnern, dass ich der Herr, euer Gott, bin.‹

[21]Doch auch die Kinder lehnten sich gegen mich auf. Sie hielten sich nicht an

---

20,3 14,3–4 **20,4** 22,2; 23,36 **20,5–6** 2 Mo 3,7–8; 6,2–8 **20,7** Jos 24,14.23 **20,9** 20,14.22.44; 2 Mo 32,11–14 **20,11** 3 Mo 18,5 **20,12** 2 Mo 20,8–11* **20,13** 2 Mo 16,27–29; 32,10 **20,14** 20,9 **20,15** 4 Mo 14,30

meine Gebote, sie schlugen meine Weisungen in den Wind, die jedem Leben bringen, der sie befolgt. Auch den Sabbat achteten sie nicht als heiligen Tag. Da wollte ich meinen Zorn endgültig an ihnen auslassen und sie in der Wüste vernichten. [22] Aber wieder hielt ich mich zurück und tat es nicht, denn sonst wäre mein Name zum Gespött geworden bei allen Völkern, vor deren Augen ich die Israeliten aus Ägypten herausgeführt hatte. [23] Ich erhob jedoch meine Hand zum Schwur und sagte: ›Ich werde euch unter die Völker zerstreuen und in fremde Länder vertreiben. [24] Denn ihr habt nicht nach meinen Ordnungen gelebt, ihr habt meine Gebote missachtet und den Ruhetag nicht eingehalten. Stattdessen habt ihr die Götzen angebetet, die schon eure Vorfahren verehrten.‹

[25] Dann gab ich ihnen Gebote, die nicht gut waren, und Ordnungen, die kein Leben bringen. [26] Ich sorgte dafür, dass sie ihre ältesten Söhne als Opfer verbrannten und so große Schuld auf sich luden. Ich hoffte, sie würden erschrecken und erkennen, dass ich der Herr bin.«

[27] Weiter sprach der Herr zu mir: »Sterblicher Mensch, richte dem Volk Israel noch etwas aus! Sag ihnen: Eure Vorfahren haben mich, den Herrn, verhöhnt und sind mir untreu geworden: [28] Ich hatte geschworen, ihnen das Land zu geben. Doch als ich sie dorthin geführt hatte, begannen sie, auf jedem Hügel und unter jedem dicht belaubten Baum ihren Götzen zu opfern. Sie reizten mich mit ihren widerlichen Opfergaben, sie verbrannten Tiere, um die Götzen für sich zu gewinnen, und gossen für sie Wein als Trankopfer aus. [29] Ich stellte sie zur Rede: ›Was sind das für Hügel, auf die ihr da lauft, um euren Götzen zu opfern?‹ Darum heißen diese Orte bis heute ›Opferhügel‹.

[30] Ich, der Herr, frage euch Israeliten: Wollt ihr die gleiche Schuld auf euch laden wie eure Vorfahren, die mir die Treue brachen und sich mit anderen Göttern einließen? [31] Wenn ihr anderen Göttern Opfer bringt und für sie eure Kinder verbrennt, dann ladet ihr bis zum heutigen Tag Schuld auf euch. Und da sollte ich mich von euch befragen lassen, ihr vom Volk Israel? Ich, der Herr, schwöre, so wahr ich lebe: Von mir bekommt ihr keine Antwort!«

Gott bringt sein Volk wieder zurück

[32] »Was habt ihr euch da ausgedacht? Ihr habt gesagt: ›Wir wollen wie die anderen Völker sein, die Holzstatuen und Steinsäulen anbeten!‹ Doch das wird niemals geschehen! [33/34] Ich, der Herr, schwöre, so wahr ich lebe: Mit starker Hand und mit erhobenem Arm werde ich über euch herrschen und meinen Zorn an euch auslassen. Ich zeige euch meine Macht, wenn ich euch aus allen Ländern heraushole, in die ihr zerstreut wurdet. [35] Ich bringe euch in die Wüste der Völker, und dort trete ich euch von Angesicht zu Angesicht gegenüber, um euch zu richten. [36] Wie ich euren Vorfahren in der Wüste Ägyptens das Urteil gesprochen habe, so werde ich auch euch verurteilen. Darauf könnt ihr euch verlassen! [37] Ich sorge dafür, dass ihr euch an den Bund haltet, den ich mit euch geschlossen habe. Wie ein Hirte die Schafe unter seinem Stab hindurchziehen lässt, um sie zu zählen und aufzuteilen, so gehe ich mit euch um: [38] Alle, die sich gegen mich aufgelehnt und mir die Treue gebrochen haben, sondere ich aus. Zwar führe ich auch sie heraus aus den fremden Ländern, in denen sie leben mussten, aber nach Israel werden sie nicht zurückkommen. Dann werdet ihr erkennen, dass ich der Herr bin.

[39] Ich sage euch Israeliten: Dient doch euren Götzen, wenn ihr unbedingt wollt! Aber nachher werdet ihr ganz sicher auf mich hören und meinen heiligen Namen nicht mehr in den Schmutz ziehen durch die Opfer, die ihr euren Götzen bringt!

20,22 20,9 **20,23** 3 Mo 26,33; 5 Mo 28,63–64 **20,28** 5 Mo 12,2–3* **20,31** 14,3–4 **20,32** 2 Mo 23,24 **20,36** 4 Mo 14,22–25 **20,37** 3 Mo 27,32–33

[40] Denn in Israel, auf meinem heiligen Berg Zion, werdet ihr alle mir dienen. Ich werde euch wieder annehmen und von euch fordern, dass ihr mir eure Opfer darbringt, mit den besten eurer Früchte und allen anderen Gaben, die mir geweiht sind. [41] Wenn ich euch aus den Ländern herausgeführt habe, in die ihr zerstreut wurdet, und ihr in Israel versammelt seid, dann bringt ihr mir Brandopfer dar, und ich nehme euch wieder in Liebe als mein Volk an. So sollen alle Völker sehen, dass ich der heilige Gott bin. [42] Auch ihr werdet erkennen, dass ich der Herr bin, wenn ich euch nach Israel zurückbringe, in das Land, das ich euren Vorfahren mit einem Eid versprochen habe. [43] Dort erinnert ihr euch an alle Schuld, die ihr auf euch geladen habt. Wegen eurer widerlichen Taten werdet ihr euch selbst verabscheuen. [44] Ich will euch wieder annehmen und euch nicht strafen, wie ihr es für eure Sünden verdient hättet. Dies tue ich, damit mein Name geehrt wird. Ihr sollt erkennen, dass ich der Herr bin. Mein Wort gilt!«

Das Gleichnis vom Waldbrand

21 Der Herr sprach zu mir: [2] »Sterblicher Mensch, blick nach Süden, und kündige dem Wald im Süden mein Gericht an! [3] Sag zu ihm: So spricht Gott, der Herr: Hör, was ich dir androhe! Ich werde in dir ein Feuer ausbrechen lassen, das jeden Baum verzehrt, den grünen wie den abgestorbenen. Seine lodernden Flammen werden nicht verlöschen. Das Feuer soll vom Süden bis zum Norden brennen und die Gesichter aller Menschen versengen, die dort leben. [4] Dann wird jeder erkennen, dass ich, der Herr, das Feuer entzündet habe. Nie wird es verlöschen.« [5] Da entgegnete ich: »Ach Herr, mein Gott, muss ich das tun? Hier sagt sowieso schon jeder von mir: ›Er redet nur in unverständlichen Gleichnissen!‹«

Das Schwert des Herrn ist geschärft!

[6] Der Herr sprach zu mir: [7] »Sterblicher Mensch, blick in Richtung Jerusalem, und kündige dem Tempel dort mein Gericht an! Sag zum Land Israel: [8/9] So spricht der Herr: Nun ist es mit meiner Geduld vorbei! Ich ziehe mein Schwert und vernichte alle deine Bewohner, die Guten wie die Bösen. Alle Menschen, vom Norden bis zum Süden, wird mein Schwert treffen! [10] Jeder soll sehen, dass ich, der Herr, mein Schwert gezogen habe, und ich werde es so schnell nicht wieder wegstecken!

[11] Und du, sterblicher Mensch, stöhne, dass die Israeliten es hören, stöhne voller Verzweiflung, als würde dir das Herz brechen! [12] Wenn sie dich fragen: ›Warum stöhnst du?‹, dann antworte ihnen: ›Ich habe eine schlechte Nachricht. Wer sie hört, vergeht vor Angst, wie gelähmt lässt er die Hände sinken, sein Atem stockt, und die Knie schlottern[a]. Die Zeit ist gekommen, das Unglück bricht über euch herein. Darauf gibt euch Gott, der Herr, sein Wort.‹«

[13] Wieder sprach der Herr zu mir: [14] »Sterblicher Mensch, verkünde dem Volk meine Botschaft. Sag ihnen: So spricht der Herr:

Das Schwert wird gewetzt, das Schwert wird poliert, [15/16] zum Morden geschärft, seine Klinge blitzt. Das Schwert ist geschliffen, nun packt es die Faust. Seine Klinge ist scharf, nun gebt es dem Henker!

Mein Volk hat keinen Grund zur Freude, denn es missachtet jede Warnung und jede Strafe.[b] [17/18] Ich, der Herr, habe die Israeliten geprüft. Jede Warnung schlugen sie in den Wind, darum wird meine Strafe sie nun treffen.

Und du, sterblicher Mensch, schrei und brich in lautes Klagen aus! Schlag die

---

[a] Wörtlich: triefen von Wasser.

[b] Der Satz ist im hebräischen Text nicht sicher zu deuten.

20,40 45,18 – 46,15 **20,43** 6,9; 16,61–63 **20,44** 20,9 **21,12** 7,17

Hände an die Brust als Zeichen deiner Trauer! Denn das Schwert wird unter meinem Volk wüten und alle seine Mächtigen treffen. Die Herrscher werden niedergestochen, sie und mein ganzes Volk. [19]Und nun, sterblicher Mensch, schlag voller Zorn die Hände zusammen, und droh dem Volk mein Gericht an:

Das Schwert sticht zu mit doppelter Wucht, ja, dreifach schlägt es zu.[a] Diese Waffe bringt den Tod, alle werden von ihr durchbohrt.
[20]In den Toren Jerusalems liegen die Gefallenen, Angst und Schrecken breiten sich aus. Unzählige sterben unter meinem Schwert, zum Morden ist es geschärft, seine Klinge blitzt.
[21]Stich zu, du Schwert, lass jeden deine Klinge spüren! Stich zu – nach links, nach rechts,[b] so wie die Hand dich gerade führt!
[22]Und auch ich, der Herr, werde die Hände zusammenschlagen und meinen Zorn an Israel auslassen. Darauf gebe ich mein Wort.«

Das Schwert der Babylonier trifft Jerusalem

[23]Der Herr befahl mir: [24]»Sterblicher Mensch, zeichne die beiden Wege, auf denen der König von Babylonien mit seinem Heer in den Krieg ziehen kann! Beide sollen in ein und demselben Land beginnen. Dort, wo sie sich teilen, stell zwei Wegweiser auf, die zu je einer Stadt führen: [25]der eine zur Ammoniterstadt Rabba, der andere nach Jerusalem, der befestigten Stadt in Juda.

So zeigst du die Richtung an, die der babylonische König mit seinen Truppen einschlagen kann. [26]Denn er wird dort Halt machen, wo diese beiden Wege beginnen. Um zu wissen, welchen er wählen soll, lässt er das Losorakel entscheiden. Er befragt seine Götter und schaut, welche Form die Leber eines Opfertieres hat. Er schüttelt die Pfeile in seinem Köcher, [27]holt mit der rechten Hand einen heraus und sieht, dass er die Aufschrift ›Jerusalem‹ trägt. Darum zieht er mit seinen Soldaten nach Jerusalem, und dort stimmen sie ein lautes Kriegsgeschrei an. Sie schütten einen Belagerungswall auf, bauen Angriffsrampen rings um die Mauern und rennen gegen die Tore mit Rammböcken an. [28]Die Menschen in Jerusalem glauben nicht, dass diese Orakelentscheidung richtig sein kann, denn sie haben dem babylonischen König einen Treueeid geschworen. Doch er bringt nun ihre ganze Schuld ans Licht und nimmt sie gefangen.

[29]Ich, der Herr, sage euch Israeliten: In aller Öffentlichkeit begeht ihr eure Verbrechen, eure Auflehnung gegen mich ist allgemein bekannt. Ihr selbst sorgt dafür, dass eure Schuld nicht vergessen wird! Darum gebe ich euch jetzt in die Gewalt eurer Feinde, und sie werden grausam mit euch umgehen.

[30]Du gottloser Herrscher von Israel, dem nichts heilig ist, jetzt ist die Zeit für die endgültige Abrechnung gekommen! [31]Ich, der Herr, sage dir: Weg mit deinem Stirnband, weg mit deiner Krone! Nichts bleibt, wie es ist: Der Mächtige wird gestürzt, der Machtlose erhöht.

[32]Zur Ruine mache ich Jerusalem, ja, ich lege es in Trümmer. Doch dies wird nicht eher geschehen, bis der kommt, den ich dazu beauftragt habe. Ihm werde ich das Gericht übergeben.[c]«

---

[a] So mit der lateinischen Übersetzung. Der hebräische Text lautet: Das Schwert verdoppelt sich, sein Drittel.
[b] So mit der griechischen Übersetzung. Der hebräische Text ist nicht sicher zu deuten.
[c] Oder: ... ja, ich lege es in Trümmer. Es wird nicht eher wieder aufgebaut, bis der kommt, dem diese Stadt rechtmäßig gehört. Ihm werde ich sie geben.
21,27 4,2; 2 Kön 25,1 **21,28** 17,11–19 **21,31** 17,24

Das Schwert trifft die Ammoniter

[33] Weiter sprach der Herr zu mir: »Sterblicher Mensch, kündige den Ammonitern mein Gericht an, denn sie verhöhnen Israel. Richte ihnen diese Botschaft aus:

Zum Schlachten ist das Schwert gezückt, zum Töten hat man es poliert. Nun wird es treffen wie ein Blitz.

[34] Falsche Propheten erzählen euch nichts als Lügen; sie verkünden Visionen von eurer Rettung. Doch das Schwert ist euch schon an den Hals gelegt – ihr Verbrecher seid dem Tod geweiht! Jetzt ist die Zeit für die endgültige Abrechnung gekommen.

[35] Doch dann, König von Babylonien, steck das Schwert wieder in die Scheide! Auch dich werde ich richten, ich strafe dich in deinem eigenen Land, wo du geboren wurdest und zu Hause bist. [36] Meinen Zorn lasse ich an dir aus, er wird dich verzehren wie ein Feuer. Ich gebe dich in die Gewalt grausamer Menschen, die Tod und Verderben bringen. [37] Im Feuer lasse ich dich umkommen, in deinem eigenen Land wird dein Blut fließen, und nichts wird mehr an dich erinnern. Das schwöre ich, der Herr.«

Jerusalem, die Stadt voller Bluttaten

22 Der Herr sprach zu mir: [2] »Sterblicher Mensch, bist du bereit, ein Urteil zu sprechen über die Stadt voller Bluttaten? Halte ihr all die abscheulichen Verbrechen vor Augen, [3] und sag:

So spricht Gott, der Herr: Jerusalem, dein Untergang ist nahe, du selbst hast ihn verschuldet! Mitten in der Stadt ist das Blut deiner Einwohner vergossen worden, du hast dir deine eigenen Götter geschaffen und sie angebetet. [4] Mit deinen blutigen Verbrechen und deinem Götzendienst hast du Schuld auf dich geladen. Du hast das Gericht selbst herbeigeführt – dein Ende ist nahe! Ich sorge dafür, dass du von allen Völkern verachtet wirst, ich gebe dich dem Spott anderer Länder preis. [5] Jeder, ob nah oder fern, verhöhnt dich, dein ehemals hochangesehener Name ist beschmutzt, deine Bestürzung ist groß.

[6] Sieh doch, wie alle deine führenden Männer ihre Macht dazu benutzen, Blut zu vergießen! [7] Deine Einwohner verachten Vater und Mutter. Sie beuten die Ausländer aus und unterdrücken die schutzlosen Witwen und Waisen. [8] Alles, was mir heilig ist, wird in den Schmutz gezogen, und auch den Sabbat achtet ihr nicht als heiligen Tag.

[9] Ihr verleumdet andere, damit sie hingerichtet werden. Auf den Bergen haltet ihr Opfermahlzeiten für eure Götter. Schlimme Schandtaten werden bei euch verübt: [10] Der eine schläft mit der Frau seines Vaters, ein anderer verkehrt mit einer Frau, während sie ihre Tage hat. [11] Man scheut sich nicht, mit der Frau eines anderen ins Bett zu gehen; man lässt sich mit seiner Schwiegertochter ein und macht sich nichts daraus, mit der eigenen Halbschwester zu schlafen. [12] Ihr nehmt Bestechungsgelder an und sprecht dann falsche Todesurteile. Ihr fordert Wucherzinsen und erpresst andere Menschen. Mich aber, den Herrn, habt ihr vergessen.

[13] Darum drohe ich euch mit erhobener Faust,[a] ich strafe euch für Mord und Betrug. [14] Meint ihr wirklich, ihr könntet mir standhalten? Bildet ihr euch ein, ihr würdet nicht den Mut verlieren, wenn ich mit euch abrechne? Ich, der Herr, habe gesagt, dass ich euch richten werde, und ich stehe zu meinem Wort! [15] Ich zerstreue euch unter die Völker, ich bringe euch in fremde Länder, um so eurem gottlosen Treiben ein Ende zu setzen! [16] Die ande-

---

[a] Wörtlich: Ich schlage meine Hände zusammen.

21,33–34 Jer 49,1–6* **21,35–37** Hab 2,6–20 **22,2** 20,4; 23,36 **22,2–4** 9,9; 2 Kön 21,16; Nah 3,1 **22,5** 5,14–15 **22,6** 2 Mo 20,13* **22,7** 2 Mo 20,12*; 22,20*.21–22* **22,8** 20,13; 22,26; 2 Mo 20,8–11* **22,9** 3 Mo 19,16; 1 Kön 21,9–16 **22,10** 3 Mo 18,7–8.19 **22,11** 3 Mo 18,20.15.11 **22,12** 2 Mo 23,7–8; 3 Mo 25,36–37

ren Völker werden euch deswegen verachten, und das habt ihr euch selbst zuzuschreiben. Ihr sollt erkennen, dass ich der Herr bin.«

Die Israeliten – wertlose Schlacke im Schmelzofen

[17] Wieder sprach der Herr zu mir: [18] »Sterblicher Mensch, in meinen Augen gleichen die Israeliten dem wertlosen Abfall, der übrig bleibt, wenn Silber im Schmelztiegel gereinigt wird. Sie sind nichts als Schlacken aus Kupfer und Zinn, aus Eisen und Blei. [19] Ich, der Herr, sage ihnen: Ihr seid die Schlacke, die beim Schmelzen zurückbleibt. Darum mache ich mit euch das einzig Richtige: Ich sammle euch in Jerusalem [20] und werfe euch ins Feuer! So wie man einen Metallklumpen aus Silber, Kupfer, Eisen, Blei und Zinn in den glühenden Tiegel wirft, damit alles zusammen zerschmilzt, so sammle ich euch voller Zorn; ich werfe euch ins Feuer und bringe euch zum Schmelzen. [21/22] Ja, ich will euch sammeln und meinen Zorn an euch auslassen. Ihr sollt seine Glut zu spüren bekommen und darin zerschmelzen wie Silber im Ofen. Dann werdet ihr erkennen, dass ich, der Herr, euch im Zorn gestraft habe.«

Das ganze Volk ist schuldig!

[23] Der Herr befahl mir: [24] »Sterblicher Mensch, richte dem Volk Israel diese Botschaft aus: Ihr habt so viel Schuld auf euch geladen und mich so zornig gemacht, dass ich auf euer Land keinen Regen mehr fallen ließ.

[25] Eure führenden Männer[a] sind wie brüllende, blutgierige Löwen. Sie fallen über die Menschen her, reißen Geld und Gut an sich und machen viele Frauen im Land zu Witwen.

[26] Die Priester legen mein Gesetz aus, wie es ihnen gerade passt. Was ich für heilig erklärt habe, das ziehen sie in den Schmutz. Sie machen keinen Unterschied zwischen heilig und nicht heilig und erklären dem Volk nicht, was rein und was unrein ist. Vom Sabbat, den ich ihnen gegeben habe, wollen sie nichts wissen. Sie sind schuld daran, dass niemand mehr Ehrfurcht vor mir hat.

[27] Die Richter sind wie hungrige Wölfe. Sie vergießen Blut und richten aus Habgier Menschenleben zugrunde.

[28] Und was sagen deine Propheten dazu? Sie beschönigen diese üblen Machenschaften, so wie ein Maler eine hässliche Wand mit weißer Tünche überstreicht. Sie reden von Visionen, die sie gar nicht gesehen haben, und verkünden nichts als Lügen! Sie sagen: ›So spricht der Herr!‹, obwohl ich ihnen gar keine Botschaft mitgeteilt habe.

[29] Auch die einfachen Leute verstehen sich auf Raub und Erpressung. Sie beuten die Armen und Schwachen aus, übervorteilen die Ausländer und tun ihnen Gewalt an.

[30] Ich suchte einen Mann, der für das Land einen Schutzwall baut und die Lücken in den Mauern ausbessert, damit es gewappnet ist, wenn ich es zerstören will. Doch ich fand keinen. [31] Darum lasse ich euch meinen Zorn spüren, er wird euch vernichten wie ein Feuer. Das habt ihr euch selbst zuzuschreiben – ihr bekommt, was ihr verdient. Darauf gebe ich, der Herr, mein Wort.«

Ohola und Oholiba, die schamlosen Schwestern

23 Der Herr sprach zu mir: [2] »Sterblicher Mensch, höre die Geschichte von zwei Frauen, Töchter derselben Mutter. [3] Schon in ihrer Jugend, als sie noch in Ägypten lebten, ließen sie sich mit vielen Männern ein, die ihnen ihre

---

[a] So mit der griechischen Übersetzung. Der hebräische Text lautet: Die Verschwörung der Propheten.

22,17–22 Jes 1,21–26; Jer 9,6 **22,18** Jer 6,29–30 **22,24** Jer 14,2–6 **22,25–28** Zef 3,3–4 **22,25** 34,2–4 **22,26** 44,23; 3 Mo 10,10–11 **22,28** 13,1–7.10 **22,30** 13,5 **22,31** 7,2–4 **23,3** 20,8

Unschuld nahmen und ihre jungen Brüste streichelten. [4]Die ältere heißt Ohola und die jüngere Oholiba. Ohola ist Samaria, Oholiba ist Jerusalem. Sie wurden meine Frauen und brachten Söhne und Töchter zur Welt.

[5]Doch hinter meinem Rücken wurde Ohola mir untreu. Sie warf sich ihren Liebhabern an den Hals, den kriegerischen Assyrern, [6]die sich in Purpur kleideten und angesehene Statthalter und Befehlshaber waren. Alle waren schöne junge Männer, gute Reiter hoch zu Ross. [7]Mit den Söhnen der angesehensten Familien Assyriens betrog sie mich und lud große Schuld auf sich, weil sie deren Götzen verehrte. [8]Auch die Ägypter wollte sie nicht aufgeben, die schon in ihrer Jugend mit ihr geschlafen und ihre jungen Brüste gestreichelt hatten.

[9]Darum gab ich sie in die Gewalt ihrer assyrischen Liebhaber, die sie ja unbedingt haben wollte! [10]Sie vollstreckten das Urteil an ihr: Sie zogen ihr das Kleid hoch, dass alle ihren nackten Körper sehen konnten, nahmen ihr die Söhne und Töchter weg und töteten sie selbst mit dem Schwert. So wurde sie zum warnenden Beispiel für alle Frauen.

[11]Ihre Schwester Oholiba hatte alles mit angesehen, und trotzdem trieb sie es noch schlimmer. Ihre Schamlosigkeit übertraf die ihrer Schwester bei weitem. [12]Auch sie warf sich den Assyrern an den Hals, den prächtig gekleideten Statthaltern und Befehlshabern, allesamt schöne junge Männer, gute Reiter hoch zu Ross. [13]Ich sah, dass auch sie große Schuld auf sich lud; darin waren beide Schwestern gleich.

[14]Aber Oholiba trieb es noch schlimmer: Sie sah Bilder von Babyloniern, mit roter Farbe an die Wand gemalt. [15]Um ihre Hüften trugen sie einen Lendenschurz, ihren Kopf bedeckte ein wehender Turban. Es waren hervorragende Soldaten aus Babylonien, dem Land der Chaldäer. [16]Beim Anblick dieser Bilder packte Oholiba die Gier, und sie schickte Boten nach Babylon. [17]Da kamen die Babylonier zu ihrem Liebesnest, sie schliefen mit ihr und machten sie dadurch unrein. Oholiba aber wandte sich sofort wieder von ihnen ab, nachdem sie ihre Gier befriedigt hatte. [18]In aller Öffentlichkeit beging sie Ehebruch und zeigte ihren nackten Körper jedem, der ihn sehen wollte.

Darum trennte ich mich von ihr, so wie ich es auch bei ihrer Schwester getan hatte. [19]Sie aber trieb es nur noch schlimmer, sie dachte zurück an ihre Jugend, als sie sich mit den Ägyptern eingelassen hatte. [20]Wieder packte sie die Gier nach ihren früheren Liebhabern, deren Glied so groß war wie das eines Esels und die so brünstig waren wie ein Hengst. [21]Ja, sie sehnte sich danach, wieder mit ihnen zu schlafen wie in ihrer Jugend, als die Ägypter ihre jungen Brüste streichelten.

[22]Darum höre, Oholiba, was ich, der Herr, dir sage: Deine früheren Liebhaber, die du verlassen hast, hetze ich nun gegen dich auf. Von allen Seiten werden sie auf dich einstürmen: [23]die Babylonier und Chaldäer, Männer von den Stämmen Pekod, Schoa und Koa, und mit ihnen die Assyrer. Es sind schöne junge Männer, Statthalter und Befehlshaber, die besten Soldaten und angesehensten Leute im Volk, gute Reiter hoch zu Ross. [24]In Scharen fallen sie über dich her; ein Heer aus vielen Völkern stürmt auf Kriegswagen heran. Sie umstellen dich, bewaffnet mit Langschilden, Rundschilden und Helmen. Ich liefere dich ihrem Gericht aus, und sie werden dich nach ihren Gesetzen verurteilen. [25]Weil ich eifersüchtig und zornig bin, sorge ich dafür, dass sie ihren Zorn an dir auslassen: Deine Nase und deine Ohren schneiden sie dir ab, und deine Nachkommen töten sie mit dem Schwert. Ja, alle deine Söhne und Töchter nehmen sie dir weg,

---

23,5 Hos 5,13; 8,9 **23,7–8** 2 Kön 17,4; Hos 7,11; 12,2 **23,9–10** 2 Kön 17,5–6 **23,11** 16,51; Jer 3,11 **23,12–13** 2 Kön 16,7–18 **23,14–18** 2 Kön 20,12–18 **23,19–21** 17,15; 2 Kön 24,1.20; Jer 37,3–7 **23,22–26** 2 Kön 25,1–12

und dein ganzer Besitz wird ein Raub der Flammen. [26]Sie reißen dir die Kleider vom Leib und nehmen deinen kostbaren Schmuck weg.

[27]So mache ich deinem abscheulichen Tun und deiner Hurerei, die du schon in Ägypten getrieben hast, ein Ende. Dann wirst du nicht mehr nach den Ägyptern Ausschau halten – ja, du wirst nicht einmal mehr an sie denken. [28]Denn ich, der Herr, liefere dich deinen Liebhabern aus, von denen du dich voller Hass abgewandt hast. [29]Hasserfüllt werden sie nun über dich herfallen und alles an sich reißen, was du dir mühsam erworben hast. Dann lassen sie dich nackt zurück, dass jeder deinen Körper sehen kann. Weil du es so schlimm getrieben und ständig die Ehe gebrochen hast, [30]wird dies deine gerechte Strafe sein. Ja, anderen Völkern bist du nachgelaufen, ihre Götter hast du angebetet und so große Schuld auf dich geladen.

[31]Du bist dem schlechten Beispiel deiner Schwester gefolgt, darum gebe ich dir denselben Becher in die Hand, den sie trinken musste. [32]Ich, der Herr, kündige dir an:

Gelächter und Spott wird dich treffen,
den Becher deiner Schwester musst du leeren. Viel passt dort hinein, denn er ist tief und breit.
[33]Er macht bekümmert und betrunken,
der Becher voll Angst und Zerstörung,
den schon deine Schwester Samaria trinken musste.
[34]Bis zur Neige trinke ihn, ja, schlürfe ihn aus bis zum letzten bitteren Tropfen. Und mit seinen Scherben zerkratze deine Brüste!

Ich, der Herr, fordere dich dazu auf. [35]Du hast mich vergessen und mir den Rücken gekehrt, darum musst du nun auch die Folgen deines Ehebruchs tragen!«

[36]Weiter sprach der Herr zu mir: »Sterblicher Mensch, bist du bereit, über Ohola und Oholiba Gericht zu halten? Dann tu es! Erinnere sie an all die abscheulichen Dinge, die sie getrieben haben! [37]Ehebruch und Mord werfe ich ihnen vor: Sie haben mich mit ihren Götzen betrogen und für sie die Kinder verbrannt, die sie mir geboren hatten. [38]Aber das genügte ihnen noch nicht: Meinen Tempel haben sie entweiht und den Sabbat nicht als heiligen Tag geachtet. [39]Wenn sie ihre Kinder für die Götzen geschlachtet hatten, gingen sie noch am selben Tag in meinen Tempel und entweihten ihn dadurch. Ja, so trieben sie es in meinem Heiligtum!

[40]Klag die beiden weiter an: Immer wieder habt ihr Boten in die Ferne geschickt, um Männer anzulocken, die dann gerne kamen. Für sie habt ihr euch herausgeputzt: Ihr habt ein Bad genommen, die Augen geschminkt und euch mit Schmuck behängt. [41]Dann habt ihr euch auf euer prunkvolles Bett gesetzt. Einen Tisch mit Weihrauch und duftendem Öl habt ihr vor euch aufgebaut, obwohl doch beides mir gehören sollte. [42]Ihr umgabt euch mit einer lärmenden, ausgelassenen Menge; laut zechten die unzähligen Männer, die aus der Wüste zu euch gekommen waren. Sie streiften euch Armreife über die Hände und setzten euch prunkvolle Kronen auf den Kopf. [43]Ich dachte: Sie sind es gewohnt, die Ehe zu brechen, jetzt treiben sie es schon wieder und haben auch noch Freude daran.[a] [44]Die Männer gehen zu ihnen wie zu Huren. Immer wieder laufen sie zu Ohola und Oholiba, diesen schamlosen Frauen.

[45]Aber aufrichtige Männer werden ihnen das Urteil sprechen, nach den Gesetzen für Ehebrecherinnen und Mörderinnen. Denn sie haben die Ehe gebrochen, und an ihren Händen klebt Blut! [46]Ich, der Herr, befehle: Eine Menschenmenge soll sich versammeln, sie misshandeln, ausrauben [47]und schließlich steinigen und mit Schwertern zer-

[a] Die Verse 42 und 43 sind nicht sicher zu deuten.

23,31–34 Jer 25,15* **23,36** 20,4; 22,2 **23,37** 16,20–21 **23,38** 8,5–18 **23,45–47** 16,38–40

stückeln! Danach sollen ihre Söhne und Töchter getötet und ihre Häuser verbrannt werden.

[48] Ohola und Oholiba, ich mache eurer Hurerei ein Ende! Alle Frauen in Israel sollen gewarnt sein, damit sie nicht genauso schamlos die Ehe brechen wie ihr. [49] Man wird euch für eure Hurerei bestrafen, und ihr müsst für die Sünden büßen, die ihr mit euren Götzen begangen habt. Dann werdet ihr erkennen, dass ich Gott, der Herr, bin.«

Jerusalem, ein rostiger Topf auf dem Feuer

24 Im 9. Jahr unserer Verbannung, am 10. Tag des 10. Monats, sprach der Herr zu mir: [2] »Sterblicher Mensch, schreib dir das Datum des heutigen Tages auf, denn gerade heute beginnt der König von Babylonien mit der Belagerung Jerusalems! [3] Und nun erzähl dem widerspenstigen Volk ein Gleichnis! Sag ihnen: So spricht Gott, der Herr:

Stell einen Topf auf die Kochstelle, und gieß Wasser hinein!
[4] Füll ihn mit dem besten Fleisch, mit Stücken von Lende und Schulter, und gib Knochen voller Mark dazu!
[5] Nimm nur die besten deiner Schafe. Unter dem Topf schichte Holz auf, lass die Fleischstücke garen, zusammen mit den besten Knochen!

[6] Ich, der Herr, sage: Lass dich warnen, du Stadt voller Bluttaten! Du bist ein Topf mit Rost, der nicht mehr abgeht! Wahllos wird das Fleisch aus dir herausgefischt, Stück für Stück, nichts bleibt zurück.

[7] Zum Himmel schreit das Blut, das deine Einwohner vergossen haben, und niemand in Jerusalem versuchte es zu sühnen.[a] [8] Ich selbst habe dafür gesorgt, dass das Blut ungesühnt bleibt und zum Himmel schreit. Denn daran soll sich mein Zorn entzünden, ich werde Rache nehmen. [9] Ich, der Herr, sage dir:

Es wird dir schlecht ergehen, du Stadt voller Bluttaten! Auch ich schichte einen großen Holzstoß unter dir auf.
[10] Ja, bringt große Mengen Holz herbei! Zündet das Feuer an, kocht das Fleisch, bis die Brühe verdampft ist[b] und die Knochen verkohlen!
[11] Stellt den leeren Topf auf das Feuer, damit das Metall heiß wird und glüht, ja, damit der ganze Rost wegschmilzt, der ihn beschmutzt!

[12] Vergebliche Mühe! Selbst im Feuer geht der Rost nicht ab![c]

[13] Jerusalem, durch dein schamloses Treiben hast du dich unrein gemacht, und selbst als ich dich reinigen wollte, bliebst du lieber, wie du warst. Darum wirst du nicht eher wieder rein werden, bis ich meinen Zorn an dir ausgelassen habe! [14] Das schwöre ich, der Herr, und ich werde es auch tun. Ich sehe nicht länger tatenlos zu. Keine Träne werde ich um dich vergießen, kein Mitleid mit dir haben. Ich ziehe dich zur Rechenschaft für das, was du getan hast. Mein Wort gilt!«

Der Tod von Hesekiels Frau – ein Zeichen für Jerusalem

[15] Weiter sprach der Herr zu mir: [16] »Sterblicher Mensch, ich werde dir durch einen plötzlichen Tod wegnehmen, was du am meisten liebst: deine Frau. Doch du sollst nicht in lautes Klagen ausbrechen und nicht weinen. Keine Träne sollst du vergießen! [17] Nur heimlich darfst du stöhnen, aber keine Totenklage für sie halten! Lass dir deine Trauer nicht an-

---

[a] Wörtlich: Ihr Blut ist in ihrer Mitte. Sie hat es auf kahlen Felsen geschüttet, hat es nicht auf die Erde geschüttet, dass man es mit Erde bedecken könnte.
[b] So mit der griechischen Übersetzung. Der hebräische Text ist nicht sicher zu deuten.
[c] Der hebräische Text ist nicht sicher zu deuten.

24,1–2 2 Kön 25,1 **24,3–5** 11,3–11 **24,7** 22,3–4 **24,8** 1 Mo 4,10; Hiob 16,18 **24,11–12** Jer 6,29–30 **24,14** 5,11 **24,17** Jer 16,5–7

merken: Reiß dir nicht das Stirnband vom Kopf, und zieh auch deine Sandalen nicht aus! Verhüll nicht dein Gesicht, und nimm keine Trauermahlzeit ein!«

[18] Noch am selben Abend starb meine Frau, und am nächsten Morgen verhielt ich mich so, wie der Herr es mir befohlen hatte. [19] Da fragten mich die Leute: »Was hat dein seltsames Verhalten zu bedeuten? Willst du es uns nicht erklären?« [20] Ich antwortete:

»Der Herr hat mir befohlen, [21] euch Israeliten diese Botschaft weiterzugeben: So spricht Gott, der Herr: Ihr seid stolz auf den Schutz, den euer Tempel euch bietet, ihr freut euch über ihn und sehnt euch nach ihm zurück. Doch ich werde dafür sorgen, dass er entweiht und zerstört wird. Eure Söhne und Töchter, die ihr in Jerusalem zurückgelassen habt, fallen durchs Schwert. [22] Dann werdet ihr euch genauso verhalten wie Hesekiel. Euer Gesicht werdet ihr nicht verhüllen und keine Trauermahlzeit zu euch nehmen. [23] Eure Stirnbänder und Sandalen werdet ihr anbehalten. Kein lautes Klagen und Weinen wird man von euch hören. Vor Trauer über eure Sünden geht ihr zugrunde, ihr könnt nur noch seufzen und stöhnen. [24] Hesekiel ist ein Mahnzeichen für euch. Es wird euch genauso gehen wie ihm. Dann werdet ihr erkennen, dass ich der Herr bin.«

[25] Weiter sprach der Herr zu mir: »Sterblicher Mensch, ich werde den Israeliten ihren Tempel entreißen, ihren Zufluchtsort, der ihr ganzer Stolz und ihre ganze Freude ist. Ja, sie freuen sich über ihn und sehnen sich nach ihm zurück. Doch ich werde ihn zerstören, und auch ihre Söhne und Töchter lasse ich umkommen. [26] An jenem Tag wird ein Flüchtling, der überlebt hat, zu dir kommen und dir davon berichten. [27] Wenn er bei dir eintrifft, wirst du wieder reden können. Du wirst mit ihm sprechen und nicht länger stumm sein. So wirst du zu einem Mahnzeichen für die Israeliten, damit sie erkennen, dass ich der Herr bin.«

Die Ammoniter werden ihr Land verlieren

25 Der Herr sprach zu mir: [2] »Sterblicher Mensch, blick in die Richtung, wo die Ammoniter leben, und kündige ihnen mein Gericht an! [3] Ruf ihnen zu:

Hört, was Gott, der Herr, euch zu sagen hat: Ihr seid voller Schadenfreude über mein entweihtes Heiligtum. Ihr verhöhnt Israel, weil es verwüstet wurde, und lacht über die Judäer, die in der Verbannung leben. [4] Darum gebe ich euer Land den Stämmen aus dem Osten. Sie werden ihre Zelte bei euch aufschlagen und ihre Siedlungen in eurem Land errichten. Sie werden eure Früchte essen und eure Milch trinken. [5] Die Stadt Rabba mache ich zum Weideplatz für Kamele und alle eure Siedlungen zum Lager für Schafe und Ziegen. Dann werdet ihr erkennen, dass ich der Herr bin.

[6] Hämisch lachend habt ihr zugesehen, wie Israel verwüstet wurde, vor Schadenfreude habt ihr Luftsprünge gemacht und in die Hände geklatscht. [7] Darum erhebe ich drohend meine Hand, um euch zu strafen. Euer Land gebe ich anderen Völkern als Beute, sie werden es plündern und verwüsten. Ich rotte euer Volk aus – ihr sollt kein eigenes Land mehr besitzen. Dann werdet ihr erkennen, dass ich der Herr bin.«

Die Städte Moabs werden zerstört

[8] So spricht Gott, der Herr: »Die Moabiter[a] spotten und sagen: ›Seht doch, das Volk Israel hat den anderen Völkern nichts voraus!‹ [9] Darum werde ich die

---

[a] So mit der griechischen Übersetzung. Der hebräische Text lautet: Die Moabiter und Seïr.

24,21 Jer 7,4 **24,24** 12,11 **24,25–27** 33,21–22 **25,1–7** Jer 49,1–6* **25,3** 36,6; Klgl 2,15–16 **25,8–11** Jes 15,1–16,14*

Berghänge der Moabiter leer fegen, indem ich die Städte dort zerstöre. Ja, im ganzen Land wird es keine einzige Siedlung mehr geben. Ich vernichte die Städte, die der Stolz der Moabiter waren: Bet-Jeschimot, Baal-Meon und Kirjatajim. [10]Ihr Land gebe ich zusammen mit dem Land der Ammoniter den Stämmen aus dem Osten. Die Ammoniter sollen bei allen Völkern vergessen sein, [11]und auch die Moabiter bekommen meine Strafe zu spüren. Dann werden sie erkennen, dass ich der Herr bin.«

Gottes Rache an den Edomitern

[12]So spricht Gott, der Herr: »Die Edomiter haben sich grausam an den Judäern gerächt und große Schuld auf sich geladen. [13]Darum erhebe ich drohend meine Hand, um die Edomiter zu strafen. Mensch und Vieh werde ich ausrotten, mit dem Schwert sollen sie niedergemetzelt werden. Von Teman bis nach Dedan mache ich das Land zu einem Trümmerfeld. [14]Ich lasse mein Volk Israel an den Edomitern Rache nehmen, damit sie meinen grimmigen Zorn zu spüren bekommen. Dann werden die Edomiter erkennen, dass ich, der Herr, mich an ihnen gerächt habe. Darauf gebe ich mein Wort.«

Die Philister werden ausgerottet

[15]So spricht Gott, der Herr: »Auch die Philister haben sich grausam an meinem Volk gerächt. Voller Hass und Verachtung wollten sie ihre Erzfeinde vernichten. [16]Darum erhebe ich drohend meine Hand, um die Philister zu strafen. Alle Stämme, die in ihrem Land leben, rotte ich aus – auch die entlang der Küste. [17]Ich werde sie hart bestrafen und mich grausam rächen. Wenn ich Rache nehme, werden sie erkennen, dass ich der Herr bin.«

Tyrus, die reiche Handelsstadt, geht unter

26 Im 11. Jahr unserer Verbannung, am 1. Tag des Monats[a], sprach der Herr zu mir: [2]»Sterblicher Mensch, die Einwohner der Handelsstadt Tyrus verhöhnen Jerusalem und rufen: ›Haha, das Tor zu den Völkern ist zerbrochen! Nun sind wir die Herren, wir werden reich und bedeutend sein, denn Jerusalem ist nur noch ein Trümmerhaufen!‹ [3]Darum sage ich, der Herr:

Jetzt rechne ich mit dir ab, Tyrus! Viele Völker lasse ich gegen dich heranrücken, unaufhaltsam wie Meereswogen. [4]Sie zerstören deine Stadtmauern und reißen deine Türme ab. Ich fege das Erdreich weg, bis nur noch der nackte Fels aus dem Meer ragt. [5]Du sollst ein unbewohnter Felsen werden, auf dem die Fischer ihre Netze zum Trocknen auslegen. Darauf gebe ich, der Herr, mein Wort. Feindliche Völker plündern dich, [6]und mit ihren Schwertern bringen sie alle Einwohner deiner Tochterstädte auf dem Festland um. Dann wirst du erkennen, dass ich der Herr bin.

[7]Ich lasse Nebukadnezar, den König von Babylonien, den größten aller Herrscher, gegen dich kämpfen. Aus dem Norden wird er dich mit einem gewaltigen Heer überfallen, mit einem großen Aufgebot an Pferden und Streitwagen. [8]Die Einwohner deiner Tochterstädte auf dem Festland tötet er mit dem Schwert. Gegen deine Mauern schüttet er einen Wall auf, er baut Angriffsrampen und errichtet Schutzdächer für sein Heer. [9]Seine Soldaten rennen mit ihren Rammböcken gegen deine Mauern an und bringen sie zum Einstürzen, deine Türme reißen sie mit eisernen Werkzeugen nieder. [10]Wenn sie auf ihren Pferden herangaloppieren, werden Staubwolken dich bedecken. Deine Mauern erzittern vom Lärm der Reiter und Streitwagen,

---

[a] Die Monatsangabe fehlt hier.

25,12–14 Jes 34,5–17* **25,12** 35,5 **25,15–17** Jes 14,28–32* **26,1 – 28,19** Jes 23,1–16* **26,2–3** 36,6 **26,7–9** 29,18 **26,7** Jer 27,6

die durch deine aufgebrochenen Tore hereinstürmen. [11] Die Pferde zertrampeln den Boden in deinen Gassen, die Reiter metzeln alle deine Einwohner mit ihren Schwertern nieder. Die Steinsäulen, die du verehrt hast und die dich schützen sollten, versinken in den Trümmern. [12] Die Feinde plündern deine Schätze und deine Handelsgüter. Sie brechen deine Mauern ab und reißen deine prächtigen Häuser nieder. Die Steine, die Balken und den ganzen Schutt werfen sie ins Meer. [13] Ich sorge dafür, dass deine lauten Lieder verstummen, und auch vom Harfenspiel hört man nichts mehr. [14] Ich mache dich zu einem kahlen Felsen, auf dem die Fischer ihre Netze zum Trocknen auslegen. Nie wieder sollst du aufgebaut werden! Darauf gebe ich, der Herr, mein Wort, und ich werde es halten.

[15] Die Inseln erbeben, wenn du mit lautem Getöse zusammenfällst. Ihre Bewohner zittern, wenn sie die Schlachtrufe der Mörder und das Stöhnen der Sterbenden hören. [16] Die Herrscher der Küstenvölker steigen von ihrem Thron herunter. Sie legen ihre prächtigen Mäntel und ihre bunten Gewänder ab. Der Schreck lässt sie nicht los, sie kauern voller Entsetzen auf der Erde und hören nicht mehr auf zu zittern. [17] Dann stimmen sie ein Klagelied über dich an und singen:

›Ach, nun liegst du in Trümmern, Festung an der Küste, ruhmreiche Stadt! Das Meer gehörte dir, deine Nachbarn mussten sich vor dir fürchten.
[18] Auf den Inseln ringsum herrscht Entsetzen, alle zittern vor Schreck über dein grausames Ende.‹

[19] Ich, der Herr, kündige dir an: Ich lege dich in Trümmer, es soll dir nicht besser gehen als anderen Städten, die zerstört und verlassen sind. Aus den Tiefen der Meere lasse ich Wasser heraufsteigen, und die Fluten werden dich bedecken. [20] Ich stoße dich hinunter zu denen, die ins Grab gesunken sind, zu den Völkern, die in grauer Vorzeit lebten. In den Tiefen unter der Erde musst du hausen, mitten in den Ruinen aus längst vergangener Zeit. Dort im Totenreich sollst du bleiben. Denn nie wieder wirst du bewohnt sein, nie wieder Macht besitzen[a] in der Welt der Lebenden. [21] Ja, ich bereite dir ein schreckliches Ende. Es wird dich nicht mehr geben, und wer dich sucht, wird dich nie wieder finden. Darauf gebe ich, der Herr, mein Wort.«

Ein Klagelied über den Untergang von Tyrus

27 Der Herr sprach zu mir: [2] »Sterblicher Mensch, stimm ein Klagelied über Tyrus an! [3] Sag zu der Stadt, die den Zugang zum Meer beherrscht und mit vielen Küstenvölkern Handel treibt:

So spricht der Herr: Tyrus, du behauptest, ein Schiff von vollendeter Schönheit zu sein. [4] Das Meer ist dein Zuhause, und die Schiffsbauer haben dich schön gestaltet: [5] Deine Planken bauten sie mit Wacholderholz vom Hermon, den Mast fertigten sie aus Zedern vom Libanon an. [6] Für deine Ruder nahmen sie Eichen aus Baschan, das Deck bauten sie mit Zypressenholz aus Zypern und verkleideten es mit Elfenbein. [7] Aus Ägypten kam das Leinen für die Segel, die bunten Farben leuchteten weithin. Für das Sonnensegel wurde violetter und roter Purpur aus Elischa verwendet.

[8] Die Bewohner von Sidon und Arwad waren deine Ruderer, weise Männer aus deiner Mitte arbeiteten als Matrosen. [9] Wenn man ein Leck fand, besserten es die Ältesten und Weisen aus Byblos aus. In deinem Hafen lagen Schiffe aus vielen Meeren; in den Straßen versammelten sich die Seeleute, um Handel zu treiben. [10] Söldner aus Persien, Lydien und Libyen dienten in deinem Heer, ihre Schilde und Helme verliehen dir Glanz. [11] Männer aus Arwad verteidigten deine Mauern zu-

---

[a] So mit der griechischen Übersetzung. Der hebräische Text ist nicht sicher zu deuten.

26,20 32,17–32 **27,2** 26,17; 28,12; 32,2 **27,3** 28,17

sammen mit deinen Soldaten, und Gammaditer bewachten deine Türme; ihre Schilde hängten sie ringsum an deinen Mauern auf. So war deine Schönheit vollkommen.

[12] Du warst eine reiche Stadt; viele Güter konnte man bei dir kaufen. Tarsis bot dir dafür Silber, Eisen, Zinn und Blei. [13] Händler aus Griechenland, aus Tubal und Meschech kauften bei dir und brachten dir dafür Sklaven und Gegenstände aus Kupfer. [14] Die Bewohner von Bet-Togarma tauschten deine Waren gegen Zugpferde, Reitpferde und Maultiere. [15] Die Kaufleute von Rhodos[a] und vielen anderen Inseln brachten dir Elefantenzähne und Ebenholz. [16] Die Edomiter[b] kauften viele deiner reichen Güter und gaben dir dafür roten Purpur, bunte Stoffe, feines Leinen und Edelsteine. [17] Juda und Israel tauschten deine Waren gegen Weizen, Hirse, Honig, Öl und duftendes Harz. [18] Die Bewohner von Damaskus boten dir Wein aus Helbon und Wolle aus Zahar und bekamen dafür zahlreiche Schätze aus deinem großen Besitz. [19] Die Leute von Wedan und Jawan aus dem Gebiet von Usal gaben dir Gegenstände aus Eisen sowie Zimt und andere Gewürze. [20] Dedan tauschte deine Waren gegen Satteldecken ein. [21] Die Fürsten von Arabien und Kedar gaben dir Lämmer, Schaf- und Ziegenböcke. [22] Die Kaufleute von Saba und Ragma brachten dir die besten Balsamöle, allerlei Edelsteine und Gold. [23] Haran, Kanne, Eden, die Händler von Saba, Assyrien und ganz Medien – sie alle trieben Handel mit dir. [24] Prächtige Gewänder boten sie dir, Mäntel aus violettem Purpur, bunte Stoffe, mehrfarbige Teppiche und gedrehte, feste Seile. [25] Die Handelsschiffe von Tarsis kamen in großen Flotten zu dir und brachten deine Waren überallhin. So wurdest du immer reicher – ein wunderschönes Schiff mitten im Meer. [26] Deine Ruderer fuhren mit dir über das Wasser.

Doch es dauert nicht mehr lange, da wirst du mitten auf dem Meer vom Ostwind erfasst und zerbrochen! [27] Alles, was dir gehört, stürzt in die Fluten: deine Waren, deine Seeleute und Matrosen, die Männer, die deine Lecks ausbessern, deine Kaufleute und Soldaten. [28] Die Küsten erzittern, wenn sie das laute Geschrei deiner Matrosen hören. [29] Alle Seeleute verlassen ihre Schiffe und bleiben voller Entsetzen an Land. [30] Laut schreien und klagen sie über dich, streuen sich Staub auf den Kopf und wälzen sich in Asche. [31] Die Haare schneiden sie sich ab und hüllen sich in Trauergewänder aus grobem Sacktuch, sie weinen heftig und halten die Totenklage über dich. [32] Ja, sie stimmen ein Klagelied an:

›Wer wurde jemals so zerstört wie Tyrus, dies prachtvolle Schiff mitten im Meer? [33] Als deine Kaufleute über die Meere segelten, haben sie vielen Völkern Schätze gebracht. Deine Waren und dein Besitz schenkten den Königen großen Reichtum.

[34] Jetzt aber bist du zerbrochen und in den Tiefen des Meeres versunken. Deine Güter und dein ganzer Reichtum – nichts ist mehr davon zu sehen!

[35] Die Bewohner der Küstenländer sind verstört, ihren Königen stehen die Haare zu Berge, das Entsetzen ist ihnen ins Gesicht geschrieben.

[36] Völker, die vorher deine Waren kauften – sie alle verachten dich nun! Ein Bild des Schreckens bist du geworden, es ist aus mit dir für alle Zeit.‹«

Gottes Botschaft an den Fürsten von Tyrus

28 Der Herr sprach zu mir: [2] »Sterblicher Mensch, geh zum Fürsten von Tyrus, und richte ihm aus:

Du bist hochmütig und behauptest vol-

---

[a] So mit der griechischen Übersetzung. Der hebräische Text lautet: Dedan.
[b] So mit der griechischen Übersetzung. Der hebräische Text lautet: Die Syrer.

27,17 1 Kön 5,24–26 **27,25** 1 Kön 10,22 **27,35–36** 28,19 **28,2** 1 Mo 3,5; Spr 16,5

ler Stolz: ›Ich bin Gott und wohne wie ein Gott auf meiner Insel mitten im Meer!‹ Doch auch wenn du dich selbst für einen Gott hältst, bist du nur ein Mensch! [3] Zwar bist du weiser als Daniel, kein Geheimnis ist zu dunkel für dich. [4] Weisheit und Verstand haben dich sehr reich gemacht, deine Schatzkammern sind voll mit Silber und Gold. [5] Durch kluge Geschäfte hast du deinen Besitz immer weiter vergrößert. Doch all dies hat dich stolz und überheblich gemacht, [6] und nun glaubst du, genauso zu sein wie Gott. Darum sage ich, der Herr:

[7] Die grausamsten Völker lasse ich über dich herfallen. Mit ihren Schwertern werden sie deine ganze Pracht zerstören, alles, was du mit deiner Weisheit erworben hast. [8] Sie werden dich töten, und das Meer wird dein Grab sein. [9] Wenn du deinen Mördern gegenüberstehst, wirst du dann immer noch behaupten, Gott zu sein? Nein, im Angesicht des Todes wirst du merken, dass du nur ein vergänglicher Mensch bist! [10] Durch die Hand von Fremden wirst du sterben wie ein unbeschnittener Heide. Darauf gebe ich, der Herr, mein Wort.«

[11] Weiter sprach der Herr zu mir: [12] »Sterblicher Mensch, stimm ein Klagelied an über das Unglück, das den König von Tyrus erwartet! Richte ihm aus, was ich, der Herr, sage:

Tyrus, deine Schönheit war beispiellos, deine Weisheit vollkommen. [13] Du lebtest in Eden, dem Garten Gottes, und trugst Edelsteine jeder Art: Beryll, Topas und Jaspis, Chrysolith, Karneol und Onyx, Saphir, Rubin und Smaragd. Deine Ohrringe und Ketten waren aus Gold geschmiedet,[a] ich schmückte dich mit ihnen an dem Tag, als ich dich schuf.

[14] Auf meinem heiligen Berg ließ ich dich wohnen, ein Cherub-Engel schützte dich mit ausgebreiteten Flügeln, zwischen feurigen Steinen gingst du umher. [15] Seit ich dich geschaffen habe, hast du getan, was gut und richtig ist, doch nun bist du schuldig geworden. [16] Dein Handel blühte, und der Erfolg verführte dich zu üblen Machenschaften und Gewalttaten.

Darum vertrieb ich dich von meinem Berg, und der Cherub-Engel stieß dich von den feurigen Steinen fort in den Untergang. [17] Deine Schönheit ist dir zu Kopf gestiegen, deine prachtvolle Erscheinung ließ dich handeln wie ein Narr. Darum habe ich dich zu Boden geworfen, ich habe dich erniedrigt vor den Augen anderer Könige; voller Verachtung blicken sie auf dich herab. [18] Durch betrügerischen Handel hast du große Schuld auf dich geladen und deine Heiligtümer entweiht. Darum ließ ich mitten in deiner Stadt ein Feuer ausbrechen, das sie vollkommen niederbrannte. Wer sie jetzt sucht, findet nur noch einen Haufen Asche. [19] Alle Völker, die sie kannten, sind entsetzt. Ein Bild des Schreckens ist sie geworden, es ist aus mit ihr für alle Zeit!«

Gott straft die Stadt Sidon

[20] Der Herr forderte mich auf: [21] »Sterblicher Mensch, blick in die Richtung, wo die Stadt Sidon liegt, und kündige ihr mein Gericht an! [22] Ich, der Herr, sage: Du bekommst es mit mir zu tun, Sidon! Wenn ich Gericht über dich halte, werden alle sehen, dass ich ein heiliger Gott bin. Überall wird man mich rühmen für das Urteil, das ich an dir vollstrecken werde. Jeder soll erkennen, dass ich der Herr bin. [23] In deinen Häusern wird die Pest ausbrechen, und in deinen Straßen wird Blut fließen. Von allen Seiten bedrängen dich deine Feinde, und viele deiner Einwohner werden mit dem Schwert erstochen. Dann erkennst du, dass ich der Herr bin.«

---

[a] Der hebräische Text ist nicht sicher zu deuten.

28,3–5 Sach 9,2–3 **28,7** 30,11; 31,12; 32,12 **28,8** 26,20 **28,12** 27,2 **28,13** 1 Mo 2,8 **28,14–16** Jes 14,12–15 **28,17** 27,3 **28,19** 27,35–36 **28,20–23** Jes 23,2–4.12; Joel 4,4

Israel wird zurückkehren und Frieden haben

[24]»Jetzt noch verachten die feindlichen Nachbarvölker die Israeliten und fügen ihnen Schmerzen zu wie Dornen und Stacheln. In Zukunft aber werden die Israeliten vor ihnen Ruhe haben. Dann werden sie erkennen, dass ich der Herr bin. [25]Ich verspreche, sie aus allen Völkern zurückzubringen, unter die sie jetzt noch zerstreut sind. Dann werden auch ihre Feinde sehen, dass ich der heilige Gott bin. Mein Volk wird wieder in dem Land wohnen, das ich vor langer Zeit meinem Diener Jakob gegeben habe. [26]Dann können sie wieder in Ruhe und Sicherheit leben, Häuser bauen und Weinberge anlegen. Doch ihre Nachbarvölker, die nur Verachtung für sie übrig hatten, werde ich richten. So wird mein Volk erkennen, dass ich, der Herr, ihr Gott bin.«

Ägypten – ein Trümmerfeld für vierzig Jahre

29 Im 10. Jahr unserer Verbannung, am 12. Tag des 10. Monats, sprach der Herr zu mir: [2]»Sterblicher Mensch, blick in die Richtung, wo der Pharao, der König von Ägypten, lebt, und kündige ihm und ganz Ägypten mein Gericht an! [3]Ich, der Herr, sage ihm:

Pharao, König von Ägypten, du bekommst meine Macht zu spüren! Du gleichst einem großen Krokodil, das mitten im Nil liegt und sagt: ›Der Fluss gehört mir, ich selbst habe ihn geschaffen.‹

[4]Doch ich werde Haken durch deine Kinnlade schlagen und dich aus dem Wasser ziehen mitsamt den Fischen, die sich in deinem Schuppenpanzer verfangen. [5]Ich schleudere euch alle in die Wüste und lasse euch im Sand liegen. Niemand wird euch begraben, ihr werdet ein Fraß sein für die wilden Tiere und die Vögel. [6]Dann werden alle Bewohner deines Landes erkennen, dass ich der Herr bin.

Ägypten, du hast die Israeliten glauben lassen, eine Stütze für sie zu sein. Doch in Wahrheit bist du nur ein dünner Stab aus Schilfrohr: [7]Wenn sie sich auf dich stützen, zerbrichst du, lässt sie hinfallen[a] und durchbohrst ihnen die Schulter! [8]Darum sage ich, der Herr: Ich sorge dafür, dass deine Feinde dich angreifen und Mensch und Vieh mit dem Schwert durchbohren. [9]Sie werden deine Städte in Trümmer legen und das ganze Land zu einer menschenleeren Wüste machen. Dann wirst du erkennen, dass ich der Herr bin.

Ägypten, du behauptest: ›Der Nil gehört mir, ich selbst habe ihn geschaffen!‹ [10]Darum bekommst du meine Macht zu spüren, und auch den Fluss trifft mein Zorn. Das ganze Land mache ich zu einem Trümmerfeld, zu einer menschenleeren Wüste, von Migdol im Norden bis nach Syene im Süden und bis an die äthiopische Grenze. [11]Vierzig Jahre lang wird niemand diese Wüste durchqueren – weder Menschen noch Tiere werden dort leben. [12]Ägypten, du wirst schlimmer verwüstet als jedes andere Land auf der Welt. Dafür sorge ich! Vierzig Jahre lang werden deine Städte Ruinenfelder sein, größer als die aller anderen zerstörten Städte. Ich werde deine Bewohner in alle Länder zerstreuen.

[13]Nach vierzig Jahren aber werde ich, der Herr, die Ägypter wieder aus den Völkern zurückbringen, bei denen sie gelebt haben. [14]In Oberägypten sollen sie wohnen, wo sie ursprünglich herstammen. Dort werden sie ein kleines Königreich bilden, [15]unbedeutender als alle anderen Königreiche. Ich sorge dafür, dass ihre Zahl gering bleibt, damit sie nie mehr über andere Länder herrschen können. [16]Nie wieder sollen sie Israel

---

[a] Wörtlich: lässt ihre Hüften wanken. – So mit der syrischen Übersetzung. Der hebräische Text lautet: lässt ihre Hüften fest stehen.

28,25 11,17; 20,41; 34,12–13; 36,8; 36,24; 37,21; Jes 11,11–12*; Jer 23,3* **28,26** Jes 65,21–22 **29,1 – 32,32** Jes 19,1–15* **29,3–5** 32,2–6 **29,6–7** 2 Kön 18,21; Jes 30,1–7; Jer 37,7 **29,10** 30,6 **29,13–16** Jes 19,19–25

dazu verführen, ihr Vertrauen auf Ägypten zu setzen. Denn als Israel sich mit ihnen einließ, hat es große Schuld auf sich geladen. Die Ägypter werden erkennen, dass ich der Herr bin.«

Nebukadnezar bekommt Ägypten als Lohn

[17] Im 27. Jahr unserer Verbannung, am 1. Tag des 1. Monats, sprach der Herr zu mir: [18] »Sterblicher Mensch, Nebukadnezar, der König von Babylonien, ließ seine Soldaten hart arbeiten, als er die Stadt Tyrus belagerte. Sie mussten so schwere Lasten schleppen, dass ihre Köpfe kahl gescheuert und ihre Schultern zerschunden waren. Aber in Tyrus gab es weder für ihn noch für sein Heer genug Beute als Lohn für ihre Mühe.

[19] Darum sage ich, der Herr: Ich gebe Nebukadnezar das Land Ägypten. Er wird die Schätze wegtragen, das Land ausplündern und reiche Beute machen, mit der er seine Soldaten bezahlen kann. [20] Weil Nebukadnezar in meinem Auftrag gehandelt hat, überlasse ich ihm Ägypten als Lohn für seine Mühe. Darauf gebe ich, der Herr, mein Wort.

[21] Wenn dies geschieht, werde ich Israel wieder neue Macht verleihen. Und dir, Hesekiel, gebe ich den Mut, zum Volk zu sprechen. Dann werden sie erkennen, dass ich der Herr bin.«

Ägyptens Macht wird gebrochen

30 Der Herr sprach zu mir: [2] »Sterblicher Mensch, verkünde meine Worte, gib weiter, was ich, der Herr, zu sagen habe:

Jammert und schreit, denn es kommt ein Tag des Schreckens! [3] Er ist schon nah, dunkle Wolken ziehen auf, denn ich, der Herr, werde Gericht halten über die Völker! [4] Mein Schwert trifft Ägypten und metzelt die Menschen dort nieder. Alle Schätze des Landes werden geplündert und die Städte bis auf die Grundmauern niedergerissen. Die Äthiopier zittern vor Entsetzen, [5] denn das Schwert durchbohrt auch die Söldner aus ihrem Land, zusammen mit denen aus Libyen, Lydien und Kub. Mit den Ägyptern werden auch die Soldaten des Volkes sterben, mit dem ich einen Bund geschlossen habe. [6] Ich, der Herr, gebe mein Wort: Alle, die Ägypten geholfen haben, werden getötet. Dann sind der Stolz und die Macht dieses Landes gebrochen; überall liegen die Gefallenen, von Migdol im Norden bis nach Syene im Süden. [7] Ägypten wird verwüstet werden wie noch nie ein Land auf der Welt, seine Städte werden zerstört sein wie keine andere Stadt. [8] Wenn ich das Land niederbrenne und alle seine Helfer zerschmettere, werden die Ägypter erkennen, dass ich der Herr bin.

[9] An jenem Tag sende ich Boten in Schiffen nilaufwärts zu den Äthiopiern, die sich so sicher fühlen. Wenn sie vom Untergang Ägyptens hören, zittern sie vor Entsetzen. Ja, dieser Tag wird bald kommen! [10] Ich, der Herr, mache der Macht und dem Reichtum Ägyptens ein Ende durch Nebukadnezar, den König von Babylonien. [11] Unter seinem Befehl wird sein grausames Heer das Land verwüsten und die Menschen mit Schwertern durchbohren. Dann ist alles mit Leichen übersät. [12] Die Nilarme lasse ich vertrocknen, und ganz Ägypten gebe ich in die Hand von Feinden, die kein Erbarmen kennen. Sie werden das Land und all seinen Reichtum zerstören.

[13] Ich, der Herr, gebe mein Wort: Ich beseitige die Götzen Ägyptens, ich vernichte die falschen Götter von Memfis. Es wird auch keine Herrscher mehr geben, im Land geht die Angst um. [14] Ich werde Oberägypten verwüsten, Zoan verbrennen und Gericht über Theben halten. [15] Sin, die stärkste Festung Ägyptens, bekommt meinen Zorn zu spüren,

---

29,18 26,7–9 **29,19–20** Jer 43,10–13 **30,2–3** Jer 46,10 **30,5** Jer 46,9 **30,6** 29,10 **30,8** 2 Mo 14,4 **30,10** 29,19–20 **30,11** 28,7 **30,13** Jer 46,25

den ganzen Reichtum von Theben vernichte ich. [16] Ägypten wird ein Raub der Flammen, Sin windet sich in Krämpfen, Theben wird erstürmt, und Memfis wird am helllichten Tag von Feinden angegriffen. [17] Die jungen Männer von Heliopolis[a] und Bubastis fallen im Krieg, und die Einwohner dieser Städte müssen in die Gefangenschaft gehen. [18] In Tachpanhes zerbreche ich die Kraft Ägyptens, ich bereite der Macht, auf die das Land so stolz ist, ein Ende. Dunkle Wolken ziehen auf, die Nacht bricht herein, und die Einwohner aller Städte werden verschleppt. [19] So vollstrecke ich mein Urteil an den Ägyptern, und sie werden erkennen, dass ich der Herr bin.«

[20] Im 11. Jahr unserer Verbannung, am 7. Tag des 1. Monats, sprach der Herr zu mir: [21] »Sterblicher Mensch, ich habe dem Pharao, dem König von Ägypten, den Arm gebrochen. Niemand hat ihn verbunden oder in eine Schlinge gelegt, er wird nicht heilen und nie wieder stark genug sein, ein Schwert zu halten.

[22] Ich, der Herr, sage: Der Pharao bekommt meine Macht zu spüren! Ich breche ihm beide Arme – den gesunden und den gebrochenen – und schlage ihm das Schwert aus der Hand. [23] Die Ägypter jage ich fort und zerstreue sie in alle Länder.

[24] Die Arme des Königs von Babylonien aber mache ich stark und gebe ihm mein Schwert in die Hand. Mit gebrochenen Armen wird der Pharao sich vor seinem Feind winden und stöhnen wie ein tödlich Verwundeter. [25] Ja, ich breche seine Macht, den König von Babylonien aber mache ich stark. Wenn ich mein Schwert in seine Hand gebe und er Ägypten damit schlägt, dann werden die Menschen dort erkennen, dass ich der Herr bin. [26] In alle Himmelsrichtungen werde ich die Ägypter zerstreuen, damit sie mich als Herrn achten.«

Der mächtige Baum und sein Sturz

31 Im 11. Jahr unserer Verbannung, am 1. Tag des 3. Monats, sprach der Herr zu mir: [2] »Sterblicher Mensch, sag zum Pharao, dem König von Ägypten, und zu seinem ganzen Volk:

Groß ist deine Macht, womit kann ich dich vergleichen? [3] Eine Zypresse bist du, eine Zeder auf dem Libanon. Ihre schönen Zweige spenden Schatten; hoch ist sie gewachsen, ihr Wipfel ragt bis in die Wolken empor. [4] Das Erdreich versorgt sie mit Wasser, das Meer in der Tiefe lässt sie in die Höhe wachsen; es speist auch die Quellen, die überall im Wald entspringen und die Bäume bewässern. [5] Weil sie so viel Wasser hat, ist sie größer als alle anderen Bäume; sie besitzt eine prächtige Krone mit vielen langen Ästen. [6] In ihren Zweigen nisten die Vögel, in ihrem Schutz werfen die wilden Tiere ihre Jungen, in ihrem Schatten wohnen viele Völker. [7] Sie ist ein wunderschöner Baum, hoch gewachsen und mit langen Zweigen, denn ihre Wurzeln bekommen reichlich Wasser. [8] Keine Zeder ist so schön wie sie, keine Zypresse oder Platane hat so mächtige Äste, selbst die Bäume in meinem Garten halten einem Vergleich mit ihr nicht stand. [9] Ich, der Herr, habe sie schön gemacht und ihr viele Zweige gegeben. Alle Bäume in Eden blicken voller Neid zu ihr auf.

[10] Doch weil sie so hoch gewachsen ist und ihr Wipfel bis in die Wolken ragt, ist sie stolz und überheblich geworden. Darum sage ich, der Herr:

[11] Ich gebe sie in die Gewalt des mächtigsten aller Könige; er wird sie so behandeln, wie sie es verdient hat. Sie wollte von mir nichts mehr wissen, und so wende auch ich mich von ihr ab. [12] Die grausamsten Völker werden sie fällen und zu Boden werfen. Ihre Zweige fallen auf die Berge und in die Täler, ihre Äste zerbre-

---

[a] So mit der griechischen Übersetzung. Der hebräische Text lautet: Awan.

30,18 Jer 43,7–11 **30,21** 2 Kön 24,7; Jer 37,5–10 **30,23** 29,12 **31,2–18** Dan 4,7–24 **31,8–9** 1 Mo 2,8–9 **31,10** 28,17 **31,12** 28,7

chen und bleiben in den Schluchten liegen. Die Völker, die in ihrem Schatten gewohnt haben, ziehen fort und lassen sie im Stich. [13] Auf ihrem gefällten Stamm sitzen die Vögel, die wilden Tiere hausen zwischen ihren toten Ästen. [14] In Zukunft soll kein Baum, der am Wasser steht, wieder so hoch wachsen, keiner soll seinen Wipfel bis in die Wolken strecken und sich über andere erheben. Jeder hohe Baum wird gefällt, er muss hinunter in die Totenwelt, genau wie die Menschen. [15] Wenn ich, der Herr, die Zeder in die Totenwelt hinabstürze, trauert das Meer in der Tiefe, die Flüsse fließen nicht mehr, und die Quellen versiegen. Ich sorge dafür, dass der Libanon sich in Trauer hüllt und die Bäume im Wald zittern und beben. [16] Wenn sie dorthin fällt, wo die Toten ruhen, gibt es ein solches Getöse, dass die Völker erschrecken. Die Bäume aus meinem Garten und die besten, gut bewässerten Bäume des Libanon erwarten sie schon und freuen sich über ihren Sturz. [17] Denn sie sind schon dort angekommen, zusammen mit den Menschen, die im Krieg gefallen sind. Alle, die im Schatten der Zeder gewohnt haben, sind bereits in der Totenwelt versammelt.

[18] Ägypten, noch bist du groß und wunderschön, kein Baum im Garten Eden hält einem Vergleich mit dir stand. Doch zusammen mit den anderen Bäumen wirst du hinabstürzen ins Totenreich. Dort liegst du mitten unter den unbeschnittenen Heiden, die im Krieg gefallen sind. Ja, so wird es dem Pharao und seinem ganzen Volk ergehen! Darauf gebe ich, der Herr, mein Wort!«

Der Pharao, das erlegte Krokodil

32 Im 12. Jahr unserer Verbannung, am 1. Tag des 12. Monats, sprach der Herr zu mir: [2] »Sterblicher Mensch, stimm ein Klagelied an über den Pharao, den König von Ägypten. Richte ihm aus:

Du denkst, du bist so stark wie ein junger Löwe, mächtiger als alle Völker. Doch du gleichst eher einem Krokodil im großen Fluss! Du bläst ins Wasser, dass es sprudelt, und mit deinen Füßen wühlst du es auf, ja, jeden Fluss lässt du trüb werden.

[3] Aber ich, der Herr, schicke viele Völker zu dir. Sie werden dich mit einem Netz fangen und aus dem Wasser ziehen. [4] Dann schleudere ich dich aufs freie Feld; die Vögel sollen sich auf dir niederlassen und die wilden Tiere dich zerreißen. [5] Deine Leiche wird die Berge bedecken und die Täler ausfüllen, [6] dein Blut wird von den Bergen herunterfließen, das Land tränken und die Flüsse anschwellen lassen.

[7] Wenn ich dich vernichte, werde ich den Himmel verfinstern und die Sterne auslöschen. Schwarze Wolken verdunkeln dann die Sonne, und der Mond scheint nicht mehr. [8] Ja, alle Lichter am Himmel lösche ich aus, deinetwegen bringe ich Finsternis über das ganze Land. Darauf gebe ich, der Herr, mein Wort.

[9] Die Nachricht über deinen Untergang lasse ich in Ländern bekannt werden, von denen du noch nie etwas gehört hast. Viele Völker packt das Entsetzen. [10] Mein Gericht über dich jagt ihnen Angst und Schrecken ein. Wenn ich mein Schwert schwinge, stehen den Königen die Haare zu Berge. Dein Schicksal erschreckt sie so, dass sie um ihr eigenes Leben fürchten.

[11] Ich, der Herr, sage dir: Das Schwert des babylonischen Königs wird dich treffen. [12] Die grausamsten Völker fallen über dich her, töten die Bewohner deines Landes und zerstören deinen ganzen Reichtum. Dann hat dein Hochmut ein Ende. [13] An jeder Wasserstelle töte ich dein Vieh. So können in Zukunft weder Mensch noch Tier das Wasser verschmutzen. [14] Ich sorge dafür, dass deine Gewässer sauber sind und der Nil ruhig dahinfließt. Darauf kannst du dich verlassen! [15] Wenn ich dein Land zu einer menschenleeren Wüste mache und seiner Schönheit beraube, wenn ich alle seine

---

31,15–18 32,17–32 **32,2** 29,3 **32,7–8** Jes 13,10; Joel 2,10 **32,10** 28,19 **32,11** 30,10 **32,15** 30,8

Bewohner strafe, dann werden sie erkennen, dass ich der Herr bin.

[16] Dies ist ein Trauerlied, und in allen Völkern werden die Frauen es singen, um das Schicksal des reichen und mächtigen Ägypten zu beklagen. Darauf gebe ich, der Herr, mein Wort.«

Die Völker in der Totenwelt

[17] Im 12. Jahr unserer Verbannung, am 15. Tag des Monats[a], sprach der Herr zu mir: [18] »Sterblicher Mensch, halte die Totenklage über Ägypten und seine ganze Pracht! Schick das Land hinunter ins Totenreich, wo schon andere mächtige Völker hausen! [19] Sag zu Ägypten:

Deine ganze Pracht – wo ist sie geblieben? Was hast du anderen Völkern jetzt noch voraus? Du musst hinunter ins Totenreich, mitten unter die unbeschnittenen Heiden! [20] Ja, die Ägypter werden vernichtet wie all die anderen, die im Krieg gefallen sind. Das Schwert ist schon gezückt! Bringt das ganze ägyptische Volk herbei! [21] Im Reich der Toten warten schon große Herrscher auf sie, um sie und ihre Helfer zu verspotten: ›Nun seid auch ihr hier angekommen, nun haust ihr unter den unbeschnittenen Heiden – wie alle, die im Kampf getötet wurden!‹

[22] Auch der König von Assyrien ruht dort unten mit seinem ganzen Volk; sie alle sind im Krieg umgekommen. [23] Ihre Gräber liegen an der tiefsten Stelle der Totenwelt, rund um das Grab ihres Königs. Einst haben sie den Lebenden Angst und Schrecken eingejagt, doch nun hat das Schwert sie durchbohrt.

[24/25] Auch der König von Elam liegt im Reich der Toten, und sein Volk ruht rings um sein Grab. Im Krieg sind sie getötet worden und dann in die Totenwelt gekommen.

Da liegen sie nun, diese unbeschnittenen Heiden! Früher haben sie andere Völker eingeschüchtert, doch nun ruhen sie dort unten, ihr König in der Mitte und sie rund um sein Grab. Nun tragen auch sie die Schande, im Krieg gefallen zu sein.

[26] Auch der Herrscher von Meschech-Tubal wartet dort unten, zusammen mit seinem ganzen Volk. Sie sind mit dem Schwert erstochen worden, und nun liegen diese unbeschnittenen Heiden im Reich der Toten. Einst haben sie die Lebenden in Angst und Schrecken versetzt, doch jetzt ruhen sie rund um das Grab ihres Königs. [27] Sie wurden nicht ehrenvoll bestattet wie die Helden aus vergangenen Zeiten[b], die mit all ihren Waffen in die Totenwelt kamen, die mit ihrem Schwert unter dem Kopf und von ihrem Schild bedeckt begraben wurden. Einst waren diese Helden von allen gefürchtet.

[28] Auch du, Ägypten, wirst nun zerschmettert und musst hinunter zu den Heiden, die im Krieg gefallen sind. [29] Der König und die Fürsten von Edom erwarten dich. Zu Lebzeiten waren sie mutige und kampferprobte Männer. Doch nun ruhen auch sie in der Welt der Toten bei den unbeschnittenen Heiden, die im Krieg gefallen sind. [30] Auch die Könige aus dem Norden und die Phönizier begrüßen dich. Einst haben sie anderen Völkern große Angst eingejagt, weil sie unerschrockene Soldaten waren. Nun ruhen diese unbeschnittenen Heiden unter den Gefallenen und tragen die Schande, besiegt und getötet worden zu sein.

[31] All diesen Königen und Völkern wird der Pharao in der Totenwelt begegnen, und das wird ihn trösten über den Untergang seines Volkes. Denn bald fällt er im Krieg und seine Soldaten mit ihm. Darauf gebe ich, der Herr, mein Wort.

[32] Ich ließ es zu, dass er anderen Völkern Angst und Schrecken einjagte, doch jetzt muss er ins Totenreich zu den unbe-

---

a Die Monatsangabe fehlt hier.
b So mit der griechischen Übersetzung. Der hebräische Text lautet: wie die Helden getrennt von den Unbeschnittenen.

32,17–32 26,20; 31,15–18; Jes 14,9–11 **32,22–23** Jes 10,5–19* **32,24–25** Jer 49,34–38 **32,26–27** 38,1 – 39,20 **32,29** Jes 34,5–17* **32,30** 28,20–23; Jes 23,1–16*

schnittenen Heiden, die im Krieg ihr Leben ließen. Das ist das Ende des Pharaos und seines ganzen Volkes. Ich, der Herr, verspreche es.«

Gott ernennt Hesekiel zum Wächter für Israel

33 Der Herr sprach zu mir: [2]»Sterblicher Mensch, rede zu deinem Volk, und richte ihm aus, was ich zu sagen habe:

Wenn ich in einem Land Krieg ausbrechen lasse, ernennt das Volk gewöhnlich einen Wächter. [3]Er bläst das Horn und warnt die Menschen, sobald er den Feind kommen sieht. [4]Wenn nun jemand das Horn hört, sich aber nicht darum kümmert, wird der Feind ihn überraschen und töten. Er selbst ist dann schuld an seinem Tod, [5]denn er hat das Hornsignal nicht beachtet und muss die Folgen selbst tragen. Lässt er sich jedoch warnen, dann rettet er sein Leben.

[6]Nun stell dir vor, dass der Wächter den Feind kommen sieht, aber trotzdem nicht das Horn bläst und das Volk nicht warnt. Wenn dann jemand umgebracht wird, so ist dies zwar eine Strafe für seine Schuld, aber den Wächter werde ich für seinen Tod zur Verantwortung ziehen.

[7]Dich, sterblicher Mensch, habe ich zum Wächter für das Volk Israel bestimmt. Du sollst meine Botschaft an die Menschen weitergeben und sie warnen. [8]Wenn ich einem Menschen, der sich von mir abgewandt hat, den Tod androhe, dann sollst du ihn warnen und zur Umkehr bewegen. Tust du dies nicht, dann wird er sterben wegen seiner Schuld, aber dich ziehe ich für seinen Tod zur Verantwortung. [9]Wenn er sich jedoch nicht von seinen falschen Wegen abbringen lässt, obwohl du ihn gewarnt hast, dann wird er wegen seiner Schuld sterben. Du aber hast dein Leben gerettet.«

Kehrt um!

[10]»Sterblicher Mensch, sprich zu den Israeliten: Ihr klagt: ›Wir haben Gott den Rücken gekehrt, unsere Schuld lastet schwer auf uns. Wir siechen dahin. Wie sollen wir jetzt noch weiterleben?‹ [11]Doch ich, der Herr, schwöre, so wahr ich lebe: Ich habe keine Freude daran, dass der Gottlose sterben muss. Nein, ich freue mich, wenn er von seinen falschen Wegen umkehrt und am Leben bleibt. Kehrt um, verlasst die alten Wege! Ihr Israeliten, warum wollt ihr sterben?

[12]Weiter sollst du, sterblicher Mensch, ihnen sagen: Wenn jemand mir treu gewesen ist und sich nun von mir abwendet, so wird seine frühere Treue ihn nicht retten. Und wenn ein Mensch, der von mir nichts wissen wollte, von seinen falschen Wegen umkehrt, wird er nicht zu Fall kommen. [13]Wenn jemand mir gehorcht und ich ihm ein langes Leben verspreche, wenn er dann in falscher Sicherheit glaubt, Unrecht tun zu können, dann soll alles Gute, was er bisher getan hat, vor mir nichts mehr gelten. Weil er Schuld auf sich geladen hat, wird er sterben. [14]Wenn ich einem Menschen, der mich verachtet, den Tod androhe, und er wendet sich ab von dem, was er bisher getan hat, wenn er nun für Recht und Gerechtigkeit eintritt, [15]seinem Schuldner das Pfand zurückgibt, erstattet, was er gestohlen hat, und kein Unrecht mehr begeht, sondern die Gebote befolgt, die zum Leben führen – dann muss er nicht sterben. [16]Die Schuld, die er früher auf sich geladen hat, rechne ich ihm nicht mehr an. Weil er nun für Recht und Gerechtigkeit eintritt, wird er am Leben bleiben.

[17]Ihr Israeliten aber sagt: ›Was der Herr tut, ist nicht gerecht!‹ Dabei seid ihr es, die Unrecht begehen! [18]Wenn ein Mensch, der mir gedient hat, von mir nichts mehr wissen will, dann muss er sterben. [19]Wenn ein Mensch, der mich

---

33,1–9 3,16–21 **33,10** 37,11 **33,11** Jes 55,6–7; Joel 2,12–13; 1 Tim 2,4 **33,12–20** 18,1–32
33,15 2 Mo 22,25–26; Lk 19,8

verachtet hat, sich von seinem gottlosen Leben abwendet und von nun an für Recht und Gerechtigkeit eintritt, dann rettet er sein Leben.

[20] Und da behauptet ihr Israeliten: ›Der Herr handelt nicht gerecht!‹ Ich gehe mit euch ins Gericht, ihr vom Volk Israel, ich spreche jedem Einzelnen das Urteil, das er verdient hat.«

Die Nachricht vom Fall Jerusalems

[21] Im 12. Jahr unserer Verbannung, am 5. Tag des 10. Monats, kam ein Mann zu mir, der aus Jerusalem geflohen war, und sagte: »Jerusalem ist erobert worden!«

[22] Am Abend vorher hatte der Herr seine Hand auf mich gelegt, so dass ich nicht mehr sprechen konnte[a]. Als nun der Mann am Morgen bei mir ankam, gab der Herr mir die Sprache zurück. Meine Zunge wurde gelöst, und ich konnte wieder reden.

Die Selbstgerechtigkeit der Zurückgebliebenen

[23] Der Herr sprach zu mir: [24] »Sterblicher Mensch, die Leute in den zerstörten Städten Israels sagen: ›Abraham war nur ein Einzelner, und doch gab Gott ihm unser Land zum Besitz. Wir aber sind viele, darum wird uns das Land erst recht gehören!‹ [25] Richte ihnen diese Botschaft von mir aus:

Ihr esst Fleisch, das nicht ausgeblutet ist, ihr betet Götzen an und bringt andere Menschen um. Und da behauptet ihr, das Land würde euch gehören? [26] Ihr vertraut auf eure Waffen und tut, was ich verabscheue. Ihr geht mit den Frauen anderer Männer ins Bett. Und ausgerechnet euch sollte ich das Land geben?

[27] Nein! Ich, der Herr, schwöre, so wahr ich lebe: Alle, die in den zerstörten Städten wohnen, werden mit dem Schwert getötet. Wer auf dem Land lebt, den werden die wilden Tiere zerreißen und fressen. Wer in Bergfestungen und Höhlen geflohen ist, der stirbt an der Pest. [28] Ich mache das Land zu einer menschenleeren Wüste, vor der es den Leuten graut. Eure Macht, auf die ihr so stolz seid, wird ein Ende haben. Die Berge Israels werden zur Wildnis, durch die niemand mehr zu gehen wagt. [29] Weil ihr tut, was ich verabscheue, verwandle ich euer Land in eine trostlose, schreckliche Wüste. Dann werdet ihr erkennen, dass ich der Herr bin.«

Die Gleichgültigkeit der Verbannten

[30] »Sterblicher Mensch, die Israeliten reden über dich, wenn sie bei ihren Häusern zusammenstehen. Sie fordern einander auf: ›Kommt, lasst uns zum Propheten gehen und hören, was der Herr ihm mitgeteilt hat!‹ [31] Dann kommen sie in großen Scharen, setzen sich vor dich hin und hören, was du ihnen sagst. Doch sie richten sich nicht danach. Sie tun so, als würden sie deine Worte begierig aufnehmen, aber insgeheim sind sie nur auf unrechten Gewinn aus. [32] Du bist für sie wie einer, der Liebeslieder singt, eine schöne Stimme hat und gut auf der Harfe spielt. Sie hören deine Botschaft, aber sie handeln nicht danach. [33] Doch wenn eintrifft, was du ihnen angekündigt hast – und es wird ganz sicher eintreffen –, dann erkennen sie, dass ein Prophet unter ihnen gelebt hat.«

Die schlechten Hirten Israels

34 Der Herr sprach zu mir: [2] »Sterblicher Mensch, richte den führenden Männern Israels diese Botschaft aus! So spricht Gott, der Herr:

Lasst euch warnen, ihr Führer Israels! Ihr solltet für mein Volk wie Hirten sein, die ihre Herde auf eine gute Weide führen. Aber ihr sorgt nur für euch selbst.

---

[a] »so … konnte« ist sinngemäß ergänzt.

33,21–22 24,25–27 **33,21** 2 Kön 25,4 **33,24** 11,15; 1 Mo 12,1–7 **33,25** 3 Mo 17,10–14 **33,31** 8,1; 14,1; 20,1 **33,33** 2,5 **34,2–6** Jer 10,21; 23,1–2; Sach 11,16–17; Joh 10,12–13

[3]Ihr trinkt die Milch der Schafe, aus ihrer Wolle webt ihr euch Kleidung, und die fetten Tiere schlachtet ihr. Aber um eure Herde kümmert ihr euch nicht! [4]Die schwachen Tiere füttert ihr nicht, die kranken pflegt ihr nicht gesund; wenn sich ein Tier ein Bein bricht, verbindet ihr es nicht. Hat sich ein Schaf von der Herde entfernt, holt ihr es nicht zurück; und wenn eines verloren gegangen ist, macht ihr euch nicht auf die Suche. Stattdessen herrscht ihr mit Härte und Gewalt. [5]Weil die Schafe keinen Hirten hatten, liefen sie auseinander und wurden von wilden Tieren zerrissen. [6]Viele zogen über die hohen Hügel und Berge. Nun sind sie über das ganze Land verstreut, niemand sucht nach ihnen und kümmert sich um sie.

[7]Darum, ihr Hirten, hört meine Botschaft: [8]Ich, der Herr, schwöre, so wahr ich lebe: Ihr hättet besser auf mich gehört! Meine Schafe wurden geraubt und von wilden Tieren zerrissen, weil kein Hirte für sie sorgte. Anstatt euch um die Herde zu kümmern, habt ihr nur an euch selbst gedacht. [9]Darum hört meine Worte, ihr Hirten! [10]Ihr bekommt es mit mir zu tun! Ich ziehe euch zur Rechenschaft, denn ihr tragt die Schuld, dass meine Schafe leiden. Ihr sollt nicht länger ihre Hirten sein. Ich lasse nicht mehr zu, dass ihr nur für euch selbst sorgt; ich rette die Schafe aus euren Klauen, damit ihr sie nicht mehr auffressen könnt!«

Gott, der gute Hirte

[11]So spricht Gott, der Herr: »Von nun an will ich mich selbst um meine Schafe kümmern und für sie sorgen. [12]Wie ein Hirte seine Herde zusammenbringt, die sich in alle Richtungen zerstreut hat, so werde auch ich meine Schafe wieder sammeln. Von überall her hole ich sie zurück, von allen Orten, wohin sie an jenem dunklen, schrecklichen Tag vertrieben wurden. [13]Aus fremden Völkern und Ländern führe ich sie heraus und bringe sie wieder in ihr Land. Dort lasse ich sie weiden, in den Bergen, an den Flüssen und in den Tälern. [14]Ja, ich gebe ihnen gute und saftige Weideplätze in den Bergen Israels. [15]Ich selbst werde ihr Hirte sein, damit sie in Ruhe und Sicherheit leben können. Das verspreche ich, der Herr.

[16]Ich suche die verloren gegangenen Schafe und bringe alle zurück, die sich von der Herde entfernt haben. Wenn sich eines der Tiere ein Bein bricht, will ich es verbinden, und die kranken pflege ich gesund. Die fetten und starken Tiere aber lasse ich nicht aus den Augen[a]! Denn ich bin ein Hirte, der gut und gerecht mit den Schafen umgeht.

[17]Ihr Israeliten – ihr seid meine Schafe, und ich, der Herr, werde von nun an dafür sorgen, dass jeder gerecht behandelt wird. Zu den starken Böcken sage ich: [18]Ist es euch noch nicht genug, dass ihr die guten Weideplätze abgrast und als Erste das klare Wasser trinkt? Müsst ihr auch noch den Rest der Wiese zertrampeln und im Wasser mit euren Hufen den Schlamm aufwühlen? [19]Sollen die Schafe etwa das Gras fressen, das ihr zertrampelt habt? Sollen sie von dem verschmutzten Wasser trinken?

[20]Ich, der Herr, bin ein gerechter Hirte, ich richte zwischen euch starken und den schwachen Schafen. [21]Ihr habt die Schwachen mit euren Schultern von der Weide gedrängt und sie mit euren Hörnern von der Herde weggetrieben. [22]Doch ich rette meine Schafe vor euch und eurer rohen Gewalt. Jedes meiner Schafe wird gerecht von mir behandelt.«

Das Friedensreich

[23]»Ich will meiner Herde einen einzigen Hirten geben. Er wird sie auf die Weide

---

[a] So mit der griechischen Übersetzung. Der hebräische Text lautet: rotte ich aus.

34,11–16 Ps 23,1; 100,3; Jes 40,10–11; Jer 23,3–6; 31,10; Mi 2,12; Joh 10,11–16; Offb 7,17 **34,12–13** 28,25*; Joel 1,15* **34,17–22** 7,10–11; Jes 3,13–15; Am 5,11–12 **34,17** Mt 25,32 **34,23** 37,15–24; Jer 23,5

führen und für sie sorgen wie früher mein Diener David. [24] Ich, der Herr, werde ihr Gott sein, und der Mann, der meinem Diener David gleicht, wird ihr König sein. Darauf gebe ich mein Wort.

[25] Ich schließe einen Bund mit den Israeliten und verspreche ihnen Ruhe und Frieden. Die wilden Tiere verjage ich aus dem Land; dann können die Menschen sogar ohne Angst in der Wüste leben und in den Wäldern schlafen. [26] Ich segne sie und mache das Land rund um den Tempelberg fruchtbar. Zur rechten Zeit lasse ich Regen fallen, [27] damit die Bäume viele Früchte tragen und die Felder reichen Ertrag bringen. Ja, mein Volk wird vollkommen sicher in seinem Land wohnen. Ich zerbreche das harte Joch, das auf ihnen lastet, und rette sie aus der Gewalt ihrer Feinde, die sie jetzt noch versklaven. Dann werden sie erkennen, dass ich der Herr bin. [28] Für andere Völker sollen sie keine Beute mehr sein, und die wilden Tiere werden sie nicht mehr zerreißen und fressen. Sie wohnen in Ruhe und Sicherheit, niemand darf ihnen noch Angst einjagen. [29] Ihr Land mache ich zu einem fruchtbaren Garten, der weithin berühmt ist. Sie müssen nicht länger hungern, und kein feindliches Volk wird sie verspotten. [30] Dann werden sie erkennen, dass ich, ihr Gott, ihnen beistehe und dass sie, die Israeliten, mein Volk sind. Mein Wort gilt! [31] Ja, ihr seid meine Herde, und ich bin der Herr, euer Gott; ich führe euch auf gute Weide. Das verspreche ich euch!«

Edom soll zur trostlosen Wüste werden

35 Der Herr sprach zu mir: [2] »Sterblicher Mensch, blick in die Richtung, wo das Bergland Seïr liegt, und kündige ihm mein Gericht an:

[3] So spricht Gott, der Herr: Nun bekommst du meine Macht zu spüren, Land der Edomiter[a]! Ich mache dich zu einer menschenleeren Wüste, zu einem Bild des Schreckens. [4] Deine Städte verwandle ich in Trümmerhaufen, du wirst vollkommen zerstört. Dann wirst du erkennen, dass ich der Herr bin.

[5] Stets warst du ein erbitterter Feind der Israeliten; am Tag ihres Untergangs, als mein Strafgericht über sie hereinbrach, hast du geholfen, sie mit dem Schwert zu töten. [6] Darum schwöre ich, der Herr, so wahr ich lebe: Der Tod ist dein Schicksal, du kannst ihm nicht entrinnen! Weil du nicht gezögert hast, Blut zu vergießen, wird nun auch dein Blut vergossen! [7] Ich mache dich zu einer schrecklichen, trostlosen Wüste und rotte jeden aus, der dein Gebiet durchzieht. [8] Dann sind deine Berge mit Leichen übersät; auf den Hügeln, in den Tälern und Flussbetten liegen die Gefallenen. [9] Ich verwüste dich für alle Zeiten, in deinen Städten wird kein Mensch mehr wohnen. So werden deine Bewohner erkennen, dass ich der Herr bin.

[10] Du hast behauptet: ›Israel und Juda gehören mir, ich werde sie besitzen!‹ Doch du vergisst, dass diese beiden Völker allein mir gehören! [11] So wahr ich, der Herr, lebe: Alles, was du in deinem grenzenlosen Hass und Neid den Israeliten angetan hast, wird nun dich selbst treffen! Voller Zorn hast du ihnen großen Schaden zugefügt. Darum bricht mein Strafgericht über dich herein, und mein Volk wird erkennen, dass ich der Herr bin. [12] Du wirst schon noch merken, dass ich deine Spottreden über die Berge Israels genau gehört habe. Voller Hohn hast du gesagt: ›Israels Bergland ist verwüstet! Nun können wir es an uns reißen!‹ [13] Ich habe auch gehört, wie du mich mit frechen und überheblichen Worten verhöhnt hast. [14] Darum sage ich, der Herr: Ich mache dich zu einer Wüste, und die ganze Welt wird sich darüber freuen. [15] Wie groß war deine Schadenfreude, als das Land der Israeliten, das ich ihnen ge-

---

[a] Wörtlich: Bergland Seïr.

34,25 3 Mo 26,6; Hos 2,20 **34,26–27** 3 Mo 26,4 **34,29** 36,13–15 **35,1–15** Jes 34,5–17* **35,5** 25,12; Ps 137,7; Obd 14 **35,12** Klgl 2,15–16

geben hatte, von ihren Feinden verwüstet wurde!

Darum sorge ich dafür, dass dich das gleiche Schicksal trifft: Eine trostlose Wüste sollst du werden, Land der Edomiter! Deine Bewohner werden erkennen, dass ich der Herr bin!«

Israel wird in sein Land zurückkehren

36 »Sterblicher Mensch, sprich zu den Bergen Israels: Hört die Botschaft des Herrn! [2] Eure Feinde haben euch verspottet und gesagt: ›Diese Berge, die es schon seit alter Zeit gibt, gehören jetzt uns!‹ [3] Man hat euch verwüstet und von allen Seiten bedroht, ihr seid in der Gewalt fremder Völker. Sie zerreißen sich das Maul über euch und haben nur Spott für euch übrig. [4] Darum hört, was ich, der Herr, zu sagen habe:

Ihr Berge und Hügel, ihr Bäche und Täler, ihr Trümmerfelder und menschenleeren Städte, die ihr geplündert und verspottet wurdet:

[5] Im Zorn habe ich mein Urteil gesprochen über eure Feinde, ja, besonders über die Edomiter. Denn voller Verachtung und Schadenfreude haben sie mein Land an sich gerissen und das Weideland erbeutet. [6] Ihr Berge und Hügel in Israel, ihr Bäche und Täler, hört meine Botschaft. Ich, der Herr, schwöre: Weil die anderen Völker euch verachten, bekommen sie meinen glühenden Zorn zu spüren. [7] Meine Hand erhebe ich zum Schwur und verspreche: Die Völker rings um euch werden nun selbst verachtet.

[8] Aber auf euch, ihr Berge Israels, sollen wieder Bäume wachsen, die Zweige treiben und Früchte tragen. Denn bald wird mein Volk in sein Land zurückkehren. [9] Ich bin auf eurer Seite und sorge dafür, dass ihr wieder bebaut und besät werdet.

[10] Die Israeliten werden ein großes Volk sein, sie lassen sich in den Städten nieder und bauen alles wieder auf, was in Trümmern liegt. [11] Menschen und Tiere werden sich vermehren, stärker als je zuvor. Dann werdet ihr bewohnt sein wie in früheren Zeiten, und ich werde euch so viel Gutes erweisen wie nie zuvor. So werdet ihr erkennen, dass ich der Herr bin.

[12] Ich bringe die Israeliten wieder zurück. Sie werden euch in Besitz nehmen und für immer dort wohnen. Nie mehr sollt ihr ihnen die Nachkommen wegnehmen. [13] Ja, Land Israel, du hast den Ruf, ein Menschenfresser zu sein, der seinem Volk die Kinder raubt. [14] Doch von nun an wirst du deine Bewohner nicht mehr verschlingen und die Menschen nicht mehr kinderlos machen. Das verspreche ich, der Herr. [15] Ich sorge dafür, dass du den Hohn und Spott anderer Völker nicht länger ertragen musst. Land Israel, nie mehr wirst du deinen Bewohnern den Tod bringen. Mein Wort gilt!«

Ich schenke euch meinen Geist

[16] Der Herr sprach zu mir: [17] »Sterblicher Mensch, als mein Volk noch in Israel lebte, hat ihre große Schuld das ganze Land unrein gemacht. Durch ihre Taten glichen sie in meinen Augen einer Frau, die durch ihre Blutung nicht rein ist. [18] Sie haben Menschen umgebracht und andere Götter verehrt.

Darum traf sie mein Zorn in seiner ganzen Härte: [19] Wegen ihrer Schuld hielt ich Gericht über sie; ich vertrieb sie zu anderen Völkern, in fernen Ländern mussten sie wohnen. [20] Doch wohin sie auch kamen, brachten sie Schande über meinen heiligen Namen. Die Menschen, die ihnen begegneten, sagten: ›Sie sind das Volk des Herrn, und dennoch konnte er nicht verhindern, dass sie aus seinem Land vertrieben wurden.‹ [21] Ich sah, wie meine Ehre auf dem Spiel stand, denn die Israeliten brachten mich bei den an-

---

36,1 6,2 **36,2** 35,12 **36,3** 25,3.8 **36,5** 25,12–14; 35,14 **36,8** 28,25* **36,10** Jes 58,12 **36,13–15** 34,29 **36,17** 3 Mo 15,19–24 **36,18** 22,2–5 **36,20** 4 Mo 14,15–16; Jes 52,5; Röm 2,24

deren Völkern in Verruf. [22] Darum richte ihnen diese Botschaft aus:

Was ich für euch tun werde, geschieht nicht um euretwillen. Meine Ehre will ich retten, die ihr vor den Augen anderer Völker in den Schmutz gezogen habt. [23] Ja, weil viele Völker mich verachten, will ich ihnen meine Macht und Herrlichkeit zeigen. Dann sollen sie erkennen, dass ich der Herr bin. Alle werden meine Heiligkeit sehen, wenn ich euch helfe. Das verspreche ich!

[24] Ich hole euch zurück aus fernen Ländern und fremden Völkern und bringe euch in euer eigenes Land. [25] Mit reinem Wasser wasche ich eure Schuld von euch ab. Dem Götzendienst, der euch unrein gemacht hat, bereite ich ein Ende.

[26] Ich will euch ein anderes Herz und einen neuen Geist geben. Ich nehme das versteinerte Herz aus eurer Brust und gebe euch ein lebendiges Herz. [27] Mit meinem Geist erfülle ich euch, damit ihr nach meinen Weisungen lebt, meine Gebote achtet und sie befolgt. [28] Dann wohnt ihr wieder in dem Land, das ich euren Vorfahren gegeben habe. Ihr werdet mein Volk sein, und ich werde euer Gott sein. [29] Ich befreie euch von eurer Schuld, die euch unrein machte. Das Getreide lasse ich wieder wachsen, damit ihr nie mehr Hunger leiden müsst. [30] Die Bäume sollen wieder Früchte tragen und die Felder reichen Ertrag bringen. Nie mehr werden die anderen Völker euch verspotten, weil ihr nichts zu essen habt. [31] Dann sollt ihr euch daran erinnern, wie falsch eure Wege und wie schlecht eure Taten waren. Wegen eurer Schuld und eurem Götzendienst werdet ihr euch selbst verabscheuen. [32] Ich, der Herr, sage euch Israeliten: Nicht um euretwillen erweise ich euch so viel Gutes. Ihr müsst euch schämen für alles, was ihr getan habt!

[33] Doch ich verspreche euch: Wenn ich euch von all eurer Schuld befreit habe, sollt ihr wieder in euren Städten wohnen. Dann könnt ihr die Häuser, die in Trümmern liegen, neu aufbauen. [34] Jeder, der jetzt durch euer Land zieht, kann sehen, wie verwüstet und öde es ist. Doch dann sollen eure Felder wieder bestellt werden. [35] Man wird sagen: ›Das verwüstete Land ist zum Garten Eden geworden! Die Städte waren einst niedergerissen, zerstört und vereinsamt – nun stehen sie wieder und sind bewohnt!‹ [36] Eure Nachbarvölker, die mein Strafgericht überlebt haben, werden erkennen, dass ich, der Herr, die verwüsteten Städte wieder aufbaue und die brachliegenden Felder bepflanze. Das habe ich versprochen, und ich werde es auch tun.

[37] Und noch eine weitere Bitte werde ich euch in dieser Zeit erfüllen: Ich lasse euch so zahlreich werden wie eine große Herde. [38] So wie es früher an einem hohen Festtag in Jerusalem von Opfertieren wimmelte, sollen eure verlassenen Städte wieder bevölkert werden und voller Leben sein. Dann werdet ihr erkennen, dass ich der Herr bin.«

Das Tal voller Totengebeine

37 Der Herr legte seine Hand auf mich, und sein Geist hob mich empor und brachte mich in ein weites Tal, das mit Totengebeinen übersät war. [2] Dann führte er mich durch die ganze Ebene, und ich sah dort unzählige Knochen verstreut liegen. Sie waren völlig vertrocknet.

[3] Der Herr fragte mich: »Sterblicher Mensch, können diese Gebeine je wieder lebendig werden?« Ich antwortete: »Herr, mein Gott, das weißt du allein!«

[4] Da sagte er zu mir: »Sprich zu diesen dürren Knochen, und fordere sie auf:

36,22–23 20,8–9; Jes 48,11 **36,24** 28,25* **36,25** 4 Mo 19,1–22; Ps 51,9; Sach 13,1; Hebr 10,22 **36,26–27** 11,19–20; 16,60; Jer 24,7; 31,31–34*; 32,39; Joel 3,1; Joh 3,5; 2 Kor 3,3 **36,28** 11,20 **36,31** 6,9 **36,35** 1 Mo 2,8–15 **36,36** 25,1–17 **36,38** 1 Kön 8,62–63; Jes 54,1–3 **37,1** 3,22

Hört, was der Herr euch sagt: [5]Ich erfülle euch mit meinem Geist und mache euch wieder lebendig! [6]Ich lasse Sehnen und Fleisch um euch wachsen und überziehe euch mit Haut. Meinen Atem hauche ich euch ein, damit ihr wieder lebendig werdet. Dann erkennt ihr, dass ich der Herr bin.«

[7]Ich tat, was der Herr mir befohlen hatte. Noch während ich redete, hörte ich ein lautes Geräusch und sah, wie die Knochen zusammenrückten, jeder an seine Stelle. [8]Sehnen und Fleisch wuchsen um sie herum, und darüber bildete sich Haut[a]. Aber noch war kein Leben in den Körpern.

[9]Da sprach der Herr zu mir: »Sterblicher Mensch, ruf den Lebensgeist, und befiehl ihm, was ich dir sage. Er soll aus den vier Himmelsrichtungen kommen und diese toten Menschen anhauchen, damit sie wieder zum Leben erwachen!«

[10]Ich tat, was der Herr mir befohlen hatte. Da erfüllte der Lebensgeist die toten Körper, sie wurden lebendig und standen auf. Sie waren zahlreich wie ein unüberschaubares Heer.

[11]Der Herr sprach zu mir: »Sterblicher Mensch, die Israeliten gleichen diesen verdorrten Gebeinen. Sie klagen: ›Wir sind völlig ausgezehrt und haben keine Hoffnung mehr, uns bleibt nur der Tod!‹ [12]Darum sag ihnen: Hört die Botschaft des Herrn! Ich, der Herr, öffne eure Gräber und hole euch heraus, denn ihr seid mein Volk. [13]Wenn ich euch wieder lebendig mache, werdet ihr erkennen, dass ich der Herr bin. [14]Ich erfülle euch mit meinem Geist, schenke euch noch einmal das Leben und lasse euch wieder in eurem Land wohnen. Ihr werdet sehen, dass ich meine Versprechen halte. Mein Wort gilt!«

Juda und Israel werden vereint

[15]Der Herr sprach zu mir: [16]»Sterblicher Mensch, nimm dir ein Stück Holz, und schreib darauf: ›Das Südreich Juda und die mit ihm verbündeten Israeliten.‹ Dann hol ein anderes Stück Holz, und schreib: ›Das Nordreich Ephraim[b] und das übrige Volk Israel.‹ [17]Halte die Enden beider Hölzer so aneinander, dass sie wie ein einziger Stab aussehen.

[18]Wenn die Israeliten dich fragen, was das zu bedeuten hat, [19]dann antworte ihnen: So spricht der Herr: Ich nehme den Herrscherstab des Nordreichs[c], der im Besitz des Stammes Ephraim ist, und füge ihn mit dem Herrscherstab des Südreichs zusammen. Aus den beiden mache ich einen einzigen Stab, den ich in meiner Hand halte.

[20]Du aber zeig dem Volk die Hölzer, [21]und richte ihnen aus: Gott, der Herr, lässt euch sagen: Ich hole die Israeliten aus fernen Ländern und fremden Völkern heraus, von überall her sammle ich sie und bringe sie in ihr Land zurück. [22]Sie sollen wieder ein vereintes Volk sein, das im Bergland Israel zu Hause ist. Ein einziger König wird über sie herrschen, und nie mehr soll ihr Land in zwei Reiche geteilt sein. [23]Sie werden nicht länger ihre abscheulichen Götzen verehren und nicht weiter Schuld auf sich laden. Früher haben sie mir die Treue gebrochen und mich verachtet, doch nun will ich sie retten[d] und ihnen vergeben. Sie werden mein Volk sein, und ich werde ihr Gott sein. [24]Alle Israeliten werden einen gemeinsamen Hirten haben, einen König, der wie mein Diener David ist. Dann richten sie sich wieder nach meinen Geboten, sie achten auf meine Weisungen und leben danach.

[25]Das Land, das ich früher meinem

---

[a] So mit der griechischen Übersetzung. Der hebräische Text lautet: er überzog sie mit Haut.
[b] Wörtlich: Josef, das Holz Ephraims.
[c] Wörtlich: das Holz Josefs.
[d] So mit der griechischen Übersetzung. Der hebräische Text lautet: Ich rette sie aus ihren Wohnsitzen, in denen sie gesündigt haben.

37,5 Ps 104,29–30 **37,6** Jes 26,19 **37,10** 1 Mo 2,7 **37,11** 33,10 **37,16** 1 Kön 12,19–20 **37,21** 28,25* **37,22** Jer 3,18* **37,24** 34,23–24 **37,25** 35,12; Lk 1,32–33

Diener Jakob gegeben habe, nehmen sie erneut in Besitz. Schon ihre Vorfahren haben dort gelebt, und nun werden sie und ihre Nachkommen sich für immer dort niederlassen. Ihr König wird über sie herrschen wie einst mein Diener David. [26]Ich schließe mit ihnen einen Bund und verspreche ihnen ewigen Frieden. Zu einem großen Volk lasse ich sie werden, und mein Heiligtum soll für alle Zeiten in ihrem Land stehen. [27]Ich wohne bei ihnen, ich bin ihr Gott, und sie sind mein Volk. [28]Mein Tempel soll für immer in ihrem Land bleiben; dann werden die anderen Völker erkennen, dass ich, der Herr, Israel als mein Volk erwählt habe.«

Der Herrscher Gog – ein Feind Israels

38 Der Herr befahl mir: [2]»Sterblicher Mensch, sprich zu Gog, dem Herrscher über die Völker Meschech und Tubal im Land Magog. [3]Richte ihm aus, was ich, der Herr, zu sagen habe:

Gog, Herrscher über Meschech und Tubal, du bekommst es mit mir zu tun! [4]Ich bohre Haken durch deine Kinnlade und zwinge dich zu gehen, wohin ich will. Mitsamt deinem ganzen Heer führe ich dich aus deinem Land heraus. Riesig ist es, dieses Heer, mit unzähligen Reitern und Pferden; die Soldaten sind prächtig gekleidet und mit Schilden und Schwertern bewaffnet. [5]Söldner aus Persien, Äthiopien und Libyen begleiten euch, gut gerüstet mit Schilden und Helmen. [6]Die Männer aus den Ländern Gomer und Bet-Togarma im Norden sind dabei, und auch aus vielen anderen Völkern kommen die Soldaten dazu. [7]So halte dich nun bereit, rüste dein ganzes Heer zum Kampf, und sei du der Befehlshaber!

[8]Wenn viele Jahre vergangen sind, werde ich dich auffordern, ein fremdes Land zu überfallen. Dieses Land hat gerade einen Krieg überstanden, und seine Bewohner sind aus der Verbannung heimgekehrt. Es ist das Bergland Israel. Lange Zeit war es ein Trümmerfeld, doch nun leben die Menschen dort wieder in Ruhe und Sicherheit.

[9]Du wirst mit deinem Heer heranziehen wie ein gewaltiges Unwetter, deine Truppen bedecken das ganze Land wie eine riesige Wolke. [10]Ich, der Herr, kündige dir an: In jener Zeit schmiedest du einen bösen Plan. [11]Du nimmst dir vor, dieses wehrlose Land anzugreifen, dessen Bewohner in Ruhe und Sicherheit leben. Ihre Städte haben keine Mauern und keine verriegelten Tore. [12]Du willst dich an den Israeliten bereichern und viel Beute machen. Die Städte, die einst in Trümmern lagen, dann aber wieder bewohnt sind, willst du erobern und dir das ganze Volk unterwerfen. Es ist aus fremden Ländern zurückgekehrt, es hat große Viehherden und viele Reichtümer erworben und wohnt nun im bedeutendsten Land der Welt. [13]Die Händler aus Saba, Dedan und Tarsis werden dich fragen: ›Hast du deine Truppen versammelt, um auf Raubzug zu gehen und zu plündern? Willst du Silber und Gold an dich reißen, Viehherden und anderen Besitz erbeuten?‹

[14]Sterblicher Mensch, richte dem Herrscher Gog aus, was ich, der Herr, ihm zu sagen habe: In jener Zeit, wenn mein Volk Israel sich sicher fühlt, wirst du aufbrechen[a] [15]aus deinem Land im Norden, zusammen mit einem großen und mächtigen Heer. Deine Soldaten kommen aus vielen Völkern, sie reiten auf Pferden [16]und fallen in mein Land Israel ein, sie bedecken es wie eine riesige Wolke. Am Ende der Zeit wird dies geschehen. In meinem Auftrag sollst du mein Land überfallen, damit die anderen Völker meine Macht erkennen. Wenn sie sehen, was ich durch dich vollbringe, begreifen

---

[a] So mit der griechischen Übersetzung. Der hebräische Text lautet: wirst du erkennen.

37,26 Jer 31,31–34* **37,27** 2 Mo 25,8; 3 Mo 26,11–12; 2 Kor 6,16; Offb 21,3 **38,2** 32,26–27 **38,4** 29,4 **38,8** 36,8–11 **38,15** Jer 1,13–15*

sie, dass ich ein heiliger Gott bin. [17]Du bist der Herrscher, dessen Kommen ich schon vor langer Zeit angekündigt habe. Durch meine Diener, die Propheten, ließ ich voraussagen, dass du Israel angreifen würdest.«

Gott selbst vernichtet den Feind seines Volkes

[18]»Ich, der Herr, kündige an: An dem Tag, wenn Gog mit seinem Heer in Israel einfällt, wird mein Zorn losbrechen. [19]Schon jetzt bin ich zornig und schwöre: An diesem Tag soll im ganzen Land die Erde beben. [20]Alle werden vor mir zittern: die Menschen und auch die wilden Tiere, die Fische, Vögel und Kriechtiere. Berge brechen auseinander, Felswände stürzen ein, Mauern fallen in sich zusammen.

[21]Ich, der Herr, lasse auf den Bergen Israels einen Kampf ausbrechen, in dem Gogs Soldaten sich gegenseitig mit dem Schwert töten. [22]Ja, ich werde ihn richten mitsamt seinem ganzen Heer und allen, die auf seiner Seite gekämpft haben: Viele von ihnen fallen in der Schlacht oder sterben an der Pest. Ich lasse Wolkenbrüche und Hagel, Feuer und Schwefel auf sie niederfallen. [23]Vor den Augen aller Völker werde ich zeigen, dass ich ein mächtiger und heiliger Gott bin. Dann müssen sie mich als Herrn anerkennen.

39 Sterblicher Mensch, richte Gog, dem Herrscher über Meschech und Tubal, aus, was ich ihm zu sagen habe:

Jetzt bekommst du es mit mir, dem Herrn, zu tun! [2]Ich zwinge dich zu gehen, wohin ich will; vom äußersten Norden lasse ich dich mit deinen Soldaten ins Bergland Israel ziehen. [3]Dort schlage ich dir den Bogen aus der linken Hand und die Pfeile aus der rechten. [4/5]In den Bergen Israels wirst du in der Schlacht fallen, und mit dir alle deine Soldaten aus anderen Völkern. Auf dem freien Feld liegen eure Leichen herum, sie sind ein Fraß für Raubvögel aller Art und für wilde Tiere. Darauf könnt ihr euch verlassen!

[6]Ich lasse Feuer ausbrechen in den Städten Magogs und in den Küstenländern, deren Bewohner sich so sicher fühlen. Dann müssen sie mich als Herrn anerkennen. [7]Meinem Volk Israel zeige ich, dass ich der heilige Gott bin; mein Name soll nie mehr in den Schmutz gezogen werden. So erkennen die Völker, dass ich der Herr bin, der heilige Gott Israels. [8]Schon oft habe ich dies angekündigt, und es wird sich auch erfüllen. Mein Wort gilt!«

Gog und sein Heer werden bestattet

[9]»Die Einwohner der Städte Israels werden aufs Schlachtfeld gehen und dort die Waffen ihrer Feinde einsammeln. Mit den Schilden, Bogen und Pfeilen, den Keulen und Lanzen können sie sieben Jahre lang Feuer machen. [10]Sie brauchen kein Holz mehr auf den Feldern zu suchen, und im Wald müssen sie keine Bäume fällen. Denn die Waffen ihrer Feinde sind Brennholz genug! Nun werden sie diejenigen plündern und berauben, die das Gleiche mit ihnen tun wollten. Darauf gebe ich, der Herr, mein Wort.

[11]In jener Zeit bestimme ich einen Ort, wo Gog begraben werden soll: Es ist das Tal Abarim (›Tal der Durchreisenden‹) östlich vom Toten Meer. Mit Gog wird auch sein ganzes Heer dort bestattet, darum kann man das Tal nicht mehr betreten. Von da an heißt es Tal Hamon Gog (›Tal der Truppen Gogs‹). [12]Sieben Monate werden die Israeliten brauchen, um alle Leichen dort zu begraben, damit das Land nicht länger unrein ist. [13]Das ganze Volk wird dabei helfen. Dann wird man Israel rühmen, weil ich, der Herr, meine Herrlichkeit offenbart habe. Das verspreche ich.

[14]Nach diesen sieben Monaten werden die Israeliten Männer damit beauftragen, durch das ganze Land zu ziehen. Sie sol-

---

38,18–23 Offb 20,8–9 **38,21** Ri 7,22; 1 Sam 14,20; Sach 14,13 **38,23** 36,23 **39,1** 38,2 **39,4–5** 29,5; 32,4 **39,9** Jes 9,4 **39,10** Jer 30,16 **39,12–16** 4 Mo 19,11–16

len alle Gefallenen finden, die noch nicht begraben wurden. Denn auch sie müssen bestattet werden, damit das Land nicht länger unrein ist. [15]Wenn diese Männer nun irgendwo eine Leiche finden, sollen sie die Stelle kennzeichnen, damit die Totengräber die Leiche im Tal Hamon Gog bestatten können. [16]Auf diese Weise wird das ganze Land wieder rein. Auch eine Stadt in Israel wird nach den gefallenen Soldaten Gogs ›Hamona‹ genannt werden.«

[17]Der Herr sprach zu mir: »Sterblicher Mensch, rufe alle Vögel und die wilden Tiere herbei: Kommt von überall her, versammelt euch im Bergland Israel! Denn dort bereite ich ein großes Opfermahl für euch zu, kommt, fresst Fleisch und trinkt Blut! [18]Ja, fresst das Fleisch von kampferprobten Soldaten, und trinkt das Blut von mächtigen Herrschern! Sie alle werden geschlachtet wie Opfertiere, wie die Schafböcke, Lämmer und Ziegenböcke, die Stiere und die gemästeten Rinder aus Baschan. [19]Fresst euch satt an ihrem Fett, berauscht euch am Blut der Opfertiere, die ich für euch geschlachtet habe! [20]An meinem Tisch könnt ihr essen, so viel ihr wollt, von Pferden, Reitern und Soldaten. Mein Wort gilt!«

Ich bringe mein Volk zurück!

[21]»Wenn ich Gericht halte über Gog und sein Heer, wenn ich mein Urteil an ihm vollstrecke, werden die anderen Völker meine Macht und Hoheit sehen. [22]Und auch die Israeliten werden erkennen, dass ich der Herr, ihr Gott, bin. Nie mehr werden sie das vergessen.

[23]Dann begreifen die anderen Völker, dass die Israeliten wegen ihrer Schuld in die Verbannung gehen mussten. Weil sie mir untreu geworden sind, habe auch ich mich von ihnen abgewandt und sie in die Gewalt ihrer Feinde gegeben. Viele von ihnen sind im Krieg umgekommen. [24]Ja, wegen ihres Götzendienstes und ihrer Verbrechen habe ich sie verlassen und sie so behandelt, wie sie es verdienten.

[25]Doch jetzt kündige ich, der Herr, etwas Neues an: Ich wende das Schicksal meines Volkes zum Guten und habe Erbarmen mit ihnen, den Nachkommen Jakobs. Mit ganzer Kraft setze ich mich dafür ein, dass ich wieder als der heilige Gott verehrt werde. [26]Wenn die Israeliten sicher und in Frieden in ihrem Land leben, dann werden sie sich schämen, weil sie mir untreu waren. [27]Ich bringe sie zurück aus den Ländern ihrer Feinde, und so zeige ich den anderen Völkern, dass ich ein heiliger Gott bin. [28]Nach langer Zeit der Verbannung lasse ich mein Volk wieder in seinem Land wohnen, keiner von ihnen bleibt zurück. Dann werden sie erkennen, dass ich der Herr, ihr Gott, bin. [29]Ich erfülle sie mit meinem Geist und wende mich nie mehr von ihnen ab. Darauf gebe ich, der Herr, mein Wort.«

Die Vision vom zukünftigen Tempel

40 Im 25. Jahr der Verbannung unseres Volkes, am 10. Tag des Neujahrmonats, vierzehn Jahre nach der Zerstörung Jerusalems, legte der Herr seine Hand auf mich. [2]In einer Vision führte er mich in das Land Israel, auf einen hohen Berg nahe Jerusalem. Auf seiner Südseite entdeckte ich etliche Bauten, die wie eine Stadt aussahen. [3]Der Herr brachte mich zum Stadttor, und dort stand ein Mann, dessen Körper wie Bronze schimmerte. In der Hand hielt er eine Schnur aus Leinen und eine Messlatte. [4]Er sagte zu mir: »Sterblicher Mensch, hör mir gut zu, und sieh dir genau an, was ich dir zeigen werde. Achte auf alles, denn du bist hierher gebracht worden, damit ich es dir offenbare. Was du siehst, sollst du dem Volk Israel berichten!«

39,17–20 Offb 19,17–18 **39,23–24** 36,20–23 **39,27** 28,25* **39,29** 36,26–27* **40,2** Offb 21,10 **40,3** Sach 2,5; Offb 21,15

Das Osttor des Tempelbezirks

[5]Ich sah eine Mauer, die rings um den Tempelbezirk führte. Der Mann maß die Mauer aus; sie war genau eine Messlatte dick und ebenso hoch. Die Messlatte hatte eine Länge von gut 3 Metern[a].

[6]Dann stieg der Mann die Stufen zum Osttor hinauf und maß die vordere Schwelle des Tores aus; sie war etwas mehr als 3 Meter tief[b].

[7–10]Innen hatte das Torgebäude auf beiden Seiten drei Kammern. Jede war gut 3 Meter lang und ebenso breit. Die Mauern zwischen den Kammern waren 2,5 Meter dick.

Die hintere Torschwelle war – wie die vordere – etwas mehr als 3 Meter tief. Sie ging in eine Vorhalle über, die 4 Meter lang war. Die Mauerstücke rechts und links an ihrem Ausgang waren beide 1 Meter dick.

[11/12]Die sechs Kammern im Torgewölbe waren zum Torinneren hin durch eine Mauer von 0,5 Metern Höhe abgegrenzt.

Als Nächstes maß der Mann die Breite der Toröffnung. Sie betrug 6,5 Meter und innerhalb der Torangeln 5 Meter.[c] [13]Dann maß er die volle Breite des gesamten Torgebäudes, vom Dachansatz einer Kammer bis zum Dachansatz der gegenüberliegenden. Es waren 12,5 Meter.

[14]Die Vorhalle war 10 Meter breit. Durch sie gelangte man in den äußeren Tempelvorhof.[d] [15]Das ganze Torgebäude war von der vordersten Toröffnung bis zur Ausgangstür der Vorhalle 25 Meter lang.

[16]Die Kammern besaßen vergitterte Fenster an den Außen- und Innenwänden, und auch die Vorhalle hatte rundherum Fenster. Die Mauerstücke am Torausgang waren mit Palmwedeln verziert.

Der äußere Tempelvorhof

[17/18]Dann führte der Mann mich in den äußeren Vorhof. Dieser war entlang der Mauer mit Pflastersteinen ausgelegt. Das Pflaster reichte von der Innenseite der Mauer so weit in den Hof hinein, dass es mit dem Ausgang des Tores abschloss. Es lag tiefer als der restliche Boden des Vorhofs. Auf dem Pflaster waren ringsum dreißig Kammern angeordnet.

[19]Als Nächstes maß der Mann den Abstand zwischen dem Osttor – durch das wir in den äußeren Vorhof gekommen waren – und dem höher gelegenen Tor des inneren Vorhofs. Sie lagen sich genau gegenüber. Der Abstand betrug 50 Meter. Danach gingen wir zur Nordseite der äußeren Tempelmauer.

Das Nordtor

[20]Auch dort gab es ein Tor, das in den äußeren Vorhof führte. Der Mann maß seine Länge und Breite.

[21]Im Torgebäude befanden sich ebenfalls auf jeder Seite drei Kammern, die genauso groß waren wie die des Osttors. Auch die Vorhalle und das Mauerwerk an ihrem Ausgang hatten die gleichen Maße.

Insgesamt war das Torgebäude 25 Meter lang und 12,5 Meter breit. [22]Vorhalle, Fenster und Palmwedel sahen genauso aus wie die des ersten Tores. Auf sieben Stufen stieg man zu ihm hinauf. Auch beim Nordtor führte die Vorhalle in den äußeren Vorhof.

[23]Wie beim Osttor befand sich genau gegenüber ein höher gelegenes Tor, durch das man in den inneren Vorhof gelangte. Der Mann maß den Abstand zwischen beiden, und es waren auch hier 50 Meter.

---

[a] Wörtlich: von 6 Ellen, jede Elle so lang wie eine gewöhnliche Elle und eine Handbreit. – Die Großelle war etwa 52 Zentimeter lang, die Messlatte entsprechend etwa 3,12 Meter.

[b] So mit der griechischen Übersetzung. Der hebräische Text lautet: sie war eine Messlatte (3 Meter) tief, und die erste Torschwelle war eine Messlatte (3 Meter) tief.

[c] Wörtlich: Die Breite betrug 13 Ellen (6,5 Meter) und die Länge 10 Ellen (5 Meter).

[d] So in Anlehnung an die griechische Übersetzung. Der hebräische Text ist nicht zu deuten.

Das Südtor

[24] Danach führte er mich an die Südmauer des äußeren Vorhofs. Dort gab es ebenfalls ein Tor. Seine Vorhalle und das Mauerwerk an ihrem Ausgang hatten die gleichen Maße wie die der anderen Tore. [25] Auch die Fenster im Torgebäude und in der Vorhalle entsprachen den vorigen Fenstern. Insgesamt war der Bau 25 Meter lang und 12,5 Meter breit. [26] Sieben Stufen führten zu ihm hinauf, und die Vorhalle lag zum äußeren Vorhof hin. Die Mauerstücke rechts und links an ihrem Ausgang waren beide mit je einem Palmwedel verziert.

[27] Auch diesem Tor lag ein Tor gegenüber, das zum inneren Vorhof führte. Der Mann maß den Abstand aus; es waren wiederum 50 Meter.

Der innere Vorhof und seine Tore

[28] Dann ging der Mann mit mir durch das Südtor in den inneren Tempelvorhof und maß das Tor aus. Es war genauso groß wie die anderen Tore. [29/30] Seine Kammern, die Vorhalle und das Mauerwerk an ihrem Ausgang hatten die gleichen Maße. Auch hier waren im Torgebäude und in der Vorhalle ringsherum Fenster eingelassen. Der Bau war 25 Meter lang und 12,5 Meter breit.[a] [31] Die beiden Mauerstücke waren mit Palmwedeln verziert. Die Vorhalle lag zum äußeren Vorhof hin, und der Aufgang zu ihr bestand aus acht Stufen.

[32] Als Nächstes führte mich der Mann durch das Osttor in den inneren Vorhof und maß es aus. Es war genauso groß wie die anderen Tore. [33] Seine Kammern, die Vorhalle und das Mauerwerk an ihrem Ausgang hatten die gleichen Maße. Auch hier waren im Torgebäude und in der Vorhalle ringsum Fenster eingelassen. Der Bau war 25 Meter lang und 12,5 Meter breit. [34] Die beiden Mauerstücke waren mit Palmwedeln verziert. Die Vorhalle des Tores lag zum äußeren Vorhof hin, und der Aufgang bestand aus acht Stufen. [35] Dann brachte der Mann mich zum Nordtor und maß es aus. Auch dieses sah genauso aus wie die anderen Tore des inneren Vorhofs. [36] Seine Kammern, die Vorhalle und das Mauerwerk an ihrem Ausgang hatten die gleichen Maße. Auch hier besaßen Torgebäude und Vorhalle ringsum Fenster. Der Bau war 25 Meter lang und 12,5 Meter breit. [37] Die beiden Mauerstücke waren mit Palmwedeln verziert. Die Vorhalle des Tores lag zum äußeren Vorhof hin, und der Aufgang bestand aus acht Stufen.

Die Räume im inneren Vorhof

[38] Am Eingang zum Nordtor war eine Kammer angebaut. Hier wurden die Eingeweide und Schenkel der Tiere gereinigt, die für das Brandopfer bestimmt waren.[b] Durch die Tür dieses Raumes kam man in die Vorhalle des Tores.[c] [39] Dort standen auf jeder Seite zwei Tische. Auf ihnen sollten die Tiere für die Brand-, Sünd- und Schuldopfer geschlachtet werden. [40] An den beiden Außenwänden der Vorhalle, rechts und links vom Toreingang, waren ebenfalls je zwei Tische aufgestellt. [41] So standen auf jeder Seite des Tores vier Tische, auf denen geschlachtet wurde; insgesamt waren es acht.

[42] Die vier Tische in der Vorhalle bestanden aus Quadersteinen. Sie waren 0,75 Meter lang, ebenso breit und 0,5 Meter hoch. Auf ihnen legte man alles bereit, was man brauchte, um die Tiere für die Brandopfer und alle übrigen Opfer zu schlachten. [43] Auch das Fleisch der Tiere wurde dort aufbewahrt. In die Wände des Tores waren ringsum Haken eingeschlagen, die eine Handbreit aus

---

[a] So mit der griechischen Übersetzung. Im hebräischen Text steht noch: Ringsum gab es Vorhallen, die 25 Ellen (12,5 Meter) lang und 5 Ellen (2,5 Meter) breit waren.
[b] Wörtlich: Dort spülte man das Brandopfer ab. Vgl. 3. Mose 1,9.13
[c] So in Anlehnung an die griechische Übersetzung. Der hebräische Text lautet: Ihre Türöffnung war an den Mauerstücken der Tore.

der Wand ragten. [44]Dann gingen wir in den inneren Vorhof. Neben dem Nordtor und dem Südtor lag je ein Raum[a], der sich zum inneren Vorhof hin öffnete; der am Nordtor war nach Süden offen, der am Südtor nach Norden. [45]Der Mann sagte zu mir: »Der Raum neben dem Nordtor ist für die Priester bestimmt, die den Tempeldienst versehen. [46]Im Raum neben dem Südtor halten sich die Priester auf, die am Altar die Opfer darbringen. Sie alle sind Nachkommen Zadoks, als Einzige aus dem Stamm Levi dürfen sie dem Herrn in seinem Tempel dienen.« [47]Als Nächstes maß der Mann den inneren Vorhof aus. Er war 50 Meter lang und ebenso breit. Vor dem Tempel stand ein Altar.

Der Tempel

[48]Der Mann führte mich in die Vorhalle des Tempels. Das Mauerwerk rechts und links von ihrem Eingang war je 2,5 Meter dick. Der Toreingang hatte eine Breite von 7 Metern; zusätzlich nahmen die Mauerstücke links und rechts davon je 1,5 Meter ein.[b] [49]Die ganze Vorhalle war 10 Meter breit und 6 Meter[c] lang. Zehn Stufen führten zu ihr hinauf.[d] Neben den Mauerstücken auf beiden Seiten des Eingangs stand je eine Säule.

41 Dann führte mich der Mann in das Tempelgebäude und maß die beiden Mauerstücke rechts und links vom Eingang aus. Sie waren 3 Meter dick. [2]Der Eingang selbst war 5 Meter breit, die Mauerstücke auf beiden Seiten je 2,5 Meter. Als Nächstes nahm der Mann Maß vom Tempelraum; er war 20 Meter lang und 10 Meter breit.

[3]Danach ging der Mann in den hintersten Raum und maß das Mauerwerk am Eingang aus; es war auf beiden Seiten 1 Meter dick. Der Eingang selbst war 3 Meter breit, das Mauerwerk auf jeder Seite neben dem Eingang 3,5 Meter. [4]Der Mann nahm Maß von diesem Raum: Seine Länge und Breite betrugen 10 Meter, er war also ebenso breit wie der erste Tempelraum. Der Mann sagte zu mir: »Dies ist das Allerheiligste.«

[5]Dann maß er die Seitenwände des Tempels aus; sie waren 3 Meter dick. Rings um das Gebäude gab es einen Anbau, der 2 Meter breit war. [6]Er bestand aus drei Stockwerken, auf denen sich insgesamt dreißig Kammern befanden. Die tragenden Querbalken der Stockwerke ruhten auf Mauervorsprüngen an der Außenseite der Tempelwand. So mussten die Balken nicht in der eigentlichen Tempelmauer verankert werden. [7]Die Mauervorsprünge entstanden dadurch, dass die Tempelmauer mit jedem höher gelegenen Stockwerk etwas zurücktrat. Eine Außentreppe führte vom untersten Stockwerk über das mittlere zum oberen hinauf.[e] [8–11]Die Außenwand des Anbaus war 2,5 Meter dick. Ich sah, dass der Tempel und sein Anbau auf einer Plattform standen, die 3 Meter hoch war. Sie war breiter als das ganze Gebäude und verlief ringsum als eine Terrasse von 2,5 Metern Breite. An der Nordseite und an der Südseite des Anbaus befand sich je eine Tür zur Terrasse. Die Plattform war von einem unbebauten Streifen umgeben, der eine Breite von 10 Metern hatte.[f]

[12]Hinter dem Tempel, in westlicher Richtung, stand in einem abgesonderten Bereich ein weiteres Gebäude. Es war 35 Meter lang und 45 Meter breit, seine Außenmauern waren 2,5 Meter dick.

---

[a] So mit der griechischen Übersetzung. Der hebräische Text lautet: lagen Räume für die Sänger.
[b] So mit der griechischen Übersetzung. Der hebräische Text lautet: Der Toreingang war auf beiden Seiten 3 Ellen (1,5 Meter) breit.
[c] So mit der griechischen Übersetzung. Der hebräische Text lautet: 11 Ellen (5,5 Meter).
[d] So mit der griechischen Übersetzung. Der hebräische Text lautet: Stufen führten zu ihr hinauf.
[e] Vers 7 ist nicht sicher zu deuten.
[f] Die Verse 8–11 sind nicht sicher zu deuten.

40,44–46 42,1–14 **40,46** 44,15–16; 1 Kön 1,8.39 **40,47** 43,13–17 **40,48** 1 Kön 6,3 **40,49** 1 Kön 7,21 **41,7** 1 Kön 6,5–6

[13] Dann maß der Mann den ganzen Tempelbezirk aus. Der Tempel war 50 Meter lang. Von seiner Rückseite über den unbebauten Streifen bis zur Rückseite des anderen Gebäudes waren es ebenfalls 50 Meter. [14] Auch der innere Vorhof auf der Ostseite des Tempels war 50 Meter breit. Diese 50 Meter setzten sich zusammen aus der Breite des Tempeleingangs und des unbebauten Streifens rechts und links davon. [15] So war auch das Gebäude auf der Rückseite des Tempels genau 50 Meter breit, die Terrassenbauten auf seinen beiden Seiten eingeschlossen.

Die Innenausstattung des Tempels

Die Vorhalle des Tempels, der Tempelraum und das Allerheiligste [16] waren innen mit Holz getäfelt, vom Fußboden bis hinauf zu den Fenstern. Diese hatten dreifach abgestufte Rahmen und konnten geschlossen werden.

[17] Alle Innenwände waren in gleich große Felder eingeteilt, auch oberhalb der Türen. [18] In diese Felder waren abwechselnd Cherub-Engel und Palmwedel eingeschnitzt. Alle Engel hatten zwei Gesichter: [19/20] Dem Palmwedel auf der einen Seite wandten sie das Gesicht eines Menschen zu, dem Palmwedel auf der anderen Seite das eines Löwen. Diese Bilder waren auf allen Wänden zu sehen, vom Fußboden bis oberhalb der Türen. [21] Die Eingangstür zum Heiligtum hatte einen vierfach abgestuften Rahmen.

Vor dem Allerheiligsten stand etwas, [22] das aussah wie ein Altar aus Holz. Er war 1,5 Meter hoch, 1 Meter lang und ebenso breit[a]. Seine Ecken, sein Sockel[b] und seine Wände waren aus Holz. Der Mann, der ihn mir gezeigt hatte, sagte zu mir: »Das ist der Tisch, der vor dem Herrn steht.«

[23] Am Eingang zum Heiligtum und zum Allerheiligsten gab es je eine Tür mit zwei Flügeln. [24] Jeder der beiden Flügel war aus zwei drehbaren Teilen zusammengesetzt. [25] Auch auf diesen Türen sah man – genau wie an den Wänden – Schnitzereien von Cherub-Engeln und Palmwedeln. Über dem Eingang der Tempelvorhalle befand sich ein Vordach aus Holz.

[26] Auch in die Wände der Vorhalle waren Fenster mit Rahmen eingesetzt. Wie in den Tempelwänden gab es hier Ornamente mit Palmwedeln, ebenso am hölzernen Vordach.

Die Räume für die Priester

42 Dann führte der Mann mich wieder in den äußeren Tempelvorhof. An der Nordseite des Gebäudes, das hinter dem Tempel lag, befand sich ein weiterer Bau mit verschiedenen Räumen. Er war genauso lang wie das Gebäude und der unbebaute Streifen davor, [2] nämlich 50 Meter[c]. Seine Breite betrug 25 Meter.

[3] Mit seiner Südwand grenzte der Bau an das Gebäude auf der Rückseite des Tempels und den unbebauten Platz davor. Seine Nordseite lag quer zu dem Pflaster, das entlang der Mauer des äußeren Vorhofs verlief.

Der Bau hatte drei Stockwerke, die terrassenartig angelegt waren. [4] An der Nordseite verlief ein 5 Meter breiter Gang. Dort befanden sich auch die Eingänge des Gebäudes. An der Südseite führte ein 50 Meter[d] langer Gang bis in den inneren Vorhof. [5/6] Weil der Bau terrassenförmig angelegt war, trat mit jedem höhergelegenen Stockwerk die Außenmauer mehr zurück. Daher wurden

---

[a] So mit der griechischen Übersetzung. Im hebräischen Text fehlt die Angabe über die Breite.
[b] So mit der griechischen Übersetzung. Der hebräische Text lautet: seine Länge.
[c] So mit der griechischen Übersetzung. Der hebräische Text lautet: an der Vorderseite: eine Länge von 100 Ellen (50 Meter) am nördlichen Eingang.
[d] So mit der griechischen Übersetzung. Der hebräische Text lautet: 1 Elle (0,5 Meter).

41,15 42,1–14 **41,17–20** 1 Kön 6,18.29 **41,22** 2 Mo 30,1–10; 1 Kön 6,20 **41,25** 1 Kön 6,31–35 **42,1–14** 40,44–46

die Kammern von unten nach oben immer kleiner. Es gab in diesem Bau keine Säulen wie in den anderen Gebäuden des Tempelvorhofs.

[7/8] Der Gang an der Nordseite war zur Hälfte durch eine Mauer abgegrenzt, die 25 Meter in den äußeren Vorhof hineinragte. Die restlichen 25 Meter des Ganges verliefen an einer Kammer entlang, die an der Mauer des äußeren Tempelvorhofs lag. Insgesamt war der Gang durch 50 Meter Mauerwerk abgeschirmt.[a] [9] So gelangte man von Osten her in das Gebäude, wenn man vom äußeren Vorhof kam.

[10] An der Südseite[b] des Gebäudes hinter dem Tempel lag ebenfalls ein Bau, der an die Mauer des äußeren Tempelvorhofs grenzte. Er war genauso lang wie das Gebäude und der unbebaute Streifen davor. [11] Auch hier gab es zwei Gänge. Die Kammern sahen genau gleich aus wie die im Bau auf der Nordseite, sie hatten die gleichen Maße und genauso viele Eingänge, [12] die nun aber nach Süden hin lagen. Auch hier gelangte man – entlang der Schutzmauer – von Osten in das Gebäude, wenn man vom äußeren Vorhof kam.

[13] Der Mann sagte zu mir: »Diese beiden Bauten, die nördlich und südlich an den freien Raum und das Gebäude hinter dem Tempel grenzen, sind dem Herrn geweiht. In ihren Räumen sollen die Priester, die dem Herrn in seinem Tempel dienen, von den heiligen Opfergaben essen. Dorthin bringen sie die Speiseopfer, die Sünd- und Schuldopfer. [14] Wenn die Priester ihren Dienst im Heiligtum verrichtet haben, dürfen sie nicht sofort wieder zu den Menschen im äußeren Vorhof hinausgehen. Vorher müssen sie ihre heiligen Gewänder, die sie im Tempel getragen haben, in diesen Räumen ablegen und andere Kleider anziehen. Erst dann können sie zu den Leuten hinausgehen.«

[15] Nachdem der Mann den ganzen inneren Tempelbezirk ausgemessen hatte, führte er mich durch das Osttor wieder hinaus und nahm Maß von der Außenmauer. [16–20] Mit der Messlatte bestimmte er die Länge aller vier Seiten. Er begann an der Ostseite, dann ging er zur Nordseite, zur Südseite und Westseite. Alle vier hatten jeweils eine Länge von 250 Metern. Die Mauer trennte den Tempelbezirk, der dem Herrn geweiht war, vom übrigen Land.

Der Herr kehrt in seinen Tempel zurück

43 Der Mann führte mich wieder zum Osttor des Tempelbezirks. [2] Plötzlich erblickte ich den Gott Israels in seiner Herrlichkeit. Er kam von Osten her nach Jerusalem. Das ganze Land erstrahlte in seinem Glanz, und ich hörte ein Rauschen, ein Brausen wie von gewaltigen Wassermassen. [3] Der Herr erschien mir so wie damals, als er nach Jerusalem kam, um die Stadt zu zerstören. Ich erblickte seine Macht und Herrlichkeit, die ich schon am Fluss Kebar gesehen hatte.

Da fiel ich vor ihm nieder und berührte mit meinem Gesicht den Boden. [4] Der Herr zog durch das Osttor in den Tempel ein. [5] Dann hob der Geist Gottes mich empor und brachte mich in den inneren Vorhof. Ich sah, wie der ganze Tempel von der herrlichen Erscheinung des Herrn erfüllt wurde.

[6] Der Mann, der mich geführt hatte, stand neben mir, und ich hörte eine Stimme aus dem Tempel zu mir sprechen:

[7] »Sterblicher Mensch, hier steht mein Thron und mein Fußschemel. Für alle Zeiten will ich mitten unter meinem Volk wohnen. Nie wieder werden die Israeliten meinen heiligen Namen in den Schmutz ziehen, nie mehr werden sie an-

---

[a] So in Anlehnung an die griechische Übersetzung. Der hebräische Text lautet: An der Vorderseite des Tempelraumes 100 Ellen (50 Meter).

[b] So mit der griechischen Übersetzung. Der hebräische Text lautet: An der Ostseite.

42,13 4 Mo 18,8–19* **43,2–4** 10,18–19; 11,22–23 **43,2** 1,24 **43,3** 1,1–3 **43,5** 2 Mo 40,34–35; 1 Kön 8,10–11 **43,6** 40,3 **43,7** 37,27; Jer 17,12; Offb 21,3

deren Göttern opfern und ihre Könige neben dem Tempel bestatten. [8]Früher haben Israels Herrscher ihre Paläste direkt an meinen Tempel angebaut, Schwelle an Schwelle und Tür an Tür. Nur eine Wand trennte sie von mir. Durch ihren abscheulichen Götzendienst beschmutzten sie meinen heiligen Namen, darum habe ich die Israeliten voller Zorn vernichtet. [9]Doch jetzt werden sie ein für alle Mal ihren Götzendienst aufgeben und die Leichen ihrer Könige von meinem Tempel fern halten. Dann will ich für immer unter ihnen wohnen.«

[10]Weiter sagte die Stimme zu mir: »Sterblicher Mensch, erzähle den Israeliten von diesem Tempel! Wenn sie erkennen, wie gewaltig er ist, werden sie sich schämen für alle Sünden, die sie begangen haben. [11]Was sie getan haben, wird ihnen leid tun. Dann zeichne ihnen den Tempel auf, und zeig ihnen, wie er von innen aussieht. Beschreib die Ausgänge und Eingänge, und erklär ihnen alle Weisungen und Ordnungen, die ich für den Tempel gegeben habe. Schreib alles auf, damit sie sich daran halten können. [12]Und nun gebe ich dir die wichtigste Anweisung: Der ganze Tempelbezirk auf dem Gipfel dieses Berges soll allein mir geweiht sein. Dies ist das wichtigste Gesetz für den Tempel.«

Der Brandopferaltar

[13]Rings um den Altar in der Mitte des inneren Vorhofs[a] verlief ein Graben, der etwas mehr als 0,5 Meter tief und ebenso breit war. Rund um den Graben gab es eine Abgrenzung von gut 25 Zentimetern Höhe. Der Altar selbst bestand aus drei übereinander liegenden Blöcken.[b] Der unterste Sockel [14/15]war vom Rand des Grabens an gut 1 Meter hoch. Dann trat der Altarrand etwas mehr als 0,5 Meter zurück. Der nächste Sockel war größer, seine Höhe betrug über 2 Meter. Auf ihm stand der dritte Sockel, der Opferherd. Auch dieser war gut 2 Meter hoch, aber auf jeder Seite über 0,5 Meter schmaler als der zweite Sockel. Vier Hörner ragten von seinen Ecken aus in die Höhe. [16]Der Opferherd war quadratisch, seine Länge und seine Breite betrugen über 6 Meter. [17]Auch der darunter liegende mittlere Sockel hatte die Form eines Quadrats, er war gut 7 Meter lang und ebenso breit. Der Graben rings um den Altar war etwas mehr als 0,5 Meter breit und die Abgrenzung rundherum gut 25 Zentimeter hoch. An der Ostseite führten Stufen zum Altar hinauf.

[18]Gott, der Herr, sprach zu mir: »Sterblicher Mensch, wenn dieser Altar fertig gestellt ist, sollen dort Brandopfer dargebracht werden, und man soll ihn mit Blut besprengen. Dies ist meine Anweisung dazu:

[19]Nur die Priester aus dem Stamm Levi, die zu den Nachkommen Zadoks gehören, dürfen mir in meinem Tempel dienen.

Gib ihnen einen jungen Stier, damit sie ihn schlachten und als Sündopfer darbringen. Ich, der Herr, will es so. [20]Du sollst die vier Hörner des Altars, die vier Ecken seiner Sockel und die Abgrenzung um den Graben mit dem Blut des Stieres bestreichen. So reinigst du den Altar von aller Schuld, die auf ihm lastet. [21]Danach lass den jungen Stier zu einem bestimmten Platz außerhalb des Tempelbezirks bringen. Dort muss er verbrannt werden.

[22]Am nächsten Tag sollst du einen fehlerlosen Ziegenbock als Sündopfer darbringen. Wie beim ersten Opfer muss der Altar von aller Schuld, die auf ihm lastet, gereinigt werden.

[23]Wenn du dies getan hast, suche einen jungen Stier und einen jungen Schafbock aus, beide ohne jeden Fehler. [24]Die Priester sollen die Tiere mit Salz bestreuen

---

[a] »in der Mitte des inneren Vorhofs« ist singgemäß eingefügt.
[b] »Der Altar … Blöcken« ist sinngemäß eingefügt.

43,8 8,7–18; 1 Kön 7,12 **43,10** 20,42–43 **43,13–17** 40,47 **43,19–26** 2 Mo 29,35–37 **43,19** 44,15–16 **43,21** 3 Mo 16,27 **43,24** 3 Mo 2,13

und sie dann mir, dem Herrn, als Brandopfer darbringen.

[25] Sieben Tage lang sollst du täglich einen Ziegenbock, einen jungen Stier und einen Schafbock opfern. Alle Tiere müssen fehlerlos sein. [26] In diesen sieben Tagen sollt ihr den Altar einweihen und ihn von aller Schuld reinigen, die auf ihm lastet. [27] Vom achten Tag an können die Priester eure regelmäßigen Brandopfer und Dankopfer auf dem Altar darbringen. Dann nehme ich, der Herr, euch wieder in Liebe als mein Volk an. Darauf gebe ich mein Wort!«

Das verschlossene Osttor des Tempelbezirks

44 Der Mann, der mich geführt hatte, ging nun mit mir vom inneren Vorhof wieder zurück zum Osttor der äußeren Tempelmauer. Es war verschlossen. [2] Da sagte der Herr zu mir: »Dieses Tor soll für immer verschlossen bleiben und nie wieder geöffnet werden. Kein Mensch soll jemals die Schwelle überschreiten, denn durch dieses Tor bin ich, der Herr, der Gott Israels, wieder in mein Heiligtum zurückgekehrt. [3] Nur der Herrscher, der mein Volk regieren wird, darf im Torgebäude seinen Anteil vom Opfer essen, das mir, dem Herrn, dargebracht wird. Er soll das Gebäude durch die Vorhalle an der Innenseite betreten und es auf demselben Weg wieder verlassen.«

Die Leviten werden vom Priesterdienst ausgeschlossen

[4] Dann führte mich der Mann durch das Nordtor wieder in den inneren Vorhof vor den Tempeleingang. Ich sah, wie der ganze Tempel von der herrlichen Erscheinung des Herrn erfüllt wurde. Da fiel ich vor ihm nieder und berührte mit meinem Gesicht den Boden.

[5] Der Herr sprach zu mir: »Sterblicher Mensch, hör mir gut zu, und sieh dir genau an, was ich dir zeige! Achte auf meine Worte, und vergiss keine der Weisungen, die ich dir für mein Heiligtum gebe! Ich habe viele Ordnungen für den Tempel festgelegt. Merk dir genau, wer dort hineingehen darf und wer nicht. [6] Noch immer lehnt sich mein Volk gegen mich auf. Darum richte ihnen diese Botschaft von mir aus:

Ihr Israeliten, hört auf mit eurem abscheulichen Treiben! [7] Unbeschnittene Heiden, die mich nicht kennen, lasst ihr in meinen Tempel gehen – gerade dann, wenn ihr mir das Fett und das Blut eurer Opfertiere darbringt! So entweiht ihr diese heilige Stätte. Ihr tut, was ich verabscheue, und brecht den Bund, den ich mit euch geschlossen habe. [8] Den Dienst in meinem Heiligtum wollt ihr nicht verrichten. Nein, diese Aufgabe habt ihr Männern aus fremden Völkern überlassen!

[9] Darum sage ich, der Herr: In Zukunft darf niemand aus einem anderen Volk, der unbeschnitten ist und mich nicht kennt, mein Heiligtum betreten. Das gilt auch für die Fremden, die bei euch Israeliten leben. [10] Als mein Volk sich von mir abwandte und anderen Göttern diente, da haben sogar die Leviten mir den Rücken gekehrt. Nun sollen sie die Folgen tragen: [11] In Zukunft dürfen sie in meinem Tempel nicht mehr jeden Dienst verrichten. Sie sollen die Eingänge bewachen und die Tiere schlachten, die das Volk mir als Brand- und Schlachtopfer darbringen will. So müssen sie dem ganzen Volk dienen. [12] Bis heute haben sie die Israeliten dazu verleitet, andere Götter zu verehren und sich gegen mich aufzulehnen. Darum habe ich, der Herr, meine Hand erhoben und geschworen, sie dafür zu strafen.

[13] Von nun an dürfen sie mir nicht mehr als Priester dienen, nie mehr sollen sie mit dem in Berührung kommen, was ich für besonders heilig erklärt habe. Diese Schande müssen sie tragen, weil sie getan haben, was ich verabscheue. [14] Ich lasse

---

44,2 43,2–4 **44,3** 46,1–2 **44,4** 43,5 **44,6** 2,3 **44,7–8** Jos 9,26–27; Jes 52,1 **44,10** 22,26

sie nur noch die niedrigsten Dienste im Tempel verrichten.«

Anweisungen für die Priester

[15]»Eine Ausnahme aber soll es geben: Alle Leviten, die zu den Nachkommen Zadoks gehören, dürfen mir weiterhin im Heiligtum als Priester dienen. Denn als die Israeliten sich von mir abwandten, da haben sie den Tempeldienst gewissenhaft ausgeführt. Darum sollen sie mir das Fett und das Blut der Opfertiere darbringen. Das sage ich, der Herr. [16]Sie allein dürfen mein Heiligtum betreten, die Opfer auf dem Altar darbringen und mir im Tempel dienen.

[17]Dazu gebe ich diese Anweisungen: Bevor sie durch die Tore in den inneren Vorhof kommen, sollen sie Kleider aus Leinen anziehen. Wolle dürfen sie nicht tragen, wenn sie im inneren Vorhof oder im Tempel ihren Dienst ausüben. [18]Ihre Turbane und Hosen müssen aus Leinen sein, denn sie dürfen keine Kleidung tragen, in der sie schwitzen. [19]Bevor sie wieder in den äußeren Vorhof zu den Menschen hinausgehen, müssen sie die Gewänder ausziehen, die sie im Tempel getragen haben. In den heiligen Räumen, die für die Priester bestimmt sind, sollen sie andere Kleider anziehen. Denn das Volk darf nicht mit ihren heiligen Gewändern in Berührung kommen.

[20]Die Priester sollen sich weder den Kopf kahl scheren noch die Haare lang wachsen lassen. Ihre Haare sollen kurz geschnitten sein. [21]Bevor sie den inneren Tempelvorhof betreten, dürfen sie keinen Wein trinken.

[22]Ein Priester darf keine geschiedene Frau heiraten. Er soll eine Israelitin zur Frau nehmen, die noch nie mit einem Mann geschlafen hat. Eine Witwe darf er nur heiraten, wenn ihr früherer Mann ein Priester war.

[23]Die Priester sollen meinem Volk den Unterschied zwischen heilig und nicht heilig erklären und ihm zeigen, was rein und was unrein ist. [24]Wenn es einen Rechtsstreit gibt, sollen sie Gericht halten und nach meinen Gesetzen das Urteil sprechen. Bei allen Festen müssen sie die Weisungen und Ordnungen beachten, die ich dafür gegeben habe. Sie sollen dafür sorgen, dass der Sabbat als heiliger Tag geachtet wird.

[25]Kein Priester darf einen Toten berühren, denn sonst würde er sich verunreinigen. Nur wenn seine Eltern, seine Kinder, sein Bruder oder seine unverheiratete Schwester gestorben sind, darf er die Leiche berühren. [26]Wenn er sieben Tage danach wieder rein geworden ist, soll er noch weitere sieben Tage warten. [27]Erst dann darf er den inneren Vorhof betreten. Bevor er mir aber in meinem Heiligtum dienen kann, muss er mir ein Sündopfer darbringen. Ich, der Herr, will es so.

[28]Die Priester dürfen nichts erben und keinen Grundbesitz haben. Denn ich, der Herr, sorge für sie. Was sie brauchen, bekommen sie von mir. [29]Vom Speiseopfer, vom Sünd- und vom Schuldopfer dürfen sie essen. Alles, was mir geweiht wurde, gehört ihnen. [30]Das Beste von den ersten Erträgen der Ernte ist ihr Anteil, ebenso die ersten Brote, die ihr Israeliten nach der neuen Ernte backt. Auch von allen anderen Opfergaben, die ihr mir bringt, bekommen die Priester ihren Anteil. Wenn ihr euch daran haltet, werde ich eure Familien segnen.

[31]Die Priester dürfen kein Fleisch von einem Vogel oder einem anderen Tier essen, das verendet ist oder von Raubtieren gerissen wurde.«

Der Anteil des Herrn am Land Israel

45 Weiter sagte der Herr zu mir: »Wenn ihr den Stämmen Israels durch das Los ihr Land zuteilt, sollt ihr

44,15 40,46; 48,10–12 **44,17–18** 3 Mo 16,4 **44,19** 42,14; 3 Mo 16,23 **44,20** 3 Mo 21,5 **44,21** 3 Mo 10,9 **44,22** 3 Mo 21,7.13–14 **44,23** 3 Mo 10,10; Mal 2,6–7 **44,24** 5 Mo 17,8–9 **44,25** 3 Mo 21,1–4 **44,28** 4 Mo 18,20* **44,29–30** 4 Mo 18,8–19* **44,30** 4 Mo 18,21–24* **44,31** 3 Mo 22,8 **45,1** Jos 14,1–5

für mich ein Gebiet zurückbehalten. In seinem ganzen Umfang soll es mir geweiht sein und darum als heilig gelten. Es muss 12,5 Kilometer lang und 10 Kilometer[a] breit sein.

[2/3]Von diesem Gebiet sollt ihr genau die Hälfte – 12,5 mal 5 Kilometer – abteilen. Darin wird mein Tempel mit dem Allerheiligsten stehen. Er muss umgeben sein von einem 250 Meter langen und ebenso breiten Bezirk, um den wiederum ein Streifen brachliegendes Land von 25 Metern Breite führt. [4]Das 12,5 mal 5 Kilometer große Gebiet ist heilig und wird den Priestern überlassen. Sie dürfen in der Nähe des Tempels ihre Häuser bauen, weil sie mir, dem Herrn, in meinem Heiligtum dienen.

[5]Die andere Hälfte des Gebiets, das ihr für mich zurückbehalten sollt, ist für die Leviten bestimmt, die am Tempel ihren Dienst versehen. Auf diesem Stück von 12,5 Kilometern Länge und 5 Kilometern Breite dürfen sie ihre Städte errichten[b].

[6]An das mir geweihte Gebiet grenzt im Süden das Umland der Stadt Jerusalem. Es ist 12,5 Kilometer lang und 2,5 Kilometer breit. Hier dürfen Menschen aus ganz Israel Grundbesitz erwerben.«

Das Gebiet für die Herrscher

[7]»Auch eure Herrscher sollen eigenes Land bekommen. Es grenzt auf der Ost- und Westseite an das mir geweihte Gebiet und an den Bezirk um Jerusalem; es ist daher genauso breit wie die beiden zusammen. Das Land des Herrschers erstreckt sich so weit nach Westen und nach Osten, wie die Gebiete eurer Stämme reichen. [8]Dies und nicht mehr ist der Grundbesitz eurer Herrscher. Sie sollen das restliche Land den Stämmen überlassen und euch nicht länger unterdrücken.«

Ihr Herrscher Israels, seid gerecht!

[9]»Ich, der Herr, sage zu den Herrschern Israels: Schluss mit euren Betrügereien! Beseitigt Gewalt und Unterdrückung! Tretet ein für Recht und Gerechtigkeit! Hört auf, mein Volk von seinem Grund und Boden zu vertreiben! Das befehle ich, der Herr!

[10]Wenn ihr Israeliten etwas abwiegt, dann benutzt Waagen, die richtig eingestellt sind! Eure Maße und Gewichte sollen nicht gefälscht sein. [11]Das Getreidemaß Efa soll genauso viel umfassen wie das Bat, das Hohlmaß für Flüssiges. Beide, Efa und Bat, müssen ein Zehntel eines Homer betragen. Das Homer ist die Norm für alle anderen Hohlmaße. [12]Bei den Gewichten soll ein Schekel 20 Gera entsprechen und eine Mine 60 Schekeln.

[13]Für die regelmäßigen Opfer sollt ihr folgende Abgaben festsetzen: von Weizen und Gerste jeweils den 60. Teil [14]und vom Öl den 100. Teil. Das Maß für Öl ist das Bat; 10 Bat entsprechen einem Homer oder einem Kor. [15]Aus euren Herden sollt ihr von 200 Tieren eines aussuchen. Diese Abgaben sind für die Speise-, Brand- und Dankopfer bestimmt, mit denen eure Schuld gesühnt werden soll. Ich, der Herr, will es so.

[16]Alle Israeliten müssen diese Abgaben an den Herrscher des Landes entrichten. [17]Euer Herrscher soll an allen Feiertagen, bei Neumondfeiern, am Sabbat und bei allen Festen für die Opfer sorgen. Er ist dafür verantwortlich, dass mir die Brandopfer, die Speise- und Trankopfer, die Sündopfer und die Dankopfer dargebracht werden. Dann werde ich euch Israeliten eure Schuld vergeben.«

---

[a] So mit der griechischen Übersetzung. Der hebräische Text lautet: 10000 Ellen (5000 Meter).
[b] So mit der griechischen Übersetzung. Der hebräische Text lautet: … haben sie zwanzig Räume.
45,7 43,8 **45,8** 46,18 **45,9** Jes 1,17; Jer 21,11–12; Mi 3,1–3 **45,10** 3 Mo 19,35–36

Die Opfer an den großen Festen

[18]»Ich, der Herr, sage euch: Am 1. Tag des 1. Monats sollt ihr einen fehlerlosen jungen Stier aussuchen. Bringt ihn mir am Heiligtum als Opfer dar, um es von aller Schuld zu reinigen. [19]Der Priester soll mit dem Blut des Stieres die Türrahmen des Tempels, die vier Ecken der Altarsockel und die Türrahmen der Tore bestreichen, die zum inneren Vorhof führen. [20]Das Gleiche sollt ihr nochmals am 7. Tag des 1. Monats tun, damit all denen vergeben wird, die unbeabsichtigt oder unwissentlich gesündigt haben. So reinigt ihr den Tempel von aller Schuld.

[21]Am 14. Tag des 1. Monats soll das Passahfest beginnen. Feiert es sieben Tage lang, und esst in dieser Zeit nur Brot, das ohne Sauerteig gebacken wurde! [22]Am ersten Tag soll euer Herrscher für sich selbst und für das ganze Volk einen Stier als Sündopfer darbringen. [23]Während der sieben Tage des Festes muss er täglich sieben junge Stiere und sieben Schafböcke, die ohne jeden Fehler sind, als Opfer für mich verbrennen und mir einen Ziegenbock als Sündopfer darbringen. [24]Als Speiseopfer kommen zu jedem Stier und jedem Schafbock zwölf Kilogramm Mehl und vier Liter Öl.

[25]Am 15. Tag des 7. Monats beginnt das Laubhüttenfest. Sieben Tage lang soll euer Herrscher täglich die gleichen Opfer darbringen wie beim Passahfest: die Sündopfer, Brandopfer, Speiseopfer und das Öl.«

Die regelmäßigen Opfer

46 »Ich, der Herr, sage: Das Tor, das von Osten her in den inneren Vorhof führt, muss an den sechs Werktagen verschlossen bleiben. Nur am Sabbat und am Neumondtag darf es geöffnet werden. [2]Dann soll der Herrscher vom äußeren Vorhof her das Torgebäude durch die Vorhalle betreten. Beim Türrahmen am Ausgang des Tores bleibt er stehen, um von dort aus zuzusehen, wie die Priester sein Brandopfer und sein Dankopfer darbringen. Er wirft sich an der Schwelle des Tores vor mir nieder und betet mich an. Anschließend verlässt er das Torgebäude wieder. Bis zum Abend soll es nicht verschlossen werden. [3]Auch die Israeliten sollen mich am Sabbat und am Neumondtag anbeten und sich im äußeren Vorhof am Eingang des Osttors vor mir niederwerfen.

[4]Für das Brandopfer am Sabbat, das der Herrscher mir darbringt, nimmt er sechs Lämmer und einen fehlerlosen Schafbock. [5]Als Speiseopfer gehören zusätzlich zu dem Schafbock zwölf Kilogramm Mehl und vier Liter Öl; bei den Lämmern kann der Herrscher so viel dazugeben, wie er möchte. [6]Am Neumondtag soll er einen jungen Stier, sechs Lämmer und einen Schafbock für mich verbrennen lassen. Alle Tiere müssen ohne jeden Fehler sein. [7]Zusätzlich zu dem jungen Stier und dem Schafbock soll er mir als Speiseopfer jeweils zwölf Kilogramm Mehl und vier Liter Öl darbringen; bei den Lämmern kann er selbst bestimmen, wie viel er dazugibt.

[8]Der Herrscher soll das Torgebäude durch die Vorhalle betreten und es auf demselben Weg wieder verlassen. [9]An den Festtagen sollen die Israeliten in den äußeren Tempelvorhof kommen, um mich, den Herrn, anzubeten. Niemand darf durch das Tor wieder hinausgehen, durch das er gekommen ist. Alle müssen durch das gegenüberliegende Tor den Vorhof verlassen. Wer durchs Nordtor hineinkam, muss durchs Südtor wieder hinaus; und wer durchs Südtor den Vorhof betrat, soll ihn durchs Nordtor verlassen. [10]Der Herrscher muss gemeinsam mit den Israeliten in den äußeren Vorhof kommen und auch zusammen mit ihnen wieder hinausgehen.

[11]An den Festtagen und während der großen Feste des Jahres sollen zusätzlich

---

45,18–20 3 Mo 16,29–34 **45,21–24** 2 Mo 12,1–14*.15–20* **45,25** 3 Mo 23,33–43* **46,1–2** 44,3 **46,4** 4 Mo 28,9–10 **46,6–7** 4 Mo 28,11–13

zu dem Stier und dem Schafbock je zwölf Kilogramm Mehl und vier Liter Öl als Speiseopfer dargebracht werden. Bei den Lämmern kann der Herrscher so viel dazugeben, wie er möchte.

[12] Wenn er mir ein freiwilliges Opfer darbringen will – ein Brand- oder Dankopfer –, dann soll das Osttor zum inneren Vorhof für ihn geöffnet werden. Er kann ins Torgebäude hineingehen und die Opfer dann auf dieselbe Art und Weise darbringen lassen wie am Sabbat. Anschließend muss er das Torgebäude wieder verlassen, und man soll es hinter ihm verschließen.

[13] Jeden Morgen sollen die Israeliten ein Lamm für mich verbrennen, das ein Jahr alt ist und keinerlei Fehler hat. [14] Dazu kommt ein Speiseopfer: zwei Kilogramm Mehl und gut ein Liter Öl, das auf das Mehl gegossen wird. Diese Ordnung für das Speiseopfer, das mir, dem Herrn, dargebracht wird, bleibt für immer gültig. [15] Jeden Morgen sollen das Lamm, das Mehl und das Öl für mich verbrannt werden.«

Der Grundbesitz des Herrschers

[16] »Ich, der Herr, sage: Wenn der Herrscher Israels seinen Söhnen ein Stück Land von seinem Grund und Boden überlässt, dann ist es von da an ihr Erbbesitz. [17] Gibt er aber einem seiner Untergebenen ein Stück Land, gehört es diesem nur bis zum nächsten Erlassjahr. Dann fällt es wieder an den Herrscher zurück. Nur seine Söhne dürfen für immer behalten, was er ihnen gegeben hat. So bleibt der Grundbesitz in der Familie. [18] Der Herrscher darf aber kein Land für sich beanspruchen, das den Israeliten gehört. Das Volk soll nicht von seinem Grund und Boden vertrieben werden. Nur was er selbst besitzt, darf er seinen Söhnen vererben. Denn mein Volk darf nicht von seinem eigenen Land verdrängt werden.«

Die Opferküchen

[19] Der Mann, der mich bisher geführt hatte, brachte mich zu dem Gang, der seitlich vom Nordtor des inneren Vorhofs begann. Wir gingen westwärts und kamen in das nördlich gelegene Gebäude mit den heiligen Priesterräumen. Ganz hinten, an der Außenmauer des Tempelbezirks, gab es einen besonderen Raum. [20] Der Mann sagte zu mir: »Hier kochen die Priester das Fleisch, das sie als Anteil am Sünd- und Schuldopfer bekommen. Hier backen sie auch Brot aus dem Mehl für das Speiseopfer. Nichts von dem, was für die Opfer bestimmt war, darf übrig bleiben und in den äußeren Vorhof hinausgebracht werden. Denn das Volk soll nicht mit den heiligen Opfergaben in Berührung kommen.«

[21] Danach ging der Mann wieder mit mir in den äußeren Vorhof und führte mich nacheinander zu den vier Ecken der äußeren Tempelmauer. In jeder gab es einen abgegrenzten Bereich, [22] der 20 Meter lang und 15 Meter breit war. Alle vier Bereiche hatten genau die gleichen Maße. [23] Die Abgrenzung bestand aus einer Steinmauer mit Feuerstellen an der Innenseite. [24] Der Mann sagte zu mir: »Hier sind die Küchen, in denen die Leviten, die ihren Dienst im Tempel versehen, das Fleisch für die Opfermahlzeit des Volkes kochen.«

Der Fluss, der aus dem Tempel kommt

47 Dann führte mich der Mann noch einmal zum Eingang des Tempelgebäudes, der nach Osten lag. Dort sah ich Wasser unter der Schwelle hervorquellen. Erst floss es an der Vorderseite des Tempels entlang in südlicher Richtung, dann am Altar vorbei nach Osten. [2] Der Mann verließ mit mir den Tempelbezirk durch das Nordtor des äußeren Vorhofs, und wir gingen an der Außen-

46,13–15 2 Mo 29,38–41 **46,17** 3 Mo 25,10* **46,18** 45,8 **46,20** 3 Mo 6,18–20; 7,1–7 **47,1–12** Joel 4,18; Sach 14,8; Joh 7,38; Offb 22,1

mauer entlang bis zum Osttor. Ich sah, wie das Wasser an der Südseite des Torgebäudes hervorkam.

[3]Wir folgten dem Wasserlauf in östlicher Richtung; nachdem der Mann mit seiner Messlatte 500 Meter ausgemessen hatte, ließ er mich an dieser Stelle durch das Wasser gehen. Es war nur knöcheltief. [4]Wieder maß er 500 Meter aus, und jetzt reichte es mir schon bis an die Knie. Nach weiteren 500 Metern stand ich bis zur Hüfte im Wasser. [5]Ein letztes Mal folgte ich dem Mann 500 Meter, und nun war das Wasser zu einem tiefen Fluss geworden, durch den ich nicht mehr gehen konnte. Man konnte nur noch hindurchschwimmen.

[6]Der Mann fragte mich: »Hast du das gesehen, sterblicher Mensch?« Dann brachte er mich wieder ans Ufer zurück.

[7]Ich sah, dass auf beiden Seiten des Flusses sehr viele Bäume standen. [8]Der Mann sagte zu mir: »Dieser Fluss fließt weiter nach Osten in das Gebiet oberhalb der Jordanebene, dann durchquert er die Ebene und mündet schließlich ins Tote Meer. Dort verwandelt er das Salzwasser in gesundes Süßwasser. [9]Wohin der Fluss kommt, da wird es bald wieder Tiere in großer Zahl und viele Fische geben. Ja, durch ihn wird das Wasser des Toten Meeres gesund, so dass es darin von Tieren wimmelt. [10]Am Ufer des Meeres leben dann Fischer, von En-Gedi bis En-Eglajim breiten sie ihre Netze zum Trocknen aus. Fische aller Art wird es wieder dort geben, so zahlreich wie im Mittelmeer. [11]Nur in den Sümpfen und Teichen rund um das Tote Meer wird kein Süßwasser sein. Aus ihnen soll auch in Zukunft Salz gewonnen werden. [12]An beiden Ufern des Flusses wachsen alle Arten von Obstbäumen. Ihre Blätter verwelken nie, und sie tragen für immer reiche Frucht. Denn der Fluss, der ihren Wurzeln Wasser gibt, kommt aus dem Heiligtum. Monat für Monat bringen sie neue, wohlschmeckende Früchte hervor, und ihre Blätter heilen die Menschen von ihren Krankheiten.«

Die Grenzen Israels

[13]Dann sprach der Herr zu mir: »Ich will dir die Grenzen des Landes beschreiben, das ihr unter die zwölf Stämme aufteilen sollt. Dabei stehen den Nachkommen Josefs zwei Gebiete zu. [14]Euren Vorfahren habe ich geschworen, ihnen dieses Land zu schenken. Darum sollt ihr es für immer behalten und an eure Nachkommen weitervererben. Teilt es so unter euch auf, dass jeder Stamm sein eigenes Gebiet erhält!

[15]Die Nordgrenze des Landes verläuft vom Mittelmeer ostwärts in Richtung der Städte Hetlon, Hamat und Zedad, [16]dann weiter nach Berota[a] und Sibrajim, das an der Grenze zwischen dem Herrschaftsbereich von Damaskus und dem von Hamat liegt. Dann führt sie zur Stadt Hazar-Enan[b] am Rand des Haurangebirges. [17]Nördlich dieser Linie vom Mittelmeer bis nach Hazar-Enan liegt der Herrschaftsbereich von Damaskus und von Hamat.

[18]Die Ostgrenze beginnt dort, wo das Gebiet von Damaskus an das Haurangebirge grenzt. Von dort an bildet der Jordan die Grenze zwischen dem Land Israel im Westen und der Landschaft Gilead im Osten, bis hinunter zur Stadt Tamar am Toten Meer[c].

[19]Die Südgrenze verläuft von Tamar bis zu den Quellen von Meribat-Kadesch und von dort weiter zu dem Bach, der die Grenze nach Ägypten bildet und ins Mittelmeer mündet.

[20]Die Westgrenze bildet das Mittelmeer bis hinauf nach Hamat.

---

[a] So mit der griechischen Übersetzung; vgl. Kapitel 48,1. Der hebräische Text lautet: … über Zedad, dann weiter nach Hamat, Berota.

[b] So mit der griechischen Übersetzung; vgl. Vers 17. Der hebräische Text lautet: Hazar-Tikon.

[c] So mit der griechischen Übersetzung. Der hebräische Text lautet: … im Osten, das sollt ihr messen.

47,12 Offb 22,1–2 **47,13** 45,1 **47,14** 1 Mo 12,7* **47,15–20** 4 Mo 34,1–12

[21] Teilt dieses Land unter eure Stämme auf. [22] Ihr sollt es für immer besitzen und an eure Nachkommen weitervererben. Jede Familie bekommt ihren Anteil durch das Los zugewiesen; dabei sollen die Fremden, die unter euch leben, genauso berücksichtigt werden. Wenn das Land der einzelnen Stämme aufgeteilt wird, dann behandelt die Fremden und ihre Familien wie Israeliten. Sie sollen euch in allem gleichgestellt sein. [23] In dem Stammesgebiet, wo sie wohnen, steht ihnen ihr eigener Anteil zu. Ich, der Herr, will es so.«

Die Aufteilung des Landes unter die Stämme

48 »Die nördliche Grenze Israels verläuft vom Mittelmeer ostwärts in Richtung der Stadt Hetlon, dann weiter über Hamat bis nach Hazar-Enan. Nördlich dieser Linie liegt der Herrschaftsbereich von Damaskus, direkt neben dem von Hamat.

Jeder Stamm bekommt seinen eigenen Grundbesitz zugewiesen.

Im nördlichsten Teil des Landes liegt das Gebiet des Stammes Dan, das sich von der West- bis zur Ostgrenze erstreckt. [2–7] Darauf folgen in südlicher Richtung die Stämme Asser, Naftali, Manasse, Ephraim, Ruben und Juda. Auch ihr Land reicht jeweils von der West- bis zur Ostgrenze.

[8] Südlich an den Grundbesitz von Juda grenzt das Gebiet, das ihr für mich zurückbehalten sollt. Es erstreckt sich – wie auch die Stammesgebiete – vom Mittelmeer bis zur Ostgrenze des Landes; von Norden nach Süden ist es 12,5 Kilometer breit. In seiner Mitte steht das Heiligtum. [9] Der Teil, der mir besonders geweiht ist, hat von Westen nach Osten eine Länge von 12,5 Kilometern und von Norden nach Süden eine Breite von 10 Kilometern[a]. [10–12] Die eine Hälfte dieses heiligen Bezirks steht den Priestern, den Nachkommen Zadoks, zu. Denn sie haben sich nicht wie die Leviten von mir abgewandt, als die Israeliten mir den Rücken kehrten. Sie allein sind mir treu geblieben und haben den Tempeldienst gewissenhaft ausgeübt. Darum bekommen sie von dem mir geweihten Land den Teil, der besonders heilig ist, weil dort der Tempel steht. Dieser Bereich ist 12,5 Kilometer lang und 5 Kilometer breit. [13] Die Leviten erhalten die andere Hälfte des heiligen Gebiets. Es ist wie das Stück der Priester 12,5 Kilometer lang und 5 Kilometer breit.

[14] Der ganze Bezirk, der mir, dem Herrn, gehört, ist der beste Teil des Landes. Weil er heilig ist, dürft ihr ihn nicht verkaufen oder gegen ein anderes Gebiet eintauschen. Er soll nicht an einen anderen Besitzer übergehen.

[15] Südlich des heiligen Bezirks, auf dem der Tempel steht,[b] bleibt noch ein 2,5 mal 12,5 Kilometer großes Gebiet übrig. Es gilt nicht als heilig. Hier können sich die Einwohner Jerusalems ansiedeln und Weideplätze für ihre Herden anlegen.

Die Stadt Jerusalem soll in der Mitte dieses Bereichs liegen. [16] Ihr Grundriss ist quadratisch mit einer Seitenlänge von 2,25 Kilometern.

[17] Rundherum verläuft ein Streifen Weideland von 125 Metern Breite. [18] Daran grenzt nach Westen und nach Osten je ein 5 Kilometer langes Gebiet. Die Nordseite des gesamten Bereichs ist genauso lang wie der mir geweihte Bezirk und schließt sich direkt daran an. Hier können alle, die in Jerusalem arbeiten, Felder bebauen und die Ernte einbringen. [19] Wer in der Stadt wohnt, darf dort die Felder bestellen, ganz gleich, aus welchem Stamm er kommt.

[20] Der ganze Bezirk, den ihr für mich zurückbehaltet, soll zusammen mit dem Gebiet um Jerusalem ein Quadrat von 12,5 mal 12,5 Kilometern bilden.

---

[a] So mit der griechischen Übersetzung. Der hebräische Text lautet: von 10000 Ellen (5000 Metern).
[b] »Südlich … steht« ist sinngemäß eingefügt.

47,22 Jes 56,3.6–7 **48,8** 45,1 **48,10–12** 44,15–16 **48,16** Offb 21,16

[21/22]Westlich und östlich an das mir geweihte Land und an das Gebiet um Jerusalem grenzt der Grundbesitz des Herrschers. Er ist von Norden nach Süden 12,5 Kilometer breit – genauso wie die beiden heiligen Bezirke und das Stadtgebiet von Jerusalem zusammen. Nach Westen erstreckt er sich bis zum Mittelmeer und nach Osten bis zum Jordan, wie die Gebiete der Stämme. Er nimmt den ganzen Bereich zwischen dem Gebiet Judas im Norden und dem Grundbesitz Benjamins im Süden ein, ausgenommen das Mittelstück, das für die Priester und die Leviten bestimmt ist und auf dem die Stadt Jerusalem und der Tempel stehen.

[23–27]Daran schließen sich in südlicher Richtung – jeweils von der Westgrenze bis zur Ostgrenze – die Gebiete der Stämme Benjamin, Simeon, Issaschar, Sebulon und Gad an. [28]Südlich des Grundbesitzes von Gad verläuft die Grenze Israels von Tamar zu den Quellen von Meribat-Kadesch und von dort weiter zu dem Bach, der die Grenze nach Ägypten bildet und ins Mittelmeer mündet.

[29]Teilt den einzelnen Stämmen ihr Gebiet durch das Los zu. Sie sollen es für immer besitzen und an ihre Nachkommen weitervererben. Ich, der Herr, will es so.«

Die Tore Jerusalems

[30–35]»Rings um Jerusalem verläuft eine Mauer, sie ist auf jeder Seite 2,25 Kilometer lang und hat einen Gesamtumfang von 9 Kilometern. In die Stadt führen zwölf Tore, die nach den Stämmen Israels benannt sind. Auf jeder Seite gibt es drei Tore: nach Norden das Ruben-Tor, das Juda-Tor und das Levi-Tor, nach Osten das Josef-Tor, das Benjamin-Tor und das Dan-Tor, nach Süden das Simeon-Tor, das Issaschar-Tor und das Sebulon-Tor und nach Westen das Gad-Tor, das Asser-Tor und das Naftali-Tor.

Von nun an soll die Stadt den Namen tragen: ›Hier wohnt der Herr.‹«

48,21–22 45,7 **48,30–35** Offb 21,12–13

Das Buch Daniel

Daniel und seine Freunde am babylonischen Königshof

1 Im 3. Regierungsjahr Jojakims, des Königs von Juda, zog der babylonische König Nebukadnezar mit seinem Heer nach Jerusalem und belagerte die Stadt. [2] Der Herr ließ König Jojakim in seine Hände fallen, ebenso einen Teil der wertvollen Tempelgegenstände. Nebukadnezar brachte sie in sein Land und bewahrte sie in der Schatzkammer im Tempel seines Gottes auf.

[3] Dann befahl er seinem obersten Hofbeamten Aschpenas: »Wähle einige junge Israeliten aus dem judäischen Königshaus und den vornehmen Familien aus! [4] Sie sollen gut aussehen und gesund sein. Außerdem müssen sie Weisheit und Bildung mitbringen und eine rasche Auffassungsgabe besitzen; dann sind sie zum Dienst an meinem Hof geeignet. Sie sollen unsere Sprache schreiben und sprechen lernen! [5] Gib ihnen jeden Tag Speise und Wein von der königlichen Tafel, sie sollen das Gleiche essen und trinken wie ich. Nach dreijähriger Ausbildung können sie in meinen Dienst treten.«

[6] Unter den Judäern, die ausgesucht wurden, waren Daniel, Hananja, Mischaël und Asarja. [7] Der oberste Hofbeamte gab ihnen babylonische Namen: Daniel nannte er Beltschazar, Hananja Schadrach, Mischaël Meschach und Asarja Abed-Nego.

[8] Daniel nahm sich fest vor, niemals von der Speise des Königs zu essen und von seinem Wein zu trinken; denn sonst hätte er das Gesetz Gottes missachtet, das bestimmte Speisen für unrein erklärt. Darum bat er Aschpenas, auf die königlichen Speisen und den Wein verzichten zu dürfen. [9] Gott sorgte dafür, dass Aschpenas Daniel wohlgesinnt war und Verständnis für ihn zeigte. [10] Trotzdem hatte der Mann Bedenken: »Ich habe Angst vor meinem Herrn, dem König. Er hat festgelegt, was ihr essen und trinken sollt. Wenn er merkt, dass ihr nicht so gesund ausseht wie die anderen jungen Männer, lässt er mich köpfen!« [11] Da wandte sich Daniel an den Aufseher, den der oberste Hofbeamte über ihn und seine drei Freunde eingesetzt hatte: [12] »Versuch es doch zehn Tage lang, uns nur Gemüse und Wasser zu geben. [13] Danach vergleiche unser Aussehen mit dem der anderen jungen Männer, die von der Tafel des Königs essen. Und dann entscheide, was du in Zukunft mit uns tun willst.«

[14] Der Aufseher willigte ein und erfüllte ihren Wunsch. [15] Nach zehn Tagen sahen Daniel und seine Freunde sogar gesünder und kräftiger aus als alle anderen, die von den königlichen Speisen bekamen. [16] Darum gab der Aufseher ihnen von nun an immer Gemüse, von der Tafel des Königs brauchten sie nichts zu nehmen. [17] Gott schenkte den vier jungen Männern außergewöhnliche Weisheit und Erkenntnis; schon bald waren sie mit dem gesamten Wissen Babyloniens vertraut. Daniel konnte außerdem Visionen und Träume deuten.

[18] Nach Ablauf der drei Jahre befahl König Nebukadnezar, ihm alle jungen Israeliten vorzustellen. Der oberste Hofbeamte brachte sie zum König, [19] und dieser sprach mit ihnen. Dabei wurde ihm klar, dass Daniel, Hananja, Mischaël und Asarja alle anderen in den Schatten stellten. Von nun an waren sie seine Berater. [20] Immer wenn der König vor schwierigen Entscheidungen stand und auf ein siche-

---

1,1–2 2 Chr 36,5–7 **1,3–4** 2 Kön 20,18 **1,7** 2 Kön 23,34; 24,17 **1,8** 3 Mo 11,1–47; 17,10–12
1,9 1 Mo 39,21

res Urteil angewiesen war, fragte er die vier Freunde um Rat. Denn er hatte erkannt, dass sie allen Wahrsagern und Geisterbeschwörern seines Landes weit überlegen waren.

[21] Daniel blieb am Königshof bis zum 1. Regierungsjahr des Königs Kyrus.

Nebukadnezars Traum

2 In seinem 2. Regierungsjahr hatte König Nebukadnezar einen Traum, der ihm solche Sorgen machte, dass er nicht mehr einschlafen konnte. [2] Da ließ er seine Berater rufen, alle Wahrsager, Geisterbeschwörer, Zauberer und Sterndeuter, damit sie ihm seinen Traum erklärten. Als sie sich beim König versammelt hatten, [3] begann er: »Ich habe etwas geträumt, das mir sehr zu schaffen macht. Nun möchte ich wissen, was es damit auf sich hat.«

[4] Da antworteten die Sterndeuter auf Aramäisch[a]: »Lang lebe der König! Erzähl uns, deinen ergebenen Dienern, den Traum, dann wollen wir ihn deuten!«

[5] Aber der König entgegnete: »Nein, erzählt ihr mir, was ich geträumt habe, und erklärt es mir! Wenn ihr das nicht könnt, lasse ich euch in Stücke hauen und eure Häuser in Schutt und Asche legen. Niemand bringt mich davon ab. [6] Doch wenn ihr meinen Traum herausbekommt und ihn deuten könnt, beschenke ich euch reich und lasse euch große Ehre zuteil werden. Beschreibt ihn mir also, und erklärt ihn!«

[7] Die Männer baten noch einmal: »Der König möge ihn uns beschreiben; dann werden wir bestimmt sagen können, welche Botschaft er enthält.«

[8] Da warf der König ihnen vor: »Ihr wollt euch doch nur herausreden und Zeit gewinnen, weil ihr wisst, dass ich meine Drohung wahr mache. [9] Wenn ihr mir nicht sagt, was ich geträumt habe, lasse ich euer Todesurteil vollstrecken. Ich durchschaue eure Pläne: Ihr wollt mir eine Traumdeutung vorsetzen, die nichts als Lug und Trug ist. So meint ihr, mich hinhalten zu können, bis mein Zorn sich gelegt hat[b]. Doch ich bleibe dabei: Erzählt mir den Traum, denn so erkenne ich, dass ihr mir auch die Wahrheit sagt, wenn ihr ihn erklärt.«

[10] Die Sterndeuter antworteten: »Kein Mensch auf der ganzen Welt kann diesen Wunsch erfüllen. Noch nie hat ein König, und sei er noch so mächtig, so etwas von einem Wahrsager, Geisterbeschwörer oder Sterndeuter verlangt. [11] Was du uns da zumutest, ist für Menschen nicht möglich. Nur die Götter können dir, o König, deinen Traum offenbaren! Doch sie wohnen nicht bei uns sterblichen Menschen.«

[12] Da verlor Nebukadnezar die Beherrschung. Voller Zorn ordnete er an, sämtliche königlichen Berater hinzurichten. [13] Überall gab man den Befehl bekannt: »Alle Gelehrten sollen getötet werden!« Auch nach Daniel und seinen Freunden wurde gesucht.

[14] Als Daniel davon erfuhr, wandte er sich an Arjoch, den Befehlshaber der königlichen Leibwache, der schon die Hinrichtungen vorbereitete. Er überlegte jedes Wort genau und fragte ruhig: [15] »Warum hat Nebukadnezar einen solch harten Befehl erteilt?« Arjoch erzählte ihm, wie es dazu gekommen war. [16] Sofort ging Daniel zum König und bat ihn: »Gib mir etwas Zeit, dann werde ich dir deinen Traum deuten.« [17] Zu Hause erzählte er alles seinen Freunden Hananja, Mischaël und Asarja. [18] »Bittet den Gott des Himmels um Gnade«, sagte er zu ihnen, »fleht zu ihm, dass er mir anvertraut, was sich hinter diesem Geheimnis verbirgt! Sonst werden wir zusammen mit den anderen Beratern des Königs umgebracht!«

[19] In der Nacht hatte Daniel eine Vision und erfuhr, was der Traum bedeutete. Da pries er den Gott des Himmels:

---

[a] Ab hier bis Kapitel 7,28 ist der biblische Text aramäisch überliefert.
[b] Wörtlich: bis die Zeit sich ändert.
1,21 6,29; Esr 1,1 **2,1–3** 1 Mo 41,8 **2,18–19** Ps 50,15

[20]»Gelobt sei Gott, jetzt und in alle Ewigkeit! Ihm allein gehören Macht und Weisheit.
[21]Er ist der Herr der Zeit und bestimmt, was wann geschieht; er setzt Könige ab und überlässt anderen ihren Thron. Den Weisen schenkt er ihre Weisheit und den Verständigen ihren Verstand!
[22]Er enthüllt die unergründlichsten Geheimnisse und weiß, was im Dunkeln verborgen ist, denn er selbst ist vom Licht umgeben.
[23]Ja, ich lobe und preise dich, du Gott meiner Vorfahren! Denn du hast mir Weisheit und Kraft geschenkt. Du hast unsere Gebete erhört und mir den Traum des Königs enthüllt!«

[24]Nun ging Daniel zu Arjoch und bat ihn: »Lass die königlichen Berater nicht umbringen! Führ mich zu Nebukadnezar, denn ich kann ihm sagen, was er geträumt hat und was es bedeutet.«

[25]Arjoch brachte Daniel auf dem schnellsten Weg zum König und berichtete: »Ich habe unter den Verbannten aus Judäa einen Mann gefunden, der dem König seinen Traum erklären will!« [26]Nebukadnezar wandte sich an Daniel, der Beltschazar genannt wurde: »Kannst du mir denn wirklich sagen, was ich im Traum gesehen habe und was es bedeutet?«

[27]»Mein König«, erwiderte Daniel, »hinter dein Geheimnis kann keiner deiner Berater kommen, weder Geisterbeschwörer noch Wahrsager, noch Sterndeuter. [28]Aber es gibt einen Gott im Himmel, der das Verborgene ans Licht bringt. Dieser Gott hat dich, König Nebukadnezar, in die fernste Zukunft blicken lassen. Und jetzt sage ich dir, welche Vision du im Traum hattest: [29]Als du auf deinem Bett lagst, warst du in Gedanken versunken. Dich beschäftigte, was in der Zeit nach deiner Herrschaft kommen würde. Und der Gott, der Geheimnisse enthüllt, hat dich in die Zukunft schauen lassen. [30]Wenn ich dir nun den Traum erzählen kann, dann nicht, weil ich klüger wäre als andere Menschen. Nein, Gott hat es mir offenbart, damit du, mein König, eine Antwort auf das bekommst, was dich so beunruhigt.

[31]In deiner Vision sahst du eine riesige Statue vor dir. Von ihr ging ein greller Glanz aus, und ihre ganze Erscheinung jagte dir Angst ein. [32]Der Kopf war aus reinem Gold, die Brust und die Arme waren aus Silber, Bauch und Hüften aus Bronze, [33]die Beine aus Eisen und die Füße teils aus Eisen, teils aus Ton. [34]Während du noch schautest, löste sich plötzlich ohne menschliches Zutun ein Stein von einem Berg. Er traf die Füße aus Eisen und Ton und zermalmte sie. [35]Die ganze Statue brach in sich zusammen; Ton, Eisen, Bronze, Silber und Gold zerfielen zu Staub, den der Wind wegblies wie die Spreu von einem Dreschplatz. Nichts war mehr davon zu sehen! Der Stein aber, der die Statue zertrümmert hatte, wuchs zu einem riesigen Berg und breitete sich über die ganze Erde aus.

[36]Das war der Traum. Nun werde ich dir, mein König, erklären, was er bedeutet: [37]Du bist der mächtigste König, größer als alle anderen. Dir hat der Gott des Himmels die Herrschaft anvertraut und dir Macht, Stärke und Ruhm geschenkt. [38]Alle Menschen, ja, sogar die wilden Tiere und die Vögel hat er in deine Hand gegeben. Er hat dich dazu bestimmt, über sie alle zu regieren. Du bist der Kopf aus Gold. [39]Das Reich, das nach dir kommt, wird schwächer sein als deines. Das dritte, das bronzene, wird die ganze Welt beherrschen. [40]Das vierte ist hart wie Eisen. Es zerschlägt alle anderen Reiche, so wie hartes, schweres Eisen alles zermalmt. [41/42]Doch du hast gesehen, dass die Füße und Zehen der Statue teils aus Eisen, teils aus Ton waren. Dies bedeutet: Das Reich ist geteilt. Die eine Hälfte ist stark wie Eisen, die andere brüchig wie Ton. [43]Die Herrscher wollen ihre Familien

---

2,20 Hiob 12,12–13 **2,21** 4,14.22.29; 1 Sam 2,7 **2,28** Am 4,13; Offb 1,1.19; 22,6 **2,30** 1 Mo 41,16 **2,37–38** Jer 28,14, Hes 26,7

durch Heiraten miteinander verbinden, doch ihr Bündnis hält nicht, genauso wenig wie Eisen und Ton aneinander haften bleiben.

[44] Noch während die Könige dieses Reiches an der Macht sind, wird der Gott des Himmels sein Reich aufbauen, das nie zugrunde geht. Kein anderes Volk kann ihm jemals die Herrschaft streitig machen. Ja, es bringt alle anderen Reiche zum Verschwinden und wird selbst für immer fortbestehen. [45] Das, mein König, war der Stein, der ohne menschliches Zutun vom Berg losbrach und die Statue aus Ton, Eisen, Bronze, Silber und Gold zertrümmerte. Ein mächtiger Gott hat dich in die Zukunft sehen lassen. Ich habe dir deinen Traum genau beschrieben, und meine Deutung trifft zu.«

[46] Da warf König Nebukadnezar sich vor Daniel nieder. Er befahl, man solle ihm Opfer darbringen und Weihrauch für ihn verbrennen. [47] Zu Daniel sagte er: »Es gibt keinen Zweifel: Euer Gott ist der größte aller Götter und der Herr über alle Könige! Er bringt Verborgenes ans Licht, sonst hättest du dieses Geheimnis nie aufdecken können.« [48] Nebukadnezar gab Daniel eine hohe Stellung am Hof und beschenkte ihn großzügig. Er setzte ihn als Statthalter über die ganze Provinz Babylon ein und ernannte ihn zu seinem obersten Berater. [49] Auf Daniels Wunsch betraute er Schadrach, Meschach und Abed-Nego mit der Verwaltung der Provinz Babylon. Daniel selbst blieb am Hof des Königs.

Daniels Freunde werden zum Tod verurteilt

3 König Nebukadnezar ließ eine goldene Statue von dreißig Metern Höhe und drei Metern Breite anfertigen und in der Ebene Dura in der Provinz Babylon aufstellen. [2] Dann lud er zur Einweihung alle führenden Beamten seines Reiches ein, die Statthalter und ihre Stellvertreter, die königlichen Berater, die Schatzmeister und Richter, die hohen Würdenträger und alle anderen Beamten der Provinzen. [3] Sie kamen und versammelten sich vor dem Standbild. [4] Dann rief ein Herold mit lauter Stimme:

»Ihr Männer aus allen Völkern, Ländern und Sprachen! Der König befiehlt euch: [5] Sobald ihr den Klang der Hörner und Flöten, der Zithern und Harfen, der Lauten, Pfeifen und aller anderen Instrumente hört, sollt ihr euch niederwerfen und die goldene Statue anbeten, die König Nebukadnezar aufstellen ließ. [6] Wer es nicht tut, wird bei lebendigem Leib im Ofen verbrannt!«

[7] Als die Musik einsetzte, warfen sich alle zu Boden und beteten die goldene Statue an.

[8] Einige Sterndeuter aber verklagten die Juden bei Nebukadnezar. [9] Sie sagten zu ihm: »Lang lebe der König! [10] Du, o König, hast doch angeordnet, dass jeder sich beim Klang der Instrumente niederwerfen und die Statue anbeten muss. [11] Wer dies nicht tut, soll in den Ofen geworfen werden. [12] Nun sind hier einige Juden, denen du die Verwaltung der Provinz Babylon anvertraut hast: Schadrach, Meschach und Abed-Nego. Diese Männer haben sich über deinen Befehl hinweggesetzt. Sie dienen deinen Göttern nicht, und sie weigern sich, deine goldene Statue anzubeten.«

[13] Da packte den König der Zorn, und voller Wut ließ er die drei kommen. Als sie vor ihm standen, [14] stellte er sie zur Rede: »Schadrach, Meschach und Abed-Nego, ist es wahr, dass ihr meinen Göttern keine Ehre erweist? Warum wollt ihr euch nicht vor meiner Statue niederwerfen? [15] Ich gebe euch eine letzte Gelegenheit: Wenn jetzt die Musik ertönt und ihr niederfallt, lasse ich noch einmal Gnade vor Recht ergehen. Wenn ihr euch aber meinem Befehl widersetzt, werdet

---

2,44 3,33; 4,31; 6,27; 7,14.27; Lk 1,33; 1 Kor 15,24–28; Offb 11,15 **2,46** Apg 14,13.18 **2,47** 3,29; Ps 135,5 **2,48** 2,6; 3,30; 5,29; 1 Mo 41,41–43 **3,10–12** 6,13–14 **3,12** 2,49 **3,15** 2 Mo 5,2; 2 Kön 18,34–35

ihr auf der Stelle in den Ofen geworfen. Glaubt ihr, dass euch dann noch ein Gott aus meiner Gewalt retten kann?«

[16]Schadrach, Meschach und Abed-Nego jedoch entgegneten: »Wir werden gar nicht erst versuchen, uns vor dir zu verteidigen. [17]Unser Gott, dem wir dienen, kann uns aus dem Feuer und aus deiner Gewalt retten. [18]Aber auch wenn er es nicht tut, musst du wissen, o König, dass wir nie deine Götter anbeten oder uns vor der goldenen Statue niederwerfen werden.«

[19]Da verlor Nebukadnezar die Beherrschung, und sein Gesicht verzerrte sich vor Wut. Er ordnete an, den Ofen siebenmal stärker als gewöhnlich zu heizen. [20]Dann befahl er seinen kräftigsten Soldaten, die drei Freunde zu fesseln und hineinzuwerfen. [21]Sofort band man die Männer und stieß sie mitsamt ihren Kleidern, mit den Hosen, Mänteln und Mützen, die sie trugen, in den Ofen. [22]Weil der König befohlen hatte, ihn besonders stark zu heizen, schlugen die Flammen heraus und töteten die Soldaten, die Schadrach, Meschach und Abed-Nego hineingeworfen hatten. [23]Die drei aber fielen gefesselt mitten ins Feuer.

[24]Plötzlich sprang Nebukadnezar entsetzt auf und fragte seine Beamten: »Haben wir nicht drei Männer gefesselt in den Ofen geworfen?« »Ja, sicher!«, antworteten sie. [25]»Warum sehe ich dann aber vier Männer ohne Fesseln im Feuer umhergehen?«, rief der König. »Sie sind unversehrt, und der vierte sieht aus wie ein Sohn der Götter!«

[26]Nebukadnezar trat näher an die Öffnung des Ofens heran und schrie: »Schadrach, Meschach und Abed-Nego, ihr Diener des höchsten Gottes, kommt heraus!« Da kamen die drei aus dem Ofen. [27]Die Statthalter und ihre Stellvertreter, die Verwalter und alle obersten Beamten eilten herbei und sahen, dass das Feuer den Männern nichts hatte anhaben können. Nicht ein Haar auf ihrem Kopf war versengt. Ihre Kleider waren völlig unbeschädigt, sie rochen nicht einmal nach Rauch.

[28]Da rief Nebukadnezar: »Gelobt sei der Gott Schadrachs, Meschachs und Abed-Negos! Er hat seinen Engel gesandt, um diese Männer zu retten, die ihm dienen und sich auf ihn verlassen. Sie haben mein Gebot übertreten und ihr Leben aufs Spiel gesetzt, weil sie keinen anderen Gott anbeten und verehren wollten. [29]Deshalb erlasse ich einen Befehl für alle Völker und Länder, gleich welcher Sprache: Wer über den Gott Schadrachs, Meschachs und Abed-Negos etwas Verächtliches sagt, wird in Stücke gehauen, und sein Haus wird in Schutt und Asche gelegt! Denn es gibt keinen anderen Gott, der auf eine solche Weise retten könnte!« [30]Dann gab der König den drei Männern eine noch machtvollere Stellung in der Provinz Babylon.

Daniel deutet Nebukadnezars zweiten Traum

[31]Dies ist die Botschaft, die König Nebukadnezar an die Menschen aller Völker und Länder sendet, ganz gleich, welche Sprache sie sprechen:

Ich grüße euch und wünsche euch Frieden! [32]In diesem Brief möchte ich euch von den unfassbaren Wundern erzählen, die der höchste Gott an mir getan hat. [33]Groß und gewaltig sind seine Taten! Sein Reich bleibt für immer bestehen, seine Herrschaft hört niemals auf.

4 Ich, Nebukadnezar, lebte glücklich und zufrieden im königlichen Palast. [2]Doch eines Tages, als ich auf meinem Bett lag und schlief, hatte ich einen schrecklichen Traum. Was ich in ihm sah, jagte mir große Angst ein. [3]Da ließ ich alle weisen Berater rufen. Sie sollten mir diesen Alptraum deuten. [4]Als die Wahrsager, Geisterbeschwörer, Sterndeuter und Magier vor mir standen, schilderte ich ihnen meinen Traum. Doch keiner

3,17 Ps 66,12 **3,18** 2 Mo 20,3–5* **3,25** Jes 43,2 **3,27** 6,24 **3,28** 6,23 **3,29** 2,47; 6,27–28 **3,30** 2,49 **3,33** 2,44* **4,3** 2,2

konnte mir erklären, welche Botschaft er enthielt.

[5] Zuletzt trat Daniel vor mich, der nach meinem Gott Bel den Namen Beltschazar bekommen hatte. In ihm wohnt der Geist der heiligen Götter. Auch ihm erzählte ich meinen Traum: [6] »Beltschazar«, sagte ich, »dich habe ich über alle Wahrsager gesetzt, weil ich weiß, dass der Geist der heiligen Götter in dir wohnt. Kein Geheimnis ist für dich zu schwer. Sag mir doch, was die Bilder bedeuten, die ich im Traum gesehen habe!

[7] Ich träumte, in der Mitte der Erde stehe ein Baum von gewaltiger Höhe. [8] Er wuchs und wurde immer größer, bis sein Wipfel den Himmel berührte. Noch vom äußersten Ende der Erde aus konnte man ihn sehen. [9] Er besaß prächtige Blätter und trug viele Früchte. Den wilden Tieren bot er Schatten und Schutz, in seinen Zweigen nisteten die Vögel. Alle Menschen und Tiere ernährten sich von seinen Früchten.

[10] Während ich den Baum betrachtete, kam plötzlich vom Himmel ein Engel Gottes herab. [11] Er rief laut: ›Fällt den Baum, und hackt seine Äste ab! Reißt die Blätter herunter, und verstreut die Früchte überall! Die Tiere, die in seinem Schatten leben, und die Vögel, die in seinen Zweigen nisten, jagt in die Flucht! [12] Den Wurzelstock aber lasst stehen, und bindet ihn mit Ketten aus Eisen und Bronze auf der Wiese fest. Der Mensch, den dieser Wurzelstock darstellt, soll vom Tau durchnässt werden und sich wie ein Tier von Gras ernähren. [13] Er wird keine menschlichen Wesenszüge mehr besitzen, sondern einem Tier gleichen. Sieben Zeiträume lang soll dies dauern! [14] So haben es die heiligen Engel beschlossen, damit die Menschen erkennen: Der höchste Gott ist Herr über alle Königreiche der Welt. Er vertraut die Herrschaft an, wem er will, selbst dem unbedeutendsten Menschen.‹

[15] Das alles habe ich geträumt. Und nun erkläre mir, was es bedeutet, Beltschazar! Alle meine Berater sind unfähig dazu. Doch du kannst es, weil der Geist der heiligen Götter in dir wohnt.«

[16] Daniel, den man Beltschazar nannte, stand eine Zeit lang wie betäubt da, so erschreckte ihn das Gehörte. Da sagte ich zu ihm: »Beltschazar, mein Traum und seine Deutung braucht dir keine Angst einzujagen!« Daniel erwiderte: »Mein Herr und König, ich wünschte, die Botschaft würde deinen Feinden gelten, allen, die dich hassen! [17] Du hast einen Baum gesehen, der immer größer wurde, bis sein Wipfel schließlich den Himmel berührte. Noch vom äußersten Ende der Erde aus konnte man ihn erkennen. [18] Er besaß prächtige Blätter und trug viele Früchte. Den wilden Tieren bot er Schatten, in seinen Zweigen nisteten die Vögel.

[19] Dieser Baum bist du, mein König! Mächtig und bedeutend bist du geworden! Deine Größe reicht bis zum Himmel, und deine Herrschaft erstreckt sich bis zum Ende der Erde. [20] Dann hast du gesehen, wie ein Engel Gottes vom Himmel herabkam und rief: ›Fällt den Baum, und haut ihn in Stücke; den Wurzelstock aber lasst stehen, und bindet ihn mit Ketten aus Eisen und Bronze auf der Wiese fest! Der Mensch, den dieser Wurzelstock darstellt, soll vom Tau durchnässt und den Tieren gleich werden! Sieben Zeiträume lang wird dies dauern.‹

[21] Höre, mein König, was der höchste Gott über dich beschlossen hat: [22] Man wird dich aus der menschlichen Gemeinschaft ausstoßen, und du musst unter den Tieren hausen. Du wirst Gras fressen wie ein Rind und nass werden vom Tau. Erst wenn sieben Zeiträume vergangen sind, wirst du erkennen: Der höchste Gott ist Herr über alle Königreiche der Welt. Er vertraut die Herrschaft an, wem er will. [23] Du hast gehört, wie der Engel befahl, den Wurzelstock stehen zu lassen. Dies bedeutet: Du darfst wieder als König regieren, wenn du Gott als Herrscher anerkennst. [24] Nimm meinen Rat an, o König!

4,5 1,7 **4,6** 2,48 **4,7–11** Hes 31,3–14 **4,14** 2,21 **4,16** 8,27; 10,8 **4,24** Spr 14,31*

Sag dich von allem Unrecht los, und tu Gutes! Hilf den Wehrlosen! Dann wird es dir auch in Zukunft gut gehen.« [25] Alles traf so ein, wie Daniel es vorausgesagt hatte: [26] Ein Jahr später ging ich auf dem Dach meines Palasts auf und ab. [27] Dabei dachte ich: »Da zu meinen Füßen liegt Babylon, die herrliche Stadt! Mir zu Ehren zeigt sie ihre ganze Pracht. Ich habe sie zu meiner Residenz ausgebaut, denn ich bin ein großer und mächtiger König!«

[28] Noch während ich dies dachte, hörte ich eine Stimme vom Himmel: »König Nebukadnezar, lass dir sagen: Deine Herrschaft ist zu Ende! [29] Die Menschen werden dich verstoßen, unter wilden Tieren musst du hausen und Gras fressen wie ein Rind. Erst wenn sieben Zeiträume vergangen sind, wirst du erkennen: Der höchste Gott ist Herr über alle Königreiche der Welt, er vertraut die Herrschaft an, wem er will.«

[30] Diese Ankündigung erfüllte sich sofort: Ich wurde aus der menschlichen Gemeinschaft verstoßen und fraß Gras wie ein Rind. Ich wurde vom Tau durchnässt, mein Haar war bald so lang wie Adlerfedern und meine Nägel wie Vogelkrallen.

[31] Als die lange Zeit schließlich zu Ende ging, schaute ich hilfesuchend zum Himmel, und da erlangte ich meinen Verstand wieder. Ich pries den höchsten Gott, ich lobte den, der ewig lebt. Seine Herrschaft hört niemals auf, sein Reich bleibt für alle Zeiten bestehen. [32] Die Bewohner dieser Erde sind nichts im Vergleich zu ihm. Alle Menschen, ja, sogar die Sterne am Himmel müssen sich seinem Willen beugen! Niemand darf sich ihm widersetzen und ihn fragen: »Was tust du da?«

[33] Als ich wieder bei Verstand war, erhielt ich meine königliche Würde, Ehre und Anerkennung zurück. Meine obersten Beamten und die führenden Männer meines Reiches kamen zu mir und setzten mich wieder als König ein. Ich wurde noch berühmter und angesehener als zuvor.

[34] Nun lobe und preise ich, Nebukadnezar, den König, der im Himmel regiert. Ihm gebe ich die Ehre! Er ist zuverlässig und gerecht in allem, was er tut. Wer aber stolz und überheblich ist, den stürzt er.

Eine rätselhafte Schrift

5 König Belsazar gab ein rauschendes Fest für die tausend führenden Männer seines Reiches. Der Wein floss in Strömen. [2] Im Rausch ließ Belsazar die goldenen und silbernen Gefäße holen, die sein Vater Nebukadnezar aus dem Tempel in Jerusalem geraubt hatte. Alle sollten daraus trinken: er selbst, seine Gäste, seine Frauen und Nebenfrauen. [3] Man brachte die geraubten Gefäße, und alle tranken daraus. [4] Dabei rühmten sie die babylonischen Götter aus Gold, Silber, Bronze, Eisen, Holz und Stein.

[5] Plötzlich erschien an der getünchten Wand des Festsaals eine Hand. Gerade dort, wo das Licht des Leuchters auf die Wand fiel, schrieb sie einige Worte nieder. Als Belsazar die Hand sah, [6] wurde er vor Schreck kreidebleich. Er begann am ganzen Leib zu zittern.

[7] »Holt die Geisterbeschwörer, die Sterndeuter und die anderen Wahrsager!«, rief er laut. Als sie da waren, versprach er ihnen: »Wer die Schrift an der Wand lesen und mir sagen kann, was sie bedeutet, erhält eine hohe Auszeichnung: Er darf purpurfarbene Gewänder tragen wie ein König, er bekommt eine goldene Kette um den Hals, und ich ernenne ihn zum drittmächtigsten Mann im ganzen Reich!«

[8] Die Berater des Königs traten näher, aber keiner von ihnen konnte die Schrift entziffern oder gar deuten. [9] Belsazar wurde immer bleicher, die Angst schnürte ihm die Kehle zu. Auch alle führenden Männer, die er um sich versammelt hatte, packte das Entsetzen.

[10] Die Unruhe im Festsaal drang bis ans Ohr der Mutter Belsazars. Sie kam herein

---

4,27 Hes 31,10 **4,31** 2,44* **4,32** Jes 40,17; 45,9* **5,2** 1,2; 2 Chr 36,10 **5,4** Jes 44,9–20* **5,7–8** 2,2–3; 4,4

und sagte: »Lang lebe der König! Warum bist du so bleich vor Angst? Du brauchst dich nicht zu fürchten, denn ich weiß einen Rat. [11] Es gibt in deinem Reich einen Mann, in dem der Geist der heiligen Götter wohnt. Schon zur Zeit deines Vaters Nebukadnezar bewies er so große Einsicht und Weisheit, wie sie eigentlich nur Götter haben, die verborgene Dinge ans Licht bringen können. Dein Vater hatte ihn zum obersten aller Wahrsager, Geisterbeschwörer, Sterndeuter und Magier gemacht. [12] Lass ihn jetzt rufen! Sein Name ist Daniel, dein Vater nannte ihn Beltschazar. Dieser Mann besitzt außergewöhnliche Weisheit und kann Träume deuten. Er löst jedes Rätsel und wird mit den größten Schwierigkeiten fertig. Er soll dir die Schrift deuten.«

[13] Sofort ließ der König Daniel zu sich kommen. »Du also bist Daniel«, begann er, »einer der Gefangenen, die mein Vater aus Judäa hergebracht hat. [14] Man sagt, der Geist der heiligen Götter wohne in dir. Du sollst verborgene Dinge ans Licht bringen können und ungewöhnlich klug und weise sein. [15] Eben habe ich meine Gelehrten, die mich beraten, und die Geisterbeschwörer kommen lassen. Sie sollten diese Schrift lesen und mir sagen, was sie bedeutet. Aber sie können es nicht. [16] Von dir jedoch habe ich gehört, dass du hinter jedes Geheimnis kommst und mit den größten Schwierigkeiten fertig wirst. Wenn du es schaffst, diese Schrift zu entziffern und mir zu deuten, werde ich dich mit allen Würden auszeichnen: Du darfst purpurfarbene Gewänder tragen wie ein König, bekommst eine goldene Kette um den Hals und wirst der drittmächtigste Mann im Reich.«

[17] Daniel erwiderte: »Eine Belohnung möchte ich nicht annehmen. Du kannst sie ruhig einem anderen geben. Ich werde dir die Schrift auch so vorlesen und deuten. [18] Mein König! Gott, der Allerhöchste, hatte deinen Vater Nebukadnezar zu einem mächtigen Herrscher gemacht. Er war in der ganzen Welt berühmt und hochangesehen. [19] Die Menschen aller Länder, Völker und Sprachen zitterten vor ihm. Er verbreitete Angst und Schrecken, denn er konnte nach Belieben töten oder am Leben lassen. Von seiner Gunst hing es ab, ob jemand ein hohes Amt erhielt oder es verlor. [20] So wurde er immer hochmütiger. Doch sein Stolz und seine Vermessenheit brachten ihn zu Fall. Alle Macht und Anerkennung wurde ihm genommen. [21] Man verstieß ihn aus der menschlichen Gemeinschaft, er verlor seinen Verstand und wurde wie ein Tier. Bei den wilden Eseln hauste er, fraß Gras wie ein Rind, und der Tau durchnässte ihn. Das dauerte so lange, bis er einsah: Der höchste Gott ist Herr über alle Reiche der Welt, er vertraut die Herrschaft an, wem er will.

[22] Aber du, Belsazar, hast daraus nichts gelernt, obwohl du als sein Sohn alles wusstest. Du bist genauso überheblich wie er. [23] In deinem Hochmut hast du den Herrn des Himmels missachtet und dir die heiligen Gefäße holen lassen, die aus seinem Tempel stammen. Dann hast du mit den führenden Männern, mit deinen Frauen und Nebenfrauen Wein daraus getrunken und Loblieder auf deine Götter angestimmt. Dabei können diese Götzen weder sehen noch hören; sie begreifen nichts, weil sie aus Silber und Gold, aus Bronze und Eisen, aus Holz und Stein gemacht sind. Aber den Gott, der dein ganzes Leben in seiner Hand hat und deine Schritte lenkt – ihn willst du nicht ehren!

[24] Deshalb ließ er die Hand erscheinen und diese Worte an die Wand schreiben. [25] Sie lauten: ›Mene mene tekel u-parsin.‹

[26] ›Mene‹ bedeutet ›gezählt‹: Die Tage deiner Herrschaft sind gezählt, Gott setzt ihnen ein Ende!

[27] ›Tekel‹ heißt ›gewogen‹: Gott hat dich gewogen und für zu leicht befunden. Du kannst nicht vor ihm bestehen.

[28] ›U-parsin‹ bedeutet ›und geteilt‹:

5,11 2,48; 4,6 **5,12** 1,17 **5,18** 2,37–38 **5,20–21** 4,25–32 **5,23** Ps 115,4–8 **5,28** Jes 13,17; Jer 51,11

Dein Reich wird unter die Meder und Perser aufgeteilt.«

[29] Nachdem Daniel dies gesagt hatte, befahl Belsazar, ihn mit einem Purpurgewand zu bekleiden und ihm eine Goldkette um den Hals zu legen. Er machte öffentlich bekannt, dass Daniel von nun an der drittmächtigste Mann im Reich sei.

[30] Noch in derselben Nacht wurde Belsazar, der König von Babylonien, umgebracht.

Daniel in der Löwengrube

6 Nach Belsazars Tod wurde der Meder Darius König von Babylonien; er war 62 Jahre alt. [2] Darius beschloss, hundertzwanzig Statthalter über die Provinzen seines Reiches einzusetzen. [3] Sie waren drei hohen Beamten am Hof unterstellt, denen sie Rechenschaft geben mussten. Die drei vertraten die Interessen des Königs. Einer von ihnen war Daniel. [4] Bald stellte sich heraus, dass Daniel weitaus klüger und begabter war als die anderen Beamten und die Statthalter. Der König dachte sogar daran, ihm die Verwaltung des ganzen Reiches zu übertragen. [5] Da suchten die anderen führenden Männer nach einem Grund, um Daniel anklagen zu können. Er übte sein Amt jedoch so gewissenhaft aus, dass sie ihm nicht das kleinste Vergehen nachweisen konnten; er war weder nachlässig noch bestechlich.

[6] Da sagten sie sich: »Wir haben nichts gegen Daniel in der Hand, es sei denn, wir finden in seinem Glauben etwas Anstößiges!« [7] Sie eilten zum König und begrüßten ihn: »Lang lebe König Darius! [8] Wir kommen von einer gemeinsamen Beratung aller obersten Beamten, Verwalter, Statthalter und deren Stellvertreter. Wir schlagen dir vor, dass du folgende Anordnung erlässt und alles tust, um sie durchzusetzen: Wer in den kommenden dreißig Tagen eine Bitte an irgendeinen Gott oder Menschen richtet außer an dich, o König, soll in die Löwengrube geworfen werden. [9] Damit das Verbot nach dem Gesetz der Meder und Perser von keinem widerrufen werden kann, sollte es in einer Urkunde festgehalten werden.«

[10] Da ließ Darius den Erlass niederschreiben, und das Verbot trat in Kraft.

[11] Als Daniel davon erfuhr, ging er in sein Haus. Das obere Stockwerk hatte Fenster in Richtung Jerusalem, die offen standen. Hier kniete er nieder, betete zu seinem Gott und dankte ihm, wie er es auch sonst dreimal am Tag tat. [12] Plötzlich stürmten seine Feinde herein und ertappten ihn dabei, wie er Gott anflehte.

[13] Sofort gingen sie zum König und fragten: »Hast du nicht ausdrücklich befohlen, jeden den Löwen zum Fraß vorzuwerfen, der in den kommenden dreißig Tagen eine Bitte an irgendeinen Gott oder Menschen richtet außer an dich, o König?« »Ja«, antwortete Darius, »und nach dem Gesetz der Meder und Perser kann keiner diesen Erlass widerrufen.« [14] Da erzählten sie: »Daniel, einer der Verbannten aus Judäa, macht sich überhaupt nichts aus deinem Verbot. Er setzt sich darüber hinweg, obwohl du selbst es erlassen hast! Dreimal am Tag betet er zu seinem Gott!«

[15] Als der König das hörte, war er bestürzt. Den ganzen Tag dachte er darüber nach, wie er Daniel retten könnte, aber bis zum Sonnenuntergang hatte er immer noch keine Lösung gefunden. [16] Da kamen die Männer wieder zum König gelaufen und erinnerten ihn noch einmal daran, dass nach dem Gesetz der Meder und Perser kein königlicher Erlass abgeändert werden dürfe. [17] Darius befahl schließlich, Daniel zu verhaften und in die Löwengrube zu werfen. Er sagte zu Daniel: »Dein Gott, dem du so treu dienst, möge dich retten!« [18] Dann wurde ein Stein auf die Öffnung der Grube ge-

---

5,29 2,48 **6,1** 9,1 **6,2** Est 1,1 **6,4** 5,12 **6,9** Est 1,19 **6,11** 1 Kön 8,47–49 **6,13–14** 3,10–12 **6,14** Apg 4,19; 5,29 **6,17** 3,17

wälzt. Der König versiegelte ihn mit seinem Siegelring, und die führenden Männer taten dasselbe, damit niemand mehr Daniel herausholen konnte.

[19] Danach zog sich Darius in seinen Palast zurück. Er fastete die ganze Nacht, verzichtete auf jede Unterhaltung und konnte nicht schlafen.

[20] Im Morgengrauen stand er auf und lief schnell zur Löwengrube. [21] Schon von weitem rief er ängstlich: »Daniel, du Diener des lebendigen Gottes! Hat dein Gott, dem du unaufhörlich dienst, dich vor den Löwen retten können?« [22] Da hörte er Daniel antworten: »Lang lebe der König! [23] Mein Gott hat seinen Engel gesandt. Er hat den Rachen der Löwen verschlossen, darum konnten sie mir nichts anhaben. Denn Gott weiß, dass ich unschuldig bin, und auch dir gegenüber, mein König, habe ich kein Unrecht begangen.«

[24] Darius war glücklich und erleichtert. Sofort befahl er, Daniel aus der Löwengrube zu holen. Man fand nicht die geringste Verletzung an ihm, denn er hatte auf seinen Gott vertraut. [25] Auf Befehl des Königs wurden die Männer, die Daniel verklagt hatten, zusammen mit ihren Frauen und Kindern den Löwen zum Fraß vorgeworfen. Noch ehe sie den Boden der Grube berührt hatten, fielen die Tiere schon über sie her und zermalmten ihnen alle Knochen.

[26] Dann sandte König Darius eine Botschaft an die Menschen aller Völker, Länder und Sprachen. Sie lautete: »Ich grüße euch und wünsche euch Frieden! [27] Hiermit ordne ich an, in meinem ganzen Reich dem Gott Daniels Ehrfurcht zu erweisen! Denn er ist der lebendige Gott, der in alle Ewigkeit regiert. Sein Reich geht niemals unter, seine Herrschaft bleibt für immer bestehen. [28] Er rettet und befreit, er vollbringt Wunder und zeigt seine große Macht im Himmel und auf der Erde. Daniel hat er vor den Löwen gerettet.«

[29] Während der Regierungszeit des Darius und auch unter der Herrschaft des persischen Königs Kyrus genoss Daniel hohes Ansehen.

Daniels erste Vision von den vier Tieren

7 Im 1. Regierungsjahr des babylonischen Königs Belsazar hatte Daniel nachts im Traum eine Vision. Er schrieb alles nieder, was er gesehen hatte, [2] und so beginnt sein Bericht:

Ich, Daniel, sah, wie aus allen vier Himmelsrichtungen ein starker Wind kam und das Meer aufwühlte. [3] Vier große Tiere stiegen aus dem Wasser empor; sie waren alle verschieden.

[4] Das erste sah aus wie ein Löwe, es hatte jedoch Adlerflügel. Während ich es betrachtete, wurden ihm plötzlich die Flügel abgerissen, es wurde aufgerichtet und wie ein Mensch auf zwei Füße gestellt. Dann bekam es das Herz eines Menschen.

[5] Das zweite Tier sah aus wie ein Bär und hatte sich mit einer Seite aufgerichtet. Zwischen den Zähnen hielt es drei Rippenknochen fest. Man rief ihm zu: »Los, steh auf und friss Fleisch, soviel du kannst!«

[6] Dann sah ich das nächste Tier erscheinen. Es glich einem Panther, hatte aber vier Vogelflügel auf dem Rücken und vier Köpfe. Ihm wurde große Macht gegeben.

[7] Zuletzt sah ich in der Vision ein viertes Tier. Sein Anblick war grauenerregend, und es strotzte vor Kraft. Was es mit seinen gewaltigen Zähnen aus Eisen nicht zermalmte, das zertrat es mit den Füßen. Von den anderen Tieren unterschied es sich völlig. Es hatte zehn Hörner. [8] Als ich die Hörner genau betrachtete, sah ich ein weiteres, kleines Horn zwischen ihnen hervorwachsen. Drei Hörner wurden herausgerissen, um ihm Platz zu machen. Ich bemerkte, dass dieses Horn Menschenaugen besaß und ein Maul, das große Reden schwang.

6,23 3,25.28 **6,24** 3,27 **6,27** 2,44* **7,3–7** Offb 13,1–2 **7,8** 8,9; 11,36; Offb 13,5–6

[9]Während ich noch schaute, wurden Thronsessel aufgestellt. Ein hochbetagter Mann setzte sich auf einen von ihnen. Sein Gewand war weiß wie Schnee und sein Haar so hell wie reine Wolle. Sein Thron stand auf Rädern aus Feuer und war von Flammen umgeben, [10]ja, ein ganzer Feuerstrom ging von ihm aus! Unzählige Engel standen vor ihm und dienten ihm. Nun trat ein Gericht zusammen, und Bücher wurden geöffnet.

[11]Ich schaute wieder auf das Horn, das so selbstgefällig daherredete. Plötzlich wurde das Tier, zu dem es gehörte, getötet und ins lodernde Feuer geworfen. [12]Die anderen drei Tiere hatten ihre Macht schon eingebüßt, sie durften aber weiterleben bis zu der Zeit, die Gott bestimmen würde.

[13]Doch ich sah noch mehr in meiner Vision: Mit den Wolken am Himmel kam einer, der aussah wie ein Mensch[a]. Man führte ihn zu dem alten Mann, [14]der ihm Macht, Ehre und königliche Würde verlieh. Die Menschen aller Länder, Völker und Sprachen dienten ihm. Für immer und ewig wird er herrschen, sein Reich wird niemals zerstört!

[15]Was ich in der Vision gesehen hatte, erschreckte und beunruhigte mich. [16]Deshalb ging ich zu einem der Engel, die in der Nähe standen, und bat ihn: »Sag mir, was dies alles zu bedeuten hat.« Er erklärte: [17]»Die vier Tiere sind vier Königreiche, die große Macht erlangen werden. [18]Aber schließlich wird das heilige Volk Gottes, des Allerhöchsten, die Herrschaft empfangen und sie für alle Zeiten behalten.«

[19]Ich wollte gern noch mehr über das vierte Tier erfahren, das sich von den anderen völlig unterschied und grauenhaft aussah. Was es mit seinen gewaltigen Zähnen aus Eisen nicht zermalmte und mit seinen Krallen aus Bronze nicht zerriss, das zertrat es mit den Füßen. [20]Besonders wollte ich wissen, was die zehn Hörner auf seinem Kopf zu bedeuten hatten und das kleine Horn, das plötzlich hervorgewachsen war und drei andere verdrängt hatte. Es besaß Menschenaugen und ein Maul, das große Reden schwang, und es war furchterregender als die übrigen Hörner. [21]Ich sah, wie dieses Horn Krieg gegen das heilige Volk Gottes führte und es besiegte. [22]Aber dann griff der alte Mann ein. Er übertrug dem heiligen Volk Gottes, des Allerhöchsten, die Vollmacht, Gericht zu halten. Nun war die Zeit gekommen, in der sie die Herrschaft ausüben konnten.

[23]Der Engel, den ich nach der Bedeutung des Traumes gefragt hatte, erklärte mir: »Das vierte Tier bedeutet ein viertes Reich, das sich von allen früheren unterscheidet. Es wird die anderen Völker verschlingen, zermalmen und niedertreten. [24]Die zehn Hörner sind zehn Könige, die aus diesem Reich hervorgehen werden. Nach ihnen jedoch kommt ein Herrscher an die Macht, der ganz anders ist als seine Vorgänger. Er wird drei Könige stürzen. [25]Sogar Gott, den Allerhöchsten, wird er herausfordern und das heilige Volk Gottes bezwingen. Mit allen Mitteln versucht er, die heiligen Feste abzuschaffen und das Recht zu verändern. Gottes Volk wird für einen Zeitraum, dann für zwei Zeiträume und nochmals für einen halben Zeitraum seiner Gewalt ausgeliefert sein.

[26]Dann jedoch tritt das Gericht im Himmel zusammen. Es wird diesen Herrscher stürzen und ein für alle Mal vernichten. [27]Schließlich wird Gott, der Allerhöchste, seinem Volk die Herrschaft über die anderen Königreiche der Erde anvertrauen und ihm große Macht verleihen. Gottes Reich aber bleibt für immer bestehen, alle Mächtigen werden ihm dienen und gehorchen.«

[28]Bis hierher ging mein Traum. Ich war wie betäubt und wurde kreidebleich.

---

[a] Wörtlich: wie ein Menschensohn.

7,9 Hes 1,26; Offb 4,2; 20,11 **7,10** Offb 5,11 **7,11** Offb 19,20 **7,12** 2,21 **7,13** Mt 24,30; 25,31; Offb 1,13 **7,14** 2,44* **7,17–18** 2,37–45 **7,18** Offb 22,5 **7,21** Offb 11,7; 13,7 **7,22** 1 Kor 6,2; Offb 20,4 **7,25** 11,31–36 **7,27** 2,44* **7,28** 8,27; 10,8

Noch lange dachte ich über das nach, was ich gesehen hatte.

Daniels zweite Vision vom Schafbock und Ziegenbock

8 Im 3. Regierungsjahr König Belsazars hatte ich, Daniel, eine zweite Vision: [2]Dabei sah ich mich selbst in der königlichen Residenz Susa in der Provinz Elam. Ich stand am Ulai-Kanal, [3]und als ich mich umschaute, entdeckte ich am Ufer einen Schafbock. Er hatte zwei lange Hörner; das eine war größer als das andere, obwohl es erst später gewachsen war. [4]Ich sah, wie der Schafbock mit seinen Hörnern nach Westen, Norden und Süden Stöße austeilte. Kein Tier konnte sich ihm widersetzen, und wenn er eines in seiner Gewalt hatte, konnte niemand mehr helfen. Er tat, was er wollte, und wurde immer mächtiger.

[5]Während ich noch darüber nachdachte, was dies zu bedeuten hatte, kam plötzlich ein Ziegenbock vom Westen her über die ganze Erde. Er lief so schnell, dass er kaum den Boden berührte. Zwischen den Augen hatte er ein auffällig starkes Horn. [6]Als er bei dem Schafbock angelangt war, den ich am Kanal gesehen hatte, stürzte er sich mit voller Wucht auf ihn [7]und traf ihn in seiner Flanke. Die zwei kämpften erbittert, bis der Ziegenbock seinem Feind beide Hörner abbrach. Der Schafbock hatte keine Kraft mehr, sich zu wehren, er wurde zu Boden geworfen und zertrampelt. Niemand kam ihm zu Hilfe.

[8]Jetzt wurde der Ziegenbock noch mächtiger. Doch als er überaus kräftig geworden war, brach das große Horn ab. An seiner Stelle kamen vier gewaltige Hörner zum Vorschein, die in alle vier Himmelsrichtungen wuchsen. [9]Aus einem von ihnen brach noch ein weiteres Horn hervor. Zuerst war es sehr klein, aber dann wuchs es immer mehr nach Süden, nach Osten und in Richtung Israel[a]. [10]Ja, es erreichte sogar die Sterne am Himmel, warf einige von ihnen auf die Erde hinunter und zertrat sie. [11]Selbst den Herrn des Himmels forderte es heraus, denn es verbot die regelmäßigen Opfer, die ihm dargebracht wurden, und entweihte seinen Tempel. [12]Es setzte ein ganzes Heer ein, das die täglichen Opfer mit Gewalt unterbinden sollte. So trat es die Wahrheit mit Füßen, und was immer es unternahm, gelang ihm.

[13]Dann hörte ich, wie ein Engel einen anderen fragte: »Wann wird man Gott wieder Opfer darbringen können? Soll sich das Horn weiter ungehindert gegen Gott auflehnen und schreckliche Verwüstungen anrichten? Es fordert den Herrn des Himmels heraus[b] und hat sein Heiligtum zerstört. Wie lange soll das noch so bleiben?« [14]Der andere Engel antwortete: »Erst nach 2300 Tagen[c] wird das Heiligtum wieder neu geweiht werden.«

[15]Ich dachte noch über das Gesehene nach, als plötzlich jemand vor mir stand, der wie ein Mann aussah. [16]Gleichzeitig hörte ich, wie eine Stimme vom Ulai-Kanal ihm zurief: »Gabriel, erkläre du ihm die Vision!« [17]Der Engel trat ganz nahe an mich heran. Ich erschrak und fiel vor ihm zu Boden. Er aber sagte zu mir: »Du Mensch, hör genau zu: Dir wurde vor Augen geführt, was die kommenden Generationen erleben werden.«

[18]Während er so zu mir sprach, lag ich wie betäubt am Boden mit dem Gesicht nach unten. Doch der Engel berührte

---

[a] Wörtlich: und zum Land der Zierde hin.
[b] Wörtlich: Es zertritt das Heer (des Himmels).
[c] Wörtlich: 2300 Abend-Morgen. – Es ist möglich, dass diese Angabe sich auf die täglichen Opfer bezieht, die morgens und abends dargebracht wurden. Dann könnte man auch übersetzen: nach 1150 Tagen.

8,1 7,1 **8,2** Neh 1,1; Est 1,2 **8,9** 7,8 **8,10** Offb 12,4 **8,11–12** 9,27; 11,36–37 **8,14** 7,25 **8,16** 9,21; Lk 1,19.26–27

mich und half mir wieder auf die Beine. [19] Dann sagte er: »Ich will dir erklären, was sich ereignet, wenn Gottes Zorn losbricht. Die Zeit dafür ist schon festgelegt. [20] Der Schafbock mit den beiden Hörnern ist das Reich der Meder und Perser mit ihren Herrschern. [21] Der zottige Ziegenbock ist das Reich der Griechen, und das große Horn zwischen den Augen des Bocks der erste König dieses Reiches. [22] Du hast gesehen, wie das Horn abbrach und an seiner Stelle vier andere nachwuchsen. Dies bedeutet, dass aus dem einen Königreich vier andere entstehen werden. Sie werden aber nicht so mächtig sein wie das erste. [23] Am Ende ihrer Herrschaft wird die Gottlosigkeit überhand nehmen und das Maß der Schuld voll sein.

Dann kommt ein rücksichtsloser und hinterhältiger König [24] und erlangt große Macht, wenn auch nicht aus eigener Kraft. Schreckliches Verderben richtet er an, und was er unternimmt, das hat Erfolg. Er schaltet mächtige Herrscher aus, sogar Gottes heiliges Volk stürzt er ins Verderben. [25] Weil er so schlau und gerissen ist, gelingt es ihm, die Menschen zu täuschen. In seinem Größenwahn bringt er viele ohne jede Warnung um. Selbst dem höchsten Herrn stellt er sich entgegen, doch schließlich wird er ohne menschliches Zutun vernichtet.

[26] Hör zu, Daniel! Alles, was du über die 2300 Tage[a] erfahren hast, wird eintreffen. Behalte die Vision genau im Gedächtnis! Denn es dauert noch lange, bis sie sich ganz erfüllt hat.«

[27] Danach war ich völlig erschöpft und tagelang krank. Als es mir besser ging, nahm ich meinen Dienst beim König wieder auf. Doch ich war erschüttert über die Vision, und ich verstand sie nicht.

Daniel bekennt die Schuld seines Volkes

9 Der Meder Darius, der Sohn des Xerxes, war König von Babylonien geworden. [2] In seinem 1. Regierungsjahr forschte ich in den heiligen Schriften. Ich las dort, wie der Herr dem Propheten Jeremia ankündigte, dass Jerusalem siebzig Jahre in Trümmern liegen würde.[b] [3] Da flehte ich zum Herrn, meinem Gott, ich fastete, zog ein Trauergewand aus Sacktuch an und streute Asche auf meinen Kopf. [4] Ich bekannte dem Herrn die Schuld unseres Volkes:

»Ach Herr, du mächtiger und ehrfurchtgebietender Gott! Du hältst deinen Bund mit uns und erweist Gnade denen, die dich lieben und nach deinen Geboten leben. [5] Doch wir haben gegen dich gesündigt und großes Unrecht begangen! Was du wolltest, war uns gleichgültig! Ja, wir haben uns gegen dich aufgelehnt und deine Gebote und Weisungen umgangen. [6] Die Mahnungen der Propheten schlugen wir in den Wind, dabei haben sie in deinem Auftrag zu unseren Vorfahren, unseren Königen, den führenden Männern und zum ganzen Volk gesprochen. [7] Du, Herr, hast recht gehandelt, wir haben es verdient, dass du uns so schwer bestraft und in andere Länder vertrieben hast. Wir alle müssen uns schämen: die Bewohner von Juda und Jerusalem und auch wir in der Fremde. Unser ganzes Volk hat dir die Treue gebrochen. [8] Herr, wir haben schwere Schuld auf uns geladen: unsere Könige, die führenden Männer und auch unsere Vorfahren. Dafür schämen wir uns in Grund und Boden.

[9] Doch du, Herr, unser Gott, bist barmherzig und vergibst uns, obwohl wir von dir nichts mehr wissen wollten. [10] Wir ha-

---

[a] Wörtlich: 2300 Abend-Morgen. – Es ist möglich, dass diese Angabe sich auf die täglichen Opfer bezieht, die morgens und abends dargebracht wurden. Dann könnte man auch übersetzen: 1150 Tage.

[b] Vgl. Jeremia 25,11; 2. Chronik 36,21

8,21–22 11,3–4 **8,23–25** 11,21–45 **8,26** 12,4 **8,27** 7,28; Jes 21,3–4; Hab 3,16 **9,4–19** Esr 9,5–15; Neh 1,5–11; 9,6–37 **9,4** 5 Mo 7,9 **9,6** 2 Kön 17,13–14 **9,9** 2 Mo 34,6; Ps 130,4

ben uns taub gestellt, wir haben nicht auf die Propheten gehört, die uns aufforderten, nach deinen Geboten zu leben. [11] Ganz Israel hat deine Weisungen missachtet und deine Worte in den Wind geschlagen. Deshalb hat uns nun dein Fluch getroffen, den du im Gesetzbuch deines Dieners Mose allen angedroht hast, die sich gegen dich auflehnen. [12] Noch nie ist über ein Volk ein solches Unheil hereingebrochen, wie es die Menschen in Jerusalem jetzt erleben. Du hast deine Drohungen gegen uns und unsere führenden Männer wahr gemacht! [13] Ja, du hast uns ins Unglück gestürzt, wie es im Gesetzbuch des Mose angekündigt ist. Und wir haben auch nichts unternommen, um dich wieder gnädig zu stimmen. Wir sind nicht von unseren falschen Wegen umgekehrt zu dir, dem wahren Gott. [14] Darum lässt du uns nun die Folgen tragen. Wir haben die gerechte Strafe bekommen, Herr, unser Gott, denn wir wollten nicht auf dich hören.

[15] Herr, wir haben gesündigt und dir den Rücken gekehrt. Du bist unser Gott, du hast uns, dein Volk, durch deine große Macht aus Ägypten befreit. Bis zum heutigen Tag machst du deinen Namen überall bekannt. [16] Immer wieder hast du gezeigt, dass du dich an deine Zusagen hältst. Sei nicht länger zornig über deine Stadt Jerusalem und über deinen heiligen Berg Zion! Schon unsere Vorfahren haben große Schuld auf sich geladen, und auch wir haben weiter gegen dich gesündigt. Jetzt ist Jerusalem und unser ganzes Volk zum Gespött aller Nachbarvölker geworden.

[17] Herr, höre doch jetzt, wenn ich zu dir flehe! Unser Gott, erbarm dich über dein verwüstetes Heiligtum! Es geht um deine Ehre! [18] Erhöre mich, du, mein Gott, und sieh, wie es um uns steht: Die Stadt, die deinen Namen trägt, liegt in Trümmern. Wir flehen zu dir, nicht weil wir deine Hilfe verdient hätten, sondern weil du uns schon so oft gnädig gewesen bist. [19] Herr, vergib uns! Greif ein und handle! Zögere nicht, denn deine Ehre steht auf dem Spiel! Es geht um deine Stadt und dein Volk.«

Das Geheimnis der siebzig mal sieben Jahre

[20] So betete ich und bekannte dem Herrn meine Schuld und die Schuld meines Volkes. Ich flehte ihn an, sein Heiligtum auf dem Berg Zion wieder aufbauen zu lassen.

[21] Noch während ich betete, eilte der Engel Gabriel herbei, den ich schon früher in meiner Vision gesehen hatte. Es war gerade die Zeit des Abendopfers. [22] »Daniel«, sagte er zu mir, »ich bin gekommen, um deine Fragen zu beantworten. [23] Schon als du anfingst zu beten, sandte Gott mich zu dir, denn er liebt dich. Achte nun auf das, was ich dir offenbaren will: [24] Siebzig mal sieben Jahre[a] müssen vergehen, bis Gott seine Absicht mit deinem Volk und mit der heiligen Stadt erreicht hat: Zu dieser Zeit bereitet er der Auflehnung gegen ihn ein Ende, die Macht der Sünde wird gebrochen, und die Schuld ist gesühnt. Dann werden Menschen für immer vor Gott bestehen können, die Visionen und Voraussagen der Propheten erfüllen sich, und das Allerheiligste im Tempel wird wieder neu geweiht.

[25] Nun hör gut zu, damit du meine Worte verstehst: Zwischen dem Befehl, Jerusalem wieder aufzubauen, und dem Auftreten eines von Gott erwählten Herrschers liegen sieben mal sieben Jahre. Zweiundsechzig mal sieben Jahre lang werden in Jerusalem Straßen und Befestigungsgräben gebaut, doch es wird eine Zeit großer Bedrängnis sein. [26] Nach den zweiundsechzig mal sieben Jahren wird

---

[a] Wörtlich: Siebzig Wochen. – Eine Woche ist hier wahrscheinlich als Jahrwoche (7 Jahre) zu verstehen.

9,11 3 Mo 26,14–39; 5 Mo 27,15–26; 28,15–68 **9,15** 2 Mo 12,51; 5 Mo 6,21–23 **9,17** Jes 48,11; Hes 36,20–23 **9,19** Jer 14,21 **9,21** 8,16; 4 Mo 28,3–8 **9,25** Esr 1,2; Sach 3,1; 6,11

ein von Gott Auserwählter hingerichtet, ohne dass er irgendwo Hilfe findet. Dann zerstört das Heer eines fremden Machthabers die Stadt und den Tempel wie eine reißende Flut. Bis zum Ende herrschen Krieg und Verwüstung, denn so hat es Gott beschlossen. [27]Der Machthaber wird vielen Menschen einen Bund aufzwingen, der sieben Jahre lang gelten wird. Nach der Hälfte dieser Zeit verbietet er den Opferdienst am Tempel und stellt dort eine abscheuliche Götzenstatue auf. Doch auch dieser grausame Herrscher wird untergehen, denn Gott hat sein Urteil über ihn gesprochen.«

Daniels letzte Vision am Ufer des Tigris

10 Im 3. Regierungsjahr des persischen Königs Kyrus empfing Daniel, der Beltschazar genannt wurde, eine Botschaft von Gott. Sie kündigt eine Zeit großer Not an und wird sich ganz sicher erfüllen. In einer Vision wurde Daniel diese Botschaft erklärt. [2]Er berichtet:

Damals trauerte ich drei Wochen lang, [3]ich verzichtete auf alle erlesenen Speisen und auf Fleisch, trank keinen Wein und verwendete keine wohlriechenden Salböle. [4]Am 24. Tag des 1. Monats stand ich am Ufer des Tigris. [5]Als ich aufblickte, sah ich einen Mann, der ein weißes Leinengewand mit einem Gürtel aus feinstem Gold trug. [6]Sein Leib funkelte wie ein Edelstein, sein Gesicht leuchtete wie ein Blitz, und die Augen glichen brennenden Fackeln. Die Arme und Beine schimmerten wie polierte Bronze, und seine Stimme war so laut wie die Rufe einer großen Menschenmenge.

[7]Ich war der Einzige, der die Erscheinung wahrnahm. Meine Begleiter konnten sie nicht sehen, doch sie bekamen plötzlich große Angst, liefen davon und versteckten sich. [8]So blieb ich allein zurück und spürte, wie mich beim Anblick der beeindruckenden Gestalt die Kräfte verließen. Ich wurde kreidebleich und konnte mich kaum noch auf den Beinen halten. [9]Da fing der Mann an zu sprechen, und kaum hörte ich seine gewaltige Stimme, da verlor ich die Besinnung, fiel um und blieb mit dem Gesicht am Boden liegen. [10]Doch eine Hand berührte mich und rüttelte mich wach. Ich konnte auf die Knie gehen und mich mit den Händen abstützen.

[11]Der Mann sprach zu mir: »Gott liebt dich, Daniel! Steh auf und achte auf meine Worte, denn Gott hat mich zu dir geschickt.« Zitternd stand ich auf. [12]»Hab keine Angst!«, ermutigte er mich. »Du wolltest gern erkennen, was Gott tun will, und hast dich vor ihm gedemütigt. Schon an dem Tag, als du anfingst zu beten, hat er dich erhört. Darum bin ich nun zu dir gekommen. [13]Aber der Engelfürst des Perserreichs stellte sich mir entgegen und hielt mich einundzwanzig Tage lang auf. Doch dann kam mir Michael zu Hilfe, einer der höchsten Engelfürsten. Ihm konnte ich den Kampf um das Reich der Perser überlassen. [14]Ich bin jetzt hier, um dir zu erzählen, wie es mit deinem Volk weitergeht. Denn was du nun von mir erfährst, wird sich in ferner Zukunft erfüllen.«

[15]Als er so zu mir redete, blickte ich zu Boden und brachte kein Wort mehr heraus. [16]Der Engel, der aussah wie ein Mensch, berührte meine Lippen, und ich konnte wieder sprechen. Ich sagte zu ihm: »Mein Herr, deine Erscheinung lässt mich zittern wie eine Frau in den Wehen, sie hat mir alle Kraft genommen! [17]Ich stehe vor dir wie ein Sklave vor seinem Herrn. Wie könnte ich es wagen, überhaupt ein Wort an dich zu richten? Dazu fehlt mir der Mut, und meine Kehle ist wie zugeschnürt.«

[18]Der Engel, der wie ein Mensch aussah, berührte mich noch einmal und gab mir dadurch Kraft. [19]»Hab keine Angst!«,

9,27 8,11; 11,31; 12,11; Mt 24,15 **10,1** 1,7; 4,5 **10,5–6** 8,15; 12,6; Hes 1,26–28; Offb 1,13–15 **10,7** Apg 9,7 **10,8** 8,27 **10,11** 9,23 **10,12** Ps 17,6*; Jes 65,24 **10,13** 12,1; Jud 9; Offb 12,7 **10,14** 8,26 **10,16** Jes 6,7; Jer 1,9 **10,19** 10,11

sagte er. »Gott liebt dich, er meint es gut mit dir. Sei jetzt stark und mutig!« Während er mit mir sprach, kehrte meine Kraft zurück, und ich antwortete: »Mein Herr, weil du mich gestärkt hast, kann ich hören, was du mir sagen möchtest.«

[20] Er entgegnete: »Weißt du überhaupt, warum ich zu dir gekommen bin? Bald schon muss ich wieder umkehren, um den Kampf mit dem Engelfürsten der Perser zu Ende zu führen. Wenn ich ihn besiegt habe, wird der Engelfürst von Griechenland mich angreifen. [21/1] Gegen diese beiden steht mir allein Michael bei, der Engelfürst eures Volkes. Denn im 1. Regierungsjahr des Mederkönigs Darius habe ich ihm Hilfe und Schutz gegeben. Doch bevor ich zurückgehe, will ich dir die Botschaft anvertrauen, die im Buch der Wahrheit aufgeschrieben ist.«

Machtkämpfe zwischen den Königen des Nordens und des Südens

11 [2] »Was ich dir nun offenbare, wird ganz bestimmt eintreffen: Drei weitere Könige werden in Persien regieren, bis ein vierter die Herrschaft übernimmt, der seine Vorgänger an Glanz und Reichtum weit übertrifft. Auf dem Gipfel seiner Macht bietet er alle Kräfte gegen Griechenland auf.

[3] Nach ihm kommt ein bedeutender König, der so mächtig ist, dass er alles erreichen kann, was er geplant hat. [4] Doch auf dem Höhepunkt seiner Macht zerfällt sein Reich in vier Teile, die im Norden, Süden, Osten und Westen liegen und viel schwächer sind als das vorige. Keiner der königlichen Nachkommen kann weiterregieren, das Königshaus geht unter, und andere reißen die Macht an sich.

[5] Der König des Südreichs gewinnt an Einfluss, doch einer seiner Heerführer wird noch bedeutender als er und errichtet im Norden ein noch größeres Reich.

[6] Nach einigen Jahren verbünden sich die beiden Reiche miteinander, und um den Frieden zu festigen, heiratet die Tochter des Königs im Süden den König im Norden. Doch sie kann ihren Einfluss nicht behaupten, und das Bündnis zerbricht. Sie kommt um, ebenso ihr Mann, ihr Vater und ihr Gefolge. [7] Ein Verwandter von ihr wird anstelle ihres Vaters König. Er zieht gegen den König des Nordens in den Krieg, besiegt ihn und dringt in seine befestigte Hauptstadt ein. [8] Die Götterstatuen und die wertvollen Gegenstände aus Silber und Gold nimmt er nach Ägypten mit. Danach wird er den König im Norden einige Jahre nicht mehr angreifen. [9] Dieser jedoch fällt in das Südreich ein, zieht sich aber sofort wieder zurück. [10] Seine Söhne werden sich erneut zum Krieg rüsten und viele große Heere aufbieten, die wie eine zerstörerische Flut über die Feinde hereinbrechen. Immer wieder greifen sie an und dringen schließlich bis zur Festung des Königs im Süden vor. [11] Dieser wiederum wird voller Zorn seine Truppen sammeln, gegen seinen Feind kämpfen und ihn trotz seiner Übermacht besiegen. [12] Zehntausende aus dem nördlichen Reich werden dabei umkommen. Dieser Erfolg macht den König des Südens selbstsicher und überheblich. Doch er kann seine Macht nicht lange behaupten. [13] Denn der Herrscher aus dem Norden stellt einige Jahre später noch größere Truppen auf, bis an die Zähne bewaffnet, und greift mit ihnen an.

[14] Auch viele andere werden sich in jener Zeit gegen den König des Südens auflehnen. Eine Vision erfüllt sich: Menschen aus deinem eigenen Volk, die vor Gewalttaten nicht zurückschrecken, schließen sich den Aufständischen an. Aber sie werden scheitern. [15] Der König aus dem Norden wird mit seinen Soldaten anrücken, eine befestigte Stadt belagern und sie einnehmen. Das Heer aus dem Süden kann ihm nicht standhalten, sogar die Elitetruppen müssen die Waffen strecken. [16] Niemand leistet dem nördlichen Herrscher mehr Widerstand, er kann tun und lassen, was er will.

11,2 Esr 4,5–7 **11,3–4** 8,21–22 **11,6** 2,43 **11,16** 8,9

Auch in Israel[a] macht er sich breit und verwüstet das Land. [17]Er will durch ein Bündnis die Herrschaft über das Südreich erlangen, damit es ihm nicht mehr gefährlich werden kann. Deshalb gibt er dem König des Südens eine seiner Töchter zur Frau. Doch sein Plan wird scheitern.

[18]Darauf greift er die Küstenländer und Inseln an und bringt viele in seine Gewalt. Doch ein fremder Heerführer stellt sich ihm entgegen und macht seinem Größenwahn ein Ende. [19]Darauf zieht sich der König des Nordens in die befestigten Städte seines eigenen Landes zurück. Aber dort wird er gestürzt, und schon bald gerät er in Vergessenheit.

[20]Sein Nachfolger wird einen Bevollmächtigten durchs Reich schicken, um Steuern einzutreiben und so den Reichtum seines Landes zu vergrößern. Aber schon nach kurzer Zeit wird der König sterben; er fällt jedoch weder im Krieg, noch wird er aus Rache ermordet.«

Der große Feind von Gottes Volk

[21]»An die Stelle des verstorbenen Königs wird ein skrupelloser Mann treten. Er ist zwar nicht für die Thronfolge bestimmt, reißt aber durch Intrigen die Herrschaft an sich. [22]Wenn feindliche Heere in sein Land einfallen, löscht er sie aus. Ja, sogar einen verbündeten Fürsten[b] lässt er umbringen. [23]Zuerst schließt er ein Bündnis mit ihm, doch dann hintergeht er ihn auf übelste Weise. Obwohl den König nur wenige unterstützen, gelangt er an den Gipfel der Macht. [24]Er fällt in die reichen Gegenden einer Provinz ein, während sich die Bewohner in Sicherheit wiegen, er plündert sie aus und verteilt die Beute an seine Anhänger. Kein Herrscher vor ihm hat es je so schlimm getrieben! Auch die befestigten Städte will er in seine Gewalt bekommen, doch dazu bleibt ihm nicht mehr viel Zeit.

[25]Entschlossen und zielbewusst führt er ein großes Heer gegen den König des Südens in den Kampf. Dieser rüstet sich mit einer noch gewaltigeren Armee zum Krieg, doch er kann seinen Feinden nicht standhalten, denn er wird das Opfer einer Verschwörung: [26]Seine engsten Vertrauten bringen seine Pläne zum Scheitern, viele Soldaten fallen in der Schlacht, und die Überlebenden fliehen in alle Richtungen.

[27]Die beiden Könige verhandeln miteinander, und jeder ist nur darauf aus, den anderen hinters Licht zu führen. Doch keiner von ihnen hat Erfolg, denn die Zeit dafür ist noch nicht gekommen. [28]Zunächst kehrt der König aus dem Norden mit reicher Beute in sein Land zurück. Unterwegs greift er das Volk an, mit dem Gott einen Bund geschlossen hat.

[29]Später versucht er wieder, das Südreich zu erobern. Doch diesmal wird es ihm anders ergehen als bei seinem ersten Feldzug: [30]Schiffe aus einem Land im Mittelmeer bedrohen ihn, er verliert den Mut und tritt den Rückzug an.

Seine Wut darüber lässt er an dem Volk aus, das zum heiligen Gott gehört. Er zieht alle auf seine Seite, die bereit sind, den Bund mit Gott zu brechen. [31]Seine Truppen entweihen den Tempel auf dem Berg, schaffen die täglichen Opfer ab und stellen eine abscheuliche Götzenstatue auf. [32]Alle, denen Gottes Bund mit Israel schon immer gleichgültig war, verführt er mit schönen Worten dazu, sich endgültig von Gott abzuwenden. Die anderen aber, die Gott treu sein wollen, bleiben standhaft. [33]Weise und Verständige aus dem Volk werden vielen den richtigen Weg zeigen. Darum wird man sie eine Zeit lang verfolgen; man nimmt sie gefangen, tötet sie mit dem Schwert, raubt ihren Besitz und brennt ihre Häuser nieder. [34]Sie erfahren zwar auch Hilfe, aber viele schließen sich

---

a Wörtlich: im Land der Zierde.

b Wörtlich: den Fürst des Bundes. – Möglicherweise ist hier auch der Hohepriester gemeint.

11,21 7,24; 8,23 **11,31** 9,27 **11,33** 12,3

ihnen nur zum Schein an. [35] Dass die Weisen und Verständigen so hart verfolgt werden, dient ihrer Läuterung. Gott will sie durch diese schwere Zeit prüfen, damit ihr Glaube sich bewährt. Dies dauert so lange, wie Gott es bestimmt hat.

[36] Der König kann tun und lassen, was er will. Ja, er ist so vermessen, sich über die Götter zu erheben; sogar Gott, den Höchsten, verhöhnt und verspottet er. Doch er wird dies nur so lange tun, bis Gott ihn voller Zorn bestraft, denn niemand kann Gottes Pläne durchkreuzen. [37] Der König macht sich nichts aus den Göttern seiner Vorfahren. Nicht einmal der Lieblingsgott der Frauen[a] oder irgendein anderer bedeutet ihm etwas, denn er bildet sich ein, mächtiger als sie alle zu sein. [38] Er dient lieber dem Gott der Festungen, den seine Vorfahren nie gekannt haben, und bringt ihm Gold und Silber dar, Edelsteine und andere wertvolle Gaben. [39] Im Namen dieses fremden Gottes bezwingt er selbst die stärksten Festungen. Wer ihn als Herrscher anerkennt, den überhäuft er mit großen Ehren, er teilt ihm Land zu und lässt ihn über viele Menschen regieren.

[40] Schließlich aber kommt das Ende: Der König des Südens fällt mit seinen Truppen über das Nordreich her, doch der König des Nordens geht mit Streitwagen, Reitern und vielen Schiffen zum Gegenangriff über. Er stößt in die Länder des Südens vor und überrollt sie wie eine verheerende Flut. [41] Dabei erobert er auch Israel[b] und bringt viele Länder in seine Gewalt. Nur die Edomiter, die Moabiter und der größte Teil der Ammoniter kommen noch einmal davon. [42] Für Ägypten jedoch gibt es bei diesem Feldzug keine Rettung mehr. [43] Der König des Nordens raubt die Schätze des Landes, sein Gold und sein Silber. Und selbst Libyer und Äthiopier führt er in seinem Siegeszug mit. [44] Dann aber werden ihm Gerüchte aus dem Osten und Norden zugetragen, die ihn beunruhigen. Voller Zorn tritt er den Rückzug an, um seine Feinde ein für alle Mal zu vernichten. [45] Er schlägt seine Kriegszelte zwischen dem Meer und dem Berg Zion[c] auf. Doch dann wird sein Ende kommen, und niemand kann ihm mehr helfen.«

Die Auferstehung der Toten

12 »In jener Zeit tritt Michael, der große Engelfürst, für dein Volk ein, so wie er es schon immer getan hat. Es wird eine so große Not herrschen wie noch nie seit Menschengedenken. Aber alle aus deinem Volk werden gerettet, deren Name in Gottes Buch aufgeschrieben ist. [2] Viele von denen, die in der Erde ruhen, werden erwachen, die einen werden für immer leben, die anderen erleiden für immer Spott und Schande. [3] Die Weisen und Verständigen aber werden leuchten wie die Sonne am Himmel. Und diejenigen, die vielen Menschen den richtigen Weg gezeigt haben, leuchten für immer und ewig wie die Sterne.

[4] Du aber, Daniel, bewahr diese Botschaft sorgfältig auf! Schreib all diese Worte in ein Buch, und versiegle es, bis es am Ende der Zeit geöffnet wird. Viele werden es erforschen und zu immer größerer Erkenntnis gelangen.«

Das Ende der Zeit

[5] Dann sah ich zwei Männer am Fluss stehen, jeder an einem Ufer. [6] Einer von ihnen fragte den Engel, der ein Gewand aus Leinen trug und über dem Wasser schwebte: »Wie lange dauert es noch, bis diese erstaunlichen Ereignisse vorüber sind?«

---

[a] Gemeint ist wahrscheinlich der Gott Tammus (Hesekiel 8,14), in Griechenland Adonis, in Ägypten Osiris genannt.
[b] Wörtlich: das Land der Zierde.
[c] Wörtlich: dem Berg der heiligen Zierde.

11,36 7,8.25; 2 Thess 2,4; Offb 13,6 **11,45** 7,26 **12,1** 10,13; Mal 3,16; Mt 24,21 **12,2** Jes 26,19; Mt 25,46; Joh 5,29 **12,3** 11,33–35; Mt 13,43 **12,4** 8,26; Jes 30,8; Offb 22,10 **12,5–6** 10,5–6

[7]Der Engel erhob beide Hände zum Himmel und schwor bei Gott, der ewig lebt: »Es dauert noch einen Zeitraum, dann zwei Zeiträume und einen halben Zeitraum. Wenn die Kraft des heiligen Volkes Gottes gebrochen ist, dann kommt alles zu seinem Ziel!«

[8]Ich hörte zwar, was der Engel sagte, aber ich konnte es nicht begreifen. Deshalb fragte ich: »Mein Herr, wie wird das Ende aussehen?«

[9]Er antwortete: »Geh jetzt, Daniel! Bewahr diese Botschaft sorgfältig auf! Das Buch soll versiegelt bleiben, bis das Ende kommt. [10]Gott wird viele Menschen auf die Probe stellen, er wird sie läutern, damit ihr Glaube sich bewährt. Doch alle, die von Gott nichts wissen wollen, werden sich weiterhin gegen ihn auflehnen. Sie werden diese Botschaft nicht verstehen, die Weisen aber werden sie begreifen. [11]Von dem Zeitpunkt an, wenn man die regelmäßigen Opfer abschafft und eine abscheuliche Götzenstatue aufstellt, wird es 1290 Tage dauern. [12]Glücklich ist, wer aushält, bis 1335 Tage vorüber sind!

[13]Du aber geh deinen Weg bis zum Ende! Du wirst in der Erde ruhen, doch später wirst du auferstehen und das himmlische Erbe empfangen, das am Ende der Zeit auf dich wartet.«

12,7 7,25; Offb 11,2 **12,10** 11,35 **12,11** 9,27; 11,31; Mt 24,15 **12,13** 12,2

Der Prophet Hosea

Hoseas Familie als Bild für Israel

1 In diesem Buch sind die Worte des Herrn an Hosea, den Sohn Beeris, aufgeschrieben. Damals regierten in Juda nacheinander die Könige Usija, Jotam, Ahas und Hiskia. In Israel herrschte König Jerobeam, der Sohn Joaschs.

[2] Als der Herr zum ersten Mal zu Hosea sprach, befahl er ihm: »Such dir eine Hure, und mache sie zu deiner Frau! Du sollst Kinder haben, die von einer Hure geboren wurden. Denn mein Volk ist wie eine Hure: Es ist mir untreu und läuft fremden Göttern nach.« [3] Hosea heiratete Gomer, die Tochter Diblajims. Sie wurde schwanger und brachte einen Jungen zur Welt. [4] »Nenne deinen Sohn Jesreel«, sagte der Herr zu Hosea, »denn bald werde ich das Blutbad rächen, das König Jehu in Jesreel angerichtet hat.[a] Ich werde seine Nachkommen bestrafen und dem Königreich Israel ein Ende machen. [5] In der Ebene Jesreel werde ich das gesamte Heer Israels auslöschen.«

[6] Gomer wurde danach wieder schwanger und brachte ein Mädchen zur Welt. Da sprach der Herr zu Hosea: »Nenne das Kind Lo-Ruhama[b]! Denn ich habe kein Erbarmen mehr mit den Israeliten und werde ihre Schuld nicht länger vergeben!

[7] Aber mit den Judäern will ich Mitleid haben: Ich werde sie retten, denn ich bin der Herr, ihr Gott. Ich werde aber nicht für sie Krieg führen und ihnen nicht mit Bogen und Schwert, mit Pferden und Reitern helfen.«

[8] Als Gomer ihre Tochter Lo-Ruhama nicht mehr stillte, wurde sie ein drittes Mal schwanger und brachte einen Jungen zur Welt. [9] Da sagte der Herr: »Er soll Lo-Ammi[c] heißen. Denn ihr seid nicht mehr mein Volk, und ich bin nicht mehr für euch da.

2 Doch es kommt die Zeit, da werden die Israeliten so zahlreich sein wie der Sand am Meer; man wird sie nicht zählen können. Ich habe ihnen gesagt: Ihr seid nicht mein Volk. Dann aber werden sie ›Kinder des lebendigen Gottes‹ heißen. [2] Alle Männer aus Juda und Israel werden sich versammeln und ein gemeinsames Oberhaupt wählen. Sie werden das ganze Land in Besitz nehmen. Was für ein großer Tag wird das sein, wenn meine Saat aufgeht![d] [3] Dann sollt ihr euren Schwestern und Brüdern in meinem Auftrag verkünden: ›Ihr seid mein Volk, ich habe Erbarmen mit euch.‹«

Die untreue Frau – ein Gleichnis für Israel

[4] »Klagt euer Land an, ihr Israeliten! Bringt euer Volk vor Gericht! Schon lange ist eure Mutter Israel nicht mehr meine Frau, und darum will auch ich nicht länger ihr Mann sein! Sie soll die Zeichen einer Hure von ihrem Gesicht und ihren Brüsten entfernen. [5] Sonst werde ich sie nackt ausziehen und hilflos machen wie bei ihrer Geburt. Ihr Land mache ich zur Wüste, zu einer dürren Einöde, ja, ich will sie verdursten lassen! [6] Auch mit ihren Kindern werde ich kein Mitleid haben,

---

[a] Vgl. 2. Könige 10,1–11
[b] Lo-Ruhama bedeutet »sie findet kein Erbarmen«.
[c] Lo-Ammi bedeutet »nicht mein Volk«.
[d] Wörtlich: Groß ist der Tag von Jesreel. – Jesreel bedeutet »Gott sät«.

1,1 2 Kön 14,23–29; Jes 1,1; Am 1,1 **1,2** 2,4–10; 3,1; 4,11–14; Jes 1,21; Jer 2,20; Hes 16,24–25 **1,6–9** 2,25 **1,6** Am 7,8; 8,2 **1,7** 2 Kön 19,32–37; Sach 4,6 **1,9** 2 Mo 19,5–6* **2,1** 1 Mo 22,17; Röm 9,26 **2,2** Jer 3,18* **2,3** 1,6.9 **2,4** 1,2* **2,5** Hes 16,4–5

denn sie sind Hurenkinder. [7]Ihre Mutter hat sich mit fremden Männern eingelassen. Sie ging mit ihnen ins Bett und dachte: ›Es lohnt sich, bei meinen Liebhabern zu bleiben, denn sie geben mir, was ich brauche: Brot und Wasser, Wolle und Flachs, Öl und Wein.‹

[8]Darum versperre ich ihr den Weg mit Mauern und lasse ihn mit Dornengestrüpp überwuchern, so dass sie nicht mehr weiter weiß. [9]Vergeblich läuft sie hinter ihren Liebhabern her. Sie wird sie suchen, aber nicht finden. Zuletzt wird sie sich besinnen: ›Ich will nach Hause zurückkehren, zu meinem ersten Mann; denn bei ihm ging es mir besser.‹ [10]Sie hat nicht erkannt, dass ich es war, der ihr Getreide, Most und Öl gegeben hat. Mit Silber und Gold habe ich sie überschüttet, sie aber hat alles ihrem Götzen Baal zu Füßen gelegt. [11]Zur Erntezeit werde ich dafür sorgen, dass sie kein Getreide und keinen Wein bekommt. Auch Wolle und Flachs nehme ich ihr weg, damit sie sich keine Kleider nähen kann. [12]Vor den Augen ihrer Liebhaber ziehe ich sie nackt aus und stelle sie öffentlich zur Schau; niemand kann sie davor bewahren. [13]Ihren Freudenfesten mache ich ein Ende, sie wird keinen Neumond oder Sabbat und kein anderes großes Fest mehr feiern. [14]Ihre Weinstöcke werde ich zerstören und ihre Feigenbäume fällen. Denn sie hat gesagt: ›Das habe ich von meinen Freunden für meine Liebesdienste bekommen.‹ Alles, was sie gepflanzt hat, lasse ich von Gestrüpp überwuchern; und den Rest werden die wilden Tiere fressen.

[15]Denn sie hat mich vergessen. Statt für mich hat sie für ihre Götzen Feste gefeiert und ihnen Opfer dargebracht. Sie hat sich mit Ringen und Ketten geschmückt und ist ihren Liebhabern nachgelaufen. Deshalb werde ich sie bestrafen. Darauf gebe ich, der Herr, mein Wort.«

Gott bleibt treu

[16]»Doch dann werde ich versuchen, sie wiederzugewinnen: Ich will sie in die Wüste bringen und in aller Liebe mit ihr reden. [17]Dort wird sie auf meine Worte hören. Sie wird mich lieben wie damals in ihrer Jugend, als sie Ägypten verließ. Dann will ich ihr die Weinberge zurückgeben; das Achortal, das Unglückstal[a], soll für sie ein Tor der Hoffnung sein.

[18]Ja, ich, der Herr, verspreche: An diesem Tag wird sie nicht mehr zu mir sagen: ›Mein Baal‹, sondern sie wird mich wieder ihren Mann nennen. [19]Den Namen Baal werde ich aus ihrem Mund nicht mehr hören, nie wieder wird sie die Namen anderer Götter erwähnen. [20]Ich will einen Bund schließen mit den wilden Tieren, den Vögeln und den Kriechtieren, damit sie ihr keinen Schaden zufügen. Ich werde die Kriege beenden und alle Bogen und Schwerter zerbrechen. Das alles werde ich tun, damit sie in Frieden und Sicherheit leben kann.

[21]Die Ehe, die ich an diesem Tag mit dir, Israel, schließe, wird ewig bestehen. Ich schenke dir Liebe und Barmherzigkeit, ich schütze dich und helfe dir; [22]immer werde ich treu sein und dich nie verlassen. Daran wirst du erkennen, dass ich der Herr bin!

[23]In jener Zeit werde ich die Bitten Israels erhören. Aus dem Himmel lasse ich Regen auf die Erde fallen, [24]und die Erde wird Getreide, Weintrauben und Oliven hervorbringen. Dann wird Israel genug zu essen haben und satt werden.[b] [25]Ich werde dafür sorgen, dass mein Volk sich wieder in seinem Land ansiedeln kann. Es wurde als eine Nation bezeichnet, ›die

---

[a] Vgl. Josua 7,26

[b] Die Verse 23 und 24 wörtlich: An jenem Tag werde ich erhören. Ich erhöre den Himmel, und der Himmel erhört die Erde. Die Erde erhört das Korn, den Most und das Öl, und diese erhören Jesreel.

2,7 Jer 2,23–25; 44,17–18 **2,9** Lk 15,17–18 **2,10** Hes 16,13.17.19 **2,12** Hes 16,37 **2,13** Am 8,10 **2,16** 12,10; 13,4–5 **2,18** Jes 54,5 **2,20** Jes 11,6–9; Hes 34,25 **2,21** Offb 19,7 **2,22** Jer 31,34 **2,25** 1,6.9; Röm 9,25; 1 Petr 2,10

kein Erbarmen findet‹; doch die Zeit kommt, in der ich mich über mein Volk erbarmen werde. Es war einst ›Nicht mein Volk‹; nun aber sage ich zu ihm: ›Du bist mein Volk‹, und Israel wird antworten: ›Du bist mein Gott!‹«

Israel wird umkehren

3 Der Herr sprach zu mir: »Obwohl deine Frau deine Liebe nicht erwidert hat, sondern ständig die Ehe bricht, sollst du sie wieder bei dir aufnehmen und sie lieb haben. Denn auch ich liebe die Israeliten, obwohl sie anderen Göttern nachlaufen und deren Opfermahlzeiten essen[a].«

[2] Da kaufte ich meine Frau für fünfzehn Silberstücke und viereinhalb Zentner Gerste zurück [3] und sagte zu ihr: »Du wirst jetzt bei mir bleiben und dich mit keinem anderen Mann mehr einlassen. Aber ich werde lange Zeit nicht mit dir schlafen.«

[4] Genau so wird es Israel ergehen: Lange Zeit werden sie ohne König und Fürsten sein, es wird keine Schlachtopfer und keine heiligen Steinmale geben, auch keine Götterfiguren und Priestergewänder. [5] Und dann wird Israel zurückkommen und den Herrn, seinen Gott, suchen. Das ganze Volk wird einen Nachkommen Davids als König anerkennen. Zitternd werden sie in dieser letzten Zeit zum Herrn zurückkehren und ihre Hoffnung ganz auf seine Güte setzen.

Die Priester verführen das Volk zum Götzendienst

4 Ihr Israeliten, hört, was der Herr euch zu sagen hat! Der Herr führt einen Rechtsstreit gegen die Bewohner des Landes. Denn Treue und Liebe sind ihnen fremd, sie wollen den Herrn nicht als ihren Gott anerkennen. [2] Sie betrügen und lügen, sie morden, stehlen und brechen die Ehe, sie begehen eine Bluttat nach der anderen. [3] Darum wird das Land vertrocknen, und alles, was dort lebt, wird verdursten. Die Tiere auf dem Feld, die Vögel am Himmel und sogar die Fische im Meer – sie alle gehen zugrunde.

[4] Der Herr sagt: »Es soll nicht irgendeiner angeklagt, nicht irgendwer verurteilt werden! Euch, ihr Priester, euch klage ich an! [5] Am helllichten Tag werde ich euch zu Fall bringen, und die Propheten, die gemeinsame Sache mit euch machen, werde ich über Nacht stürzen. Selbst eure Mütter lasse ich umkommen! [6] Mein Volk läuft ins Verderben, weil es den richtigen Weg nicht kennt. Denn ihr Priester wollt nichts mehr von der Wahrheit wissen. Deshalb will ich auch nichts mehr von euch wissen! Ihr sollt nicht länger meine Priester sein. Weil ihr meine Weisungen vergessen habt, darum werde ich eure Kinder vergessen.

[7] Je zahlreicher die Priester wurden, desto mehr haben sie sich gegen mich aufgelehnt. Darum werde ich ihnen ihr angesehenes Amt wegnehmen, und sie werden sich vor allen Leuten schämen müssen. [8] Sie hoffen, dass mein Volk viele Sünden begeht, denn dann können sie sich am Fleisch der Sündopfertiere satt essen.[b] [9] Darum soll es ihnen gehen wie den anderen Israeliten: Ich werde sie für ihren Eigensinn bestrafen, ich werde ihnen das Böse, das sie tun, heimzahlen! [10] Soviel sie auch essen, sie sollen nicht satt werden. Und mit wie vielen Frauen sie sich auch einlassen, sie werden doch keine Kinder haben.

Denn mich, den Herrn, haben sie verlassen, sie haben mir den Rücken gekehrt!

[11] Hurerei, Wein und Most vernebeln ihnen den Verstand. [12] Mein Volk geht zu heiligen Bäumen, um sich Rat zu holen. Sie erwarten Auskunft und Hilfe, indem

---

[a] Wörtlich: und Rosinenkuchen lieben.
[b] Wörtlich: Sie essen die Sünde meines Volkes und verlangen nach ihrer Schuld.

3,1 1,2* **3,5** Jes 9,6* **4,2** 2 Mo 20,13–16 **4,3** Am 4,6–9 **4,6** Jer 2,8; Hes 22,26 **4,8** 3 Mo 6,19; 7,6–7 **4,10** Hag 1,6

sie mit Holzstäben das Orakel befragen. Besessen von ihrer Hurerei und Treulosigkeit, sind sie auf Abwege geraten; von mir, ihrem Gott, wollen sie nichts mehr wissen. [13]Oben auf den Hügeln bringen sie Räucheropfer dar und halten Opfermahlzeiten, sie feiern im wohltuenden Schatten von Eichen, Storaxbäumen und Terebinthen. Darum werden ihre Töchter und Schwiegertöchter zu Huren und Ehebrecherinnen. [14]Doch ich werde nicht sie für ihre Hurerei und ihren Ehebruch bestrafen. Denn es sind die Priester, die ein schlechtes Beispiel geben: Gerade sie laufen den Huren nach und feiern Opfermahlzeiten mit den Prostituierten am Tempel. So stürzen sie das Volk, das es nicht besser weiß, ins Verderben.

[15]Doch auch wenn Israel mir untreu ist, soll Juda sich nicht schuldig machen. Ihr Judäer, geht nicht in die Heiligtümer von Gilgal oder Bet-Awen[a]! Schwört nicht: ›So wahr der Herr lebt‹! [16]Das Volk Israel ist widerspenstig wie eine störrische Kuh. Soll ich sie etwa auf freiem Feld weiden lassen wie ein sanftes Lamm?

[17]Ephraim[b] hat sich fremden Göttern verschrieben. Sollen sie machen, was sie wollen! [18]Sie halten Saufgelage ab und vergnügen sich schamlos mit ihren Huren. Und anstatt sich zu schämen, sind sie auch noch stolz darauf! [19]Sie treiben umher wie ein Blatt im Wind und rennen mit ihrem Götzendienst ins Verderben.«

Israel und Juda sind schuldig

5 «Ihr Priester, passt gut auf! Auch der König mit seinem Hofstaat und alle anderen Israeliten sollen aufmerksam zuhören!

Ihr habt die Aufgabe, das Recht zu wahren! Doch ihr seid wie eine tödliche Falle in Mizpa, wie ein Netz, mit dem man auf dem Berg Tabor Vögel fängt! [2]Den Bund, den ich mit euch geschlossen habe, habt ihr verraten. Aber nun habt ihr eure Gottlosigkeit zu weit getrieben! Darum werde ich euch alle bestrafen!

[3]Denn ich kenne Ephraim gut. Nichts, was dort geschieht, bleibt meinen Augen verborgen. Ephraim ist fremden Göttern nachgelaufen, Israel hat schwere Schuld auf sich geladen. [4]Sie sind so in ihre Schuld verstrickt, dass sie nicht mehr zu mir umkehren können. Sie haben nur noch ihren Götzendienst im Sinn, sie erkennen nicht, dass ich der Herr bin! [5]Durch ihren Hochmut sprechen sie sich selbst das Urteil, ihre Schuld stürzt sie ins Verderben. Auch den Bewohnern von Juda wird es nicht anders ergehen.

[6]Sie werden dann Schafe und Rinder opfern, um mich, den Herrn, gnädig zu stimmen; aber ich werde sie allein lassen, so dass sie mich nicht finden können. [7]Sie haben mir, dem Herrn, die Treue gebrochen und mit ihren Huren Kinder gezeugt. Darum werden sie in kürzester Zeit vernichtet – mit allem, was ihnen gehört.«

Gottes Klage über sein Volk

[8]»Stoßt ins Horn in Gibea, und blast die Trompeten in Rama! Stimmt lautes Kriegsgeschrei an in Bet-Awen! Denn der Feind ist euch auf den Fersen, ihr vom Stamm Benjamin! [9]Ich vollstrecke mein Urteil an Israel und mache es zur Wüste. Alles, was ich den Stämmen Israels angedroht habe, wird wahr!

[10]Auch auf die führenden Männer Judas wird mein Zorn niedergehen wie ein Gewitterregen! Denn sie verrücken die Grenzen und reißen so fremdes Land an sich. [11]Ja, Ephraim wird unterdrückt und aller Rechte beraubt, denn es hat dort Hilfe gesucht, wo es keine Hilfe gibt! [12]Ich, der Herr, bereite Ephraim Schmerzen wie eine eiternde Wunde, und ich quäle Juda wie ein bösartiges Geschwür.

---

[a] Bet-Awen (»Haus des Unheils«) ist eine ironische Abänderung des Namens Bethel (»Haus Gottes«).

[b] Mit »Ephraim« meint Hosea stets das Nordreich Israel.

4,13 5 Mo 12,2–3* **4,14** 5 Mo 23,18 **4,15** 9,15 **4,18** 4,11; 7,5 **5,3** 4,11–14 **5,4** 4,12 **5,5** Jes 2,11–12* **5,6** 1 Sam 15,22* **5,8** Jer 4,5 **5,10** 5 Mo 19,14; 27,17

[13] Als Ephraim und Juda merkten, wie schlimm es um sie stand, suchte Ephraim Hilfe beim König von Assyrien. Doch dieser kriegerische König kann euch nicht gesund machen und von euren eitrigen Geschwüren heilen!

[14] Denn ich, der Herr, greife Ephraim und Juda an wie ein junger, hungriger Löwe; ich zerreiße sie und schleppe sie als Beute fort, und niemand kann sie retten. [15] Ich werde sie allein lassen, bis sie ihre Schuld einsehen und nach mir fragen. In ihrer Not werden sie wieder meine Nähe suchen und sagen:

6 ›Kommt, wir wollen zum Herrn umkehren! Er hat uns verletzt, also wird er uns auch wieder heilen; er hat uns geschlagen, darum wird er auch unsere Wunden verbinden! [2] Nach drei Tagen wird er uns wieder aufrichten und uns neues Leben schenken. Dann können wir immer in seiner Nähe sein. [3] Alles wollen wir tun, um ihn, den Herrn, zu erkennen! So sicher, wie morgens die Sonne aufgeht und im Herbst und Frühjahr der Regen die Erde tränkt, so gewiss wird er kommen und uns helfen.‹

[4] Ach, Ephraim und Juda, was soll ich bloß mit euch machen? Eure Treue ist so flüchtig wie ein Nebelschleier am Morgen, eure Liebe zu mir verschwindet so schnell wie Tau unter der Sonne! [5] Darum habe ich durch die Propheten mein Gericht angedroht und versucht, euch mit harten Worten zur Umkehr zu bewegen. Was ich für richtig und gut halte, habe ich deutlich gesagt, es ist klar wie der helle Tag. [6] Wenn jemand mir treu ist, so ist mir das lieber als ein Schlachtopfer. Und wenn jemand mich erkennen will, freut mich das mehr als jedes Brandopfer!«

Israel und Juda sind reif für das Gericht

[7] »Die Israeliten sind mir untreu geworden, schon damals in der Stadt Adam. Und seitdem haben sie immer wieder den Bund gebrochen, den ich einst mit ihnen geschlossen habe. [8] Gilead ist eine Stadt voller Verbrecher, überall fließt Blut. [9] Die Priester rotten sich zusammen; auf dem Weg, der nach Sichem führt, lauern sie den Reisenden auf und ermorden sie. Vor keiner Schandtat schrecken sie zurück. [10] Ich, der Herr, habe Abscheuliches in Israel gesehen: Israel ist fremden Göttern nachgelaufen und hat Schuld auf sich geladen. [11] Doch auch Juda ist reif für das Gericht!

Wenn ich das Schicksal Israels wenden **7** und mein Volk heilen will, dann kommt ans Licht, dass Israel schwere Schuld auf sich geladen hat und die Leute von Samaria nur Böses im Schilde führen. Sie sind Betrüger; Diebe brechen in die Häuser ein, und Räuberbanden ziehen plündernd durch das Land. [2] Sie machen sich nicht klar, dass ich kein einziges ihrer Verbrechen vergesse. Sie müssen die Folgen ihrer Bosheit tragen, denn ich werde mich an alles erinnern! [3] Mit hinterlistigen Plänen verschaffen sie sich Ansehen beim König, und mit Lügen schmeicheln sie sich bei den Fürsten ein. [4] Doch sie halten niemandem die Treue. Ihr Hass glüht wie ein Ofen, den der Bäcker angeheizt hat und den man nicht mehr nachzuheizen braucht, selbst wenn man den Teig noch kneten und gehen lassen muss. [5] Am Krönungstag ihres Königs machen sie ihn und seine Hofbeamten betrunken, der viele Wein raubt diesen Schwätzern den Verstand. [6] Die Verräter warten, bis ihre Zeit gekommen ist, sie fiebern dem Augenblick entgegen, in dem sie losschlagen. Doch sie lassen sich die ganze Nacht hindurch nichts anmerken. Am Morgen aber wird die schwelende Glut zur lodernden Flamme: [7] Sie fallen über den König und seine engsten Berater her. So kommt ein König nach dem anderen ums Leben, aber noch nie hat einer von ihnen zu mir, dem Herrn, um Hilfe gerufen!

5,13 7,11; 8,9; 12,2; 2 Kön 15,19; 17,3 **5,14** 13,7–8 **5,15** Jes 26,16 **6,1** 5,14–15 **6,3** 1 Mo 8,22 **6,4** 13,3 **6,5** 11,2; 12,11 **6,6** 8,11–13; 1 Sam 15,22*; Mt 9,13; 12,7 **6,10** 5,3–4 **7,7** 2 Kön 15,10.14.25.30

[8] Ephraim vermischt sich mit fremden Völkern. Wie ein Brotfladen, der nicht gewendet wird, auf einem glühenden Stein verschmort, so geht Israel zugrunde. [9] Die Völker, die Ephraim zu Hilfe gerufen hat, rauben ihm alle Kraft, aber er achtet nicht darauf. Sein Haar wird grau, doch er merkt es nicht. [10] So spricht Israel sich in seinem Hochmut selbst das Urteil. Denn mich, den Herrn, ihren Gott, suchen sie nicht, sie wollen trotz allem nicht zu mir umkehren!

[11] Ephraim ist leichtgläubig und dumm wie eine Taube. Erst rufen sie die Ägypter zu Hilfe, dann wollen sie mit den Assyrern ein Bündnis schließen! [12] Weil sie hierhin und dorthin laufen, will ich ein Netz aufspannen – wie ein Vogelfänger. Ja, ich fange sie ein und bestrafe sie, wie ich es ihnen angedroht habe!

[13] Es wird ihnen schlecht ergehen! Sie sollen bloß nicht meinen, sie könnten mir entkommen! Ihr Land wird verwüstet, weil sie mich verlassen haben. Warum sollte ich sie noch retten? Sie verbreiten ja doch nur Lügen über mich. [14] Sie liegen im Bett und heulen, aber niemals rufen sie ernsthaft nach mir. Sie ritzen sich die Haut ein, damit die Ernte gut ausfällt, und entfernen sich immer weiter von mir.

[15] Ich, der Herr, habe sie ermahnt, ich habe ihnen Kraft gegeben, doch sie denken sich stets neue Bosheiten gegen mich aus. [16] Sie wenden sich an alle möglichen Helfer, nur nicht an mich! Sie sind wie ein schlaffer Bogen, mit dem man nicht schießen kann. Ihre führenden Männer werden im Krieg fallen, weil sie Hass und Lüge verbreiten. In ganz Ägypten wird man über sie spotten!«

Gottes Gericht über sein untreues Volk

8 »Blast das Horn, und schlagt Alarm! Der Feind stürzt sich wie ein Adler auf mein Land. Denn seine Bewohner haben den Bund gebrochen, den ich mit ihnen geschlossen habe. Bewusst haben sie meine Weisungen und Gebote verletzt. [2] Sie schreien zwar zu mir um Hilfe und berufen sich darauf, dass sie mein Volk sind, [3] doch sie verachten, was in meinen Augen gut und richtig ist. Darum gebe ich sie in die Gewalt ihrer Feinde. [4] Eigenmächtig haben sie Könige und Hofbeamte eingesetzt, ohne mich, den Herrn, zu fragen. Aus ihrem Silber und Gold gießen sie Götterstatuen – genauso gut könnten sie es wegwerfen!

[5] Ich verachte euer goldenes Kalb, ihr Leute von Samaria! Ihr ahnt nicht, wie zornig ich auf euch bin! Wann werdet ihr es wohl schaffen, euch von diesem Schandmal zu befreien? [6] Was soll diese Götzenstatue in Israel? Ein Handwerker hat sie gemacht, darum ist sie kein Gott! Man wird sie in Stücke hauen!

[7] Wer Wind sät, wird Sturm ernten. Wenn das Getreide nicht wächst, gibt es auch kein Mehl. Und selbst wenn sich ein paar Ähren fänden, würden Fremde sie verzehren!

[8] Ja, Israel ist verloren, verachtet bei den Völkern ringsum. Das Volk ist wie ein nutzloses Gefäß, das niemand mehr braucht. [9] Sie haben die Assyrer um Hilfe gebeten und ihnen Geschenke gebracht. Sogar ein Wildesel bleibt für sich allein und unabhängig, aber die Leute von Ephraim versuchen, sich Freunde zu kaufen. [10] Sie können verschenken, soviel sie wollen. Ich werde sie allesamt in die Fänge des assyrischen Königs treiben, und sie werden sich schon bald unter der Last winden, die er ihnen auferlegt. [11] Die Leute von Ephraim haben einen Altar nach dem anderen errichtet. Doch anstatt mir zu dienen, laden sie weiter Schuld auf sich. Je mehr Altäre es gibt, desto größer wird ihre Sünde! [12] Zehntausendmal könnte ich ihnen meine Gebote aufschreiben – sie blieben ihnen fremd!

7,9 5,13 **7,10** 5,5 **7,11** 5,13; 2 Kön 17,4 **7,12** Hes 17,20 **7,14** 5 Mo 14,1; 1 Kön 18,28 **7,16** Ps 78,57 **8,1** Jer 4,5 **8,2** 2 Mo 19,5–6* **8,4** 7,7 **8,5–6** 10,5; 13,2; 1 Kön 12,28–29 **8,7** 10,13 **8,8** Jer 22,18 **8,9** 5,13

[13] Sie bringen mir Schlachtopfer dar und essen sich beim Opfermahl satt. An solchen Opfern habe ich, der Herr, keine Freude! Ich merke mir alles, was sie tun, und werde sie hart bestrafen: Sie müssen zurück nach Ägypten! [14] Ich habe sie zu dem gemacht, was sie sind. Und trotzdem haben sie mich vergessen! Israel baut prächtige Paläste, und Juda errichtet immer neue Festungen. Doch ich, der Herr, werde ihre Städte und Prachtbauten niederbrennen und vernichten!«

Israels Ende

9 Du hast keinen Grund zur Freude, Israel! Du wirst nicht länger jubeln und Feste feiern wie die Völker ringsum! Denn du hast deinen Gott verlassen und läufst anderen Göttern nach, ja, du verkaufst dich an sie und feierst ihnen zu Ehren Erntefeste auf den Tennen. [2] Doch Getreide und Wein werden zu Ende gehen, und auch Most wird es nicht mehr geben.

[3/4] Ihr werdet nicht in diesem Land bleiben, das der Herr euch gegeben hat: Ihr Leute von Ephraim werdet nach Ägypten zurückkehren oder nach Assyrien verschleppt werden. Dort werdet ihr dem Herrn keine Trank- oder Schlachtopfer mehr darbringen, denn ihr könnt nicht mehr zum Tempel des Herrn kommen. Alles, was ihr dort esst, ist unrein und wird euch unrein machen – wie Brot, das in Gegenwart eines Toten gegessen wird. Ihr könnt es nur noch selbst verzehren. [5] Wie wollt ihr dann eure Feste zu Ehren des Herrn feiern? [6] Diejenigen von euch, die das verwüstete Land verlassen und nach Ägypten fliehen, werden dort sterben und in Memfis begraben. Euer kostbares Silber wird von Unkraut überwuchert, und Dorngestrüpp wächst in euren Zelten.

[7] Nun ist es so weit: Der Herr vollstreckt das Urteil! Jetzt werdet ihr Israeliten für eure Taten bestraft. Ihr werdet es sehen! Ihr sagt: »Der Prophet ist ein dummer Schwätzer, ja, der Mann des Geistes ist verrückt!« Weil ich eure große Schuld beim Namen nenne, bin ich euer Todfeind geworden.

[8] Doch Gott hat mich zu einem Propheten gemacht, damit ich euch warne. Ihr aber versucht, mich wie einen Vogel in die Falle zu locken! Wo ich gehe und stehe, seid ihr hinter mir her, sogar im Haus meines Gottes. [9] Ihr seid durch und durch verdorben, wie damals die Leute von Gibea.[a] Doch der Herr lässt euch nicht ungestraft davonkommen, sondern wird euch für eure Schuld zur Rechenschaft ziehen!

Von Anfang an wird Israel schuldig

[10] Der Herr sagt: »Als ich dem Volk Israel zum ersten Mal begegnete, da war es, als hätte ich Trauben in der Wüste gefunden. Eure Vorfahren waren für mich wie die ersten köstlichen Früchte des Feigenbaumes. Doch bald liefen sie dem Gott Baal-Peor nach und verehrten diesen abscheulichen Götzen, ja, sie wurden genau wie er! [11] Die Leute von Ephraim sind wie Vögel, die hin und her flattern. Darum wird ihre Macht so schnell schwinden, wie Vögel davonfliegen. Keine israelitische Frau wird mehr schwanger werden und ein Kind zur Welt bringen. [12] Die Kinder, die sie schon großgezogen haben, lasse ich sterben. Kein einziges wird übrig bleiben. Und auch ihnen wird es schlecht ergehen, wenn ich sie allein lasse. [13] Ich hatte Ephraim wie eine junge Palme auf fruchtbarem Boden angepflanzt. Doch nun werden ihre Söhne im Krieg fallen.«

[14] Ach Herr, wenn du sie schon zur Rechenschaft ziehen musst, dann strafe sie damit, dass sie unfruchtbar werden und nie wieder ein Kind stillen können.

[15] Der Herr sagt: »In Gilgal hat sich ge-

---

[a] Vgl. Richter 19,22–30

8,13 6,6; 5 Mo 28,68 **8,14** Jer 2,32 **9,1** 1,2* **9,2** 5 Mo 28,38–40 **9,3–4** Hes 4,13 **9,7–8** Am 2,12* **9,8** Hes 33,1–7 **9,10** 4 Mo 25,1–5 **9,15** 4,15; 12,12; Am 4,4; 5,5

zeigt, wie verdorben sie sind, ja, dort habe ich angefangen, sie für ihre Bosheit und ihre Verbrechen zu hassen. Darum vertreibe ich sie jetzt aus meinem Land, ich will sie nicht mehr lieben! Denn die führenden Männer des Volkes haben sich zu allen Zeiten gegen mich aufgelehnt. [16] Ephraim ist wie ein toter Baum, seine Wurzeln sind vertrocknet, seine Zweige ohne Früchte. Und selbst wenn diesem Volk noch Kinder geboren werden, töte ich sie, ja, ich vernichte, was ihnen lieb und teuer ist!« [17] Mein Gott wird die Leute von Ephraim verstoßen, weil sie nicht auf ihn hören. Als Flüchtlinge müssen sie bei fremden Völkern leben!

Die Folgen des Götzendiensts

10 Israel war wie ein prächtiger Weinstock mit vielen Früchten. Ja, die Israeliten hatten es gut! Je besser es ihnen ging, desto mehr Altäre bauten sie. Je größer der Wohlstand im Land wurde, desto schöner verzierten sie die heiligen Steinsäulen. [2] Sie haben nicht mehr von ganzem Herzen dem Herrn gedient. Darum müssen sie nun die Folgen tragen: Der Herr reißt ihre Altäre nieder und zerschlägt ihre heiligen Steinsäulen! [3] Bald werden sie sagen: »Wir haben keinen König mehr, weil wir keine Ehrfurcht vor dem Herrn hatten. Doch was könnte ein König jetzt noch für uns tun?« [4] Ja, sie haben Recht, denn die Könige haben nur leere Reden geschwungen, falsche Eide geschworen und eigenmächtig Bündnisse geschlossen! Im ganzen Land lassen sie das Unrecht wuchern wie giftiges Unkraut im Getreidefeld.

[5] Die Einwohner von Samaria werden sich Sorgen machen um das goldene Kalb von Bet-Awen. Das Volk wird trauern, und die Götzenpriester werden jammern, wenn es von dort weggeführt wird. [6] Ja, das goldene Kalb wird nach Assyrien gebracht – als Geschenk für den assyrischen König. Dann verspottet man die Leute von Ephraim, weil sie sich so verrechnet haben.

[7] Samaria, die Stadt des Königs, wird zerstört, und der König wird von den Feinden weggeführt, so hilflos, wie ein Zweig den Fluss hinuntertreibt. [8] Die Opferplätze, wo die Israeliten schwere Schuld auf sich geladen haben, werden verwüstet, die Altäre von Dornen und Disteln überwuchert. Wer überlebt, wird sich wünschen, dass die Berge und Hügel zusammenstürzen und ihn unter sich begraben.

[9] Der Herr sagt: »Seit damals in Gibea[a] ladet ihr immer wieder Schuld auf euch, ihr Israeliten! Bis heute hat sich das nicht geändert. Ihr seid widerspenstig und lehnt euch ständig gegen mich auf, deshalb wird man dort in Gibea gegen euch Krieg führen! [10] Ich selbst werde euch zur Rechenschaft ziehen, ich werde fremde Völker zusammenrufen, die euch für eure große Schuld bestrafen!

[11] Mein Volk glich einer jungen Kuh, die gewohnt war, Getreide zu dreschen; sie tat es gern. Als ich an ihr vorüberkam und ihren starken Nacken sah, wollte ich sie ins Joch spannen: Juda sollte pflügen, Israel eggen. [12] Ich sagte zu ihnen: ›Was ihr sät, das werdet ihr ernten. Haltet euch an meinen Bund, dann werde auch ich euch treu bleiben. Fangt ganz neu an wie ein Bauer, der ein brachliegendes Feld zum ersten Mal wieder bestellt! Denn die Zeit ist da, mich, den Herrn, zu suchen. Dann werde ich zu euch kommen und dafür sorgen, dass es in eurem Land gerecht zugeht und ihr in Frieden lebt.‹

[13] Doch ihr habt Unrecht gesät und Unheil geerntet! Ihr seid Lügen aufgesessen und müsst nun die Folgen tragen! Ihr seid eure eigenen Wege gegangen und habt auf euer großes Heer vertraut. [14] Darum wird euer Volk in einen Krieg verwickelt, und alle eure Festungen werden dem

---

[a] Vgl. Richter 19,22–30

10,1 5 Mo 31,20; Jes 5,1–7* **10,2** 5 Mo 6,4–5* **10,3** 3,4 **10,5** 8,5–6 **10,8** 4,13; 2 Kön 23,15–16; Lk 23,30 **10,11** 11,4 **10,12** Jer 4,3–4 **10,13** 8,7

Erdboden gleichgemacht. Es wird euch gehen wie der Stadt Bet-Arbeel, die Schalman im Krieg verwüstete: Kleine Kinder wurden an Felsen zerschmettert, und auch ihre Mütter wurden getötet. [15]Das gleiche Schicksal lasse ich über euch kommen, ihr Israeliten![a] Denn ihr seid durch und durch verdorben. An diesem Tag wird der König von Israel vernichtet, noch bevor die Sonne aufgegangen ist.«

Israel ist untreu, doch Gottes Liebe bleibt

11 Der Herr sagt: »Als Israel jung war, begann ich, es zu lieben. Israel, meinen Sohn, rief ich aus Ägypten. [2]Schon oft habe ich die Israeliten gerufen, doch stets sind sie mir davongelaufen.[b] Sie haben den Götzen geopfert und vor ihren Götterfiguren Räucheropfer angezündet. [3]Ich war es, der Ephraim das Laufen lehrte, ich nahm ihn immer wieder auf meine Arme. Aber die Menschen in Israel haben nicht erkannt, dass alles Gute, das ihnen geschah, von mir kam. [4]Mit Freundlichkeit und Liebe wollte ich sie gewinnen. Ich habe ihnen ihre Last leicht gemacht – wie ein Bauer, der seinem Ochsen das Joch hochhebt, damit er besser fressen kann, ja, der sich bückt, um ihn selbst zu füttern. [5]Trotzdem weigern sie sich, zu mir umzukehren. Sie bitten lieber die Ägypter um Hilfe.[c] Deshalb soll nun der assyrische König über sie herrschen! [6]In ihren Städten wird das Schwert wüten, und die Orakelpriester, die falsche Ratschläge geben, werden sterben. [7]Mein Volk ist mir untreu, und davon lässt es sich nicht abbringen! Sie rufen zu ihren Götzen, doch die können ihnen nicht helfen.[d]

[8]Ach, wie könnte ich dich im Stich lassen, Ephraim? Wie könnte ich dich aufgeben, Israel? Sollte ich dich vernichten wie die Städte Adma und Zebojim?[e] Nein, es bricht mir das Herz, ich kann es nicht; ich habe Mitleid mit dir! [9]Mein Zorn wird dich nicht wieder treffen, ich will dich nicht noch einmal vernichten, Ephraim. Denn ich bin Gott und kein Mensch. Ich bin der Heilige, der bei euch wohnt. Ich komme nicht, um euch im Zorn zu töten. [10]Alle werde ich zurückbringen, die aus diesem Land verschleppt wurden. Ich werde ihnen vorangehen und brüllen wie ein Löwe. Sie werden mir folgen und mit Zittern zurückkehren – über das Meer im Westen, [11]aus Ägypten und Assyrien. Sie werden kommen wie Tauben, die herbeifliegen. Dann lasse ich sie wieder in ihren Häusern wohnen. Das verspreche ich, der Herr!«

Gott hilft seinem Volk, doch Israel bleibt untreu

12 Der Herr sagt: »Die Israeliten belügen und betrügen mich fortwährend; und die Bewohner von Juda sind mir, ihrem heiligen Gott, immer noch untreu, obwohl ich ihnen stets treu geblieben bin!«

[2]Was die Leute von Ephraim tun, ist so sinnlos und dumm, wie den Wind einzufangen oder dem heißen Ostwind nachzujagen. Ihre Lügen und Verbrechen mehren sich Tag für Tag. Sie schließen ein Bündnis mit den Assyrern, und gleichzeitig schenken sie den Ägyptern kostbares Öl.

[3]Auch die Bewohner von Juda wird der Herr zur Verantwortung ziehen! Denn die Nachkommen Jakobs gehen ihre eigenen Wege und tun, was sie wollen.

---

[a] So mit der griechischen Übersetzung. Der hebräische Text lautet: So hat man euch getan, Bethel.
[b] So mit der griechischen Übersetzung. Der hebräische Text lautet: Schon oft haben sie die Israeliten gerufen, doch stets sind sie ihnen davongelaufen.
[c] Oder: Sie mussten nicht nach Ägypten zurückkehren.
[d] Der hebräische Text ist nicht sicher zu deuten.
[e] Vgl. 5. Mose 29,22

11,1 2 Mo 4,22*; Mt 2,15 **11,2** 2,15; 4,13 **11,3** 5 Mo 1,31; Jes 46,3–4 **11,4** 10,11 **11,8** Jes 54,8; Jer 31,20 **11,9** Klgl 3,31–33 **11,10–11** Jes 11,11–12* **12,2** 5,13; 7,11; 8,9

Doch nun müssen sie die Folgen tragen! [4]Schon ihr Stammvater Jakob hat im Mutterleib seinen Zwillingsbruder betrogen. Als er ein Mann war, kämpfte er mit Gott; [5]ja, er kämpfte mit dem Engel Gottes und besiegte ihn mit Weinen und Flehen. In Bethel begegnete ihm dann der Herr und sprach mit ihm[a]. [6]Der allmächtige Gott, dessen Name »der Herr« ist, sagte zu ihm: [7]»Eines Tages wirst du mit meiner Hilfe hierher zurückkehren. Halte mir die Treue, tu, was in meinen Augen richtig ist! Verlass dich voll und ganz auf mich, deinen Gott!«

[8]Der Herr sagt: »Israel gleicht einem Händler, der mit falschen Gewichten die Leute betrügt und sich freut, wenn er andere übervorteilen kann. [9]Die Leute von Ephraim sagen: ›Wir sind reich geworden und haben ein Vermögen gemacht. Keiner kann uns nachweisen, dass wir dabei Unrecht getan und Schuld auf uns geladen hätten.‹

[10]Ich bin der Herr, euer Gott, der euch aus Ägypten befreit hat. Nun sorge ich dafür, dass ihr wieder in Zelten leben müsst – wie damals, als ich euch das erste Mal begegnete. [11]Immer wieder habe ich durch die Propheten zu euch geredet. Ich gab ihnen viele Visionen und ließ sie Gleichnisse erzählen.«

[12]Schon damals in Gilead haben die Israeliten großes Unheil angerichtet und dadurch ihre Vernichtung heraufbeschworen! In Gilgal haben sie Stiere geopfert, darum werden ihre Altäre zerstört, ja, sie werden wie die Steinhaufen am Ackerrand!

[13]Israels Stammvater Jakob floh ins Gebiet der Aramäer, er machte sich zum Sklaven und hütete Schafe, um eine Frau zu bekommen. [14]Aber der Herr hütete Israel durch einen Propheten; er befreite sein Volk durch ihn aus der Sklaverei in Ägypten und brachte es in dieses Land. [15]Trotzdem haben die Leute von Ephraim den Herrn beleidigt und verspottet. Nun müssen sie die Folgen tragen, denn der Herr wird ihnen all ihre Bosheiten und blutigen Verbrechen heimzahlen.

Gottes Gericht ist nicht mehr aufzuhalten

13 Der Herr sagt: »Es gab eine Zeit, da waren die Bewohner von Ephraim mächtig und stark. Wenn sie redeten, packte alle die Angst. Doch dann ließen sie sich mit dem Götzen Baal ein und gingen zugrunde. [2]Trotzdem haben sie noch nicht genug, sondern treiben es nur noch schlimmer: Aus Silber gießen sie Götterfiguren, wie es ihnen gefällt. Sie sagen: ›Wer Gott opfern will, muss die Stierfiguren küssen!‹ Ihre Götter sind Menschenwerk, von Handwerkern hergestellt. [3]Darum werden sie so schnell verschwinden wie eine Wolke am Morgen, wie der Tau unter der Sonne, wie Spreu, die der Wind von der Tenne weht, und wie Rauch, der aus der Dachluke aufsteigt.

[4]Ich bin der Herr, euer Gott, ich habe euch aus Ägypten befreit. Mich allein habt ihr als euren Gott kennen gelernt, und nur ich kann euch helfen! [5]In der glühenden Hitze der Wüste habe ich euch begleitet und bewahrt. [6]Ich habe euch gutes Land gegeben, und ihr seid stets satt geworden. Doch je besser es euch ging, desto überheblicher wurdet ihr. Mich, den Herrn, habt ihr vergessen! [7]Darum falle ich euch an wie ein Löwe. Wie ein Leopard liege ich am Weg auf der Lauer. [8]Ich greife euch an wie eine Bärin, der man die Jungen geraubt hat. Ich reiße euch in Stücke, ja, ich verschlinge euch wie eine Löwin! Was übrig bleibt, werden die wilden Tiere fressen.

[9]Ihr Leute von Israel, ihr stellt euch ge-

---

[a] So mit der griechischen Übersetzung. Der hebräische Text lautet: mit uns.

12,4 1 Mo 27,36 **12,5** 1 Mo 32,23–33; 28,10–19 **12,6** 2 Mo 3,15 **12,7** 1 Mo 28,15 **12,8** Am 8,5–6; Mi 6,11 **12,9** Offb 3,17 **12,10** 13,4; 2 Mo 20,2* **12,11** 6,5 **12,12** 6,8; 9,15 **12,13** 1 Mo 27,43; 28,5; 29,20.30 **12,14** 2 Mo 3,7–10 **13,1** 5 Mo 33,17 **13,2** 8,5–6 **13,3** 6,4; Ps 1,4 **13,4** 5 Mo 4,35; Jes 43,11 **13,5** 5 Mo 32,10 **13,6** 5 Mo 31,20; 32,15 **13,7–8** 5,14 **13,9** Jes 45,24

gen mich, obwohl ich allein euch helfen kann. Weil ihr dies tut, geht ihr zugrunde! [10]Wo ist nun euer König, der euch schützt und eure Städte vor dem Untergang bewahrt? Wo sind die führenden Männer eures Volkes? Ihr wolltet doch einen König haben und Männer, die euch regieren! [11]Voller Zorn habe ich euch einen König gegeben, und voller Zorn habe ich ihn wieder weggenommen. [12]Ephraim hat gegen mich gesündigt. Nie will ich die große Schuld meines Volkes vergessen! [13]Israel ist wie ein Kind im Mutterleib, das sich vor der Geburt so dreht, dass es nicht zur Welt kommen kann.

[14]Soll ich sie vor dem Tod retten? Soll ich sie aus der Gewalt des Totenreichs befreien? Nein! Der Tod soll sie dahinraffen, das Totenreich sie gefangen nehmen! Ich werde kein Mitleid mehr mit ihnen haben.[a] [15]Noch ist Ephraim wie ein fruchtbarer Garten unter seinen Bruderstämmen, doch der Feind wird kommen und ihn vernichten. Wie ein starker Ostwind, der aus der glühend heißen Wüste weht, die Brunnen austrocknet und die Quellen versiegen lässt, so wird der Feind über Ephraim herfallen. Er plündert die Schätze und raubt die kostbarsten Gegenstände. Dafür sorge ich, der Herr!

14 Die Einwohner von Samaria werden bestraft, weil sie sich gegen mich, ihren Gott, gestellt haben. Die Männer werden im Krieg fallen, die Kinder werden am Felsen zerschmettert, den schwangeren Frauen wird der Bauch aufgeschlitzt.«

Kehrt um zum Herrn!

[2]Ihr Israeliten, kehrt um zum Herrn, eurem Gott! Denn ihr habt euch selbst ins Unglück gestürzt. [3]Kommt zurück zum Herrn, sprecht mit ihm und sagt: »Vergib uns alle Schuld! Und nimm an, was wir dir bringen. Es ist das Beste, was wir geben können – kein Schlachtopfer, sondern unser Versprechen: [4]Wir verlassen uns nicht mehr auf die Assyrer, wir setzen unser Vertrauen auch nicht auf Pferde und Reiter. Wir werden nie wieder das, was wir mit eigenen Händen gemacht haben, als unseren Gott verehren! Denn nur du hilfst den Menschen, die nirgendwo Schutz finden.«

[5]Dann wird der Herr sagen: »Ich will meinem Volk helfen, sich nie mehr von mir abzuwenden! Von Herzen gern begegne ich ihnen wieder mit Liebe und bin nicht länger zornig auf sie. [6]Ich gebe ihnen neues Leben, so wie der Tau die Blumen zum Blühen bringt. Ja, Israel wird blühen wie eine Lilie, und seine Wurzeln werden stark sein wie die Wurzeln der Bäume auf dem Libanon. [7]Mein Volk wird wie ein prächtiger Ölbaum sein, dessen Zweige weit austreiben, wie eine duftende Zeder auf dem Libanon.

[8]Die Israeliten werden unter meinem Schutz leben,[b] sie werden wieder Getreide anbauen. Ja, mein Volk wird aufblühen wie die berühmten Weinstöcke an den Hängen des Libanon. [9]Ihr Israeliten, was habe ich mit den Götzen zu schaffen? Ich, der Herr, bin immer bei euch und antworte euch, wenn ihr mit mir redet. Ich bin wie ein prächtiger Wacholderstrauch; nur bei mir findet ihr, was ihr zum Leben braucht!«

[10]Wer klug und weise ist, der hört auf alle diese Worte und nimmt sie sich zu Herzen. Denn der Herr zeigt uns den richtigen Weg. Wer ihm vertraut, kommt ans Ziel, doch wer sich vom Herrn abwendet, stürzt ins Verderben.

---

[a] Wörtlich: Wo ist deine Pest, Tod? Wo sind deine Seuchen, Totenreich? – Versteht man ein Wort des hebräischen Textes anders, kann der ganze Vers übersetzt werden: Ich werde sie vor dem Tod retten und sie aus der Gewalt des Totenreichs befreien. Ich werde die Pest für den Tod sein, ich werde die Seuche für das Totenreich sein. Ich werde kein Mitleid haben.

[b] So mit der griechischen Übersetzung. Der hebräische Text lautet: Es kehren zurück, die unter seinem Schutz wohnen.

13,10–11 1 Sam 8,5–7 **13,11** 10,3.15 **13,14** 1 Kor 15,55 **14,1** 2 Kön 15,16; 17,5–6 **14,2** 12,7 **14,3** 6,6 **14,4** 5,13; 8,5–6 **14,5** 11,8–9 **14,9** Ps 25,10 **14,10** Ps 25,4*

Der Prophet Joel

Heuschrecken, die Vorboten von Gottes Strafgericht

1 Dies ist die Botschaft, die Joel, der Sohn Petuëls, vom Herrn empfing: [2] Hört zu, ihr Anführer des Volkes, passt gut auf, ihr Bewohner dieses Landes! Hat sich jemals etwas so Schreckliches zu euren Lebzeiten oder zur Zeit eurer Vorfahren ereignet? [3] Erzählt euren Kindern davon, damit sie es ihren eigenen Kindern weitersagen, und diese sollen den folgenden Generationen darüber berichten:

[4] Riesige Heuschreckenschwärme sind über unser Land hergefallen und haben alles kahl gefressen. Was die einen übrig ließen, haben die anderen vertilgt. [5] Kommt endlich zu euch, ihr Betrunkenen! Jammert und weint, ihr fröhlichen Zecher, denn mit dem Weintrinken ist es nun vorbei! [6] Ein ganzes Heer von Heuschrecken hat sich in Israel breit gemacht, sie sind mächtig und nicht zu zählen. Ihre Zähne sind so scharf wie die der Löwen! [7] Nun sind unsere Weinstöcke kahl und die Feigenbäume abgestorben. Die Heuschrecken haben die Rinde abgenagt bis auf das nackte, weiße Holz.

[8] Weint und klagt wie eine junge Frau, deren Bräutigam plötzlich gestorben ist! [9/10] Die Felder sind eine trostlose Wüste, der Boden ist ausgetrocknet. Es gibt kein Getreide, keinen Most und kein Öl, darum werden im Tempel keine Speise- und Trankopfer dargebracht. Trauer erfüllt die Priester, die Diener des Herrn.

[11] Seid entsetzt, ihr Bauern! Klagt und weint, ihr Winzer! Ihr könnt keinen Weizen und keine Gerste mehr ernten. [12] Die Weinstöcke und Feigenbäume sind nur noch kahles Gestrüpp; Granatbäume, Dattelpalmen, Apfelbäume und alle anderen Pflanzen sind verdorrt und vertrocknet. Niemand kann sich da noch freuen.

[13] Legt Trauergewänder an, ihr Priester am Altar des Herrn! Jammert und klagt! Zieht auch in der Nacht die Trauerkleidung nicht aus, denn am Tempel gibt es nichts zu opfern, keine Speise- und keine Trankopfer mehr. [14] Ruft die Menschen zum Fasten auf! Sie sollen sich alle versammeln und dem Herrn ihre Schuld bekennen! Die führenden Männer und das ganze Volk sollen zum Tempel des Herrn, eures Gottes, kommen und laut zu ihm um Hilfe schreien!

[15] Was für ein Unheil wartet auf uns! Der Tag ist nah, an dem der Herr, der allmächtige Gott, Gericht hält und uns ins Verderben stürzt. [16] Wir haben nichts mehr zu essen, vor unseren Augen wurde die Ernte vernichtet. Nun herrschen auch im Haus unseres Gottes kein Jubel und keine Freude mehr. [17] Die Saatkörner liegen ausgedörrt in der Erde, die Vorratsspeicher stehen leer, die Scheunen verfallen, weil alles Korn vertrocknet ist. [18] Das Vieh schreit nach Futter, die Rinder irren umher, denn sie finden keine Weide mehr; auch die Schafe verenden elend.

[19] Zu dir, Herr, rufe ich! Ein Feuer hat das Gras verzehrt und die Bäume versengt. [20] Die Tiere in der Steppe sehnen sich nach Wasser, sie schreien zu dir um Hilfe! Die Bäche sind versiegt und die Weideplätze ausgedörrt.

1,3 5 Mo 4,9* **1,4** 2 Mo 10,12–15; Am 4,9 **1,6** Offb 9,8 **1,7** 1 Mo 49,11; 5 Mo 33,28 **1,9–10** 2,14 **1,13** Am 8,10 **1,14** 2,15 **1,15** 2,1–11; 4,14–16; Jes 2,11–12*; Am 5,18–20; Zef 1,14–15; 2,2; Mal 3,23 **1,16** 5 Mo 16,11 **1,19** 2,3 **1,20** Ps 104,27–28

Der Gerichtstag des Herrn

2 Blast das Horn auf dem Zion, schlagt Alarm auf dem heiligen Berg! Ja, zittert, ihr Bewohner des Landes! Denn der Tag, an dem der Zorn des Herrn losbricht, lässt nicht mehr lange auf sich warten.

[2] Voll Dunkelheit und Finsternis ist dieser Tag, düster und wolkenverhangen. Ein riesiges Heer hat sich auf den Hügeln um Jerusalem niedergelassen, es breitet sich auf den Bergen aus wie das Morgenrot. Nie ist so etwas je da gewesen, und es wird auch nie wieder geschehen, solange es Menschen gibt. [3] Feuer lodert vor diesen Truppen her, und wenn sie weg sind, steht alles in Flammen. Bevor sie über das Land herfallen, ist es ein blühendes Paradies, doch kaum sind sie hindurchgezogen, bleibt nur noch eine trostlose Wüste zurück. Es gibt kein Entrinnen vor ihnen! [4] Sie sehen aus wie Pferde, sie stürmen daher wie Schlachtrosse. [5] Wenn sie über die Gipfel der Berge kommen, klingt es wie herandonnernde Streitwagen, wie ein prasselndes Feuer, das auf den Feldern die Stoppeln verzehrt. Sie sind ein gewaltiges Heer, bestens gerüstet zum Kampf. [6] Bei ihrem Anblick zittern die Menschen, der Schreck steht ihnen ins Gesicht geschrieben[a].

[7] Unerschrocken stürmen die Angreifer heran und klettern wie Soldaten auf die Mauern. Niemand kann sie aufhalten, unentwegt ziehen sie voran. [8] Keiner kommt dem anderen in die Quere, denn sie alle kennen ihren Platz. Sie entgehen den Waffen der Feinde und preschen vorwärts, ihre Truppen nehmen kein Ende. [9] Dann fallen sie über die Stadt her, erstürmen die Mauern und dringen durch die Fenster in die Häuser ein wie Diebe in der Nacht.

[10] Die Erde bebt und der Himmel zittert, wenn sie erscheinen, Sonne und Mond werden finster, das Licht der Sterne erlischt. [11] Der Herr selbst führt dieses Heer an, mit mächtiger Stimme befiehlt er, und die riesigen Truppen gehorchen ihm. Schrecklich ist der Tag, an dem der Herr Gericht hält! Wer kann ihn überstehen?

Kehrt um!

[12] So spricht der Herr: »Auch jetzt noch könnt ihr zu mir zurückkommen! Tut es von ganzem Herzen, fastet, weint und klagt! [13] Ja, kehrt von ganzem Herzen zu mir um! Zerreißt nicht nur eure Kleider als Zeichen der Trauer!«

Kommt zurück zum Herrn, eurem Gott, denn er ist gnädig und barmherzig, seine Geduld ist groß und seine Liebe grenzenlos. Er ist bereit, euch zu vergeben und euch nicht zu bestrafen. [14] Vielleicht wendet er das angekündigte Unheil ab und segnet euch aufs Neue! Dann schenkt er euch wieder eine gute Ernte, und ihr könnt dem Herrn, eurem Gott, Speise- und Trankopfer darbringen.

[15] Blast das Horn auf dem Berg Zion! Ruft die Menschen zum Fasten auf! Sie sollen sich alle versammeln, um dem Herrn ihre Schuld zu bekennen. [16] Das ganze Volk soll kommen und sich darauf vorbereiten, dem heiligen Gott zu begegnen! Ruft alle herbei, vom Säugling bis zum Greis! Selbst Braut und Bräutigam müssen ihr Haus verlassen und kommen! [17] Ihr Priester, ihr Diener des Herrn, weint im Tempelvorhof und betet: »Herr, hab Erbarmen mit deinem Volk! Wir gehören doch zu dir! Lass nicht zu, dass fremde Völker uns verspotten! Warum sollen sie uns verhöhnen und rufen: ›Wo bleibt er nun, ihr Gott?‹«

Der Herr erbarmt sich über sein Volk

[18] Der Herr wird sich wieder mit großer Liebe um sein Land kümmern und Mit-

---

[a] Wörtlich: ihre Gesichter sammeln Glut. – Die Bedeutung dieser Redewendung ist nicht sicher.

2,1 1,15* **2,2** 1,6 **2,3** 1,19; Ps 50,3; 97,3 **2,4–5** Offb 9,7–9 **2,10** 3,4; 4,15; Mt 24,29; Offb 6,12–13 **2,11** 1,15*; Jes 10,5–6 **2,12** Hes 18,23 **2,13** 2 Mo 34,6; Ps 51,19 **2,14** 1,9–10 **2,15** 1,14 **2,16** 2 Mo 19,10–11 **2,17** Ps 79,10; 115,2 **2,18** Sach 1,14; 8,2

leid mit seinem Volk haben. [19]Er wird ihnen versprechen: »Ich schenke euch wieder so viel Getreide, Wein und Öl, dass ihr genug zu essen habt. Ich setze euch nicht länger dem Hohn und Spott anderer Völker aus! [20]Den Feind aus dem Norden jage ich fort von euch, ich treibe ihn in die Wüste. Seine vordersten Truppen stürze ich ins Tote Meer und die letzten ins Mittelmeer. Überall wird es dann nach verwesten Leichen stinken. So strafe ich euren Feind für seine Überheblichkeit.«

[21]Ihr Felder, seid nicht länger bekümmert, freut euch und jubelt! Der Herr hat ein großes Wunder getan!

[22]Ihr Tiere in der Steppe, habt keine Angst mehr! Eure Weideplätze sind wieder grün, die Bäume hängen voller Früchte, Feigenbaum und Weinstock bringen reiche Ernte.

[23]Auch ihr, die ihr auf dem Berg Zion wohnt, freut euch und jubelt über den Herrn, euren Gott! Wie treu hält er seine Zusagen! Er schenkt euch wieder erfrischenden Regen im Herbst und im Frühling, so wie er es früher getan hat. [24]Auf den Dreschplätzen häuft sich das Getreide, und aus der Kelter fließen Most und Öl in Strömen.

[25]Der Herr lässt euch sagen: »Das ganze Heer von Heuschrecken, das über euch hergefallen ist, war von mir gesandt. Jetzt aber will ich euch in reichem Maß zurückgeben, was diese gefräßigen Tiere Jahr für Jahr vernichtet haben. [26]Dann habt ihr genug zu essen und lobt mich, den Herrn, euren Gott, weil ich große Wunder für euch vollbracht habe. Ja, nie mehr soll mein Volk verhöhnt werden! [27]Ihr werdet erkennen, dass ich mitten unter euch wohne und dass ich allein euer Gott bin und sonst keiner! Nie mehr lasse ich mein Volk verspotten!«

Gott verheißt seinen Geist

3 »In späterer Zeit will ich, der Herr, alle Menschen mit meinem Geist erfüllen. Eure Söhne und Töchter werden aus göttlicher Eingebung reden, die alten Männer werden bedeutungsvolle Träume haben und die jungen Männer Visionen; [2]ja, sogar euren Sklaven und Sklavinnen gebe ich in jenen Tagen meinen Geist. [3]Am Himmel und auf der Erde werdet ihr Wunderzeichen sehen: Blut, Feuer und Rauch. [4]Die Sonne wird sich verfinstern und der Mond blutrot scheinen, bevor der furchterregende Tag kommt, an dem ich Gericht halte. [5]Wer dann meinen Namen anruft, soll gerettet werden!«

So erfüllt sich die Zusage des Herrn: »Auf dem Berg Zion in Jerusalem findet man Rettung![a]« Alle, die der Herr auserwählt hat, werden mit dem Leben davonkommen.

Gott straft die Feinde Israels

4 »In jener Zeit«, sagt der Herr, »werde ich das Schicksal Judas und Jerusalems wieder zum Guten wenden. [2]Dann führe ich alle Völker in das Tal, das man Joschafat[b] nennt. Dort gehe ich mit ihnen ins Gericht für das, was sie Israel angetan haben, dem Volk, das zu mir gehört! Sie haben die Israeliten in fremde Länder verschleppt und mein Land unter sich aufgeteilt. [3]Sie warfen das Los, um zu bestimmen, wer welche Gefangenen bekommen sollte. Ein israelitischer Junge war der Preis für eine Nacht mit einer Hure, und mit den Mädchen bezahlten sie den Wein für ein Trinkgelage.

[4]Ihr Bewohner von Tyrus und Sidon und ihr aus dem Gebiet der Philister, wollt ihr etwas gegen mich unternehmen? Wollt ihr euch an mir rächen oder mich bestrafen? Nein, ich werde mich an euch rächen für das, was ihr mir angetan

---

[a] Obadja 17
[b] Joschafat bedeutet »Der Herr richtet«.

2,20 2,1–11 **2,23** 5 Mo 11,14; Jer 5,23–25 **2,25** 1,4 **2,27** 4,17; Jes 12,6 **3,1–5** Apg 2,17–21 **3,1** 4 Mo 11,29; Hes 39,29 **3,4** 2,10; Mt 24,29; Offb 6,12–13 **4,3** Ps 137,7–8; Obd 11 **4,4–8** Jes 23,1–16*

habt! Bald ist es so weit! [5]Denn ihr habt mein Silber und Gold geraubt und meine kostbarsten Schätze in eure Tempel gebracht. [6]Die jungen Männer aus Juda und Jerusalem habt ihr verschleppt und an die Griechen verkauft, weit weg von ihrer Heimat.

[7]Doch ich hole sie von dort wieder zurück! Dann wird mit euch dasselbe geschehen, was ihr ihnen angetan habt: [8]Ich sorge dafür, dass eure Söhne und Töchter an die Judäer verkauft werden, und diese werden sie den Bewohnern von Saba geben, die in weiter Ferne wohnen. Darauf könnt ihr euch verlassen!

[9]Ruft alle Völker auf: ›Bereitet euch auf den Krieg vor! Lasst eure besten Soldaten antreten, alle wehrfähigen Männer sollen in den Kampf ziehen! [10]Schmiedet aus euren Pflugscharen Schwerter und aus euren Winzermessern Speerspitzen! Selbst die Schwachen unter euch sollen mutig und unerschrocken sein! [11]Beeilt euch, ihr Völker rings um Israel, versammelt euch im Tal!‹«

Ja, Herr, bring du deine starken Kämpfer dorthin!

[12]»Alle Völker sollen aufbrechen und ins Tal Joschafat[a] ziehen. Dort werde ich, der Herr, auf dem Thron sitzen und mit ihnen ins Gericht gehen. [13]Greift zur Sichel, die Zeit der Ernte ist da! Tretet die Weinkelter, denn sie ist bis zum Rand mit Trauben gefüllt. Das Maß ist voll! Welch schwere Schuld haben die Völker auf sich geladen!«

[14]Eine riesige Menschenmenge hat sich im Tal versammelt, wo die Entscheidung fallen wird. Der Tag, an dem der Herr sein Urteil spricht, ist nahe. [15]Sonne und Mond werden finster, das Licht der Sterne erlischt. [16]Mächtig wie das Brüllen eines Löwen erklingt die Stimme des Herrn vom Berg Zion in Jerusalem, Himmel und Erde erbeben!

Neue Hoffnung für Israel

»Aber für die Menschen meines Volkes bin ich, der Herr, wie eine starke Festung, in der sie Zuflucht finden! [17]Ihr werdet erkennen, dass ich euer Gott bin. Ich wohne auf dem Zion, meinem heiligen Berg. Ganz Jerusalem wird mir geweiht sein, nie wieder werden fremde Völker es erobern!

[18]Zu jener Zeit fließen Milch und Most von den Bergen herab, und die Bäche Judas führen das ganze Jahr über Wasser. Am Tempel entspringt eine Quelle, die selbst das trockene Schittimtal noch bewässert. [19]Ägypten aber wird zu einer dürren Wüste und Edom zur trostlosen Steppe, denn die Bewohner haben schwere Verbrechen begangen: Ohne Grund haben sie die Judäer umgebracht. [20/21]Ich werde dieses unschuldig vergossene Blut rächen,[b] so gewiss ich auf dem Berg Zion wohne! Aber Juda soll für immer bewohnt bleiben, und Jerusalem wird bestehen, solange es Menschen gibt!«

---

[a] Joschafat bedeutet »Der Herr richtet«.
[b] So mit der griechischen Übersetzung. Der hebräische Text lautet: Ihre Blutschuld, die ich bisher nicht ungestraft ließ, werde ich ungestraft lassen.

4,10 Jes 2,4; Mi 4,3 **4,13** Mt 13,30.39; Offb 14,14–20 **4,14** 1,15* **4,15** 2,10; Mt 24,29; Offb 6,12–13 **4,16** Am 1,2; Ps 18,3* **4,17** 2,27; Ps 76,3 **4,18** Hes 47,1–12; Am 9,13 **4,19** Am 1,11; Obd 10–11 **4,20–21** 5 Mo 32,43

Der Prophet Amos

Gott spricht sein Urteil über Israels Nachbarvölker

1 In diesem Buch sind die Worte des Amos niedergeschrieben, eines Schafhirten aus dem Dorf Tekoa. Der Herr ließ ihn sehen, was er mit Israel vorhatte. Amos verkündete seine Botschaft zwei Jahre vor dem großen Erdbeben, als in Juda König Usija regierte und in Israel Jerobeam, der Sohn Joaschs.

[2] Amos rief dem Volk zu:

Mächtig wie das Brüllen eines Löwen ertönt die Stimme des Herrn vom Berg Zion in Jerusalem. Da vertrocknen die saftigen Weiden der Hirten, und die Wälder auf dem Gipfel des Karmel verdorren.

[3] So spricht der Herr: »Die Machthaber von Damaskus begehen ein abscheuliches Verbrechen nach dem anderen. Sie haben die Bewohner Gileads grausam misshandelt und zu Tode gequält. Das werde ich nicht ungestraft lassen! [4] Ich brenne die Paläste nieder, die König Hasaël und König Ben-Hadad errichtet haben. [5] Ich zerschmettere die Riegel an den Stadttoren von Damaskus und töte die Herrscher von Bikat-Awen und Bet-Eden[a]. Die Bevölkerung von Syrien wird nach Kir verschleppt. Darauf gebe ich, der Herr, mein Wort!«

[6] So spricht der Herr: »Die Machthaber der Philisterstadt Gaza begehen ein abscheuliches Verbrechen nach dem anderen. Sie haben die Einwohner ganzer Dörfer gefangen genommen und an die Edomiter verkauft. Das werde ich nicht ungestraft lassen! [7] Ich brenne die Stadtmauern von Gaza nieder, seine Paläste werden ein Raub der Flammen. [8] Die Herrscher von Aschdod und Aschkelon bringe ich um, und auch die Stadt Ekron bekommt meine Macht zu spüren. Die Philister, die dann noch übrig geblieben sind, finden den Tod. Darauf gebe ich, der Herr, mein Wort!«

[9] So spricht der Herr: »Die Machthaber von Tyrus begehen ein abscheuliches Verbrechen nach dem anderen. Sie haben ihr Bündnis mit Israel gebrochen und die Einwohner ganzer Dörfer an die Edomiter verkauft. Das werde ich nicht ungestraft lassen! [10] Ich brenne die Stadtmauern von Tyrus nieder, seine Paläste werden ein Raub der Flammen.«

[11] So spricht der Herr: »Die Machthaber von Edom begehen ein abscheuliches Verbrechen nach dem anderen. Sie haben die Israeliten, ihr Brudervolk, erbarmungslos bekämpft und unschuldiges Blut vergossen. Ihr Hass kennt keine Grenzen, ständig führen sie Krieg gegen mein Volk. Das werde ich nicht ungestraft lassen! [12] Das ganze Land und auch die Paläste der Hauptstadt Bozra werden ein Raub der Flammen.«

[13] So spricht der Herr: »Die Machthaber von Ammon begehen ein abscheuliches Verbrechen nach dem anderen. Sie führten Krieg, um ihre Herrschaft auszudehnen, sie ließen sogar schwangeren Frauen im Gebiet Gilead den Bauch aufschlitzen. Das werde ich nicht ungestraft lassen! [14] Die Mauern ihrer Hauptstadt Rabba lege ich in Schutt und Asche, ihre Paläste werden ein Raub der Flammen. Dann ertönt überall das Kriegsgeschrei, und verheerende Stürme richten großes Unheil an. [15] Der König der Ammoniter

---

[a] Bikat-Awen bedeutet »Unrechtstal«, Bet-Eden bedeutet »Freudenhaus«.

1,1 7,14–15; 2 Kön 14,23–29; 15,1–7; Hos 1,1; Sach 14,5 **1,2** Jer 25,30–31; Joel 4,16
1,3–5 Jes 17,1–3* **1,3** 2 Kön 10,32–33; 13,3 **1,5** 2 Kön 16,9 **1,6–8** Jes 14,28–32* **1,9–10** Jes 23,1–16*
1,9 1 Kön 5,15.26 **1,11–12** 5 Mo 23,8; Jes 34,5–17* **1,13–15** Jer 49,1–6*

und alle führenden Männer werden in die Verbannung geschickt. Darauf gebe ich, der Herr, mein Wort!«

2 So spricht der Herr: »Die Machthaber von Moab begehen ein abscheuliches Verbrechen nach dem anderen. Sie haben die Gebeine des Königs von Edom verbrannt. Das werde ich nicht ungestraft lassen! [2] Das ganze Land und auch die Paläste von Kerijot werden ein Raub der Flammen. Die Feinde blasen zum Angriff, sie stimmen das Kriegsgeschrei an, und die Moabiter fallen in einer heftigen Schlacht. [3] Den Herrscher von Moab bringe ich um, mitsamt den führenden Männern. Darauf gebe ich, der Herr, mein Wort!«

Auch Juda und Israel kommen nicht davon

[4] So spricht der Herr: »Die Machthaber von Juda begehen ein abscheuliches Verbrechen nach dem anderen. Sie treten mein Gesetz mit Füßen und leben nicht nach meinen Geboten. Sie ließen sich von den falschen Göttern verführen, denen schon ihre Vorfahren nachgelaufen sind. Das werde ich nicht ungestraft lassen! [5] Ich brenne die Stadtmauern von Jerusalem nieder, seine Paläste werden ein Raub der Flammen.«

[6] So spricht der Herr: »Die Israeliten begehen ein abscheuliches Verbrechen nach dem anderen. Das werde ich nicht ungestraft lassen! Ehrbare Menschen, die ihnen Geld schulden, verkaufen sie in die Sklaverei, ja, sie verkaufen einen Armen schon, wenn er ein Paar Schuhe nicht bezahlen kann! [7] Wenn einer fast nichts mehr besitzt, nehmen sie ihm auch noch das Letzte, was er hat, und dem Schwachen verhelfen sie nicht zu seinem Recht. Vater und Sohn gehen zu derselben Hure und ziehen damit meinen heiligen Namen in den Schmutz. [8] Neben jedem Altar machen sie sich weiche Polster aus den Kleidern, die sie den Armen als Pfand wegnehmen. Im Tempel ihres Gottes saufen sie Wein, den sie für nicht bezahlte Schulden gefordert haben!

[9] Dabei war ich es doch, der die Amoriter vernichtet hat, um ihr Land den Israeliten zu geben! Sie waren so groß wie Zedern und so stark wie Eichen, aber ich habe sie mitsamt den Wurzeln ausgerissen. [10] Ja, ich habe euch aus Ägypten befreit und vierzig Jahre lang durch die Wüste geleitet, bis ihr das Land der Amoriter in Besitz nehmen konntet. [11] Einige von euch habe ich als Propheten erwählt und junge Männer berufen, sich mir zum Dienst zu weihen. Ich, der Herr, frage euch Israeliten: Habe ich dies alles nicht getan? [12] Ihr aber habt alle, die sich mir geweiht hatten, gezwungen, ihr Gelübde zu brechen und Wein zu trinken. Den Propheten habt ihr verboten, euch meine Botschaft weiterzusagen.

[13] Darum werde ich euch eine Last aufbürden, unter der ihr hin- und herschwankt wie ein zu voller Erntewagen![a] [14] Sogar der Schnellste unter euch kann dann nicht mehr entfliehen, dem Stärksten hilft seine Kraft nicht mehr, und der beste Soldat verliert sein Leben. [15] Die Bogenschützen werden überrannt, die besten Läufer und schnellsten Reiter auf der Flucht getötet. [16] Selbst der mutigste Soldat lässt an jenem Tag die Waffen fallen und rennt um sein Leben. Darauf gebe ich, der Herr, mein Wort!

3 Ihr Israeliten, hört, was ich, der Herr, euch zu sagen habe! Es gilt eurem ganzen Volk, das ich damals aus Ägypten befreit habe. [2] Unter allen Völkern der Erde seid ihr das einzige, das ich als mein Eigentum erwählt habe. Deshalb ziehe ich euch nun dafür zur Rechenschaft, dass ihr euch von mir abgewandt habt.«

---

[a] Der hebräische Text ist nicht sicher zu deuten.

2,1–3 Jes 15,1 – 16,14* **2,5** 2 Kön 25,8–10 **2,6** 8,4–6; 3 Mo 25,39–43 **2,7** 5,11–12; 5 Mo 15,7–11 **2,8** 2 Mo 22,25–26 **2,9** 4 Mo 13,27–33; 21,24; Jos 24,8 **2,10** 2 Mo 20,2*; 5 Mo 2,7; 3,8 **2,11** 4 Mo 6,1–21 **2,12** 7,12–13.16; Jes 30,10; Jer 11,21–22; Hos 9,7–8; Mi 2,6 **3,2** 2 Mo 19,5–6*

Wer kann dem Auftrag Gottes ausweichen?

[3]Gehen etwa zwei Menschen miteinander denselben Weg, ohne sich vorher verabredet zu haben? [4]Brüllt der Löwe im Wald, wenn er kein Tier reißen will? Knurrt ein junger Löwe in seinem Versteck, ohne dass er etwas erbeutet hat? [5]Wird ein Vogel gefangen, wenn das Netz nicht gespannt wurde? Schnappt eine Falle zu, obwohl kein Tier hineingelaufen ist? [6]Wenn in einer Stadt Alarm geblasen wird, erschrecken dann nicht ihre Einwohner? Geschieht etwa ein Unglück in der Stadt, das der Herr nicht geschickt hat?

[7]Gott, der Herr, tut nichts, ohne es vorher seinen Dienern, den Propheten, anzuvertrauen.

[8]Wenn der Löwe brüllt – wer bekommt da keine Angst? Wenn Gott, der Herr, für die Menschen eine Botschaft hat – welcher Prophet wollte sich da weigern, sie weiterzusagen?

Keine Rettung für Samaria

[9]»Sagt den Mächtigen in den Palästen von Aschdod und Ägypten: Versammelt euch auf den Bergen rings um Samaria und schaut euch an, wie es in dieser Stadt zugeht! Dort herrschen unerträgliche Missstände: Die Schwachen werden unterdrückt, [10]und niemand übt Gerechtigkeit. Die führenden Männer schrecken vor keiner Gewalttat zurück, um fremde Güter an sich zu reißen. Damit füllen sie dann ihre Paläste.

[11]Darum sage ich, der Herr, zu den Einwohnern Samarias: Die Feinde werden das Land überfallen und euch von allen Seiten belagern. Sie reißen eure Bollwerke nieder und plündern eure schönen Häuser aus. [12]Ja, ich versichere euch: Auf Rettung könnt ihr nicht hoffen. Oder hat ein Hirte etwa sein Schaf gerettet, wenn er gerade noch zwei Schenkelknochen und einen Zipfel von seinem Ohr aus dem Rachen eines Löwen zieht? Genauso wenig wird von euch Israeliten übrig bleiben, die ihr in Samaria auf euren Polstern sitzt und euch auf Betten mit feinen Damastbezügen räkelt!

[13]Ich, der Herr, der allmächtige Gott, sage zu den anderen Völkern: Tretet als Zeugen gegen die Nachkommen Jakobs auf! [14]An dem Tag, an dem ich die Israeliten zur Rechenschaft ziehe, zerstöre ich auch die Altäre im Heiligtum von Bethel. Ihre Hörner werden abgeschlagen und fallen zu Boden. [15]Die herrlichen Sommer- und Winterhäuser verwandle ich in Trümmerhaufen; die elfenbeinverzierten Paläste reiße ich nieder, ja, alle Häuser lasse ich vom Erdboden verschwinden! Mein Wort gilt!«

Die skrupellosen Frauen von Samaria

4 Hört zu, ihr Frauen Samarias, die ihr wohlgenährt seid wie die Kühe auf den saftigen Weiden von Baschan: Ihr unterdrückt die Hilflosen und knechtet die Armen. Ihr verlangt von euren Männern: »Besorgt uns etwas zu trinken!« [2]Der Herr schwört euch bei seinem heiligen Namen: »Es kommt der Tag, da wird man euch alle aus den Häusern herausholen, so wie man Fische mit Angelhaken aus dem Wasser zieht! [3]Eine nach der anderen jagt man durch die Breschen in der Stadtmauer fort und treibt euch in Richtung des Berges Hermon. Darauf könnt ihr euch verlassen!«

Israel bleibt unbelehrbar

[4]So spricht der Herr: »Ihr Israeliten, geht ruhig weiterhin zum Heiligtum nach Bethel, und sündigt gegen mich! Lauft nur nach Gilgal, und ladet noch mehr Schuld auf euch! Bringt doch jeden Morgen eure Opfer dar! Liefert alle drei Tage

---

3,6 Jes 45,7; Klgl 3,37–38 **3,7** Jes 44,7* **3,8** 7,15; Jer 20,7–9; 1 Kor 9,16 **3,9–10** 2,6–8; 4,1; 8,4–6 **3,12** 6,4.7 **3,14** 1 Kön 12,32; 2 Kön 23,15–16 **3,15** 5,11; 6,11; 1 Kön 22,39 **4,1–3** Jes 3,16–24 **4,4** 5,5; Hos 4,15; 12,12

den zehnten Teil eurer Erträge ab! [5]Mischt Sauerteig in eure Dankopfer, und lasst den Rauch zu mir aufsteigen! Erzählt es überall, wenn ihr mir freiwillige Gaben darbringt! So habt ihr es doch gern!

[6]Ich, der Herr, ließ bei euch eine Hungersnot ausbrechen, in euren Städten und Dörfern gab es nichts mehr zu essen. Und doch seid ihr nicht zu mir zurückgekommen! [7]Drei Monate vor der Ernte schickte ich euch keinen Regen mehr. Auf die eine Stadt ließ ich es regnen, auf die andere fiel kein einziger Tropfen. Ein Feld bekam genug Feuchtigkeit, das andere blieb trocken, und alles verdorrte. [8]Wenn es in einer Stadt noch etwas zu trinken gab, schleppten sich die Einwohner mehrerer Städte dorthin, dem Verdursten nahe; aber es reichte nicht für alle. Und doch seid ihr nicht zu mir zurückgekommen!

[9]Ich, der Herr, habe euer Getreide durch Dürre und Pilzbefall vernichtet; ich ließ eure Gärten und Weinberge vertrocknen, und die Heuschrecken fraßen eure Feigen- und Olivenbäume kahl. Und doch seid ihr nicht zu mir zurückgekommen!

[10]Ich schickte euch die Pest, wie sie in Ägypten gewütet hat. In den Kriegen trieb ich eure jungen Männer in den Tod, und eure Pferde gab ich dem Feind zur Beute. In euren Feldlagern stank es nach verwesenden Leichen. Und doch seid ihr nicht zu mir zurückgekommen!

[11]Ich, der Herr, ließ Unheil über euch hereinbrechen wie über Sodom und Gomorra. Nur wenige kamen davon, so wie ein Holzscheit, das gerade noch aus dem Feuer gerissen wird. Und doch seid ihr nicht zu mir zurückgekommen! [12]Darum müsst ihr Israeliten jetzt die Folgen tragen – ihr habt keine Wahl. Macht euch bereit, eurem Gott zu begegnen!«

[13]Ja, Gott ist der Herr, der die Berge formte und den Wind schuf, er lässt die Menschen wissen, was er tun will. Morgengrauen und tiefste Nacht sind sein Werk, er schreitet über die höchsten Gipfel der Berge. »Herr, allmächtiger Gott« wird er genannt!

Kommt endlich zu mir zurück!

5 Ihr Israeliten, hört die Totenklage, die ich über euch anstimme:

[2]»Gefallen ist die Jungfrau Israel, und keiner hilft ihr auf. Leblos liegt sie am Boden, nie mehr wird sie sich erheben.«

[3]So spricht Gott, der Herr: »Wenn aus einer eurer Städte tausend Männer in den Krieg ziehen, kehren nur hundert zurück, und wenn hundert in den Kampf gehen, bleiben nur zehn übrig! [4]Ich, der Herr, fordere euch Israeliten auf: Kommt endlich zu mir zurück, dann bleibt ihr am Leben! [5]Geht nicht mehr nach Beerscheba, um mich dort anzubeten, besucht auch nicht mehr die Heiligtümer in Gilgal und Bethel. Denn die Einwohner Gilgals werden in die Gefangenschaft geführt, und Bethel wird zum Unglücksort.«

[6]Ja, kehrt zum Herrn zurück, dann werdet ihr leben! Sonst bekommt ihr Nachkommen Josefs seinen Zorn zu spüren. Er wütet wie ein loderndes Feuer, das sich immer weiter ausbreitet, und wenn es Bethel erreicht hat, kann niemand es dort löschen.

Ihr tretet das Recht mit Füßen!

[7]Ihr treibt mit der Gerechtigkeit Schindluder, ihr tretet das Recht mit Füßen!

[8]Gott hat das Siebengestirn und den Orion geschaffen. Licht verwandelt er in Finsternis, nach der Nacht lässt er einen neuen Tag anbrechen. Er ruft das Wasser aus dem Meer, und es ergießt sich auf die Erde. »Herr« wird er genannt! [9]Ganz

---

4,6–12 3 Mo 26,14–39; 5 Mo 28,15–68; 1 Kön 8,31–51 **4,7** 1 Kön 17,1 **4,9** Joel 1,4; Hag 2,17 **4,10** 2 Mo 9,3 **4,11** 1 Mo 19,24–25* **4,13** 3,7 **5,1** Jer 7,29; 9,9 **5,3** 5 Mo 28,62; 32,30 **5,4** Jer 29,13 **5,5** 4,4 **5,7** 2,6–8; 6,12; Jes 5,20 **5,8** 4,13; 9,5–6; Hiob 9,9

plötzlich vernichtet er die Mächtigen und macht ihre Festungen dem Erdboden gleich.

[10]»Ihr hasst jeden, der vor Gericht für das Recht eintritt, und wer die Wahrheit sagt, den verabscheut ihr. [11]Von den Ärmsten nehmt ihr Pachtgeld und verlangt auch noch Getreideabgaben. Darum werdet ihr nicht mehr in euren prachtvollen Häusern aus behauenen Steinen wohnen, und den Wein aus euren schönen Weingärten werdet ihr nicht trinken. [12]Ja, ich weiß, wie viele Verbrechen ihr begangen habt und wie groß eure Schuld ist. Ehrliche Menschen bringt ihr in Bedrängnis, ihr nehmt Bestechungsgelder an und lasst die Armen vor Gericht nicht zu ihrem Recht kommen. [13]Wer klug ist, der schweigt in dieser schlimmen Zeit.«

[14]Setzt euch für das Gute ein, allem Bösen aber kehrt den Rücken! Dann bleibt ihr am Leben, und der Herr, der allmächtige Gott, steht euch bei, so wie ihr es ja immer behauptet. [15]Ja, hasst das Böse, liebt das Gute! Verhelft vor Gericht jedem zu seinem Recht! Vielleicht erbarmt sich der Herr, der allmächtige Gott, doch noch über euch Nachkommen Josefs, und ihr werdet überleben.

[16]So spricht der Herr, der allmächtige Gott: »Auf allen Plätzen und Straßen wird man lautes Klagen und Trauerlieder hören. Sogar die Bauern holt man vom Feld, damit sie ebenso wie die Klageweiber die Toten beweinen. [17]In den Weinbergen trauern die Menschen laut um die Gestorbenen. Denn ich, der Herr, werde durchs Land schreiten und euch zur Rechenschaft ziehen. Mein Wort gilt!«

Frommer Selbstbetrug

[18]Ihr wünscht euch: »Wenn nur der Tag schon da wäre, an dem der Herr eingreift!« Glaubt ihr eigentlich, dass dieser Tag euch Licht bringen wird? Nein, in tiefste Dunkelheit werdet ihr gestoßen! [19]Es ergeht euch wie einem Mann, der vor dem Löwen flieht und dabei einem Bären in den Weg läuft. Selbst wenn er da noch mit heiler Haut davonkommt und sich zu Hause erschöpft an die Wand stützt – dann beißt ihn dort eine Schlange in die Hand!

[20]Ja, der Tag des Herrn bringt euch kein Licht, sondern Dunkelheit, schwarz wie die Nacht wird er sein!

[21]Der Herr sagt: »Ich hasse eure Feiern, geradezu widerwärtig sind sie mir, eure Opferfeste verabscheue ich. [22]Eure Brand- und Speiseopfer nehme ich nicht an, und wenn ihr Tiere mästet, um sie mir darzubringen, ist mir das völlig gleichgültig. [23]Eure lauten Lieder kann ich nicht mehr hören, verschont mich mit eurem Harfengeklimper. [24]Setzt euch lieber für die Gerechtigkeit ein! Das Recht soll das Land durchströmen wie ein nie versiegender Fluss.

[25]Ihr Israeliten, als ihr vierzig Jahre in der Wüste umhergezogen seid, habt ihr mir da Schlachtopfer und Speiseopfer dargebracht? [26]Habt ihr nicht schon damals die Figuren eurer Sternengötter Sakkut und Kewan herumgetragen, die ihr euch selbst gemacht habt? [27]Darum lasse ich euch in die Gefangenschaft ziehen, noch über Damaskus hinaus! Mein Wort gilt, denn ich bin der Herr, der allmächtige Gott!«

Samarias Untergang

6 Stolz und sorglos lebt ihr auf dem Berg Zion und auf dem Berg von Samaria. Dort wähnt ihr euch sicher. Ihr bildet euch etwas darauf ein, zum bedeutendsten Volk zu gehören und angesehene Männer zu sein, auf deren Rat ganz Israel hört. Doch es wird euch schlecht ergehen! [2]Ihr sagt zum Volk:[a] »Geht doch einmal hinüber zur Stadt Kalne,

---

[a] «Ihr … Volk« ist singgemäß ergänzt.

5,11–12 2,6–7; 8,5–6 **5,14** Mi 6,8 **5,15** Joel 2,14; Jona 3,9; Zef 2,3 **5,18–20** Joel 1,15* **5,21–24** Jes 1,11–17; Mi 6,6–8 **5,25–27** Apg 7,42–43 **5,25** Jer 7,22 **5,27** 4,2–3; 6,7; 7,11.17 **6,1** 3,2

dann weiter nach Hamat und von dort zur Philisterstadt Gat! Sind Israel und Juda nicht angesehener als sie? Ist unser Gebiet nicht größer als ihres?«

[3]Ihr denkt, euch könnte nichts Böses geschehen, mit Unrecht und Gewalt wollt ihr eure Macht festigen. [4]Ihr räkelt euch auf weich gepolsterten, elfenbeinverzierten Betten und esst das beste Fleisch von Lämmern und Kälbern. [5]Zu den Klängen der Harfe schmettert ihr eure Lieder und meint, ihr könntet wie David musizieren. [6]Den Wein trinkt ihr aus schweren Pokalen und salbt euch nur mit den feinsten Ölen – aber dass euer Volk dem Untergang entgegengeht, kümmert euch überhaupt nicht!

[7]Darum werdet ihr die Ersten sein, die in die Verbannung gehen. Dann ist es aus mit euren Trinkgelagen auf weichen Betten!

[8]So spricht der Herr, der allmächtige Gott: »Ich hasse den Hochmut der Nachkommen Jakobs, ich verabscheue ihre prachtvollen Häuser! Darum liefere ich Samaria mit allen seinen Einwohnern den Feinden aus. Das schwöre ich, der Herr, so wahr ich lebe! [9]Und wenn in einem Haus zehn Menschen überlebt haben, müssen sie doch noch sterben! [10]Kommt dann ein Verwandter von ihnen, um die Leichen aus dem Haus zu holen, findet er vielleicht noch einen Überlebenden, der sich ins hinterste Zimmer verkrochen hat. Er fragt ihn: ›Ist noch jemand bei dir?‹, und bekommt zur Antwort: ›Nein, niemand mehr!‹ Dann flüstert der Verwandte: ›Pass auf, erwähne nicht den Namen des Herrn, sonst bringt er auch dich noch um[a]!‹

[11]Denn ich, der Herr, befehle, dass die großen Prunkbauten in Trümmer gelegt und die kleinen Wohnhäuser niedergerissen werden.

[12]Kann man etwa mit Pferden über Felsblöcke galoppieren oder mit Rindern die Felsen umpflügen? Ihr aber verwandelt das Recht in Unrecht – eure Urteile sind ein tödliches Gift! Anstatt der Gerechtigkeit zum Sieg zu verhelfen, verbreitet ihr nichts als Angst und Schrecken. [13]Ihr freut euch, weil ihr Lo-Dabar eingenommen habt, und prahlt: ›Aus eigener Kraft haben wir Karnajim zurückerobert!‹ [14]Jetzt aber sage ich, der Herr, der allmächtige Gott: Ich lasse ein Volk über euch herfallen, das euch besiegen und die Bevölkerung im ganzen Land unterdrücken wird – von Hamat im Norden bis zum Bach bei der Wüste im Süden!«

Die Vision von den Heuschrecken

7 Gott, der Herr, gab mir eine Vision: Ich sah, wie er Heuschreckenschwärme erschuf. Gerade hatte man das erste Heu eingebracht, das für die königlichen Stallungen bestimmt war, und das Gras wuchs allmählich wieder nach. [2]Da fielen die Heuschrecken über die Pflanzen im ganzen Land her. Als sie alles abgefressen hatten, rief ich: »Ach Herr, Gott, vergib doch! Wie sollen die Nachkommen Jakobs sonst überleben? Sie sind ja ein so kleines Volk!« [3]Da hatte der Herr Erbarmen mit ihnen und sagte: »Was du dort gesehen hast, wird nicht eintreffen!«

Die Vision vom Feuer

[4]Dann gab Gott, der Herr, mir eine weitere Vision:

Ich sah, wie er Feuer herbeirief, um sein Volk zu bestrafen. Zuerst verzehrte es das Wasser im Meer, dann bedeckten die Flammen das ganze Land. [5]Da rief ich: »Ach Herr, Gott, bitte hör auf! Wie sollen die Nachkommen Jakobs sonst überleben? Sie sind ja ein so kleines Volk!« [6]Da hatte der Herr wieder Erbarmen mit ihnen und sagte: »Auch was du dort gesehen hast, wird nicht eintreffen.«

---

[a] »sonst … um« ist sinngemäß ergänzt.

6,3 9,10 **6,4** 3,12 **6,5–6** Jes 5,11–12 **6,7** 5,27 **6,8** Jes 2,11–12* **6,11** 3,15 **6,12** 5,7 **6,13** 5 Mo 8,17; 2 Kön 13,25; 14,25 **6,14** 2 Kön 17,5–6 **7,1–2** Joel 1,4 **7,2–3** 2 Mo 32,11–14 **7,4** Joel 1,19–20

Die Vision vom Bleilot

[7]Dann ließ der Herr mich sehen, wie er auf einer Mauer stand, die mit Hilfe eines Lots gebaut worden war. Er hielt ein Bleilot in der Hand [8]und fragte mich: »Amos, was siehst du?« »Ein Bleilot«, antwortete ich. Da sagte er: »Ich lege jetzt dieses Lot an mein Volk Israel, in Zukunft gehe ich nicht mehr über ihre Sünden hinweg. [9]Ich verwüste die Orte auf den Hügeln, wo die Nachkommen Isaaks ihre Götter verehren; ja, alle Heiligtümer Israels verwandle ich in Trümmerhaufen. Mein Schwert trifft das Königshaus Jerobeams!«

Amos soll das Nordreich verlassen

[10]Amazja, der oberste Priester in Bethel, sandte einen Boten zu Jerobeam, dem König von Israel, und ließ ihm ausrichten: »Amos zettelt mitten in Israel einen Aufstand gegen dich an! Seine Reden sind unerträglich! [11]Er hat behauptet: ›Jerobeam wird durchs Schwert umkommen, und das Volk Israel wird aus dem Land vertrieben und in die Verbannung geführt.‹«

[12]Zu Amos sagte Amazja: »Du Prophet, verschwinde von hier, und geh heim nach Juda! Dort kannst du weiter weissagen und dich dafür bezahlen lassen. [13]Aber hier in Bethel ist Schluss damit! Denn hier steht der Tempel des Königs, das wichtigste Heiligtum Israels.«

[14]Amos erwiderte: »Ich bin kein Prophet, der sich bezahlen lässt, und ich komme auch aus keiner Prophetenschule. Ich bin Viehhirte und pflanze Maulbeerfeigenbäume an. [15]Aber der Herr hat mich von meiner Herde weggeholt und mir befohlen: ›Geh zu meinem Volk Israel, und richte ihm meine Botschaft aus!‹ [16]Und nun willst du mir verbieten, den Auftrag Gottes zu erfüllen und zu den Israeliten, den Nachkommen Isaaks, zu sprechen? Hör, was der Herr dir ankündigt: [17]›Deine Frau soll in dieser Stadt zur Hure werden, deine Söhne und Töchter werden im Krieg getötet, dein Grundbesitz wird an andere verteilt, und du selbst wirst in einem heidnischen Land sterben! Denn die Israeliten werden von hier verschleppt werden. Darauf gebe ich, der Herr, mein Wort!‹«

Die Vision vom Korb mit reifem Obst

8 Noch etwas ließ Gott, der Herr, mich sehen: einen Korb mit reifem Obst. [2]Er fragte mich: »Amos, was siehst du?« Ich antwortete: »Einen Korb mit reifem Obst.« Da sprach der Herr zu mir: »Ja, und so ist auch mein Volk: reif für das Gericht! Von jetzt an sehe ich nicht mehr über ihre Sünden hinweg! [3]Wenn meine Strafe sie trifft, dann werden sich die fröhlichen Gesänge, die jetzt noch im Königspalast erklingen, in Trauerlieder verwandeln. Wohin man auch blickt, liegen die Leichen herum, und überall herrscht Totenstille. Mein Wort gilt!«

Rücksichtslose Ausbeutung

[4]Hört zu, die ihr die Armen unterdrückt und die Wehrlosen zugrunde richtet! [5/6]Ihr sagt: »Wann ist das Neumondfest endlich vorbei? Wann ist die Sabbatruhe bloß vorüber, damit wir die Kornspeicher wieder öffnen und Getreide verkaufen können? Dann verkleinern wir das Getreidemaß und machen die Gewichte auf der Waage schwerer, wo die Käufer ihr Silbergeld abwiegen. Auch die Waage selbst stellen wir falsch ein. Bestimmt können wir sogar noch den Getreideabfall verkaufen!« Ihr macht die Armen schon zu Sklaven, wenn sie euch nur ein Paar Schuhe nicht bezahlen können.

[7]Der Herr aber hat bei seiner Ehre geschworen:[a] »Niemals werde ich vergeben,

[a] Wörtlich: Der Herr hat beim Stolz Jakobs geschworen.

7,8 3,2 **7,10** Jer 38,4; Apg 16,20 **7,11** 5,27 **7,12–13** 2,12* **7,13** 1 Kön 12,28–32 **7,14** 1,1; 1 Sam 9,6–8 **7,15** 3,8 **7,17** 5,27; Hos 4,5–6 **8,2** 7,8 **8,3** 6,5 **8,4–6** 2,6–8; 5,11–12 **8,5–6** 3 Mo 19,35–36; Spr 16,11*

was sie getan haben! [8] Ja, ihretwegen soll die Erde beben, sie wird sich heben und senken wie der Nil in Ägypten, und die Menschen werden um ihre Toten trauern.

[9] Ich, der Herr, kündige euch an: An jenem Tag lasse ich die Sonne schon am Mittag untergehen, und die Dunkelheit bricht am helllichten Tag über das Land herein. [10] Eure Freudenfeste lasse ich zu Leichenfeiern werden und eure fröhlichen Lieder zu Totenklagen. Als Zeichen eurer Trauer werdet ihr euch Tücher aus grobem Sacktuch um die Hüften binden und euch die Köpfe kahl scheren. Ihr werdet so verzweifelt sein wie jemand, dessen einziger Sohn gestorben ist. Es wird ein bitterer Tag für euch sein, wenn das Ende kommt!«

Gott antwortet nicht mehr

[11] »Ich, der Herr, sage euch: Es kommt die Zeit, da schicke ich euch eine Hungersnot. Aber nicht nach Brot werdet ihr hungern und nicht nach Wasser verlangen. Nein, nach einem Wort von mir werdet ihr euch sehnen! [12] Dann irren die Menschen ruhelos durchs Land, vom Toten Meer bis zum Mittelmeer, vom Norden bis zum Osten. Doch ihre Suche wird vergeblich sein: Ich, der Herr, antworte ihnen nicht.

[13] Auch die schönen Mädchen und die jungen Männer werden an jenem Tag vor Durst zusammenbrechen. [14] Sie werden fallen und nicht mehr aufstehen, denn sie schwören bei dem widerlichen Götzen von Samaria und bekräftigen ihren Eid mit den Worten: ›So gewiss dein Gott lebt, Heiligtum in Dan!‹ oder: ›So gewiss die Wallfahrt nach Beerscheba uns Gottes Segen sichert![a]‹«

Die letzte Vision: Der Herr am Altar

9 Ich sah den Herrn am Altar stehen; er befahl: »Schlag auf die Kapitelle der Tempelsäulen, dass die Türschwellen erbeben! Zerschmettere die Säulen, damit die Trümmer den Leuten auf den Kopf fallen! Und wer das überlebt, den lasse ich vom Schwert durchbohren. Keiner wird fliehen können, niemand wird entkommen und sich retten. [2] Auch wenn sie in die Totenwelt eindringen und sich verstecken könnten – ich würde sie sogar von dort zurückholen! Und wenn sie in den Himmel hinaufsteigen könnten, würde ich sie herunterstürzen. [3] Wollten sie auf den Gipfel des Karmel fliehen, würde ich sie auch dort finden und zurückholen. Könnten sie sich auf dem Meeresboden verbergen, würde ich der Meeresschlange befehlen, sie mit einem Biss zu töten. [4] Und wenn sie unter den Gefangenen wären, die in ein fremdes Land verschleppt werden, würde ich sie auch dort noch mit dem Schwert umbringen! Denn bei mir finden sie keine Hilfe mehr, ich schicke ihnen nur noch Tod und Verderben.«

Was für ein Gott!

[5] Der Herr ist der allmächtige Gott! Berührt er die Erde, so fängt sie an zu schwanken. Sie hebt und senkt sich wie der Nil in Ägypten, und die Menschen trauern um ihre Toten.

[6] Im Himmel hat er die Stufen zu seinem Thron gebaut und auf der Erde die Fundamente für das Himmelsgewölbe gelegt. Er lässt das Wasser aus dem Meer aufsteigen und die Erde überfluten. Sein Name ist »der Herr«!

---

[a] Wörtlich: So gewiss der Weg nach Beerscheba lebt.

8,8 1,1; Sach 14,5 **8,9** 5,18–20 **8,10** 2 Mo 12,29–30 **8,14** 5,5; Hos 4,15 **9,1** 2,14–16 **9,2** Ps 139,7–12; Jer 23,24 **9,4** Jer 44,11–14 **9,5–6** 4,13; 5,8–9 **9,5** 8,8; Ps 104,32 **9,6** Ps 104,3; Jes 66,1

Ihr seid nicht besser als die anderen!

[7] So spricht der Herr: »Glaubt ihr Israeliten wirklich, ihr wärt besser als die Äthiopier? Es ist wahr: Ich habe euch aus Ägypten befreit. Aber genauso habe ich die Philister aus Kreta[a] herausgeführt und die Syrer aus Kir. [8] Ich, der Herr, sehe ganz genau, wie ihr Israeliten in eurem Land gegen mich sündigt. Darum lasse ich euch vom Erdboden verschwinden!

Doch ich will euch Nachkommen Jakobs nicht völlig ausrotten. Das verspreche ich, der Herr! [9] Ich zerstreue euch unter alle Völker. So wie in einem Sieb die Steine hängen bleiben, [10] so siebe ich die Schuldigen aus, sie, die jetzt noch selbstgefällig sagen: ›Menschen wie uns lässt der Herr nichts zustoßen. Kein Unglück wird uns treffen.‹ Gerade sie werden vom Schwert durchbohrt!«

Neue Hoffnung für Israel

[11] So spricht der Herr: »Es kommt der Tag, an dem ich das Reich König Davids wieder aufbauen werde. Jetzt gleicht es zwar einem zerstörten Haus, doch dann richte ich die umgestürzten Wände wieder auf und schließe die Risse in der Mauer. [12] Die Israeliten werden in Besitz nehmen, was vom Gebiet der Edomiter übrig geblieben ist. Auch über die Nachbarvölker, die einst mir gehört haben, werden sie ihre Herrschaft ausdehnen. [13] Es kommt die Zeit, da wird es eine sehr reiche Ernte geben: Die Arbeiter mähen noch das Getreide ab, wenn der Bauer schon kommt, um den Acker wieder zu pflügen. Man tritt die Trauben noch in der Kelter, obwohl die Zeit der Aussaat schon wieder begonnen hat. Ja, es wird so viele Trauben geben, dass ihr Saft die Berge und Hügel herabfließt!

[14] Ich werde das Schicksal meines Volkes wieder zum Guten wenden. Die Israeliten bauen die verwüsteten Städte wieder auf und wohnen darin, sie pflanzen Weinberge und trinken Wein, sie legen Gärten an und ernähren sich davon. [15] Ich werde sie wieder in ihr Land einpflanzen, und niemand kann sie mehr herausreißen. Denn dieses Land habe ich, der Herr, ihr Gott, ihnen gegeben. Mein Wort gilt!«

---

[a] Wörtlich: aus Kaftor.

9,7 3,1–2; 6,1–2 **9,8** Jer 5,18 **9,10** 6,3; Jer 7,4.10 **9,11–12** Apg 15,16–18 **9,13** Joel 4,18 **9,14** Jes 65,21–22; Jer 31,5 **9,15** Jer 24,6; 31,28; 42,10

Der Prophet Obadja

Gottes Strafe trifft die Edomiter

[1] Dies ist die Vision Obadjas: Gott, der Herr, hat uns gezeigt, welches Urteil er über Edom[a] gefällt hat. Er sendet einen Boten zu den Völkern, der ruft: »Kommt, wir führen Krieg gegen die Edomiter! Zieht in den Kampf!«

[2] So spricht der Herr zu Edom: »Ich mache dich zu einem kleinen und unbedeutenden Volk, das von den anderen Völkern verachtet wird. [3] Durch deinen Stolz hast du dich selbst betrogen. Hoch oben im Bergland wohnst du, in unzugänglichen Tälern hast du dich niedergelassen und meinst: ›Von hier kann mich niemand hinunterstürzen!‹ [4] Aber ich werfe dich doch in die Tiefe, auch wenn du dein Nest so hoch bauen könntest wie der Adler, ja, selbst wenn du es zwischen die Sterne am Himmel setzen würdest! Darauf gebe ich, der Herr, mein Wort!

[5] Wenn Diebe im Schutz der Nacht einbrechen, nehmen sie nur mit, so viel sie tragen können. Wenn die Winzer den Weinberg abernten, lassen sie eine Nachlese übrig. Du aber bist rettungslos verloren! [6] Die Feinde werden dein ganzes Land ausplündern und jeden Schlupfwinkel aufspüren. [7] Die Völker, mit denen du verbündet warst, jagen dich aus deinem Land, deine eigenen Freunde treiben ein falsches Spiel mit dir und fallen dir in den Rücken. Die vorher noch am selben Tisch mit dir saßen, stellen dir eine Falle und sagen: ›Die Edomiter merken es ja doch nicht!‹ [8] Es kommt der Tag, an dem für euch kluge Leute im Bergland von Edom die letzte Stunde schlägt. Dafür sorge ich, der Herr! Dann seid ihr mit eurer Weisheit am Ende! [9] Eure mutigen Soldaten in der Festung Teman werden vor Angst zittern, denn auch der letzte Nachkomme Edoms wird ermordet.

[10] Ihr Edomiter habt euer Brudervolk, die Nachkommen Jakobs, grausam misshandelt. Diese Schande lastet auf euch, und darum werdet ihr für immer vernichtet. [11] Als fremde Truppen durch die Tore von Jerusalem eindrangen, als sie die Einwohner durch das Los unter sich verteilten und ihr Hab und Gut wegschleppten, da tatet ihr so, als ginge euch das gar nichts an. Ja, ihr habt sogar mit den Feinden gemeinsame Sache gemacht! [12] Ihr hättet damals nicht so schadenfroh das Unglück der Judäer mit ansehen dürfen! Warum habt ihr euch über ihr Leid lustig gemacht und gespottet, als sie in Not waren und getötet wurden? [13] An diesem Tag seid ihr auch noch in die eroberte Stadt eingedrungen und habt euch angesehen, wie sie litten! Den letzten Besitz meines Volkes habt ihr an euch gerissen. [14] Und wenn einige von ihnen fliehen konnten, habt ihr ihnen heimtückisch an Wegkreuzungen und Engpässen aufgelauert, um sie an ihre Verfolger auszuliefern! [15] Der Tag, an dem ich, der Herr, allen Völkern ihr Urteil spreche, steht schon vor der Tür. Dann ziehe ich auch euch Edomiter zur Rechenschaft. Man wird euch genau das antun, was ihr euren Brüdern von Juda angetan habt!«

Das Volk Gottes findet Rettung!

[16] »Ihr Einwohner von Jerusalem musstet auf meinem heiligen Berg aus dem Be-

---

[a] Im Buch Obadja werden im hebräischen Text die Edomiter immer wieder mit »Esau« angeredet, weil sie von Esau, dem Bruder Jakobs, abstammten. Vgl. 1. Mose 25,30

1–15 Jes 34,5–17* **3–4** Jes 2,11–12* **4** Jes 14,13 **10** Joel 4,19; Am 1,11 **11** Klgl 1,7 **12** Ps 137,7; Klgl 4,21 **15** Joel 1,15* **16** Jer 25,15*

cher meines Zorns trinken. Genauso werden die anderen Völker daraus trinken, und sie werden ihn bis zur Neige leeren müssen. Nach ihrem Untergang wird nichts mehr an sie erinnern.

[17] Aber auf dem Berg Zion findet man Rettung, denn dort wohne ich, der Herr!

Die Nachkommen Jakobs werden das Land wieder in Besitz nehmen. [18] Wie loderndes Feuer Stroh verzehrt, so werden die Judäer und Israeliten[a] die Edomiter vernichten. Keiner von den Nachkommen Esaus wird mit dem Leben davonkommen. So habe ich, der Herr, es beschlossen!

[19] Die Judäer aus der Steppe im Süden werden das edomitische Bergland erobern, die aus dem westlichen Hügelland das Gebiet der Philister und die Übrigen das Gebiet von Ephraim und die Gegend um Samaria. Der Stamm Benjamin nimmt das Bergland von Gilead in Besitz. [20] Den Verschleppten aus Israel wird das Land der Kanaaniter bis nach Zarpat im Norden gehören, während die Einwohner Jerusalems, die nach Sefarad verbannt wurden, die Städte im Süden Judas einnehmen werden. [21] Befreier werden nach Jerusalem auf den Berg Zion kommen und über das Bergland der Edomiter herrschen. Ich, der Herr, aber werde König sein!«

---

[a] Wörtlich: das Haus Jakob und das Haus Josef.

17 Joel 3,5; 4,17 **18** Sach 12,6 **21** Jes 24,23; Sach 14,9

Der Prophet Jona

Jona flieht vor Gott

1 Der Herr sprach zu Jona, dem Sohn Amittais: [2]»Geh in die große und mächtige Stadt Ninive, und kündige ihren Einwohnern an, dass ich sie strafen werde. Denn ich kenne ihre Bosheit.«

[3]Jona machte sich auf den Weg – aber in die entgegengesetzte Richtung! Er floh vor dem Herrn und kam zunächst in die Hafenstadt Jafo. Dort fand er ein Schiff, das gerade nach Tarsis segeln sollte. Er bezahlte das Geld für die Überfahrt und ging an Bord.

[4]Doch als sie auf dem Meer waren, ließ der Herr einen starken Sturm aufkommen. Das Unwetter tobte so heftig, dass das Schiff auseinander zu brechen drohte. [5]Angst packte die Seeleute, und jeder schrie zu seinem Gott um Hilfe. Sie warfen Ladung über Bord, damit das Schiff leichter wurde.

Jona war unter Deck in den hintersten Raum gegangen, hatte sich hingelegt und schlief fest. [6]Da kam der Kapitän zu ihm und rief: »Was liegst du hier herum und schläfst? Los, steh auf, und ruf zu deinem Gott um Hilfe! Vielleicht erbarmt er sich und lässt uns nicht umkommen!«

[7]Die Seeleute sagten zueinander: »Schnell, lasst uns das Los werfen! Wir müssen herausfinden, wer an unserem Unglück schuld ist!« Das Los fiel auf Jona, [8]und so stellten sie ihn zur Rede: »Komm, sag uns, warum uns dieses Unglück getroffen hat! Was machst du hier? Aus welchem Land kommst du, und zu welchem Volk gehörst du?«

[9]Jona antwortete: »Ich bin ein Hebräer und verehre den Herrn, den Gott des Himmels, der das Land und das Meer geschaffen hat.« [10]Dann verriet er ihnen, dass er vor Gott auf der Flucht war. Die Seeleute bekamen noch mehr Angst und machten Jona Vorwürfe: »Warum hast du das getan? [11]Was sollen wir jetzt mit dir machen, damit das Meer uns nicht länger bedroht?« Denn die Wellen türmten sich immer höher auf. [12]Da sagte Jona: »Werft mich ins Meer! Dann wird es sich beruhigen und euch verschonen. Ich weiß: Dieses Unwetter ist nur durch meine Schuld über euch gekommen.«

[13]Die Seeleute ruderten mit aller Kraft, um doch noch an Land zu gelangen. Aber sie schafften es nicht, weil der Sturm immer heftiger tobte. [14]Da schrien sie zum Herrn: »Ach Herr, lass uns nicht umkommen, wenn wir jetzt das Leben dieses Mannes opfern müssen! Bestrafe uns nicht wie Mörder, die unschuldiges Blut vergießen! Denn du hast es ja so gewollt.« [15]Sie nahmen Jona und warfen ihn ins Meer. Sofort legte sich der Sturm. [16]Die Männer erschraken und fürchteten sich vor dem Herrn. Sie brachten ihm ein Schlachtopfer dar und schworen, auch in Zukunft auf ihn zu hören.

Jonas Dankgebet

2 Der Herr ließ einen großen Fisch kommen, der Jona verschlang. Drei Tage und drei Nächte war Jona im Bauch des Fisches. [2]Dort betete er zum Herrn, seinem Gott:

[3]»Ich schrie zum Herrn, als ich nicht mehr aus noch ein wusste, und er half mir aus meiner Not. Ich war dem Tode nah, doch du, Herr, hast meinen Hilferuf gehört!
[4]In die Tiefe hattest du mich geworfen, mitten ins Meer, rings um mich türmten

---

1,1 2 Kön 14,25 **1,2** Nah 1,1 **1,3** Ps 139,7–12 **1,4** Ps 107,25 **1,5** Apg 27,18–19 **1,6** Mk 4,38 **1,7** Jos 7,16–20; 1 Sam 14,38–42 **1,9** 1 Mo 1,9–10 **2,1** Mt 12,40; 16,4 **2,3** Ps 120,1 **2,4** Ps 42,8

sich die Wellen auf; die Fluten rissen mich mit und spülten mich fort.
[5]Ich dachte schon: ›Jetzt hast du mich für immer verstoßen. Werde ich deinen heiligen Tempel je wiedersehen?‹
[6]Ja, die Strudel zogen mich in die Tiefe, bis ich fast ertrank, Seetang schlang sich mir um den Kopf,
[7]bis zu den Fundamenten der Berge sank ich hinab in ein Land, dessen Tore sich auf ewig hinter mir schließen sollten. Aber du, Herr, mein Gott, hast mich vor dem sicheren Tod bewahrt und mir das Leben neu geschenkt!
[8]Als ich schon alle Hoffnung aufgegeben hatte, dachte ich an dich, und du hörtest mein Gebet in deinem heiligen Tempel.
[9]Wer sein Heil bei anderen Göttern sucht, die ja doch nicht helfen können, verspielt die Gnade, die er bei dir finden kann.
[10]Ich aber will dir danken, denn ein solches Opfer ehrt dich. Was ich dir versprochen habe, will ich erfüllen. Ja, der Herr allein kann retten!«

[11]Da befahl der Herr dem Fisch, Jona am Meeresufer auszuspeien.

Jona in Ninive

3 Zum zweiten Mal sprach der Herr zu Jona: [2]»Geh in die große und mächtige Stadt Ninive, und verkünde den Menschen dort die Botschaft, die ich dir auftrage!«

[3]Diesmal machte sich Jona auf den Weg nach Ninive, wie der Herr es ihm befohlen hatte. Die Stadt war so groß, dass man drei Tage brauchte, um sie zu durchqueren. [4]Jona ging in die Stadt hinein, und nachdem er einen Tag lang gelaufen war, rief er: »Noch vierzig Tage, dann legt Gott Ninive in Schutt und Asche!«

[5]Da glaubten die Einwohner von Ninive an Gott. Sie beschlossen zu fasten, und alle, von den einflussreichsten bis zu den einfachen Leuten, zogen als Zeichen ihrer Reue Kleider aus Sacktuch an.

[6]Auch dem König von Ninive war Jonas Botschaft ausgerichtet worden. Er stieg von seinem Thron und legte sein Herrschergewand ab. Stattdessen zog er Trauerkleider an und setzte sich in die Asche. [7]In der ganzen Stadt ließ er ausrufen: »Hört, was der König und die führenden Männer anordnen: ›Niemand darf etwas essen oder trinken, weder die Menschen noch die Rinder und Schafe. [8]Menschen und Tiere sollen Trauertücher tragen und laut zu Gott schreien. Jeder muss von seinen falschen Wegen umkehren! Keiner darf dem anderen mehr Unrecht tun! [9]Vielleicht lässt sich Gott noch umstimmen und hat Erbarmen mit uns; vielleicht wendet er seinen Zorn von uns ab, und wir kommen mit dem Leben davon.‹«

[10]Gott sah, dass die Menschen von ihren falschen Wegen umkehrten. Da ließ er das angedrohte Unheil nicht über sie hereinbrechen.

Gottes Güte geht Jona zu weit

4 Jona aber ärgerte sich sehr darüber, voller Zorn [2]betete er: »Ach Herr, habe ich das nicht gleich geahnt, als ich noch zu Hause war? Darum wollte ich ja auch so rasch wie möglich nach Tarsis fliehen! Ich wusste es doch: Du bist ein gnädiger und barmherziger Gott. Deine Geduld ist groß, deine Liebe kennt kein Ende. Du lässt dich umstimmen und strafst dann doch nicht. [3]Herr, lass mich sterben, das ist besser als weiterzuleben!«

[4]Aber der Herr erwiderte: »Ist es recht von dir, so wütend zu sein?«

[5]Jona verließ Ninive. Östlich der Stadt machte er sich ein Laubdach und setzte sich in dessen Schatten nieder. Er wollte beobachten, was mit der Stadt geschehen würde.

[6]Da ließ der Herr eine Rizinusstaude über Jona emporwachsen. Sie sollte ihm noch mehr Schatten geben und seinen

---

2,5 Ps 31,23 **2,6** Ps 69,2–3 **2,7** Ps 30,4; 103,4 **2,8** Ps 18,7 **2,9** Ps 115,4–8 **2,10** Ps 50,14 **3,1–2** 1,2 **3,3** 4,11 **3,4–5** Mt 12,41 **3,10** Jer 18,7–8; Hes 18,23 **4,2** 1,3; 2 Mo 34,6 **4,3.8** Hiob 7,15–16*

Missmut vertreiben. Jona freute sich sehr über die Pflanze. [7]Doch am nächsten Morgen kurz vor Sonnenaufgang ließ Gott einen Wurm die Wurzeln des Rizinus zerfressen, und die Staude wurde welk und dürr.

[8]Als die Sonne aufging, schickte Gott einen glühend heißen Ostwind. Die Sonne brannte Jona so auf den Kopf, dass er erschöpft zusammenbrach. Er wünschte sich zu sterben und seufzte: »Tot sein ist besser als weiterleben!«

[9]Da fragte ihn Gott: »Ist es recht von dir, wegen dieser Rizinusstaude so zornig zu sein?« Jona antwortete: »Mit vollem Recht bin ich wütend, am liebsten wäre ich tot!«

[10]Der Herr erwiderte: »Du hast dich mit dieser Staude keinen Augenblick abmühen müssen, nichts brauchtest du für sie zu tun. In einer Nacht ist sie gewachsen, und in der nächsten ging sie zugrunde. Trotzdem hättest du sie gerne verschont. [11]Ich aber sollte Ninive nicht verschonen, diese große Stadt, in der mehr als 120000 Menschen leben, die Gut und Böse nicht unterscheiden können,[a] und dazu noch so viele Tiere?«

[a] Wörtlich: die rechts und links nicht unterscheiden können.

4,11 Ps 36,7

Der Prophet Micha

Samarias Untergang

1 In diesem Buch sind die Botschaften aufgeschrieben, die Micha aus Moreschet vom Herrn empfing. Während der Regierungszeit der judäischen Könige Jotam, Ahas und Hiskia ließ der Herr ihn sehen, was mit Samaria und Jerusalem geschehen würde:

[2] Hört zu, all ihr Völker! Gebt Acht, ihr Bewohner der Erde! Gott, der Herr, tritt als Zeuge gegen euch auf, er kommt aus seinem heiligen Tempel. [3] Von dort, wo er wohnt, steigt er herab und schreitet über die Gipfel der Erde. [4] Unter seinen Schritten schmelzen die Berge wie Wachs im Feuer, sie fließen in die Ebene, wie Wasser den Abhang hinabschießt. In den Tälern brechen tiefe Spalten auf.

[5] Dies geschieht, weil die Israeliten, die Nachkommen Jakobs, gegen den Herrn gesündigt haben und ihm den Rücken kehren. Wer ist verantwortlich für Israels Schuld? Seine Hauptstadt Samaria! Und wer hat Juda zum Götzendienst auf den Hügeln verführt? Seine Hauptstadt Jerusalem!

[6] Darum sagt der Herr: »Ich werde Samaria bis auf die Grundmauern niederreißen und die Trümmer ins Tal hinunterwerfen. Dort, wo die Stadt lag, wird man dann Weinberge anlegen! [7] Alle Götzenstatuen von Samaria lasse ich in Stücke hauen. Die kostbaren Gegenstände, die man vom Lohn der Tempelhuren angeschafft hat, werden ein Raub der Flammen, und die Plünderer bezahlen mit der Beute ihre Huren. Ja, wo jetzt noch die Götzenstatuen stehen, wird dann eine trostlose Wüste sein!«

Micha trauert über das Schicksal seines Volkes

[8] Darum klage und weine ich, voller Trauer gehe ich barfuß und ohne Obergewand umher. Ich heule wie ein Schakal, schreie wie ein Strauß. [9] Denn die Wunden Samarias sind unheilbar, und auch Juda wird nicht verschont. Ja, selbst Jerusalem, die Hauptstadt meines Volkes, ist bedroht!

[10] Erzählt den Philistern in Gat nichts davon, zeigt ihnen nicht eure Tränen! Wälzt euch vor Schmerzen im Staub von Bet-Leafra![a] [11] Flieht nackt in Schimpf und Schande, ihr Einwohner von Schafir! Ihr von Zaanan, ihr werdet es nicht einmal mehr wagen, eure Stadt zu verlassen! Bet-Ezel bietet euch keinen Schutz mehr, man hört dort nur noch lautes Klagen über den Untergang. [12] Die Einwohner von Marot zittern vor Angst und hoffen, noch einmal davonzukommen, denn der Herr lässt die Feinde schon bis vor die Tore Jerusalems heranrücken.

[13] Spannt die Pferde an und flieht, ihr Leute von Lachisch! Ihr habt Jerusalem zur Sünde verführt, ihr seid genauso gottlos wie das Nordreich Israel! [14] Darum müsst ihr auch Moreschet im Gebiet von Gat hergeben. Auf die Stadt Achsib hatten die Könige Israels ihre Hoffnung gesetzt. Doch sie werden enttäuscht wie von einem Bach, dessen Wasser im Sommer versiegt.

[15] Ihr Einwohner von Marescha, eure

---

[a] Die Verse 10–15 enthalten im hebräischen Text zahlreiche Wortspiele im Zusammenhang mit den Ortsnamen. Zum Beispiel klingt das hebräische Wort für »melden« im Namen Gat an und »Staub« in Bet-Leafra.

1,1 2 Kön 15,32 – 20,21; Jer 26,18 **1,3–4** Ps 18,8–16; 97,5; 144,5–6 **1,5** 1 Kön 16,24–26; Jer 23,13–15 **1,6** Hos 14,1 **1,7** 1 Kön 16,32–33; Hos 4,14; 13,2 **1,8** Jes 20,2 **1,9** 3,12 **1,12** 2 Kön 18,13–14; 19,32–36 **1,15** 1 Sam 22,1

Stadt wird noch einmal dem Eroberer zum Opfer fallen, den der Herr euch schickt! Dann wird der König von Israel sich in der Adullamhöhle verstecken.[a] [16] Schneide dir in Trauer die Haare ab, Juda, bis du kahl bist wie ein Geier! Denn deine Bewohner, deine geliebten Kinder, werden in ein fremdes Land verschleppt!

Euch erwarten schlimme Zeiten!

2 Wehe denen, die finstere Pläne schmieden, wenn sie nachts wachliegen! Gleich am frühen Morgen setzen sie alles in die Tat um, weil sie die Macht dazu haben. [2] Wenn ihnen ein Stück Land gefällt, dann reißen sie es an sich; sehen sie ein schönes Haus, dann gehört es schon bald ihnen. Mit Gewalt rauben sie ganzen Familien Haus und Erbe.

[3] Darum kündigt der Herr ihnen an: »Nun werde ich finstere Pläne gegen euch schmieden. Ihr könnt euren Hals nicht mehr aus der Schlinge ziehen, nie mehr werdet ihr euren Kopf so hoch tragen! Euch erwarten schlimme Zeiten! [4] Es kommt der Tag, da wird man ein Spottlied auf euch anstimmen und dabei euer Klagen nachahmen:

›Wir sind vernichtet, Gott gab den Feinden unser Land. Alles haben sie genommen und unsere Felder unter sich verteilt!‹

[5] Wenn die Israeliten das Land später wieder zurückbekommen, geht ihr leer aus. Niemand aus dem Volk des Herrn tritt dann noch für euch ein!«

[6] »Schluss mit dem Gerede!«, empören sich die falschen Propheten[b]. »Keiner darf so daherschwätzen! Nein, uns wird kein Unglück treffen. [7] Spricht man etwa so zu uns Nachkommen Jakobs? Kann der Herr wirklich seine Geduld mit uns verlieren? So kennen wir ihn doch gar nicht!«

Doch der Herr antwortet: »Ich rede nur zu dem freundlich, der so lebt, wie es mir gefällt! [8] Aber mein Volk lehnt sich schon lange gegen mich auf. Wenn die Soldaten vom Krieg heimkehren und nichts ahnend an euch vorübergehen, plündert ihr sie aus und nehmt ihnen sogar den Mantel weg! [9] Die Frauen vertreibt ihr aus ihrem Zuhause, und die Kinder beraubt ihr für immer ihrer Heimat in Israel, die ich ihnen gegeben habe[c]. [10] Fort mit euch! Weg von hier! Ihr seid in diesem Land sowieso nicht mehr sicher! Denn wegen eurer Sünden ist es dem Untergang geweiht. [11] Ich weiß sehr wohl, was für Propheten ihr euch wünscht: solche, die euch nach dem Mund reden, die das Blaue vom Himmel herunterlügen und euch ankündigen, Wein und Most würden in Strömen fließen!«

Ich hole euch zurück!

[12] »Ich, der Herr, hole euch Nachkommen Jakobs, die ihr den Untergang Israels überlebt habt, wieder zurück. Wie ein Hirte seine Schafe in den schützenden Stall bringt, so versammle ich euch alle wieder in eurem Land. Dann wird es dort von Menschen wimmeln! [13] Ein Befreier geht euch voran, um euch den Weg aus der Gefangenschaft zu bahnen. Die Stadttore werdet ihr durchbrechen und in die Freiheit ziehen, und ich selbst gehe als euer König an der Spitze.«

Gottes Urteil über die führenden Männer und falschen Propheten

3 Hört her, ihr führenden Männer Israels, ihr Nachkommen Jakobs! Eigentlich solltet ihr doch das Recht kennen.

---

[a] Wörtlich: Die Herrlichkeit Israels wird bis Adullam kommen.
[b] »die falschen Propheten« ist sinngemäß ergänzt.
[c] Wörtlich: beraubt ihr für immer meiner Zierde.

1,16 Jer 7,29 **2,2** 2 Mo 20,17; 1 Kön 21,1–3.13–16 **2,6** Am 2,12* **2,7** Am 6,3 **2,9** 2 Kön 4,1 **2,11** Jer 28,10–11 **2,12** Jer 31,10; Hes 36,37 **2,13** 2 Mo 13,21; Jes 42,13 **3,1** 5 Mo 16,18–20; 17,18–20

[2/3] Aber ihr hasst das Gute und liebt das Böse. Ihr geht mit den Menschen um wie ein Schlachter, der dem Vieh die Haut abzieht, das Fleisch von den Knochen reißt, die Knochen zerhackt und sie zusammen mit dem Fleisch in den Kessel wirft. [4] Es kommt ein Tag, da werdet ihr zum Herrn um Hilfe schreien, aber er wird euch nicht mehr anhören. Er will nichts mehr mit euch zu tun haben wegen all eurer Verbrechen.

[5] Auch für euch Propheten hat der Herr eine Botschaft: »Ihr führt mein Volk in die Irre! Glück und Frieden sagt ihr denen voraus, die euch zu essen geben. Doch wer euch keine Geschenke gibt, dem droht ihr mit Gottes Strafgericht. [6] Darum wird die finsterste Nacht über euch hereinbrechen, so dass ihr nicht mehr in die Zukunft schauen könnt. Die Sonne wird nicht mehr für euch scheinen, selbst am hellichten Tag tappt ihr im Dunkeln. So könnt ihr nicht mehr voraussagen, was kommen wird. [7] Mit eurer Wahrsagerei und euren Prophezeiungen ist es dann endgültig vorbei, ihr müsst euch in Grund und Boden schämen! Denn ich beantworte eure Fragen nicht mehr. Ihr könnt nur noch vor Trauer euer Gesicht verhüllen.«

[8] Mich aber hat der Herr mit seinem Geist erfüllt. Er gibt mir die Kraft, mutig für das Recht einzutreten. Offen werfe ich den Israeliten ihre Vergehen vor, die Sünden der Nachkommen Jakobs nenne ich beim Namen.

[9] Hört, ihr führenden Männer Israels! Ihr beugt das Recht, bedenkenlos setzt ihr euch darüber hinweg. [10] In Jerusalem baut ihr eure Häuser und geht dabei über Leichen. [11] Die Richter sind bestechlich, die Priester lassen sich gut bezahlen, und auch die Propheten schlagen Geld aus ihrer Wahrsagerei. Doch alle berufen sich auf den Herrn und behaupten: »Der Herr ist auf unserer Seite, uns kann nichts zustoßen.«

[12] Darum wird der Berg Zion zu einem umgepflügten Acker werden, die Stadt Jerusalem zu einem Trümmerhaufen, und auf dem Tempelberg wird das Dornengestrüpp wuchern!

Jerusalem, der Mittelpunkt eines neuen Reiches

4 Am Ende der Zeit wird der Berg, auf dem der Tempel des Herrn steht, alle anderen Berge und Hügel weit überragen. Menschen aller Nationen strömen dann herbei. [2] Viele Völker ziehen los und rufen einander zu: »Kommt, wir wollen auf den Berg des Herrn steigen, zum Tempel des Gottes Israels! Dort wird er uns sein Gesetz lehren, damit wir so leben, wie er es will!« Denn vom Berg Zion aus wird der Herr seine Weisungen geben, in Jerusalem wird er der ganzen Welt seine Gebote verkünden. [3] Gott selbst schlichtet den Streit zwischen den Völkern, und den mächtigen Nationen in weiter Ferne spricht er Recht. Dann schmieden sie ihre Schwerter zu Pflugscharen um und ihre Speere zu Winzermessern. Kein Volk wird mehr das andere angreifen; niemand lernt mehr, Krieg zu führen.[a] [4] Jeder kann ungestört unter seinem Feigenbaum und in seinem Weingarten sitzen, ohne dass ihn jemand aufschreckt. Das verspricht der Herr, der allmächtige Gott!

[5] Jedes Volk dient seinem eigenen Gott, wir Israeliten aber gehören für immer dem Herrn, unserem Gott.

[6] So spricht der Herr: »Es kommt der Tag, da werde ich mein Volk, das ich so schwer bestraft habe, wieder in seine Heimat bringen, so wie ein Hirte seine Schafe zurückholt, die sich verlaufen haben und verletzt sind. [7] Ja, ich sorge dafür, dass die Verletzten überleben und die Schwachen wieder zu einem mächtigen Volk werden! Dann herrsche ich selbst auf dem Berg Zion für alle Zeiten als ihr

---

[a] Vgl. Jesaja 2,2–4

3,2–3 Jes 5,20 **3,4** Hes 8,18 **3,5** 2,11 **3,6–7** Am 8,11–12 **3,8** Jes 58,1; Hes 33,1–7; Hos 9,8 **3,10** Am 5,11–12 **3,11** 3,1–3.5; Jer 7,4.10 **3,12** 2 Kön 25,8–10; Jer 26,18 **4,2** Jes 45,22–24* **4,4** 1 Kön 5,5; Sach 3,10 **4,6** Jes 40,1–2.10–11; Hes 34,11–16* **4,7** Ps 99,1–2; Dan 2,44*

König. [8]Du Festung auf dem Hügel von Jerusalem, in dir wird einst wieder ein König wohnen, so wie es früher war; er wird über dich wie ein Hirte wachen.«

Noch ist Jerusalem bedroht

[9]Warum schreist du so laut, Jerusalem? Ist kein König mehr in der Stadt? Sind alle deine Ratgeber umgekommen? Warum windest du dich vor Schmerzen wie eine Frau in den Wehen?

[10]Ja, du hast allen Grund zu schreien und dich vor Schmerzen zu krümmen! Denn du wirst aus der Stadt vertrieben und musst draußen auf den Feldern hausen, bis man dich nach Babylon verschleppt. Doch dort wirst du Rettung finden, der Herr befreit dich aus der Gewalt deiner Feinde.

[11]Soldaten aus vielen Völkern haben dich, Jerusalem, jetzt umzingelt. Sie wollen deinen Tempel entweihen und sich an deinem Untergang weiden. [12]Aber sie ahnen ja nicht, was der Herr vorhat: Er will sie hier versammeln, wie man Garben zum Dreschen auf der Tenne bereitlegt.

[13]Der Herr befiehlt: »Komm, Jerusalem, schlag auf sie ein! Ich mache dich so stark wie einen Stier mit Hörnern aus Eisen und Hufen aus Bronze. Du wirst die vielen Völker zermalmen und wirst alles, was sie dir geraubt haben, von neuem mir weihen. Ja, alle ihre Schätze sollen mir, dem Herrn der ganzen Welt, gehören!«

Hoffnung auf den Befreier Israels

[14]Ritzt euch vor Trauer die Haut blutig, ihr Menschen in der belagerten Stadt! Feindliche Soldaten werden euch einkesseln und dem Herrscher Israels mit dem Stock ins Gesicht schlagen.

5 Aber zu Bethlehem im Gebiet der Sippe Efrat sagt der Herr:

»Du bist zwar eine der kleinsten Städte Judas, doch aus dir kommt der Mann, der mein Volk Israel führen wird. Sein Ursprung liegt weit zurück, in fernster Vergangenheit.« [2]Bis zu der Zeit, wo er geboren wird, lässt der Herr die Menschen seines Volkes den Feinden in die Hände fallen; doch dann werden die Überlebenden zu den anderen Israeliten in ihr Land zurückkehren.

[3]Wie ein Hirte seine Herde weidet, so wird der neue König regieren. Gott, der höchste Herr, hat ihn dazu beauftragt und gibt ihm die Kraft. Dann kann das Volk endlich in Sicherheit leben, denn selbst in den fernsten Ländern der Erde wird er als Herrscher anerkannt. [4]Er bringt Frieden! Wenn die Assyrer unser Land überfallen und in unsere Festungen eindringen wollen, bieten wir viele mächtige Führer[a] gegen sie auf. [5]Mit ihren Schwertern werden sie Assyrien, das Land Nimrods, bezwingen und seine Festungen zerstören. Ja, unser neuer König wird uns vor den Assyrern retten, wenn sie unser Land überfallen und erobern wollen!

[6]Die Nachkommen Jakobs, die überlebt haben und unter den anderen Völkern wohnen, sind für sie wie Tau und Regen, die das Land erfrischen und von Gott ohne Zutun der Menschen geschickt werden. [7]Die Nachkommen Jakobs, die überlebt haben und unter den anderen Völkern wohnen, sind für sie wie der Löwe unter den Tieren des Waldes, wie ein junger Löwe in einer Schafherde. Er fällt über die Tiere her und zerreißt sie, niemand kann sie aus seinen Klauen retten. [8]Ja, Israel, hol zum Schlag aus gegen deine Feinde, und töte sie!

Der Herr vernichtet Israels Götzen

[9]So spricht der Herr: »Der Tag wird kommen, an dem ich eure Schlachtrosse ausrotte und eure Streitwagen in Stücke

---

[a] Wörtlich: sieben Hirten und acht Fürsten.

4,10 2 Kön 24,15–16; 25,11 **4,11–13** Jes 29,1–8 **4,14** 5 Mo 14,1 **5,1** 1 Sam 17,12; Jes 9,6*; Mt 2,6; Joh 7,42 **5,2** Jes 7,14 **5,3** Hes 34,11–16* **5,5** 1 Mo 10,8–12 **5,6** Hos 14,6 **5,7** 1 Mo 49,9–10 **5,9–13** Jes 2,6–8 **5,9** Sach 9,10

schlage. [10] Ich zerstöre eure Städte und reiße eure Festungen nieder. [11] Die Zaubergegenstände schlage ich euch aus der Hand, es wird bei euch keine Wahrsager mehr geben! [12] Ich zerschmettere eure Götzenstatuen und die den Göttern geweihten Steinsäulen. Dann könnt ihr nicht mehr Gegenstände anbeten, die ihr selbst gemacht habt! [13] Die Pfähle zu Ehren der Göttin Aschera reiße ich heraus, und eure Städte mache ich dem Erdboden gleich. [14] Ich ziehe jetzt alle Völker zur Rechenschaft, die nicht auf mich gehört haben. Denn damit haben sie meinen Zorn herausgefordert.«

Gott klagt sein Volk an

6 Hört, wozu der Herr sein Volk auffordert: »Klagt mich doch an! Berge und Hügel sollen eure Zeugen sein!«

[2] Ihr Berge und ihr Fundamente der Erde, hört, welche Anklage der Herr nun gegen sein Volk erhebt! Jetzt geht er mit Israel ins Gericht.

[3] Er fragt: »Was habe ich dir bloß angetan, mein Volk? Habe ich vielleicht zu viel von dir gefordert? Sag es nur! [4] Habe ich dich nicht sogar aus der Sklaverei in Ägypten befreit und dir Mose, Aaron und Mirjam als Führer gegeben? [5] Mein Volk, erinnere dich doch, welche finsteren Pläne Balak, der König von Moab, gegen dich schmiedete und was ihm Bileam, der Sohn Beors, antwortete! Denk daran, wie du den Jordan bei Schittim überquertest und nach Gilgal weiterzogst! Dann wirst du erkennen, was ich, der Herr, für dich getan habe. Auf meine Zusagen kannst du dich verlassen!«

[6] Das Volk fragt: »Wie können wir dem Herrn, dem großen Gott, begegnen? Sollen wir einjährige Rinder als Opfer für ihn verbrennen, wenn wir ihn anbeten wollen? [7] Hat er Gefallen daran, wenn wir ihm Tausende von Schafböcken und ganze Ströme von Olivenöl darbringen? Oder sollen wir ihm sogar unsere ältesten Söhne opfern, um unsere Schuld wieder gutzumachen?«

[8] Nein! Der Herr hat euch doch längst gesagt, was gut ist! Er fordert von euch nur eines: Haltet euch an das Recht, begegnet anderen mit Güte, und lebt in Ehrfurcht vor eurem Gott!

Jerusalem trifft dasselbe Schicksal wie Samaria

[9] Hört, was der Herr der Stadt Jerusalem zuruft! Es gibt nur eine Rettung: Nehmt seine Worte ernst! Hört, was für eine schwere Strafe auf euch wartet! Der Herr selbst hat sie über euch verhängt:

[10] »Soll ich noch länger zusehen, wie gewissenlose Menschen in ihren Häusern Schätze ansammeln, die sie nur durch Betrug bekommen haben? Sie tun, was ich verabscheue, und verwenden ihre gefälschten Maße! [11] Wie kann ich sie freisprechen, wenn sie andere mit ihren falschen Waagen und Gewichtssteinen hinters Licht führen? [12] Die Reichen in der Stadt beuten die Menschen aus und unterdrücken sie, ja, alle Einwohner Jerusalems lügen und betrügen!

[13] Weil ihr so viel Schuld auf euch geladen habt, werde ich euch hart bestrafen und eure Stadt verwüsten. [14] Bald könnt ihr euch nicht mehr satt essen und müsst hungern. Was ihr beiseite schafft, könnt ihr doch nicht retten, und was ihr noch in Sicherheit bringt, verliert ihr im Krieg. [15] Ihr werdet die Saat ausstreuen, aber keine Ernte einbringen, die Oliven auspressen, aber euch nicht mehr mit dem Öl salben, Wein keltern, ihn aber nicht mehr genießen. [16] Bis heute folgt ihr dem schlechten Vorbild der Könige Omri und Ahab. Alles, was sie taten, habt ihr ihnen nachgemacht! Darum lasse ich eure Stadt zu einem Ort des Grauens werden und

---

5,12 Sach 13,2 **6,2** Hos 4,1 **6,3** Jer 2,5 **6,4** 2 Mo 4,13–16; 15,20–21 **6,5** 4 Mo 22,2–6; 23,7–8; Jos 3,14–17; 4,19 **6,6–8** Ps 40,7–9; Jes 1,11–17; Am 5,21–24 **6,7** 3 Mo 18,21* **6,8** 5 Mo 10,12; Mt 23,23 **6,10–11** Spr 16,11*; Jer 9,8 **6,12** 3,1–3 **6,13** 3,12 **6,15** 5 Mo 28,38–40 **6,16** 1 Kön 16,23–33; 21,1–16

euch zur Zielscheibe des Spotts; überall wird man euch verhöhnen und verachten.«

Micha klagt über sein Volk

7 Ich bin verzweifelt wie einer, der im Herbst nach der Ernte hungrig durch die Weinberge streift oder im Frühsommer nach Feigen sucht und alles abgeerntet findet. [2] Im ganzen Land gibt es keine rechtschaffenen Menschen mehr, keiner fragt mehr nach Gott. Einer lauert dem anderen auf und legt ihn herein, so wie der Jäger sein Wild ins Fangnetz treibt. Sie gehen sogar über Leichen. [3] Sie haben nur Böses im Sinn, und darin sind sie wahre Meister. Die führenden Männer lassen sich bestechen, die Richter sind käuflich, und die Mächtigen entscheiden aus reiner Willkür. So arbeiten sie alle Hand in Hand. [4] Selbst die Besten und Ehrlichsten unter ihnen sind wie Dornhecken, sie richten nur Schaden an.

Aber der Tag kommt, an dem euch die Strafe trifft – die Propheten haben es euch angekündigt. Dann werdet ihr mit eurer Weisheit am Ende sein!

[5] Trau keinem einzigen Menschen mehr, nicht einmal dem besten Freund! Sei verschwiegen wie ein Grab, auch bei der Frau in deinen Armen! [6] Denn der Sohn achtet den Vater nicht mehr, die Tochter lehnt sich gegen die Mutter auf und die Schwiegertochter gegen die Schwiegermutter. Die schlimmsten Feinde sind in der eigenen Familie!

[7] Doch ich verlasse mich auf den Herrn, ich warte auf seine Hilfe. Ja, mein Gott wird mich erhören!

Der Herr wird uns retten!

[8] Freut euch nur nicht zu früh, ihr Feinde! Wir liegen zwar am Boden, doch wir stehen wieder auf. Wir sitzen im Finstern, aber der Herr ist unser Licht. [9] Gegen ihn haben wir gesündigt und müssen nun seinen Zorn ertragen. Doch er wird wieder für uns kämpfen und uns zu unserem Recht verhelfen. Er führt uns von neuem hinaus ins Licht. Wir werden erleben, wie er für uns eintritt!

[10] Wenn unsere Feinde das sehen, müssen sie sich in Grund und Boden schämen. Spöttisch riefen sie uns zu: »Wo bleibt denn der Herr, euer Gott?« Aber dann werden wir über sie triumphieren, man wird sie zertreten wie Kot auf der Straße!

[11] Jerusalem, es kommt die Zeit, in der deine Mauern wieder aufgebaut werden und dein Herrschaftsgebiet sich weit ausdehnt. [12] In jenen Tagen werden die Menschen zu dir strömen: von Assyrien, aus den Städten Ägyptens und vom Gebiet am Euphrat, ja, von weit entfernten Küsten und Gebirgen. [13] Die ganze Erde aber wird zur Wüste wegen der Schuld ihrer Bewohner.

[14] Herr, kümmere dich doch um dein Volk wie ein Hirte um seine Herde, denn wir gehören dir! Unsere Siedlungen liegen beengt in einsamen Waldgebieten, doch um uns her dehnt sich fruchtbares Land, auf dem sogar Obst gedeiht. Bring uns, deine Herde, wieder wie in vergangenen Zeiten auf die saftigen Weiden von Baschan und Gilead. [15] Vollbringe Wunder für uns wie damals, als unsere Vorfahren aus Ägypten zogen. [16] Dann müssen die anderen Völker beschämt zusehen und können trotz ihrer Macht nichts dagegen tun. Sprachlos werden sie sein, es wird ihnen Hören und Sehen vergehen! [17] Sie sollen Staub lecken wie Schlangen und Würmer. Zitternd vor Angst werden sie aus ihren Festungen kriechen und sich vor dir, dem Herrn, unserem Gott, beugen. Ja, vor dir werden sie sich fürchten!

[18] Wo ist ein Gott wie du, Herr? Du vergibst denen, die von deinem Volk übrig geblieben sind, und verzeihst ihnen ihre

7,2–3 3,9–11 **7,4** Hes 3,16–19 **7,5–6** Ps 55,13–15; Jer 9,3–4; Mt 10,35–36 **7,8–9** Hos 6,1–3 **7,10** Ps 42,4.11 **7,11** Jes 60,10; Sach 2,8–9 **7,12** Jes 19,23 **7,13** Jes 24,1–6 **7,14** 5,3 **7,15** Ps 68,8–11; 78,12–16 **7,17** 1 Mo 3,14 **7,18** 2 Mo 34,6; Ps 103,3.8–13

Schuld. Du bleibst nicht für immer zornig, sondern lässt Gnade vor Recht ergehen, daran hast du Gefallen! [19] Ja, der Herr wird wieder Erbarmen mit uns haben und unsere Schuld auslöschen. Er wirft unsere Sünden ins tiefste Meer. [20] Herr, du wirst uns, den Nachkommen Abrahams und Jakobs, von neuem deine Treue und Gnade erweisen, wie du es unseren Vorfahren geschworen hast.

7,20 1 Mo 22,16–18; 28,13–15; Lk 1,72–75; Röm 15,8

Der Prophet Nahum

Gott zieht seine Feinde zur Rechenschaft

1 In diesem Buch ist aufgeschrieben, was Gott der Stadt Ninive ankündigte. In einer Vision gab er seine Botschaft Nahum aus dem Dorf Elkosch weiter.

[2] Gott, der Herr, duldet keine anderen Götter neben sich. Wenn sein Zorn losbricht, rächt er sich an seinen Feinden. Seine Widersacher zieht er zur Rechenschaft, alle, die ihn hassen, bekommen seinen Zorn zu spüren.
[3] Der Herr ist geduldig, aber er besitzt auch große Macht und lässt niemanden ungestraft davonkommen.

Wenn er daherschreitet, brechen Stürme und Unwetter los, die mächtigen Wolken sind nur der Staub, den seine Füße aufwirbeln.
[4] Wenn er das Meer bedroht, trocknet es aus, ganze Flüsse lässt er versiegen. Die saftigen Weiden von Baschan welken dahin, die Bäume auf dem Karmel werden dürr, und der Libanon mit seinem Blütenmeer liegt da wie eine trostlose Wüste.

[5] Die Berge und Hügel wanken, wenn der Herr erscheint, die Erde bebt, und die Menschen zittern vor Angst.
[6] Wer könnte ihm noch die Stirn bieten, wenn sein Zorn losbricht wie ein verheerendes Feuer? Sogar Felsen bringt er zum Bersten!

[7] Doch mit Güte begegnet der Herr allen, die ihm vertrauen; er kennt sie und schenkt ihnen Zuflucht in der Not.
[8] Aber die Stadt seiner Feinde zerstört er, wie eine reißende Flut schwemmt er sie fort. Ja, Finsternis wird alle verschlingen, die den Herrn verachten!

[9] Was schmiedet ihr noch Pläne gegen den Herrn? Er wird euch mit einem einzigen Schlag vernichten – ein zweites Mal könnt ihr euch nicht gegen ihn auflehnen!

[10] Ihr seid nichts als unnützes Dornengestrüpp, das ins Feuer geworfen wird und lichterloh brennt wie dürres Stroh![a]
[11] Aus dir, Ninive[b], kam ein Herrscher, der finstere Pläne gegen den Herrn schmiedete und nur Unheil ausbrütete.

[12] Doch jetzt spricht der Herr zu Jerusalem[c]: »Wenn deine Feinde wieder anrücken und all ihre Truppen aufbieten, sollen sie niedergemäht werden wie die Halme auf einem Feld. Ich habe dich hart bestraft, doch nun ist es genug damit.
[13] Ich will das schwere Joch, das auf dir lastet, zerbrechen und deine Fesseln zerreißen!«

[14] Zum assyrischen König aber sagt der Herr:[d] »Für mich bist du schon so gut wie tot; ich habe dir das Grab geschaufelt. Du wirst keine Nachkommen mehr haben, und aus deinem Tempel werfe ich die Götzenstatuen hinaus.«

Die Eroberung Ninives

2 Seht! Ein Bote läuft über die Berge nach Jerusalem. Er bringt die frohe Nachricht: »Wir haben endlich Frieden!

---

[a] So mit der griechischen Übersetzung. Der hebräische Text ist nicht sicher zu deuten.
[b] »Ninive« ist sinngemäß ergänzt.
[c] »zu Jerusalem« ist sinngemäß ergänzt.
[d] Wörtlich: Über dich aber hat der Herr geboten.

1,1 Jes 10,5–19*; Jona 1,1–2 **1,2** 2 Mo 20,3–5* **1,3** 2 Mo 34,6–7 **1,4** Jes 50,2; 51,10 **1,5** 2 Mo 19,18; Ps 18,8 **1,7** Klgl 3,25 **1,9** Ps 2,1–12 **1,11** 2 Kön 18,13 **2,1** Jes 52,7

Feiert wieder eure Feste, ihr Menschen von Juda! Erfüllt die Versprechen, die ihr Gott gegeben habt! Der furchtbare Feind, der alles verwüstet hat, wird nie mehr über euer Land herfallen, denn jetzt ist er endgültig besiegt.«

[2]Schon rücken deine Eroberer heran, Ninive[a]! Sie werden dich dem Erdboden gleichmachen. Bewach deine Festungen nur gut, stell überall Posten auf! Leg deine Waffen an, und hol Verstärkung! [3]Früher hast du Israel ausgeplündert und seine Weinberge verwüstet. Doch jetzt lässt der Herr ganz Israel wieder in seinem alten Glanz erstehen.[b]

[4]Da ist dein Feind, Ninive! Die Soldaten tragen blutrote Schilde, und ihre Kleidung leuchtet scharlachrot. Die eisernen Streitwagen funkeln wie brennende Fackeln, die Kämpfer schwingen ihre Lanzen. [5]Jetzt rasen die Wagen über die Straßen, auf den freien Plätzen überholen sie einander. Wie Flammen leuchten sie auf, sie sind schnell wie der Blitz!

[6]Der assyrische König ruft seine besten Offiziere; sie laufen los und stolpern, sie rennen zur Stadtmauer von Ninive. Schon verschanzen die Feinde sich hinter Schutzdächern, um die Stadt zu stürmen. [7]Am Fluss brechen sie die Schleusentore auf; die Angst packt alle am Königshof. [8]Dann reißen die Feinde der Königin die Kleider vom Leib und führen sie gefangen weg. Ihre Dienerinnen klagen wie Tauben und schlagen sich verzweifelt an die Brust. [9]Alle fliehen aus Ninive, wie Wasser aus einem Teich abläuft. »Halt! Bleibt doch!«, ruft man ihnen hinterher, aber niemand dreht sich um.

[10]Plündert, ihr Soldaten! Nehmt euch Silber und Gold, denn die Stadt ist voll davon; ihr findet die kostbarsten Schätze! [11]Sie lassen nichts mehr zurück, Ninive ist verwüstet, Totenstille herrscht. Die Überlebenden haben allen Mut verloren, ihre Knie zittern, sie krümmen sich vor Schmerz und sind totenbleich[c].

[12]Was ist jetzt aus der Stadt Ninive geworden? Ihre Einwohner lebten sicher und ungestört wie Löwen, die ihre Jungen in der Höhle füttern. [13]Der Löwe zerriss die anderen Tiere und brachte sie seinen Jungen und den Löwinnen zum Fraß. Ja, er füllte die Höhle bis oben hin mit Beute!

[14]So spricht der Herr, der allmächtige Gott: »Jetzt rechne ich mit dir ab, Ninive! Deine Streitwagen lasse ich in Flammen aufgehen, deine jungen Löwen – deine Soldaten – werden vom Schwert niedergemetzelt. Du wirst keine Beute mehr nach Hause schleppen, und nie mehr wirst du Boten aussenden, die anderen Völkern Befehle geben!«

Keine Schande bleibt Ninive erspart!

3 Wehe dieser Stadt, die ein Blutbad nach dem anderen anrichtet, in der Betrug und Gewalt herrschen. Schon immer war sie auf Raub aus und wollte nie damit aufhören.

[2]Da! Peitschengeknall und Räderrasseln! Pferde galoppieren, Streitwagen rasen dahin! [3]Die Reiter preschen vorwärts, Schwerter glänzen, Speere blitzen auf. Das Schlachtfeld ist übersät mit Gefallenen, man stolpert über Leichen, so dicht liegen sie; niemand kann sie mehr zählen! [4]Das ist die Strafe für Ninive, diese Hure, die mit ihren Reizen ganze Völker verführte und sie mit ihren Zauberkünsten umgarnte!

[5]So spricht der Herr, der allmächtige Gott: »Jetzt ziehe ich dich zur Rechenschaft! Ich reiße dir den Rock hoch bis übers Gesicht, dass du vor den Völkern nackt dastehst und dich zu Tode schämen musst. [6]Mit stinkendem Dreck bewerfe

---

[a] »Ninive« ist sinngemäß ergänzt, so auch in den Versen 12 und 14.
[b] Wörtlich: Der Herr stellt die Herrlichkeit Jakobs und die Herrlichkeit Israels wieder her.
[c] Wörtlich: ihre Gesichter sammeln Glut. – Die Bedeutung dieser Redewendung ist nicht sicher.

2,3 2 Kön 17,5–6 **2,13** Jes 10,14 **3,1** Hes 22,2; 24,6.9 **3,4** Offb 17,1–2 **3,5** Jer 13,22.26–27; Hes 16,37–38; Hos 2,12

ich dich, keine Schande bleibt dir erspart; ja, ich stelle dich öffentlich zur Schau! [7]Dann wird jeder, der dich sieht, davonlaufen und entsetzt rufen: ›Ninive ist eine einzige Wüste!‹ Wer wird da noch um dich trauern? Wo soll ich einen Tröster für dich finden?

[8]Meinst du vielleicht, dir werde es besser ergehen als der Stadt Theben? Sie war durch den breiten Nil und seine Arme ringsum geschützt. [9]Ein starkes Heer aus Äthiopien und ganz Ägypten bot sie zu ihrer Verteidigung auf, Soldaten aus Put und Libyen kamen ihr zu Hilfe. [10]Trotzdem verschleppten die Feinde ihre Einwohner in die Verbannung und zerschmetterten kleine Kinder auf der Straße; sie teilten die führenden Männer durch das Los unter sich auf und führten sie in Ketten ab.

[11]Auch deine Einwohner, Ninive, werden umhertaumeln, als seien sie betrunken; vergeblich werden sie Schutz suchen, wenn der Feind über sie herfällt. [12]Deine Festungen sind wie Feigenbäume mit Frühfeigen darauf: Man braucht sie nur zu schütteln, schon fallen einem die Früchte in den Mund. [13]Deine Elitetruppen können sich nicht mehr wehren, die Feinde dringen ungehindert ins Land ein und legen deine Festungen in Schutt und Asche.

[14]Ja, sammle dir nur Wasservorräte für die Zeit der Belagerung, verstärk deine Verteidigungsanlagen, stampf den Lehm, forme Ziegelsteine! [15]Trotzdem werden deine Feinde dich in Brand stecken und mit Schwertern deine Einwohner niedermetzeln. Selbst wenn du deine Truppen verstärkst und ein Heer aufbietest, so groß wie ein Heuschreckenschwarm: die über dich herfallen, sind noch viel mächtiger und werden alles vernichten! [16]Deine Händler sind zahlreicher als die Sterne am Himmel; doch plötzlich werden sie verschwunden sein – wie Heuschrecken, die aus der Puppe schlüpfen und wegfliegen. [17]Deine Würdenträger und Beamten gleichen Heuschreckenschwärmen, die sich in einer kalten Nacht auf einer Mauer niederlassen: Kaum geht die Sonne auf, so fliegen sie davon, und niemand weiß, wo sie geblieben sind.

[18]Du König von Assyrien, deine führenden Männer sind tot[a], deine Mächtigen liegen am Boden! Die Soldaten, die in den Bergen kämpften, sind davongelaufen wie eine Herde ohne Hirte. [19]Deine Wunde ist tödlich; niemand kann deine Verletzungen heilen. Und wer von deinem Untergang erfährt, klatscht vor Freude in die Hände; denn weit und breit gibt es keinen, den du nicht grausam gequält hast!«

---

[a] Wörtlich: schlafen.

3,8 Jer 46,25–26; Hes 30,14–16 **3,11** Jer 25,15* **3,16** Jes 47,15

Der Prophet Habakuk

Der Prophet klagt: Überall herrscht Unrecht und Gewalt

1 Dies ist die Botschaft, die der Prophet Habakuk in einer Vision vom Herrn empfing.

[2]Herr, wie lange schon schreie ich zu dir um Hilfe! Aber du hörst mich nicht. »Überall herrscht die Gewalt!«, rufe ich dir zu, doch von dir kommt keine Rettung. [3]Warum muss ich so viel Unrecht mit ansehen, und warum schaust du untätig zu, wie die Menschen einander das Leben zur Hölle machen? Unterdrückung und Gewalt, wohin ich blicke, Zank und Streit nehmen kein Ende! [4]Niemand nimmt mehr das Gesetz ernst – wie soll da noch ein gerechtes Urteil gefällt werden? Der Gottlose treibt den Unschuldigen in die Enge, Recht wird in Unrecht verdreht.

Gottes Antwort

[5]»Seht euch einmal unter den Völkern um! Ja, schaut genau hin, und ihr werdet aus dem Staunen nicht mehr herauskommen! Was ich noch zu euren Lebzeiten geschehen lasse, würdet ihr nicht für möglich halten, wenn andere es euch erzählten. [6]Ich lasse die Babylonier zu großer Macht gelangen, dieses grausame und kriegerische Volk. Ihre Truppen durchstreifen die ganze Welt und erobern ein Land nach dem anderen. [7]Sie verbreiten Furcht und Schrecken, sie herrschen mit Gewalt und schaffen sich ihr eigenes Recht. [8]Ihre Pferde sind schneller als Panther und wilder als Wölfe auf der Jagd[a]. Aus weiter Ferne stürmen ihre Reiter heran; sie fliegen herbei wie Adler, die sich auf ihre Beute stürzen. [9]Ihr einziges Ziel ist Blutvergießen, unaufhaltsam rasen sie vorwärts. Sie nehmen ihre Feinde gefangen, wie man Sand zusammenschaufelt. [10]Dann machen sie sich über die Könige lustig und treiben mit den angesehenen Männern ihren Spott. Über die Festungen ihrer Gegner lachen sie nur, sie schütten einen Belagerungswall auf und erobern sie. [11]Dann ziehen sie weiter, wie ein Wirbelwind jagen sie davon und richten schreckliche Verwüstungen an. Ihre eigene Stärke ist ihr Gott!«

Herr, warum schweigst du?

[12]O Herr, mein Gott, bist du nicht von jeher unser heiliger Gott gewesen? Du wirst uns doch nicht sterben lassen, denn du bist für uns wie ein schützender Fels. Die Babylonier hast du dazu bestimmt, deine Strafe an uns zu vollstrecken. [13]Du bist zu heilig, um Böses mit ansehen zu können; du erträgst es nicht, wenn Menschen misshandelt werden. Warum siehst du dann zu, wie unsere Feinde heimtückisch über uns herfallen? Warum schweigst du, wenn diese Verbrecher andere vernichten, die doch viel rechtschaffener sind als sie? [14]Du lässt sie mit uns umgehen wie mit Fischen und anderen Meerestieren, [15]die man mit Angeln und Netzen fängt. Voller Freude jubeln sie über den guten Fang. [16]Sie bringen ihren Netzen Opfer dar und verbrennen Weihrauch für sie, denn ihnen verdanken sie die reiche Beute. [17]Wie lange noch dürfen die Feinde das Schwert ziehen und ganze Völker erbarmungslos niedermetzeln?

---

[a] Wörtlich: als Wölfe am Abend.

1,4 Jes 5,20 **1,5** Apg 13,41 **1,6** 2 Kön 24,1–2.10; 25,1.8–9 **1,8** 5 Mo 28,49 **1,11** Jes 10,13 **1,12** Jes 10,5 **1,13** Ps 5,5 **1,14–15** Jer 16,16

2 Jetzt will ich meinen Platz auf dem Turm an der Stadtmauer einnehmen. Dort halte ich wie ein Wachposten Ausschau und warte gespannt darauf, was der Herr mir auf meine Klage antworten wird.

Der Hochmütige wird zugrunde gehen!

[2] Der Herr sprach zu mir: »Was ich dir in dieser Vision sage, das schreibe in deutlicher Schrift auf Tafeln! Jeder soll es lesen können. [3] Denn was ich dir jetzt offenbare, wird nicht sofort eintreffen, sondern erst zur festgesetzten Zeit. Es wird sich ganz bestimmt erfüllen, darauf kannst du dich verlassen. Warte geduldig, selbst wenn es noch eine Weile dauert! Dies ist die Botschaft:

[4] Nur der wird Gottes Anerkennung finden und leben, der ihm vertraut.[a] Wer aber hochmütig und unaufrichtig ist, verfehlt sein Ziel. [5] Wer sich auf seine Reichtümer verlässt, betrügt sich selbst. Der Hochmütige und Anmaßende wird elend zugrunde gehen, auch wenn er sein Maul so weit aufreißt wie das Totenreich und so unersättlich ist wie der Tod, ja, selbst wenn er jetzt noch ein Volk nach dem anderen verschlingt.«

Drohworte gegen einen mächtigen Herrscher

[6] Die Völker werden ein Lied anstimmen über ihren Feind, mit Sprichwörtern und Rätseln werden sie auf ihn anspielen. Sie rufen: »Du bist verloren! Denn du hast fremden Besitz an dich gerissen. Wie lange soll das noch so weitergehen? Du bereicherst dich, indem du Pfand von anderen forderst. [7] Doch ehe du dich versiehst, werden sie alles mit Zinsen von dir zurückfordern. Du wirst vor ihnen zittern – so wird der Räuber selbst zur Beute! [8] Wie du ganze Völker ausgeraubt hast, so rauben sie dich dann aus. Sie zahlen dir heim, dass du Menschen umgebracht und all ihre Städte und Länder verwüstet hast.

[9] Du bist verloren! Denn ständig willst du deinen Besitz vergrößern, und dabei ist dir jedes Mittel recht. Doch letzten Endes stürzt du dich und deine Nachkommen damit nur ins Unglück. Du fühlst dich sicher und unbezwingbar wie ein Adler in seinem Nest hoch oben. [10] Du hast beschlossen, viele Völker auszurotten, doch damit hast du dein Leben verwirkt! Es wird deinem Königshaus den Untergang bringen! [11] Sogar die Steine in der Mauer schreien deinetwegen um Hilfe, und die Sparren im Gebälk stimmen in die Klage ein.

[12] Du bist verloren! Denn als du deine Stadt bautest, hast du viel Blut vergossen; deine Festung ist auf Unrecht gegründet. [13] Aber der Herr, der allmächtige Gott, hat das letzte Wort: Was Völker mühsam errichtet haben, hat keinen Bestand – ihre Bauwerke werden verbrennen!

[14] Wie das Wasser die Meere füllt, so wird die Erde einmal erfüllt sein von der Erkenntnis der Herrlichkeit des Herrn.

[15] Du bist verloren! Denn du hast deinen Nachbarvölkern einen Becher mit giftigem, betäubendem Getränk gegeben. Sie taumelten wie Betrunkene, und du hast ihre Schande genossen. [16] Bald aber wirst du selbst vor Scham vergehen; dann ist es vorbei mit all deiner Herrlichkeit. Der Herr wird dir den Becher reichen, der mit seinem Zorn gefüllt ist. Du musst ihn austrinken und wirst selbst stürzen. So wird auch deine Ehre in den Schmutz gezogen.

[17] Du hast den Libanon abgeholzt und sein Wild ausgerottet. Das kommt dich teuer zu stehen! Du hast Menschen umgebracht und all ihre Städte und Länder verwüstet; dafür wirst du büßen müssen.«

---

[a] Wörtlich: Der Gerechte wird durch seinen Glauben leben.

2,1 Jes 21,8; Hes 33,7 **2,2** Jes 8,1; 30,8 **2,3** 2 Petr 3,9 **2,4** Röm 1,17; Gal 3,11; Hebr 10,38 **2,6–17** Jes 13,1–22* **2,8** Jes 33,1 **2,11** Lk 19,40 **2,13** Jer 51,58 **2,14** Jes 11,9 **2,16** Jer 25,15* **2,17** Jes 14,8

[18] Kann eine Götterfigur, die ein Mensch geschnitzt oder gegossen hat, ihm etwa helfen? Sie ist ein glatter Betrug! Wie kann jemand einem stummen Götzen vertrauen, den er selbst gemacht hat?

[19] »Du bist verloren! Denn du sagst zu einem Stück Holz: ›Wach auf!‹ und zu einem toten Stein: ›Werde lebendig!‹ Kann denn ein solcher Götze einen guten Rat erteilen? Er ist mit Gold und Silber überzogen, aber er hat kein Leben in sich! [20] Der Herr dagegen wohnt in seinem heiligen Tempel. Seid still vor ihm, ihr Menschen auf der ganzen Welt!«

Gott greift ein

3 Ein Gebet des Propheten Habakuk:[a]

[2] Herr, ich habe deine Botschaft gehört. Dein Plan erfüllt mich mit Ehrfurcht. Führe ihn aus, so bald es geht, vollende dein Werk, damit wir es noch erleben! Auch wenn du im Zorn handelst – hab Erbarmen!

[3] Gott kommt von Teman her, vom Bergland Paran zieht er heran, der heilige Gott. Sein Glanz strahlt über den Himmel, sein Ruhm erfüllt die ganze Erde.
[4] Wie das Sonnenlicht bricht seine Herrlichkeit hervor, um ihn leuchtet es hell, und in den Strahlen verbirgt sich seine Macht!
[5] Vor ihm her geht die Pest, und wo er vorbeigezogen ist, greift die Seuche um sich.
[6] Wo immer sein Fuß hintritt, bebt die Erde; trifft sein Blick die Völker, so schrecken sie zusammen. Berge aus uralter Zeit bersten auseinander, Hügel, die ewig schon bestehen, sinken in sich zusammen; so schreitet er wie früher über unsere Erde.
[7] Ich sehe die Zelte der Kuschiter zittern, und auch die der Midianiter geraten ins Wanken.
[8] Wem gilt dein Zorn, Herr? Den großen Strömen oder den Fluten des Meeres? Gegen wen ziehst du mit deinen Pferden in den Krieg, wohin rasen deine siegreichen Streitwagen?
[9] Jetzt holst du den Bogen zum Kampf hervor, du hast geschworen, dass deine Pfeile treffen! Du spaltest die Erde, bis Ströme hervorbrechen.
[10] Bei deinem Anblick erbeben die Berge, dichter Regen prasselt nieder, das Meer braust, seine Wogen türmen sich auf.
[11] Sonne und Mond verfinstern sich, wenn deine leuchtenden Pfeile fliegen und dein Speer am Himmel aufblitzt.

[12] Ja, voller Zorn schreitest du über die Erde und schlägst die Völker, wie man Weizen drischt.
[13] Doch du bist gekommen, um dein Volk zu retten, du stehst dem König bei, den du eingesetzt hast! Vom Palast des Unterdrückers reißt du das Dach herab, nur noch ein paar Grundmauern bleiben übrig.
[14] Seine Heerführer wollen unsere Truppen vernichten. Schon stürmen sie heran und freuen sich darauf, uns Wehrlose in einen Hinterhalt zu locken und zu töten wie ein Löwe seine Beute. Doch du durchbohrst sie mit ihren eigenen Pfeilen!
[15] Für deine Pferde bahnst du dir einen Weg mitten durchs Meer, auch wenn seine Fluten noch so hoch steigen.

Gott, der Herr, macht mich stark!

[16] Als mir der Herr dies alles zeigte, fing ich am ganzen Leib an zu zittern. Seine Worte ließen meine Lippen beben, der Schreck fuhr mir in die Glieder, ich konnte mich kaum noch auf den Beinen halten. Jetzt warte ich sehnsüchtig auf den

---

[a] Im hebräischen Text steht hier noch ein Wort, dessen Bedeutung nicht sicher ist. Vielleicht handelt es sich um eine musikalische Angabe.

2,18–19 Jes 44,9–20* **2,20** Zef 1,7; Sach 2,17; Offb 8,1 **3,2** 2,3 **3,3** 5 Mo 33,2 **3,5** 2 Mo 9,3; 2 Sam 24,15 **3,6** Ps 18,8; 68,8–9; 104,32 **3,13** Ps 2,6 **3,16** Jes 21,3–4; Dan 8,27; 10,8

Tag, an dem das Unheil über dieses Volk hereinbricht, das uns angegriffen hat.

[17] Noch trägt der Feigenbaum keine Blüten, und der Weinstock bringt keinen Ertrag, noch kann man keine Oliven ernten, und auf unseren Feldern wächst kein Getreide; noch fehlen Schafe und Ziegen auf den Weiden, und auch die Viehställe stehen leer.

[18] Und doch will ich jubeln, weil Gott mir hilft, der Herr selbst ist der Grund meiner Freude!
[19] Ja, Gott, der Herr, macht mich stark; er beflügelt meine Schritte, wie eine Gazelle kann ich über die Berge springen.

Dieses Lied soll mit Saiteninstrumenten begleitet werden.

3,18 Jes 61,10; Lk 1,46–47

Der Prophet Zefanja

Der Tag kommt, an dem der Herr Gericht hält

1 Während der Regierungszeit König Josias von Juda, des Sohnes Amons, empfing Zefanja eine Botschaft vom Herrn. Zefanjas Vater hieß Kuschi, seine weiteren Vorfahren waren Gedalja, Amarja und Hiskia.

[2] So spricht der Herr: »Mit Stumpf und Stiel werde ich alles ausrotten, was auf der Erde lebt: [3] Menschen und Vieh, die Vögel am Himmel und die Fische im Meer. Die Menschen, die von mir nichts wissen wollen, lasse ich vom Erdboden verschwinden und mit ihnen alles, was sie zur Auflehnung gegen mich verleitet hat.

[4] Auch Juda und die Einwohner Jerusalems bekommen meine Strafe zu spüren. Ihrem Götzendienst mache ich ein Ende, mit den Priestern Baals und aller anderen Götzen ist es dann endgültig vorbei. [5] Ich vernichte alle, die auf den Dächern ihrer Häuser die Sterne anbeten, und ich ziehe jene zur Rechenschaft, die sich zwar vor mir niederwerfen und einen Eid in meinem Namen ablegen, gleichzeitig aber auf den Götzen Milkom[a] schwören. [6] Alle sollen umkommen, die mir den Rücken kehren und denen ich gleichgültig geworden bin, ja, alle, die mit mir nichts zu tun haben wollen.«

[7] Seid jetzt still vor Gott, dem Herrn! Der Tag, an dem er Gericht hält, steht vor der Tür. Der Herr bereitet schon das Schlachtopfer vor und lädt seine Gäste zum Opfermahl ein. [8] Er sagt: »An diesem Tag ziehe ich die führenden Männer des Landes und die Königsfamilie zur Rechenschaft. Alle, die ausländische Kleidung tragen, müssen sich vor mir verantworten. [9] Ich übe Vergeltung an denen, die aus Ehrfurcht vor den Götzen niemals auf die Türschwelle treten, wenn sie in ein Haus gehen[b]. Ich bestrafe alle, die durch Gewalt und Betrug für ihre Herren Schätze anhäufen.

[10] An diesem Tag wird man vom Fischtor her Hilferufe hören, Angstschreie aus der Neustadt und Schlachtenlärm von den Hügeln. Darauf gebe ich, der Herr, mein Wort. [11] Ja, klagt nur, ihr Händler aus der Unterstadt, denn ich vernichte alle Kaufleute, die dort ihr Silber abwiegen!

[12] Dann durchsuche ich Jerusalem mit der Lampe und spüre alle auf, die gleichgültig in den Tag hineinleben. Sie gleichen einem Wein, der lange lagert und nie umgegossen wird. Sie denken: ›Mit Gott brauchen wir nicht zu rechnen, von ihm kommt weder Gutes noch Böses.‹ [13] Ihr Besitz wird geplündert, und ihre schönen Häuser werden zu Ruinen. Wer ein neues Haus gebaut hat, wird nie darin wohnen; wer einen neuen Weinberg angelegt hat, wird nicht einen Tropfen Wein davon trinken.«

[14] Der große Tag des Herrn steht vor der Tür. Er kommt näher, immer näher. Hört! Gellende Schreie dringen vom Schlachtfeld! Es ist ein schrecklicher Tag, [15] an dem sich Gottes ganzer Zorn entlädt, ein Tag voll Angst und Schrecken. Verheerende Unwetter brechen herein, schwarze Wolken verdunkeln den Himmel, und tiefe Finsternis breitet sich aus. [16] An diesem Tag erfüllen Kampfgeschrei und Hörnersignale die Luft: Man bläst

---

[a] So mit einigen alten Übersetzungen. Der hebräische Text lautet: auf ihren König.

[b] »aus Ehrfurcht vor den Götzen« ist sinngemäß ergänzt. Vgl. 1. Samuel 5,5

1,1 2 Kön 22,1 **1,2–3** 1 Mo 6,5–7 **1,4** 2 Kön 23,5 **1,5** 1 Kön 11,5; 2 Kön 23,13 **1,7** Hab 2,20 **1,8** 2 Kön 25,7.18–21 **1,12** Jes 29,15; Jer 5,12 **1,13** 5 Mo 28,30 **1,14** Joel 1,15*

zum Sturm auf die Städte mit ihren hohen Mauern und Türmen. [17]So spricht der Herr: »Ich versetze die Menschen in so große Angst, dass sie nicht mehr aus noch ein wissen und wie Blinde umhertappen. Ihr Blut wird vergossen, so wie man Dreck ausschüttet, ihre zerfetzten Glieder werden fortgeworfen wie Kot. Das alles geschieht, weil sie gegen mich, den Herrn, gesündigt haben. [18]Wenn sich an diesem Tag mein Zorn entlädt, hilft ihnen kein Silber und kein Gold mehr: Mein Zorn bricht plötzlich los wie ein Feuer und verwüstet das ganze Land. Alle seine Bewohner lasse ich vom Erdboden verschwinden.«

Kommt endlich zur Besinnung!

2 Denkt doch einmal über euch nach! Kommt endlich zur Besinnung! Ihr seid ein Volk, das keine Scham mehr kennt. [2]Kehrt um, bevor das eintrifft, was der Herr sich vorgenommen hat! Es wird höchste Zeit für euch![a] Bald ist der Tag da, an dem der glühende Zorn des Herrn euch trifft und ihr umkommt!

[3]Ihr anderen aber, die ihr dem Herrn dient und nach seinen Geboten lebt: Bleibt bei ihm, und strebt nach Gerechtigkeit und Demut! Vielleicht werdet ihr verschont, wenn sich der Zorn des Herrn über sein Volk entlädt.

Die Feinde Israels werden untergehen

[4]Gaza wird zu einer menschenleeren Stadt, Aschkelon wird verwüstet. Die Feinde verschleppen die Einwohner von Aschdod am helllichten Tag, und auch Ekron machen sie dem Erdboden gleich. [5]Ihr seid verloren, ihr Philister aus Kreta, ihr Bewohner der Küste. Der Herr lässt euch diese Botschaft ausrichten: »Kanaan, du Land der Philister, ich werde dich verwüsten! Keiner deiner Bewohner bleibt mehr übrig. [6]Der ganze Küstenstreifen wird nur noch als Weideland dienen. Hirten treiben ihre Schaf- und Ziegenherden zu den Zisternen, [7]und abends schlagen sie in den Ruinen von Aschkelon ihr Lager auf. Das ganze Land der Philister gehört dann den Überlebenden von Juda.« Ja, Gott, der Herr, wird sich über die Judäer erbarmen und ihr Schicksal wieder zum Guten wenden!

[8]Der Herr sagt: »Ich habe gehört, wie die Moabiter mein Volk verspotten und verhöhnen. Die Ammoniter prahlen damit, dass sie Israels Gebiet erobern werden. [9]Darum schwöre ich, der Herr der ganzen Welt, der Gott Israels, so wahr ich lebe: Moab und Ammon wird es wie Sodom und Gomorra ergehen: Für alle Zeiten soll ihr Gebiet zu einer großen Wüste mit vielen Salzgruben werden, von Unkraut überwuchert. Die Überlebenden meines Volkes werden die Moabiter und Ammoniter ausplündern und ihr Land in Besitz nehmen.«

[10]Denn diese Völker waren stolz und überheblich, sie haben sich über das Volk des Herrn, des allmächtigen Gottes, lustig gemacht. [11]Angst und Schrecken wird sie packen, wenn er allen Göttern der Erde ein Ende bereitet. Schließlich wird jedes Volk in seinem Land den Herrn anbeten, selbst die Bewohner der fernsten Inseln.

[12]»Auch euch, ihr Äthiopier, wird mein Schwert umbringen«, sagt der Herr.

[13]Ebenso wird der Herr Assyrien im Norden vernichten. Er wird die Hauptstadt Ninive in Trümmer legen, sie so menschenleer machen wie die Steppe. [14]Mitten in der Stadt lagern dann ganze Herden von Tieren, Wüstenkauz und Eule hausen nachts zwischen den zerborstenen Säulen. Aus den Fenstern krächzen Vögel, die Türschwellen sind mit Trümmern übersät, und die Täfelung aus Ze-

---

[a] Wörtlich: Wie Spreu fährt der Tag dahin.

1,18 Hes 7,19 **2,3** Joel 2,14; Am 5,15; Jona 3,9 **2,4–7** Jes 14,28–32* **2,8–11** Jes 15,1 – 16,14*; Jer 49,1–6* **2,9** 1 Mo 19,24–25 **2,10** Jer 48,26–27; Hes 25,3.6.8 **2,11** Jes 45,22–24* **2,12** Jes 18,1–6 **2,13–15** Jes 10,5–19*

dernholz liegt abgerissen auf dem Boden. [15]Das also wird aus der stolzen Stadt, deren Einwohner sich in Sicherheit wähnten und dachten: »Es gibt keine Stadt wie unsere!« Zur Wüste wird sie, zum Lagerplatz für wilde Tiere! Wer an ihr vorbeigeht, verhöhnt sie oder schüttelt entsetzt den Kopf.

Jerusalems Untergang ist beschlossen

3 Schreckliches Unheil droht der Stadt, die sich dem Herrn widersetzt, der Stadt voller Bosheit und Gewalt! [2]Auf keine Warnung hört sie, keine Zurechtweisung nimmt sie ernst. Mit ihrem Gott will sie nichts zu tun haben; sie denkt nicht daran, dem Herrn zu vertrauen. [3]Ihre führenden Männer sind wie Löwen, die nach Beute brüllen; ihre Richter gleichen hungrigen Wölfen, die von ihrem Raub nichts bis zum nächsten Morgen übrig lassen. [4]Die Propheten sind leichtfertige Betrüger, die Priester entweihen das Heiligtum und legen Gottes Gesetz gerade so aus, wie es ihnen passt.

[5]Dabei wohnt der Herr doch mitten unter ihnen! Auf ihn ist Verlass, er tut nichts Unrechtes. Seine Rechtsordnung gilt noch immer, Tag für Tag weist er die Menschen darauf hin. Aber die Leute in Jerusalem kennen keine Scham; sie tun genau das, was Gottes Willen widerspricht.

[6]Der Herr sagt: »Ich habe ganze Völker vernichtet und ihre Festungen niedergerissen. Die Städte sind zerstört und menschenleer, niemand geht mehr durch die Straßen. [7]Ich dachte: Diese Warnung werdet ihr doch nicht in den Wind schlagen! Jetzt werdet ihr endlich Ehrfurcht vor mir haben! Ich hoffte, ich müsste eure Heimat nicht verwüsten und die verdiente Strafe nicht an euch vollstrecken. Doch ihr habt es nur noch schlimmer getrieben! [8]Darum müsst ihr euch jetzt darauf gefasst machen, dass ich mich auf euch stürze wie ein Raubtier auf seine Beute. Mein Entschluss steht fest! Ich lasse fremde Völker und Nationen über euch herfallen. Mein ganzer Zorn wird sich über euch ergießen wie glühende Lava, ja, wie ein Feuersturm wird er das Land verwüsten. Darauf gebe ich, der Herr, mein Wort!«

Neue Hoffnung für das Volk Israel

[9]»Dann aber werde ich dafür sorgen, dass die anderen Völker nie mehr ihre Götzen anrufen. Sie alle werden nur noch zu mir, dem Herrn, beten und mir dienen. [10]Sogar noch aus dem fernen Äthiopien werden sie mein zerstreutes Volk wie eine Opfergabe herbeibringen.

[11]An jenem Tag braucht ihr euch nicht mehr dafür zu schämen, dass ihr mir die Treue gebrochen und so viel Unheil angerichtet habt. Denn ich werde die selbstgerechten Prahler aus eurer Mitte entfernen. Auf meinem heiligen Berg wird es niemanden mehr geben, der überheblich ist. [12]Dann leben in Israel nur noch bescheidene und demütige Menschen, die ihr ganzes Vertrauen auf mich, den Herrn, setzen. [13]Sie hüten sich vor neuem Unrecht, von Lügen und Betrug wollen sie nichts mehr wissen. Es geht ihnen so gut wie einer Schafherde auf saftiger Weide, nie mehr versetzt ein Feind sie in Angst und Schrecken.«

[14]Freut euch, ihr Israeliten, jubelt laut, ihr Menschen auf dem Berg Zion! Singt und jauchzt aus vollem Herzen, ihr Einwohner Jerusalems! [15]Der Herr hat das Urteil gegen euch aufgehoben; eure Feinde hat er hinweggefegt. Nun lebt er selbst als König Israels mitten unter euch. Kein Unglück wird euch mehr treffen.

[16]An jenem Tag wird man der Stadt auf dem Berg Zion zurufen: »Habt keine Angst, ihr Einwohner Jerusalems, lasst die Hände nicht mutlos sinken! [17]Der Herr, euer Gott, ist in eurer Mitte; er ist stark und hilft euch! Von ganzem Herzen

---

2,15 Jes 47,8 **3,1–4** Jes 1,21–23; Hes 22,2–12 **3,2** Jes 7,9 **3,3–4** Hes 22,26–28 **3,5** 5 Mo 32,4; Ps 76,3 **3,8** 1,18 **3,9** 2,11 **3,10** Jes 18,7; Apg 8,27 **3,11** Jes 11,9 **3,14** Jes 12,6; Sach 9,9 **3,17** Jes 62,5; 65,19

freut er sich über euch. Weil er euch liebt, redet er nicht länger über eure Schuld. Ja, er jubelt, wenn er an euch denkt!«

[18] So spricht der Herr: »Ich bringe alle nach Hause, die traurig sind, weil sie in der Fremde leben müssen und die großen Feste in Jerusalem nicht mitfeiern können. Was für eine Schande ist das für sie! [19] Doch wenn die Zeit reif ist, werde ich mit euren Unterdrückern abrechnen! Ich bringe dich, mein vertriebenes Volk, nach Hause, auch diejenigen, die nicht mehr richtig gehen können. Gerade in den Ländern, in denen ihr jetzt noch gedemütigt werdet, wird man euch dann achten und euch rühmen. [20] Ja, in jener Zeit werde ich euch sammeln und in euer Land zurückbringen. Ich wende euer Schicksal zum Guten und verschaffe euch hohes Ansehen bei allen Völkern der Erde. Das verspreche ich, der Herr!«

3,18–20 Jes 11,11–12* **3,19** Hes 34,12–16 **3,20** Jes 60,3

Der Prophet Haggai

Baut endlich den Tempel!

1 Im 2. Regierungsjahr des Königs Darius, am 1. Tag des 6. Monats, empfing der Prophet Haggai vom Herrn eine Botschaft für Serubbabel und Jeschua. Serubbabel, der Sohn Schealtiëls, war der königliche Bevollmächtigte für die persische Provinz Judäa, und Jeschua, der Sohn Jozadaks, war Hoherpriester.

[2/3] Im Auftrag des Herrn sollte Haggai verkünden:

»So spricht der Herr, der allmächtige Gott: Dieses Volk behauptet, die Zeit sei noch nicht gekommen, den Tempel des Herrn wieder aufzubauen. [4] Aber warum ist es für euch selbst an der Zeit, in Häusern mit getäfelten Wänden zu wohnen, während mein Haus noch in Trümmern liegt? [5] Ich, der Herr, der allmächtige Gott, fordere euch auf: Denkt doch einmal darüber nach, wie es euch geht! [6] Ihr habt viel Saat ausgesät, aber wenig geerntet. Ihr esst und werdet nicht satt, ihr trinkt und bleibt durstig. Was ihr anzieht, wärmt euch nicht, und das sauer verdiente Geld rinnt euch nur so durch die Finger.

[7] Darum sage ich, der Herr, der allmächtige Gott: Begreift doch endlich, warum es euch so schlecht geht! [8] Geht ins Gebirge, schafft Holz herbei, und baut den Tempel wieder auf! Das gefällt mir, so ehrt ihr mich, den Herrn. [9] Ihr habt eine große Ernte erwartet, aber es wurde so wenig daraus! Und was ihr noch heimbrachtet, das blies ich fort. Habt ihr immer noch nicht gemerkt, warum ich, der allmächtige Gott, so mit euch umgehe? Dies alles geschieht, weil mein Tempel verwüstet bleibt und jeder von euch nur darauf aus ist, sein eigenes Haus fertig zu bauen. [10] Darum fällt über Nacht nicht einmal mehr Tau auf eure Äcker, und sie bringen nur noch magere Erträge. [11] Darum habe ich diese Dürre über euer Land kommen lassen, über die Berge und Kornfelder, über die Weingärten und Olivenhaine, über alles, was ihr abernten wolltet. Die Hungersnot hat euch und euer Vieh getroffen. Ihr plagt euch ab mit der Arbeit, aber die Mühe lohnt sich nicht.«

[12] Serubbabel, der Sohn Schealtiëls, der Hohepriester Jeschua, der Sohn Jozadaks, und das ganze Volk nahmen sich zu Herzen, was Haggai ihnen verkündete. Sie erkannten, dass Gott den Propheten zu ihnen geschickt hatte, und bekamen große Ehrfurcht vor dem Herrn. [13] Da ließ der Herr ihnen durch seinen Boten Haggai sagen: »Ich bin bei euch! Das verspreche ich, der Herr!«

[14/15] So sorgte Gott dafür, dass Serubbabel, der königliche Bevollmächtigte für Judäa, der Hohepriester Jeschua und alle anderen aus dem Volk an die Arbeit gingen. Im 2. Regierungsjahr von König Darius, am 24. Tag des 6. Monats, begannen sie, den Tempel ihres Herrn, des allmächtigen Gottes, wieder aufzubauen.

Der neue Tempel wird prachtvoll sein!

2 Im selben Regierungsjahr des Königs Darius, am 21. Tag des 7. Monats, empfing Haggai vom Herrn diese Botschaft: [2] »Sag dem königlichen Bevollmächtigten Serubbabel, dem Hohenpriester Jeschua und dem ganzen Volk:

[3] Wer von euch kann sich noch daran erinnern, wie prächtig der Tempel vor seiner Zerstörung war? Was ihr jetzt an seiner Stelle entstehen seht, ist im Vergleich dazu nichts. [4] Aber ich, der Herr, sage: Lasst den Mut nicht sinken, Serub-

---

1,1 Esr 2,2* **1,4** 2 Sam 7,2 **1,6** 2,16; 3 Mo 26,26; 5 Mo 28,38–40 **1,10** 3 Mo 26,19 **1,13** 2,4 **1,14–15** Esr 4,24 **2,1** 1,1 **2,2** Esr 2,2* **2,3** Esr 3,12

babel und Jeschua! Und ihr Menschen von Juda, seid stark, und arbeitet weiter! Denn ich, der Herr, der allmächtige Gott, stehe euch bei. [5]Ich halte, was ich euren Vorfahren versprochen habe, als sie aus Ägypten zogen. Mein Geist bleibt bei euch. Habt also keine Angst!

[6]Ich, der Herr, der allmächtige Gott, sage euch: Schon bald werde ich noch einmal die ganze Welt erschüttern, Himmel und Erde, Land und Meer; [7]alle Völker werden davon betroffen sein. Sie bringen ihre Reichtümer hierher zum Tempel. Ja, ich sorge dafür, dass der Tempel wieder mit kostbaren Schätzen ausgestattet wird. [8]Denn mir, dem allmächtigen Gott, gehört alles Silber und Gold. [9]Der neue Tempel wird den früheren weit in den Schatten stellen, so prachtvoll wird er sein! Dann geht von dieser Stätte Frieden aus. Das verspreche ich, der Herr, der allmächtige Gott!«

Ich will euch wieder segnen!

[10]Im 2. Regierungsjahr des Königs Darius, am 24. Tag des 9. Monats, empfing Haggai eine weitere Botschaft vom Herrn:

[11]»So spricht der Herr, der allmächtige Gott: Bitte die Priester um eine Weisung. Frage sie: [12]›Wenn ein Mann in seinem Gewand ein Stück Fleisch, das dem Herrn geweiht ist, bei sich trägt und mit dem Gewand Brot oder etwas Gekochtes, Wein, Öl oder ein anderes Nahrungsmittel berührt – wird dieses dann ebenfalls heilig?‹«

Haggai fragte die Priester und bekam zur Antwort: »Nein.«

[13]Dann fragte er weiter: »Wenn aber jemand durch die Berührung mit einer Leiche unrein wurde und dann eines dieser Nahrungsmittel berührt – wird in diesem Fall das Berührte genauso unrein?«

Die Priester antworteten: »Ja.«

[14]Da sagte Haggai: »So spricht der Herr: Genauso steht es auch mit euch! Ihr seid für mich wie ein fremdes Volk. Alles, was ihr tut, alle Opfer, die ihr mir darbringt, sind in meinen Augen unrein!

[15]Doch von heute an sollt ihr den Blick nach vorne in die Zukunft richten. Bevor ihr begonnen habt, die Mauern meines Tempels wieder aufzubauen, [16]wolltet ihr von einem Feld zwanzig Sack Getreide ernten, aber es wurden nur zehn. Ein Weinberg sollte fünfzig Krüge Wein bringen, aber schließlich waren es nur zwanzig. [17]Ich schickte euch Hagel, ließ euer Getreide verdorren und verschimmeln, und eure Mühe war vergeblich. Trotzdem seid ihr nicht zu mir, dem Herrn, zurückgekommen. [18]Doch heute, am 24. Tag des 9. Monats, wurde das Fundament für meinen Tempel fertig; ab jetzt dürft ihr hoffnungsvoll in die Zukunft blicken. [19]Liegt nicht euer Saatgut noch in den Vorratsspeichern? Haben eure Weinberge, eure Feigen-, Granatapfel- und Olivenbäume noch keine Erträge gebracht? Von heute an will ich euch und euer Land wieder segnen!«

Gottes Versprechen an Serubbabel

[20]Am selben Tag empfing Haggai noch eine zweite Botschaft vom Herrn: [21]»Sag zu Serubbabel, dem königlichen Bevollmächtigten für die persische Provinz Judäa: Ich werde den Himmel und die Erde erschüttern. [22]Die Throne der Könige stoße ich um und breche die Macht der Völker. Ich stürze die Streitwagen mitsamt ihren Wagenlenkern um, zu Boden sinken Pferde und Reiter, und ein Soldat sticht den anderen nieder. [23]An jenem Tag mache ich dich, Serubbabel, Sohn Schealtiëls, zu meinem Bevollmächtigten. Du bist für mich wie mein Siegelring, denn ich habe dich erwählt. Darauf gebe ich, der Herr, der allmächtige Gott, mein Wort!«

2,5 2 Mo 29,45–46; Sach 4,6 **2,6** Hebr 12,26 **2,7** Jes 60,5–7.13; 66,12 **2,9** Sach 1,17 **2,10** 1,1; 2,1 **2,12** 4 Mo 18,8–19* **2,13** 4 Mo 19,11 **2,15–19** Sach 8,9–13 **2,16** 1,6 **2,17** 1,11 **2,18** Esr 3,10 **2,21** 2,6 **2,22** 2 Mo 15,1; Ri 7,21–22 **2,23** Jer 22,24

Der Prophet Sacharja

Kehrt um!

1 Im 2. Regierungsjahr des Königs Darius, im 8. Monat, sprach der Herr zum Propheten Sacharja, einem Sohn Berechjas und Enkel Iddos:

[2/3] »Sag den Einwohnern von Jerusalem: Schon über eure Vorfahren war ich voller Zorn. Jetzt fordere ich, der Herr, der allmächtige Gott, euch auf: Kehrt um, kommt zu mir zurück! Dann wende auch ich mich euch wieder zu. [4] Seid nicht wie eure Vorfahren, die nicht auf mich hören wollten, als ich ihnen durch die Propheten verkündete: ›Kehrt um von eurem falschen Weg; hört endlich auf, Böses zu tun!‹ [5] Nun leben eure Vorfahren längst nicht mehr, und auch die Propheten sind gestorben. [6] Doch eure Vorfahren haben die Voraussagen der Propheten in Erfüllung gehen sehen. Da kehrten sie von ihrem falschen Weg um und gaben zu: ›Der Herr, der allmächtige Gott, hat uns für unsere Taten bestraft, genau wie er es angedroht hatte.‹«

Die Visionen Sacharjas

[7] Im 2. Regierungsjahr des Königs Darius, am 24. Tag des 11. Monats, des Monats Schebat, empfing der Prophet Sacharja, der Sohn Berechjas und Enkel Iddos, eine Botschaft von Gott.

Die erste Vision: Reiter

[8] In jener Nacht hatte ich eine Vision: Ich sah einen Mann auf einem rotbraunen Pferd reiten. Er hielt bei den Myrtensträuchern im Tal. Hinter ihm sah ich noch andere Reiter auf rotbraunen, fuchsroten und weißen Pferden. [9] »Wer sind diese Reiter?«, fragte ich den Engel, der mir dies alles zeigte. Er antwortete: »Das sollst du gleich erfahren.« [10] Da sagte der Mann bei den Myrtensträuchern: »Diese Reiter hat Gott ausgesandt, um durch alle Länder der Welt zu ziehen.« [11] Nun wandten sich die Reiter an den Engel des Herrn, der bei den Myrtensträuchern stand, und berichteten: »Wir haben die ganze Erde durchstreift. Nichts rührt sich, alle Völker verhalten sich ruhig.« [12] Da rief der Engel des Herrn: »Herr, allmächtiger Gott! Wie lange soll das noch so weitergehen? Wann endlich hast du Erbarmen mit den Menschen in Jerusalem und in den anderen Städten Judas? Schon siebzig Jahre lang lastet dein Zorn auf ihnen!«

[13] Der Herr antwortete dem Engel, mit dem ich geredet hatte. Er tröstete ihn und machte ihm Mut. [14] Dann wandte sich der Engel wieder an mich und befahl: »Verkünde den Menschen: So spricht der Herr, der allmächtige Gott:

›Ich setze mich wieder mit ganzer Kraft für Jerusalem und für den Berg Zion ein. [15] Doch die Völker, die sich jetzt so sicher fühlen, werden meinen glühenden Zorn zu spüren bekommen. Sie sollten mein Volk auf meinen Befehl hin bestrafen, doch sie haben ihm eigenmächtig den Untergang bereitet. [16] Ich habe Erbarmen mit Jerusalem und wende mich ihm aufs Neue zu. Mein Tempel soll wieder aufgebaut werden, ja, die ganze Stadt soll neu erstehen. Das verspreche ich, der Herr, der allmächtige Gott!‹ [17] Und auch das sollst du verkünden: ›In den Städten meines Volkes soll es an nichts fehlen; sie werden mehr haben, als

---

1,1 Esr 5,1; Hag 1,1 **1,2–3** Mal 3,7; Jak 4,8 **1,4** 2 Kön 17,13–14 **1,6** 2 Kön 17,23; Klgl 1,18 **1,7** 1,1 **1,8** 6,1–8 **1,12** Jer 25,11 **1,14** 8,2; Joel 2,18; Zef 3,16–17 **1,15** Jes 10,5–7; 47,6–7 **1,16** 2,5–9; 4,7; Hag 1,14–15 **1,17** Jes 40,1–2; Hag 2,9

sie brauchen. Zion werde ich trösten, Jerusalem soll wieder meine Stadt sein. Mein Wort gilt, denn ich bin der Herr, der allmächtige Gott!‹«

Die zweite Vision: Hörner und Schmiede

2 Als ich aufschaute, sah ich vier Hörner. [2]Ich fragte den Engel, mit dem ich gesprochen hatte: »Was bedeuten diese Hörner?« Er antwortete: »Das sind die Mächte, die Juda, Israel und Jerusalem besiegt und die Bevölkerung in fremde Länder vertrieben haben.«

[3]Dann ließ mich der Herr vier Schmiede sehen. [4]»Was haben diese Männer vor?«, fragte ich. Der Engel erwiderte: »Sie sollen die Hörner abschlagen, denn diese haben Juda erbarmungslos verwüstet und seine Bewohner verschleppt. Sie sollen die Völker, die Juda überfallen haben, in Furcht und Schrecken versetzen und sie unterwerfen.«

Die dritte Vision: Der Mann mit der Messschnur

[5]Als Nächstes sah ich einen Mann mit einer Messschnur in der Hand. [6]»Wohin gehst du?«, fragte ich ihn. Er antwortete: »Ich gehe nach Jerusalem, um auszumessen, wie groß die Stadt werden soll.« [7]Da trat der Engel vor, der bis jetzt mit mir gesprochen hatte. Ein anderer Engel kam ihm entgegen [8]und gab ihm den Auftrag: »Lauf und sag dem jungen Mann mit der Messschnur: Jerusalem soll keine Mauer mehr haben, damit der Platz für die vielen Menschen und Tiere ausreicht. [9]Der Herr verspricht: ›Ich selbst werde die Stadt ringsum wie eine Mauer aus Feuer schützen. Mit meiner ganzen Macht und Herrlichkeit will ich wieder mitten in Jerusalem wohnen.‹«

[10]Der Herr sagt: »Schnell! Flieht aus dem Land im Norden! Ich, der Herr, hatte euch in alle Himmelsrichtungen zerstreut. [11]Doch jetzt beeilt euch, ihr Israeliten in Babylonien, rettet euch!« [12]Um seine Macht und Herrlichkeit zu zeigen, hat mich der Herr, der allmächtige Gott, zu den Völkern gesandt, die euch ausgeplündert haben. Er sagt: »Wer euch Juden unterdrückt, der verletzt, was mir am kostbarsten ist. [13]Darum erhebe ich jetzt meine Hand und schlage eure Feinde nieder. Dann werdet ihr, die ihr bisher ihre Sklaven wart, sie ausplündern.«

Wenn das eintrifft, werdet ihr erkennen, dass der Herr, der allmächtige Gott, mich gesandt hat. [14]Er ruft: »Freut euch und jubelt, ihr Einwohner Jerusalems! Denn ich werde kommen und für immer bei euch bleiben! [15]An jenem Tag werden sich viele Völker mir zuwenden. Dann gehören auch sie zu meinem Volk, und ich wohne mitten unter euch.« Wenn das geschieht, werdet ihr erkennen, dass der Herr, der allmächtige Gott, mich zu euch gesandt hat.

[16]In seinem heiligen Land gehört Juda dann in besonderer Weise dem Herrn, und Jerusalem ist wieder seine auserwählte Stadt. [17]Seid still vor dem Herrn, ihr Menschen! Denn er kommt aus seiner heiligen Wohnung!

Die vierte Vision: Der Hohepriester Jeschua

3 Dann ließ der Herr mich den Hohenpriester Jeschua sehen. Er stand vor dem Engel des Herrn, und rechts von ihm stand der Satan und wollte ihn anklagen. [2]Aber der Engel[a] sagte zu ihm: »Der Herr wird dir das Wort verbieten, Satan, er wird dich zurechtweisen. Jerusalem ist seine auserwählte Stadt, und er hat Jeschua gerettet, so wie man ein brennendes Holzscheit aus dem Feuer reißt.«

[3]Jeschua stand in schmutzigen Klei-

---

[a] So mit der syrischen Übersetzung. Der hebräische Text lautet: Aber der Herr.

2,5 Hes 40,3; Offb 21,15 **2,8** Jes 54,1–3 **2,9** 9,8; 2 Kön 6,16–17; Offb 21,3 **2,10–11** Jer 50,8 **2,12** 5 Mo 32,10 **2,14** 8,3; 9,9; Jes 12,6 **2,15** 8,20–23; Jes 45,22–24* **2,17** Hab 2,20 **3,1** Esr 2,2*; Offb 12,10 **3,2** 1,14

dern vor dem Engel. [4]»Zieht ihm die verschmutzten Kleider aus!«, befahl der Engel den anderen Engeln, die dem Herrn dienten. Zu Jeschua sagte er: »Ich befreie dich von aller Schuld und lasse dir festliche Kleider anziehen.« [5]Dann befahl er[a]: »Setzt ihm einen sauberen Turban auf!« Die Engel führten seinen Befehl aus und zogen Jeschua auch frische Kleider an. Der Engel des Herrn stand dabei [6]und sagte feierlich zum Hohenpriester Jeschua:

[7]»So spricht der Herr, der allmächtige Gott: ›Wenn du so lebst, wie es mir gefällt, und wenn du dich an meine Weisungen hältst, dann darfst du auch weiterhin als oberster Priester die Dienste in meinem Tempel und in den Vorhöfen beaufsichtigen. Ich gewähre dir zusammen mit den Engeln, die mir dienen, freien Zutritt zu meinem Thron.

[8]Höre, Jeschua, Hoherpriester! Du und die anderen Priester, die mit dir zusammen den Dienst tun, ihr seid ein Zeichen für euer ganzes Volk. Ich werde den Nachkommen Davids, der mir dient, zu euch allen schicken. [9]Seht, vor Jeschua habe ich einen Stein hingelegt. Auf diesem einen Stein sind sieben Augen. Ich, der Herr, der allmächtige Gott, werde auf ihm eine Inschrift einmeißeln. An einem einzigen Tag befreie ich die Menschen dieses Landes von ihrer Schuld. [10]Dann werdet ihr euch gegenseitig einladen, ihr werdet unter den Zweigen eurer Feigenbäume und Weinstöcke beieinander sitzen. Das verspreche ich, der Herr, der allmächtige Gott!‹«

Die fünfte Vision: Der goldene Leuchter und die Ölbäume

4 Der Engel, der mir alles erklärte, kam zu mir. Er rüttelte mich auf, als ob er mich aus dem Schlaf wecken wollte. [2]Dann fragte er: »Was siehst du?« Ich antwortete: »Einen Leuchter aus reinem Gold, darauf eine Ölschale und sieben Lampen mit jeweils sieben Dochten. [3]Rechts und links von dem Leuchter steht je ein Ölbaum. [4]Aber was soll dies alles bedeuten?«

[5]Der Engel erwiderte: »Das weißt du wirklich nicht?« Ich verneinte, und er sagte:[b] [10]»Die sieben Lampen sind die Augen des Herrn, die alles sehen, was in der Welt geschieht.«

[11/12]Ich fragte weiter: »Was bedeuten die zwei Ölbäume rechts und links vom Leuchter und die beiden Zweige neben den zwei goldenen Röhren, die das Olivenöl vom Baum herableiten?«

[13]Der Engel entgegnete: »Weißt du es wirklich nicht?« Als ich wieder verneinte, [14]erklärte er mir: »Das sind die beiden Männer, die der Herr der ganzen Welt mit Öl gesalbt hat. Er hat sie dazu erwählt, ihm zu dienen.«

Eine Botschaft an Serubbabel

[6]Der Herr beauftragte mich, Serubbabel diese Botschaft mitzuteilen:

»Was du vorhast, wird dir nicht durch die Macht eines Heeres und nicht durch menschliche Kraft gelingen: Nein, mein Geist wird es bewirken! Das verspreche ich, der Herr, der allmächtige Gott. [7]Ein Berg von Hindernissen wird sich vor dir auftürmen, aber ich räume sie aus dem Weg. Wenn der Tempel wieder aufgebaut ist, wirst du den Schlussstein einsetzen – unter dem Jubel des Volkes!«

[8]Weiter sprach der Herr zu mir: [9/10]»Serubbabel hat den Grundstein zu diesem Tempel gelegt, und er wird den Bau auch eigenhändig vollenden! Wer anfangs enttäuscht war, dass der Bau nicht voranging, der wird sich noch von Herzen freuen, wenn er den Schlussstein in Serubbabels Hand sieht!«

Dann werdet ihr erkennen, dass der

---

a So mit der syrischen und lateinischen Übersetzung. Der hebräische Text lautet: Dann befahl ich.
b Die folgenden Verse (10b–14) wurden nach vorne gezogen, da sie direkt an Vers 5 anknüpfen.

3,4 Jes 6,7 **3,5** 2 Mo 28,39 **3,8** 6,12; Jes 8,18 **3,9** Offb 5,6 **3,10** 1 Kön 5,5; Mi 4,4 **4,10** Offb 5,6 **4,14** 6,13; Offb 11,4 **4,6–7** Hag 2,4–5 **4,9–10** Esr 3,8; 6,14–16

Herr, der allmächtige Gott, mich zu euch gesandt hat.

Die sechste Vision: Die fliegende Buchrolle

5 Als ich wieder aufblickte, sah ich eine Buchrolle durch die Luft fliegen. [2] Der Engel fragte mich: »Was siehst du?« Ich antwortete: »Eine Buchrolle, die durch die Luft fliegt; sie ist etwa zehn Meter lang und fünf Meter breit!« [3] Da sagte er zu mir: »Auf dieser Rolle steht ein Fluch, der das ganze Land treffen wird. Bisher sind alle ungestraft geblieben, die gestohlen oder Meineide geschworen haben. Doch das hat jetzt ein Ende! [4] Der Herr, der allmächtige Gott, kündigt euch an: ›Ich schicke diesen Fluch in die Häuser der Diebe und zu allen, die bei meinem Namen falsch schwören. Er lastet auf ihren Häusern, er zerfrisst die Balken und Steine, bis alles in sich zusammenfällt.‹«

Die siebte Vision: Die Frau im Fass

[5] Der Engel, mit dem ich gesprochen hatte, trat zu mir und forderte mich auf: »Schau hin! Sieh, was dort erscheint!« [6] »Was ist das?« fragte ich. Er antwortete: »Ein Fass. Alle Leute im ganzen Land sind begierig auf das, was darin steckt!« [7] Plötzlich hob sich der runde Bleideckel, und eine Frau kam zum Vorschein. [8] Der Engel sagte: »Das ist die Auflehnung gegen Gott!« Er drängte die Frau wieder in das Fass zurück und schlug den Bleideckel zu.

[9] Als ich nach oben schaute, sah ich zwei Frauen mit Storchenflügeln; der Wind trug sie her. Sie ergriffen das Fass und flogen mit ihm davon. [10] Ich fragte den Engel: »Wohin bringen sie das Fass?« [11] Er antwortete: »Ins Land Schinar[a]. Dort baut man der Frau einen Tempel; und wenn er fertig ist, stellt man das Fass darin auf und verehrt die Frau.«

Die achte Vision: Die vier Wagen

6 Als ich wieder aufschaute, sah ich vier Wagen zwischen zwei Bergen aus Bronze hervorkommen. [2] Der erste wurde von rotbraunen Pferden gezogen, der zweite von schwarzen, [3] der dritte von weißen und der vierte von gescheckten. Sie alle waren kräftige Tiere.

[4] »Was soll das bedeuten?«, fragte ich den Engel, der mir alles erklärte. [5] Er antwortete: »Diese Gespanne werden in alle Himmelsrichtungen ziehen. Sie haben vom Herrn der ganzen Welt einen Auftrag bekommen. [6] Die schwarzen Pferde ziehen nach Norden, die weißen nach Westen und die gescheckten nach Süden.«

[7] Ungeduldig warteten die Pferde auf den Befehl zum Aufbruch. Als der Herr sagte: »Lauft los! Durchstreift die ganze Erde!«, da galoppierten sie davon. [8] Mir aber rief der Engel zu: »Achte auf das Gespann, das nach Norden aufgebrochen ist! Es zieht ins Land des Nordens, um dort den Zorn des Herrn zu stillen.«

Ein König für Israel

[9] Der Herr gab mir einen Auftrag: [10] »Geh noch heute ins Haus Josias, des Sohnes Zefanjas! Dort sind Heldai, Tobija und Jedaja aus Babylonien eingetroffen, Abgesandte der Juden, die dort noch leben. Nimm die Gaben in Empfang, die sie mitgebracht haben! [11] Lass aus dem Silber und Gold eine Krone anfertigen, setze sie dem Hohenpriester Jeschua, dem Sohn Jozadaks, auf, [12] und sag ihm: ›So spricht der Herr, der allmächtige Gott: Ein Mann wird kommen, der aus diesem Volk hervorgeht. Er ist ein Nachkomme Davids und wird meinen Tempel wieder aufbauen. [13] Ja, er wird ihn bauen, und er

---

[a] Schinar ist ein anderer Name für Babylonien. Vgl. 1. Mose 11,1–9

5,3 5 Mo 27,15–26 **6,1–3** 1,8; Offb 6,2–5 **6,7** 1,10 **6,11** 3,1–7 **6,12** 3,8; 4,6–10; Hag 2,20–23 **6,13** 4,11–14

wird hohes Ansehen genießen, wenn er den Thron besteigt, um über sein Volk zu herrschen. Der Hohepriester wird an seiner Seite sein, und beide werden in allen Entscheidungen übereinstimmen. [14] Die Krone soll in meinem Tempel aufbewahrt werden, zur Erinnerung an Heldai, Tobija, Jedaja und an die Gastfreundschaft Josias. [15] Aus weiter Ferne werden Menschen kommen und beim Bau des Tempels mithelfen.‹«

Dann erkennt ihr, dass der Herr, der allmächtige Gott, mich zu euch gesandt hat. Dies alles wird eintreffen, wenn ihr in allem auf den Herrn hört.

Ihr wolltet nicht auf mich hören!

7 Im 4. Regierungsjahr des Königs Darius, am 4. Tag des 9. Monats, des Monats Kislew, empfing Sacharja eine Botschaft vom Herrn. [2] An diesem Tag trafen Gesandte aus Bethel in Jerusalem ein: Sarezer und Regem-Melech mit seinen Begleitern. Sie sollten dem Herrn ein Opfer darbringen und zu ihm beten. [3] Außerdem sollten sie die Priester am Tempel des Herrn, des allmächtigen Gottes, und die Propheten fragen: »Sollen wir auch weiterhin wegen des zerstörten Tempels im 5. Monat einen Fasten- und Trauertag einhalten, wie wir es nun schon so viele Jahre tun?«

[4] Da sprach der Herr, der allmächtige Gott, zu mir: [5] »Sag dem ganzen Volk im Land und den Priestern: Schon siebzig Jahre lang fastet und trauert ihr im 5. und im 7. Monat. Doch habt ihr das wirklich für mich getan? [6] Und wenn ihr esst und trinkt, tut ihr das nicht auch nur euch selbst zuliebe? [7] Schon vor dieser Zeit sprach ich durch die Propheten zu euch. Damals lebte euer Volk noch ruhig und sicher in Jerusalem und den umliegenden Dörfern, in der Steppe im Süden und im westlichen Hügelland. [8–10] Durch die Propheten schärfte ich ihnen ein: ›Fällt gerechte Urteile! Geht liebevoll und barmherzig miteinander um! Die Witwen und Waisen, die Armen und die Ausländer sollt ihr nicht unterdrücken! Schmiedet keine bösen Pläne gegeneinander! Das befehle ich, der Herr, der allmächtige Gott!‹« [11] Doch eure Vorfahren wollten mir nicht einmal zuhören. Sie kehrten mir den Rücken und stellten sich taub. [12] Starrköpfig schlugen sie meine Weisungen in den Wind, die ich, der allmächtige Gott, ihnen durch meine geisterfüllten Propheten gegeben hatte. So forderten sie meinen Zorn heraus. Darum entlud sich auch mein ganzer Zorn über sie. [13] Weil sie mich nicht anhörten, als ich sie rief, darum hörte ich auch nicht mehr auf sie, als sie zu mir um Hilfe schrien. [14] Ich vertrieb sie in alle Welt und ließ ihr Land veröden, als sie fort waren. Niemand wollte mehr auch nur hindurchziehen. So hatten sie selbst ihr schönes Land zu einer trostlosen Wüste gemacht.«

Ein neuer Anfang

8 Der Herr, der allmächtige Gott, sprach zu mir: [2] »Ich setze mich wieder entschlossen und mit ganzer Kraft für Jerusalem ein. Doch die Feinde dieser Stadt trifft mein glühender Zorn. Darauf gebe ich, der Herr, der allmächtige Gott, mein Wort. [3] Ich kehre auf den Berg Zion zurück und wohne wieder mitten in Jerusalem. Dann wird Jerusalem ›die Stadt der Treue‹ heißen und der Berg, auf dem ich wohne, ›der heilige Berg‹. [4] Auf den Plätzen der Stadt werden wieder alte Menschen sitzen, die beim Gehen den Stock zu Hilfe nehmen, [5] und die Straßen werden voll sein von spielenden Kindern.

[6] Traut ihr mir, dem allmächtigen Gott, etwa dies alles nicht zu? Es wird so kommen, auch wenn ihr, der Rest meines Volkes, euch das nicht vorstellen könnt! [7] Ich werde die Menschen meines Volkes retten; aus der ganzen Welt, vom Osten und

---

6,15 Jes 60,10 **7,3** 8,19; Jer 52,12–13 **7,5** 1,12; Jer 25,11 **7,8–10** Jes 1,17; Jer 7,5–7 **7,11** Jer 5,3 **7,12** 2 Kön 17,13–14.23 **7,13** Jes 1,15 **8,2** 1,14 **8,3** 2,14 **8,6** Jer 32,17.27 **8,7** Jes 11,11–12*

vom Westen, hole ich sie [8] und bringe sie nach Jerusalem zurück. Dort sollen sie dann wohnen. Sie werden mein Volk sein, und ich werde ihr Gott sein. Für immer stehe ich zu ihnen, sie können sich fest auf meine Zusagen verlassen!

[9] Fasst neuen Mut! Auch für euch heute gilt, was die Propheten bei der Grundsteinlegung für den neuen Tempel verkündeten. [10] Bis dahin brachte eure Arbeit keinen Ertrag. Weder Mensch noch Vieh bekamen den Lohn für ihre Mühe. Wer die Stadt verließ, war nicht sicher vor dem Feind, ja, ich hetzte die Menschen gegeneinander auf. [11] Doch von jetzt an will ich euch, die ihr von meinem Volk noch übrig geblieben seid, ganz anders begegnen: [12] In eurem Land wird Frieden herrschen, die Weinstöcke und Felder bringen reichen Ertrag, und genug Regen fällt auf das Land. Euch, den Überlebenden meines Volkes, soll dies alles zugute kommen. [13] Ihr Menschen von Israel und Juda: Wenn die Bewohner anderer Länder jemanden verfluchen wollten, dann wünschten sie ihm dasselbe Schicksal, das euch getroffen hatte. Doch das wird sich jetzt ändern. Ich werde euch retten, und dann werden die Menschen aus anderen Völkern zueinander sagen: ›Möge es dir so gut gehen wie den Judäern und den Israeliten!‹ Darum habt keine Angst, und fasst neuen Mut!

[14] Ich, der Herr, der allmächtige Gott, sage euch: Als eure Vorfahren meinen Zorn herausforderten, beschloss ich, Unheil über sie zu bringen, und nichts konnte mich umstimmen. [15] Doch jetzt bin ich genauso fest entschlossen, den Bewohnern von Jerusalem und Juda Gutes zu tun. Habt also keine Angst! [16] Aber ihr müsst euch auch ändern: Belügt einander nicht! Fällt im Gericht Urteile, die gerecht sind und Frieden stiften! [17] Seid nicht darauf aus, einander zu schaden, und schwört keine Meineide! Denn all dies hasse ich, der Herr!«

[18] Weiter sprach der Herr, der allmächtige Gott, zu mir: [19] »Bisher habt ihr Judäer im 4., 5., 7. und 10. Monat Fastentage eingehalten und getrauert. Doch von nun an werdet ihr an diesen Tagen Freudenfeste feiern und laut jubeln. Liebt die Wahrheit und den Frieden!

[20] Ich, der Herr, der allmächtige Gott, kündige euch an: Es kommt die Zeit, da werden viele Menschen aus anderen Völkern und aus großen Städten [21] einander auffordern: ›Kommt, wir wollen nach Jerusalem gehen und den Herrn, den allmächtigen Gott, anbeten und um Gnade anflehen.‹ [22] Ja, viele mächtige Völker werden nach Jerusalem ziehen und mich um meinen Segen bitten!

[23] In jener Zeit schließen sich zehn Männer aus den verschiedensten Völkern einem Juden an. Sie halten ihn an seinem Gewand fest und bitten: ›Wir wollen mit dir gehen! Wir haben gehört, dass Gott auf eurer Seite ist.‹«

Gott hält Gericht über Israels Feinde

9 Dies ist eine Botschaft des Herrn: Sie lastet schwer auf dem Land Hadrach und auf Damaskus. Denn dem Herrn gehören nicht nur die Stämme Israels, sondern auch die anderen Völker. [2] Hamat, das an Damaskus grenzt, ist sein Eigentum, ebenso die Städte Tyrus und Sidon, deren Einwohner so überaus klug sind. [3] Tyrus hat sich selbst zu einer mächtigen Festung ausgebaut, es hat ganze Berge von Gold und Silber zusammengetragen. [4] Aber der Herr wird Tyrus erobern: Er wirft die Festungsmauern ins Meer und lässt die Stadt in Flammen aufgehen. [5] Wenn das die Einwohner von Aschkelon, Gaza und Ekron erfahren, packt sie die Angst, denn sie haben jede Hoffnung auf einen starken Verbündeten verloren. Gaza verliert seinen König, Aschkelon wird zu einer unbewohnten Stadt, [6] und in Aschdod siedeln sich Fremde aus allen

8,8 Jer 24,7 **8,9** Esr 3,10 **8,10–13** Hag 2,15–19 **8,13** 1 Mo 48,20; Jer 29,22 **8,16–17** 7,8–10; Eph 4,25 **8,19** 7,3.5 **8,20–23** Jes 45,22–24* **9,1** Jes 17,1–3* **9,2** Hes 28,3–5 **9,4** Jes 23,1–16* **9,5–7** Jes 14,28–32*

Völkern an. Der Herr sagt: »Ich selbst werde den Hochmut der Philister brechen. [7]Dann ist es vorbei mit ihrem abscheulichen Götzendienst: Ich reiße ihnen die blutigen Fleischstücke ihrer Opfertiere aus dem Mund! Doch die überlebenden Philister werden zu meinem Volk gehören. Sie gelten als Sippe im Stamm Juda. Ekron wird in mein Volk aufgenommen wie damals die Jebusiter. [8]Ich selbst wache über mein Volk, damit keine fremden Truppen mehr in sein Land einfallen. Kein Gewaltherrscher wird es mehr erobern. Denn von nun an schütze ich selbst mein Volk!«

Der neue König kommt!

[9]»Freut euch, ihr Menschen auf dem Berg Zion, jubelt laut, ihr Einwohner von Jerusalem! Euer König kommt zu euch! Er ist gerecht und bringt euch Rettung. Und doch kommt er nicht stolz daher, sondern reitet auf einem Esel, ja, auf dem Fohlen einer Eselin.

[10]In Jerusalem und im ganzen Land beseitige ich, der Herr, die Streitwagen, die Kriegspferde und alle Waffen. Euer König stiftet Frieden unter den Völkern, seine Macht reicht von einem Meer zum anderen, vom Euphrat bis zum Ende der Erde.«

Der Herr schützt sein Volk

[11]»Noch werden viele Menschen eures Volkes in der Verbannung festgehalten. Doch ich werde sie aus ihren Gefängnissen befreien, denn ich habe einen Bund mit euch geschlossen; mit dem Blut von Opfertieren wurde er besiegelt. [12]Kehrt heim, ihr Gefangenen, in die Stadt, die euch Schutz bietet! Ihr habt nicht vergeblich gehofft! Ich verspreche euch: Ihr werdet doppelt entschädigt für das, was ihr erlitten habt!

[13]Die Männer von Juda sind wie ein Bogen in meiner Hand, die Männer von Ephraim sind die Pfeile, und ihr aus Jerusalem seid das Schwert, das ich gegen die Truppen der Griechen schwinge.«

[14]Ja, der Herr zeigt seinem Volk seine ganze Macht: Er schießt seine Pfeile ab wie Blitze, er bläst das Horn zum Angriff und jagt daher im Sturm aus dem Süden. [15]Der Herr, der allmächtige Gott, beschützt die Israeliten. Die Steine aus seiner Schleuder strecken die Feinde zu Boden. Sie sind mit Blut überströmt wie die Ecken des Altars, über die das Opferblut ausgegossen wird.[a]

[16]An jenem Tag wird Gott, der Herr, sein Volk retten. Er sorgt für sie wie ein Hirte für seine Herde. Wie funkelnde Edelsteine in einer Königskrone schmücken sie sein Land! [17]Ja, Israel wird schön und einzigartig sein. Das Land bringt reiche Ernten an Getreide und Wein, und die jungen Leute sind gesund und kräftig.

Nur der Herr kann helfen

10 Bittet den Herrn, dass er es im Frühjahr regnen lässt! Denn er allein kann die Wolken schicken. Dann wächst die Saat auf unseren Feldern, und wir haben genug Brot zu essen. [2]Eure Hausgötzen aber können euch nicht helfen. Die Wahrsager haben euch belogen. Ihre Träume waren nichts als Lug und Trug, ihre tröstenden Worte nur Schall und Rauch. Weil eure Vorfahren ihr Vertrauen auf solche Menschen setzten, mussten sie in die Verbannung ziehen. Sie waren schutzlos wie eine Schafherde ohne Hirten.

---

[a] So in Anlehnung an die griechische Übersetzung. Der hebräische Text in Vers 15 b ist nicht sicher zu deuten.

9,8 12,4 **9,9** 2,14; Zef 3,14; Mt 21,5 **9,10** Jes 2,4; Mi 4,3; 5,9 **9,11** 2 Mo 24,8 **9,12** Jes 61,7 **9,14** Hab 3,3–15 **9,16** Hes 34,11–16*

Der Herr holt sein Volk zurück

[3] So spricht der Herr: »Ich bin voller Zorn über die Hirten meines Volkes. Auch die Leitböcke der Herde ziehe ich zur Rechenschaft. Ich, der allmächtige Gott, wende mich wieder meiner Herde zu, dem Volk von Juda. Ich mache es zu meinem prächtigen Kriegspferd, mit dem ich in den Kampf ziehe. [4] Aus Juda kommen die zukünftigen Führer meines Volkes; man nennt sie ›Eckstein‹, ›Zeltpflock‹ und ›Kriegsbogen‹. [5] Sie werden wie Helden kämpfen und die Feinde in den Kot der Straße treten, denn ich bin auf ihrer Seite. Die feindlichen Reiter mit ihren Pferden werden vernichtet!

[6] Ja, ich mache Juda wieder mächtig, ich rette die Israeliten, die Nachkommen Josefs. Ich habe Erbarmen mit ihnen und bringe sie wieder zurück in ihre Heimat. Es wird dann so sein, als hätte ich sie nie verstoßen. Denn ich bin der Herr, ihr Gott, ich erhöre ihre Gebete! [7] Auch die Männer von Ephraim werden kämpfen wie Helden. Sie werden fröhlich sein, als hätten sie Wein getrunken. Auch ihre Kinder werden sich freuen, wenn sie es sehen, und mich, den Herrn, preisen!

[8] Ich sammle mein Volk, ich rufe sie alle zusammen und befreie sie aus der Gefangenschaft. Sie sollen wieder so zahlreich werden wie früher. [9] Wie man Samen aussät, so habe ich sie unter die anderen Völker zerstreut. Doch wenn sie sich in den fremden Ländern wieder an mich erinnern, werden sie und ihre Kinder am Leben bleiben; ja, sie dürfen nach Israel heimkehren. [10] Ich hole sie aus Ägypten und Assyrien zurück und bringe sie ins Gebiet von Gilead und zum Libanon. Doch nicht einmal dort wird der Platz für sie alle ausreichen. [11] Ich helfe den Heimkehrenden aus ihrer Not, die Wogen des Meeres dränge ich zurück, und den Nil lasse ich austrocknen. Ich breche den Stolz Assyriens und die Macht Ägyptens! [12] Aber mein Volk mache ich stark. Sie gehören zu mir, darum werden sie leben! Darauf gebe ich, der Herr, mein Wort.«

Die Mächtigen werden gestürzt

11 Öffne deine Tore, Libanon, damit Feuer deine Zedern verzehrt! [2] Klagt, ihr Zypressen, denn die Zedern sind umgestürzt, die mächtigen Bäume sind zerstört! Klagt, ihr Eichen vom Baschangebirge, denn der dichte, undurchdringliche Wald ist dahin!
[3] Hört, wie die Hirten klagen, weil ihre Herden vernichtet sind! Hört, wie der Löwe brüllt, denn sein Versteck, das Dickicht am Jordan, gibt es nicht mehr!

Der Prophet als Hirte

[4] Der Herr, mein Gott, sagte zu mir: »Hüte die Schafe, die zum Schlachten bestimmt sind! [5] Ihre Besitzer haben sie nur gekauft, um sie zu töten, und empfinden nicht einmal Schuld; oder sie verkaufen sie und sagen: ›Gott sei Dank, jetzt sind wir reich.‹ Selbst die Hirten haben kein Erbarmen mit der Herde.

[6] Darum habe auch ich, der Herr, kein Erbarmen mehr mit den Bewohnern dieses Landes. Ich liefere jeden Einzelnen der Willkür seiner Mitmenschen und des Königs aus. Das ganze Land werden sie ins Unglück stürzen, und ich werde ihnen nicht helfen!«

[7] Da hütete ich die wehrlosen Schafe, die zum Schlachten bestimmt waren. Ich nahm mir zwei Hirtenstäbe: Den einen nannte ich »Freundschaft«, den anderen »Gemeinschaft«; damit hütete ich die Schafe. [8] Drei schlechte Hirten jagte ich noch im selben Monat davon. Doch die Schafe wollten von mir nichts wissen, und ich verlor die Geduld mit ihnen.

10,3 Jer 23,1–4; Hes 34,1–10 **10,6** Jer 3,18* **10,8** Jes 11,11–12* **10,9** Ps 137,1.5–6; Jer 51,5 **10,10** Jes 49,19–20; 60,22 **10,11** 2 Mo 14,21–22*; Jes 11,15–16 **11,2** Jes 2,11–12* **11,5** Jer 23,1–2; Hes 34,1–4

[9]Darum sagte ich: »Ich will euch nicht mehr weiden. Wer sterben will, soll sterben; wer umkommen will, soll umkommen; und die Übrigen werden sich gegenseitig auffressen.« [10]Ich nahm den Hirtenstab mit dem Namen »Freundschaft« und zerbrach ihn. So hob ich das Bündnis auf, das ich zugunsten der Israeliten[a] mit allen Völkern ringsum geschlossen hatte. [11]Nun hatte es keine Geltung mehr.

Die wehrlosen Schafe erkannten an diesem Zeichen, dass ich im Auftrag des Herrn gehandelt hatte. [12]Und ich sagte zu den Herdenbesitzern: »Wenn es euch recht ist, gebt mir jetzt meinen Lohn; wenn nicht, dann lasst es bleiben!« Sie zahlten mir dreißig Silberstücke aus.

[13]Da sagte der Herr zu mir: »Das ist also die stolze Summe, die ich ihnen wert bin! Wirf das Geld dem Schmelzer vor die Füße!« Ich nahm die dreißig Silberstücke und warf sie im Tempel dem Kunsthandwerker hin, damit er sie einschmelzen sollte. [14]Dann zerbrach ich den zweiten Hirtenstab, den ich »Gemeinschaft« genannt hatte, und hob so den Bund zwischen Juda und Israel auf.

[15]Nun sprach der Herr zu mir: »Tritt noch einmal als Hirte auf, diesmal aber als nichtsnutziger! [16]Denn einen solchen Hirten werde ich über mein Volk einsetzen: Er sucht nicht nach den verirrten Schafen, ihr Blöken lässt ihn kalt. Die verletzten pflegt er nicht, und er kümmert sich erst recht nicht um die gesunden. Die fettesten Tiere schlachtet er für sich selbst; zuvor schneidet er ihnen die Klauen auf, damit sie ihm nicht weglaufen können[b]. [17]Wehe dem nichtsnutzigen Hirten, der die Schafe im Stich lässt! Der rechte Arm soll ihm abgeschlagen, das rechte Auge ausgestochen werden! Ja, sein Arm soll verkrüppelt sein und sein Auge erblindet!«

Gott schützt Jerusalem

12 Dies ist die Botschaft des Herrn über Israel:

So spricht der Herr, der den Himmel ausgespannt hat wie ein Zelt, der die Erde auf ein festes Fundament gegründet und den Geist des Menschen geschaffen hat: [2]»Ich mache Jerusalem für die Völker ringsum zu einer Schale voller Wein: Wenn sie daraus trinken, werden sie taumeln wie Betrunkene. Sie wollen Jerusalem und ganz Juda erobern. [3]Doch an jenem Tag wird Jerusalem für sie wie ein viel zu schwerer Stein sein: Wer ihn hochhebt, verletzt sich dabei. Alle Völker der Erde werden sich gegen Jerusalem verbünden, [4]doch an jenem Tag lasse ich ihre Pferde scheuen und die Reiter wahnsinnig werden. Ja, die Pferde der Feinde schlage ich mit Blindheit.

Ich wache darüber, dass den Bewohnern von Juda kein Leid geschieht. [5]Ihre führenden Männer werden denken: ›Die Einwohner von Jerusalem sind sehr stark, denn sie vertrauen dem Herrn, dem allmächtigen Gott.‹ [6]An jenem Tag mache ich die Soldaten von Juda für ihre Feinde zum Feuer, das trockenes Holz verbrennt und Stroh in Flammen aufgehen lässt. So werden sie die feindlichen Völker ringsum vernichten. Jerusalem aber mit seinen Einwohnern bleibt unversehrt.

[7]Ich, der Herr, lasse zuerst die Männer von Juda siegen, denn die Nachkommen Davids und die Einwohner Jerusalems sollen sich nicht über ihre Landsleute erheben. [8]Doch dann werde ich auch den Menschen in Jerusalem beistehen und sie vor den Feinden beschützen. Die Mutlosen werden kämpfen wie David, und die Nachkommen Davids werden in meinem Auftrag das Volk führen, so wie der Engel des Herrn, der vor den Israeli-

---

a »zugunsten der Israeliten« ist sinngemäß eingefügt.
b »damit sie ihm nicht weglaufen können« ist sinngemäß eingefügt.

11,10 Hes 34,25–28; Hos 2,20 **11,12** 2 Mo 21,32; Mt 26,15 **11,13** Mt 27,9 **11,14** Hes 37,22 **11,15–16** Hes 34,1–4 **12,1** Jes 42,5 **12,2** 14,2; Jer 25,15* **12,3** 14,3; Joel 4,9–13 **12,6** Obd 18

ten herzog. [9] An jenem Tag vernichte ich alle Völker, die Jerusalem angreifen.«

Totenklage der Einwohner Jerusalems

[10] »Ich werde die Nachkommen Davids und die Einwohner Jerusalems mit meinem Geist erfüllen, und sie werden mich um Gnade anflehen. Voller Reue werden sie auf den sehen[a], den sie durchbohrt haben, und die Totenklage für ihn halten, so wie man um den einzigen Sohn trauert, ja, sie weinen um ihn wie um den ältesten Sohn. [11] In Jerusalem wird man so laut klagen wie über Hadad-Rimmon in der Ebene von Megiddo. [12–14] Das ganze Land wird trauern, jede Sippe für sich, Männer und Frauen getrennt: die Sippe David, die Sippe Nathan, die Sippe Levi, die Sippe Schimi und alle übrigen Sippen im Land.«

Der Herr beendet Götzendienst und falsche Prophetie

13 Der Herr sagt: »An jenem Tag wird in Jerusalem eine Quelle entspringen. Ihr Wasser wird die Nachkommen Davids und die Einwohner Jerusalems von aller Schuld reinwaschen, die sie auf sich geladen haben.

[2] Ich, der allmächtige Gott, vernichte dann alle Götzen im Land, ihre Namen sollen in Vergessenheit geraten.

Auch die falschen Propheten, die – von einem fremden Geist besessen – in meinem Namen Lügen verbreiten, dulde ich in diesem Land nicht mehr! [3] Und wenn sich doch noch jemand als Prophet ausgibt, werden sein Vater und seine Mutter zu ihm sagen: ›Du hast dein Leben verwirkt! Deine Prophetie war nichts als Lüge, und dabei hast du dich auch noch auf den Herrn berufen.‹ Ja, seine eigenen Eltern werden ihn umbringen, weil er sich als Prophet ausgegeben hat. [4] An jenem Tag werden die falschen Propheten sich hüten, den Menschen von ihren Visionen zu erzählen. Keiner von ihnen zieht mehr einen Mantel aus Ziegenhaar an, denn sie wollen nicht mehr als Propheten gelten. [5] Wird einer zur Rede gestellt, dann beteuert er: ›Ich bin kein Prophet, ich bin ein Bauer. Von Jugend an habe ich nichts anderes gemacht.‹ [6] Wenn jemand ihn fragt: ›Woher kommen dann die Striemen auf deiner Brust?‹,[b] wird er antworten: ›Ich habe mich mit meinen Freunden geprügelt.‹«

Feuerprobe für die Überlebenden

[7] So spricht der Herr, der allmächtige Gott: »Schwert, schlag zu! Töte den Hirten, den Mann, der mir nahe steht, damit die Schafe auseinander laufen! Ja, das Schwert soll auch das Volk treffen: [8] Im ganzen Land werden zwei Drittel der Menschen umkommen, nur ein Drittel bleibt übrig. [9] Doch auch dieser Rest muss die Feuerprobe bestehen. Ich werde die Menschen läutern wie Silber im Ofen, wie Gold im Feuer. Sie werden zu mir um Hilfe rufen, und ich werde sie erhören! Dann sage ich zu ihnen: ›Ihr seid mein Volk!‹, und sie antworten: ›Du, Herr, bist unser Gott!‹«

Der Herr ist König in Jerusalem!

14 Es kommt der Tag, an dem der Herr über Jerusalem Gericht hält. Dann teilen eure Feinde mitten in der Stadt die Beute untereinander auf. [2] Ja, der Herr lässt alle Völker vereint gegen Jerusalem in den Krieg ziehen. Sie werden die Stadt erobern, die Häuser plündern und die Frauen vergewaltigen. Die Hälfte der Einwohner wird verschleppt; der Rest darf weiter in der Stadt leben.

[3] Doch dann wird der Herr selbst gegen

---

[a] Wörtlich: Voller Reue werden sie auf mich sehen.
[b] Vgl. 1. Könige 18,28

12,9 Offb 20,9 **12,10** Joel 3,1; Jer 6,26; Joh 19,34.37; Offb 1,7 **12,11** 2 Chr 35,20–25 **13,1** 14,8; Jes 12,3 **13,2** Jer 14,15 **13,3** 5 Mo 13,7–10 **13,4** 1 Kön 19,19; 2 Kön 2,13–14 **13,7** Mt 26,31; Joh 16,32 **13,9** Jes 1,25; Hos 2,25 **14,3** 2 Mo 14,14*; Jes 42,13

diese Völker in den Kampf ziehen, so wie er es schon früher getan hat. [4]Er wird auf dem Ölberg im Osten von Jerusalem stehen; dann spaltet sich der Berg von Osten nach Westen, so dass zwischen seiner Nordhälfte und seiner Südhälfte ein breites Tal entsteht. [5]In dieses Tal, das bis nach Azal reicht, werdet ihr fliehen, so wie eure Vorfahren zur Zeit des judäischen Königs Usija vor dem Erdbeben geflohen sind. Dann aber wird der Herr, mein Gott, in Jerusalem einziehen und alle seine Engel mit ihm[a].

[6]An jenem Tag gibt es weder Sonnenlicht noch Kälte oder Frost. [7]Dann ist es immer taghell, denn der Wechsel von Tag und Nacht hört auf. Der Herr allein weiß, wann dies geschieht.[b] [8]In Jerusalem wird eine Quelle mit frischem Wasser entspringen; es fließt zur einen Hälfte ins Tote Meer, zur anderen ins Mittelmeer. Auch im Sommer versiegt die Quelle nicht.

[9]Der Herr wird König sein über die ganze Erde. Neben ihm wird es keinen anderen Gott mehr geben; nur noch ihn werden die Menschen als Herrn anrufen. [10]Das ganze Land von Geba im Norden bis Rimmon südlich von Jerusalem verwandelt sich in eine Ebene. Nur Jerusalem bleibt erhöht und überragt das Land. Das Stadtgebiet erstreckt sich dann vom Benjamintor bis zum früheren Ecktor und vom Hananelturm bis zu den königlichen Weinkeltern. [11]Die Einwohner werden in Sicherheit leben; nie mehr wird der Herr sie bestrafen!

[12]Aber die Völker, die gegen Jerusalem in den Kampf gezogen sind, wird der Herr mit einer furchtbaren Krankheit schlagen: Bei lebendigem Leib wird das Fleisch an ihrem Körper verfaulen; ihre Augen und Zungen werden verwesen. [13]An jenem Tag stiftet der Herr große Verwirrung unter den Feinden, so dass einer über den anderen herfällt. [14]Männer aus ganz Juda werden helfen, Jerusalem zu verteidigen. Bei ihren Nachbarvölkern machen sie reiche Beute: Gold, Silber und kostbare Kleider. [15]Im Lager der Feinde werden auch Pferde, Maultiere, Kamele, Esel und alle anderen Tiere an der schrecklichen Seuche erkranken.

Alle Völker ziehen nach Jerusalem

[16]Dennoch werden von den Feinden, die gegen Jerusalem gekämpft haben, einige überleben. Sie werden jedes Jahr nach Jerusalem ziehen, um dort das Laubhüttenfest mitzufeiern und den allmächtigen Gott als ihren Herrn und König anzubeten. [17]Wenn aber irgendein Volk nicht nach Jerusalem kommt und den Herrn verehrt, wird auf sein Land kein Regen fallen. [18/19]Dies gilt für die Ägypter wie für alle übrigen Völker: Sie alle wird Gottes Strafgericht treffen, wenn sie das Laubhüttenfest in Jerusalem nicht mitfeiern.

[20]An jenem Tag wird auf den Schellen am Zaumzeug der Pferde eingeritzt sein: »Dem Herrn geweiht.« Die Kochtöpfe im Tempel werden dann genauso heilig sein wie die Opferschalen, die am Altar verwendet werden. [21]Ja, jeder Kochtopf in Jerusalem und in ganz Juda ist dann dem Herrn, dem allmächtigen Gott, geweiht: Die Menschen, die zum Tempel kommen, können in diesen Töpfen das Opferfleisch zubereiten. An jenem Tag wird es keine Händler mehr geben am Tempel des Herrn, des allmächtigen Gottes!

---

[a] So mit der griechischen Übersetzung. Der hebräische Text lautet: mit dir.
[b] Die Verse 6 und 7 sind nicht sicher zu deuten.

14,4 Jes 40,3–5; Mi 1,3–4 **14,5** Am 1,1 **14,6–7** 1 Mo 8,22 **14,7** Offb 21,23–25 **14,8** Hes 47,1–12 **14,9** Ps 22,29* **14,10–11** Jer 31,38–40 **14,10** Jes 2,2 **14,12** 2 Kön 19,35 **14,13** Ri 7,22; 1 Sam 14,20 **14,16–19** 3 Mo 23,33–43* **14,21** Mt 21,12

Der Prophet Maleachi

Der Herr liebt sein Volk

1 Dies ist die Botschaft des Herrn, die er Israel durch Maleachi verkünden ließ:

[2]»Ich habe euch immer geliebt«, sagt der Herr zu euch, doch ihr erwidert: »Woran hätten wir denn deine Liebe zu uns erkennen können?«

Darauf antwortet der Herr: »Waren nicht Esau und Jakob Brüder? Trotzdem habe ich nur Jakob geliebt, [3]aber Esau gehasst. Das Bergland von Edom, die Heimat der Nachkommen Esaus, machte ich zur Wüste, und jetzt hausen die Schakale dort. [4]Wenn die Edomiter sagen: ›Unsere Städte liegen in Trümmern, aber wir bauen sie wieder auf‹, dann entgegne ich, der Herr, der allmächtige Gott: ›Baut nur – ich werde alles wieder einreißen!‹ Ja, man wird ihr Gebiet ›Land der Gesetzlosen‹ nennen und sie selbst ›Volk, auf dem für alle Zeiten Gottes Fluch lastet‹. [5]Ihr Israeliten werdet dies miterleben und dann sagen: ›Der Herr zeigt seine Macht weit über Israels Grenzen hinaus!‹«

Gott klagt die Priester an

[6]Ihr Priester, der Herr, der allmächtige Gott, klagt euch an: »Ein Sohn ehrt seinen Vater und ein Diener seinen Herrn. Ihr nennt mich euren Vater, doch wo bleibt die Ehre, die mir zusteht? Ihr nennt mich euren Herrn, doch ich finde keine Ehrfurcht bei euch. Ihr habt keine Achtung vor mir, und da fragt ihr auch noch: ›Wie kommst du darauf, dass wir dich nicht achten?‹ [7]Auf meinem Altar bringt ihr Opfergaben dar, die ich für unrein erklärt habe. Und wieder fragt ihr: ›Wieso waren unsere Gaben unrein?‹ Ihr meint, am Altar braucht ihr es nicht so genau zu nehmen. [8]Wenn ihr mir als Opfer ein blindes Tier darbringt, denkt ihr: ›Das ist nicht so schlimm!‹ Und wenn es ein lahmes oder krankes ist, meint ihr: ›Das macht nichts!‹ Bietet ein solches Tier doch einmal eurem Statthalter an! Ich, der allmächtige Gott, frage euch: Glaubt ihr wirklich, er würde zufrieden mit euch sein und die Gabe freundlich annehmen? [9]Aber mich, euren Gott, wollt ihr mit solchen Opfern besänftigen und gnädig stimmen! Ihr meint doch nicht im Ernst, ich würde euch deswegen wieder annehmen? [10]Wenn doch nur einer von euch die Tempeltore zuschließen würde! Dann könntet ihr nicht mehr hineingehen und auf meinem Altar Opfer darbringen, die ich nicht annehme. Ich habe genug von euch, und auf eure Gaben verzichte ich! Das sage ich, der allmächtige Gott.

[11]Auf der ganzen Welt werde ich verehrt, an allen Orten bringen mir die Menschen Opfergaben dar, die mir gefallen, und lassen den Rauch zu mir aufsteigen. Ja, alle Völker ehren mich, den allmächtigen Gott. [12]Nur ihr zieht meinen Namen in den Schmutz, denn ihr sagt: ›Beim Altar des Herrn müssen wir es nicht so genau nehmen. Was wir dort opfern, muss nicht das Beste sein.‹ [13]Und dann jammert ihr auch noch über euren Dienst im Tempel, nur widerwillig facht ihr die Glut auf dem Altar an! Lahme und kranke, ja, sogar gestohlene Tiere bringt ihr als Opfer herbei. Soll ich, der Herr, mich etwa darüber auch noch freuen? [14]Mein Fluch trifft jeden Betrüger, der mir ein fehlerhaftes Tier opfert, obwohl er mir ein makelloses,

---

1,2–3 Röm 9,13 **1,2** 1 Mo 25,24–26; 5 Mo 7,7–8 **1,3** 1 Mo 36,8; Jes 34,5–17* **1,6** 2 Mo 20,12*; Jes 63,16 **1,8** 3 Mo 22,18–25 **1,10** 2,13; Jes 1,13 **1,11** Ps 99,1–3; 113,3

männliches aus seiner Herde versprochen hat. Denn ich bin ein großer König, ich bin der Herr, der allmächtige Gott, und alle Völker haben Ehrfurcht vor mir!

2 Ich warne euch, ihr Priester: [2]Nehmt euch meine Worte zu Herzen, und ehrt mich! Sonst wird euch mein Fluch treffen. Ja, ich verfluche die Gaben, mit denen ich euch gesegnet habe. Aber ihr lasst euch ja nicht warnen; deshalb habe ich, der allmächtige Gott, euch schon bestraft. [3]Auch eure Nachkommen ziehe ich zur Rechenschaft. Ich schleudere euch den Kot eurer Opfertiere ins Gesicht, und dann wird man euch selbst auf den Misthaufen werfen.

[4]So werdet ihr erkennen, dass ich, der allmächtige Gott, euch zu Recht gewarnt habe. Denn mein Bund mit dem Stamm Levi soll weiter gelten. [5]Ich versprach ihnen Leben und Wohlergehen und hielt mich an meine Zusage. Damals achteten mich die Leviten und hatten große Ehrfurcht vor mir. [6]Dem Volk gaben sie meine Weisungen unverfälscht weiter. Was sie sagten, entsprach immer dem Recht und der Wahrheit. Sie waren aufrichtig und lebten so, wie es mir gefällt, und vielen halfen sie, von ihren falschen Wegen umzukehren.

[7]Ein Priester soll den Israeliten zeigen, wie man mich, den Herrn, erkennt. Er soll ihnen meine Weisungen weitergeben, denn ich, der allmächtige Gott, habe ihn zu meinem Boten ernannt. [8]Ihr aber seid vom richtigen Weg abgewichen, eure falschen Weisungen haben viele Menschen zu Fall gebracht. So habt ihr den Bund gebrochen, den ich, der allmächtige Gott, mit den Nachkommen Levis geschlossen habe. [9]Ihr gebt den Leuten meine Weisungen nicht weiter, sondern redet ihnen nach dem Mund. Darum will ich euch vor dem ganzen Volk erniedrigen, ja, alle werden euch verachten!«

Unerlaubte Ehen und Ehescheidungen

[10]Haben wir Israeliten nicht alle denselben Vater? Hat nicht der eine Gott uns alle geschaffen? Warum handeln wir dann so treulos aneinander und brechen den Bund, den der Herr mit unseren Vorfahren geschlossen hat?

[11]Ja, das Volk von Juda hat dem Herrn die Treue gebrochen. In Jerusalem und im ganzen Land haben Männer etwas Abscheuliches getan: Sie haben Gottes geliebtes Heiligtum entweiht und Frauen aus fremden Völkern geheiratet, die andere Götter anbeten. [12]Der Herr wird diese Männer mitsamt ihren Familien aus der Gemeinschaft seines Volkes ausschließen, auch wenn sie ihn, den allmächtigen Gott, mit Opfergaben gnädig stimmen wollen.

[13]Noch etwas wirft der Herr euch vor: Ihr weint und stöhnt, ihr tränkt den Altar des Herrn mit Tränen, weil der Herr von euren Opfern nichts mehr wissen will und sie nicht annimmt. [14]Ihr fragt nach dem Grund? Die Antwort lautet: Der Herr hat genau gesehen, wie ihr Männer eure Frauen verstoßen habt, mit denen ihr seit eurer Jugend verheiratet wart. Ihr habt ihnen die Treue gebrochen, obwohl sie immer an eurer Seite waren und zu eurem Volk gehören, mit dem der Herr einen Bund geschlossen hat. [15]Hat der Herr euch nicht zu einem Leib und einem Geist vereint? Und warum hat er das getan? Er wollte, dass eure Nachkommen zu seinem Volk gehören.[a] Darum nehmt euch in Acht, und haltet euch an den Treueeid, den ihr einst euren Frauen geschworen habt. [16]Denn der Herr, der allmächtige Gott Israels, sagt: »Ich hasse Ehescheidung. Ich verabscheue es, wenn ein Mann seiner Frau so etwas antut. Darum nehmt euch in Acht, und brecht euren Frauen nicht die Treue!«

---

[a] Der hebräische Text in Vers 15a ist nicht sicher zu deuten.

2,2 5 Mo 28,15 **2,4** 4 Mo 25,12–13 **2,5** 5 Mo 33,8–11 **2,7** 3 Mo 10,10–11 **2,10** Hiob 31,15; 1 Kor 8,6; Eph 4,6 **2,11** Esr 9,1–2; Neh 13,23–30 **2,13** 1,10 **2,16** 5 Mo 24,1; Mt 19,8

Der Herr hält Gericht

[17]Euer Gerede wird dem Herrn lästig. »Was für ein Gerede?«, fragt ihr. Nun, ihr behauptet: »Wer Unrecht tut, gefällt dem Herrn; ihn nimmt er an!« Oder ihr fragt: »Wo bleibt denn Gott? Warum greift er nicht ein und sorgt für Recht?«

3 Der Herr, der allmächtige Gott, antwortet: »Ich schicke meinen Boten voraus, der mein Kommen ankündigt und die Menschen darauf vorbereitet. Noch wartet ihr auf mich, den Herrn, ihr wünscht euch meinen Boten herbei, der meinen Bund mit euch bestätigt. Er ist schon unterwegs! Ganz plötzlich werde ich, der Herr, in meinen Tempel einziehen.

[2]Doch wer kann mein Kommen ertragen? Wer kann vor mir bestehen? Ich werde für euch wie Feuer im Schmelzofen sein und wie scharfe Lauge im Waschtrog. [3]So wie man Gold und Silber schmilzt, um es zu läutern, so werde ich die Nachkommen Levis von ihrer Schuld reinigen. Dann werden sie mir wieder Opfer darbringen, die mir gefallen. [4]Ja, so wie früher, wie in längst vergangenen Zeiten, werde ich mich wieder über die Opfer freuen, die mir die Menschen in Juda und Jerusalem darbringen.

[5]Ich, der Herr, der allmächtige Gott, sage: Ich werde über euch Gericht halten und als Zeuge auftreten gegen die Zauberer und Ehebrecher, gegen alle, die Meineide schwören, die ihre Arbeiter um den gerechten Lohn bringen, die Witwen, Waisen und Ausländer unterdrücken, ja, gegen alle, die keine Ehrfurcht vor mir haben.«

Ihr betrügt Gott!

[6]»Ich, der Herr, habe mich nicht geändert. Ihr aber habt euch auch nicht geändert, ihr seid genau wie euer Stammvater Jakob [7]und alle eure Vorfahren: Ihr missachtet meine Weisungen, sie sind euch gleichgültig. Kehrt um zu mir! Dann werde auch ich mich euch wieder zuwenden! Das verspreche ich, der Herr, der allmächtige Gott.

Ihr aber fragt: ›Warum sollen wir umkehren, was haben wir denn getan?‹ Ich antworte euch: [8]Findet ihr es etwa richtig, wenn ein Mensch Gott betrügt? Ihr betrügt mich doch die ganze Zeit! Ihr entgegnet: ›Womit haben wir dich denn betrogen?‹ Ihr habt mir den zehnten Teil eurer Ernte nicht gegeben, und ihr habt den Priestern ihren Anteil an den Opfergaben verweigert. [9]Das ganze Volk betrügt mich, deshalb habe ich euch verflucht.

[10]Ich, der allmächtige Gott, fordere euch nun auf: Bringt den zehnten Teil eurer Ernte in vollem Umfang zu meinem Tempel, damit in den Vorratsräumen kein Mangel herrscht! Stellt mich doch auf die Probe, und seht, ob ich meine Zusage halte! Denn ich verspreche euch, dass ich dann die Schleusen des Himmels wieder öffne und euch mit allem überreich beschenke. [11]Ich lasse keine Heuschreckenschwärme mehr eure Felder und Weinberge kahl fressen und euch die Ernte verderben. [12]Dann werden alle Völker euch glücklich preisen, weil ihr in einem so herrlichen Land lebt! Darauf gebe ich, der Herr, der allmächtige Gott, mein Wort!«

Der Tag, an dem Gott sein Urteil spricht

[13]»Ihr Israeliten redet überheblich und anmaßend über mich, den Herrn. Doch ihr fragt: ›Was sagen wir denn über dich?‹ [14]Ihr behauptet: ›Es bringt nichts, Gott zu dienen. Was haben wir davon, wenn wir uns nach seinen Weisungen richten und ihm zeigen, dass wir unsere Taten bereuen? [15]Wie gut haben es die Menschen, die sich gegen den Herrn auflehnen! Seit sie

---

3,1 Mt 11,10; Mk 1,1–2; Lk 7,27 **3,2** Jes 1,25 **3,3** Sach 13,9 **3,5** 3 Mo 19,13 **3,6–7** Sach 1,2–3 **3,8** 4 Mo 18,8–19*; Neh 13,10 **3,10** 3 Mo 27,30–33* **3,11** Joel 1,4 **3,14** 2,17; Jes 58,3 **3,15** Hiob 21,6–33; Ps 73,2–15

ihm den Rücken gekehrt haben, geht es ihnen viel besser. Sie kommen ungestraft davon, obwohl sie Gott frech die Stirn bieten!‹«

[16] Dann aber redeten diejenigen miteinander, die noch Ehrfurcht vor dem Herrn hatten, und der Herr hörte ihnen zu. In einem Buch ließ er die Namen aller aufschreiben, die ihn achten und seinen Namen nicht in den Schmutz ziehen. [17] Der Herr, der allmächtige Gott, sagt: »An dem Tag, wenn ich mein Urteil spreche, werden diese Menschen zu mir gehören. Ich will sie verschonen, so wie ein Vater seinen Sohn verschont, der zu ihm gehalten hat. [18] Dann werdet ihr den Unterschied sehen zwischen einem Menschen, der mir die Treue hält, und einem Gottlosen; ihr werdet erkennen, welche Folgen es hat, ob jemand mir dient oder nicht.

[19] Ja, es kommt der Tag, an dem mein Zorn wie ein Feuer im Ofen sein wird und alle wie Stroh verbrennt, die sich frech gegen mich auflehnen. Nichts bleibt dann mehr von ihnen übrig! Darauf gebe ich, der Herr, der allmächtige Gott, mein Wort!

[20] Für euch aber, die ihr mir die Treue gehalten habt, wird an jenem Tag die Rettung kommen, wie am Morgen die Sonne aufgeht. Ihr werdet endlich Hilfe finden und vor Freude springen wie Kälber, die aus dem Stall hinaus auf die Weide dürfen! [21] An dem Tag, wenn ich Gericht halte, werdet ihr die Gottlosen zertreten wie Staub unter euren Füßen! Das verspreche ich, der Herr, der allmächtige Gott.

[22] Denkt immer an das Gesetz meines Dieners Mose! Richtet euch nach den Weisungen und Ordnungen, die ich ihm am Berg Horeb für das Volk Israel gab! [23] Noch bevor der große und schreckliche Tag kommt, an dem ich mein Urteil vollstrecke, sende ich den Propheten Elia zu euch. [24] Er wird Eltern und Kinder wieder miteinander versöhnen, damit ich nicht das ganze Volk vernichten muss, wenn ich komme.«

3,16 2 Mo 32,32–33 **3,17** 2 Mo 4,22* **3,20** Jes 60,1 **3,21** Ps 149,6–9 **3,22** 5 Mo 4,10–14 **3,23** Joel 1,15*; Mt 11,14; 17,10–13; Mk 9,11 **3,24** Lk 1,17

Das Neue Testament

Matthäus berichtet von Jesus

Die Vorfahren Jesu
(Lukas 3,23–38)

1 Dieses Buch berichtet die Geschichte von Jesus Christus. Er ist Davids und Abrahams Nachkomme. [2] Abraham war der Vater Isaaks. Von Isaak stammten in direkter Linie ab: Jakob (der Vater von Juda und seinen Brüdern) – [3] Juda – Perez (Perez und Serach waren die Söhne Tamars) – Hezron – [4] Ram – Amminadab – Nachschon – [5] Salmon – Boas (Sohn der Rahab) – Obed (Sohn der Ruth) – Isai – [6] König David – Salomo (seine Mutter war Urias Frau) – [7] Rehabeam – Abija – Asa – [8] Joschafat – Joram – Usija – [9] Jotam – Ahas – Hiskia – [10] Manasse – Amon – Josia – [11] Jojachin und seine Brüder (geboren zur Zeit der babylonischen Gefangenschaft) – [12] Schealtiël (geboren nach der babylonischen Gefangenschaft) – Serubbabel – [13] Abihud – Eljakim – Asor – [14] Zadok – Achim – Eliud – [15] Eleasar – Mattan – Jakob. [16] Jakob war der Vater Josefs. Josef war der Mann Marias. Sie brachte Jesus zur Welt, der Christus genannt wird.

[17] Von Abraham bis zu König David sind es also vierzehn Generationen. Auch von David bis zur babylonischen Gefangenschaft sind es vierzehn Generationen, und von dieser Zeit bis zu Christus noch einmal vierzehn.

Gott wird Mensch
(Lukas 1,26 – 2,20)

[18] Und so wurde Jesus Christus geboren: Seine Mutter Maria war mit Josef verlobt. Noch vor der Ehe erwartete Maria – durch den Heiligen Geist – ein Kind. [19] Josef wollte nach Gottes Geboten handeln, aber auch Maria nicht öffentlich bloßstellen. So überlegte er, die Verlobung stillschweigend aufzulösen. [20] Noch während er nachdachte, erschien ihm im Traum ein Engel Gottes und sagte: »Josef, du Nachkomme Davids, zögere nicht, Maria zu heiraten! Denn das Kind, das sie erwartet, ist vom Heiligen Geist. [21] Sie wird einen Sohn bekommen, den sollst du Jesus nennen. Denn er wird die Menschen seines Volkes von ihren Sünden befreien.«

[22] Dies alles geschah, damit sich erfüllte, was der Herr durch seinen Propheten vorhergesagt hatte: [23] »Eine Jungfrau wird schwanger werden und einen Sohn bekommen. Den wird man Immanuel nennen.«[a] Das bedeutet: »Gott ist mit uns!«

[24] Als Josef erwachte, tat er, was ihm der Engel befohlen hatte, und heiratete Maria. [25] Er schlief aber nicht mit ihr bis zur Geburt ihres Sohnes. Josef gab ihm den Namen Jesus.

Gelehrte suchen den neuen König

2 Jesus wurde in Bethlehem geboren, einer kleinen Stadt in Judäa. Herodes war damals König. Einige Sterndeuter kamen aus dem Orient nach Jerusalem und erkundigten sich: [2] »Wo ist der neugeborene König der Juden? Wir haben seinen Stern aufgehen sehen und sind aus dem Osten hierher gekommen, um ihm die Ehre zu erweisen.«

[3] Als König Herodes das hörte, war er bestürzt und mit ihm alle Einwohner Je-

---

[a] Jesaja 7,14

1,1 20,30–31* **1,2** 1 Mo 21,2–3; 25,26; 29,32 – 30,24; 49,10 **1,3** 1 Mo 38,27–30; Ruth 4,18–22 **1,5** Jos 2,1*; Ruth 4,13–17 **1,6** 2 Sam 12,24 **1,7–11** 1 Chr 3,10–16 **1,11** 2 Kön 24,8–16 **1,12** 1 Chr 3,17; Esr 3,2 **1,16** Lk 1,27 **1,18** Lk 1,35 **1,19** 4 Mo 5,29–30 **1,21** Lk 1,31; Joh 1,29*; Apg 4,12 **2,1** Lk 2,1–7

rusalems. [4]Er rief die Hohenpriester und Schriftgelehrten zusammen und fragte sie: »Wo soll dieser versprochene Retter[a] geboren werden?« [5]Sie antworteten: »In Bethlehem, im Land Judäa. So heißt es schon im Buch des Propheten: [6]›Bethlehem, du bist keineswegs die unbedeutendste Stadt im Land Judäa. Denn aus dir kommt der Herrscher, der mein Volk Israel führen wird.‹[b]«

[7]Da rief Herodes die Sterndeuter heimlich zu sich und fragte sie, wann sie zum ersten Mal den Stern gesehen hätten. Anschließend schickte er sie nach Bethlehem und bat sie: [8]»Sucht nach dem Kind, und gebt mir Nachricht, wenn ihr es gefunden habt. Ich will dann auch hingehen und ihm Ehre erweisen.«

[9]Nach diesem Gespräch gingen die Sterndeuter nach Bethlehem. Der Stern, den sie im Osten gesehen hatten, führte sie. Er blieb über dem Haus stehen, in dem das Kind war. [10]Da kannte ihre Freude keine Grenzen. [11]Sie gingen in das Haus, wo sie das Kind mit seiner Mutter Maria fanden, knieten vor ihm nieder und ehrten es wie einen König. Dann packten sie ihre Schätze aus und beschenkten das Kind mit Gold, Weihrauch und Myrrhe.

[12]Im Traum befahl ihnen Gott, nicht mehr zu Herodes zurückzugehen. Deshalb wählten sie für ihre Heimreise einen anderen Weg.

Flucht nach Ägypten

[13]Nachdem die Sterndeuter fortgezogen waren, erschien ein Engel Gottes Josef im Traum und befahl ihm: »Steh schnell auf, und flieh mit dem Kind und seiner Mutter nach Ägypten! Bleibt so lange dort, bis ich euch zurückrufe, denn Herodes sucht das Kind und will es umbringen.« [14]Da brach Josef noch in der Nacht mit Maria und dem Kind nach Ägypten auf. [15]Dort blieben sie bis zum Tod von Herodes. So erfüllte sich, was der Herr durch seinen Propheten angekündigt hatte: »Ich habe meinen Sohn aus Ägypten gerufen.«[c]

Jesus soll getötet werden

[16]Herodes war außer sich vor Zorn, als er merkte, dass ihn die Sterndeuter hintergangen hatten. Er ließ alle Jungen unter zwei Jahren in Bethlehem und Umgebung umbringen. Denn nach den Angaben der Sterndeuter musste das Kind in diesem Alter sein. [17]So erfüllte sich die Vorhersage des Propheten Jeremia: [18]»Schreie der Angst hört man in der Stadt Rama, das Klagen nimmt kein Ende. Rahel weint um ihre Kinder, sie will sich nicht trösten lassen, denn ihre Kinder wurden ihr genommen.«[d]

Rückkehr aus Ägypten

[19]Als Herodes gestorben war, erschien Josef wieder ein Engel Gottes im Traum und sagte zu ihm: [20]»Steh auf und kehre mit dem Kind und seiner Mutter heim ins Land Israel! Die Leute, die das Kind töten wollten, sind gestorben.«

[21]Da ging Josef mit Maria und dem Kind nach Israel zurück.

[22]Als er aber erfuhr, dass Archelaus, der Sohn des Herodes, König von Judäa geworden war, bekam er Angst. Gott gab ihm im Traum die Anweisung, in die Provinz Galiläa zu ziehen. [23]So kamen sie in die Stadt Nazareth und ließen sich dort nieder. Dadurch erfüllte sich, was die Propheten über Christus vorhergesagt hatten: »Man wird ihn den Nazarener nennen.«

---

[a] Wörtlich: Christus.
[b] Micha 5,1
[c] Hosea 11,1
[d] Jeremia 31,15

2,5 Joh 7,42 **2,11** Ps 72,10–11; Jes 60,6 **2,16** 2 Mo 1,15–22 **2,20** 2 Mo 4,19 **2,23** Lk 1,26–27; 2,39

Johannes der Täufer ruft: »Kehrt um zu Gott!« (Markus 1,2–8; Lukas 3,1–18; Johannes 1,19–28)

3 In dieser Zeit fing Johannes der Täufer an, in der judäischen Wüste zu predigen. [2] Er rief: »Kehrt um zu Gott! Denn jetzt beginnt seine neue Welt.« [3] Der Prophet Jesaja hatte die Aufgabe des Johannes so beschrieben: »Ein Bote wird in der Wüste rufen: ›Macht den Weg frei für den Herrn! Räumt alle Hindernisse weg!‹[a] «

[4] Johannes trug ein aus Kamelhaar gewebtes Gewand, das von einem Lederriemen zusammengehalten wurde. Er ernährte sich von Heuschrecken und wildem Honig. [5] Viele Menschen aus Jerusalem, aus dem Jordantal und aus der ganzen Provinz Judäa kamen zu ihm. [6] Sie bekannten ihre Sünden und ließen sich von ihm im Jordan taufen.

[7] Als er aber sah, dass auch viele Pharisäer und Sadduzäer kamen, um sich taufen zu lassen, wies er sie ab: »Ihr Schlangenbrut! Wer hat euch eingeredet, dass ihr dem kommenden Gericht Gottes entrinnen werdet? [8] Zeigt erst einmal durch Taten, dass ihr wirklich zu Gott umkehren wollt! [9] Bildet euch nur nicht ein, ihr könntet euch damit herausreden: ›Abraham ist unser Vater!‹ Ich sage euch: Gott kann selbst aus diesen Steinen hier Nachkommen Abrahams hervorbringen.

[10] Schon ist die Axt erhoben, um die Bäume an der Wurzel abzuschlagen. Jeder Baum, der keine guten Früchte bringt, wird umgehauen und ins Feuer geworfen. [11] Wer umkehrt zu Gott, den taufe ich mit Wasser. Aber nach mir wird einer kommen, der viel mächtiger ist als ich. Ich bin nicht einmal würdig, ihm die Schuhe nachzutragen. Er wird euch mit dem Heiligen Geist und mit Feuer taufen. [12] Schon hat er die Schaufel in seiner Hand, mit der er die Spreu vom Weizen trennt. Den Weizen wird er in seine Scheunen bringen, die Spreu aber wird er verbrennen, und niemand kann dieses Feuer löschen.«

Jesus lässt sich taufen (Markus 1,9–11; Lukas 3,21–22; Johannes 1,32–34)

[13] Auch Jesus kam aus seiner Heimat in Galiläa an den Jordan, um sich von Johannes taufen zu lassen. [14] Aber Johannes versuchte, ihn davon abzubringen: »Ich müsste eigentlich von dir getauft werden, und du kommst zu mir?« [15] Jesus erwiderte: »Lass es so geschehen, denn wir müssen alles tun, was Gott will[b].« Da gab Johannes nach.

[16] Gleich nach der Taufe stieg Jesus wieder aus dem Wasser. Der Himmel öffnete sich über ihm, und er sah den Geist Gottes wie eine Taube auf sich herabkommen. [17] Gleichzeitig sprach eine Stimme vom Himmel: »Dies ist mein geliebter Sohn, der meine ganze Freude ist.«

Wenn du Gottes Sohn bist, beweise es! (Markus 1,12–13; Lukas 4,1–13)

4 Danach wurde Jesus vom Geist Gottes in die Wüste geführt, wo er den Versuchungen des Teufels ausgesetzt sein sollte. [2] Vierzig Tage und Nächte lang aß er nichts. Der Hunger quälte ihn. [3] Da kam der Teufel und stellte ihn auf die Probe. Er forderte ihn heraus: »Wenn du Gottes Sohn bist, dann mach aus diesen Steinen Brot!« [4] Aber Jesus wehrte ab: »Nein, denn es steht in der Heiligen Schrift: ›Der Mensch lebt nicht allein von Brot, sondern von allem, was Gott ihm zusagt!‹[c] «

---

[a] Jesaja 40,3
[b] Wörtlich: [illegible]n so ist es für uns richtig, alle Gerechtigkeit zu erfüllen.
[c] 5. Mose 8,3

3,2 4,17 **3,4** 2 Kön 1,8 **3,7** 12,34; 23,33 **3,8** Lk 3,10–14 **3,9** Joh 8,33–39; Röm 2,28–29; 4,12 **3,10** 7,19; Lk 13,6–9 **3,11** Apg 1,5 **3,12** 13,30 **3,13** 2,22–23 **3,14** Joh 13,6 **3,16** Jes 11,2 **3,17** 17,5; Ps 2,7; Jes 42,1 **4,1** Hebr 4,15 **4,2** 2 Mo 34,28; 1 Kön 19,8

[5] Da nahm ihn der Teufel mit nach Jerusalem und stellte ihn auf die höchste Stelle des Tempels. [6] »Spring hinunter!«, forderte er Jesus auf. »Du bist doch Gottes Sohn! Und in der Heiligen Schrift steht: ›Gott wird seine Engel schicken. Sie werden dich auf Händen tragen, und du wirst dich nicht einmal an einem Stein verletzen!‹[a]« [7] Jesus entgegnete ihm: »Es steht aber auch in der Schrift: ›Du sollst Gott, deinen Herrn, nicht herausfordern!‹[b]«

[8] Nun führte ihn der Teufel auf einen hohen Berg und zeigte ihm alle Reiche der Welt mit ihrer ganzen Pracht. [9] »Das alles gebe ich dir, wenn du vor mir niederkniest und mich anbetest«, sagte er. [10] Aber Jesus wies ihn ab: »Weg mit dir, Satan, denn es steht in der Heiligen Schrift: ›Bete allein Gott, deinen Herrn, an und diene nur ihm!‹[c]« [11] Da verschwand der Teufel, und die Engel Gottes kamen und sorgten für Jesus.

Hoffnung für alle, die von Gott nichts wissen
(Markus 1,14–15; Lukas 4,14–15)

[12] Als Jesus hörte, dass man Johannes den Täufer verhaftet hatte, zog er sich nach Galiläa zurück. [13] Er verließ Nazareth und wohnte in Kapernaum am See Genezareth, im Gebiet von Sebulon und Naftali. [14] Das geschah, damit sich erfüllte, was Gott durch den Propheten Jesaja gesagt hatte: [15] »Du Land Sebulon und Naftali, Land am See und jenseits des Jordan, du gottloses Galiläa, höre zu! [16] Das Volk, das in der Finsternis wohnt, sieht ein großes Licht. Hell strahlt es auf über denen, die im Schatten des Todes leben und ohne Hoffnung sind.«[d]

[17] Von da an begann Jesus zu predigen: »Kehrt um zu Gott! Denn jetzt beginnt seine neue Welt!«

Vier Fischer folgen Jesus
(Markus 1,16–20; Lukas 5,1–11; Johannes 1,35–51)

[18] Als Jesus am See Genezareth entlangging, sah er zwei Brüder: Simon, der später Petrus genannt wurde, und seinen Bruder Andreas. Sie waren Fischer und warfen gerade ihre Netze aus. [19] Da forderte Jesus sie auf: »Kommt mit mir! Ich will euch zeigen, wie ihr Menschen für Gott gewinnen könnt.« [20] Sofort ließen die beiden Männer ihre Netze liegen und gingen mit ihm.

[21] Nicht weit davon entfernt begegnete Jesus am Strand zwei anderen Fischern, den Brüdern Jakobus und Johannes. Sie saßen mit ihrem Vater Zebedäus im Boot und flickten Netze. Auch sie forderte Jesus auf, mit ihm zu gehen. [22] Da verließen sie das Boot und ihren Vater und gingen mit Jesus.

Jesus wirkt durch Wort und Tat

[23] Jesus wanderte durch das Land Galiläa, predigte in den Synagogen und verkündete überall die rettende Botschaft, dass Gottes neue Welt nun begonnen hatte. Er heilte alle Arten von Krankheiten und Leiden. [24] Bald wurde überall von ihm gesprochen, selbst in Syrien. Man brachte viele Kranke zu ihm, die große Qualen litten: Besessene, Menschen, die Anfälle bekamen, und Gelähmte. Jesus heilte sie alle. [25] Eine große Menschenmenge folgte ihm, wohin er auch ging. Leute aus Galiläa, aus dem Gebiet der Zehn Städte, aus Jerusalem und dem ganzen Gebiet von Judäa liefen ihm nach. Selbst von der anderen Seite des Jordan kamen sie.

---

[a] Psalm 91,11–12
[b] 5. Mose 6,16
[c] 5. Mose 6,13
[d] Jesaja 8,23–9,1

4,8–9 16,26 **4,11** 1 Kön 19,5–6; Hebr 1,6.14 **4,12** 14,3–4 **4,16** Lk 1,78–79; Joh 8,12 **4,17** 3,2
4,18 16,18 **4,19** 28,19–20 **4,20.22** 19,27–29 **4,23** 9,35

Die Bergpredigt – Maßstäbe, die herausfordern

5 Als Jesus die Menschenmenge sah, stieg er auf einen Berg. Er setzte sich, und seine Jünger traten zu ihm. [2] Da begann er, sie zu unterweisen:

Wen Jesus glücklich nennt
(Lukas 6,20–23)

[3] »Glücklich sind, die erkennen, wie arm sie vor Gott sind, denn ihnen gehört die neue Welt Gottes.
[4] Glücklich sind die Trauernden, denn sie werden Trost finden.
[5] Glücklich sind die Friedfertigen, denn sie werden die ganze Erde besitzen.
[6] Glücklich sind, die nach Gerechtigkeit hungern und dürsten, denn sie sollen satt werden.
[7] Glücklich sind die Barmherzigen, denn sie werden Barmherzigkeit erfahren.
[8] Glücklich sind, die ein reines Herz haben, denn sie werden Gott sehen.
[9] Glücklich sind, die Frieden stiften, denn Gott wird sie seine Kinder nennen.
[10] Glücklich sind, die verfolgt werden, weil sie nach Gottes Willen leben. Denn ihnen gehört Gottes neue Welt.
[11] Glücklich könnt ihr sein, wenn ihr verachtet, verfolgt und verleumdet werdet, weil ihr mir nachfolgt.
[12] Ja, freut euch und jubelt, denn im Himmel werdet ihr dafür reich belohnt werden! Genauso haben sie die Propheten früher auch verfolgt.«

Salz und Licht: die Aufgabe der Jünger Jesu in der Welt
(Markus 4,21; 9,50; Lukas 8,16; 11,33; 14,34–35)

[13] »Ihr seid für die Welt wie Salz. Wenn das Salz aber fade geworden ist, wodurch soll es seine Würzkraft wiedergewinnen? Es ist nutzlos geworden, man schüttet es weg, und die Leute treten darauf herum.

[14] Ihr seid das Licht, das die Welt erhellt. Eine Stadt, die hoch auf dem Berg liegt, kann nicht verborgen bleiben. [15] Man zündet ja auch keine Öllampe an und stellt sie unter einen Eimer. Im Gegenteil: Man stellt sie so auf, dass sie allen im Haus Licht gibt. [16] Genauso soll euer Licht vor allen Menschen leuchten. Sie werden eure guten Taten sehen und euren Vater im Himmel dafür loben.«

Gottes Gebote neu erfüllen
(Lukas 16,17)

[17] »Meint nur nicht, ich sei gekommen, das Gesetz und die Worte der Propheten aufzuheben. Ich werde vielmehr beides bekräftigen und erfüllen.

[18] Denn das sage ich euch: Auch der kleinste Buchstabe im Gesetz Gottes behält seine Gültigkeit, solange Himmel und Erde bestehen. [19] Wenn jemand auch nur das geringste Gebot Gottes für ungültig erklärt oder andere dazu verleitet, der wird in Gottes neuer Welt nichts bedeuten. Wer aber anderen Gottes Gebote weitersagt und sich selbst danach richtet, der wird in Gottes neuer Welt großes Ansehen haben. [20] Ich warne euch: Wenn ihr das Gesetz Gottes nicht besser erfüllt als die Pharisäer und Schriftgelehrten, kommt ihr nicht in Gottes neue Welt.«

Versöhnung mit dem Gegner
(Lukas 12,57–59)

[21] »Wie ihr wisst, wurde unseren Vorfahren gesagt: ›Du sollst nicht töten! Wer aber einen Mord begeht, muss vor ein Gericht.‹[a] [22] Doch ich sage euch: Schon wer auf seinen Bruder zornig ist, den erwartet das Gericht. Wer zu seinem Bruder sagt: ›Du Idiot!‹, der wird vom Obersten Gericht verurteilt werden, und

---

[a] 2. Mose 20,13; 21,12

5,3 1 Kor 1,27; Jak 2,5 **5,4** Ps 126,5; Jes 61,2–3; Offb 7,17 **5,5** Ps 37,11 **5,7** 25,34–40; Jak 2,13 **5,8** Ps 24,3–4 **5,9** Hebr 12,14; Jak 3,18 **5,10** 1 Petr 3,14 **5,11** 1 Petr 4,14 **5,12** Apg 7,52; Hebr 11,35–38; Jak 5,10 **5,13** Joh 15,6 **5,14** Joh 8,12 **5,16** Eph 5,8–9; Phil 2,15; 1 Petr 2,12 **5,17** Röm 3,31; 8,4 **5,19** Jak 2,10 **5,20** 22,34–40 **5,22** 1 Joh 3,15

wer ihn verflucht, dem ist das Feuer der Hölle sicher.

[23] Wenn du eine Opfergabe zum Altar bringst und dir fällt plötzlich ein, dass dein Bruder dir etwas vorzuwerfen hat, [24] dann lass dein Opfer am Altar zurück, geh zu deinem Bruder und versöhne dich mit ihm. Erst danach bring Gott dein Opfer dar. [25] Setz alles daran, dich noch auf dem Weg zum Gericht mit deinem Gegner zu einigen. Sonst wird der Richter dich verurteilen, und der Gerichtsdiener wird dich ins Gefängnis stecken. [26] Und ich sage dir: Von dort wirst du nicht eher wieder herauskommen, bis du auch den letzten Rest deiner Schuld bezahlt hast.«

Kampf gegen die Sünde
(Matthäus 18,8–9; Markus 9,43–48)

[27] »Ihr wisst, dass es im Gesetz heißt: ›Du sollst nicht die Ehe brechen!‹[a] [28] Ich sage euch aber: Schon wer eine Frau mit begehrlichen Blicken ansieht, der hat im Herzen mit ihr die Ehe gebrochen.

[29] Wenn dich also dein rechtes Auge zur Sünde verführt, dann reiß es heraus und wirf es weg! Besser, du verlierst eins deiner Glieder, als dass du unversehrt in die Hölle geworfen wirst. [30] Und wenn dich deine rechte Hand zum Bösen verführt, so hack sie ab und wirf sie weg! Es ist besser, verstümmelt zu sein, als unversehrt in die Hölle geworfen zu werden.«

Ehescheidung
(Matthäus 19,9; Markus 10,11–12; Lukas 16,18)

[31] »Bisher hieß es: ›Wer sich von seiner Frau trennen will, soll ihr eine Scheidungsurkunde geben.‹[b] [32] Ich sage euch aber: Wer sich von seiner Frau trennt, obwohl sie ihn nicht betrogen hat, der treibt sie zum Ehebruch. Und wer eine geschiedene Frau heiratet, der begeht Ehebruch.«

Keine Beteuerungen!

[33] »Ihr kennt auch diese Anweisung des Gesetzes: ›Du sollst keinen Meineid schwören und alles halten, was du vor Gott versprochen hast.‹[c] [34] Ich sage euch aber: Schwört überhaupt nicht! Schwört weder beim Himmel – denn er ist Gottes Thron – [35] noch bei der Erde – denn sie ist der Schemel, auf dem seine Füße ruhen. Beruft euch auch nicht auf Jerusalem, denn sie ist die Stadt Gottes.[d] [36] Verbürge dich auch nicht mit deinem Kopf für etwas, denn du kannst ja nicht einmal ein einziges Haar weiß oder schwarz wachsen lassen. [37] Sag einfach ›Ja‹ oder ›Nein‹. Alle anderen Beteuerungen zeigen nur, dass du dich vom Bösen bestimmen lässt.«

Vergeltung durch Liebe
(Lukas 6,27–30.32–36)

[38] »Es heißt auch: ›Auge um Auge, Zahn um Zahn!‹[e] [39] Ich sage euch aber: Leistet keine Gegenwehr, wenn man euch Böses antut! Wenn jemand dir eine Ohrfeige gibt, dann halte die andere Wange auch noch hin! [40] Wenn einer dich vor Gericht bringen will, um dein Hemd zu bekommen, so gib ihm auch noch den Mantel! [41] Und wenn einer von dir verlangt, eine Meile mit ihm zu gehen, dann geh zwei Meilen mit ihm! [42] Gib jedem, der dich um etwas bittet, und weise keinen ab, der etwas von dir leihen will.

[43] Es heißt bei euch: ›Liebt eure Freunde und hasst eure Feinde!‹[f] [44] Ich sage

---

[a] 2. Mose 20,14
[b] 5. Mose 24,1
[c] 3. Mose 19,12; 4. Mose 30,3
[d] Wörtlich: des großen Königs Stadt.
[e] 2. Mose 21,24
[f] 3. Mose 19,18

5,24 6,14–15 **5,29–30** Kol 3,5 **5,32** 1 Kor 7,10–11 **5,34–35** Jes 66,1; Ps 48,2–3 **5,37** Jak 5,12 **5,39** Röm 12,19.21; 1 Thess 5,15 **5,40** 1 Kor 6,7; Hebr 10,34 **5,42** 5 Mo 15,7–8 **5,44** 2 Mo 23,4–5; Spr 25,21–22; Lk 23,34; Apg 7,60; Röm 12,20; 1 Petr 3,9

aber: Liebt eure Feinde und betet für alle, die euch verfolgen! [45] So erweist ihr euch als Kinder eures Vaters im Himmel. Denn er lässt seine Sonne für Böse wie für Gute scheinen, und er lässt es regnen für Fromme und Gottlose. [46] Wollt ihr etwa noch dafür belohnt werden, dass ihr die Menschen liebt, die euch auch lieben? Das tun sogar die Zolleinnehmer, die sonst nur auf ihren Vorteil aus sind[a]! [47] Wenn ihr nur euren Freunden liebevoll begegnet, ist das etwas Besonderes? Das tun auch die, die von Gott nichts wissen. [48] Ihr aber sollt so vollkommen sein wie euer Vater im Himmel.«

Gutes tun

6 »Hütet euch davor, nur deshalb Gutes zu tun, damit die Leute euch bewundern. Sonst könnt ihr von eurem Vater im Himmel keinen Lohn mehr erwarten. [2] Wenn du einem Armen etwas gibst, dann posaune es nicht hinaus wie die Heuchler. Sie reden davon in den Synagogen und an jeder Straßenecke, um von allen gelobt zu werden. Das sage ich euch: Diese Leute haben sich ihren Lohn schon selber ausbezahlt. [3] Wenn du jemandem hilfst, dann soll deine linke Hand nicht wissen, was die rechte tut; [4] niemand soll davon erfahren. Dein Vater, der auch das Verborgene sieht, wird dich dafür belohnen.«

Wie man beten soll
(Markus 11,25–26; Lukas 11,2–4)

[5] »Betet nicht wie die Heuchler! Sie beten gern in den Synagogen und an den Straßenecken, um gesehen zu werden. Ich sage euch: Diese Leute haben sich ihren Lohn schon selber ausbezahlt! [6] Wenn du beten willst, geh in dein Zimmer, schließ die Tür hinter dir zu, und bete zu deinem Vater. Und dein Vater, der auch das Verborgene sieht, wird dich dafür belohnen.

[7] Leiere nicht endlose Gebete herunter wie Leute, die Gott nicht kennen. Sie meinen, sie würden bei Gott etwas erreichen, wenn sie nur viele Worte machen. [8] Folgt nicht ihrem schlechten Beispiel, denn euer Vater weiß genau, was ihr braucht, noch ehe ihr ihn um etwas bittet.

[9] Ihr sollt deshalb so beten:
›Unser Vater im Himmel! Dein heiliger Name soll geehrt werden.
[10] Lass deine neue Welt beginnen. Dein Wille geschehe hier auf der Erde, wie er im Himmel geschieht.
[11] Gib uns auch heute wieder, was wir zum Leben brauchen.
[12] Vergib uns unsere Schuld, wie wir denen vergeben, die uns Unrecht getan haben.
[13] Lass uns nicht in Versuchung geraten, dir untreu zu werden,[b] und befreie uns vom Bösen. Denn dir gehören Herrschaft, Macht und Ehre für alle Zeiten. Amen![c]‹

[14] Euer Vater im Himmel wird euch vergeben, wenn ihr den Menschen vergebt, die euch Unrecht getan haben. [15] Wenn ihr ihnen aber nicht vergeben wollt, dann wird Gott auch eure Schuld nicht vergeben.«

Verhalten beim Fasten

[16] »Wenn ihr fastet, dann schaut nicht so drein wie die Heuchler! Sie setzen eine wehleidige Miene auf, damit jeder merkt, dass sie fasten. Ich sage euch: Diese Leute haben sich ihren Lohn schon selber ausbezahlt! [17] Wenn du fastest, dann pflege dein Äußeres so, [18] dass keiner etwas von deinem Verzicht merkt – außer deinem Vater im Himmel. Dein Vater, der auch das Verborgene sieht, wird dich belohnen.«

---

[a] »die … sind« ist sinngemäß ergänzt.
[b] Wörtlich: Führe uns nicht in Versuchung.
[c] In anderen Textzeugen endet das Gebet nach »vom Bösen«.

5,48 3 Mo 19,2* **6,1** 23,5; Eph 2,10* **6,5** Lk 18,11–12 **6,9** Jes 29,23 **6,10** 4,17; 26,39 **6,11** 1 Petr 5,7 **6,12** 18,21–35 **6,13** Joh 17,15; 1 Kor 10,13 **6,14–15** 18,35 **6,16–18** 9,14–15

Unvergänglicher Reichtum
(Lukas 12,33–34)

[19]»Häuft in dieser Welt keine Reichtümer an! Ihr wisst, wie schnell Motten und Rost sie zerfressen oder Diebe sie stehlen! [20]Sammelt euch vielmehr Schätze im Himmel, die unvergänglich sind und die kein Dieb mitnehmen kann. [21]Wo nämlich eure Schätze sind, da wird auch euer Herz sein.«

Licht und Finsternis
(Lukas 11,34–36)

[22]»Das Auge gibt dir Licht. Wenn deine Augen das Licht einlassen, wirst du auch im Licht leben. [23]Verschließen sich deine Augen dem Licht, lebst du in Dunkelheit. Wenn aber das Licht in deinem Innern erloschen ist, wie tief ist dann die Finsternis!«

Macht euch keine Sorgen!
(Lukas 12,22–31; 16,13)

[24]»Niemand kann zwei Herren gleichzeitig dienen. Wer dem einen richtig dienen will, wird sich um die Wünsche des anderen nicht kümmern können. Er wird sich für den einen einsetzen und den anderen vernachlässigen. Auch ihr könnt nicht gleichzeitig für Gott und das Geld leben.

[25]Darum sage ich euch: Macht euch keine Sorgen um euren Lebensunterhalt, um Essen, Trinken und Kleidung. Leben bedeutet mehr als Essen und Trinken, und der Mensch ist wichtiger als seine Kleidung. [26]Seht euch die Vögel an! Sie säen nichts, sie ernten nichts und sammeln auch keine Vorräte. Euer Vater im Himmel versorgt sie. Meint ihr nicht, dass ihr ihm viel wichtiger seid? [27]Und wenn ihr euch noch so viel sorgt, könnt ihr doch euer Leben um keinen Augenblick verlängern.

[28]Weshalb macht ihr euch so viele Sorgen um eure Kleidung? Seht euch an, wie die Lilien auf den Wiesen blühen! Sie können weder spinnen noch weben. [29]Ich sage euch, selbst König Salomo war in seiner ganzen Herrlichkeit nicht so prächtig gekleidet wie eine dieser Blumen. [30]Wenn Gott sogar das Gras so schön wachsen lässt, das heute auf der Wiese grünt, morgen aber schon verbrannt wird, wie könnte er euch dann vergessen? Vertraut ihr Gott so wenig?

[31]Zerbrecht euch also nicht mehr den Kopf mit Fragen wie: ›Werden wir genug zu essen haben? Und was werden wir trinken? Was sollen wir anziehen?‹ [32]Mit solchen Dingen beschäftigen sich nur Menschen, die Gott nicht kennen. Euer Vater im Himmel weiß doch genau, dass ihr dies alles braucht. [33]Sorgt euch vor allem um Gottes neue Welt, und lebt nach Gottes Willen! Dann wird er euch mit allem anderen versorgen. [34]Deshalb sorgt euch nicht um morgen – der nächste Tag wird für sich selber sorgen! Es ist doch genug, wenn jeder Tag seine eigenen Lasten hat.«

Verurteilt niemanden!
(Lukas 6,37–38.41–42)

7 »Urteilt nicht über andere, damit Gott euch nicht verurteilt. [2]Denn so wie ihr jetzt andere verurteilt, werdet auch ihr verurteilt werden. Und mit dem Maßstab, den ihr an andere legt, wird man euch selber messen.

[3]Warum siehst du jeden kleinen Splitter im Auge deines Bruders, aber den Balken in deinem eigenen Auge bemerkst du nicht? [4]Du sagst: ›Mein Bruder, komm her! Ich will dir den Splitter aus dem Auge ziehen!‹ Dabei hast du selbst einen Balken im Auge! [5]Du Heuchler! Entferne zuerst den Balken aus deinem Auge, dann kannst du klar sehen, um auch den Splitter aus dem Auge deines Bruders zu ziehen.

6,19–21 Mk 10,21; Lk 12,16–21; Jak 5,2–3 **6,24** Lk 14,26; Jak 4,4 **6,25** Phil 4,6; 1 Petr 5,7 **6,26** 10,29–31 **6,29** 2 Chr 9,13–28 **6,30** 8,26 **6,31** 16,8 **6,33** 1 Kön 3,11–14; Röm 14,17 **7,1** Jak 4,11–12 **7,2** Röm 14,10–12

[6] Werft, was heilig ist, nicht vor die Hunde! Sie werden euch angreifen und in Stücke reißen. Und werft eure Perlen nicht vor die Säue! Sie werden die Perlen nur zertreten!«

Gott erhört Gebete
(Lukas 11,5–13)

[7] »Bittet Gott, und er wird euch geben! Sucht, und ihr werdet finden! Klopft an, und euch wird die Tür geöffnet! [8] Denn wer bittet, der bekommt. Wer sucht, der findet. Und wer anklopft, dem wird geöffnet.

[9] Würde jemand von euch seinem Kind einen Stein geben, wenn es um ein Stück Brot bittet? [10] Oder eine giftige Schlange, wenn es um einen Fisch bittet? [11] Wenn schon ihr hartherzigen Menschen euren Kindern Gutes gebt, wie viel mehr wird euer Vater im Himmel denen Gutes schenken, die ihn darum bitten!

[12] So wie ihr von den Menschen behandelt werden möchtet, so behandelt sie auch. Denn das ist die Botschaft des Gesetzes und der Propheten.«

Zwei Wege
(Lukas 13,24)

[13] »Geht durch das enge Tor! Denn das Tor zum Verderben ist breit und ebenso der Weg dorthin! Viele Menschen gehen ihn. [14] Aber das Tor, das zum Leben führt, ist eng, und der Weg dorthin ist schmal. Deshalb finden ihn nur wenige.«

Eine Warnung vor falschen Propheten
(Lukas 6,43–45)

[15] »Nehmt euch in Acht vor denen, die in Gottes Namen auftreten und falsche Lehren verbreiten! Sie tarnen sich als sanfte Schafe, aber in Wirklichkeit sind sie reißende Wölfe. [16] Wie man einen Baum an seiner Frucht erkennt, so erkennt man sie an dem, was sie tun. Weintrauben kann man nicht von Dornbüschen und Feigen nicht von Disteln ernten.

[17] Ein guter Baum bringt gute Früchte und ein kranker Baum schlechte. [18] Ein guter Baum wird keine schlechten Früchte tragen und ein kranker Baum keine guten. [19] Jeder Baum, der keine guten Früchte bringt, wird umgehauen und verbrannt. [20] Ebenso werdet ihr die falschen Propheten an ihren Taten erkennen.«

(Lukas 6,46; 13,26–27)

[21] »Nicht, wer mich dauernd ›Herr‹ nennt, wird in Gottes neue Welt kommen, sondern wer den Willen meines Vaters im Himmel tut. [22] Am Tag des Gerichts werden zwar viele sagen: ›Aber Herr, wir haben doch als deine Propheten das weitergesagt, was du selbst uns aufgetragen hast! Wir haben doch in deinem Namen Dämonen ausgetrieben und mächtige Taten vollbracht!‹ [23] Aber ich werde ihnen antworten: ›Ich kenne euch nicht, denn ihr habt nicht nach meinem Willen gelebt. Geht mir aus den Augen!‹«

Ein festes Fundament
(Lukas 6,47–49)

[24] »Wer meine Worte hört und danach handelt, der ist klug. Man kann ihn mit einem Mann vergleichen, der sein Haus auf felsigen Grund baut. [25] Wenn ein Wolkenbruch niedergeht, das Hochwasser steigt und der Sturm am Haus rüttelt, wird es trotzdem nicht einstürzen, weil es auf Felsengrund gebaut ist. [26] Wer sich meine Worte nur anhört, aber nicht danach lebt, der ist so unvernünftig wie einer, der sein Haus auf Sand baut. [27] Denn wenn ein Wolkenbruch kommt, die Flut das Land überschwemmt und der Sturm um das Haus tobt, wird es aus allen Fugen geraten und krachend einstürzen.«

7,6 10,14; Lk 23,8–9 **7,7** Jer 29,13–14; Joh 15,7* **7,11** Jak 1,17 **7,12** 22,36–40; Röm 13,8–10 **7,14** Joh 14,6 **7,15** Röm 16,17–18; 2 Tim 3,5 **7,16** Gal 5,19–23 **7,17–18** 12,33–35 **7,19** 3,10 **7,21** 21,28–31; Jak 1,22–25 **7,23** 25,41; 2 Tim 2,19 **7,26** Jak 1,22

Die Wirkung der Bergpredigt

[28] Als Jesus seine Rede beendet hatte, waren die Zuhörer von seinen Worten tief beeindruckt. [29] Denn anders als ihre Schriftgelehrten sprach Jesus mit einer Vollmacht, die Gott ihm verliehen hatte.

Jesus heilt einen Aussätzigen
(Markus 1,40–45; Lukas 5,12–16)

8 Eine große Menschenmenge folgte Jesus, als er vom Berg herabstieg. [2] Da kam ein Aussätziger und fiel vor Jesus nieder: »Herr, wenn du willst, kannst du mich heilen!«

[3] Jesus streckte die Hand aus, berührte ihn und sagte: »Ich will es tun! Sei gesund!« Im selben Augenblick war der Mann von seiner Krankheit geheilt. [4] Da befahl ihm Jesus: »Sag niemandem etwas, sondern geh sofort zum Priester, und lass dich von ihm untersuchen. Bring das Opfer dar, wie es Mose vorgeschrieben hat.[a] So werden die Priester sehen, dass ich im Auftrag Gottes handle.«

Ein römischer Hauptmann vertraut Jesus
(Lukas 7,1–10; 13,28–30; Johannes 4,46–53)

[5] Als Jesus in Kapernaum eintraf, kam ein römischer Hauptmann zu ihm [6] und sagte: »Herr, heile meinen Diener! Er liegt gelähmt im Bett und leidet entsetzlich.« [7] Jesus antwortete: »Ich will mitkommen und ihn heilen.« [8] Der Hauptmann erwiderte: »Herr, ich bin nicht wert, dich in meinem Haus zu empfangen. Sag nur ein einziges Wort, dann wird mein Diener gesund. [9] Auch ich habe Vorgesetzte, denen ich gehorchen muss, und ich erteile selbst Befehle an meine Soldaten. Wenn ich zu einem sage: ›Geh!‹, dann geht er. Befehle ich einem anderen: ›Komm!‹, dann kommt er. Und wenn ich zu meinem Diener sage: ›Tu dies!‹, dann führt er meinen Auftrag aus.«

[10] Als Jesus das hörte, wunderte er sich sehr. Er sagte zu den Menschen, die ihm gefolgt waren: »Eins ist sicher: Unter allen Juden in Israel bin ich keinem Menschen mit einem so festen Glauben begegnet. [11] Und ich sage euch: Viele Menschen aus aller Welt werden kommen und mit Abraham, Isaak und Jakob im Himmel das Freudenfest feiern. [12] Aber die ursprünglich für Gottes neue Welt bestimmt waren, werden in die tiefste Finsternis hinausgestoßen, wo es nur Heulen und ohnmächtiges Jammern geben wird.«

[13] Dann sagte Jesus zu dem Hauptmann: »Geh wieder nach Hause! Was du geglaubt hast, ist Wirklichkeit geworden.« Zur selben Zeit wurde der Diener gesund.

Viele werden geheilt
(Markus 1,29–34; Lukas 4,38–41)

[14] Als Jesus in das Haus des Petrus kam, lag dessen Schwiegermutter mit hohem Fieber im Bett. [15] Jesus ergriff ihre Hand, und sofort war das Fieber verschwunden. Sie konnte sogar aufstehen und für ihre Gäste sorgen.

[16] Am selben Abend brachte man viele von Dämonen beherrschte Menschen zu Jesus. Er brauchte nur ein Wort zu sagen, und die Besessenen wurden frei und alle Kranken geheilt. [17] Dies geschah, damit sich die Vorhersage des Propheten Jesaja erfüllte: »Er nahm unsere Leiden auf sich und heilte unsere Krankheiten.«[b]

Nachfolge duldet keinen Aufschub
(Lukas 9,57–62)

[18] Als Jesus merkte, dass die Menschenmenge um ihn immer größer wurde, ließ

---

[a] Vgl. 3. Mose 14,2–32
[b] Jesaja 53,4
7,28–29 Mk 1,22; Joh 7,46 **8,4** 9,30; 12,16 **8,8** Mk 1,7; 1 Kor 15,9 **8,11** Jes 2,2–3; 25,6 **8,13** 9,29; 15,28 **8,14** 1 Kor 9,5 **8,15** 9,25

er sich von seinen Jüngern über den See an das andere Ufer rudern. [19] Da kam ein Schriftgelehrter zu ihm und sagte: »Lehrer, ich will mit dir gehen, ganz gleich wohin!« [20] Jesus antwortete ihm: »Die Füchse haben ihren Bau, die Vögel ihre Nester; aber der Menschensohn hat keinen Platz, an dem er sich ausruhen kann.«

[21] Einer, der zu seinen Jüngern gehörte, bat Jesus: »Herr, ich will erst noch meinen Vater bestatten, aber dann möchte ich mit dir ziehen.[a]« [22] Doch Jesus erwiderte: »Komm jetzt mit mir, und überlass es den Toten, ihre Toten zu begraben!«

Herr über Wind und Wellen
(Markus 4,35–41; Lukas 8,22–25)

[23] Danach stieg Jesus in ein Boot und fuhr mit seinen Jüngern weg. [24] Mitten auf dem See brach plötzlich ein gewaltiger Sturm los, so dass die Wellen ins Boot schlugen. Aber Jesus schlief. [25] Da weckten ihn die Jünger und riefen voller Angst: »Herr, hilf uns, wir gehen unter!« [26] Jesus antwortete: »Warum habt ihr Angst? Habt ihr denn kein Vertrauen zu mir?« Dann stand er auf und bedrohte den Wind und die Wellen. Sofort legte sich der Sturm, und es wurde ganz still.

[27] Alle fragten sich voller Staunen: »Was ist das für ein Mensch? Selbst Wind und Wellen gehorchen ihm!«

Von Dämonen beherrschte Menschen werden frei
(Markus 5,1–20; Lukas 8,26–39)

[28] Als Jesus am anderen Seeufer die Gegend um Gadara erreichte, liefen ihm zwei Männer entgegen, die von Dämonen beherrscht wurden. Sie hausten in Grabhöhlen und waren so gefährlich, dass sich niemand in ihre Nähe wagte. [29] Sie fingen an zu schreien: »Was willst du von uns, du Sohn Gottes? Bist du gekommen, um uns schon jetzt zu quälen?« [30] In einiger Entfernung wurde eine große Schweineherde gehütet. [31] Die Dämonen baten ihn: »Wenn du uns schon austreibst, dann lass uns wenigstens in diese Schweineherde fahren!« [32] Jesus befahl ihnen: »Ja, fort mit euch!« Da ließen die Dämonen die Männer frei, bemächtigten sich der Schweine, und die ganze Herde stürzte den Abhang hinunter und ertrank im See.

[33] Verstört flohen die Hirten in die Stadt und erzählten, wie die Besessenen befreit worden waren. [34] Nun liefen alle Leute aus der Stadt Jesus entgegen. Sie baten ihn, ihre Gegend wieder zu verlassen.

Jesus hat die Macht, Sünden zu vergeben
(Markus 2,1–12; Lukas 5,17–26)

9 Jesus stieg in ein Boot und fuhr über den See zurück nach Kapernaum, wo er wohnte[b]. [2] Dort brachten sie auf einer Trage einen Gelähmten zu ihm. Als Jesus ihren festen Glauben sah, sagte er zu dem Gelähmten: »Hab keine Angst, mein Sohn! Deine Sünden sind dir vergeben.«

[3] »Dieser Gotteslästerer!«, dachten sich einige Schriftgelehrte. [4] Jesus durchschaute sie und fragte: »Warum habt ihr so böse Gedanken? [5] Ist es leichter zu sagen: ›Dir sind deine Sünden vergeben!‹ oder diesen Gelähmten zu heilen? [6] Aber ich will euch zeigen, dass der Menschensohn die Macht hat, hier auf der Erde Sünden zu vergeben!« Und er forderte den Gelähmten auf: »Steh auf, nimm deine Trage und geh nach Hause!« [7] Da stand der Mann auf und ging nach Hause. [8] Als die Leute das sahen, erschraken sie. Sie lobten Gott, der den Menschen so große Macht gegeben hatte.

---

[a] »aber … ziehen« ist sinngemäß ergänzt.
[b] Wörtlich: in seine Stadt.

8,20 1 Kor 4,11 **8,21–22** 10,37 **8,26** 14,31; 16,8; Ps 89,10; 107,23–29 **8,29** Mk 1,24; 3,11 **9,1** 4,13 **9,2** Lk 7,48; Ps 130,4; Jes 43,25 **9,3** 26,65 **9,4** Joh 2,25 **9,6** Joh 5,36

Der Zolleinnehmer Matthäus
(Markus 2,13–17; Lukas 5,27–32)

[9] Als Jesus durch die Stadt ging, sah er den Zolleinnehmer Matthäus am Zoll sitzen. Jesus forderte ihn auf: »Komm, geh mit mir!« Sofort stand Matthäus auf und folgte ihm.

[10] Später war Jesus mit seinen Jüngern bei Matthäus zu Gast. Matthäus hatte viele Zolleinnehmer eingeladen und andere Leute mit schlechtem Ruf. [11] »Weshalb gibt sich euer Lehrer mit solchem Gesindel ab?«, fragten die Pharisäer seine Jünger. [12] Jesus hörte das und antwortete: »Die Gesunden brauchen keinen Arzt, sondern die Kranken! [13] Begreift doch endlich, was Gott meint, wenn er sagt: ›Nicht auf eure Opfer oder Gaben kommt es mir an, sondern darauf, dass ihr barmherzig seid.‹[a] Ich bin gekommen, um Menschen in die Gemeinschaft mit Gott zu rufen, die ohne ihn leben – und nicht solche, die sich sowieso an seine Gebote halten.«

Neue Formen für das neue Leben
(Markus 2,18–22; Lukas 5,33–39)

[14] Eines Tages kamen die Jünger des Johannes zu Jesus und erkundigten sich: »Warum fasten deine Jünger eigentlich nicht wie wir und die Pharisäer?« [15] Jesus fragte: »Sollen die Hochzeitsgäste denn traurig sein, solange der Bräutigam noch bei ihnen ist? Die Zeit kommt früh genug, dass der Bräutigam ihnen genommen wird. Dann werden sie fasten.

[16] Niemand flickt ein altes Kleid mit neuem Stoff. Der alte Stoff würde an der Flickstelle doch wieder reißen, und das Loch würde nur noch größer. [17] Ebenso füllt niemand jungen, gärenden Wein in alte, brüchige Schläuche. Sonst platzen sie, der Wein läuft aus, und die Schläuche sind unbrauchbar. Nein, jungen Wein füllt man in neue Schläuche! Nur so bleibt beides erhalten.«

Macht über Krankheit und Tod
(Markus 5,21–43; Lukas 8,40–56)

[18] Als Jesus noch mit ihnen redete, kam ein Vorsteher der jüdischen Gemeinde zu ihm, warf sich vor ihm nieder und sagte: »Meine Tochter ist gerade gestorben. Aber du kannst sie wieder lebendig machen. Komm doch und leg deine Hände auf sie!«

[19] Während Jesus mit seinen Jüngern zum Haus des Mannes ging, [20] berührte eine Frau, die seit zwölf Jahren an schweren Blutungen litt, von hinten heimlich eine Quaste seines Gewandes. [21] Denn sie dachte: »Wenn ich wenigstens seine Kleider berühren kann, werde ich bestimmt gesund.« [22] Jesus drehte sich um, sah sie an und sagte: »Sei unbesorgt, meine Tochter! Dein Glaube hat dir geholfen.« Im selben Augenblick war die Frau gesund.

[23] Jesus kam zum Haus des Synagogenvorstehers. Als er den Tumult der Leute sah und die Trauermusik hörte, sagte er: [24] »Geht alle hinaus! Das Mädchen ist nicht tot, es schläft nur.« Da lachten sie ihn aus. [25] Als die Leute endlich hinausgetrieben waren, trat Jesus in das Zimmer des Mädchens und nahm die Hand des Kindes. Da stand das Mädchen auf und war gesund. [26] Die Nachricht davon verbreitete sich wie ein Lauffeuer in der ganzen Gegend.

Blinde sehen

[27] Als Jesus weiterging, liefen ihm zwei Blinde nach und schrien: »Du Sohn Davids! Hilf uns doch!« [28] Sie folgten ihm bis in das Haus, in dem er wohnte. Jesus fragte sie: »Glaubt ihr denn, dass ich euch helfen kann?« »Ja, Herr!«, antworteten sie. [29] Da berührte er ihre Augen und sag-

---

[a] Hosea 6,6

9,9 4,18–22 **9,11** 11,19; Lk 15,2 **9,13** 12,7; 1 Sam 15,22* **9,14** Lk 18,12 **9,15** 22,2 **9,20** 3 Mo 15,25–27 **9,21** Mk 3,10 **9,22** Mk 5,34* **9,24** Joh 11,11–13.25 **9,25** 8,15 **9,27** 20,30–31* **9,29** 8,13; 15,28

te: »Was ihr mir zutraut, das soll sich erfüllen.« [30] Sofort konnten sie sehen. Jesus aber befahl ihnen nachdrücklich: »Niemand darf von eurer Heilung erfahren.« [31] Trotzdem gingen sie los und erzählten in der ganzen Gegend von Jesus.

Jesus heilt – der Widerstand wächst

[32] Als die beiden gegangen waren, brachte man einen Stummen zu ihm, der von einem bösen Geist beherrscht wurde. [33] Jesus trieb diesen Dämon aus, und sofort konnte der Mann reden. Darüber wunderten sich die Leute sehr und riefen: »So etwas haben wir in Israel noch nie erlebt!«

[34] Aber die Pharisäer redeten ihnen ein: »Er hat seine Macht vom Obersten aller Dämonen bekommen, darum kann er die Menschen von bösen Geistern befreien.«

Jesus hat Mitleid mit den Menschen
(Markus 6,34; Lukas 10,2)

[35] Danach zog Jesus durch die Städte und Dörfer. Er sprach in den Synagogen und verkündete überall im Land die rettende Botschaft von Gottes neuer Welt. Wohin er auch kam, heilte er alle Krankheiten und Leiden. [36] Als er die vielen Menschen sah, hatte er großes Mitleid mit ihnen. Sie waren hilflos und verängstigt wie eine Schafherde ohne Hirte.

[37] »Die Ernte ist groß, aber es gibt nur wenige Arbeiter«, sagte Jesus zu seinen Jüngern. [38] »Darum bittet den Herrn, dass er noch mehr Arbeiter aussendet, die seine Ernte einbringen!«

Die zwölf Apostel
(Markus 3,13–19; Lukas 6,13–16; Apostelgeschichte 1,13)

10 In dieser Zeit rief Jesus seine zwölf Jünger zu sich und gab ihnen die Macht, böse Geister auszutreiben und die Kranken und Leidenden zu heilen.

[2] Das sind die Namen der zwölf Apostel: Simon, den man auch Petrus nannte, und sein Bruder Andreas; Jakobus, der Sohn des Zebedäus, und sein Bruder Johannes; [3] Philippus und Bartholomäus; Thomas und Matthäus, der ehemalige Zolleinnehmer; Jakobus, der Sohn des Alphäus, und Thaddäus; [4] Simon, der ehemalige Freiheitskämpfer, und Judas Iskariot, der Jesus später verriet.

Der Auftrag an die Apostel
(Markus 6,7–11; Lukas 9,1–6; 10,3–12)

[5] Diese Zwölf sandte Jesus aus und gab ihnen folgenden Auftrag: »Geht nicht zu den Nichtjuden oder in die Städte der Samariter, [6] sondern geht nur zu den Menschen aus dem Volk Israel, die sich von Gott entfernt haben. Sie sind wie Schafe, die ohne ihren Hirten verloren sind. [7] Ihnen sollt ihr diese Nachricht bringen: ›Jetzt beginnt Gottes neue Welt!‹ [8] Heilt Kranke, weckt Tote auf, macht Aussätzige gesund und treibt Dämonen aus!

Tut alles, ohne etwas dafür zu verlangen, denn ihr habt auch die Kraft dazu ohne Gegenleistung bekommen. [9] Nehmt kein Geld mit auf die Reise, weder Goldstücke noch Silber- oder Kupfermünzen, [10] auch keine Tasche, kein zweites Hemd, keine Schuhe und keinen Wanderstock. Denn weil ihr den Menschen dient, sollen sie für euch sorgen.

[11] Wenn ihr in eine Stadt oder in ein Dorf kommt, dann sucht jemanden, der würdig ist, euch aufzunehmen. Dort bleibt, bis ihr weiterzieht. [12] Wenn ihr in ein Haus eintretet, dann sagt: ›Friede sei mit euch!‹ [13] Wenn seine Bewohner euch und eure Botschaft annehmen,[a] so wird der Friede, den ihr bringt, in diesem Haus bleiben. Tun sie dies nicht, so wird der Friede nicht bei ihnen sein.

---

[a] Wörtlich: Wenn das Haus würdig ist.

9,30 Mk 7,36* **9,33** 15,31 **9,34** 12,24–29 **9,35** 4,23 **9,36** Hes 34,5–6.11 **10,2** 16,18 **10,3** 9,9 **10,4** 26,47–50 **10,6** 15,24 **10,7** 4,17.23 **10,8** Mk 16,17–18 **10,10** 1 Kor 9,4.14; 1 Tim 5,18

[14] Wenn ihr in einer Stadt oder in einem Haus nicht willkommen seid und man eure Botschaft nicht hören will, so geht fort und schüttelt den Staub von euren Füßen als Zeichen dafür, dass ihr die Stadt dem Urteil Gottes überlasst[a]. [15] Ich sage euch: Den Einwohnern von Sodom und Gomorra wird es am Tag des Gerichts besser ergehen als den Menschen einer solchen Stadt.«

Jünger müssen mit Widerstand rechnen
(Markus 13,9–13; Lukas 12,11–12; 21,12–19)

[16] »Hört mir zu: Ich schicke euch wie Schafe mitten unter die Wölfe. Seid klug wie Schlangen, aber ohne Verschlagenheit wie Tauben. [17] Nehmt euch in Acht vor den Menschen! Denn sie werden euch vor die Gerichte zerren, und in den Synagogen wird man euch auspeitschen. [18] Nur weil ihr zu mir gehört, werdet ihr vor Machthabern und Königen verhört werden. Dort werdet ihr meine Botschaft bezeugen, denn sie und alle Völker müssen von mir erfahren.

[19] Wenn sie euch vor Gericht bringen, braucht ihr euch nicht darum zu sorgen, was ihr aussagen sollt! Denn zur rechten Zeit wird Gott euch das rechte Wort geben. [20] Nicht ihr werdet es sein, die Rede und Antwort stehen, sondern der Geist eures Vaters im Himmel wird durch euch sprechen.

[21] In dieser Zeit wird ein Bruder den anderen dem Henker ausliefern. Väter werden ihre eigenen Kinder anzeigen. Kinder werden gegen ihre Eltern vorgehen und sie hinrichten lassen. [22] Alle Welt wird euch hassen, weil ihr euch zu mir bekennt. Aber wer bis zum Ende durchhält, wird gerettet.

[23] Wenn man euch in der einen Stadt verfolgt, dann flieht in eine andere. Ich versichere euch: Noch ehe ihr meinen Auftrag in allen Städten Israels ausgeführt habt, wird der Menschensohn kommen. [24] Ein Schüler steht nicht über seinem Lehrer, und ein Diener hat es nicht besser als sein Herr. [25] Sie können zufrieden sein, wenn es ihnen genauso geht wie ihren Lehrern und Herren. Wenn sie aber den Herrn des Hauses schon Obersten Teufel[b] genannt haben, was werden sie erst zu seinen Angehörigen sagen?«

Habt keine Angst vor den Menschen!
(Lukas 12,2–9; Markus 8,38)

[26] »Fürchtet euch nicht vor denen, die euch bedrohen. Denn jetzt kommt bald die Zeit, in der das Verborgene ans Licht kommt und alle Geheimnisse enthüllt werden. [27] Was ich euch im Dunkeln sage, das gebt am helllichten Tag weiter! Was ich euch ins Ohr flüstere, das ruft vor aller Welt laut hinaus! [28] Habt keine Angst vor den Menschen, die zwar den Körper, aber nicht die Seele töten können! Fürchtet vielmehr Gott, der Leib und Seele in der Hölle vernichten kann.

[29] Welchen Wert hat schon ein Spatz auf dem Dach? Man kann zwei von ihnen für einen Spottpreis kaufen! Trotzdem fällt keiner tot zur Erde, wenn es euer Vater nicht will. [30] Bei euch sind sogar die Haare auf dem Kopf alle gezählt. [31] Darum habt keine Angst! Ihr seid Gott mehr wert als ein ganzer Spatzenschwarm.

[32] Wer sich vor den Menschen zu mir bekennt, zu dem werde ich mich auch vor meinem Vater im Himmel bekennen. [33] Wer aber vor den Menschen nicht zu mir steht, zu dem werde ich auch vor meinem Vater im Himmel nicht stehen.«

---

[a] »als Zeichen … überlasst« ist sinngemäß ergänzt.
[b] Wörtlich: Beelzebul.

10,14 Apg 13,51; 18,6 **10,15** 1 Mo 19,24–25* **10,16** Röm 16,19; Eph 5,15 **10,17** Apg 5,40; 7,57–58; 2 Kor 11,24 **10,18** Apg 25,23; 27,24 **10,19–20** Joh 15,26*; Apg 4,8.13; 1 Kor 2,4 **10,22** 5,11–12; Joh 15,18–19 **10,23** Apg 8,1; Mt 16,28 **10,25** 9,34 **10,28** Ps 56,5; Hebr 10,31 **10,31** 6,26 **10,33** 2 Tim 2,12

Konsequenzen der Nachfolge
(Lukas 12,51–53; 14,26–27; Markus 8,34–35; Johannes 12,25)

[34]»Meint nur nicht, dass ich gekommen bin, um Frieden auf die Erde zu bringen. Nein, ich bringe Kampf! [35]Ich werde Vater und Sohn, Mutter und Tochter, Schwiegertochter und Schwiegermutter gegeneinander aufbringen. [36]Die schlimmsten Feinde werden in der eigenen Familie sein.

[37]Wer seinen Vater oder seine Mutter, seinen Sohn oder seine Tochter mehr liebt als mich, der ist es nicht wert, mein Jünger zu sein. [38]Und wer nicht bereit ist, sein Kreuz auf sich zu nehmen und mir nachzufolgen, der kann nicht zu mir gehören. [39]Wer sich an sein Leben klammert, der wird es verlieren. Wer es aber für mich einsetzt, der wird es für immer gewinnen.«

Nichts bleibt ohne Lohn
(Markus 9,41; Lukas 10,16; Johannes 13,20)

[40]»Wer euch aufnimmt, der nimmt mich auf, und wer mich aufnimmt, der nimmt Gott auf, der mich gesandt hat. [41]Wer einen Propheten aufnimmt, weil Gott diesen beauftragt hat, der wird auch wie ein Prophet belohnt werden. Und wer einen Menschen aufnimmt, weil dieser nach Gottes Willen lebt, wird denselben Lohn wie dieser empfangen. [42]Wer einen meiner unbedeutendsten Jünger auch nur mit einem Schluck kaltem Wasser erfrischt, weil dieser zu mir gehört, der wird seinen Lohn erhalten. Darauf könnt ihr euch verlassen!«

11 Nachdem Jesus seinen zwölf Jüngern diese Anweisungen gegeben hatte, zog er weiter, um die Menschen in den Städten des Landes zu lehren und ihnen die rettende Botschaft zu verkünden.

Jesus und Johannes der Täufer
(Lukas 7,18–30)

[2]Johannes der Täufer saß zu der Zeit im Gefängnis und hörte dort von den Taten Jesu Christi. Er schickte seine Jünger mit der Frage zu Jesus: [3]»Bist du wirklich der Retter, der kommen soll, oder müssen wir auf einen anderen warten?«

[4]Jesus antwortete: »Geht zu Johannes zurück und erzählt ihm, was ihr hört und seht: [5]Blinde sehen, Gelähmte gehen, Aussätzige werden geheilt, Taube hören, Tote werden wieder lebendig, und den Armen wird die rettende Botschaft verkündet. [6]Und sagt ihm: Glücklich ist jeder, der nicht an mir Anstoß nimmt.«

[7]Als die Jünger des Johannes gegangen waren, wandte sich Jesus an die Menschen, die sich um ihn versammelt hatten, und fragte: »Was habt ihr von Johannes erwartet, als ihr zu ihm in die Wüste hinausgegangen seid? Wolltet ihr ein Schilfrohr sehen, das bei jedem Windhauch hin- und herschwankt? [8]Oder wolltet ihr einen Mann in vornehmer Kleidung sehen? Dann hättet ihr in die Königspaläste gehen müssen! [9]Oder wolltet ihr einem Propheten begegnen? Ja, Johannes ist ein Prophet, und mehr als das. [10]Er ist der Mann, von dem es in der Heiligen Schrift heißt: ›Ich sende meinen Boten dir voraus, der dein Kommen ankündigt und die Menschen darauf vorbereitet.‹[a] [11]Ja, ich versichere euch: Von allen Menschen, die je geboren wurden, ist keiner bedeutender als Johannes der Täufer. Trotzdem ist der Geringste in Gottes neuer Welt größer als er. [12]Seit Johannes der Täufer da ist, beginnt Gottes neue Welt, wenn auch andere das mit Gewalt verhindern wollen. [13]Das ganze Gesetz und die Propheten bis hin zu Johannes haben darauf hingewiesen. [14]Wenn ihr es begreifen könnt: Johannes ist Elia, dessen Kommen angekündigt wurde. [15]Hört genau auf das, was ich euch sage.«

---

[a] Maleachi 3,1

10,35 10,21; 24,10 **10,37** 8,21–22; 5 Mo 33,9 **10,38–39** 16,24–25 **10,40** 18,5; Gal 4,14 **10,42** 25,40
11,2 14,3–4 **11,3** 3,11–12 **11,5** Jes 29,18–19* **11,7** 3,5 **11,9** Lk 1,76 **11,14** 17,10–13; Lk 1,17

Jesu Urteil über seine Zeitgenossen
(Lukas 7,31–35; 10,13–15)

[16]»Wie soll ich die Menschen von heute beschreiben? Sie sind wie spielende Kinder auf der Straße, die ihren Freunden zurufen: [17]›Wir haben Hochzeitslieder gespielt, und ihr habt nicht getanzt. Dann haben wir Klagelieder gesungen, und ihr habt nicht geweint.‹ [18]Johannes fastete oft und trank keinen Wein. Da habt ihr gesagt: ›Der ist ja von einem bösen Geist besessen!‹ [19]Nun ist der Menschensohn gekommen, isst und trinkt wie jeder andere, und ihr beschimpft ihn: ›Er frisst und säuft, und seine Freunde sind die Zolleinnehmer und anderes Gesindel!‹ Doch wie Recht die Weisheit Gottes hat, erweist sich in dem, was sie bewirkt.«

[20]Dann drohte Jesus den Städten, in denen er die meisten Wunder getan hatte und die trotzdem nicht zu Gott umgekehrt waren: [21]»Weh euch, ihr Einwohner von Chorazin und Betsaida! Wenn die Wunder, die ich bei euch getan habe, in den nichtjüdischen Städten Tyrus oder Sidon geschehen wären, ihre Einwohner hätten längst Trauerkleider angezogen, sich Asche auf den Kopf gestreut und wären zu Gott umgekehrt! [22]Das kann ich euch versichern: Am Tag des Gerichts wird es Tyrus und Sidon besser ergehen als euch! [23]Und du, Kapernaum, wirst du etwa zum Himmel erhoben werden? Nein, zur Hölle wirst du fahren! Wenn die Taten, die du erlebt hast, in Sodom geschehen wären, die Stadt würde noch heute stehen. [24]Darauf kannst du dich verlassen: Es wird Sodom am Gerichtstag besser ergehen als dir!«

Die neue Lebensordnung
(Lukas 10,21–22)

[25]Jesus betete: »Mein Vater, Herr über Himmel und Erde! Ich danke dir, dass du die Wahrheit vor den Klugen und Gebildeten verbirgst und sie den Unwissenden enthüllst. [26]Ja, Vater, so entspricht es deinem Willen. [27]Mein Vater hat mir alle Macht gegeben. Nur der Vater kennt den Sohn. Und nur der Sohn kennt den Vater und jeder, dem der Sohn ihn zeigt.

[28]Kommt alle her zu mir, die ihr euch abmüht und unter eurer Last leidet! Ich werde euch Ruhe geben. [29]Lasst euch von mir in den Dienst nehmen, und lernt von mir! Ich meine es gut mit euch und sehe auf niemanden herab. Bei mir findet ihr Ruhe für euer Leben. [30]Mir zu dienen ist keine Bürde für euch, meine Last ist leicht.«

Gesetzlichkeit oder Liebe?
(Markus 2,23–28; Lukas 6,1–11)

12 An einem Sabbat ging Jesus mit seinen Jüngern durch die Getreidefelder. Die Jünger waren hungrig und rissen Ähren ab, um die Körner zu essen. [2]Als das die Pharisäer sahen, beschwerten sie sich bei Jesus: »Sieh dir das an! Es ist doch verboten, am Sabbat Getreide zu ernten!«

[3]Aber Jesus antwortete ihnen: »Habt ihr denn nie gelesen, was David und seine Männer getan haben? Als sie hungrig waren, [4]gingen sie in das Haus Gottes und aßen von dem Brot, das Gott geweiht war und das nur die Priester essen durften.[a] [5]Habt ihr nicht außerdem im Gesetz gelesen, dass die Priester auch am Sabbat im Tempel arbeiten und so die Sabbatvorschriften übertreten? Trotzdem sind sie frei von Schuld. [6]Ich will euch nur das eine sagen: Hier ist einer, der ist mehr als der Tempel. [7]Wenn ihr verstanden hättet, was das bedeutet: ›Nicht auf eure Opfer oder Gaben kommt es mir an, sondern darauf, dass ihr barmherzig seid!‹[b], dann würdet ihr nicht Unschuldige verurteilen. [8]Denn

---

[a] Vgl. 1. Samuel 21,2–7
[b] Hosea 6,6

11,18 Lk 1,15 **11,19** 9,10–11 **11,21–22** Jes 23,1–16* **11,21** Jona 3,6–9 **11,23** 4,13; 9,1 **11,24** 1 Mo 19,24–25* **11,25** 1 Kor 1,18–29 **11,27** Joh 1,18 **11,28** Jer 31,25 **11,30** 23,4 **12,1** 5 Mo 23,26 **12,2** 2 Mo 20,8–11* **12,3–4** 3 Mo 24,5–9 **12,5** 3 Mo 24,8; 4 Mo 28,9–10 **12,7** 9,13

ufer. [2] Bald hatte sich eine große Menschenmenge um ihn versammelt. Darum stieg er in ein Boot und redete von dort zu den Menschen am Ufer. [3] Was er ihnen von Gott zu sagen hatte, erklärte er ihnen durch Gleichnisse.

Das Gleichnis vom Bauern, der Getreide aussät
(Markus 4,1–9; Lukas 8,4–8)

»Ein Bauer säte Getreide aus. [4] Dabei fielen ein paar Saatkörner auf den Weg. Sofort kamen die Vögel und pickten sie auf. [5] Andere Körner fielen auf felsigen Boden, wo nur wenig Erde war. Dort ging die Saat zwar schnell auf, [6] aber als die Sonne heiß brannte, vertrockneten die Pflänzchen, weil ihre Wurzeln in der dünnen Erdschicht zu wenig Nahrung fanden. [7] Einige Körner fielen zwischen die Disteln, doch diese hatten die junge Saat bald überwuchert, so dass sie schließlich erstickte. [8] Die übrige Saat aber fiel auf fruchtbaren Boden und brachte das Dreißigfache, das Sechzigfache, ja sogar das Hundertfache der Aussaat als Ertrag. [9] Hört genau auf das, was ich euch sage!«

Warum redet Jesus in Gleichnissen?
(Markus 4,10–12; Lukas 8,9–10)

[10] Später kamen seine Jünger und fragten ihn: »Weshalb verwendest du solche Gleichnisse, wenn du zu den Leuten redest?« [11] Jesus antwortete: »Euch lässt Gott die Geheimnisse seiner neuen Welt verstehen, anderen sind sie verborgen. [12] Denn wer viel hat, der bekommt noch mehr dazu, ja, er wird mehr als genug haben! Wer aber nichts hat, dem wird selbst noch das Wenige, das er hat, genommen. [13] Deshalb rede ich in Gleichnissen. Denn sie sehen, aber sie erkennen nicht; sie hören, aber sie verstehen es nicht. [14] Damit erfüllt sich an ihnen, was der Prophet Jesaja vorausgesagt hat: ›Ihr werdet hören und nicht verstehen, sehen und nicht erkennen. [15] Denn das Herz dieses Volkes ist hart und gleichgültig. Sie sind schwerhörig und verschließen die Augen. Deshalb sehen und hören sie nicht. Sie sind nicht einsichtig und wollen nicht zu mir umkehren, darum kann ich ihnen nicht helfen und sie heilen.‹[a]

[16] Aber ihr könnt glücklich sein, denn eure Augen können sehen und eure Ohren können hören. [17] Ich sage euch: Viele Propheten und Menschen, die Gott dienten, hätten gern gesehen, was ihr seht, und gehört, was ihr hört, aber die Zeit war noch nicht da.«

Jesus erklärt das Gleichnis von der Aussaat
(Markus 4,13–20; Lukas 8,11–15)

[18] »Ich will euch nun das Gleichnis von dem Bauern erklären, der Getreide aussäte. [19] Wer die Botschaft von Gottes neuer Welt hört, sie aber nicht versteht, bei dem kommt der Satan und reißt die Saat aus seinem Herzen. Damit ist der gemeint, bei dem die Körner auf den Weg fielen.

[20] Wie felsiger Boden ist ein Mensch, der die Botschaft hört und mit großer Begeisterung annimmt. [21] Aber sein Glaube hat keine starke Wurzel und deshalb keinen Bestand. Wenn dieser Mensch wegen seines Glaubens in Schwierigkeiten gerät oder gar verfolgt wird, wendet er sich wieder von Gott ab.

[22] Der von Disteln überwucherte Boden entspricht einem Menschen, der die Botschaft zwar hört, aber die Sorgen des Alltags und die Verführung durch den Wohlstand ersticken Gottes Botschaft, so dass keine Frucht wachsen kann.

[23] Aber es gibt auch fruchtbaren Boden: den Menschen, der Gottes Botschaft hört und versteht, so dass er Frucht bringt, dreißig-, sechzig- oder hundertfach.«

---

[a] Jesaja 6,9–10

13,11 11,25; 1 Kor 2,10 **13,12** 25,29 **13,17** Hebr 11,13; 1 Petr 1,10–12 **13,21** 1 Thess 3,5 **13,22** 19,23–24; 1 Tim 6,9–10 **13,23** Joh 15,5

Das Gleichnis vom Unkraut im Weizen

[24] Jesus erzählte ein anderes Gleichnis: »Die neue Welt Gottes kann man vergleichen mit einem Bauern und der guten Saat, die er auf sein Feld säte. [25] Eines Nachts, als alles schlief, kam sein Feind, säte Unkraut zwischen den Weizen und schlich sich davon.

[26] Als nun die Saat heranwuchs, ging auch das Unkraut auf. [27] Da kamen die Arbeiter des Bauern und fragten ihn: ›Hast du denn nicht gute Saat auf dein Feld gesät? Woher kommt dann das Unkraut?‹

[28] ›Das muss mein Feind gewesen sein‹, antwortete der Bauer. ›Sollen wir das Unkraut ausreißen?‹, fragten die Arbeiter. [29] ›Nein, dabei würdet ihr ja den Weizen mit ausreißen. [30] Lasst beides bis zur Ernte wachsen.

Dann werde ich den Erntearbeitern befehlen: Sammelt zuerst das Unkraut ein, bindet es zusammen und verbrennt es! Den Weizen aber bringt in meine Scheune!‹«

Die Gleichnisse vom Senfkorn und vom Sauerteig
(Markus 4,30–32; Lukas 13,18–21)

[31] Noch ein anderes Gleichnis erzählte ihnen Jesus: »Mit der neuen Welt Gottes ist es wie mit einem Senfkorn, das auf ein Feld gesät wird. [32] Es ist der kleinste Same, den es gibt. Aber wenn er aufgeht und wächst, wird er größer als andere Sträucher, ja, er wird zu einem Baum, in dessen Zweigen die Vögel ihre Nester bauen. [33] Man kann Gottes neue Welt auch mit einem Sauerteig vergleichen, den eine Frau unter eine große Menge[a] Mehl mischt, bis alles durchsäuert ist.«

[34] Jesus benutzte immer wieder solche Gleichnisse, wenn er zu den Menschen sprach. In keiner seiner Predigten fehlten sie. [35] So sollte sich das Prophetenwort erfüllen: »Ich werde in Gleichnissen zu ihnen reden. Geheimnisse, die seit Weltbeginn verborgen waren, will ich ihnen enthüllen.«[b]

Jesus erklärt das Gleichnis vom Unkraut im Weizen

[36] Dann schickte Jesus die vielen Menschen fort und ging ins Haus. Später baten ihn seine Jünger: »Erklär uns doch das Gleichnis vom Unkraut auf dem Acker.« [37] Jesus antwortete: »Der Menschensohn selbst ist der Bauer, der die gute Saat aussät. [38] Der Acker ist die Welt, die Saat sind die Menschen, die zu Gottes neuer Welt gehören, und das Unkraut sind die Leute, die dem Satan gehorchen. [39] Der Feind, der das Unkraut zwischen den Weizen sät, ist der Teufel. Die Ernte ist das Ende der Welt, und die Erntearbeiter sind die Engel.

[40] Wie das Unkraut vom Weizen getrennt und verbrannt wird, so wird es auch am Ende der Welt sein: [41] Der Menschensohn wird seine Engel senden. Sie werden aus der neuen Welt Gottes alle, die Unrecht tun und andere zur Sünde verführen, aussondern [42] und sie in den brennenden Ofen werfen. Dort wird nur Heulen und ohnmächtiges Jammern zu hören sein. [43] Aber alle, die Gottes Willen tun, werden in der neuen Welt ihres Vaters leuchten wie die Sonne.

Hört genau auf das, was ich euch sage!«

Der Schatz und die kostbare Perle

[44] »Die neue Welt Gottes ist wie ein verborgener Schatz, den ein Mann in einem Acker entdeckte und wieder vergrub. In seiner Freude verkaufte er sein gesamtes Hab und Gut und kaufte dafür den Acker mit dem Schatz.

---

[a] Wörtlich: drei Sata (1 Saton entspricht etwa 13 Litern).
[b] Psalm 78,2

13,30 Offb 14,14–15 **13,31** 17,20 **13,32** Hes 17,22–23 **13,38** 1 Kor 3,9 **13,41** 24,31 **13,43** Dan 12,3 **13,44** 19,29; Phil 3,7–8

[45] Mit der neuen Welt Gottes ist es wie mit einem Kaufmann, der auf der Suche nach kostbaren Perlen ist. [46] Er entdeckt eine Perle von unschätzbarem Wert. Deshalb verkauft er alles, was er hat, und kauft dafür die Perle.«

Das Gleichnis vom Fischernetz

[47] »Man kann Gottes neue Welt auch mit einem Netz vergleichen, das ins Meer geworfen wird und in dem viele verschiedene Fische gefangen werden. [48] Wenn das Netz voll ist, zieht man es an Land, setzt sich hin und sortiert die guten Fische in Körbe. Die ungenießbaren aber werden weggeworfen.

[49] So wird es auch am Ende der Welt sein. Die Engel werden kommen und die gottlosen Menschen von denen trennen, die so leben, wie Gott es will. [50] Sie werden die Gottlosen in den brennenden Ofen werfen. Dort wird nur Heulen und ohnmächtiges Jammern zu hören sein.

[51] Versteht ihr das alles?« »Ja«, erwiderten sie. [52] Jesus fügte hinzu: »Jeder Schriftgelehrte, der zur neuen Welt Gottes gehört und davon reden kann, ist wie ein Hausherr, der aus seiner Vorratskammer Altes und Neues hervorholt.«

Jesus in seiner Heimatstadt Nazareth
(Markus 6,1–6; Lukas 4,16–30)

[53] Nachdem Jesus diese Gleichnisse erzählt hatte, verließ er die Gegend, [54] kehrte in seinen Heimatort Nazareth zurück und sprach dort in der Synagoge.

Alle staunten über ihn und fragten: »Woher hat er diese Weisheit und die Macht, Wunder zu tun? [55] Er ist doch der Sohn eines Zimmermanns, und wir kennen Maria, seine Mutter, und seine Brüder Jakobus, Josef, Simon und Judas. [56] Und auch seine Schwestern leben alle unter uns. Woher hat er das alles nur?«

[57] Sie ärgerten sich über ihn. Da sagte Jesus: »Nirgendwo gilt ein Prophet weniger als in seiner Heimat und in seiner eigenen Familie.« [58] Weil die Menschen in Nazareth nicht an Jesus glaubten, tat er dort nur wenige Wunder.

Johannes der Täufer wird ermordet
(Markus 6,14–29; Lukas 3,19–20; 9,7–9)

14 Als Herodes, der Herrscher über Galiläa, hörte, was man über Jesus redete, [2] sagte er zu seinen Dienern: »Das muss Johannes der Täufer sein. Er ist von den Toten auferstanden! Deshalb kann er solche Wunder tun.«

[3] Herodes hatte Johannes nämlich verhaften und im Gefängnis in Ketten legen lassen. Denn der König hatte Herodias, die Frau seines eigenen Bruders Philippus, geheiratet, [4] und daraufhin hatte Johannes ihm vorgeworfen: »Es ist nicht richtig, dass du die Frau deines Bruders geheiratet hast!« [5] Herodes hätte Johannes am liebsten umgebracht; aber er wagte es nicht, weil er sich vor dem Volk fürchtete, das in Johannes einen Propheten sah.

[6] Als nun Herodes Geburtstag feierte, tanzte die Tochter der Herodias vor den Gästen. Herodes war so begeistert, [7] dass er ihr mit einem Schwur versprach: »Bitte mich, um was du willst; ich will es dir geben!«

[8] Von ihrer Mutter angestiftet, bat sie den König: »Dann lass mir sofort den Kopf Johannes des Täufers auf einem Teller herbringen.«

[9] Der König war bestürzt. Aber weil er sein Versprechen vor allen Gästen gegeben hatte, befahl er, [10] Johannes im Gefängnis zu enthaupten. [11] Man brachte den Kopf auf einem Teller, überreichte ihn dem Mädchen, und die gab ihn ihrer Mutter.

[12] Die Jünger des Johannes holten seinen Leichnam und bestatteten ihn. Dann berichteten sie Jesus, was geschehen war. [13] Als Jesus dies hörte, fuhr er mit einem Boot in eine entlegene Gegend. Er wollte allein sein. Aber die Leute merkten, wo-

---

13,49 25,32 **13,54** 2,22–23; Joh 7,15 **13,55** Joh 6,42 **14,3** 11,2 **14,4** 3 Mo 18,16; 20,21 **14,5** 21,26

hin er gehen wollte, und folgten ihm in Scharen von überall her auf dem Landweg.

Fünftausend werden satt
(Markus 6,30–44; Lukas 9,10–17; Johannes 6,1–13)

[14] Als Jesus aus dem Boot stieg und die vielen Menschen sah, hatte er Mitleid mit ihnen und heilte die Kranken.

[15] Gegen Abend kamen die Jünger zu ihm und sagten: »Es ist spät geworden. Schick die Leute weg, damit sie in die Dörfer gehen und dort etwas zu essen kaufen können! Hier gibt es doch nichts!« [16] Aber Jesus antwortete: »Das ist nicht nötig. Gebt *ihr* ihnen zu essen!« [17] »Wir haben ja nur fünf Brote und zwei Fische«, wandten seine Jünger ein. [18] »Dann bringt sie her!«, sagte Jesus.

[19] Er forderte die Leute auf, sich ins Gras zu setzen. Er nahm die fünf Brote und die beiden Fische, sah zum Himmel auf und dankte Gott. Dann teilte er das Brot, reichte es seinen Jüngern, und die Jünger gaben es an die Menge weiter.

[20] Alle aßen sich satt. Als man anschließend die Reste einsammelte, da waren es noch zwölf volle Körbe. [21] Etwa fünftausend Männer hatten an der Mahlzeit teilgenommen, außerdem noch viele Frauen und Kinder.

Jesus geht auf dem Wasser
(Markus 6,45–52; Johannes 6,15–21)

[22] Gleich danach befahl Jesus seinen Jüngern, in ihr Boot zu steigen und an das andere Ufer des Sees vorauszufahren. Er selbst blieb zurück, um die Leute zu verabschieden. [23] Dann ging er allein auf einen Berg, um zu beten.

Es wurde Nacht. [24] Das Boot war noch weit draußen auf dem See, da brach ein schwerer Sturm los. Die Jünger konnten kaum noch steuern.

[25] In den frühen Morgenstunden kam Jesus auf dem Wasser zu ihnen. [26] Als die Jünger ihn sahen, schrien sie vor Entsetzen, denn sie hielten ihn für ein Gespenst. [27] Aber Jesus sprach sie sofort an: »Habt keine Angst! Ich bin es doch, fürchtet euch nicht!« [28] Da rief Petrus: »Herr, wenn du es wirklich bist, lass mich auf dem Wasser zu dir kommen.« [29] »Komm her!«, antwortete Jesus.

Petrus stieg aus dem Boot und ging Jesus auf dem Wasser entgegen. [30] Als Petrus aber die hohen Wellen sah, erschrak er, und im selben Augenblick begann er zu sinken. »Herr, hilf mir!«, schrie er. [31] Jesus streckte ihm die Hand entgegen, ergriff ihn und sagte: »Hast du so wenig Glauben, Petrus? Vertrau mir doch!« [32] Sie stiegen ins Boot, und der Sturm legte sich. [33] Da fielen sie alle vor Jesus nieder und riefen: »Du bist wirklich der Sohn Gottes!«

Heilungen in Genezareth
(Markus 6,53–56)

[34] Nach ihrer Überfahrt legten sie in Genezareth an. [35] Als die Leute Jesus erkannten, schickten sie Boten in die benachbarten Orte, und man brachte alle Kranken zu ihm.

[36] Diese baten Jesus, wenigstens ein Stück seiner Kleidung berühren zu dürfen; und alle, die das taten, wurden gesund.

Was ist rein – was unrein?
(Markus 7,1–23)

15 Kurz darauf kamen einige Pharisäer und Schriftgelehrte aus Jerusalem zu Jesus und fragten ihn: [2] »Weshalb befolgen deine Jünger unsere überlieferten Speisevorschriften nicht? Sie waschen sich nicht einmal vor dem Essen die Hände.« [3] Jesus fragte zurück: »Und weshalb brecht ihr mit euren Vorschriften die Gebote Gottes?

[4] So lautet ein Gebot Gottes: ›Ehre dei-

14,14–21 15,32–39 **14,20** 2 Kön 4,42–44 **14,23** Lk 5,16* **14,26** Lk 24,37 **14,31** 8,26 **14,33** Mk 15,39* **14,36** 9,21 **15,2** 23,25; Lk 11,38

nen Vater und deine Mutter! Wer seinen Vater und seine Mutter verflucht, der soll sterben.‹[a] [5] Ihr aber behauptet: Wenn jemand seinen hilfsbedürftigen Eltern erklärt: ›Ich kann euch nicht helfen, weil ich mein Vermögen dem Tempel vermacht habe‹, dann hat er nicht gegen Gottes Gebot verstoßen. [6] Damit setzt ihr durch eure Vorschriften das Gebot Gottes außer Kraft. [7] Ihr scheinheiligen Heuchler! Wie Recht hat Jesaja, wenn er von euch schreibt: [8] ›Diese Leute ehren Gott mit den Lippen, aber mit dem Herzen sind sie nicht dabei. [9] Ihr Gottesdienst ist wertlos, weil sie ihre menschlichen Gesetze als Gebote Gottes ausgeben.‹[b] «

[10] Dann rief Jesus die Menschenmenge zu sich: »Hört, was ich euch sage, und begreift doch: [11] Nicht was ein Mensch zu sich nimmt, macht ihn unrein, sondern das, was er von sich gibt.«

[12] Da traten die Jünger näher zu ihm und sagten: »Weißt du, dass du damit die Pharisäer verärgert hast?« [13] Jesus antwortete: »Jede Pflanze, die nicht von meinem himmlischen Vater gepflanzt worden ist, wird ausgerissen. [14] Lasst euch nicht einschüchtern! Sie wollen Blinde führen, sind aber selbst blind. Wenn nun ein Blinder einen anderen Blinden führen will, werden beide in den Abgrund stürzen!«

[15] Da sagte Petrus: »Erklär uns doch noch einmal, was einen Menschen unrein macht!« [16] Jesus fragte: »Selbst ihr habt es immer noch nicht begriffen? [17] Wisst ihr denn nicht, dass alles, was ein Mensch zu sich nimmt, zuerst in den Magen kommt und dann ausgeschieden wird? [18] Aber die bösen Worte, die ein Mensch von sich gibt, kommen aus seinem Herzen, und nur sie lassen ihn unrein werden! [19] Aus dem Herzen kommen die bösen Gedanken wie: Mord, Ehebruch, sexuelle Zügellosigkeit, Diebstahl, Lüge und Verleumdung. [20] Durch sie wird der Mensch vor Gott unrein, nicht dadurch, dass man mit ungewaschenen Händen isst.«

Der unerschütterliche Glaube einer nichtjüdischen Frau
(Markus 7,24–30)

[21] Danach verließ Jesus diese Gegend und wanderte bis in das Gebiet der Städte Tyrus und Sidon. [22] Dort begegnete ihm eine kanaanitische Frau, die in der Nähe wohnte. Sie flehte ihn an: »Herr, du Sohn Davids, hab Erbarmen mit mir! Meine Tochter wird von einem bösen Geist furchtbar gequält.« [23] Aber Jesus beachtete sie nicht. Seine Jünger drängten ihn: »Erfüll doch ihre Bitte! Sie schreit sonst dauernd hinter uns her.«

[24] Da sagte er zu der Frau: »Ich habe nur den Auftrag, den Israeliten zu helfen, die sich von Gott abgewandt haben und wie verlorene Schafe umherirren.« [25] Sie kam aber noch näher, warf sich vor ihm nieder und bettelte: »Herr, hilf mir!« Aber Jesus antwortete wieder: [26] »Es ist nicht richtig, wenn man den Kindern das Brot wegnimmt und es den Hunden vorwirft.« [27] »Ja, Herr«, erwiderte die Frau, »aber die kleinen Hunde bekommen doch auch die Krümel, die vom Tisch ihrer Herren herunterfallen.« [28] Jesus antwortete ihr: »Dein Glaube ist groß. Was du erwartest, soll geschehen.« Im selben Augenblick wurde ihre Tochter gesund.

Jesus heilt viele Kranke
(Markus 7,31–37)

[29] Jesus kehrte an den See Genezareth zurück. Er stieg auf einen Berg und setzte sich dort hin. [30] Eine große Menschenmenge kam zu Jesus. Unter ihnen waren Gelähmte, Blinde, Verkrüppelte, Stumme und viele andere Kranke. Man brachte sie zu Jesus, und er heilte sie alle. [31] Die Menschen konnten es kaum fassen, als

---

[a] 2. Mose 20,12; 21,17
[b] Jesaja 29,13

15,5 1 Tim 5,8 **15,6** Jer 8,8 **15,11** 1 Kor 8,1–13* **15,14** 23,16.24; Röm 2,17–24 **15,19** Gal 5,19–21 **15,22** 20,30–31* **15,24** 10,5–6; Röm 15,8 **15,28** 8,13; 9,29

sie sahen, wie Stumme reden, Gelähmte gehen und Blinde sehen konnten. Und sie lobten den Gott Israels.

Viertausend werden satt (Markus 8,1–10)

[32] Danach rief Jesus seine Jünger zu sich und sagte: »Die Leute tun mir leid. Sie sind jetzt schon drei Tage bei mir und haben nichts mehr zu essen. Ich will sie nicht hungrig wegschicken, sie würden den weiten Weg nach Hause nicht schaffen.« [33] Aber die Jünger antworteten: »Woher sollen wir hier in dieser verlassenen Gegend genügend Brot bekommen, damit so viele Menschen satt werden?« [34] Jesus fragte: »Wie viele Brote habt ihr denn?« Sie antworteten: »Sieben Brote und ein paar kleine Fische!« [35] Da forderte Jesus die Menschen auf, sich zum Essen niederzulassen. [36] Nun nahm er die sieben Brote und die Fische. Er dankte Gott für das Essen, teilte die Brote und Fische und gab sie den Jüngern, die sie an die Leute weiterreichten. [37/38] Jeder aß, bis er satt war; etwa viertausend Männer waren dabei, die Frauen und Kinder nicht mitgerechnet. Anschließend sammelten die Jünger die Reste ein: Sieben Körbe voll waren noch übrig geblieben. [39] Jetzt erst schickte Jesus die Leute nach Hause. Er selbst aber bestieg ein Boot und setzte nach Magadan über.

»Beweise, dass du von Gott kommst!« (Matthäus 12,38–39; Markus 8,11–13; Lukas 12,54–56)

16 Eines Tages kamen Pharisäer und Sadduzäer, um Jesus auf die Probe zu stellen. Sie verlangten von ihm einen eindeutigen Beweis für seinen göttlichen Auftrag. [2/3] Jesus sagte ihnen: »Ihr könnt das Wetter aus den Zeichen am Himmel vorhersagen: Abendrot zeigt gutes Wetter für den nächsten Tag an, Morgenröte bedeutet schlechtes Wetter. Aber was heute vor euren Augen geschieht, das könnt ihr nicht richtig beurteilen! [4] Dieses böse, gottlose Volk verlangt einen Beweis. Doch sie werden kein anderes Wunder zu sehen bekommen als das, was an dem Propheten Jona geschah.« Mit diesen Worten ließ Jesus sie stehen und ging weg.

Schlimmer als Hunger (Markus 8,14–21; Lukas 12,1)

[5] Als sie an das andere Seeufer gekommen waren, stellten seine Jünger fest, dass sie vergessen hatten, Brot mitzunehmen. [6] Da warnte sie Jesus: »Hütet euch vor dem Sauerteig der Pharisäer und Sadduzäer!« [7] Die Jünger überlegten, was er wohl damit meinte: »Das sagt er bestimmt, weil wir das Brot vergessen haben.«

[8] Jesus merkte, worüber sie sprachen, und fragte: »Weshalb macht ihr euch gleich Sorgen, wenn einmal nichts zu essen da ist? Traut ihr mir so wenig zu? [9] Werdet ihr denn nie zur Einsicht kommen? Habt ihr vergessen, dass ich fünftausend Menschen mit fünf Broten gesättigt habe? Und wie viele Körbe habt ihr mit Resten gefüllt? [10] Oder denkt an die sieben Brote, die ich an viertausend Menschen verteilt habe! Und wie viel ist damals übrig geblieben! [11] Wie kommt ihr auf den Gedanken, dass ich vom Essen rede, wenn ich euch sage: Hütet euch vor dem Sauerteig der Pharisäer und Sadduzäer?« [12] Erst jetzt begriffen sie, dass Jesus mit dem Sauerteig die falschen Lehren der Pharisäer und Sadduzäer gemeint hatte.

Wer ist Jesus? (Markus 8,27–30; Lukas 9,18–21)

[13] Als Jesus in die Gegend von Cäsarea Philippi kam, fragte er seine Jünger: »Für wen halten die Leute den Menschensohn?« [14] Die Jünger erwiderten: »Einige

15,32–39 14,14–21 **16,1** Joh 6,30; 1 Kor 1,22 **16,4** 12,39–41; Jona 2,1 **16,8** 8,26 **16,9** 14,20
16,10 15,37–38 **16,14** 14,2; 17,10–13; 21,11

meinen, du seist Johannes der Täufer. Andere halten dich für Elia, für Jeremia oder einen anderen Propheten.«

[15]»Und für wen haltet ihr mich?«, fragte er sie. [16]Da antwortete Petrus: »Du bist Christus, der von Gott gesandte Retter, der Sohn des lebendigen Gottes!« [17]»Du kannst wirklich glücklich sein, Simon, Sohn des Jona!«, sagte Jesus. »Diese Erkenntnis hat dir mein Vater im Himmel gegeben; von sich aus kommt ein Mensch nicht zu dieser Einsicht. [18]Ich sage dir: Du bist Petrus[a]. Auf diesen Felsen will ich meine Gemeinde bauen, und selbst die Macht des Todes[b] wird sie nicht besiegen können. [19]Ich will dir die Schlüssel zu Gottes neuer Welt geben. Was du auf der Erde binden wirst, das soll auch im Himmel gebunden sein. Und was du auf der Erde lösen wirst, das soll auch im Himmel gelöst sein.«

[20]Darauf verbot er seinen Jüngern streng, den Leuten zu sagen, dass er der Christus sei.

Jesus spricht zum ersten Mal von seinem Tod
(Markus 8,31–33; Lukas 9,22)

[21]Während dieser Zeit sprach Jesus mit seinen Jüngern zum ersten Mal von seinem Tod: »Wir müssen nach Jerusalem gehen. Dort werden mich die führenden Männer des Volkes, die Hohenpriester und Schriftgelehrten foltern und töten. Aber am dritten Tag werde ich von den Toten auferstehen.« [22]Da nahm Petrus ihn zur Seite, um ihn von diesen Gedanken abzubringen: »Herr, das möge Gott verhindern! So etwas darf dir nicht zustoßen!« [23]Aber Jesus wandte sich von ihm ab und rief: »Weg mit dir, Satan! Du willst mich hindern, meinen Auftrag zu erfüllen. Du verstehst Gottes Gedanken nicht, weil du nur menschlich denkst!«

Alles hingeben, um alles zu gewinnen
(Markus 8,34 – 9,1; Lukas 9,23–27)

[24]Danach sprach Jesus zu seinen Jüngern: »Wer mir nachfolgen will, darf nicht mehr sich selbst in den Mittelpunkt stellen, sondern muss sein Kreuz auf sich nehmen und mir nachfolgen. [25]Wer sich an sein Leben klammert, der wird es verlieren. Wer aber sein Leben für mich einsetzt, der wird es für immer gewinnen. [26]Denn was gewinnt ein Mensch, wenn ihm die ganze Welt zufällt, er selbst aber dabei Schaden nimmt? Er kann sein Leben ja nicht wieder zurückkaufen! [27]Denn der Menschensohn wird mit seinen Engeln in der Herrlichkeit seines Vaters kommen und jeden nach seinen Taten richten. [28]Und ich sage euch: Einige von euch, die hier stehen, werden nicht sterben, bevor sie den Menschensohn in seiner Königsherrschaft haben kommen sehen.«

Die Jünger erleben Jesu Herrlichkeit
(Markus 9,2–13; Lukas 9,28–36)

17 Sechs Tage später ging Jesus mit Petrus, Jakobus und dessen Bruder Johannes auf einen hohen Berg. Sie waren dort ganz allein. [2]Da wurde Jesus vor ihren Augen verwandelt: Sein Gesicht leuchtete wie die Sonne, und seine Kleider strahlten hell. [3]Dann erschienen Mose und Elia und redeten mit Jesus. [4]Petrus rief: »Herr, hier gefällt es uns! Wenn du willst, werden wir drei Hütten bauen, für dich, für Mose und für Elia.« [5]Noch während er so redete, hüllte sie eine leuchtende Wolke ein, und aus der Wolke hörten sie eine Stimme: »Das ist mein geliebter Sohn, an dem ich meine Freude habe. Auf ihn sollt ihr hören.« [6]Bei diesen Worten fielen die Jünger erschrocken zu Boden. [7]Aber Jesus kam zu

---

[a] Der Name Petrus ist vom griechischen Wort für »Fels« abgeleitet.
[b] Wörtlich: die Tore des Totenreiches.

16,16 Mk 15,39* **16,17** 11,27; 1 Kor 2,10 **16,18** Eph 2,20 **16,19** 18,18; Joh 20,23 **16,20** Mk 7,36* **16,21** 17,22–23; 20,18–19 **16,22–23** 1 Kor 1,23; 1 Petr 2,8 **16,24** 1 Petr 2,21 **16,25** Offb 12,11 **16,26** Lk 12,16–21 **16,27** Joh 5,29; Röm 2,6; Offb 22,12 **16,28** 10,23 **17,1–8** 2 Petr 1,16–18 **17,1** 26,37; Mk 5,37 **17,2** Offb 1,16 **17,5** 3,17; Ps 2,7; 5 Mo 18,15

ihnen, berührte sie und sagte: »Steht auf! Fürchtet euch nicht!« [8] Und als sie aufsahen, waren sie mit Jesus allein.

[9] Während sie den Berg hinabstiegen, befahl ihnen Jesus: »Erzählt keinem, was ihr gesehen habt, bis der Menschensohn von den Toten auferstanden ist!«

[10] Da fragten ihn seine Jünger: »Weshalb behaupten die Schriftgelehrten, dass zuerst Elia kommen muss?« [11] Jesus antwortete ihnen: »Sie haben Recht! Zuerst kommt Elia, um alles vorzubereiten. [12] Doch ich sage euch: Er ist bereits gekommen, aber man hat ihn nicht erkannt. Sie haben mit ihm gemacht, was sie wollten. Und auch der Menschensohn wird durch sie leiden müssen.« [13] Nun erkannten die Jünger, dass er von Johannes dem Täufer sprach.

Die Ohnmacht der Jünger und die Vollmacht Jesu
(Markus 9,14–29; Lukas 9,37–43)

[14] Als sie zu der Menschenmenge zurückgekehrt waren, kam ein Mann zu Jesus, fiel vor ihm nieder [15] und sagte: »Herr, hab Erbarmen mit meinem Sohn! Er leidet unter schweren Anfällen. Oft stürzt er dabei sogar ins Feuer oder ins Wasser. [16] Ich habe ihn zu deinen Jüngern gebracht, aber sie konnten ihm nicht helfen.« [17] Jesus rief: »Warum vertraut ihr Gott so wenig? Warum hört ihr nicht auf ihn? Wie lange muss ich noch bei euch sein und euch ertragen? Bringt das Kind her zu mir!« [18] Jesus bedrohte den bösen Geist. Sofort ließ er von dem Kranken ab, und der Junge war wieder gesund.

[19] Als sie später unter sich waren, fragten die Jünger Jesus: »Weshalb konnten wir diesen Dämon nicht austreiben?« [20] »Weil ihr nicht wirklich glaubt«, antwortete Jesus. »Wenn euer Glaube nur so groß wäre wie ein Senfkorn, könntet ihr zu diesem Berg sagen: ›Rücke von hier dorthin!‹, und es würde geschehen. Nichts wäre euch unmöglich! [21] Solche Geister können nur durch Gebet und Fasten vertrieben werden.[a]«

Jesus spricht wieder von seinem Tod
(Markus 9,30–32; Lukas 9,43–45)

[22] Eines Tages, als Jesus sich mit seinen Jüngern in Galiläa aufhielt, sagte er zu ihnen: »Der Menschensohn wird bald in der Gewalt der Menschen sein. [23] Sie werden ihn töten. Aber am dritten Tag wird er auferstehen.« Da wurden seine Jünger sehr traurig.

Die Tempelsteuer

[24] Bei ihrer Ankunft in Kapernaum kamen die Steuereinnehmer des Tempels zu Petrus und fragten: »Zahlt euer Lehrer keine Tempelsteuer?« [25] »Natürlich tut er das«, antwortete Petrus und ging in das Haus, um mit Jesus darüber zu reden. Doch Jesus kam ihm zuvor: »Was meinst du, Petrus, von wem fordern die Könige Abgaben und Steuern, von ihren eigenen Söhnen oder von ihren Untertanen?« [26] »Von den Untertanen natürlich«, antwortete Petrus. Jesus erwiderte: »Dann sind die eigenen Söhne also steuerfrei. [27] Doch wir wollen ihnen keinen Anlass geben, uns anzuklagen, darum geh an den See und wirf die Angel aus. Dem ersten Fisch, den du fängst, öffne das Maul. Du wirst darin eine Münze finden, die für deine und meine Abgabe ausreicht. Bezahle damit die Tempelsteuer!«

Gott hat andere Maßstäbe
(Markus 9,33–37; Lukas 9,46–48)

18 In dieser Zeit fragten die Jünger Jesus: »Wer ist wohl der Wichtigste in Gottes neuer Welt?«

[2] Jesus rief ein kleines Kind, stellte es in die Mitte [3] und sprach: »Das will ich euch sagen: Wenn ihr euch nicht ändert und so

---

[a] In anderen Textzeugen endet die Rede mit Vers 20.

17,9 Mk 7,36* **17,10–11** Mal 3,23–24 **17,12** 11,14; 14,3–11 **17,20** 21,21; Lk 17,6 **17,22–23** 16,21; 20,18–19 **17,24** 2 Mo 30,13–14 **18,3** 19,14; 1 Kor 14,20

werdet wie die Kinder, kommt ihr nie in Gottes neue Welt. [4]Wer aber so klein und demütig sein kann wie ein Kind, der ist der Größte in Gottes neuer Welt. [5]Und wer solch ein Kind mir zuliebe aufnimmt, der nimmt mich auf.«

Lasst euch nicht zum Bösen verleiten!
(Matthäus 5,29–30; Markus 9,42–48; Lukas 17,1–2)

[6]»Wer in einem Menschen den Glauben, wie ihn ein Kind hat, zerstört, für den wäre es noch das Beste, mit einem Mühlstein um den Hals ins tiefe Meer geworfen zu werden. [7]Wehe der Welt, denn sie verführt zum Unglauben! Solche Versuchungen können ja nicht ausbleiben. Aber wehe dem, der daran schuld ist!

[8]Deshalb: Wenn deine Hand oder dein Fuß dich zum Bösen verführen, hack sie ab und wirf sie weg. Es ist besser, du gehst verkrüppelt und lahm ins ewige Leben als mit gesunden Händen und Füßen ins ewige Feuer. [9]Wenn dich dein Auge zur Sünde verführt, dann reiß es heraus und wirf es weg. Es ist besser, einäugig das ewige Leben zu erhalten, als mit beiden Augen ins Feuer der Hölle geworfen zu werden.«

Jesus sucht Verlorene
(Lukas 15,3–7)

[10]»Hütet euch davor, hochmütig auf die herabzusehen, die euch gering erscheinen. Denn ich sage euch: Ihre Engel haben immer Zugang zu meinem Vater im Himmel.[a]

[12]Was meint ihr: Wenn ein Mann hundert Schafe hat und eins läuft ihm davon, was wird er tun? Lässt er nicht die neunundneunzig in den Bergen zurück, um das verirrte Schaf zu suchen? [13]Und ich versichere euch: Wenn er es endlich gefunden hat, freut er sich über dieses eine mehr als über die neunundneunzig, die sich nicht verlaufen hatten. [14]Ebenso will mein Vater nicht, dass auch nur einer, und sei es der Geringste, verloren geht.«

Einander ermahnen
(Lukas 17,3)

[15]»Wenn dein Bruder Schuld auf sich geladen hat, dann geh zu ihm und sag ihm, was er falsch gemacht hat. Wenn er auf dich hört, hast du deinen Bruder zurückgewonnen. [16]Will er davon nichts wissen, nimm einen oder zwei andere mit, denn durch die Aussage von zwei oder drei Zeugen wird die Sache eindeutig bestätigt. [17]Wenn dein Bruder auch dann nicht hören will, bring den Fall vor die Gemeinde. Nimmt er selbst das Urteil der Gemeinde nicht an, dann behandle ihn wie einen, der von Gott nichts wissen will und ihn verachtet.

[18]Ich versichere euch: Was ihr auf der Erde binden werdet, das soll auch im Himmel gebunden sein. Und was ihr auf der Erde lösen werdet, das soll auch im Himmel gelöst sein.

[19]Aber auch das sage ich euch: Wenn zwei von euch hier auf der Erde meinen Vater im Himmel um etwas bitten wollen und darin übereinstimmen, dann wird er es ihnen geben. [20]Denn wo zwei oder drei in meinem Namen zusammenkommen, bin ich in ihrer Mitte.«

Das Gleichnis vom unbarmherzigen Schuldner
(Lukas 17,4)

[21]Da fragte Petrus: »Herr, wie oft muss ich meinem Bruder vergeben, wenn er mir Unrecht tut? Ist siebenmal denn nicht genug?« [22]»Nein«, antwortete Jesus. »Nicht nur siebenmal, sondern siebzig mal siebenmal.

---

[a] Andere Textzeugen fügen hinzu (Vers 11): Der Menschensohn ist gekommen, um Verlorene zu retten.

18,4 23,12 **18,5** 10,40 **18,8–9** Kol 3,5 **18,10** Hebr 1,14 **18,15** 3 Mo 19,17; Gal 6,1 **18,16** 5 Mo 19,15* **18,17** 1 Kor 5,12–13; Tit 3,10 **18,18** 16,19; Joh 20,23 **18,19** 7,7 **18,22** 1 Mo 4,24

[23] Man kann die neue Welt Gottes mit einem König vergleichen, der mit seinen Verwaltern abrechnen wollte. [24] Zu ihnen gehörte ein Mann, der ihm einen Millionenbetrag schuldete. [25] Aber er konnte diese Schuld nicht bezahlen. Deshalb wollte der König ihn, seine Frau, seine Kinder und seinen gesamten Besitz verkaufen lassen, um wenigstens einen Teil seines Geldes zu bekommen. [26] Doch der Mann fiel vor dem König nieder und flehte ihn an: ›Herr, hab noch etwas Geduld! Ich will ja alles bezahlen.‹ [27] Da hatte der König Mitleid. Er gab ihn frei und erließ ihm seine Schulden.

[28] Kaum war der Mann frei, ging er zu einem der anderen Verwalter, der ihm einen kleinen Betrag schuldete, packte ihn, würgte ihn und schrie: ›Bezahl jetzt endlich deine Schulden!‹ [29] Da fiel der andere vor ihm nieder und bettelte: ›Hab noch etwas Geduld! Ich will ja alles bezahlen.‹ [30] Aber der Verwalter wollte nicht warten und ließ ihn ins Gefängnis werfen, bis er alles bezahlt hätte.

[31] Als nun die anderen sahen, was sich da ereignet hatte, waren sie empört und berichteten es dem König. [32] Da ließ der König den Verwalter zu sich kommen und sagte: ›Was bist du doch für ein hartherziger Mensch! Deine ganze Schuld habe ich dir erlassen, weil du mich darum gebeten hast. [33] Hättest du da nicht auch mit meinem anderen Verwalter Erbarmen haben können, so wie ich mit dir?‹ [34] Zornig übergab er ihn den Folterknechten. Sie sollten ihn erst dann wieder freilassen, wenn er alle seine Schulden zurückgezahlt hätte.

[35] Auf die gleiche Art wird mein Vater im Himmel euch behandeln, wenn ihr euch weigert, eurem Bruder wirklich zu vergeben.«

Die Frage nach der Ehescheidung
(Markus 10,1–12; Lukas 16,18)

19 Nachdem Jesus das gesagt hatte, verließ er Galiläa und kam in das Gebiet von Judäa östlich des Jordan. [2] Eine große Menschenmenge folgte ihm, und er heilte ihre Kranken.

[3] Da kamen einige Pharisäer zu Jesus, weil sie ihm eine Falle stellen wollten. Sie fragten ihn: »Darf sich ein Mann von seiner Frau aus jedem beliebigen Grund scheiden lassen?«

[4] Jesus antwortete: »Lest ihr denn die Heilige Schrift nicht? Da heißt es doch, dass Gott am Anfang Mann und Frau schuf und sagte: [5] ›Ein Mann verlässt seine Eltern und verbindet sich so eng mit seiner Frau, dass die beiden eins sind mit Leib und Seele.‹[a] [6] Sie sind also eins und nicht länger zwei voneinander getrennte Menschen. Was nun Gott zusammengefügt hat, soll der Mensch nicht scheiden.«

[7] »Doch weshalb«, fragten sie weiter, »hat Mose dann vorgeschrieben, dass der Mann seiner Frau eine Scheidungsurkunde gibt, wenn er sich von ihr trennt?«[b] [8] Jesus antwortete: »Mose erlaubte es, weil er euer hartes Herz kannte. Ursprünglich ist es aber anders gewesen. [9] Ich sage euch: Jeder, der sich von seiner Frau trennt und eine andere heiratet, bricht die Ehe, es sei denn, seine Frau hat ihn betrogen.«

[10] Da meinten seine Jünger: »Wenn das mit der Ehe so ist, dann heiratet man besser gar nicht!« [11] Jesus antwortete: »Nicht jeder kann begreifen, was ich jetzt sage, sondern nur die, denen Gott das Verständnis dafür gibt. [12] Manche sind von Geburt an zeugungsunfähig; andere werden es durch menschlichen Eingriff. Und es gibt Menschen, die verzichten auf die Ehe, um Gott besser dienen zu können. Wer es versteht, der richte sich danach!«

---

[a] 1. Mose 2,24
[b] Vgl. 5. Mose 24,1

18,23 25,19 **18,33** 5,7; 6,12; Kol 3,13 **18,35** 6,15; Jak 2,13 **19,4** 1 Mo 1,27 **19,6** 1 Kor 7,10 **19,9** 5,32 **19,12** 1 Kor 7,7

Jesus und die Kinder
(Markus 10,13–16; Lukas 18,15–17)

[13]Eines Tages brachte man Kinder zu Jesus, damit er sie segnete und für sie betete. Aber die Jünger wollten sie wegschicken. [14]Doch Jesus sagte: »Lasst die Kinder zu mir kommen und haltet sie nicht zurück, denn für Menschen wie sie ist Gottes neue Welt bestimmt.« [15]Er legte ihnen die Hände auf und segnete sie. Danach zog er weiter.

Die Reichen und die neue Welt Gottes
(Markus 10,17–31; Lukas 18,18–30)

[16]Ein junger Mann kam mit der Frage zu Jesus: »Lehrer, was muss ich Gutes tun, um das ewige Leben zu bekommen?« [17]Jesus entgegnete: »Wieso fragst du mich nach dem Guten? Es gibt nur einen, der gut ist, und das ist Gott. Du kannst ewiges Leben bekommen, wenn du Gottes Gebote befolgst.« [18]»Welche denn?«, fragte der Mann, und Jesus antwortete: »Du sollst nicht töten! Du sollst nicht die Ehe brechen. Du sollst nicht stehlen! Sag nichts Unwahres über deinen Mitmenschen! [19]Ehre deinen Vater und deine Mutter, und liebe deinen Mitmenschen wie dich selbst.«[a] [20]»Daran habe ich mich immer gehalten! Was muss ich denn noch tun?«, wollte der junge Mann wissen.

[21]Jesus antwortete: »Wenn du vollkommen sein willst, dann verkauf, was du hast, und gib das Geld den Armen. Damit wirst du im Himmel einen Reichtum gewinnen, der niemals verloren geht. Und dann komm, und folge mir nach.« [22]Als der junge Mann das hörte, ging er traurig weg, denn er war sehr reich.

[23]Da sagte Jesus zu seinen Jüngern: »Eins ist sicher: Ein Reicher hat es sehr schwer, in Gottes neue Welt zu kommen. [24]Eher geht ein Kamel durch ein Nadelöhr, als dass ein Reicher in Gottes neue Welt kommt.« [25]Darüber waren die Jünger entsetzt und fragten sich: »Wer kann dann überhaupt gerettet werden?« [26]Jesus sah sie an und sagte: »Für Menschen ist es unmöglich, aber für Gott ist alles möglich!«

[27]Jetzt fragte Petrus: »Aber wie ist es nun mit uns? Wir haben doch alles aufgegeben und sind mit dir gegangen. Was bekommen wir dafür?« [28]Jesus antwortete: »Das sollt ihr wissen, die ihr mit mir geht: Wenn der Menschensohn auf dem Thron der Herrlichkeit sitzen und über Gottes neue Welt herrschen wird, werdet ihr ebenfalls auf zwölf Thronen sitzen und die zwölf Stämme Israels richten. [29]Jeder, der sein Haus, seine Geschwister, seine Eltern, seine Frau, seine Kinder oder seinen Besitz zurücklässt, um mir zu folgen, wird dies alles hundertfach zurückerhalten und das ewige Leben empfangen.

[30]Viele, die jetzt einen großen Namen haben, werden dann unbedeutend sein. Und andere, die heute die Letzten sind, werden dort zu den Ersten gehören.«

Das Gleichnis von den Arbeitern im Weinberg

20 »Mit der neuen Welt Gottes ist es wie mit einem Weinbauern, der frühmorgens Arbeiter für seinen Weinberg anwarb. [2]Er einigte sich mit ihnen auf den üblichen Tageslohn und ließ sie in seinem Weinberg arbeiten. [3]Ein paar Stunden später ging er noch einmal über den Marktplatz und sah dort Leute herumstehen, die arbeitslos waren. [4]Auch diese schickte er in seinen Weinberg und versprach ihnen einen angemessenen Lohn. [5]Zur Mittagszeit und gegen drei Uhr nachmittags stellte er noch mehr Arbeiter ein. [6]Als er um fünf Uhr in die Stadt kam, sah er wieder ein paar Leute untätig herumstehen. Er fragte sie: ›Warum habt ihr heute nicht gearbeitet?‹

---

[a] 2. Mose 20,12–16; 3. Mose 19,18

19,14 18,3 **19,21** 6,19–21; 13,44–46; 16,24 **19,23–24** 13,22 **19,26** 1 Mo 18,14; Jer 32,17 **19,27** 4,18–22; 9,9 **19,28** Lk 22,28–30; 1 Kor 6,2; Offb 3,21 **19,30** Lk 13,30

[7] ›Uns wollte niemand haben‹, antworteten sie. ›Geht doch und helft auch noch in meinem Weinberg mit!‹, forderte er sie auf.

[8] Am Abend beauftragte er seinen Verwalter: ›Ruf die Leute zusammen, und zahl ihnen den Lohn aus! Fang beim Letzten an, und hör beim Ersten auf!‹ [9] Zuerst kamen also die zuletzt Eingestellten, und jeder von ihnen bekam den vollen Tageslohn. [10] Jetzt meinten die anderen Arbeiter, sie würden mehr bekommen. Aber sie erhielten alle nur den vereinbarten Tageslohn.

[11] Da beschwerten sie sich beim Weinbauern: [12] ›Diese Leute haben nur eine Stunde gearbeitet, und du zahlst ihnen dasselbe wie uns. Dabei haben wir uns den ganzen Tag in der brennenden Sonne abgerackert!‹

[13] ›Mein Freund‹, entgegnete der Weinbauer einem von ihnen, ›dir geschieht doch kein Unrecht! Haben wir uns nicht auf diesen Betrag geeinigt? [14] Nimm dein Geld und geh! Ich will den anderen genauso viel zahlen wie dir. [15] Schließlich darf ich doch wohl mit meinem Geld machen, was ich will! Oder ärgerst du dich, weil ich großzügig bin?‹

[16] Ebenso werden die Letzten einmal die Ersten sein, und die Ersten die Letzten.«[a]

Jesus spricht zum dritten Mal von seinem Tod
(Markus 10,32–34; Lukas 18,31–34)

[17] Auf dem Weg nach Jerusalem nahm Jesus seine Jünger beiseite und sagte ihnen: [18] »Wir gehen jetzt nach Jerusalem. Dort wird der Menschensohn den Hohenpriestern und Schriftgelehrten ausgeliefert werden. Man wird ihn zum Tode verurteilen [19] und denen übergeben, die Gott nicht kennen. Die werden ihn verspotten, auspeitschen und ans Kreuz schlagen. Aber am dritten Tag wird er von den Toten auferstehen.«

Streit um die besten Plätze
(Markus 10,35–45; Lukas 22,24–27)

[20] Da kam die Frau des Zebedäus mit ihren Söhnen Jakobus und Johannes zu Jesus. Sie warf sich vor ihm nieder und wollte ihn um etwas bitten. [21] »Was willst du?«, fragte er. Sie antwortete: »Wenn deine Herrschaft begonnen hat, dann gib meinen beiden Söhnen die Ehrenplätze rechts und links neben dir!« [22] Jesus entgegnete: »Ihr wisst ja gar nicht, was ihr da verlangt. Könnt ihr denn auch das schwere Leiden tragen, das auf mich wartet?« »Ja, das können wir!«, antworteten sie. [23] Darauf erwiderte ihnen Jesus: »Ihr werdet tatsächlich leiden müssen, aber trotzdem kann ich nicht bestimmen, wer einmal die Plätze rechts und links neben mir einnehmen wird. Das hat bereits mein Vater entschieden.«

[24] Als die anderen zehn Jünger von dem Wunsch der beiden Brüder hörten, waren sie empört. [25] Da rief Jesus alle zusammen und sagte: »Ihr wisst, wie die Machthaber der Welt ihre Völker unterdrücken. Wer die Macht hat, nutzt sie rücksichtslos aus. [26] Aber so darf es bei euch nicht sein. Wer groß sein will, der soll den anderen dienen, [27] und wer der Erste sein will, der soll sich allen unterordnen. [28] Auch der Menschensohn ist nicht gekommen, um sich bedienen zu lassen. Er kam, um zu dienen und sein Leben hinzugeben, damit viele Menschen aus der Gewalt des Bösen befreit werden.«

Blinde werden geheilt
(Markus 10,46–52; Lukas 18,35–43)

[29] Als Jesus und seine Jünger die Stadt Jericho verließen, zog eine große Menschenmenge mit ihnen. [30] Zwei blinde

---

[a] Andere Textzeugen fügen hinzu: Denn viele sind berufen, aber wenige sind auserwählt.
20,8 3 Mo 19,13; 5 Mo 24,14–15 **20,15** Röm 9,16 **20,16** 19,30 **20,18–19** 16,21; 17,22–23 **20,21** 19,28 **20,22** 26,39 **20,23** Apg 12,2 **20,26–27** Joh 13,14–15; 1 Kor 9,19 **20,28** Jes 53,10–12; Kol 1,13–14 **20,30–31** Jes 9,6*; Mt 1,1; 12,23; 15,22; 21,9; 22,42–45; Apg 13,23; Röm 1,3–4; Offb 3,7; 22,16

Männer saßen an der Straße. Als sie hörten, dass Jesus vorüberkam, riefen sie: »Herr, du Sohn Davids, hab Erbarmen mit uns!« [31] Die Leute fuhren sie an: »Haltet den Mund!« Aber die Blinden schrien nur noch lauter: »Herr, du Sohn Davids, hab Erbarmen mit uns!« [32] Da blieb Jesus stehen, rief sie zu sich und fragte: »Was soll ich für euch tun?« [33] »Herr«, flehten ihn die Blinden an, »wir möchten sehen können!« [34] Jesus hatte Mitleid mit ihnen und berührte ihre Augen. Im selben Augenblick konnten sie sehen, und sie gingen mit ihm.

Jesus wird als König empfangen (Markus 11,1–11; Lukas 19,28–38; Johannes 12,12–19)

21 Nachdem Jesus mit seinen Jüngern in die Nähe von Jerusalem gekommen war, erreichten sie Betfage am Ölberg. Jesus schickte zwei Jünger mit dem Auftrag voraus: [2] »Geht in das Dorf da vorne! Gleich am Eingang werdet ihr eine Eselin mit ihrem Fohlen finden, die dort angebunden sind. Bindet sie los und bringt sie zu mir. [3] Sollte euch jemand fragen, was ihr vorhabt, dann sagt einfach: ›Der Herr braucht sie.‹ Man wird euch keine Schwierigkeiten machen.« [4] Damit sollte sich das Prophetenwort erfüllen: [5] »Sagt dem Volk von Jerusalem: ›Dein König kommt zu dir. Und doch kommt er nicht stolz daher, sondern reitet auf einem Esel, ja, auf dem Fohlen einer Eselin.‹[a] «

[6] Die beiden Jünger führten aus, was Jesus ihnen gesagt hatte. [7] Sie brachten die Tiere zu ihm, legten ihre Mäntel über sie, und Jesus setzte sich darauf. [8] Viele Leute breiteten ihre Kleider als Teppich vor ihm aus, andere rissen Zweige von den Bäumen und legten sie auf den Weg. [9] Vor und hinter ihm drängten sich die Menschen und riefen: »Gelobt sei der Sohn Davids, ja, gepriesen sei, der im Auftrag des Herrn kommt! Gelobt sei Gott im Himmel!«

[10] Als er so in Jerusalem einzog, geriet die ganze Stadt in helle Aufregung. »Wer ist dieser Mann?«, fragten die Leute. [11] »Das ist Jesus, der Prophet aus Nazareth in Galiläa«, riefen die Menschen, die ihn begleiteten.

Jesus jagt die Händler aus dem Tempel (Markus 11,15–19; Lukas 19,45–46; Johannes 2,13–17)

[12] Dann ging Jesus in den Tempel, jagte alle Händler und Käufer hinaus, stieß die Tische der Geldwechsler und die Stände der Taubenhändler um [13] und rief: »Ihr wisst doch, was Gott in der Heiligen Schrift sagt: ›Mein Haus soll ein Ort des Gebets sein‹,[b] ihr aber habt eine Räuberhöhle daraus gemacht!«

[14] Da kamen auch schon Blinde und Gelähmte zu ihm, und er heilte sie im Tempel. [15] Als die Hohenpriester und die Schriftgelehrten seine Wundertaten sahen und als sie hörten, wie die Kinder sogar im Tempel riefen: »Gelobt sei der Sohn Davids!«, wurden sie wütend [16] und fragten Jesus: »Hörst du denn nicht, was die Kinder da schreien?« »Ja, ich höre es«, antwortete Jesus. »Habt ihr nie gelesen: ›Aus dem Mund der kleinen Kinder erklingt dein Lob‹[c]?« [17] Damit ließ er sie stehen und ging aus der Stadt nach Betanien, um dort zu übernachten.

Von der Kraft des Glaubens (Markus 11,12–14.20–24)

[18] Als Jesus am nächsten Morgen nach Jerusalem zurückkehrte, bekam er Hunger. [19] Da sah er am Wegrand einen Feigen-

---

[a] Jesaja 62,11; Sacharja 9,9
[b] Jesaja 56,7
[c] Psalm 8,3

21,2–3 26,18 **21,7–8** 1 Kön 1,38–40; 2 Kön 9,13 **21,9** 20,30–31*; Ps 118,26 **21,11** 16,14 **21,12** Sach 14,21 **21,13** Jer 7,11 **21,14** 2 Sam 5,8 **21,15** 20,30–31* **21,19** Jer 29,17; Hos 9,10; Mi 7,1–4

baum. Er ging hin, fand aber nichts als Blätter an ihm. Da sagte Jesus zu dem Baum: »Du sollst in Zukunft nie wieder Feigen tragen!« Im selben Augenblick verdorrte der Baum.

[20] Erstaunt fragten die Jünger: »Wie kommt es, dass der Feigenbaum so schnell vertrocknet ist?« [21] Jesus erwiderte: »Wenn ihr wirklich glaubt und nicht zweifelt, könnt ihr nicht nur dies tun, sondern noch größere Wunder. Ihr könnt sogar zu diesem Berg sagen: ›Hebe dich von der Stelle, und stürze dich ins Meer!‹, und es wird geschehen. [22] Ihr werdet alles bekommen, wenn ihr im festen Glauben darum bittet.«

Die Frage nach der Vollmacht Jesu
(Markus 11,27–33; Lukas 20,1–8)

[23] Dann ging Jesus in den Tempel und sprach zu den Menschen. Sofort stellten ihn die Hohenpriester und die führenden Männer des Volkes zur Rede: »Woher nimmst du dir das Recht, hier so aufzutreten? Wer gab dir die Vollmacht dazu?«

[24] Jesus erwiderte: »Ich will euch eine Gegenfrage stellen. Wenn ihr die beantwortet, werde ich euch sagen, wer mir die Vollmacht gegeben hat. [25] War Johannes der Täufer von Gott beauftragt zu taufen oder nicht?«

Sie überlegten: »Wenn wir antworten: ›Gott hat ihn gesandt‹, dann wird er fragen: ›Warum habt ihr ihm dann nicht geglaubt?‹ [26] Wenn wir aber bestreiten, dass Gott ihn gesandt hat, bekommen wir Ärger mit dem Volk. Denn alle sind davon überzeugt, dass Johannes ein Prophet war.« [27] So antworteten sie schließlich: »Wir wissen es nicht!«

Worauf Jesus entgegnete: »Dann sage ich euch auch nicht, wer mir die Vollmacht gegeben hat.«

Das Gleichnis von den beiden Söhnen

[28] »Was sagt ihr dazu: Ein Mann hatte zwei Söhne. Er bat den ersten: ›Mein Sohn, arbeite heute in unserem Weinberg!‹ [29] ›Ich will aber nicht!‹, entgegnete dieser. Später tat es ihm leid, und er ging doch an die Arbeit. [30] Auch den zweiten Sohn forderte der Vater auf, im Weinberg zu arbeiten. ›Ja, Herr‹, antwortete der. Doch er ging nicht hin.

[31] Wer von den beiden Söhnen hat nun getan, was der Vater wollte?« Sie antworteten: »Der erste natürlich!«

Da sagte Jesus: »Eins ist sicher: Die betrügerischen Zolleinnehmer und Huren kommen eher in Gottes neue Welt als ihr. [32] Johannes der Täufer zeigte euch den Weg zu Gott und forderte euch auf, zu Gott umzukehren. Aber ihr wolltet nichts von ihm wissen.

Die Betrüger und Huren dagegen folgten seinem Ruf. Und obwohl ihr das gesehen habt, kamt ihr nicht zur Besinnung und wolltet ihm immer noch nicht glauben.«

Vom Weinbergbesitzer und den betrügerischen Pächtern
(Markus 12,1–12; Lukas 20,9–19)

[33] »Hört ein anderes Gleichnis: Ein Grundbesitzer legte einen Weinberg an, zäunte ihn ein, stellte eine Weinpresse auf und baute einen Wachturm. Dann verpachtete er den Weinberg an einige Weinbauern und reiste ins Ausland. [34] Als die Zeit der Weinlese kam, beauftragte er seine Knechte, den vereinbarten Anteil an der Ernte abzuholen. [35] Die Weinbauern aber schlugen den einen nieder, töteten den anderen und steinigten den dritten.

[36] Da beauftragte der Grundbesitzer andere Knechte, eine noch größere Anzahl. Aber ihnen erging es nicht besser. [37] Schließlich sandte er seinen Sohn, weil

---

21,21 17,20; Lk 17,6 **21,23** 21,12–14 **21,25** Lk 7,29–30 **21,26** 14,5 **21,29–31** 7,21 **21,32** Lk 7,29–30 **21,33–46** Jes 5,1–7* **21,34–36** Jer 7,25–26 **21,35** 22,6

er sich sagte: Vor meinem Sohn werden sie Achtung haben! [38] Als die Weinbauern aber den Sohn kommen sahen, sagten sie zueinander: ›Jetzt kommt der Erbe! Den bringen wir um, und dann gehört der Weinberg endgültig uns.‹ [39] Sie jagten ihn aus dem Weinberg und schlugen ihn tot.

[40] Was – meint ihr – wird der Besitzer mit diesen Weinbauern machen, wenn er zurückkehrt?«

[41] Sie antworteten: »Er wird diese Verbrecher umbringen und den Weinberg an solche Weinbauern verpachten, die ihm seinen Anteil abliefern.«

[42] »Richtig«, sagte Jesus; »ihr wisst doch, was in der Heiligen Schrift steht: ›Der Stein, den die Bauarbeiter weggeworfen haben, weil sie ihn für unbrauchbar hielten, ist nun zum Grundstein des ganzen Hauses geworden. Was keiner für möglich gehalten hat, das tut der Herr vor unseren Augen.‹[a]

[43] Deshalb sage ich euch: Die neue Welt Gottes wird euch weggenommen und einem Volk gegeben werden, das Gott gehorcht[b]. [44] Ja, wer auf diesen Stein fällt, wird sich zu Tode stürzen, und auf wen der Stein fällt, der wird zermalmt.«

[45] Als die Hohenpriester und die Pharisäer merkten, dass Jesus in diesem Gleichnis von ihnen gesprochen hatte, [46] hätten sie ihn am liebsten auf der Stelle festgenommen. Aber sie hatten Angst vor dem Volk, das Jesus für einen Propheten hielt.

Das Gleichnis vom Hochzeitsfest
(Lukas 14,16–24)

22 Jesus erzählte ihnen noch ein anderes Gleichnis: [2] »Mit der neuen Welt Gottes ist es wie mit einem König, der für seinen Sohn ein großes Hochzeitsfest vorbereitete. [3] Viele wurden zur Hochzeit eingeladen. Als die Vorbereitungen beendet waren, schickte er seine Diener, um die Gäste abzuholen. Aber keiner wollte kommen.

[4] Er ließ sie durch andere Diener nochmals bitten: ›Es ist alles fertig, die Ochsen und Mastkälber sind geschlachtet. Das Fest kann beginnen. Kommt!‹ [5] Aber den geladenen Gästen war das gleichgültig. Sie gingen weiter ihrer Arbeit nach. Der eine hatte auf dem Feld zu tun, der andere im Geschäft. [6] Einige wurden sogar handgreiflich, misshandelten und töteten die Diener des Königs.

[7] Voller Zorn sandte der König seine Truppen aus, ließ die Mörder umbringen und ihre Stadt in Brand stecken. [8] Dann sagte er zu seinen Dienern: ›Die Hochzeitsfeier ist vorbereitet, aber die geladenen Gäste waren es nicht wert, an diesem Fest teilzunehmen. [9] Geht jetzt auf die Straßen und ladet alle ein, die euch über den Weg laufen!‹ [10] Das taten die Boten und brachten alle mit, die sie fanden: böse und gute Menschen. So füllte sich der Festsaal mit Gästen.

[11] Als der König kam, um seine Gäste zu begrüßen, bemerkte er einen Mann, der nicht festlich angezogen war. [12] ›Mein Freund, wie bist du hier ohne Festgewand hereingekommen?‹, fragte er ihn. Darauf konnte der Mann nichts antworten. [13] Da befahl der König: ›Fesselt ihm Hände und Füße, und werft ihn hinaus in die Finsternis! Dort wird es nur Heulen und ohnmächtiges Jammern geben.‹ [14] Denn viele sind berufen, aber nur wenige sind auserwählt.«

Die Frage nach der Steuer
(Markus 12,13–17; Lukas 20,20–26)

[15] Nun begannen die Pharisäer zu beraten, wie sie Jesus mit seinen eigenen Worten in eine Falle locken könnten. [16] Sie schickten ein paar von ihren Leuten und einige Anhänger des Königs Herodes zu ihm. Die fragten ihn scheinheilig:

---

[a] Psalm 118,22–23

[b] Wörtlich: das seine Früchte bringt.

21,38 26,3–4 **21,39** Hebr 13,12 **21,41** 22,7 **21,42** Jes 28,16* **21,44** Dan 2,34–35.44–45 **21,46** 21,11; 26,4–5 **22,2** Offb 19,7.9 **22,4** Jes 25,6 **22,6** 21,35–36 **22,7** 21,41; 24,2 **22,9** 28,18–20 **22,11** Eph 4,24; Offb 19,8* **22,13** 8,12 **22,16** Mk 3,6

»Lehrer, wir wissen, dass es dir allein um die Wahrheit geht. Du sagst uns frei heraus, wie wir nach Gottes Willen leben sollen. Du redest den Leuten nicht nach dem Mund – ganz gleich, wie viel Ansehen sie besitzen. [17] Deshalb sage uns: Ist es eigentlich Gottes Wille, dass wir dem römischen Kaiser Steuern zahlen, oder nicht?«

[18] Jesus durchschaute ihre Hinterhältigkeit. »Ihr Heuchler!«, rief er. »Warum wollt ihr mir eine Falle stellen? [19] Zeigt mir ein Geldstück!« Sie gaben ihm eine römische Münze. [20] Er fragte sie: »Wessen Bild und Name ist hier eingeprägt?« [21] Sie antworteten: »Das Bild und der Name des Kaisers.« »Nun, dann gebt dem Kaiser, was ihm zusteht, und gebt Gott, was ihm gehört!« [22] Diese Antwort überraschte sie. Sie ließen Jesus in Ruhe und gingen weg.

Werden die Toten auferstehen?
(Markus 12,18–27; Lukas 20,27–40)

[23] Am selben Tag kamen einige Sadduzäer zu Jesus. Diese Leute behaupten, es gebe keine Auferstehung der Toten. Sie fragten ihn: [24] »Lehrer, Mose hat bestimmt: Wenn ein verheirateter Mann stirbt und keine Kinder hat, dann muss sein Bruder die Witwe heiraten. Der erste ihrer Söhne soll als Sohn des Verstorbenen gelten.[a] [25] Nun lebten da unter uns sieben Brüder. Der erste heiratete und starb. Weil er keine Nachkommen hatte, heiratete sein Bruder die Witwe. [26] Auch der zweite Bruder starb, und der nächste Bruder nahm sie zur Frau. So ging es weiter, bis die Frau mit allen sieben verheiratet gewesen war. [27] Schließlich starb auch sie. [28] Wessen Frau wird sie nun nach der Auferstehung sein? Schließlich waren ja alle sieben Brüder mit ihr verheiratet.«

[29] Jesus antwortete: »Ihr irrt euch, denn ihr kennt weder die Heilige Schrift noch die Macht Gottes. [30] Wenn die Toten auferstehen, werden sie nicht wie hier auf der Erde verheiratet sein, sondern wie die Engel Gottes im Himmel leben. [31] Was nun die Auferstehung der Toten überhaupt betrifft: Habt ihr nicht in der Heiligen Schrift gelesen, wie Gott sagt: [32] ›Ich bin der Gott Abrahams, Isaaks und Jakobs‹[b]? Er ist doch nicht ein Gott der Toten, sondern der Lebenden!«

[33] Diese Worte Jesu hinterließen einen tiefen Eindruck bei allen Zuhörern.

Was ist das wichtigste Gebot?
(Markus 12,28–31; Lukas 10,25–28)

[34/35] Als die Pharisäer hörten, wie Jesus die Sadduzäer zum Schweigen gebracht hatte, dachten sie sich eine neue Frage aus, um ihm eine Falle zu stellen. Ein Schriftgelehrter fragte ihn: [36] »Lehrer, welches ist das wichtigste Gebot im Gesetz Gottes?« [37] Jesus antwortete ihm: »›Du sollst den Herrn, deinen Gott, lieben von ganzem Herzen, mit ganzer Hingabe und mit deinem ganzen Verstand!‹[c] [38] Das ist das erste und wichtigste Gebot. [39] Ebenso wichtig ist aber das zweite: ›Liebe deinen Mitmenschen wie dich selbst!‹[d] [40] Alle anderen Gebote und alle Forderungen der Propheten sind in diesen Geboten enthalten.«

Wer ist Christus?
(Markus 12,35–37; Lukas 20,41–44)

[41] Bei dieser Gelegenheit fragte Jesus die Pharisäer: [42] »Was denkt ihr über den Christus, der zu euch als Retter kommen soll[e]? Wessen Sohn ist er?« Sie antworteten: »Er ist der Sohn Davids.«

[43] Da entgegnete Jesus: »Warum aber

---

[a] Vgl. 5. Mose 25,5–6
[b] 2. Mose 3,6
[c] 5. Mose 6,5
[d] 3. Mose 19,18
[e] »der … soll« ist sinngemäß ergänzt.

22,21 Röm 13,7 **22,23** Apg 23,6–8 **22,30** 1 Kor 15,35–44 **22,39** Röm 13,9; Gal 5,14; Jak 2,8 **22,40** 5,17; 7,12 **22,42–45** 20,30–31* **22,42** Jes 9,6*

hat ihn David, geleitet vom Geist Gottes, ›Herr‹ genannt? Denn David sagte: [44]›Gott sprach zu meinem Herrn: Setze dich auf den Ehrenplatz an meiner rechten Seite, bis ich dir alle deine Feinde unterworfen habe!‹[a] [45]Wenn David ihn also ›Herr‹ nennt, wie kann er dann Davids ›Sohn‹ sein?« [46]Darauf wussten sie keine Antwort. Und von da an wagte niemand mehr, ihm weitere Fragen zu stellen.

Die Heuchelei der Pharisäer und Schriftgelehrten
(Markus 12,38–39; Lukas 20,45–46)

23 Dann sprach Jesus zu der Volksmenge und zu seinen Jüngern: [2]»Die Schriftgelehrten und Pharisäer sind dazu eingesetzt, euch das Gesetz des Mose auszulegen. [3]Richtet euch nach ihren Vorschriften! Folgt aber nicht ihrem Beispiel! Denn sie selber tun nicht, was sie von den anderen verlangen.

[4]Sie bürden den Menschen unerträgliche Lasten auf, doch sie selbst rühren keinen Finger, um diese Lasten zu tragen. [5]Mit allem, was sie tun, stellen sie sich zur Schau. Am Arm tragen sie breite Gebetsriemen und an den Gewändern riesige Quasten. [6]Bei euren Festen wollen sie die Ehrenplätze bekommen, und auch in der Synagoge sitzen sie stets in der ersten Reihe. [7]Es gefällt ihnen, wenn man sie auf der Straße ehrfurchtsvoll grüßt und ›Meister‹ nennt.

[8]Lasst ihr euch nicht so anreden! Nur Gott ist euer Meister, ihr seid untereinander alle Geschwister. [9]Niemanden auf der Erde sollt ihr ›Vater‹ nennen, denn nur einer ist euer Vater: Gott im Himmel. [10]Ihr sollt euch auch nicht Lehrer nennen lassen, weil ihr nur einen Lehrer habt: Christus. [11]Wer unter euch groß sein will, der soll allen anderen dienen. [12]Alle, die sich selbst ehren, werden gedemütigt werden. Wer sich aber selbst erniedrigt, wird geehrt werden.«

Fromm und doch gottlos
(Lukas 11,39–51)

[13]»Wehe euch, ihr Pharisäer und Schriftgelehrten! Ihr seid Heuchler! Durch euch wird anderen der Zugang in die neue Welt Gottes versperrt. Ihr selbst geht nicht hinein, und die hinein wollen, hindert ihr daran.[b]

[15]Wehe euch, ihr Scheinheiligen! Ihr reist über das Meer und durchquert jede Wüste, um nur einen einzigen Nichtjuden dafür zu gewinnen, eure Gesetze anzuerkennen. Aber wenn ihr einen gefunden habt, dann wird er durch euch ein Kind der Hölle, das euch an Bosheit noch übertrifft.

[16]Wehe euch! Ihr seid selbst blind und wollt doch andere führen. So behauptet ihr: ›Beim Tempel Gottes schwören, das hat nichts zu bedeuten. Aber wer beim Gold im Tempel schwört, der muss seinen Eid halten.‹ [17]Ihr blinden Narren! Was zählt mehr: das Gold oder der Tempel, durch den das Gold erst geheiligt wird?

[18]Ihr sagt: ›Ein Eid, beim Altar geschworen, hat keine Bedeutung. Wer aber bei dem Opfer auf dem Altar schwört, der muss sein Versprechen halten.‹ [19]Ihr Verblendeten! Was zählt denn mehr: die Gabe auf dem Altar oder der Altar, der die Gabe erst zum Opfer werden lässt? [20]Wer beim Altar schwört, schwört bei allem, was darauf liegt. [21]Wer beim Tempel schwört, der ruft Gott zum Zeugen an, der dort wohnt. [22]Und wer beim Himmel schwört, schwört bei dem Thron Gottes und damit bei Gott selbst, der auf diesem Thron sitzt.

---

[a] Psalm 110,1
[b] Andere Textzeugen fügen hinzu (Vers 14): Wehe euch, ihr Pharisäer und Schriftgelehrten! Ihr seid Heuchler! Gierig reißt ihr das Vermögen der Witwen an euch, und eure langen Gebete sind nichts als Heuchelei. Dafür wird euch Gottes Urteil besonders hart treffen.

23,3 Röm 2,21–23 **23,4** 11,28–30 **23,5** 6,1; 4 Mo 15,38–39; 5 Mo 6,8 **23,6** Lk 14,7–11 **23,11** 20,25–28 **23,12** 18,4; 1 Petr 5,5–6 **23,16** 15,14 **23,21** 1 Kön 9,3* **23,22** Jes 66,1

[23]Wehe euch, ihr Schriftgelehrten und Pharisäer! Ihr Scheinheiligen! Sogar von Küchenkräutern wie Minze, Dill und Kümmel gebt ihr Gott den zehnten Teil. Aber die viel wichtigeren Forderungen Gottes nach Gerechtigkeit, Barmherzigkeit und Glauben sind euch gleichgültig. Doch gerade darum geht es hier: Das Wesentliche tun und das andere nicht unterlassen. [24]Ihr aber entfernt jede kleine Mücke aus eurem Essen, doch ganze Kamele schluckt ihr bedenkenlos hinunter. Andere wollt ihr führen und seid doch selber blind!

[25]Wehe euch, ihr Schriftgelehrten und Pharisäer! Ihr Heuchler! Ihr poliert eure Becher und Schüsseln außen auf Hochglanz, so wie das Gesetz es erfordert. Doch gefüllt sind sie mit dem, was ihr in eurer maßlosen Gier anderen abgenommen habt. [26]Ihr blinden Verführer, reinigt eure Becher erst einmal von innen, dann werden sie auch außen sauber sein.

[27]Wehe euch, ihr Schriftgelehrten und Pharisäer! Ihr seid wie die gepflegten Grabstätten: von außen sauber und geschmückt, aber innen ist alles voll stinkender Verwesung. [28]Ihr steht vor den Leuten als solche da, die Gott ehren, aber in Wirklichkeit seid ihr voller Bosheit und Heuchelei.

[29]Wehe euch, ihr Schriftgelehrten und Pharisäer! Ihr Scheinheiligen! Den Propheten baut ihr Denkmäler, und die Gräber derer, die nach Gottes Willen lebten, schmückt ihr. [30]Dazu behauptet ihr noch: ›Wenn wir damals gelebt hätten, wir hätten die Propheten nicht umgebracht wie unsere Vorfahren.‹ [31]Damit gebt ihr also zu, dass ihr die Nachkommen der Prophetenmörder seid. [32]Ja, ihr treibt es sogar noch schlimmer als sie.

[33]Ihr Schlangenbrut! Wie wollt ihr Gottes Gericht und der Hölle entrinnen? [34]Ich werde euch Propheten, weise Männer und Lehrer schicken, die euch die Heilige Schrift erklären. Einige von ihnen werdet ihr töten und kreuzigen. Andere werdet ihr in den Synagogen auspeitschen und sie von Stadt zu Stadt verfolgen. [35]Dadurch seid ihr am Tod aller dieser Menschen schuldig, die nach Gottes Willen lebten; angefangen bei Abel bis zu Secharja, dem Sohn des Berechja, den ihr zwischen Tempel und Brandopferaltar ermordet habt.

[36]Das sage ich euch: Das Strafgericht für all diese Schuld wird noch über diese Generation hereinbrechen.«

Warnung an Jerusalem
(Lukas 13,34–35)

[37]»Jerusalem! O Jerusalem! Du tötest die Propheten und erschlägst die Boten, die Gott zu dir schickt. Wie oft schon wollte ich deine Bewohner um mich sammeln, so wie eine Henne ihre Küken unter ihre Flügel nimmt! Aber ihr habt es nicht gewollt! [38]Und nun? Von eurem Tempel werden nur noch Trümmer bleiben! [39]Und ich sage euch: Mich werdet ihr erst dann wiedersehen, wenn ihr rufen werdet: ›Gelobt sei, der im Namen des Herrn zu uns kommt!‹«

Die Zukunft der Welt
(Markus 13,1–20; Lukas 21,5–24)

24 Als Jesus den Tempel verließ, kamen seine Jünger und wollten ihm die riesigen Ausmaße der Tempelanlage zeigen. [2]Da sagte Jesus zu ihnen: »Ja, seht es euch genau an! Aber ich kann euch versichern: Kein Stein wird hier auf dem anderen bleiben. Alles wird nur noch ein großer Trümmerhaufen sein.« [3]»Wann wird das geschehen?«, fragten ihn später seine Jünger, als er mit ihnen am Abhang des Ölbergs saß. »Welche Ereignisse werden dein Kommen und das Ende der Welt ankündigen?«

[4]Jesus antwortete: »Lasst euch von keinem Menschen täuschen und verführen!

23,23 3 Mo 27,30–33*; Mi 6,8 **23,25** Mk 7,4 **23,28** Lk 16,15 **23,31** 5,12; Apg 7,52 **23,33** 3,7 **23,35** 1 Mo 4,8; 2 Chr 24,20–21 **23,37** 5,12; 1 Thess 2,15; Hebr 11,37 **23,38** 24,2 **23,39** Ps 118,26 **24,2** Lk 19,44; Jer 7,14 **24,4** 2 Thess 2,9–10

[5] Denn viele werden auftreten und von sich behaupten: ›Ich bin Christus!‹ Und sie werden viele Menschen in die Irre führen. [6] Wenn ihr von Kriegen und Unruhen hört, achtet darauf, aber erschreckt nicht! Das muss geschehen, doch es bedeutet noch nicht das Ende. [7] Die Völker und Königreiche der Erde werden Kriege gegeneinander führen. In vielen Teilen der Welt wird es Hungersnöte, Seuchen und Erdbeben geben. [8] Das ist aber erst der Anfang – so wie die ersten Wehen bei einer Geburt.

[9] Dann werdet ihr gefoltert, getötet und in der ganzen Welt gehasst werden, weil ihr zu mir gehört. [10] Manche werden sich vom Glauben abwenden, einander verraten und hassen. [11] Falsche Propheten werden auftreten und viele verführen. [12] Und weil Gottes Gebote missachtet werden, setzt sich das Böse überall durch. Die Liebe wird bei vielen Menschen erlöschen. [13] Aber wer bis ans Ende durchhält, wird gerettet. [14] Die rettende Botschaft von Gottes neuer Welt wird auf der ganzen Erde verkündet werden, damit alle Völker sie hören. Dann erst wird das Ende kommen.

[15] Der Prophet Daniel redet von einer ›abscheulichen Götzenstatue‹[a]. Versucht zu verstehen, was das Geschriebene bedeutet. Wenn ihr diese Götzenstatue im Tempel stehen seht, [16] dann sollen alle Bewohner Judäas ins Gebirge fliehen. [17] Wer sich gerade auf dem Dach seines Hauses aufhält, soll nicht erst im Haus sein Gepäck für die Flucht zusammensuchen. [18] Wer auf dem Feld arbeitet, soll nicht erst nach Hause laufen, um seinen Mantel zu holen. [19] Besonders hart trifft es Schwangere und Mütter mit Säuglingen. [20] Betet deshalb, dass ihr nicht im Winter oder am Sabbat fliehen müsst!

[21] Denn es wird eine Zeit der Not kommen, wie sie die Welt in ihrer ganzen Geschichte noch nicht erlebt hat und wie sie auch nie wieder eintreten wird. [22] Wenn diese Leidenszeit nicht verkürzt würde, könnte niemand gerettet werden! Aber den Auserwählten Gottes zuliebe wird diese Zeit begrenzt.«

Warnung vor falschen »Rettern«
(Markus 13,21–23; Lukas 17,23–24)

[23] »Wenn dann jemand zu euch sagt: ›Hier ist der Christus!‹ oder: ›Dort ist er!‹, glaubt ihm nicht! [24] Viele werden sich nämlich als ›Christus‹ ausgeben, und es werden falsche Propheten auftreten. Sie vollbringen große Zeichen und Wunder, um – wenn möglich – sogar die Auserwählten Gottes irrezuführen. [25] Deshalb bleibt wachsam! Ich habe euch gewarnt! [26] Wenn euch jemand erzählt: ›Der Retter ist draußen in der Wüste‹, so geht nicht hin. Wenn er sich irgendwo verborgen halten soll, glaubt es nicht. [27] Denn der Menschensohn kommt für alle sichtbar – wie ein Blitz, der von Ost nach West am Himmel aufzuckt. [28] Dies wird so gewiss geschehen, wie sich die Geier um ein verendetes Tier scharen.«

Retter und Richter
(Markus 13,24–27; Lukas 21,25–28)

[29] »Unmittelbar nach dieser großen Schreckenszeit wird sich die Sonne verfinstern und der Mond nicht mehr scheinen. Die Sterne werden aus ihrer Bahn geschleudert, und die Kräfte des Weltalls geraten durcheinander. [30] Dann wird das Zeichen des Menschensohnes am Himmel erscheinen. Die Menschen auf der ganzen Erde werden vor Entsetzen jammern und heulen. Alle sehen dann, wie der Menschensohn in großer Macht und Herrlichkeit in den Wolken des Himmels kommt. [31] Mit gewaltigem Posaunenschall wird er seine Engel aussenden,

[a] Wörtlich: Gräuel der Verwüstung. Vgl. Daniel 9,27

24,5 1 Joh 2,18 **24,7** Jes 19,2 **24,9–14** 10,17–22 **24,9** 2 Tim 3,12* **24,11** 1 Joh 4,1 **24,12** 2 Tim 3,1–5 **24,13** Offb 2,7.11.17 **24,14** 28,18–20 **24,19** Lk 23,29 **24,21** Dan 12,1 **24,24** 2 Thess 2,9; 2 Petr 2,1; Offb 13,13–14 **24,29** Jes 13,10; 34,4; 2 Petr 3,10 **24,30** 16,1; Dan 7,13 **24,31** 1 Kor 15,52; 1 Thess 4,16–17

und sie werden seine Auserwählten aus allen Teilen der Welt zu ihm bringen.«

»Seid immer bereit!«
(Markus 13,28–32; Lukas 12,39–40; 17,26–36; 21,29–33)

[32]»Der Feigenbaum soll euch dafür ein Beispiel sein: Wenn seine Zweige saftig werden und Blätter treiben, dann wisst ihr, dass es bald Sommer ist. [33]Wenn nun all diese Ereignisse eintreffen, könnt ihr sicher sein: Das Kommen des Menschensohnes steht unmittelbar bevor. [34]Ja, ich sage euch: Dieses Volk[a] wird nicht untergehen, bevor das alles geschieht. [35]Himmel und Erde werden vergehen; meine Worte aber gelten für immer. [36]Niemand weiß, wann das Ende kommen wird, weder die Engel im Himmel noch der Sohn. Den Tag und die Stunde kennt nur der Vater.

[37]Wenn der Menschensohn kommt, wird es auf der Erde zugehen wie zur Zeit Noahs, [38]als die große Flut hereinbrach. Damals dachten die Menschen auch nur an Essen, Trinken und Heiraten. Selbst als Noah in die Arche stieg, [39]glaubten die Leute nicht an das Unheil, bis die Flut sie alle mit sich riss. So wird es auch beim Kommen des Menschensohnes sein. [40]Zwei Männer werden auf dem Feld arbeiten. Der eine wird angenommen, und der andere bleibt zurück. [41]Zwei Frauen werden Getreide mahlen; die eine wird angenommen, die andere bleibt zurück.

[42]Deshalb seid jederzeit bereit! Denn ihr wisst nicht, wann euer Herr kommen wird. [43]Eins ist sicher: Wenn der Hausherr wüsste, wann ein Dieb bei ihm einbrechen will, würde er wach bleiben und sich vor dem Einbrecher schützen. [44]Seid also zu jeder Zeit bereit, denn der Menschensohn wird gerade dann kommen, wenn ihr am wenigsten damit rechnet!«

Der treue Verwalter
(Lukas 12,42–46)

[45]»Wie verhält sich denn ein kluger und zuverlässiger Verwalter?«, fragte Jesus die Jünger. »Sein Herr hat ihm die Verantwortung für alle Mitarbeiter übertragen; er soll sie zu jeder Zeit mit allem Nötigen versorgen. [46]Dieser Verwalter darf sich glücklich nennen, wenn sein Herr ihn bei der Rückkehr gewissenhaft bei der Arbeit findet. [47]Das sage ich euch: Einem so zuverlässigen Mann wird er die Verantwortung für seinen ganzen Besitz übertragen.

[48]Wenn aber ein Verwalter unzuverlässig ist und im Stillen denkt: ›Ach was, es dauert bestimmt noch lange, bis mein Herr kommt‹, [49]und er fängt an, seine Mitarbeiter zu schlagen und Trinkgelage zu veranstalten, [50]dann wird die Rückkehr seines Herrn ihn völlig überraschen. Sein Herr kommt, wenn er nicht damit rechnet. [51]Er wird den unzuverlässigen Verwalter hart bestrafen[b] und ihm den Lohn geben, den die Heuchler verdienen. Er wird ihn hinausstoßen, dorthin, wo es nur Weinen und ohnmächtiges Jammern gibt.«

Die zehn Brautjungfern
(Lukas 12,35–38; 13,25–28)

25 »Wenn der Menschensohn seine Herrschaft antritt, wird es sein wie bei zehn Mädchen, die bei einer Hochzeit als Brautjungfern mit ihren Lampen den Bräutigam abholen sollten. [2–4]Nur fünf von ihnen waren so klug, sich ausreichend mit Öl für ihre Lampen zu versorgen. Die anderen dachten überhaupt nicht daran, genügend Öl mitzunehmen.

[5]Als sich die Ankunft des Bräutigams verzögerte, wurden sie alle müde und schliefen ein. [6]Plötzlich um Mitternacht

---

[a] Oder: Diese Generation.
[b] Wörtlich: in Stücke hauen.

24,34 16,28 **24,35** Jes 40,8; 51,6 **24,36** Apg 1,7; 1 Thess 5,1–2 **24,37–39** 1 Mo 6,11–13; 7,7–13 **24,43–44** Tit 2,13* **24,47** 25,21.23 **24,48** 2 Petr 3,4 **25,1** 22,2

wurden sie mit dem Ruf geweckt: ›Der Bräutigam kommt! Steht auf und geht ihm entgegen!‹

[7] Da sprangen die Mädchen auf und bereiteten ihre Lampen vor. [8] Die fünf, die nicht genügend Öl hatten, baten die anderen: ›Gebt uns etwas von eurem Öl! Unsere Lampen gehen aus.‹ [9] Aber die Klugen antworteten: ›Unser Öl reicht gerade für uns selbst. Geht doch in den Laden, und kauft euch welches!‹

[10] Da gingen sie los. In der Zwischenzeit kam der Bräutigam, und die Mädchen, die genügend Öl für ihre Lampen hatten, begleiteten ihn in den Festsaal. Dann wurde die Tür verschlossen. [11] Später kamen auch die fünf anderen. Sie standen draußen und riefen: ›Herr, mach uns die Tür auf!‹ [12] Aber er erwiderte: ›Was wollt ihr denn? Ich kenne euch nicht!‹

[13] Deshalb seid wach und haltet euch bereit! Denn ihr wisst weder an welchem Tag noch zu welchem Zeitpunkt der Menschensohn kommen wird.«

Beauftragt zu handeln
(Lukas 19,11–27)

[14] »Es wird dann so sein wie bei dem Mann, der ins Ausland reisen wollte. Er rief alle seine Verwalter zusammen und beauftragte sie, während seiner Abwesenheit mit seinem Vermögen zu arbeiten. [15] Dem einen gab er fünf Zentner[a] Silberstücke, einem anderen zwei und dem dritten einen Zentner, jedem nach seinen Fähigkeiten. Danach reiste er ab.

[16] Der Mann mit den fünf Zentnern Silberstücke war so erfolgreich bei seinen Geschäften, dass er die Summe verdoppeln konnte. [17] Auch der die zwei Zentner bekommen hatte, verdiente zwei hinzu. [18] Der dritte aber vergrub sein Geld an einem sicheren Ort.

[19] Nach langer Zeit kehrte der Herr von seiner Reise zurück und forderte seine Verwalter auf, mit ihm abzurechnen.

[20] Der Mann, der fünf Zentner Silbergeld erhalten hatte, brachte zehn Zentner. Er sagte: ›Herr, fünf Zentner hast du mir gegeben. Hier, ich habe fünf dazuverdient.‹ [21] Da lobte ihn sein Herr: ›Du warst tüchtig und zuverlässig. In kleinen Dingen bist du treu gewesen, darum werde ich dir größere Aufgaben anvertrauen. Ich lade dich zu meinem Fest ein!‹

[22] Danach kam der Mann mit den zwei Zentnern. Er berichtete: ›Herr, auch ich habe den Betrag verdoppeln können.‹ [23] Da lobte ihn der Herr: ›Du warst tüchtig und zuverlässig. In kleinen Dingen bist du treu gewesen, darum werde ich dir größere Aufgaben anvertrauen. Ich lade dich zu meinem Fest ein!‹

[24] Schließlich kam der mit dem einen Zentner Silberstücke und erklärte: ›Ich kenne dich als strengen Herrn und dachte: Du erntest, was andere gesät haben; du nimmst dir, was ich verdient habe. [25] Aus Angst habe ich das Geld sicher aufbewahrt. Hier hast du es wieder zurück!‹ [26] Zornig antwortete ihm darauf sein Herr: ›Auf dich ist kein Verlass, und faul bist du auch noch! Wenn du schon der Meinung bist, dass ich ernte, was andere gesät haben, und mir nehme, was du verdient hast, [27] hättest du zumindest mein Vermögen bei einer Bank anlegen können! Dort hätte es wenigstens Zinsen gebracht! [28] Nehmt ihm das Geld weg, und gebt es dem, der die fünf Zentner hatte!

[29] Denn wer viel hat, der bekommt noch mehr dazu, ja, er wird mehr als genug haben! Wer aber nichts hat, dem wird selbst noch das Wenige, das er hat, genommen. [30] Und jetzt werft diesen Nichtsnutz hinaus in die Finsternis, wo es nur Weinen und ohnmächtiges Jammern gibt!‹«

---

[a] Wörtlich: Talente. – Gold- oder Silbertalente waren die größte Münzeinheit. Ein Talent wog in hellenistisch-römischer Zeit ca. 41 kg.

25,12 7,23 **25,14** 21,33 **25,15** Röm 12,6 **25,20–23** 24,45–47 **25,29** 13,12

Das Weltgericht

[31] »Wenn der Menschensohn in seiner ganzen Herrlichkeit, begleitet von allen Engeln, kommt, dann wird er auf dem Thron Gottes sitzen. [32] Alle Völker werden vor ihm erscheinen, und er wird die Menschen in zwei Gruppen teilen, so wie ein Hirte die Schafe von den Böcken trennt. [33] Rechts werden die Schafe und links die Böcke stehen. [34] Dann wird der König zu denen an seiner rechten Seite sagen: ›Kommt her! Euch hat mein Vater gesegnet. Nehmt die neue Welt Gottes in Besitz, die er seit Erschaffung der Welt für euch als Erbe bereithält! [35] Denn als ich hungrig war, habt ihr mir zu essen gegeben. Als ich Durst hatte, bekam ich von euch etwas zu trinken. Ich war ein Fremder bei euch, und ihr habt mich aufgenommen. [36] Ich war nackt, ihr habt mir Kleidung gegeben. Ich war krank, und ihr habt mich besucht. Ich war im Gefängnis, und ihr seid zu mir gekommen.‹

[37] Dann werden sie, die nach Gottes Willen gelebt haben, fragen: ›Herr, wann bist du denn hungrig gewesen und wir haben dir zu essen gegeben? Oder durstig und wir gaben dir zu trinken? [38] Wann haben wir dir Gastfreundschaft gewährt, und wann bist du nackt gewesen und wir haben dir Kleider gebracht? [39] Wann warst du denn krank oder im Gefängnis und wir haben dich besucht?‹

[40] Der König wird ihnen dann antworten: ›Das will ich euch sagen. Was ihr für einen meiner geringsten Brüder getan habt, das habt ihr für mich getan!‹

[41] Zu denen an seiner linken Seite aber wird er sagen: ›Geht mir aus den Augen, ihr Verfluchten, ins ewige Feuer, das für den Teufel und seine Helfer bestimmt ist! [42] Denn ich war hungrig, aber ihr habt mir nichts zu essen gegeben. Ich war durstig, aber ihr habt mir nichts zu trinken gegeben. [43] Ich war ein Fremder unter euch, aber ihr habt mich nicht aufgenommen. Ich war nackt, aber ihr wolltet mir nichts zum Anziehen geben. Ich war krank und im Gefängnis, aber ihr habt mich nicht besucht.‹ [44] Dann werden auch sie ihn fragen: ›Herr, wann haben wir dich denn hungrig oder durstig, ohne Unterkunft, nackt, krank oder im Gefängnis gesehen und dir nicht geholfen?‹ [45] Darauf wird ihnen der König antworten: ›Lasst es euch gesagt sein: Die Hilfe, die ihr meinen geringsten Brüdern verweigert habt, die habt ihr mir verweigert.‹ [46] Und sie werden der ewigen Strafe ausgeliefert sein. Aber die Gottes Willen getan haben, erwartet unvergängliches Leben.«

Verschwörung gegen Jesus
(Markus 14,1–2; Lukas 22,1–2; Johannes 11,47–53)

26 Als Jesus diese Rede beendet hatte, sagte er zu seinen Jüngern: [2] »Ihr wisst, dass übermorgen das Passahfest beginnt. Dann wird der Menschensohn an die Menschen ausgeliefert und ans Kreuz genagelt werden.«

[3] Zu derselben Zeit versammelten sich die Hohenpriester und die führenden Männer des Volkes im Palast des Hohenpriesters Kaiphas. [4] Sie berieten darüber, wie sie Jesus heimlich festnehmen und umbringen lassen könnten. [5] Sie waren sich aber einig: »Es darf auf keinen Fall während der Festtage geschehen, damit es nicht zu Unruhen im Volk kommt.«

Ein Vermögen für Jesus
(Markus 14,3–9; Johannes 12,1–8)

[6] Jesus war in Betanien Gast bei Simon, der früher einmal aussätzig gewesen war. [7] Während der Mahlzeit kam eine Frau herein. In ihren Händen hielt sie ein Fläschchen kostbares Öl, mit dem sie seinen Kopf salbte.

[8] Als die Jünger das sahen, regten sie sich auf: »Das ist ja die reinste Verschwendung! [9] Dieses Öl ist ein Vermögen wert!

25,31–32 2 Kor 5,10* **25,35–36** Jes 58,7 **25,40** 10,42 **25,41** Offb 20,10.15 **25,46** Dan 12,2; Joh 5,29 **26,2** 20,18–19; 2 Mo 12,1–14* **26,3** Lk 3,2 **26,4–5** 21,46

Man hätte es verkaufen und das Geld den Armen geben sollen.«

[10] Als Jesus ihren Ärger bemerkte, sagte er: »Warum kränkt ihr die Frau? Sie hat etwas Gutes für mich getan. [11] Arme, die eure Hilfe nötig haben, wird es immer geben, ich dagegen bin nicht mehr lange bei euch.

[12] Mit diesem Salböl hat sie meinen Körper für mein Begräbnis vorbereitet. [13] Und ich sage euch: Überall in der Welt, wo Gottes rettende Botschaft verkündet wird, wird man auch von dieser Frau sprechen und von dem, was sie getan hat.«

Der Verrat
(Markus 14,10–11; Lukas 22,3–6)

[14] Anschließend ging einer der zwölf Jünger, Judas Iskariot, zu den Hohenpriestern [15] und fragte: »Was zahlt ihr mir, wenn ich euch Jesus verrate?« Sie gaben ihm dreißig Silbermünzen. [16] Von da an suchte Judas eine günstige Gelegenheit, um Jesus zu verraten.

Jesus feiert mit seinen Jüngern das Passahmahl
(Markus 14,12–21; Lukas 22,7–14. 21–23; Johannes 13,21–30)

[17] Am ersten Tag des Festes der ungesäuerten Brote kamen die Jünger zu Jesus und fragten: »Wo sollen wir für dich das Passahmahl vorbereiten?« [18] Jesus nannte den Jüngern einen Namen und befahl: »Geht in die Stadt zu diesem Mann, und teilt ihm mit: Unser Lehrer sagt: ›Meine Zeit ist gekommen. Ich will mit meinen Jüngern in deinem Haus das Passahmahl feiern.‹« [19] Die Jünger führten den Auftrag aus und bereiteten alles vor.

[20] Am Abend dieses Tages nahm Jesus mit den zwölf Jüngern am Tisch Platz. [21] Beim Essen erklärte er ihnen: »Ich sage euch: Einer von euch wird mich verraten!« [22] Bestürzt fragte einer nach dem andern: »Meinst du etwa mich, Herr?« [23] Jesus antwortete: »Der mit mir das Brot in die Schüssel taucht, der ist es. [24] Der Menschensohn muss zwar sterben, wie es in der Heiligen Schrift vorausgesagt ist. Aber wehe seinem Verräter! Er wäre besser nie geboren worden.« [25] Judas fragte wie die anderen auch: »Meister, du meinst doch nicht etwa mich?« Da antwortete ihm Jesus: »Doch, du bist es!«

(Markus 14,22–26; Lukas 22,17–20; 1. Korinther 11,23–25)

[26] Während sie aßen, nahm Jesus Brot, sprach das Dankgebet, teilte das Brot und gab jedem seiner Jünger ein Stück davon: »Nehmt und esst! Das ist mein Leib.« [27] Anschließend nahm er einen Becher Wein, dankte Gott und reichte ihn seinen Jüngern: »Trinkt alle daraus! [28] Das ist mein Blut, mit dem der neue Bund zwischen Gott und den Menschen besiegelt wird. Es wird zur Vergebung ihrer Sünden vergossen. [29] Ich sage euch: Von jetzt an werde ich keinen Wein mehr trinken, bis ich ihn wieder in der neuen Welt meines Vaters mit euch trinken werde.« [30] Nachdem sie das Danklied gesungen hatten, gingen sie hinaus an den Ölberg.

Jesus kündigt die Verleugnung des Petrus an
(Markus 14,27–31; Lukas 22,31–34; Johannes 13,36–38)

[31] Unterwegs sagte Jesus zu seinen Jüngern: »In dieser Nacht werdet ihr euch alle von mir abwenden. Denn es steht geschrieben: ›Ich werde der Herde den Hirten nehmen, und die Schafe werden auseinander laufen.‹[a] [32] Aber nach meiner Auferstehung werde ich nach Galiläa ge-

[a] Sacharja 13,7

26,11 5 Mo 15,11 **26,14** 10,4 **26,15** Sach 11,12; 2 Mo 21,32 **26,17** 2 Mo 12,15–20* **26,18** 21,2–3 **26,24** Jes 53,8–9 **26,28** 2 Mo 24,8; Jer 31,31–34* **26,29** Lk 22,30 **26,31** 26,56; Joh 16,32 **26,32** 28,7.16

hen, und dort werdet ihr mich wiedersehen.«

[33] Da beteuerte Petrus: »Wenn dich auch alle anderen verlassen – ich halte zu dir!« [34] Doch Jesus erwiderte ihm: »Ich sage dir: Heute Nacht, noch ehe der Hahn kräht, wirst du dreimal geleugnet haben, mich zu kennen.« [35] »Selbst wenn ich mit dir sterben müsste, würde ich das nicht tun!«, rief Petrus. Auch die anderen Jünger beteuerten dies.

Im Garten Gethsemane (Markus 14,32–42; Lukas 22,39–46; Johannes 18,1)

[36] Dann ging Jesus mit seinen Jüngern in einen Garten, der Gethsemane heißt. Dort bat er sie: »Setzt euch hier hin, und wartet auf mich! Ich will ein Stück weiter gehen und beten.« [37] Petrus, Jakobus und Johannes nahm er mit. Tiefe Traurigkeit und Angst überfielen Jesus, [38] und er sagte zu ihnen: »Ich zerbreche beinahe unter der Last, die ich zu tragen habe.[a] Bleibt bei mir, und wacht mit mir!« [39] Jesus ging ein paar Schritte weiter, warf sich nieder und betete: »Mein Vater, wenn es möglich ist, so bewahre mich vor diesem Leiden[b]! Aber nicht was ich will, sondern was du willst, soll geschehen.«

[40] Dann kam er zu den drei Jüngern zurück und sah, dass sie eingeschlafen waren. Er weckte Petrus und rief: »Könnt ihr denn nicht eine einzige Stunde mit mir wachen? [41] Bleibt wach und betet, damit ihr der Versuchung widerstehen könnt. Ich weiß, ihr wollt das Beste, aber aus eigener Kraft könnt ihr es nicht erreichen.[c]«

[42] Noch einmal ging er ein Stück weg, um zu beten: »Mein Vater, wenn mir dieses Leiden nicht erspart bleiben kann, bin ich bereit, deinen Willen zu erfüllen!« [43] Als er zurückkam, schliefen die Jünger schon wieder; die Augen waren ihnen zugefallen.

[44] Er kehrte um und betete zum dritten Mal mit den gleichen Worten. [45] Dann kam er zu seinen Jüngern zurück und sagte: »Ihr schlaft immer noch und ruht euch aus? Aber jetzt ist die Stunde gekommen: Der Menschensohn wird den gottlosen Menschen ausgeliefert. [46] Steht auf, lasst uns gehen! Der Verräter ist schon da.«

Verrat und Verhaftung (Markus 14,43–50; Lukas 22,47–53; Johannes 18,3–11)

[47] Noch während Jesus sprach, kam Judas, einer von seinen Jüngern, zusammen mit vielen Männern, die mit Schwertern und Knüppeln bewaffnet waren. Die Hohenpriester und die führenden Männer des Volkes hatten sie geschickt. [48] Judas hatte mit ihnen vereinbart: »Der Mann, den ich küssen werde, der ist es. Den müsst ihr festnehmen!«

[49] Er ging auf Jesus zu und sagte: »Sei gegrüßt, Meister!« Dann küsste er ihn. [50] Jesus sah ihn an: »Mein Freund! Warum bist du gekommen?« Sofort packten ihn die Männer und nahmen ihn fest.

[51] Aber einer der Jünger, die bei Jesus waren, wollte das verhindern. Er zog sein Schwert, schlug auf einen der Diener des Hohenpriesters ein und hieb ihm ein Ohr ab. [52] Doch Jesus befahl ihm: »Steck dein Schwert weg! Wer Gewalt anwendet, wird durch Gewalt umkommen.

[53] Ist dir denn nicht klar, dass ich meinen Vater um ein ganzes Heer von Engeln bitten könnte? Er würde sie mir sofort schicken. [54] Wie sollte sich aber dann erfüllen, was in der Heiligen Schrift vorausgesagt ist? Es muss alles so geschehen!«

[55] Danach wandte sich Jesus an die Männer, die ihn festgenommen hatten: »Bin ich denn ein Verbrecher, dass ihr

---

[a] Wörtlich: Tief betrübt ist meine Seele bis zum Tod.
[b] Wörtlich: so gehe dieser Kelch (des Leidens) an mir vorüber.
[c] Wörtlich: Der Geist ist zwar willig, das Fleisch aber ist schwach.

26,34 26,74–75 **26,35** Joh 11,16 **26,37** 17,1 **26,39** Joh 6,38; Phil 2,8; Hebr 5,7–8 **26,41** Eph 6,18 **26,45** Joh 12,23; 13,1 **26,52** 1 Mo 9,6 **26,53** 4,11 **26,55** Lk 19,47; 21,37

euch mit Schwertern und Knüppeln bewaffnet habt, um mich zu verhaften? Jeden Tag habe ich öffentlich im Tempel gesprochen. Warum habt ihr mich nicht dort festgenommen? [56] Aber auch dies geschieht, damit sich die Vorhersagen der Propheten erfüllen.«

Entsetzt verließen ihn alle Jünger und flohen.

Jesus vor Gericht
(Markus 14,53–65; Lukas 22,54–55. 63–71; Johannes 18,12–14.19–24)

[57] Die Männer, die Jesus festgenommen hatten, brachten ihn zu Kaiphas, dem Hohenpriester und Vorsitzenden des Hohen Rates. Bei ihm waren die Schriftgelehrten und die führenden Männer des Volkes versammelt. [58] In sicherem Abstand folgte ihnen Petrus bis in den Innenhof des Palastes. Dort setzte er sich zu den Dienern, um zu beobachten, was mit Jesus geschehen würde.

[59] Die Hohenpriester und der ganze Hohe Rat suchten Zeugen, die durch ihre falschen Aussagen Jesus so belasten sollten, dass man ihn zum Tode verurteilen konnte. [60] Aber es gelang ihnen nicht, obwohl viele Zeugen falsche Anschuldigungen vorbrachten. Schließlich erklärten zwei Männer: [61] »Dieser Mensch hat behauptet: ›Ich kann den Tempel Gottes abreißen und in drei Tagen wieder aufbauen.‹«

[62] Da stand der Hohepriester auf und fragte Jesus: »Warum antwortest du nicht? Hast du nichts gegen diese Anschuldigungen zu sagen?« [63] Aber Jesus schwieg. Darauf sagte der Hohepriester: »Ich nehme dich vor dem lebendigen Gott unter Eid: Sag uns, bist du Christus, der Sohn Gottes?« [64] »Ja, du sagst es«, antwortete Jesus, »und ich versichere euch: Von jetzt an werdet ihr den Menschensohn an der rechten Seite Gottes sitzen und auf den Wolken des Himmels kommen sehen.«

[65] Empört zerriss der Hohepriester sein Gewand und rief: »Das ist Gotteslästerung! Wozu brauchen wir noch weitere Zeugen? Ihr habt seine Gotteslästerung ja selbst gehört! [66] Wie lautet euer Urteil?« Sie schrien: »Er ist schuldig! Er muss sterben!« [67] Dann spuckten sie Jesus ins Gesicht, schlugen mit den Fäusten auf ihn ein und verhöhnten ihn: [68] »Na, du Messias! Du bist doch ein Prophet! Sag uns, wer hat dich geschlagen?«

Petrus behauptet, Jesus nicht zu kennen
(Markus 14,66–72; Lukas 22,56–62; Johannes 18,15–18.25–27)

[69] Petrus war immer noch im Hof. Da trat eine Dienerin auf ihn zu und sagte: »Du gehörst doch auch zu Jesus, diesem Galiläer!« [70] Aber Petrus bestritt das laut: »Ich weiß nicht, wovon du redest.« [71] Als er danach in den Vorhof hinausging, bemerkte ihn eine andere Dienerin und sagte vor allen Leuten: »Der da gehört auch zu diesem Jesus von Nazareth!« [72] Doch Petrus behauptete wieder, und diesmal schwor er sogar: »Ich kenne den Mann gar nicht!« [73] Kurze Zeit später kamen einige von den Leuten, die im Hof standen, und sagten zu Petrus: »Natürlich gehörst du zu seinen Freunden! Dein Dialekt verrät dich.« [74] Da rief Petrus: »Ich schwöre euch: Ich kenne diesen Menschen nicht! Gott soll mich verfluchen, wenn ich lüge!«

In diesem Augenblick krähte ein Hahn, [75] und Petrus fielen die Worte ein, die Jesus gesagt hatte: »Ehe der Hahn kräht, wirst du dreimal geleugnet haben, mich zu kennen.« Da ging Petrus hinaus und weinte voller Verzweiflung.

Jesus wird an die Römer ausgeliefert
(Markus 15,1; Lukas 23,1; Johannes 18,28–32)

27 Am frühen Morgen fassten alle Hohenpriester und führenden Männer des Volkes den Beschluss, Jesus

---

26,56 26,31 **26,60** 5 Mo 19,15* **26,61** Joh 2,19 **26,63–64** Mk 15,39*; Dan 7,13 **26,65** 3 Mo 24,16; 4 Mo 15,30 **26,67** Jes 50,6 **26,68** 21,11 **26,74–75** 26,34

töten zu lassen. [2] Sie ließen ihn fesseln und übergaben ihn Pilatus, dem römischen Statthalter.

Judas begeht Selbstmord
(Apostelgeschichte 1,16–19)

[3] Als Judas, der Verräter, sah, dass Jesus zum Tode verurteilt werden sollte, bereute er bitter, was er getan hatte. Er brachte den Hohenpriestern und den führenden Männern des Volkes die dreißig Silbermünzen zurück. [4] »Ich habe eine große Schuld auf mich geladen und einen Unschuldigen verraten!«, bekannte er. »Was geht uns das an?«, gaben sie ihm zur Antwort. »Das ist deine Sache!«

[5] Da nahm Judas das Geld und warf es in den Tempel. Dann lief er fort und erhängte sich. [6] Die Hohenpriester sammelten die Münzen ein, waren aber der Meinung: »Dieses Geld dürfen wir nicht in den Tempelschatz legen, weil Blut daran klebt!« [7] Nachdem sie die Sache besprochen hatten, beschlossen sie, eine Tongrube zu kaufen als Friedhof für die Fremden. [8] Noch heute heißt dieser Friedhof »Blutacker«.

[9] Auf diese Weise erfüllte sich das Wort des Propheten Jeremia: »Sie nahmen die dreißig Silbermünzen – so viel war er dem Volk Israel wert – [10] und kauften das Land von den Töpfern, wie der Herr es mir befohlen hatte.«[a]

Das Todesurteil
(Markus 15,2–15; Lukas 23,2–5. 17–25; Johannes 18,33 – 19,16)

[11] Jesus wurde zu dem römischen Statthalter Pilatus gebracht. Der fragte ihn: »Bist du der König der Juden?« Jesus antwortete: »Ja, du sagst es!«

[12] Als nun die Hohenpriester und die führenden Männer des Volkes alle möglichen Anklagen gegen ihn vorbrachten, schwieg Jesus. [13] »Hörst du denn nicht, wie schwer sie dich beschuldigen?«, fragte Pilatus. [14] Aber Jesus erwiderte kein Wort. Darüber wunderte sich Pilatus sehr.

[15] Der Statthalter begnadigte jedes Jahr zum Passahfest einen Gefangenen, den sich das Volk selbst auswählen durfte. [16] In diesem Jahr saß ein berüchtigter Verbrecher im Gefängnis. Er hieß Barabbas. [17] Als sich nun die Menschenmenge vor dem Haus des Pilatus versammelt hatte, fragte er sie: »Wen soll ich diesmal begnadigen? Barabbas oder Jesus, euren Messias?« [18] Denn Pilatus wusste genau, dass die führenden Männer des jüdischen Volkes das Verfahren gegen Jesus nur aus Neid angezettelt hatten.

[19] Während Pilatus die Gerichtsverhandlung leitete, schickte ihm seine Frau eine Nachricht: »Unternimm nichts gegen diesen Mann. Er ist unschuldig! Ich habe seinetwegen in der letzten Nacht einen furchtbaren Traum gehabt.«

[20] Inzwischen aber hatten die Hohenpriester und die führenden Männer des Volkes die Menge aufgewiegelt. Sie sollten von Pilatus verlangen, Barabbas zu begnadigen und Jesus umzubringen. [21] Als der Statthalter nun seine Frage wiederholte: »Wen von den beiden soll ich freilassen?«, schrie die Menge: »Barabbas!«

[22] »Und was soll mit Jesus geschehen, eurem Messias?« Da brüllten sie alle: »Ans Kreuz mit ihm!« [23] »Was für ein Verbrechen hat er denn begangen?«, fragte Pilatus. Doch ununterbrochen schrie die Menge: »Ans Kreuz mit ihm!«

[24] Als Pilatus sah, dass er so nichts erreichte und dass der Tumult nur immer größer wurde, ließ er eine Schüssel mit Wasser bringen. Für alle sichtbar wusch er sich die Hände und sagte: »Ich bin am Blut dieses Menschen nicht schuldig. Die Verantwortung dafür tragt ihr!« [25] Die Menge schrie zurück: »Ja, wir und unsere Kinder, wir tragen die Folgen!« [26] Da gab

---

[a] Sacharja 11,12–13; Jeremia 32,6–9

27,4 5 Mo 27,25 **27,11** 2,2 **27,12–14** Ps 38,14–16; Jes 53,7 **27,18** Joh 11,47–48 **27,21–23** Apg 3,13–14; 13,27–28 **27,24** 5 Mo 21,6–8 **27,25** Jer 26,15; Apg 5,28

Pilatus ihnen Barabbas frei. Jesus ließ er auspeitschen und zur Kreuzigung abführen.

Jesus wird verhöhnt und misshandelt (Markus 15,16–20; Johannes 19,2–3)

[27] Die Soldaten brachten Jesus in den Hof des Statthalterpalasts und riefen die ganze Truppe zusammen. [28] Dann zogen sie ihm die Kleider aus und hängten ihm einen scharlachroten Mantel um. [29] Aus Dornenzweigen flochten sie eine Krone und drückten sie ihm auf den Kopf. Sie gaben ihm einen Stock in die rechte Hand, knieten vor ihm nieder und riefen höhnisch: »Es lebe der König der Juden!« [30] Sie spuckten ihn an und schlugen ihm mit dem Stock auf den Kopf. [31] Nachdem sie ihn so verspottet hatten, zogen sie ihm den roten Mantel wieder aus und gaben ihm seine eigenen Kleider zurück. Dann führten sie Jesus ab zur Kreuzigung.

Die Kreuzigung (Markus 15,21–32; Lukas 23,26–43; Johannes 19,16–27)

[32] Auf dem Weg zur Hinrichtungsstätte begegnete ihnen ein Mann aus Kyrene, der Simon hieß. Ihn zwangen sie, das Kreuz zu tragen, an das Jesus gehängt werden sollte. [33] So zogen sie aus der Stadt hinaus nach Golgatha, was »Schädelstätte« heißt. [34] Dort gaben die Soldaten Jesus Wein mit einem bitteren Zusatz zur Betäubung. Als Jesus das merkte, wollte er nichts davon trinken.

[35] Dann nagelten sie ihn an das Kreuz. Seine Kleider verlosten sie unter sich.[a] [36] Sie setzten sich neben das Kreuz und bewachten Jesus. [37] Über seinem Kopf brachten sie ein Schild an, auf dem stand, weshalb man ihn verurteilt hatte: »Das ist Jesus, der König der Juden!« [38] Mit Jesus wurden zwei Verbrecher gekreuzigt, der eine rechts, der andere links von ihm.

[39] Die Leute, die am Kreuz vorübergingen, beschimpften ihn und schüttelten spöttisch den Kopf: [40] »Den Tempel wolltest du zerstören und in drei Tagen wieder aufbauen? Dann rette dich doch selber! Komm vom Kreuz herunter, wenn du wirklich der Sohn Gottes bist!«

[41] Auch die Hohenpriester, Schriftgelehrten und führenden Männer des Volkes verhöhnten Jesus: [42] »Anderen hat er geholfen, aber sich selbst kann er nicht helfen. Wenn er wirklich der König Israels ist, soll er doch vom Kreuz heruntersteigen. Dann wollen wir an ihn glauben! [43] Er hat sich doch immer auf Gott verlassen; jetzt wollen wir sehen, ob Gott ihn wirklich liebt und ihm hilft. Hat er nicht gesagt: ›Ich bin Gottes Sohn‹?« [44] Ebenso beschimpften ihn die beiden Verbrecher, die mit ihm gekreuzigt worden waren.

Jesus stirbt am Kreuz (Markus 15,33–41; Lukas 23,44–49; Johannes 19,28–37)

[45] Am Mittag wurde es plötzlich im ganzen Land dunkel. Diese Finsternis dauerte drei Stunden. [46] Gegen drei Uhr rief Jesus laut: »Eli, Eli, lema sabachtani?« Das heißt: »Mein Gott, mein Gott, warum hast du mich verlassen?«[b]

[47] Einige von den Umstehenden aber meinten: »Er ruft den Propheten Elia.« [48] Einer von ihnen nahm schnell einen Schwamm, tauchte ihn in Essig und steckte ihn auf einen Stab, um Jesus davon trinken zu lassen. [49] Aber die anderen sagten: »Lass doch! Wir wollen sehen, ob Elia kommt und ihm hilft.« [50] Da schrie Jesus noch einmal laut auf und starb.

[51] Im selben Augenblick zerriss im Tempel der Vorhang vor dem Allerheiligsten von oben bis unten. Die Erde beb-

---

[a] Andere Textzeugen fügen hinzu: Dadurch sollte sich erfüllen, was durch den Propheten vorausgesagt wurde: »Meine Kleider haben sie unter sich geteilt und mein Gewand verlost.« Psalm 22,19

[b] Psalm 22,2

27,30 Jes 50,6 **27,34** Ps 69,22 **27,38** Jes 53,12 **27,39** Ps 22,8; 109,25 **27,40** 26,61; Joh 2,19 **27,43** 26,63–64; Ps 22,9 **27,44** Lk 23,39–43 **27,45** Am 8,9 **27,48** Ps 69,22 **27,51** 2 Mo 26,31–33; Hebr 10,19–20

te, und die Felsen zerbarsten. [52]Gräber öffneten sich, und viele Verstorbene, die nach Gottes Willen gelebt hatten, erwachten vom Tod. [53]Nach der Auferstehung Jesu verließen sie ihre Gräber, gingen in die Stadt und erschienen dort vielen Leuten.

[54]Der römische Hauptmann und die Soldaten, die Jesus bewachten, erschraken sehr bei diesem Erdbeben und allem, was sich sonst ereignete. Sie sagten: »Dieser Mann ist wirklich Gottes Sohn gewesen!«

[55]Viele Frauen aus Galiläa waren mit Jesus zusammen nach Jerusalem gekommen. Sie hatten für ihn gesorgt, und jetzt beobachteten sie das Geschehen aus der Ferne. [56]Unter ihnen waren Maria aus Magdala und Maria, die Mutter von Jakobus und Joses, sowie die Mutter der beiden Zebedäussöhne Jakobus und Johannes.

Jesus wird begraben
(Markus 15,42–47; Lukas 23,50–56; Johannes 19,38–42)

[57]Am Abend kam ein reicher Mann aus Arimathäa. Er hieß Josef und war ein Jünger Jesu. [58]Er ging zu Pilatus und bat ihn um den Leichnam Jesu. Pilatus befahl, diese Bitte zu erfüllen. [59]Josef nahm den Toten, wickelte ihn in ein neues Leinentuch [60]und legte ihn in das Grab, das er für sich selbst in einen Felsen hatte hauen lassen. Dann wälzte er einen großen Stein vor den Eingang des Grabes und ging fort. [61]Maria aus Magdala und die andere Maria waren auch dabei. Sie blieben beim Grab sitzen.

Die Wache am Grab

[62]Am nächsten Tag, es war der Sabbat, kamen die Hohenpriester und Pharisäer zu Pilatus [63]und sagten: »Herr, uns ist eingefallen, dass dieser Verführer einmal behauptet hat: ›Drei Tage nach meinem Tod werde ich auferweckt werden!‹ [64]Lass darum das Grab bis zum dritten Tag bewachen, sonst stehlen seine Jünger noch den Leichnam und erzählen jedem, Jesus sei von den Toten auferstanden. Das aber wäre ein noch größerer Betrug.« [65]»Ich will euch eine Wache geben«, antwortete Pilatus. »Tut, was ihr für richtig haltet, und sichert das Grab!« [66]Da versiegelten sie den Stein und stellten Wachposten auf.

Jesus lebt
(Markus 16,1–8; Lukas 24,1–12; Johannes 20,1–18)

28 Als der Sabbat vorüber war, am frühen Sonntagmorgen bei Sonnenaufgang, gingen Maria aus Magdala und die andere Maria hinaus an das Grab. [2]Plötzlich fing die Erde an zu beben, und ein Engel Gottes kam vom Himmel herab, wälzte den Stein vor dem Grab beiseite und setzte sich darauf. [3]Er leuchtete hell wie ein Blitz, und sein Gewand war weiß wie Schnee. [4]Die Wachposten stürzten vor Schrecken zu Boden und blieben wie tot liegen.

[5]Der Engel wandte sich an die Frauen: »Fürchtet euch nicht! Ich weiß, dass ihr Jesus, den Gekreuzigten, sucht. [6]Er ist nicht mehr hier. Er ist auferstanden, wie er es vorhergesagt hat. Kommt und seht euch die Stelle an, wo er gelegen hat. [7]Dann beeilt euch, geht zu seinen Jüngern und sagt ihnen, dass Jesus von den Toten auferstanden ist. Er wird euch nach Galiläa vorausgehen, und dort werdet ihr ihn sehen. Diese Botschaft soll ich euch ausrichten.«

[8]Erschrocken liefen die Frauen vom Grab weg. Gleichzeitig erfüllte sie unbeschreibliche Freude. Sie wollten sofort den Jüngern alles berichten, was sie erlebt hatten. [9]Sie waren noch nicht weit gekommen, als Jesus plötzlich vor ihnen stand. »Seid gegrüßt!«, sagte er. Da fielen sie vor ihm nieder und umklammerten

---

27,54 Mk 15,39* **27,55–56** Lk 8,2–3 **27,57–58** 5 Mo 21,22–23* **27,63** 12,40 **27,64** 28,12–13
28,3 Dan 10,5–6; Apg 1,10 **28,6** 16,21; 17,23; 20,19 **28,7** 26,32

seine Füße. [10] Jesus beruhigte sie: »Fürchtet euch nicht! Geht, sagt meinen Brüdern, sie sollen nach Galiläa kommen! Dort werden sie mich sehen.«

Die Lüge der Wachsoldaten

[11] Nachdem die Frauen das Grab verlassen hatten, liefen einige der Wachsoldaten zu den Hohenpriestern in die Stadt und berichteten, was geschehen war. [12] Diese berieten mit den führenden Männern des Volkes, was sie nun tun sollten. Schließlich gaben sie den Soldaten viel Geld [13] und befahlen ihnen: »Erzählt überall: ›In der Nacht, als wir schliefen, sind seine Jünger gekommen und haben den Toten gestohlen.‹« [14] Auch versprachen sie ihnen: »Wenn der Statthalter dahinter kommt, werden wir dafür sorgen, dass euch nichts geschieht.« [15] Die Soldaten nahmen das Geld und hielten sich an den Befehl. So hat sich diese Geschichte bei den Juden weiter verbreitet und findet noch heute Glauben.

Der Auftrag an die Jünger
(Markus 16,14–18; Lukas 24,36–49; Johannes 20,19–23)

[16] Die elf Jünger gingen nach Galiläa zu dem Berg, den Jesus ihnen genannt hatte. [17] Als sie ihn dort sahen, fielen sie vor ihm nieder. Einige aber zweifelten, ob es wirklich Jesus war.

[18] Da ging Jesus auf seine Jünger zu und sprach: »Ich habe von Gott alle Macht im Himmel und auf der Erde erhalten. [19] Geht hinaus in die ganze Welt, und ruft alle Menschen dazu auf, mir nachzufolgen! Tauft sie im Namen des Vaters, des Sohnes und des Heiligen Geistes! [20] Lehrt sie, so zu leben, wie ich es euch aufgetragen habe. Ihr dürft sicher sein: Ich bin immer bei euch, bis das Ende dieser Welt gekommen ist!«

28,10 Hebr 2,11 **28,12–13** 27,64 **28,16** 26,32 **28,18** Dan 7,13–14; Eph 1,22; Phil 2,9–11 **28,19** Apg 1,8; 2,38; 8,36; 2 Kor 5,20 **28,20** 18,20; Joh 14,23

Markus berichtet von Jesus

Johannes der Täufer ruft: »Kehrt um zu Gott!«
(Matthäus 3,1–12; Lukas 3,1–18; Johannes 1,19–28)

1 [1/2] Dies ist die rettende Botschaft von Jesus Christus, dem Sohn Gottes.

Alles begann so, wie es der Prophet Jesaja vorausgesagt hatte: »Gott spricht: ›Ich sende meinen Boten dir voraus, der dein Kommen ankündigt und die Menschen darauf vorbereitet.‹«[a]

[3] »Ein Bote wird in der Wüste rufen: ›Macht den Weg frei für den Herrn! Räumt alle Hindernisse weg!‹«[b]

[4] Dieser Bote war Johannes der Täufer. Er lebte in der Wüste, taufte und verkündete den Menschen, die zu ihm kamen: »Kehrt um zu Gott, und lasst euch von mir taufen! Dann wird er euch eure Sünden vergeben.« [5] Viele Menschen aus der ganzen Provinz Judäa und aus Jerusalem kamen zu ihm. Sie bekannten ihre Sünden und ließen sich von ihm im Jordan taufen.

[6] Johannes trug ein aus Kamelhaar gewebtes Gewand, das von einem Lederriemen zusammengehalten wurde. Er ernährte sich von Heuschrecken und wildem Honig. [7] Johannes rief den Leuten zu: »Nach mir wird ein anderer kommen, der viel mächtiger ist als ich. Ich bin nicht einmal würdig, ihm die Schuhe auszuziehen. [8] Ich taufe euch mit Wasser, aber er wird euch mit dem Heiligen Geist taufen.«

Jesus lässt sich taufen
(Matthäus 3,13–17; Lukas 3,21–22; Johannes 1,32–34)

[9] In dieser Zeit kam Jesus aus Nazareth, das in der Provinz Galiläa liegt, an den Jordan und ließ sich dort von Johannes taufen. [10] Als Jesus nach der Taufe aus dem Wasser gestiegen war, sah er, wie sich der Himmel über ihm öffnete und der Geist Gottes wie eine Taube auf ihn herabkam. [11] Gleichzeitig sprach eine Stimme vom Himmel: »Du bist mein geliebter Sohn, der meine ganze Freude ist.«

Jesus wird auf die Probe gestellt
(Matthäus 4,1–11; Lukas 4,1–13)

[12] Kurz darauf führte der Geist Gottes Jesus in die Wüste. [13] Vierzig Tage war er dort den Versuchungen des Satans ausgesetzt. Er lebte unter wilden Tieren, und die Engel Gottes dienten ihm.

Die ersten Jünger
(Matthäus 4,12–22; Lukas 4,14–15)

[14] Nachdem Johannes der Täufer von König Herodes verhaftet worden war, kam Jesus in die Provinz Galiläa, um dort Gottes Botschaft zu verkünden: [15] »Jetzt ist die Zeit gekommen, in der Gottes neue Welt beginnt. Kehrt um zu Gott, und glaubt an die rettende Botschaft!« [16] Als Jesus am See Genezareth entlangging, sah er die beiden Brüder Simon und Andreas. Sie waren Fischer und warfen gerade ihre Netze aus. [17] Da forderte

---

[a] Maleachi 3,1
[b] Jesaja 40,3

1,1–2 15,39*; Mt 11,10; Lk 1,76 **1,4** Apg 19,4 **1,6** 2 Kön 1,8 **1,8** Apg 1,5 **1,9** Mt 2,23 **1,10** Jes 11,2 **1,11** 9,7; Ps 2,7; Jes 42,1 **1,13** Hebr 2,18; 4,15 **1,14** 6,17–18 **1,15** Gal 4,4

Jesus sie auf: »Kommt mit mir! Ich will euch zeigen, wie ihr Menschen für Gott gewinnen könnt.« [18] Sofort ließen die beiden Männer ihre Netze liegen und gingen mit ihm.

[19] Nicht weit davon entfernt begegnete Jesus den Söhnen des Zebedäus, Johannes und Jakobus. Sie saßen im Boot und flickten ihre Netze. [20] Auch sie forderte er auf, mit ihm zu gehen. Da verließen sie ihren Vater mit seinen Arbeitern und gingen mit Jesus.

Jesus erweist seine Macht
(Lukas 4,31–37)

[21] Nun kamen sie in die Stadt Kapernaum. Am nächsten Sabbat besuchte Jesus die Synagoge und sprach dort zu den Menschen. [22] Die Zuhörer waren sehr beeindruckt von dem, was er lehrte. Denn anders als ihre Schriftgelehrten redete Jesus mit einer Vollmacht, die Gott ihm verliehen hatte.

[23] In der Synagoge war ein Mann, der von einem bösen Geist beherrscht wurde. Der schrie: [24] »Was willst du von uns, Jesus von Nazareth? Du bist doch nur gekommen, um uns zu vernichten. Ich weiß, dass du von Gott kommst und zu Gott gehörst[a]!« [25] Jesus befahl dem Dämon: »Schweig und verlass diesen Menschen!« [26] Da zerrte der Dämon den Mann hin und her und verließ ihn mit einem lauten Schrei.

[27] Darüber erschraken alle in der Synagoge und fragten sich: »Was ist das nur für eine Lehre? Und welche Macht dieser Jesus hat! Seinen Befehlen müssen sogar die bösen Geister gehorchen!« [28] In Windeseile wurde in ganz Galiläa bekannt, was Jesus getan hatte.

Kranke werden geheilt
(Matthäus 8,14–17; Lukas 4,38–41)

[29] Nachdem Jesus die Synagoge verlassen hatte, ging er mit Jakobus und Johannes in Simons Haus, in dem auch Andreas wohnte. [30] Dort erfuhr er, dass Simons Schwiegermutter mit hohem Fieber im Bett lag. [31] Er ging zu ihr, nahm ihre Hand und richtete sie auf. Sofort war das Fieber verschwunden. Sie konnte sogar aufstehen und für ihre Gäste sorgen.

[32] Am Abend, als die Sonne untergegangen war, brachte man viele Kranke und von Dämonen beherrschte Menschen herbei. [33] Fast alle Bewohner der Stadt versammelten sich vor Simons Haus. [34] Jesus heilte viele von ihren Krankheiten und zwang die Dämonen, ihre Opfer freizugeben. Dabei verbot er den bösen Geistern, von ihm zu reden, denn sie wussten genau, wer er war.

Alle sollen die rettende Botschaft hören
(Lukas 4,42–44)

[35] Am nächsten Morgen stand Jesus vor Tagesanbruch auf und zog sich an eine einsam gelegene Stelle zurück, um dort allein zu beten. [36] Petrus und die anderen suchten ihn. [37] Als sie ihn gefunden hatten, sagten sie: »Alle Leute fragen nach dir!« [38] Aber er antwortete: »Wir müssen auch noch in die anderen Dörfer gehen, um dort die rettende Botschaft zu verkünden. Das ist meine Aufgabe.« [39] Jesus reiste durch die ganze Provinz Galiläa, predigte in den Synagogen und befreite viele aus der Gewalt dämonischer Mächte.

Ein Geheilter kann nicht schweigen
(Matthäus 8,2–4; Lukas 5,12–16)

[40] Einmal kam ein Aussätziger zu Jesus. Er fiel vor ihm nieder und bat: »Wenn du willst, kannst du mich heilen.« [41] Jesus hatte Mitleid mit dem Mann. Deshalb streckte er die Hand aus, berührte ihn und sagte: »Ich will es tun! Sei gesund!« [42] Im selben Augenblick war der Aussatz

---

[a] Wörtlich: dass du der Heilige Gottes bist.

1,18.20 10,28–31 **1,21** Mt 4,13 **1,22** Mt 7,28–29; Lk 4,32; Joh 7,46 **1,24** 15,39* **1,27** 4,41 **1,30** 1 Kor 9,5 **1,31** 5,41 **1,35** 6,46; 14,32; Lk 5,16* **1,40** 3 Mo 13,45–46

verschwunden und der Mann geheilt. [43/44]»Sag niemandem etwas«, schärfte Jesus ihm ein, »sondern geh sofort zum Priester, und lass dich von ihm untersuchen. Bring das Opfer für deine Heilung dar, wie es Mose vorgeschrieben hat.[a] So werden die Priester sehen, dass ich im Auftrag Gottes handle.«

[45]Doch der Mann erzählte überall, wie er geheilt worden war, so dass Jesus nicht länger in der Stadt bleiben konnte. Er musste sich in eine einsame Gegend zurückziehen. Aber auch dorthin kamen von überall die Leute zu ihm.

Jesus hat die Macht, Sünden zu vergeben
(Matthäus 9,1–8; Lukas 5,17–26)

2 Nach einigen Tagen kehrte Jesus nach Kapernaum zurück. Es sprach sich schnell herum, dass er wieder im Haus des Simon[b] war. [2]Viele Menschen strömten zusammen, so dass nicht einmal mehr vor der Tür Platz war. Ihnen allen verkündete Jesus Gottes Botschaft.

[3]Da kamen vier Männer, die einen Gelähmten trugen. [4]Weil sie wegen der vielen Menschen nicht bis zu Jesus kommen konnten, deckten sie über ihm das Dach ab. Durch diese Öffnung ließen sie den Gelähmten auf seiner Trage hinunter.

[5]Als Jesus ihren festen Glauben sah, sagte er zu dem Gelähmten: »Mein Sohn, deine Sünden sind dir vergeben!«

[6]Aber einige der anwesenden Schriftgelehrten dachten: [7]»Das ist Gotteslästerung! Was bildet der sich ein! Nur Gott allein kann Sünden vergeben.« [8]Jesus durchschaute sie und fragte: »Wie könnt ihr nur so etwas denken! [9]Ist es leichter zu sagen: ›Dir sind deine Sünden vergeben‹ oder diesen Gelähmten zu heilen? [10]Aber ich will euch zeigen, dass der Menschensohn die Macht hat, hier auf der Erde Sünden zu vergeben.« Und er forderte den Gelähmten auf: [11]»Steh auf, nimm deine Trage, und geh nach Hause!«

[12]Da stand der Mann auf, nahm seine Trage und ging vor aller Augen hinaus. Fassungslos sahen ihm die Menschen nach und riefen: »So etwas haben wir noch nie erlebt!« Und alle lobten Gott.

Der Zolleinnehmer Levi
(Matthäus 9,9–13; Lukas 5,27–32)

[13]Jesus ging an das Ufer des Sees Genezareth und sprach zu den vielen Menschen, die sich dort versammelt hatten. [14]Als er weiterging, sah er Levi, den Sohn des Alphäus, am Zoll sitzen. Jesus forderte ihn auf: »Komm, geh mit mir!« Sofort stand Levi auf und folgte ihm.

[15]Später war Jesus mit seinen Jüngern bei Levi zu Gast. Levi hatte viele Zolleinnehmer eingeladen und andere Leute mit schlechtem Ruf. Viele von ihnen waren zu Freunden Jesu geworden. [16]Als aber einige Schriftgelehrte, die zur Partei der Pharisäer gehörten, Jesus in dieser Gesellschaft essen sahen, fragten sie seine Jünger: »Wie kann sich euer Jesus bloß mit solchem Gesindel einlassen!« [17]Jesus hörte das und antwortete: »Die Gesunden brauchen keinen Arzt, sondern die Kranken. Ich bin gekommen, um Menschen in die Gemeinschaft mit Gott zu rufen, die ohne ihn leben – und nicht solche, die sich sowieso an seine Gebote halten.«

Neue Formen für das neue Leben
(Matthäus 9,14–17; Lukas 5,33–39)

[18]Die Jünger des Johannes und die Pharisäer fasteten regelmäßig. Deshalb kamen einige von ihnen zu Jesus und fragten: »Warum fasten deine Jünger eigentlich nicht wie die Jünger des Johannes und alle Pharisäer?«

[19]Jesus antwortete ihnen: »Sollen die

---

[a] Vgl. 3. Mose 14,2–32
[b] Wörtlich: im Haus. Vgl. Kapitel 1,29

1,43–44 7,36* **2,5** Lk 7,48 **2,7** Ps 130,4; Jes 43,25 **2,11–12** Joh 5,8–9 **2,14** 1,16–20 **2,15–16** Mt 11,19; Lk 15,1–2 **2,17** Lk 19,10 **2,18** Lk 18,12 **2,19** Mt 22,2

Hochzeitsgäste etwa fasten, wenn der Bräutigam bei ihnen ist? Nein, sie werden feiern, solange er da ist! [20] Die Zeit kommt ohnehin früh genug, dass der Bräutigam ihnen genommen wird. Dann werden sie fasten.

[21] Niemand flickt ein altes Kleid mit neuem Stoff. Der alte Stoff würde an der Flickstelle doch wieder reißen, und das Loch würde nur noch größer. [22] Ebenso füllt niemand jungen, gärenden Wein in alte, brüchige Schläuche. Sonst platzen sie, der Wein läuft aus, und die Schläuche sind unbrauchbar. Nein, jungen Wein füllt man in neue Schläuche!«

Der Ruhetag ist für den Menschen da
(Matthäus 12,1–8; Lukas 6,1–5)

[23] An einem Sabbat ging Jesus mit seinen Jüngern durch die Getreidefelder. Unterwegs rissen die Jünger Ähren ab und aßen die Körner. [24] Da beschwerten sich die Pharisäer bei Jesus: »Sieh dir das an! Es ist doch verboten, am Sabbat Getreide zu ernten.«

[25/26] Aber Jesus antwortete ihnen: »Habt ihr denn nie gelesen, was David und seine Männer getan haben – damals, als Abjatar Hoherpriester war? Als sie hungrig waren, gingen sie in das Haus Gottes und aßen von dem Brot, das Gott geweiht war und das nur die Priester essen durften.[a]

[27] Der Sabbat wurde doch für den Menschen geschaffen und nicht der Mensch für den Sabbat. [28] Deshalb hat der Menschensohn auch das Recht zu entscheiden, was am Sabbat erlaubt ist und was nicht.«

Gesetzlichkeit oder Liebe?
(Matthäus 12,9–14; Lukas 6,6–11)

3 Als Jesus wie gewohnt zur Synagoge ging, war dort ein Mann mit einer verkrüppelten Hand. [2] Seine Gegner warteten gespannt darauf, wie Jesus sich verhalten würde. Sollte er es nämlich wagen, auch am Sabbat zu heilen, so könnten sie Anklage gegen ihn erheben.

[3] Jesus rief den Mann mit der verkrüppelten Hand zu sich: »Steh auf und komm hierher, damit alle dich sehen können!« [4] Dann fragte er die Anwesenden: »Soll man am Sabbat Gutes tun oder Böses? Soll man das Leben eines Menschen retten, oder soll man ihn zugrunde gehen lassen?«

Doch er bekam keine Antwort. [5] Zornig sah Jesus einen nach dem anderen an, traurig über ihre Hartherzigkeit. Zu dem Mann aber sagte er: »Streck deine Hand aus!« Er streckte sie aus, und die Hand war gesund.

[6] Da verließen die Pharisäer die Synagoge und trafen sich mit den Freunden und Anhängern des Königs Herodes. Sie berieten miteinander, wie sie Jesus töten könnten.

Jesus heilt am See Genezareth
(Matthäus 12,15–16; Lukas 6,17–19)

[7] Jesus zog sich mit seinen Jüngern wieder an das Ufer des Sees Genezareth zurück. Aber die Menschen liefen ihm in Scharen aus ganz Galiläa nach. Sogar aus Judäa, [8] Jerusalem, Idumäa, von der anderen Seite des Jordan und aus Tyrus und Sidon waren sie gekommen, weil sie von seinen Taten gehört hatten.

[9] Als immer mehr Menschen dazukamen, beauftragte er seine Jünger, ein Boot bereitzuhalten, wenn ihn die Menschen zu sehr bedrängen sollten.

[10] Jesus heilte viele Kranke. Darum drängten sich die Leute um ihn. Sie wollten wenigstens seine Kleider berühren, um dadurch gesund zu werden. [11] Von Dämonen Beherrschte stürzten vor ihm nieder und schrien: »Du bist der Sohn Gottes!« [12] Aber Jesus befahl ihnen zu schweigen.

---

[a] Vgl. 1. Samuel 21,7

2,25–26 3 Mo 24,5–9 **2,27** 5 Mo 5,12–15 **3,2** 12,13 **3,4** Lk 14,5 **3,6** Joh 5,16 **3,10** 5,25–29 **3,11** 15,39* **3,12** 7,36*

Die zwölf Apostel
(Matthäus 10,1–4; Lukas 6,12–16)

[13]Danach stieg Jesus auf einen Berg. Einige Männer hatte er aufgefordert mitzukommen; und sie waren mit ihm gegangen. [14/15]Zwölf von ihnen erwählte er zu Aposteln. Sie sollten ständig bei ihm bleiben und von ihm lernen. Er wollte sie mit dem Auftrag aussenden, die Botschaft von Gott zu predigen und Menschen von der Macht der Dämonen zu befreien.

[16]Diese zwölf Männer waren: Simon, dem Jesus den Namen Petrus gab; [17]Jakobus und Johannes, die Söhne des Zebedäus – Jesus nannte sie »Donnersöhne« –, [18]Andreas, Philippus, Bartholomäus, Matthäus, Thomas, Jakobus, der Sohn des Alphäus, Thaddäus, Simon, der ehemalige Freiheitskämpfer, [19]und Judas Iskariot, der Jesus später verriet.

Widerstand gegen Jesus
(Matthäus 12,24–32; Lukas 11,15–23; 12,10)

[20]Dann kehrte Jesus in das Haus des Simon[a] zurück. Sogleich liefen wieder so viele Menschen zu ihm, dass er und seine Jünger nicht einmal Zeit zum Essen hatten. [21]Als seine Angehörigen das erfuhren, wollten sie ihn unbedingt mit nach Hause nehmen. »Er hat den Verstand verloren!«, sagten sie.

[22]Einige der Schriftgelehrten aus Jerusalem behaupteten sogar: »Er hat sich dem Obersten Teufel[b] verschrieben. Nur weil er vom Herrscher über alle Dämonen die Macht bekommen hat, kann er Dämonen austreiben.«

[23]Jesus aber rief die Leute zu sich und fragte sie: »Warum sollte denn Satan sich selbst vertreiben? [24]Ein Staat wird untergehen, wenn in ihm verschiedene Herrscher um die Macht kämpfen. [25]Eine Familie, die ständig in Zank und Streit lebt, bricht auseinander. [26]Wenn der Satan also sich selbst bekämpfte, hätte er keine Macht mehr. Das wäre sein Untergang. [27]Niemand kann in das Haus eines starken Mannes eindringen und ihn berauben. Erst wenn er gefesselt ist, kann man sein Haus plündern.

[28]Das eine will ich euch sagen: Jede Sünde und jede Gotteslästerung kann den Menschen vergeben werden. [29]Wer aber den Heiligen Geist verlästert, der wird niemals Vergebung finden; seine Sünde lastet für immer auf ihm.«

[30]Das sagte er zu den Schriftgelehrten, weil sie behauptet hatten: »Er ist von einem bösen Geist besessen.«

Wer gehört zu Jesus?
(Matthäus 12,46–50; Lukas 8,19–21)

[31/32]Noch während Jesus sprach, kamen seine Mutter und seine Geschwister. Aber weil so viele Menschen bei ihm waren, kamen sie nicht an ihn heran. Deshalb baten sie, Jesus auszurichten: »Deine Mutter, deine Brüder und deine Schwestern warten draußen. Sie wollen mit dir reden!« [33]Er gab zur Antwort: »Wer ist meine Mutter, und wer sind meine Geschwister?« [34]Dann sah er seine Zuhörer an und sagte: »Seht diese dort, sie sind meine Mutter und meine Geschwister. [35]Wer Gottes Willen tut, ist für mich Bruder, Schwester und Mutter!«

Das Gleichnis vom Bauern, der Getreide aussät
(Matthäus 13,1–23; Lukas 8,4–15)

4 Wieder kam eine große Menschenmenge zusammen, als Jesus am See sprach. Darum stieg er in ein Boot und redete von dort zu den Menschen am Ufer. [2]Was er ihnen von Gott zu sagen hatte, erklärte er ihnen durch Gleichnisse:

---

[a] Wörtlich: in ein Haus. Vgl. Kapitel 1,29

[b] Wörtlich: Beelzebul.

3,14–15 6,7–13; 16,17 **3,16** Mt 16,18 **3,17** Lk 9,54 **3,19** 14,43–46 **3,21** 6,4 **3,22** Joh 8,48; 10,20 **3,27** Kol 2,15; 1 Joh 4,4 **3,28** 1 Joh 1,9 **3,31–32** 6,3 **3,35** Röm 8,29; Hebr 2,11 **4,1** 2,13; 3,9

[3]»Hört mir zu! Ein Bauer säte Getreide aus. [4]Dabei fielen ein paar Saatkörner auf den Weg. Sofort kamen die Vögel und pickten sie auf. [5/6]Andere Körner fielen auf felsigen Boden, wo nur wenig Erde war. Dort ging die Saat zwar schnell auf; aber als die Sonne heiß brannte, vertrockneten die Pflänzchen, weil ihre Wurzeln in der dünnen Erdschicht zu wenig Nahrung fanden. [7]Einige Körner fielen zwischen die Disteln, doch diese hatten die junge Saat bald überwuchert, so dass sie schließlich erstickte. [8]Die übrige Saat aber fiel auf fruchtbaren Boden, wuchs heran und brachte das Dreißigfache, das Sechzigfache, ja sogar das Hundertfache der Aussaat als Ertrag. [9]Hört genau auf das, was ich euch sage!«

[10]Später, als Jesus mit seinen zwölf Jüngern und den anderen Begleitern allein war, fragten sie ihn: »Warum erzählst du solche Gleichnisse?« [11]Er antwortete: »Euch lässt Gott die Geheimnisse seiner neuen Welt verstehen. Zu allen anderen aber rede ich durch Gleichnisse. [12]Denn ›sie sollen sehen, aber nicht erkennen; sie sollen hören, aber nicht verstehen. Sonst würden sie zu Gott umkehren, und ihre Sünde würde ihnen vergeben.‹[a]«

[13]Dann sagte er zu seinen Jüngern: »Aber ich sehe, dass auch ihr diesen einfachen Vergleich nicht verstanden habt. Wie wollt ihr dann all die anderen begreifen?

[14]Was der Bauer im Gleichnis aussät, ist die Botschaft Gottes. [15]Die Menschen, bei denen die Saat auf den Weg fällt, haben die Botschaft zwar gehört. Aber dann kommt der Satan und nimmt ihnen alles wieder weg.

[16]Wie felsiger Boden sind die Menschen, die zwar die Botschaft hören und mit großer Begeisterung annehmen. [17]Aber ihr Glaube hat keine starke Wurzel und deshalb keinen Bestand. Wenn diese Menschen wegen ihres Glaubens in Schwierigkeiten geraten oder gar verfolgt werden, wenden sie sich wieder von Gott ab.

[18]Der von Disteln überwucherte Boden entspricht den Menschen, die zwar die Botschaft hören, [19]aber die Sorgen des Alltags, die Verführung durch den Wohlstand und die Gier nach all den Dingen dieses Lebens ersticken Gottes Botschaft, so dass keine Frucht wachsen kann.

[20]Aber es gibt auch fruchtbaren Boden: Menschen, die Gottes Botschaft hören und annehmen, so dass sie Frucht bringen, dreißig-, sechzig- oder hundertfach.«

Das Beispiel von der Öllampe (Lukas 8,16–18)

[21]Dann fragte Jesus die Zuhörer: »Zündet man etwa eine Öllampe an, um sie dann unter einen Eimer oder unters Bett zu stellen? Im Gegenteil! Eine brennende Lampe stellt man so auf, dass sie den ganzen Raum erhellt. [22]Alles, was jetzt noch verborgen ist, wird einmal ans Licht kommen, und was jetzt noch ein Geheimnis ist, wird jeder verstehen. [23]Denkt genau darüber nach, was ich euch gesagt habe, und richtet euch danach!

[24]Eins steht fest: Mit dem Maßstab, den ihr an andere anlegt, werdet ihr selbst gemessen werden. Von euch wird man sogar noch mehr erwarten. [25]Denn wer viel hat, der bekommt noch mehr dazu. Wer aber nichts hat, dem wird selbst noch das Wenige, das er hat, genommen.«

Das Gleichnis von der aufwachsenden Saat

[26]Jesus erklärte weiter: »Die neue Welt Gottes kann man vergleichen mit einem Bauern und der Saat, die er auf sein Feld sät. [27]Nach der Arbeit geht er nach Hause, schläft, steht wieder auf, und das tagaus, tagein. Im Laufe der Zeit wächst die Saat ohne sein Zutun heran. [28]Denn die

[a] Vgl. Jesaja 6,9–10

4,11 Mt 11,25 **4,12** Joh 12,38–40; Apg 28,25–27 **4,17** 1 Thess 3,5 **4,19** 10,23–24; 1 Tim 6,9–10
4,20 Joh 15,5 **4,21** Mt 5,14–16 **4,24** Mt 7,2 **4,25** Mt 13,12; 25,29

Erde lässt die Frucht aufgehen und wachsen. Zuerst kommt der Halm, dann die Ähre und endlich als Frucht die Körner. [29] Wenn aus der Saat das reife Getreide geworden ist, lässt der Bauer es abmähen, denn die Erntezeit ist da.«

Das Gleichnis vom Senfkorn
(Matthäus 13,31–32; Lukas 13,18–19)

[30] Schließlich fragte Jesus: »Womit sollen wir die neue Welt Gottes noch vergleichen? Welches Bild könnte euch helfen, sie zu verstehen? [31] Mit Gottes neuer Welt ist es wie mit einem Senfkorn, das auf ein Feld gesät wird. Es ist der kleinste Same, den es gibt. [32] Wenn er aber in den Boden gesät wird, wächst er schnell heran und wird größer als andere Sträucher. Er bekommt starke Zweige, in denen die Vögel sogar ihre Nester bauen können.«

[33] Jesus benutzte sehr oft Beispiele, damit die Menschen seine Botschaft besser verstehen konnten. [34] Immer wieder gebrauchte er solche Gleichnisse. Wenn er aber später mit seinen Jüngern allein war, erklärte er ihnen die Bedeutung.

Herr über Wind und Wellen
(Matthäus 8,23–27; Lukas 8,22–25)

[35] Am Abend dieses Tages sagte Jesus zu seinen Jüngern: »Lasst uns über den See ans andere Ufer fahren!« [36] Sie schickten die Menschen weg und ruderten mit dem Boot, in dem Jesus saß, auf den See hinaus. Einige andere Boote folgten ihnen.

[37] Da brach ein gewaltiger Sturm los. Hohe Wellen schlugen ins Boot, es lief voll Wasser und drohte zu sinken. [38] Jesus aber schlief hinten im Boot auf einem Kissen. Da rüttelten ihn die Jünger wach und schrien voller Angst: »Herr, wir gehen unter! Merkst du das nicht?«

[39] Sofort stand Jesus auf, bedrohte den Wind und rief in das Toben des Sees: »Sei still und schweig!« Da legte sich der Sturm, und es wurde ganz still.

[40] »Warum hattet ihr solche Angst?«, fragte Jesus seine Jünger. »Habt ihr denn gar kein Vertrauen zu mir?« [41] Voller Entsetzen flüsterten die Jünger einander zu: »Was ist das für ein Mensch! Selbst Wind und Wellen gehorchen ihm!«

Jesus heilt einen Besessenen
(Matthäus 8,28–34; Lukas 8,26–39)

5 Als sie auf der anderen Seite des Sees die Gegend um Gadara erreichten [2] und Jesus aus dem Boot stieg, lief ihnen ein Mann entgegen. Dieser Mensch wurde von Dämonen beherrscht [3] und hauste in Grabhöhlen. Er war so wild, dass er nicht einmal mit Ketten gebändigt werden konnte. [4] Sooft man ihn auch fesselte und in Ketten legte, jedes Mal riss er sich wieder los. Niemand konnte ihn überwältigen. [5] Tag und Nacht hielt er sich in den Grabhöhlen auf oder irrte in den Bergen umher. Dabei tobte er und schlug mit Steinen auf sich ein.

[6] Kaum hatte er Jesus gesehen, warf er sich vor ihm nieder [7] und schrie laut: »Was willst du von mir, Jesus, du Sohn Gottes, des Höchsten? Ich beschwöre dich bei Gott, quäle mich nicht!« [8] Jesus hatte nämlich dem Dämon befohlen: »Verlass diesen Menschen, du teuflischer Geist!« [9] Da fragte ihn Jesus: »Wie heißt du?« Der Dämon antwortete: »Mein Name ist Legion, denn viele von uns beherrschen diesen Menschen.« [10] Immer wieder bat er Jesus: »Vertreibe uns nicht aus dieser Gegend!«

[11] Nicht weit entfernt an einem Abhang wurde eine große Herde Schweine gehütet. [12] »Lass uns in diese Schweine fahren«, bettelten die Dämonen. [13] Jesus erlaubte es ihnen. Jetzt ließen die bösen Geister den Mann frei und bemächtigten sich der Schweine. Die ganze Herde – ungefähr zweitausend Tiere – stürzte den Abhang hinunter in den See und ertrank.

[14] Verstört flohen die Hirten in die Stadt und in die umliegenden Dörfer

---

4,29 Offb 14,14–15 **4,31** Mt 17,20 **4,32** Hes 17,22–23 **4,39** Ps 89,10; 107,23–29; Mk 6,51 **4,41** 1,27 **5,7** 15,39*

und berichteten, was geschehen war. Von überall her kamen die Leute gelaufen, um sich selbst zu überzeugen. [15] Sie sahen den Mann, den die vielen Dämonen gequält hatten. Er war ordentlich angezogen und saß ganz ruhig neben Jesus. Da wurde ihnen unheimlich zumute. [16] Diejenigen aber, die alles mit angesehen hatten, erzählten, wie der Besessene geheilt wurde und was mit den Schweinen geschehen war. [17] Daraufhin baten die Leute Jesus, er möge ihre Gegend wieder verlassen.

[18] Jesus wollte gerade in das Boot steigen, als ihn der Geheilte bat, bei ihm bleiben zu dürfen. [19] Aber Jesus erlaubte es ihm nicht. Er sagte: »Geh nach Hause zu deiner Familie und berichte, welch großes Wunder der Herr an dir getan hat und wie barmherzig er zu dir gewesen ist!« [20] Da wanderte der Mann durch das Gebiet der Zehn Städte und erzählte jedem, was für ein Wunder Jesus an ihm getan hatte. Und alle staunten.

Macht über Krankheit und Tod
(Matthäus 9,18–26; Lukas 8,40–56)

[21] Kaum war Jesus ans andere Ufer zurückgekehrt, als sich dort wieder eine große Menschenmenge um ihn versammelte. [22] Da kam Jaïrus, ein Vorsteher der jüdischen Gemeinde, und warf sich vor Jesus nieder. [23] Er flehte ihn an: »Meine Tochter liegt im Sterben. Komm und leg ihr die Hände auf, damit sie wieder gesund wird!« [24] Jesus ging mit Jaïrus, dicht gefolgt von einer großen Menschenmenge.

[25] Unter den Leuten war auch eine Frau, die seit zwölf Jahren an starken Blutungen litt. [26] Sie hatte sich schon von vielen Ärzten behandeln lassen und dabei ihr ganzes Vermögen ausgegeben. Aber niemand hatte ihr helfen können. Ihr Leiden war eher schlimmer geworden. [27] Dann hatte sie davon gehört, dass Jesus Kranke heilte. Deshalb drängte sie sich durch die Menge an Jesus heran und berührte von hinten sein Gewand. [28] Dabei dachte sie: »Wenn ich wenigstens seine Kleider berühren kann, werde ich bestimmt gesund.« [29] Und tatsächlich: Die Blutung hörte auf. Sie merkte sofort, dass sie von ihrem Leiden befreit war.

[30] Aber auch Jesus spürte, dass heilende Kraft von ihm ausgegangen war. Deshalb drehte er sich um und fragte: »Wer hat mich angefasst?« [31] Seine Jünger antworteten: »Die Leute bedrängen dich von allen Seiten, und da fragst du, wer dich angefasst hat?« [32] Aber Jesus blickte sich weiter um und versuchte herauszufinden, wer ihn berührt hatte. [33] Die Frau war erschrocken und zitterte am ganzen Leib, denn sie wusste ja, was an ihr geschehen war. Sie fiel vor ihm nieder und sagte ihm alles. [34] Jesus sprach zu ihr: »Meine Tochter, dein Glaube hat dir geholfen. Gehe in Frieden. Du bist geheilt.«

[35] Noch während er mit der Frau redete, kamen einige Leute aus dem Haus des Jaïrus gelaufen und riefen: »Deine Tochter ist gestorben. Es hat keinen Zweck mehr, den Meister zu holen.« [36] Jesus hörte das und sagte zu Jaïrus: »Verzweifle nicht! Vertrau mir ganz und gar!« [37] Er wies die Menschen zurück, die ihm folgen wollten. Nur Petrus und die Brüder Jakobus und Johannes durften ihn begleiten.

[38] Als sie im Haus des Jaïrus ankamen, sah Jesus die vielen Menschen und hörte ihr Weinen und Jammern. [39] »Weshalb macht ihr solchen Lärm?«, fragte er sie. »Warum weint ihr? Das Kind ist nicht tot, es schläft nur.« [40] Da lachten sie ihn aus. Jesus schickte sie alle weg; nur die Eltern und seine drei Jünger gingen mit zum Bett des Mädchens. [41] Dann fasste er die Tochter des Jaïrus an der Hand und sagte: »Talita kum!« Das heißt übersetzt: »Mädchen, steh auf!« [42] Da stand das zwölfjährige Kind auf und ging im Zimmer umher. Ihre Eltern waren fassungslos. Sie wussten nicht, was sie sagen sollten.

5,20 Mt 4,25 **5,25** 3 Mo 15,25–27 **5,28** 3,10 **5,30** Lk 6,19 **5,34** 10,52; Mt 8,13; Lk 7,50; 17,19; 18,42; Apg 3,16 **5,37** 9,2; 14,33 **5,39** Joh 11,4.11 **5,41** 1,31

[43] Jesus verbot ihnen aber nachdrücklich, anderen davon zu erzählen. »Und nun gebt dem Kind etwas zu essen!«, sagte er.

Der Prophet gilt nichts im eigenen Land
(Matthäus 13,53–58; Lukas 4,15–30)

6 Bald darauf verließ Jesus diese Gegend und kehrte mit den Jüngern in seinen Heimatort Nazareth zurück. [2] Am Sabbat ging er in die Synagoge, um dort zu lehren. Die Leute, die ihm zuhörten, staunten über ihn und fragten: »Wie ist so etwas nur möglich? Woher hat er diese Weisheit? Wer gibt ihm die Macht, solche Wunder zu tun? [3] Er ist doch der Zimmermann, Marias Sohn. Wir kennen seine Brüder Jakobus, Joses, Judas und Simon. Und auch seine Schwestern leben alle unter uns.« Sie ärgerten sich über ihn. [4] Da sagte Jesus: »Nirgendwo gilt ein Prophet weniger als in seiner Heimat, bei seinen Verwandten und in seiner eigenen Familie.«

[5] So konnte er dort keine Wunder tun. Nur einigen Kranken legte er die Hände auf, und sie wurden gesund. [6] Er wunderte sich über den Unglauben der Leute. Darum ging er in andere Dörfer und sprach dort überall zu den Menschen.

Der Auftrag an die Apostel
(Matthäus 10,1.7–15; Lukas 9,1–6)

[7] Jesus rief seine zwölf Jünger zu sich und erteilte ihnen den Auftrag, jeweils zu zweit durch das ganze Land zu ziehen. Er gab ihnen die Vollmacht, böse Geister auszutreiben. [8] Dann befahl er ihnen: »Nehmt nichts mit außer einem Wanderstab! Ihr sollt kein Essen, keine Tasche und kein Geld bei euch haben. [9] Nur Schuhe dürft ihr tragen, aber kein zweites Hemd mitnehmen.

[10] Wenn ihr in ein Haus kommt, dann bleibt dort, bis ihr weiterzieht. [11] Seid ihr aber in einer Stadt nicht willkommen, und will man eure Botschaft nicht hören, so geht fort und schüttelt den Staub von euren Füßen als Zeichen dafür, dass ihr die Stadt dem Urteil Gottes überlasst!«

[12] Dann zogen die Jünger los und forderten die Menschen auf: »Kehrt um zu Gott!« [13] Sie befreiten Menschen, die von bösen Geistern beherrscht waren, und salbten viele Kranke mit Öl. So wurden die Kranken gesund.

Johannes der Täufer wird ermordet
(Matthäus 14,1–12; Lukas 3,19–20; 9,7–9)

[14] Überall sprach man von Jesus und dem, was er tat. Auch König Herodes hörte davon. Einige Leute sagten: »Johannes der Täufer ist von den Toten auferstanden. Deshalb kann er solche Wunder tun.« [15] Andere meinten: »Er ist der Prophet Elia.« Wieder andere behaupteten: »Er ist ein Prophet, wie Gott sie schon früher geschickt hat.« [16] Aber Herodes hatte Angst, weil er überzeugt war: »Es ist Johannes, den ich enthaupten ließ. Er ist wieder lebendig geworden.«

[17] Herodes hatte Johannes nämlich verhaften und im Gefängnis in Ketten legen lassen. Denn der König hatte Herodias, die Frau seines eigenen Bruders Philippus, geheiratet, [18] und daraufhin hatte Johannes ihm vorgeworfen: »Es ist nicht richtig, dass du die Frau deines Bruders geheiratet hast!« [19] Darum hasste ihn Herodias. Sie wollte Johannes umbringen lassen, aber Herodes war dagegen. [20] Er fürchtete sich nämlich vor Johannes, weil er wusste, dass dieser ein Mann war, der Gott ehrte und ganz zu ihm gehörte. Er hatte Johannes zwar ins Gefängnis sperren lassen, aber er hörte ihm doch gern zu, auch wenn ihn seine Worte sehr beunruhigten.

[21] Endlich aber kam die Stunde der Herodias. Herodes hatte zu seinem Geburtstag seine Hofleute, Offiziere und die führenden Männer von Galiläa einge-

---

5,43 7,36* **6,2** Lk 2,47; Joh 7,15 **6,3** Joh 6,42 **6,4** 3,21 **6,7** 3,13–19 **6,11** Apg 13,50–51; 18,6 **6,13** Jak 5,14–15 **6,14–15** 8,28 **6,17–18** 1,14 **6,18** 3 Mo 18,16; 20,21

laden. [22]Bei diesem Festessen tanzte die Tochter der Herodias. Herodes und seine Gäste waren begeistert. Der König versprach ihr deshalb: »Bitte mich, um was du willst; ich will es dir geben. [23]Ich schwöre, dir alles zu geben, was du willst, und wenn es die Hälfte meines Königreichs wäre.«

[24]Sie ging zu ihrer Mutter: »Was soll ich mir denn vom König wünschen?« »Verlange von ihm, dass er Johannes den Täufer enthaupten lässt!«, antwortete die Mutter. [25]Darauf lief die Tochter zu Herodes zurück und forderte: »Ich will, dass du mir sofort den Kopf von Johannes dem Täufer auf einem Teller bringen lässt!«

[26]Der König war bestürzt. Aber weil er sein Versprechen vor allen Gästen gegeben hatte, konnte er die Bitte nicht abschlagen. [27]So befahl er, Johannes töten zu lassen. Der Henker enthauptete Johannes [28]und brachte auf einem Teller den Kopf des Toten. Er überreichte ihn dem Mädchen, und die gab ihn ihrer Mutter.

[29]Als die Jünger des Johannes davon erfuhren, holten sie den Leichnam und bestatteten ihn.

Fünftausend werden satt (Matthäus 14,13–21; Lukas 9,11–17; Johannes 6,1–13)

[30]Die zwölf Jünger kehrten zu Jesus zurück und erzählten ihm, was sie auf ihrer Reise getan und den Menschen verkündet hatten. [31]»Geht jetzt an einen einsamen, stillen Platz!«, sagte Jesus zu ihnen. »Ihr habt Ruhe nötig!« Es waren nämlich so viele Menschen bei ihnen, dass sie nicht einmal Zeit zum Essen fanden. [32]Deshalb fuhren sie mit dem Boot an eine einsame Stelle. [33]Aber das hatten viele Leute beobachtet. Aus allen Dörfern liefen sie dorthin und kamen sogar noch vor Jesus und seinen Jüngern an.

[34]Als Jesus aus dem Boot stieg und die vielen Menschen sah, hatte er großes Mitleid mit ihnen; sie waren wie eine Schafherde ohne Hirte. Deshalb nahm er sich viel Zeit, ihnen Gottes Botschaft zu erklären. [35/36]Gegen Abend kamen seine Jünger zu ihm und sagten: »Es wird bald dunkel. Schick die Leute weg, damit sie in die Dörfer oder auf die Höfe in der Umgebung gehen und etwas zu essen kaufen können. Hier gibt es doch nichts.«

[37]Aber Jesus forderte sie auf: »Gebt *ihr* ihnen zu essen!« »Was können wir ihnen denn geben?«, fragten die Jünger verwundert. »Sollen wir etwa für 200 Silberstücke Brot kaufen, um sie alle zu verpflegen?« [38]»Wie viel Brot habt ihr denn bei euch?«, erkundigte sich Jesus. »Seht einmal nach!« Kurz darauf kamen sie zurück und berichteten: »Fünf Brote und zwei Fische haben wir.«

[39]Da ordnete Jesus an, dass sich die Leute in Gruppen ins Gras setzen sollten. [40]So bildeten sie Gruppen von jeweils fünfzig oder hundert Personen. [41]Jetzt nahm Jesus die fünf Brote und die beiden Fische, sah zum Himmel auf und dankte Gott. Er teilte das Brot, reichte es seinen Jüngern, und die Jünger gaben es an die Menge weiter. Ebenso ließ er auch die Fische verteilen. [42]Alle aßen sich satt. [43]Als man anschließend die Reste einsammelte, waren es noch zwölf volle Körbe mit Brot. Auch von den Fischen war noch etwas übrig. [44]An der Mahlzeit hatten fünftausend Männer teilgenommen.

Jesus geht auf dem Wasser (Matthäus 14,22–33; Johannes 6,16–21)

[45]Gleich danach befahl Jesus seinen Jüngern, in ihr Boot zu steigen und über den See nach Betsaida zu fahren. Er selbst blieb zurück, um die Leute zu verabschieden.

[46]Dann ging er allein auf einen Berg, um zu beten. [47]Es wurde Nacht, und die Jünger waren noch weit draußen auf dem See. [48]Jesus sah, dass sie kaum noch das Boot steuern konnten, weil sie gegen

6,30 Lk 10,17 **6,34** Hes 34,5–6.23–24 **6,35–44** 8,1–9 **6,42–44** 2 Kön 4,42–44 **6,46** Lk 5,16*

einen schweren Sturm anzukämpfen hatten. In den frühen Morgenstunden kam er auf dem Wasser zu ihnen. Er war schon beinahe an ihnen vorüber, [49] als die Jünger ihn auf dem Wasser gehen sahen. Sie schrien vor Entsetzen, denn sie hielten ihn für ein Gespenst. [50] Alle sahen ihn und waren zu Tode erschrocken.

Aber Jesus sprach sie sofort an: »Habt keine Angst! Ich bin es doch! Fürchtet euch nicht!« [51] Er stieg zu ihnen ins Boot, und gleich legte sich der Sturm.

Die Jünger aber waren fassungslos und wussten nicht, was sie sagen sollten. [52] Selbst nach dem Wunder mit den Broten hatten sie noch immer nicht begriffen, wer Jesus eigentlich war. Im Grunde ihres Herzens waren sie für seine Botschaft verschlossen.

Heilungen in Genezareth
(Matthäus 14,34–36)

[53] Nach ihrer Überfahrt legten sie in Genezareth an. [54] Als sie das Boot verließen, erkannten die Leute Jesus sofort. [55] Von überall holten sie die Kranken, um sie auf ihren Tragen dahin zu bringen, wo sie Jesus gerade vermuteten. [56] Wohin er auch immer kam, in den Dörfern, Städten und draußen auf den Höfen, trug man die Kranken auf die Plätze und Straßen. Die Kranken baten Jesus, wenigstens ein Stück seiner Kleidung berühren zu dürfen; und alle, die das taten, wurden gesund.

Was ist rein – was unrein?
(Matthäus 15,1–20)

7 Eines Tages kamen Pharisäer und Schriftgelehrte aus Jerusalem zu Jesus. [2/3] Dabei entdeckten sie, dass einige seiner Jünger die jüdischen Speisevorschriften nicht beachteten. Die Pharisäer und alle Juden essen nämlich erst, wenn sie sich die Hände sorgfältig gewaschen haben, so wie es den Überlieferungen ihrer Gesetzeslehrer entspricht. [4] Auch wenn sie vom Markt kommen, essen sie erst, nachdem sie sich nach bestimmten Vorschriften gewaschen haben. Es gibt noch viele solcher Vorschriften, die sie streng beachten, zum Beispiel bei der Reinigung von Trinkbechern, Krügen und Töpfen.

[5] Deshalb also fragten die Pharisäer und Schriftgelehrten Jesus: »Warum beachten deine Jünger unsere alten Vorschriften nicht und essen mit ungewaschenen Händen?« [6] Jesus antwortete: »Wie Recht hat Jesaja, wenn er von euch Heuchlern schreibt: ›Diese Leute ehren Gott mit den Lippen, aber mit dem Herzen sind sie nicht dabei. [7] Ihr Gottesdienst ist wertlos, weil sie ihre menschlichen Gesetze als Gebote Gottes ausgeben.‹[a] [8/9] Ja, ihr beachtet Gottes Gebote nicht, sondern ersetzt sie durch eure Vorschriften!

Dabei geht ihr sehr geschickt vor. [10] So hat euch Mose das Gebot gegeben: ›Ehre deinen Vater und deine Mutter!‹ Und: ›Wer seinen Vater oder seine Mutter verflucht, der soll sterben!‹[b] [11] Ihr aber behauptet: Wenn jemand seinen hilfsbedürftigen Eltern erklärt: ›Ich kann euch nicht helfen, weil ich mein Vermögen dem Tempel vermacht habe‹, dann hat er nicht gegen Gottes Gebot verstoßen. [12] In Wirklichkeit habt ihr damit aber nur erreicht, dass niemand mehr seinem Vater oder seiner Mutter helfen kann. [13] Ihr setzt also durch eure Vorschriften das Gebot Gottes außer Kraft. Und das ist nur *ein* Beispiel für viele.«

[14] Dann rief Jesus die Menschenmenge zu sich. »Hört, was ich euch sage, und begreift doch: [15] Nicht, was ein Mensch zu sich nimmt, macht ihn unrein, sondern das, was er von sich gibt. [16] Denkt genau darüber nach, was ich euch gesagt habe, und richtet euch danach![c] «

---

[a] Jesaja 29,13; Jeremia 8,8
[b] 2. Mose 20,12; 21,17
[c] In anderen Textzeugen endet die Rede mit Vers 15.

6,49 Lk 24,37 **6,51** 4,39 **6,52** 8,17–19; Mt 16,9 **6,56** 5,28 **7,2–3** Lk 11,38–39 **7,4** Mt 23,25 **7,13** Jer 8,8

[17] Danach ging Jesus in ein Haus und war mit seinen Jüngern allein. Hier fragten sie ihn, was er mit dieser Rede gemeint hatte. [18] »Selbst ihr habt es immer noch nicht begriffen?«, erwiderte Jesus. »Wisst ihr nicht, dass alles, was ein Mensch zu sich nimmt, ihn nicht verunreinigen kann? [19] Denn was ihr esst, geht nicht in euer Herz hinein; es kommt in den Magen und wird dann wieder ausgeschieden.« Damit wollte Jesus sagen, dass im Grunde jede Nahrung rein ist.

[20] Und er fügte noch hinzu: »Was aus dem Inneren des Menschen kommt, das lässt ihn unrein werden. [21] Denn aus dem Inneren, aus dem Herzen der Menschen, kommen die bösen Gedanken wie: sexuelle Zügellosigkeit, Diebstahl, Mord, [22] Ehebruch, Habsucht, Bosheit, Betrügerei, ausschweifendes Leben, Neid, Verleumdung, Überheblichkeit und Unbesonnenheit. [23] Das kommt von innen heraus, und das macht die Menschen vor Gott unrein.«

Der unerschütterliche Glaube einer nichtjüdischen Frau
(Matthäus 15,21–28)

[24] Jesus ging nun mit seinen Jüngern in die Nähe der Hafenstadt Tyrus. Dort zog er sich in ein Haus zurück, denn er wollte unerkannt bleiben. Aber es sprach sich schnell herum, dass er gekommen war. [25] Davon hatte auch eine Frau gehört, deren Tochter von einem bösen Geist beherrscht wurde. Sie kam zu Jesus, warf sich vor ihm nieder [26] und bat ihn, ihr Kind aus der Gewalt des Dämons zu befreien. Die Frau war keine Jüdin; sie wohnte in Phönizien.

[27] Jesus antwortete ihr: »Zuerst müssen die Kinder versorgt werden, die Israeliten[a]. Es ist nicht richtig, wenn man den Kindern das Brot wegnimmt und es den Hunden vorwirft.« [28] »Ja, Herr«, erwiderte die Frau, »aber die kleinen Hunde bekommen doch auch die Krümel, die den Kindern vom Tisch fallen.«

[29] »Du hast Recht«, antwortete Jesus, »ich will deiner Tochter helfen. Geh nach Hause! Der böse Geist hat dein Kind bereits verlassen.« [30] Und tatsächlich: Als die Frau nach Hause kam, lag ihre Tochter friedlich im Bett. Der Dämon hatte keine Macht mehr über sie.

Ein Taubstummer kann wieder hören und sprechen

[31] Von Tyrus aus ging Jesus in die Stadt Sidon und von dort wieder an den See von Galiläa in das Gebiet der Zehn Städte. [32] Dort wurde ein Taubstummer zu ihm gebracht, damit er dem Mann die Hände auflegte und ihn heilte. [33] Jesus führte den Kranken von der Menschenmenge weg. Er legte seine Finger in die Ohren des Mannes, berührte dessen Zunge mit Speichel, [34] sah auf zum Himmel, seufzte und sprach: »Öffne dich!«[b] [35] Im selben Augenblick konnte der Taubstumme hören und sprechen.

[36] Jesus verbot den Leuten, darüber zu reden. Aber je mehr er es untersagte, desto mehr erzählten sie alles herum. [37] Denn für die Leute war es unfassbar, was sie gesehen hatten. »Es ist einfach großartig, was er tut!«, verbreiteten sie überall. »Selbst Taube können wieder hören, und Stumme sprechen!«

Viertausend werden satt
(Matthäus 15,32–39)

8 In diesen Tagen war wieder einmal eine große Menschenmenge versammelt. Schließlich hatten die Leute nichts mehr zu essen. Jesus rief seine Jünger zu sich und sagte: [2] »Die Leute tun mir leid, sie sind jetzt schon drei Tage bei mir und haben nichts mehr zu essen. [3] Ich kann

---

[a] »die Israeliten« ist sinngemäß ergänzt.
[b] Wörtlich: »Hefata«, das heißt übersetzt: »Öffne dich!«

7,19 1 Tim 4,4; Tit 1,15 **7,21–22** Gal 5,19–21 **7,27** Mt 10,5–6 **7,33** 8,23 **7,36** 1,43–44; 3,12; 5,43; 8,30; 9,9; Mt 9,30 **7,37** Jes 29,18–19* **8,1–9** 6,35–44 **8,2** 6,34

sie doch nicht hungrig fortschicken. Viele würden den weiten Weg nach Hause nicht schaffen.« [4]Die Jünger fragten ratlos: »Aber woher sollen wir hier in dieser verlassenen Gegend genügend Brot bekommen, damit sie alle satt werden?« [5]»Wie viele Brote habt ihr denn?«, wollte Jesus wissen. Sie antworteten: »Sieben!«

[6]Da forderte Jesus die Menschen auf, sich zum Essen niederzulassen. Er nahm die sieben Brote und dankte Gott dafür. Dann teilte er sie und gab sie den Jüngern, die sie an die Leute weiterreichten. [7]Sie hatten auch noch einige kleine Fische bei sich. Wieder dankte Jesus Gott dafür und ließ dann die Fische verteilen. [8]Nachdem sie alle satt waren, wurden die Reste eingesammelt: sieben Körbe voll. [9]Etwa viertausend Menschen hatten sich satt gegessen. Danach gingen sie alle in ihre Heimatorte zurück.

Die Pharisäer fordern einen Beweis (Matthäus 16,1–4)

[10]Jesus stieg mit seinen Jüngern in ein Boot und kam in die Gegend von Dalmanuta.

[11]Hier fingen einige Pharisäer mit Jesus ein Streitgespräch an und wollten ihn auf die Probe stellen. Sie verlangten nämlich von ihm ein Wunder Gottes als Beweis dafür, dass er wirklich in Gottes Namen handelte. [12]Jesus seufzte und entgegnete ihnen: »Wie viele Beweise wollt ihr denn noch haben? Eins steht fest: Leute wie ihr werden von Gott kein Wunder zu sehen bekommen.« [13]So ließ er sie stehen, stieg wieder in das Boot und fuhr ans andere Seeufer.

Auch die Jünger verstehen Jesus nicht (Matthäus 16,5–12)

[14]Seine Jünger hatten vergessen, Brot mitzunehmen, so dass für alle nur ein Brot da war. Während sie über den See fuhren, [15]warnte Jesus seine Jünger: »Hütet euch vor dem Sauerteig des Herodes und der Pharisäer!«

[16]Die Jünger überlegten, was er wohl damit meinte: »Das sagt er bestimmt, weil wir das Brot vergessen haben.«

[17]Jesus merkte, worüber sie sprachen, und fragte: »Weshalb macht ihr euch gleich Sorgen, wenn einmal nicht genug zu essen da ist? Werdet ihr denn nie verstehen, was ich meine? Könnt ihr gar nichts begreifen? Ist euer Herz denn noch immer so hart und unempfänglich? [18]Ihr habt doch Augen. Warum seht ihr nicht? Und ihr habt Ohren. Warum hört ihr nicht?

Habt ihr vergessen, [19]dass ich fünftausend Menschen mit fünf Broten gesättigt habe? Wie viel Körbe habt ihr mit Resten gefüllt?« Sie antworteten: »Zwölf.«

[20]»Oder denkt an die sieben Brote, die ich an viertausend Menschen verteilt habe! Wie viel blieb damals übrig?« Sie antworteten: »Sieben Körbe voll.« [21]»Und da habt ihr immer noch nichts begriffen?«, fragte sie Jesus.

Ein Blinder wird geheilt

[22]In Betsaida brachten die Leute einen Blinden zu Jesus. Sie baten ihn, den Mann zu heilen. [23]Jesus nahm den Blinden bei der Hand und führte ihn zum Dorf hinaus. Dann strich er etwas Speichel auf seine Augen, legte ihm die Hände auf und fragte: »Kannst du etwas sehen?«

[24]Der Mann blickte auf. »Ja«, sagte er, »ich sehe Menschen herumlaufen. Aber ich kann sie nicht klar erkennen. Es könnten genauso gut Bäume sein.«

[25]Da legte Jesus ihm noch einmal die Hände auf die Augen. Jetzt sah der Mann deutlich; alles konnte er genau erkennen. Er war geheilt. [26]Aber Jesus befahl ihm: »Geh nicht erst in das Dorf zurück, sondern geh gleich nach Hause!«

8,11–12 Mt 12,38–40 **8,11** Joh 6,30–31; 1 Kor 1,22 **8,15** Lk 12,1 **8,18** Jer 5,21; Hes 12,2 **8,19** 6,43 **8,20** 8,8 **8,23** 7,33

Wer ist Jesus?
(Matthäus 16,13–20; Lukas 9,18–21)

[27] Jesus und seine Jünger kamen nun in die Dörfer bei Cäsarea Philippi. Auf dem Weg dorthin fragte er seine Jünger: »Für wen halten mich die Leute eigentlich?« [28] Die Jünger erwiderten: »Einige meinen, du seist Johannes der Täufer. Andere halten dich für Elia oder für einen der Propheten.« [29] »Und für wen haltet ihr mich?«, fragte er sie. Da antwortete Petrus: »Du bist Christus, der von Gott gesandte Retter.« [30] Jesus befahl seinen Jüngern, mit niemandem darüber zu reden.

Jesus spricht zum ersten Mal von seinem Tod
(Matthäus 16,21–23)

[31] An diesem Tag sprach Jesus zum ersten Mal von seinem Tod: »Der Menschensohn muss viel leiden. Die führenden Männer des Volkes, die Hohenpriester und die Schriftgelehrten werden ihn verurteilen und töten. Aber nach drei Tagen wird er von den Toten auferstehen.« [32] So offen sprach Jesus mit seinen Jüngern.

Da nahm ihn Petrus beiseite, um ihn von diesen Gedanken abzubringen. [33] Aber Jesus wandte sich von ihm ab, schaute die anderen Jünger an und rief: »Weg mit dir, Satan! Du verstehst Gottes Gedanken nicht, weil du nur menschlich denkst!«

Alles hingeben, um alles zu gewinnen
(Matthäus 16,24–28; Lukas 9,23–27)

[34] »Hört her!«, rief Jesus seinen Jüngern und den Menschen zu, die bei ihm waren. »Wer mir nachfolgen will, der darf nicht mehr sich selbst in den Mittelpunkt stellen, sondern muss sein Kreuz auf sich nehmen und mir nachfolgen. [35] Wer sich an sein Leben klammert, der wird es verlieren. Wer aber sein Leben für mich und für Gottes rettende Botschaft einsetzt, der wird es für immer gewinnen.

[36] Denn was gewinnt ein Mensch, wenn ihm die ganze Welt zufällt, er selbst aber dabei Schaden nimmt? [37] Er kann sein Leben ja nicht wieder zurückkaufen! [38] Wer sich hier vor den gottlosen Menschen schämt, sich zu mir und meiner Botschaft zu bekennen, den wird auch der Menschensohn nicht kennen, wenn er mit den heiligen Engeln in der Herrlichkeit seines Vaters kommen wird.«

9 Dann sagte Jesus zu seinen Zuhörern: »Das sage ich euch: Einige von euch, die hier stehen, werden nicht sterben, bevor die neue Welt Gottes in ihrer ganzen Kraft sichtbar wird.«

Die Jünger erleben Jesu Herrlichkeit
(Matthäus 17,1–13; Lukas 9,28–36)

[2] Sechs Tage später ging Jesus mit Petrus, Jakobus und Johannes auf einen hohen Berg. Sie waren dort ganz allein. Da wurde Jesus vor ihren Augen verwandelt: [3] Seine Kleider glänzten so weiß, wie kein Mensch auf der Erde sie bleichen könnte. [4] Dann erschienen Elia und Mose und redeten mit Jesus.

[5] Petrus rief: »Meister, hier gefällt es uns! Wir wollen gleich drei Hütten bauen, für dich, für Mose und für Elia.« [6] Er wusste aber nicht, was er da redete, denn die drei Jünger waren völlig verwirrt. [7] Da fiel der Schatten einer Wolke auf sie, und aus der Wolke hörten sie eine Stimme: »Dies ist mein geliebter Sohn! Auf ihn sollt ihr hören!« [8] Als sich die Jünger umsahen, waren sie plötzlich mit Jesus allein.

[9] Während sie den Berg hinabstiegen, befahl ihnen Jesus: »Erzählt keinem, was ihr gesehen habt, bis der Menschensohn von den Toten auferstanden ist!« [10] So be-

---

8,28 6,14–15 **8,29** 14,61–62; Joh 10,24–25; 11,27 **8,30** 7,36* **8,31** 9,30–31; 10,33–34 **8,34–35** Mt 10,38–39 **8,34** 2 Tim 3,12* **8,38** Mt 10,32–33 **9,2–8** 2 Petr 1,16–18 **9,2** 5,37; 14,33 **9,7** 1,11; Ps 2,7; 5 Mo 18,15 **9,9** 7,36*

hielten sie es für sich. Aber als sie allein waren, sprachen sie darüber, was Jesus wohl damit meinte: »von den Toten auferstehen«. [11] Deshalb fragten sie Jesus: »Warum behaupten die Schriftgelehrten, dass zuerst Elia kommen muss?«

[12] Jesus antwortete ihnen: »Sie haben Recht! Zuerst kommt Elia, um alles vorzubereiten. Und was sagt die Heilige Schrift über den Menschensohn? Dass er viel leiden muss und von allen verachtet wird! [13] Das eine will ich euch sagen: Elia ist schon gekommen. Sie haben mit ihm gemacht, was sie wollten. Genau das steht schon in der Schrift.«

Wer kann im Auftrag Gottes handeln?
(Matthäus 17,14–21; Lukas 9,37–43)

[14] Bei ihrer Rückkehr fanden sie die anderen Jünger zusammen mit einigen Schriftgelehrten mitten in einer großen Volksmenge. Die Schriftgelehrten hatten die Jünger in ein Streitgespräch verwickelt. [15] Als die Leute Jesus sahen, liefen sie ihm aufgeregt entgegen und begrüßten ihn. [16] »Worüber streitet ihr euch denn?«, fragte er sie.

[17] Einer aus der Menge antwortete: »Lehrer, ich habe meinen Sohn hergebracht, damit du ihn heilst. Er kann nicht sprechen, weil er von einem bösen Geist beherrscht wird. [18] Wenn dieser Geist Gewalt über ihn gewinnt, wirft er ihn zu Boden. Dann tritt dem Jungen Schaum vor den Mund, er knirscht mit den Zähnen und bleibt schließlich bewusstlos liegen. Ich habe schon deine Jünger angefleht, den bösen Geist auszutreiben; aber sie waren machtlos.«

[19] Da rief Jesus: »Warum vertraut ihr Gott so wenig? Wie lange muss ich noch bei euch sein und euch ertragen? Bringt das Kind her zu mir!« [20] Sie brachten es. Als aber der böse Geist Jesus erkannte, zerrte er den Jungen hin und her. Der stürzte zu Boden, wälzte sich umher, und der Schaum stand ihm vor dem Mund.

[21] »Wie lange leidet er schon darunter?«, fragte Jesus den Vater. Der antwortete: »Von Kindheit an. [22] Schon oft hat ihn der böse Geist in ein Feuer oder ins Wasser geworfen, um ihn umzubringen. Hab doch Erbarmen mit uns! Hilf uns, wenn du kannst!« [23] »Wenn ich kann?«, fragte Jesus zurück. »Alles ist möglich, wenn du mir vertraust.« [24] Verzweifelt rief der Mann: »Ich vertraue dir ja – hilf mir doch gegen meinen Zweifel!«

[25] Als Jesus sah, dass die Menschenmenge immer größer wurde, bedrohte er den bösen Geist: »Du stummer und tauber Geist, ich befehle dir: Verlass dieses Kind, und kehre nie wieder zu ihm zurück.«

[26] Da stieß der Dämon einen Schrei aus, zerrte den Jungen heftig hin und her und verließ ihn. Der Junge lag regungslos da, so dass die meisten sagten: »Er ist tot!« [27] Aber Jesus nahm seine Hand und half ihm aufzustehen.

[28] Als Jesus mit seinen Jüngern ins Haus gegangen war, fragten sie ihn: »Weshalb konnten wir diesen Dämon nicht austreiben?« [29] Jesus antwortete: »Solche Geister können nur durch Gebet und Fasten[a] vertrieben werden.«

Jesus spricht wieder von seinem Tod
(Matthäus 17,22–23; Lukas 9,43–45)

[30/31] Jesus verließ mit seinen Jüngern diese Gegend und zog durch Galiläa. Weil er seinen Jüngern noch viel zu sagen hatte, wollte er mit ihnen allein bleiben. »Der Menschensohn wird bald in der Gewalt der Menschen sein«, sagte Jesus. »Sie werden ihn töten. Aber wenn sie ihn umgebracht haben, wird er nach drei Tagen wieder auferstehen.«

[32] Doch die Jünger verstanden kein Wort und trauten sich auch nicht, ihn zu fragen.

---

[a] In einigen Textzeugen wird das Fasten nicht erwähnt.

9,11 Mal 3,23–24 **9,12** Ps 22,7; Jes 53,5 **9,13** Mt 11,14; 1 Kön 19,2.10 **9,19** Lk 24,25 **9,23** 11,23 **9,30–31** 8,31; 10,33–34

Gott hat andere Maßstäbe
(Matthäus 18,1–9; Lukas 9,46–50)

[33]Sie kamen nach Kapernaum. Als sie im Haus waren, fragte Jesus die Jünger: »Worüber habt ihr unterwegs gesprochen?« [34]Doch sie schwiegen verlegen; denn sie hatten sich darüber gestritten, wer von ihnen der Wichtigste sei. [35]Jesus setzte sich, rief die zwölf Jünger zu sich und sagte: »Wer der Erste sein will, der soll sich allen anderen unterordnen und ihnen dienen.« [36]Er rief ein kleines Kind, stellte es in die Mitte und umarmte es. Dann sagte er: [37]»Wer solch ein Kind mir zuliebe aufnimmt, der nimmt mich auf. Und wer mich aufnimmt, der nimmt damit Gott selbst auf, weil Gott mich gesandt hat.«

Wer nicht gegen uns ist, der ist für uns

[38]Johannes sagte zu Jesus: »Lehrer, wir haben einen Mann gesehen, der in deinem Namen Dämonen austrieb. Aber wir haben es ihm verboten, weil er ja gar nicht mit uns geht.« [39]»Das hättet ihr nicht tun sollen!«, erwiderte Jesus. »Wer in meinem Namen Wunder vollbringt, wird nicht gleichzeitig schlecht von mir reden. [40]Wer nicht gegen uns ist, der ist für uns. [41]Erfrischt euch ein Mensch mit einem Schluck Wasser, weil ihr zu Christus gehört, so wird er seinen Lohn erhalten. Darauf könnt ihr euch verlassen!«

Lasst euch nicht zum Bösen verleiten!
(Matthäus 18,6–9; Lukas 17,1–2)

[42]»Wer in einem Menschen den Glauben, wie ihn ein Kind hat, zerstört, für den wäre es noch das Beste, mit einem Mühlstein um den Hals ins Meer geworfen zu werden.

[43]Wenn deine Hand dich zum Bösen verführt, dann hack sie ab! Es ist besser, du gehst verstümmelt in das ewige Leben als mit beiden Händen in das unauslöschliche Feuer der Hölle.[a]

[45]Wenn dich dein Fuß auf Abwege führt, dann hack ihn ab! Es ist besser für dich, mit nur einem Fuß zum ewigen Leben zu kommen, als mit beiden Füßen geradewegs in die Hölle zu marschieren.[a]

[47]Wenn dich dein Auge zur Sünde verführt, dann reiß es heraus. Es ist viel besser, einäugig in Gottes neue Welt zu gelangen, als mit zwei gesunden Augen schließlich ins Feuer der Hölle geworfen zu werden. [48]Dort wird die Qual nicht enden und das Feuer nicht verlöschen.

[49]Niemand kann sich dem Feuer der Prüfung Gottes entziehen. Es gehört zum Leben so wie das Salz zum Opfer.[b] [50]Salz ist gut und notwendig, solange es wirkt. Wenn es aber fade geworden ist, wodurch soll es seine Würzkraft wiedergewinnen? Deshalb achtet darauf, dass man an euch die Wirkung des Salzes sieht. Haltet Frieden untereinander.«

Die Frage nach der Ehescheidung
(Matthäus 19,1–9)

10 Dann zog Jesus von Kapernaum nach Judäa und in die Gegend östlich des Jordan. Wie überall strömten auch hier die Menschen zusammen, und wie immer sprach er zu ihnen. [2]Da kamen einige Pharisäer zu Jesus, weil sie ihm eine Falle stellen wollten. Sie fragten ihn: »Darf sich ein Mann von seiner Frau scheiden lassen?«

[3]Jesus fragte zurück: »Was hat Mose denn im Gesetz vorgeschrieben?« [4]Sie antworteten: »Mose hat gesagt: ›Wenn

---

[a] Andere Textzeugen fügen hinzu (Vers 44 bzw. 46): Dort wird die Qual nicht enden und das Feuer nicht verlöschen. (Vgl. Vers 48)

[b] Vers 49 wörtlich: Jeder wird mit Feuer gesalzen werden, (einige Textzeugen ergänzen:) und jedes Opfer wird mit Salz gesalzen werden. Vgl. 3. Mose 2,13

9,33 1,29; 2,1 **9,35** 10,43–45; Joh 13,12–17 **9,36** 10,16 **9,37** Mt 10,40; Joh 13,20 **9,38–40** 4 Mo 11,26–29 **9,40** Phil 1,18 **9,41** Mt 10,41–42 **9,43** Mt 5,30 **9,47** Mt 5,29 **9,48** Jes 66,24 **10,2** 8,11

sich ein Mann von seiner Frau trennt, soll er ihr eine Scheidungsurkunde geben.‹«[a]

[5]Jesus entgegnete: »Das war nur ein Zugeständnis an euer hartes Herz. [6]Aber Gott hat die Menschen von Anfang an als Mann und Frau geschaffen. [7]›Darum verlässt ein Mann seine Eltern und verbindet sich so eng mit seiner Frau, [8]dass die beiden eins sind mit Leib und Seele.‹[b] Sie sind also eins und nicht länger zwei voneinander getrennte Menschen. [9]Was Gott zusammengefügt hat, soll der Mensch nicht scheiden.«

[10]Als sie wieder im Haus waren, wollten seine Jünger noch mehr darüber hören. [11]Jesus sagte ihnen: »Wenn sich ein Mann von seiner Frau trennt und eine andere heiratet, dann ist das Ehebruch. [12]Auch eine Frau bricht die Ehe, wenn sie sich von ihrem Mann trennt und wieder heiratet.«

Jesus und die Kinder
(Matthäus 19,13–15; Lukas 18,15–17)

[13]Einige Eltern brachten ihre Kinder zu Jesus, damit er sie segnete. Die Jünger aber wollten sie wegschicken. [14]Als Jesus das merkte, wurde er zornig: »Lasst die Kinder zu mir kommen, und haltet sie nicht zurück, denn für Menschen wie sie ist Gottes neue Welt bestimmt. [15]Hört, was ich euch sage: Wer sich die neue Welt Gottes nicht wie ein Kind schenken lässt, dem bleibt sie verschlossen.« [16]Dann nahm er die Kinder in seine Arme, legte ihnen die Hände auf und segnete sie.

Die Reichen und die neue Welt Gottes
(Matthäus 19,16–30; Lukas 18,18–30)

[17]Als Jesus weitergehen wollte, lief ein Mann auf ihn zu, warf sich vor ihm auf die Knie und fragte: »Guter Lehrer, was muss ich tun, um das ewige Leben zu bekommen?« [18]Jesus entgegnete: »Weshalb nennst du mich gut? Es gibt nur einen, der gut ist, und das ist Gott. [19]Du kennst doch seine Gebote: Du sollst nicht töten! Du sollst nicht die Ehe brechen! Du sollst nicht stehlen! Sag nichts Unwahres über deinen Mitmenschen! Du sollst nicht betrügen! Ehre deinen Vater und deine Mutter!«[c]

[20]»Lehrer«, antwortete der junge Mann, »an diese Gebote habe ich mich von Jugend an gehalten.« [21]Jesus sah ihn voller Liebe an: »Etwas fehlt dir noch: Verkaufe alles, was du hast, und gib das Geld den Armen. Damit wirst du im Himmel einen Reichtum gewinnen, der niemals verloren geht. Und dann komm und folge mir nach!« [22]Über diese Forderung war der Mann tief betroffen. Traurig ging er weg, denn er war sehr reich.

[23]Da schaute Jesus seine Jünger an und sagte zu ihnen: »Wie schwer ist es doch für die Reichen, in Gottes neue Welt zu kommen!« [24]Er sah, wie entsetzt seine Jünger über diese Worte waren. Deshalb betonte er noch einmal: »Ja, wie schwer ist es doch, in die neue Welt Gottes zu gelangen! [25]Eher geht ein Kamel durch ein Nadelöhr, als dass ein Reicher in Gottes neue Welt kommt!« [26]Darüber erschraken die Jünger noch mehr, und sie fragten sich: »Wer kann dann überhaupt gerettet werden?« [27]Jesus sah sie an und sagte: »Für Menschen ist es unmöglich, aber nicht für Gott. Für ihn ist alles möglich!«

[28]Jetzt fragte Petrus: »Aber wie ist es nun mit uns? Wir haben doch alles aufgegeben und sind mit dir gegangen!« [29]Jesus antwortete: »Das sollt ihr wissen: Jeder, der sein Haus, seine Geschwister, seine Eltern, seine Kinder oder seinen Besitz zurücklässt, um mir zu folgen und die rettende Botschaft von Gott weiterzusagen, [30]der wird schon hier alles hundertfach zurückerhalten: Häuser, Ge-

---

[a] Vgl. 5. Mose 24,1
[b] 1. Mose 2,24
[c] Vgl. 2. Mose 20,12–16

10,6 1 Mo 1,27 **10,11–12** Mt 5,32; 1 Kor 7,10–11 **10,15** Mt 18,3 **10,21** Mt 6,19–21; Lk 12,33 **10,23** 4,18–19; 1 Tim 6,17–19 **10,27** Hiob 42,2; Jer 32,17 **10,28** 1,18.20 **10,29–30** Mt 10,37

schwister, Eltern, Kinder und Besitz. All dies wird ihm – wenn auch mitten unter Verfolgungen – hier auf dieser Erde gehören und außerdem in der zukünftigen Welt das ewige Leben. [31] Viele, die jetzt einen großen Namen haben, werden dann unbedeutend sein. Und andere, die heute die Letzten sind, werden dort zu den Ersten gehören.«

Jesus spricht zum dritten Mal von seinem Tod
(Matthäus 20,17–19; Lukas 18,31–34)

[32] Auf dem Weg nach Jerusalem ging Jesus seinen Jüngern voran. Voller Angst und Sorge folgten sie ihm. Unterwegs nahm Jesus seine zwölf Jünger beiseite und sprach noch einmal darüber, was ihn erwartete. [33] »Wir gehen jetzt nach Jerusalem. Dort wird der Menschensohn den Hohenpriestern und Schriftgelehrten ausgeliefert werden. Man wird ihn zum Tode verurteilen und denen übergeben, die Gott nicht kennen. [34] Die werden ihn verspotten, anspucken, auspeitschen und töten. Aber nach drei Tagen wird er von den Toten auferstehen.«

Streit um die besten Plätze
(Matthäus 20,20–28; Lukas 22,24–27)

[35] Jakobus und Johannes, die Söhne des Zebedäus, gingen zu Jesus und sagten: »Lehrer, wirst du uns eine Bitte erfüllen?« [36] »Was wollt ihr?«, fragte Jesus. [37] »Wenn deine Herrschaft begonnen hat, möchten wir gern die Ehrenplätze rechts und links neben dir einnehmen.«

[38] Jesus entgegnete: »Ihr wisst ja gar nicht, was ihr da verlangt! Könnt ihr denn auch das schwere Leiden tragen, das auf mich wartet? Könnt ihr euer Leben hingeben, so wie ich es hingeben muss?«[a] [39] »Ja, das können wir!«, antworteten sie. Darauf erwiderte ihnen Jesus: »Ihr werdet tatsächlich leiden und euer Leben hingeben müssen. [40] Aber trotzdem kann ich nicht bestimmen, wer einmal die Plätze rechts und links neben mir einnehmen wird. Das hat bereits Gott entschieden.«

[41] Als die anderen zehn Jünger von dem Wunsch des Johannes und Jakobus hörten, waren sie empört. [42] Da rief Jesus alle zusammen und sagte: »Ihr wisst, wie die Machthaber der Welt ihre Völker unterdrücken. Wer die Macht hat, nutzt sie rücksichtslos aus. [43] Aber so darf es bei euch nicht sein! Wer groß sein will, der soll den anderen dienen, [44] und wer der Erste sein will, der soll sich allen unterordnen. [45] Auch der Menschensohn ist nicht gekommen, um sich bedienen zu lassen. Er kam, um zu dienen und sein Leben hinzugeben, damit viele Menschen aus der Gewalt des Bösen befreit werden.«

Ein Blinder wird geheilt
(Matthäus 20,29–34; Lukas 18,35–43)

[46] Dann kamen Jesus und seine Jünger nach Jericho. Als sie die Stadt wieder verlassen wollten, folgte ihnen eine große Menschenmenge. Am Weg saß ein Blinder und bettelte. Es war Bartimäus, der Sohn des Timäus. [47] Als er hörte, dass Jesus von Nazareth vorbeikam, begann er laut zu rufen: »Jesus, du Sohn Davids, hab Erbarmen mit mir!« [48] Die Leute fuhren ihn an: »Halt den Mund!« Aber er schrie nur noch lauter: »Du Sohn Davids, hab Erbarmen mit mir!«

[49] Da blieb Jesus stehen: »Ruft ihn her zu mir.« Ein paar von den Leuten liefen zu dem Blinden und sagten zu ihm: »Nur Mut! Komm mit! Jesus ruft dich.« [50] Bartimäus ließ sein Gewand zu Boden fallen, sprang auf und kam zu Jesus. [51] »Was soll ich für dich tun?«, fragte ihn Jesus.

---

[a] Wörtlich: Könnt ihr den Becher trinken, den ich trinke, und mit der Taufe getauft werden, mit der ich getauft werde? – Das gleiche Bild wird auch in Vers 39 verwendet.

10,31 Mt 20,16; Lk 13,30 **10,33–34** 8,31; 9,30–31 **10,34** 15,15–20; 16,6 **10,37** 9,33–35 **10,38** 14,35–36; Joh 18,11; Röm 6,3 **10,39** Apg 12,2 **10,43–44** Mt 23,11; Joh 13,12–17 **10,45** 2 Kor 5,18–21*; Kol 1,13–14 **10,47–48** Mt 20,30–31*

»Meister«, flehte ihn der Blinde an, »ich möchte sehen können!« [52] Darauf antwortete Jesus: »Geh! Dein Glaube hat dir geholfen.« Im selben Augenblick konnte der Blinde sehen, und er ging mit Jesus.

Jesus wird als König empfangen (Matthäus 21,1–11; Lukas 19,29–38; Johannes 12,12–19)

11 Jesus und seine Jünger kamen in die Nähe von Jerusalem. Sie erreichten Betfage und Betanien, zwei Ortschaften, die am Ölberg liegen. Jesus schickte zwei Jünger voraus [2] mit dem Auftrag: »Geht in das Dorf da vorne! Gleich am Eingang werdet ihr einen jungen Esel finden, der dort angebunden ist. Auf ihm ist noch nie jemand geritten. Bindet ihn los und bringt ihn her. [3] Sollte jemand fragen, was ihr da macht, dann sagt einfach: ›Unser Herr braucht das Tier, aber er wird es bald wieder zurückschicken.‹«

[4] Sie gingen hin und fanden den Esel draußen auf der Straße an ein Hoftor angebunden. Sie banden ihn los; [5] aber einige Leute, die dabeistanden, fragten: »Was macht ihr denn da? Was wollt ihr mit dem Esel?« [6] Sie antworteten so, wie Jesus es ihnen gesagt hatte. Da ließ man sie gewähren.

[7] Die Jünger brachten den jungen Esel, legten ihre Mäntel auf das Tier, und Jesus setzte sich darauf. [8] Viele Leute breiteten ihre Kleider als Teppich vor ihm aus, andere rissen Zweige von den Bäumen und legten sie auf den Weg. [9] Vor und hinter ihm drängten sich die Menschen und riefen: »Gelobt sei Gott, und gepriesen sei, der in seinem Auftrag kommt! [10] Jetzt ist Davids Reich endlich da! Gelobt sei Gott im Himmel!«

[11] So zog Jesus in Jerusalem ein. Er ging in den Tempel und sah sich dort aufmerksam um. Am Abend kehrte er mit seinen Jüngern nach Betanien zurück.

Der Feigenbaum (Matthäus 21,18–19)

[12] Am nächsten Morgen, als sie Betanien verließen, hatte Jesus Hunger. [13] Schon von weitem sah er einen Feigenbaum mit vielen Blättern. Er ging hin, um sich ein paar Feigen zu pflücken. Aber er fand nichts als Blätter, denn zu dieser Jahreszeit gab es noch keine Feigen. [14] Da hörten die Jünger, wie Jesus zu dem Baum sagte: »Nie wieder soll jemand von dir eine Frucht essen!«

Jesus jagt die Händler aus dem Tempel (Matthäus 21,12–17; Lukas 19,45–48; Johannes 2,13–17)

[15] Sie kamen nach Jerusalem, und Jesus ging in den Tempel. Dort jagte er alle Händler und Käufer hinaus; die Tische der Geldwechsler und die Stände der Taubenhändler stieß er um. [16] Er duldete noch nicht einmal, dass jemand irgendetwas durch den Tempelvorhof trug. [17] »Ihr wisst doch, was Gott in der Heiligen Schrift sagt«, rief Jesus der Menschenmenge zu: »›Mein Haus soll für alle Völker ein Ort des Gebets sein‹,[a] ihr aber habt eine Räuberhöhle daraus gemacht.«

[18] Nachdem die Hohenpriester und Schriftgelehrten von diesen Ereignissen gehört hatten, stand ihr Entschluss fest, Jesus umzubringen. Sie fürchteten seinen Einfluss, denn seine Worte hinterließen tiefen Eindruck bei den Menschen. [19] Am Abend verließ Jesus mit seinen Jüngern die Stadt.

Von der Kraft des Glaubens (Matthäus 21,20–22)

[20] Als sie am nächsten Morgen wieder an dem Feigenbaum vorbeikamen, sahen sie, dass er völlig abgestorben war. [21] Petrus erinnerte sich und sagte: »Meister,

[a] Jesaja 56,7

10,52 5,34* **11,2** Sach 9,9 **11,3** 14,14 **11,7–8** 1 Kön 1,38–40; 2 Kön 9,13 **11,9** Ps 118,26 **11,10** 12,35–37 **11,12–14** Jer 29,17; Hos 9,10; Mi 7,1–4 **11,15** Sach 14,21 **11,17** Jer 7,11 **11,18** 3,6; 12,12; 14,1–2

sieh doch! Der Baum, den du verflucht hast, ist vertrocknet.« [22]Da antwortete Jesus: »Ihr müsst Gott ganz vertrauen! [23]Denn das ist sicher: Wenn ihr glaubt und nicht im Geringsten daran zweifelt, dass es wirklich geschieht, könnt ihr zu diesem Berg hier sagen: ›Hebe dich von der Stelle, und stürze dich ins Meer!‹, und es wird geschehen.

[24]Ja, ich sage euch: Um was ihr auch bittet – glaubt fest, dass ihr es schon bekommen habt, und Gott wird es euch geben! [25]Aber wenn ihr ihn um etwas bittet, sollt ihr vorher den Menschen vergeben, mit denen ihr nicht zurechtkommt. Dann wird euch der Vater im Himmel eure Schuld auch vergeben.[a]«

Die Frage nach der Vollmacht Jesu
(Matthäus 21,23–27; Lukas 20,1–8)

[27]Sie gingen wieder nach Jerusalem. Als Jesus im Tempel war, kamen die Hohenpriester, die Schriftgelehrten und die führenden Männer des Volkes zu Jesus [28]und stellten ihn zur Rede: »Woher nimmst du dir das Recht, hier so aufzutreten? Wer gab dir die Vollmacht dazu?«

[29]Jesus erwiderte: »Ich will euch eine Gegenfrage stellen. Wenn ihr die beantwortet, werde ich euch sagen, wer mir die Vollmacht gegeben hat. [30]War Johannes der Täufer von Gott beauftragt zu taufen oder nicht? Was meint ihr?«

[31]Sie überlegten: »Wenn wir antworten: ›Gott hat ihn gesandt‹, dann wird er fragen: ›Warum habt ihr ihm dann nicht geglaubt?‹ [32]Wenn wir aber bestreiten, dass Gott ihn gesandt hat, bekommen wir Ärger mit dem Volk. Denn alle sind davon überzeugt, dass Johannes ein Prophet war.«

[33]So antworteten sie schließlich: »Wir wissen es nicht!« Worauf Jesus entgegnete: »Dann sage ich euch auch nicht, wer mir die Vollmacht gegeben hat.«

Vom Weinbergbesitzer und den betrügerischen Pächtern
(Matthäus 21,33–46; Lukas 20,9–19)

12 Wenn Jesus zu den Menschen redete, gebrauchte er oft Gleichnisse. So erzählte er: »Ein Mann legte einen Weinberg an, zäunte ihn ein, stellte eine Weinpresse auf und baute einen Wachturm. Dann verpachtete er den Weinberg an einige Weinbauern und reiste ins Ausland.

[2]Zur Zeit der Weinlese beauftragte er einen Knecht, den vereinbarten Anteil an der Ernte abzuholen. [3]Aber die Weinbauern schlugen den Knecht nieder und jagten ihn mit leeren Händen davon. [4]Da schickte der Besitzer einen zweiten Boten. Auch den beschimpften sie und schlugen ihm den Kopf blutig. [5]Den dritten Boten des Weinbergbesitzers brachten sie um. Immer wieder versuchte der Besitzer, zu seinem Ernteanteil zu kommen. Doch alle, die in seinem Auftrag kamen, wurden verprügelt oder sogar getötet.

[6]Nun blieb nur noch einer übrig: sein einziger Sohn, den er sehr liebte. Ihn schickte er zuletzt. ›Vor meinem Sohn werden sie Achtung haben‹, sagte er sich. [7]Aber die Weinbauern waren sich einig: ›Jetzt kommt der Erbe! Den bringen wir um, und dann gehört der Weinberg endgültig uns.‹ [8]Sie ergriffen ihn, schlugen ihn tot und warfen ihn vor den Weinberg.

[9]Was – meint ihr – wird der Besitzer des Weinbergs jetzt wohl tun? Er wird selbst kommen, die Weinbauern töten und seinen Weinberg an andere verpachten.

[10]Habt ihr nicht in der Heiligen Schrift gelesen: ›Der Stein, den die Bauarbeiter weggeworfen haben, weil sie ihn für unbrauchbar hielten, ist nun zum Grundstein des ganzen Hauses geworden. [11]Was keiner für möglich gehalten hat, das tut der Herr vor unseren Augen‹[b]?«

---

[a] Andere Textzeugen fügen hinzu (Vers 26): Wenn ihr ihnen aber nicht vergeben wollt, dann wird euch Gott im Himmel eure Schuld auch nicht vergeben.

[b] Psalm 118,22–23

11,23 Mt 17,20; Lk 17,6 **11,24** Joh 15,7* **11,25** Mt 5,23–24 **11,28** 11,15–17 **11,32** Mt 14,5; Lk 7,29–30 **12,1** Jes 5,1–7* **12,2–5** Jer 7,25–26 **12,6** 1,11; 9,7

[12] Am liebsten hätten die Hohenpriester, Schriftgelehrten und führenden Männer des Volkes Jesus gleich festgenommen. Sie hatten verstanden, dass er in diesem Gleichnis von ihnen gesprochen hatte. Aber sie wagten sich nicht an ihn heran, weil sie vor dem Volk Angst hatten. So ließen sie ihn in Ruhe und gingen weg.

Die Frage nach der Steuer
(Matthäus 22,15–22; Lukas 20,20–26)

[13] Danach schickten sie einige Pharisäer und Anhänger des Königs Herodes zu Jesus, um ihn mit seinen eigenen Worten in eine Falle zu locken.

[14] »Lehrer«, sagten sie scheinheilig, »wir wissen, dass es dir allein um die Wahrheit geht. Du redest den Leuten nicht nach dem Mund – ganz gleich, wie viel Ansehen sie besitzen. Nein, du sagst uns frei heraus, wie wir nach Gottes Willen leben sollen. Deshalb verrate uns: Ist es eigentlich Gottes Wille, dass wir dem römischen Kaiser Steuern zahlen? Sollen wir bezahlen oder nicht?«

[15] Jesus durchschaute ihre Falschheit und sagte: »Warum wollt ihr mir eine Falle stellen? Zeigt mir ein Geldstück!« [16] Sie gaben ihm eine römische Münze. Er fragte sie: »Wessen Bild und Name ist hier eingeprägt?« Sie antworteten: »Das Bild und der Name des Kaisers!« [17] »Nun, dann gebt dem Kaiser, was ihm zusteht, und gebt Gott, was ihm gehört.« Seine Zuhörer waren überrascht: Diese Antwort hatten sie nicht erwartet.

Werden die Toten auferstehen?
(Matthäus 22,23–33; Lukas 20,27–38)

[18] Später kamen einige Sadduzäer zu Jesus. Diese Leute behaupten, es gebe keine Auferstehung der Toten. Sie fragten ihn: [19] »Lehrer, Mose hat uns im Gesetz gesagt: ›Wenn ein verheirateter Mann stirbt und seine Frau ohne Kinder hinterlässt, muss sein Bruder die Witwe heiraten. Der erste ihrer Söhne soll als Sohn des Verstorbenen gelten.‹[a]

[20] Nun gab es da sieben Brüder. Der erste heiratete und starb ohne Nachkommen. [21] Da heiratete der zweite Bruder die Witwe. Auch er starb kinderlos, und der nächste Bruder nahm sie zur Frau. [22] So ging es weiter, bis die Frau mit allen sieben verheiratet gewesen war, ohne dass sie Kinder bekommen hätte. Schließlich starb auch die Frau. [23] Wessen Frau wird sie nun nach der Auferstehung sein? Schließlich waren ja alle sieben Brüder mit ihr verheiratet.«

[24] Jesus antwortete: »Ihr irrt euch, denn ihr kennt weder die Heilige Schrift noch die Macht Gottes. [25] Wenn die Toten auferstehen, werden sie nicht wie hier auf der Erde verheiratet sein, sondern wie die Engel im Himmel leben. [26] Was nun die Auferstehung der Toten überhaupt betrifft: Habt ihr nicht im Buch des Mose gelesen, wie Gott am brennenden Dornbusch zu ihm sagte: ›Ich bin der Gott Abrahams, Isaaks und Jakobs‹?[b] [27] Er ist doch nicht ein Gott der Toten, sondern der Lebenden. Ihr seid völlig im Irrtum!«

Was ist das wichtigste Gebot?
(Matthäus 22,34–40; Lukas 20,39–40)

[28] Ein Schriftgelehrter hatte zugehört und war von der Antwort beeindruckt, die Jesus den Sadduzäern gegeben hatte. Deshalb fragte er ihn: »Welches von allen Geboten Gottes ist das wichtigste?« [29] Jesus antwortete: »Dies ist das wichtigste Gebot: ›Hört, ihr Israeliten! Der Herr ist unser Gott, der Herr allein. [30] Ihn sollt ihr von ganzem Herzen lieben, mit ganzer Hingabe, mit eurem ganzen Verstand und mit all eurer Kraft.‹[c] [31] Ebenso wichtig ist das andere Gebot: ›Liebe deinen

---

[a] Vgl. 5. Mose 25,5–6
[b] 2. Mose 3,6
[c] 5. Mose 6,4–5

12,12 11,18; 14,1–2 **12,13** 3,2 **12,17** Röm 13,7 **12,18** Apg 23,6–8 **12,25** 1 Kor 15,35–44 **12,31** Mt 22,39

Mitmenschen wie dich selbst!‹[a] Kein anderes Gebot ist wichtiger als diese beiden.«

[32] Darauf meinte der Schriftgelehrte: »Lehrer, du hast Recht. Es gibt nur einen Gott und keinen anderen neben ihm. [33] Ihn sollen wir lieben von ganzem Herzen, mit unserem ganzen Verstand, mit ganzer Hingabe und mit aller Kraft. Und auch unsere Mitmenschen sollen wir so lieben wie uns selbst. Das ist mehr als alle Opfer, die wir Gott bringen könnten.« [34] Jesus erkannte, dass dieser Mann ihn verstanden hatte. Deshalb sagte er zu ihm: »Du bist nicht weit von Gottes neuer Welt entfernt.« Danach wagte niemand mehr, Jesus weitere Fragen zu stellen.

Wer ist Christus?
(Matthäus 22,41–46; Lukas 20,41–44)

[35] Als Jesus später im Tempel redete, stellte er die Frage: »Wie können eure Schriftgelehrten behaupten, Christus sei ein Nachkomme von König David? [36] David selbst hat doch, geleitet vom Heiligen Geist, gesagt: ›Gott sprach zu meinem Herrn: Setze dich auf den Ehrenplatz an meiner rechten Seite, bis ich dir alle deine Feinde unterworfen habe.‹[b] [37] Wenn David ihn also ›Herr‹ nennt, wie kann er dann Davids ›Sohn‹ sein?« Alle im Tempel hörten ihm gespannt zu.

Die Heuchelei der Schriftgelehrten
(Matthäus 23,5–7; Lukas 20,45–47)

[38] Jesus redete weiter zu ihnen: »Hütet euch vor den Schriftgelehrten! Sie laufen gern in langen Gewändern herum und genießen es, wenn die Leute sie auf der Straße ehrfurchtsvoll grüßen. [39] In der Synagoge sitzen sie stets in der ersten Reihe, und es gefällt ihnen, wenn sie bei euren Festen die Ehrenplätze bekommen. [40] Gierig reißen sie den Besitz der Witwen an sich; dabei tarnen sie ihre bösen Absichten mit langen Gebeten. Gottes Strafe wird sie besonders hart treffen.«

Viel Geld – aber kein Opfer
(Lukas 21,1–4)

[41] Jesus setzte sich nun in die Nähe des Opferkastens im Tempel und beobachtete die Leute, die ihre Gaben einwarfen. Viele Reiche spendeten hohe Beträge. [42] Dann aber kam eine arme Witwe und warf zwei der kleinsten Münzen[c] in den Opferkasten. [43] Jesus rief seine Jünger zu sich und sagte: »Eines ist sicher: Diese arme Witwe hat mehr gegeben als alle anderen. [44] Die Reichen haben nur etwas von ihrem Überfluss gegeben, aber diese Frau ist arm und gab alles, was sie hatte – sogar das, was sie dringend zum Leben gebraucht hätte.«

Jesus kündigt die Zerstörung des Tempels an
(Matthäus 24,1–2; Lukas 21,5–6)

13 Als Jesus den Tempel verließ, zeigte einer seiner Jünger begeistert auf die Tempelbauten: »Lehrer, sieh dir diese Steine und diese gewaltigen Bauwerke an!« [2] Jesus erwiderte: »Ja, sieh es dir genau an! Kein Stein wird hier auf dem anderen bleiben. Alles wird nur noch ein großer Trümmerhaufen sein.«

Die Zukunft der Welt
(Matthäus 24,3–28; Lukas 21,7–24)

[3] Als Jesus am Abhang des Ölbergs saß und zum Tempel auf der anderen Seite des Tales hinübersah, kamen Petrus, Jakobus, Johannes und Andreas zu ihm und fragten: [4] »Wann wird das alles geschehen? An welchen Ereignissen werden wir das Ende erkennen?« [5] Jesus

---

[a] 3. Mose 19,18
[b] Psalm 110,1
[c] Wörtlich: zwei Lepta, das ist ein Quadrans.

12,33 Ps 40,7–9* **12,35–37** Mt 20,30–31* **12,36** Apg 2,34–36; Hebr 1,13 **12,38–39** Lk 11,43; 14,7–11 **12,40** 2 Mo 22,21–22* **12,44** 2 Kor 8,12 **13,2** Lk 19,44; Jer 7,14

antwortete: »Lasst euch von keinem Menschen täuschen und verführen! [6]Denn viele werden auftreten und von sich behaupten: ›Ich bin Christus!‹ Und sie werden viele Menschen in die Irre führen.

[7]Ihr werdet von Kriegen und Unruhen hören. Erschreckt nicht! Das muss geschehen, doch es bedeutet noch nicht das Ende. [8]Die Völker und Königreiche der Erde werden Kriege gegeneinander führen. In vielen Teilen der Welt wird es Erdbeben und Hungersnöte geben. Das ist aber erst der Anfang – so wie die ersten Wehen bei einer Geburt.

[9]Seid wachsam! Man wird euch vor die Gerichte zerren, und in den Synagogen wird man euch auspeitschen. Nur weil ihr zu mir gehört, werdet ihr vor Machthabern und Königen verhört werden. Dort werdet ihr meine Botschaft bezeugen.

[10]Das muss so geschehen, denn alle Völker sollen die rettende Botschaft hören, bevor das Ende kommt. [11]Wenn sie euch verhaften und vor Gericht bringen, braucht ihr euch nicht darum zu sorgen, was ihr aussagen sollt! Denn zur rechten Zeit wird Gott euch das rechte Wort geben. Nicht ihr werdet es sein, die Rede und Antwort stehen, sondern der Heilige Geist wird durch euch sprechen.

[12]In dieser Zeit wird ein Bruder den anderen dem Henker ausliefern. Väter werden ihre eigenen Kinder anzeigen. Kinder werden gegen ihre Eltern vorgehen und sie hinrichten lassen. [13]Alle Welt wird euch hassen, weil ihr euch zu mir bekennt. Aber wer bis zum Ende durchhält, wird gerettet.

[14]Die Heilige Schrift redet von einer ›abscheulichen Götzenstatue‹.[a] Versucht zu verstehen, was das Geschriebene bedeutet! Wenn ihr diese Götzenstatue[b] dort stehen seht, wo sie nicht hingehört – im Tempel –, dann sollen alle Bewohner Judäas ins Gebirge fliehen. [15]Wer sich gerade auf dem Dach seines Hauses aufhält, soll nicht erst im Haus sein Gepäck für die Flucht zusammensuchen. [16]Wer auf dem Feld arbeitet, soll nicht erst nach Hause laufen, um seinen Mantel zu holen. [17]Besonders hart trifft es Schwangere und Mütter mit Säuglingen. [18]Betet deshalb, dass ihr nicht im Winter fliehen müsst.

[19]Denn es wird eine Zeit der Not kommen, wie sie die Welt seit der Schöpfung nicht erlebt hat und wie sie auch nie wieder eintreten wird. [20]Wenn diese Leidenszeit nicht verkürzt würde, könnte niemand gerettet werden. Aber seinen Auserwählten zuliebe hat Gott diese Zeit begrenzt.

[21]Wenn dann jemand zu euch sagt: ›Hier ist der Christus!‹ oder: ›Dort ist er!‹, glaubt ihm nicht! [22]Viele werden sich nämlich als ›Christus‹ ausgeben, und es werden falsche Propheten auftreten. Sie werden Zeichen und Wunder vollbringen, um – wenn möglich – sogar die Auserwählten Gottes irrezuführen. [23]Deshalb bleibt wachsam! Ich habe euch gewarnt!«

Retter und Richter
(Matthäus 24,29–35; Lukas 21,25–33)

[24]»Nach dieser großen Schreckenszeit wird sich die Sonne verfinstern und der Mond nicht mehr scheinen. [25]Die Sterne werden aus ihrer Bahn geschleudert, und die Kräfte des Weltalls geraten durcheinander. [26]Alle sehen dann, wie der Menschensohn in großer Macht und Herrlichkeit in den Wolken des Himmels kommt. [27]Er wird seine Engel aussenden, und sie werden seine Auserwählten aus allen Teilen der Welt zu ihm bringen.

[28]Der Feigenbaum soll euch dafür ein

---

[a] »Die Heilige Schrift … Götzenstatue« ist sinngemäß ergänzt. Zum ganzen Vers vgl. Daniel 9,27.
[b] Wörtlich: Gräuel der Verwüstung.

13,8 Jes 19,2 **13,9** Apg 5,40; 7,57–58; 2 Kor 11,24 **13,10** 16,15 **13,11** Lk 12,11–12; Apg 4,8 **13,12** Lk 12,52–53; Mi 7,6 **13,13** Joh 15,18–21 **13,19** Dan 12,1 **13,22** 2 Thess 2,9; 2 Petr 2,1; Offb 13,13–14 **13,24–25** Jes 13,10; 2 Petr 3,10; Offb 6,12–13 **13,26** Dan 7,13–14; Offb 1,7 **13,27** 1 Thess 4,17

Beispiel sein: Wenn seine Zweige saftig werden und Blätter treiben, dann wisst ihr, dass es bald Sommer ist.

[29] Wenn nun all diese Ereignisse eintreffen, könnt ihr sicher sein: Das Kommen des Menschensohnes steht unmittelbar bevor. [30] Ja, ich sage euch: Dieses Volk[a] wird nicht untergehen, bevor das alles geschieht! [31] Himmel und Erde werden vergehen; meine Worte aber gelten für immer.«

»Seid immer bereit!«
(Matthäus 24,42–44)

[32] »Niemand weiß, wann das Ende kommen wird, weder die Engel im Himmel noch der Sohn. Den Tag und die Stunde kennt nur der Vater. [33] Darum werdet nicht nachlässig und bleibt wach! Denn ihr wisst nicht, wann es so weit ist.

[34] Es ist genau wie bei einem Mann, der auf Reisen geht. Bevor er sein Haus verlässt, weist er jedem seiner Knechte eine bestimmte Arbeit zu und befiehlt dem Pförtner, wachsam zu sein.

[35] Genauso sollt auch ihr wach bleiben. Ihr wisst ja nicht, wann der Herr kommen wird, ob am Abend oder um Mitternacht, im Morgengrauen oder nach Sonnenaufgang. [36] Deshalb sollt ihr zu jeder Stunde auf seine Ankunft vorbereitet sein und nicht etwa schlafen. [37] Was ich euch sage, gilt auch für alle anderen Menschen: Ihr müsst immer wach und bereit sein!«

Verschwörung gegen Jesus
(Matthäus 26,1–5; Lukas 22,1–2)

14 Es waren nur noch zwei Tage bis zum Passahfest und zum Fest der ungesäuerten Brote. Die Hohenpriester und Schriftgelehrten suchten nach einer günstigen Gelegenheit, bei der sie Jesus heimlich festnehmen und umbringen lassen konnten. [2] Sie waren sich aber einig: »Es darf auf keinen Fall während der Festtage geschehen, damit es nicht zu Unruhen im Volk kommt!«

Ein Vermögen für Jesus
(Matthäus 26,6–13; Johannes 12,1–8)

[3] Jesus war in Betanien Gast bei Simon, der früher einmal aussätzig gewesen war. Während der Mahlzeit kam eine Frau herein. In ihren Händen hielt sie ein Fläschchen mit reinem, kostbarem Nardenöl. Sie zerbrach das Gefäß und salbte mit dem Öl den Kopf Jesu. [4] Darüber regten sich einige Gäste auf: »Das ist ja die reinste Verschwendung! [5] Dieses Öl ist mindestens 300 Silberstücke wert. Das Geld hätte man lieber den Armen geben sollen!« So machten sie der Frau Vorwürfe.

[6] Aber Jesus sagte: »Lasst sie in Ruhe! Warum kränkt ihr sie? Sie hat etwas Gutes für mich getan. [7] Arme, die eure Hilfe nötig haben, wird es immer geben. Ihnen könnt ihr jederzeit helfen. Ich dagegen bin nicht mehr lange bei euch. [8] Diese Frau hat getan, was sie konnte. Mit diesem Salböl hat sie meinen Körper für mein Begräbnis vorbereitet. [9] Und ich sage euch: Überall in der Welt, wo Gottes rettende Botschaft verkündet wird, da wird man auch von dieser Frau sprechen und von dem, was sie getan hat!«

Der Verrat
(Matthäus 26,14–16; Lukas 22,3–6)

[10] Anschließend ging Judas Iskariot, einer von den zwölf Jüngern, zu den Hohenpriestern, weil er Jesus an sie verraten wollte. [11] Die Hohenpriester freuten sich darüber und versprachen ihm eine Belohnung. Von da an suchte Judas eine günstige Gelegenheit, um Jesus zu verraten.

---

[a] Oder: Diese Generation.

13,31 Jes 40,8 **13,32** Apg 1,7 **13,34–35** Lk 12,35–40 **13,36** Mt 25,1–13 **14,1–2** 3,6; 11,18; 12,12 **14,1** 2 Mo 12,1–14*.15–20* **14,7** 5 Mo 15,11 **14,8** 16,1 **14,10** 3,19 **14,11** Joh 11,57

Vorbereitungen für das Passahfest
(Matthäus 26,17–19; Lukas 22,7–13)

[12] Am ersten Tag des Festes der ungesäuerten Brote, an dem das Passahlamm geschlachtet wurde, fragten die Jünger Jesus: »Wo sollen wir für dich das Passahmahl vorbereiten?« [13] »Geht in die Stadt«, beauftragte Jesus zwei von ihnen. »Dort wird euch ein Mann begegnen, der einen Wasserkrug trägt. Diesem Mann folgt, [14] bis er in ein Haus geht. Dem Besitzer des Hauses sollt ihr sagen: ›Unser Lehrer lässt fragen: Wo ist der Raum, in dem er mit seinen Jüngern das Passahmahl feiern kann?‹ [15] Er wird euch einen großen Raum im Obergeschoss zeigen, der mit Polstern ausgestattet und für das Festmahl hergerichtet ist. Bereitet dort alles Weitere vor.«

[16] Die beiden Jünger gingen in die Stadt und trafen alles so an, wie Jesus es ihnen gesagt hatte. Dann bereiteten sie das Passahmahl vor.

Jesus feiert mit seinen Jüngern das Passahmahl
(Matthäus 26,20–30; Lukas 22,14–23; Johannes 13,21–26)

[17] Am Abend kam Jesus mit den zwölf Jüngern. [18] Beim Essen erklärte er ihnen: »Ich sage euch: Einer von euch, der jetzt mit mir isst, wird mich verraten!« [19] Bestürzt fragte einer nach dem andern: »Meinst du etwa mich?«

[20] Jesus antwortete: »Es ist einer von euch Zwölfen, der mit mir das Brot in die Schüssel taucht. [21] Der Menschensohn muss zwar sterben, wie es in der Heiligen Schrift vorausgesagt ist; aber wehe seinem Verräter! Er wäre besser nie geboren worden.«

[22] Während sie aßen, nahm Jesus Brot, sprach das Dankgebet, teilte das Brot und gab jedem seiner Jünger ein Stück davon: »Nehmt und esst! Das ist mein Leib!« [23] Anschließend nahm er einen Becher Wein, dankte Gott und reichte den Becher seinen Jüngern. Sie tranken alle daraus. [24] Jesus sagte: »Das ist mein Blut, mit dem der neue Bund zwischen Gott und den Menschen besiegelt wird. Es wird zur Vergebung ihrer Sünden vergossen. [25] Ich sage euch: Von jetzt an werde ich keinen Wein mehr trinken, bis ich ihn wieder mit euch in der neuen Welt Gottes trinken werde.«

[26] Nachdem sie das Danklied gesungen hatten, gingen sie hinaus an den Ölberg.

Jesus kündigt die Verleugnung des Petrus an
(Matthäus 26,31–35; Lukas 22,31–34; Johannes 13,36–38)

[27] Unterwegs sagte Jesus zu den Jüngern: »Ihr werdet euch alle bald von mir abwenden. Denn es steht geschrieben: ›Ich werde der Herde den Hirten nehmen, und die Schafe werden auseinander laufen.‹[a] [28] Aber nach meiner Auferstehung werde ich nach Galiläa gehen, und dort werdet ihr mich wiedersehen.«

[29] Da beteuerte Petrus: »Wenn dich auch alle anderen verlassen – ich halte zu dir!« [30] »Petrus«, erwiderte ihm Jesus, »ich sage dir: Heute Nacht, noch ehe der Hahn zweimal kräht, wirst du dreimal geleugnet haben, mich zu kennen.« [31] »Ausgeschlossen!«, rief Petrus. »Selbst wenn ich mit dir sterben müsste, würde ich das nicht tun!« Auch die anderen Jünger beteuerten dies.

Im Garten Gethsemane
(Matthäus 26,36–46; Lukas 22,40–46)

[32] Dann ging Jesus mit seinen Jüngern in einen Garten, der Gethsemane heißt. Dort bat er sie: »Setzt euch hier hin, und wartet auf mich, bis ich gebetet habe!«

---

[a] Vgl. Sacharja 13,7

14,12 2 Mo 12,3–6 **14,14** 11,3 **14,18** Ps 41,10 **14,21** 8,31 **14,22–24** 1 Kor 10,16; 11,23–25 **14,24** 2 Mo 24,8; Jer 31,31–34* **14,25** Jes 25,6–8 **14,27** 14,50; Joh 16,32 **14,28** 16,7 **14,30** 14,72 **14,31** Joh 11,16 **14,32** 1,35; Lk 5,16*

[33] Petrus, Jakobus und Johannes nahm er mit. Tiefe Traurigkeit und Angst überfielen Jesus, [34] und er sagte zu ihnen: »Ich zerbreche beinahe unter der Last, die ich zu tragen habe.[a] Bleibt bei mir, und wacht mit mir!« [35] Jesus ging ein paar Schritte weiter, warf sich nieder und betete: »Mein Vater, wenn es möglich ist, so erspare mir diese schwere Stunde, [36] und bewahre mich vor diesem Leiden[b]! Dir ist alles möglich. Aber nicht was ich will, sondern was du willst, soll geschehen.«

[37] Dann kam er zu den drei Jüngern zurück und sah, dass sie eingeschlafen waren. Er weckte Petrus. »Simon«, rief er, »schläfst du? Kannst du denn nicht eine einzige Stunde mit mir wachen? [38] Bleibt wach und betet, damit ihr der Versuchung widerstehen könnt. Ich weiß, ihr wollt nur das Beste, aber aus eigener Kraft könnt ihr es nicht erreichen.[c]« [39] Noch einmal ging er ein Stück weg und bat Gott mit den gleichen Worten um Hilfe. [40] Als er zurückkam, schliefen die Jünger schon wieder. Die Augen waren ihnen zugefallen, und sie wussten vor Müdigkeit nicht, was sie Jesus sagen sollten. [41] Als er zum dritten Mal zu ihnen zurückkehrte, rief er: »Ihr schlaft immer noch und ruht euch aus? Genug jetzt! Die Stunde ist gekommen: Der Menschensohn wird den gottlosen Menschen ausgeliefert. [42] Steht auf, lasst uns gehen! Der Verräter ist schon da!«

Verrat und Verhaftung
(Matthäus 26,47–56; Lukas 22,47–53; Johannes 18,2–18)

[43] Noch während Jesus sprach, kam Judas, einer von seinen Jüngern, zusammen mit vielen Männern, die mit Schwertern und Knüppeln bewaffnet waren. Die Hohenpriester, Schriftgelehrten und die führenden Männer des Volkes hatten sie geschickt. [44] Judas hatte mit ihnen vereinbart: »Der Mann, den ich küssen werde, der ist es! Den müsst ihr festnehmen.« [45] Er ging auf Jesus zu und sagte: »Sei gegrüßt, Meister!« Dann küsste er ihn. [46] Sofort packten die bewaffneten Männer Jesus und nahmen ihn fest.

[47] Aber einer von den Männern, die bei Jesus waren, wollte das verhindern. Er zog sein Schwert, schlug auf einen der Diener des Hohenpriesters ein und hieb ihm ein Ohr ab.

[48] Jesus fragte die Leute, die ihn festgenommen hatten: »Bin ich denn ein Verbrecher, dass ihr euch mit Schwertern und Knüppeln bewaffnet habt, um mich zu verhaften? [49] Jeden Tag habe ich öffentlich im Tempel gesprochen. Warum habt ihr mich nicht dort festgenommen? Aber auch dies geschieht, damit sich die Vorhersagen der Heiligen Schrift erfüllen.«

[50] Entsetzt verließen ihn alle Jünger und flohen.

[51] Nur ein junger Mann, der ein leichtes Untergewand aus Leinen trug, folgte Jesus. Als die Männer versuchten, auch ihn festzunehmen, [52] riss er sich los. Sie blieben mit dem Gewand in den Händen zurück, und der junge Mann konnte nackt entkommen.

Jesus vor Gericht
(Matthäus 26,57–68; Lukas 22,63–71; Johannes 18,19–24)

[53] Gleich darauf brachte man Jesus zu dem Hohenpriester, der in dieser Zeit den Vorsitz des Hohen Rates hatte. Bei ihm waren alle Hohenpriester, Schriftgelehrten und führenden Männer des Volkes versammelt. [54] In sicherem Abstand folgte Petrus den Männern bis in den Innenhof des Palastes. Dort setzte er sich zu den Dienern und wärmte sich am Feuer.

[55] Die Hohenpriester und der ganze Hohe Rat suchten Zeugen, die durch falsche Aussagen Jesus so belasten sollten,

[a] Wörtlich: Tief betrübt ist meine Seele bis zum Tod.
[b] Wörtlich: und lass diesen Kelch an mir vorübergehen.
[c] Wörtlich: Der Geist ist zwar willig, aber das Fleisch ist schwach.

14,33 5,37; 9,2 **14,35–36** Joh 6,38; Phil 2,8; Hebr 5,7–8 **14,38** Eph 6,18 **14,49** Lk 19,47; 21,37 **14,50** 14,27

dass man ihn zum Tode verurteilen konnte. Aber es gelang ihnen nicht. [56] Viele Zeugen brachten zwar falsche Anschuldigungen vor, doch ihre Aussagen widersprachen sich. [57] Schließlich erklärten einige Männer: [58] »Wir haben gehört, wie dieser Jesus behauptete: ›Ich will den von Menschen gebauten Tempel abreißen und dafür in drei Tagen einen anderen aufbauen, der nicht von Menschen errichtet ist.‹« [59] Doch auch ihre Aussagen waren voller Widersprüche.

[60] Jetzt erhob sich der Hohepriester, stellte sich mitten unter die Versammelten und fragte Jesus: »Warum antwortest du nicht? Hast du nichts gegen diese Anschuldigungen zu sagen?« [61] Aber Jesus schwieg. Da stellte ihm der Hohepriester eine weitere Frage: »Bist du Christus, der Sohn Gottes?« [62] »Ja, der bin ich«, antwortete Jesus. »Ihr werdet den Menschensohn an der rechten Seite Gottes sitzen und auf den Wolken des Himmels kommen sehen.«

[63] Empört zerriss der Hohepriester sein Gewand und rief: »Das genügt! Wozu brauchen wir noch weitere Zeugen? [64] Ihr habt ja seine Gotteslästerung selbst gehört. Wie lautet euer Urteil?« Einstimmig beschlossen sie: »Er muss sterben.«

[65] Einige von ihnen spuckten Jesus ins Gesicht, verbanden ihm die Augen und schlugen mit den Fäusten auf ihn ein. »Na, du Prophet«, verhöhnten sie ihn, »sag uns, wer hat dich geschlagen?« Auch die Männer, die Jesus abführten, schlugen ihn.

Petrus behauptet, Jesus nicht zu kennen (Matthäus 26,69–75; Lukas 22,54–62; Johannes 18,17.25–27)

[66/67] Petrus war immer noch unten im Hof. Eine Dienerin des Hohenpriesters sah ihn am Feuer sitzen und sagte: »Du gehörst doch auch zu diesem Jesus von Nazareth!« [68] Doch Petrus behauptete: »Ich weiß nicht, wovon du redest!« Schnell ging er hinaus in den Vorhof. Da krähte ein Hahn.

[69] Aber auch hier erkannte ihn die Dienerin und sagte vor allen Leuten: »Das ist auch einer von denen, die bei Jesus waren!« [70] Wieder bestritt Petrus es heftig. Doch nach einer Weile sagten auch die Umstehenden: »Natürlich gehörst du zu seinen Freunden; du kommst doch auch aus Galiläa!« [71] Da rief Petrus: »Ich schwöre euch: Ich kenne diesen Menschen überhaupt nicht, von dem ihr da redet! Gott soll mich verfluchen, wenn ich lüge!«

[72] In diesem Augenblick krähte der Hahn zum zweiten Mal, und Petrus fielen die Worte ein, die Jesus gesagt hatte: »Ehe der Hahn zweimal kräht, wirst du dreimal geleugnet haben, mich zu kennen.« Da fing Petrus an zu weinen.

Jesus wird an die Römer ausgeliefert (Matthäus 27,1–2.11–14; Lukas 22,66 – 23,13; Johannes 18,28–38)

15 Am frühen Morgen schlossen die Hohenpriester, die führenden Männer des Volkes, die Schriftgelehrten und der ganze Hohe Rat ihre Beratungen ab und trafen ihre Entscheidung. Jesus wurde gefesselt zu Pilatus, dem römischen Statthalter, gebracht.

[2] Pilatus fragte ihn: »Bist du der König der Juden?« »Ja, du sagst es«, antwortete Jesus. [3] Die Hohenpriester brachten noch andere schwere Anklagen gegen ihn vor. [4] »Antworte doch!«, forderte ihn Pilatus auf. »Hörst du denn nicht, wie schwer sie dich beschuldigen?« [5] Aber Jesus sagte kein Wort. Darüber wunderte sich Pilatus sehr.

Das Todesurteil (Matthäus 27,15–26; Lukas 23,13–25; Johannes 18,39 – 19,16)

[6] Jedes Jahr zum Passahfest begnadigte Pilatus einen Gefangenen, den das Volk

---

14,56 5 Mo 19,15* **14,58** Joh 2,19 **14,61–62** 15,39*; Dan 7,13 **14,64** 3 Mo 24,16; 4 Mo 15,30 **14,65** Jes 50,6 **14,70** 1,14.16 **14,72** 14,30 **15,5** Ps 38,14–16; Jes 53,7

selbst auswählen durfte. [7] Zu dieser Zeit saß ein Mann namens Barabbas im Gefängnis. Er war zusammen mit den Anführern eines Aufstandes festgenommen worden, die einen Mord begangen hatten. [8] Vor dem Palast des Pilatus forderte jetzt eine große Menschenmenge die Freilassung eines Gefangenen. [9] Pilatus rief ihnen zu: »Soll ich euch den ›König der Juden‹ freigeben?« [10] Denn er wusste genau, dass die Hohenpriester das Verfahren gegen Jesus nur aus Neid angezettelt hatten.

[11] Aber die Hohenpriester hetzten das Volk auf, die Freilassung des Barabbas zu verlangen. [12] Pilatus fragte zurück: »Und was soll mit dem Mann geschehen, den ihr euren König nennt?«

[13] Da brüllten sie alle: »Ans Kreuz mit ihm!« [14] »Was für ein Verbrechen hat er denn begangen?«, fragte Pilatus. Doch ununterbrochen schrie die Menge: »Ans Kreuz mit ihm!« [15] Weil Pilatus die aufgebrachte Volksmenge zufrieden stellen wollte, gab er Barabbas frei. Jesus aber ließ er auspeitschen und zur Kreuzigung abführen.

Jesus wird verhöhnt und misshandelt
(Matthäus 27,27–31; Johannes 19,2–3)

[16] Die Soldaten brachten Jesus in den Hof des Statthalterpalastes und riefen die ganze Truppe zusammen. [17] Sie zogen ihm einen purpurroten Mantel an, flochten eine Krone aus Dornenzweigen und drückten sie ihm auf den Kopf. [18] Dann grüßten sie ihn voller Hohn: »Es lebe der König der Juden!« [19] Mit einem Stock schlugen sie Jesus auf den Kopf, spuckten ihn an und knieten vor ihm nieder, um ihn wie einen König zu ehren. [20] Nachdem sie ihn so verspottet hatten, zogen sie ihm den roten Mantel wieder aus und gaben ihm seine eigenen Kleider zurück. Dann führten sie Jesus ab zur Kreuzigung.

Die Kreuzigung
(Matthäus 27,32–44; Lukas 23,26–43; Johannes 19,16–27)

[21] Unterwegs begegnete ihnen Simon aus Kyrene, der Vater von Alexander und Rufus. Simon kam gerade von seinem Feld zurück. Die Soldaten zwangen ihn, das Kreuz zu tragen, an das Jesus gehängt werden sollte.

[22] Sie brachten Jesus nach Golgatha; das bedeutet »Schädelstätte«. [23] Dort wollten die Soldaten ihm Wein mit Myrrhe zur Betäubung geben. Aber Jesus wollte nichts davon trinken.

[24] Dann nagelten sie ihn an das Kreuz. Seine Kleider verlosten sie unter sich. [25] Es war neun Uhr morgens, als sie ihn kreuzigten. [26] Über ihm wurde ein Schild angebracht, auf dem man lesen konnte, weshalb er verurteilt worden war. Darauf stand: »Der König der Juden!« [27] Mit Jesus wurden zwei Verbrecher gekreuzigt, einer rechts, der andere links von ihm.[a]

[29] Die Leute, die am Kreuz vorübergingen, beschimpften ihn und schüttelten spöttisch den Kopf: »So! Den Tempel wolltest du zerstören und in drei Tagen wieder aufbauen? [30] Dann rette dich doch selber, und komm vom Kreuz herunter!«

[31] Auch die Hohenpriester und Schriftgelehrten verhöhnten Jesus: »Anderen hat er geholfen, aber sich selbst kann er nicht helfen! [32] Dieser Christus, dieser König von Israel, soll er doch vom Kreuz heruntersteigen! Dann wollen wir an ihn glauben!« Ebenso beschimpften ihn die beiden Männer, die mit ihm gekreuzigt worden waren.

Jesus stirbt am Kreuz
(Matthäus 27,45–56; Lukas 23,44–49; Johannes 19,28–30)

[33] Am Mittag wurde es plötzlich im ganzen Land dunkel. Diese Finsternis dauerte drei Stunden. [34] Gegen drei Uhr rief

---

[a] Andere Textzeugen fügen hinzu (Vers 28): Damit erfüllte sich die Vorhersage der Heiligen Schrift: »Er wurde zu den Verbrechern gezählt.« Vgl. Jesaja 53,12

15,14 Apg 3,13–14; 13,27–28 **15,19** Jes 50,6 **15,21** Röm 16,13 **15,23** Ps 69,22 **15,24** Ps 22,19 **15,26** 15,2 **15,27** Lk 23,39–43 **15,29–32** Ps 22,8; 109,25 **15,29** Joh 2,19 **15,32** 8,11 **15,33** Am 8,9

Jesus laut: »Eloï, Eloï, lema sabachtani?« Das heißt: »Mein Gott, mein Gott, warum hast du mich verlassen?«[a] [35]Einige von den Umstehenden aber meinten: »Er ruft den Propheten Elia.« [36]Einer von ihnen tauchte schnell einen Schwamm in Essig und steckte ihn auf einen Stab, um Jesus davon trinken zu lassen. »Wir wollen doch sehen, ob Elia kommt und ihn herunterholt!«, sagte er. [37]Aber Jesus schrie laut auf und starb.

[38]Im selben Augenblick zerriss im Tempel der Vorhang vor dem Allerheiligsten von oben bis unten.

[39]Der römische Hauptmann, der neben dem Kreuz stand und mit angesehen hatte, wie Jesus starb, rief: »Dieser Mann ist wirklich Gottes Sohn gewesen!«

[40]Einige Frauen hatten das Geschehen aus der Ferne beobachtet. Unter ihnen waren Maria aus Magdala und Maria, die Mutter von Jakobus dem Jüngeren und von Joses, sowie Salome. [41]Sie waren schon in Galiläa bei Jesus gewesen und hatten für ihn gesorgt. Zusammen mit vielen anderen waren sie mit Jesus nach Jerusalem gekommen.

Jesus wird begraben
(Matthäus 27,57–61; Lukas 23,50–55; Johannes 19,38–42)

[42/43]Am Abend ging Josef aus Arimathäa, ein geachtetes Mitglied des Hohen Rates, zu Pilatus. Josef wartete auf das Kommen der neuen Welt Gottes. Weil am nächsten Tag Sabbat war, entschloss er sich, Pilatus schon jetzt um den Leichnam Jesu zu bitten.

[44]Pilatus wollte nicht glauben, dass Jesus schon gestorben war. Darum rief er den Hauptmann und erkundigte sich: »Lebt Jesus tatsächlich nicht mehr?« [45]Als der Hauptmann das bestätigte, überließ er Josef aus Arimathäa den Leichnam. [46]Josef kaufte ein feines Leinentuch, nahm Jesus vom Kreuz, wickelte ihn in das Tuch und legte ihn in ein Grab, das in einen Felsen gehauen war. Dann wälzte er einen Stein vor den Eingang des Grabes.

[47]Maria aus Magdala und Maria, die Mutter von Joses, beobachteten, wohin er Jesus legte.

Jesus lebt
(Matthäus 28,1–10; Lukas 24,1–12; Johannes 20,1–10)

16 Nachdem der Sabbat vorüber war, kauften Maria aus Magdala, Salome und Maria, die Mutter von Jakobus, wohlriechende Öle, um den Toten zu salben. [2]Früh am ersten Wochentag, gerade als die Sonne aufging, kamen die Frauen zum Grab. [3]Schon unterwegs hatten sie sich besorgt gefragt: »Wer wird uns nur den schweren Stein vor der Grabkammer zur Seite rollen?« [4]Umso erstaunter waren sie, als sie merkten, dass der Stein nicht mehr vor dem Grab lag.

[5]Sie betraten die Grabkammer, und da sahen sie auf der rechten Seite einen jungen Mann sitzen, der ein langes weißes Gewand trug. Die Frauen erschraken sehr. [6]Aber der Mann sagte zu ihnen: »Habt keine Angst! Ihr sucht Jesus von Nazareth, den Gekreuzigten. Er ist nicht mehr hier. Er ist auferstanden. Seht her, an dieser Stelle hat er gelegen. [7]Und nun geht zu seinen Jüngern und zu Petrus, und sagt ihnen, dass Jesus euch nach Galiläa vorausgehen wird. Dort werdet ihr ihn sehen, wie er es euch versprochen hat.« [8]Da flohen die Frauen aus dem Grab und liefen davon. Angst und Entsetzen hatte sie erfasst. Sie redeten mit niemandem darüber, so erschrocken waren sie.

---

[a] Psalm 22,2

15,36 Ps 69,22 **15,38** 2 Mo 26,31–33; Hebr 10,19–20 **15,39** 1,1–2.11; 3,11; 5,7; 9,7; 14,61–62; Joh 1,34*; Apg 9,20; Ps 2,7 **15,40–41** Lk 8,2–3 **15,42–43** 5 Mo 21,22–23* **16,3** 15,46 **16,6** 8,31 **16,7** 14,28

Die Erscheinungen des Auferstandenen[a]
(Matthäus 28,9–10; Lukas 24,13–35; Johannes 20,11–18)

[9] Jesus war frühmorgens am ersten Tag der Woche von den Toten auferstanden und erschien zuerst der Maria aus Magdala, die er von sieben Dämonen befreit hatte. [10] Sie lief zu den Jüngern, die um Jesus trauerten und weinten, [11] und berichtete ihnen: »Jesus lebt! Ich habe ihn gesehen!« Aber die Jünger glaubten ihr nicht.

[12] Danach erschien Jesus zwei von ihnen in einer anderen Gestalt, als sie unterwegs waren. [13] Sie kamen voller Aufregung nach Jerusalem zurück, um es den anderen zu berichten. Aber auch ihnen glaubten die Jünger nicht.

Der Auftrag an die Jünger
(Matthäus 28,18–20; Lukas 24,36–53; Johannes 20,19–23)

[14] Wenig später erschien Jesus den elf Jüngern, während sie gemeinsam aßen. Er wies sie zurecht, weil sie in ihrem Unglauben und Starrsinn nicht einmal denen glauben wollten, die ihn nach seiner Auferstehung gesehen hatten.

[15] Dann sagte er zu ihnen: »Geht hinaus in die ganze Welt und verkündet allen Menschen die rettende Botschaft. [16] Denn wer glaubt und getauft ist, der wird gerettet werden. Wer aber nicht glaubt, der wird verurteilt werden.

[17] Die Glaubenden aber werde ich durch folgende Wunder bestätigen: In meinem Namen werden sie Dämonen austreiben und in unbekannten Sprachen reden. [18] Gefährliche Schlangen und tödliches Gift werden ihnen nicht schaden, und Kranke, denen sie die Hände auflegen, werden gesund.«

[19] Nachdem Jesus, der Herr, das gesagt hatte, wurde er in den Himmel aufgenommen und nahm den Platz an Gottes rechter Seite ein.

[20] Die Jünger aber zogen hinaus und verkündeten überall die rettende Botschaft. Der Herr war mit ihnen und bestätigte ihr Wort durch Zeichen seiner Macht.

---

[a] Die Verse 9–20 fehlen bei einigen Textzeugen.

16,9–10 Lk 8,2; Joh 20,14–18 **16,12–13** Lk 24,13–35 **16,14** 1 Kor 15,5 **16,16** Apg 2,38; 16,31 **16,17** 6,7.13; Apg 8,7; 2,4; 1 Kor 12,10; 14,1–40 **16,18** Apg 28,3–6; 5,16; 8,7; Jak 5,14–15 **16,19** Apg 1,9–11; Röm 8,34* **16,20** Hebr 2,4

Lukas berichtet von Jesus

1 Lieber Theophilus! Schon viele haben versucht, all das aufzuschreiben, was bei uns geschehen ist, [2]so, wie es die Augenzeugen berichtet haben, die von Anfang an dabei waren. Ihnen hat Gott den Auftrag gegeben, die rettende Botschaft weiterzusagen. [3]Nun habe auch ich mich sehr darum bemüht, alles von Anfang an genau zu erfahren. Ich will es dir, lieber Theophilus, jetzt der Reihe nach berichten. [4]Du wirst merken, dass alles, was man dich gelehrt hat, richtig und wahr ist.

Johannes soll das Kommen des Messias vorbereiten

[5]Als Herodes König von Judäa war, lebte dort der Priester Zacharias. Er gehörte zur Dienstgruppe Abija. Seine Frau Elisabeth stammte aus der Familie Aarons. [6]Beide lebten so, wie es Gott gefällt. Sie hielten sich genau an seine Gebote und Ordnungen. [7]Sie hatten keine Kinder, denn Elisabeth konnte keine bekommen, und beide waren inzwischen alt geworden.

[8]Wieder einmal hatte die Gruppe Abija Tempeldienst. [9]Wie üblich wurde ausgelost, wer zur Ehre Gottes im Tempel den Weihrauch anzünden sollte. Das Los fiel auf Zacharias.

[10]Er betrat den Tempel, während die Volksmenge draußen betete. [11]Plötzlich stand auf der rechten Seite des Räucheropferaltars ein Engel des Herrn. [12]Zacharias erschrak und fürchtete sich.

[13]Doch der Engel sagte zu ihm: »Fürchte dich nicht, Zacharias! Gott hat dein Gebet erhört. Deine Frau Elisabeth wird bald einen Sohn bekommen. Gib ihm den Namen Johannes! [14]Du wirst über dieses Kind froh und glücklich sein, und auch viele andere werden sich über seine Geburt freuen. [15]Gott wird ihm eine große Aufgabe übertragen. Er wird weder Wein noch andere berauschende Getränke zu sich nehmen. Schon vor seiner Geburt wird er mit dem Heiligen Geist erfüllt sein, [16]und er wird viele in Israel zu Gott, ihrem Herrn, zurückbringen. [17]Entschlossen und stark wie der Prophet Elia wird er das Kommen des Messias vorbereiten: Er wird Eltern und Kinder wieder miteinander versöhnen, und die Ungehorsamen werden wieder Gottes Willen erfüllen. So wird er das ganze Volk darauf vorbereiten, den Herrn zu empfangen.«

[18]»Wie ist so etwas möglich?«, fragte Zacharias erstaunt den Engel. »Ich bin ein alter Mann, und auch meine Frau ist alt!« [19]Der Engel antwortete: »Ich bin Gabriel und stehe unmittelbar vor Gott als sein Diener. Er gab mir den Auftrag, dir diese gute Nachricht zu überbringen. [20]Aber weil du mir nicht geglaubt hast, sollst du stumm sein, bis geschieht, was ich gesagt habe. Dann wirst du sehen, dass alles wahr ist.«

[21]Inzwischen wartete die Menschenmenge draußen auf Zacharias. Alle wunderten sich, dass er so lange im Tempel blieb. [22]Als er endlich herauskam, konnte er nicht mehr reden. Daran erkannten sie, dass er im Tempel etwas Außergewöhnliches gesehen haben musste. Zacharias konnte sich nur noch mit Handzeichen verständigen; er blieb stumm. [23]Als die Zeit seines Tempeldienstes vorüber war, ging er nach Hause.

[24]Nur wenig später wurde seine Frau

1,2 Joh 15,27; 1 Joh 1,1–4 **1,3** Apg 1,1 **1,5** 1 Chr 24,7–19 **1,7** 1 Mo 18,11–14; 25,21 **1,9** 2 Mo 30,7–8 **1,12–13** 1,29–30; 2,9–10 **1,15** 7,33; 4 Mo 6,2–4 **1,17** Mal 3,1.23–24 **1,18** 1 Mo 17,17; 18,11–12 **1,19** Dan 8,16; 9,21; Hebr 1,14

Elisabeth schwanger. Sie blieb fünf Monate lang in ihrem Haus. [25]»Endlich hat der Herr an mich gedacht und mir geholfen«, sagte sie. »Nun kann mich niemand mehr verachten, weil ich keine Kinder habe.«

Ein Engel kündigt Maria die Geburt Jesu an

[26]Elisabeth war im sechsten Monat schwanger, als Gott den Engel Gabriel zu einer jungen Frau nach Nazareth schickte, einer Stadt in Galiläa. [27]Die junge Frau hieß Maria und war mit Josef, einem Nachkommen König Davids, verlobt.

[28]Der Engel kam zu ihr und sagte: »Sei gegrüßt, Maria! Gott ist mit dir! Er hat dich unter allen Frauen auserwählt.« [29]Maria fragte sich erschrocken, was diese seltsamen Worte bedeuten könnten. [30]»Hab keine Angst, Maria«, redete der Engel weiter. »Gott hat dich zu etwas Besonderem auserwählt. [31]Du wirst schwanger werden und einen Sohn zur Welt bringen. Jesus soll er heißen. [32]Er wird mächtig sein, und man wird ihn Gottes Sohn nennen. Gott, der Herr, wird ihm die Königsherrschaft Davids übergeben, [33]und er wird die Nachkommen Jakobs für immer regieren. Seine Herrschaft wird niemals enden.«

[34]»Wie kann das geschehen?«, fragte Maria den Engel. »Ich bin doch gar nicht verheiratet.« [35]Der Engel antwortete ihr: »Der Heilige Geist wird über dich kommen, und die Kraft Gottes wird sich an dir zeigen. Darum wird dieses Kind auch heilig sein und Sohn Gottes genannt werden. [36]Selbst Elisabeth, deine Verwandte, von der man sagte, dass sie keine Kinder bekommen kann, ist jetzt im sechsten Monat schwanger. Sie wird in ihrem hohen Alter einen Sohn zur Welt bringen. [37]Gott hat es ihr zugesagt, und was Gott sagt, das geschieht!«

[38]»Ich will mich dem Herrn ganz zur Verfügung stellen«, antwortete Maria. »Alles soll so geschehen, wie du es mir gesagt hast.« Darauf verließ sie der Engel.

Maria bei Elisabeth

[39]Maria entschloss sich, so schnell wie möglich Elisabeth zu besuchen, die mit ihrem Mann Zacharias in einer kleinen Stadt in den Bergen Judäas wohnte. [40]Sie betrat das Haus und begrüßte Elisabeth. [41]Als Elisabeth die Stimme Marias hörte, bewegte sich das Kind in ihr, und – erfüllt vom Heiligen Geist – [42]rief sie: »Dich hat Gott gesegnet, mehr als alle anderen Frauen, dich und dein Kind! [43]Womit habe ich verdient, dass die Mutter meines Herrn zu mir kommt! [44]Als ich deine Stimme hörte, hüpfte das Kind in mir vor Freude. [45]Wie glücklich kannst du sein, weil du geglaubt hast! Was Gott dir angekündigt hat, wird geschehen.«

Maria lobt und dankt Gott

[46]Da begann Maria, Gott zu loben:
»Von ganzem Herzen preise ich den Herrn.
[47]Ich bin glücklich über Gott, meinen Retter.
[48]Mich, die ich gering und unbedeutend bin, hat er zu Großem berufen. Zu allen Zeiten wird man mich glücklich preisen,
[49]denn Gott hat große Dinge an mir getan, er, der mächtig und heilig ist!
[50]Die Barmherzigkeit des Herrn bleibt für immer und ewig, sie gilt allen Menschen, die ihn ehren.
[51]Er streckt seinen starken Arm aus und fegt die Hochmütigen mit ihren stolzen Plänen hinweg.

1,25 1 Mo 21,6–7; 30,23 **1,27** 3,23–31 **1,29–30** 1,12–13; 2,9–10 **1,31** 2,21 **1,32** Mk 15,39*; Mt 20,30–31* **1,33** Dan 2,44* **1,35** Mt 1,18.20 **1,45** 1 Mo 15,6 **1,46–55** 1 Sam 2,1–10 **1,47** Jes 61,10 **1,48–49** Ps 113,7–9; Jes 57,15 **1,50** Ps 103,8.17 **1,51** Jes 2,11–12*

[52] Er stürzt Herrscher von ihrem Thron, und Unterdrückte richtet er auf.
[53] Die Hungrigen beschenkt er mit Gütern, und die Reichen schickt er mit leeren Händen weg.
[54] Seine Barmherzigkeit hat er uns, seinen Dienern, zugesagt, ja, er wird seinem Volk Israel helfen.
[55] Er hat es unseren Vorfahren versprochen, Abraham und seinen Nachkommen hat er es für immer zugesagt.«

[56] Maria blieb etwa drei Monate bei Elisabeth und kehrte dann nach Hause zurück.

Johannes wird geboren

[57] Für Elisabeth kam die Stunde der Geburt, und sie brachte einen Sohn zur Welt. [58] Als Nachbarn und Verwandte hörten, dass Gott so barmherzig zu ihr gewesen war, freuten sie sich mit ihr.

[59] Nach acht Tagen wurde das Kind zur Beschneidung gebracht. Dabei sollte es nach seinem Vater Zacharias genannt werden. [60] Doch Elisabeth widersprach: »Nein, er soll Johannes heißen!« [61] »Aber keiner in deiner Verwandtschaft heißt so!«, wandten die anderen ein. [62] Sie winkten dem Vater und fragten ihn: »Wie soll dein Sohn heißen?« [63] Zacharias ließ sich eine Tafel geben und schrieb darauf: »Sein Name ist Johannes.« Darüber wunderten sich alle. [64] Im selben Augenblick konnte Zacharias wieder sprechen, und er lobte Gott.

[65] Im ganzen Bergland von Judäa verbreitete sich die Nachricht. Und überall, wo man davon hörte, erschraken die Leute. [66] Nachdenklich fragten sie sich: »Was wird aus diesem Kind noch werden?« Denn alle sahen, dass Gott etwas Besonderes mit ihm vorhatte.

Zacharias sieht den Auftrag des Johannes voraus

[67] Erfüllt vom Heiligen Geist, verkündete Zacharias, der Vater von Johannes, was Gott ihm eingegeben hatte:
[68] »Gelobt sei der Herr, der Gott Israels! Er ist zu unserem Volk gekommen und hat es befreit.
[69] Aus dem Königshaus seines Dieners David hat er uns den starken Retter geschickt.
[70] So hatten es seine heiligen Propheten schon vor langer Zeit verkündet:
[71] Er wird uns von unseren Feinden erretten und aus der Hand aller Menschen, die uns hassen.
[72] Gott war mit unseren Vorfahren barmherzig. Er vergisst seinen heiligen Bund nicht,
[73] den Eid, den er unserem Vater Abraham geschworen hat und der auch uns gilt.
[74/75] Er befreit uns aus der Hand unserer Feinde, damit wir ihm ohne Furcht unser Leben lang dienen, als Menschen, die ihm gehören und nach seinem Willen leben.
[76] Und dich, mein Sohn, wird man einen Propheten des Höchsten nennen. Du wirst vor dem Herrn hergehen und sein Kommen vorbereiten.[a]
[77] Seinem Volk wirst du zeigen, dass es durch die Vergebung seiner Sünden gerettet wird.
[78] Gott vergibt uns, weil seine Barmherzigkeit so groß ist. Aus der Höhe kommt sein Licht zu uns.
[79] Dieses Licht wird allen Menschen leuchten, die in Nacht und Todesfurcht leben; es wird uns auf den Weg des Friedens führen.«

[80] Johannes wuchs heran und wurde zu einem verständigen und klugen Mann. Er

---

[a] Vgl. Matthäus 11,7–14; 17,10–13

1,52 Ps 147,6 **1,53** Ps 107,9 **1,54–55** 1 Mo 17,7; Jes 41,14; Mi 7,20 **1,59** 1 Mo 17,9–14* **1,68** 4,18–21; 7,16; Ps 111,9 **1,69** Ps 132,17 **1,70** Röm 1,2; Jes 9,1–6; Mi 5,1–3 **1,71** Ps 18,18 **1,72** 3 Mo 26,42; Ps 105,8; 106,45 **1,73** 1 Mo 22,16–17 **1,74–75** Tit 2,11–14 **1,76** 3,3–6; 7,26–27; Mal 3,1 **1,77** 3,3 **1,78–79** Jes 9,1; 42,6; Joh 1,9; 8,12 **1,80** 3,2

zog sich in die Einsamkeit der Wüste zurück bis zu dem Tag, an dem er öffentlich vor dem Volk Israel auftrat.

Jesus wird geboren

2 In dieser Zeit befahl Kaiser Augustus, alle Bewohner des römischen Reiches in Listen einzutragen.

[2]Eine solche Volkszählung hatte es noch nie gegeben. Sie wurde durchgeführt, als Quirinius Statthalter in Syrien war. [3]Jeder musste in seine Heimatstadt gehen, um sich dort eintragen zu lassen.

[4]So reiste Josef von Nazareth in Galiläa nach Bethlehem in Judäa. Denn er war ein Nachkomme Davids und in Bethlehem geboren. [5]Josef musste sich dort einschreiben lassen, zusammen mit seiner Verlobten Maria, die ein Kind erwartete.

[6]In Bethlehem kam für Maria die Stunde der Geburt. [7]Sie brachte ihr erstes Kind, einen Sohn, zur Welt. Sie wickelte ihn in Windeln und legte ihn in eine Futterkrippe im Stall, denn im Gasthaus hatten sie keinen Platz bekommen.

Die Hirten auf dem Feld

[8]In dieser Nacht bewachten draußen auf dem Feld einige Hirten ihre Herden. [9]Plötzlich trat ein Engel Gottes zu ihnen, und Gottes Licht umstrahlte sie. Die Hirten erschraken sehr, [10]aber der Engel sagte: »Fürchtet euch nicht! Ich verkünde euch eine Botschaft, die das ganze Volk mit großer Freude erfüllt: [11]Heute ist für euch in der Stadt, in der schon David geboren wurde, der lang ersehnte Retter zur Welt gekommen. Es ist Christus, der Herr. [12]Und daran werdet ihr ihn erkennen: Das Kind liegt, in Windeln gewickelt, in einer Futterkrippe!«

[13]Auf einmal waren sie von unzähligen Engeln umgeben, die Gott lobten: [14]»Ehre sei Gott im Himmel! Denn er bringt der Welt Frieden und wendet sich den Menschen in Liebe zu.«

[15]Nachdem die Engel in den Himmel zurückgekehrt waren, beschlossen die Hirten: »Kommt, wir gehen nach Bethlehem. Wir wollen sehen, was dort geschehen ist und was der Herr uns verkünden ließ.«

[16]Sie machten sich sofort auf den Weg und fanden Maria und Josef und das Kind, das in der Futterkrippe lag. [17]Als sie es sahen, erzählten die Hirten, was ihnen der Engel über das Kind gesagt hatte. [18]Und alle, die ihren Bericht hörten, waren darüber sehr erstaunt.

[19]Maria aber merkte sich jedes Wort und dachte immer wieder darüber nach.

[20]Schließlich kehrten die Hirten zu ihren Herden zurück. Sie lobten und dankten Gott für das, was sie in dieser Nacht erlebt hatten. Es war alles so gewesen, wie der Engel es ihnen gesagt hatte.

Jesus wird als Retter erkannt

[21]Nach acht Tagen wurde das Kind beschnitten und erhielt den Namen Jesus; den hatte der Engel genannt, noch ehe Maria das Kind empfangen hatte.

[22]Als die Zeit vorüber war, in der laut dem Gesetz des Mose eine Frau nach der Geburt als unrein gilt,[a] brachten Josef und Maria das Kind nach Jerusalem, um es Gott zu weihen. [23]Denn im Gesetz heißt es: »Jeder erste Sohn der Familie und jedes erstgeborene männliche Tier sollen dem Herrn gehören.«[b] [24]Gleichzeitig brachten sie auch das vorgeschriebene Reinigungsopfer für Maria dar: Man musste zwei Turteltauben oder zwei andere Tauben opfern.[c]

[25]In Jerusalem wohnte ein Mann namens Simeon. Er lebte nach Gottes Willen, hatte Ehrfurcht vor ihm und wartete voller Sehnsucht auf den Retter Israels.

---

[a] Vgl. 3. Mose 12,4.6
[b] 2. Mose 13,2.11–16
[c] Vgl. 3. Mose 12,8

2,4 1 Sam 17,12; Mi 5,1 **2,9–10** 1,12–13.29–30 **2,11** 2,30; 3,6; Joh 4,42; Apg 5,31; 13,23; Phil 3,20; 2 Petr 1,1; 3,18; 1 Joh 4,14 **2,14** 19,38; Eph 2,14.17 **2,19** 2,51 **2,21** 1,31; Gal 4,4; 1 Mo 17,9–14*

Simeon war erfüllt vom Heiligen Geist. [26]Durch ihn wusste er, dass er nicht sterben würde, bevor er Christus, den Retter, gesehen hätte. [27]Vom Heiligen Geist geführt, war er an diesem Tag in den Tempel gegangen. Als Maria und Josef das Kind hereinbrachten, um es – wie im Gesetz vorgeschrieben – Gott zu weihen, [28]nahm Simeon es in seine Arme und lobte Gott:

[29]»Herr, du hast dein Wort gehalten, jetzt kann ich in Frieden sterben. [30]Ich habe es mit eigenen Augen gesehen: Du hast uns Rettung gebracht, [31]die ganze Welt wird es erfahren. [32]Dein Licht erleuchtet alle Völker, und deinem Volk Israel bringt es Größe und Herrlichkeit.«

[33]Maria und Josef wunderten sich über seine Worte. [34]Simeon segnete sie und sagte dann zu Maria: »Gott hat dieses Kind dazu auserwählt, die Israeliten vor die Entscheidung zu stellen: An ihm wird sich entscheiden, ob man zu Fall kommt oder gerettet wird. Viele werden sich ihm widersetzen [35]und so ihre geheimsten Gedanken offen legen. Der Schmerz darüber wird dir wie ein Schwert durchs Herz dringen.«

[36]An diesem Tag hielt sich auch die alte Prophetin Hanna im Tempel auf, eine Tochter Phanuëls aus dem Stamm Asser. Sie war nur sieben Jahre verheiratet gewesen, [37]seit langer Zeit Witwe und nun eine alte Frau von vierundachtzig Jahren. Hanna verließ den Tempel nur noch selten. Um Gott zu dienen, betete und fastete sie Tag und Nacht.

[38]Während Simeon noch mit Maria und Josef sprach, trat sie hinzu und begann ebenfalls, Gott zu loben. Allen, die auf die Befreiung Jerusalems warteten, erzählte sie von diesem Kind.

[39]Nachdem Josef und Maria alle Vorschriften des Gesetzes erfüllt hatten, kehrten sie nach Nazareth in Galiläa zurück. [40]Das Kind wuchs heran, erfüllt mit göttlicher Weisheit, und Gottes Segen ruhte auf ihm.

Der zwölfjährige Jesus im Tempel

[41]Jahr für Jahr besuchten Josef und Maria das Passahfest in Jerusalem. [42]Als Jesus zwölf Jahre alt war, gingen sie wie gewohnt dorthin. [43/44]Nach den Festtagen machten sich die Eltern wieder auf den Heimweg. Doch ohne dass sie es bemerkten, blieb Jesus in Jerusalem. Am ersten Tag ihrer Rückreise vermissten sie ihn nicht, weil sie dachten: Er wird mit Verwandten oder Freunden gegangen sein. [45]Als sie ihn aber dort nicht fanden, kehrten sie besorgt um und suchten ihn überall in Jerusalem.

[46]Endlich, nach drei Tagen, entdeckten sie Jesus im Tempel. Er saß bei den Schriftgelehrten, hörte ihnen aufmerksam zu und stellte Fragen.

[47]Alle wunderten sich über sein Verständnis und seine Antworten.

[48]Die Eltern waren fassungslos, als sie ihn dort fanden. »Kind«, fragte ihn Maria, »wie konntest du uns nur so etwas antun? Dein Vater und ich haben dich überall verzweifelt gesucht!«

[49]»Warum habt ihr mich gesucht?«, erwiderte Jesus. »Habt ihr denn nicht gewusst, dass ich im Haus meines Vaters sein muss?« [50]Doch sie begriffen nicht, was er damit meinte.

[51]Dann kehrten sie gemeinsam nach Nazareth zurück, und Jesus war seinen Eltern gehorsam. Seine Mutter aber dachte immer wieder über die Worte nach, die er gesagt hatte.

[52]So wuchs Jesus heran. Sein Wissen und sein Verständnis nahmen zu, und er war geliebt von Gott und den Menschen.

Johannes der Täufer ruft: »Kehrt um zu Gott!«
(Matthäus 3,1–12; Markus 1,1–8)

3 Es war im 15. Regierungsjahr des Kaisers Tiberius. Pontius Pilatus verwaltete als Statthalter die Provinz Judäa; Herodes herrschte über Galiläa, sein

2,30 2,11* **2,32** 1,78–79; Jes 42,6 **2,34** Jes 8,14; Röm 9,33; 1 Kor 1,23 **2,37** 1 Tim 5,5 **2,38** 24,21; Jes 52,9 **2,41** 2 Mo 12,1–14* **2,49** Joh 2,16 **2,51** 2,19 **2,52** 2,40; 1 Sam 2,26

Bruder Philippus über Ituräa und Trachonitis, und Lysanias regierte in Abilene; [2]Hannas und später Kaiphas waren die Hohenpriester. In dieser Zeit sprach Gott zu Johannes, dem Sohn des Zacharias, der in der Wüste lebte.

[3]Johannes verließ die Wüste und zog durch das ganze Gebiet am Jordan. Überall forderte er die Leute auf: »Kehrt um zu Gott, und lasst euch von mir taufen. Dann wird euch Gott eure Sünden vergeben!«[a] [4]So erfüllte sich, was im Buch des Propheten Jesaja steht: »Ein Bote wird in der Wüste rufen: ›Macht den Weg frei für den Herrn! Räumt alle Hindernisse weg! [5]Jedes Tal soll aufgefüllt, jeder Berg und Hügel abgetragen werden, krumme Wege sollen begradigt und holprige Wege eben werden! [6]Dann werden alle Menschen sehen, wie Gott Rettung bringt!‹[b]«

[7]Die Menschen kamen in Scharen zu Johannes, um sich von ihm taufen zu lassen. Aber er ging mit ihnen hart ins Gericht: »Ihr Schlangenbrut! Wer hat euch eingeredet, dass ihr dem kommenden Zorn Gottes entrinnen werdet? [8]Zeigt erst einmal durch Taten, dass ihr wirklich zu Gott umkehren wollt! Bildet euch nur nicht ein, ihr könntet euch damit herausreden: ›Abraham ist unser Vater!‹ Ich sage euch: Gott kann selbst aus diesen Steinen hier Nachkommen Abrahams hervorbringen.

[9]Schon ist die Axt erhoben, um die Bäume an der Wurzel abzuschlagen. Jeder Baum, der keine guten Früchte bringt, wird umgehauen und ins Feuer geworfen.«

[10]Da wollten die Leute wissen: »Was sollen wir denn tun?« [11]Johannes antwortete: »Wer zwei Hemden hat, soll dem eins geben, der keins besitzt. Und wer etwas zu essen hat, soll seine Mahlzeit mit Hungrigen teilen.«

[12]Es kamen auch Zolleinnehmer, die sich taufen lassen wollten. Sie fragten: »Und wir? Wie sollen wir uns verhalten?« [13]Johannes wies sie an: »Verlangt nur so viel Zollgebühren, wie ihr fordern dürft!«

[14]»Und was sollen wir tun?«, erkundigten sich einige Soldaten. »Plündert nicht, und erpresst niemand! Seid zufrieden mit eurem Sold«, antwortete ihnen Johannes.

[15]Die Leute ahnten, dass bald etwas geschehen würde, und sie fragten sich, ob nicht Johannes der Christus, der ersehnte Retter, sei. [16]Doch Johannes erklärte öffentlich: »Ich taufe euch mit Wasser, aber nach mir wird ein anderer kommen, der viel mächtiger ist als ich. Ich bin nicht einmal würdig, ihm die Schuhe auszuziehen. Er wird euch mit dem Heiligen Geist und mit Feuer taufen.

[17]Schon hat er die Schaufel in der Hand, mit der er die Spreu vom Weizen trennt. Den Weizen wird er in seine Scheunen bringen, die Spreu aber wird er verbrennen, und niemand kann dieses Feuer löschen.«

[18]Johannes verkündete den Menschen die rettende Botschaft Gottes und ermahnte sie auf vielerlei Weise. [19]Mit scharfen Worten wies er auch Herodes zurecht, den Herrscher von Galiläa. Herodes lebte mit Herodias, der Frau seines Bruders, zusammen. Er schreckte vor keinem Verbrechen zurück. [20]Schließlich ging er so weit, dass er Johannes ins Gefängnis werfen ließ.

Die Taufe Jesu
(Matthäus 3,13–17; Markus 1,9–11; Johannes 1,32)

[21]Als Johannes wieder einmal viele Menschen taufte, kam auch Jesus und ließ sich taufen. Während er betete, öffnete sich der Himmel, [22]und der Heilige Geist kam, wie eine Taube, sichtbar auf ihn he-

---

[a] Wörtlich: Er predigte eine Taufe der Umkehr zur Vergebung der Sünden.
[b] Jesaja 40,3–5

3,3 Apg 19,4 **3,6** 2,11* **3,7** Mt 12,34; 23,33 **3,8** Joh 8,33–39; Röm 2,28–29; 4,12 **3,9** 13,6–9; Mt 7,19 **3,10** Apg 2,37 **3,11** Jak 2,15–17; 1 Joh 3,17 **3,15** Joh 1,8.19–23 **3,16** Apg 1,5 **3,19–20** Mk 6,17–18 **3,22** 9,35; Ps 2,7; Jes 42,1

rab. Gleichzeitig sprach eine Stimme vom Himmel: »Du bist mein geliebter Sohn, der meine ganze Freude ist.«

Von Adam bis Jesus
(Matthäus 1,1–17)

[23] Jesus trat zum ersten Mal öffentlich auf, als er ungefähr dreißig Jahre alt war. Die Leute kannten ihn als den Sohn Josefs. Josefs Vater war Eli, und dessen Vorfahren waren:

[24] Mattat – Levi – Melchi – Jannai – Josef – [25] Mattitja – Amos – Nahum – Hesli – Naggai – [26] Mahat – Mattitja – Schimi – Josech – Joda – [27] Johanan – Resa – Serubbabel – Schealtiël – Neri – [28] Melchi – Addi – Kosam – Elmadam – Er – [29] Joschua – Eliëser – Jorim – Mattat – Levi – [30] Simeon – Juda – Josef – Jonam – Eljakim – [31] Melea – Menna – Mattata – Nathan – David – [32] Isai – Obed – Boas – Salmon – Nachschon – [33] Amminadab – Admin – Arni – Hezron – Perez – Juda – [34] Jakob – Isaak – Abraham – Terach – Nahor – [35] Serug – Regu – Peleg – Eber – Schelach – [36] Kenan – Arpachschad – Sem – Noah – Lamech – [37] Metuschelach – Henoch – Jered – Mahalalel – Kenan – [38] Enosch – Set. Set war ein Sohn Adams, und Adam stammte von Gott.

Versuchung und Widerstand
(Matthäus 4,1–11; Markus 1,12–13)

4 Erfüllt vom Heiligen Geist, kam Jesus vom Jordan zurück. Der Geist Gottes führte ihn in die Wüste, wo er sich vierzig Tage aufhielt. [2] Dort war er den Versuchungen des Teufels ausgesetzt. Jesus aß nichts während dieser ganzen Zeit, und schließlich quälte ihn der Hunger. [3] Da forderte ihn der Teufel heraus: »Wenn du Gottes Sohn bist, dann mach doch aus diesem Stein Brot!« [4] Aber Jesus wehrte ab: »Nein, denn es steht in der Heiligen Schrift: ›Der Mensch lebt nicht allein von Brot, sondern von allem, was Gott ihm zusagt!‹[a] «

[5] Dann führte ihn der Teufel auf einen hohen Berg, zeigte ihm in einem einzigen Augenblick alle Reiche der Welt [6] und bot sie Jesus an: »Alle Macht über diese Welt und ihre ganze Pracht will ich dir geben; denn mir gehört die Welt, und ich schenke sie, wem ich will. [7] Wenn du vor mir niederkniest und mich anbetest, wird das alles dir gehören.«

[8] Wieder wehrte Jesus ab: »Nein! Denn es steht in der Heiligen Schrift: ›Bete allein Gott, deinen Herrn, an und diene nur ihm!‹[b] «

[9] Jetzt nahm ihn der Teufel mit nach Jerusalem und stellte ihn auf die höchste Stelle des Tempels. »Spring hinunter!«, forderte er Jesus auf. »Du bist doch Gottes Sohn! [10] Und in der Heiligen Schrift steht: ›Gott wird seine Engel schicken, um dich zu beschützen. [11] Sie werden dich auf Händen tragen, und du wirst dich nicht einmal an einem Stein verletzen!‹[c] « [12] Aber Jesus wies ihn auch diesmal zurück: »Es steht aber auch in der Schrift: ›Du sollst Gott, deinen Herrn, nicht herausfordern!‹[d] «

[13] Da gab der Teufel es auf, Jesus weiter auf die Probe zu stellen, und verließ ihn für einige Zeit.

Ein Prophet gilt nichts in seinem Land
(Matthäus 13,53–58; Markus 6,1–6)

[14] Mit der Kraft des Heiligen Geistes erfüllt, kehrte Jesus nach Galiläa zurück. Schon bald sprach man überall von ihm. [15] Er lehrte die Menschen in den Synagogen, und alle redeten mit größter Hochachtung von ihm. [16] Eines Tages kam Jesus wieder in seine Heimatstadt Naza-

---

[a] 5. Mose 8,3
[b] 5. Mose 6,13
[c] Psalm 91,11–12
[d] 5. Mose 6,16

3,27 Esr 3,2; 1 Chr 3,17 **3,31–33** Ruth 4,18–22 **3,31** 2 Sam 5,14; 1 Sam 16,13 **3,33–38** 1 Mo 29,35; 25,26; 21,2–3; 11,10–20; 5,1–32 **4,1–2** 2 Mo 34,28; 1 Kön 19,8; Hebr 4,15 **4,6** 9,25

reth. Am Sabbat ging er wie gewohnt in die Synagoge. Als er aufstand, um aus der Heiligen Schrift vorzulesen, [17]reichte man ihm die Buchrolle des Propheten Jesaja. Jesus öffnete sie, suchte eine bestimmte Stelle und las vor: [18]»Der Geist des Herrn ruht auf mir, weil er mich berufen hat. Er hat mich gesandt, den Armen die frohe Botschaft zu bringen. Ich rufe Freiheit aus für die Gefangenen, den Blinden sage ich, dass sie sehen werden, und den Unterdrückten, dass sie bald von jeder Gewalt befreit sein sollen. [19]Ich rufe ihnen zu: Jetzt erlässt Gott eure Schuld.«[a]

[20]Jesus rollte die Buchrolle zusammen, gab sie dem Synagogendiener zurück und setzte sich. Alle blickten ihn erwartungsvoll an. [21]Er begann: »Heute hat sich diese Voraussage des Propheten erfüllt.«

[22]Während er sprach, konnte ihm die ganze Gemeinde nur zustimmen. Sie staunten alle darüber, wie Jesus Gottes rettende Gnade verkündete, und fragten sich ungläubig: »Ist das nicht der Sohn Josefs, unseres Zimmermanns?«

[23]Jesus redete weiter: »Sicher werdet ihr mir das Sprichwort vorhalten: ›Arzt, hilf dir selbst! In Kapernaum hast du große Wunder getan. Zeig auch hier, was du kannst!‹ [24]Aber ihr wisst doch: Ein Prophet gilt nichts in seiner Heimatstadt. [25]Denkt an Elia! Damals gab es genug Witwen in Israel, die Hilfe brauchten; denn es hatte dreieinhalb Jahre nicht geregnet, und alle Menschen im Land hungerten. [26]Aber nicht zu ihnen wurde Elia geschickt, sondern zu einer nichtjüdischen Witwe in Zarpat bei Sidon. [27]Oder erinnert euch an den Propheten Elisa! Es gab unzählige Aussätzige in Israel, aber von ihnen wurde keiner geheilt. Naaman, der Syrer, war der Einzige.«

[28]Das war den Zuhörern zu viel. [29]Wütend sprangen sie auf und schleppten Jesus aus der Stadt hinaus bis zu dem Steilhang des Berges, auf dem ihre Stadt gebaut war. Dort wollten sie ihn hinunterstoßen. [30]Doch Jesus ging ruhig durch die aufgebrachte Volksmenge weg, ohne dass jemand ihn aufhielt.

Jesus erweist seine Macht
(Markus 1,21–28)

[31]Jesus kam nach Kapernaum in Galiläa und sprach dort am Sabbat zu den Menschen.

[32]Die Zuhörer waren sehr beeindruckt von dem, was er lehrte; denn Jesus redete mit einer Vollmacht, die Gott ihm verliehen hatte.

[33]In der Synagoge war ein Mann, der von einem Dämon beherrscht wurde. [34]Der schrie laut: »Hör auf! Was willst du von uns, Jesus von Nazareth? Du bist doch nur gekommen, um uns zu vernichten. Ich weiß, dass du von Gott kommst und zu Gott gehörst[b]!«

[35]Jesus befahl dem Dämon: »Schweig und verlass diesen Menschen!« Da schleuderte der Dämon den Mann mitten unter sie auf den Boden und verließ ihn, ohne ihm weiter zu schaden.

[36]Darüber erschraken alle in der Synagoge und sagten: »Wie redet denn dieser Mann? In der Kraft Gottes befiehlt er den bösen Geistern, und sie müssen gehorchen!« [37]Bald sprach man in der ganzen Gegend über das, was Jesus getan hatte.

Kranke werden geheilt
(Matthäus 8,14–17; Markus 1,29–34)

[38]Nachdem Jesus die Synagoge verlassen hatte, ging er in Simons Haus. Dessen Schwiegermutter hatte hohes Fieber. Man bat Jesus, ihr zu helfen. [39]Er trat an ihr Bett, beugte sich über sie und befahl dem Fieber zu weichen. Sofort war sie gesund. Sie stand auf und sorgte für ihre Gäste.

---

[a] Wörtlich: Jetzt ist das Erlassjahr des Herrn. Vgl. Jesaja 61,1–2
[b] Wörtlich: dass du der Heilige Gottes bist.

4,19 3 Mo 25,10 **4,22** 3,23 **4,24** Joh 4,44 **4,25–26** 1 Kön 17,1.8–16 **4,27** 2 Kön 5,1–14 **4,29–30** Joh 8,59; 10,39 **4,31** Mt 4,13 **4,32** Mt 7,28–29; Joh 7,46 **4,34** 8,28 **4,38** 1 Kor 9,5

[40] Später, nach Sonnenuntergang, brachten viele Familien ihre Kranken zu Jesus. Er legte ihnen die Hände auf und heilte sie alle. [41] Viele befreite er auch von Dämonen, die laut schrien: »Du bist der Sohn Gottes!« Aber er bedrohte sie und befahl ihnen zu schweigen; denn sie wussten, dass er Christus, der von Gott gesandte Retter, war.

Alle sollen die rettende Botschaft hören
(Matthäus 4,23; Markus 1,35–39)

[42] Am nächsten Morgen verließ Jesus das Haus und zog sich in eine einsame Gegend zurück. Aber die Leute suchten ihn überall, und als sie ihn endlich gefunden hatten, wollten sie ihn festhalten. Er sollte bei ihnen bleiben. [43] Doch er wies sie ab: »Ich muss die rettende Botschaft von Gottes neuer Welt auch in alle anderen Städte bringen. Das ist mein Auftrag.«

[44] Er ging weiter und predigte in den Synagogen von Galiläa[a].

Jesus beruft seine ersten Jünger
(Matthäus 4,18–22; Markus 1,16–20)

5 Eines Tages drängte sich am See Genezareth eine große Menschenmenge um Jesus. Alle wollten hören, was er von Gott erzählte. [2] Am Ufer lagen zwei leere Boote. Die Fischer hatten sie verlassen und arbeiteten an ihren Netzen.

[3] Da stieg Jesus in das Boot, das Simon gehörte, und bat ihn, ein Stück auf den See hinauszurudern. Vom Boot aus sprach Jesus dann zu den Menschen.

[4] Anschließend sagte er zu Simon: »Fahrt jetzt weiter hinaus auf den See, und werft eure Netze aus!« [5] »Herr«, erwiderte Simon, »wir haben die ganze Nacht gearbeitet und nichts gefangen. Aber weil du es sagst, will ich es wagen.«

[6] Sie warfen ihre Netze aus und fingen so viele Fische, dass die Netze zu reißen anfingen. [7] Deshalb winkten sie den Fischern im anderen Boot, ihnen zu helfen. Bald waren beide Boote bis zum Rand beladen, so dass sie beinahe sanken.

[8] Als Simon Petrus das sah, fiel er erschrocken vor Jesus nieder und rief: »Herr, geh weg von mir! Ich bin ein sündiger Mensch!« [9] Er und alle anderen Fischer waren fassungslos über diesen Fang, [10] auch Jakobus und Johannes, die Söhne des Zebedäus, die Simon bei der Arbeit geholfen hatten. Aber Jesus sagte zu Simon: »Fürchte dich nicht! Du wirst jetzt keine Fische mehr fangen, sondern Menschen für mich gewinnen.« [11] Sie brachten die Boote an Land, verließen alles und gingen mit Jesus.

Ein Aussätziger wird geheilt
(Matthäus 8,1–4; Markus 1,40–45)

[12] In einer der Städte traf Jesus einen Mann, der am ganzen Körper aussätzig war. Als er Jesus sah, warf er sich vor ihm nieder und flehte ihn an: »Herr, wenn du willst, kannst du mich heilen!« [13] Jesus streckte die Hand aus, berührte ihn und sagte: »Ich will es tun! Sei gesund!« Im selben Augenblick war der Mann von seiner Krankheit geheilt.

[14] Jesus befahl ihm, nicht über seine Heilung zu reden. »Geh sofort zum Priester, und lass dich von ihm untersuchen«, forderte er ihn auf. »Bring ein Opfer dar für deine Heilung, wie Mose es vorgeschrieben hat.[b] So werden die Priester sehen, dass ich im Auftrag Gottes handle.«

[15] Aber das Verbot Jesu änderte nichts daran, dass immer mehr Menschen von seinen Wundern sprachen. In Scharen drängten sie sich um ihn. Sie wollten ihn hören und von ihren Krankheiten geheilt werden. [16] Jesus aber zog sich zurück, um in der Einsamkeit zu beten.

---

[a] Andere Textzeugen haben: von Judäa.
[b] Vgl. 3. Mose 14,2–32

4,43 8,1 **5,4–7** Joh 21,6 **5,8** Jes 6,5 **5,10** Mt 28,18–20 **5,11** 18,28–30 **5,12** 3 Mo 13,45–46 **5,14** Mk 7,36* **5,16** 6,12; 9,18.28; 11,1; 22,39–46; Mk 1,35; 6,46

Jesus hat die Macht, Sünden zu vergeben (Matthäus 9,1–8; Markus 2,1–12)

[17] Als Jesus eines Tages Gottes Botschaft erklärte, saßen unter den Zuhörern auch Pharisäer und Schriftgelehrte. Sie waren aus allen Orten Galiläas und Judäas und sogar aus Jerusalem gekommen. Gott gab Jesus die Kraft, Kranke zu heilen.

[18] Da brachten einige Männer einen Gelähmten auf einer Trage. Sie versuchten, sich durch die Menge zu drängen und den Kranken zu Jesus zu bringen. [19] Aber sie kamen an den vielen Menschen nicht vorbei. Kurz entschlossen stiegen sie auf das Dach, deckten die Ziegel ab und ließen den Mann auf seiner Trage durch die Öffnung zu Jesus hinunter.

[20] Als Jesus ihren festen Glauben sah, sagte er zu dem Gelähmten: »Deine Sünden sind dir vergeben!«

[21] »Was bildet sich dieser Mensch eigentlich ein?«, entrüsteten sich da die Pharisäer und Schriftgelehrten. »Das ist Gotteslästerung! Nur Gott kann Sünden vergeben!«

[22] Jesus durchschaute sie und fragte: »Wie könnt ihr nur so etwas denken? [23] Ist es leichter zu sagen: ›Dir sind deine Sünden vergeben‹, oder diesen Gelähmten zu heilen? [24] Aber ich will euch zeigen, dass der Menschensohn die Macht hat, schon hier auf der Erde Sünden zu vergeben.« Und er forderte den Gelähmten auf: »Steh auf, nimm deine Trage und geh nach Hause!«

[25] Da stand der Mann vor aller Augen auf, nahm seine Trage, ging nach Hause und dankte dabei Gott. [26] Fassungslos und von Furcht erfüllt sahen ihm die Leute nach. Doch dann fingen sie an, Gott zu loben, und riefen: »Wir haben heute Unglaubliches gesehen!«

Der Zolleinnehmer Levi (Matthäus 9,9–13; Markus 2,13–17)

[27] Als Jesus weiterzog, sah er den Zolleinnehmer Levi am Zoll sitzen. Jesus forderte ihn auf: »Komm, geh mit mir!« [28] Ohne zu zögern, verließ Levi alles und ging mit ihm. [29] Kurz darauf gab er für Jesus in seinem Haus ein großes Fest und lud dazu viele Zolleinnehmer und seine anderen Freunde ein. Jesus und die Jünger aßen mit ihnen zusammen.

[30] Da empörten sich die Pharisäer und Schriftgelehrten: »Weshalb gebt ihr euch mit solchem Gesindel ab?«, sagten sie zu den Jüngern. [31] Jesus antwortete ihnen: »Die Gesunden brauchen keinen Arzt, sondern die Kranken! [32] Ich bin gekommen, um Menschen in die Gemeinschaft mit Gott zu rufen, die ohne ihn leben – und nicht solche, die sich sowieso an seine Gebote halten.«

Neue Formen für das neue Leben (Matthäus 9,14–17; Markus 2,18–22)

[33] Wieder einmal kamen die Pharisäer zu Jesus und stellten ihm eine Frage: »Die Jünger von Johannes dem Täufer fasten und beten viel, und unsere Jünger halten es auch so. Warum aber essen und trinken deine Jünger, ohne sich um die Fastentage zu kümmern?«

[34] Da antwortete Jesus: »Wollt ihr vielleicht die Hochzeitsgäste hungern lassen, solange der Bräutigam bei ihnen ist? [35] Die Zeit kommt früh genug, dass der Bräutigam ihnen genommen wird. Dann werden sie fasten.«

[36] Noch mit einem anderen Beispiel ging er auf ihre Frage ein: »Niemand zerreißt ein neues Kleid, um damit ein altes zu flicken. Nicht nur, dass es um das neue Kleid zu schade wäre; sondern der neue Flicken passt auch gar nicht zum alten Kleid. [37] Ebenso füllt niemand jungen, gärenden Wein in alte, brüchige Schläuche.

5,21 Ps 130,4; Jes 43,25 **5,24–25** Joh 5,8–9 **5,24** Joh 5,36 **5,28** 5,11 **5,29–30** 7,34; 15,1–2 **5,32** 19,10 **5,33** 18,12 **5,34** Mt 22,2

Sonst platzen sie, der Wein läuft aus, und die Schläuche sind unbrauchbar. [38] Nein, jungen Wein füllt man in neue Schläuche. [39] Wer aber gern alten Wein trinkt, der will vom jungen Wein nichts wissen. ›Der alte Wein ist immer noch der beste‹, wird er sagen.«

Gesetzlichkeit oder Liebe?
(Matthäus 12,1–14; Markus 2,23 – 3,6)

6 An einem Sabbat ging Jesus mit seinen Jüngern durch die Getreidefelder. Die Jünger rissen einzelne Ähren ab, zerrieben sie zwischen den Händen und aßen die Körner. [2] Da beschwerten sich die Pharisäer: »Was tut ihr da? Es ist doch verboten, am Sabbat Getreide zu ernten!«

[3] Darauf antwortete Jesus: »Habt ihr denn nie gelesen, was David und seine Männer getan haben? Als sie hungrig waren, [4] gingen sie in das Haus Gottes und aßen von dem Brot, das Gott geweiht war und das nur die Priester essen durften.[a] [5] Umso mehr hat der Menschensohn das Recht zu entscheiden, was am Sabbat erlaubt ist und was nicht.«

[6] Als Jesus an einem anderen Sabbat in der Synagoge sprach, war dort ein Mann, dessen rechte Hand verkrüppelt war. [7] Die Schriftgelehrten und Pharisäer warteten gespannt darauf, wie Jesus sich verhalten würde. Sollte er es nämlich wagen, auch am Sabbat zu heilen, so könnten sie Anklage gegen ihn erheben. [8] Jesus wusste, was sie dachten. Er rief den Mann mit der verkrüppelten Hand zu sich: »Steh auf und komm hierher, damit dich alle sehen können!« Der Mann kam nach vorn.

[9] Nun wandte sich Jesus an die Anwesenden: »Ich will euch etwas fragen: Soll man am Sabbat Gutes tun oder Böses? Soll man das Leben eines Menschen retten, oder soll man ihn zugrunde gehen lassen?« [10] Jesus sah einen nach dem anderen an. Schließlich sagte er zu dem Mann: »Streck deine Hand aus!« Er streckte sie aus, und die Hand war gesund.

[11] Die Pharisäer und Schriftgelehrten aber waren wütend. Sie berieten miteinander, was sie gegen Jesus unternehmen könnten.

Die zwölf Apostel
(Markus 3,13–19; Matthäus 10,1–4)

[12] In dieser Zeit stieg Jesus auf einen Berg, um zu beten. Er betete die ganze Nacht. [13] Als es hell wurde, rief er seine Jünger zu sich und wählte zwölf von ihnen aus, die er Apostel nannte. [14] Es waren Simon, dem er den Namen Petrus gab, und Simons Bruder Andreas; dann Jakobus und Johannes, Philippus, Bartholomäus, [15] Matthäus, Thomas und Jakobus, der Sohn des Alphäus; sowie Simon, der ehemalige Freiheitskämpfer, [16] Judas, der Sohn von Jakobus, und Judas Iskariot, der Jesus später verriet.

Jesus heilt alle, die zu ihm kommen
(Matthäus 4,23–25; Markus 3,7–12)

[17] Als Jesus mit seinen Jüngern den Berg hinuntergestiegen war, kamen sie zu einem großen freien Platz. Hier hatte sich eine riesige Menschenmenge versammelt, darunter eine große Anzahl seiner Jünger. Die Leute kamen sogar aus Judäa, aus Jerusalem und aus den Hafenstädten Tyrus und Sidon. [18] Sie waren gekommen, um Jesus zu hören und von ihren Krankheiten geheilt zu werden. Alle, die von bösen Geistern beherrscht waren, wurden befreit. [19] Jeder versuchte, Jesus zu berühren; denn von ihm ging eine Kraft aus, die sie alle heilte.

Wer darf sich glücklich nennen?
(Matthäus 5,1–12)

[20] Jesus sah seine Jünger an und sagte: »Glücklich seid ihr Armen, denn euch

---

[a] Vgl. 1. Samuel 21,7

6,1 5 Mo 23,26 **6,2** 2 Mo 20,8–11* **6,3–4** 3 Mo 24,5–9 **6,9** 13,15–16 **6,12** 5,16* **6,14** Mt 16,18 **6,16** 22,47–48 **6,19** 8,43–44 **6,20** Jes 61,1; Jak 2,5

gehört die neue Welt Gottes. [21] Glücklich seid ihr, die ihr jetzt hungern müsst, denn Gott wird euren Hunger stillen. Glücklich seid ihr, die ihr jetzt weint, denn ihr werdet lachen!

[22] Glücklich seid ihr, wenn euch die Menschen hassen und aus ihrer Gemeinschaft ausschließen; wenn sie euch verachten und Schlechtes über euch erzählen, nur weil ihr zu mir gehört. [23] Dann freut euch! Ja, ihr könnt jubeln, denn im Himmel werdet ihr dafür reich belohnt werden. So wie es euch ergeht, ist es auch schon den Propheten ergangen.

[24] Doch wehe euch, ihr Reichen! Ihr habt euer Glück schon auf Erden genossen. [25] Wehe euch, ihr Satten! Ihr werdet Hunger leiden. Wehe euch, die ihr jetzt sorglos lacht! Ihr werdet trauern und weinen. [26] Wehe euch, die ihr jetzt von allen umschmeichelt werdet, denn die falschen Propheten waren schon immer beliebt.«

Liebe deine Feinde!
(Matthäus 5, 38–48)

[27] »Euch allen sage ich: Liebt eure Feinde und tut denen Gutes, die euch hassen. [28] Segnet die Menschen, die euch Böses wünschen, und betet für alle, die euch beleidigen.

[29] Wenn jemand dir eine Ohrfeige gibt, dann halte die andere Wange auch noch hin. Wenn dir einer den Mantel wegnimmt, dann weigere dich nicht, ihm auch noch das Hemd zu geben.

[30] Gib jedem, der dich um etwas bittet, und fordere nicht zurück, was man dir genommen hat.

[31] So wie ihr von anderen behandelt werden möchtet, so behandelt sie auch. [32] Oder wollt ihr dafür belohnt werden, dass ihr die Menschen liebt, die euch auch lieben? Das tun selbst die Leute, die von Gott nichts wissen wollen. [33] Ist es etwas Besonderes, denen Gutes zu tun, die auch zu euch gut sind? Das können auch Menschen, die Gott ablehnen. [34] Was ist schon dabei, Leuten Geld zu leihen, von denen man genau weiß, dass sie es zurückzahlen? Dazu braucht man nichts von Gott zu wissen.

[35] Ihr aber sollt eure Feinde lieben und den Menschen Gutes tun. Ihr sollt ihnen helfen, ohne einen Dank oder eine Gegenleistung zu erwarten. Dann werdet ihr reich belohnt werden: Ihr werdet Kinder des höchsten Gottes sein. Denn auch er ist gütig zu Undankbaren und Bösen.«

Verurteilt niemanden!
(Matthäus 7, 1–5)

[36] »Seid so barmherzig wie euer Vater im Himmel! [37] Richtet nicht über andere, dann werdet ihr auch nicht gerichtet werden! Verurteilt keinen Menschen, dann werdet auch ihr nicht verurteilt! Wenn ihr bereit seid, anderen zu vergeben, dann wird auch euch vergeben werden. [38] Gebt, was ihr habt, dann werdet ihr so reich beschenkt werden, dass ihr gar nicht alles aufnehmen könnt. Mit dem Maßstab, den ihr an andere legt, wird man auch euch messen.«

[39] Wenn Jesus zu den Menschen sprach, gebrauchte er immer wieder Gleichnisse: »Wie kann ein Blinder einen anderen Blinden führen? Werden sie nicht beide in den Abgrund stürzen? [40] Ein Schüler steht nicht über seinem Lehrer. Im besten Fall kann er werden wie sein Lehrer, wenn er alles von ihm gelernt hat.

[41] Warum siehst du jeden kleinen Splitter im Auge deines Bruders, aber den Balken in deinem Auge bemerkst du nicht? [42] Du sagst: ›Mein Bruder, komm her! Ich will dir den Splitter aus dem Auge ziehen!‹ Dabei erkennst du nicht, dass du selbst einen Balken in deinem Auge hast. Du Heuchler! Entferne zuerst den Balken aus deinem Auge, dann kannst

---

6,21 Jer 31,25; Offb 7,16–17; 21,4 **6,22** Joh 15,18–19; 1 Petr 4,14 **6,23** Apg 7,52; Hebr 11,35–38; Jak 5,10 **6,24** 16,25; Mt 19,23–24 **6,25** Jak 4,9 **6,26** Jer 5,31; Mi 2,11 **6,27–28** Mt 5,44* **6,29** Röm 12,19.21; 1 Kor 6,7; 1 Thess 5,15 **6,33–35** Eph 2,10* **6,35** 3 Mo 25,35–37 **6,37** Mt 6,14–15; Jak 4,11–12 **6,39** Mt 15,14 **6,40** Mt 10,24–25

du klar sehen, um auch den Splitter aus dem Auge deines Bruders zu ziehen.«

An den Früchten erkennt man den Baum
(Matthäus 7,15–20; 12,33–35)

[43] »Ein guter Baum trägt keine schlechten Früchte und ein kranker Baum keine guten. [44] So erkennt man jeden Baum an seinen Früchten. Von Dornbüschen kann man keine Feigen ernten und von Gestrüpp keine Weintrauben.

[45] Wenn ein guter Mensch spricht, zeigt sich, was an Gutem in seinem Herzen ist. Ein Mensch mit einem bösen Herzen ist innerlich voller Gift, und alle merken es, wenn er redet. Denn wovon das Herz erfüllt ist, das spricht der Mund aus!«

Ein festes Fundament
(Matthäus 7,24–27)

[46] »Warum nennt ihr mich dauernd ›Herr!‹, wenn ihr doch nicht tut, was ich euch sage? [47] Wisst ihr, mit wem ich einen Menschen vergleiche, der meine Worte hört und danach handelt? [48] Er ist wie ein Mann, der sich ein Haus bauen wollte. Zuerst hob er eine Baugrube aus, dann baute er die Fundamente seines Hauses auf felsigen Grund. Als ein Unwetter kam und die Fluten gegen das Haus brandeten, konnten sie keinen Schaden anrichten, denn das Haus war auf Felsengrund gebaut.

[49] Wer sich meine Worte allerdings nur anhört und nicht danach lebt, der ist wie einer, der beim Bauen auf das Fundament verzichtet und sein Haus auf weichen Boden baut. Bei einem Unwetter unterspülen die Fluten sein Haus, es gerät aus allen Fugen und stürzt krachend ein.«

Ein römischer Hauptmann vertraut Jesus
(Matthäus 8,5–13)

7 Nachdem Jesus zu der Menschenmenge geredet hatte, ging er nach Kapernaum. [2] In dieser Stadt lag der Diener eines römischen Hauptmanns im Sterben. Weil der Hauptmann seinen Diener sehr schätzte, [3] schickte er einige angesehene Juden zu Jesus, von dessen Ankunft er gehört hatte. Sie sollten ihn bitten, mitzukommen und seinen Diener zu heilen. [4] So kamen sie zu Jesus und redeten eindringlich auf ihn ein: »Du musst diesem Mann unbedingt helfen! [5] Er liebt unser Volk und hat den Bau der Synagoge bezahlt.«

[6] Jesus ging mit ihnen. Aber noch ehe sie das Haus erreicht hatten, schickte ihm der Hauptmann einige Freunde entgegen und ließ ihm sagen: »Herr, ich möchte nicht, dass du selbst in mein Haus kommst; denn ich bin es nicht wert, dich zu empfangen. [7] Deshalb bin ich auch nicht persönlich zu dir gekommen. Sag nur ein einziges Wort, dann wird mein Diener gesund. [8] Auch ich habe Vorgesetzte, denen ich gehorchen muss, und ich erteile selbst Befehle an meine Soldaten. Wenn ich zu einem sage: ›Geh!‹, dann geht er. Befehle ich einem anderen: ›Komm!‹, dann kommt er. Und wenn ich zu meinem Diener sage: ›Tu dies!‹, dann führt er meinen Auftrag aus.«

[9] Als Jesus das hörte, wunderte er sich sehr über ihn. Er wandte sich der Menschenmenge zu, die ihm gefolgt war, und sagte: »Eins ist sicher: Unter allen Juden in Israel bin ich keinem Menschen mit einem so festen Glauben begegnet.« [10] Als die Freunde des Hauptmanns in das Haus zurückkamen, war der Diener gesund.

Jesus erweckt ein totes Kind zum Leben

[11] Kurz darauf kam Jesus mit seinen Jüngern in die Stadt Nain. Wieder folgte ihm eine große Menschenmenge. [12] Als er sich dem Stadttor näherte, kam ihm ein Trauerzug entgegen. Der Verstorbene war der einzige Sohn einer Witwe. Viele Trauergäste aus der Stadt begleiteten die Frau.

6,44 Gal 5,19–23 **6,46** Mal 1,6 **6,49** Jak 1,22 **7,6** Mk 1,7; 1 Kor 15,9

[13] Als Jesus, der Herr, sie sah, war er von ihrem Leid tief bewegt. »Weine nicht!«, tröstete er sie. [14] Er ging zu der Bahre und legte seine Hand darauf. Die Träger blieben stehen. Jesus sagte zu dem toten Jungen: »Ich befehle dir: Steh auf!« [15] Da setzte sich der Junge auf und begann zu sprechen. So gab Jesus der Mutter ihr Kind zurück.

[16] Alle erschraken über das, was sie gesehen hatten. Dann aber lobten sie Gott und sagten: »Gott hat uns einen mächtigen Propheten geschickt, er wendet sich seinem Volk wieder zu.«

[17] Bald wusste jeder in ganz Judäa und in den angrenzenden Gebieten, was Jesus getan hatte.

Jesus und Johannes der Täufer (Matthäus 11,2–15)

[18] Von den Taten Jesu erfuhr auch Johannes der Täufer durch seine Jünger. [19] Er schickte zwei von ihnen mit der Frage zu Jesus: »Bist du wirklich der Retter, der kommen soll, oder müssen wir auf einen anderen warten?«

[20] Die beiden kamen zu Jesus und sagten: »Johannes lässt dich fragen: ›Bist du der Retter, der kommen soll, oder müssen wir auf einen anderen warten?‹«

[21] Jesus heilte gerade viele von ihren Krankheiten und Leiden. Er befreite Menschen, die von Dämonen geplagt wurden, und den Blinden schenkte er das Augenlicht wieder. [22] Deshalb antwortete er den Jüngern des Johannes: »Geht zu Johannes zurück und erzählt ihm, was ihr gehört und gesehen habt: Blinde sehen, Gelähmte gehen, Aussätzige werden geheilt, Taube hören, Tote werden wieder lebendig, und den Armen wird die rettende Botschaft verkündet! [23] Und sagt ihm: Glücklich ist jeder, der nicht an mir Anstoß nimmt!«

[24] Als die Jünger des Johannes gegangen waren, wandte sich Jesus an die Menschen, die sich um ihn versammelt hatten, und fragte: »Was habt ihr von Johannes erwartet, als ihr zu ihm in die Wüste hinausgegangen seid? Wolltet ihr ein Schilfrohr sehen, das bei jedem Windhauch hin- und herschwankt? [25] Oder wolltet ihr einen Mann in vornehmer Kleidung sehen, der in Saus und Braus lebt? Dann hättet ihr in die Königspaläste gehen müssen. [26] Oder wolltet ihr einem Propheten begegnen? Ja, Johannes ist ein Prophet, und mehr als das. [27] Er ist der Mann, von dem es in der Heiligen Schrift heißt: ›Ich sende meinen Boten dir voraus, der dein Kommen ankündigt und die Menschen darauf vorbereitet.‹[a] [28] Ja, ich versichere euch: Von allen Menschen, die je geboren wurden, ist keiner bedeutender als Johannes der Täufer. Trotzdem ist der Geringste in Gottes neuer Welt größer als er.

[29] Alle, die Johannes zuhörten, selbst die von allen verachteten Zolleinnehmer, unterwarfen sich dem Urteil Gottes und ließen sich von Johannes taufen. [30] Nur die Pharisäer und Schriftgelehrten lehnten hochmütig Gottes Hilfe ab. Sie ließen sich nicht von Johannes taufen.«

Jesu Urteil über seine Zeitgenossen (Matthäus 11,16–19)

[31] »Wie soll ich die Menschen von heute beschreiben? Wem gleichen sie? [32] Sie sind wie spielende Kinder auf der Straße, die ihren Freunden zurufen: ›Wir haben Hochzeitslieder gespielt, und ihr habt nicht getanzt. Danach haben wir Klagelieder gesungen, und ihr habt nicht geweint!‹ [33] Johannes der Täufer fastete oft und trank keinen Wein. Da habt ihr gesagt: ›Der ist ja von einem bösen Geist besessen!‹ [34] Nun ist der Menschensohn gekommen, isst und trinkt wie jeder andere, und ihr beschimpft ihn: ›Er frisst und säuft, und seine Freunde sind die Zolleinnehmer und anderes Gesindel!‹ [35] Doch wie

---

[a] Maleachi 3,1

7,15 1 Kön 17,22–23; 2 Kön 4,36 **7,16** 1,68–69 **7,19** 3,16 **7,22** Jes 29,18–19* **7,26** 1,76 **7,29–30** Mt 21,32 **7,33** 1,15 **7,34** 5,29–30

Recht die Weisheit Gottes hat, zeigt sich an denen, die sie annehmen.«

Jesus bei dem Pharisäer Simon

[36] Einmal wurde Jesus von einem Pharisäer zum Essen eingeladen. Er ging in das Haus dieses Mannes und setzte sich an den Tisch. [37] Da kam eine Prostituierte herein, die in dieser Stadt lebte. Sie hatte erfahren, dass Jesus bei dem Pharisäer eingeladen war. In ihrer Hand trug sie ein Fläschchen mit wertvollem Salböl. [38] Die Frau ging zu Jesus, kniete bei ihm nieder und weinte so sehr, dass seine Füße von ihren Tränen nass wurden. Mit ihrem Haar trocknete sie die Füße, küsste sie und goss das Öl darüber.

[39] Der Pharisäer hatte das alles beobachtet und dachte: »Wenn dieser Mann wirklich ein Prophet wäre, müsste er doch wissen, was für eine Frau ihn da berührt. Sie ist doch eine stadtbekannte Hure!«

[40] »Simon, ich will dir etwas erzählen«, unterbrach ihn Jesus in seinen Gedanken. »Ja, ich höre zu, Lehrer«, antwortete Simon.

[41] »Ein reicher Mann hatte zwei Leuten Geld geliehen. Der eine Mann schuldete ihm fünfhundert Silberstücke, der andere fünfzig. [42] Weil sie das Geld aber nicht zurückzahlen konnten, schenkte er es beiden. Welcher der beiden Männer wird ihm nun am meisten dankbar sein?«

[43] Simon antwortete: »Bestimmt der, dem er die größte Schuld erlassen hat.« »Du hast Recht!«, bestätigte ihm Jesus.

[44] Dann blickte er die Frau an und sagte: »Sieh diese Frau, Simon! Ich kam in dein Haus, und du hast mir kein Wasser für meine Füße gegeben, was doch sonst selbstverständlich ist. Aber sie hat meine Füße mit ihren Tränen gewaschen und mit ihrem Haar getrocknet. [45] Du hast mich nicht mit einem Kuss begrüßt. Aber seit ich hier bin, hat diese Frau immer wieder meine Füße geküsst. [46] Du hast meine Stirn nicht mit Öl gesalbt, während sie dieses kostbare Öl sogar über meine Füße gegossen hat. [47] Ich sage dir: Ihre große Schuld ist ihr vergeben; und darum hat sie mir so viel Liebe gezeigt. Wem aber wenig vergeben wird, der liebt auch wenig.«

[48] Zu der Frau sagte Jesus: »Deine Sünden sind dir vergeben.« [49] Da tuschelten die anderen Gäste untereinander: »Was ist das nur für ein Mensch! Kann der denn Sünden vergeben?«

[50] Jesus aber sagte zu der Frau: »Dein Glaube hat dich gerettet! Geh in Frieden.«

Frauen um Jesus

8 Bald darauf zog Jesus durch viele Städte und Dörfer. Überall sprach er zu den Menschen und verkündete die rettende Botschaft von Gottes neuer Welt. Dabei begleiteten ihn seine zwölf Jünger [2] und einige Frauen, die er von bösen Geistern befreit und von ihren Krankheiten geheilt hatte. Zu ihnen gehörten Maria aus Magdala, die er von sieben Dämonen befreit hatte, [3] Johanna, die Frau des Chuzas, eines Beamten von König Herodes, Susanna und viele andere. Sie waren vermögend und sorgten für Jesus und seine Jünger.

Das Gleichnis vom Bauern, der Getreide aussät
(Matthäus 13,1–23; Markus 4,1–20)

[4] Als wieder einmal eine große Menschenmenge aus allen Städten zusammengekommen war, erzählte Jesus dieses Gleichnis:

[5] »Ein Bauer säte Getreide aus. Dabei fielen ein paar Saatkörner auf den Weg. Sie wurden zertreten und von den Vögeln aufgepickt. [6] Andere Körner fielen auf felsigen Boden. Sie gingen auf, aber weil

---

7,36 11,37; 14,1 **7,39** Joh 4,17–19 **7,44** 1 Mo 18,3–5 **7,48–49** 5,20–21 **7,50** Mk 5,34* **8,1** 4,43 **8,2** Joh 20,1.11–18

es nicht feucht genug war, vertrockneten sie. [7]Einige Körner fielen zwischen die Disteln, in denen die junge Saat bald erstickte. [8]Die übrige Saat aber fiel auf fruchtbaren Boden. Das Getreide wuchs heran und brachte das Hundertfache der Aussaat als Ertrag. Hört genau auf das, was ich euch sage!«

[9]Später fragten ihn seine Jünger, was er mit diesem Gleichnis sagen wollte. [10]Jesus antwortete ihnen: »Euch lässt Gott die Geheimnisse seiner neuen Welt verstehen. Zu allen anderen aber rede ich in Gleichnissen. Denn sie sollen sehen, aber nicht erkennen, sie sollen hören, aber nicht verstehen.

[11]Euch aber will ich das Gleichnis erklären: Die Saat ist Gottes Botschaft. [12]Der Mensch, bei dem die Saat auf den Weg fällt, hat die Botschaft zwar gehört. Aber dann kommt der Teufel und nimmt ihm die Botschaft aus dem Herzen, damit dieser Mensch nicht glaubt und gerettet wird.

[13]Wie felsiger Boden ist ein Mensch, der die Botschaft hört und mit großer Begeisterung annimmt. Aber sein Glaube hat keine starke Wurzel. Eine Zeit lang vertraut dieser Mensch Gott, doch wenn er wegen seines Glaubens in Schwierigkeiten gerät, wendet er sich wieder von Gott ab.

[14]Der von Disteln überwucherte Boden entspricht einem Menschen, der die Botschaft zwar hört, bei dem aber alles beim Alten bleibt. Denn die Sorgen des Alltags, die Verführung durch den Wohlstand und die Jagd nach den Freuden dieses Lebens ersticken Gottes Botschaft, so dass keine Frucht reifen kann.

[15]Aber es gibt auch fruchtbaren Boden: den Menschen, der Gottes Botschaft bereitwillig und aufrichtig annimmt. Er bewahrt sie im Herzen und lässt sich durch nichts beirren, bis sein Glaube schließlich reiche Frucht bringt.«

Das Beispiel von der Öllampe
(Markus 4,21–25)

[16]»Niemand zündet eine Öllampe an und versteckt sie dann unter einem Eimer oder stellt sie unters Bett. Im Gegenteil! Man stellt die Lampe so auf, dass jeder, der hereinkommt, das Licht sieht.

[17]Alles, was jetzt noch verborgen ist, wird einmal ans Licht kommen, und was jetzt noch ein Geheimnis ist, wird jeder verstehen. [18]Entscheidend ist, wie ihr mir zuhört. Denn wer viel hat, der bekommt noch mehr dazu. Wer aber nichts hat, dem wird selbst noch das Wenige, was er zu haben meint, genommen.«

Wer gehört zu Jesus?
(Matthäus 12,46–50; Markus 3,31–35)

[19]Einmal wollten Jesu Mutter und seine Geschwister ihn sprechen. Aber es drängten sich so viele Menschen um ihn, dass sie nicht bis zu ihm durchkommen konnten.

[20]Sie ließen ihm ausrichten: »Deine Mutter und deine Geschwister stehen draußen und wollen mit dir reden.« [21]Aber Jesus antwortete: »Meine Mutter und meine Geschwister – das sind alle, die Gottes Botschaft hören und danach leben.«

Herr über Wind und Wellen
(Matthäus 8,18.23–27; Markus 4,35–41)

[22]Eines Tages stiegen Jesus und seine Jünger in ein Boot, und er forderte sie auf: »Lasst uns über den See ans andere Ufer fahren!« Sie ruderten los. [23]Unterwegs schlief Jesus ein. Mitten auf dem See brach plötzlich ein gewaltiger Sturm los, und die Wellen schlugen ins Boot. In höchster Not [24]rüttelten die Jünger Jesus

---

8,10 Mt 11,25; Jes 6,9–10 **8,13** 1 Thess 3,5 **8,14** 18,24–25; 1 Tim 6,9–10 **8,15** Joh 15,5 **8,17** Röm 2,16; 1 Kor 4,5 **8,18** 19,26 **8,19** Mk 6,3 **8,21** Röm 8,29; Hebr 2,11 **8,24** Ps 89,10; 107,23–29; Mk 6,51

wach: »Herr!«, schrien sie, »Herr, wir gehen unter!« Jesus stand auf und bedrohte den Wind und die Wellen. Da legte sich der Sturm, und es wurde ganz still.

[25]»Wo ist denn euer Glaube?«, wollte Jesus von ihnen wissen. Entsetzt und erstaunt fragten sich die Jünger untereinander: »Was ist das für ein Mensch? Selbst Wind und Wellen gehorchen ihm, wenn er es befiehlt!«

Jesus heilt einen Besessenen (Matthäus 8,28–34; Markus 5,1–20)

[26]Dann erreichten sie die Gegend von Gadara auf der anderen Seite des Sees Genezareth.

[27]Als Jesus aus dem Boot stieg, lief ihm aus der Stadt ein Mann entgegen, der von Dämonen beherrscht wurde. Schon seit langer Zeit trug er keine Kleider mehr und blieb auch in keiner Wohnung, sondern er hauste in Grabhöhlen.

[28]Kaum hatte er Jesus gesehen, fing er an zu schreien. Er warf sich vor ihm nieder und rief laut: »Was willst du von mir, Jesus, du Sohn Gottes, des Höchsten? Ich flehe dich an, quäle mich nicht!«

[29]Jesus hatte nämlich dem Dämon befohlen, den Mann endlich freizulassen.

Immer wieder hatte der böse Geist den Mann überwältigt. Obwohl man ihn an Händen und Füßen fesselte und einsperrte, konnte er seine Ketten zerreißen und wurde von dem Dämon in die Wüste getrieben.

[30]»Wie heißt du?«, fragte ihn Jesus. »Legion«, war die Antwort. Denn der Mann war von vielen Dämonen besessen. [31]Sie baten Jesus: »Befiehl uns nicht, in die Hölle zu fahren!« [32]Nicht weit entfernt an einem Abhang wurde eine große Herde Schweine gehütet. In diese Schweine wollten die Dämonen fahren, und Jesus erlaubte es ihnen.

[33]Nun ließen die Dämonen den Mann frei und bemächtigten sich der Schweine. Da stürzte die ganze Herde den Abhang hinunter in den See und ertrank. [34]Verstört flohen die Hirten in die Stadt und in die umliegenden Dörfer und berichteten, was sich ereignet hatte.

[35]Von überall her kamen die Leute gelaufen, um sich selbst zu überzeugen. Sie sahen den Mann, den Jesus gerade von den Dämonen befreit hatte. Er war ordentlich angezogen und saß ganz ruhig neben Jesus.

Da wurde ihnen unheimlich zumute. [36]Diejenigen aber, die alles mit angesehen hatten, erzählten, wie der besessene Mann von Jesus geheilt worden war. [37]Daraufhin baten die Leute aus Gadara Jesus, er möge ihre Gegend doch wieder verlassen, denn sie fürchteten sich sehr.

Jesus stieg in das Boot, um zurückzufahren. [38]Der geheilte Mann bat darum, bei ihm bleiben zu dürfen. Aber Jesus beauftragte ihn: [39]»Geh nach Hause und berichte, welch großes Wunder Gott an dir getan hat.« Da ging der Mann und erzählte in der ganzen Stadt, was für ein Wunder Jesus an ihm getan hatte.

Macht über Krankheit und Tod (Matthäus 9,18–26; Markus 5,21–43)

[40]Ungeduldig wartete auf der anderen Seite des Sees eine große Menschenmenge auf Jesus. [41]Da kam Jaïrus, ein Vorsteher der jüdischen Gemeinde, warf sich vor Jesus nieder und flehte ihn an, in sein Haus zu kommen; [42]denn sein einziges Kind, ein zwölfjähriges Mädchen, lag im Sterben. Jesus ging mit ihm, dicht gefolgt von einer großen Menschenmenge.

[43]Unter den Leuten war auch eine Frau, die seit zwölf Jahren an starken Blutungen litt. Niemand hatte ihr helfen können, obwohl sie schon von vielen Ärzten behandelt worden war und dafür ihr ganzes Geld ausgegeben hatte. [44]Als sie bis zu Jesus gekommen war, berührte sie von hinten eine Quaste seines Gewandes. Im selben Augenblick hörten die Blutungen auf.

[45]»Wer hat mich angefasst?«, fragte Jesus. Aber niemand wollte es gewesen

---

8,25 4,36 **8,28** 4,34 **8,43** 3 Mo 15,25–27

sein, und Petrus meinte: »Meister, die Leute bedrängen dich von allen Seiten, und da fragst du, wer dich angefasst hat?« [46] Jesus erwiderte: »Jemand hat mich ganz bewusst berührt. Ich habe gespürt, wie heilende Kraft von mir ausgegangen ist!« [47] Als die Frau erkannte, dass Jesus alles bemerkt hatte, fiel sie zitternd vor ihm auf die Knie. Vor allen Leuten erzählte sie, weshalb sie ihn berührt hatte und wie sie sofort geheilt worden war. [48] »Meine Tochter«, sagte Jesus zu ihr, »dein Glaube hat dir geholfen. Geh in Frieden!«

[49] Noch während er mit der Frau redete, kam jemand aus dem Haus des Jaïrus gelaufen und rief: »Deine Tochter ist gestorben. Es hat keinen Zweck mehr, den Meister zu holen.«

[50] Jesus hörte das und sagte zu dem Vater: »Verzweifle nicht! Vertrau mir ganz und gar, und deine Tochter wird gerettet!«

[51] Als sie das Haus erreichten, erlaubte er nur Petrus, Johannes, Jakobus und den Eltern des Mädchens, mit hineinzugehen. [52] Alle klagten und weinten um die Tote, aber Jesus sagte: »Hört auf zu weinen! Das Kind ist nicht tot, es schläft nur!« [53] Da lachten sie ihn aus, denn jeder wusste, dass das Mädchen tot war. [54] Jesus schickte sie alle weg. Dann fasste er die Tote bei der Hand und rief: »Kind, steh auf!« [55] Da wurde das Mädchen wieder lebendig, stand auf, und Jesus ließ ihr etwas zu essen bringen. [56] Die Eltern konnten kaum fassen, was sie erlebt hatten. Doch Jesus schärfte ihnen ein, mit niemandem darüber zu reden.

Der Auftrag an die Apostel
(Matthäus 10,1.5–15; Markus 6,7–13)

9 Jesus rief seine zwölf Jünger zusammen und gab ihnen die Kraft und die Macht, alle Dämonen auszutreiben und Kranke zu heilen. [2] Er beauftragte sie, überall die Botschaft von Gottes neuer Welt zu verkünden und die Kranken gesund zu machen.

[3] »Nehmt nichts mit auf die Reise«, befahl er ihnen, »weder Wanderstab noch Tasche, weder Essen noch Geld, nicht einmal ein zweites Hemd. [4] Wenn ihr in ein Haus kommt, dann bleibt dort, bis ihr weiterzieht. [5] Seid ihr aber in einer Stadt nicht willkommen, dann geht fort und schüttelt den Staub von euren Füßen als Zeichen dafür, dass ihr die Stadt dem Urteil Gottes überlasst.«

[6] Die Jünger zogen los und wanderten von Ort zu Ort. Überall verkündeten sie die rettende Botschaft und heilten die Kranken.

Herodes ist ratlos: Wer ist Jesus?
(Matthäus 14,1–2; Markus 6,14–16)

[7] Herodes, der Herrscher über Galiläa, war ratlos, als er erfuhr, was Jesus tat; denn einige behaupteten: »Johannes der Täufer ist von den Toten auferstanden.« [8] Andere wieder meinten, Elia sei erschienen oder einer von den alten Propheten sei zurückgekehrt.

[9] »Johannes habe ich enthaupten lassen!«, überlegte Herodes. »Aber wer ist dieser Mann, von dem so erstaunliche Dinge berichtet werden?« Darum wollte er Jesus unbedingt kennen lernen.

Fünftausend werden satt
(Matthäus 14,13–21; Markus 6,30–44; Johannes 6,1–13)

[10] Die zwölf Jünger kehrten zu Jesus zurück und erzählten ihm, was sie auf ihrer Reise getan hatten. Jesus nahm sie mit in die Stadt Betsaida. Dort wollte er mit ihnen allein sein. [11] Die Menschen erfuhren aber schnell, wo Jesus war, und folgten ihm in Scharen. Er schickte sie nicht fort, sondern sprach zu ihnen über die neue Welt Gottes und heilte die Kranken.

8,46 6,19 **8,48** Mk 5,34* **8,51** 9,28 **8,52** Joh 11,4.11 **8,56** Mk 7,36* **9,1–6** 10,1–12 **9,1** 6,12–16 **9,5** Apg 13,50–51; 18,6 **9,7–8** 9,19 **9,9** Mt 14,6–11; Lk 23,8 **9,10** 10,17

[12] Es war spät geworden. Da kamen die zwölf Jünger zu Jesus und sagten: »Es wird Zeit, dass die Leute gehen, damit sie in den umliegenden Dörfern und Höfen übernachten und etwas zu essen kaufen können. Hier gibt es doch nichts!«

[13] »Gebt *ihr* ihnen zu essen!«, forderte Jesus sie auf. »Aber wir haben nur fünf Brote und zwei Fische!«, entgegneten die Jünger. »Oder sollen wir etwa für all die Leute Essen besorgen?« [14] Es hatten sich etwa fünftausend Männer um Jesus versammelt. »Sagt ihnen, sie sollen sich in Gruppen von je fünfzig Personen setzen!«, ordnete Jesus an. [15] Und so geschah es.

[16] Jesus nahm die fünf Brote und die zwei Fische, sah zum Himmel auf und segnete sie. Er teilte Brot und Fische, reichte sie seinen Jüngern, und die Jünger gaben sie an die Menge weiter. [17] Alle aßen sich satt. Als man anschließend die Reste einsammelte, da waren es noch zwölf volle Körbe.

Wer ist Jesus?
(Matthäus 16,13–21; Markus 8,27–30)

[18] Eines Tages war Jesus allein und betete. Nur seine Jünger waren bei ihm. Da fragte er sie: »Für wen halten mich die Leute eigentlich?«

[19] Die Jünger erwiderten: »Einige halten dich für Johannes den Täufer oder den Propheten Elia, andere meinen, einer der alten Propheten sei auferstanden.«

[20] »Und für wen haltet ihr mich?«, fragte er sie. Da antwortete Petrus: »Du bist Christus, der von Gott gesandte Retter!« [21] Jesus befahl seinen Jüngern nachdrücklich, mit niemandem darüber zu reden. [22] Dann sagte er: »Der Menschensohn muss viel leiden. Die führenden Männer des Volkes, die Hohenpriester und Schriftgelehrten werden ihn verurteilen und töten. Aber drei Tage später wird Gott ihn wieder auferwecken.«

Alles hingeben, um alles zu gewinnen
(Matthäus 16,24–28; Markus 8,34 – 9,1)

[23] Danach wandte sich Jesus an alle: »Wer mir nachfolgen will, darf nicht mehr sich selbst in den Mittelpunkt stellen, sondern muss sein Kreuz täglich auf sich nehmen und mir nachfolgen. [24] Wer sich an sein Leben klammert, der wird es verlieren. Wer aber sein Leben für mich einsetzt, der wird es für immer gewinnen. [25] Denn was gewinnt ein Mensch, wenn ihm die ganze Welt zufällt, er aber dabei sich selbst verliert oder Schaden nimmt?

[26] Wer sich schämt, sich zu mir und meiner Botschaft zu bekennen, den wird auch der Menschensohn nicht kennen, wenn er in seiner Macht und in der Herrlichkeit des Vaters und der heiligen Engel kommen wird. [27] Das sage ich euch: Einige von denen, die hier stehen, werden nicht sterben, bevor die neue Welt Gottes sichtbar wird.«

Die Jünger erleben Jesu Herrlichkeit
(Matthäus 17,1–9; Markus 9,2–9)

[28] Acht Tage später stieg Jesus mit Petrus, Johannes und Jakobus auf einen Berg, um zu beten. [29] Als Jesus betete, veränderte sich sein Gesicht, und seine Kleider strahlten hell. [30] Plötzlich standen zwei Männer da und redeten mit ihm: Mose und Elia. [31] Auch sie waren von hellem Licht umgeben und sprachen mit Jesus über seinen Tod, den er nach Gottes Plan in Jerusalem erleiden sollte.

[32] Petrus und die beiden anderen Jünger waren eingeschlafen. Als sie aufwachten, sahen sie Jesus von Licht umstrahlt und die zwei Männer bei ihm. [33] Schließlich wollten die zwei Männer gehen. Da rief Petrus: »Meister, hier gefällt es uns. Wir wollen drei Hütten bauen, für dich, für Mose und für Elia!«

9,18 5,16* **9,19** 9,7–8 **9,20** Joh 10,24–25; 11,27 **9,21** Mk 7,36* **9,22** 9,44; 18,32–33 **9,23** 14,27; 1 Petr 2,21 **9,24** Offb 12,11 **9,25** 12,16–21 **9,26** 2 Tim 1,8; 2,12–13 **9,28–36** 2 Petr 1,16–18 **9,28** 8,51 **9,29** Offb 1,16 **9,31** 24,44–46*

Petrus wusste aber gar nicht, was er da redete.

[34] Während er sprach, fiel der Schatten einer Wolke auf sie. Die Wolke hüllte sie ein, und sie fürchteten sich; [35] dann hörten sie eine Stimme: »Das ist mein geliebter Sohn, auf ihn sollt ihr hören!«

[36] Dann war Jesus wieder allein. Die Jünger sprachen lange Zeit nicht über das, was sie erlebt hatten.

Die Ohnmacht der Jünger und die Vollmacht Jesu
(Matthäus 17,14–20; Markus 9,14–29)

[37] Als sie am nächsten Tag vom Berg herabstiegen, kamen ihnen viele Menschen entgegen. [38] Ein Mann war dabei, der Jesus anflehte: »Bitte, Lehrer, sieh dir meinen Sohn an, mein einziges Kind! [39] Oft packt ihn ein Dämon! Dann schreit der Junge und windet sich in Krämpfen, bis der Schaum vor seinem Mund steht. Es gibt kaum eine Stunde, in der er nicht gequält wird. [40] Ich habe schon deine Jünger gebeten, den bösen Geist auszutreiben, aber sie waren machtlos.«

[41] Da rief Jesus: »Warum vertraut ihr Gott so wenig? Warum hört ihr nicht auf ihn? Wie lange muss ich noch bei euch sein und euch ertragen? Bring deinen Sohn her!« [42] Als sie ihn zu ihm brachten, riss und zerrte der Dämon den Jungen hin und her. Jesus bedrohte den bösen Geist, heilte den Jungen und gab ihn seinem Vater wieder. [43] Alle waren erstaunt und erschrocken über die Macht und Herrlichkeit Gottes.

Jesus spricht wieder von seinem Tod
(Matthäus 17,22–23; Markus 9,30–32)

Während die Leute noch fassungslos über diese Tat staunten, sagte Jesus zu seinen Jüngern:

[44] »Vergesst nicht, was ich euch sage: Der Menschensohn wird bald in der Gewalt der Menschen sein.«

[45] Aber die Jünger verstanden Jesus nicht. Die Bedeutung seiner Worte war ihnen verborgen, und sie trauten sich auch nicht, ihn zu fragen.

Gott hat andere Maßstäbe
(Matthäus 18,1–5; Markus 9,33–40)

[46] Eines Tages verhandelten die Jünger darüber, welcher von ihnen der Wichtigste sei. [47] Jesus merkte, was sie beschäftigte. Er rief ein Kind, stellte es neben sich [48] und sagte: »Wer solch ein Kind mir zuliebe aufnimmt, der nimmt mich auf. Und wer mich aufnimmt, der nimmt damit Gott selbst auf, weil Gott mich gesandt hat. Wer der Geringste unter euch allen ist, der ist wirklich groß.«

[49] »Meister«, berichtete Johannes, »wir haben einen Mann gesehen, der in deinem Namen Dämonen austrieb. Aber weil er nicht zu uns gehört, haben wir es ihm verboten.« [50] »Das hättet ihr nicht tun sollen«, erwiderte Jesus. »Denn wer nicht gegen euch ist, der ist für euch.«

Ablehnung in Samarien

[51] Als die Zeit nah war, dass Jesus wieder zu Gott zurückkehren sollte, brach er nach Jerusalem auf. [52] Unterwegs schickte er Boten voraus, die in einem Dorf in Samarien für eine Unterkunft sorgen sollten. [53] Aber weil Jesus auf dem Weg nach Jerusalem war, wollte ihn keiner aufnehmen.

[54] Als seine Jünger Jakobus und Johannes das hörten, waren sie empört: »Herr, das brauchst du dir doch nicht gefallen zu lassen! Wenn du willst, lassen wir Feuer vom Himmel fallen wie damals Elia, damit sie alle verbrennen!«

[55] Doch Jesus wies sie scharf zurecht,[a] [56] und sie gingen in ein anderes Dorf.

---

[a] Andere Textzeugen fügen hinzu (Vers 55b): Er sagte: »Habt ihr denn vergessen, von welchem Geist ihr euch leiten lassen sollt? (Vers 56a) Der Menschensohn ist nicht gekommen, das Leben der Menschen zu vernichten, sondern es zu retten.«

9,35 3,22; Ps 2,7; 5 Mo 18,15 **9,44** 9,22; 18,32–33 **9,45** 18,34; 24,45 **9,48** 10,16 **9,50** Phil 1,18 **9,53** Joh 4,9 **9,54** 2 Kön 1,10.12

Nachfolge duldet keinen Aufschub
(Matthäus 8,19–22)

[57]Unterwegs wurde Jesus von einem Mann angesprochen: »Herr, ich will mit dir gehen, ganz gleich wohin.« [58]Jesus antwortete ihm: »Die Füchse haben ihren Bau, die Vögel ihre Nester, aber der Menschensohn hat keinen Platz, an dem er sich ausruhen kann.«

[59]Einen anderen forderte Jesus auf: »Komm mit mir!« Er erwiderte: »Ja, Herr, aber vorher lass mich noch meinen Vater bestatten.« [60]Da antwortete Jesus: »Überlass es den Toten, ihre Toten zu begraben. Du aber sollst die Botschaft von Gottes neuer Welt verkünden.«

[61]Noch einer sagte zu Jesus: »Ich will mit dir gehen, Herr. Sobald ich mich von meiner Familie verabschiedet habe, komme ich mit.« [62]Ihm antwortete Jesus: »Wer beim Pflügen nach hinten blickt, den kann Gott in seiner neuen Welt nicht brauchen.«

Arbeiter für Gottes Ernte
(Matthäus 9,37–38; 10,7–16; 11,20–24; Markus 6,7–13)

10 Danach wählte Jesus siebzig weitere Jünger aus und schickte sie immer zu zweit in die Städte und Dörfer, in die er später selbst kommen wollte. [2]Er sagte zu ihnen: »Die Ernte ist groß, aber es gibt nur wenige Arbeiter. Deshalb bittet den Herrn, dass er noch mehr Arbeiter aussendet, die seine Ernte einbringen.

[3]Geht nun! Ich schicke euch wie Schafe mitten unter die Wölfe. [4]Nehmt kein Geld, keine Tasche, keine Schuhe mit, und wenn ihr unterwegs Leute trefft, dann führt keine langen Gespräche!

[5]Wenn ihr in ein Haus eintretet, dann sagt: ›Friede sei mit euch allen!‹ [6]Wollen die Menschen Gottes Frieden annehmen, wird der Friede, den ihr ihnen bringt, bei ihnen bleiben. Lehnt man aber eure Friedensbotschaft ab, dann wird auch Gottes Friede nicht in diesem Haus sein. [7]Deshalb bleibt dort, wo man euch aufnimmt, esst und trinkt, was man euch anbietet. Denn weil ihr den Menschen dient, sollen sie für euch sorgen. Bleibt in dem einen Haus, und geht in kein anderes.

[8]Wenn ihr in eine Stadt kommt, in der euch die Leute bereitwillig aufnehmen, dann esst, was man euch anbietet. [9]Heilt die Kranken, und sagt allen Menschen: ›Jetzt beginnt Gottes neue Welt bei euch.‹

[10]Will man aber irgendwo nichts von euch wissen, dann verlasst diese Stadt und sagt den Einwohnern: [11]›Ihr habt euch selbst das Urteil gesprochen. Sogar den Staub eurer Straßen schütteln wir von unseren Füßen. Doch merkt euch das eine: Gottes neue Welt hat begonnen!‹

[12]Ich sage euch: Den Einwohnern von Sodom wird es am Tag des Gerichts besser ergehen als den Menschen einer solchen Stadt. [13]Weh euch, ihr Einwohner von Chorazin und Betsaida! Wenn die Wunder, die ich bei euch getan habe, in den nichtjüdischen Städten Tyrus und Sidon geschehen wären, ihre Einwohner hätten längst Trauerkleider angezogen, sich Asche auf den Kopf gestreut und wären zu Gott umgekehrt. [14]Am Tag des Gerichts wird es Tyrus und Sidon besser ergehen als euch. [15]Und du, Kapernaum, wirst du etwa zum Himmel erhoben werden? Nein, zur Hölle wirst du fahren!

[16]Wer auf euch hört, der hört auf mich. Und wer euch ablehnt, der lehnt mich ab. Aber wer mich ablehnt, der lehnt damit auch Gott ab, der mich gesandt hat.«

Die Rückkehr der siebzig Jünger

[17]Als die siebzig Jünger zurückgekehrt waren, berichteten sie voller Freude: »Herr, sogar die Dämonen mussten uns gehorchen, wenn wir deinen Namen

9,58 1 Kor 4,11 **9,59–60** 14,26 **9,61–62** 1 Kön 19,20–21 **9,62** Phil 3,13 **10,1–12** 9,1–6 **10,5–6** 2,14 **10,7** 1 Kor 9,4.14; 1 Tim 5,18 **10,9** Mt 3,2; 4,17 **10,10–11** Apg 13,51; 18,6 **10,12** 1 Mo 19,24–25* **10,13–14** Jes 23,1–16* **10,13** Jona 3,6–9 **10,16** Joh 5,23; 1 Thess 2,13; 4,8

nannten!« [18] Jesus antwortete: »Ich sah den Satan wie einen Blitz vom Himmel fallen. [19] Ich habe euch die Macht gegeben, auf Schlangen und Skorpione zu treten und die Gewalt des Feindes zu brechen. Nichts wird euch schaden. [20] Doch freut euch nicht so sehr, dass euch die Dämonen gehorchen müssen; freut euch vielmehr darüber, dass eure Namen im Himmel aufgeschrieben sind!«

Jesus dankt dem Vater
(Matthäus 11,25–27)

[21] Erfüllt vom Heiligen Geist, betete Jesus nun voller Freude: »Mein Vater, Herr über Himmel und Erde! Ich danke dir, dass du die Wahrheit vor den Klugen und Gebildeten verbirgst und sie den Unwissenden enthüllst. Ja, Vater, so entspricht es deinem Willen. [22] Mein Vater hat mir alle Macht gegeben. Nur der Vater kennt den Sohn. Und nur der Sohn kennt den Vater und jeder, dem der Sohn ihn zeigt.«

[23] Zu seinen Jüngern sagte Jesus dann: »Ihr könnt glücklich sein, dass ihr dies alles seht und erlebt. [24] Ich sage euch: Viele Propheten und Könige hätten gern gesehen, was ihr seht, und gehört, was ihr hört. Aber die Zeit war noch nicht da.«

Der barmherzige Samariter – das wichtigste Gebot
(Matthäus 22,34–40; Markus 12,28–34)

[25] Da stand ein Schriftgelehrter auf, um Jesus eine Falle zu stellen. »Lehrer«, fragte er scheinheilig, »was muss ich tun, um das ewige Leben zu bekommen?« [26] Jesus erwiderte: »Was steht denn darüber im Gesetz Gottes? Was liest du dort?« [27] Der Schriftgelehrte antwortete: »Du sollst den Herrn, deinen Gott, lieben von ganzem Herzen, mit ganzer Hingabe, mit all deiner Kraft und mit deinem ganzen Verstand. Und auch deinen Mitmenschen sollst du so lieben wie dich selbst.«[a]

[28] »Richtig!«, erwiderte Jesus. »Tu das, und du wirst ewig leben.«

[29] Aber der Mann gab sich damit nicht zufrieden und fragte weiter: »Wer gehört denn eigentlich zu meinen Mitmenschen?«

[30] Jesus antwortete ihm mit einer Geschichte: »Ein Mann wanderte von Jerusalem nach Jericho. Unterwegs wurde er von Räubern überfallen. Sie schlugen ihn zusammen, raubten ihn aus und ließen ihn halb tot liegen. Dann machten sie sich davon.

[31] Zufällig kam bald darauf ein Priester vorbei. Er sah den Mann liegen und ging schnell auf der anderen Straßenseite weiter. [32] Genauso verhielt sich ein Tempeldiener. Er sah zwar den verletzten Mann, aber er blieb nicht stehen, sondern machte einen großen Bogen um ihn. [33] Dann kam einer der verachteten Samariter vorbei. Als er den Verletzten sah, hatte er Mitleid mit ihm. [34] Er beugte sich zu ihm hinunter, behandelte seine Wunden mit Öl und Wein und verband sie. Dann hob er ihn auf sein Reittier und brachte ihn in den nächsten Gasthof, wo er den Kranken besser pflegen und versorgen konnte.

[35] Als er am nächsten Tag weiterreisen musste, gab er dem Wirt zwei Silberstücke und bat ihn: ›Pflege den Mann gesund! Sollte das Geld nicht reichen, werde ich dir den Rest auf meiner Rückreise bezahlen!‹

[36] Was meinst du?«, fragte Jesus jetzt den Schriftgelehrten. »Welcher von den dreien hat an dem Überfallenen als Mitmensch gehandelt?« [37] Der Schriftgelehrte erwiderte: »Natürlich der Mann, der ihm geholfen hat.« »Dann geh und folge seinem Beispiel!«, forderte Jesus ihn auf.

---

[a] 5. Mose 6,5; 3. Mose 19,18

10,18 Jes 14,12; Joh 12,31; Offb 12,8–9 **10,19** Mk 16,18 **10,20** Offb 13,8* **10,21** 1 Kor 1,18–29 **10,22** Joh 1,18 **10,24** Hebr 11,13; 1 Petr 1,10–12 **10,25** 18,18 **10,28** Röm 10,5 **10,31–32** 3 Mo 21,1 **10,33** 9,52–54; Joh 4,9 **10,37** 6,47–48

Jesus bei Maria und Marta

[38] Jesus kam mit seinen Jüngern in ein Dorf, wo sie bei einer Frau aufgenommen wurden, die Marta hieß. [39] Maria, ihre Schwester, setzte sich zu Jesu Füßen hin und hörte ihm aufmerksam zu. [40] Marta aber war unentwegt mit der Bewirtung ihrer Gäste beschäftigt.

Schließlich kam sie zu Jesus und fragte: »Herr, siehst du nicht, dass meine Schwester mir die ganze Arbeit überlässt? Kannst du ihr nicht sagen, dass sie mir helfen soll?« [41] Doch Jesus antwortete ihr: »Marta, Marta, du bist um so vieles besorgt und machst dir so viel Mühe. [42] Nur eines aber ist wirklich wichtig und gut! Maria hat sich für dieses eine entschieden, und das kann ihr niemand mehr nehmen.«

Gott erhört Gebete
(Matthäus 6,9–13; 7,7–11)

11 Eines Tages, als Jesus gebetet hatte, bat ihn einer seiner Jünger: »Herr, sag uns doch, wie wir richtig beten sollen. Auch Johannes hat dies seine Jünger gelehrt.« [2] Jesus antwortete ihnen:

»So sollt ihr beten:

›Unser Vater im Himmel! Dein heiliger Name soll geehrt werden. Lass deine neue Welt beginnen.

[3] Gib uns auch heute wieder, was wir zum Leben brauchen.

[4] Vergib uns unsere Schuld, wie wir denen vergeben, die uns Unrecht getan haben. Lass uns nicht in Versuchung geraten, dir untreu zu werden.‹[a] «

[5] Dann sagte Jesus zu den Jüngern: »Stellt euch vor, einer von euch hat einen Freund. Mitten in der Nacht geht er zu ihm, klopft an die Tür und bittet ihn: ›Leih mir doch bitte drei Brote. [6] Ich habe unerwartet Besuch bekommen und nichts im Haus, was ich ihm anbieten könnte.‹ [7] Vielleicht würde der Freund dann antworten: ›Stör mich nicht! Ich habe die Tür schon abgeschlossen und liege im Bett. Außerdem könnten die Kinder in meinem Bett aufwachen. Ich kann jetzt nicht aufstehen und dir etwas geben.‹

[8] Das eine ist sicher: Wenn er schon nicht aufstehen und dem Mann etwas geben will, weil er sein Freund ist, so wird er schließlich doch aus seinem Bett steigen und ihm alles Nötige geben, weil der andere so unverschämt ist und ihm einfach keine Ruhe lässt.

[9] Darum sage ich euch: Bittet Gott, und er wird euch geben! Sucht, und ihr werdet finden! Klopft an, und euch wird die Tür geöffnet! [10] Denn wer bittet, der bekommt. Wer sucht, der findet. Und wer anklopft, dem wird geöffnet.

[11] Welcher Vater würde seinem Sohn denn eine Schlange geben, wenn er ihn um einen Fisch bittet, [12] oder einen Skorpion, wenn er ein Ei haben möchte? [13] Wenn schon ihr hartherzigen Menschen euren Kindern Gutes gebt, wie viel mehr wird der Vater im Himmel denen den Heiligen Geist schenken, die ihn darum bitten.«

»Wer nicht für mich ist, der ist gegen mich«
(Matthäus 12,22–30; Markus 3,22–27)

[14] Einmal trieb Jesus einen Dämon aus, der einen Mann stumm gemacht hatte. Als der Dämon ihn verlassen hatte, konnte der Mann wieder sprechen. Die Leute, die das beobachteten, staunten; [15] aber es gab auch einige, die sagten: »Er kann nur deshalb die Dämonen austreiben, weil ihm der Oberste Teufel[b], der über die Dämonen herrscht, die Macht dazu gibt.« [16] Andere wieder, die Jesus eine Falle stellen wollten, verlangten von ihm ein Wunder Gottes als Be-

---

[a] Wörtlich: Führe uns nicht in Versuchung.
[b] Wörtlich: Beelzebul.

10,38–39 Joh 11,1–2; 12,1–3 **10,41–42** Mt 6,31–33 **11,1** 5,16* **11,2** Jes 29,23 **11,3** 1 Petr 5,7 **11,4** Mt 18,21–35; 1 Kor 10,13 **11,5–10** 18,1–8 **11,9** Jer 29,13–14; Joh 15,7* **11,16** Mt 12,38; Mk 8,11

weis dafür, dass er wirklich in Gottes Namen handelte.

[17] Jesus kannte ihre Gedanken und sagte: »Ein Staat, in dem verschiedene Herrscher um die Macht kämpfen, steht vor dem Untergang; und eine Familie, die ständig in Zank und Streit lebt, bricht auseinander. [18] Wenn nun der Satan sich selbst bekämpfte, zerstörte er damit nicht sein eigenes Reich? Ihr behauptet, ich würde die Dämonen durch die Kraft des Obersten Teufels[a] austreiben. [19] Wenn das tatsächlich so wäre: Welche Kraft nutzen dann eure eigenen Leute, um böse Geister auszutreiben? Sie selbst werden euch das Urteil sprechen. [20] Wenn ich aber die Dämonen durch Gottes Macht austreibe, so beginnt Gottes neue Welt jetzt – mitten unter euch!

[21] Solange ein starker Mann gut bewaffnet ist und sein Haus bewacht, kann ihm niemand etwas rauben; [22] es sei denn, er wird von einem Stärkeren angegriffen und überwältigt. Dieser nimmt ihm die Waffen weg, auf die er vertraute, und reißt seinen ganzen Besitz an sich.

[23] Ich sage euch: Wer nicht für mich ist, der ist gegen mich, und wer sich nicht für mich einsetzt, der führt die Menschen in die Irre.«

Die Gefahr des Rückfalls (Matthäus 12,43–45)

[24] »Wenn ein Dämon ausgetrieben wird, irrt er in öden Gegenden umher auf der Suche nach einem neuen Opfer. Findet er keins, entschließt er sich: ›Ich will dorthin zurückkehren, woher ich gekommen bin.‹ [25] Wenn er zurückkommt und seine frühere Wohnung sauber und geschmückt vorfindet, [26] dann sucht er sich sieben andere Geister, die noch schlimmer sind als er selbst. Zusammen ergreifen sie Besitz von dem Menschen, der nun schlimmer dran ist als vorher.«

Wer darf sich glücklich nennen?

[27] Während Jesus das sagte, rief plötzlich eine Frau aus der Menschenmenge: »Wie glücklich muss die Frau sein, die dich geboren und gestillt hat!«

[28] Darauf erwiderte Jesus: »Ja, aber noch glücklicher sind die Menschen, die Gottes Botschaft hören und danach leben.«

Die Menschen wollen Beweise (Matthäus 12,38–42)

[29] Von allen Seiten drängten sich die Leute um Jesus. Da sagte er zu ihnen: »Die Menschen von heute sind voller Bosheit. Sie verlangen einen Beweis dafür, dass Gott mich gesandt hat; aber sie werden nur das Wunder zu sehen bekommen, das am Propheten Jona geschah. [30] So wie Jona für die Leute von Ninive ein Zeichen Gottes wurde, so wird es auch der Menschensohn für euch sein.

[31] Die Königin aus dem Süden wird am Gerichtstag Gottes als Zeugin gegen dieses Volk auftreten und es verurteilen. Denn sie kam von weit her, um von der Weisheit des Königs Salomo zu lernen. Der aber hier vor euch steht, ist größer als Salomo!

[32] Auch die Einwohner von Ninive werden euch am Gerichtstag verurteilen, denn nach Jonas Predigt kehrten sie um zu Gott. Der hier vor euch steht, ist aber größer als Jona.«

Licht und Finsternis (Matthäus 5,15; 6,22–23)

[33] »Niemand zündet eine Öllampe an und versteckt sie dann oder stellt sie unter einen Eimer. Im Gegenteil! Man stellt die Lampe so auf, dass jeder, der hereinkommt, das Licht sieht.

[34] Das Auge gibt dir Licht. Wenn deine Augen das Licht einlassen, wirst du auch

---

[a] Wörtlich: Beelzebul.

11,20 17,21; 1 Joh 3,8 **11,22** Kol 2,15; 1 Joh 4,4 **11,23** 9,50 **11,26** 2 Petr 2,20 **11,28** 6,47–48; Jak 1,22–25 **11,29** Jona 2,1.11 **11,31** 1 Kön 10,1–10 **11,32** Jona 3,5–9 **11,34** Eph 1,18

im Licht leben. Verschließen sich deine Augen dem Licht, lebst du in Dunkelheit. [35] Deshalb achte darauf, dass das Licht in deinem Innern nicht erlischt! [36] Wenn du es einlässt und keine Finsternis in dir ist, dann lebst du im Licht – so, als würdest du von einer hellen Lampe angestrahlt.«

Die Heuchelei der Pharisäer
(Matthäus 23,25–28; 23,6–7)

[37] Jesus sprach noch mit seinen Zuhörern, als er von einem Pharisäer zum Mittagessen eingeladen wurde. Er ging mit und nahm am Tisch Platz. [38] Entrüstet bemerkte der Gastgeber, dass sich Jesus vor dem Essen nicht die Hände gewaschen hatte, wie es bei den Juden vorgeschrieben war.[a] [39] Da sagte Jesus, der Herr, zu ihm: »Ihr Pharisäer poliert eure Becher und Schüsseln außen auf Hochglanz, so wie das Gesetz es erfordert. Doch gefüllt sind sie mit dem, was ihr in eurer maßlosen Gier anderen abgenommen habt. [40] Ihr Dummköpfe! Ihr wisst doch ganz genau, dass Gott beides geschaffen hat – Äußeres und Inneres. [41] Eure Schüsseln und Becher sind voll. Gebt das, was darin ist, den Armen, dann seid ihr auch vor Gott rein!

[42] Wehe euch, ihr Pharisäer! Sogar von Küchenkräutern wie Minze und Raute und auch von allen anderen Gewürzen gebt ihr Gott den zehnten Teil. Aber Gerechtigkeit und die Liebe zu Gott sind euch gleichgültig! Doch gerade darum geht es hier: Das Wesentliche tun und das andere nicht unterlassen!

[43] Ich warne euch, ihr Pharisäer! In der Synagoge sitzt ihr stets in der ersten Reihe, und es gefällt euch, wenn man euch auf der Straße ehrfurchtsvoll grüßt. [44] Wehe euch, ihr Pharisäer! Wer mit euch zu tun hat, der weiß nicht, dass er sich verunreinigt. Denn ihr seid wie Gräber, die vom Gras überwuchert sind und über die man geht, ohne es zu wissen.«

Fromm und doch gottlos
(Matthäus 23,4.29–36; 23,13–14)

[45] »Lehrer«, rief einer der Schriftgelehrten dazwischen, »damit beschimpfst du auch uns!«

[46] Jesus erwiderte: »Ja, ich warne auch euch, ihr Schriftgelehrten! Ihr bürdet den Menschen unerträgliche Lasten auf, doch ihr selbst rührt keinen Finger, um diese Lasten zu tragen. [47] Wehe euch! Ihr baut Denkmäler für die Propheten, die von euren Vorfahren umgebracht wurden. [48] Doch damit bestätigt ihr nur, dass ihr nicht anders seid als eure Vorfahren. Sie haben die Propheten getötet, und ihr vollendet ihr Werk durch Denkmäler.

[49] Deshalb hat Gott in seiner Weisheit gesagt: Ich werde ihnen Propheten und Apostel schicken; doch sie werden einige von ihnen töten und die anderen verfolgen! [50] Ihr werdet zur Rechenschaft gezogen für den Mord an allen Propheten, seit die Welt besteht: [51] angefangen bei Abel bis hin zu Secharja, den ihr zwischen Brandopferaltar und Tempel ermordet habt. Ja, noch diese Generation wird dafür die Verantwortung tragen müssen.

[52] Wehe euch, ihr Schriftgelehrten! Denn durch eure Lehren verhindert ihr, dass die Menschen den Weg zur Wahrheit finden. Ihr selbst seid nicht in Gottes neue Welt hineingegangen, und ihr versperrt auch noch allen, die hineinwollen, den Zugang.«

[53] Seit dieser Zeit verfolgten die Pharisäer und Schriftgelehrten Jesus. Sie stellten ihm hinterhältige Fragen [54] und warteten nur darauf, dass sie ihn mit seinen eigenen Worten in eine Falle locken könnten.

---

[a] »wie … vorgeschrieben war« ist sinngemäß ergänzt.

11,36 Joh 8,12; Eph 5,8; 1 Thess 5,5 **11,37** 7,36; 14,1 **11,38** Mk 7,2–4 **11,41** 12,33 **11,42** 3 Mo 27,30; Mi 6,8 **11,43** 14,7–11 **11,46** Mt 11,28–30 **11,47** Apg 7,52 **11,51** 1 Mo 4,8; 2 Chr 24,20–21 **11,52** 6,39

Habt keine Angst vor den Menschen! (Matthäus 10,26–33)

12 Hunderte, ja Tausende strömten zusammen, und das Gedränge wurde bedrohlich. Doch Jesus sprach zunächst nur zu seinen Jüngern: »Hütet euch vor den Pharisäern und ihrer Scheinheiligkeit, denn sie ist wie ein Sauerteig, der das ganze Brot durchsäuert. [2]Jetzt kommt bald die Zeit, in der das Verborgene ans Licht kommt und alle Geheimnisse enthüllt werden. [3]Was ihr im Geheimen redet, werden alle erfahren, und was ihr hinter vorgehaltener Hand flüstert, wird alle Welt zu hören bekommen.

[4]Meine Freunde! Habt keine Angst vor den Menschen, die euch zwar töten können, aber nicht mehr. [5]Fürchtet vielmehr Gott, denn er kann euch töten und in die Hölle werfen. Ja, fürchtet ihn allein! [6]Welchen Wert hat schon ein Spatz auf dem Dach? Man kann fünf von ihnen für einen Spottpreis kaufen. Und doch vergisst Gott keinen einzigen von ihnen. [7]Bei euch sind sogar die Haare auf dem Kopf alle gezählt. Darum habt keine Angst! Ihr seid Gott mehr wert als ein ganzer Spatzenschwarm!

[8]Das sage ich euch: Wer sich vor den Menschen zu mir bekennt, zu dem wird sich auch der Menschensohn vor den Engeln bekennen. [9]Wer aber vor den Menschen nicht zu mir steht, zu dem wird auch der Menschensohn vor den Engeln Gottes nicht stehen. [10]Wer den Menschensohn beschimpft, dem kann vergeben werden. Wer aber den Heiligen Geist beschimpft, der wird niemals Vergebung finden.

[11]Wenn ihr in den Synagogen vor Richtern und Machthabern verhört werdet, dann sorgt euch nicht darum, was ihr sagen oder wie ihr euch verteidigen sollt! [12]Denn der Heilige Geist wird euch zur rechten Zeit das rechte Wort geben.«

Der arme Reiche

[13]Da rief einer aus der Menge: »Lehrer, sag doch meinem Bruder, er soll unser Erbe gerecht mit mir teilen.« [14]Aber Jesus wies ihn zurück: »Bin ich etwa euer Richter oder euer Vermittler in Erbstreitigkeiten?« [15]Dann wandte er sich an alle: »Hütet euch vor der Habgier! Wenn jemand auch noch so viel Geld hat, das Leben kann er sich damit nicht kaufen.«

[16]An einem Beispiel erklärte er seinen Zuhörern, was er damit meinte:

»Ein reicher Gutsbesitzer hatte eine besonders gute Ernte. [17]Er überlegte: ›Wo soll ich bloß alles unterbringen? Meine Scheunen sind voll; da geht nichts mehr rein.‹ [18]Er beschloss: ›Ich werde die alten Scheunen abreißen und neue bauen, so groß, dass ich das ganze Getreide, ja alles, was ich habe, darin unterbringen kann. [19]Dann will ich mich zur Ruhe setzen. Ich habe für lange Zeit ausgesorgt. Jetzt lasse ich es mir gut gehen. Ich will gut essen und trinken und mein Leben genießen!‹ [20]Aber Gott sagte zu ihm: ›Du Narr! Noch in dieser Nacht wirst du sterben. Wer bekommt dann deinen ganzen Reichtum, den du angehäuft hast?‹ [21]So wird es allen gehen, die auf der Erde Reichtümer sammeln, aber mit leeren Händen vor Gott stehen.«

Macht euch keine Sorgen (Matthäus 6,25–34)

[22]Jesus sagte zu seinen Jüngern: »Macht euch keine Sorgen um euren Lebensunterhalt, um Essen und Kleidung. [23]Leben bedeutet mehr als Essen und Trinken, und der Mensch ist wichtiger als seine Kleidung.

[24]Seht euch die Raben an! Sie säen nichts und ernten nichts, sie haben keine Vorratskammern und keine Scheunen; aber Gott versorgt sie doch. Meint ihr nicht, dass ihr ihm viel wichtiger seid?

12,4–5 Ps 56,5; Hebr 10,31 **12,7** 21,18 **12,8–9** 2 Tim 2,12; Offb 3,5 **12,10** 1 Joh 1,9 **12,11–12** Joh 15,26*; Apg 4,8.13; 1 Kor 2,4 **12,15** 9,25; 1 Tim 6,9–10 **12,21** 12,33–34 **12,22** Phil 4,6; 1 Petr 5,7 **12,24** 12,6–7; Ps 147,9

[25] Und wenn ihr euch noch so viel sorgt, könnt ihr doch euer Leben um keinen Augenblick verlängern. [26] Wenn ihr aber nicht einmal das könnt, was sorgt ihr euch um all die anderen Dinge? [27] Seht euch an, wie die Lilien blühen! Sie können weder spinnen noch weben. Ich sage euch, selbst König Salomo war in seiner ganzen Herrlichkeit nicht so prächtig gekleidet wie eine dieser Blumen. [28] Wenn Gott sogar das Gras so schön wachsen lässt, das heute auf der Wiese grünt, morgen aber schon verbrannt wird, wie könnte er euch dann vergessen? Vertraut ihr Gott so wenig?

[29] Zerbrecht euch also nicht mehr den Kopf darüber, was ihr essen und trinken sollt! [30] Mit solchen Dingen beschäftigen sich nur Menschen, die Gott nicht kennen. Euer Vater im Himmel weiß doch genau, dass ihr dies alles braucht. [31] Sorgt euch vor allem um Gottes neue Welt, dann wird er euch mit allem anderen versorgen.

[32] Du kleine Herde, du brauchst keine Angst vor der Zukunft zu haben! Denn dir will der Vater sein Königreich schenken. [33] Verkauft euren Besitz, und gebt das Geld den Armen! Sammelt euch auf diese Weise einen Vorrat, der nicht alt wird und niemals verderben kann, einen Schatz im Himmel. Diesen Schatz kann kein Dieb stehlen und keine Motte zerfressen. [34] Wo eure Schätze sind, da wird auch euer Herz sein.«

Der Herr kommt unerwartet: »Seid bereit!« (Matthäus 24,42–51)

[35/36] »Ihr sollt so leben wie Diener, die darauf warten, dass ihr Herr von einer Hochzeit zurückkommt. Seid wie sie dienstbereit,[a] und lasst eure Lampen angezündet. Wenn ihr Herr zurückkommt und klopft, können sie ihm schnell öffnen. [37] Ja, freuen können sich alle, die der Herr bei seiner Rückkehr noch wach antrifft! Ich sage euch: Der Herr wird sie bitten, am Tisch Platz zu nehmen, und er selbst wird sich eine Schürze umbinden und sie bedienen.

[38] Vielleicht kommt er spät am Abend, vielleicht auch erst um Mitternacht. Aber wenn er kommt und seine Diener bereit antrifft, werden sie allen Grund zur Freude haben.

[39] Eins ist sicher: Wenn der Hausherr wüsste, wann ein Dieb bei ihm einbrechen will, würde er wach bleiben und sich vor dem Einbrecher schützen.

[40] Seid also zu jeder Zeit bereit, denn der Menschensohn wird gerade dann kommen, wenn ihr am wenigsten damit rechnet.«

[41] Da fragte ihn Petrus: »Herr, gelten diese Worte nur für uns, oder meinst du alle Menschen damit?« [42] Jesus, der Herr, entgegnete: »Wie verhält sich denn ein kluger und zuverlässiger Verwalter? Sein Herr hat ihm die Verantwortung für alle Mitarbeiter übertragen; er soll sie zu jeder Zeit mit allem Nötigen versorgen. [43] Dieser Verwalter darf sich glücklich nennen, wenn sein Herr ihn bei der Rückkehr gewissenhaft bei der Arbeit findet. [44] Das sage ich euch: Einem so zuverlässigen Mann wird er die Verantwortung für seinen ganzen Besitz übertragen.

[45] Wenn aber ein Verwalter unzuverlässig ist und im Stillen denkt: ›Ach was, es dauert bestimmt noch lange, bis mein Herr kommt‹, und er fängt an, seine Mitarbeiter zu schlagen, zu schlemmen und sich zu betrinken, [46] dann wird die Rückkehr seines Herrn ihn völlig überraschen. Sein Herr kommt, wenn er nicht damit rechnet. Er wird den unzuverlässigen Verwalter hart bestrafen[b] und ihm den Lohn geben, den die Gottlosen verdienen.

[47] Der Verwalter, der den Willen seines

---

[a] Wörtlich: Lasst eure Lenden umgürtet sein.
[b] Wörtlich: in Stücke hauen.

12,27 2 Chr 9,13–28 **12,31** 1 Kön 3,11–14 **12,32** 22,29–30 **12,35–36** Mt 25,1–13; 1 Petr 1,13
12,39 1 Thess 5,2 **12,44** 19,17.19 **12,45** 2 Petr 3,4 **12,47** Jak 4,17

Herrn kennt, sich aber bewusst nicht danach richtet, wird schwer bestraft werden. [48]Wer dagegen falsch handelt, ohne es zu wissen, wird mit einer leichteren Strafe davonkommen. So wird von jedem, der viel bekommen hat, auch viel erwartet; denn wem viel anvertraut wurde, von dem verlangt man umso mehr.«

Konsequenzen der Nachfolge
(Matthäus 10,34–36)

[49]»Ich bin gekommen, um auf der Erde ein Feuer zu entfachen. Wie froh wäre ich, es würde schon brennen! [50]Vorher muss ich aber noch Schweres erleiden.[a] Es ist für mich eine große Last, bis alles vollbracht ist.

[51]Meint nur nicht, dass ich gekommen bin, um Frieden auf die Erde zu bringen! Nein, ich bringe Auseinandersetzung. [52]Von jetzt an wird man sich in einer Familie um meinetwillen miteinander entzweien: [53]der Vater mit dem Sohn und der Sohn mit dem Vater, die Mutter mit der Tochter und die Tochter mit der Mutter; die Schwiegermutter mit der Schwiegertochter und die Schwiegertochter mit der Schwiegermutter.«

Erkennen, was wichtig ist
(Matthäus 16,2–3; 5,25–26)

[54]Dann redete Jesus wieder zu allen: »Wenn die Wolken von Westen kommen, sagt ihr: ›Es gibt Regen‹, und das stimmt auch. [55]Wenn der Wind von Süden weht, sagt ihr: ›Es wird heiß‹, und ihr habt Recht. [56]Ihr Heuchler! Das Wetter könnt ihr aus den Zeichen am Himmel vorhersagen. Warum könnt ihr dann nicht beurteilen, was heute vor euren Augen geschieht?

[57]Warum weigert ihr euch zu erkennen, was gut und richtig ist?

[58]Wenn man dich vor Gericht stellt, dann setz alles daran, dich noch auf dem Weg dorthin mit deinem Gegner zu einigen. Sonst wird dich der Richter verurteilen, und der Gerichtsdiener wird dich ins Gefängnis stecken. [59]Und ich sage dir: Von dort wirst du nicht eher wieder herauskommen, bis du auch den letzten Rest deiner Schuld bezahlt hast.«

Die letzte Gelegenheit zur Umkehr

13 Zu dieser Zeit berichtete man Jesus, dass Pilatus einige Männer aus Galiläa während des Opferdienstes im Tempel hatte niedermetzeln lassen. So hatte sich ihr Blut mit dem der Opfertiere vermischt. [2]Jesus sagte: »Ihr denkt jetzt vielleicht, diese Galiläer seien schlimmere Sünder gewesen als ihre Landsleute, weil sie so grausam ermordet wurden. [3]Ihr irrt euch! Wenn ihr euch nicht zu Gott hinwendet, dann werdet ihr genauso umkommen.

[4]Erinnert euch an die achtzehn Leute, die starben, als der Turm von Siloah einstürzte. Glaubt ihr wirklich, dass ihre Schuld größer war als die aller anderen Leute in Jerusalem? [5]Nein! Wenn ihr nicht zu Gott umkehrt, wird es euch ebenso ergehen.«

[6]Und dann erzählte Jesus ihnen dieses Gleichnis: »Ein Mann pflanzte in seinen Weinberg einen Feigenbaum. Jahr für Jahr sah er nach, ob der Baum Früchte trug. Aber vergeblich! [7]Endlich rief er seinen Gärtner: ›Schon drei Jahre habe ich gewartet, aber noch nie hing an dem Baum auch nur eine einzige Feige. Hau ihn um. Er nimmt nur Platz weg.‹ [8]Aber der Gärtner bat: ›Lass ihn noch ein Jahr stehen! Ich will diesen Baum gut düngen und sorgfältig pflegen. [9]Wenn er dann Früchte trägt, ist es gut; sonst kannst du ihn umhauen.‹«

Was gilt mehr: der Mensch oder die Vorschrift?

[10]Am Sabbat lehrte Jesus in einer Synagoge. [11]Eine Frau hörte ihm zu, die ein

---

[a] Wörtlich: Ich muss mit einer Taufe getauft werden.

12,50 18,31–33 **12,52–53** 14,26; 21,16 **12,58–59** Mt 6,14–15 **13,2** Joh 9,2 **13,6–9** Mt 21,18–19 **13,7** 3,9

böser Geist krank gemacht hatte: Seit achtzehn Jahren saß sie gebeugt da und konnte sich nicht mehr aufrichten. [12] Als Jesus sie sah, rief er sie zu sich: »Frau, du sollst von deinem Leiden erlöst sein!« [13] Er legte seine Hände auf sie. Da richtete sie sich auf und dankte Gott von ganzem Herzen.

[14] Aber der Vorsteher der Synagoge entrüstete sich darüber, dass Jesus die Frau am Sabbat geheilt hatte. Er sagte zu den Versammelten: »Die Woche hat sechs Arbeitstage. An denen könnt ihr kommen und euch heilen lassen, aber nicht ausgerechnet am Sabbat!«

[15] Doch Jesus, der Herr, erwiderte ihm: »Ihr Heuchler! Ihr bindet doch eure Ochsen und Esel auch am Sabbat los und führt sie zur Tränke. [16] Und mir verbietet ihr, diese Frau am Sabbat aus der Gefangenschaft Satans zu befreien! Achtzehn Jahre lang war sie krank. Gehört sie nicht auch zu Gottes auserwähltem Volk?[a]« [17] Darauf konnten seine Gegner nichts erwidern. Aber alle anderen freuten sich über die wunderbaren Taten Jesu.

Die Gleichnisse vom Senfkorn und vom Sauerteig
(Matthäus 13,31–33; Markus 4,30–32)

[18] Jesus fragte seine Zuhörer: »Womit kann ich die neue Welt Gottes vergleichen? [19] Sie ist wie ein Senfkorn, das ein Mann in seinem Garten aussät. Aus dem kleinen Samenkorn wird ein großer Baum, in dem die Vögel ihre Nester bauen.«

[20] Jesus fragte noch einmal: »Womit soll ich Gottes neue Welt vergleichen? [21] Sie ist wie ein Sauerteig, den eine Frau unter eine große Menge[b] Mehl mischt, bis alles durchsäuert ist.«

Warum nicht alle in Gottes neue Welt kommen
(Matthäus 7,13–14.22–23; 8,11–12)

[22] Jesus zog durch die Städte und Dörfer des Landes und sprach dort zu den Menschen. Auf dem Weg nach Jerusalem [23] fragte ihn ein Mann: »Herr, stimmt es wirklich, dass nur wenige Menschen gerettet werden?« Jesus antwortete ihm: [24] »Das Tor zu Gottes neuer Welt ist schmal! Ihr müsst schon alles daransetzen, wenn ihr hineinkommen wollt. Viele versuchen es, aber nur wenigen wird es gelingen.

[25] Hat der Hausherr erst einmal das Tor verschlossen, werdet ihr draußen stehen. So viel ihr dann auch klopft und bettelt: ›Herr, mach uns doch auf!‹ – es ist umsonst! Er wird euch antworten: ›Was wollt ihr von mir, ich kenne euch nicht!‹ [26] Ihr werdet rufen: ›Aber wir haben doch mit dir gegessen und getrunken! Du hast bei uns gepredigt!‹

[27] Doch der Herr wird euch erwidern: ›Ich habe doch schon einmal gesagt, dass ich euch nicht kenne. Menschen, die Unrecht tun, haben hier nichts verloren. Geht endlich weg!‹

[28] Wenn ihr dann draußen seid und seht, dass Abraham, Isaak, Jakob und alle Propheten in der neuen Welt Gottes sind, dann werdet ihr verzweifelt heulen und schreien.

[29] Aus der ganzen Welt, aus Ost und West, aus Nord und Süd werden die Menschen in Gottes neue Welt, zu Gottes Fest kommen.

[30] Vergesst nicht: Viele, die hier nichts gelten, werden dort hoch geehrt sein, aber viele, die hier einen großen Namen haben, werden dort unbekannt sein.«

---

[a] Wörtlich: Ist sie nicht auch eine Tochter Abrahams?
[b] Wörtlich: drei Sata (1 Saton entspricht etwa 13 Litern).

13,14 2 Mo 20,8–11* **13,15** 14,5 **13,19** 17,6; Hes 17,22–23 **13,22** 9,51 **13,24** Joh 14,6 **13,27** 2 Tim 2,19 **13,29** Jes 59,19; Mal 1,11

Warnung an Jerusalem (Matthäus 23,37–39)

[31] Kurze Zeit später kamen einige Pharisäer zu Jesus. Sie warnten ihn: »Wenn dir dein Leben lieb ist, dann sieh zu, dass du schnell von hier fortkommst. König Herodes will dich töten lassen!« [32] Jesus antwortete: »Sagt diesem Fuchs: ›Heute und morgen treibe ich Dämonen aus und heile Kranke. Aber am dritten Tag werde ich mein Ziel erreicht haben.‹ [33] Ja, heute, morgen und übermorgen bin ich noch unterwegs. Wo anders als in Jerusalem könnte denn ein Prophet umgebracht werden?

[34] Jerusalem! O Jerusalem! Du tötest die Propheten und erschlägst die Boten, die Gott zu dir schickt. Wie oft schon wollte ich deine Bewohner[a] um mich sammeln, so wie eine Henne ihre Küken unter ihre Flügel nimmt! Aber ihr habt es nicht gewollt. [35] Und nun? Gott wird euren Tempel verlassen, und ich sage euch: Mich werdet ihr erst dann wiedersehen, wenn ihr rufen werdet: ›Gelobt sei, der im Namen des Herrn zu uns kommt!‹«

Helfen verboten?

14 An einem Sabbat war Jesus bei einem angesehenen Pharisäer zu Gast. Scharf wurde er von allen Anwesenden beobachtet. [2] Vor ihm stand ein Mann, der an Wassersucht erkrankt war. [3] Jesus fragte die Schriftgelehrten und Pharisäer: »Erlaubt es das Gesetz, einen Menschen am Sabbat zu heilen, oder nicht?« [4] Als sie ihm keine Antwort gaben, fasste Jesus den Kranken bei der Hand, heilte ihn und ließ ihn nach Hause gehen. [5] Dann fragte er die Gäste: »Was macht ihr, wenn euer Kind oder ein Ochse am Sabbat in den Brunnen fällt? Zieht ihr sie nicht sofort heraus?« [6] Darauf konnten sie nichts antworten.

Wer bekommt die besten Plätze?

[7] Als Jesus bemerkte, wie sich die Gäste nach den besten Plätzen drängten, nahm er dies als Beispiel und sagte: [8] »Wenn du zu einer Hochzeit eingeladen wirst, dann setz dich nicht gleich oben auf den besten Platz. Es könnte ja noch jemand kommen, der angesehener ist als du. [9] Mit ihm käme dann der Gastgeber zu dir: ›Der Platz war für diesen Mann hier bestimmt!‹ Vor allen Gästen müsstest du dich an das Ende des Tisches setzen. [10] Wäre es nicht besser, du setzt dich gleich dorthin? Wenn dich dann der Gastgeber begrüßt, wird er vielleicht zu dir sagen: ›Mein Freund, für dich habe ich einen besseren Platz!‹ Du wirst damit vor allen Gästen geehrt. [11] Jeder, der sich selbst ehrt, wird gedemütigt werden; aber wer sich selbst erniedrigt, wird geehrt werden.«

[12] Schließlich sagte Jesus zu seinem Gastgeber: »Zu einem Essen solltest du nicht deine Freunde, Geschwister, Verwandten oder die reichen Nachbarn einladen. Sie werden dir danken und dich wieder einladen. Dann hast du deine Belohnung schon gehabt.

[13] Bitte lieber die Armen, Verkrüppelten, Gelähmten und Blinden an deinen Tisch. [14] Dann wirst du glücklich sein, denn du hast Menschen geholfen, die sich dir nicht erkenntlich zeigen können. Gott wird dich dafür belohnen, wenn er die von den Toten auferweckt, die nach seinem Willen gelebt haben.«

Gott lädt ein zu seinem Fest (Matthäus 22,1–10)

[15] Als einer von den Gästen das hörte, rief er: »Was für ein Glück muss das sein, in der neuen Welt Gottes zum Fest eingeladen zu werden!« [16] Jesus antwortete mit einer Geschichte:

»Ein Mann bereitete ein großes Fest-

---

[a] Wörtlich: deine Kinder.

13,31 Mt 14,5 **13,34** 1 Thess 2,15; Hebr 11,37 **13,35** Ps 118,26 **14,1** 7,36; 11,37 **14,5** 13,15 **14,8–11** Spr 25,6–7 **14,11** 18,14 **14,13** 5 Mo 14,28–29 **14,15** 13,29

essen vor, zu dem er viele Gäste einlud. [17]Als alles fertig war, schickte er seinen Boten zu den Eingeladenen: ›Alles ist vorbereitet, kommt!‹ [18]Aber niemand kam. Jeder hatte auf einmal Ausreden.

Einer sagte: ›Ich habe ein Grundstück gekauft, das muss ich unbedingt besichtigen. Bitte entschuldige mich!‹

[19]Ein anderer: ›Es geht leider nicht. Ich habe mir fünf Gespanne Ochsen angeschafft. Die muss ich jetzt ansehen!‹

[20]Ein dritter entschuldigte sich: ›Ich habe gerade geheiratet. Du wirst verstehen, dass ich nicht kommen kann.‹

[21]Der Bote kehrte zurück und berichtete alles seinem Herrn. Der wurde sehr zornig: ›Geh gleich auf die Straßen, auf alle Plätze der Stadt, und hole die Bettler, Verkrüppelten, Gelähmten und Blinden herein!‹ [22]Der Bote kam zurück und berichtete: ›Es sind viele gekommen, aber noch immer sind Plätze frei!‹

[23]›Geh auf die Landstraßen‹, befahl der Herr, ›und wer auch immer dir über den Weg läuft, den bring her! Alle sind eingeladen. Mein Haus soll voll werden. [24]Aber von denen, die ich zuerst eingeladen habe, wird keiner auch nur einen einzigen Bissen bekommen.‹«

Nachfolge erfordert ganzen Einsatz
(Matthäus 10,37–39)

[25]Wie schon oft wurde Jesus von einer großen Menschenmenge begleitet. Er wandte sich zu ihnen um und sagte: [26]»Wenn einer mit mir gehen will, so muss ich für ihn wichtiger sein als seine Eltern,[a] seine Frau, seine Kinder, seine Geschwister, ja wichtiger als das eigene Leben. Sonst kann er nicht mein Jünger sein. [27]Wer nicht bereit ist, sein Kreuz auf sich zu nehmen und mir nachzufolgen, der kann nicht zu mir gehören.

[28]Stellt euch vor, jemand möchte einen Turm bauen. Wird er dann nicht vorher die Kosten überschlagen? [29]Er wird doch nicht einfach anfangen und riskieren, dass er bereits nach dem Bau des Fundaments aufhören muss. Die Leute würden ihn auslachen [30]und sagen: ›Einen Turm wollte er bauen! Aber sein Geld reichte nur für das Fundament!‹

[31]Oder stellt euch vor, ein König muss gegen einen anderen König in den Krieg ziehen: Wird er dann nicht vorher mit seinen Beratern überlegen, ob seine Armee mit zehntausend Mann die feindlichen Truppen schlagen kann, die mit zwanzigtausend Mann anrücken? [32]Wenn nicht, dann wird er, solange die Feinde noch weit entfernt sind, Unterhändler schicken, um über einen Frieden zu verhandeln.

[33]Überlegt auch ihr vorher, ob ihr wirklich bereit seid, alles für mich aufzugeben und mir nachzufolgen. Sonst könnt ihr nicht meine Jünger sein.

[34]Salz ist lebensnotwendig. Wenn aber das Salz fade geworden ist, wodurch soll es seine Würzkraft wiedergewinnen? [35]Es taugt nicht einmal als Dünger. Man muss es wegwerfen. Hört genau auf das, was ich euch sage!«

Die Gleichnisse vom verlorenen Schaf und von der verlorenen Münze
(Matthäus 18,12–14)

15 Viele Zolleinnehmer und andere verrufene Leute kamen immer wieder zu Jesus, um ihn zu hören. [2]Die Pharisäer und Schriftgelehrten ärgerten sich und schimpften: »Mit welchem Gesindel gibt der sich da ab! Er setzt sich sogar mit ihnen an einen Tisch!«

[3]Da erzählte Jesus ihnen ein Gleichnis: [4]»Wenn ein Mensch hundert Schafe hat und eins geht verloren, was wird er tun? Lässt er nicht die neunundneunzig in der Wüste zurück, um das verlorene Schaf so lange zu suchen, bis er es gefunden hat? [5]Dann wird er es glücklich auf seinen Schultern nach Hause tragen [6]und

---

[a] Wörtlich: Wenn einer mir nachfolgen will und hasst nicht seine Eltern …

14,26 9,59–60; 12,52–53; 1 Kor 7,29 **14,33** 9,62 **14,34–35** Joh 15,6 **15,1–2** 5,29–30 **15,4** 19,10; Hes 34,11.16

seinen Freunden und Nachbarn zurufen: ›Kommt her, freut euch mit mir, ich habe mein Schaf wiedergefunden!‹

[7] Ich sage euch: So wird man sich auch im Himmel freuen über *einen* Sünder, der zu Gott umkehrt – mehr als über neunundneunzig andere, die nach Gottes Willen leben und nicht zu ihm umkehren müssen.

[8] Oder nehmt ein anderes Beispiel: Eine Frau hat zehn Silbermünzen gespart. Als ihr eines Tages eine fehlt, zündet sie sofort eine Lampe an, stellt das ganze Haus auf den Kopf und sucht in allen Ecken. [9] Endlich hat sie die Münze gefunden. Sie ruft ihre Freundinnen und Nachbarinnen zusammen und erzählt: ›Ich habe mein Geld wieder! Freut euch mit mir!‹

[10] Genau so freuen sich auch die Engel Gottes, wenn ein einziger Sünder zu Gott umkehrt.«

Das Gleichnis von den zwei Söhnen

[11] »Ein Mann hatte zwei Söhne«, erzählte Jesus. [12] »Eines Tages sagte der jüngere zu ihm: ›Vater, ich will jetzt schon meinen Anteil am Erbe ausbezahlt haben.‹ Da teilte der Vater sein Vermögen unter ihnen auf.

[13] Nur wenige Tage später packte der jüngere Sohn alles zusammen, verließ seinen Vater und reiste ins Ausland. Dort leistete er sich, was immer er wollte. Er verschleuderte sein Geld, [14] bis er schließlich nichts mehr besaß. In dieser Zeit brach eine große Hungersnot aus. Es ging ihm sehr schlecht. [15] In seiner Verzweiflung bettelte er so lange bei einem Bauern, bis der ihn zum Schweinehüten auf die Felder schickte. [16] Oft quälte ihn der Hunger so, dass er sogar über das Schweinefutter froh gewesen wäre. Aber nicht einmal davon erhielt er etwas.

[17] Da kam er zur Besinnung: ›Bei meinem Vater hat jeder Arbeiter mehr als genug zu essen, und ich sterbe hier vor Hunger. [18] Ich will zu meinem Vater gehen und ihm sagen: Vater, ich bin schuldig geworden an Gott und an dir. [19] Sieh mich nicht länger als deinen Sohn an, ich bin es nicht mehr wert. Aber kann ich nicht als Arbeiter bei dir bleiben?‹

[20] Er machte sich auf den Weg und ging zurück zu seinem Vater. Der erkannte ihn schon von weitem. Voller Mitleid lief er ihm entgegen, fiel ihm um den Hals und küsste ihn. [21] Doch der Sohn sagte: ›Vater, ich bin schuldig geworden an Gott und an dir. Sieh mich nicht länger als deinen Sohn an, ich bin es nicht mehr wert.‹

[22] Sein Vater aber befahl den Knechten: ›Beeilt euch! Holt das schönste Gewand im Haus, und gebt es meinem Sohn. Bringt auch einen Ring und Sandalen für ihn! [23] Schlachtet das Mastkalb! Wir wollen essen und feiern! [24] Mein Sohn war tot, jetzt lebt er wieder. Er war verloren, jetzt ist er wiedergefunden.‹ Und sie begannen ein fröhliches Fest.

[25] Inzwischen kam der ältere Sohn nach Hause. Er hatte auf dem Feld gearbeitet und hörte schon von weitem die Tanzmusik. [26] Erstaunt fragte er einen Knecht: ›Was wird denn hier gefeiert?‹ [27] ›Dein Bruder ist wieder da‹, antwortete er ihm. ›Dein Vater hat sich darüber so gefreut, dass er das Mastkalb schlachten ließ. Jetzt feiern sie ein großes Fest.‹

[28] Der ältere Bruder wurde wütend und wollte nicht ins Haus gehen. Da kam sein Vater zu ihm heraus und bat: ›Komm und freu dich mit uns!‹ [29] Doch er entgegnete ihm bitter: ›All diese Jahre habe ich mich für dich geschunden. Alles habe ich getan, was du von mir verlangt hast. Aber nie hast du mir auch nur eine junge Ziege gegeben, damit ich mit meinen Freunden einmal richtig hätte feiern können. [30] Und jetzt, wo dein Sohn zurückkommt, der dein Geld mit Huren durchgebracht hat, jetzt lässt du sogar das Mastkalb schlachten!‹

[31] Sein Vater redete ihm zu: ›Mein Sohn, du bist immer bei mir gewesen. Was ich habe, gehört auch dir. [32] Darum komm, wir haben allen Grund zu feiern.

15,18 Ps 51,6 **15,22** 1 Mo 41,42 **15,24** Eph 2,4–5; Kol 2,12–13 **15,31** Röm 9,4–5

Denn dein Bruder war tot, jetzt hat er ein neues Leben begonnen. Er war verloren, jetzt ist er wiedergefunden!‹«

Der durchtriebene Verwalter

16 Danach erzählte Jesus seinen Jüngern folgende Geschichte: »Ein reicher Mann hatte einen Verwalter. Als ihm erzählt wurde, dass dieser seinen Besitz verschleuderte, [2] stellte er ihn zur Rede: ›Was muss ich von dir hören? Bring mir deine Abrechnung! Du bist entlassen!‹

[3] Der Verwalter überlegte: ›Was mache ich jetzt? Meinen Posten bin ich los. Ein Feld umgraben kann ich nicht, und zum Betteln bin ich zu stolz. [4] Aber ich weiß, was ich tue. Ich mache mir Freunde, die mir weiterhelfen, wenn ich arbeitslos bin.‹

[5] Er ließ alle Männer zu sich rufen, die bei seinem Herrn Schulden hatten. Den ersten fragte er: ›Wie viel bist du meinem Herrn schuldig?‹ [6] Der Mann antwortete: ›Ich muss ihm hundert Fässer Olivenöl geben.‹ ›Hier ist dein Schuldschein!‹, erklärte ihm der Verwalter. ›Trag fünfzig ein!‹

[7] ›Und wie hoch sind deine Schulden?‹, fragte er einen anderen. ›Ich schulde deinem Herrn hundert Säcke Weizen.‹ ›Hier, nimm den Schuldschein und schreib achtzig!‹, forderte er ihn auf.«

[8] Jesus, der Herr, lobte das vorausplanende Handeln des gerissenen Verwalters. Denn im Umgang mit ihresgleichen sind die Menschen dieser Welt klüger und geschickter als die, die sich zu Gott bekennen[a].

[9] Jesus erklärte seinen Jüngern: »Ich sage euch: So klug wie dieser ungerechte Verwalter sollt auch ihr das Geld einsetzen. Macht euch Freunde damit! Dann werdet ihr, wenn euch das Geld nichts mehr nützen kann, einen Platz im Himmel bekommen.

[10] Doch bedenkt: Nur wer im Kleinen ehrlich ist, wird es auch im Großen sein. Wenn ihr bei kleinen Dingen unzuverlässig seid, werdet ihr es auch bei großen sein. [11] Geht ihr also schon mit Geld unehrlich um, wer wird euch dann die Reichtümer des Himmels anvertrauen wollen? [12] Verwaltet ihr das Geld anderer Leute nachlässig, wer wird euch dann das schenken, was euch gehören soll?«

(Matthäus 6,24)

[13] »Niemand kann zwei Herren gleichzeitig dienen. Wer dem einen richtig dienen will, wird sich um die Wünsche des anderen nicht kümmern können. Er wird sich für den einen einsetzen und den anderen vernachlässigen. Auch ihr könnt nicht gleichzeitig für Gott und das Geld leben.«

Neue Maßstäbe
(Matthäus 11,12–13; 5,18.32; Markus 10,11–12)

[14] Die geldgierigen Pharisäer spotteten über diese Worte. [15] Deshalb sagte Jesus zu ihnen: »Ihr legt großen Wert darauf, dass alle Menschen euch für untadelig halten. Aber Gott kennt euer Herz. Er verabscheut, womit ihr die Menschen beeindrucken wollt.«

[16] Weiter sagte Jesus: »Bis Johannes der Täufer kam, waren das Gesetz des Mose und die Lehren der Propheten die Maßstäbe für alles Handeln. Seit seinem Auftreten wird die rettende Botschaft von Gottes neuer Welt verkündet, und alle wollen unbedingt hinein.

[17] Doch denkt daran: Eher vergehen Himmel und Erde, als dass auch nur ein einziger Buchstabe vom Gesetz Gottes ungültig wird.

[18] Wer sich also von seiner Frau scheiden lässt und eine andere heiratet, der begeht Ehebruch; und wer eine geschiedene Frau heiratet, der begeht auch Ehebruch.«

---

[a] Wörtlich: klüger als die Kinder des Lichts.

16,9 12,33; Mt 25,35–40 **16,10** 19,17 **16,14** 20,47 **16,15** 18,9–14; 1 Sam 16,7 **16,16** Joh 1,17 **16,18** 1 Kor 7,10–11

Der Reiche und der Arme

[19]»Da lebte einmal ein reicher Mann«, erzählte Jesus. »Er war immer sehr vornehm gekleidet und konnte sich Tag für Tag jeden Luxus leisten. [20]Vor dem Portal seines Hauses aber lag Lazarus, bettelarm und schwer krank. Sein Körper war über und über mit Geschwüren bedeckt. [21]Während er dort um die Abfälle aus der Küche bettelte, kamen die Hunde und beleckten seine offenen Wunden.

[22]Lazarus starb, und die Engel brachten ihn in den Himmel; dort durfte er den Ehrenplatz an Abrahams Seite einnehmen. Auch der reiche Mann starb und wurde begraben. [23]Als er im Totenreich unter Qualen erwachte, blickte er auf und erkannte in weiter Ferne Abraham, der Lazarus bei sich hatte. [24]›Vater Abraham‹, rief der Reiche laut, ›hab Mitleid mit mir! Schick mir doch Lazarus! Er soll seine Fingerspitze ins Wasser tauchen und damit meine Zunge kühlen. Ich leide in diesen Flammen furchtbare Qualen!‹

[25]Aber Abraham erwiderte: ›Mein Sohn, erinnere dich! Du hast in deinem Leben alles gehabt, Lazarus hatte nichts. Jetzt geht es ihm gut, und du musst leiden. [26]Außerdem liegt zwischen uns ein tiefer Abgrund. Niemand kann von der einen Seite zur anderen kommen, selbst wenn er es wollte.‹

[27]›Vater Abraham‹, bat jetzt der Reiche, ›dann schick Lazarus doch wenigstens in das Haus meines Vaters [28]zu meinen fünf Brüdern. Er soll sie warnen, damit sie nach ihrem Tod nicht auch an diesen qualvollen Ort kommen.‹ [29]Aber Abraham entgegnete: ›Deine Brüder sollen auf das hören, was sie bei Mose und den Propheten lesen können.‹

[30]Der Reiche widersprach: ›Nein, Vater Abraham, erst wenn einer von den Toten zu ihnen käme, würden sie ihr Leben ändern.‹ [31]Doch Abraham blieb dabei: ›Wenn sie nicht auf Mose und die Propheten hören, werden sie sich auch nicht überzeugen lassen, wenn einer von den Toten aufersteht.‹«

Führt niemanden in die Irre, und vergebt einander!
(Matthäus 18,6–7.15.21–22; Markus 9,42)

17 »Es wird immer wieder Versuchungen geben, die euch vom Glauben abbringen wollen«, warnte Jesus seine Jünger. »Aber wehe dem, der daran schuld ist! [2]Denn wer in einem Menschen den Glauben, wie ihn ein Kind hat, zerstört, für den wäre es noch das Beste, mit einem Mühlstein um den Hals ins Meer geworfen zu werden.

[3]Nehmt euch in Acht! Wenn dein Bruder Schuld auf sich geladen hat, dann sag ihm, was er falsch gemacht hat. Tut es ihm leid, dann vergib ihm! [4]Und wenn er dir siebenmal am Tag Unrecht tut und dich immer wieder um Vergebung bittet: Vergib ihm!«

Die Macht des Glaubens
(Matthäus 17,20)

[5]Die Jünger baten Jesus, den Herrn: »Hilf uns, dass unser Glaube größer wird!« [6]Darauf antwortete er: »Selbst wenn euer Glaube so winzig wäre wie ein Senfkorn, könntet ihr diesem Maulbeerbaum befehlen: ›Reiß dich aus der Erde und verpflanze dich ins Meer!‹ – es würde sofort geschehen.«

Der selbstverständliche Dienst

[7]»Wie ist das bei euch?«, fragte Jesus seine Zuhörer. »Wenn euer Knecht vom Feld oder von der Herde heimkommt, sagt ihr dann zu ihm: ›Komm, setz dich an den Tisch und iss‹? [8]Oder werdet ihr ihm nicht erst den Auftrag geben: ›Zieh dich um, mach mir etwas zu essen und deck den Tisch! Wenn ich gegessen habe, dann kannst du auch essen und trinken.‹

16,25 6,24 **16,29** 2 Tim 3,16 **16,31** Joh 5,46 **17,3–4** Mt 18,21–22 **17,6** Mt 21,21

[9]Kann der Knecht dafür einen besonderen Dank erwarten? Ich meine nicht! Es gehört doch schließlich zu seiner Arbeit. [10]Das gilt auch für euch. Wenn ihr in meinem Dienst alles getan habt, was ich euch aufgetragen habe, dann sollt ihr sagen: ›Wir sind einfache Knechte und haben nur unseren Auftrag ausgeführt!‹«

Nur einer dankt

[11]Auf dem Weg nach Jerusalem kamen Jesus und seine Jünger durch das Grenzgebiet zwischen Galiläa und Samarien. [12]In einem Dorf begegneten ihnen zehn Aussätzige. Im vorgeschriebenen Abstand blieben sie stehen [13]und riefen: »Jesus, Meister! Hab doch Erbarmen mit uns!« [14]Er sah sie an und forderte sie auf: »Geht zu den Priestern und zeigt ihnen, dass ihr geheilt seid!«

Auf dem Weg dorthin wurden sie gesund. [15]Einer von ihnen lief zu Jesus zurück, als er merkte, dass er geheilt war. Laut lobte er Gott. [16]Er warf sich vor Jesus nieder und dankte ihm. Es war ein Mann aus Samarien.

[17]Jesus fragte: »Habe ich nicht zehn Männer geheilt? Wo sind denn die anderen neun? [18]Weshalb kommt nur einer zurück, noch dazu ein Fremder, um sich bei Gott zu bedanken?« [19]Zu dem Samariter aber sagte er: »Steh wieder auf! Dein Glaube hat dir geholfen.«

Wann kommt Gottes neue Welt?
(Matthäus 24,23–28)

[20]Die Pharisäer wollten von Jesus wissen: »Wann wird denn die neue Welt Gottes kommen?« Er antwortete ihnen: »Die neue Welt Gottes kann man nicht sehen wie ein irdisches Reich. [21]Niemand wird euch sagen können: ›Hier ist sie!‹ oder ›Dort ist sie!‹ Die neue Welt Gottes ist schon jetzt da – mitten unter euch.«

[22]Zu seinen Jüngern aber sagte er: »Die Zeit wird kommen, wo ihr alles dafür geben würdet, auch nur einen einzigen Tag die Herrlichkeit des Menschensohnes mitzuerleben. Aber dieser Wunsch wird sich nicht erfüllen.

[23]Man wird euch zwar einreden wollen: ›Hier ist er!‹ oder ›Dort ist er!‹ Geht niemals dorthin, und lauft solchen Leuten nicht nach! [24]Denn der Menschensohn kommt für alle sichtbar – wie ein Blitz, der den ganzen Horizont erhellt. [25]Aber vorher muss der Menschensohn noch viel leiden und es erdulden, dass ihn die Menschen dieser Zeit von sich stoßen.«

(Matthäus 24,37–39.17–18)

[26]»Wenn der Menschensohn kommt, wird es auf der Erde zugehen wie zur Zeit Noahs. [27]Damals dachten die Menschen auch nur an Essen, Trinken und Heiraten. So ging es, bis Noah in die Arche stieg. Dann kam die Flut, und keiner von ihnen überlebte.

[28]Es wird genauso sein wie zu Lots Zeiten. Die Menschen kümmerten sich nur ums Essen und Trinken, Kaufen und Verkaufen, Pflanzen und Bauen. [29]So ging es bis zu dem Tag, an dem Lot die Stadt Sodom verließ. Da regnete es Feuer und Schwefel vom Himmel, und alle kamen in den Flammen um.

[30]Genauso wird es sein, wenn der Menschensohn erscheint. [31]Wer sich dann gerade auf dem Dach seines Hauses aufhält, der soll nicht mehr ins Haus laufen, um seine Sachen zu holen. Wer auf dem Feld arbeitet, soll nicht mehr in sein Haus zurückkehren. [32]Denkt daran, was mit Lots Frau geschah!

[33]Wer sich an sein Leben klammert, der wird es verlieren. Wer aber sein Leben verliert, der wird es für immer gewinnen.«

17,10 1 Kor 9,16–17 **17,11** 9,51 **17,12** 3 Mo 13,45–46 **17,14** 3 Mo 14,2–32 **17,16** 9,52–53; Joh 4,9 **17,19** Mk 5,34* **17,20** 19,11 **17,21** 11,20 **17,23** 21,8 **17,25** 9,22.44; 18,32–33 **17,26–27** 1 Mo 6,11–13; 7,7–13 **17,28–29** 1 Mo 19,14.24–25* **17,32** 1 Mo 19,26 **17,33** 9,24

(Matthäus 24,40–41)

[34]»Ich sage euch: Zwei schlafen in jener Nacht in einem Bett, einer wird angenommen, und der andere bleibt zurück.

[35]Zwei Frauen werden gemeinsam Getreide mahlen. Die eine wird angenommen, und die andere bleibt zurück.«[a]

[37]»Herr, wo wird sich das ereignen?«, fragten die Jünger. Da antwortete ihnen Jesus: »Das werdet ihr schon sehen. Auch die Geier erkennen, wo ein verendetes Tier liegt, und sammeln sich dort.«

Das Gleichnis vom Richter und der Witwe

18 Wie wichtig es ist, Gott unermüdlich um alles zu bitten, machte Jesus durch ein Gleichnis deutlich:

[2]»In einer Stadt lebte ein Richter, dem Gott und die Menschen gleichgültig waren. [3]Tag für Tag bestürmte ihn eine Witwe mit ihrer Not: ›Verhilf mir doch endlich zu meinem Recht!‹ [4]Immer wieder stieß sie bei ihm auf taube Ohren, aber schließlich sagte er sich: ›Mir sind zwar Gott und die Menschen gleichgültig, [5]aber diese Frau lässt mir einfach keine Ruhe. Ich muss ihr zu ihrem Recht verhelfen, sonst wird sie am Ende noch handgreiflich.‹«

[6]Und Jesus, der Herr, fügte hinzu: »Ihr habt gehört, was dieser ungerechte Richter gesagt hat. [7]Meint ihr, Gott wird seinen Auserwählten nicht zum Recht verhelfen, wenn sie ihn Tag und Nacht darum bitten? Wird er sie etwa lange warten lassen? Nein! [8]Ich versichere euch: Er wird ihnen schnellstens helfen. Die Frage ist: Wird der Menschensohn, wenn er kommt, auf der Erde überhaupt noch Menschen finden, die diesen Glauben haben?«

Das Gleichnis vom Pharisäer und vom Zolleinnehmer

[9]Jesus erzählte ein weiteres Gleichnis. Er hatte dabei besonders die Menschen im Blick, die selbstgerecht sind und auf andere herabsehen.

[10]»Zwei Männer gingen in den Tempel, um zu beten. Der eine war ein Pharisäer, der andere ein Zolleinnehmer. [11]Selbstsicher stand der Pharisäer dort und betete: ›Ich danke dir, Gott, dass ich nicht so bin wie andere Leute: kein Räuber, kein Gottloser, kein Ehebrecher und schon gar nicht wie dieser Zolleinnehmer da hinten. [12]Ich faste zweimal in der Woche und gebe von allen meinen Einkünften den zehnten Teil für Gott.‹

[13]Der Zolleinnehmer dagegen blieb verlegen am Eingang stehen und wagte kaum aufzusehen. Schuldbewusst betete er: ›Gott, vergib mir, ich weiß, dass ich ein Sünder bin!‹

[14]Ihr könnt sicher sein, dieser Mann ging von seiner Schuld befreit nach Hause, nicht aber der Pharisäer. Denn wer sich selbst ehrt, wird gedemütigt werden; aber wer sich selbst erniedrigt, wird geehrt werden.«

Jesus und die Kinder
(Matthäus 19,13–15; Markus 10,13–16)

[15]Einige Eltern brachten ihre Kinder zu Jesus, damit er sie segnete. Als die Jünger das sahen, wollten sie die Leute wegschicken. [16]Doch Jesus rief die Kinder zu sich und sagte: »Lasst die Kinder zu mir kommen, und haltet sie nicht zurück! Denn für Menschen wie sie ist Gottes neue Welt bestimmt. [17]Hört, was ich euch sage: Wer sich die neue Welt Gottes nicht wie ein Kind schenken lässt, dem bleibt sie verschlossen.«

---

[a] Andere Textzeugen fügen hinzu (Vers 36): Zwei Männer werden auf dem Feld arbeiten. Der eine wird angenommen, der andere bleibt zurück.

18,1–8 11,5–10 **18,1** Röm 12,12; 1 Thess 5,17 **18,7** 11,9–10 **18,9** 15,1–2 **18,12** 5,33; 3 Mo 27,30–33* **18,13** Ps 51,3–5 **18,14** 14,11

Die Reichen und die neue Welt Gottes
(Matthäus 19,16–30; Markus 10,17–31)

[18] Jesus wurde von einem angesehenen und reichen Mann gefragt: »Guter Lehrer, was muss ich tun, um das ewige Leben zu bekommen?« [19] Jesus entgegnete: »Weshalb nennst du mich gut? Es gibt nur einen, der gut ist, und das ist Gott. [20] Du kennst doch seine Gebote: Du sollst nicht die Ehe brechen! Du sollst nicht töten! Du sollst nicht stehlen! Sag nichts Unwahres über deinen Mitmenschen! Ehre deinen Vater und deine Mutter!«[a]

[21] Der Mann antwortete: »An diese Gebote habe ich mich von Jugend an gehalten.« [22] »Aber etwas fehlt dir noch«, sagte Jesus. »Verkauf alles, was du hast, und verteil das Geld an die Armen. Damit wirst du im Himmel einen Reichtum gewinnen, der niemals verloren geht. Und dann komm und folge mir nach!«

[23] Als der Mann das hörte, wurde er traurig, denn er war sehr reich.

[24] Jesus merkte es und sagte: »Wie schwer ist es doch für die Reichen, in Gottes neue Welt zu kommen! [25] Eher geht ein Kamel durch ein Nadelöhr, als dass ein Reicher in Gottes neue Welt kommt.«

[26] »Wer kann dann überhaupt gerettet werden?«, fragten ihn seine Zuhörer entsetzt.

[27] Er antwortete: »Für Menschen ist es unmöglich, aber nicht für Gott.«

[28] Jetzt fragte Petrus: »Aber wie ist es nun mit uns? Wir haben doch alles aufgegeben und sind mit dir gegangen!« [29] Jesus antwortete: »Das sollt ihr wissen: Jeder, der sein Haus, seine Eltern, seine Geschwister, seine Frau oder seine Kinder zurücklässt, um sich für Gottes neue Welt einzusetzen, [30] der wird dafür reich belohnt werden: hier schon, in dieser Welt, und erst recht in der zukünftigen Welt mit dem ewigen Leben.«

Jesus spricht zum dritten Mal von seinem Tod
(Matthäus 20,17–19; Markus 10,32–34)

[31] Jesus nahm seine zwölf Jünger beiseite und sagte ihnen: »Wir gehen jetzt nach Jerusalem. Dort wird sich alles erfüllen, was die Propheten über den Menschensohn geschrieben haben. [32] Man wird ihn denen übergeben, die Gott nicht kennen. Die werden ihn verspotten, beschimpfen, anspucken und [33] schließlich auspeitschen und töten. Aber am dritten Tag wird er von den Toten auferstehen.« [34] Die Jünger begriffen nichts. Was Jesus damit sagen wollte, blieb ihnen verborgen, und sie verstanden es nicht.

Ein Blinder wird geheilt
(Matthäus 20,29–34; Markus 10,46–52)

[35] Jesus und seine Jünger waren unterwegs nach Jericho. In der Nähe der Stadt saß ein Blinder am Straßenrand und bettelte. [36] Er hörte den Lärm der vorbeiziehenden Menge und fragte neugierig: »Was ist da los?« [37] Einige riefen ihm zu: »Jesus von Nazareth kommt nach Jericho!« [38] Als er das hörte, schrie er laut: »Jesus, du Sohn Davids, hab Erbarmen mit mir!« [39] Die Leute fuhren ihn an: »Halt den Mund!« Er aber schrie nur noch lauter: »Du Sohn Davids, hab Erbarmen mit mir!«

[40] Jesus blieb stehen und ließ den Mann zu sich führen. [41] Dann fragte er ihn: »Was soll ich für dich tun?« »Herr«, flehte ihn der Blinde an, »ich möchte sehen können!« [42] »Du sollst wieder sehen!«, sagte Jesus zu ihm. »Dein Glaube hat dir geholfen.« [43] Im selben Augenblick konnte der Blinde sehen. Er ging mit Jesus und lobte

---

[a] Vgl. 2. Mose 20,12–16

18,18 10,25 **18,22** 12,33; Mt 13,44–46 **18,24–25** 8,14 **18,27** 1 Mo 18,14; Jer 32,17 **18,28** 5,11 **18,29** 14,26 **18,32–33** 9,22.44 **18,34** 9,45; 24,45 **18,38–39** Mt 20,30–31* **18,42** Mk 5,34*

Gott. Zusammen mit ihm lobten und dankten alle, die seine Heilung miterlebt hatten.

Jesus bei Zachäus

19 Jesus zog mit seinen Jüngern durch Jericho. [2]Dort lebte ein sehr reicher Mann namens Zachäus, der oberste Zolleinnehmer. [3]Zachäus wollte Jesus unbedingt sehen; aber er war sehr klein, und die Menschenmenge machte ihm keinen Platz. [4]Da rannte er ein Stück voraus und kletterte auf einen Maulbeerbaum, der am Weg stand. Von hier aus konnte er alles überblicken. [5]Als Jesus dort vorbeikam, entdeckte er ihn. »Zachäus, komm schnell herab!«, rief Jesus. »Ich möchte heute dein Gast sein!« [6]Eilig stieg Zachäus vom Baum herunter und nahm Jesus voller Freude mit in sein Haus.

[7]Die anderen Leute empörten sich über Jesus: »Wie kann er das nur tun? Er lädt sich bei einem Gauner und Betrüger ein!«

[8]Zachäus aber sagte zu Jesus: »Herr, ich werde die Hälfte meines Vermögens an die Armen verteilen, und wem ich am Zoll zu viel abgenommen habe, dem gebe ich es vierfach zurück.« [9]Da sagte Jesus zu ihm: »Heute hat Gott dir und allen, die in deinem Haus leben, Rettung gebracht. Denn auch du bist ein Nachkomme Abrahams. [10]Der Menschensohn ist gekommen, Verlorene zu suchen und zu retten.«

Beauftragt zu handeln
(Matthäus 25,14–30)

[11]Die Leute hörten Jesus aufmerksam zu. Sie meinten, Gottes neue Welt würde sichtbar kommen, sobald Jesus in Jerusalem eintraf. Darum erzählte er ihnen noch ein Gleichnis:

[12]»Ein Fürst trat eine weite Reise an. Er sollte zum König gekrönt werden und dann wieder in sein Land zurückkehren. [13]Bevor er abreiste, rief er zehn seiner Knechte zu sich, gab jedem ein Pfund Silberstücke und sagte: ›Setzt dieses Geld gewinnbringend ein! Ich komme bald zurück!‹

[14]Viele Bürger seines Landes aber hassten ihn. Sie schickten eine Gesandtschaft hinter ihm her mit der Erklärung: ›Diesen Mann werden wir nicht als König anerkennen!‹ [15]Trotzdem wurde er gekrönt und kam als König in sein Land zurück. Er befahl die Knechte zu sich, denen er das Geld gegeben hatte, und wollte wissen: ›Was habt ihr damit gemacht?‹

[16]Der erste berichtete: ›Herr, ich habe das Zehnfache deines Geldes als Gewinn erwirtschaftet.‹ [17]›Ausgezeichnet!‹, rief der König. ›Das hast du gut gemacht! Du hast dich in dieser kleinen Aufgabe bewährt. Ich vertraue dir die Verwaltung von zehn Städten an.‹ [18]Darauf trat der nächste Mann vor und berichtete: ›Herr, ich habe das Fünffache an Silberstücken hinzugewonnen.‹ [19]›Gut!‹, antwortete sein Herr. ›Du wirst Verwalter über fünf Städte.‹

[20]Nun trat ein anderer Knecht vor und sagte: ›Herr, hier hast du dein Geld zurück. Ich habe es in ein Tuch eingewickelt und aufbewahrt! [21]Ich fürchte dich als strengen Herrn. Denn du nimmst, was dir nicht gehört, und du erntest, was andere gesät haben.‹ [22]Da rief der König zornig: ›Du richtest dich mit deinen eigenen Worten, du Nichtsnutz! Wenn du weißt, dass ich ein strenger Herr bin, dass ich nehme, was mir nicht gehört, und ernte, wo ich nicht angebaut habe, [23]warum hast du das Geld dann nicht zur Bank gebracht? Dann hätte ich wenigstens Zinsen dafür bekommen!‹

[24]Er forderte die Umstehenden auf: ›Nehmt ihm das Geld ab und gebt es dem Mann, der zehn Pfund Silberstücke erwirtschaftet hat.‹ [25]›Aber Herr‹, widersprachen seine Leute, ›der hat doch schon genug!‹ [26]Da sagte ihnen der König: ›Ich versichere euch: Wer viel hat,

---

19,7 15,1–2 **19,8** 3,10–14; 4 Mo 5,6–7; Hes 33,14–16 **19,10** 15,4–7; Hes 34,16 **19,11** 17,20–21; 24,21 **19,16–19** 12,42–44; 16,10 **19,26** 8,18

der bekommt noch mehr dazu. Wer aber nichts hat, dem wird selbst noch das Wenige, das er hat, genommen!

[27] Doch jetzt holt meine Feinde her, die mich nicht als König anerkennen wollten: Sie sollen vor meinen Augen hingerichtet werden!‹«

Jesus wird als König empfangen
(Matthäus 21,1–11; Markus 11,1–11; Johannes 12,12–19)

[28] Nachdem Jesus diese Geschichte erzählt hatte, brach er nach Jerusalem auf. [29] In der Nähe der Dörfer Betfage und Betanien, die beide am Ölberg liegen, schickte er zwei seiner Jünger voraus mit dem Auftrag: [30] »Geht in das Dorf da vorne! Gleich am Eingang werdet ihr einen jungen Esel finden, der dort angebunden ist. Auf ihm ist noch nie jemand geritten. Bindet ihn los und bringt ihn her! [31] Sollte jemand fragen, was ihr da macht, dann sagt einfach: ›Der Herr braucht ihn.‹«

[32] Die Jünger fanden den Esel, wie Jesus es ihnen beschrieben hatte. [33] Als sie ihn losbanden, fragten die Besitzer: »Was macht ihr denn da?« [34] Sie antworteten: »Der Herr braucht ihn.«

[35] Dann brachten sie den Esel zu Jesus. Einige legten dem Tier ihre Mäntel auf den Rücken, bevor sich Jesus darauf setzte. [36] Auf dem Weg nach Jerusalem breiteten die Menschen ihre Kleider als Teppich vor Jesus aus.

[37] Als sie auf der Höhe des Ölbergs angekommen waren, jubelten und sangen die Menschen. Sie dankten Gott für die vielen Wunder, die Jesus getan hatte. [38] Laut sangen sie: »Gelobt sei der König, der im Auftrag des Herrn kommt! Gott hat Frieden mit uns geschlossen. Lob und Ehre dem Allerhöchsten!«

[39] Empört riefen da einige Pharisäer aus der Menge: »Lehrer, verbiete das deinen Jüngern!« [40] Er antwortete ihnen nur: »Glaubt mir: Wenn sie schweigen, dann werden die Steine am Weg schreien.«

Tränen über eine Stadt

[41] Als Jesus die Stadt Jerusalem vor sich liegen sah, weinte er über sie. [42] »Wenn du doch nur erkannt hättest, was dir Frieden bringt!«, rief er. »Aber jetzt bist du mit Blindheit geschlagen. [43] Der Tag wird kommen, an dem deine Feinde einen Wall um deine Mauern aufschütten und dich von allen Seiten belagern. [44] Deine Mauern werden fallen und alle Bewohner getötet werden. Kein Stein wird auf dem anderen bleiben. Warum hast du die Gelegenheit nicht genutzt, die Gott dir geboten hat?«

Jesus jagt die Händler aus dem Tempel
(Matthäus 21,12–17; Markus 11,15–19; Johannes 2,13–16)

[45] Kaum hatte Jesus den Tempel betreten, da begann er, die Händler hinauszujagen, [46] und rief: »Ihr wisst doch, was Gott in der Heiligen Schrift sagt: ›Mein Haus soll ein Ort des Gebets sein‹,[a] ihr aber habt eine Räuberhöhle daraus gemacht!«

[47] Jeden Tag sprach er im Tempel zu den Menschen, obwohl die Hohenpriester, die Schriftgelehrten und führenden Männer des Volkes nach einer passenden Gelegenheit suchten, ihn umzubringen. [48] Noch konnten sie nichts gegen ihn unternehmen, denn die Menschen folgten Jesus überall hin und achteten auf jedes seiner Worte.

Die Frage nach der Vollmacht Jesu
(Matthäus 21,23–27; Markus 11,27–33)

20 An einem dieser Tage sprach Jesus wieder im Tempel zu den Men-

---

[a] Jesaja 56,7

19,30–31 22,10–12 **19,35–38** 1 Kön 1,38–40 **19,36** 2 Kön 9,13 **19,38** 2,14; Ps 118,26 **19,41** Jer 13,17; 14,17 **19,44** 21,6 **19,45** Sach 14,21 **19,46** Jer 7,11 **19,47** Mt 26,55; Joh 18,20 **19,48** 21,38 **20,1** 4,43; 8,1

schen und verkündete ihnen die rettende Botschaft. Da stellten ihn die Hohenpriester, die Schriftgelehrten und führenden Männer des Volkes zur Rede. [2]»Woher nimmst du dir das Recht, hier so aufzutreten?«, wollten sie von ihm wissen. »Wer hat dir die Vollmacht dazu gegeben?«

[3]Jesus erwiderte: »Ich will euch eine Gegenfrage stellen. [4]War Johannes der Täufer von Gott beauftragt zu taufen oder nicht?«

[5]Sie überlegten: »Wenn wir antworten, ›Gott hat ihn gesandt‹, dann wird er fragen: ›Warum habt ihr ihm dann nicht geglaubt?‹ [6]Wenn wir aber bestreiten, dass Gott ihn gesandt hat, dann steinigt uns das Volk; denn alle sind davon überzeugt, dass Johannes ein Prophet war.«

[7]So antworteten sie schließlich: »Wir wissen es nicht.« [8]Worauf Jesus entgegnete: »Dann sage ich euch auch nicht, wer mir die Vollmacht gegeben hat.«

Vom Weinbergbesitzer und den betrügerischen Pächtern (Matthäus 21,33–46; Markus 12,1–12)

[9]Nun erzählte Jesus seinen Zuhörern ein Gleichnis: »Ein Mann legte einen Weinberg an. Er verpachtete ihn an einige Weinbauern und reiste für längere Zeit ins Ausland. [10]Zur Zeit der Weinlese beauftragte er einen Knecht, den vereinbarten Anteil an der Ernte abzuholen. Aber die Weinbauern schlugen den Knecht nieder und jagten ihn mit leeren Händen davon.

[11]Da schickte der Besitzer einen zweiten Boten. Aber auch ihn schlugen und beschimpften die Weinbauern und jagten ihn weg. [12]Er sandte einen dritten. Auch den schlugen sie blutig und vertrieben ihn.

[13]›Was soll ich machen?‹, fragte sich der Besitzer. ›Ich werde meinen einzigen Sohn, den ich sehr liebe, zum Weinberg schicken. Vor ihm werden sie Achtung haben!‹ [14]Als die Weinbauern aber den Sohn kommen sahen, sagten sie zueinander: ›Jetzt kommt der Erbe. Den bringen wir um, und dann gehört der Weinberg endgültig uns!‹ [15]Sie jagten ihn aus dem Weinberg und schlugen ihn tot.

Was – meint ihr – wird der Besitzer des Weinbergs mit diesen Weinbauern machen? [16]Er wird selbst kommen, sie töten und seinen Weinberg an andere verpachten!«

»So etwas darf niemals geschehen!«, riefen die Zuhörer entsetzt. [17]Da sah Jesus sie an und fragte: »Was bedeutet denn dieser Satz aus der Heiligen Schrift: ›Der Stein, den die Bauarbeiter weggeworfen haben, weil sie ihn für unbrauchbar hielten, ist zum Grundstein des ganzen Hauses geworden‹[a]?« [18]Und er fügte hinzu: »Wer auf diesen Stein fällt, wird sich zu Tode stürzen, und auf wen der Stein fällt, der wird zermalmt.«

[19]Am liebsten hätten die Hohenpriester und Schriftgelehrten Jesus gleich festgenommen. Sie hatten verstanden, dass er in diesem Gleichnis von ihnen gesprochen hatte. Aber sie wagten sich nicht an ihn heran, weil sie vor dem Volk Angst hatten.

Die Frage nach der Steuer (Matthäus 22,15–22; Markus 12,13–17)

[20]Die Hohenpriester und Schriftgelehrten ließen Jesus bespitzeln. Sie schickten einige Männer zu ihm, die vorgeben sollten, ihnen läge die Erfüllung des Gesetzes besonders am Herzen. Sie sollten ihn mit seinen eigenen Worten in die Falle locken, damit man ihn an den römischen Statthalter ausliefern konnte.

[21]Die Leute kamen also zu Jesus und fragten ihn scheinheilig: »Lehrer, wir wissen, dass es dir bei allem, was du sagst,

---

[a] Psalm 118,22

20,5 7,29–30 **20,6** Mt 14,5 **20,9–19** Jes 5,1–7* **20,15** Hebr 13,12 **20,17** Jes 28,16* **20,18** Dan 2,34–35.44–45 **20,19** 19,47–48

allein um die Wahrheit geht. Du fragst nicht danach, welches Ansehen die Leute besitzen, sondern sagst uns frei heraus, wie wir nach Gottes Willen leben sollen. [22] Deshalb sage uns: Ist es eigentlich Gottes Wille, dass wir dem römischen Kaiser Steuern zahlen, oder nicht?« [23] Jesus durchschaute ihre Hinterhältigkeit und sagte: [24] »Zeigt mir ein Geldstück! Wessen Bild und Name ist hier eingeprägt?« Sie antworteten: »Das Bild und der Name des Kaisers!«

[25] »Nun, dann gebt dem Kaiser, was ihm zusteht«, antwortete Jesus, »und gebt Gott, was ihm gehört!«

[26] So war es ihnen nicht gelungen, Jesus vor allen Leuten in eine Falle zu locken. Sie waren von seiner Antwort so überrascht, dass sie schwiegen.

Werden die Toten auferstehen?
(Matthäus 22,23–33.46; Markus 12,18–27.34)

[27] Später kamen einige Sadduzäer zu Jesus. Diese Leute behaupten, es gebe keine Auferstehung der Toten. [28] Sie sagten zu ihm: »Lehrer, Mose hat uns im Gesetz gesagt: ›Wenn ein verheirateter Mann stirbt und seine Frau ohne Kinder hinterlässt, muss sein Bruder die Witwe heiraten. Der erste ihrer Söhne soll als Sohn des Verstorbenen gelten.‹[a]

[29] Nun gab es da sieben Brüder. Der älteste heiratete und starb kinderlos. [30] Darauf heiratete sein Bruder die Witwe, aber auch in dieser Ehe wurden keine Kinder geboren. [31] So ging es weiter, bis alle sieben mit ihr verheiratet gewesen waren. Kinder aber hatten sie nicht bekommen. [32] Schließlich starb auch die Frau. [33] Wessen Frau wird sie nun nach der Auferstehung sein? Schließlich waren ja alle sieben Brüder mit ihr verheiratet!«

[34] Jesus antwortete: »Die Ehe gibt es nur in dieser Welt. [35] Wer aber von den Toten aufersteht und in die zukünftige Welt kommen darf, der wird nicht mehr verheiratet sein. [36] Er wird auch nicht mehr sterben wie die Menschen hier auf der Erde, sondern wie die Engel ewig leben und zu den Kindern Gottes gehören. Denn er ist vom Tod zu einem neuen Leben auferstanden. [37] Schon Mose hat angedeutet, dass es eine Auferstehung gibt. Er beschreibt, wie der Herr ihm im brennenden Dornbusch erschien, und er nennt ihn den Gott Abrahams, Isaaks und Jakobs.[b] [38] Gott ist doch nicht ein Gott der Toten, sondern der Lebenden. Für ihn sind sie alle lebendig.« [39] Einige Schriftgelehrte stimmten ihm zu: »Das hast du gut gesagt, Lehrer.« [40] Jetzt wagte niemand mehr, weitere Fragen zu stellen.

Wer ist Christus?
(Matthäus 22,41–46; Markus 12,35–37)

[41] Dann stellte Jesus ihnen eine Frage: »Wie können die Schriftgelehrten behaupten, Christus sei ein Nachkomme von König David? [42] David selbst schreibt doch in den Psalmen: ›Gott sprach zu meinem Herrn: Setze dich auf den Ehrenplatz an meiner rechten Seite, [43] bis ich dir alle deine Feinde unterworfen habe, bis du deinen Fuß auf ihren Nacken setzt.‹[c] [44] Wenn David ihn also ›Herr‹ nennt, wie kann er dann Davids ›Sohn‹ sein?«

Die Heuchelei der Schriftgelehrten
(Matthäus 23,1–14; Markus 12,38–40)

[45] Vor allen Leuten, die sich um sie versammelt hatten, forderte Jesus seine Jünger auf: [46] »Hütet euch vor den Schriftgelehrten! Sie laufen gern in langen Gewändern herum und genießen es, wenn die Leute sie auf der Straße ehrfurchtsvoll grüßen. In der Synagoge

---

[a] Vgl. 5. Mose 25,5–6
[b] 2. Mose 3,6
[c] Psalm 110,1

20,25 Röm 13,7 **20,27** Apg 23,6–8 **20,36** 1 Kor 15,35–44 **20,38** Röm 14,8 **20,41–44** Mt 20,30–31* **20,46** 14,7–11

sitzen sie stets in der ersten Reihe, und es gefällt ihnen, wenn sie bei euren Festen die Ehrenplätze bekommen. [47] Gierig reißen sie den Besitz der Witwen an sich; dabei tarnen sie ihre bösen Absichten mit langen Gebeten. Gottes Strafe wird sie besonders hart treffen.«

Viel Geld, aber kein Opfer
(Markus 12,41–44)

21 Während Jesus das sagte, konnte er beobachten, wie die Reichen ihre Gaben in den Opferkasten im Tempel legten. [2] Er sah aber auch eine arme Witwe, die zwei der kleinsten Münzen[a] hineinwarf. [3] »Eins ist sicher«, meinte Jesus, »diese arme Witwe hat mehr gegeben als alle anderen. [4] Die Reichen haben nur etwas von ihrem Überfluss gegeben; aber diese Frau ist arm und gab alles, was sie hatte – sogar das, was sie dringend zum Leben gebraucht hätte.«

Jesus kündigt die Zerstörung des Tempels an
(Matthäus 24,1–2; Markus 13,1–2)

[5] Einige sprachen begeistert von der Schönheit des Tempels, den wertvollen Steinen und den kostbaren Weihegeschenken. [6] Aber Jesus erwiderte: »Ja, seht es euch genau an! Es kommt die Zeit, in der hier kein Stein auf dem anderen bleiben wird. Alles wird nur noch ein großer Trümmerhaufen sein.«

Die Zukunft der Welt
(Matthäus 24,3–14; Markus 13,3–13)

[7] Erschrocken wollten die Jünger wissen: »Lehrer, wann wird das geschehen? Woran erkennen wir, dass diese Dinge stattfinden werden?« [8] Jesus antwortete: »Lasst euch von keinem Menschen täuschen und verführen! Denn viele werden auftreten und von sich behaupten: ›Ich bin Christus!‹ Und sie werden verkünden: ›Jetzt ist die Zeit gekommen!‹ Glaubt ihnen nicht! [9] Wenn ihr von Kriegen und Unruhen hört, erschreckt nicht! Das muss geschehen, doch es bedeutet noch nicht das Ende.«

[10] Dann sagte er zu ihnen: »Die Völker und Königreiche der Erde werden Kriege gegeneinander führen. [11] In vielen Teilen der Welt wird es Erdbeben, Hungersnöte und Seuchen geben. Unerklärliche Erscheinungen am Himmel werden alle Menschen in Angst und Schrecken versetzen.

[12] Bevor das alles geschieht, wird man euch verfolgen. Nur weil ihr zu mir gehört, werden sie euch festnehmen und in den Synagogen vor Gericht stellen. Dann werden sie euch ins Gefängnis werfen, ja, vor Machthabern und Königen werdet ihr verhört werden.

[13] Aber dadurch habt ihr Gelegenheit, meine Botschaft zu bezeugen. [14] Prägt es euch ein: Ihr sollt nicht schon vorher darüber nachgrübeln, wie ihr euch vor Gericht verteidigen könnt. [15] Ich selber werde euch Weisheit geben und euch zeigen, was ihr sagen sollt. Dann werden eure Gegner nichts mehr erwidern können.

[16] Selbst eure nächsten Angehörigen, eure Eltern, Geschwister und Freunde werden euch verraten und euch verhaften lassen. Einige von euch wird man töten. [17] Alle Welt wird euch hassen, weil ihr zu mir gehört. [18] Aber ohne Gottes Willen wird euch kein Haar gekrümmt werden. [19] Bleibt standhaft, dann gewinnt ihr das ewige Leben.«

Die Zerstörung Jerusalems
(Matthäus 24,15–21; Markus 13,14–19)

[20] »Wenn die Feinde Israels Jerusalem belagern, dauert es nicht mehr lange, bis

---

[a] Wörtlich: zwei Lepta.

20,47 2 Mo 22,21–22* **21,4** 2 Kor 8,12 **21,6** 19,43–44 **21,8** 2 Thess 2,9–10; 1 Joh 2,18 **21,12** Apg 8,3; 12,1–4; 18,12–17 **21,13** Apg 16,23–34; Phil 1,12–14 **21,14–15** Apg 6,10 **21,16** 12,52–53 **21,17** 2 Tim 3,12* **21,18** 12,7 **21,19** Offb 2,7.11.17

diese Stadt zerstört wird. [21] Dann sollen alle Bewohner Judäas ins Gebirge fliehen. Wer in Jerusalem wohnt, verlasse die Stadt so schnell wie möglich, und wer auf dem Land ist, suche in ihr keinen Schutz. [22] Die Tage des göttlichen Gerichts sind gekommen. Jetzt erfüllt sich, was in der Heiligen Schrift vorausgesagt ist. [23] Besonders hart trifft es Schwangere und Mütter mit Säuglingen. Denn überall wird große Not herrschen, wenn Gottes Zorn über sein Volk losbricht. [24] Die Menschen werden niedergemetzelt oder als Gefangene in die ganze Welt verschleppt. Jerusalem aber wird besetzt und zerstört sein, bis Gott die Herrschaft der nichtjüdischen Völker beendet.«

Retter und Richter (Matthäus 24,29–35; Markus 13,24–31)

[25] »Zu dieser Zeit werden Zeichen an Sonne, Mond und Sternen Unheil verkünden. Die Menschen fürchten sich und wissen nicht mehr weiter, weil Sturmfluten und Katastrophen über sie hereinbrechen. [26] Ungewissheit und Angst treiben sie zur Verzweiflung. Sogar die Kräfte des Weltalls geraten durcheinander.

[27] Doch dann werden alle Völker sehen, wie der Menschensohn in den Wolken mit großer Macht und Herrlichkeit kommt. [28] Deshalb: Wenn sich dies alles ereignet, dann seid zuversichtlich – mit festem Blick und erhobenem Haupt! Denn eure Befreiung steht vor der Tür.«

[29] Dann erzählte Jesus ein Gleichnis: »Seht euch den Feigenbaum an oder die anderen Bäume. [30] Wenn ihre Zweige Blätter treiben, dann wisst ihr, dass es bald Sommer ist. [31] So könnt ihr sicher sein, dass Gottes neue Welt nahe ist, wenn all diese Ereignisse eintreffen. [32] Ja, ich sage euch: Dieses Volk[a] wird nicht untergehen, bevor das alles geschieht. [33] Himmel und Erde werden vergehen; meine Worte aber gelten für immer.«

»Bleibt wachsam und betet!«

[34] »Passt auf, dass ihr euch nicht durch ein ausschweifendes Leben und Trunkenheit und auch nicht durch die Sorgen des Alltags vom Ziel ablenken lasst! Sonst wird dieser Tag euch überraschen [35] so wie eine Falle, die plötzlich zuschnappt. Denn er wird für alle Menschen auf dieser Welt völlig unerwartet kommen. [36] Bleibt wachsam und betet zu jeder Zeit, damit ihr dem entfliehen könnt, was auf euch zukommt. Dann könnt ihr ohne Furcht vor den Menschensohn treten.«

[37] Täglich ging Jesus in den Tempel, um dort zu lehren. Abends verließ er die Stadt und verbrachte die Nächte am Ölberg. [38] Wenn er am frühen Morgen wieder in den Tempel kam, warteten schon viele Menschen auf ihn, um ihn zu hören.

Verschwörung gegen Jesus (Matthäus 26,1–5; Markus 14,1–2)

22 Es waren nur noch wenige Tage bis zum Fest der ungesäuerten Brote, das auch Passahfest genannt wird. [2] Nach wie vor suchten die Hohenpriester und Schriftgelehrten nach einer Gelegenheit, Jesus umzubringen; sie fürchteten aber, damit im Volk einen Aufruhr auszulösen.

Der Verrat (Matthäus 26,14–16; Markus 14,10–11)

[3] Zu der Zeit ergriff der Satan Besitz von Judas Iskariot, einem der zwölf Jünger Jesu. [4] Judas ging zu den Hohenpriestern und den Offizieren der Tempelwache und beriet mit ihnen, wie er Jesus an sie

---

[a] Oder: Diese Generation.

21,22 Joel 1,15* **21,23** 23,29 **21,25–26** Offb 6,12–17 **21,27** Dan 7,13 **21,28** 2 Thess 1,5–10; Jak 5,8 **21,33** Jes 40,8; 51,6 **21,34** 8,14; 12,19–20; 17,26–30 **21,36** Röm 12,12; 1 Petr 4,7; 2 Petr 3,11–13 **21,37** 19,47 **22,1** 2 Mo 12,15–20*.1–14* **22,3** Joh 13,2.27

verraten könnte. [5]Hocherfreut versprachen die Hohenpriester ihm eine Belohnung. [6]Sie wurden sich einig, und Judas suchte nach einer Gelegenheit, Jesus ohne Aufsehen an seine Feinde zu verraten.

Vorbereitungen für das Passahfest (Matthäus 26,17–19; Markus 14,12–16)

[7]Am ersten Tag des Festes der ungesäuerten Brote, an dem das Passahlamm geschlachtet werden musste, [8]gab Jesus seinen Jüngern Petrus und Johannes den Auftrag: »Bereitet alles vor, damit wir gemeinsam das Passahmahl essen können.« [9]»Wo sollen wir denn das Fest feiern?«, fragten sie.

[10]Er antwortete: »Wenn ihr nach Jerusalem kommt, wird euch ein Mann begegnen, der einen Wasserkrug trägt. Geht ihm nach bis zu dem Haus, das er betritt. [11]Sagt dem Hausherrn: ›Unser Lehrer lässt fragen: Wo ist der Raum, in dem er mit seinen Jüngern das Passahmahl feiern kann?‹ [12]Er wird euch im Obergeschoss einen großen Raum zeigen, der mit Polstern ausgestattet ist. Dort bereitet das Essen zu.« [13]Die beiden Jünger gingen in die Stadt und trafen alles so an, wie Jesus es ihnen gesagt hatte. Dann bereiteten sie das Passahmahl vor.

Jesus feiert mit seinen Jüngern das Passahmahl (Matthäus 26,20–29; Markus 14,17–25; Johannes 13,21–30)

[14]Als die Stunde für das Passahmahl da war, nahm Jesus mit den Aposteln an der Festtafel Platz. [15]»Wie sehr habe ich mich danach gesehnt, mit euch das Passahmahl zu essen, bevor ich leiden muss«, sagte er. [16]»Ihr sollt wissen: Ich werde das Passahmahl erst wieder in der neuen Welt Gottes mit euch feiern. Dann hat sich erfüllt, wofür das Fest jetzt nur ein Zeichen ist.«

[17]Jesus nahm einen Becher mit Wein, sprach das Dankgebet und sagte: »Nehmt den Becher und trinkt alle daraus. [18]Von jetzt an werde ich keinen Wein mehr trinken, bis die neue Welt Gottes gekommen ist.«

[19]Dann nahm er Brot. Er dankte Gott dafür, teilte es und gab es ihnen mit den Worten: »Das ist mein Leib, der für euch hingegeben wird. Feiert dieses Mahl immer wieder, und denkt daran, was ich für euch getan habe, sooft ihr dieses Brot esst.«

[20]Nach dem Essen nahm er den Becher mit Wein, reichte ihn den Jüngern und sagte: »Dies ist mein Blut, mit dem der neue Bund zwischen Gott und den Menschen besiegelt wird. Es wird für euch zur Vergebung der Sünden vergossen. [21]Aber eins muss ich euch sagen: Bei uns an diesem Tisch ist der Mann, der mich verraten wird. [22]Es ist der Wille Gottes, dass der Menschensohn sterben muss. Aber wehe seinem Verräter!« [23]Bestürzt fragte einer den anderen: »Wer von uns könnte so etwas tun?«

Wer ist der Wichtigste? (Matthäus 20,25–28; Markus 10,42–45)

[24]Die Jünger stritten sich darüber, wer unter ihnen der Wichtigste sei. [25]Da sagte ihnen Jesus: »In dieser Welt unterdrücken die Herrscher ihre Völker, und rücksichtslose Machthaber lassen sich als Wohltäter feiern. [26]Aber so darf es bei euch nicht sein. Der Erste unter euch soll sich allen anderen unterordnen, und wer euch führen will, muss allen dienen. [27]Wer ist denn der Herr? Wer sich bedienen lässt oder wer dient? Doch wohl derjenige, der sich bedienen lässt! Ich aber bin unter euch wie ein Diener.

[28]Ihr seid mir in diesen Tagen der Gefahr und der Versuchung treu geblieben.

22,7 2 Mo 12,3–6 **22,10–12** 19,30–31 **22,16** 22,30; 13,29 **22,19** 24,30 **22,20** 2 Mo 24,8; Jer 31,31–34* **22,22** Jes 53,8–9 **22,24** 9,46 **22,27** Joh 13,12–15 **22,28** Joh 6,67–69

[29] Deshalb verspreche ich euch: Ihr werdet mit mir zusammen in meinem Reich herrschen, das mein Vater mir übergeben hat. [30] Mit mir sollt ihr am selben Tisch essen und trinken. Ihr werdet auf Thronen sitzen und mit mir über die zwölf Stämme Israels Gericht halten.«

Jesus kündigt die Verleugnung des Petrus an
(Matthäus 26,31–35; Markus 14,27–31; Johannes 13,36–38)

[31] Zu Petrus gewandt, sagte Jesus: »Simon, Simon! Der Satan ist hinter euch her, die Spreu vom Weizen zu trennen. [32] Aber ich habe für dich gebetet, damit du den Glauben nicht verlierst. Wenn du dann zu mir zurückkehrst, so stärke den Glauben deiner Brüder!«

[33] »Herr«, fuhr Petrus auf, »ich bin jederzeit bereit, mit dir ins Gefängnis zu gehen und sogar für dich zu sterben.« [34] Doch Jesus erwiderte: »Petrus, ich sage dir: Noch ehe morgen früh der Hahn kräht, wirst du dreimal geleugnet haben, mich zu kennen.«

Wie wird es weitergehen?

[35] Jesus fragte seine Jünger: »Als ich euch damals ohne Geld, Tasche und Sandalen aussandte, habt ihr da Not leiden müssen?« »Nein, niemals!«, beteuerten sie.

[36] »Jetzt aber nehmt euer Geld und Gepäck«, forderte er sie auf. »Wer kein Schwert besitzt, soll seinen Mantel verkaufen und sich eins beschaffen. [37] Denn jetzt ist die Zeit da, in der sich auch dieses Wort an mir erfüllen muss: ›Man wird ihn wie einen Verbrecher behandeln.‹[a] Alles, was in der Heiligen Schrift von mir geschrieben steht, geht nun in Erfüllung.« [38] »Herr«, riefen die Jünger, »wir haben hier zwei Schwerter.« Doch Jesus unterbrach sie: »Genug damit!«

Im Garten Gethsemane
(Matthäus 26,30.36–46; Markus 14,26.32–42)

[39] Nach dem Festmahl verließ Jesus die Stadt und ging wie gewohnt zum Ölberg hinaus. Seine Jünger begleiteten ihn. [40] Dort angekommen sagte er zu ihnen: »Betet darum, dass ihr der kommenden Versuchung widerstehen könnt!« [41] Nicht weit von seinen Jüngern entfernt kniete Jesus nieder [42] und betete: »Vater, wenn es möglich ist, bewahre mich vor diesem Leiden[b]. Aber nicht was ich will, sondern was du willst, soll geschehen.«

[43] Da erschien ein Engel vom Himmel und gab ihm neue Kraft. [44] Jesus litt Todesängste und betete so eindringlich, dass sein Schweiß wie Blut auf die Erde tropfte. [45] Als er dann zu seinen Jüngern zurückkehrte, schliefen sie, erschöpft von ihren Sorgen und ihrer Trauer. [46] Jesus rüttelte sie wach: »Wie könnt ihr jetzt nur schlafen! Steht auf und betet, damit ihr der Versuchung widersteht!«

Verrat und Verhaftung
(Matthäus 26,47–56; Markus 14,43–49; Johannes 18,2–11)

[47] Noch während Jesus sprach, kam eine große Gruppe Männer auf sie zu. Sie wurden von Judas, einem der zwölf Jünger, angeführt. Judas ging zu Jesus, um ihn mit einem Kuss zu begrüßen. [48] Aber Jesus fragte ihn: »Judas, willst du den Menschensohn mit einem Kuss verraten?«

[49] Jetzt hatten auch die anderen Jünger begriffen, was vor sich ging. Aufgeregt riefen sie: »Herr, sollen wir dich mit dem Schwert verteidigen?« [50] Einer von ihnen zog gleich das Schwert, schlug auf einen der Diener des Hohenpriesters ein und hieb ihm das rechte Ohr ab. [51] Aber Jesus befahl: »Hört auf damit!« Er berührte das Ohr des Mannes und heilte ihn.

---

[a] Jesaja 53,12
[b] Wörtlich: so nimm diesen Kelch (des Leidens) von mir weg.

22,29 12,32 **22,30** 1 Kor 6,2; Offb 3,21 **22,31** 2 Kor 2,11 **22,32** Joh 17,9–15; 21,15 **22,34** 22,60–61
22,35 9,2–3; 10,4 **22,39** 21,37 **22,40** 21,36 **22,42** Joh 6,38; Phil 2,8; Hebr 5,7–8 **22,44** Hebr 5,7

[52] Dann fragte Jesus die Hohenpriester, die Offiziere der Tempelwache und die führenden Männer des Volkes, die alle mitgekommen waren: »Bin ich denn ein Verbrecher, dass ihr euch mit Schwertern und Knüppeln bewaffnet habt, um mich zu verhaften? [53] Jeden Tag war ich im Tempel. Warum habt ihr mich nicht dort festgenommen? Aber jetzt ist eure Stunde da. Jetzt hat die Finsternis Macht.«

Petrus behauptet, Jesus nicht zu kennen
(Matthäus 26,57–58.69–75; Markus 14,53–54.66–72; Johannes 18,12–18.25–27)

[54] Die Soldaten verhafteten Jesus und führten ihn zum Palast des Hohenpriesters. Petrus folgte ihnen in sicherem Abstand. [55] Im Hof des Palastes zündeten sie ein Feuer an, um sich zu wärmen. Petrus setzte sich zu ihnen. [56] Im Schein des Feuers bemerkte ihn eine Dienerin und sah ihn prüfend an. »Der Mann da war auch bei Jesus!«, rief sie. [57] Doch heftig widersprach Petrus: »Das ist unmöglich! Ich kenne ihn überhaupt nicht!«

[58] Kurz darauf sah ihn ein anderer und meinte: »Natürlich, du bist doch einer von seinen Freunden!« »Ausgeschlossen! Ich doch nicht!«, wehrte Petrus ab. [59] Nach etwa einer Stunde behauptete plötzlich wieder einer: »Der hier gehörte zu den Männern, die bei Jesus waren; man hört doch gleich, dass er auch aus Galiläa kommt.« [60] Aber aufgebracht stieß Petrus hervor: »Wovon redest du? Was meinst du eigentlich?« In diesem Augenblick krähte ein Hahn.

[61] Jesus wandte sich um und sah seinen Jünger an. Da fielen Petrus die Worte ein, die Jesus gesagt hatte: »Ehe der Hahn kräht, wirst du dreimal geleugnet haben, mich zu kennen.«

[62] Da ging Petrus hinaus und weinte voller Verzweiflung.

Die Soldaten misshandeln Jesus
(Matthäus 26,67–68; Markus 14,65)

[63] Die Soldaten, die Jesus bewachten, verhöhnten und schlugen ihn. [64] Sie verbanden ihm die Augen und spotteten: »Na, du Prophet! Sag uns, wer hat dich gerade geschlagen?« [65] In dieser Weise quälten sie ihn noch lange.

Jesus vor Gericht
(Matthäus 26,59–66; Markus 14,55–64; Johannes 18,19–24)

[66] Bei Tagesanbruch kamen die Mitglieder des Hohen Rates zusammen: die führenden Männer des Volkes, die Hohenpriester und die Schriftgelehrten. [67] Sie fragten Jesus: »Bist du nun der Christus, der Befreier, der uns versprochen wurde, oder bist du es nicht?« Er erwiderte: »Ihr glaubt ja doch nicht, was ich euch sage, [68] und wenn ich euch etwas frage, dann antwortet ihr mir nicht. [69] Doch von nun an wird der Menschensohn auf dem Platz an der rechten Seite Gottes sitzen.« [70] Empört schrien alle: »Willst du damit etwa sagen, dass du der Sohn Gottes bist?« Jesus antwortete: »Ihr habt Recht, ich bin es!« [71] »Wozu brauchen wir da noch Zeugen?«, riefen jetzt die Ankläger einstimmig. »Alle haben seine Gotteslästerung gehört!«

Jesus wird an die Römer ausgeliefert
(Matthäus 27,2.11–14; Markus 15,1–5; Johannes 18,28–38)

23 Nun erhoben sich die Mitglieder des Hohen Rates und ließen Jesus zum römischen Statthalter Pilatus bringen. [2] Dort beschuldigten sie ihn: »Dieser Mensch hetzt unser Volk auf. Er redet den Leuten ein, dass sie dem Kaiser keine Steuern zahlen sollen. Und er behauptet von sich, er sei der Christus, ein König, den Gott geschickt hat.«

22,53 19,47 **22,61** 22,34 **22,64** Mt 21,11 **22,67** 9,20 **22,69** Ps 110,1; Dan 7,13–14 **22,70–71** 3 Mo 24,16; 4 Mo 15,30 **23,2** 20,20–26

[3] »Stimmt das?«, fragte Pilatus den Angeklagten. »Bist du wirklich der König der Juden?« Jesus antwortete: »Ja, du sagst es!« [4] Pilatus erklärte den Hohenpriestern und der ganzen Volksmenge: »Dieser Mann ist doch kein Verbrecher!« [5] Aber sie widersprachen heftig: »In ganz Judäa hetzt er die Menschen durch seine Lehre auf. Schon in Galiläa hat er damit angefangen, und nun ist er bis hierher nach Jerusalem gekommen!«

Jesus wird von Herodes verhört

[6] Pilatus fragte: »Ist der Mann denn aus Galiläa?« [7] Als sie es bestätigten, befahl er, Jesus zu König Herodes zu bringen, der die Provinz Galiläa regierte und sich während des Passahfestes auch in Jerusalem aufhielt. [8] Herodes freute sich, Jesus zu sehen. Er wollte ihn schon lange kennen lernen. Denn er hatte viel von ihm gehört und hoffte, Jesus würde ihm ein Wunder vorführen. [9] Der König stellte Frage um Frage, aber Jesus gab ihm keine einzige Antwort. [10] Umso mehr redeten die Hohenpriester und Schriftgelehrten, die mitgekommen waren und ihn immer heftiger beschuldigten. [11] Auch Herodes und seine Soldaten ließen Jesus ihre Verachtung spüren und verspotteten ihn. Sie hängten ihm einen Königsmantel um und schickten ihn wieder zu Pilatus. [12] Herodes und Pilatus waren vorher erbitterte Feinde gewesen. Aber an diesem Tag wurden sie Freunde.

Das Todesurteil
(Matthäus 27,15–26; Markus 15,6–15; Johannes 18,38 – 19,16)

[13] Vor den Hohenpriestern, den führenden Männern des Volkes und der versammelten Menge [14] verkündete Pilatus: »Ihr habt diesen Mann zu mir gebracht und ihn beschuldigt, dass er die Menschen aufhetzt. Ich habe ihn vor euch verhört und bin zu dem Urteil gekommen: Dieser Mann ist unschuldig! [15] Herodes ist derselben Meinung. Deswegen hat er ihn hierher zurückgeschickt. Der Angeklagte hat nichts getan, was mit dem Tod bestraft werden müsste. [16] Ich werde ihn auspeitschen lassen, dann soll er frei sein.« [17] Pilatus begnadigte ohnehin in jedem Jahr am Passahfest einen Gefangenen.[a]

[18] Da brach ein Sturm der Entrüstung los. Wie aus einem Munde schrie das Volk: »Weg mit diesem Jesus! Lass Barabbas frei!« [19] Barabbas saß im Gefängnis, weil er sich an einem Aufstand in Jerusalem beteiligt hatte und wegen Mordes angeklagt war.

[20] Noch einmal versuchte Pilatus, die Menge zu überzeugen; denn er wollte Jesus gern freilassen. [21] Aber sie schrien nur noch lauter: »Ans Kreuz mit ihm, ans Kreuz!«

[22] Pilatus versuchte es zum dritten Mal: »Was für ein Verbrechen hat er denn begangen? Ich finde nichts, worauf die Todesstrafe steht! Ich werde ihn also auspeitschen lassen. Dann soll er frei sein.«

[23] Aber die aufgehetzte Menge brüllte immer lauter: »Kreuzige ihn!«, bis Pilatus ihrem Schreien nachgab [24] und ihre Forderung erfüllte.

[25] Barabbas ließ er frei, den Mann, der das Volk aufgehetzt hatte und wegen Mordes angeklagt war. Jesus aber verurteilte er zum Tod am Kreuz, wie sie es gefordert hatten.

Auf dem Weg zur Hinrichtung
(Matthäus 27,31–32; Markus 15,20–22; Johannes 19,16–17)

[26] Auf dem Weg zur Hinrichtungsstätte begegnete ihnen Simon, der gerade vom Feld kam. Er stammte aus Kyrene in Nordafrika. Ihn zwangen sie, mitzugehen und für Jesus das Kreuz zu tragen.

[27] Unzählige Menschen folgten Jesus auf dem Weg zur Hinrichtung. In der

---

[a] In anderen Textzeugen steht nach dem 16. Vers unmittelbar Vers 18.

23,3 Joh 18,36–37 **23,5** 4,43; 8,1; 9,51 **23,7** 3,1 **23,8** 9,9 **23,9** Mt 7,6 **23,18–25** Apg 3,13–14; 13,27–28

Menge waren viele Frauen, die laut klagten und um Jesus weinten.

[28] Ihnen rief Jesus zu: »Weint nicht über mich, ihr Frauen von Jerusalem! Weint über euch und eure Kinder! [29] Die Zeit wird kommen, in der man sagt: ›Glücklich sind die Frauen, die keine Kinder bekommen können. Ja, freuen können sich alle, die niemals ein Kind geboren und gestillt haben!‹ [30] Die Menschen werden sich danach sehnen, dass die Berge über ihnen zusammenstürzen und die Hügel auf sie fallen, damit ihr Leid ein Ende hat[a]. [31] Wenn schon das grüne Holz Feuer fängt, wie schnell brennt dann das trockene Holz lichterloh!«

Die Kreuzigung
(Matthäus 27,33–44; Markus 15,22–31; Johannes 19,17–24)

[32] Mit Jesus wurden zwei Verbrecher vor die Stadt geführt [33] zu der Stelle, die man »Schädelstätte« nennt. Dort wurde Jesus ans Kreuz genagelt und mit ihm die beiden Verbrecher, der eine rechts, der andere links von ihm.

[34] Jesus betete: »Vater, vergib ihnen, denn sie wissen nicht, was sie tun![b]« Unter dem Kreuz verlosten die Soldaten seine Kleider untereinander. [35] Neugierig stand die Menge dabei. Und die führenden Männer des Volkes verhöhnten Jesus: »Anderen hat er geholfen! Wenn er wirklich Christus, der von Gott gesandte Befreier, ist, dann soll er sich jetzt doch selber helfen!« [36] Auch die Soldaten verspotteten ihn. Sie gaben ihm Essig zu trinken [37] und riefen ihm zu: »Wenn du der König der Juden bist, dann rette dich doch selbst!«

[38] Oben am Kreuz brachten sie ein Schild an. Damit jeder es lesen konnte, stand dort auf Griechisch, Hebräisch und Lateinisch: »Dies ist der König der Juden!«

[39] Auch einer der Verbrecher, die mit ihm gekreuzigt worden waren, lästerte: »Bist du nun der Christus? Dann hilf dir selbst und uns!« [40] Aber der am anderen Kreuz wies ihn zurecht: »Fürchtest du Gott nicht einmal jetzt, kurz vor dem Tod? [41] Wir werden hier zu Recht bestraft. Wir haben den Tod verdient. Der hier aber ist unschuldig; er hat nichts Böses getan.« [42] Zu Jesus sagte er: »Denk an mich, wenn du in dein Königreich kommst!« [43] Da antwortete ihm Jesus: »Ich versichere dir: Noch heute wirst du mit mir im Paradies sein.«

Jesus stirbt am Kreuz
(Matthäus 27,45–56; Markus 15,33–41; Johannes 19,28–30)

[44] Am Mittag wurde es plötzlich im ganzen Land dunkel. Diese Finsternis dauerte drei Stunden. [45] Dann zerriss im Tempel der Vorhang vor dem Allerheiligsten von oben bis unten.

[46] Jesus schrie noch einmal laut auf: »Vater, in deine Hände gebe ich meinen Geist!« Dann starb er.

[47] Der römische Hauptmann, der die Hinrichtung beaufsichtigt hatte, lobte Gott und sagte: »Dieser Mann war wirklich unschuldig!« [48] Betroffen kehrten die Menschen, die ein Schauspiel erleben wollten, in die Stadt zurück. [49] Die Freunde Jesu und die Frauen, die mit ihm aus Galiläa gekommen waren, hatten aus einiger Entfernung alles mit angesehen.

Jesus wird begraben
(Matthäus 27,57–61; Markus 15,42–47; Johannes 19,38–42)

[50–52] Josef, ein Mann aus Arimathäa, einer Stadt in Judäa, ging zu Pilatus und bat ihn, den toten Jesus begraben zu dürfen. Er war Mitglied des Hohen Rates und ein guter Mensch, der nach Gottes Willen

[a] »damit … Ende hat« ist sinngemäß ergänzt.
[b] Dieser Versteil fehlt bei einigen Textzeugen.

23,29 21,23 **23,30** Hos 10,8; Offb 6,16 **23,31** 1 Petr 4,17–18 **23,33** Jes 53,12 **23,34** Mt 5,44*; Ps 22,19 **23,35** Ps 22,8–9 **23,36** Ps 69,22 **23,43** Joh 5,24; 11,25–26 **23,44** Am 8,9 **23,45** 2 Mo 26,31–33; Hebr 10,19–20 **23,46** Ps 31,6

lebte und auf das Kommen der neuen Welt Gottes wartete. Er hatte nicht zugestimmt, als der Hohe Rat Jesus zum Tode verurteilt hatte.

[53] Er nahm Jesus vom Kreuz, wickelte den Toten in ein feines Leinentuch und legte ihn in ein neu angelegtes Grab, das in einen Felsen gehauen war. [54] Das alles geschah am späten Freitagnachmittag, unmittelbar vor Beginn des Sabbats.

[55] Mit Josef gingen auch die Frauen, die Jesus aus Galiläa gefolgt waren. Sie sahen zu, wie man den Toten in das Grab legte. [56] Dann kehrten sie in die Stadt zurück, um dort wohlriechende Öle und Salben für die Einbalsamierung vorzubereiten.

Am Sabbat ruhten sie aus, wie es das jüdische Gesetz verlangt.

Jesus lebt
(Matthäus 28,1–8; Markus 16,1–8; Johannes 20,1–13)

24 Ganz früh am Sonntagmorgen gingen die Frauen mit den wohlriechenden Ölen, die sie zubereitet hatten, zum Grab. [2] Der Stein, mit dem man es verschlossen hatte, war zur Seite gerollt. [3] Als sie die Grabhöhle betraten, fanden sie den Leichnam Jesu, des Herrn, nicht. [4] Verwirrt überlegten sie, was sie jetzt tun sollten. Da traten zwei Männer in glänzend weißen Kleidern zu ihnen. [5] Die Frauen erschraken und wagten nicht, die beiden anzusehen.

»Warum sucht ihr den Lebenden bei den Toten?«, fragten die Männer. [6] »Er ist nicht hier; er ist auferstanden! Denkt doch daran, was er euch in Galiläa gesagt hat: [7] ›Der Menschensohn muss den gottlosen Menschen ausgeliefert werden. Sie werden ihn kreuzigen, aber am dritten Tag wird er von den Toten auferstehen.‹«

[8] Da erinnerten sich die Frauen an diese Worte Jesu. [9] Sie liefen in die Stadt zurück, um den elf Jüngern und den anderen Freunden Jesu zu berichten, was sie erlebt hatten.

[10] Zu diesen Frauen gehörten Maria aus Magdala, Johanna, Maria, die Mutter von Jakobus, und noch etliche andere. [11] Aber die Jünger hielten ihren Bericht für leeres Gerede und glaubten den Frauen kein Wort.

[12] Doch Petrus sprang auf und lief zum Grab. Als er hineinschaute, fand er außer den Leinentüchern nichts. Verwundert ging er in die Stadt zurück.

Jesus begegnet zwei Jüngern auf dem Weg nach Emmaus
(Markus 16,12–13)

[13] Am selben Tag wanderten zwei Jünger nach Emmaus, einem Dorf ungefähr zehn Kilometer von Jerusalem entfernt. [14] Unterwegs redeten sie über die Ereignisse der vergangenen Tage. [15] Während sie miteinander sprachen und nachdachten, kam Jesus und ging mit ihnen. [16] Aber sie – wie mit Blindheit geschlagen – erkannten ihn nicht.

[17] »Worüber unterhaltet ihr euch?«, fragte sie Jesus. Die Jünger blieben traurig stehen, [18] und verwundert bemerkte Kleopas, einer von den beiden: »Ich glaube, du bist der Einzige in Jerusalem, der nichts von den Ereignissen der letzten Tage gehört hat.« [19] »Was ist denn geschehen?«, wollte Jesus wissen.

»Hast du etwa nichts von Jesus gehört, dem Mann aus Nazareth?«, antworteten die Jünger. »Er war ein Prophet, den Gott geschickt hatte. Jeder im Volk konnte das an seinen Worten und Taten erkennen. [20] Aber unsere Hohenpriester und die führenden Männer des Volkes haben ihn an die Römer ausgeliefert. Er wurde zum Tode verurteilt und dann ans Kreuz geschlagen. [21] Dabei hatten wir gehofft, dass er der von Gott versprochene Retter ist, der Israel befreit.

Das war vor drei Tagen. [22] Heute Morgen wurden wir sehr beunruhigt durch einige Frauen, die zu uns gehören. Schon vor Sonnenaufgang waren sie

---

23,55 8,2–3 **23,56** 2 Mo 20,8–11* **24,4** Apg 1,10 **24,5** Offb 1,18 **24,7** 9,22 **24,10** 8,2–3 **24,16** Joh 20,14; 21,4 **24,19** 7,16; Apg 2,22 **24,21** 2,38; 19,11

zum Grab gegangen; [23]aber der Leichnam Jesu war nicht mehr da. Die Frauen erzählten, ihnen seien Engel erschienen, die sagten: ›Jesus lebt!‹ [24]Einige von uns sind gleich zum Grab gelaufen. Es war tatsächlich leer, wie die Frauen berichtet hatten. Aber Jesus haben sie nicht gesehen.«

[25]Darauf sagte Jesus zu ihnen: »Wie wenig versteht ihr doch! Warum begreift und glaubt ihr nicht, was die Propheten gesagt haben? [26]Musste Christus nicht all dies erleiden, bevor Gott ihn zum Herrn über alles einsetzt[a]?« [27]Dann erklärte Jesus, was in der Heiligen Schrift über ihn gesagt wird – von den Büchern Mose angefangen bis zu den Propheten.

[28]Inzwischen waren sie kurz vor Emmaus, und Jesus tat so, als wolle er weitergehen. [29]Deshalb drängten ihn die Jünger: »Bleib doch über Nacht bei uns! Es wird ja schon dunkel.« So ging er mit ihnen ins Haus. [30]Als sie sich zum Essen niedergelassen hatten, nahm Jesus das Brot, dankte dafür, teilte es in Stücke und gab es ihnen. [31]Da plötzlich erkannten sie ihn. Doch er verschwand vor ihren Augen.

[32]Sie sagten zueinander: »Hat es uns nicht tief berührt, als er unterwegs mit uns sprach und uns die Heilige Schrift erklärte?«

[33]Ohne Zeit zu verlieren, liefen sie sofort nach Jerusalem zurück. Dort waren die elf Jünger und andere Freunde Jesu zusammen. [34]Von ihnen wurden sie mit den Worten begrüßt: »Der Herr ist tatsächlich auferstanden! Simon Petrus hat ihn gesehen!« [35]Nun erzählten die beiden, was auf dem Weg nach Emmaus geschehen war und dass sie ihren Herrn daran erkannt hatten, wie er das Brot austeilte.

Der Auferstandene erscheint seinen Jüngern (Markus 16,14–18; Johannes 20,19–23; Apostelgeschichte 1,4–8)

[36]Noch während sie berichteten, stand Jesus plötzlich mitten im Kreis der Jünger. »Friede sei mit euch!«, begrüßte er sie. [37]Die Jünger erschraken furchtbar. Sie dachten, ein Geist stünde vor ihnen.

[38]»Warum habt ihr Angst?«, fragte Jesus. »Wieso zweifelt ihr daran, dass ich es bin? [39]Seht doch die Wunden an meinen Händen und Füßen! Ich bin es wirklich. Hier, fasst mich an und überzeugt euch, dass ich kein Geist bin. Geister sind doch nicht aus Fleisch und Blut!« [40]Und er zeigte ihnen seine Hände und Füße. [41]Aber vor lauter Freude konnten sie es noch immer nicht fassen, dass Jesus vor ihnen stand. Endlich fragte er sie: »Habt ihr etwas zu essen hier?« [42]Sie brachten ihm ein Stück gebratenen Fisch, [43]den er vor ihren Augen aß.

[44]Dann sagte er zu ihnen: »Erinnert euch daran, dass ich euch oft angekündigt habe: ›Alles muss sich erfüllen, was bei Mose, bei den Propheten und in den Psalmen über mich steht.‹« [45]Nun erklärte er ihnen die Worte der Heiligen Schrift. [46]Er sagte: »Es steht doch dort geschrieben: Der Messias muss leiden und sterben, und er wird am dritten Tag von den Toten auferstehen. [47]Alle Völker sollen diese Botschaft hören: Gott wird jedem, der zu ihm umkehrt, die Schuld vergeben.

Das soll zuerst in Jerusalem verkündet werden. [48]Ihr selbst habt miterlebt, dass Gottes Zusagen in Erfüllung gegangen sind. Ihr seid meine Zeugen. [49]Ich werde euch den Heiligen Geist geben, den mein Vater euch versprochen hat[b]. Bleibt hier in Jerusalem, bis ihr diese Kraft von oben empfangen habt!«

---

[a] Wörtlich: und so eingehen in seine Herrlichkeit.
[b] Wörtlich: die Verheißung meines Vaters.

24,24 Joh 20,3–10 **24,27** 24,44–46* **24,30** 22,19 **24,34** 1 Kor 15,5 **24,37** Mt 14,26 **24,41–43** Joh 21,5.10; Apg 10,41 **24,44–46** Ps 22,2.8–9.16.19; Jes 52,13 – 53,12; Hos 6,2; Sach 9,9; 12,10 **24,44** 18,31–33; Joh 5,39.46 **24,45** 9,45; 18,34 **24,46** Apg 3,18; 17,3 **24,47** Apg 2,38; 5,31; 11,18; 20,21 **24,48** Apg 1,8* **24,49** Joh 15,26*; Joel 3,1–2

Jesus kehrt zu seinem Vater zurück (Markus 16,19; Apostelgeschichte 1,9–12)

[50] Jesus führte seine Jünger von Jerusalem nach Betanien. Er segnete sie mit erhobenen Händen. [51] Noch während er sie segnete, entfernte er sich von ihnen und wurde zum Himmel emporgehoben. [52] Die Jünger fielen vor ihm nieder. Danach kehrten sie voller Freude nach Jerusalem zurück. [53] Sie gingen immer wieder in den Tempel, um Gott zu loben und zu danken.

24,51 9,51; Apg 1,9 **24,52** Joh 16,22 **24,53** Apg 2,46; 5,12

Johannes berichtet von Jesus

Jesus Christus – Gottes Wort an die Welt

1 Am Anfang war das Wort. Das Wort war bei Gott, und das Wort war Gott selbst.

[2] Von Anfang an war es bei Gott.

[3] Alles wurde durch das Wort geschaffen, und nichts ist ohne das Wort geworden.

[4] Von ihm kam alles Leben, und sein Leben war das Licht für alle Menschen.

[5] Es leuchtet in der Finsternis, doch die Finsternis wehrte sich gegen das Licht.

[6] Gott schickte einen Boten, einen Mann, der Johannes hieß. [7] Er sollte die Menschen auf das Licht hinweisen, damit alle durch seine Botschaft an den glauben, der das Licht ist.

[8] Johannes selbst war nicht das Licht. Er sollte die Menschen nur auf das kommende Licht vorbereiten.

[9] Der das wahre Licht ist, kam in die Welt, um für alle Menschen das Licht zu bringen.

[10] Doch obwohl er unter ihnen lebte und die Welt durch ihn geschaffen wurde, erkannten ihn die Menschen nicht.

[11] Er kam in seine Welt, aber die Menschen nahmen ihn nicht auf.

[12] Die ihn aber aufnahmen und an ihn glaubten, denen gab er das Recht, Kinder Gottes zu werden.

[13] Das wurden sie nicht, weil sie zu einem auserwählten Volk gehörten, auch nicht durch menschliche Zeugung und Geburt. Dieses neue Leben gab ihnen allein Gott.

[14] Das Wort wurde Mensch und lebte unter uns. Wir selbst haben seine göttliche Herrlichkeit gesehen, wie sie Gott nur seinem einzigen Sohn gibt. In ihm sind Gottes vergebende Liebe und Treue zu uns gekommen.

[15] Johannes wies immer wieder auf ihn hin. »Diesen habe ich gemeint«, rief er, »wenn ich sagte: ›Es wird einer kommen, der viel bedeutender ist als ich. Denn er war schon da, bevor ich geboren wurde!‹«

[16] Aus seinem göttlichen Reichtum hat er uns immer und immer wieder mit seiner grenzenlosen Liebe beschenkt.

[17] Durch Mose gab uns Gott das Gesetz mit seinen Forderungen. Aber durch Jesus Christus schenkte er uns seine vergebende Liebe und Treue. [18] Kein Mensch hat jemals Gott gesehen. Doch sein einziger Sohn[a], der in enger Gemeinschaft mit dem Vater lebt, hat uns gezeigt, wer Gott ist.

Johannes weist auf Christus hin (Matthäus 3,1–12; Markus 1,1–8; Lukas 3,1–18)

[19] Die führenden Männer der Juden in Jerusalem schickten einige Priester und Leviten zu Johannes. Sie fragten ihn: »Wer bist du?« [20] Da bekannte Johannes und ließ keinen Zweifel offen: »Ich bin nicht Christus, auf den wir alle warten.« [21] »Wer bist du dann?«, fragten sie weiter. »Bist du vielleicht Elia?«[b] Johannes verneinte auch das. »Bist du der Prophet, den Mose

---

[a] Einige Textzeugen haben: der einzige Gott. – Indem Christus hier als Gott bezeichnet wird, soll auf unüberbietbare Weise die Zusammengehörigkeit von Gott und Christus betont werden.
[b] Vgl. Maleachi 3,23

1,1–2 17,5; Phil 2,6 **1,3** 1 Mo 1,3.6.9; 1 Kor 8,6; Kol 1,15–16; Hebr 1,2 **1,4** 5,26; 1 Joh 1,2 **1,5** 3,19 **1,6** Mt 3,1 **1,7** 1,31; 5,33–36 **1,8** 1,20 **1,9** 8,12 **1,12** Röm 8,14–15*; 1 Joh 3,1 **1,13** 3,5–6; 1 Petr 1,23 **1,14** Gal 4,4; Phil 2,7; 1 Joh 4,2 **1,15** 1,30 **1,16** Kol 1,19; 2,9 **1,17** 7,19; Röm 6,14; 10,4 **1,18** 6,46; 14,8–9; 2 Mo 33,20; Mt 11,27 **1,20** 1,8

uns angekündigt hat?«[a] »Nein!«, entgegnete Johannes.

[22]»Dann sag uns doch, wer du bist. Welche Antwort sollen wir denen geben, die uns hergeschickt haben?« [23]Da sagte Johannes: »Der Prophet Jesaja hat es schon angekündigt: ›Ich bin die Stimme, die in der Wüste ruft: Räumt die Hindernisse aus dem Weg, denn der Herr will kommen!‹[b]«

[24]Unter den Abgesandten waren auch Pharisäer. [25]Sie fragen Johannes nun: »Wenn du nicht Christus, nicht Elia und auch nicht der von Mose angekündigte Prophet bist, mit welchem Recht taufst du dann?« [26]Darauf erwiderte Johannes: »Ich taufe mit Wasser. Aber mitten unter euch lebt schon der, auf den wir warten. Ihr kennt ihn nur noch nicht. [27]Er kommt nach mir – und ich bin nicht einmal würdig, ihm die Schuhe auszuziehen.« [28]Dieses Gespräch führten sie in Betanien, einem Dorf östlich des Jordan, wo Johannes taufte.

Das Opferlamm Gottes (Matthäus 3,13–17; Markus 1,9–11; Lukas 3,21–22)

[29]Als Johannes am nächsten Tag bemerkte, dass Jesus zu ihm kam, rief er: »Seht, das ist Gottes Opferlamm, das die Sünde aller Menschen wegnimmt.[c] [30]Dieser Mann ist es, von dem ich gesagt habe: ›Es wird einer kommen, der weit über mir steht. Denn er war schon vor mir da!‹ [31]Auch ich wusste vorher nicht, wer er ist. Aber damit das Volk Israel auf ihn vorbereitet wird, taufe ich hier mit Wasser.«

[32]Und Johannes berichtete weiter: »Ich sah den Geist Gottes wie eine Taube vom Himmel herabkommen und bei ihm bleiben. [33]Wer er ist, wusste ich vorher noch nicht«, wiederholte Johannes, »aber Gott, der mir den Auftrag gab, mit Wasser zu taufen, sagte zu mir: ›Du wirst sehen, wie der Geist auf einen Menschen herabkommt und bei ihm bleibt. Dann weißt du, dass er es ist, der mit dem Heiligen Geist tauft.‹ [34]Und weil ich das gesehen habe, kann ich euch bezeugen: Dieser Mann ist Gottes Sohn!«

Die ersten Jünger Jesu

[35]Johannes der Täufer und zwei seiner Jünger waren am nächsten Tag wieder an dieser Stelle, [36]als Jesus vorüberging. Da zeigte Johannes auf ihn und sagte: »Seht, dies ist Gottes Opferlamm!« [37]Als die beiden Jünger das hörten, folgten sie Jesus. [38]Jesus drehte sich zu ihnen um, sah sie kommen und fragte: »Was sucht ihr?« Sie antworteten: »Wo wohnst du, Meister[d]?« [39]»Kommt mit und seht selbst, wo ich wohne!«, sagte Jesus. Es war ungefähr vier Uhr nachmittags, als sie mit Jesus gingen; und sie blieben bei ihm bis zum Abend.

[40]Einer der beiden, die Jesus auf das Wort des Johannes hin gefolgt waren, hieß Andreas. Er war der Bruder von Simon Petrus. [41]Wenig später traf er seinen Bruder Simon und erzählte ihm: »Wir haben den Messias[e] gefunden, den von Gott versprochenen Retter!« [42]Dann nahm Andreas seinen Bruder mit zu Jesus. Der sah ihn an und sagte: »Du bist Simon, der Sohn des Johannes. Du sollst Petrus[f] heißen!«

---

[a] Vgl. 5. Mose 18,15.18
[b] Jesaja 40,3
[c] Vgl. 2. Mose 12,3–14
[d] Wörtlich: Rabbi. Im griechischen Grundtext folgt an dieser Stelle unmittelbar die Erklärung des Wortes Rabbi: … das heißt übersetzt: »Lehrer.«
[e] Im griechischen Grundtext folgt an dieser Stelle unmittelbar die Erklärung des Wortes Messias: »Messias« ist das hebräische Wort für Christus.
[f] Wörtlich: Kephas. Im griechischen Grundtext folgt an dieser Stelle unmittelbar die Erklärung des Namens Kephas: Das ist der hebräische Name für Petrus und bedeutet »Fels«.

1,29 1,36; Jes 53,7; 1 Kor 5,7; 1 Petr 1,19; 1 Joh 2,2; Offb 5,6 **1,30** 1,15.27 **1,32** Jes 11,2 **1,34** 1,49; 5,19–23; 10,36; 11,27; 20,31; Mk 15,39*; Röm 1,3–4 **1,36** 1,29* **1,40–42** Mk 1,16–18 **1,42** Mt 16,18

Jesus beruft Philippus und überzeugt Nathanael

[43] Als Jesus am nächsten Tag nach Galiläa gehen wollte, traf er unterwegs Philippus. Auch ihn forderte er auf: »Folge mir!« [44] Philippus stammte wie Andreas und Petrus aus Betsaida. [45] Kurze Zeit später begegnete Philippus Nathanael und erzählte ihm: »Endlich haben wir den gefunden, von dem Mose und die Propheten sprechen. Er heißt Jesus und ist der Sohn von Josef aus Nazareth.« [46] »Nazareth?«, entgegnete Nathanael. »Was kann von da schon Gutes kommen!« Doch Philippus antwortete ihm: »Du musst ihn selbst kennen lernen. Komm mit!«

[47] Als Jesus Nathanael erblickte, sagte er: »Hier kommt ein aufrichtiger Mensch, ein wahrer Israelit!« [48] Nathanael staunte: »Woher kennst du mich?« Jesus erwiderte: »Noch bevor Philippus dich rief, habe ich dich unter dem Feigenbaum gesehen.« [49] »Meister, du bist wirklich Gottes Sohn!«, rief Nathanael. »Du bist der König Israels!« [50] Jesus sagte: »Das glaubst du, weil ich dir gesagt habe, dass ich dich unter dem Feigenbaum sah. Aber du wirst größere Dinge zu sehen bekommen.« [51] Und er fuhr fort: »Ich sage euch die Wahrheit: Ihr werdet den Himmel offen und die Engel Gottes hinauf- und herabsteigen sehen zwischen Gott und dem Menschensohn!«

Jesus auf der Hochzeit in Kana

2 Zwei Tage später wurde in dem Dorf Kana in Galiläa eine Hochzeit gefeiert. Maria, die Mutter Jesu, war dort, [2] und auch Jesus hatte man mit seinen Jüngern eingeladen.

[3] Während des Festes ging der Wein aus. Maria sagte zu ihrem Sohn: »Es ist kein Wein mehr da!« [4] Doch Jesus antwortete ihr: »Schreib mir nicht vor, was ich zu tun habe! Meine Zeit ist noch nicht gekommen!« [5] Da sagte seine Mutter zu den Dienern: »Was immer er euch befiehlt, das tut!« [6] Nun gab es im Haus sechs steinerne Wasserkrüge. Man benutzte sie für die Waschungen, die das jüdische Gesetz verlangt. Jeder von ihnen fasste achtzig bis hundertzwanzig Liter. [7] Jesus forderte die Diener auf: »Füllt diese Krüge mit Wasser!« Sie füllten die Gefäße bis zum Rand. [8] Dann ordnete er an: »Nun bringt dem Mann, der für das Festmahl verantwortlich ist, eine Kostprobe davon!« [9] Dieser probierte den Wein, der vorher Wasser gewesen war. Er wusste allerdings nicht, woher der Wein kam. Nur die Diener wussten Bescheid. Da rief er den Bräutigam zu sich [10] und warf ihm vor: »Jeder bietet doch zuerst den besten Wein an! Und erst später, wenn alle Gäste schon betrunken sind, kommt der billigere Wein auf den Tisch. Aber du hast den besten Wein bis jetzt zurückgehalten!«

[11] Dieses Wunder geschah in Kana. Dort in Galiläa zeigte Jesus zum ersten Mal seine göttliche Herrlichkeit, und seine Jünger glaubten an ihn. [12] Danach ging er für einige Tage mit seiner Mutter, seinen Brüdern und seinen Jüngern nach Kapernaum.

Jesus jagt die Händler aus dem Tempel
(Matthäus 21,12–13; Markus 11,15–17; Lukas 19,45–46)

[13] Kurz vor dem jüdischen Passahfest reiste Jesus nach Jerusalem. [14] Dort sah er im Tempel viele Händler, die Ochsen, Schafe und Tauben als Opfertiere verkauften. Auch Geldwechsler saßen hinter ihren Tischen. [15] Jesus knüpfte aus Stricken eine Peitsche und jagte die Händler mit all ihren Schafen und Ochsen aus dem Tempel. Er schleuderte das Geld der Wechsler auf den Boden und warf ihre Tische um. [16] Den Taubenhändlern befahl er: »Schafft das alles hinaus! Das Haus meines Vaters ist doch keine Markthalle!« [17] Seine Jünger aber mussten an das

1,45 5 Mo 18,15; Jes 9,5–6; Jer 23,5 **1,46** 7,41 **1,49** 1,34*; 12,13 **1,51** 1 Mo 28,12 **2,4** 7,6; 12,23 **2,6** Mk 7,2–4 **2,11** 1,14 **2,12** Mt 4,13 **2,13** 6,4; 11,55; 2 Mo 12,1–14* **2,15** Sach 14,21 **2,16** Jer 7,11

Wort in der Heiligen Schrift denken: »Der Eifer für deinen Tempel wird mich vernichten!«[a]

Von wem hat Jesus seine Vollmacht?

[18] Die führenden Männer der Juden stellten Jesus daraufhin zur Rede: »Woher nimmst du dir das Recht, die Leute hinauszuwerfen? Wenn du dabei im Auftrag Gottes handelst, dann musst du uns einen eindeutigen Beweis dafür geben!« [19] Jesus antwortete ihnen: »Zerstört diesen Tempel! In drei Tagen werde ich ihn wieder aufbauen.« [20] »Was?«, riefen sie. »Sechsundvierzig Jahre wurde an diesem Tempel gebaut, und du willst das in drei Tagen schaffen?«

[21] Mit dem Tempel aber meinte Jesus seinen Leib. [22] Als er von den Toten auferstanden war, erinnerten sich seine Jünger an diese Worte. Sie vertrauten der Heiligen Schrift und glaubten, was Jesus ihnen gesagt hatte. [23] Während des Passahfestes in Jerusalem erlebten viele Menschen die Wunder, die Jesus vollbrachte, und glaubten deshalb an ihn. [24] Aber Jesus vertraute sich ihnen nicht an, weil er sie genau kannte. [25] Ihm brauchte niemand etwas über die Menschen zu sagen, denn er wusste, was in jedem Menschen vor sich geht.

Jesus und der Pharisäer Nikodemus

3 Einer von den Männern des Hohen Rates war der Pharisäer Nikodemus. [2] Mitten in der Nacht kam er heimlich zu Jesus: »Meister«, sagte er, »wir wissen, dass Gott dich als Lehrer zu uns gesandt hat. Denn niemand kann die Wunder tun, die du vollbringst, wenn Gott ihn nicht dazu befähigt.«

[3] Darauf erwiderte Jesus: »Ich will dir etwas sagen, Nikodemus: Wer nicht neu geboren wird, kann nicht in Gottes neue Welt kommen.« [4] Verständnislos fragte der Pharisäer: »Wie kann ein Erwachsener neu geboren werden? Er kann doch nicht wieder in den Mutterleib zurück und noch einmal auf die Welt kommen!«

[5] »Ich sage dir die Wahrheit!«, entgegnete Jesus. »Nur wer durch Wasser und durch Gottes Geist neu geboren wird, kann in Gottes neue Welt kommen! [6] Ein Mensch kann immer nur menschliches Leben zur Welt bringen. Wer aber durch Gottes Geist geboren wird, bekommt neues Leben.[b] [7] Wundere dich deshalb nicht, wenn ich dir gesagt habe: Ihr müsst neu geboren werden. [8] Es ist damit wie beim Wind: Er weht, wie er will. Du hörst ihn, aber du kannst nicht erklären, woher er kommt und wohin er geht. So ist es auch mit der Geburt aus Gottes Geist.«

[9] Nikodemus ließ nicht locker: »Aber wie soll das nur vor sich gehen?« [10] Jesus erwiderte: »Du bist doch ein anerkannter Gelehrter in Israel und müsstest das eigentlich verstehen! [11] Glaube mir: Wir reden nur von dem, was wir genau kennen. Und was wir bezeugen, das haben wir auch gesehen. Trotzdem nehmt ihr unser Wort nicht an. [12] Ihr glaubt mir ja nicht einmal, wenn ich von ganz alltäglichen Dingen rede! Wie also werdet ihr mir dann glauben, wenn ich euch erkläre, was im Himmel geschieht? [13] Es gibt nur einen, der zum Himmel hinaufsteigt: der Menschensohn, der vom Himmel herabgekommen ist.

[14] Du weißt doch, wie Mose in der Wüste eine Schlange aus Bronze an einem Pfahl aufrichtete, damit jeder, der sie ansah, am Leben blieb[c]. Genauso muss auch der Menschensohn erhöht werden[d].

---

[a] Psalm 69,10

[b] Wörtlich: Was aus dem Fleisch geboren worden ist, das ist Fleisch; was aus dem Geist geboren worden ist, das ist Geist.

[c] »damit jeder … blieb« ist sinngemäß ergänzt. Vgl. 4. Mose 21,4–9

[d] Mit dem Wort »erhöhen« spielt Jesus an auf seine Kreuzigung und seine Rückkehr zum Vater, in die Herrlichkeit Gottes.

2,19 Mt 26,61; 27,40; Apg 6,14 **2,22** 12,16; 14,26 **2,23** 1,50; 4,48; 11,45 **3,1** 7,50; 19,39 **3,2** 2,23; 9,33 **3,3** 1,13; 1 Petr 1,23 **3,5** Tit 3,5–6 **3,6** 6,63 **3,13** Eph 4,9

[15] Jeder, der ihm vertraut, wird das ewige Leben haben.

[16] Denn Gott hat die Menschen so sehr geliebt, dass er seinen einzigen Sohn für sie hergab. Jeder, der an ihn glaubt, wird nicht zugrunde gehen, sondern das ewige Leben haben.

[17] Gott hat nämlich seinen Sohn nicht zu den Menschen gesandt, um über sie Gericht zu halten, sondern um sie zu retten. [18] Wer an ihn glaubt, der wird nicht verurteilt werden. Wer aber nicht an den einzigen Sohn Gottes glaubt, über den ist wegen seines Unglaubens das Urteil schon gesprochen. [19] Und so vollzieht sich das Urteil: Das Licht ist in die Welt gekommen, aber die Menschen lieben die Finsternis mehr als das Licht. Denn alles, was sie tun, ist böse. [20] Wer Böses tut, scheut das Licht und bleibt lieber im Dunkeln, damit niemand seine Taten sehen kann. [21] Wer aber die Wahrheit Gottes liebt und das tut, was er will, der tritt ins Licht! An ihm zeigt sich: Gott selber bestimmt sein Handeln.«

Johannes der Täufer tritt hinter Jesus zurück

[22] Danach kam Jesus mit seinen Jüngern in die Provinz Judäa. Dort blieb er einige Zeit, um zu taufen. [23] Auch Johannes taufte bei Änon, in der Nähe von Salim, weil es dort genügend Wasser gab. Immer wieder kamen Menschen zu Johannes, um sich von ihm taufen zu lassen. [24] Denn damals war er noch nicht im Gefängnis.

[25] Eines Tages kam es zwischen einigen Jüngern des Johannes und einem Juden zum Streit darüber, welche Taufe wichtiger sei[a]. [26] Gemeinsam gingen sie schließlich zu Johannes und berichteten ihm: »Meister, der Mann, der damals am anderen Jordanufer zu dir kam und von dem du gesagt hast, dass er der von Gott versprochene Retter ist, der tauft jetzt selber. Alle Leute gehen zu ihm, anstatt zu uns zu kommen.«

[27] Doch Johannes erwiderte: »Kein Mensch kann auch nur das Geringste tun, wenn es ihm nicht von Gott gegeben wird. [28] Ihr selbst könnt doch bezeugen, dass ich immer wieder gesagt habe: ›Ich bin nicht Christus, der von Gott gesandte Retter. Ich soll ihn nur ankündigen, mehr nicht.‹ [29] Die Braut gehört schließlich zum Bräutigam! Der Freund des Bräutigams freut sich mit ihm, auch wenn er nur daneben steht. So geht es mir jetzt. Meine Freude ist grenzenlos. [30] Christus soll immer wichtiger werden, und ich will immer mehr in den Hintergrund treten.

[31] Er ist vom Himmel gekommen und steht deshalb über allen. Wir aber gehören zur Erde und können nur von irdischen Dingen reden. Christus kommt vom Himmel [32] und kann bezeugen, was er dort gesehen und gehört hat. Trotzdem glaubt ihm keiner! [33] Wer aber auf seine Botschaft hört, der bestätigt damit: Gott ist zuverlässig und wahrhaftig. [34] Christus ist von Gott zu uns gesandt. Er redet Gottes Worte, weil Gottes Geist ihn ganz und gar erfüllt. [35] Der Vater liebt den Sohn und hat ihm alle Macht gegeben.

[36] Wer an den Sohn Gottes glaubt, der hat das ewige Leben. Wer aber nicht auf ihn hört, wird nie zum Leben gelangen, sondern Gottes Zorn wird für immer auf ihm lasten.«

Die Frau am Brunnen

4 [1/2] Den Pharisäern war zu Ohren gekommen, dass Jesus noch mehr Nachfolger gewann und taufte als Johannes – obwohl er nicht einmal selber taufte, sondern nur seine Jünger. Als Jesus, der Herr, das erfuhr, [3] verließ er Judäa und kehrte nach Galiläa zurück. [4] Sein Weg führte ihn auch durch Samarien, [5] unter anderem nach Sychar. Dieser Ort

---

[a] Wörtlich: zum Streit über die Reinigung.

3,15 20,31; Röm 1,16 **3,16** 5,24; 1 Joh 4,9–10 **3,17** 12,47; Lk 19,10 **3,18** 12,48 **3,19** 1,5; 8,12 **3,20** Eph 5,11–13 **3,22** 4,1–2 **3,24** Mt 14,3 **3,27** Hebr 5,4 **3,28** 1,20 **3,29** Mt 9,15 **3,31** 8,23; 1 Kor 15,47 **3,34** Kol 1,19 **3,35** 5,20; 10,17 **3,36** 3,16 **4,1–2** 3,22

liegt in der Nähe des Feldes, das Jakob seinem Sohn Josef geschenkt hatte.[a] [6]Dort befand sich der Jakobsbrunnen. Müde von der langen Wanderung setzte sich Jesus an den Brunnen. Es war gerade Mittagszeit.

[7]Da kam eine Samariterin aus der nahe gelegenen Stadt zum Brunnen, um Wasser zu holen. Jesus bat sie: »Gib mir etwas zu trinken!« [8]Denn seine Jünger waren in die Stadt gegangen, um etwas zu essen einzukaufen.

[9]Die Frau war überrascht, denn normalerweise wollten die Juden nichts mit den Samaritern zu tun haben. Sie sagte: »Du bist doch ein Jude! Wieso bittest du mich um Wasser? Schließlich bin ich eine samaritische Frau!«

[10]Jesus antwortete ihr: »Wenn du wüsstest, was Gott dir geben will und wer dich hier um Wasser bittet, würdest du mich um das Wasser bitten, das du wirklich zum Leben brauchst. Und ich würde es dir geben.«

[11]»Aber Herr«, meinte da die Frau, »du hast doch gar nichts, womit du Wasser schöpfen kannst, und der Brunnen ist tief! Wo willst du denn das Wasser für mich hernehmen? [12]Kannst du etwa mehr als Jakob, unser Stammvater, der diesen Brunnen gegraben hat? Er selbst, seine Kinder und sein Vieh haben schon daraus getrunken.«

[13]Jesus erwiderte: »Wer dieses Wasser trinkt, wird bald wieder durstig sein. [14]Wer aber von dem Wasser trinkt, das ich ihm gebe, der wird nie wieder Durst bekommen. Dieses Wasser wird in ihm zu einer Quelle, die bis ins ewige Leben hinein fließt.«

[15]»Dann gib mir dieses Wasser, Herr«, bat die Frau, »damit ich nie mehr durstig bin und nicht immer wieder herkommen und Wasser holen muss!« [16]Jesus entgegnete: »Geh und ruf deinen Mann. Dann kommt beide hierher!« [17]»Ich bin nicht verheiratet«, wandte die Frau ein. »Das stimmt«, erwiderte Jesus, »verheiratet bist du nicht. [18]Fünf Männer hast du gehabt, und der, mit dem du jetzt zusammenlebst, ist nicht dein Mann. Da hast du die Wahrheit gesagt.«

[19]Erstaunt sagte die Frau: »Ich sehe, Herr, du bist ein Prophet! [20]Kannst du mir dann eine Frage beantworten? Unsere Vorfahren haben Gott auf diesem Berg dort[b] angebetet. Warum also behauptet ihr Juden, man könne Gott nur in Jerusalem anbeten?«

[21]Jesus antwortete: »Glaub mir, die Zeit wird kommen, in der ihr Gott, den Vater, weder auf diesem Berg noch in Jerusalem anbeten werdet. [22]Ihr wisst ja nicht einmal, wen ihr anbetet. Wir aber wissen, zu wem wir beten. Denn das Heil der Welt kommt von den Juden. [23]Doch es kommt die Zeit – ja, sie ist schon da –, in der die Menschen den Vater überall anbeten werden, weil sie von seinem Geist und seiner Wahrheit erfüllt sind. Von diesen Menschen will der Vater angebetet werden. [24]Denn Gott ist Geist. Und wer Gott anbeten will, muss von seinem Geist erfüllt sein und in seiner Wahrheit leben.«

[25]Die Frau entgegnete: »Ja, ich weiß, dass einmal der Messias kommen soll, der auch Christus genannt wird. Er wird uns schon alles erklären.« [26]Da sagte Jesus: »Du sprichst mit ihm. Ich bin der Messias.«

[27]Als seine Jünger aus der Stadt zurückkamen, wunderten sie sich, dass er mit einer Frau redete. Aber keiner fragte ihn: »Was willst du von ihr? Warum sprichst du mit ihr?«

[28]Da ließ die Frau ihren Wasserkrug stehen, lief in die Stadt und rief allen Leuten zu: [29]»Kommt mit! Ich habe einen Mann getroffen, der alles von mir weiß! Vielleicht ist er der Messias!« [30]Neugierig liefen die Leute aus der Stadt zu Jesus.

---

[a] Vgl. 1. Mose 33,19; 48,22

[b] Gemeint ist der Berg Garizim (vgl. Josua 8,30–35 mit 5. Mose 11,26–30 und 27,11–13).

4,9 Lk 9,52–53 **4,10** 7,37–39; Offb 21,6 **4,12** 8,53 **4,13–14** 6,58; Jes 55,1–2 **4,15** 6,34 **4,19** 6,14; 7,40; Lk 7,39 **4,22** Apg 17,23; Jes 2,3 **4,23** Eph 2,18 **4,24** 3,5; 2 Kor 3,17–18 **4,25–26** 9,35–37

[31] Inzwischen hatten ihm seine Jünger zugeredet: »Meister, iss doch etwas!« [32] Aber er sagte zu ihnen: »Ich habe eine Speise, von der ihr nichts wisst.« [33] »Hat ihm wohl jemand etwas zu essen gebracht?«, fragten sich die Jünger untereinander.

[34] Aber Jesus erklärte ihnen: »Ich lebe davon, dass ich Gottes Willen erfülle und sein Werk zu Ende führe. Dazu hat er mich in diese Welt gesandt. [35] Habt ihr nicht selbst gesagt: ›In vier Monaten beginnt die Ernte‹? Macht doch eure Augen auf und seht euch um! Das Getreide ist schon reif für die Ernte. [36] Wer sie einbringt, bekommt schon jetzt seinen Lohn und sammelt Frucht für das ewige Leben. Beide sollen sich über die Ernte freuen: wer gesät hat und wer die Ernte einbringt. [37] Hier trifft das Sprichwort zu: ›Einer sät, der andere erntet.‹ [38] Ich habe euch auf ein Feld geschickt, das ihr nicht bestellt habt, damit ihr dort ernten sollt. Andere haben sich vor euch abgemüht, und ihr erntet die Früchte ihrer Arbeit.«

[39] Viele Leute aus Sychar glaubten allein deshalb an Jesus, weil die Frau überall erzählt hatte: »Dieser Mann weiß alles, was ich getan habe.« [40] Als sie nun zu Jesus kamen, baten sie ihn, länger bei ihnen zu bleiben, und er blieb noch zwei Tage. [41] So konnten ihn alle hören, und schließlich glaubten noch viel mehr Menschen an ihn. [42] Sie sagten zu der Frau: »Jetzt glauben wir nicht nur deshalb an Jesus, weil du uns von ihm erzählt hast. Wir haben ihn jetzt selbst gehört und wissen: Er ist wirklich der Retter der Welt!«

Jesus heilt ein schwer krankes Kind

[43] Zwei Tage später zog Jesus weiter nach Galiläa, [44] obwohl er selbst einmal gesagt hatte, dass ein Prophet in seiner Heimat nichts gilt. [45] Diesmal aber nahmen ihn die Galiläer freundlich auf. Sie waren während des Passahfestes in Jerusalem gewesen und hatten dort alles miterlebt, was er getan hatte.

[46] Auf seinem Weg durch Galiläa kam Jesus auch wieder nach Kana, wo er Wasser in Wein verwandelt hatte. In Kapernaum lebte ein königlicher Beamter, dessen Sohn sehr krank war. [47] Als dieser Mann hörte, dass Jesus aus Judäa nach Galiläa zurückgekehrt war, ging er zu ihm und bat: »Komm schnell in mein Haus, und heile meinen todkranken Sohn!«

[48] »Wenn ihr nicht immer neue Zeichen und Wunder seht, glaubt ihr nicht«, hielt Jesus ihm entgegen. [49] Aber der Beamte flehte ihn an: »Herr, komm doch schnell, sonst stirbt mein Kind!« [50] »Geh nach Hause«, sagte Jesus, »dein Sohn ist gesund!« Der Mann glaubte ihm und ging nach Hause.

[51] Noch während er unterwegs war, kamen ihm einige seiner Diener entgegen. »Dein Kind ist gesund!«, riefen sie. [52] Der Vater erkundigte sich: »Seit wann geht es ihm besser?« Sie antworteten: »Gestern Mittag gegen ein Uhr hatte er plötzlich kein Fieber mehr.« [53] Da erinnerte sich der Vater, dass Jesus genau in dieser Stunde gesagt hatte: »Dein Sohn ist gesund!« Seitdem glaubte dieser Mann mit allen, die in seinem Haus lebten, an Jesus.

[54] Dies war das zweite Wunder in Galiläa, das Jesus wirkte, nachdem er aus Judäa zurückgekehrt war.

Der Kranke am Teich Betesda

5 Bald darauf feierten die Juden ein Fest in Jerusalem, und auch Jesus ging hin. [2] In der Stadt befindet sich nicht weit vom Schaftor entfernt der Teich Betesda, wie er auf Hebräisch genannt wird. Er ist von fünf Säulenhallen umgeben. [3] Viele Kranke, Blinde, Gelähmte und Gebrechliche lagen in diesen Hallen und warteten darauf, dass sich Wellen auf dem Wasser zeigten. [4] Von Zeit zu Zeit

---

4,34 6,38; Mt 4,4; Hebr 10,9–10 **4,35** Mt 9,37 **4,36** 1 Kor 3,6–8 **4,39** 4,29 **4,42** Lk 2,11* **4,44** Mt 13,57 **4,45** 2,23 **4,46** 2,1–11 **4,48** 6,30; 1 Kor 1,22 **4,54** 2,11 **5,2** Neh 3,1.32; 12,39

bewegte nämlich ein Engel Gottes das Wasser. Wer dann als Erster in den Teich kam, der wurde gesund; ganz gleich, welches Leiden er hatte.[a]

[5]Einer von den Menschen, die dort lagen, war schon seit achtunddreißig Jahren krank. [6]Als Jesus ihn sah und erfuhr, dass er schon so lange an seiner Krankheit litt, fragte er ihn: »Willst du gesund werden?« [7]»Ach Herr«, entgegnete der Kranke, »ich habe niemanden, der mir in den Teich hilft, wenn sich das Wasser bewegt. Versuche ich es aber allein, komme ich immer zu spät.« [8]Da forderte ihn Jesus auf: »Steh auf, roll deine Matte zusammen und geh!« [9]Im selben Augenblick war der Mann geheilt. Er nahm seine Matte und ging seines Weges.

Das geschah an einem Sabbat. [10]Einige der Juden, die den Geheilten sahen, hielten ihm vor: »Heute ist doch Sabbat! Da darf man keine Matte tragen!« [11]»Aber der Mann, der mich heilte, hat es mir ausdrücklich befohlen«, antwortete er ihnen. [12]»Wer hat dir so etwas befohlen?«, fragten sie nun. [13]Doch das wusste der Mann nicht, denn Jesus hatte den Teich wegen der großen Menschenmenge bereits wieder verlassen.

[14]Später traf Jesus den Geheilten im Tempel und sagte zu ihm: »Du bist gesund geworden. Sündige nicht mehr, damit du nicht etwas Schlimmeres als deine Krankheit erlebst!« [15]Da ging der Mann zu den Juden und berichtete: »Es war Jesus, der mich geheilt hat!«

[16]Von da an lauerten die Juden Jesus auf, weil er sogar am Sabbat Kranke heilte. [17]Aber Jesus sagte ihnen: »Zu jeder Zeit tut mein Vater Gutes, und ich folge nur seinem Beispiel.« [18]Nach dieser Antwort waren die Juden erst recht entschlossen, ihn umzubringen. Denn Jesus hatte nicht nur ihre Sabbatvorschriften missachtet, sondern sogar Gott seinen Vater genannt und sich dadurch Gott gleichgestellt.

Woher nimmt Jesus das Recht für sein Handeln?

[19]Zu dieser Anschuldigung der Juden sagte Jesus: »Ich sage euch die Wahrheit: Von sich aus kann der Sohn gar nichts tun, sondern er tut nur das, was er auch den Vater tun sieht. Was aber der Vater tut, das tut auch der Sohn! [20]Denn weil der Vater den Sohn liebt, zeigt er ihm alles, was er selbst tut. Und er wird ihn noch viel größere Wunder tun lassen, so dass ihr staunen werdet. [21]So wie der Vater Tote auferweckt und ihnen neues Leben gibt, so hat auch der Sohn die Macht dazu, neues Leben zu geben, wem er will. [22]Denn nicht der Vater spricht das Urteil über die Menschen, er hat das Richteramt vielmehr dem Sohn übertragen, [23]damit alle den Sohn ehren, genauso wie den Vater. Wer aber den Sohn nicht als Herrn anerkennen will, der verachtet auch die Herrschaft des Vaters, der ja den Sohn gesandt hat.

[24]Ich sage euch die Wahrheit: Wer meine Botschaft hört und an den glaubt, der mich gesandt hat, der wird ewig leben. Ihn wird das Urteil Gottes nicht treffen, denn er hat die Grenze vom Tod zum Leben schon überschritten.

[25]Ich versichere euch: Die Zeit wird kommen, ja, sie hat schon begonnen, in der die Toten die Stimme des Sohnes Gottes hören werden. Und wer diesen Ruf hört, der wird leben. [26]Denn in Gott ist das Leben, und nach Gottes Willen hat auch der Sohn dieses Leben in sich. [27]Er hat ihm die Macht gegeben, die ganze Menschheit zu richten, weil er der Menschensohn ist.

[28]Wundert euch nicht darüber! Der Tag wird kommen, an dem die Toten in

---

[a] Der zweite Teil von Vers 3 (»und warteten …«) sowie der Vers 4 fehlen bei einigen Textzeugen.

5,8–9 Mk 2,10–12 **5,9** 5,16; 7,21–23; 9,14 **5,10** 2 Mo 20,8–11*; Jer 17,21–22 **5,14** 8,11 **5,18** 10,30–33; 19,7 **5,19–23** 1,34* **5,20** 1,50 **5,21** 5 Mo 32,39; 1 Sam 2,6; Joh 11,25 **5,22** Mt 25,31–32; Apg 10,42 **5,23** Dan 7,13–14; Phil 2,10–11; 1 Joh 2,23 **5,24** 3,16; 6,47; 8,51 **5,26** 1,4 **5,28** 1 Thess 4,16

ihren Gräbern die Stimme des Sohnes hören werden. [29] Dann werden alle Menschen auferstehen: Die Gutes getan haben, werden ewig leben, die aber Böses getan haben, werden verurteilt.

[30] Dabei kann ich nicht eigenmächtig handeln, sondern ich entscheide so, wie Gott es mir sagt. Deswegen ist mein Urteil auch gerecht. Denn ich verwirkliche nicht meinen eigenen Willen, sondern erfülle den Willen Gottes, der mich gesandt hat.«

Glaubwürdige Zeugen für den Sohn Gottes

[31] »Wenn ich mein eigener Zeuge wäre, würde das nicht gelten. [32] Aber ich habe einen Zeugen. Und ich weiß, dass alles wahr ist, was er über mich sagt.

[33] Ihr seid zwar zu Johannes dem Täufer gegangen, um die Wahrheit über mich zu hören, und er hat sie euch gesagt. [34] Doch ich brauche keine Zeugenaussage von Menschen. Nur um euretwillen nenne ich Johannes als Zeugen, damit ihr errettet werdet. [35] Johannes war ein strahlendes Licht, ihr aber habt euch damit zufrieden gegeben, euch eine Zeit lang daran zu freuen. [36] Doch ich habe noch wichtigere Zeugen als Johannes: die Taten nämlich, die ich im Auftrag meines Vaters vollbringe. Sie beweisen, dass der Vater mich gesandt hat.

[37] Gott selbst, der mich gesandt hat, ist also mein Zeuge. Aber ihr habt noch niemals seine Stimme gehört, habt ihn nie gesehen. [38] Ihr lebt nicht nach dem, was er gesagt hat; sonst würdet ihr den nicht ablehnen, den Gott zu euch gesandt hat.

[39] Ihr lest die Heilige Schrift gründlich, um ewiges Leben zu finden. Und tatsächlich weist sie auf mich hin. [40] Dennoch wollt ihr nicht zu mir kommen, um ewiges Leben zu haben.

[41] Ich suche nicht die Anerkennung von Menschen! [42] Ich kenne euch und weiß genau, dass ihr Gottes Liebe nicht in euch habt. [43] Mein Vater hat mich zu euch geschickt, doch ihr lehnt mich ab. Wenn aber jemand in eigenem Auftrag zu euch kommt, den werdet ihr aufnehmen.

[44] Kein Wunder, dass ihr nicht glauben könnt! Denn ihr seid doch nur darauf aus, voreinander etwas zu gelten. Aber euch ist völlig gleichgültig, ob ihr vor dem einzigen Gott bestehen könnt.

[45] Es ist gar nicht nötig, dass ich euch vor dem Vater anklage: Mose wird euer Ankläger sein – genau der, auf den ihr eure ganze Hoffnung setzt! [46] Denn in Wirklichkeit glaubt ihr Mose gar nicht; sonst würdet ihr auch mir glauben. Schließlich hat doch Mose von mir geschrieben. [47] Wenn ihr aber nicht einmal glaubt, was er geschrieben hat, wie könnt ihr dann glauben, was ich euch sage?«

Fünftausend werden satt (Matthäus 14,13–21; Markus 6,30–44; Lukas 9,10–17)

6 Danach kam Jesus an das andere Ufer des Galiläischen Meeres, das man auch See von Tiberias nennt. [2] Eine große Menschenmenge folgte ihm, weil sie gesehen hatten, wie er Kranke heilte. [3] Zusammen mit seinen Jüngern ging Jesus auf eine Anhöhe, und dort setzten sie sich. [4] Das jüdische Passahfest stand kurz bevor.

[5] Als Jesus die vielen Menschen kommen sah, fragte er Philippus: »Wo können wir für alle diese Leute Brot kaufen?« [6] Er fragte dies, um zu sehen, ob Philippus ihm vertraute; denn er wusste, wie er die Menschen versorgen würde. [7] Philippus überlegte: »Wir müssten 200 Silberstücke ausgeben, wenn wir für jeden auch nur ein kleines Stückchen Brot kaufen wollten.« [8] Da brachte Andreas, der Bruder von Simon Petrus, ein Kind zu ihnen: [9] »Hier ist ein Junge, der hat fünf Gers-

---

5,29 Dan 12,2; Mt 25,31–46; Offb 20,11–15 **5,30** 4,34 **5,33** 1,26–27.32–34 **5,36** 10,25.38; 14,10–11 **5,37** 1,18 **5,39** Lk 24,27.44; 2 Tim 3,15–16; 1 Petr 1,10–11 **5,42** Lk 11,42 **5,43** 1,9–11 **5,44** 12,42–43; Mt 23,5–7 **5,45** 5 Mo 31,26–27 **5,46** 5 Mo 18,15.18 **5,47** Lk 16,31 **6,4** 2,13; 11,55 **6,5** 1,43–44 **6,8** 1,40 **6,9** 2 Kön 4,42–43

tenbrote und zwei Fische mitgebracht. Aber was ist das schon für so viele Menschen!«

[10] Jetzt forderte Jesus die Jünger auf: »Sagt den Leuten, dass sie sich hinsetzen sollen!« Etwa fünftausend Männer lagerten sich auf dem Boden, der dort von dichtem Gras bewachsen war. [11] Dann nahm Jesus die fünf Gerstenbrote, dankte Gott dafür und ließ sie an die Menschen austeilen, ebenso die beiden Fische. Jeder bekam so viel, wie er wollte. [12] Als alle satt waren, sagte Jesus zu seinen Jüngern: »Sammelt die Reste ein, damit nichts verdirbt!« [13] Und die Jünger füllten noch zwölf Körbe mit den Resten. So viel war von den fünf Gerstenbroten übrig geblieben.

[14] Als die Leute begriffen, was Jesus getan hatte, riefen sie begeistert: »Das ist wirklich der Prophet, auf den wir so lange gewartet haben!«[a] [15] Jesus merkte, dass sie ihn jetzt unbedingt festhalten und zu ihrem König ausrufen wollten. Deshalb zog er sich in die Berge zurück, er ganz allein.

Jesus geht auf dem Wasser (Matthäus 14,22–33; Markus 6,45–52)

[16] Am Abend gingen seine Jünger hinunter an den See. [17] Sie stiegen in ein Boot, um nach Kapernaum überzusetzen. Die Nacht brach herein, und Jesus war nicht bei ihnen. [18] Ein heftiger Sturm kam auf und schlug hohe Wellen. [19] Die Jünger waren schon vier bis fünf Kilometer vom Ufer entfernt, als sie plötzlich Jesus sahen. Er ging über das Wasser auf ihr Boot zu. Da packte sie die Angst. [20] Doch Jesus rief ihnen zu: »Fürchtet euch nicht! Ich bin es!« [21] Sie wollten ihn noch in ihr Boot nehmen; aber da hatten sie schon die Anlegestelle am Ufer erreicht.

Wo ist Jesus?

[22] Am nächsten Morgen erinnerten sich die Menschen, die auf der anderen Seite des Sees geblieben waren, dass nur ein Boot am Ufer gelegen hatte. Sie hatten gesehen, dass die Jünger mit diesem Boot weggefahren waren, Jesus aber nicht bei ihnen gewesen war. [23] Inzwischen legten mehrere Schiffe aus Tiberias nahe bei der Stelle an, wo die Menschenmenge nach dem Dankgebet des Herrn das Brot gegessen hatte. [24] Weil nun Jesus und seine Jünger nirgends zu finden waren, stiegen alle in diese Schiffe und fuhren hinüber nach Kapernaum, um ihn dort zu suchen.

Das Brot des Lebens

[25] Als sie Jesus auf der anderen Seite des Sees gefunden hatten, fragten sie ihn: »Meister, wann bist du denn hierher gekommen?« [26] Jesus antwortete ihnen: »Ich weiß, weshalb ihr zu mir kommt: doch nur, weil ihr von mir Brot bekommen habt und satt geworden seid; nicht weil ihr verstanden hättet, was dieses Wunder bedeutet! [27] Bemüht euch doch nicht nur um das vergängliche Brot, das ihr zum täglichen Leben braucht! Setzt alles dafür ein, die Nahrung zu bekommen, die bis ins ewige Leben reicht. Diese wird der Menschensohn euch geben. Denn Gott, der Vater, hat ihn dazu bestimmt und ihm die Macht gegeben.«

[28] Da fragten sie ihn: »Was sollen wir tun, um Gottes Willen zu erfüllen?« [29] Er erwiderte: »Nur eins erwartet Gott von euch: Ihr sollt an den glauben, den er gesandt hat.« [30] »Wenn wir an dich glauben sollen«, wandten sie ein, »musst du uns schon beweisen, dass du im Auftrag Gottes handelst! Kannst du nicht ein Wunder tun? Vielleicht so eines wie damals, [31] als

[a] Vgl. 5. Mose 18,15

6,14 4,19; 7,40 **6,15** 12,13; 18,33–37; 19,19 **6,17** 2,12 **6,23** 6,10–11 **6,24** Mt 4,13 **6,27** 4,14 **6,29** 1 Joh 2,23 **6,30** 4,48

unsere Vorfahren in der Wüste jeden Tag Brot aßen? Es heißt doch in der Heiligen Schrift: ›Er gab ihnen Brot vom Himmel.‹[a]«

[32] Jesus entgegnete: »Ich versichere euch: Nicht Mose gab euch das Brot vom Himmel! Das wahre Brot vom Himmel gibt euch jetzt mein Vater. [33] Und nur dieses Brot, das vom Himmel kommt, schenkt der Welt das Leben.« [34] »Herr, gib uns jeden Tag dieses Brot!«, baten ihn alle.

[35] »Ich bin das Brot des Lebens«, sagte Jesus zu ihnen. »Wer zu mir kommt, wird niemals wieder Hunger leiden, und wer an mich glaubt, wird nie wieder Durst haben. [36] Doch ich habe euch ja schon einmal gesagt: Ihr glaubt nicht an mich, obwohl ihr mich mit euren eigenen Augen seht. [37] Alle Menschen, die mir der Vater gibt, werden zu mir kommen, und keinen von ihnen werde ich zurückstoßen. [38] Denn ich bin nicht vom Himmel gekommen, um zu tun, was ich will, sondern um den Willen des Vaters zu erfüllen, der mich gesandt hat. [39] Und das ist Gottes Wille: Kein Einziger von denen, die er mir anvertraut hat, soll verloren gehen. Ich werde sie alle am letzten Tag zum Leben erwecken. [40] Denn nach dem Willen meines Vaters wird jeder, der den Sohn sieht und an ihn glaubt, für immer leben. Ich werde ihn am letzten Tag vom Tod auferwecken.«

[41] Weil Jesus behauptet hatte: »Ich bin das Brot, das vom Himmel gekommen ist«, riefen die Juden empört: [42] »Was? Das ist doch Jesus, Josefs Sohn. Wir kennen schließlich seine Eltern. Wie kann er behaupten: ›Ich bin vom Himmel gekommen‹?«

[43] Jesus antwortete auf ihre Vorwürfe: »Warum empört ihr euch so? [44] Keiner kann zu mir kommen, wenn nicht der Vater, der mich gesandt hat, ihn zu mir bringt. Und alle diese Menschen, die er mir gibt, will ich am letzten Tag zum Leben erwecken.

[45] Bei den Propheten heißt es: ›Alle werden von Gott lernen!‹[b] Wer also auf den Vater hört und von ihm lernt, der kommt zu mir. [46] Das bedeutet aber nicht, dass jemals ein Mensch den Vater gesehen hat. Nur einer hat ihn wirklich gesehen: der eine, der von Gott gekommen ist. [47] Ich sage euch die Wahrheit: Wer an mich glaubt, der hat jetzt schon das ewige Leben!

[48] Ich selbst bin das Brot, das euch dieses Leben gibt! [49] Eure Vorfahren haben in der Wüste das Manna, das Brot vom Himmel, gegessen und sind doch alle gestorben. [50] Aber hier ist das wahre Brot, das vom Himmel kommt. Wer davon isst, wird nicht sterben. [51] Ich bin dieses Brot, das von Gott gekommen ist und euch das Leben gibt. Jeder, der dieses Brot isst, wird ewig leben. Dieses Brot ist mein Leib, den ich hingeben werde, damit die Welt leben kann.«

[52] Nach diesen Worten Jesu kam es unter den Juden zu einer heftigen Auseinandersetzung. »Will dieser Mensch uns etwa seinen Leib zu essen geben?«, fragten sie.

[53] Darauf erwiderte Jesus: »Das eine steht unumstößlich fest: Wenn ihr den Leib des Menschensohnes nicht esst und sein Blut nicht trinkt, habt ihr kein Leben in euch. [54] Nur wer meinen Leib isst und mein Blut trinkt, der hat ewiges Leben, und ihn werde ich am letzten Tag auferwecken. [55] Denn mein Leib ist die lebensnotwendige Nahrung und mein Blut der Leben spendende Trank. [56] Wer meinen Leib isst und mein Blut trinkt, der bleibt in mir, und ich bleibe in ihm. [57] Ich lebe durch die Kraft des lebendigen Gottes, der mich gesandt hat. Ebenso wird jeder, der meinen Leib isst, durch mich leben. [58] Nun wisst ihr, was ich mit dem Brot meine, das vom Himmel zu euch ge-

---

[a] Psalm 78,24–25; 2. Mose 16,4.13–15
[b] Jesaja 54,13; Jeremia 31,33–34

6,34 4,15 **6,35** 6,48–58; 7,37 **6,37** 17,6–9 **6,38** 4,34 **6,39** 10,28–29; 17,12 **6,42** Mt 13,55–56 **6,46** 1,18 **6,47** 3,16; 5,24 **6,49** 2 Mo 16,14–15* **6,51** Lk 22,19 **6,53** 1 Kor 10,16 **6,56** 15,4–7 **6,58** 4,13–14

kommen ist! Eure Vorfahren haben zwar auch in der Wüste Brot vom Himmel gegessen, aber sie sind trotzdem gestorben. Doch wer dieses Brot isst, wird für immer leben.«

Jesus stellt seine Jünger vor die Wahl

[59] Dies alles sagte Jesus in der Synagoge von Kapernaum. [60] Viele von denen, die ihm bisher gefolgt waren, hörten es und sagten: »Das ist eine Zumutung! Wer will sich so etwas anhören?«

[61] Jesus wusste, dass selbst seine Jünger entrüstet waren, und fragte sie deshalb: »Nehmt ihr schon daran Anstoß? [62] Was werdet ihr erst sagen, wenn ihr seht, wie der Menschensohn dahin zurückkehrt, woher er gekommen ist? [63] Gottes Geist allein schafft Leben. Ein Mensch kann dies nicht. Die Worte aber, die ich euch gesagt habe, sind aus Gottes Geist; deshalb bringen sie euch das Leben. [64] Aber einige von euch glauben mir trotzdem nicht.«

Jesus wusste nämlich von Anfang an, wer nicht an ihn glaubte und wer ihn später verraten würde. [65] »Deshalb«, so erklärte er weiter, »habe ich euch gesagt: Keiner kann zu mir kommen, wenn ihn nicht der Vater zu mir führt!«

[66] Nach dieser Rede wandten sich viele, die ihm gefolgt waren, von Jesus ab und gingen nicht mehr mit ihm. [67] Da fragte Jesus seine zwölf Jünger: »Wollt ihr auch weggehen und mich verlassen?« [68] »Herr, zu wem sollten wir denn gehen?«, antwortete Simon Petrus. »Nur deine Worte schenken ewiges Leben. [69] Wir glauben und haben erkannt, dass du von Gott kommst und zu Gott gehörst.«

[70] Da sagte Jesus: »Ich selbst habe euch zwölf ausgewählt – und doch: Einer von euch ist ein Teufel!« [71] Damit meinte er Judas, den Sohn von Simon Iskariot, einen seiner zwölf Jünger. Und Judas war es dann auch, der Jesus später verriet.

»Zeig, was du kannst!«

7 Danach zog Jesus weiter durch Galiläa. In Judäa wollte er sich nicht aufhalten, weil die führenden Männer der Juden dort seinen Tod beschlossen hatten. [2] Kurz vor dem Laubhüttenfest aber [3] forderten ihn seine Brüder auf, mit ihnen nach Judäa zu gehen: »Komm mit und zeig deinen Anhängern dort, welche Wunder du tun kannst! [4] Kein Mensch versteckt sich, wenn er bekannt werden will. Wenn du schon Wunder vollbringst, dann zeige sie auch vor aller Welt!« [5] So konnten seine Brüder nur reden, weil sie nicht an ihn glaubten.

[6] Jesus antwortete ihnen: »Jetzt kann ich noch nicht dorthin gehen, weil meine Zeit noch nicht gekommen ist. Ihr könnt gehen und tun, was ihr wollt. [7] Denn die Welt hat ja keinen Grund, euch zu hassen. Aber mich hasst sie, weil ich ihr böses Tun beim Namen nenne. [8] Geht ihr nur zum Fest! Ich komme nicht mit. Denn die Zeit zum Handeln ist für mich noch nicht da.« [9] Das sagte er zu seinen Brüdern und blieb in Galiläa.

Jesus auf dem Laubhüttenfest in Jerusalem

[10] Nachdem seine Brüder nach Jerusalem gereist waren, ging auch Jesus heimlich dorthin. [11] Die führenden Männer des jüdischen Volkes suchten ihn während des Festes und fragten überall: »Wo ist denn dieser Jesus?« [12] Auch unter den Festbesuchern wurde viel über ihn gesprochen. Einige hielten ihn für einen guten Menschen, andere wieder behaupteten: »Er verführt das Volk!« [13] Aber keiner hatte den Mut, frei und offen seine Meinung über ihn zu sagen. Alle fürchteten sich vor den führenden Männern des jüdischen Volkes.

[14] Als das Fest zur Hälfte vorüber war, ging Jesus in den Tempel und lehrte dort

6,62 3,13; 20,17; Lk 24,51 **6,63** 3,6; 1 Kor 15,45; 2 Kor 3,6 **6,64** 2,25 **6,67–69** Mk 8,27–30 **6,70–71** 13,18; 18,2–3 **7,1** 5,18 **7,2** 3 Mo 23,33–43* **7,6** 2,4; 12,23 **7,7** 3,19–20 **7,11** 11,56 **7,12** 7,45–49; 9,16 **7,13** 9,22; 12,42

öffentlich. [15]Die Juden staunten: »Wie kann jemand so viel aus der Heiligen Schrift wissen, obwohl er keinen Lehrer gehabt hat?«

[16]Jesus beantwortete ihre Frage: »Was ich euch sage, sind nicht meine eigenen Gedanken. Es sind die Worte Gottes, der mich gesandt hat. [17]Wer von euch bereit ist, Gottes Willen zu tun, der wird erkennen, ob diese Worte von Gott kommen oder ob es meine eigenen Gedanken sind.

[18]Wer seine eigene Lehre verbreitet, dem geht es um das eigene Ansehen. Wer aber Anerkennung und Ehre für den sucht, der ihn gesandt hat, der ist vertrauenswürdig und tut nichts, was seinem Auftrag widerspricht. [19]Mose hat euch das Gesetz gegeben; aber keiner von euch lebt nach diesem Gesetz! Mit welchem Recht also wollt ihr mich töten?«

[20]Da empörte sich die Menge: »Du bist ja besessen![a] Wer will dich denn umbringen?« [21]Jesus entgegnete: »Ihr ärgert euch darüber, dass ich hier am Sabbat[b] einen Menschen geheilt habe! [22/23]Mose hat angeordnet, dass eure Kinder am achten Tag beschnitten werden sollen.[c] Nach dieser Vorschrift haben sich bereits eure Stammväter vor Mose gerichtet. Auch eure Söhne werden am achten Tag beschnitten, selbst wenn es ein Sabbat ist, damit das Gesetz des Mose nicht übertreten wird. Weshalb also seid ihr so empört darüber, dass ich einen Menschen am Sabbat geheilt habe? [24]Richtet nicht nach dem äußeren Schein, sondern urteilt gerecht!«

Jesus im Widerstreit der Meinungen

[25]Da meinten einige Leute von Jerusalem: »Ist das nicht der Mann, den sie töten wollen? [26]Jetzt redet er hier in aller Öffentlichkeit, und keiner verbietet es ihm. Sollten unsere führenden Männer nun etwa davon überzeugt sein, dass er der Messias ist? [27]Aber er kann es doch gar nicht sein! Schließlich kennen wir seine Herkunft. Woher aber der Messias kommt, wird niemand wissen.«

[28]Darauf rief Jesus im Tempel, so dass es alle hören konnten: »Kennt ihr mich wirklich, und wisst ihr, woher ich komme? Ich bin nicht im eigenen Auftrag gekommen. Der mich gesandt hat, ist wahrhaftig und zuverlässig. Ihr kennt ihn nicht, [29]aber ich kenne ihn, weil ich von ihm komme und er mich zu euch gesandt hat.«

[30]Nach diesen Worten hätten sie ihn am liebsten festgenommen; doch keiner wagte es. Denn Gottes Zeit dafür war noch nicht da. [31]Viele seiner Zuhörer im Tempel aber glaubten an Jesus und sagten: »Was erwartet ihr eigentlich noch von diesem Mann? Mehr Wunder, als er schon getan hat, kann doch auch der Messias nicht tun.«

[32]Als die Pharisäer hörten, was die Leute über Jesus redeten, beschlossen sie zusammen mit den Hohenpriestern, Jesus von der Tempelwache festnehmen zu lassen. [33]Währenddessen sagte Jesus zu der Volksmenge: »Ich bleibe nur noch kurze Zeit bei euch. Danach kehre ich zu dem zurück, der mich gesandt hat. [34]Ihr werdet mich überall suchen, aber nicht mehr finden. Wo ich dann sein werde, könnt ihr nicht hinkommen.«

[35]»Wo will er denn hin?«, fragten die Juden verwirrt. »Will er etwa außer Landes gehen und den Griechen seine Lehre bringen? [36]Was meint er, wenn er sagt: ›Ihr werdet mich suchen und nicht finden‹ und: ›Wo ich dann sein werde, könnt ihr nicht hinkommen‹?«

Leben spendendes Wasser

[37]Am letzten Tag, dem Höhepunkt des großen Festes, trat Jesus wieder vor die

---

[a] Wörtlich: Du hast einen Dämon!
[b] »am Sabbat« ist sinngemäß ergänzt.
[c] Vgl. 1. Mose 17,10–12; 3. Mose 12,3

7,15 Mk 6,2; Lk 2,47 **7,18** 5,41–44; 8,50 **7,19** 1,17; Apg 7,53; Röm 2,17–24 **7,20** 8,48; 10,20 **7,25** 5,18 **7,27** 6,42 **7,28–29** 8,55; 17,25 **7,30** 8,20; 12,23 **7,33** 12,35; 13,33 **7,37** 3 Mo 23,36; Jes 55,1

Menschenmenge und rief laut: »Wer Durst hat, der soll zu mir kommen und trinken! [38]Wer mir vertraut, wird erfahren, was die Heilige Schrift sagt: Von ihm wird Leben spendendes Wasser ausgehen wie ein starker Strom.«

[39]Damit meinte er den Heiligen Geist, den alle bekommen würden, die Jesus vertrauen. Den Geist bekamen sie erst, nachdem Jesus in Gottes Herrlichkeit zurückgekehrt war.

[40]Nach diesen Worten waren einige davon überzeugt: »Er ist der Prophet, den Mose uns angekündigt hat.«[a] [41]Andere wieder sagten: »Nein, er ist der Christus!« Eine dritte Gruppe schließlich meinte: »Das kann gar nicht sein! Er kommt doch aus Galiläa, [42]und in der Heiligen Schrift heißt es schließlich eindeutig, der Christus soll von David abstammen und wie David aus Bethlehem kommen.«[b]

[43]So waren die Meinungen über Jesus sehr geteilt. [44]Einige hätten ihn gern festgenommen; aber keiner wagte es, gegen ihn vorzugehen.

Nikodemus spricht für Jesus

[45]So kehrte die Tempelwache zu den Hohenpriestern und Pharisäern zurück, ohne Jesus festgenommen zu haben. »Weshalb bringt ihr ihn nicht mit?«, stellten sie die Soldaten zur Rede. [46]Die Soldaten entschuldigten sich: »Noch nie hat ein Mensch so geredet wie dieser Mann!« [47]Da wurden die Pharisäer ärgerlich: »Habt ihr euch also auch von ihm beschwatzen lassen? [48]Gibt es etwa unter uns führenden Männern auch nur einen einzigen, der diesem Menschen glaubt? [49]Nur dieses verfluchte Volk läuft ihm nach, das keine Ahnung vom Gesetz hat.«

[50]Doch Nikodemus, der auch zu den Pharisäern gehörte und Jesus früher einmal heimlich aufgesucht hatte,[c] widersprach ihnen: [51]»Seit wann verurteilt denn unser Gesetz einen Menschen, ehe man ihn verhört und ihm seine Schuld nachgewiesen hat?« [52]Da fragten ihn die Pharisäer: »Bist du etwa auch aus Galiläa? Du brauchst nur in der Heiligen Schrift nachzulesen. Dann weißt du: Kein Prophet kommt aus Galiläa!«

[53]Ohne sich geeinigt zu haben, gingen sie nach Hause.[d]

Jesus vergibt der Ehebrecherin

8 Jesus verließ die Stadt und ging zum Ölberg. [2]Aber schon früh am nächsten Morgen war er wieder im Tempel. Viele Menschen drängten sich um ihn. Er setzte sich und lehrte sie.

[3]Da schleppten die Schriftgelehrten und Pharisäer eine Frau heran, die beim Ehebruch überrascht worden war, stießen sie in die Mitte [4]und sagten zu Jesus: »Lehrer, diese Frau wurde auf frischer Tat beim Ehebruch ertappt. [5]Im Gesetz hat Mose uns befohlen, eine solche Frau zu steinigen. Was meinst du dazu?«[e]

[6]Sie fragten dies, um Jesus auf die Probe zu stellen und ihn dann anklagen zu können. Aber Jesus bückte sich nur und schrieb mit dem Finger auf die Erde. [7]Als sie nicht locker ließen, richtete er sich auf und sagte: »Wer von euch noch nie gesündigt hat, soll den ersten Stein auf sie werfen!« [8]Dann bückte er sich wieder und schrieb weiter auf die Erde. [9]Als die Menschen das hörten, gingen sie einer nach dem anderen davon – die älteren zuerst. Schließlich war Jesus mit der Frau allein.

[10]Da stand er auf und fragte sie: »Wo

---

[a] Vgl. 5. Mose 18,15.18
[b] Vgl. Micha 5,1; 1. Samuel 17,12
[c] Vgl. Kapitel 3,1–21
[d] Der Abschnitt Kapitel 7,53 – 8,11 fehlt bei einigen Textzeugen.
[e] Vgl. 3. Mose 20,10; 5. Mose 22,22

7,38 Jes 58,11 **7,39** 14,16–17; 20,22 **7,41** 1,46 **7,45** 7,32 **7,46** Mt 7,28–29 **7,51** 5 Mo 1,16–17; 17,6
8,1–2 Lk 21,37–38 **8,6** Mt 22,15 **8,7** 5 Mo 17,7; Röm 2,1

sind jetzt deine Ankläger? Hat dich denn keiner verurteilt?« [11]»Nein, Herr«, antwortete sie. »Dann verurteile ich dich auch nicht«, entgegnete ihr Jesus. »Geh, aber sündige nun nicht mehr!«

Das Licht, das zum Leben führt

[12]Ein anderes Mal sagte Jesus zu den Menschen: »Ich bin das Licht für die Welt. Wer mir nachfolgt, irrt nicht mehr in der Dunkelheit umher, sondern folgt dem Licht, das ihn zum Leben führt.«

[13]Da unterbrachen ihn die Pharisäer: »Du bist doch wieder nur dein eigener Zeuge. Das beweist noch lange nicht, dass du die Wahrheit sagst.« [14]Jesus erwiderte ihnen: »Auch wenn ich hier als mein eigener Zeuge auftrete, sage ich die Wahrheit. Denn ich weiß, woher ich komme und wohin ich gehe; aber ihr wisst das alles nicht. [15]Ihr urteilt über mich nach dem äußeren Schein. Ich urteile über niemanden so. [16]Wenn ich aber über jemanden das Urteil spreche, dann ist mein Urteil gerecht. Denn ich richte nicht allein, sondern der Vater, der mich gesandt hat, spricht das Urteil. [17]Nach eurem Gesetz ist vor Gericht eine Aussage glaubwürdig, wenn es dafür mindestens zwei Zeugen gibt.[a] [18]Nun, ich selbst trete für mich als Zeuge auf, und mein Vater, der mich gesandt hat, ist auch mein Zeuge.« [19]»Wo ist denn dein Vater?«, fragten sie daraufhin. Jesus antwortete: »Ihr wisst ja nicht einmal, wer *ich* bin; deshalb kennt ihr meinen Vater erst recht nicht. Wenn ihr mich kennen würdet, wüsstet ihr auch, wer mein Vater ist.«

[20]Das alles sagte Jesus an der Stelle des Tempels, wo das Geldopfer gesammelt wurde. Aber niemand nahm ihn fest, denn die Zeit dafür war noch nicht gekommen.

»Wo ich sein werde, könnt ihr nicht hingehen«

[21]Später sagte Jesus noch einmal zu ihnen: »Ich gehe fort. Ihr werdet mich dann verzweifelt suchen, aber ihr werdet in euren Sünden umkommen. Ihr könnt nicht dorthin gehen, wo ich sein werde.«

[22]»Will er sich etwa das Leben nehmen?«, fragten sich die Juden. »Oder was heißt das: ›Ihr könnt nicht dorthin gehen, wo ich sein werde‹?« [23]Dazu sagte ihnen Jesus: »Ihr seid von hier unten; ich komme von oben. Ihr gehört zu dieser Welt; ich gehöre nicht zu dieser Welt. [24]Deshalb habe ich gesagt: Ihr werdet in euren Sünden umkommen. Wenn ihr nicht glaubt, dass ich es bin, gibt es keine Rettung für euch.«

[25]»Dann sag uns, wer du bist!«, forderten sie ihn auf. Jesus erwiderte: »Darüber habe ich doch von Anfang an mit euch geredet.«[b] [26]»Ich hätte euch viel vorzuwerfen und viel an euch zu verurteilen. Trotzdem sage ich euch nur, was ich von dem gehört habe, der mich gesandt hat. Er ist wahrhaftig und zuverlässig.«

[27]Aber sie verstanden noch immer nicht, dass Jesus von Gott, seinem Vater, sprach. [28]Deshalb erklärte er ihnen: »Wenn ihr den Menschensohn erhöht[c] habt, werdet ihr erkennen, wer ich bin, und einsehen, dass ich nichts von mir aus tue, sondern weitergebe, was mir mein Vater gesagt hat. [29]Er, der mich gesandt hat, ist bei mir und lässt mich nie allein, weil ich immer das tue, was ihm gefällt.« [30]Nach diesen Worten glaubten viele an Jesus.

Wer sündigt, ist ein Gefangener der Sünde

[31]Zu den Juden, die nun an ihn glaubten, sagte Jesus: »Wenn ihr an meinen Worten festhaltet und das tut, was ich euch gesagt

---

[a] Vgl. 5. Mose 17,6; 19,15

[b] Oder: Warum soll ich überhaupt noch mit euch darüber reden?

[c] Mit dem Wort »erhöhen« deutet Jesus seinen Kreuzestod an.

8,11 3,17; 5,14 **8,12** Jes 9,1; 42,6; 49,6 **8,14** 7,28–29 **8,18** 1 Joh 5,9 **8,19** 14,7–9 **8,20** 7,30; 12,23 **8,23** 3,31 **8,24** 13,19 **8,28** 3,14; 12,32–34 **8,31** 15,7–8.14

habe, dann gehört ihr wirklich zu mir. [32] Ihr werdet die Wahrheit erkennen, und die Wahrheit wird euch befreien!«

[33] »Aber wir sind Nachkommen Abrahams und niemals Sklaven gewesen«, wandten sie ein. »Wovon sollen wir eigentlich befreit werden?«

[34] Jesus erwiderte ihnen: »Ich sage euch die Wahrheit: Jeder, der sündigt, ist ein Gefangener der Sünde. [35] Ein Sklave kann sich nicht darauf verlassen, dass er immer in dem Haus bleibt, in dem er arbeitet. Dieses Recht hat nur der Sohn der Familie. [36] Wenn euch also der Sohn Gottes befreit, dann seid ihr wirklich frei.

[37] Ich weiß natürlich auch, dass ihr Nachkommen Abrahams seid. Und trotzdem wollt ihr mich töten, weil ihr meine Worte nicht zu Herzen nehmt. [38] Ich spreche von dem, was ich bei meinem Vater gesehen habe. Und ihr tut, was ihr von eurem Vater gehört habt.«

[39] »Unser Vater ist Abraham«, erklärten sie. »Nein«, widersprach ihnen Jesus, »wenn er es wirklich wäre, würdet ihr auch so handeln wie er. [40] Weil ich euch die Wahrheit sage, die ich von Gott gehört habe, wollt ihr mich töten. Das hätte Abraham nie getan. [41] Nein, ihr handelt genau wie euer wirklicher Vater.« »Wir sind doch schließlich nicht im Ehebruch gezeugt worden«, wandten sie ein. »Wir haben nur einen Vater: Gott selbst!«

[42] Doch Jesus entgegnete ihnen: »Wenn es tatsächlich so wäre, dann würdet ihr mich lieben; denn ich komme ja von Gott zu euch; in seinem Auftrag und nicht aus eigenem Entschluss. [43] Aber ich will euch sagen, weshalb ihr mich nicht versteht: weil ihr meine Worte überhaupt nicht hören könnt! [44] Denn ihr seid Kinder des Teufels. Und deshalb handelt ihr so, wie es eurem Vater gefällt. Der war schon von Anfang an ein Mörder, wollte mit der Wahrheit nichts zu tun haben und war ihr schlimmster Feind. Sein ganzes Wesen ist Lüge, er ist der Lügner schlechthin – ja, der Vater jeder Lüge.

[45] Mir aber glaubt ihr nicht, weil ich die Wahrheit sage. [46] Oder kann mir einer von euch auch nur eine einzige Sünde nachweisen? Wenn ich euch die Wahrheit sage, warum glaubt ihr mir dann nicht? [47] Wer Gott zum Vater hat, der hört, was Gott sagt. Ihr aber habt Gott nicht zum Vater, und deshalb hört ihr auch seine Worte nicht.«

Jesus, ein Gotteslästerer?

[48] »Also hatten wir doch Recht«, schimpften die Juden. »Du bist ein Samariter, von bösen Geistern besessen!«

[49] »Nein«, antwortete Jesus, »ich habe keinen bösen Geist, sondern ich ehre meinen Vater. Aber ihr zieht meine Ehre in den Schmutz. [50] Trotzdem suche ich nicht meine eigene Ehre. Gott will, dass ihr mich anerkennt. Er wird auch das Urteil über euch sprechen. [51] Ich sage euch die Wahrheit: Wer meine Botschaft annimmt und danach lebt, wird niemals sterben.«

[52] Verärgert riefen die Juden: »Jetzt hast du dich verraten: Du wirst von einem Dämon beherrscht! Selbst Abraham und die Propheten sind gestorben. Und da willst du behaupten: ›Wer nach meiner Botschaft lebt, wird niemals sterben.‹? [53] Bist du etwa mehr als unser Vater Abraham, der doch auch gestorben ist? Oder willst du mehr sein als die Propheten, die schließlich alle sterben mussten? Was bildest du dir eigentlich ein?«

[54] Jesus entgegnete: »Würde ich mich selbst loben, könntet ihr mir zu Recht misstrauen. Aber mich ehrt mein Vater. Ihr nennt ihn zwar euren Gott. [55] Doch ihr kennt ihn überhaupt nicht. Ich kenne ihn. Wenn ich sagen würde, ich kenne ihn nicht, dann wäre ich ein Lügner wie ihr. Doch ich kenne ihn und erfülle seinen Auftrag. [56] Euer Vater Abraham freute

---

8,33 Lk 3,8; Röm 4,12 **8,34** Röm 6,16.20; 2 Petr 2,19 **8,36** Röm 6,22; Gal 5,1 **8,41** Jes 63,16 **8,43** 1 Kor 2,14 **8,44** 1 Joh 3,8–10; 1 Mo 3,1–5 **8,46** 2 Kor 5,21; Hebr 4,15; 1 Petr 2,22 **8,48** 10,20 **8,51** 5,24 **8,53** 4,12; Mt 12,41–42 **8,55** 7,28–29 **8,56** Hebr 11,13

sich auf den Tag, an dem ich kommen würde. Er hat mein Kommen gesehen und war froh darüber.«

57 »Was?«, fragten die Juden befremdet. »Du bist noch nicht einmal fünfzig Jahre alt und willst Abraham gesehen haben?« 58 Jesus entgegnete ihnen: »Ich sage euch die Wahrheit: Lange bevor Abraham überhaupt geboren wurde, war ich da.[a]« 59 Zornig griffen sie nach Steinen, um Jesus zu töten. Aber er entkam ihnen und verließ den Tempel.

Jesus heilt einen Blinden

9 Unterwegs sah Jesus einen Mann, der von Geburt an blind war. 2 »Meister«, fragten die Jünger, »wer ist schuld daran, dass dieser Mann blind ist? Hat er selbst Schuld auf sich geladen oder seine Eltern?« 3 »Weder noch«, antwortete Jesus. »Vielmehr soll an ihm die Macht Gottes sichtbar werden. 4 Ich muss die Aufgaben, die Gott mir gegeben hat, erfüllen, solange es Tag ist. Bald kommt die Nacht, in der niemand mehr etwas tun kann. 5 Doch solange ich in der Welt bin, werde ich für diese Welt das Licht sein.«

6 Er spuckte auf die Erde, rührte mit dem Speichel einen Brei an und strich ihn auf die Augen des Blinden. 7 Dann forderte er ihn auf: »Geh jetzt zum Teich Siloah, und wasch dich dort.« (Siloah heißt: »Der Gesandte.«) Der Blinde ging hin, wusch sich, und als er zurückkam, konnte er sehen.

8 Seine Nachbarn und andere Leute, die ihn als blinden Bettler kannten, fragten erstaunt: »Ist das nicht der Mann, der immer an der Straße saß und bettelte?« 9 Einige meinten: »Er ist es.« Aber andere konnten es einfach nicht glauben und behaupteten: »Das ist unmöglich! Er sieht ihm nur sehr ähnlich.« »Doch, ich bin es«, bestätigte der Mann selbst. 10 Da fragten sie ihn: »Wie kommt es, dass du plötzlich sehen kannst?«

11 Er berichtete: »Der Mann, der Jesus heißt, machte einen Brei und strich ihn auf meine Augen. Dann schickte er mich zum Teich Siloah. Dort sollte ich den Brei abwaschen. Das habe ich getan, und jetzt kann ich sehen!« 12 »Wo ist denn dieser Jesus?«, fragten sie weiter. »Das weiß ich nicht«, gab er ihnen zur Antwort.

Das Verhör der Pharisäer

13 Sie brachten den von seiner Blindheit geheilten Mann zu den Pharisäern. 14 Es war nämlich gerade Sabbat, als Jesus den Brei gemacht und den Blinden geheilt hatte. 15 Die Pharisäer fragten ihn: »Wie kommt es, dass du jetzt sehen kannst?« Der Mann erzählte: »Jesus strich einen Brei auf meine Augen. Ich habe mich dann gewaschen, und nun kann ich sehen.« 16 Einige der Pharisäer meinten: »Von Gott kann dieser Mann nicht kommen, denn er hält sich nicht an die Sabbatgebote.« Andere aber wandten ein: »Wie kann ein sündiger Mensch solche Taten vollbringen?« So gingen ihre Meinungen auseinander.

17 Dann erkundigten sich die Pharisäer noch einmal bei dem Mann, der blind gewesen war: »Durch ihn kannst du jetzt also sehen? Was meinst denn du, wer dieser Mann ist?« »Er ist ein von Gott gesandter Prophet«, antwortete er. 18 Doch die Pharisäer wollten nicht glauben, dass er überhaupt blind gewesen war. Sie ließen deshalb seine Eltern holen 19 und verhörten sie: »Ist das euer Sohn? Stimmt es, dass er von Geburt an blind war? Wie kommt es, dass er jetzt sehen kann?«

20 Die Eltern antworteten: »Ja, das ist unser Sohn, und er war von Geburt an blind. Das wissen wir genau. 21 Aber wie es kommt, dass er sehen kann, wissen wir nicht. Wir haben auch keine Ahnung, wer ihn geheilt hat. Fragt ihn doch selbst! Er ist alt genug und kann euch am besten

---

a Wörtlich: Ehe Abraham war, bin ich. Vgl. 2. Mose 3,14

8,58 1,1–2 **8,59** Mt 23,37 **9,2** 2 Mo 20,5; Hes 18,20; Lk 13,2 **9,3** 11,4 **9,4** 5,17 **9,5** 8,12 **9,6** Mk 8,23 **9,14** 5,9 **9,16** 9,31.33; 3,2

Auskunft geben.« [22]Diese ausweichende Antwort gaben die Eltern, weil sie vor den führenden Männern der Juden Angst hatten. Denn die hatten beschlossen, jeden aus der Synagoge auszuschließen, der Jesus als den versprochenen Retter anerkannte. [23]Nur deshalb hatten die Eltern gesagt: »Er ist alt genug. Fragt ihn selbst.«

[24]Die Pharisäer verhörten den Geheilten zum zweiten Mal. Sie versuchten, ihn einzuschüchtern: »Bekenne dich zu Gott, und sag die Wahrheit! Wir wissen, dass dieser Jesus ein sündiger Mensch ist.« [25]»Ob er ein Sünder ist oder nicht, das weiß ich nicht«, antwortete der Mann. »Ich weiß nur eins: Ich war blind, und jetzt kann ich sehen!« [26]»Aber was hat er denn gemacht? Wie hat er dich geheilt?«, versuchten sie erneut herauszubekommen.

[27]Verärgert erwiderte der Mann: »Das habe ich euch doch schon gesagt, habt ihr nicht zugehört? Warum soll ich alles noch einmal erzählen? Wollt ihr etwa auch seine Jünger werden?« [28]Da wurden sie zornig und schrien ihn an: *»Du* bist sein Jünger! *Wir* sind Moses Jünger. [29]Von Mose wissen wir, dass Gott zu ihm geredet hat. Aber von diesem Menschen wissen wir noch nicht einmal, wo er herkommt.«

[30]»Das ist ja merkwürdig!«, entgegnete der Mann. »Er hat mich von meiner Blindheit geheilt, und ihr wisst nicht, woher er kommt? [31]Wir wissen doch alle, dass Gott die Gebete der Sünder nicht erhört. Aber wer nach seinem Willen lebt, den erhört er. [32]Noch nie, seit die Welt besteht, hat jemand einem von Geburt an Blinden das Augenlicht geschenkt. [33]Wenn dieser Mann nicht von Gott käme, könnte er das doch gar nicht tun.« [34]Wütend schrien sie ihn an: »Du bist doch schon von Geburt an ein Sünder und willst uns belehren?« Dann schlossen sie ihn aus der jüdischen Gemeinschaft aus.

Die Blindheit der Sehenden

[35]Jesus hörte, dass sie den Geheilten aus der Synagoge ausgeschlossen hatten. Als er den Mann wieder traf, fragte er ihn: »Glaubst du an den Menschensohn?« [36]»Sag mir, wer es ist, damit ich an ihn glauben kann!«, erwiderte der Geheilte. [37]»Du hast ihn schon gesehen, und in diesem Augenblick spricht er mit dir!«, gab sich Jesus zu erkennen. [38]»Ja, Herr«, rief jetzt der Mann, »ich glaube!« Und er warf sich vor Jesus nieder.

[39]Jesus sagte: »Ich bin in diese Welt gekommen, damit sich an mir die Geister scheiden. Blinde sollen sehen können; aber alle Sehenden sollen blind werden.« [40]Einige Pharisäer standen dabei und fragten ihn: »Soll das etwa heißen, dass wir blind sind?« [41]Jesus antwortete: »Wärt ihr tatsächlich blind, dann träfe euch keine Schuld. Aber ihr sagt ja: ›Wir sehen.‹ Deshalb kann euch niemand eure Schuld abnehmen.«

Der gute Hirte

10 Weiter sagte Jesus: »Ich sage euch die Wahrheit: Wer nicht durch die Tür in den Schafstall geht, sondern heimlich einsteigt, der ist ein Dieb und Räuber. [2]Der Hirte geht durch die Tür zu seinen Schafen. [3]Ihm öffnet der Wächter die Tür, und die Schafe erkennen ihn schon an seiner Stimme. Dann ruft der Hirte jedes mit seinem Namen und führt sie auf die Weide. [4]Wenn seine Schafe den Stall verlassen haben, geht er vor ihnen her, und die Schafe folgen ihm, weil sie seine Stimme kennen. [5]Einem Fremden würden sie niemals folgen. Ihm laufen sie davon, weil sie seine Stimme nicht kennen.«

[6]Die Leute, denen Jesus dieses Gleichnis erzählte, verstanden nicht, was er damit meinte. [7]Deshalb erklärte er ihnen: »Ich sage euch die Wahrheit: Ich selbst bin die Tür, die zu den Schafen führt.

9,22 12,42; 19,38 **9,24** 8,46 **9,29** 4 Mo 12,7–8 **9,31** Ps 66,18; 145,19; Spr 15,29 **9,37** 4,26 **9,39** Mt 11,25; 13,11–17 **9,41** 15,22 **10,7** Mt 7,13

[8]Alle, die sich vor mir als eure Hirten ausgaben, waren Diebe und Räuber. Aber die Schafe haben nicht auf sie gehört. [9]Ich allein bin die Tür. Wer durch mich zu meiner Herde kommt, der wird gerettet werden. Er kann durch diese Tür ein- und ausgehen, und er wird saftig grüne Weiden finden. [10]Der Dieb kommt, um zu stehlen, zu schlachten und zu vernichten. Ich aber bringe Leben – und dies im Überfluss.

[11]Ich bin der gute Hirte. Ein guter Hirte setzt sein Leben für die Schafe ein. [12]Anders ist es mit einem, dem die Schafe nicht gehören und der nur wegen des Geldes als Hirte arbeitet. Er wird fliehen, wenn der Wolf kommt, und die Schafe sich selbst überlassen. Der Wolf wird über die Schafe herfallen und die Herde auseinander jagen. [13]Einem solchen Mann liegt nichts an den Schafen. [14]Ich aber bin der gute Hirte und kenne meine Schafe, und sie kennen mich; [15]genauso wie mich mein Vater kennt und ich den Vater kenne. Ich gebe mein Leben für die Schafe.

[16]Zu meiner Herde gehören auch Schafe, die jetzt noch in anderen Ställen sind. Auch sie muss ich herführen, und sie werden wie die übrigen meiner Stimme folgen. Dann wird es nur noch eine Herde und einen Hirten geben.

[17]Der Vater liebt mich, weil ich mein Leben hingebe, um es neu zu empfangen. [18]Niemand nimmt mir mein Leben, ich gebe es freiwillig. Ich habe die Macht und die Freiheit, es zu geben und zu nehmen. Das ist der Auftrag, den mir mein Vater gegeben hat.«

[19]Da fingen die Juden wieder an, sich über Jesus zu streiten. [20]Die meisten sagten: »Er ist von einem bösen Geist besessen! Er ist wahnsinnig! Weshalb hört ihr ihm überhaupt noch zu?« [21]Andere aber meinten: »So spricht doch kein Besessener! Kann denn ein böser Geist einen Blinden heilen?«

Jesus im Kreuzverhör

[22]Es war Winter. In Jerusalem feierte man das Fest der Tempelweihe. [23]Jesus hielt sich gerade im Tempel auf, in der Halle Salomos, [24]als die Juden ihn umringten und fragten: »Wie lange lässt du uns noch im Ungewissen? Wenn du Christus bist, dann sag uns das ganz offen!«

[25]»Ich habe es euch schon gesagt, aber ihr wollt mir ja nicht glauben«, antwortete Jesus. »All das, was ich im Auftrag meines Vaters getan habe, sollte als Beweis genügen. [26]Aber ihr glaubt mir nicht, denn ihr gehört nicht zu meiner Herde. Das habe ich euch bereits gesagt. [27]Meine Schafe erkennen meine Stimme; ich kenne sie, und sie folgen meinem Ruf. [28]Ihnen gebe ich das ewige Leben, und sie werden niemals umkommen. Niemand kann sie aus meiner Hand reißen. [29]Mein Vater hat sie mir gegeben, und er ist stärker als alle anderen Mächte. Deshalb kann sie auch keiner der Hand meines Vaters entreißen. [30]Ich und der Vater sind eins.«

[31]Wütend griffen da die Juden wieder nach Steinen, um ihn zu töten. [32]Jesus aber sagte: »In Gottes Auftrag habe ich viele gute Taten vollbracht. Für welche wollt ihr mich töten?« [33]»Nicht wegen einer guten Tat sollst du sterben«, antworteten sie, »sondern weil du nicht aufhörst, Gott zu lästern. Du bist nur ein Mensch und behauptest trotzdem, Gott zu sein!«

[34]Jesus entgegnete: »Heißt es nicht in eurem Gesetz: ›Ich habe zu euch gesagt: Ihr seid Götter‹[a]? [35]Gott nennt die schon Götter, an die er sein Wort richtet. Und ihr wollt doch nicht etwa die Heilige Schrift für ungültig erklären? [36]Wie könnt ihr den, der von Gott selbst auserwählt und in die Welt gesandt wurde, als Gotteslästerer beschimpfen, nur weil

---

[a] Psalm 82,6

10,9 Ps 23,1–2; Hes 34,14 **10,11–16** Hes 34,11–16* **10,11** Mt 18,12–14; 1 Joh 3,16 **10,14** 2 Tim 2,19 **10,15** Mk 10,45 **10,16** 11,51–52; Jes 56,8; Hes 34,23–24 **10,18** 14,31 **10,21** 9,6–7 **10,23** Apg 3,11 **10,25** 5,36 **10,26** 8,45.47 **10,27** 10,3–4 **10,28–29** 6,39; Röm 8,38–39 **10,33** 3 Mo 24,16; Mt 26,65–66 **10,36** 1,34*

er sagt: ›Ich bin Gottes Sohn‹? [37] Wenn ich nicht das tue, was mein Vater will, braucht ihr mir nicht zu glauben. [38] Tue ich es aber, dann glaubt doch wenigstens diesen Taten, wenn ihr schon mir nicht glauben wollt! Dann werdet ihr endlich erkennen und glauben, dass der Vater in mir ist und ich im Vater bin!«

[39] Da versuchten sie wieder, Jesus festzunehmen, aber er konnte ihnen entkommen. [40] Er ging auf die andere Seite des Jordan zurück und hielt sich dort auf, wo Johannes früher getauft hatte. [41] Viele Menschen folgten ihm. »Johannes hat zwar keine Wunder getan«, meinten sie untereinander, »aber alles, was er von diesem Mann gesagt hat, ist wahr!« [42] So glaubten dort viele an Jesus.

Die Auferweckung des Lazarus

11 Ein Mann namens Lazarus, der in Betanien wohnte, war schwer erkrankt. Im selben Dorf wohnten auch seine Schwestern Maria und Marta. [2] Maria war es gewesen, die mit kostbarem Salböl die Füße des Herrn übergossen und sie mit ihrem Haar getrocknet hatte. Weil ihr Bruder Lazarus so krank war, [3] ließen die beiden Schwestern Jesus mitteilen: »Herr, dein Freund Lazarus ist schwer erkrankt!« [4] Als Jesus das hörte, sagte er: »Diese Krankheit führt letztlich nicht zum Tod, sondern durch sie soll die Macht Gottes sichtbar werden, und auch der Sohn Gottes wird dadurch geehrt.«

[5] Jesus liebte Marta, ihre Schwester Maria und Lazarus. [6] Aber obwohl er nun wusste, dass Lazarus schwer krank war, wartete er noch zwei Tage. [7] Erst danach sagte er zu seinen Jüngern: »Wir wollen wieder nach Judäa gehen.« [8] Doch seine Jünger wandten ein: »Meister, vor kurzem haben die Leute in Judäa versucht, dich umzubringen. Und jetzt willst du wieder dorthin?« [9] Jesus antwortete: »Zwölf Stunden am Tag ist es hell. Wer sicher laufen will, muss diese Zeit nutzen; denn nur bei Tageslicht sieht er den Weg. [10] Wer nachts unterwegs ist, stolpert in der Dunkelheit, weil das Licht nicht bei ihm ist.«

[11] Nachdem er das seinen Jüngern gesagt hatte, meinte er: »Unser Freund Lazarus ist eingeschlafen, aber ich will hingehen und ihn aufwecken!« [12] Die Jünger erwiderten: »Wenn er schläft, wird er bald wieder gesund sein.« [13] Sie glaubten nämlich, Jesus hätte vom gewöhnlichen Schlaf gesprochen, aber er redete vom Tod des Lazarus.

[14] Deshalb sagte Jesus ihnen offen: »Lazarus ist tot! [15] Doch euretwegen bin ich froh, dass ich nicht bei ihm gewesen bin. Denn nun könnt ihr lernen, was Glauben heißt. Wir wollen jetzt gemeinsam zu ihm gehen!« [16] Thomas, den man auch den Zwilling nannte, sagte zu den anderen Jüngern: »Ja, lasst uns mit Jesus nach Judäa gehen und dort mit ihm sterben.«

[17] Als sie in Betanien ankamen, lag Lazarus schon vier Tage im Grab. [18] Betanien ist weniger als drei Kilometer von Jerusalem entfernt. [19] Deswegen waren viele Juden zu Maria und Marta gekommen, um die beiden zu trösten. [20] Als Marta hörte, dass Jesus auf dem Weg zu ihnen war, lief sie ihm entgegen. Maria aber blieb zu Hause.

[21] Marta sagte zu Jesus: »Herr, wärst du hier gewesen, würde mein Bruder noch leben. [22] Aber auch jetzt weiß ich, dass Gott dir alles geben wird, worum du ihn bittest.« [23] »Dein Bruder wird auferstehen!«, versicherte ihr Jesus. [24] »Ja, ich weiß«, sagte Marta, »am letzten Tag, am Tag der Auferstehung.«

[25] Darauf erwiderte ihr Jesus: »Ich bin die Auferstehung, und ich bin das Leben. Wer mir vertraut, der wird leben, selbst wenn er stirbt. [26] Und wer lebt und mir vertraut, wird niemals sterben. Glaubst du das?« [27] »Ja, Herr«, antwortete ihm Marta. »Ich glaube, dass du Christus bist,

---

10,38 5,36 **10,40** 1,28 **10,41** 1,29–34; 3,27–28 **11,1** Lk 10,38–39 **11,2** 12,3 **11,4** 9,3 **11,8** 10,31 **11,10** 12,35 **11,11** Mk 5,39 **11,16** Mk 14,31 **11,24** Jes 26,19; Dan 12,2 **11,25** 5,21.24 **11,27** 1,34*; Mt 16,16

der Sohn Gottes, auf den wir so lange gewartet haben.«

[28] Jetzt lief Marta zu ihrer Schwester Maria. Ohne dass die übrigen Trauergäste es merkten, flüsterte sie ihr zu: »Unser Lehrer ist da und will dich sprechen!« [29] Maria stand sofort auf und lief ihm entgegen. [30] Jesus hatte das Dorf noch nicht erreicht, sondern war dort geblieben, wo Marta ihn getroffen hatte. [31] Als Maria aufsprang und eilig das Haus verließ, meinten die Juden, die Maria trösten wollten: »Sie will am Grab weinen.« Darum standen sie auf und folgten ihr.

[32] Aber Maria lief zu Jesus. Sie fiel vor ihm nieder und rief: »Herr, wenn du da gewesen wärst, würde mein Bruder noch leben!«

[33] Jesus sah, wie sie und die Trauergäste weinten. Da war er tief bewegt und erschüttert. [34] »Wo habt ihr ihn hingelegt?«, fragte er.

Sie antworteten: »Komm, Herr, wir zeigen es dir!« [35] Auch Jesus kamen die Tränen. [36] »Seht«, sagten die Juden, »er muss ihn sehr lieb gehabt haben!« [37] Doch einige meinten: »Einen Blinden hat er sehend gemacht. Hätte er nicht verhindern können, dass Lazarus starb?«

[38] Da war Jesus erneut tief bewegt. Er trat an das Grab. Es war eine Höhle, die man mit einem großen Stein verschlossen hatte. [39] »Hebt den Stein weg!«, befahl Jesus. Aber Marta, die Schwester des Verstorbenen, sagte: »Herr, der Geruch wird unerträglich sein! Er ist doch schon vier Tage tot!«

[40] »Habe ich dir nicht gesagt«, entgegnete ihr Jesus, »du wirst die Herrlichkeit Gottes sehen, wenn du nur glaubst?«

[41] Sie schoben den Stein weg. Jesus sah zum Himmel auf und betete: »Vater, ich danke dir, dass du mein Gebet erhört hast! [42] Ich weiß, dass du mich immer erhörst, aber ich sage es wegen der vielen Menschen, die hier stehen. Sie sollen alles miterleben und glauben, dass du mich gesandt hast.«

[43] Dann rief er laut: »Lazarus, komm heraus!« [44] Und Lazarus kam heraus. Hände und Füße waren mit Grabtüchern umwickelt, und auch sein Gesicht war mit einem Tuch verhüllt. »Nehmt ihm die Tücher ab«, forderte Jesus die Leute auf, »und lasst ihn gehen.«

Einer soll für alle sterben

[45] Viele von den Juden, die bei Maria gewesen waren, glaubten an Jesus, nachdem sie gesehen hatten, was er tat. [46] Aber einige liefen schnell zu den Pharisäern und berichteten ihnen alles.

[47] Darauf beriefen die Hohenpriester und Pharisäer eine Sitzung des Hohen Rates ein. Sie fragten sich: »Was sollen wir bloß tun? Dieser Jesus vollbringt viele Wunder, [48] und wenn wir nichts gegen ihn unternehmen, wird bald das ganze Volk an ihn glauben. Dann werden die Römer eingreifen, und schließlich haben wir keinen Tempel mehr und auch keine Macht über das Volk.«

[49] Einer von ihnen, Kaiphas, der in diesem Jahr Hoherpriester war, sagte: »Ihr begreift gar nichts! [50] Überlegt doch einmal: Für uns alle ist es besser, wenn einer für das Volk stirbt, als dass ein ganzes Volk zugrunde geht.« [51] Kaiphas sprach damit etwas aus, was nicht aus ihm selbst kam. Er war in diesem Jahr Hoherpriester, und Gott hatte ihm diese Worte in den Mund gelegt. Denn Jesus sollte für das Volk sterben – [52] aber nicht allein für das jüdische Volk. Alle Kinder Gottes aus allen Völkern sollten durch ihn zusammengeführt werden.

[53] Von dem Tag an waren die führenden Männer der Juden fest entschlossen, Jesus zu töten. [54] Deshalb vermied es Jesus, sich in der Öffentlichkeit sehen zu lassen. Er zog sich nach Ephraim zurück, eine Stadt am Rand der Wüste. Dort blieb er mit seinen Jüngern.

[55] Es war kurz vor dem jüdischen Passahfest. Aus dem ganzen Land zogen die

---

11,37 9,6–7 **11,38** Mt 27,59–60 **11,42** 12,30 **11,43** 5,25.28 **11,47–48** Mt 26,3–5 **11,49–50** 18,14 **11,52** 10,16; Eph 2,14–18 **11,55** 2,13; 6,4; 2 Chr 30,17–18

Leute nach Jerusalem, um schon vor Beginn des Festes die Reinigungsvorschriften zu erfüllen. [56] Sie alle wollten Jesus gern sehen und suchten ihn. Als sie im Tempel zusammenstanden, fragte einer den anderen: »Was meint ihr, wird er wohl zum Fest kommen?« [57] Inzwischen hatten die Hohenpriester und Pharisäer nämlich den Befehl erlassen, dass jeder Jesus sofort anzeigen musste, der seinen Aufenthaltsort kannte; denn sie wollten ihn unbedingt festnehmen.

Ein Vermögen für Jesus
(Matthäus 26,6–13; Markus 14,3–9)

12 Sechs Tage vor Beginn des Passahfestes kam Jesus wieder nach Betanien, wo er Lazarus von den Toten auferweckt hatte. [2] Jesus zu Ehren hatte man dort ein Festmahl vorbereitet. Marta half beim Bedienen, während Lazarus unter den Gästen war, die mit Jesus aßen. [3] Da nahm Maria ein Fläschchen[a] mit reinem, kostbarem Nardenöl, goss es über die Füße Jesu und trocknete sie mit ihrem Haar. Der Duft des Öls erfüllte das ganze Haus.

[4] Aber einer von seinen Jüngern, Judas Iskariot, der ihn später verriet, meinte entrüstet: [5] »Das Öl hätte man besser für dreihundert Silberstücke verkauft und das Geld den Armen gegeben.« [6] In Wirklichkeit ging es ihm aber nicht um die Armen, sondern um das Geld. Er verwaltete die gemeinsame Kasse und hatte schon oft etwas für sich selbst daraus genommen. [7] Jesus erwiderte: »Lass sie doch! Maria hat damit nur die Salbung für mein Begräbnis vorweggenommen. [8] Arme, die eure Hilfe nötig haben, wird es immer geben, ich dagegen bin nicht mehr lange bei euch.«

[9] Als sich herumgesprochen hatte, wo Jesus war, liefen viele Menschen nach Betanien. Sie kamen nicht nur, um Jesus zu sehen, sondern auch wegen Lazarus, den Jesus von den Toten auferweckt hatte. [10] Da beschlossen die Hohenpriester, auch Lazarus zu töten; [11] denn seinetwegen glaubten viele Juden an Jesus.

Jesus wird als König empfangen
(Matthäus 21,1–11; Markus 11,1–10; Lukas 19,28–40)

[12] Am nächsten Tag verbreitete sich unter der Volksmenge, die zum Passahfest gekommen war, die Nachricht: Jesus ist auf dem Weg nach Jerusalem. [13] Da nahmen die Menschen Palmenzweige, liefen Jesus entgegen und riefen ihm begeistert zu: »Gepriesen sei Gott! Gelobt sei, der in Gottes Auftrag kommt, der König von Israel!« [14] Jesus ritt auf einem Eselfohlen in die Stadt. Damit erfüllte sich das Prophetenwort: [15] »Fürchte dich nicht, du Stadt auf dem Berg Zion! Dein König kommt! Er reitet auf einem Eselfohlen.«[b] [16] Doch das verstanden seine Jünger damals noch nicht. Erst nachdem Jesus in Gottes Herrlichkeit zurückgekehrt war, begriffen sie, dass sich an diesem Tag die Voraussage der Heiligen Schrift erfüllt hatte.

[17] Alle, die dabei gewesen waren, als Jesus Lazarus aus dem Grab gerufen und wieder zum Leben erweckt hatte, hatten es weitererzählt. [18] Deswegen liefen Jesus auch so viele Menschen entgegen. Sie wollten den Mann sehen, der solche Wunder vollbrachte. [19] Nur die Pharisäer warfen sich gegenseitig vor: »Nun seht ihr, dass ihr so nichts erreicht! Alle Welt rennt ihm hinterher!«

»Wir möchten Jesus kennen lernen!«

[20] Unter den Festbesuchern waren auch einige Griechen. [21] Sie kamen zu Philippus, der aus Betsaida in Galiläa stammte, und baten ihn: »Herr, wir möchten Jesus kennen lernen!« [22] Philippus sprach mit

---

[a] Wörtlich: ein Litra. – Dieses Hohlmaß entsprach ca. 320 g.

[b] Sacharja 9,9

11,56 7,11 **12,1** 11,1.43–44 **12,2** Lk 10,40 **12,3** Lk 7,37–38 **12,4** 18,2–3 **12,7** 19,39–40 **12,8** 5 Mo 15,11 **12,9–11** 11,43–45 **12,13** Ps 118,26 **12,16** 2,22; 14,26 **12,21** Lk 19,3; 23,8

Andreas darüber, dann gingen sie gemeinsam zu Jesus.

[23] Er sagte ihnen: »Die Stunde ist gekommen. Jetzt soll der Menschensohn gerühmt und geehrt werden. [24] Ich sage euch die Wahrheit: Ein Weizenkorn, das nicht in den Boden kommt und stirbt, bleibt ein einzelnes Korn. In der Erde aber keimt es und bringt viel Frucht, obwohl es selbst dabei stirbt. [25] Wer an seinem Leben festhält, wird es verlieren. Wer aber sein Leben loslässt, wird es für alle Ewigkeit gewinnen. [26] Wer mir dienen will, der soll mir folgen. Denn wo ich bin, soll er auch sein. Und wer mir dient, den wird mein Vater ehren.«

Jesus spricht von seinem nahen Tod

[27] »Jetzt habe ich große Angst. Soll ich deshalb beten: Vater, bewahre mich vor dem, was bald auf mich zukommt? Nein, denn ich bin in die Welt gekommen, um diese Stunde zu durchleiden. [28] Vater, lass deinen Namen gerühmt und geehrt werden!« Da erklang eine Stimme vom Himmel: »Das habe ich bisher schon getan, und ich werde ihn wieder zu großer Ehre bringen!«

[29] Die Menschen um Jesus hatten die Stimme gehört und meinten: »Es hat gedonnert!« Andere behaupteten: »Ein Engel hat mit ihm geredet.« [30] Doch Jesus entgegnete: »Diese Stimme hat euch gegolten, nicht mir. [31] Jetzt wird über diese Welt Gericht gehalten; jetzt wird der Teufel, der Herrscher dieser Welt, entmachtet. [32] Wenn ich aber erhöht sein werde, werde ich dafür sorgen, dass alle bei mir sind.« [33] Auf diese Weise deutete Jesus seinen Tod am Kreuz an.

[34] Viele der Versammelten wandten ein: »Aus dem Gesetz wissen wir doch, dass Christus für immer bei uns bleiben wird. Wie kannst du dann sagen: ›Der Menschensohn muss erhöht werden‹? Wer ist eigentlich dieser Menschensohn?« [35] Jesus erwiderte: »Das Licht ist nur noch kurze Zeit bei euch. Nutzt diese Zeit, macht euch auf den Weg, bevor euch die Dunkelheit überfällt. Wer im Dunkeln geht, kann weder Weg noch Ziel erkennen. [36] Vertraut euch dem Licht an, solange ihr es habt, dann werdet ihr im Licht leben.«

Nur wenige glauben

Nach diesen Worten verließ Jesus die Menge und versteckte sich vor den Leuten. [37] Trotz aller Wunder, die er getan hatte, glaubten die Menschen nicht an ihn. [38] So sollte sich erfüllen, was der Prophet Jesaja vorhergesagt hatte: »Herr, wer glaubt denn unserer Botschaft? Wer erkennt, dass Gott es ist, der diese mächtigen Taten vollbringt?«[a] [39] Jesaja hat auch den Grund genannt, weshalb sie nicht glauben konnten: [40] »Gott hat ihre Augen geblendet und ihre Herzen verschlossen. Deshalb sehen sie nicht und sind nicht einsichtig. Sie wollen nicht zu mir umkehren, darum kann ich ihnen nicht helfen und sie heilen.«[b] [41] Jesaja konnte so reden, weil er die Herrlichkeit des Christus gesehen hatte.

[42] Und doch gab es unter den führenden Männern des Volkes viele, die an Jesus glaubten. Aber aus Angst vor den Pharisäern bekannten sie sich nicht öffentlich zu ihm. Denn sie wollten nicht aus der Gemeinschaft des jüdischen Volkes ausgeschlossen werden. [43] Ihnen bedeutete die Zustimmung der Menschen mehr als das Ansehen bei Gott.

[44] Laut verkündete Jesus: »Wer an mich glaubt, der glaubt in Wahrheit an den, der mich gesandt hat. [45] Und wenn ihr mich seht, dann seht ihr den, der mich gesandt hat! [46] Ich bin als das Licht in die Welt gekommen, damit jeder, der an mich glaubt, nicht länger in der Dunkelheit le-

---

[a] Jesaja 53,1
[b] Jesaja 6,9–10

12,23 2,4; 7,6.30; 8,20; 13,1 **12,25** Mt 16,25 **12,26** 14,3; 17,24 **12,27** Mt 26,38–39 **12,31** 14,30; 16,11 **12,32** 3,14; 18,32 **12,34** Ps 110,4; Jes 9,6*; Dan 7,13–14 **12,35** 8,12 **12,36** Eph 5,8; 1 Thess 5,5 **12,42** 9,22 **12,45** 14,7–9 **12,46** 8,12

ben muss. [47] Wenn jemand auf meine Botschaft hört und nicht danach handelt, so werde ich ihn nicht verurteilen. Denn ich bin nicht als Richter der Welt gekommen, sondern als ihr Retter.

[48] Wer mich ablehnt und nicht nach meiner Botschaft lebt, der hat schon seinen Richter gefunden. Was ich verkündet habe, wird ihn am Tag des Gerichts verurteilen. [49] Denn ich habe nicht eigenmächtig zu euch geredet. Der Vater hat mich gesandt und mir gesagt, was ich reden und verkünden soll. [50] Und das ist gewiss: Was er mir aufgetragen hat, euch zu sagen, führt euch zum ewigen Leben! Deshalb gebe ich euch alles so weiter, wie der Vater es mir gesagt hat.«

Jesus dient seinen Jüngern

13 Am Vorabend des Passahfestes wusste Jesus, dass nun die Zeit gekommen war, diese Welt zu verlassen und zum Vater zurückzukehren. Er hatte die Menschen geliebt, die zu ihm gehörten, und er hörte nicht auf, sie zu lieben. [2] An diesem Abend aß Jesus zusammen mit seinen Jüngern. Der Teufel hatte Judas, den Sohn von Simon Iskariot, schon zum Verrat an Jesus verführt. [3] Jesus aber wusste, dass der Vater ihm alles in die Hand gegeben hatte, dass er von Gott gekommen war und zu ihm zurückkehren würde. [4] Da stand er vom Tisch auf, legte sein Obergewand ab und band sich ein Tuch aus Leinen um. [5] Er goss Wasser in eine Schüssel und begann, seinen Jüngern die Füße zu waschen und mit dem Tuch abzutrocknen.

[6] Als er zu Simon Petrus kam, wehrte dieser ab: »Herr, wie kommst du dazu, mir die Füße zu waschen!« [7] Jesus antwortete ihm: »Das verstehst du jetzt noch nicht. Aber später wirst du es verstehen.« [8] Doch Petrus blieb dabei: »Niemals sollst du mir die Füße waschen!« Worauf Jesus erwiderte: »Wenn ich dir nicht die Füße wasche, gehörst du nicht zu mir.« [9] Da sagte Petrus: »Herr, dann wasch mir nicht nur die Füße, sondern auch die Hände und das Gesicht!« [10] Jesus antwortete: »Wer gebadet hat, der ist ganz rein. Ihm braucht man nur noch den Straßenstaub von den Füßen zu waschen. Ihr seid alle rein – außer einem.« [11] Jesus wusste nämlich, wer ihn verraten würde. Deshalb sagte er: »Ihr seid nicht alle rein.«

[12] Nachdem Jesus ihnen die Füße gewaschen hatte, zog er sein Obergewand wieder an, kehrte zu seinem Platz am Tisch zurück und fragte seine Jünger: »Versteht ihr, was ich eben getan habe? [13] Ihr nennt mich Meister und Herr. Das ist auch richtig so, denn ich bin es. [14] Wie ich, euer Meister und Herr, euch jetzt die Füße gewaschen habe, so sollt auch ihr euch gegenseitig die Füße waschen. [15] Ich habe euch damit ein Beispiel gegeben, dem ihr folgen sollt. Handelt ebenso! [16] Ich sage euch die Wahrheit: Ein Diener steht niemals höher als sein Herr, und ein Botschafter untersteht dem, der ihn gesandt hat. [17] Wenn ihr das begreift und danach handelt, wird man euch glücklich schätzen.

[18] Jetzt spreche ich nicht von euch allen; denn ich weiß, welche ich als meine Jünger ausgewählt habe. Aber was in der Heiligen Schrift vorausgesagt ist, muss sich erfüllen: ›Einer, der mit mir zusammen das Brot isst, tritt mich mit Füßen.‹[a] [19] Schon jetzt kündige ich es euch an, damit ihr auch dann, wenn es geschieht, ganz sicher wisst: Ich bin der, den Gott gesandt hat. [20] Ich sage euch die Wahrheit: Wer einen Menschen aufnimmt, den ich senden werde, der nimmt mich auf. Und wer mich aufnimmt, der nimmt den Vater auf, der mich gesandt hat.«

---

[a] Psalm 41,10

12,47–48 3,17–18 **12,49** 7,16–17 **13,1** 7,30; 8,20; 12,23 **13,2** 13,27; Lk 22,3 **13,3** 3,35 **13,4** Mt 20,28; Lk 12,37 **13,6** Mt 3,14 **13,10** 15,3 **13,11** 6,64.70–71 **13,13** Mt 23,8–10 **13,14–15** 1 Joh 2,6; 3,16 **13,19** 14,29 **13,20** Mt 10,40–42

»Einer von euch wird mich verraten« (Matthäus 26,21–25; Markus 14,18–21; Lukas 22,21–23)

[21] Nachdem Jesus dies gesagt hatte, war er sehr erschüttert und bestätigte: »Ja, es ist wahr: Einer von euch wird mich verraten!« [22] Die Jünger sahen sich fragend an und rätselten, wen er meinte.

[23] Ganz nah bei Jesus hatte der Jünger seinen Platz, den Jesus am meisten liebte. [24] Petrus winkte ihn zur Seite und sagte: »Frag du ihn, wen er meint!« [25] Da beugte der Jünger sich zu Jesus hinüber und fragte leise: »Herr, wer von uns ist es?« [26] Jesus antwortete ihm: »Es ist der, dem ich das Brot geben werde, das ich jetzt in die Schüssel eintauche.«

Darauf tauchte er das Brot ein und gab es Judas, dem Sohn des Simon Iskariot. [27] Von diesem Augenblick an hatte Satan den Judas ganz in seiner Gewalt. »Beeil dich, Judas! Erledige bald, was du tun willst!«, forderte Jesus ihn auf.

[28] Keiner von den anderen am Tisch verstand, was Jesus mit diesen Worten meinte. [29] Manche dachten, Jesus hätte Judas hinausgeschickt, um alles Nötige für das Fest einzukaufen oder den Armen etwas zu geben. Denn Judas verwaltete das Geld Jesu und seiner Jünger. [30] Nachdem Judas das Brot genommen hatte, eilte er hinaus in die Nacht.

Das neue Gebot der Liebe

[31] Als Judas fort war, sagte Jesus: »Jetzt zeigt Gott, wer der Menschensohn wirklich ist, und dadurch wird auch die Herrlichkeit Gottes sichtbar. [32] Wenn der Menschensohn erst Gottes Herrlichkeit gezeigt hat, dann wird auch Gott die Herrlichkeit des Menschensohnes sichtbar machen. Und das geschieht bald! [33] Denn bei euch, meine lieben Kinder, werde ich nur noch kurze Zeit sein. Ihr werdet mich suchen. Doch was ich den Juden gesagt habe, muss ich jetzt auch euch sagen: Wohin ich gehen werde, dahin könnt ihr mir nicht folgen. [34] Heute gebe ich euch ein neues Gebot: Liebt einander! So wie ich euch geliebt habe, so sollt ihr euch auch untereinander lieben. [35] An eurer Liebe zueinander wird jeder erkennen, dass ihr meine Jünger seid.«

Jesus kündigt die Verleugnung des Petrus an (Matthäus 26,31–35; Markus 14,27–31; Lukas 22,31–34)

[36] Da fragte ihn Petrus: »Herr, wohin gehst du?« Jesus antwortete ihm: »Diesmal kannst du nicht mit mir kommen. Aber du wirst mir später folgen.« [37] »Lass mich doch jetzt bei dir bleiben«, bat ihn Petrus und beteuerte: »Ich wäre sogar bereit, für dich zu sterben!«

[38] Da antwortete Jesus: »Du willst für mich sterben? Petrus, ich versichere dir: Ehe morgen früh der Hahn kräht, wirst du dreimal geleugnet haben, mich zu kennen!«

Ohne Jesus kommt niemand zu Gott

14 »Seid nicht bestürzt, und habt keine Angst!«, ermutigte Jesus seine Jünger. »Vertraut Gott, und vertraut mir! [2] Denn im Haus meines Vaters gibt es viele Wohnungen. Sonst hätte ich euch nicht gesagt: Ich gehe hin, um dort alles für euch vorzubereiten. [3] Und wenn alles bereit ist, werde ich kommen und euch zu mir holen. Dann werdet auch ihr dort sein, wo ich bin. [4] Den Weg dorthin kennt ihr ja.«

[5] »Nein, Herr«, widersprach ihm Thomas, »wir wissen nicht einmal, wohin du gehst! Wie sollen wir dann den Weg dorthin finden?« [6] Jesus antwortete: »Ich bin der Weg, ich bin die Wahrheit, und ich bin das Leben! Ohne mich kann niemand zum Vater kommen. [7] Kennt ihr mich,

---

13,23 19,26; 20,2; 21,7.20.24 **13,29** 12,6 **13,32** 17,1–5 **13,33** 7,34–36 **13,34–35** Röm 12,10* **13,34** 15,12.17; Gal 6,2; 1 Joh 2,7–8; 3,16–18; 4,9–11; 2 Joh 5 **13,36** 21,18–19 **13,38** 18,27 **14,2** 2 Kor 5,1; Hebr 11,16 **14,3** 1 Thess 4,17 **14,6** Röm 5,1–2; Eph 3,11–12; Hebr 10,20

dann kennt ihr auch meinen Vater. Von jetzt an kennt ihr ihn; ja, ihr habt ihn schon gesehen!«

[8] Da bat Philippus: »Herr, zeig uns den Vater, dann sind wir zufrieden!« [9] Jesus entgegnete ihm: »Ich bin nun schon so lange bei euch, und du kennst mich noch immer nicht, Philippus? Wer mich gesehen hat, der hat auch den Vater gesehen. Wie also kannst du bitten: ›Zeig uns den Vater‹? [10] Glaubst du nicht, dass ich im Vater bin und der Vater in mir ist? Was ich euch sage, habe ich mir nicht selbst ausgedacht. Mein Vater, der in mir lebt, handelt durch mich. [11] Glaubt mir doch, dass der Vater und ich eins sind. Und wenn ihr schon meinen Worten nicht glaubt, dann glaubt doch wenigstens meinen Taten!

[12] Ich sage euch die Wahrheit: Wer an mich glaubt, wird die gleichen Taten vollbringen wie ich – ja, sogar noch größere; denn ich gehe zum Vater. [13] Worum ihr in meinem Namen bitten werdet, das werde ich tun, damit durch den Sohn die Herrlichkeit des Vaters sichtbar wird. [14] Was ihr also in meinem Namen erbitten werdet, das werde ich tun.«

Vom Geist der Wahrheit

[15] »Wenn ihr mich liebt, werdet ihr so leben, wie ich es euch gesagt habe. [16] Dann werde ich den Vater bitten, dass er euch an meiner Stelle einen Helfer gibt, der für immer bei euch bleibt. [17] Dies ist der Geist der Wahrheit. Die Welt kann ihn nicht aufnehmen, denn sie ist blind für ihn und erkennt ihn deshalb nicht. Aber ihr kennt ihn, denn er wird bei euch bleiben und in euch leben.

[18] Nein, ich lasse euch nicht allein zurück. Ich komme wieder zu euch. [19] Schon bald werde ich nicht mehr auf dieser Welt sein, und niemand wird mich mehr sehen. Nur ihr, ihr werdet mich sehen. Und weil ich lebe, werdet auch ihr leben. [20] Dann werdet ihr erkennen, dass ich eins bin mit meinem Vater und dass ihr in mir seid und ich in euch bin. [21] Wer meine Gebote annimmt und danach lebt, der liebt mich. Und wer mich liebt, den wird mein Vater lieben. Auch ich werde ihn lieben und mich ihm zu erkennen geben.«

[22] Da fragte ihn Judas (nicht Judas Iskariot): »Herr, weshalb willst du dich nur uns, deinen Jüngern, zu erkennen geben, warum nicht der ganzen Welt?« [23] Ihm antwortete Jesus: »Wer mich liebt, richtet sich nach dem, was ich ihm gesagt habe. Auch mein Vater wird ihn lieben, und wir beide werden zu ihm kommen und immer bei ihm bleiben. [24] Wer mich aber nicht liebt, der lebt auch nicht nach dem, was ich sage. Meine Worte kommen nicht von mir, sondern von meinem Vater, der mich gesandt hat.

[25] Ich sage euch dies alles, solange ich noch bei euch bin. [26] Der Heilige Geist, den euch der Vater an meiner Stelle als Helfer senden wird, er wird euch an all das erinnern, was ich euch gesagt habe, und euch meine Worte erklären.

[27] Auch wenn ich nicht bei euch bleibe, sollt ihr doch Frieden haben. Meinen Frieden gebe ich euch; einen Frieden, den euch niemand auf der Welt geben kann. Seid deshalb ohne Sorge und Furcht!

[28] Ihr habt gehört, was ich euch gesagt habe: Ich gehe jetzt, aber ich komme wieder. Wenn ihr mich wirklich lieben würdet, dann würdet ihr euch darüber freuen, dass ich jetzt zum Vater gehe; denn er ist größer als ich. [29] Ich sage euch das alles, bevor es geschieht, damit ihr an mich glaubt, wenn es eintrifft. [30] Ich habe nicht mehr viel Zeit, mit euch zu reden, denn der Teufel, der Herrscher dieser Welt, hat sich schon auf den Weg gemacht. Er hat zwar keine Macht über mich, [31] aber die Welt soll erfahren, dass ich den Vater liebe. Deswegen werde

---

14,9 1,18; 2 Kor 4,4.6; Hebr 1,3 **14,10** 12,49 **14,11** 5,36 **14,12** Mt 17,20 **14,13–14** 15,7* **14,15** 1 Joh 2,5; 5,3 **14,16** 15,26* **14,17** 1 Kor 2,14–15 **14,19** 20,19–20.26 **14,20** 17,21–23 **14,23** 2 Kor 6,16; Offb 3,20 **14,26** 15,26* **14,27** 16,33; Röm 5,1; Phil 4,7; Kol 3,15 **14,29** 13,19 **14,30** 12,31 **14,31** Mt 26,46

ich das ausführen, was Gott mir aufgetragen hat.

Und nun kommt, wir wollen gehen!«

Der Weinstock und die Reben

15 »Ich bin der wahre Weinstock, und mein Vater ist der Weingärtner. [2]Alle Reben am Weinstock, die keine Trauben tragen, schneidet er ab. Aber die Frucht tragenden Reben beschneidet er sorgfältig, damit sie noch mehr Frucht bringen. [3]Ihr seid schon gute Reben, weil ihr meine Botschaft gehört habt. [4]Bleibt fest mit mir verbunden, und ich werde ebenso mit euch verbunden bleiben! Denn so wie eine Rebe nur am Weinstock Früchte tragen kann, so werdet auch ihr nur Frucht bringen, wenn ihr mit mir verbunden bleibt.

[5]Ich bin der Weinstock, und ihr seid die Reben. Wer bei mir bleibt, so wie ich bei ihm bleibe, der trägt viel Frucht. Denn ohne mich könnt ihr nichts ausrichten. [6]Wer ohne mich lebt, wird wie eine unfruchtbare Rebe abgeschnitten und weggeworfen. Die verdorrten Reben werden gesammelt, ins Feuer geworfen und verbrannt. [7]Wenn ihr aber fest mit mir verbunden bleibt und euch meine Worte zu Herzen nehmt, dürft ihr von Gott erbitten, was ihr wollt; ihr werdet es erhalten. [8]Wenn ihr viel Frucht bringt und euch so als meine Jünger erweist, wird die Herrlichkeit meines Vaters sichtbar.

[9]Wie mich der Vater liebt, so liebe ich euch. Bleibt in meiner Liebe! [10]Wenn ihr nach meinen Geboten lebt, wird meine Liebe euch umschließen. Auch ich richte mich nach den Geboten meines Vaters und lebe in seiner Liebe. [11]Das alles sage ich euch, damit meine Freude euch ganz erfüllt und eure Freude dadurch vollkommen wird. [12]Und so lautet mein Gebot: Liebt einander, wie ich euch geliebt habe.

[13]Niemand liebt mehr als einer, der sein Leben für die Freunde hingibt. [14]Und ihr seid meine Freunde, wenn ihr tut, was ich euch aufgetragen habe. [15]Ich nenne euch nicht mehr Knechte; denn einem Knecht sagt der Herr nicht, was er vorhat. Ihr aber seid meine Freunde; denn ich habe euch alles anvertraut, was ich vom Vater gehört habe. [16]Nicht ihr habt mich erwählt, sondern ich euch, damit ihr euch auf den Weg macht und Frucht bringt, die bleibt. Dann wird euch der Vater alles geben, worum ihr ihn in meinem Namen bittet. [17]Ich sage euch noch einmal: Liebt einander!«

Womit Jünger Jesu rechnen müssen

[18]»Wenn die Menschen euch hassen, dann vergesst nicht, dass man mich schon vor euch gehasst hat. [19]Diese Welt würde euch lieben, wenn ihr zu ihr gehören würdet. Doch ihr gehört nicht mehr dazu. Ich selbst habe euch aus der Welt herausgerufen. Darum hasst sie euch. [20]Erinnert euch daran, dass ich gesagt habe: ›Ein Knecht steht niemals höher als sein Herr!‹ Deshalb werden sie euch verfolgen, wie sie mich verfolgt haben. Und wenn sie auf das gehört haben, was ich gesagt habe, werden sie auch auf euch hören.

[21]Das alles wird mit euch geschehen, weil ihr zu mir gehört; denn die Welt kennt Gott nicht, der mich gesandt hat. [22]Wäre ich nicht in diese Welt gekommen und hätte die Menschen alles über Gott gelehrt, wären sie nicht schuldig. Aber jetzt gibt es keine Entschuldigung mehr dafür, dass sie Gott den Rücken kehren. [23]Denn wer mich hasst, der hasst auch meinen Vater. [24]Wenn ich nicht vor aller Augen Gottes Wunder vollbracht hätte, die kein anderer tun kann, wären sie ohne Schuld. Aber nun haben sie alles miterlebt, und trotzdem hassen sie mich

---

15,1 Ps 80,9–12; Jer 2,21 **15,2** Mt 3,10 **15,3** 13,10 **15,5** 2 Kor 3,5; 4,7 **15,6** Hes 15,1–8; Mt 7,19 **15,7** 14,13–14; 16,23–24; Mt 7,7; Mk 11,24; 1 Joh 3,22; 5,14–15 **15,8** Mt 5,16 **15,10** 14,15 **15,11** 16,22; 17,13 **15,12** 13,34* **15,13** 10,11; Mk 10,45 **15,14** Mt 12,50 **15,15** 8,31–36 **15,16** 15,7* **15,18–20** 2 Tim 3,12* **15,18–19** 17,14; 1 Joh 3,13 **15,20** Mt 10,24 **15,22** 9,41 **15,23** Lk 10,16; 1 Joh 2,23

und auch meinen Vater. [25] Dies geschieht, damit sich die Voraussage der Heiligen Schrift erfüllt: ›Sie hassen mich ohne jeden Grund!‹[a]

[26] Wenn ich beim Vater bin, will ich euch jemanden senden, der euch zur Seite stehen wird, den Geist der Wahrheit. Er wird vom Vater kommen und bezeugen, wer ich bin. [27] Und auch ihr werdet meine Zeugen sein, denn ihr seid von Anfang an bei mir gewesen.«

16 »Ich sage euch das alles, damit ihr nicht an mir zu zweifeln beginnt und aufgebt. [2] Denn man wird euch aus der Gemeinschaft des jüdischen Volkes ausschließen. Ja, es wird so weit kommen, dass man meint, Gott einen Dienst zu erweisen, wenn man euch tötet. [3] Zu all dem werden Menschen fähig sein, weil sie meinen Vater und mich nicht kennen.«

Jesus lässt seine Jünger nicht allein zurück

[4] »Ich sage euch das, damit ihr nicht überrascht seid, wenn dies alles eintrifft. Bisher war es nicht nötig, davon zu reden, weil ich ja bei euch war. [5] Jetzt aber gehe ich zu dem, der mich gesandt hat. Keiner von euch fragt mich, wohin ich gehe, [6] denn ihr seid voller Trauer über das, was ich euch gesagt habe. [7] Doch ich sage euch die Wahrheit: Es ist besser für euch, wenn ich gehe. Sonst käme der nicht, der euch an meiner Stelle helfen soll. Wenn ich nicht mehr bei euch bin, werde ich ihn zu euch senden. [8] Und ist er erst gekommen, wird er den Menschen die Augen für ihre Sünde öffnen, für Gottes Gerechtigkeit und sein Gericht. [9] Ihre Sünde ist, dass sie nicht an mich glauben. [10] Gottes Gerechtigkeit zeigt sich darin, dass er sich zu mir bekennt und ich zum Vater gehe, wenn ihr mich dann auch nicht mehr sehen werdet. [11] Und Gottes Gericht werden die Menschen daran erkennen, dass der Teufel, der Herrscher dieser Welt, bereits verurteilt ist.

[12] Ich hätte euch noch viel mehr zu sagen, aber jetzt würde es euch überfordern. [13] Wenn aber der Geist der Wahrheit kommt, hilft er euch dabei, die Wahrheit vollständig zu erfassen. Denn er redet nicht in seinem eigenen Auftrag, sondern wird nur das sagen, was er gehört hat. Auch was euch in Zukunft erwartet, wird er euch verkünden. [14] So wird er meine Herrlichkeit sichtbar machen; denn alles, was er euch zeigt, kommt von mir. [15] Was der Vater hat, gehört auch mir. Deshalb kann ich mit Recht sagen: Alles, was er euch zeigt, kommt von mir.«

»Eure Freude wird vollkommen sein«

[16] »Ich werde nur noch kurze Zeit bei euch sein. Bald nach meinem Weggehen aber werdet ihr mich wiedersehen.«

[17] »Was meint er bloß damit?«, fragten sich die Jünger. »Was heißt: ›Ich werde nur noch kurze Zeit bei euch sein! Aber bald darauf werdet ihr mich wiedersehen‹? Und was bedeutet es, wenn er sagt: ›Ich gehe zum Vater‹? [18] Und was meint er mit ›nur noch kurze Zeit‹? Wir verstehen das nicht.«

[19] Jesus merkte, dass sie ihn fragen wollten, und sagte: »Macht ihr euch darüber Gedanken, dass ich angekündigt habe: ›Ich werde nur noch kurze Zeit bei euch sein, aber bald darauf werdet ihr mich wiedersehen‹? [20] Ich sage euch die Wahrheit: Ihr werdet weinen und klagen, und die Menschen in dieser Welt werden sich darüber freuen. Ihr werdet traurig sein, doch eure Traurigkeit soll sich in Freude verwandeln!

[21] Es wird so sein wie bei einer Frau, die ein Kind bekommt: Sie hat große Schmerzen, doch sobald ihr Kind gebo-

---

[a] Psalm 69,5

15,26 14,16.26; 16,7–8.13–15; Lk 24,49; Apg 1,4–5; 2,4; 1 Joh 3,24; 5,6 **15,27** Apg 1,8* **16,2** 9,22; Apg 8,1; 17,5–6; 23,12 **16,7–8** 15,26* **16,9** 3,18 **16,11** 12,31 **16,13–15** 15,26* **16,13** 14,26; 1 Joh 2,27 **16,15** 17,10 **16,16** 14,19

ren ist, sind Angst und Schmerzen vergessen. Sie ist nur noch glücklich darüber, dass ihr Kind zur Welt gekommen ist. [22] Auch ihr seid jetzt sehr traurig, aber ich werde euch wiedersehen. Dann werdet ihr froh und glücklich sein, und diese Freude kann euch niemand mehr nehmen. [23] Am Tag unseres Wiedersehens werden all eure Fragen beantwortet sein.

Ich sage euch die Wahrheit: Wenn ihr den Vater um etwas bittet und euch dabei auf mich beruft, wird er es euch geben. [24] Bisher habt ihr in meinem Namen nichts von Gott erbeten. Bittet ihn, und er wird es euch geben. Dann wird eure Freude vollkommen sein.«

Lasst euch nicht entmutigen!

[25] »Bisher habe ich alles, was ich euch sagen wollte, anhand von Beispielen erklärt. Aber schon bald wird das nicht mehr nötig sein. Dann werde ich euch ohne Bilder und Umschreibungen zeigen, wer der Vater ist. [26] Von diesem Tag an werdet ihr euch auf mich berufen, wenn ihr zu ihm betet. Und dann muss ich den Vater nicht mehr bitten, euer Gebet zu erhören. [27] Denn der Vater liebt euch, weil ihr mich liebt und daran glaubt, dass ich von Gott gekommen bin. [28] Ja, ich war beim Vater und bin in die Welt gekommen, und jetzt verlasse ich sie wieder, um zum Vater zurückzukehren.«

[29] Seine Jünger erwiderten: »Jetzt redest du klar und deutlich zu uns, ohne Gleichnisse und Bilder. [30] Wir haben nun erkannt, dass du alles weißt, noch ehe wir dich fragen. Darum glauben wir dir, dass du von Gott gekommen bist.«

[31] »Glaubt ihr wirklich?«, fragte Jesus. [32] »Ihr sollt nämlich wissen: Die Zeit wird kommen – ja, sie ist schon da –, in der man euch auseinander treibt. Ihr werdet euch in Sicherheit bringen und mich allein lassen. Aber auch dann werde ich nicht allein sein, denn der Vater ist bei mir.

[33] Dies alles habe ich euch gesagt, damit ihr durch mich Frieden habt. In der Welt habt ihr Angst, aber lasst euch nicht entmutigen: Ich habe die Welt besiegt.«

Jesus betet für seine Jünger

17 Nach diesen Worten sah Jesus zum Himmel auf und betete: »Vater, die Zeit ist gekommen! Lass jetzt die Herrlichkeit deines Sohnes erkennbar werden, damit dein Sohn deine Herrlichkeit sichtbar macht. [2] Du hast ihm Macht über die Menschen gegeben, damit er allen ewiges Leben schenkt, die du ihm anvertraut hast. [3] Und das allein ist ewiges Leben: dich, den einen wahren Gott, zu erkennen, und Jesus Christus, den du gesandt hast. [4] Ich habe hier auf der Erde den Menschen gezeigt, wie herrlich du bist. Ich habe deinen Auftrag erfüllt. [5] Und nun, Vater, gib mir wieder Anteil an der Herrlichkeit, die ich bei dir hatte, bevor die Welt erschaffen wurde.

[6] Ich habe den Menschen gezeigt, wer du bist, und zwar allen, die du aus der Welt herausgerufen und mir anvertraut hast. Dir gehörten sie schon immer, und du hast sie mir gegeben. Sie haben sich deine Worte zu Herzen genommen, [7] und jetzt wissen sie, dass alles, was ich habe, von dir ist. [8] Denn was du mir gesagt hast, habe ich ihnen weitergegeben. Sie haben deine Botschaft angenommen und erkannt, dass ich von dir herkomme; sie glauben daran, dass du mich gesandt hast.

[9] Für sie bitte ich dich jetzt: für die Menschen, die du mir anvertraut hast und die zu dir gehören; nicht für die ganze Welt. [10] Denn alles, was ich habe, das gehört dir, und was du hast, das gehört auch mir. An ihnen zeigt sich meine Herrlichkeit. [11] Ich verlasse jetzt die Welt und komme zu dir. Sie aber bleiben zu-

---

16,22 20,19–20.26 **16,23–24** 15,7* **16,25** Mt 13,34 **16,26** 14,13–14 **16,30** 2,25 **16,32** Mt 26,31.56; Sach 13,7 **16,33** 14,27 **17,1** 12,23; 13,31–32 **17,2** 6,37–39 **17,3** 1 Joh 5,20 **17,4** 4,34 **17,5** 1,1–2; Phil 2,6 **17,9** Hebr 7,25 **17,11** 10,30

rück. Heiliger Vater, erhalte sie in der Gemeinschaft mit dir, damit sie eins werden wie wir. [12] Solange ich bei ihnen war, habe ich sie in der Gemeinschaft mit dir[a] erhalten, alle, die du mir anvertraut hast. Ich habe sie bewahrt, und keiner von ihnen ist verloren gegangen – außer dem einen, der verloren gehen musste, damit sich die Voraussage der Heiligen Schrift erfüllte.

[13] Jetzt komme ich zu dir zurück. Aber dies alles wollte ich noch sagen, solange ich bei ihnen bin, damit meine Freude auch sie ganz erfüllt. [14] Ich habe ihnen deine Botschaft weitergegeben, und die Welt hasst sie deswegen, weil sie ebenso wie ich nicht zu ihr gehören. [15] Ich bitte dich nicht, sie aus der Welt zu nehmen, aber schütze sie vor der Macht des Bösen! [16] Sie gehören ebenso wenig zur Welt wie ich. [17] Lass ihnen deine Wahrheit leuchten, damit sie in immer engerer Gemeinschaft mit dir leben! Dein Wort ist die Wahrheit! [18] Wie du mich in die Welt gesandt hast, so sende ich sie in die Welt. [19] Für sie gebe ich mein Leben hin, damit ihr Leben ganz dir gehört.[b]

[20] Ich bitte aber nicht nur für sie, sondern für alle, die durch ihre Worte von mir hören werden und an mich glauben. [21] Sie alle sollen eins sein, genauso wie du, Vater, mit mir eins bist. So wie du in mir bist und ich in dir bin, sollen auch sie in uns fest miteinander verbunden sein. Dann wird die Welt glauben, dass du mich gesandt hast. [22] Deshalb habe ich ihnen auch die Herrlichkeit gegeben, die du mir anvertraut hast, damit sie die gleiche enge Gemeinschaft haben wie wir. [23] Ich bleibe in ihnen, und du bleibst in mir. Genau so sollen auch sie ganz eins sein. Und die Welt wird erkennen, dass du mich gesandt hast und dass du meine Jünger liebst, wie du mich liebst.

[24] Vater, ich möchte, dass alle, die du mir gegeben hast, bei mir bleiben. Sie sollen an meiner Herrlichkeit teilhaben. Du hast mir die Herrlichkeit gegeben; denn du hast mich geliebt, längst bevor die Welt geschaffen wurde. [25] Guter und treuer Vater! Wenn die Welt dich auch nicht kennt, ich kenne dich, und diese hier haben erkannt, dass du mich gesandt hast. [26] Ich habe ihnen gezeigt, wer du bist. Das werde ich auch weiter tun, damit deine Liebe zu mir auch sie erfüllt, ja, damit ich selbst in ihnen lebe.«

Jesus stellt sich seinen Gegnern (Matthäus 26,47–56; Markus 14,43–50; Lukas 22,47–53)

18 Nach diesem Gebet überquerte Jesus mit seinen Jüngern den Bach Kidron. Auf der anderen Seite lag ein Garten. Dorthin ging Jesus mit seinen Jüngern. [2] Judas, der Verräter, kannte diese Stelle, denn Jesus hatte sich oft mit seinen Jüngern dort aufgehalten. [3] Nun erschien Judas mit einem Trupp römischer Soldaten und Männern, die ihm die Hohenpriester und Pharisäer mitgegeben hatten. Sie trugen Fackeln und Lampen und waren bewaffnet.

[4] Jesus wusste, was jetzt geschehen würde. Er ging ihnen entgegen und fragte: »Wen sucht ihr?« [5] »Jesus von Nazareth«, war die Antwort. »Ich bin es!«, erklärte Jesus. Judas, sein Verräter, stand mitten unter den Soldaten. [6] Als Jesus klar und offen sagte: »Ich bin es«, wichen die Bewaffneten erschrocken zurück und fielen zu Boden. [7] Jesus fragte noch einmal: »Wen sucht ihr denn?« »Jesus von Nazareth!«, antworteten sie wieder. [8] »Ich habe euch doch schon gesagt, dass ich es bin«, entgegnete Jesus. »Wenn ihr also nur mich sucht, dann lasst die anderen hier gehen!« [9] Damit sollte sich erfüllen, was Jesus früher gesagt hatte: »Ich habe keinen von denen verloren, die du mir anvertraut hast.«

---

[a] Wörtlich: in deinem Namen, den du mir gegeben hast.
[b] Wörtlich: Ich heilige mich selbst für sie, damit auch sie Geheiligte sind durch die Wahrheit.

17,12 6,39; 10,28–29 **17,13** 15,11 **17,14** 15,18–19 **17,15** Mt 6,13; 1 Joh 5,18 **17,17** Ps 119,160 **17,18** 20,21 **17,19** Hebr 10,10 **17,20** 17,9; Röm 10,17 **17,21** 10,30; Gal 3,28 **17,24** 12,26; 1 Joh 3,2 **17,25** 8,55; Mt 11,27 **18,1** Mt 26,36 **18,2–3** 6,70–71 **18,2** Lk 21,37 **18,9** 6,39; 17,12

[10] Simon Petrus hatte ein Schwert dabei. Plötzlich zog er es und schlug damit Malchus, einem Diener des Hohenpriesters, das rechte Ohr ab. [11] Aber Jesus befahl Petrus: »Steck dein Schwert weg! Soll ich denn dem Leiden aus dem Weg gehen, das ich nach dem Willen meines Vaters auf mich nehmen muss?«

[12] Der römische Offizier befahl seinen Soldaten und den Dienern des Hohenpriesters, Jesus festzunehmen und zu fesseln. [13] Dann brachten sie ihn zu Hannas, dem Schwiegervater von Kaiphas, der in diesem Jahr Hoherpriester war. [14] Kaiphas hatte früher den führenden Männern der Juden geraten: »Es ist für uns alle besser, wenn dieser eine Mann für das ganze Volk stirbt!«

Petrus behauptet, Jesus nicht zu kennen (Matthäus 26,69–70; Markus 14,66–68; Lukas 22,55–57)

[15] Simon Petrus und ein anderer Jünger folgten Jesus, als er abgeführt wurde. Weil dieser andere Jünger mit dem Hohenpriester bekannt war, ließ man ihn bis in den Innenhof des Palastes gehen. [16] Petrus blieb draußen vor dem Tor. Da kam der andere Jünger wieder zurück, redete mit der Pförtnerin und verschaffte Petrus Zutritt. [17] Schon die Pförtnerin fragte Petrus: »Gehörst du nicht auch zu den Jüngern dieses Mannes?« »Nein, ich nicht!«, antwortete er. [18] Die Wachmannschaft und die Diener des Hohenpriesters hatten ein Kohlenfeuer angezündet. Sie standen um das Feuer herum und wärmten sich, denn es war kalt. Petrus ging zu ihnen, um sich auch zu wärmen.

Das Verhör vor dem Hohenpriester (Matthäus 26,59–66; Markus 14,55–64; Lukas 22,66–71)

[19] Drinnen im Palast begann das Verhör. Der Hohepriester Hannas fragte Jesus nach seinen Jüngern und nach seiner Lehre. [20] Jesus antwortete: »Was ich gelehrt habe, ist überall bekannt. Denn ich habe in aller Öffentlichkeit gepredigt, in den Synagogen und im Tempel, wo es jeder hören konnte. Niemals habe ich im Geheimen etwas anderes gelehrt. [21] Weshalb fragst du mich also? Frag doch alle, die mich gehört haben! Sie wissen, was ich gesagt habe.«

[22] Da schlug ihm einer von den Wächtern, die neben ihm standen, ins Gesicht und rief: »Redet man so mit dem Hohenpriester?« [23] Jesus antwortete ihm: »Wenn ich etwas Böses gesagt habe, dann weise es mir nach! Habe ich aber die Wahrheit gesagt, weshalb schlägst du mich?« [24] Da ließ Hannas Jesus in Fesseln zum Hohenpriester Kaiphas bringen.

Petrus verleugnet Jesus noch einmal (Matthäus 26,71–75; Markus 14,69–72; Lukas 22,58–62)

[25] Petrus stand noch immer am Feuer und wärmte sich. Da fragte ihn jemand: »Bist du nicht auch einer von seinen Jüngern?« »Nein, ich bin es nicht«, widersprach er. [26] Aber ein Diener des Hohenpriesters, ein Verwandter des Mannes, dem Petrus das Ohr abgehauen hatte, meinte: »Ich habe dich doch im Garten bei ihm gesehen!« [27] Wieder stritt Petrus ab, Jesus zu kennen. Und im selben Augenblick krähte ein Hahn.

Jesus wird von Pilatus verhört (Matthäus 27,2.11–26; Markus 15,1–15; Lukas 23,1–25)

[28] In den frühen Morgenstunden brachten sie Jesus von Kaiphas zum Palast des Statthalters. Die Juden selbst betraten dieses Gebäude nicht, denn sie wollten nicht unrein werden. Dann hätten sie nicht das Passahmahl essen dürfen.

[29] Deshalb ging Pilatus zu ihnen hinaus und fragte: »Welche Anklage erhebt ihr

---

18,10 Lk 22,38 **18,11** Mt 26,39 **18,14** 11,49–52 **18,20** 6,59; 7,14.28; Lk 19,47 **18,22** 2 Mo 22,27 **18,25** 18,18 **18,26** 18,10 **18,27** 13,38

gegen diesen Mann? Was hat er getan?« [30]Sie antworteten: »Wenn er kein Verbrecher wäre, hätten wir ihn nicht zu dir gebracht.« [31]»Dann nehmt ihn mit, und verurteilt ihn nach eurem Gesetz!«, entgegnete Pilatus. »Aber wir dürfen doch niemanden hinrichten«, wandten sie ein. [32]So sollten sich die Worte Jesu erfüllen, mit denen er vorausgesagt hatte, wie er sterben würde.

[33]Pilatus kam nun in den Gerichtssaal zurück, ließ Jesus vorführen und fragte ihn: »Bist du der König der Juden?« [34]Jesus entgegnete: »Fragst du als römischer Statthalter, oder stecken die Juden dahinter?« [35]»Bin ich etwa ein Jude?«, fragte Pilatus. »Die führenden Männer deines eigenen Volkes und die Hohenpriester haben dich hergebracht, damit ich dich verurteile. Was also hast du getan?«

[36]Jesus antwortete: »Mein Königreich gehört nicht zu dieser Welt. Wäre ich ein weltlicher Herrscher, dann hätten meine Leute für mich gekämpft, damit ich nicht in die Hände der Juden falle. Aber mein Reich ist von ganz anderer Art.« [37]Da fragte ihn Pilatus: »Dann bist du also doch ein König?« Jesus antwortete: »Ja, du hast Recht. Ich bin ein König. Und dazu bin ich Mensch geworden und in diese Welt gekommen, um ihr die Wahrheit zu bezeugen. Wer bereit ist, auf die Wahrheit zu hören, der hört auf mich.« [38]»Wahrheit? Was ist das überhaupt?«, erwiderte Pilatus.

Dann ging er zu den Juden hinaus und sagte ihnen: »Meiner Meinung nach ist der Mann unschuldig. [39]Ich will euch wie üblich auch in diesem Jahr am Passahfest einen Gefangenen freigeben. Wenn ihr wollt, lasse ich diesen König der Juden frei.« [40]Aber sie schrien laut: »Nein! Nicht den! Wir wollen Barabbas!« Barabbas aber war ein Verbrecher.

Das Todesurteil
(Matthäus 27,26–31; Markus 15,15–20)

19 Da befahl Pilatus, Jesus abzuführen und ihn auszupeitschen. [2]Die Soldaten flochten eine Krone aus Dornenzweigen und setzten sie ihm auf den Kopf. Dann hängten sie ihm einen purpurroten Mantel um, [3]stellten sich vor ihn hin und spotteten: »Sei gegrüßt, du König der Juden!« Und sie schlugen ihm ins Gesicht.

[4]Pilatus ging erneut zu den Juden hinaus und sagte: »Ich will ihn euch noch einmal vorführen, damit ihr erkennt, dass er unschuldig ist!« [5]Dann kam Jesus heraus. Er trug die Dornenkrone und den roten Mantel. Und Pilatus forderte die Menge auf: »Seht ihn euch an, was für ein Mensch!«

[6]Aber kaum hatten die Hohenpriester und die Tempeldiener Jesus erblickt, fingen sie an zu schreien: »Ans Kreuz! Ans Kreuz mit ihm!« Daraufhin rief Pilatus: »Dann nehmt ihr ihn doch selbst und kreuzigt ihn! Denn ich bin überzeugt: Er ist unschuldig!« [7]Die Juden entgegneten: »Wir haben ein Gesetz, an das wir uns halten; und nach dem Gesetz muss er sterben, denn er hat sich als Sohn Gottes ausgegeben.«

[8]Als Pilatus das hörte, bekam er noch mehr Angst. [9]Er ging wieder in den Palast zurück und fragte Jesus: »Woher kommst du?« Doch Jesus antwortete nichts. [10]»Redest du nicht mehr mit mir?«, fragte Pilatus. »Hast du vergessen, dass es in meiner Macht steht, dich freizugeben oder dich ans Kreuz nageln zu lassen?« [11]Jetzt antwortete Jesus: »Du hättest keine Macht über mich, wäre sie dir nicht von Gott gegeben. Deswegen haben die Leute größere Schuld auf sich geladen, die mich dir ausgeliefert haben.«

[12]Da versuchte Pilatus noch einmal, Je-

18,32 3,14 **18,36** 6,15; 8,23 **18,37** 1 Tim 6,13 **18,39–40** Apg 3,13–14 **19,3** 12,13 **19,4** 18,38 **19,6** 18,31 **19,7** 5,18; 3 Mo 24,16 **19,11** 3,27; Apg 2,23 **19,12** Lk 23,2; Apg 17,7

sus freizulassen. Aber die Juden schrien: »Wenn du den laufen lässt, bist du kein Freund des Kaisers; denn wer sich selbst zum König macht, lehnt sich gegen den Kaiser auf.«

[13] Als Pilatus das hörte, ließ er Jesus hinausführen. Er selbst setzte sich auf den Richterstuhl, an die Stelle, die man »Steinpflaster« nannte, auf Hebräisch: »Gabbata«. [14] Es war um die Mittagszeit, am Tag vor dem Passahfest, an dem alle mit Vorbereitungen beschäftigt waren. Pilatus sagte zu den Juden: »Hier ist euer König!«

[15] »Weg mit ihm!«, brüllten sie. »Ans Kreuz mit ihm!« »Soll ich wirklich euren König kreuzigen lassen?«, fragte Pilatus noch einmal. Die Hohenpriester riefen: »Wir haben keinen König, nur den Kaiser!« [16] Da gab Pilatus nach und befahl, Jesus zu kreuzigen.

Die Kreuzigung
(Matthäus 27,32–44; Markus 15,21–32; Lukas 23,26–43)

Die Soldaten packten Jesus und führten ihn aus Jerusalem hinaus. [17] Sein Kreuz musste er selbst tragen, vom Richtplatz bis hin zur »Schädelstätte«. Auf Hebräisch heißt dieser Ort »Golgatha«. [18] Dort schlugen sie ihn ans Kreuz. Rechts und links von ihm wurden zwei andere Männer gekreuzigt.

[19] Pilatus ließ ein Schild an das Kreuz Jesu nageln, auf dem die Worte standen: »Jesus von Nazareth, der König der Juden!« [20] Die Stelle, an der Jesus gekreuzigt worden war, lag nahe bei der Stadt. Und so lasen viele Juden diese Inschrift, die in hebräischer, lateinischer und griechischer Sprache abgefasst war. [21] Da kamen die Hohenpriester zu Pilatus und verlangten von ihm: »Lass das ändern. Es darf nicht heißen: ›Der König der Juden‹, sondern: ›Er hat behauptet: Ich bin der König der Juden.‹« [22] Pilatus aber weigerte sich: »Es bleibt genau so stehen, wie ich es geschrieben habe!«

[23] Als die Soldaten Jesus gekreuzigt hatten, teilten sie seine Kleider unter sich auf, so dass jeder der vier Soldaten etwas davon bekam. Das Untergewand war in einem Stück gewebt, ohne jede Naht. [24] Deshalb beschlossen sie: »Dieses Untergewand wollen wir nicht aufteilen. Wir werden darum losen.« Damit sollte sich die Vorhersage der Heiligen Schrift erfüllen: »Meine Kleider haben sie unter sich aufgeteilt und um mein Gewand gelost.«[a] Genauso geschah es auch.

[25] Unter dem Kreuz, an dem Jesus hing, standen seine Mutter und ihre Schwester, außerdem Maria, die Frau von Klopas, und Maria aus Magdala. [26] Als Jesus nun seine Mutter sah und neben ihr den Jünger, den er lieb hatte, sagte er zu ihr: »Er soll jetzt dein Sohn sein!« [27] Und zu dem Jünger sagte er: »Sie ist jetzt deine Mutter.« Da nahm der Jünger sie zu sich in sein Haus.

»Es ist vollbracht!«
(Matthäus 27,45–56; Markus 15,33–41; Lukas 23,44–49)

[28] Jesus wusste, dass nun sein Auftrag erfüllt war. Er sagte: »Ich habe Durst!« Damit sollte sich die Vorhersage der Heiligen Schrift erfüllen.[b] [29] In der Nähe stand ein Krug mit Essigwasser. Die Soldaten tauchten einen Schwamm hinein, steckten ihn auf einen Ysopstängel und hielten Jesus den Schwamm an den Mund. [30] Als Jesus davon getrunken hatte, rief er: »Es ist vollbracht!« Dann ließ er den Kopf sinken und starb.

[31] Das alles geschah am Tag vor dem Passahfest. Damit die Toten nicht an diesem hohen Feiertag am Kreuz hängen blieben, gingen die führenden Männer der Juden zu Pilatus und baten ihn, er sol-

---

[a] Psalm 22,19
[b] Vgl. Psalm 22,16; 69,22

19,20 Hebr 13,12–13 **19,25** Mk 15,40–41; Lk 8,2–3 **19,26** 13,23* **19,31** 5 Mo 21,22–23*

le den Gekreuzigten die Beine brechen und sie vom Kreuz abnehmen lassen. [32]Pilatus schickte Soldaten, und sie brachen den beiden mit Jesus gekreuzigten Verbrechern die Beine. [33]Als sie zu Jesus kamen, stellten sie fest, dass er bereits tot war. Deshalb brachen sie ihm nicht die Beine. [34]Aber einer der Soldaten stieß ihm eine Lanze in die Seite. Sofort flossen Blut und Wasser aus der Wunde.

[35]Dies alles bezeugt ein Mann, der es mit eigenen Augen gesehen hat. Sein Bericht ist zuverlässig und wahr; ihm könnt ihr glauben. [36]Auch das ist geschehen, damit das Wort der Heiligen Schrift in Erfüllung geht: »Kein Knochen soll ihm zerbrochen werden.«[a] [37]Ebenso erfüllte sich die andere Voraussage: »Sie werden auf den sehen, den sie durchbohrt haben.«[b]

Jesus wird begraben (Matthäus 27,57–61; Markus 15,42–47; Lukas 23,50–56)

[38]Nachdem das alles geschehen war, bat Josef aus Arimathäa um die Erlaubnis, den toten Jesus vom Kreuz abnehmen zu dürfen. Er glaubte insgeheim an Jesus, doch hatte er das bisher aus Angst vor den Juden verschwiegen. Pilatus erlaubte es ihm, und so ging er zum Kreuz und nahm den Leichnam ab. [39]Auch Nikodemus, der Jesus einmal nachts aufgesucht hatte, kam und brachte etwa dreißig Kilogramm einer Mischung aus Myrrhe und Aloe. [40]Mit diesen wohlriechenden Salbölen wickelten sie den Leichnam Jesu in Leinentücher ein. So war es beim Begräbnis von Juden üblich.

[41]In der Nähe der Hinrichtungsstätte lag ein Garten. Dort gab es ein in den Fels gehauenes, noch nicht benutztes Grab. [42]In dieses nahe gelegene Grab legten sie Jesus, denn sie hatten es eilig, weil bald der Sabbat begann.

Jesus lebt (Matthäus 28,1–8; Markus 16,1–8; Lukas 24,1–12)

20 Am ersten Tag nach dem Sabbat, noch vor Sonnenaufgang, ging Maria aus Magdala zum Grab. Da sah sie, dass der Stein nicht mehr vor dem Eingang des Grabes lag. [2]Sofort lief sie zu Simon Petrus und dem anderen Jünger, den Jesus liebte. Aufgeregt berichtete sie ihnen: »Sie haben den Herrn aus dem Grab geholt, und wir wissen nicht, wohin sie ihn gebracht haben!«

[3]Da beeilten sich Petrus und der andere Jünger, um möglichst schnell zum Grab zu kommen. [4]Gemeinsam liefen sie los, aber der andere war schneller als Petrus und kam zuerst am Grab an. [5]Ohne hineinzugehen, schaute er in die Grabkammer und sah die Leinentücher dort liegen. [6]Dann kam auch Simon Petrus. Er ging in das Grab hinein und sah ebenfalls die Leinentücher [7]zusammen mit dem Tuch, das den Kopf Jesu bedeckt hatte. Es lag nicht zwischen den Leinentüchern, sondern zusammengefaltet an der Seite. [8]Jetzt ging auch der andere Jünger, der zuerst angekommen war, in die Grabkammer. Er sah sich darin um, und nun glaubte er, dass Jesus von den Toten auferstanden war.[c] [9]Denn bis zu diesem Zeitpunkt hatten sie die Heilige Schrift noch nicht verstanden, in der es heißt, dass Jesus von den Toten auferstehen wird. [10]Die Jünger gingen nach Hause zurück.

Jesus begegnet Maria aus Magdala (Matthäus 28,9–10; Markus 16,9–11)

[11]Inzwischen war auch Maria zum Grab zurückgekehrt und blieb voll Trauer davor stehen. Weinend schaute sie in die Kammer [12]und sah plötzlich zwei weiß gekleidete Engel an der Stelle sitzen, wo Jesus gelegen hatte; einen am Kopfende,

---

[a] 2. Mose 12,46; 4. Mose 9,12
[b] Sacharja 12,10
[c] Wörtlich: Er sah und kam zum Glauben.

19,34 20,25 **19,35** 21,24 **19,37** Offb 1,7 **19,38** 9,22; 12,42 **19,39** 3,1–21 **20,2** 13,23* **20,9** 2,22; Lk 24,25–27.44–46; 1 Kor 15,4

den anderen am Fußende. [13]»Warum weinst du?«, fragten die Engel. »Sie haben meinen Herrn weggenommen, und ich weiß nicht, wo sie ihn hingebracht haben«, antwortete Maria aus Magdala.

[14]Als Maria sich umblickte, sah sie Jesus vor sich stehen. Aber sie erkannte ihn nicht. [15]Er fragte sie: »Warum weinst du, und wen suchst du?« Maria hielt Jesus für den Gärtner und fragte deshalb: »Hast du ihn weggenommen? Dann sag mir doch, wohin du ihn gebracht hast. Ich will ihn holen.«

[16]»Maria!«, sagte Jesus nun. Sie wandte sich ihm zu und rief: »Rabbuni!« Das ist Hebräisch und heißt: »Mein Meister.« [17]Jesus sagte: »Halte mich nicht fest![a] Denn ich bin noch nicht zu meinem Vater zurückgekehrt. Geh aber zu meinen Brüdern und sag ihnen: Ich gehe zurück zu meinem Vater und zu eurem Vater, zu meinem Gott und zu eurem Gott!« [18]Maria aus Magdala lief nun zu den Jüngern und berichtete ihnen: »Ich habe den Herrn gesehen!« Und sie erzählte alles, was ihr Jesus gesagt hatte.

Der Auferstandene erscheint seinen Jüngern
(Matthäus 28,16–20; Markus 16,14–18; Lukas 24,36–49)

[19]An diesem Sonntagabend hatten sich alle Jünger versammelt. Aus Angst vor den Juden ließen sie die Türen fest verschlossen. Plötzlich war Jesus bei ihnen. Er trat in ihre Mitte und grüßte sie: »Friede sei mit euch!« [20]Dann zeigte er ihnen die Wunden in seinen Händen und an seiner Seite. Als die Jünger ihren Herrn sahen, freuten sie sich sehr.

[21]Und Jesus sagte noch einmal: »Friede sei mit euch! Wie mich der Vater gesandt hat, so sende ich euch!« [22]Dann hauchte er sie an und sprach: »Empfangt den Heiligen Geist! [23]Wem ihr die Sünde erlasst, dem ist sie erlassen. Und wem ihr die Schuld nicht vergebt, der bleibt schuldig.«

[24]Thomas, einer der zwölf Jünger, der auch Zwilling genannt wurde, war nicht dabei. [25]Deshalb erzählten die Jünger ihm später: »Wir haben den Herrn gesehen!« Doch Thomas zweifelte: »Das glaube ich nicht! Ich glaube es erst, wenn ich seine durchbohrten Hände gesehen habe. Mit meinen Fingern will ich sie fühlen, und meine Hand will ich in die Wunde an seiner Seite legen.«

[26]Acht Tage später hatten sich die Jünger wieder versammelt. Diesmal war Thomas bei ihnen. Und obwohl sie die Türen wieder abgeschlossen hatten, stand Jesus auf einmal in ihrer Mitte und grüßte sie: »Friede sei mit euch!« [27]Dann wandte er sich an Thomas: »Leg deinen Finger auf meine durchbohrten Hände! Gib mir deine Hand und leg sie in die Wunde an meiner Seite! Zweifle nicht länger, sondern glaube!« [28]Thomas antwortete: »Mein Herr und mein Gott!« [29]Jesus sagte zu ihm: »Du glaubst, weil du mich gesehen hast. Wie glücklich können erst die sein, die mich nicht sehen und trotzdem glauben!«

Der Zweck dieses Buches

[30]Die Jünger erlebten noch viele andere Wunder Jesu, die nicht in diesem Buch geschildert werden. [31]Aber die hier aufgezeichneten Berichte wurden geschrieben, damit ihr glaubt, dass Jesus der versprochene Retter und der Sohn Gottes ist. Wenn ihr ihm vertraut, habt ihr durch ihn das ewige Leben.

Jesus begegnet den Jüngern am See von Tiberias

21 Später erschien Jesus seinen Jüngern noch einmal am See von Tiberias. Das geschah so: [2]Simon Petrus,

[a] Wörtlich: Berühre mich nicht!

20,14 21,4; Lk 24,15–16 **20,17** Mt 12,50; Hebr 2,11–12 **20,19–20** 16,22 **20,19** 9,22 **20,21** 17,18 **20,22** 7,39; Apg 2,1–4 **20,23** Mt 18,18 **20,25** 19,34 **20,27** Lk 24,39 **20,29** Hebr 11,1 **20,30** 21,25 **20,31** 1,34*; 3,16 **21,2** 1,41–42; 20,24; 1,45–49; Mk 1,19–20

Thomas, der Zwilling genannt wurde, Nathanael aus Kana in Galiläa, die beiden Söhne des Zebedäus und zwei andere Jünger waren dort zusammen. [3] Simon Petrus sagte: »Ich gehe jetzt fischen!« »Wir kommen mit«, meinten die anderen. Sie stiegen ins Boot und fuhren hinaus auf den See. Aber während der ganzen Nacht fingen sie keinen einzigen Fisch.

[4] Im Morgengrauen stand Jesus am Ufer. Doch die Jünger erkannten ihn nicht. [5] Jesus rief ihnen zu: »Kinder, habt ihr ein paar Fische zu essen?« »Nein«, antworteten sie. [6] Da forderte er sie auf: »Werft das Netz auf der rechten Seite des Bootes aus, dann werdet ihr einen guten Fang machen!« Sie folgten seinem Rat und fingen so viele Fische, dass sie das Netz nicht mehr einholen konnten.

[7] Jetzt sagte der Jünger, den Jesus liebte, zu Petrus: »Das ist der Herr!« Kaum hatte Simon Petrus das gehört, zog er sein Obergewand an, das er während der Arbeit abgelegt hatte, sprang ins Wasser und schwamm an das Ufer. [8] Die anderen Jünger waren noch etwa hundert Meter vom Ufer entfernt. Sie folgten Petrus mit dem Boot und zogen das gefüllte Netz hinter sich her. [9] Als sie aus dem Boot stiegen, sahen sie ein Kohlenfeuer, auf dem Fische brieten. Auch Brot lag bereit.

[10] Jesus bat die Jünger: »Bringt ein paar von den Fischen her, die ihr gerade gefangen habt!« [11] Simon Petrus ging zum Boot und zog das Netz an Land. Es war gefüllt mit hundertdreiundfünfzig großen Fischen. Und obwohl es so viele waren, zerriss das Netz nicht.

[12] »Kommt her und esst!«, sagte Jesus. Keiner von den Jüngern wagte zu fragen: »Wer bist du?« Aber sie alle wussten: Es ist der Herr. [13] Jesus ging auf sie zu, nahm das Brot und verteilte es an sie, ebenso die Fische.

[14] Dies war das dritte Mal, dass Jesus sich seinen Jüngern zeigte, nachdem er von den Toten auferstanden war.

»Liebst du mich?«

[15] Nach dem Essen fragte Jesus Simon Petrus: »Simon, Sohn des Johannes, liebst du mich mehr als die anderen hier?« »Ja, Herr«, antwortete ihm Petrus, »du weißt, dass ich dich lieb habe.« »Dann hüte meine Lämmer«, sagte Jesus.

[16] Jesus wiederholte seine Frage: »Simon, Sohn des Johannes, liebst du mich?« »Ja, Herr, du weißt doch, dass ich dich liebe«, antwortete Petrus noch einmal. Erneut sagte Jesus: »Dann hüte meine Schafe!«

[17] Und zum dritten Mal fragte Jesus: »Simon, Sohn des Johannes, hast du mich wirklich lieb?« Jetzt wurde Petrus traurig, weil Jesus ihm nun zum dritten Mal diese Frage stellte. Deshalb antwortete er: »Herr, du weißt alles. Du weißt doch auch, wie sehr ich dich liebe!« Darauf sagte Jesus: »Dann hüte meine Schafe!

[18] Ich sage dir die Wahrheit: Als du jung warst, hast du dir selbst den Gürtel umgebunden und bist gegangen, wohin du wolltest. Im Alter aber wirst du deine Hände ausstrecken; ein anderer wird dir den Gürtel darumbinden und dich dorthin führen, wo du nicht hingehen willst.« [19] Damit deutete Jesus an, durch welchen Tod Petrus einmal Gott ehren würde. Dann forderte Jesus ihn auf: »Folge mir nach!«

[20] Petrus wandte sich um und sah hinter sich den Jünger, den Jesus liebte. Es war derselbe, der beim letzten Abendessen seinen Platz ganz nah bei Jesus gehabt und ihn gefragt hatte: »Herr, wer von uns wird dich verraten?« [21] Petrus fragte nun: »Herr, was wird denn aus ihm?« [22] Jesus erwiderte: »Wenn ich will, dass er so lange lebt, bis ich wiederkomme, was geht es dich an? Folge du mir nach!«

[23] So entstand unter denen, die sich zu Jesus bekannten, das Gerücht: »Dieser

---

21,4 20,14 **21,6** Lk 5,4–7 **21,7** 13,23* **21,13** 6,11; Apg 10,41 **21,14** 20,19.26 **21,15–17** Apg 20,28; 1 Petr 5,2–4 **21,17** 13,38 **21,18–19** 13,36; 2 Petr 1,14 **21,20** 13,23*

Jünger wird nicht sterben.« Aber das hatte Jesus nicht gesagt, sondern: »Wenn ich will, dass er so lange lebt, bis ich wiederkomme, was geht es dich an?«

[24]Eben dieser Jünger ist es, der all das bezeugt und hier aufgeschrieben hat. Und wir wissen, dass alles, was er bezeugt, wahr ist.

Schlusswort

[25]Noch vieles mehr hat Jesus getan. Aber wollte man das alles eins nach dem anderen aufschreiben – mir scheint, es wäre wohl auf der ganzen Welt nicht genügend Platz für die vielen Bücher, die dann noch geschrieben werden müssten.

21,24 19,35 **21,25** 20,30

Die Taten der Apostel

1 Lieber Theophilus! In meinem ersten Bericht[a] habe ich von allem geschrieben, was Jesus getan und gelehrt hat; und zwar von Anfang an [2] bis zu seiner Rückkehr zu Gott. Bevor aber Jesus in den Himmel aufgenommen wurde, gab er den Männern, die er als seine Apostel berufen hatte, durch den Heiligen Geist Anweisungen für die Zukunft. [3] Diesen Männern hat er sich auch nach seinem Leiden und Sterben gezeigt und damit bewiesen, dass er tatsächlich auferstanden ist. Vierzig Tage lang sahen sie ihn, und er sprach mit ihnen über Gottes neue Welt. [4] Als sie an einem dieser Tage miteinander aßen, sagte Jesus zu seinen Jüngern: »Verlasst Jerusalem nicht! Bleibt so lange hier, bis in Erfüllung gegangen ist, was euch der Vater durch mich versprochen hat. [5] Denn Johannes hat mit Wasser getauft; ihr aber werdet bald mit dem Heiligen Geist getauft werden.«

Jesus kehrt zu Gott zurück

[6] Bei dieser Gelegenheit fragten sie ihn: »Herr, wirst du jetzt Israel wieder zu einem freien und mächtigen Reich machen?« [7] Darauf antwortete Jesus: »Die Zeit dafür hat allein Gott der Vater bestimmt. Euch steht es nicht zu, das zu wissen. [8] Aber ihr werdet den Heiligen Geist empfangen und durch seine Kraft meine Zeugen sein in Jerusalem und Judäa, in Samarien und auf der ganzen Erde.«

[9] Nachdem er das gesagt hatte, nahm Gott ihn zu sich. Eine Wolke verhüllte ihn vor ihren Augen, und sie sahen ihn nicht mehr. [10] Noch während sie überrascht nach oben blickten, standen auf einmal zwei weiß gekleidete Männer bei ihnen. [11] »Ihr Galiläer«, sprachen sie die Jünger an, »was steht ihr hier und seht zum Himmel? Gott hat Jesus aus eurer Mitte zu sich in den Himmel genommen; aber eines Tages wird er genauso zurückkehren.«

Matthias wird zum Apostel gewählt

[12] Da gingen sie vom Ölberg nach Jerusalem zurück, das ungefähr einen Kilometer entfernt liegt. [13] Sie kamen im oberen Stockwerk des Hauses zusammen, wo sie sich von nun an trafen. Es waren Petrus, Johannes, Jakobus, Andreas, Philippus, Thomas, Bartholomäus, Matthäus, Jakobus, der Sohn des Alphäus, Simon, der ehemalige Freiheitskämpfer, und Judas, der Sohn des Jakobus. [14] Zu ihnen gehörten auch einige Frauen, unter anderem Maria, die Mutter Jesu, und außerdem seine Brüder. Sie alle trafen sich regelmäßig an diesem Ort, um gemeinsam zu beten.

[15] An einem dieser Tage waren etwa hundertzwanzig Menschen dort zusammengekommen. Da stand Petrus auf und sagte: [16] »Liebe Brüder! Die Voraussage der Heiligen Schrift über Judas, der Jesus an seine Feinde verriet, musste sich erfüllen. Es ist so gekommen, wie es der Heilige Geist durch David vorhergesagt hat. [17] Judas gehörte zu uns, auch ihn hatte Jesus zu seinem Dienst berufen. [18] Doch Judas wurde zum Verräter. Von dem Geld, das er dafür bekam, kaufte er sich ein Stück Land. Aber er hat ein schreckliches Ende gefunden: Kopfüber stürzte er zu Tode, sein Körper wurde

---

[a] Gemeint ist der Bericht des Lukas über Jesus (Lukasevangelium).

1,1 Lk 1,1–4 **1,2–4** Lk 24,36–49; Mt 28,18–20 **1,5** Lk 3,16; Joh 15,26* **1,8** 2,32; 3,15; 5,32; 10,39; 13,31; 22,15; 23,11; Lk 24,48 **1,9** Lk 24,50–51; Mk 16,19; 1 Tim 3,16 **1,11** Lk 21,27; Mt 26,64 **1,12** Lk 24,52 **1,13** Lk 6,13–16; Mt 10,2–4 **1,14** Lk 8,1–3; 23,49.55; Mt 13,55; Joh 7,3–5 **1,16** Ps 41,10 **1,17** Joh 13,18–19 **1,18–19** Lk 22,3–6; Mt 26,14–16; 27,3–10

zerschmettert, so dass die Eingeweide heraustraten. [19]Das weiß jeder in Jerusalem, und deshalb nennt man diesen Acker auf Aramäisch ›Hakeldamach‹, das heißt ›Blutacker‹. [20]Schon in den Psalmen steht: ›Sein Besitz wird veröden, und niemand wird darin wohnen!‹[a] An einer anderen Stelle heißt es: ›Seine Aufgabe soll ein anderer übernehmen.‹[b] [21]Deshalb muss für Judas ein Nachfolger gefunden werden. Es muss ein Mann sein, der die ganze Zeit bei Jesus war; [22]angefangen von dem Tag, an dem Jesus von Johannes getauft wurde, bis zu dem Tag, an dem Gott ihn zu sich nahm. Denn zusammen mit uns soll er bezeugen, dass Jesus auferstanden ist.«

[23]Sie stellten zwei Männer zur Wahl: Josef Justus, der auch Barsabbas genannt wurde, und Matthias. [24]Dann beteten sie alle: »Herr, du kennst jeden Menschen ganz genau. Zeig uns, welcher von diesen beiden nach deinem Willen [25]den Dienst und das Apostelamt des Judas übernehmen soll. Denn Judas hat seinen Auftrag nicht erfüllt. Er ist jetzt an dem Platz, der ihm zukommt.« [26]Danach losten sie, und das Los fiel auf Matthias. Seit dieser Zeit gehörte er zu den zwölf Aposteln.

Pfingsten: Der Heilige Geist kommt

2 Zum Beginn des jüdischen Pfingstfestes waren alle Jünger wieder beieinander. [2]Plötzlich kam vom Himmel her ein Brausen wie von einem gewaltigen Sturm und erfüllte das ganze Haus, in dem sie sich versammelt hatten. [3]Zugleich sahen sie etwas wie züngelndes Feuer, das sich auf jedem Einzelnen von ihnen niederließ. [4]So wurden sie alle mit dem Heiligen Geist erfüllt und redeten in fremden Sprachen, jeder so, wie der Geist es ihm eingab.

[5]Zum Fest waren viele fromme Juden aus aller Welt nach Jerusalem gekommen. [6]Als sie das Brausen hörten, liefen sie von allen Seiten herbei. Fassungslos hörte jeder die Jünger in seiner eigenen Sprache reden. [7]»Wie ist das möglich?«, riefen sie außer sich. »Alle diese Leute sind doch aus Galiläa, [8]und nun hören wir sie in unserer Muttersprache reden; [9]ganz gleich, ob wir Parther, Meder oder Elamiter sind. Andere von uns kommen aus Mesopotamien, Judäa, Kappadozien, Pontus und der Provinz Asia, [10]aus Phrygien, Pamphylien und aus Ägypten, aus der Gegend von Kyrene in Libyen und selbst aus Rom. Wir sind Juden oder Anhänger des jüdischen Glaubens, [11]Kreter und Araber. Doch jeder von uns hört diese Männer in seiner eigenen Sprache von Gottes großen Taten reden!« [12]Bestürzt und ratlos fragte einer den anderen: »Was soll das bedeuten?« [13]Einige aber spotteten: »Die haben doch nur zu viel getrunken!«

Petrus verkündet: Jesus ist der von Gott versprochene König

[14]Da erhob sich Petrus mit den anderen elf Aposteln und rief der Menge zu: »Hört her, ihr jüdischen Männer und ihr Einwohner von Jerusalem. Ich will euch erklären, was hier geschieht.

[15]Diese Männer sind nicht betrunken, wie einige von euch meinen. Es ist ja erst neun Uhr morgens. [16]Nein, hier erfüllt sich, was Gott durch den Propheten Joel vorausgesagt hat. Bei ihm heißt es:

[17]›In den letzten Tagen, spricht Gott, will ich die Menschen mit meinem Geist erfüllen. Eure Söhne und Töchter werden aus göttlicher Eingebung reden, eure jungen Männer werden Visionen haben und die alten Männer bedeutungsvolle Träume. [18]Allen Männern und Frauen, die mir dienen, will ich meinen Geist geben, und sie werden in meinem Auftrag prophetisch reden. [19]Am Himmel und

---

[a] Psalm 69,26
[b] Psalm 109,8

1,21–22 10,37–43; Joh 15,27 **2,1** 1,13–15 **2,4** 4,31; 10,44–46; 19,2–6; Joh 15,26*; 1 Kor 14 **2,7** Lk 23,49 **2,19–20** Lk 21,25

auf der Erde werdet ihr Wunderzeichen sehen: Blut, Feuer und Rauch. [20] Die Sonne wird sich verfinstern und der Mond blutrot scheinen, bevor der große Tag kommt, an dem ich Gericht halte. [21] Wer dann den Namen des Herrn anruft, wird gerettet werden.‹[a]

[22] Hört her, ihr Männer Israels! Wie ihr alle wisst, hat Jesus von Nazareth in Gottes Auftrag mitten unter euch mächtige Taten, Zeichen und Wunder gewirkt. Ja, Gott selbst hat durch ihn gehandelt und so seinen Auftrag bestätigt. [23] Aber Jesus wurde durch Verrat an euch ausgeliefert, und ihr habt ihn mit Hilfe der heidnischen Römer ans Kreuz genagelt und umgebracht. Doch genau so war es von Gott gewollt und vorausbestimmt.

[24] Diesen Jesus hat Gott auferweckt und damit die Macht des Todes gebrochen. Wie hätte auch der Tod über ihn Gewalt behalten können! [25] David sprach schon von Jesus, als er sagte: ›Ich sehe immer auf den Herrn. Er steht mir zur Seite, damit ich nicht falle. [26] Darüber freue ich mich so sehr, dass ich es nicht für mich behalten kann. Selbst wenn ich sterbe, hoffe ich auf dich, Herr! [27] Denn du wirst mich nicht dem Tod und der Verwesung überlassen, ich gehöre ja zu dir. [28] Du zeigst mir den Weg, der zum Leben führt. Du beschenkst mich mit Freude, denn du bist bei mir.‹[b]

[29] Liebe Brüder! Lasst mich ganz offen zu euch sprechen: Unser Vorfahre David ist gestorben, und er wurde begraben. Sein Grab kann man heute noch sehen. [30] Gott hatte David aber zugesagt, einer seiner Nachkommen werde als König regieren. Weil David ein Prophet war, [31] hat er die Auferstehung des Christus vorausgesehen. Von ihm sagte er: Er wird nicht bei den Toten bleiben, und sein Leib wird nicht verwesen.

[32] Das ist mit Jesus geschehen: Gott hat ihn von den Toten auferweckt. Wir alle können es bezeugen. [33] Nun hat Gott ihn zum Herrscher eingesetzt und ihm den Ehrenplatz an seiner rechten Seite gegeben. Jesus empfing vom Vater den Heiligen Geist, wie es vorausgesagt war, und gab ihn uns. Ihr seht und hört jetzt selbst, dass es in Erfüllung gegangen ist. [34] Nicht David ist zum Himmel aufgefahren, denn er sagt: ›Gott, der Herr, sprach zu meinem Herrn: Setze dich auf den Ehrenplatz an meiner rechten Seite, [35] bis ich dir alle deine Feinde unterworfen habe, bis du deinen Fuß auf ihren Nacken setzt.‹[c]

[36] Ganz Israel soll wissen: Gott hat Jesus, den ihr gekreuzigt habt, zum Herrn und Retter gemacht.« [37] Als die Leute das hörten, waren sie von dieser Botschaft tief betroffen. Sie fragten Petrus und die anderen Apostel: »Brüder, was sollen wir tun?«

[38] »Kehrt um zu Gott!«, forderte Petrus sie auf. »Jeder von euch soll sich auf den Namen Jesu Christi taufen lassen, damit euch Gott eure Sünden vergibt und ihr den Heiligen Geist empfangt. [39] Das alles ist euch, euren Nachkommen und den Menschen in aller Welt zugesagt, die der Herr, unser Gott, in seinen Dienst berufen wird.«

[40] Petrus sprach noch lange mit ihnen und forderte sie eindringlich auf: »Lasst euch retten vor dem Gericht Gottes, das über diese gottlose Generation hereinbrechen wird.« [41] Viele Zuhörer glaubten, was Petrus ihnen sagte, und ließen sich taufen. Etwa dreitausend Menschen wurden an diesem Tag in die Gemeinde aufgenommen.

Die erste Gemeinde

[42] Alle in der Gemeinde ließen sich regelmäßig von den Aposteln im Glauben

---

[a] Joel 3,1–5
[b] Psalm 16,8–11
[c] Psalm 110,1

2,22 Lk 24,19 **2,23** Lk 22,47–53; 23,32–38 **2,24** Lk 24,1–7; Hebr 2,14; Offb 1,18 **2,31** Ps 16,10 **2,32** 1,22; 3,15; 4,33 **2,33** Lk 22,69–70 **2,36** 5,31; Lk 2,11* **2,37** 16,30; Lk 3,10 **2,38** Lk 24,47.49 **2,42** Lk 22,14–20; 1 Kor 11,23–27

unterweisen und lebten in enger Gemeinschaft, feierten das Abendmahl[a] und beteten miteinander. [43] Eine tiefe Ehrfurcht vor Gott erfüllte sie alle. Er wirkte durch die Apostel viele Zeichen und Wunder. [44] Die Gläubigen lebten wie in einer großen Familie. Was sie besaßen, gehörte ihnen gemeinsam. [45] Wer ein Grundstück oder anderen Besitz hatte, verkaufte ihn und half mit dem Geld denen, die in Not waren. [46] Täglich kamen sie im Tempel zusammen und feierten in den Häusern das Abendmahl. In großer Freude und mit aufrichtigem Herzen trafen sie sich zu gemeinsamen Mahlzeiten. [47] Sie lobten Gott und waren im ganzen Volk geachtet und anerkannt. Die Gemeinde wuchs mit jedem Tag, weil Gott viele Menschen rettete.

Gottes Wunder an einem Gelähmten

3 An einem Nachmittag gegen drei Uhr gingen Petrus und Johannes wie gewohnt zum Tempel. Sie wollten dort am gemeinsamen Gebet teilnehmen. [2] Zur selben Zeit brachte man einen Gelähmten und setzte ihn an eine der Tempeltüren, an das so genannte Schöne Tor. Der Mann war seit seiner Geburt krank und bettelte dort wie an jedem Tag.

[3] Als Petrus und Johannes den Tempel betreten wollten, bat er auch sie um Geld. [4] Sie blieben stehen, richteten den Blick auf ihn, und Petrus sagte: »Schau uns an!« [5] Erwartungsvoll sah der Mann auf: Würde er etwas von ihnen bekommen? [6] Doch Petrus sagte: »Geld habe ich nicht. Aber was ich habe, will ich dir geben. Im Namen Jesu Christi von Nazareth: Steh auf und geh!« [7] Dabei fasste er den Gelähmten an der rechten Hand und richtete ihn auf. In demselben Augenblick konnte der Kranke Füße und Gelenke gebrauchen. [8] Er sprang auf, lief einige Schritte hin und her und ging dann mit Petrus und Johannes in den Tempel. Außer sich vor Freude rannte er umher, sprang in die Luft und lobte Gott.

[9] So sahen ihn die anderen Tempelbesucher. [10] Sie erkannten, dass es der Bettler war, der immer an dem Schönen Tor des Tempels gesessen hatte. Fassungslos starrten sie den Geheilten an. Wieso konnte er jetzt laufen? [11] Alle drängten aufgeregt in die Halle Salomos. Dort umringten sie Petrus, Johannes und den Geheilten, der nicht von der Seite der Apostel wich.

Petrus predigt im Tempel

[12] Als Petrus die vielen Menschen sah, sprach er zu ihnen: »Ihr Männer aus Israel! Warum wundert ihr euch? Und weshalb staunt ihr uns an? Glaubt ihr denn, wir hätten diesen Gelähmten aus eigener Kraft geheilt oder weil wir so fromm sind?

[13] Nein, es ist der Gott Abrahams, Isaaks und Jakobs, der Gott unserer Vorfahren, der uns mit dieser Wundertat die Macht und Ehre seines Gesandten Jesus gezeigt hat. Diesen Jesus habt ihr verraten und verleugnet, obwohl Pilatus entschlossen war, ihn freizulassen. [14] Für den, der ganz zu Gott gehörte und ohne jede Schuld war, habt ihr das Todesurteil verlangt, aber den Mörder habt ihr begnadigt. [15] Ihr habt den getötet, von dem alles Leben kommt. Aber Gott hat ihn von den Toten auferweckt. Das können wir bezeugen. [16] Das Vertrauen auf Jesus hat diesen Mann hier geheilt. Ihr alle kennt ihn und wisst, dass er gelähmt war. Doch nun ist er gesund geworden, weil er an Jesus geglaubt hat. [17] Ich weiß, liebe Brüder, euch war nicht klar, was ihr damals getan habt, und auch eure führenden Männer wussten es nicht. [18] Doch so hat Gott erfüllt, was er durch alle Propheten angekündigt hatte: Der versprochene Retter musste leiden.

[19] Jetzt aber kehrt um und wendet euch

---

[a] Wörtlich: brachen das Brot.

2,43 4,16; 5,12 **3,1** Lk 24,53 **3,13–14** Lk 23,14–25 **3,14** Lk 23,41.47 **3,15** 1,8*; 2,32; 4,33; Lk 24,1–7 **3,16** Mk 5,34* **3,18** Lk 24,25–27.44–47; Jes 53,5 **3,19** 2,38

Gott zu, damit er euch die Sünden vergibt. Dann wird auch die Zeit kommen, in der Gott sich euch freundlich zuwendet. [20] Er wird euch Jesus senden, den Retter, den er für euch bestimmt hat.

[21] Jetzt herrscht Jesus unsichtbar im Himmel, aber die Zeit wird kommen, in der alles neu wird. Davon hat Gott schon immer durch seine auserwählten Propheten gesprochen. [22] Bereits Mose hat gesagt: ›Einen Propheten wie mich wird der Herr, euer Gott, zu euch senden, einen Mann aus eurem Volk. Ihr sollt alles befolgen, was er euch sagt. [23] Wer aber nicht auf ihn hört, der soll aus dem Volk verstoßen werden.‹[a]

[24] Ebenso haben Samuel und alle Propheten nach ihm diese Tage angekündigt. [25] Was diese Männer gesagt haben, gilt auch für euch. Ihr habt Anteil an dem Bund, den Gott mit euren Vorfahren geschlossen hat. Denn Gott sprach zu Abraham: ›Durch deine Nachkommen sollen alle Völker der Erde gesegnet werden.‹[b]

[26] Gott hat Jesus zu euch geschickt und ihn beauftragt, euch zu segnen. Er wird euch helfen, umzukehren und euer Leben zu ändern.«

Petrus und Johannes werden verhört

4 Noch während Petrus und die anderen Apostel zu den Leuten sprachen, kamen einige Priester, der Hauptmann der Tempelwache und ein paar Sadduzäer auf sie zu. [2] Sie waren empört, weil Petrus und Johannes in aller Öffentlichkeit lehrten, dass es eine Auferstehung der Toten gebe, wie an Jesus deutlich geworden sei. [3] Sie ließen die beiden Apostel verhaften und über Nacht ins Gefängnis sperren, weil es inzwischen Abend geworden war. [4] Aber viele von den Zuhörern begannen durch die Predigt der Apostel an Jesus zu glauben, so dass nun etwa fünftausend Männer zur Gemeinde gehörten.

[5] Am nächsten Morgen versammelte sich der Hohe Rat in Jerusalem. Dazu gehörten die führenden Männer der Stadt, die Schriftgelehrten und [6] der Hohepriester Hannas, außerdem Kaiphas, Johannes, Alexander und andere aus der Verwandtschaft des Hohenpriesters. [7] Sie ließen Petrus und Johannes hereinbringen und fragten sie: »Wer hat euch für das, was ihr getan habt, den Auftrag und die Vollmacht gegeben?«

[8] Erfüllt vom Heiligen Geist antwortete ihnen Petrus: »Ihr führenden Männer und Ältesten unseres Volkes! [9] Wir werden heute vor Gericht gestellt, weil wir einem Kranken geholfen haben. Auf die Frage, wie der Mann hier gesund geworden ist, [10] gibt es nur eine Antwort, und die wollen wir euch und dem ganzen Volk Israel gern geben: Dass dieser Mann geheilt wurde, geschah allein im Namen Jesu Christi von Nazareth. Er ist es, den ihr gekreuzigt habt und den Gott von den Toten auferweckte. [11] Jesus ist der Stein, von dem in der Heiligen Schrift gesprochen wird[c]: ›Ihr Bauleute habt ihn als unbrauchbar weggeworfen. Nun aber ist er zum Grundstein des ganzen Hauses geworden.‹[d] [12] Nur Jesus kann den Menschen Rettung bringen. Nichts und niemand sonst auf der ganzen Welt rettet sie.«

[13] Die Mitglieder des Hohen Rates wunderten sich darüber, wie mutig Petrus und Johannes redeten; wussten sie doch, dass es einfache Leute ohne besondere Bildung waren. Aber sie erkannten die beiden als Jünger Jesu wieder; [14] und die Heilung selbst konnten sie nicht bestreiten, denn der Geheilte stand vor ihnen. [15] Deshalb ließen sie zunächst einmal die Angeklagten aus dem Sitzungssaal führen.

---

[a] 5. Mose 18,15
[b] 1. Mose 22,18
[c] »von dem … wird« ist sinngemäß ergänzt.
[d] Psalm 118, 22

3,21 1,11; Kol 3,1 **3,25** Lk 1,72–73 **4,2** 23,6–8; Lk 20,27 **4,5–6** Lk 3,2; Joh 18,12–13 **4,7** Lk 20,2 **4,8** Lk 21,14–15 **4,10** 3,6 **4,12** 15,11; Mt 1,21; 1 Kor 3,11; 6,11; 1 Tim 2,5 **4,14** 3,7–8

[16]»Was sollen wir nur mit diesen Leuten anfangen?«, fragten sie sich. »Dass sie in Jerusalem ein Wunder gewirkt haben, können wir nicht bestreiten. Schließlich haben das viele mit eigenen Augen gesehen. [17]Damit ihr Einfluss auf das Volk aber nicht noch größer wird, sollten wir ihnen streng verbieten, jemals wieder zu predigen und sich dabei auf diesen Jesus zu berufen.« [18]Nachdem sie die Apostel wieder in den Sitzungssaal gerufen hatten, verboten sie ihnen nachdrücklich, noch einmal als Lehrer aufzutreten und in der Öffentlichkeit von Jesus zu reden. [19]Aber Petrus und Johannes antworteten nur: »Urteilt selbst: Ist es vor Gott recht, euch mehr zu gehorchen als ihm? [20]Wir können unmöglich verschweigen, was wir gesehen und gehört haben!« [21]Da verwarnte der Hohe Rat die Apostel noch einmal, ließ sie jedoch frei, weil er Unruhe im Volk befürchtete. Denn alle Menschen in Jerusalem lobten Gott, der durch Petrus und Johannes ein solches Wunder vollbracht hatte. [22]Immerhin war der Mann, an dem dieses Wunder geschah, über vierzig Jahre lang gelähmt gewesen.

Die Apostel berichten der Gemeinde

[23]Kaum waren Petrus und Johannes frei, gingen sie zu der versammelten Gemeinde und berichteten, was ihnen die Hohenpriester und die führenden Männer des Volkes angedroht hatten. [24]Da beteten alle gemeinsam zu Gott: »Herr, du hast den Himmel, die Erde und das Meer erschaffen und dazu alles, was lebt. [25]Es sind deine Worte, die unser Vater David, dein Diener, durch den Heiligen Geist gesprochen hat: ›Warum geraten die Völker in Aufruhr? Weshalb schmieden sie Pläne, die doch zu nichts führen? [26]Die Mächtigen dieser Welt rebellieren. Sie verschwören sich gegen Gott und den König, den er eingesetzt hat.‹[a] [27]Genau das ist in dieser Stadt geschehen. Sie haben sich verbündet: Herodes und Pontius Pilatus, Menschen aus anderen Völkern und ganz Israel. Sie sind eins geworden im Kampf gegen Jesus, deinen heiligen Sohn, den du erwählt und gesandt hast. [28]Doch sie erfüllen nur, was du in deiner Macht schon seit langem beschlossen hast. [29]Und nun, Herr, höre ihre Drohungen! Hilf allen, die an dich glauben, deine Botschaft ohne Angst weiterzusagen. [30]Zeig deine Macht! Lass Heilungen, Zeichen und Wunder geschehen durch den Namen deines heiligen Sohnes Jesus, den du gesandt hast!«

[31]Als sie gebetet hatten, bebte das Haus, in dem sie zusammengekommen waren. Sie wurden alle mit dem Heiligen Geist erfüllt und verkündeten furchtlos die Botschaft Gottes.

Die Gemeinde wächst

[32]Alle in der Gemeinde waren ein Herz und eine Seele. Niemand betrachtete sein Eigentum als privaten Besitz, sondern alles gehörte ihnen gemeinsam. [33]Mit großer Überzeugungskraft berichteten die Apostel von der Auferstehung Jesu, und alle erlebten Gottes Güte. [34]Keinem in der Gemeinde fehlte etwas; denn wer Häuser oder Äcker besaß, verkaufte seinen Besitz [35]und übergab das Geld den Aposteln. Die verteilten es an die Bedürftigen. [36]Zur Gemeinde gehörte auch der Levit Josef aus Zypern. Die Apostel nannten ihn Barnabas, das heißt »der Tröster«. [37]Josef verkaufte seinen Acker und gab das Geld den Aposteln.

Hananias und Saphira betrügen Gott

5 Ein Mann namens Hananias verkaufte zusammen mit seiner Frau Saphira ein Grundstück. [2]Sie beschlossen aber,

---

[a] Psalm 2,1–2. Das griechische Wort heißt »Christus« (= der gesalbte König).

4,19 5,29–32 **4,20** 1 Kor 9,16; 2 Kor 4,13 **4,27** Lk 23,1–12 **4,29** Eph 6,19–20; Kol 4,3–4* **4,31** 2,4 **4,32** 2,44–45; 2 Kor 8,12–15 **4,33** 1,22; 2,32; 3,15 **4,36** 9,27; 11,22–25; 13,1–3; 14,23; 15,36–40; 1 Kor 9,6; Gal 2,9.13 **5,1** 4,32–37

heimlich einen Teil des Geldes für sich zu behalten. Den Rest brachte Hananias zu den Aposteln. [3] Aber Petrus durchschaute ihn. »Hananias«, fragte er, »warum hast du es zugelassen, dass der Satan von dir Besitz ergreift? Warum hast du den Heiligen Geist betrogen und einen Teil des Geldes unterschlagen? [4] Niemand hat dich gezwungen, das Land zu verkaufen. Es war dein Eigentum. Sogar das Geld hättest du behalten können. Wie konntest du nur so etwas tun! Du hast nicht Menschen betrogen, sondern Gott selbst.«

[5] Nach diesen Worten brach Hananias tot zusammen. Alle, die davon hörten, waren entsetzt. [6] Einige junge Männer bedeckten den Toten mit einem Tuch und trugen ihn hinaus, um ihn zu begraben.

[7] Etwa drei Stunden später kam seine Frau Saphira. Sie wusste noch nicht, was geschehen war. [8] Petrus fragte sie: »Ist das hier die ganze Summe gewesen, die ihr für euren Acker bekommen habt?« »Ja«, antwortete sie, »das war alles.« [9] Da erwiderte Petrus: »Warum habt ihr beiden beschlossen, den Geist des Herrn herauszufordern? Sieh doch, die Männer, die deinen Mann begraben haben, kommen gerade zurück. Sie werden auch dich hinaustragen.« [10] Im selben Augenblick fiel Saphira tot zu Boden. Als die jungen Männer hereinkamen und sahen, dass sie tot war, trugen sie Saphira hinaus und begruben sie neben ihrem Mann. [11] Die ganze Gemeinde aber und alle, die davon hörten, erschraken zutiefst.

Gott bekennt sich zu seiner Gemeinde

[12] In Gottes Auftrag vollbrachten die Apostel viele Zeichen und Wunder. Die ganze Gemeinde traf sich immer wieder im Tempel in der Halle Salomos, fest vereint im Glauben. [13] Die anderen, die nicht zur Gemeinde gehörten, wagten nicht, sich ihnen anzuschließen; sie sprachen aber mit Hochachtung von ihnen. [14] Immer mehr glaubten an Jesus, den Herrn, viele Männer und Frauen. [15] Sogar die Kranken auf Betten und Bahren trug man an die Straße, damit wenigstens der Schatten des vorübergehenden Petrus auf sie fiel. [16] Selbst aus den umliegenden Städten Jerusalems strömten die Menschen herbei. Sie brachten ihre Kranken und von Dämonen Besessenen, und alle wurden gesund.

Erneute Verfolgung der Apostel

[17] Der Hohepriester aber und seine Freunde aus der Partei der Sadduzäer waren neidisch auf die ständig wachsende Gemeinde Christi und beschlossen deshalb, nicht länger tatenlos zuzusehen. [18] Kurzerhand ließen sie die Apostel festnehmen und ins Gefängnis werfen.

[19] Aber in der Nacht öffnete ein Engel des Herrn die Gefängnistüren und führte die Apostel hinaus. [20] »Geht in den Tempel«, sagte er, »und verkündet dort allen die Botschaft vom neuen Leben durch Jesus!« [21] Also gingen die Apostel frühmorgens in den Tempel und lehrten dort in aller Öffentlichkeit.

Zur selben Zeit berief der Hohepriester mit seinen Gesinnungsgenossen den Hohen Rat und alle führenden Männer des Volkes zu einer Sitzung ein. Dann ließen sie die Apostel zum Verhör holen. [22] Aber die waren nicht mehr im Gefängnis. So kehrten die Beauftragten des Hohenpriesters zurück und meldeten: [23] »Die Gefangenen sind fort. Die Türen des Gefängnisses waren sorgfältig verschlossen, und die Wachen standen davor. Aber als wir die Türen öffneten, war niemand in der Zelle.« [24] Der Befehlshaber der Tempelwache und der Hohepriester waren ratlos. Wie sollte das alles noch enden?

[25] In diesem Augenblick kam jemand mit der Nachricht herein: »Die Männer, die ihr ins Gefängnis geworfen habt, sind schon wieder im Tempel und lehren

5,4 2 Kor 8,8–9.12–15 **5,12** 3,11; 6,8 **5,15–16** 19,12; Mt 14,35–36 **5,17–18** 4,1–3 **5,19** 12,7–8

dort!« [26]Sofort zog der Befehlshaber der Tempelwache mit seinen Männern zum Tempel und holte die Apostel. Allerdings wendeten sie keine Gewalt an, weil sie sonst fürchten mussten, vom Volk gesteinigt zu werden.

[27]Die Apostel wurden in den Gerichtssaal vor den Hohen Rat gebracht, wo der Hohepriester sie verhörte. [28]»Haben wir euch nicht streng verboten, jemals wieder von diesem Jesus zu reden?«, begann er. »Und doch spricht inzwischen ganz Jerusalem davon. Ihr wollt uns sogar für den Tod dieses Menschen verantwortlich machen!«

[29]Petrus und die anderen Apostel erwiderten: »Man muss Gott mehr gehorchen als den Menschen! [30]Der Gott unserer Vorfahren hat Jesus, den ihr ans Kreuz geschlagen und getötet habt, von den Toten auferweckt. [31]Gott hat ihn durch seine Macht zum Herrscher und Retter erhoben, damit das Volk Israel zu Gott umkehren kann und ihm seine Sünden vergeben werden. [32]Das werden wir immer bezeugen und auch der Heilige Geist, den Gott allen gibt, die ihm gehorchen.«

[33]Diese Worte versetzten die Mitglieder des Hohen Rates in maßlose Wut, und sie beschlossen, die Apostel töten zu lassen.

Gamaliels weiser Rat

[34]Da stand Gamaliel auf, ein Pharisäer und hoch angesehener Schriftgelehrter. Er ließ die Apostel für kurze Zeit hinausbringen; [35]dann wandte er sich an die Versammelten: »Ihr Männer von Israel, seid vorsichtig und überlegt euch genau, was ihr gegen diese Leute unternehmt. [36]Schon früher glaubten manche Männer, etwas Besonderes zu sein, wie Theudas zum Beispiel. Etwa vierhundert Männer konnte er als Anhänger gewinnen. Aber er wurde getötet, und von seinen Leuten ist keiner mehr zu finden. Niemand spricht mehr von ihnen. [37]Zur Zeit der Volkszählung unternahm Judas aus Galiläa einen Aufstand. Viele Leute schlossen sich ihm an. Aber auch er kam um, und von seiner Bewegung spricht kein Mensch mehr. [38]Deshalb rate ich euch: Lasst diese Männer in Ruhe! Wenn es ihre eigenen Ideen und Taten sind, für die sie sich einsetzen, werden sie scheitern. [39]Steht aber Gott dahinter, könnt ihr ohnehin nichts dagegen unternehmen. Oder wollt ihr als Leute dastehen, die gegen Gott kämpfen?«

Das überzeugte alle. [40]Man rief die Apostel wieder herein, ließ sie auspeitschen und verbot ihnen noch einmal, von Jesus zu reden. Dann wurden sie freigelassen. [41]Die Apostel aber verließen den Hohen Rat voller Freude darüber, dass Gott sie dazu auserwählt hatte, für Jesus Verachtung und Schmerzen zu ertragen. [42]Sie lehrten weiter jeden Tag öffentlich im Tempel und auch in Häusern und verkündeten, dass Jesus der Christus ist, der schon lange erwartete Retter.

Die Wahl der sieben Diakone

6 In dieser Zeit wuchs die Gemeinde rasch. Dabei kam es zu Schwierigkeiten zwischen den Juden, die griechisch sprachen, und denen mit hebräischer Muttersprache. Die griechischen Juden beklagten sich darüber, dass ihre Witwen bei der täglichen Versorgung benachteiligt würden. [2]Deshalb riefen die zwölf Apostel die ganze Gemeinde zusammen. »Es ist nicht richtig«, sagten sie, »dass wir Lebensmittel verteilen müssen, statt Gottes Botschaft zu verkünden. [3]Darum, liebe Brüder und Schwestern, sucht in der Gemeinde nach sieben Männern mit gutem Ruf, die ihr Leben ganz vom Heiligen Geist bestimmen lassen und wissen, was zu tun ist. Sie sollen diese Aufgabe übernehmen. [4]Wir selbst aber wollen

---

5,26 Lk 20,19 **5,28** 4,18 **5,29** 4,19–20 **5,30** 3,15; 13,28–31; Röm 4,25; 1 Kor 15,3–4 **5,31** Lk 2,11*; 22,69; Apg 2,36 **5,32** 1,8* **5,33** Lk 19,47 **5,40** 4,18 **5,41** Mt 5,10–12; Phil 1,29; 2 Tim 3,12* **6,1** 1 Tim 5,3 **6,3** 1 Tim 3,7–12

nach wie vor alle Zeit dafür einsetzen, zu beten und Gottes Botschaft zu verkünden.« [5]Mit diesem Vorschlag waren alle einverstanden. Zuerst wählten sie Stephanus, einen Mann mit festem Glauben und erfüllt mit dem Heiligen Geist; danach Philippus, Prochorus, Nikanor, Timon, Parmenas und Nikolaus von Antiochia; er war früher einmal zum jüdischen Glauben übergetreten. [6]Diese sieben Männer wurden vor die Apostel gestellt, die für sie beteten und ihnen segnend die Hände auflegten.

[7]Die Botschaft Gottes aber wurde immer mehr Menschen verkündet. Vor allem in Jerusalem wuchs die Zahl der Gläubigen ständig. Unter ihnen waren viele jüdische Priester, die zum Glauben an Jesus gefunden hatten.

Stephanus vor Gericht

[8]Stephanus vollbrachte öffentlich durch Gottes Gnade und Kraft große Zeichen und Wunder. [9]Eines Tages verwickelten ihn Anhänger einer jüdischen Gemeinde, die sich die »Freigelassenen« nannten, in ein Streitgespräch. Auch Leute aus Kyrene, Alexandria, Zilizien und der Provinz Asia beteiligten sich daran. [10]Aber keiner von ihnen hatte der Weisheit und dem Geist des Stephanus etwas entgegenzusetzen. [11]Deshalb hetzten sie ein paar Leute auf, die behaupten sollten: »Er hat Gott und Mose beleidigt. Wir haben es selbst gehört.« [12]Dadurch gelang es ihnen, das Volk, seine führenden Männer und die Schriftgelehrten so aufzuwiegeln, dass sie über Stephanus herfielen und ihn vor den Hohen Rat schleppten.

[13]Dort traten Zeugen gegen Stephanus auf, die man vorher bestochen hatte. »Dieser Mensch«, so behaupteten sie, »zieht fortwährend den heiligen Tempel und das Gesetz Gottes in den Dreck. [14]Wir haben selbst gehört, dass er gesagt hat: ›Jesus von Nazareth wird den Tempel zerstören und die Ordnungen ändern, die Mose uns gegeben hat.‹«

[15]Die Mitglieder des Hohen Rates blickten gespannt auf Stephanus, und jedem fiel auf, dass sein Gesicht aussah wie das eines Engels.

Die Verteidigungsrede des Stephanus

7 Der Hohepriester fragte Stephanus: »Stimmt es, was die Männer hier von dir behaupten?« [2]Stephanus antwortete: »Hört mich an, liebe Brüder und Väter! Gott, dem alle Ehre zukommt, erschien unserem Vater Abraham in Mesopotamien, noch ehe Abraham nach Haran gezogen war. [3]Gott forderte ihn auf: ›Verlass deine Heimat und deine Verwandten, und zieh in das Land, das ich dir zeigen werde!‹[a] [4]So verließ Abraham das Land der Chaldäer und wohnte in Haran, bis sein Vater starb. Dann brachte Gott ihn hierher, wo ihr jetzt wohnt. [5]Zwar gab Gott ihm keinen Fußbreit eigenes Land, doch sagte er ihm zu, dass ihm und seinen Nachkommen alles Land gehören würde. Zu der Zeit aber hatte Abraham noch keine Kinder! [6]Gott sagte zu ihm: ›Deine Nachkommen werden in einem fremden Land heimatlos sein. Vierhundert Jahre wird man sie ausbeuten, und sie werden viel leiden müssen.‹ [7]Aber Gott versprach Abraham auch: ›Ich werde das Volk bestrafen, das euch so lange unterdrückt hat. Dann werden deine Nachkommen das fremde Land verlassen und mir hier dienen.‹[b]

[8]Damals schloss Gott mit Abraham den Bund, dessen Zeichen die Beschneidung ist. Als später Isaak geboren wurde, beschnitt ihn sein Vater Abraham am achten Tag nach der Geburt. Auch Isaak und sein Sohn Jakob hielten an dieser Ordnung fest, ebenso Jakobs zwölf Söh-

---

[a] 1. Mose 12,1
[b] 1. Mose 15,13–14

6,6 13,3; 14,23 **6,8** 5,12 **6,13** Mt 26,59–61 **7,2–4** 1 Mo 11,31 – 12,4 **7,5** 1 Mo 11,29–30; 12,7*
7,8 1 Mo 17,9–14*

ne, unsere Stammväter. [9]Weil aber Jakobs Söhne auf ihren Bruder Josef neidisch waren, verkauften sie ihn als Sklaven nach Ägypten. Doch Gott verließ Josef nicht, [10]sondern half ihm jedes Mal, wenn er in Not geriet. Josef konnte die Gunst des ägyptischen Königs, des Pharaos, gewinnen. Wegen der ungewöhnlichen Weisheit, die Gott ihm gegeben hatte, wurde Josef vom Pharao schließlich zum Verwalter über ganz Ägypten und den Königshof eingesetzt.

[11]Dann aber brach in Ägypten und Kanaan eine Hungersnot aus. Die Not war so groß, dass auch unsere Vorfahren nichts mehr zu essen hatten. [12]Als Jakob erfuhr, dass es in Ägypten noch Getreide gab, schickte er seine Söhne in dieses Land. [13]Bei ihrer zweiten Reise nach Ägypten gab sich Josef seinen Brüdern zu erkennen. Nun erfuhr der Pharao noch mehr über Josefs Familie. [14]Josef ließ seinen Vater Jakob und alle seine Verwandten nach Ägypten kommen, insgesamt fünfundsiebzig Menschen. [15]So kam Jakob nach Ägypten. Er und alle unsere Vorfahren lebten dort bis zu ihrem Tod. [16]Später wurden ihre Gebeine nach Sichem überführt und in dem Grab beigesetzt, das Abraham von den Nachkommen Hamors erworben hatte.

[17]Dann kam die Zeit, in der Gott das Versprechen erfüllen wollte, das er Abraham gegeben hatte. Die Nachkommen Josefs und seiner Brüder waren in Ägypten zu einem großen Volk geworden. [18]Ein neuer Pharao kam an die Macht, der von Josef nichts mehr wusste. [19]Grausam und voller Hinterlist unterdrückte er unser Volk. Er zwang unsere Vorfahren, ihre neugeborenen Kinder auszusetzen, damit sie starben.

[20]In dieser Zeit wurde Mose geboren; er war ein sehr schönes Kind. Drei Monate lang versteckten ihn seine Eltern in ihrem Haus. [21]Als er dann doch ausgesetzt werden musste, fand ihn die Tochter des Pharaos. Sie nahm ihn bei sich auf und erzog ihn wie ihren eigenen Sohn. [22]Mose wurde in allen Wissenschaften der Ägypter gründlich ausgebildet, und alles, was er sagte oder tat, brachte ihm hohes Ansehen.

[23]Als Mose vierzig Jahre alt war, beschloss er, sich um seine Brüder, die Israeliten, zu kümmern. [24]Eines Tages musste er mit ansehen, wie ein Israelit von einem Ägypter misshandelt wurde. Ohne zu zögern, griff er ein und schlug den Ägypter tot. [25]Mose meinte, seine Landsleute müssten jetzt erkennen, dass Gott ihn zur Befreiung seines Volkes geschickt hatte. Doch sie erkannten es nicht. [26]Am nächsten Tag sah Mose, wie sich zwei Israeliten stritten. Er versuchte, den Streit zu schlichten, und sagte zu ihnen: ›Ihr gehört doch zu ein und demselben Volk, warum schlagt ihr euch?‹ [27]Aber der mit dem Streit angefangen hatte, stieß ihn zurück und schrie: ›Wer hat dich eigentlich zu unserem Herrn und Richter gemacht? [28]Willst du mich etwa auch umbringen, wie du gestern den Ägypter getötet hast?‹ [29]Mose erschrak über diese Worte. Er verließ Ägypten und floh nach Midian, wo er als Ausländer lebte. Dort bekam seine Frau zwei Söhne. [30]Vierzig Jahre vergingen. Da erschien ihm in der Wüste am Berg Sinai ein Engel im Feuer eines brennenden Dornbusches. [31]Mose sah die Flamme und wunderte sich über die seltsame Erscheinung. Als er aber näher herantrat, um genau hinzuschauen, hörte er die Stimme des Herrn:

[32]›Ich bin der Gott deiner Vorfahren, der Gott Abrahams, Isaaks und Jakobs.‹ Mose zitterte vor Angst und wagte nicht hinzusehen. [33]Aber der Herr sprach weiter zu ihm: ›Zieh deine Sandalen aus; denn du stehst auf heiligem Boden. [34]Ich habe gesehen, wie mein Volk in Ägypten

---

7,9 1 Mo 37,4.11–28; 39,2 **7,10** 1 Mo 39,21–23; 41,14–46 **7,11** 1 Mo 41,53–57 **7,12** 1 Mo 42,1–5 **7,13–14** 1 Mo 45,1–16; 46,26–27 **7,16** 1 Mo 33,19; 50,24–25*; Jos 24,32 **7,17–19** 2 Mo 1,7–16.22 **7,20–21** 2 Mo 2,1–10; Hebr 11,23 **7,23–29** 2 Mo 2,11–22; 18,3–4; Hebr 11,24–27 **7,30–34** 2 Mo 3,1–10; 2,23–25*

leiden muss, und sein Weinen und Klagen habe ich gehört. Nun bin ich gekommen, um es zu befreien. Geh deshalb zurück nach Ägypten!‹[a] [35] Gott sandte also gerade den Mann als Anführer und Befreier zu den Israeliten, den sie mit den Worten abgewiesen hatten: ›Wer hat dich zu unserem Herrn und Richter gemacht?‹ Ihn erwählte Gott durch den Engel im brennenden Dornbusch zu ihrem Befreier, [36] und Mose führte unser Volk aus Ägypten. Überall vollbrachte er Zeichen und Wunder: in Ägypten, am Roten Meer und während der vierzig Jahre in der Wüste.

[37] Mose war es auch, der zum Volk Israel sagte: ›Einmal wird euch der Herr, euer Gott, einen Propheten wie mich senden, einen Mann aus eurem Volk.‹[b] [38] Dieser Mose wurde zum Vermittler zwischen unserem Volk und dem Engel, der ihm auf dem Berg Sinai das Gesetz Gottes gab. Mose sollte uns Gottes Weisungen übermitteln, die allen das Leben bringen. [39] Aber unsere Vorfahren wollten nicht auf ihn hören. Sie trauerten dem Leben in Ägypten nach und lehnten sich sogar gegen Mose auf, als er auf dem Berg Sinai war. [40] Von seinem Bruder Aaron verlangten sie: ›Mach uns Götzenfiguren. Wir wollen sie vor uns hertragen, damit sie uns führen. Mose hat uns zwar aus Ägypten herausgeführt. Aber jetzt weiß niemand von uns, was aus ihm geworden ist.‹

[41] Sie machten sich ein Stierkalb, das ihr Gott sein sollte. Als es fertig war, freuten sie sich über ihren Götzen und brachten ihm ihre Opfer. [42] Da wandte sich Gott von ihnen ab und überließ sie ihrem Schicksal. So kam es, dass sie zur Sonne, dem Mond und den Sternen beteten, wie es im Buch der Propheten steht: ›Ihr Israeliten, als ihr vierzig Jahre in der Wüste umhergezogen seid, habt ihr mir da Opfertiere und Schlachtopfer dargebracht? [43] Nein, ihr habt das Zelt des Götzen Moloch und den Stern des Götzen Räfan vor euch hergetragen. Diese Götter habt ihr euch selbst gemacht, um sie anzubeten. Deshalb werde ich euch in die Gefangenschaft führen, noch weit über Babylon hinaus.‹[c] [44] Während ihrer ganzen Wanderung durch die Wüste trugen unsere Vorfahren ein Zelt mit sich, das ihnen als Tempel diente. Gott selbst hatte ihnen befohlen, ein solches Zelt zu bauen, und zwar genau so, wie er es Mose gezeigt hatte. [45] Die folgende Generation übernahm das Zelt. Und als Josua später das Land eroberte, aus dem die heidnischen Völker von Gott vertrieben wurden, nahmen die Israeliten das Zelt mit in ihre neue Heimat. Dort blieb es noch bis zur Zeit des Königs David.

[46] Diesem König wandte sich Gott immer wieder in Liebe zu. David war es auch, der den Gott Israels bat, ihm einen Tempel bauen zu dürfen. [47] Doch erst Salomo verwirklichte diesen Plan. [48] Aber der höchste Gott wohnt ohnehin nicht in Häusern, die ihm Menschen bauen. So sagt schon der Prophet Jesaja: [49] ›Der Himmel ist mein Thron und die Erde mein Fußschemel. Und da wollt ihr mir, dem Herrn, ein Haus bauen? An welchem Ort soll ich mich denn niederlassen? [50] Ich habe doch Himmel und Erde geschaffen!‹«[d] [51] »Ihr seid wirklich unbelehrbar!«, fuhr Stephanus fort. »Ihr habt eure Ohren für Gottes Botschaft verschlossen, und auch euer Herz gehört ihm nicht. Wie eure Vorfahren widersetzt ihr euch ständig dem Heiligen Geist. [52] Nennt mir einen einzigen Propheten, den eure Vorfahren nicht verfolgt haben. Sie haben alle umgebracht, die vom Kommen eures Retters sprachen. Ihr

---

[a] 2. Mose 3,5–10
[b] 5. Mose 18,15
[c] Amos 5,25–27
[d] Jesaja 66,1–2

7,35 2 Mo 2,14 **7,36** 2 Mo 7,9 – 12,30; 14,21–22*; 4 Mo 14,33–34; 5 Mo 4,34* **7,38** 2 Mo 20,18–21; 31,18 **7,39–40** 2 Mo 16,2–3; 32,1–2 **7,41** 2 Mo 32,4–6 **7,44** 2 Mo 25,9 **7,45** Jos 18,1; 1 Chr 21,29 **7,46–47** 2 Sam 7,2–13; 1 Kön 6,1–38 **7,51** 2 Mo 32,9; Jes 63,10 **7,52** Lk 11,47–51; 13,34

aber seid die Verräter und Mörder dieses Unschuldigen! [53] Gott hat euch durch seine Engel das Gesetz gegeben, aber ihr habt euch nie danach gerichtet.«

Der Märtyrertod des Stephanus

[54] Über diese Worte des Stephanus gerieten seine Zuhörer in maßlose Wut. [55] Stephanus aber blickte, erfüllt vom Heiligen Geist, zum Himmel auf und sah dort Gott in seiner Herrlichkeit und Jesus an seiner rechten Seite. [56] »Ich sehe den Himmel offen!«, rief Stephanus, »und Jesus, den Menschensohn, auf dem Ehrenplatz an der rechten Seite Gottes stehen!« [57] Jetzt schrien sie ihn nieder, hielten sich die Ohren zu, um seine Worte nicht länger hören zu müssen, und stürzten sich auf ihn. [58] Sie zerrten ihn aus der Stadt und steinigten ihn. Die Zeugen, die an der Steinigung beteiligt waren, legten ihre Obergewänder ab und gaben sie einem jungen Mann, der Saulus hieß.

[59] Als sie Stephanus steinigten, betete er laut: »Herr Jesus, nimm meinen Geist zu dir!« [60] Er kniete nieder und rief: »Herr, vergib ihnen diese Schuld!« Mit diesen Worten starb er.

Die Gemeinde in Jerusalem wird verfolgt

8 Saulus war mit der Steinigung des Stephanus einverstanden. Noch am selben Tag setzte eine schwere Verfolgung der Gemeinde in Jerusalem ein. Alle außer den Aposteln flohen in die Landbezirke Judäas und Samariens. [2] Stephanus wurde von einigen frommen Männern begraben, die für ihn die Totenklage hielten.

[3] Saulus aber setzte alles daran, die Gemeinde Jesu auszurotten. Er schleppte Männer und Frauen aus ihren Häusern und ließ sie ins Gefängnis werfen.

Die rettende Botschaft in Samaria

[4] Doch die aus Jerusalem geflohenen Gläubigen verkündeten überall die Worte und Taten Jesu. [5] Einer von ihnen war Philippus. Er kam in die Stadt Samaria und sprach dort von Christus. [6] Die Einwohner hörten ihm bereitwillig zu und sahen die Wunder, die er wirkte. [7] Böse Geister wurden ausgetrieben und ließen mit lautem Geschrei von ihren Opfern ab. Ebenso heilte Philippus viele Menschen, die gelähmt waren und andere körperliche Gebrechen hatten. [8] Darüber herrschte große Freude in Samaria.

Gottes Geschenk lässt sich nicht kaufen

[9] In Samaria lebte auch Simon, ein Mann, der seit vielen Jahren Zauberei getrieben und durch seine Künste viele in Erstaunen versetzt hatte. Er behauptete, etwas Besonderes zu sein. [10] Alle Leute, die seine Zauberei miterlebt hatten, waren seine begeisterten Anhänger und sagten: »In diesem Mann wirkt Gottes große Kraft!« [11] Sie standen ganz in seinem Bann, weil er sie jahrelang mit seinen Zauberkünsten beeinflusst hatte.

[12] Aber nun glaubten viele an die rettende Botschaft von Gottes neuer Welt und von Jesus Christus, wie Philippus es ihnen verkündet hatte. Männer und Frauen ließen sich taufen, [13] unter ihnen auch der Zauberer Simon. Nach seiner Taufe begleitete er Philippus überallhin und sah dabei voller Staunen die großen Zeichen und Wunder, die geschahen.

[14] Als nun die Apostel in Jerusalem davon hörten, dass die Leute in Samaria Gottes Botschaft angenommen hatten, schickten sie Petrus und Johannes dorthin. [15] Die beiden Apostel kamen nach Samaria und beteten für die Gläubigen, dass Gott ihnen seinen Heiligen Geist

---

7,54 5,33 **7,55–56** Lk 22,69; Röm 8,34* **7,58** 5 Mo 17,7; Apg 22,20 **7,59** Lk 23,46 **7,60** Mt 5,44*; Lk 23,34 **8,1** 7,58; 11,19; Mt 10,23 **8,3** 9,1–2.13–14.21.26; 22,4–5; 26,9–11; 1 Kor 15,9; Gal 1,13–14; Phil 3,6 **8,4** 11,19 **8,5** 6,5 **8,7** Lk 9,1–2

schenken möge. [16] Denn bisher hatte keiner von ihnen den Geist empfangen, obwohl sie auf den Namen des Herrn Jesus getauft worden waren. [17] Als ihnen aber die Apostel die Hände auflegten, empfingen sie den Heiligen Geist.

[18] Simon hatte gesehen, dass den Gläubigen der Heilige Geist gegeben wurde, als die Apostel ihnen die Hände auflegten. Da bot er Petrus und Johannes Geld an [19] und sagte: »Verhelft auch mir dazu, dass jeder, dem ich die Hände auflege, den Heiligen Geist bekommt.«

[20] Doch Petrus wies ihn zurecht: »Fahr zur Hölle mit deinem Geld! Denkst du wirklich, dass man Gottes Geschenk kaufen kann? [21] Für dich gibt es Gottes Gaben nicht, denn du bist ihm gegenüber nicht aufrichtig. [22] Bereu deine Bosheit, und kehr um zu Gott! Bitte ihn, dass er dir diese abscheulichen Gedanken vergibt. [23] Denn ich sehe, dass du voller Gift und Galle bist. Du bist in deiner Schuld gefangen.« [24] Da rief Simon erschrocken: »Betet für mich, damit mir erspart bleibt, was ihr mir angedroht habt!«

[25] Nachdem sie in Samaria gepredigt hatten, dass Jesus der Herr ist, kehrten Petrus und Johannes nach Jerusalem zurück. Unterwegs verkündeten sie auch in vielen Dörfern Samariens die rettende Botschaft von Jesus.

Philippus und der äthiopische Hofbeamte

[26] Ein Engel des Herrn forderte Philippus auf: »Geh in Richtung Süden, und zwar auf die einsame Straße, die von Jerusalem nach Gaza führt.« [27/28] Philippus machte sich sofort auf den Weg.

Zur selben Zeit war auf dieser Straße auch ein Mann aus Äthiopien mit seinem Wagen unterwegs. Er war ein Hofbeamter der Königin von Äthiopien, die den Titel Kandake führte, und verwaltete ihr Vermögen. Eben kehrte er von Jerusalem zurück, wo er als Pilger im Tempel Gott angebetet hatte. Während der Fahrt las er im Buch des Propheten Jesaja.

[29] Da sprach der Heilige Geist zu Philippus: »Geh zu diesem Wagen, und bleib in seiner Nähe.« [30] Philippus lief hin und hörte, dass der Mann laut aus dem Buch Jesaja las. Er fragte den Äthiopier: »Verstehst du eigentlich, was du da liest?« [31] »Nein«, erwiderte der Mann, »wie soll ich das denn verstehen, wenn es mir niemand erklärt!« Er bat Philippus, einzusteigen und sich neben ihn zu setzen.

[32] Gerade hatte er die Sätze gelesen: »Wie ein Schaf, das geschlachtet werden soll, hat man ihn abgeführt. Und wie ein Lamm, das sich nicht wehrt, wenn es geschoren wird, hat er alles widerspruchslos ertragen. [33] Er wurde gedemütigt, nicht einmal ein gerechtes Urteil war er seinen Peinigern wert. Niemand glaubte, dass er noch eine Zukunft haben würde. Denn man hat sein Leben auf dieser Erde vernichtet.«[a] [34] Der Äthiopier fragte Philippus: »Von wem spricht hier der Prophet? Von sich selbst oder von einem anderen?« [35] Da begann Philippus, ihm die rettende Botschaft von Jesus anhand dieses Prophetenwortes zu erklären.

[36] Als sie bald darauf an einer Wasserstelle vorüberfuhren, sagte der äthiopische Hofbeamte: »Dort ist Wasser! Spricht etwas dagegen, dass ich jetzt gleich getauft werde?«[b] [38] Er ließ den Wagen halten. Gemeinsam stiegen sie ins Wasser, und Philippus taufte ihn. [39] Nachdem sie aus dem Wasser gestiegen waren, entrückte der Geist des Herrn den Philippus. Der Äthiopier sah ihn nicht mehr, aber er reiste mit frohem Herzen weiter. [40] Philippus wurde danach in Aschdod gesehen. Von dort aus zog er von Stadt zu Stadt und predigte überall die rettende Botschaft von Jesus, selbst im entfernten Cäsarea.

---

[a] Jesaja 53,7–8
[b] Einige Textzeugen fügen hinzu (Vers 37): »Wenn du von ganzem Herzen an Christus glaubst, kann ich es tun«, erwiderte Philippus. »Ich glaube, dass Jesus Christus der Sohn Gottes ist«, bekannte der Hofbeamte.

8,17 19,6 **8,20** Mt 10,8 **8,35** Lk 24,44–46*

Saulus begegnet Christus

9 Saulus verfolgte noch immer mit grenzenlosem Hass alle, die an den Herrn glaubten, und drohte ihnen an, sie hinrichten zu lassen. [2]Er ging zum Hohenpriester und ließ sich von ihm Briefe für die jüdischen Gemeinden in Damaskus mitgeben. Sie ermächtigten ihn, auch in diesem Gebiet die Gläubigen aufzuspüren und sie – ganz gleich, ob Männer oder Frauen – als Gefangene nach Jerusalem zu bringen.

[3]Kurz vor Damaskus umgab Saulus plötzlich ein blendendes Licht vom Himmel. [4]Er stürzte zu Boden und hörte eine Stimme: »Saul, Saul, warum verfolgst du mich?« [5]»Wer bist du, Herr?«, fragte Saulus. »Ich bin Jesus, den du verfolgst!«, antwortete die Stimme. [6]»Steh auf und geh in die Stadt. Dort wird man dir sagen, was du tun sollst.« [7]Die Begleiter des Saulus standen sprachlos da, denn sie hatten zwar die Stimme gehört, aber niemanden gesehen. [8]Als Saulus aufstand und die Augen öffnete, konnte er nicht mehr sehen. Da nahmen sie ihn an der Hand und führten ihn nach Damaskus. [9]Drei Tage lang war er blind und wollte weder essen noch trinken.

[10]In Damaskus wohnte ein Jünger Jesu, der Hananias hieß. Dem erschien der Herr in einer Vision. »Hananias«, sagte er zu ihm. »Ja, Herr, hier bin ich«, erwiderte der Mann. [11]Der Herr forderte ihn auf: »Geh zur Geraden Straße in das Haus des Judas, und frag dort nach einem Saulus von Tarsus. Er betet gerade [12]und hat in einer Vision einen Mann gesehen, der Hananias heißt. Dieser kam zu ihm und legte ihm die Hände auf, damit er wieder sehen kann.« [13]»Aber Herr«, wandte Hananias ein, »ich habe schon von so vielen gehört, wie grausam dieser Saulus deine Gemeinde in Jerusalem verfolgt. [14]Außerdem haben wir erfahren, dass er eine Vollmacht der Hohenpriester hat, auch hier alle gefangen zu nehmen, die an dich glauben.« [15]Doch der Herr sprach zu Hananias: »Geh nur! Ich habe diesen Mann dazu auserwählt, mich bei allen Völkern und Herrschern der Erde, aber auch bei den Israeliten bekannt zu machen. [16]Dabei wird er erfahren, wie viel er um meinetwillen leiden muss.«

[17]Hananias gehorchte. Er ging in das Haus des Judas, fand dort Saulus und legte ihm die Hände auf. »Lieber Bruder Saulus«, sagte er, »Jesus, der Herr, der dir unterwegs erschienen ist, hat mich zu dir geschickt, damit du mit dem Heiligen Geist erfüllt wirst und wieder sehen kannst.« [18]Im selben Moment fiel es Saulus wie Schuppen von den Augen, und er konnte wieder sehen. Er stand auf und ließ sich taufen. [19]Nachdem er gegessen hatte, erholte er sich schnell.

Aus dem Verfolger wird ein Verfolgter

Einige Tage blieb Saulus bei der Gemeinde in Damaskus. [20]Gleich nach seiner Taufe begann er, in den Synagogen zu predigen und zu verkünden, dass Jesus der Sohn Gottes ist.

[21]Seine Zuhörer waren fassungslos. Ungläubig fragten sie: »Ist das nicht der, von dem alle in Jerusalem, die sich zu Jesus bekennen, so erbarmungslos verfolgt wurden? Und ist er nicht hierher gekommen, um auch die Gläubigen in Damaskus zu verhaften und an die Hohenpriester in Jerusalem auszuliefern?« [22]Saulus aber konnte immer überzeugender beweisen, dass Jesus der versprochene Retter ist, so dass die Juden in Damaskus schließlich keine Einwände mehr vorbringen konnten.

[23]Deshalb beschlossen sie nach einiger Zeit, Saulus zu töten. [24]Der aber erfuhr von ihren Plänen; Tag und Nacht bewachten sie die Stadttore, damit er ihnen nicht entkam. [25]Da ließen einige aus der

---

9,1 8,3* **9,2–19** 22,5–16; 26,12–18 **9,5** 1 Kor 15,8 **9,15** 22,21; 23,11; 27,24; Röm 1,5; 11,13; 15,15–21; Gal 1,15–16; 2,7–9; Eph 3,2; 1 Tim 2,7 **9,20** Mk 15,39* **9,21** 8,1–3; 9,2 **9,22** 18,28; Lk 24,25–27. 44–46* **9,23** 20,3; 23,12 **9,24–25** 2 Kor 11,32–33

Gemeinde ihn nachts in einem Korb die Stadtmauer hinunter.

Saulus bei der Gemeinde in Jerusalem

[26] Nachdem Saulus in Jerusalem angekommen war, versuchte er, sich dort der Gemeinde anzuschließen. Aber alle hatten Angst vor ihm, weil sie nicht glauben konnten, dass er sich wirklich zu Jesus bekannte.

[27] Endlich nahm sich Barnabas seiner an. Er brachte ihn zu den Aposteln und berichtete dort, wie Saulus auf der Reise nach Damaskus den Herrn gesehen hatte. Er erzählte, dass Jesus zu Saulus geredet und dieser dann in Damaskus furchtlos im Auftrag Jesu die rettende Botschaft verkündet hatte.

[28] Nun erst wurde Saulus von der Gemeinde in Jerusalem herzlich aufgenommen. Er ging bei ihnen aus und ein und predigte unerschrocken im Namen des Herrn. [29] Mit den Griechisch sprechenden Juden führte er Streitgespräche. Bald trachteten auch sie ihm nach dem Leben. [30] Als die anderen Gläubigen davon erfuhren, brachten sie Saulus nach Cäsarea. Von dort reiste er in seine Heimatstadt Tarsus.

[31] Die Gemeinden in Judäa, Galiläa und Samarien hatten nun Frieden. Sie wuchsen und lebten in Ehrfurcht vor Gott. Durch das Wirken des Heiligen Geistes schlossen sich immer mehr Menschen diesen Gemeinden an.

Petrus in Lydda und Joppe

[32] Auf einer seiner vielen Reisen durch das ganze Land kam Petrus auch zu der Gemeinde in der Stadt Lydda. [33] Dort traf er Äneas, einen Mann, der schon acht Jahre lang gelähmt im Bett lag. [34] Petrus sagte zu ihm: »Äneas, Jesus Christus heilt dich. Steh auf, und pack deine Sachen zusammen!« Tatsächlich stand der Gelähmte auf und konnte gehen. [35] Als die Einwohner von Lydda und den umliegenden Orten in der Scharon-Ebene den Geheilten sahen, begannen sie, an Jesus, den Herrn, zu glauben.

[36] In der Stadt Joppe lebte eine Frau, die sich zu Jesus bekannte. Sie hieß Tabita. Der Name bedeutet »Gazelle«. Tabita tat viel Gutes und half den Armen. [37] Als Petrus in Lydda war, wurde sie plötzlich krank und starb. Man wusch die Tote und bahrte sie in einer Dachkammer auf. [38] Joppe liegt nicht weit von Lydda. Die Gemeinde in Joppe schickte deshalb zwei Männer mit der dringenden Bitte zu Petrus: »Komm, so schnell du kannst, zu uns nach Joppe!«

[39] Petrus ging sofort mit ihnen. Als er angekommen war, führte man ihn in die Kammer, in der die Tote lag. Dort hatten sich viele Witwen eingefunden, denen Tabita in ihrer Not geholfen hatte. Weinend zeigten sie Petrus Kleider und Röcke, die Tabita ihnen genäht hatte. [40] Doch Petrus schickte sie alle hinaus. Er kniete nieder und betete. Dann sagte er zu der Toten: »Tabita, steh auf!« Sofort öffnete sie die Augen, sah Petrus an und richtete sich auf. [41] Petrus gab ihr die Hand und half ihr aufzustehen. Dann rief er die Gläubigen und die Witwen herein, die mit eigenen Augen sehen konnten, dass Tabita lebendig vor ihnen stand. [42] Bald wusste ganz Joppe, was geschehen war, und viele glaubten deswegen an den Herrn. [43] Petrus blieb danach noch längere Zeit in Joppe im Haus des Gerbers Simon.

Der römische Hauptmann Kornelius

10 In Cäsarea lebte damals ein römischer Hauptmann, der Kornelius hieß und das Italienische Regiment führte. [2] Er war ein Mann, der Gott ehrte und sich mit allen, die in seinem Haus lebten, zu ihm bekannte. Er tat viel für die Armen und betete regelmäßig zu Gott. [3] Dieser Mann hatte gegen drei Uhr nachmittags eine Vision. Er sah deutlich, wie

9,27 4,36 **9,30** 11,25 **10,1–2** Lk 7,1–5

ein Engel Gottes bei ihm eintrat. »Kornelius!«, rief der Engel. [4]Erschrocken sah Kornelius auf und fragte: »Was willst du, Herr?« Da antwortete ihm der Engel: »Gott hat deine Gebete gehört und kennt deine guten Taten. [5/6]Deshalb schick ein paar Leute nach Joppe. Sie sollen sich dort nach einem Simon Petrus erkundigen, der am Meer im Haus des Gerbers Simon wohnt. Dieser Simon Petrus soll zu dir kommen!«

[7]Gleich nachdem der Engel gegangen war, rief Kornelius zwei seiner Diener zu sich, außerdem einen Soldaten, der wie Kornelius dem jüdischen Glauben nahe stand und zu seinem persönlichen Schutz eingesetzt war. [8]Ihnen berichtete er alles und sandte sie nach Joppe.

Petrus hat eine Vision

[9]Als sich die Boten am folgenden Tag schon der Stadt Joppe näherten, stieg Petrus auf das flache Dach des Hauses, um dort ungestört zu beten. Es war gerade um die Mittagszeit, [10]und Petrus hatte Hunger. Während man sein Essen zubereitete, hatte er eine Vision:

[11]Petrus sah etwas vom Himmel herabkommen. Es sah aus wie ein großes Leinentuch, das – an seinen vier Ecken zusammengehalten – auf die Erde heruntergelassen wurde. [12]In dem Tuch waren alle möglichen Arten von vierfüßigen Tieren und Kriechtieren, aber auch von Vögeln. Alle diese Tiere sind für Juden »unrein« und dürfen deshalb nicht gegessen werden.[a] [13]Dann hörte Petrus eine Stimme, die ihn aufforderte: »Petrus, steh auf, schlachte diese Tiere und iss davon!« [14]»Niemals, Herr!«, entgegnete Petrus. »Noch nie in meinem Leben habe ich etwas Unreines oder Verbotenes gegessen.« [15]Da rief die Stimme zum zweiten Mal: »Wenn Gott etwas für rein erklärt, dann nenne du es nicht unrein.« [16]Das geschah dreimal. Dann wurde das Tuch wieder in den Himmel gehoben.

[17]Petrus verstand nicht, was diese Erscheinung bedeuten sollte. Aber während er noch überlegte, klopften die Boten des Kornelius an die Haustür. [18]»Wohnt hier ein Mann, der Simon Petrus heißt?«, erkundigten sie sich.

[19]Petrus dachte noch immer über die Vision nach, als der Heilige Geist zu ihm sprach: »Es sind drei Männer zu dir gekommen. [20]Geh hinunter und reise mit ihnen. Du brauchst keine Bedenken zu haben, denn ich habe sie gesandt.« [21]Petrus ging hinunter. »Ich bin der, den ihr sucht«, sagte er. »Warum seid ihr hierher gekommen?« [22]Sie erwiderten: »Der Hauptmann Kornelius schickt uns. Er ist ein guter Mann, der Gott ehrt und von allen Juden hoch geachtet wird. Durch einen heiligen Engel erhielt er von Gott den Auftrag, dich in sein Haus einzuladen und darauf zu hören, was du ihm zu sagen hast.« [23]Petrus ließ die Männer in das Haus eintreten, und sie übernachteten dort. Bereits am nächsten Tag aber ging er mit ihnen nach Cäsarea, wobei ihn einige aus der Gemeinde von Joppe begleiteten.

[24]Als sie am folgenden Tag dort ankamen, wurden sie schon von Kornelius erwartet. Alle seine Verwandten und Freunde waren bei ihm. [25]Noch bevor Petrus das Haus betreten hatte, kam ihm Kornelius entgegen und fiel ehrerbietig vor ihm auf die Knie. [26]Doch Petrus wehrte ab: »Steh auf, ich bin auch nur ein Mensch!«, und half ihm wieder auf. [27]Während sie noch miteinander redeten, betraten sie das Haus. Petrus sah die vielen Menschen, die auf ihn warteten.

[28]»Ihr wisst ebenso wie ich«, begann er, »dass es einem Juden streng verboten ist, in das Haus eines Nichtjuden zu gehen oder sich auch nur mit ihm zu treffen. Aber Gott hat mir gezeigt: Ich darf keinen Menschen für unrein halten und ihm darum die Gemeinschaft verweigern. [29]Deshalb bin ich auch gleich zu euch gekommen, als ihr mich gerufen habt. Aber

---

[a] »Alle diese … gegessen werden« ist singgemäß ergänzt. Vgl. 3. Mose 11; 20,25

10,11–16 15,7 **10,26** Offb 19,10 **10,28** 10,15; 11,3–4

was wollt ihr nun von mir?« [30]Kornelius antwortete: »Vor vier Tagen betete ich nachmittags in meinem Haus. Es war drei Uhr, ungefähr dieselbe Zeit wie heute. Da stand plötzlich ein Mann in einem leuchtenden Gewand vor mir [31]und sagte: ›Kornelius, Gott hat deine Gebete gehört. Er weiß, wie oft du den Armen geholfen hast. [32]Deshalb beauftragt er dich, Leute nach Joppe zu schicken, die Simon Petrus zu dir bringen sollen. Er wohnt am Meer im Haus des Gerbers Simon.[a]‹ [33]Ich habe meine Boten sofort zu dir geschickt, und ich freue mich, dass du gekommen bist. Nun sind wir alle hier in Gottes Gegenwart versammelt und wollen hören, was du uns im Auftrag des Herrn zu sagen hast.«

Gott liebt jeden Menschen

[34]Da begann Petrus zu sprechen: »Jetzt erst habe ich richtig verstanden, dass Gott niemanden wegen seiner Herkunft bevorzugt oder benachteiligt. [35]Alle Menschen sind ihm willkommen, ganz gleich, aus welchem Volk sie stammen, wenn sie nur Ehrfurcht vor ihm haben und so leben, wie es ihm gefällt. [36]Ihr kennt die Friedensbotschaft Gottes, die er dem Volk Israel durch Jesus Christus mitgeteilt hat, und er ist ja der Herr über alle.

[37]Ihr wisst auch, was in Judäa geschehen ist, nachdem Johannes der Täufer die Menschen in Galiläa dazu aufgerufen hatte, zu Gott umzukehren und sich taufen zu lassen. [38]Jesus aus Nazareth ist von Ort zu Ort gezogen. Er hat überall Gutes getan und alle befreit, die der Teufel gefangen hielt, denn Gott selbst hatte ihm seine Macht und den Heiligen Geist gegeben. Gott stand ihm bei.

[39]Wir Apostel sind Augenzeugen für alles, was er in Israel und in Jerusalem unter den Juden getan hat. Diesen Jesus haben sie an das Kreuz genagelt und getötet. [40]Aber schon drei Tage später hat Gott ihn wieder zum Leben erweckt. Danach ist er als Auferstandener erschienen, [41]zwar nicht dem ganzen Volk, aber uns, seinen Jüngern, die Gott als Zeugen bestimmt hatte. Ja, wir haben nach seiner Auferstehung sogar mit ihm gegessen und getrunken. [42]Jesus gab uns den Auftrag, allen Menschen zu sagen und zu bezeugen, dass Gott ihn als Richter über die Lebenden und die Toten eingesetzt hat. [43]Schon die Propheten haben in ihren Schriften vorausgesagt, dass durch Jesus allen Menschen die Sünden vergeben werden, wenn sie an ihn glauben.[b]«

Menschen aus anderen Völkern werden in die Gemeinde aufgenommen

[44]Petrus hatte seine Rede noch nicht beendet, da wurden alle, die zuhörten, mit dem Heiligen Geist erfüllt. [45]Die Juden aus der Gemeinde in Joppe, die mit Petrus gekommen waren, konnten es kaum fassen, dass Gott auch Nichtjuden den Heiligen Geist schenkte. [46]Denn sie hörten, wie die Menschen in fremden Sprachen redeten und Gott lobten.

Petrus aber sagte: [47]»Wer könnte ihnen jetzt noch die Taufe verweigern, wo sie genau wie wir den Heiligen Geist empfangen haben?« [48]Und er ließ alle auf den Namen Jesu Christi taufen. Danach baten sie Petrus, er möge noch einige Tage bei ihnen bleiben.

Petrus rechtfertigt die Taufe von Nichtjuden

11 Bald darauf erfuhren die Apostel und die anderen Gläubigen in Judäa, dass nun auch Nichtjuden Gottes Botschaft angenommen hatten.

[2]Als Petrus nach Jerusalem zurückkehrte, warfen ihm die jüdischen Gemeindeglieder vor: [3]»Du hast das Haus von

---

[a] Andere Textzeugen fügen hinzu: Er hat dir etwas zu sagen.
[b] Vgl. Jesaja 53,5–6; Jeremia 31,34

10,34–35 Joh 10,16; Röm 2,10–11 **10,36** 5,31; Lk 2,14; Eph 2,17 **10,37** Lk 3,3–17 **10,38** Lk 3,21–22 **10,39** 1,8*; Lk 24,32–33 **10,40–43** Lk 24,1–7.36–43; 1 Kor 15,4–8 **10,42** 1,8*; Lk 24,47 **10,43** Lk 24,44–46* **10,44** 11,15 **10,45** 2,38–39 **10,46** 2,4 **10,47–48** 8,36; 11,16–17 **11,2–3** 10,28–29

Nichtjuden betreten und sogar mit ihnen gegessen!« [4]Nun berichtete ihnen Petrus der Reihe nach, was geschehen war:

[5]»In der Stadt Joppe zeigte mir Gott während des Gebets ein riesiges Tuch, das an seinen vier Ecken vom Himmel herabgelassen wurde. [6]Als ich genau hinsah, entdeckte ich die unterschiedlichsten Arten von vierfüßigen und wilden Tieren, von Kriechtieren und Vögeln. [7]Ich hörte eine Stimme, die mich aufforderte: ›Petrus, steh auf, schlachte diese Tiere und iss davon!‹ [8]›Niemals, Herr‹, widersprach ich. ›Bisher habe ich noch nie etwas gegessen, was im Gesetz des Mose als unrein bezeichnet wird und verboten ist.‹ [9]Aber die Stimme vom Himmel sprach noch einmal: ›Wenn Gott etwas für rein erklärt hat, dann nenne du es nicht unrein.‹

[10]Dreimal wiederholte sich dieser Vorgang. Dann wurde das Tuch wieder in den Himmel gehoben. [11]Genau in diesem Augenblick standen drei Männer vor dem Haus, in dem ich wohnte. Sie kamen aus Cäsarea und waren zu mir geschickt worden. [12]Der Heilige Geist befahl mir, ohne Bedenken mit diesen Männern zu gehen, und diese sechs Brüder hier aus der Gemeinde in Joppe begleiteten mich. Bald trafen wir im Haus des Mannes ein, der die Boten geschickt hatte. [13]Er berichtete uns, dass ihm ein Engel erschienen war, der ihm befohlen hatte: ›Schick Boten nach Joppe und lass Simon Petrus holen. [14]Der wird dir sagen, wie du mit allen, die zu dir gehören, gerettet werden kannst.‹ [15]Ich war noch gar nicht lange bei ihnen und hatte gerade zu reden angefangen, da kam der Heilige Geist auf sie, genauso wie es bei uns am Pfingsttag gewesen war.

[16]In diesem Augenblick fiel mir ein, was uns der Herr einmal gesagt hatte: ›Johannes hat mit Wasser getauft, ihr aber sollt mit dem Heiligen Geist getauft werden.‹ [17]Gott schenkte diesen Nichtjuden dieselbe Gabe wie vorher uns, als wir begannen, an den Herrn Jesus Christus zu glauben. Wer bin ich, dass ich Gott daran hätte hindern können?«

[18]Diese Worte überzeugten sie. Sie lobten Gott und verkündeten: »Gott hat allen Menschen den Weg zur Umkehr gezeigt, den einzigen Weg, der zum Leben führt.«

Gründung der Gemeinde in Antiochia

[19]Die Gläubigen, die wegen der beginnenden Verfolgung nach dem Tod des Stephanus aus Jerusalem geflohen waren, kamen bis nach Phönizien, Zypern und Antiochia. Sie erzählten aber nur den Juden von Jesus. [20]Lediglich ein paar Männer aus Zypern und Kyrene, die jetzt in Antiochia lebten, verkündeten auch den Griechen die rettende Botschaft von Jesus, dem Herrn. [21]Der Herr aber war mit ihnen, und so begannen viele Menschen dort an ihn zu glauben.

[22]Als die Gemeinde in Jerusalem davon erfuhr, schickte sie Barnabas nach Antiochia. [23]Der kam in die Stadt und erkannte voller Freude, was Gott getan hatte. Barnabas ermutigte die Gläubigen, fest und entschlossen in ihrem Glauben an den Herrn zu bleiben. [24]Er war ein vorbildlicher Mann, erfüllt vom Heiligen Geist und stark im Glauben. So begannen damals viele Menschen Jesus, dem Herrn, zu vertrauen.

[25]Von Antiochia reiste Barnabas nach Tarsus, um Saulus aufzusuchen. [26]Er traf ihn, und gemeinsam gingen sie nach Antiochia zurück. Dort blieben beide ein ganzes Jahr, um viele Menschen im Glauben zu unterweisen. In Antiochia wurden die Nachfolger Jesu auch zum ersten Mal »Christen« genannt.

[27]In diesen Tagen kamen Propheten aus Jerusalem nach Antiochia. [28]Während des Gottesdienstes sagte einer von ihnen – er hieß Agabus – eine große Hungersnot voraus. Sie würde sich über die ganze Welt erstrecken. So hatte es ihm der Heilige Geist gezeigt. Tatsächlich trat

---

11,18 10,34–35; Röm 2,10–11 **11,19** 8,1.4 **11,22** 4,36* **11,25** 9,30 **11,28** 21,10

diese Hungersnot während der Regierungszeit des Kaisers Klaudius ein. [29]Deshalb beschloss die Gemeinde in Antiochia, den Christen in Judäa zu helfen. Jeder in der Gemeinde gab, so viel er nur konnte, [30]und das Geld wurde dann von Barnabas und Saulus den Leitern der Gemeinde in Jerusalem überbracht.

Die Verhaftung des Petrus und seine Befreiung

12 In dieser Zeit ließ König Herodes einige Christen in Jerusalem verhaften und foltern. [2]Jakobus, der Bruder des Johannes, wurde enthauptet. [3]Als Herodes merkte, dass er dadurch bei den führenden Männern der Juden Ansehen gewann, ließ er noch während des Festes der ungesäuerten Brote Petrus gefangen nehmen. [4]Man warf den Apostel ins Gefängnis. Dort bewachten ihn ununterbrochen vier Soldaten, die alle sechs Stunden abgelöst wurden. Herodes wollte nach dem Passahfest Petrus öffentlich den Prozess machen. [5]Aber die Gemeinde in Jerusalem hörte nicht auf, Gott um Hilfe für den Gefangenen zu bitten. [6]In der letzten Nacht vor dem Prozess schlief Petrus angekettet zwischen zwei Soldaten, während zwei andere vor der Zelle Wache hielten. [7]Plötzlich betrat ein Engel des Herrn die Zelle, und Licht erfüllte den Raum. Der Engel weckte Petrus, indem er ihn anstieß, und sagte zu ihm: »Steh schnell auf!« Sofort fielen Petrus die Ketten von den Handgelenken. [8]»Binde deinen Gürtel um, und zieh deine Sandalen an«, befahl ihm der Engel. »Nimm deinen Mantel, und folge mir!«

[9]Petrus ging hinter dem Engel aus der Zelle. Aber die ganze Zeit über konnte er nicht glauben, dass all dies wirklich geschah. Er meinte, er hätte eine Vision. [10]Doch sie passierten die erste Wache, die zweite und kamen schließlich an das schwere Eisentor, das zur Stadt führte. Es öffnete sich vor ihnen. Nun hatten sie das Gefängnis verlassen und bogen in eine schmale Straße ein. Da verschwand der Engel, [11]und erst jetzt begriff Petrus: »Der Herr hat mir tatsächlich seinen Engel geschickt, um mich aus der Gewalt des Herodes zu retten. Die Juden werden vergeblich auf meine Hinrichtung warten.«

[12]Petrus überlegte und ging dann zu dem Haus, in dem Maria wohnte, die Mutter von Johannes Markus. Dort hatten sich viele Christen aus der Gemeinde zusammengefunden, um zu beten.

[13]Als Petrus an die Haustür klopfte, kam ein Mädchen, das Rhode hieß, und wollte hören, wer da war. [14]Sie erkannte Petrus sofort an der Stimme, vergaß aber vor lauter Freude die Tür zu öffnen und lief ins Haus zurück. »Petrus steht draußen vor der Tür!«, rief sie. [15]»Du musst dich irren!«, meinten die anderen. Aber sie blieb bei ihrer Behauptung. Jetzt vermuteten einige: »Vielleicht ist es sein Engel!«

[16]Petrus hörte nicht auf, an die Tür zu klopfen. Als sie ihm endlich öffneten und Petrus erkannten, gerieten sie vor Freude außer sich. [17]Mit einer Handbewegung brachte er sie zur Ruhe, und dann berichtete er, wie ihn der Herr aus dem Gefängnis befreit hatte. »Sagt das auch Jakobus und den anderen«, bat er zum Schluss. Dann trennten sie sich, und Petrus verließ Jerusalem, um sich in Sicherheit zu bringen.

[18]Am nächsten Morgen entdeckten die Soldaten voller Entsetzen, dass Petrus nicht mehr da war. Sie konnten es sich einfach nicht erklären. [19]Als Herodes den Gefangenen vorführen lassen wollte, er aber nirgendwo zu finden war, ließ der König die Wachen verhören und hinrichten. Anschließend verließ Herodes Judäa und blieb längere Zeit in Cäsarea.

Das Ende des Herodes

[20]In dieser Zeit lag Herodes im Streit mit den Städten Tyrus und Sidon. Um den

---

11,29–30 12,25; Gal 6,10 **12,2** Mt 4,21–22; 10,2; 20,20–23 **12,5** Mt 18,19; Lk 18,1–8; Joh 15,7* **12,7** 5,19 **12,17** 15,13*

König zum Frieden zu bewegen, schickten die Städte eine Abordnung zu ihm. Dieser Abordnung gelang es, Blastus, den Verwalter der königlichen Schatzkammer, für sich zu gewinnen. So hofften sie, zu einer Einigung zu gelangen, denn sie waren auf die Lieferung von Lebensmitteln aus dem Herrschaftsbereich des Herodes angewiesen. [21] Nach dem Abschluss der Verhandlungen zog Herodes sein königliches Prachtgewand an und hielt von seinem Thron aus eine öffentliche Ansprache. [22] Begeistert jubelte ihm das Volk zu: »So spricht nur Gott und kein Mensch!« [23] Im selben Augenblick strafte ein Engel des Herrn den König, weil er sich als Gott verehren ließ. Er wurde von Würmern zerfressen und starb unter Qualen. [24] An Gottes Botschaft aber glaubten immer mehr Menschen. [25] Barnabas und Saulus hatten inzwischen ihre Aufgabe in Jerusalem erfüllt und kehrten zusammen mit Johannes Markus nach Antiochia zurück.

Saulus und Barnabas werden als Missionare ausgesandt

13 In der Gemeinde von Antiochia gab es mehrere Propheten und Lehrer: Barnabas, Simeon, genannt »der Schwarze«, Luzius von Kyrene, Manaën, der zusammen mit dem Herrscher Herodes erzogen worden war, und Saulus. [2] Als diese Männer während einer Zeit des Fastens gemeinsam beteten, sprach der Heilige Geist zu ihnen: »Gebt Barnabas und Saulus für die Aufgabe frei, zu der ich sie berufen habe!« [3] Da fasteten und beteten sie, legten Barnabas und Saulus die Hände auf und sandten sie zum Missionsdienst aus.

Auf Zypern: Erster Widerstand – erster Erfolg

[4] Auf diese Weise vom Heiligen Geist selbst ausgesandt, kamen Barnabas und Saulus zuerst nach Seleuzia und von dort mit einem Schiff nach Zypern. [5] Gleich nachdem sie in der Stadt Salamis angekommen waren, verkündeten sie in den Synagogen die Botschaft Gottes. Johannes Markus hatten sie als Gehilfen bei sich.

[6] So kamen sie an das andere Ende der Insel, bis nach Paphos. Dort trafen sie einen Juden, der sich mit Zauberei abgab. Er hieß Barjesus und war ein falscher Prophet. [7] Dieser Jude war mit dem römischen Statthalter Sergius Paulus befreundet, einem klugen und sehr verständigen Mann. Der Statthalter lud Barnabas und Saulus zu sich ein, weil er von ihnen Gottes Botschaft hören wollte. [8] Aber Elymas, wie der Name des Zauberers auf Griechisch hieß, wollte mit allen Mitteln verhindern, dass der Statthalter zum Glauben an Christus kam.

[9] Saulus aber, der sich auch Paulus nannte, sah den Zauberer durchdringend an und, erfüllt vom Heiligen Geist, [10] sagte er: »Du Sohn der Hölle, voller List und Bosheit! Du bist ein Feind von allem, was gut ist und Gott gefällt. Wann endlich wirst du aufhören, Gottes Wahrheit in Lüge zu verdrehen? [11] Der Herr wird dich dafür strafen: Du sollst blind werden und einige Zeit die Sonne nicht sehen können.« In demselben Augenblick erblindete der Mann. Er tappte hilflos umher und brauchte jemanden, der ihn an der Hand führte. [12] Der Statthalter hatte dies alles mit angesehen und begann, an den Herrn zu glauben. Er war beeindruckt von dem, was Paulus ihn über Jesus lehrte.

Missionsarbeit in Antiochia/Pisidien

[13] Danach verließen Paulus und seine Gefährten Paphos. Mit einem Schiff fuhren sie nach Perge in Pamphylien, wo sich Johannes Markus von ihnen trennte und nach Jerusalem zurückkehrte. [14] Barnabas und Paulus zogen allein weiter nach Antiochia in Pisidien. Am Sabbat gingen

---

12,25 12,12; 13,5.13; 15,37–39; Kol 4,10; 2 Tim 4,11 **13,1** 4,36* **13,2** 9,15* **13,3** 6,6; 14,23 **13,5** 12,25* **13,13** 15,37–39 **13,14** 13,5; 14,1; 17,1–2.10.17; 18,4.19; 19,8

sie dort in die Synagoge. [15]Nach der üblichen Lesung aus den Büchern des Mose und der Propheten ließen ihnen die Synagogenvorsteher ausrichten: »Liebe Brüder, wenn ihr etwas lehren wollt, was der Gemeinde nützt, dann redet nur!«

[16]Da erhob sich Paulus, bat mit einer Handbewegung um Ruhe und begann: »Ihr Männer Israels, aber auch ihr andern alle, die ihr an den Gott Israels glaubt, hört mir zu! [17]Der Gott des Volkes Israel hat unsere Vorfahren auserwählt und sie in Ägypten zu einem großen Volk werden lassen. Mit großer Macht führte er unser Volk von dort weg. [18]Vierzig Jahre lang erhielt er sie auf ihrem Weg durch die Wüste. [19]Und als Gott sieben Völker in Kanaan vernichtet hatte, konnten sie dieses Land in Besitz nehmen. [20]Dies geschah etwa 450 Jahre, nachdem unsere Vorfahren nach Ägypten gekommen waren. Nun erwählte Gott Männer, die das Volk führen sollten; der letzte war Samuel, ein Prophet Gottes.

[21]Als das Volk einen König haben wollte, gab Gott ihnen Saul, den Sohn Kischs aus dem Stamm Benjamin.

Saul regierte vierzig Jahre. [22]Dann wandte sich Gott von ihm ab und erwählte David zum König über Israel, von dem er sagte: ›Ich habe David, den Sohn Isais, gefunden, einen Mann, der mir Freude macht. Bei allem, was er tut, wird er auf mich hören.‹[a] [23]Ein Nachkomme Davids ist Jesus, der von Gott versprochene Retter Israels. [24]Er kam, nachdem Johannes das ganze Volk Israel aufgerufen hatte, zu Gott umzukehren und sich taufen zu lassen. [25]Johannes hatte seinen Auftrag erfüllt, als er sagte: ›Ich bin nicht der, für den ihr mich haltet. Aber nach mir wird einer kommen, und ich bin nicht einmal würdig, ihm die Schuhe auszuziehen.‹[b]

[26]Euch, liebe Brüder, die ihr von Abraham abstammt, und euch, die ihr an Gott glaubt und ihn ehrt, gilt diese rettende Botschaft. [27]Die Einwohner Jerusalems und ihre führenden Männer haben nicht verstanden, wer Jesus ist. Sie haben ihn verurteilt, und damit erfüllten sie die Vorhersagen der Propheten, die jeden Sabbat vorgelesen werden. [28]Denn obwohl sie Jesus nicht das geringste Vergehen nachweisen konnten, verlangten sie von Pilatus, ihn hinzurichten. [29]Als sie alles getan hatten, was in der Heiligen Schrift vorausgesagt ist, nahmen sie ihn vom Kreuz herunter und legten ihn in ein Grab. [30]Aber Gott hat ihn von den Toten auferweckt. [31]Danach ist Jesus noch viele Tage seinen Jüngern erschienen, die mit ihm von Galiläa nach Jerusalem gekommen waren. Sie sind jetzt vor dem Volk Israel die Zeugen für seine Auferstehung.

[32]Euch verkünden wir nun diese rettende Botschaft: Die Zusage, die Gott unseren Vorfahren gab, [33]hat er für uns jetzt erfüllt, indem er Jesus von den Toten auferweckte. So heißt es im zweiten Psalm: ›Du bist mein Sohn. Heute setze ich dich zum König ein.‹[c] [34]Dass er Jesus von den Toten auferwecken und nicht verwesen lassen würde, hat er in der Heiligen Schrift vorausgesagt: ›Ich will euch die Gnade erweisen, die ich David versprochen habe.‹[d] [35]An einer anderen Stelle heißt es noch deutlicher: ›Du wirst den, der zu dir gehört, nicht der Verwesung überlassen.‹[e]

[36]Das bezog sich nicht etwa auf David. Der starb, nachdem er den Menschen seiner Zeit nach Gottes Willen gedient hatte. Er wurde bei seinen Vorfahren begraben und verweste. [37]Aber der, den Gott von den Toten auferweckt hat, der ist nicht verwest. [38]So sollt ihr nun wissen,

---

[a] Vgl. Psalm 89,21
[b] Lukas 3,16
[c] Wörtlich: Heute habe ich dich gezeugt. Vgl. Psalm 2,7
[d] Jesaja 55,3
[e] Psalm 16,10

13,17 2 Mo 1,7; 12,51 **13,18** 4 Mo 14,33; 5 Mo 29,4–5 **13,19** 5 Mo 7,1 **13,20** 2 Mo 12,40–41; 1 Sam 7,15–17 **13,21** 1 Sam 10,20–24 **13,23** Mt 20,30–31*; Lk 2,11* **13,24–25** Lk 3,3–17 **13,27** 3,17; Joh 16,3; Apg 15,21 **13,28–31** 1 Kor 15,3–8 **13,38** 10,43; Röm 5,17; 2 Kor 5,18–21*

liebe Brüder, dass es Jesus ist, durch den ihr Vergebung der Sünden erlangt.

[39] Jeder, der an ihn glaubt, wird frei von seinen Sünden. Das Gesetz des Mose konnte ihn davon nicht lossprechen. [40] Seht euch also vor, dass auf euch nicht zutrifft, was in den Propheten geschrieben steht: [41] ›Ihr Verächter der Wahrheit! Wacht auf aus eurer Gleichgültigkeit und erschreckt zu Tode. Was ich noch zu euren Lebzeiten geschehen lasse, würdet ihr nicht für möglich halten, wenn andere es euch erzählten.‹«[a]

[42] Als Paulus und Barnabas den Gottesdienst verließen, wurden sie gebeten, am nächsten Sabbat wiederzukommen, um noch einmal über das Gesagte zu sprechen. [43] Viele Juden, aber auch andere, die zum Judentum übergetreten waren, begleiteten Paulus und Barnabas. Die Apostel ermahnten alle diese Menschen, Gottes Gnade anzunehmen und immer an ihr festzuhalten.

Konflikt mit den Juden

[44] Am folgenden Sabbat waren fast alle Einwohner der Stadt zusammengekommen, um die Botschaft Gottes zu hören. [45] Als die Juden die vielen Menschen in der Synagoge sahen, wurden sie neidisch. Sie widersprachen Paulus und spotteten. [46] Doch Paulus und Barnabas ließen sich nicht beirren. Ruhig und fest erklärten sie: »Zuerst musste euch Juden die Botschaft Gottes verkündet werden. Ihr aber wolltet sie nicht hören und habt damit selbst gezeigt, dass ihr unwürdig seid, das ewige Leben zu empfangen. Darum wenden wir uns jetzt an die nichtjüdischen Völker. [47] Denn der Herr hat uns befohlen: ›Ich habe dich zum Licht für alle Völker gemacht, damit du der ganzen Welt die Rettung bringst.‹«[b]

[48] Als die Nichtjuden das hörten, freuten sie sich sehr und lobten Gott für seine Botschaft. Und alle, die zum ewigen Leben bestimmt waren, begannen zu glauben. [49] So wurde die Botschaft des Herrn in der ganzen Umgebung bekannt. [50] Den Juden aber gelang es, fromme, angesehene Frauen und einflussreiche Männer der Stadt gegen Paulus und Barnabas aufzuhetzen und beide aus der Stadt zu vertreiben. [51] Da schüttelten sie den Staub von ihren Füßen als Zeichen dafür, dass sie die Stadt Gottes Urteil überließen,[c] und reisten weiter nach Ikonion. [52] Die in Antiochia gebliebenen Jünger aber waren erfüllt vom Heiligen Geist und voller Freude.

Reise nach Ikonion

14 In Ikonion gingen Paulus und Barnabas zuerst wieder in die Synagoge und predigten dort so überzeugend, dass viele – Juden wie Griechen – zu glauben begannen. [2] Aber die Juden, die von Gottes Botschaft nichts wissen wollten, verleumdeten die junge Gemeinde bei der nichtjüdischen Bevölkerung. [3] Trotzdem blieben Paulus und Barnabas längere Zeit dort und predigten furchtlos in aller Öffentlichkeit, denn sie vertrauten auf die Hilfe des Herrn. Er bestätigte die Botschaft von seiner Liebe durch Zeichen und Wunder, die durch Paulus und Barnabas geschahen.

[4] Die Meinung der Bevölkerung war geteilt. Manche hielten zu den führenden Männern der Juden, andere zu den Aposteln. [5] Dann aber schlossen sich die jüdischen und nichtjüdischen Gegner der Apostel zusammen. Gemeinsam mit den führenden Männern der Stadt wollten sie Paulus und Barnabas misshandeln und steinigen. [6] Als die Apostel davon erfuhren, flohen sie in die Provinz Lykaonien, in die Städte Lystra und Derbe. [7] Dort und in der ganzen Umgebung verkündeten sie die rettende Botschaft von Jesus Christus.

---

a Habakuk 1,5
b Jesaja 49,6
c »als Zeichen … überließen« ist sinngemäß ergänzt.

13,39 Röm 3,22; 8,3 **13,45** 5,17; 17,5 **13,46–47** 3,25–26; Röm 11,11–12 **13,50** 14,19 **13,51** 18,6; Lk 9,5 **14,1** 13,14* **14,2** 13,50; 14,19; 1 Thess 2,15–16 **14,6** Mt 10,23

Heilung eines Gelähmten in Lystra

[8]In Lystra lebte ein Mann, dessen Füße von Geburt an gelähmt und kraftlos waren. Noch nie hatte er einen Schritt gehen können. [9]Dieser Mann hörte Paulus reden. Paulus wurde auf ihn aufmerksam und sah, dass der Mann glaubte, er könne geheilt werden. [10]Laut rief er ihm zu: »Steh auf, stell dich auf deine Füße!« Da sprang der Mann auf und konnte gehen. [11]Als die Leute erkannten, was Paulus getan hatte, riefen sie in ihrer Muttersprache: »Die Götter sind als Menschen zu uns herabgekommen!« [12]Sie nannten Barnabas »Zeus« und Paulus »Hermes«, weil er der Wortführer war. [13]Der Priester des Zeustempels vor den Toren der Stadt brachte Stiere und Kränze zum Stadttor, um den Aposteln vor dem ganzen Volk ein Opfer zu bringen. [14]Als Paulus und Barnabas begriffen, was die Leute vorhatten, zerrissen sie ihre Kleider, liefen unter die Menge und riefen entsetzt: [15]»Was macht ihr da, Männer! Wir sind nur Menschen aus Fleisch und Blut wie ihr. Mit unserer Predigt wollen wir doch gerade erreichen, dass ihr euch von diesen toten Götzen abwendet und an den lebendigen Gott glaubt. Er hat das Weltall, die Erde, das Meer und alles, was darin ist, erschaffen! [16]Bisher hat er die Völker ihre eigenen Wege gehen lassen. [17]Aber er zeigte ihnen immer wieder, dass er lebt; denn er hat euch viel Gutes getan. Ihm verdankt ihr den Regen und die guten Ernten; er gibt euch zu essen und macht euch glücklich.«

[18]Mit diesen Worten konnten Paulus und Barnabas die Leute nur mit Mühe davon abhalten, ihnen zu opfern. [19]Dann aber kamen Juden aus Antiochia und Ikonion. Sie hetzten die Volksmenge gegen die Apostel so sehr auf, dass Paulus gesteinigt wurde.

Weil die Leute Paulus für tot hielten, schleiften sie ihn zur Stadt hinaus. [20]Doch als die Jünger ihn umringten, kam Paulus wieder zu sich, stand auf und ging in die Stadt zurück. Am folgenden Tag zog er mit Barnabas weiter nach Derbe.

Paulus und Barnabas kehren nach Antiochia in Syrien zurück

[21]Nachdem Paulus und Barnabas in Derbe die rettende Botschaft gepredigt hatten und viele dort Christen geworden waren, kehrten die beiden Apostel nach Lystra, Ikonion und Antiochia zurück. [22]Dort ermutigten sie die jungen Christen, im Glauben festzubleiben, und erinnerten sie noch einmal: »Der Weg in Gottes neue Welt führt durch viel Leid.«

[23]Paulus und Barnabas setzten in jeder Gemeinde Leiter ein. Für sie fasteten und beteten die Apostel und stellten sie unter den Schutz des Herrn, auf den sie ihr Vertrauen gesetzt hatten.

[24]Dann reisten sie durch die Provinzen Pisidien und Pamphylien [25]und verkündeten in der Stadt Perge die rettende Botschaft. Von der Hafenstadt Attalia aus [26]segelten sie wieder nach Antiochia. Dort hatte man sie am Beginn ihrer Reise der Gnade Gottes anvertraut und ihnen den Auftrag gegeben, den sie nun ausgeführt hatten.

[27]Unmittelbar nach ihrer Ankunft riefen sie die Gemeinde zusammen und berichteten, was Gott durch sie getan hatte und wie er auch den Nichtjuden den Weg zum Glauben gezeigt hatte. [28]Paulus und Barnabas blieben längere Zeit bei den Christen in Antiochia.

Das Apostelkonzil in Jerusalem

15 Eines Tages kamen Gläubige aus Judäa in die Gemeinde von Antiochia. Sie lehrten öffentlich: »Wer sich nicht beschneiden lässt, so wie es im Gesetz des Mose vorgeschrieben ist, kann nicht gerettet werden.« [2]Paulus und Barnabas widersprachen, und es kam zu einer heftigen Auseinandersetzung.

14,15 10,26; 1 Thess 1,9 **14,17** Röm 1,19–20 **14,19** 13,50; 14,2; 2 Kor 11,25 **14,22** 2 Tim 3,12* **14,23** 6,6; 13,3 **14,26** 13,2–3 **15,1–2** Gal 2,12.21; 5,2

Schließlich beschlossen die Christen in Antiochia, dass Paulus und Barnabas mit einigen anderen aus der Gemeinde zu den Aposteln und Gemeindeleitern nach Jerusalem gehen sollten, um diese Streitfrage zu klären.

[3]Nachdem die Gemeinde sie verabschiedet hatte, zogen sie durch die Provinzen Phönizien und Samarien. Überall berichteten sie, wie auch die Nichtjuden zu Gott umgekehrt waren, und alle freuten sich darüber. [4]In Jerusalem wurden sie von der Gemeinde, den Aposteln und den Leitern herzlich aufgenommen. Dort erzählten sie ebenfalls, was Gott durch sie unter den Nichtjuden getan hatte.

[5]Aber auch hier verlangten einige der Gläubigen, die früher zu den Pharisäern gehört hatten: »Man muss die Nichtjuden beschneiden und von ihnen verlangen, dass sie das Gesetz des Mose befolgen.«

»Gott hat längst entschieden«

[6]Daraufhin setzten sich die Apostel und die Leiter zusammen, um diese Frage zu klären. [7]Nach heftigen Wortwechseln stand schließlich Petrus auf und sagte: »Liebe Brüder! Ihr wisst doch, dass Gott mir schon vor langer Zeit aufgetragen hat, die rettende Botschaft auch denen zu verkünden, die keine Juden sind, denn auch sie sollen Gott vertrauen. [8]Und Gott, der jedem von uns ins Herz sieht, hat sich zu ihnen bekannt, als er den Nichtjuden genauso wie uns den Heiligen Geist gab. [9]Ja, Gott machte keinen Unterschied zwischen uns und ihnen: Er befreite sie von aller Schuld, als sie an ihn glaubten. [10]Warum wollt ihr jetzt Gott herausfordern und diesen Brüdern eine Last aufbürden, die weder wir noch unsere Vorfahren tragen konnten? [11]Wir glauben, dass wir allein durch die Gnade Jesu, des Herrn, gerettet werden. Dasselbe gilt auch für die Nichtjuden.«

[12]Alle schwiegen und hörten Barnabas und Paulus gespannt zu, als sie berichteten, wie viele Zeichen und Wunder Gott durch sie unter den Nichtjuden getan hatte.

Der Vorschlag des Jakobus

[13]Dann stand Jakobus auf: »Liebe Brüder!«, sagte er. [14]»Simon Petrus hat eben erzählt, wie Gott selbst begonnen hat, unter den Nichtjuden ein Volk zu sammeln, das ihm gehört. [15]Das sagen ja schon die Propheten, denn es heißt bei ihnen: [16]›Danach werde ich, der Herr, mich meinem Volk wieder zuwenden und das Reich König Davids wieder aufbauen. Jetzt gleicht es zwar einem zerstörten Haus, doch dann richte ich die umgestürzten Wände wieder auf. [17]Alle Überlebenden sollen mich suchen, auch alle Nichtjuden, die zu mir gehören. Ja, ich, der Herr, [18]habe das alles schon lange beschlossen!‹[a]

[19]Ich meine deshalb«, erklärte Jakobus, »wir sollten den Nichtjuden, die zu Gott umgekehrt sind, keine unnötigen Lasten aufbürden und ihnen nicht die jüdischen Gesetze aufzwingen[b]. [20]Wir sollten von ihnen allerdings verlangen, kein Fleisch zu essen, das Götzen geopfert worden ist, keine verbotenen sexuellen Beziehungen einzugehen, kein Fleisch von Tieren zu essen, die nicht völlig ausbluteten, oder gar das Blut selber zu verzehren. [21]Denn diese Gebote des Mose sind seit alter Zeit überall bekannt. Sie werden an jedem Sabbat in allen Synagogen vorgelesen.«

Judas und Silas in Antiochia

[22]Am Ende der Beratungen beschlossen die Apostel und die Leiter zusammen mit der ganzen Gemeinde, einige Männer auszuwählen und sie mit Paulus und

---

[a] Amos 9,11–12
[b] »und ihnen … aufzwingen« ist sinngemäß ergänzt.

15,3–4 13,48 **15,7** 10,15.28.34 **15,8** 10,44–45 **15,11** 4,12; Gal 2,16; Eph 2,4–9 **15,13** 12,17; 21,18; 1 Kor 15,7; Gal 2,12; Jak 1,1 **15,20** 15,29; 21,25; 1 Kor 8,1–13* **15,21** 13,15; 21,25 **15,22** 15,30.40

Barnabas nach Antiochia zu schicken. Man wählte Judas, der auch Barsabbas genannt wurde, und Silas. Beide waren führende Männer in der Gemeinde. [23] Man gab ihnen folgenden Brief mit:

»Wir, die Apostel und Gemeindeleiter in Jerusalem, senden brüderliche Grüße an alle Christen in Antiochia, Syrien und Zilizien, die nicht aus dem Judentum stammen. [24] Wir haben gehört, dass euch einige Leute aus unserer Gemeinde – ohne von uns beauftragt zu sein – durch ihre Lehren beunruhigt und verunsichert haben. [25] Deshalb beschlossen wir einstimmig, zwei Männer aus unserer Gemeinde auszuwählen und sie zu euch zu senden, zusammen mit unseren lieben Brüdern Barnabas und Paulus, [26] die ihr Leben für unseren Herrn Jesus Christus eingesetzt haben. [27] Unsere Abgesandten Judas und Silas werden selbst noch berichten, was wir in der strittigen Frage entschieden haben. [28] Geleitet durch den Heiligen Geist kamen wir zu dem Entschluss, euch außer den folgenden Regeln keine weitere Last aufzuerlegen: [29] Ihr sollt kein Fleisch von Tieren essen, die den Götzen geopfert wurden, außerdem kein Fleisch von Tieren, die nicht völlig ausbluteten, und ihr sollt auch kein Blut verzehren. Hütet euch vor verbotenen sexuellen Beziehungen. Wenn ihr danach handelt, verhaltet ihr euch richtig. Herzliche Grüße an euch alle.« [30] Judas und Silas wurden von der Gemeinde verabschiedet und gingen nach Antiochia. Dort beriefen sie eine Gemeindeversammlung ein und übergaben das Schreiben. [31] Als man es vorgelesen hatte, freute sich die ganze Gemeinde über diese Ermutigung.

[32] Judas und Silas – beide hatten prophetische Gaben – stärkten und ermutigten die Christen durch ihre Predigten. [33] Begleitet von den besten Wünschen der Gemeinde kehrten sie erst einige Zeit später nach Jerusalem zurück.[a] [35] Paulus und Barnabas blieben noch länger in Antiochia. Sie verkündeten und lehrten zusammen mit vielen anderen die Botschaft des Herrn.

Aufbruch zur zweiten Missionsreise

[36] Nach einiger Zeit forderte Paulus Barnabas auf: »Lass uns noch einmal alle die Orte aufsuchen, in denen wir die rettende Botschaft verkündet haben, damit wir sehen, wie es unseren Brüdern und Schwestern dort geht.« [37] Barnabas wollte auch Johannes Markus mitnehmen. [38] Aber Paulus war dagegen, weil Johannes Markus sie damals in Pamphylien im Stich gelassen hatte. [39] Sie stritten so heftig miteinander, dass sie sich schließlich trennten. Während Barnabas mit Markus nach Zypern hinüberfuhr, [40] wählte Paulus als seinen Reisebegleiter Silas. Die Gemeinde vertraute ihn der Gnade Gottes an, und so begann er seine Reise. [41] Zunächst zog er durch Syrien sowie durch Zilizien und ermutigte dort die Gemeinden im Glauben.

Paulus gewinnt Timotheus als Mitarbeiter

16 Nachdem Paulus die Stadt Derbe besucht hatte, erreichte er schließlich Lystra. Dort traf er Timotheus, einen jungen Christen. Seine Mutter, auch eine Christin, war jüdischer Abstammung, sein Vater ein Grieche. [2] In der Gemeinde von Lystra und Ikonion war Timotheus als zuverlässig bekannt und geschätzt. [3] Ihn nahm Paulus als weiteren Begleiter mit auf die Reise. Um auf die jüdischen Christen in diesem Gebiet Rücksicht zu nehmen, ließ Paulus ihn beschneiden. Denn alle wussten, dass der Vater des Timotheus ein Grieche war.

[4] In jeder Stadt, durch die sie reisten,

---

[a] Andere Textzeugen fügen hinzu (Vers 34): Silas aber erschien es gut, vorerst noch in Antiochia zu bleiben.

15,24 Gal 1,7; 2,12 **15,29** 15,20; 21,25; 1 Kor 8,1–13* **15,32** 11,27; 13,1 **15,36** 13,2–3 **15,37** 12,25* **15,38** 13,13 **15,39** 13,4 **15,40** 15,22 **15,41** 15,23 **16,1–3** 17,15; 18,5; 19,22; 1 Kor 16,10–11; 2 Kor 1,1; Phil 1,1; 2,19–23; Kol 1,1; 2 Tim 1,2–6; Hebr 13,23 **16,4** 15,28–29

berichteten sie den Gemeinden über den Beschluss der Apostel und Gemeindeleiter von Jerusalem; alle Christen sollten sich danach richten.

[5]So wurden die Gemeinden im Glauben immer fester, und die Zahl der Gemeindeglieder nahm täglich zu.

Der Heilige Geist weist Paulus den Weg nach Europa

[6]Nach ihrem Aufenthalt in Lystra zogen sie durch die Provinzen Phrygien und Galatien. Aber der Heilige Geist ließ sie erkennen, dass sie in der Provinz Asia Gottes Botschaft noch nicht verkünden sollten. [7]Auch als sie in die Nähe von Mysien kamen und weiter nach Norden in die Provinz Bithynien reisen wollten, erlaubte es ihnen der Geist Jesu nicht.

[8]So zogen sie an Mysien vorbei und erreichten die Hafenstadt Troas. [9]Dort sprach Gott nachts in einer Vision zu Paulus. Der Apostel sah einen Mann aus Mazedonien, der ihn bat: »Komm nach Mazedonien herüber und hilf uns!« [10]Da war uns klar, dass Gott uns gerufen hatte, in Mazedonien die rettende Botschaft zu verkünden. Wir suchten sofort nach einer Gelegenheit zur Überfahrt.

In Philippi entsteht die erste Gemeinde in Europa

[11]Wir gingen in Troas an Bord eines Schiffes und segelten auf dem kürzesten Weg zur Insel Samothrake, am nächsten Tag weiter nach Neapolis, [12]und von dort gingen wir nach Philippi, der bedeutendsten römischen Garnisonsstadt in diesem Teil Mazedoniens. Hier blieben wir einige Tage.

[13]Am Sabbat verließen wir die Stadt und kamen an das Flussufer, wo sich – wie wir annahmen – eine kleine jüdische Gemeinde zum Gebet versammelte. Wir setzten uns und sprachen mit den Frauen, die sich dort eingefunden hatten. [14]Zu ihnen gehörte Lydia, die zum jüdischen Glauben übergetreten war. Sie stammte aus Thyatira und handelte mit Purpurstoffen. Der Herr selbst ließ sie erkennen, dass Paulus die Wahrheit verkündete. [15]Mit allen, die in ihrem Haus lebten, ließ sie sich taufen. Danach forderte sie uns auf: »Wenn ihr davon überzeugt seid, dass ich an den Herrn glaube, dann kommt und wohnt in meinem Haus.« Sie gab nicht eher Ruhe, bis wir einwilligten.

Paulus und Silas im Gefängnis

[16]Auf dem Weg zur Gebetsstätte begegnete uns eines Tages eine Sklavin, die von einem Dämon besessen war. Sie konnte die Zukunft voraussagen und brachte auf diese Weise ihren Besitzern viel Geld ein. [17]Die Frau lief hinter Paulus und uns anderen her und schrie: »Diese Männer sind Diener des höchsten Gottes und zeigen euch den Weg zum Heil!«

[18]Das wiederholte sich an mehreren Tagen, bis Paulus es nicht mehr ertragen konnte. Er wandte sich zu der Frau um und befahl dem Dämon: »Im Namen Jesu Christi, verlasse diese Frau!« In demselben Augenblick verließ der Dämon die Sklavin.

[19]Als aber ihre Besitzer merkten, dass sie mit ihr nichts mehr verdienen konnten, packten sie Paulus und Silas und schleppten die Apostel auf den Marktplatz zur Stadtbehörde. [20]»Diese Männer bringen unsere Stadt in Aufruhr«, beschuldigte man sie vor den obersten Beamten der Stadt. »Es sind Juden! [21]Sie wollen hier Sitten einführen, die gegen das römische Recht verstoßen!«

[22]Da stellte sich die aufgehetzte Menschenmenge drohend gegen Paulus und Silas, und die obersten Beamten der Stadt ließen den beiden die Kleider vom Leib reißen und sie auspeitschen. [23]Nachdem sie so misshandelt worden waren, warf man sie ins Gefängnis und gab dem Aufseher die Anweisung, die Gefangenen besonders scharf zu bewachen. [24]Also sperrte er sie in die sicherste

16,9 9,12; 18,9 **16,18** 19,13-16 **16,22** 2 Kor 11,25

Zelle und schloss zusätzlich ihre Füße in einen Holzblock ein.

[25] Gegen Mitternacht beteten Paulus und Silas. Sie lobten Gott laut, und die übrigen Gefangenen hörten ihnen zu. [26] Da erschütterte plötzlich ein gewaltiges Erdbeben das ganze Gefängnis bis in die Grundmauern; alle Türen sprangen auf, und die Ketten der Gefangenen zerbrachen.

Die Bekehrung des Gefängnisaufsehers

[27] Aus dem Schlaf gerissen sah der Gefängnisaufseher, dass die Zellentüren offen standen. Voller Schrecken zog er sein Schwert und wollte sich töten, denn er dachte, die Gefangenen seien geflohen. [28] »Töte dich nicht!«, rief da Paulus laut. »Wir sind alle hier.« [29] Der Gefängnisaufseher ließ sich ein Licht geben und stürzte in die Zelle, wo er sich zitternd vor Paulus und Silas niederwarf. [30] Dann führte er die beiden hinaus und fragte sie: »Ihr Herren, was muss ich tun, um gerettet zu werden?«

[31] »Glaube an den Herrn Jesus, dann werden du und alle, die in deinem Haus leben, gerettet«, erwiderten Paulus und Silas. [32] Sie verkündeten ihm und allen in seinem Haus die rettende Botschaft Gottes.

[33] Der Gefängnisaufseher kümmerte sich noch in derselben Stunde um Paulus und Silas, er reinigte ihre Wunden und ließ sich mit allen, die zu ihm gehörten, taufen.

[34] Dann führte er sie hinauf in sein Haus und bewirtete sie. Er freute sich zusammen mit allen, die bei ihm lebten, dass sie zum Glauben an Gott gefunden hatten. [35] Bei Tagesanbruch schickten die obersten Beamten die Gerichtsdiener mit dem Befehl zu ihm: »Lass die Leute gehen!« [36] Der Gefängnisaufseher teilte das Paulus mit: »Die führenden Männer lassen euch sagen, dass ihr frei seid. Ihr könnt jetzt unbesorgt die Stadt verlassen.«

[37] Doch Paulus widersprach: »Sie haben uns in aller Öffentlichkeit geschlagen und ohne jedes Gerichtsverfahren ins Gefängnis geworfen, obwohl wir römische Bürger sind. Und jetzt wollen sie uns auf bequeme Weise loswerden! Aber damit bin ich nicht einverstanden. Die Männer, die dafür verantwortlich sind, sollen persönlich kommen und uns aus dem Gefängnis führen.« [38] Mit dieser Nachricht kehrten die Gerichtsdiener zurück. Als die führenden Männer hörten, dass Paulus und Silas römische Bürger waren, erschraken sie [39] und liefen sofort zum Gefängnis. Unter vielen Entschuldigungen geleiteten sie Paulus und Silas hinaus und baten die beiden höflich, die Stadt zu verlassen.

[40] Sie aber gingen zunächst in das Haus der Lydia. Dort hatte sich die ganze Gemeinde versammelt. Nachdem die Apostel sie ermutigt hatten, im Glauben festzubleiben, verabschiedeten sie sich und verließen die Stadt.

Paulus und Silas in Thessalonich

17 Paulus und Silas reisten über Amphipolis und Apollonia nach Thessalonich. In dieser Stadt gab es eine Synagoge. [2] Wie gewohnt ging Paulus zunächst dorthin und sprach an drei Sabbaten zu den Leuten. Er las ihnen aus den Heiligen Schriften vor [3] und zeigte ihnen, dass der versprochene Retter leiden und sterben und danach von den Toten auferstehen musste. »Und dieser versprochene Retter«, so betonte er, »ist der Jesus, von dem ich euch berichtet habe.« [4] Einige Juden ließen sich überzeugen und unterstützten Paulus und Silas. Dazu kamen noch viele Griechen, die zum jüdischen Glauben übergetreten waren, sowie eine große Zahl der vornehmsten und angesehensten Frauen der Stadt.

[5] Dies weckte Neid und Eifersucht bei

16,30 2,37 **16,31** Eph 2,8 **16,37** 22,25–28 **16,40** 16,14–15 **17,1–2** 13,14* **17,3–4** 9,22; 18,28; Lk 24,44–46*; Röm 1,2 **17,5** 5,17; 13,45; 19,23

den Juden. Mit Hilfe gewalttätiger Männer, die sie von der Straße holten, zettelten sie einen Tumult an und brachten die ganze Stadt in Aufruhr. Dann zogen sie vor das Haus des Jason, in dem Paulus und Silas wohnten, drangen dort ein und wollten die beiden vor die aufgebrachte Menge zerren. [6]Die Apostel waren aber nicht im Haus, und deshalb schleppte man Jason und einige andere Christen vor die führenden Männer der Stadt. »Diese Kerle, die das ganze Land aufwiegeln«, schrien sie, »sind jetzt auch hierher gekommen [7]und haben sich bei Jason einquartiert. Sie verstoßen gegen die Gesetze des Kaisers und behaupten, ein anderer sei König, nämlich Jesus.« [8]Die Volksmenge und die führenden Männer waren außer sich. [9]Erst nachdem Jason und die anderen Christen eine Kaution bezahlt hatten, ließ man sie wieder frei.

Neue Schwierigkeiten in Beröa

[10]Noch in derselben Nacht sorgte die Gemeinde in Thessalonich dafür, dass Paulus und Silas nach Beröa abreisen konnten. Auch dort gingen die beiden gleich wieder in die Synagoge. [11]Die Juden in Beröa waren eher bereit, Gottes Botschaft anzunehmen, als die in Thessalonich. Sie hörten sich aufmerksam an, was Paulus und Silas lehrten, und forschten täglich nach, ob dies mit der Heiligen Schrift übereinstimmte. [12]Viele von ihnen begannen zu glauben, außer den Juden auch zahlreiche angesehene griechische Frauen und Männer.

[13]Bald darauf erfuhren die Juden in Thessalonich, dass Paulus auch in Beröa Gottes Botschaft verkündete. Deshalb kamen sie dorthin und wiegelten auch hier die Leute auf. [14]Doch die Christen in Beröa schickten Paulus sofort aus der Stadt und begleiteten ihn auf dem Weg zur Küste. Silas und Timotheus blieben zurück. [15]Die Brüder, die Paulus begleiteten, brachten ihn bis nach Athen, dann kehrten sie nach Beröa zurück. Paulus ließ durch sie ausrichten, dass Silas und Timotheus so schnell wie möglich nachkommen sollten.

Paulus in Athen

[16]Während Paulus in Athen auf Silas und Timotheus wartete, wurde er zornig über die vielen Götterstatuen in der Stadt. [17]Er sprach in der Synagoge zu den Juden und den Griechen, die zum jüdischen Glauben übergetreten waren. Außerdem predigte er an jedem Tag auf dem Marktplatz zu den Menschen, die gerade vorbeikamen. [18]Bei einer solchen Gelegenheit kam es zu einem Streitgespräch mit einigen Philosophen, und zwar mit Epikureern und Stoikern. Einige von ihnen meinten: »Dieser Mann ist doch ein Schwätzer!«, andere sagten: »Er scheint von fremden Göttern zu erzählen.« Denn Paulus hatte von Jesus und seiner Auferstehung gesprochen. [19]Weil die Philosophen mehr über die neue Lehre erfahren wollten, nahmen sie den Apostel mit vor den Areopag, den Gerichtshof von Athen. [20]»Was wir von dir hören, ist alles neu und fremd für uns«, erklärten sie Paulus. »Wir möchten gern mehr davon wissen.« [21]Denn sowohl die Athener als auch die Fremden in dieser Stadt beschäftigten sich am liebsten damit, Neuigkeiten zu erfahren und weiterzuerzählen.

[22]Da stellte sich Paulus vor alle, die auf dem Areopag versammelt waren, und rief: »Athener! Mir ist aufgefallen, dass ihr euren Göttern mit großer Hingabe dient; [23]denn ich habe in eurer Stadt viele Heiligtümer gesehen. Auf einem Altar stand: ›Dem unbekannten Gott.‹ Von diesem Gott, den ihr verehrt, ohne ihn zu kennen, spreche ich.

[24]Es ist der Gott, der die Welt und alles, was in ihr ist, geschaffen hat. Dieser

---

17,6 16,20 **17,7** Lk 23,2 **17,10** 13,14* **17,11** Lk 24,44–46*; Joh 5,39 **17,13** 17,5 **17,15** 16,1–3* **17,17** 13,14* **17,24** 7,47–50

Herr des Himmels und der Erde wohnt nicht in Tempeln, die Menschen gebaut haben. [25]Er braucht auch nicht die Hilfe und Unterstützung irgendeines Menschen. Er, der allen das Leben gibt und was zum Leben notwendig ist, [26]er hat den *einen* Menschen geschaffen, von dem alle Völker auf der ganzen Erde abstammen. Er hat auch bestimmt, wie lange und wo jeder Einzelne von ihnen leben soll. [27]Das alles hat er getan, weil er wollte, dass die Menschen ihn suchen. Sie sollen ihn spüren und finden können. Und wirklich, er ist jedem von uns ja so nahe! [28]Durch ihn allein leben und handeln wir, ja, ihm verdanken wir alles, was wir sind. So wie es einige eurer Dichter gesagt haben: ›Wir sind seine Kinder.‹[a] [29]Weil wir nun von Gott abstammen, ist es doch unsinnig zu glauben, dass wir Gott in Statuen aus Gold, Silber oder behauenen Steinen darstellen könnten. Diese sind doch nur Gebilde unserer Kunst und unserer Vorstellungen. [30]Bisher haben die Menschen das nicht erkannt, und Gott hatte Geduld mit ihnen. Aber jetzt befiehlt er allen Menschen auf der ganzen Welt, zu ihm umzukehren. [31]Denn der Tag ist schon festgesetzt, an dem Gott alle Menschen richten wird; ja, er wird ein gerechtes Urteil sprechen durch den *einen* Mann, den er selbst dazu bestimmt hat. Das hat Gott bewiesen, indem er ihn von den Toten auferweckte.«

[32]Als Paulus von der Auferstehung der Toten sprach, begannen einige zu spotten, andere aber meinten: »Darüber wollen wir später noch mehr hören.« [33]Paulus verließ jetzt die Versammlung. [34]Einige Leute, die durch seine Rede zu glauben begonnen hatten, gingen mit ihm. Darunter waren Dionysius, ein Mitglied des Gerichtshofes, eine Frau, die Damaris hieß, und manche andere.

Ein vielversprechender Anfang in Korinth

18 Bald darauf verließ Paulus Athen und reiste nach Korinth. [2]Dort lernte er den Juden Aquila kennen, der aus der Provinz Pontus stammte. Er war vor kurzem mit seiner Frau Priszilla aus Italien nach Korinth übergesiedelt, weil Kaiser Klaudius alle Juden aus Rom ausgewiesen hatte. [3]Paulus wohnte bei ihnen, und schließlich arbeiteten sie zusammen, denn beide waren wie Paulus von Beruf Zeltmacher.

[4]Paulus lehrte an jedem Sabbat in der Synagoge, und was er sagte, überzeugte Juden wie Griechen. [5]Als dann Silas und Timotheus aus Mazedonien eintrafen, nutzte Paulus seine ganze Zeit, um Gottes Botschaft zu verkünden und den Juden zu bezeugen, dass Jesus der von Gott versprochene Retter ist.

[6]Doch die Juden widersprachen ihm und spotteten über seine Lehre. Da schüttelte Paulus den Staub von seinen Kleidern als Zeichen dafür, dass er sie Gottes Urteil überließ[b]. »Ich bin nicht schuld an eurem Tod und Verderben«[c], sagte er. »Von jetzt an werde ich den nichtjüdischen Völkern Gottes Botschaft verkünden.«

[7]Danach wohnte er bei Titius Justus. Dieser Mann glaubte an Gott, obwohl er kein Jude war. Sein Haus stand direkt neben der Synagoge. [8]Schließlich kam sogar Krispus, der Vorsteher der Synagoge, zum Glauben an den Herrn, zusammen mit allen, die in seinem Haus lebten. Und noch viele Korinther, die Paulus gehört hatten, begannen zu glauben und ließen sich taufen.

[9]Eines Nachts sprach der Herr in einer Vision zu Paulus: »Hab keine Angst! Predige weiter und schweige nicht! [10]Ich bin bei dir, und niemand soll es wagen, dir

---

[a] Wörtlich: Denn wir sind auch seines Geschlechts.
[b] »als Zeichen … überließ« ist sinngemäß ergänzt.
[c] Wörtlich: Euer Blut komme auf euer Haupt.

17,27 Jes 55,6 **17,29** 19,26; Jes 40,18–22 **17,31** 2 Kor 5,10* **17,32–34** 1 Kor 1,22–25 **18,2–3** 18,18–19.26; Röm 16,3; 1 Kor 16,19 **18,3** 1 Kor 9,11–12 **18,4** 13,14* **18,5** 16,1–3* **18,6** 13,51; Lk 9,5; 1 Kor 1,22–24 **18,9–10** 9,12; 16,9

etwas anzutun. Denn viele Menschen in dieser Stadt werden an mich glauben.« [11]So blieb Paulus noch anderthalb Jahre in Korinth. Er unterwies dort die Menschen und erklärte ihnen die Botschaft Gottes. [12]Als aber Gallio Statthalter von Achaja wurde, schlossen sich die Juden zusammen und verklagten Paulus. Sie brachten ihn vor Gericht [13]und beschuldigten ihn: »Dieser Mann verführt die Leute, Gott in einer Weise zu dienen, die im Widerspruch zum Gesetz steht.«

[14]Noch ehe Paulus etwas erwidern konnte, wandte sich Gallio an die Juden: »Wenn es sich um ein Verbrechen oder sonst ein schweres Vergehen handelte, müsste ich euch Juden anhören. [15]Weil ihr aber über Lehrfragen, irgendwelche Personen und religiösen Gesetze streitet, müsst ihr euch schon selbst einigen. Ich jedenfalls werde darüber nicht entscheiden.« [16]Damit wies er die Ankläger aus dem Gerichtssaal. [17]Jetzt fielen die Zuhörer über den neuen Synagogenleiter Sosthenes her und verprügelten ihn noch im Gerichtssaal. Doch Gallio kümmerte sich überhaupt nicht darum.

Rückkehr nach Antiochia und Aufbruch zur dritten Missionsreise

[18]Paulus blieb noch einige Zeit in Korinth. Dann verabschiedete er sich von den Christen, und zusammen mit Priszilla und Aquila fuhr er mit dem Schiff in Richtung Syrien. Vorher hatte er in Kenchreä ein Gelübde abgelegt und sich deswegen – wie es bei den Juden üblich war – die Haare abschneiden lassen. [19]Nach ihrer Ankunft in Ephesus blieben Priszilla und Aquila in der Stadt, während Paulus in die Synagoge ging. Dort sprach er mit den Juden. [20]Und obwohl sie ihn baten, länger bei ihnen zu bleiben, [21]verabschiedete er sich mit den Worten: »Wenn Gott es will, werde ich später wiederkommen.« Dann verließ er Ephesus auf einem Schiff. [22]Von Cäsarea aus ging er nach Jerusalem. Dort besuchte er die Gemeinde, um schließlich nach Antiochia weiterzuziehen.

[23]Aber auch hier blieb er nicht lange, sondern durchquerte ganz Galatien und Phrygien. Er besuchte alle Gemeinden und ermutigte sie, in ihrem Glauben festzubleiben.

Apollos in Ephesus und Korinth

[24]In der Zwischenzeit war Apollos, ein Jude aus Alexandria, nach Ephesus gekommen. Er kannte sich in der Heiligen Schrift gut aus und war ein gewandter Redner. [25]Von der christlichen Botschaft hatte er schon gehört, und er sprach voller Begeisterung von Jesus. Zuverlässig lehrte er, was Jesus gesagt und getan hatte. Dennoch kannte er lediglich die Taufe des Johannes. [26]Dieser Apollos begann unerschrocken in der Synagoge zu predigen. Unter seinen Zuhörern waren auch Priszilla und Aquila. Sie nahmen ihn als Gast in ihrem Haus auf, um ihm dort Gottes Weg zur Erlösung genauer zu erklären. [27]Als Apollos plante, in die griechische Provinz Achaja zu reisen, gaben ihm die Christen von Ephesus ein Empfehlungsschreiben an die Gemeinde in Korinth mit, in dem sie darum baten, ihn dort freundlich aufzunehmen. In Achaja war Apollos mit seiner Begabung den Christen eine große Hilfe. [28]Denn in öffentlich geführten Streitgesprächen widerlegte er die Einwände der Juden und wies anhand der Heiligen Schrift nach, dass Jesus der versprochene Retter ist.

Paulus in Ephesus

19 Während Apollos in Korinth war, reiste Paulus durch das kleinasiatische Hochland und kam nach Ephesus. Dort traf er einige Jünger. [2]Er fragte sie:

18,12–13 21,28 **18,14–15** 23,29; 25,18–20 **18,18** 15,41 **18,19** 13,14* **18,21** Jak 4,15 **18,23** 16,6 **18,24–28** 19,1; 1 Kor 3,4–6; 16,12; Tit 3,13 **18,28** 9,22; Lk 24,44–46*; Joh 5,39 **19,1** 18,27 **19,2** 10,44–45

»Habt ihr den Heiligen Geist empfangen, als ihr begonnen habt zu glauben?« – »Nein«, erwiderten sie, »wir haben noch nicht einmal gehört, dass es einen Heiligen Geist gibt.«

[3] »Welche Taufe habt ihr denn empfangen?«, wollte Paulus jetzt wissen. »Die Taufe des Johannes«, war die Antwort. [4] Da erklärte Paulus: »Wer sich von Johannes taufen ließ, bekannte damit, dass er zu Gott umkehren will. Johannes hat aber immer gesagt, dass man an den glauben muss, der nach ihm kommt, nämlich Jesus.«

[5] Nachdem sie das gehört hatten, ließen sie sich auf den Namen des Herrn Jesus taufen. [6] Und als Paulus ihnen die Hände auflegte, empfingen sie den Heiligen Geist. Sie beteten in anderen Sprachen und redeten, was Gott ihnen eingab. [7] Es waren etwa zwölf Männer.

[8] Paulus ging darauf in die Synagoge. Drei Monate lang predigte er dort unerschrocken von Gottes neuer Welt und überzeugte viele Menschen. [9] Es gab aber auch einige, die davon nichts wissen wollten und schließlich in aller Öffentlichkeit über die rettende Botschaft spotteten. Da verließ Paulus mit den anderen Christen die Synagoge. Von nun an predigte er täglich im Lehrsaal eines Mannes, der Tyrannus hieß. [10] Das tat er zwei Jahre lang, so dass alle in der Provinz Asia, Juden wie Griechen, die Botschaft des Herrn hörten.

[11] Gott ließ durch Paulus erstaunliche Wunder geschehen. [12] Die Leute legten sogar Tücher, mit denen Paulus sich den Schweiß abgewischt hatte, und Kleidungsstücke von ihm auf die Kranken. Dadurch wurden sie gesund, und die Dämonen verließen sie.

Geisterbeschwörer missbrauchen den Namen Jesus

[13] Im ganzen Land gab es jüdische Geisterbeschwörer, die umherzogen und böse Geister austrieben. Einige von ihnen versuchten Dämonen dadurch auszutreiben, dass sie über den Besessenen den Namen Jesu aussprachen. Sie sagten: »Wir beschwören euch bei dem Jesus, den Paulus predigt!«

[14] So trieben es auch die sieben Söhne des jüdischen Hohenpriesters Skevas. [15] Doch der Dämon verhöhnte sie: »Jesus kenne ich, und von Paulus habe ich gehört. Aber wer seid ihr?« [16] Dann stürzte sich der Besessene auf sie, warf sie zu Boden und überwältigte sie, so dass sie schließlich alle nackt und verwundet aus dem Haus fliehen mussten.

[17] Bald wusste ganz Ephesus – Juden wie Griechen – von diesem Vorfall. Alle waren zutiefst erschrocken, und der Name des Herrn Jesus wurde nun überall gelobt. [18] Zahlreiche Christen bekannten jetzt offen, was sie früher getan hatten. [19] Viele von ihnen brachten ihre Zauberbücher und verbrannten sie in aller Öffentlichkeit. Man schätzte den Wert auf 50000 Silberstücke. [20] So erwies die Botschaft des Herrn ihre Macht, und immer mehr Menschen glaubten daran.

[21] Danach beschloss Paulus, über Mazedonien und Achaja nach Jerusalem zu reisen und von dort aus nach Rom. [22] Er schickte zwei seiner Mitarbeiter, Timotheus und Erastus, voraus nach Mazedonien, während er selber noch einige Zeit in der Provinz Asia blieb.

Aufruhr der Silberschmiede von Ephesus

[23] Etwa zur selben Zeit kam es in Ephesus zu heftigen Unruhen wegen der Lehre, die Paulus verkündete. [24] In der Stadt lebte ein Silberschmied mit Namen Demetrius, der kleine Nachbildungen des Tempels der griechischen Göttin Artemis herstellte. Nicht nur er selber, sondern auch die anderen Kunsthandwerker in der Stadt verdienten sehr gut daran. [25] Eines Tages rief Demetrius diese Künstler

19,3–4 Lk 3,15–17 **19,8** 13,14* **19,9** 1 Kor 1,22–25 **19,12** 5,15 **19,13–16** 16,18; Lk 9,49 **19,22** 16,1–3*; 2 Tim 4,20

und alle, die für sie arbeiteten, zusammen und sagte:

»Ihr wisst ebenso gut wie ich, dass unser Wohlstand von den kleinen Nachbildungen des Tempels abhängt. [26] Wie ihr sicher schon gehört habt, behauptet nun dieser Paulus, von Menschen angefertigte Götter seien nichts wert. Das verbreitet er nicht nur in Ephesus, sondern in der ganzen Provinz Asia, und viele Leute glauben ihm schon. [27] Aber es geht ja nicht nur darum, dass unsere Arbeit nicht mehr anerkannt wird! Auch der Tempel der herrlichen Göttin Artemis, die man nicht nur in Kleinasien, sondern in der ganzen Welt verehrt, wird bedeutungslos werden; ja, sie selbst wird in Vergessenheit geraten!« [28] Wutentbrannt schrien jetzt die Zuhörer: »Groß ist die Artemis der Epheser!« [29] In kürzester Zeit war die Bevölkerung der ganzen Stadt auf den Beinen. Das Volk rottete sich zusammen und drängte ins Amphitheater. Dorthin schleppten sie auch die beiden Mazedonier Gajus und Aristarch, die Paulus begleitet hatten.

[30] Paulus wollte nun selbst im Amphitheater Rede und Antwort stehen, aber die anderen Christen ließen das nicht zu. [31] Auch einige hohe Beamte der Provinzverwaltung, die Paulus schätzten, warnten ihn eindringlich davor, sich in der Öffentlichkeit zu zeigen.

[32] Bei der versammelten Volksmenge herrschte das größte Durcheinander; der eine schrie dies, der andere das. Die meisten wussten nicht einmal, warum sie sich überhaupt versammelt hatten. [33] Die Juden drängten Alexander nach vorn. Er sollte bezeugen, dass sie mit der Sache nichts zu tun hätten. Alexander versuchte, die Menschen mit einer Handbewegung zum Schweigen zu bringen. [34] Doch als sie merkten, dass er Jude war, schrien sie zwei Stunden lang in Sprechchören: »Groß ist die Artemis der Epheser!« [35] Schließlich gelang es einem der höchsten Beamten der Stadt, die Menge zu beruhigen und sich verständlich zu machen. »Leute von Ephesus!«, rief er. »Jeder hier weiß doch, dass unsere Stadt die Hüterin des Tempels der großen Artemis ist und ihres vom Himmel gefallenen Bildes. [36] Das ist eine Tatsache, und dem wird niemand widersprechen. Deshalb bleibt ruhig, und tut nichts Unüberlegtes. [37] Ihr habt diese Männer hierher geschleppt, obwohl sie weder den Tempel beraubt noch über unsere Göttin gelästert haben. [38] Sollten Demetrius und die anderen Kunsthandwerker irgendwelche Anklagen gegen sie vorbringen wollen, so gibt es dafür ordentliche Gerichte und Behörden. Sollen sie dort ihren Streit austragen! [39] Und wenn ihr noch andere Anliegen habt, die über die Anklage des Demetrius hinausgehen, dann müssen sie in der ordentlichen Volksversammlung vorgebracht werden. [40] Ich fürchte nämlich, dass uns die römische Regierung sonst wegen dieses Aufruhrs zur Rechenschaft ziehen wird, und wir können wirklich keinen triftigen Grund dafür nennen.« Danach löste er die Versammlung auf.

Paulus verlässt Ephesus und reist nach Griechenland

20 Nachdem der Tumult vorüber war, rief Paulus die ganze Gemeinde zusammen, um sie zu ermutigen und sich von ihr zu verabschieden. Dann begann er seine Reise nach Mazedonien. [2] Unterwegs besuchte er alle Gemeinden und nahm sich viel Zeit, sie im Glauben zu stärken. So erreichte er Griechenland, [3] wo er drei Monate lang blieb. Er bereitete sich gerade auf die Überfahrt nach Syrien vor, als er davon erfuhr, dass die Juden ihn auf dieser Reise umbringen wollten. Deshalb entschloss er sich, auf dem Landweg über Mazedonien zurückzukehren.

[4] Mit ihm reisten Sopater aus Beröa, der Sohn des Pyrrhus, Aristarch und Sekundus aus Thessalonich, Gajus aus Derbe und Timotheus; außerdem Tychikus

19,26 17,29; Jes 40,18–22 **19,29** 27,2

und Trophimus, die aus der Provinz Asia stammten. [5] Sie waren schon vorausgereist und warteten in Troas auf uns. [6] Wir anderen verließen nach dem Fest der ungesäuerten Brote Philippi und erreichten mit einem Schiff in fünf Tagen Troas. Dort blieben wir eine Woche.

Besuch in Troas

[7] Am Sonntagabend[a] kamen wir zusammen, um das Abendmahl zu feiern,[b] und Paulus predigte. Weil er schon am nächsten Tag weiterreisen wollte, nahm er sich viel Zeit und sprach bis Mitternacht. [8] Der Raum im Obergeschoss, in dem wir uns befanden, war durch viele Öllampen erhellt. [9] Ein junger Mann – er hieß Eutychus – saß auf der Fensterbank. Während der langen Predigt des Paulus wurde er vom Schlaf überwältigt. Dabei verlor er das Gleichgewicht und fiel durch das offene Fenster drei Stockwerke tief. Als die Männer ihn aufhoben, war er tot. [10] Paulus lief hinunter, beugte sich über den Toten und nahm ihn in seine Arme. Dann sagte er zu den Leuten: »Seid ruhig! Er lebt.« [11] Paulus ging wieder hinauf; er brach das Brot, und sie feierten gemeinsam das Abendmahl. Er sprach noch lange mit ihnen, bevor er sie dann bei Tagesanbruch verließ. [12] Eutychus brachten sie unversehrt nach Hause, und alle waren glücklich darüber, dass er wieder am Leben war.

Reise nach Milet

[13] Wir anderen hatten inzwischen ein Schiff bestiegen und waren nach Assos gesegelt. Paulus hatte darauf bestanden, bis dorthin zu Fuß zu gehen. [14] In Assos nahmen wir ihn dann an Bord und segelten weiter nach Mitylene. [15] Am nächsten Tag kamen wir bis in die Nähe von Chios, tags darauf legten wir in Samos an, und einen Tag später erreichten wir Milet. [16] Um keine Zeit zu verlieren, hatte sich Paulus entschlossen, nicht nach Ephesus zu reisen. Wenn irgend möglich, wollte er nämlich zum Pfingstfest in Jerusalem sein.

Abschied von den Christen in Ephesus

[17] Von Milet aus schickte Paulus einen Boten mit der Nachricht nach Ephesus, dass er gern mit den Leitern der Gemeinde sprechen würde. [18] Als sie alle gekommen waren, sagte er zu ihnen: »Ihr wisst, wie ich mich in der Provinz Asia vom ersten Tag an bis heute bei euch verhalten habe. [19] Ohne an mich selbst zu denken, habe ich dem Herrn gedient, oft unter Tränen und obwohl die Juden mich verfolgten.

[20] Ihr wisst auch, dass ich nichts verschwiegen habe. Ich habe euch alles gepredigt und gelehrt, was eurer Rettung dient – öffentlich, aber auch in euren Häusern. [21] Juden wie Griechen habe ich klargemacht, dass sie zu Gott umkehren und an unseren Herrn Jesus Christus glauben sollen.

[22] Jetzt folge ich dem Willen des Heiligen Geistes, wenn ich nach Jerusalem gehe. Was dort mit mir geschehen wird, weiß ich nicht. [23] Nur dies eine weiß ich, dass mich Gefangenschaft und Leiden erwarten. Denn so sagt es mir der Heilige Geist in allen Gemeinden, die ich besuche. [24] Aber mein Leben ist mir nicht wichtig. Vielmehr will ich den Auftrag ausführen, den mir Jesus Christus gegeben hat: die rettende Botschaft von Gottes Gnade und Liebe zu verkünden. [25] Ich weiß, dass keiner von euch, denen ich von Gottes neuer Welt gepredigt und bei denen ich gelebt habe, mich wiedersehen wird. [26] Deshalb erkläre ich euch heute: Ich bin nicht schuld daran, wenn einer von euch

---

[a] Wörtlich: Am ersten Tag der Woche.
[b] Wörtlich: um das Brot zu brechen.

20,6 2 Mo 12,15–20*; 2 Kor 2,12–13 **20,16** 18,21 **20,19** 20,31; 2 Kor 11,23–25 **20,20–21** 19,8–10 **20,23–24** 9,15–16; 2 Tim 3,12*

verloren geht. [27] Denn ich habe nichts verschwiegen, sondern euch den ganzen Plan Gottes zur Rettung der Welt verkündet.

[28] Von jetzt an müsst ihr auf euch selbst achten und auf die ganze Gemeinde, für die euch der Heilige Geist als Hirten einsetzte. Ihr sollt die Gemeinde Gottes hüten, die er sich durch das Blut seines Sohnes erworben hat. [29] Denn ich weiß: Wenn ich nicht mehr da bin, werden falsche Lehrer wie reißende Wölfe über euch herfallen, und sie werden die Herde nicht schonen. [30] Sogar unter euch wird es Männer geben, die nur deshalb die Wahrheit verfälschen, weil sie Menschen für sich gewinnen wollen. [31] Seid also wachsam! Denkt daran, dass ich drei Jahre lang unermüdlich jedem von euch Tag und Nacht, manchmal sogar unter Tränen, den rechten Weg gewiesen habe. [32] Und nun vertraue ich euch Gottes Schutz an und der Botschaft von seiner Gnade. Sie allein hat die Macht, euren Glauben wachsen zu lassen und euch das Erbe zu geben, das Gott denen zugesagt hat, die zu ihm gehören. [33] Niemals habe ich von euch Geld oder Kleidung verlangt. [34] Ihr wisst selbst, dass ich den Lebensunterhalt für mich und meine Begleiter mit meinen eigenen Händen verdient habe. [35] Damit wollte ich euch zeigen, wie man arbeiten muss, um den Armen zu helfen und das zu erfüllen, was unser Herr Jesus selbst gesagt hat: Geben macht glücklicher als Nehmen.«

[36] Nun knieten alle nieder, und Paulus betete mit ihnen. [37] Sie küssten und umarmten Paulus zum Abschied; viele weinten laut, [38] weil er ihnen gesagt hatte, sie würden ihn nicht wiedersehen. Dann begleiteten sie ihn zum Schiff.

Paulus reist nach Jerusalem

21 Als wir uns schweren Herzens von den Gemeindeleitern aus Ephesus verabschiedet hatten, segelte unser Schiff direkt nach Kos. Am folgenden Tag erreichten wir Rhodos und dann Patara. [2] Dort gingen wir an Bord eines anderen Schiffes, das nach Phönizien segeln sollte. [3] Bald sahen wir in der Ferne die Insel Zypern, segelten aber südlich an ihr vorbei zur syrischen Hafenstadt Tyrus, wo die Ladung des Schiffes gelöscht wurde. [4] In Tyrus besuchten wir die Gemeinde und blieben eine Woche dort. Diese Christen warnten Paulus mehrmals davor, nach Jerusalem zu reisen, denn so hatte es ihnen der Heilige Geist aufgetragen. [5] Aber am Ende der Woche gingen wir dann doch zu unserem Schiff. Dabei begleiteten uns alle – samt Frauen und Kindern – bis vor die Stadt. Am Strand knieten wir nieder und beteten. [6] Nachdem wir uns verabschiedet hatten, gingen wir an Bord des Schiffes, und sie kehrten in die Stadt zurück.

[7] Von Tyrus kamen wir dann nach Ptolemaïs. Auch dort besuchten wir die Christen, blieben aber nur einen Tag bei ihnen.

[8] Von Ptolemaïs ging es zu Fuß weiter nach Cäsarea. Dort wohnten wir im Haus des Evangelisten Philippus, einem der sieben Diakone. [9] Die vier Töchter des Philippus waren unverheiratet geblieben und redeten in Gottes Auftrag prophetisch.

[10] Wir waren schon einige Tage bei Philippus, als Agabus aus Judäa kam. Er war ein Prophet. [11] Mit dem Gürtel des Paulus fesselte er sich Hände und Füße. Dann erklärte er: »Der Heilige Geist sagt: Genauso wird der Besitzer dieses Gürtels in Jerusalem von den Juden gefesselt und an Menschen ausgeliefert werden, die Gott nicht kennen.« [12] Da bestürmten wir und die anderen Christen der Gemeinde Paulus, nicht nach Jerusalem zu gehen. [13] Er aber antwortete nur: »Warum weint ihr und macht mir das Herz schwer? Ich bin nicht nur bereit, mich in Jerusalem fesseln und ins Gefängnis werfen zu lassen,

20,28 Eph 4,11; 2 Kor 5,18–21* **20,29–30** Mt 7,15; 2 Kor 11,13–15; 2 Petr 2,1 **20,31** 1 Thess 2,11–12 **20,32** Röm 1,16; 1 Kor 1,18 **20,33–35** 1 Kor 9,4–18; 2 Kor 11,7–9; 2 Thess 3,8 **20,36** 21,5 **21,1** 20,17–18 **21,4** 20,23 **21,5** 20,36 **21,8** 6,5; 8,26–40 **21,10** 11,28 **21,13** 20,24

ich bin auch bereit, dort für Jesus, den Herrn, zu sterben.« [14] Weil er sich nicht umstimmen ließ, bedrängten wir ihn schließlich nicht länger und sagten: »Der Wille des Herrn soll geschehen!«

Paulus soll seine Gesetzestreue beweisen

[15] Bald darauf reisten wir nach Jerusalem. [16] Einige Brüder aus Cäsarea begleiteten uns. Sie führten uns zu Mnason, der aus Zypern stammte und einer der ersten Christen war. In seinem Haus sollten wir übernachten. [17] Von der Gemeinde in Jerusalem wurden wir herzlich aufgenommen. [18] Am Tag nach unserer Ankunft ging Paulus zu Jakobus; auch alle Leiter der Gemeinde hatten sich bei ihm versammelt.

[19] Paulus begrüßte sie alle und berichtete ausführlich, was Gott durch seine Arbeit unter den Nichtjuden getan hatte. [20] Darüber waren alle froh; sie lobten und dankten Gott. Dann aber sagten sie:

»Du weißt, lieber Bruder, dass Tausende von Juden zum Glauben an Jesus gekommen sind, und jeder von ihnen befolgt streng die Gesetze des Mose. [21] Man hat nun von dir berichtet, du würdest die Juden außerhalb Israels lehren, nicht mehr nach dem Gesetz zu leben. Sie sollten zum Beispiel ihre Kinder nicht mehr beschneiden lassen und die Ordnungen unseres Volkes missachten. [22] Was sollen wir jetzt tun? Sie werden auf jeden Fall erfahren, dass du in Jerusalem bist. [23] Wir möchten dir deshalb Folgendes raten: Hier sind vier Männer, die ein Gelübde einlösen müssen. [24] Schließe dich ihnen an, und erfülle alle vom Gesetz geforderten Reinigungsvorschriften, wozu ja auch gehört, dass sie sich die Haare schneiden lassen. Wenn du dafür die Kosten übernimmst, werden alle sehen, dass an den Gerüchten über dich nichts Wahres ist und du gewissenhaft das Gesetz befolgst. [25] Wie die nichtjüdischen Christen leben sollen, haben wir ja schriftlich geregelt. Wir haben damals entschieden, dass sie kein Fleisch von Tieren essen dürfen, die Götzen geopfert wurden; sie sollen kein Blut verzehren und kein Fleisch von Tieren, die nicht völlig ausbluteten. Außerdem sollen sie keine verbotenen sexuellen Beziehungen eingehen.«

Paulus wird in Jerusalem verhaftet

[26/27] Paulus nahm ihren Vorschlag an. Am nächsten Tag erfüllte er die Reinigungsvorschriften und ging dann zusammen mit den Männern in den Tempel. Dort meldeten sie dem Priester, dass sie ihr Gelübde erfüllt hatten. Nach der vorgeschriebenen Zeit von sieben Tagen sollte dann für jeden von ihnen ein Opfer dargebracht werden. Die sieben Tage waren fast vorüber, als einige Juden aus der Provinz Asia Paulus im Tempel wiedererkannten. Sie wiegelten das Volk gegen ihn auf, packten ihn [28] und schrien:

»Helft uns, ihr Männer aus Israel! Das ist er, der überall gegen unser Volk, gegen das Gesetz und gegen diesen Tempel hetzt! Und nicht genug damit! Er hat sogar Griechen in den Tempel gebracht und dadurch diese heilige Stätte entweiht!« [29] Sie hatten nämlich Paulus zusammen mit dem Griechen Trophimus aus Ephesus in der Stadt gesehen, und nun vermuteten sie, Paulus habe ihn auch mit in den Tempel genommen. [30] Ganz Jerusalem geriet in Aufruhr. Die Menschen liefen zusammen, sie griffen Paulus und zerrten ihn aus dem Tempel, dessen Türen man eilig schloss.

[31] Die Menge war nahe daran, Paulus umzubringen, als dem Kommandanten der römischen Garnison gemeldet wurde: »Die ganze Stadt ist in Aufruhr!« [32] Mit einem Trupp Soldaten und einigen Offizieren lief er sofort zum Tempelplatz. Als die Menge den Kommandanten und die Soldaten sah, hörte sie auf, Paulus zu schlagen.

21,18 15,13* **21,19** 11,4 **21,20** 11,18 **21,21** 18,13 **21,23–24** 18,18; 4 Mo 6,2.5.13–18 **21,25** 15,20.29; 1 Kor 8,1–13* **21,26–27** 1 Kor 9,20 **21,28** 18,13; 25,8

[33] Der Kommandant nahm Paulus fest und ließ ihn mit zwei Ketten fesseln. Anschließend fragte er die aufgebrachte Menge, wer dieser Mann sei und was er getan habe. [34] Aber die einen schrien dies, die anderen das, und der Tumult war so groß, dass er letztlich überhaupt nichts erfuhr. Deshalb befahl der Kommandant, Paulus in die Festung zu bringen. [35] Auf den Treppenstufen dorthin mussten die Soldaten Paulus tragen, um ihn vor der wütenden Menge zu schützen. [36] Die Leute tobten: »Weg mit dem! Bringt ihn um!« [37] Als man Paulus gerade in die Festung bringen wollte, sagte er zu dem Kommandanten: »Kann ich kurz mit dir sprechen?« – »Du sprichst Griechisch?«, fragte dieser überrascht. [38] »Dann bist du also nicht der Ägypter, der vor einiger Zeit in der Wüste viertausend bewaffnete Rebellen um sich sammelte und einen Aufstand anzettelte?« [39] »Nein«, erwiderte Paulus, »ich bin ein Jude aus Tarsus und ein Bürger dieser bekannten Stadt in Zilizien. Bitte erlaube mir, zu den Leuten zu reden.« [40] Der Kommandant willigte ein. Paulus blieb auf der obersten Treppenstufe stehen und gab dem Volk mit der Hand ein Zeichen, dass er etwas sagen wollte. Nachdem sie sich beruhigt hatten, sprach er auf Hebräisch zu ihnen:

Paulus rechtfertigt sich vor den Juden

22 »Ihr Männer, liebe Brüder und Väter! Hört euch an, was ich zu meiner Verteidigung sagen möchte.« [2] Als die Juden merkten, dass Paulus auf Hebräisch zu ihnen redete, wurden sie noch stiller, und er konnte ungehindert weitersprechen: [3] »Ich bin Jude, geboren in Tarsus, einer Stadt in Zilizien. Erzogen wurde ich hier in Jerusalem. Als Schüler Gamaliels habe ich gelernt, streng nach dem Gesetz unserer Vorfahren zu leben. Ebenso wie ihr wollte ich nichts anderes, als Gottes Gebote erfüllen. [4] Deshalb habe ich die neue Lehre der Christen auch bis auf den Tod bekämpft. Männer und Frauen ließ ich festnehmen und ins Gefängnis werfen. [5] Das können der Hohepriester und der ganze Hohe Rat bezeugen. Von ihnen bekam ich Empfehlungsschreiben für die jüdische Gemeinde in Damaskus. Sie gaben mir die Vollmacht, die Christen in jener Stadt gefesselt hierher nach Jerusalem zu bringen und zu bestrafen. [6] Als ich auf meiner Reise Damaskus schon fast erreicht hatte, umgab mich zur Mittagszeit plötzlich vom Himmel her ein strahlend helles Licht. [7] Ich fiel zu Boden und hörte eine Stimme: ›Saul, Saul, warum verfolgst du mich?‹ [8] Voller Schrecken fragte ich: ›Wer bist du, Herr?‹, und hörte als Antwort: ›Ich bin Jesus von Nazareth, den du verfolgst.‹ [9] Meine Begleiter sahen genauso wie ich das Licht, aber sie hörten nicht, was gesagt wurde. [10] ›Was soll ich tun, Herr?‹, fragte ich nun, und der Herr antwortete mir: ›Steh auf! Geh nach Damaskus. Dort wird man dir sagen, welche Aufgabe du übernehmen sollst.‹ [11] Von dem hellen Licht war ich so geblendet, dass ich nicht mehr sehen konnte und meine Begleiter mich nach Damaskus führen mussten.

[12] Dort lebte ein Mann, der Hananias hieß. Er war fromm und erfüllte die Gebote des Gesetzes so genau, dass er bei allen Juden in Damaskus hoch angesehen war. [13] Dieser Mann kam zu mir und sagte: ›Lieber Bruder Saul, du sollst wieder sehen können!‹ Sofort wurden meine Augen geöffnet, und ich sah ihn vor mir stehen. [14] Dann erklärte er mir: ›Der Gott unserer Vorfahren hat dich erwählt, seinen Willen zu erkennen, seinen Sohn zu sehen und ihn zu hören. [15] So wirst du vor allen Menschen sein Zeuge sein, weil du ihn selber gesehen und gehört hast. [16] Zögere also nicht länger! Lass dich taufen und von deinen Sünden reinigen, indem du zu Jesus, dem Herrn, betest.‹

[17] Später kehrte ich nach Jerusalem zurück. Eines Tages betete ich im Tempel. Da erschien mir der Herr in einer Vision

---

21,34 19,32 **21,36** 22,22 **22,3–16** 9,1–19; 26,9–20 **22,3** 8,3*; Gal 1,13–14

[18]und sagte: ›Beeil dich und verlasse Jerusalem so schnell wie möglich, denn niemand wird dir glauben, was du von mir sagst.‹ [19]›Herr‹, antwortete ich, ›jeder hier weiß, dass ich alle, die an dich glaubten, ins Gefängnis werfen und in den Synagogen auspeitschen ließ. [20]Als dein Zeuge Stephanus getötet wurde, stand ich dabei; ich hatte in die Steinigung eingewilligt und bewachte die Kleider seiner Mörder.‹ [21]Doch der Herr befahl: ›Geh, denn ich will dich weit weg zu den Völkern senden, die mich nicht kennen.‹«

Paulus beruft sich auf sein römisches Bürgerrecht

[22]Bis dahin hatten alle Paulus ruhig angehört. Doch nun begannen sie zu toben: »Weg mit ihm! Er darf nicht länger leben!« [23]Voller Empörung zerrissen sie ihre Kleider und wüteten, dass der Staub hoch aufwirbelte. [24]Da ließ der Kommandant Paulus in die Festung bringen und befahl, ihn auszupeitschen und zu verhören. Auf diese Weise wollte er erfahren, weshalb die Menge so erregt den Tod des Paulus forderte. [25]Man hatte den Apostel bereits zum Auspeitschen festgebunden, als Paulus den dabeistehenden Offizier fragte: »Seit wann ist es bei euch erlaubt, einen römischen Bürger auszupeitschen, noch dazu ohne Urteil?«

[26]Der Offizier lief zum Kommandanten: »Der Mann ist ein römischer Bürger! Was willst du jetzt tun?« [27]Da ging der Kommandant selbst zu Paulus und fragte ihn: »Stimmt es, dass du ein römischer Bürger bist?« – »Ja, das stimmt«, erwiderte Paulus. [28]Der Kommandant erklärte: »Ich habe für dieses Bürgerrecht ein Vermögen gezahlt.« »Ich aber wurde schon als römischer Bürger geboren«, erwiderte Paulus. [29]Sofort banden die Soldaten den Apostel los, denn der Kommandant fürchtete, Schwierigkeiten zu bekommen, weil er befohlen hatte, einen römischen Bürger auszupeitschen.

Paulus vor dem Hohen Rat

[30]Der Kommandant wollte endlich genau wissen, was die Juden Paulus eigentlich vorwarfen. Deswegen befahl er am nächsten Tag den Hohenpriestern und dem Hohen Rat, zu einer Sitzung zu kommen, und nachdem man Paulus aus dem Gefängnis geholt und ihm die Fesseln abgenommen hatte, wurde auch er dorthin gebracht.

23 Ruhig blickte Paulus die Mitglieder des Hohen Rates an und sagte: »Ihr Männer, liebe Brüder! Ich habe bis zum heutigen Tag Gott gedient, und zwar mit gutem Gewissen.« [2]Aufgebracht befahl daraufhin der Hohepriester Hananias den dabeistehenden Dienern, Paulus auf den Mund zu schlagen. [3]Der aber rief: »Du Heuchler, Gott wird dich dafür strafen. Du willst hier nach dem Gesetz Recht sprechen, aber brichst selber das Gesetz und lässt mich schlagen!«

[4]Da empörten sich einige: »Du wagst es, den Hohenpriester Gottes zu beleidigen?« [5]»Ich wusste nicht, Brüder, dass er der Hohepriester ist«, lenkte Paulus ein, »denn natürlich ist mir bekannt, dass es in der Heiligen Schrift heißt: ›Das Oberhaupt deines Volkes sollst du nicht beleidigen.‹[a]«

[6]Paulus wusste, dass unter den Anwesenden sowohl Sadduzäer als auch Pharisäer waren. Deshalb rief er laut: »Brüder, ich bin ein Pharisäer wie viele meiner Vorfahren[b], und nun stehe ich hier vor Gericht, weil ich an die Auferstehung der Toten glaube.«

[7]Diese Worte lösten einen heftigen Streit zwischen den Pharisäern und Sadduzäern aus, und die Versammlung spaltete sich in zwei Lager. [8]Denn im Gegensatz zu den Pharisäern behaupten die

---

[a] 2. Mose 22,27

[b] Wörtlich: und ein Sohn von Pharisäern.

22,20 7,58; 8,1 **22,21** 9,15*; 13,2 **22,22** 21,36 **22,25–28** 16,37; 23,27 **23,1** 24,16; 2 Kor 1,12 **23,6** Phil 3,5 **23,7–9** 4,1–2; Lk 20,27–40

Sadduzäer: Es gibt keine Auferstehung und weder Engel noch Geister. [9]Immer lauter wurde der Streit. Aufgeregt sprangen einige Schriftgelehrte der Pharisäer auf und riefen: »An dem Mann ist doch nichts, wofür er verurteilt werden könnte. Vielleicht hat ja wirklich ein Geist oder Engel zu ihm geredet.« [10]Der Tumult nahm solche Formen an, dass der römische Kommandant fürchtete, Paulus vor der aufgebrachten Menge nicht länger schützen zu können. Deshalb ließ er Soldaten kommen, die Paulus holten und ihn wieder in die Festung zurückbrachten.

[11]In der folgenden Nacht trat der Herr zu Paulus und sagte: »Sei unbesorgt! So wie du in Jerusalem mein Zeuge gewesen bist, sollst du auch in Rom mein Zeuge sein!«

Mordpläne gegen Paulus

[12]Bei Tagesanbruch kamen einige Juden zusammen. Feierlich schworen sie sich, weder zu essen noch zu trinken, bis es ihnen gelungen wäre, Paulus zu beseitigen. [13]Mehr als vierzig Männer waren an dieser Verschwörung beteiligt. [14]Sie gingen zu den Hohenpriestern und führenden Männern des Volkes, um ihnen mitzuteilen: »Wir haben geschworen, nichts zu essen und zu trinken, bis wir diesen Paulus getötet haben. [15]Sorgt nun im Auftrag des Hohen Rates dafür, dass der Kommandant ihn noch einmal zum Verhör bringen lässt. Sagt, ihr wolltet die Angelegenheit genauer untersuchen. Alles andere überlasst uns: Er wird nicht bei euch ankommen.« [16]Ein Neffe des Paulus erfuhr von diesem Anschlag. Er lief zur Festung und berichtete ihm alles. [17]Da rief der Apostel einen der Hauptleute zu sich und bat: »Bring diesen jungen Mann zum Kommandanten; er hat eine wichtige Mitteilung für ihn!« [18]Der Hauptmann führte den Verwandten des Paulus zum Kommandanten und meldete: »Der Gefangene Paulus hat mich rufen lassen und darum gebeten, diesen jungen Mann zu dir zu bringen. Er soll dir etwas mitteilen.«

[19]Da führte der Kommandant den jungen Mann beiseite und fragte: »Was hast du mir zu melden?« [20]Eilig begann der zu berichten: »Die Juden werden dich bitten, Paulus morgen noch einmal dem Hohen Rat vorzuführen. Angeblich wollen sie den Fall genauer untersuchen. [21]Glaube ihnen nicht, denn vierzig Männer lauern ihm auf, um ihn zu ermorden. Sie haben sich geschworen, nichts zu essen und zu trinken, bis er tot ist. Jetzt warten sie nur auf deine Zusage.«

[22]Der junge Mann verließ die Festung, nachdem der Kommandant ihm eingeschärft hatte, dass niemand von ihrem Gespräch erfahren dürfte.

Paulus wird nach Cäsarea gebracht

[23]Gleich darauf ließ der Kommandant zwei Hauptleute zu sich kommen. Ihnen gab er den Auftrag: »Stellt für heute Abend neun Uhr zweihundert Soldaten zum Marsch nach Cäsarea bereit, dazu noch siebzig Reiter und zweihundert Leichtbewaffnete. [24]Kümmert euch auch um Reittiere für den Gefangenen, und bringt ihn sicher zum Statthalter Felix.« [25]Dann schrieb er diesen Brief:

[26]»Klaudius Lysias grüßt seine Exzellenz, den Statthalter Felix. [27]Diesen Mann hier hatten die Juden ergriffen. Sie wollten ihn gerade töten, als ich ihn mit Gewalt aus ihren Händen befreite; denn ich hatte erfahren, dass er römischer Bürger ist. [28]Weil ich wissen wollte, was er getan hat, brachte ich ihn vor ihren Hohen Rat. [29]Dort stellte sich heraus, dass er nichts getan hat, wofür er die Todesstrafe verdient hätte oder wofür man ihn auch nur hätte gefangen nehmen dürfen. Es handelt sich lediglich um Streitfragen des jüdischen Gesetzes. [30]Inzwischen habe ich von einem neuen Mordanschlag gegen ihn erfahren, und

---

23,11 18,9–10; 28,30–31 **23,12** 9,23 **23,15** 25,2–3 **23,27** 21,30–33; 22,24–29 **23,28** 22,30 **23,29** 18,14–15; 25,18–20

deshalb schicke ich ihn zu dir. Seine Kläger habe ich angewiesen, bei dir Anklage gegen ihn zu erheben.« [31] Wie man es ihnen befohlen hatte, brachten die Soldaten Paulus noch in derselben Nacht bis nach Antipatris. [32] Am folgenden Tag kehrten die Fußtruppen nach Jerusalem zurück, während die Berittenen mit Paulus weiterzogen. [33] In Cäsarea übergaben sie das Schreiben dem Statthalter und lieferten ihm den Gefangenen aus.

[34] Nachdem der Statthalter den Brief gelesen hatte, fragte er Paulus, aus welcher Provinz er stamme. »Aus Zilizien«, antwortete Paulus. [35] »Wenn sich deine Ankläger hier eingefunden haben«, entschied nun der Statthalter, »werde ich deine Angelegenheit klären.« Auf Befehl des Felix wurde Paulus im Palast des Königs Herodes weiter gefangen gehalten.

Anklage gegen Paulus

24 Fünf Tage später erschienen der Hohepriester Hananias, einige führende Männer des Volkes und der Anwalt Tertullus, um Anklage gegen Paulus zu erheben. [2] Nachdem man Paulus hereingerufen hatte, begann Tertullus: [3] »Verehrter Felix! Voller Dankbarkeit erkennen wir Juden an, dass wir durch dich endlich Ruhe und Frieden genießen und es unserem Volk durch deine Fürsorge so gut geht wie selten zuvor. [4] Um aber deine kostbare Zeit nicht unnötig in Anspruch zu nehmen, bitten wir dich, uns kurz anzuhören. [5] Wir wissen, dass dieser Mann gefährlich ist wie die Pest. Überall im Römischen Reich zettelt er unter den Juden Aufstände an. Und er selbst ist der Anführer der Nazarener-Sekte. [6] Als er versuchte, den Tempel zu entweihen, haben wir ihn gefasst.[a] [8] Wenn du ihn verhörst, wirst du feststellen, dass unsere Beschuldigungen wahr sind.«

[9] Die anderen Juden unterstützten die Anklagerede in allen Punkten und erklärten, dass sie die reine Wahrheit enthielte.

Paulus verteidigt sich vor Felix

[10] Auf einen Wink des Statthalters stand Paulus auf und sagte: »Weil ich weiß, dass du seit vielen Jahren Richter für dieses Volk bist, will ich mich gern vor dir verantworten. [11] Wie du leicht nachprüfen kannst, bin ich erst vor zwölf Tagen nach Jerusalem gekommen, um im Tempel zu beten. [12] Dabei habe ich weder im Tempel noch in den Synagogen oder in der Öffentlichkeit mit jemandem gestritten oder gar einen Aufstand unter dem Volk angezettelt. [13] Deshalb gibt es auch keinerlei Beweise für die Anklagen, die gegen mich vorgebracht wurden.

[14] Dies eine bekenne ich allerdings offen: Ich diene dem Gott unserer Vorfahren, und zwar nach der Glaubensrichtung, die sie für eine Sekte halten. Ich glaube alles, was im Gesetz des Mose und in den Propheten steht. [15] Wie meine Ankläger habe ich die Hoffnung, dass Gott alle Menschen vom Tod auferwecken wird – sowohl die Menschen, die ihm gedient haben, als auch die anderen, die nichts von ihm wissen wollten. [16] Deshalb bemühe ich mich auch, immer ein reines Gewissen vor Gott und den Menschen zu haben.

[17] Nachdem ich viele Jahre nicht in Jerusalem gelebt habe, bin ich nun zurückgekehrt, um mit einer Geldspende meinem Volk zu helfen und um Gott im Tempel ein Opfer darzubringen. [18] Als ich gerade – unauffällig und ohne jedes Aufsehen – das Reinigungsopfer brachte, erkannten mich [19] einige Juden aus der Provinz Asia. Sie müssten eigentlich hier als Ankläger auftreten, wenn wirklich etwas

---

[a] Einige Textzeugen fügen hinzu: [6b] Wir wollten ihn nach unseren Gesetzen aburteilen. [7] Aber der Kommandant Lysias kam dazu und ließ ihn durch seine Soldaten abführen. [8a] Außerdem befahl er, die Anklage gegen ihn bei dir vorzubringen.

23,34 22,3 **24,1** 23,2 **24,5** 17,6 **24,6** 21,28–29 **24,11** 21,15 **24,14** 26,22–23; Röm 3,31; 7,1–6 **24,15** 4,2; 23,6; 24,21; 1 Kor 15,23–25; 1 Thess 4,14; Dan 12,2 **24,16** 23,1; 2 Kor 1,12 **24,17** Gal 2,10*; 1 Kor 9,20 **24,18–19** 21,26–27

gegen mich vorzubringen wäre! [20] Oder lass dir von den hier Anwesenden sagen, welche Verbrechen sie mir vorwerfen konnten, als ich vor dem Hohen Rat stand. [21] Es kann lediglich der Satz gewesen sein, den ich allen Versammelten zurief: ›Weil ich an die Auferstehung der Toten glaube, werde ich heute angeklagt!‹«

[22] Felix, der über den Glauben der Christen viel wusste, vertagte daraufhin die Verhandlung und sagte: »Wenn der Kommandant Lysias hier ist, werde ich die Sache entscheiden!« [23] Paulus blieb weiter in Haft. Aber Felix wies den verantwortlichen Hauptmann an, die Haft zu mildern. Außerdem durften Angehörige und Freunde Paulus versorgen.

Felix will sich nicht entscheiden

[24] Nach einigen Tagen ließen Felix und seine jüdische Frau Drusilla den Gefangenen Paulus zu sich rufen. Sie wollten mehr über den Glauben an Jesus Christus hören. [25] Aber als Paulus von einem Leben, das Gott gefällt, von Selbstbeherrschung und dem künftigen Gericht Gottes sprach, erschrak Felix und sagte schnell: »Für heute reicht es! Wenn ich mehr Zeit habe, werde ich dich wieder rufen lassen.« [26] Insgeheim hoffte er, von Paulus Bestechungsgelder zu bekommen. Deshalb ließ er ihn häufig zu sich holen und unterhielt sich mit ihm.

[27] Nach zwei Jahren wurde Felix von Porzius Festus abgelöst. Um den Juden am Ende seiner Amtszeit noch einen Gefallen zu tun, ließ er Paulus als Gefangenen zurück.

Die Verhandlung vor Festus

25 Drei Tage nachdem Festus sein Amt angetreten hatte, reiste er von Cäsarea nach Jerusalem. [2] Dort kamen die Hohenpriester und die einflussreichsten Juden zu ihm, um Paulus erneut anzuklagen. [3] Als ein Zeichen seines Wohlwollens baten sie Festus darum, Paulus nach Jerusalem bringen zu lassen. In Wirklichkeit wollten sie den Gefangenen unterwegs überfallen und töten. [4] Aber Festus lehnte den Vorschlag ab: »Paulus bleibt in Cäsarea«, entschied er. »Ich reise bald wieder zurück. [5] Wenn er tatsächlich etwas Unrechtes getan hat, können eure Anklagevertreter mitkommen und ihn verklagen.«

[6] Nach etwa acht bis zehn Tagen kehrte Festus nach Cäsarea zurück. Schon am folgenden Tag setzte er die Verhandlung an und ließ Paulus vorführen. [7] Kaum hatte man ihn hereingebracht, da drängten sich die Juden aus Jerusalem um Paulus und beschuldigten ihn schwer. Aber sie konnten nichts beweisen. [8] Paulus verteidigte sich mit den Worten: »Ich habe weder gegen das Gesetz der Juden verstoßen noch den Tempel entweiht oder die Gesetze des Kaisers übertreten.«

Paulus beruft sich auf den Kaiser

[9] Festus wollte den Juden einen Gefallen tun und fragte Paulus: »Bist du damit einverstanden, dass wir deinen Prozess unter meinem Vorsitz in Jerusalem weiterführen?« [10] Paulus erwiderte: »Für mich ist das Gericht des Kaisers zuständig. Wie du weißt, habe ich das jüdische Recht nicht verletzt. [11] Sollte ich ein Unrecht begangen haben, das mit dem Tod bestraft werden muss, dann bin ich bereit zu sterben. Wenn die Beschuldigungen der Juden aber unbegründet sind, darf mich auch niemand an sie ausliefern. Ich fordere, dass meine Angelegenheit vor dem Kaiser in Rom verhandelt wird!« [12] Nachdem Festus sich mit seinen Beratern besprochen hatte, entschied er: »Du hast dich auf den Kaiser berufen; man wird dich also vor den Kaiser bringen.«

Festus berät sich mit König Agrippa

[13] Einige Tage später kamen König Agrippa und seine Schwester Berenike nach

---

24,21 23,6 **24,25** 23,26 **25,2–3** 23,12–15 **25,8** 24,10–21 **25,9** 24,27 **25,11–12** 25,25; 26,31–32

Cäsarea, um Festus offiziell zu begrüßen. [14]Während ihres mehrtägigen Aufenthaltes sprach Festus mit dem König über Paulus. »Von meinem Vorgänger Felix«, so erklärte Festus, »habe ich einen Gefangenen übernommen, dessen Fall noch nicht entschieden wurde. [15]Kurz nach meiner Ankunft in Jerusalem erschienen seinetwegen die Hohenpriester und die führenden Männer der Juden bei mir. Sie verlangten seine Verurteilung. [16]Ich antwortete ihnen aber, dass die Römer einen Menschen erst verurteilen, wenn er sich in einem ordentlichen Gerichtsverfahren vor seinen Anklägern persönlich verteidigen konnte. [17]Nachdem sie hierher gekommen waren, zögerte ich nicht und setzte schon am nächsten Tag die Gerichtsverhandlung an, bei der ich den Gefangenen vorführen ließ. [18]Doch ein Verbrechen, wie ich es vermutet hatte, konnten ihm seine Ankläger nicht vorwerfen. [19]Es ging lediglich um Streitfragen ihrer Religion und um irgendeinen verstorbenen Jesus, von dem Paulus behauptet, dass er am Leben ist. [20]Nun kenne ich mich auf diesem Gebiet sehr wenig aus. Deshalb schlug ich Paulus vor, die Verhandlung in Jerusalem fortzuführen. [21]Doch Paulus verlangte, vor den Kaiser gebracht zu werden, und forderte dessen Entscheidung. So befahl ich, ihn weiter in Haft zu halten, bis ich ihn vor den Kaiser bringen kann.«

[22]»Diesen Mann würde ich gern selber einmal hören!«, erwiderte Agrippa. »Morgen hast du die Möglichkeit dazu«, antwortete Festus. [23]Am folgenden Tag zogen Agrippa und Berenike mit ihrem ganzen Hofstaat in den Gerichtssaal ein. Sie wurden von hohen Offizieren und den vornehmsten Bürgern der Stadt begleitet. Auf einen Befehl des Festus brachte man Paulus herein.

[24]Festus begann: »König Agrippa! Verehrte Anwesende! Vor euch steht der Mann, dessen Hinrichtung alle Juden in Jerusalem wie auch hier lautstark gefordert haben. [25]Aus meiner Sicht hat er allerdings nichts getan, was die Todesstrafe rechtfertigen würde. Weil er sich aber selbst auf den Kaiser berufen hat, werde ich ihn nach Rom bringen lassen. [26]Doch ich weiß nicht, was ich dem Kaiser als Anklageschrift vorlegen soll. Deshalb habe ich ihn euch vorführen lassen, besonders dir, König Agrippa, damit ich nach dem Verhör weiß, was ich schreiben soll. [27]Denn es wäre doch unsinnig, einen Gefangenen vor den Kaiser zu bringen, ohne sagen zu können, was gegen ihn vorliegt.«

Die Verteidigungsrede des Paulus

26 Nun sagte Agrippa zu Paulus: »Du darfst dich jetzt selbst verteidigen.« Paulus hob die Hand und begann: [2]»Ich bin sehr froh, König Agrippa, dass ich mich wegen der Anschuldigungen der Juden vor dir rechtfertigen kann; [3]denn du kennst ja die jüdischen Sitten und Lehren sehr genau. Darum bitte ich dich, mich geduldig anzuhören. [4]Zunächst: Weil ich seit meiner Jugend in Jerusalem lebte, bin ich allen Juden dort sehr gut bekannt. [5]Wenn sie es nur wollten, könnten sie bezeugen, dass ich von Anfang an zur strengsten jüdischen Glaubensrichtung, zu den Pharisäern, gehört habe. [6]Heute stehe ich nun vor Gericht, weil ich an die Zusagen glaube, die Gott unseren Vorfahren gab. [7]Auf ihre Erfüllung warten die zwölf Stämme Israels, die Gott Tag und Nacht dienen. Und trotzdem, König Agrippa, werde ich wegen dieser Hoffnung von den Juden angeklagt! [8]Warum erscheint es euch denn so unglaublich, dass Gott Tote auferweckt?

[9]Zwar meinte auch ich zunächst, man müsste den Glauben an Jesus von Nazareth mit allen Mitteln bekämpfen. [10]Und das habe ich in Jerusalem auch getan. Ich ließ mir eine Vollmacht des Hohenpriesters geben und brachte viele Christen ins Gefängnis. Wenn sie zum Tode verurteilt

---

25,14 24,27 **25,15** 25,2 **25,18–20** 18,14–15; 23,29 **25,21** 25,11–12 **25,25** 21,36; 26,31 **26,5** 23,6; Phil 3,5 **26,6–8** Dan 12,2; Joh 5,28; 1 Kor 15,23–25; 1 Thess 4,14 **26,9–11** 8,3*

werden sollten, stimmte ich dafür. [11] In den Synagogen quälte ich sie so lange, bis sie Christus verleugneten. In meinem maßlosen Hass verfolgte ich sie schließlich sogar bis ins Ausland.

[12] Aus diesem Grund reiste ich im Auftrag der Hohenpriester und mit ihrer Vollmacht versehen nach Damaskus. [13] Plötzlich umstrahlte mich und meine Begleiter mitten am Tag, o König, ein Licht vom Himmel, das heller als die Sonne war. [14] Wir stürzten zu Boden, und ich hörte eine Stimme in hebräischer Sprache: ›Saul, Saul, warum verfolgst du mich? Dein Kampf gegen mich ist sinnlos.‹[a]

[15] Ich fragte: ›Herr, wer bist du?‹, worauf er antwortete: ›Ich bin Jesus, den du verfolgst! [16] Aber steh jetzt auf; denn ich bin dir erschienen, damit du mir dienst. Du sollst bezeugen, was du heute erlebt hast und was ich dir in Zukunft zeigen werde. [17] Ich will dich behüten vor deinem Volk und vor den Völkern, die nichts von mir wissen. Zu ihnen sende ich dich. [18] Du sollst ihnen die Augen öffnen, damit sie sich von der Finsternis dem Licht zuwenden und aus der Herrschaft des Satans zu Gott kommen. Dann werde ich ihnen die Sünden vergeben, und weil sie an mich glauben, haben sie einen Platz unter denen, die zu mir gehören.‹

[19] Was diese Erscheinung vom Himmel mir aufgetragen hat, habe ich befolgt, König Agrippa. [20] Zuerst habe ich in Damaskus und Jerusalem gepredigt, dann in Judäa und bei den übrigen Völkern. Überall habe ich verkündet, die Menschen sollten *sich* von der Sünde abwenden, zu Gott umkehren und durch ihr Leben zeigen, dass sie sich geändert haben.

[21] Allein deswegen haben mich die Juden im Tempel ergriffen, und deswegen wollen sie mich umbringen. [22] Aber Gott hat mich bewahrt, so dass ich noch heute vor allen, den Machthabern wie dem einfachen Volk, bezeugen kann, was schon die Propheten und Mose vorhergesagt haben: [23] Christus, der versprochene Retter, muss leiden und wird als Erster von den Toten auferstehen, um den Juden, aber auch allen anderen Völkern das Licht zu bringen.«

[24] An dieser Stelle unterbrach ihn Festus erregt: »Du bist wahnsinnig, Paulus! Vor lauter Studieren hast du den Verstand verloren!« [25] Doch Paulus erwiderte: »Ich bin nicht wahnsinnig, verehrter Festus. Meine Worte sind wahr, und ich weiß, was ich sage. [26] Der König, zu dem ich in aller Offenheit spreche, kann das bestätigen. Ich bin überzeugt, dass er davon erfahren hat, denn schließlich ist das nicht in irgendeinem verborgenen Winkel der Welt geschehen. [27] Glaubst du den Propheten, König Agrippa? Du glaubst ihnen! Ich weiß es.« [28] Jetzt sagte Agrippa: »Es fehlt nicht viel, und du überredest mich noch, ein Christ zu werden!« [29] »Ich bete zu Gott«, entgegnete Paulus, »dass nicht nur du, sondern alle hier über kurz oder lang Christen würden wie ich – allerdings ohne Fesseln!«

[30] Da erhoben sich der König, der Statthalter, Berenike und alle anderen. [31] Nach der anschließenden Beratung erklärten sie einstimmig: »Dieser Mann hat nichts getan, wofür er die Todesstrafe oder Haft verdient hätte.« [32] »Wir könnten diesen Mann freilassen«, meinte Agrippa zu Festus, »hätte er sich nicht auf den Kaiser berufen.«

Auf dem Weg nach Rom

27 Nachdem feststand, dass wir nach Italien segeln sollten, wurde Paulus mit einigen anderen Gefangenen dem Hauptmann Julius vom kaiserlichen Regiment übergeben. [2] Wir gingen an Bord eines Schiffes, das aus Adramyttion kam und verschiedene Häfen der Provinz Asia anlaufen sollte. Dann stachen wir in See. Uns begleitete auch der Mazedonier Aristarch aus Thessalonich. [3] Am nächs-

[a] Wörtlich: Schwer ist es für dich, gegen den Stachel auszuschlagen.

26,12–18 9,1–16 **26,19–20** 20,21; Gal 1,16–17 **26,22–23** 3,18; 17,2–3; Lk 24,44–46*; 1 Kor 15,20 **26,26** Joh 18,20 **26,31** 21,36; 25,25 **26,32** 25,11–12 **27,2** 19,29; Kol 4,10 **27,3** 24,23; 28,16

ten Tag legten wir in Sidon an. Der Hauptmann Julius war sehr freundlich zu Paulus und gestattete ihm, seine Freunde zu besuchen, die ihn mit allem Nötigen versorgten. [4]Wegen des ungünstigen Windes blieben wir in Küstennähe und segelten im Schutz der Insel Zypern weiter. [5]Nachdem unser Schiff das offene Meer vor Zilizien und Pamphylien durchquert hatte, erreichten wir Myra in der Provinz Lyzien. [6]Dort fand unser Hauptmann ein Schiff aus Alexandria, das nach Italien segelte. Mit diesem Schiff setzten wir unsere Reise fort.

[7]Wir kamen sehr langsam voran und erreichten nur mit Mühe Knidos. Weil der Wind immer noch ungünstig war, segelten wir südwärts nach Kreta und im Schutz dieser Insel in Richtung Salmone. [8]Langsam trieben wir an der Küste entlang und erreichten einen Ort, der Guter Hafen heißt; ganz in der Nähe lag die Stadt Lasäa.

[9]Inzwischen war viel Zeit vergangen. Das Fasten im Herbst war bereits vorüber, und die Seefahrt begann gefährlich zu werden. Deshalb warnte Paulus: [10]»Ihr Männer, wenn wir weitersegeln, sehe ich große Gefahren und Schwierigkeiten, und zwar nicht nur für das Schiff und seine Ladung, sondern auch für unser Leben.«

[11]Doch der Hauptmann gab mehr auf das Urteil des Kapitäns, zumal auch der Besitzer des Schiffes zur Weiterfahrt riet. [12]Weil sich außerdem der Hafen zum Überwintern schlecht eignete, bestanden die meisten darauf, weiterzufahren. Wenn irgend möglich, wollte man den Hafen Phönix erreichen. Er liegt ebenfalls auf der Insel Kreta und ist nach Nordwesten und Südwesten offen; deshalb kann man dort gut überwintern.

Eine gefährliche Überfahrt

[13]Als Südwind aufkam, fühlte sich die Schiffsbesatzung in ihrem Plan bestärkt. Sie lichteten die Anker und segelten dicht an der Küste Kretas entlang. [14]Doch schon bald schlug das Wetter um: Der gefürchtete Nordoststurm kam auf [15]und trieb das Schiff auf das offene Meer hinaus. Vergeblich versuchte die Mannschaft Kurs zu halten. Wir trieben dahin, Wind und Wogen ausgeliefert.

[16]Im Schutz der kleinen Insel Kauda versuchten wir, das Rettungsboot einzuholen. Es gelang nur mit Mühe. [17]Um den Rumpf des Schiffes zu verstärken und zu sichern, banden die Seeleute dicke Taue um das Schiff. Außerdem warfen sie den Treibanker aus, weil sie fürchteten, sonst auf die Sandbänke vor der afrikanischen Küste zu geraten. Dann ließen sie das Schiff dahintreiben. [18]Der Sturm wurde so stark, dass die Besatzung am nächsten Tag einen Teil der Ladung über Bord warf, [19]tags darauf sogar die Schiffsausrüstung. [20]Tagelang sahen wir weder Sonne noch Sterne, und der Orkan tobte so heftig weiter, dass schließlich keiner mehr an eine Rettung glaubte.

[21]Während dieser ganzen Zeit hatte niemand etwas gegessen. Da sagte Paulus zu der Schiffsbesatzung: »Ihr Männer! Es wäre besser gewesen, ihr hättet auf mich gehört und in Kreta überwintert. Dann wären uns allen diese Ängste und Schwierigkeiten erspart geblieben. [22]Doch jetzt bitte ich euch eindringlich: Gebt nicht auf! Keiner von uns wird umkommen, nur das Schiff ist verloren. [23]In der letzten Nacht stand neben mir ein Engel des Gottes, dem ich gehöre und dem ich diene. [24]Er sagte: ›Fürchte dich nicht, Paulus. Du wirst vor den Kaiser gebracht werden, und auch alle anderen auf dem Schiff wird Gott deinetwegen am Leben lassen.‹ [25]Deshalb habt keine Angst! Ich vertraue Gott. Es wird sich erfüllen, was er mir gesagt hat. [26]Wir werden auf einer Insel stranden.« [27]Wir trieben schon die vierzehnte Sturmnacht im Adriatischen Meer. Gegen Mitternacht meinten die Matrosen, dass sich das Schiff einer Küste näherte. [28]Deshalb warfen sie ein Lot aus und maßen eine Wassertiefe von etwa

---

27,9–10 2 Kor 11,25–26 **27,23–24** 8,26; 18,9

vierzig Metern. Kurz darauf waren es nur noch etwa dreißig Meter. [29] Da bekamen sie Angst, auf ein Küstenriff aufzulaufen. Sie warfen am Heck vier Anker aus und warteten sehnsüchtig darauf, dass es hell würde.

[30] Noch in der Dunkelheit versuchten die Matrosen, das Schiff heimlich zu verlassen. Unter dem Vorwand, sie müssten auch vom Bug aus Anker auswerfen, wollten sie das Rettungsboot zu Wasser lassen. [31] Doch Paulus machte dem Hauptmann und den Soldaten klar: »Wenn die Besatzung nicht auf dem Schiff bleibt, sind wir alle verloren.« [32] Da kappten die Soldaten die Haltetaue, und das Rettungsboot stürzte in die Tiefe.

[33] Im Morgengrauen forderte Paulus alle auf, endlich etwas zu essen. »Ihr habt vierzehn Tage lang gehungert«, sagte er. [34] »Wenn ihr überleben wollt, müsst ihr jetzt etwas essen! Und ihr dürft sicher sein: Euch wird nichts passieren. Keinem von euch wird auch nur ein Haar gekrümmt werden!« [35] Nachdem Paulus das gesagt hatte, nahm er ein Brot, dankte Gott laut und vernehmlich, so dass alle es hören konnten, und begann zu essen. [36] Da fassten alle neuen Mut und aßen ebenfalls. [37] Insgesamt waren wir 276 Mann an Bord. [38] Als alle gegessen hatten, warfen sie die restliche Ladung Getreide über Bord, damit das Schiff leichter wurde.

Rettung in letzter Minute

[39] Bei Tagesanbruch wusste keiner der Seeleute, welche Küste vor ihnen lag. Sie entdeckten aber eine Bucht mit flachem Strand. Dahin wollten sie das Schiff treiben lassen. [40] Sie kappten sämtliche Ankertaue, ließen die Anker im Meer zurück und machten die Steuerruder klar. Schließlich hissten sie das Vorsegel und hielten mit dem Wind auf das Land zu. [41] Kurz darauf lief das Schiff auf eine Sandbank auf. Während der Bug fest eingerammt war, wurde das Heck des Schiffes von der Brandung zertrümmert.

[42] Jetzt wollten die Soldaten alle Gefangenen töten, damit keiner von ihnen an Land schwamm und entkam. [43] Doch der Hauptmann Julius hinderte sie daran, weil er Paulus retten wollte. Er befahl zunächst allen Schwimmern, über Bord zu springen und so das Ufer zu erreichen. [44] Dann sollten die Nichtschwimmer versuchen, auf Brettern und Wrackteilen an Land zu kommen. Auf diese Weise konnten sich alle retten.

Auf der Insel Malta

28 Als wir in Sicherheit waren, erfuhren wir, dass die Insel Malta hieß. [2] Ihre Bewohner waren sehr freundlich. Sie zündeten ein Feuer an und nahmen uns bei sich auf; denn es hatte zu regnen begonnen, und es war sehr kalt. [3] Paulus sammelte trockenes Reisig und warf es ins Feuer. Von der Hitze aufgescheucht, fuhr plötzlich eine Schlange heraus und biss sich an seiner Hand fest. [4] Die Inselbewohner sahen die Schlange an seiner Hand und riefen entsetzt: »Das muss ein Mörder sein. Er ist dem Meer entkommen, und nun straft ihn die Göttin der Rache!« [5] Aber Paulus schleuderte das Tier ins Feuer, ohne dass ihm etwas geschehen wäre. [6] Gespannt warteten die Leute darauf, dass sein Arm anschwellen oder Paulus plötzlich tot umfallen würde. Doch als sie auch nach langer Zeit nichts Ungewöhnliches beobachten konnten, änderten sie ihre Meinung. Jetzt sagten sie: »Er muss ein Gott sein!« [7] Ganz in der Nähe der Küste lag das Landgut, das dem Statthalter der Insel gehörte. Er hieß Publius. Von ihm wurden wir freundlich aufgenommen, und wir blieben drei Tage dort. [8] Während dieser Zeit bekam der Vater des Publius Fieber und erkrankte an der Ruhr. Paulus ging zu ihm, betete, legte ihm die Hände auf, und der Kranke war wieder gesund. [9] Als das bekannt wurde, kamen auch alle an-

28,5 Mk 16,18 **28,6** 14,11 **28,8–9** 19,11–12

deren Kranken der Insel und ließen sich heilen. [10]Sie beschenkten uns überreich, und bei unserer Abfahrt versorgten sie uns mit allem, was wir brauchten.

Ankunft in Rom

[11]Drei Monate später segelten wir mit einem Schiff weiter, das aus Alexandria kam und in Malta überwintert hatte. Man konnte es an seinen Gallionsfiguren, den »Zwillingen«[a], erkennen. [12]Wir liefen Syrakus an und blieben drei Tage dort. [13]In Küstennähe ging es von da weiter nach Rhegion. Weil schon nach einem Tag ein günstiger Südwind aufkam, erreichten wir in nur zwei Tagen Puteoli. [14]Dort begegneten wir Christen. Sie luden uns ein, eine Woche bei ihnen zu bleiben. Und dann brachen wir auf nach Rom.

[15]Die Christen in Rom hatten schon von uns gehört und kamen uns bis zum Forum des Appius und Tres-Tabernae entgegen. Als Paulus sie sah, dankte er Gott und blickte mit neuem Mut in die Zukunft.

Paulus in Rom

[16]In Rom erlaubte man Paulus, eine eigene Wohnung zu nehmen, in der er von einem Soldaten bewacht wurde. [17]Drei Tage nach seiner Ankunft lud er die führenden Männer der jüdischen Gemeinde zu sich ein. Als sich alle versammelt hatten, sagte er:

»Liebe Brüder! Ich habe nichts gegen unser Volk und nichts gegen die Überlieferungen unserer Vorfahren getan. Trotzdem hat man mich in Jerusalem gefangen genommen und an die Römer ausgeliefert. [18]Sie haben mich verhört, und weil sie nichts fanden, was die Todesstrafe gerechtfertigt hätte, wollten sie mich freilassen. [19]Aber die Juden waren dagegen. Nur deshalb musste ich mich auf den Kaiser berufen; nicht etwa, weil ich die Absicht habe, mein Volk in irgendeiner Weise anzuklagen. [20]Um euch das zu sagen, habe ich euch hergebeten, denn ich trage diese Ketten, weil ich an den Messias glaube, auf den ganz Israel hofft.«

[21]Darauf sagten die Juden zu Paulus: »Wir haben bisher aus Judäa weder in einem Brief noch von irgendwelchen Abgesandten etwas Nachteiliges über dich gehört. [22]Wir würden aber gern erfahren, was du zu sagen hast, denn uns ist von dieser Glaubensrichtung bisher nur bekannt, dass sie sehr umstritten ist.«

[23]An einem festgesetzten Tag kamen viele Juden in die Wohnung des Paulus. Er sprach zu ihnen über Gottes neue Welt und erklärte ihnen alles. Vom Morgen bis zum Abend erzählte er ihnen von Jesus und zeigte ihnen, wie bereits das Gesetz des Mose und die Bücher der Propheten auf Jesus hingewiesen hatten. [24]Einige ließen sich auch überzeugen, andere aber wollten nichts davon wissen.

[25]Zerstritten und uneinig verließen sie Paulus, als er sagte: »Der Heilige Geist hatte Recht, als er euren Vorfahren durch den Propheten Jesaja sagen ließ: [26]›Geh zu diesem Volk und sprich: Ihr werdet hören und nicht verstehen, sehen und nicht erkennen. [27]Denn das Herz dieses Volkes ist hart und gleichgültig. Sie sind schwerhörig und verschließen die Augen. Deshalb sehen und hören sie nicht. Sie sind nicht einsichtig und wollen nicht zu mir umkehren, darum kann ich ihnen nicht helfen und sie heilen!‹[b]«

[28]»Das sollt ihr wissen«, fügte Paulus hinzu: »Diese Rettung, die Gott schenkt, wird jetzt anderen Völkern gebracht, und sie werden sie annehmen!«[c]

---

[a] Wörtlich: Dioskuren (die Zeus-Söhne Kastor und Pollux).
[b] Jesaja 6,9–10
[c] Andere Textzeugen fügen hinzu (Vers 29): Als Paulus dies gesagt hatte, gingen die Juden heftig streitend aus dem Haus.

28,17 21,26–33 **28,18** 25,18–19; 26,31–32 **28,19** 25,11–12 **28,23** 17,2–3; Lk 24,44–46*; Röm 1,2 **28,26–27** 2 Kor 3,14–16 **28,28** Röm 11,17–24

[30] Paulus blieb zwei Jahre in seiner Wohnung. Jeder durfte zu ihm kommen, [31] und niemand hinderte ihn daran, in aller Offenheit über Gottes neue Welt und über den Herrn Jesus Christus zu predigen und zu lehren.

Der Brief des Paulus an die Christen in Rom

Anschrift und Gruß

1 Diesen Brief schreibt Paulus, der Jesus Christus dient und von ihm zum Apostel berufen worden ist.

In Gottes Auftrag verkündet er die rettende Botschaft. [2]Gott hat sie in der Heiligen Schrift schon lange durch seine Propheten angekündigt. [3/4]Es ist die Botschaft von seinem Sohn Jesus Christus, unserem Herrn. Als Mensch aus Fleisch und Blut ist er ein Nachkomme König Davids. Durch die Kraft des Heiligen Geistes wurde er von den Toten auferweckt, und so bestätigte Gott ihn als seinen Sohn.

[5]Ich habe seine Liebe erfahren und bin als sein Apostel beauftragt, in seinem Namen bei allen Völkern Menschen für Gott zu gewinnen, damit sie an ihn glauben und auf ihn hören. [6]Auch euch hat Jesus Christus zum Glauben gerufen, ihr gehört jetzt zu ihm.

[7]Diesen Brief schreibe ich an alle in Rom, die von Gott geliebt und dazu berufen sind, ganz zu ihm zu gehören. Ich wünsche euch Gnade und Frieden von Gott, unserem Vater, und unserem Herrn Jesus Christus!

Paulus will die Christen in Rom kennen lernen

[8]Zunächst danke ich meinem Gott durch Jesus Christus dafür, dass man von eurem Glauben überall in der Welt nur Gutes hört. [9]Und wie oft ich an euch denke, dafür ist Gott mein Zeuge. Ihm diene ich von ganzem Herzen, indem ich die rettende Botschaft von seinem Sohn verkünde.

[10]Gott weiß auch, dass ich im Gebet immer und immer wieder darum bitte, euch endlich einmal besuchen zu können, wenn es sein Wille ist. [11]Denn ich möchte euch sehr gern persönlich kennen lernen und euren Glauben stärken, indem ich etwas von dem weitergebe, was mir Gottes Geist geschenkt hat. [12]Aber auch ihr würdet mir neuen Mut geben; so würden wir uns alle in unserem gemeinsamen Glauben gegenseitig ermuntern.

[13]Ihr könnt euch gar nicht vorstellen, liebe Brüder und Schwestern, wie oft ich schon zu euch kommen wollte. Bis jetzt war das nicht möglich. Nur allzu gern würde ich auch bei euch wie bei anderen Völkern Menschen für Christus gewinnen. [14]Denn ich fühle mich allen verpflichtet, ob sie nun eine hohe Kultur haben oder nicht, ob sie gebildet oder ungebildet sind. [15]Soweit es an mir liegt, möchte ich auch bei euch in Rom die rettende Botschaft verkünden.

Gottes Botschaft hat große Kraft

[16]Ich schäme mich nicht für die rettende Botschaft. Sie ist eine Kraft Gottes, die alle befreit, die darauf vertrauen; zuerst die Juden, aber auch alle anderen Menschen. [17]Durch sie zeigt Gott, wie er ist: Er sorgt dafür, dass unsere Schuld gesühnt wird und wir mit ihm Gemeinschaft haben können. Dies geschieht, wenn wir uns allein auf das verlassen, was Gott für

---

1,1 Apg 9,15* **1,2** 3,21; 16,25–26; Lk 1,70; 24,44–46; 1 Petr 1,10–12 **1,3–4** Mk 15,39*; Gal 4,4; 1 Tim 3,16; Hebr 4,14–15; Mt 20,30–31*; Joh 1,34*; Apg 13,32–33 **1,5** Apg 9,15* **1,8** 16,19 **1,10–13** 15,22–24.32; Apg 19,21 **1,14** 1 Kor 9,19–23 **1,16** Mk 8,38; 1 Kor 1,24; 2,5; 2 Tim 1,8 **1,17** 1,3–4; 3,21–22; 10,10–11; 1 Kor 15,1–4; Gal 3,11; Phil 3,9; 2 Tim 1,10

uns getan hat. So heißt es schon in der Heiligen Schrift: »Nur der wird Gottes Anerkennung finden und leben, der ihm vertraut.«[a]

Gottes Gericht über alle, die ohne ihn leben wollen

[18] Gott lässt aber auch seinen Zorn sichtbar werden. Vom Himmel herab trifft er alle Menschen, die sich gegen Gott auflehnen und so die Wahrheit mit Füßen treten. Sie führen ein Leben ohne Gott und tun, was ihm missfällt. [19] Dabei wissen sie ganz genau, dass es Gott gibt, er selbst hat ihnen dieses Wissen gegeben. [20] Gott ist zwar unsichtbar, doch an seinen Werken, der Schöpfung, haben die Menschen seit jeher seine göttliche Macht und Größe sehen und erfahren können. Sie haben also keine Entschuldigung. [21] Denn obwohl sie schon immer von Gott wussten, wollten sie ihn nicht anerkennen und ihm nicht danken. Stattdessen kreisten ihre Gedanken um Belangloses, und da sie so unverständig blieben, wurde es schließlich in ihren Herzen finster. [22] Sie wähnten sich besonders klug und waren die größten Narren. [23] Statt den ewigen Gott in seiner Herrlichkeit anzubeten, verehrten sie Götzenstatuen von sterblichen Menschen, von Vögeln und von vierfüßigen und kriechenden Tieren. [24] Deshalb hat Gott sie all ihren Trieben und Leidenschaften überlassen, so dass sie sogar ihre eigenen Körper entwürdigten. [25] Sie haben Gottes Wahrheit verdreht und ihrer eigenen Lüge geglaubt. Sie haben die Schöpfung angebetet und nicht den Schöpfer. Ihm allein aber gehören Lob und Ehre bis in alle Ewigkeit. Amen.

[26] Weil die Menschen Gottes Wahrheit mit Füßen traten, gab Gott sie ihren abscheulichen Leidenschaften preis: Ihre Frauen haben die natürliche Sexualität aufgegeben und gehen gleichgeschlechtliche Beziehungen ein. [27] Ebenso haben die Männer die natürliche Beziehung zur Frau mit einer unnatürlichen vertauscht: Männer begehren Männer und lassen ihrer Lust freien Lauf. So erfahren sie die gerechte Strafe für ihren Götzendienst am eigenen Leib.

[28] Gott war ihnen gleichgültig; sie gaben sich keine Mühe, ihn zu erkennen. Deshalb überlässt Gott sie einer inneren Haltung, die ihr ganzes Leben verdirbt: [29] Sie sind voller Unrecht und Niedertracht, Habgier, Bosheit und Neid, ja sogar Mord; voller Streit, Hinterlist und Verlogenheit, Klatsch [30] und Verleumdung. Sie hassen Gott, sind gewalttätig, anmaßend und überheblich. Beim Bösen sind sie sehr erfinderisch. Sie verachten ihre Eltern, [31] haben weder Herz noch Verstand, lassen Menschen im Stich und sind erbarmungslos. [32] Dabei wissen sie ganz genau, dass sie nach dem Urteil Gottes dafür den Tod verdient haben. Trotzdem machen sie so weiter wie bisher, ja, sie freuen sich sogar noch, wenn andere es genauso treiben.

Niemand kann sich dem Urteil Gottes entziehen

2 Aber auch ihr anderen – wer immer ihr seid – könnt euch nicht herausreden. Ihr spielt euch als Richter über alle auf, die Unrecht begehen, und sprecht euch damit euer eigenes Urteil. Ihr klagt bei anderen an, was ihr selbst tut. [2] Wir wissen, dass Gott über alle, die so handeln, ein gerechtes Urteil fällen wird. [3] Meint ihr etwa, ihr könntet dem Gericht Gottes entgehen, wenn ihr genauso wie die handelt, die ihr verurteilt? [4] Für wie armselig haltet ihr denn Gottes unendlich reiche Güte, Geduld und Treue? Seht ihr denn nicht, dass gerade diese Güte euch zur Umkehr bewegen will?

---

[a] Habakuk 2,4

1,18 2,5–6; 5,9–10; 1 Thess 1,10; 2 Thess 1,7–10; Ps 76,8–10 **1,19–20** Apg 14,17; Ps 19,2–5 **1,21–22** 1 Kor 1,19–29; Eph 4,17–18 **1,23** 2 Mo 20,3–5* **1,26–27** 3 Mo 18,22; 20,13; 1 Kor 6,9 **1,28–31** 3,10–18; 1 Mo 6,5*; Gal 5,19–21 **1,32** 6,23 **2,1** 14,10; Mt 7,1–2; Jak 4,11–12 **2,4** Apg 17,30; Mk 1,15

[5] Ihr aber weigert euch hartnäckig, zu Gott zu kommen und euer Leben zu ändern. Es ist allein eure Schuld, wenn euch Gottes Zorn am Tag des Gerichts mit ganzer Härte trifft. Wenn Gott sich als der Richter zeigt, [6] wird jeder bekommen, was er verdient hat.

[7] Ewiges Leben in Herrlichkeit und Ehre wird er denen geben, die sich danach sehnen und die mit großer Ausdauer Gutes tun.

[8] Gottes unversöhnlicher Zorn aber wird die treffen, die aus Selbstsucht Gottes Wahrheit leugnen, sich ihr widersetzen und dafür dem Unrecht[a] gehorchen. [9] Angst und Not werden über alle kommen, die Böses tun; zuerst über die Juden, dann aber auch über alle anderen. [10] Aber jedem, der Gutes tut, wird Gott seine Herrlichkeit, Ehre und Frieden schenken, zuerst den Juden, dann auch allen anderen. [11] Denn vor Gott sind alle Menschen gleich.

[12] Wer also Gottes Willen nicht beachtet und gegen seine Gebote handelt, wird sein Leben auf ewig verlieren, auch wenn er Gottes geschriebenes Gesetz gar nicht kannte. Und wer vom Gesetz wusste und dennoch dagegen verstieß, wird von Gott nach dem Gesetz gerichtet werden. [13] Entscheidend ist nämlich nicht, ob man Gottes Gebote kennt. Nur wenn man auch danach handelt, wird man von Gott angenommen.

[14] Freilich gibt es unter den Völkern Menschen, die Gottes Gebote gar nicht kennen und doch danach leben, weil ihr Gewissen ihnen das vorschreibt. [15] Durch ihr Handeln beweisen sie, dass Gottes Gesetz in ihre Herzen geschrieben ist, denn ihr Gewissen und ihre Gedanken klagen sie entweder an oder sprechen sie frei. [16] Was heute noch in den Menschen verborgen ist, wird einmal sichtbar und offenkundig werden, und zwar an dem Tag, an dem Gott durch Jesus Christus die Menschen richten wird. So bezeugt es die rettende Botschaft, die ich verkünde.

Wer gehört wirklich zum Volk Gottes?

[17] Du nennst dich Jude und verlässt dich darauf, dass du Gottes Gesetz kennst, du bist stolz auf deinen Gott [18] und auf dein besonderes Verhältnis zu ihm. Denn du hast Gottes Gebote gelernt und weißt genau, wie man sich verhalten soll. [19] Deshalb traust du dir zu, Blinde führen zu können und für alle, die im Dunkeln tappen, das Licht zu sein. [20] Du willst die Unverständigen erziehen und die Unwissenden belehren, denn du kennst ja das Gesetz, in dem alles über Gott und seine Wahrheit steht.

[21] Doch wenn du die anderen so gut belehren kannst, weshalb nimmst du selbst keine Lehre an? Du predigst, dass man nicht stehlen soll, und stiehlst selber? [22] Du sagst den Leuten, dass sie nicht die Ehe brechen sollen, und tust es selbst? Von anderen verlangst du, keine Götzen anzubeten, und dabei bereicherst du dich an ihren Tempelschätzen. [23] Du bist stolz darauf, dass Gott euch seine Gebote gegeben hat, und dennoch lebst du nicht nach seinen Geboten und bringst ihn so in Verruf. [24] Aber das steht ja schon in der Heiligen Schrift: »Euretwegen werden die Völker Gottes Ehre in den Schmutz ziehen.«[b]

[25] Sicher ist es ein ganz besonderer Vorzug, ein Jude zu sein, wenn du Gottes Gebote befolgst. Tust du dies aber nicht, dann bist du mit denen gleichzustellen, die niemals beschnitten worden sind. [26] Alle, die nach Gottes Geboten leben, gelten vor ihm als beschnitten. [27] Ja, solche Menschen werden sogar über euch

---

[a] Wörtlich: der Ungerechtigkeit.
[b] Jesaja 52,5

2,5–6 Joh 3,19; 2 Kor 5,10* **2,7** Kol 3,3; 1 Tim 1,16 **2,9–10** 2 Kor 5,10* **2,11** 5 Mo 1,16–17; Apg 10,34; 1 Petr 1,17 **2,12–16** 3,19–20 **2,13** Mt 7,21–23; Jak 1,22 **2,16** 1 Kor 4,5; 2 Kor 5,10*; 2 Tim 4,1; Ps 26,2* **2,17–18** 3,9; Mt 3,9; Phil 3,4–6 **2,21–24** Ps 50,16–21; Mt 7,3–5; 23,2–4 **2,23** 3,19 **2,25** Mt 3,8–9

Juden Richter sein; denn ihr habt zwar Gottes Gebote, lebt aber nicht danach. [28] Die jüdische Abstammung und die Beschneidung sind nur äußerlich und lassen noch niemanden wirklich zum Juden werden. [29] Jude ist man im tiefsten Inneren, wenn die Beschneidung mehr bedeutet als die Erfüllung toter Buchstaben. Was wirklich zählt, ist die Beschneidung, die vom Heiligen Geist kommt und einen Menschen völlig verändert. In den Augen der Menschen mag das nicht viel bedeuten, wohl aber bei Gott.

Gott steht zu seinem Wort

3 Welchen Vorteil hat man also davon, ein Jude zu sein, und was nützt die Beschneidung? [2] Das hat durchaus Vorteile! Als Erstes: Gott hat dem jüdischen Volk sein Wort anvertraut. [3] Zwar sind einige ihre eigenen Wege gegangen, aber was ändert das? Kann die Untreue dieser Menschen etwa Gottes Treue aufheben? [4] Niemals! Gott steht auf jeden Fall zu seinem Wort, auch wenn alle Menschen Lügner sind. Es heißt ja schon in der Heiligen Schrift: »Deine Worte, Gott, werden sich als wahr erweisen, und du wirst siegen, wenn man dich verurteilen will.«[a]

[5] Ist es nicht aber so, fragen manche Menschen, dass wir Gott untreu sein müssen, damit Gottes Treue erst richtig zur Geltung kommt? Und ist es eigentlich gerecht von Gott, wenn er uns dann wegen unserer Schuld bestraft? [6] Nein, Gott ist nicht ungerecht! Könnte er denn sonst Richter über uns Menschen sein? [7] Aber fragen wir noch einmal: Wie kann Gott mich als Sünder ansehen und verurteilen, wenn doch erst durch meine Falschheit seine Wahrheit in ihrer ganzen Größe aufstrahlt? [8] Wäre es dann nicht viel besser, nach dem Motto zu leben: »Lasst uns das Böse tun, denn es kommt ja letztlich das Gute dabei heraus!«? Das legen mir einige in den Mund und verleumden mich damit. Sie alle bekommen von Gott ihre gerechte Strafe.

Vor Gott sind alle Menschen schuldig

[9] Haben wir Juden nun irgendeinen Vorzug vor den anderen Menschen? Ich sage: Nein! Denn eben habe ich allen Menschen – ob Juden oder Nichtjuden – bewiesen, dass sie unter der Herrschaft der Sünde leben. [10] Dasselbe sagt schon die Heilige Schrift: »Es gibt keinen, auch nicht einen Einzigen, der ohne Sünde ist. [11] Es gibt keinen, der einsichtig ist und nach Gott fragt. [12] Alle haben sich von ihm abgewandt und sind dadurch für Gott unbrauchbar geworden. Da ist wirklich keiner, der Gutes tut, kein Einziger.[b] [13] Ihre Worte bringen Tod und Verderben.[c] Durch und durch verlogen ist all ihr Reden, und was über ihre Lippen kommt, ist bösartig und todbringend wie Schlangengift.[d] [14] Ihr Mund ist voller Flüche und Gehässigkeiten.[e] [15] Sie sind schnell bereit, Blut zu vergießen. [16] Sie hinterlassen eine Spur der Verwüstung und des Elends. [17] Den Weg zum Frieden kennen sie nicht,[f] [18] denn sie haben keine Ehrfurcht vor Gott.«[g]

[19] Nun wissen wir: Das Gesetz Gottes gilt gerade für die, denen es gegeben wurde. Deshalb kann sich keiner herausreden. Alle Menschen auf der Welt sind vor Gott schuldig. [20] Denn kein Mensch wird jemals vor Gott bestehen, indem er

---

[a] Psalm 51,6
[b] Psalm 14,1–3; 53,2–4
[c] Wörtlich: Ein geöffnetes Grab ist ihr Schlund.
[d] Psalm 5,10; 140,4
[e] Psalm 10,7
[f] Jesaja 59,7–8
[g] Psalm 36,2

2,28–29 4,12; 1 Kor 7,19; Gal 5,6; Phil 3,3; Kol 2,11 **3,2** 9,4 ; Ps 147,19–20 **3,3–4** 11,28–29; 2 Tim 2,13 **3,6** 2 Kor 5,10*; Ps 7,12* **3,7–8** 6,1–2 **3,9** 2,25–26 **3,10–18** 1 Mo 6,5*; Pred 7,20 **3,20** 5,20; 7,7; Gal 2,16*; 3,19

die Gebote erfüllt. Das Gesetz zeigt uns vielmehr unsere Sünde auf.

Wen spricht Gott von seiner Schuld frei?

[21] Jetzt aber hat Gott uns gezeigt, wie wir vor ihm bestehen können, nämlich unabhängig vom Gesetz. Dies ist sogar schon im Gesetz und bei den Propheten bezeugt. [22] Gott spricht jeden von seiner Schuld frei und nimmt jeden an, der an Jesus Christus glaubt. Nur diese Gerechtigkeit lässt Gott gelten.

Denn darin sind die Menschen gleich: [23] Alle sind Sünder und haben nichts aufzuweisen, was Gott gefallen könnte.[a] [24] Aber was sich keiner verdienen kann, schenkt Gott in seiner Güte: Er nimmt uns an, weil Jesus Christus uns erlöst hat. [25] Um unsere Schuld zu sühnen, hat Gott seinen Sohn am Kreuz für uns verbluten lassen. Das erkennen wir im Glauben, und darin zeigt sich, wie Gottes Gerechtigkeit aussieht.

Bisher hat Gott die Sünden der Menschen ertragen; [26] er hatte Geduld mit ihnen. Jetzt aber vergibt er ihnen ihre Schuld und erweist damit seine Gerechtigkeit. Gott allein ist gerecht und spricht den von seiner Schuld frei, der an Jesus Christus glaubt.

[27] Bleibt uns denn nichts, womit wir uns vor Gott rühmen können? – Nein, gar nichts! Woher wissen wir das? Etwa durch das Gesetz, das unsere eigene Leistung verlangt? Nein! Nur durch den Glauben, der uns geschenkt ist.[b]

[28] Also steht fest: Nicht wegen meiner guten Taten werde ich von meiner Schuld freigesprochen, sondern erst, wenn ich mein Vertrauen allein auf Jesus Christus setze.

[29] Gilt dies vielleicht nur für die Juden, weil Gott ein Gott der Juden ist? Oder gilt das auch für die anderen Völker? Natürlich gilt das auch für sie, denn Gott ist für alle Menschen da. [30] Es ist ein und derselbe Gott, der Juden wie Nichtjuden durch den Glauben an Jesus von ihrer Schuld befreit. [31] Bedeutet das etwa, dass wir durch den Glauben das Gesetz Gottes abschaffen? Nein, im Gegenteil! Wir bringen es neu zur Geltung.

Abraham: ein Mensch, der vor Gott bestehen kann

4 Ich möchte das jetzt noch deutlicher machen. Wodurch konnte Abraham, der Stammvater des jüdischen Volkes, vor Gott bestehen? [2] Bestimmt nicht wegen seiner guten Taten! Damit hätte er zwar bei den Menschen Ruhm und Ansehen gewinnen können, nicht aber bei Gott. [3] In der Heiligen Schrift heißt es: »Abraham setzte sein ganzes Vertrauen auf Gott, und so fand er Gottes Anerkennung.«[c]

[4] Es ist doch so: Wenn ich eine Arbeit leiste, habe ich Anspruch auf Lohn. Er ist kein Geschenk, sondern ich habe ihn mir verdient. [5] Aber bei Gott ist das anders. Bei ihm werde ich nichts erreichen, wenn ich mich auf meine Taten berufe. Nur wenn ich Gott vertraue, der den Gottlosen von seiner Schuld freispricht, kann ich vor ihm bestehen. [6] Davon hat schon König David gesprochen, als er den Menschen glücklich nannte, der von Gott ohne jede Gegenleistung angenommen wird. David sagte:

[7] »Glücklich sind alle, denen Gott ihr Unrecht vergeben und ihre Schuld zugedeckt hat! [8] Glücklich ist der Mensch, dem Gott seine Sünden nicht anrechnet.«[d]

[9] Für uns ergibt sich hier die Frage:

---

[a] Wörtlich: (Alle) entbehren der Herrlichkeit Gottes.
[b] Wörtlich: Durch das Gesetz des Glaubens.
[c] 1. Mose 15,6
[d] Psalm 32,1–2

3,21–22 1,16–17; 8,1–4; Apg 10,43 **3,23** 1 Mo 6,5* **3,24** 5,1; Gal 2,16*; Eph 2,8–9 **3,25** 4,25; 5,8–10; 2 Kor 5,18–21* **3,27** 1 Kor 1,29–31; Offb 4,11; Eph 2,8–9 **3,28** Gal 2,16* **3,29–30** 4,11.16; 10,12–13; Eph 2,14.18 **3,31** 7,1–6; 10,4; Mt 5,17; 2 Kor 3,6 **4,3** Gal 3,6–7 **4,5** 3,28; 11,6; Gal 2,16*

Gelten Davids Worte nur für die Juden oder auch für alle anderen? Wie gesagt, es heißt in der Heiligen Schrift: »Abraham setzte sein ganzes Vertrauen auf Gott, und so fand er Gottes Anerkennung.«

[10] Aber nun müssen wir genauer fragen: Wann fand Abraham die Anerkennung Gottes? War es vor oder nach seiner Beschneidung? Wir wissen, dass es vorher war. [11] Denn Abrahams Beschneidung war ja gerade das äußere Zeichen dafür, dass er durch seinen Glauben Anerkennung bei Gott gefunden hatte. Und diese Anerkennung fand er, noch ehe er beschnitten war! Auf diese Weise ist Abraham zum Stammvater für alle Unbeschnittenen geworden, die allein wegen ihres Glaubens von Gott angenommen sind.

[12] Doch Abraham ist ebenso der Vater der Beschnittenen. Allerdings genügt die Beschneidung nicht, um zu seinen Nachkommen gezählt zu werden. Entscheidend ist vielmehr, dass wir denselben Glauben haben, den unser Vater Abraham schon vor seiner Beschneidung hatte.

Gesetz und Glaube

[13] Gott hatte Abraham versprochen, dass er und seine Nachkommen die ganze Welt zum Besitz erhalten würden. Aber dieses Versprechen gab Gott nicht, weil Abraham das Gesetz erfüllte, sondern weil Abraham Gott unerschütterlich vertraute. Damit fand er Gottes Anerkennung. [14] Würde dagegen die Zusage für die gelten, die sich auf die Erfüllung des Gesetzes verlassen, dann wäre der Glaube außer Kraft gesetzt und Gottes Versprechen würde aufgehoben.

[15] Tatsächlich bringt uns das Gesetz nichts als den Zorn Gottes ein. Nur da, wo es kein Gesetz gibt, wird niemand schuldig. [16] Deshalb gilt Gottes Zusage allein dem, der glaubt. Denn was Gott versprochen hatte, sollte ja ein Geschenk sein. Nur so bleibt die Zusage überhaupt gültig, und zwar für alle Nachkommen Abrahams. Das sind nicht nur die Juden, die nach dem Gesetz leben, sondern auch alle anderen Menschen, die Gott so vertrauen wie Abraham. Deshalb ist Abraham der Vater aller.

[17] So sagt Gott schon in der Heiligen Schrift zu Abraham: »Ich habe dich zum Stammvater vieler Völker bestimmt!«[a] Und Abraham vertraute dem Gott, der die Toten lebendig macht und der aus dem Nichts ins Leben ruft. [18] Gott versprach Abraham: »Deine Nachkommen werden so zahlreich wie die Sterne am Himmel sein, und du sollst zum Stammvater vieler Völker werden.«[b]

Abraham glaubte diesen Worten, obwohl alles dagegen sprach. [19] Denn er selbst war fast hundert Jahre alt, und auch seine Frau Sara konnte in ihrem hohen Alter nach menschlichem Ermessen keine Kinder mehr bekommen. Doch sein Glaube wurde nicht erschüttert, [20] er zweifelte nicht und vertraute Gottes Zusage. Sein Glaube wurde dadurch gestärkt, er gab Gott die Ehre [21] und war fest davon überzeugt, dass Gott sein Versprechen erfüllen würde. [22] Deshalb fand er Gottes Anerkennung.

[23] Dass er durch seinen Glauben vor Gott bestehen konnte, ist nicht nur seinetwegen aufgeschrieben worden, [24] sondern auch für uns. Auch wir sollen Gottes Anerkennung finden, denn wir vertrauen ihm, der unseren Herrn Jesus Christus von den Toten auferweckt hat. [25] Jesus musste sterben, um unsere Sünden zu tilgen; er wurde auferweckt, damit wir vor Gott bestehen können.

---

[a] 1. Mose 17,4–5
[b] 1. Mose 15,5

4,11 1 Mo 17,1–16; Gal 3,9 **4,12** 2,28; Mt 3,8–9 **4,13** 1 Mo 12,3*; Gal 3,18 **4,14** Gal 3,10–14 **4,15** 5,13; 7,8–10 **4,16** 3,29–30 **4,19–22** 1 Mo 17,17; 18,1–15; 21,1–7, Hebr 11,11 **4,25** 8,34; 14,9; 1 Kor 15,3–4; 2 Kor 5,18–21*

Mit Gott versöhnt

5 Nachdem wir durch den Glauben von unserer Schuld freigesprochen sind, haben wir Frieden mit Gott durch unseren Herrn Jesus Christus. [2]Wir können ihm vertrauen, er hat uns die Tür zu diesem neuen Leben geöffnet. Im Vertrauen haben wir dieses Geschenk angenommen. Und mehr noch: Wir werden einmal an Gottes Herrlichkeit teilhaben. Diese Hoffnung erfüllt uns mit Freude und Stolz.

[3]Doch nicht nur dafür sind wir dankbar. Wir danken Gott auch für die Leiden, die wir wegen unseres Glaubens auf uns nehmen müssen. Denn Leid macht geduldig, [4]Geduld aber vertieft und festigt unseren Glauben, und das wiederum gibt uns Hoffnung. [5]Und diese Hoffnung geht nicht ins Leere. Denn uns ist der Heilige Geist geschenkt, und durch ihn hat Gott unsere Herzen mit seiner Liebe erfüllt.

[6]Schon damals, als wir noch hilflos der Sünde ausgeliefert waren, ist Christus zur rechten Zeit für uns gottlose Menschen gestorben. [7]Kaum jemand von uns würde für einen anderen Menschen sterben, selbst wenn er schuldlos wäre. Es mag ja vorkommen, dass einer sein Leben für einen ganz besonders gütigen Menschen opfert. [8]Gott aber hat uns seine große Liebe gerade dadurch bewiesen, dass Christus für uns starb, als wir noch Sünder waren.

[9]Wenn wir jetzt von Gott angenommen sind, weil Jesus sein Blut für uns vergossen hat, dann werden wir erst recht am kommenden Gerichtstag vor Gottes Zorn gerettet. [10]Als wir noch seine Feinde waren, hat Gott uns durch den Tod seines Sohnes mit sich selbst versöhnt. Wie viel mehr werden wir, da wir jetzt Frieden mit Gott haben, am Tag des Gerichts bewahrt bleiben, nachdem ja Christus auferstanden ist und lebt[a].

[11]Doch das ist nicht der einzige Grund, Gott zu loben und ihm zu danken: Schon jetzt sind wir ja durch unseren Herrn Jesus Christus mit Gott versöhnt.

Adam brachte den Tod – Christus bringt das Leben

[12]Durch einen einzigen Menschen ist die Sünde in die Welt gekommen und als Folge davon der Tod. Weil nun alle Menschen gesündigt haben, sind sie alle dem Tod ausgeliefert. [13]Demnach war die Sünde schon da, lange bevor Gott durch Mose das Gesetz gab. Aber wo kein Gesetz ist, kann auch keine Schuld angerechnet werden. [14]Dennoch waren alle Menschen von Adam bis zu Mose ebenfalls dem Tod verfallen, auch wenn sie nicht wie Adam bewusst gegen Gottes Willen handelten. Adams Schuld hatte Folgen für alle Menschen. Insofern ist er das genaue Gegenbild zu Christus, der uns erlöst hat.[b]

[15]Freilich lässt sich die Erlösung, die uns Christus geschenkt hat, nicht mit der Sünde Adams vergleichen. Denn durch die Sünde des einen wurde die gesamte Menschheit dem Tod ausgeliefert; durch Jesus Christus aber erfuhren wir in überreichem Maß Gottes Barmherzigkeit und Liebe. [16]Man kann also die Erlösung durch Christus und die Sünde Adams nicht auf eine Stufe stellen. Gottes Urteilsspruch brachte wegen der einen Sünde Adams die Verdammnis; was Christus getan hat, brachte trotz unzähliger Sünden den Freispruch.

[17]Hat aber der Ungehorsam eines einzigen Menschen zur Herrschaft des Todes geführt, um wie viel mehr werden dann alle, die Gottes überreiche Barm-

---

[a] Wörtlich: gerettet werden durch sein Leben.

[b] Wörtlich: Dieser (Adam) ist das Gegenbild des Kommenden.

5,1 Joh 16,33; Gal 5,5; Jes 53,5–6 **5,2** Joh 10,9; 14,6; Tit 2,13* **5,3** 2 Kor 4,17; Kol 1,24.27; 2 Tim 3,12* **5,6–8** Joh 10,11.15; 1 Petr 3,18 **5,9–10** 1,18; 3,25; Kol 1,19–22; 2 Kor 5,18–21*; Tit 2,13* **5,11** Joh 5,24 **5,12** 6,23; 1 Kor 15,46–49; 1 Mo 2,16–17; 3,11–12.19 **5,13** 4,15; 7,7 **5,17** 1 Kor 6,2–4; 2 Tim 2,12

herzigkeit und seine Vergebung erfahren haben, durch Jesus Christus leben und einmal mit ihm herrschen[a].

[18] Es steht also fest: Durch die Sünde *eines* Menschen sind alle Menschen in Tod und Verderben geraten. Aber durch die Erlösungstat *eines* Menschen sind alle mit Gott versöhnt und bekommen neues Leben. [19] Oder anders gesagt: Durch Adams Ungehorsam wurden alle Menschen vor Gott schuldig; aber weil Jesus Christus gehorsam war, werden sie von Gott freigesprochen.

[20] Das Gesetz aber kam später hinzu, um die Wirkung der Sünde zu vergrößern. Denn wo sich die ganze Macht der Sünde zeigte, da erwies sich auch Gottes Barmherzigkeit in ihrer ganzen Größe. [21] Wo bisher die Sünde über alle Menschen herrschte und ihnen den Tod brachte, dort herrscht jetzt Gottes Gnade. Gott spricht uns von unserer Schuld frei und schenkt uns ewiges Leben durch Jesus Christus, unseren Herrn.

Das neue Leben

6 Was bedeutet das nun für uns? Sollen wir etwa weitersündigen, damit Gott Gelegenheit hat, uns seine Barmherzigkeit in ihrer ganzen Größe zu zeigen? [2] Natürlich nicht! Als Christen sind wir für die Sünde tot. Wie könnten wir da noch länger mit ihr leben? [3] Ihr wisst doch, was bei der Taufe geschehen ist: Wir sind auf den Namen Jesu Christi getauft worden und haben damit auch Anteil an seinem Tod. [4] Durch die Taufe sind wir also mit Christus gestorben und begraben. Und wie Christus durch die Herrlichkeit und Macht seines Vaters von den Toten auferweckt wurde, so sollen auch wir ein neues Leben führen.

[5] Denn wie wir seinen Tod mit ihm geteilt haben, so haben wir auch Anteil an seiner Auferstehung. [6] Damit steht fest: Unser früheres Leben endete mit Christus am Kreuz. Unser von der Sünde beherrschtes Wesen ist vernichtet, und wir müssen nicht länger der Sünde dienen. [7] Wer gestorben ist, kann nicht mehr beherrscht werden – auch nicht von der Sünde.

[8] Sind wir aber mit Christus gestorben, dann werden wir auch mit ihm leben – davon sind wir überzeugt. [9] Wir wissen ja, dass Christus von den Toten auferweckt worden ist und nie wieder sterben wird. Der Tod hat keine Macht mehr über ihn. [10] Mit seinem Tod hat Christus ein für alle Mal beglichen, was die Sünde fordern konnte. Jetzt aber lebt er, und er lebt für Gott. [11] Das gilt genauso für euch, und daran müsst ihr festhalten: Ihr seid tot für die Sünde und lebt nun für Gott, der euch durch Jesus Christus das neue Leben gegeben hat.

[12] Achtet darauf, dass euer vergänglicher Leib nicht von der Sünde, von seinen Begierden beherrscht wird. [13] Nichts, keinen einzigen Teil eures Körpers sollt ihr der Sünde als Werkzeug für das Böse zur Verfügung stellen. Dient vielmehr Gott mit allem, was ihr seid und habt. Weil ihr mit Christus gestorben seid und er euch neues Leben schenkte, sollt ihr jetzt Werkzeuge in Gottes Hand sein, damit er euch für seine Ziele einsetzen kann. [14] Die Sünde hat ihre Macht über euch verloren. Denn ihr seid nicht länger an das Gesetz gebunden, sondern ihr lebt von der Barmherzigkeit Gottes.

Befreit, um Gott zu dienen

[15] Soll das nun etwa heißen, dass wir einfach Schuld anhäufen können, weil ja Gottes Barmherzigkeit zählt und wir das Urteil des Gesetzes nicht mehr zu fürchten brauchen?

Nein, so ist das nicht gemeint! [16] Wisst ihr nicht, dass ihr dem Herrn gehorchen

---

[a] Wörtlich: im Leben herrschen durch den einen, Jesus Christus.

5,18 1 Kor 15,21–22 **5,20** 3,20; 7,7.13; Gal 3,19 **5,21** 3,21–26; 6,23 **6,1** 5,20 **6,2** Kol 3,3 **6,3** 2 Kor 5,14; Gal 2,19 **6,4** 1,3–4; Kol 2,12 **6,6** Gal 5,24 **6,8** Gal 2,20; 2 Tim 2,11 **6,9** 2 Tim 1,10; 1 Thess 4,14 **6,10** 8,1–3; Hebr 10,14*; 1 Petr 3,18; 2 Kor 5,18–21* **6,11** Gal 2,19–20 **6,13** 12,1; 1 Petr 2,24 **6,14** 5,21; 7,1–6; Gal 5,18; 1 Joh 3,6 **6,15** 6,1 **6,16** 5,21; Mt 6,24

müsst, dem ihr euch verpflichtet habt? Und das heißt: Entweder entscheidet ihr euch für die Sünde und werdet sterben, oder ihr hört auf Gott, und er wird euch annehmen.

[17]Aber Gott sei Dank! Ihr seid nicht mehr hilflos der Sünde ausgeliefert, sondern ihr hört von ganzem Herzen auf das, was euch gelehrt worden ist. [18]Denn nachdem ihr von der Herrschaft der Sünde wirklich frei geworden seid, könnt ihr jetzt Gott dienen und das tun, was ihm gefällt.

[19]Weil ihr das so schwer verstehen könnt, will ich es euch an einem bekannten Beispiel deutlich machen, dem Sklavendienst: Früher habt ihr der Zügellosigkeit und dem Unrecht wie Sklaven gedient. Jetzt aber sollt ihr uneingeschränkt Gott dienen; lebt so, wie es ihm gefällt, denn ihr gehört zu ihm! [20]Als Sklaven der Sünde wart ihr zwar frei, allerdings nur vom Guten. [21]Und was kam dabei heraus? Bei dem Gedanken daran könnt ihr euch heute nur schämen, denn ihr hattet dafür nichts anderes als den Tod verdient.

[22]Aber jetzt seid ihr frei von der Sünde und dient Gott als seine Knechte. Ihr gehört zu ihm und tut, was ihm gefällt, und schließlich schenkt er euch das ewige Leben.

[23]Denn die Sünde wird mit dem Tod bezahlt. Gott aber schenkt uns in der Gemeinschaft mit Jesus Christus, unserem Herrn, ewiges Leben.

Die Grenzen des Gesetzes

7 Meine lieben Brüder und Schwestern! Ihr kennt doch das Gesetz. Eigentlich solltet ihr dann wissen, dass Gesetze für uns nur Gültigkeit haben, solange wir leben.

[2]Was bedeutet das? Eine verheiratete Frau zum Beispiel ist an ihren Mann durch das Gesetz so lange gebunden, wie er lebt. Stirbt der Mann, dann ist sie von diesem Gesetz frei und kann wieder heiraten. [3]Hätte diese Frau zu Lebzeiten ihres Mannes einen anderen Mann gehabt, wäre sie eine Ehebrecherin gewesen. Nach dem Tod ihres Mannes aber ist sie frei von den Verpflichtungen des Ehegesetzes. Niemand wird sie eine Ehebrecherin nennen, wenn sie als Witwe einen anderen Mann heiratet.

[4]Genauso wart auch ihr gebunden, an das Gesetz. Aber ihr seid davon befreit worden, als Christus am Kreuz für euch starb. Und jetzt gehört ihr nur noch ihm, der von den Toten auferweckt wurde. Nur so werden wir für Gott Frucht bringen, das heißt leben, wie es ihm gefällt.

[5]Von Natur aus waren wir einst der Gewalt der Sünde ausgeliefert und wurden von unseren selbstsüchtigen Wünschen beherrscht. Durch das Gesetz wurde die Sünde in uns erst geweckt, so dass wir taten, was letztendlich zum Tod führt. [6]Aber jetzt sind wir von diesen Zwängen frei, denn für das Gesetz sind wir tot. Deswegen können wir Gott durch seinen Heiligen Geist in einer völlig neuen Weise dienen und müssen es nicht mehr wie früher durch die bloße Erfüllung toter Buchstaben tun.

Der Mensch und Gottes Gesetz

[7]Soll das alles nun etwa bedeuten, dass Gottes Gesetz sündig ist? Natürlich nicht! Aber es ist doch so: Ohne die Gebote Gottes hätte ich nie erfahren, was Sünde ist. Würde es dort nicht heißen: »Du sollst nicht begehren …«[a], so wüsste ich nicht, dass meine Leidenschaften Sünde sind. [8]Die Sünde aber gebrauchte dieses Gebot des Gesetzes, um in mir alle möglichen Leidenschaften zu wecken. Denn ohne das Gesetz ist die Sünde tot.

[9]Früher habe ich ohne das Gesetz ge-

---

[a] Vgl. 2. Mose 20,17

6,17 8,7–9; 2 Kor 5,21 **6,18** Joh 8,32; 1 Petr 2,16 **6,23** 5,21; 1 Joh 5,11–12; 1 Mo 2,17; 3,19 **7,2** 1 Kor 7,39 **7,4** Gal 2,19 **7,5** 1 Kor 15,56 **7,6** 6,2; 8,1–2; 2 Kor 3,6 **7,7** 3,20; Gal 3,19 **7,8** 4,15 **7,9–10** 5,13–14; 3 Mo 18,5; Gal 3,21

lebt. Erst seit ich das Gesetz mit seinen Geboten kenne, wurde auch die Sünde in mir lebendig, [10]und darum bewirkte das Gesetz meinen Tod. So hat mich Gottes Gebot, das den Weg zum Leben zeigen sollte, letztlich dem Tod ausgeliefert. [11]Denn die Sünde benutzte das Gebot und betrog mich, indem sie statt des versprochenen Lebens den Tod brachte.

[12]Das Gesetz selbst aber entspricht Gottes Willen; jedes einzelne Gebot ist heilig, gerecht und gut. [13]Kann aber etwas, das gut ist, meinen Tod bewirken? Nein, ganz und gar nicht. Aber gerade dadurch, dass die Sünde das Gute benutzte, um mir den Tod zu bringen, hat sie sich als Sünde entlarvt; erst durch das Gebot ist sie in ihrer ganzen Abscheulichkeit sichtbar geworden.

[14]Das Gesetz ist von Gottes Geist bestimmt. Das wissen wir genau. Ich aber bin nur ein Mensch und der Herrschaft der Sünde ausgeliefert. [15]Ich verstehe ja selber nicht, was ich tue. Das Gute, das ich mir vornehme, tue ich nicht; aber was ich verabscheue, das tue ich. [16]Bin ich mir aber bewusst, dass ich falsch handle, dann gebe ich damit zu, dass Gottes Gesetz gut ist. [17]Das aber bedeutet: Nicht ich selbst tue das Böse, sondern die Sünde, die in mir wohnt, treibt mich dazu.

Die Herrschaft der Sünde

[18]Ich weiß wohl, dass in mir nichts Gutes wohnt. Deshalb werde ich niemals das Gute tun können, so sehr ich mich auch darum bemühe. [19]Ich will immer wieder Gutes tun und tue doch das Schlechte; ich verabscheue das Böse, aber ich tue es dennoch. [20]Wenn ich also immer wieder gegen meine Absicht handle, dann ist klar: Nicht ich selbst bestimme über mich, sondern die Sünde in mir verführt mich zu allem Bösen.

[21]Ich mache immer wieder dieselbe Erfahrung: Das Gute will ich tun, aber ich tue das Böse. [22]Ich wünsche mir nichts sehnlicher, als Gottes Gesetz zu erfüllen. [23]Dennoch handle ich nach einem anderen Gesetz, das in mir wohnt. Dieses Gesetz kämpft gegen das, was ich innerlich als richtig erkannt habe, und macht mich zu seinem Gefangenen. Es ist das Gesetz der Sünde, das mein Handeln bestimmt. [24]Ich unglückseliger Mensch! Wer wird mich jemals aus dieser Gefangenschaft[a] befreien? [25]Gott sei Dank! Durch unseren Herrn Jesus Christus bin ich bereits befreit.

So befinde ich mich in einem Zwiespalt: Mit meinem Denken und Sehnen folge ich zwar dem Gesetz Gottes, mit meinen Taten aber dem Gesetz der Sünde.

Leben durch Gottes Geist

8 Wer nun mit Jesus Christus verbunden ist, wird von Gott nicht mehr verurteilt. [2]Denn für ihn gilt nicht länger das Gesetz der Sünde und des Todes. Es ist durch ein neues Gesetz aufgehoben, nämlich durch das Gesetz des Geistes Gottes, der durch Jesus Christus das Leben bringt.

[3]Wie ist es dazu gekommen? Das Gesetz konnte uns nicht helfen, so zu leben, wie es Gott gefällt, weil wir, an die Sünde versklavt, zu schwach sind, es zu erfüllen. Deshalb sandte Gott seinen Sohn zu uns. Er wurde Mensch und war wie wir der Macht der Sünde ausgesetzt. An unserer Stelle nahm er Gottes Verurteilung der Sünde auf sich.

[4]So erfüllt sich in unserem Leben der Wille Gottes, wie es das Gesetz schon immer verlangt hat; denn jetzt bestimmt Gottes Geist und nicht mehr die sündige menschliche Natur unser Leben. [5]Wer seinen selbstsüchtigen Wünschen folgt, der bleibt seiner sündigen Natur ausgeliefert. Wenn aber Gottes Geist in uns

---

[a] Wörtlich: aus diesem Todesleib.

7,11 3 Mo 18,5; Gal 3,10–13 **7,12** 1 Tim 1,8 **7,13** 1 Kor 15,56; Gal 3,19.23 **7,14** Ps 51,7 **7,18** 8,7–8; Phil 2,13; 1 Mo 6,5* **7,20** Gal 2,20 **7,21–23** Gal 5,17 **7,24–25** 6,17–18; 1 Kor 15,57 **8,1** 8,33–34; Joh 5,24 **8,2** 2 Kor 3,17; Hebr 7,18 **8,3** Gal 4,4–5; Hebr 2,17–18; 4,15; 2 Kor 5,21 **8,4–5** Gal 5,16.25

wohnt, wird auch unser Leben von seinem Geist bestimmt. [6]Was unsere alte, sündige Natur will, bringt den Tod. Regiert uns aber Gottes Geist, dann schenkt er uns Frieden und Leben.

[7]Von unserem Wesen her lehnen wir Menschen uns gegen Gott auf, weil wir seine Gebote nicht erfüllen und auch gar nicht erfüllen können. [8]Deshalb kann Gott an denen, die so selbstsüchtig leben, kein Gefallen finden. [9]Nun aber seid ihr nicht länger eurem selbstsüchtigen Wesen ausgeliefert, denn Gottes Geist bestimmt euer Leben – schließlich wohnt er ja in euch! Seid euch darüber im Klaren: Wer den Geist Christi nicht hat, der gehört auch nicht zu ihm.

[10]Wenn Christus in euch lebt, dann ist zwar euer Körper wegen eurer Sünde noch dem Tod ausgeliefert. Doch Gottes Geist schenkt euch ein neues Leben, weil Gott euch angenommen hat.[a] [11]Ist der Geist Gottes in euch, so wird Gott, der Jesus von den Toten auferweckt hat, auch euren sterblichen Leib wieder lebendig machen; sein Geist wohnt ja in euch.

[12]Darum, liebe Brüder und Schwestern, sind wir nicht mehr unserer alten menschlichen Natur verpflichtet und müssen nicht länger ihren Wünschen und ihrem Verlangen folgen. [13]Denn wer ihr folgt, ist dem Tod ausgeliefert. Wenn ihr aber mit der Kraft des Geistes eure selbstsüchtigen Wünsche tötet, werdet ihr leben.

[14]Alle, die sich vom Geist Gottes regieren lassen, sind Kinder Gottes. [15]Denn der Geist Gottes, den ihr empfangen habt, führt euch nicht in eine neue Sklaverei, in der ihr wieder Angst haben müsstet. Er macht euch vielmehr zu Gottes Kindern. Jetzt können wir zu Gott kommen und zu ihm sagen: »Vater, lieber Vater!« [16]Gottes Geist selbst gibt uns die innere Gewissheit, dass wir Gottes Kinder sind. [17]Als seine Kinder aber sind wir – gemeinsam mit Christus – auch seine Erben. Und leiden wir jetzt mit Christus, werden wir einmal auch seine Herrlichkeit mit ihm teilen.

Hoffnung für die ganze Schöpfung

[18]Ich bin ganz sicher, dass alles, was wir zurzeit erleiden, nichts ist, verglichen mit der Herrlichkeit, die Gott uns einmal schenken möchte. [19]Darum wartet die ganze Schöpfung sehnsüchtig und voller Hoffnung auf den Tag, an dem Gott seine Kinder in diese Herrlichkeit aufnimmt.

[20]Ohne eigenes Verschulden sind alle Geschöpfe der Vergänglichkeit ausgeliefert, weil Gott es so bestimmt hat. Aber er hat ihnen die Hoffnung gegeben, [21]dass sie zusammen mit den Kindern Gottes einmal von Tod und Vergänglichkeit erlöst und zu einem neuen, herrlichen Leben befreit werden. [22]Wir wissen ja, dass die gesamte Schöpfung leidet und stöhnt wie eine Frau in den Geburtswehen.

[23]Aber auch wir selbst, denen Gott bereits jetzt seinen Geist als Anfang des neuen Lebens gegeben hat, warten voller Sehnsucht darauf, dass Gott uns als seine Kinder zu sich nimmt und auch unseren Leib von aller Vergänglichkeit befreit.

[24]Darauf können wir zunächst nur hoffen und warten, obwohl wir schon gerettet sind. Hoffen aber bedeutet: noch nicht haben. Denn was einer schon hat und sieht, darauf braucht er nicht mehr zu hoffen. [25]Hoffen wir aber auf etwas, das wir noch nicht sehen können, dann warten wir zuversichtlich darauf.

[26]Dabei hilft uns der Geist Gottes in all unseren Schwächen und Nöten. Wissen wir doch nicht einmal, wie wir beten sollen, damit es Gott gefällt! Deshalb tritt der Geist Gottes für uns ein, er bittet für

---

[a] Wörtlich: Der Geist jedoch ist Leben um der Gerechtigkeit willen.

8,6 6,21; 5,1; 2 Kor 3,6; Gal 6,8 **8,9** 1 Kor 3,16; Gal 5,24 **8,10** Gal 2,20; Joh 1,12 **8,11** 1 Kor 6,14; 15,35–49 **8,12–13** 6,6–11 **8,14–15** Joh 1,12; Gal 4,7; Eph 5,1; Hebr 2,10–12; 1 Petr 1,2; 1 Joh 3,2; 5,1 **8,15** Kol 3,12; Hebr 10,22; 1 Joh 4,18 **8,16–17** Gal 4,6–7 **8,18** Mk 13,9; 2 Tim 3,12* **8,20–22** 1 Mo 3,16–19; Eph 1,10; 2 Petr 3,13 **8,23–25** 2 Kor 5,1–8; Hebr 11,1 **8,26–27** 1 Kor 2,10–11; Jud 20

uns mit einem Seufzen, wie es sich nicht in Worte fassen lässt. [27] Und Gott, der unsere Herzen ganz genau kennt, weiß, was der Geist für uns betet. Denn der Geist vertritt uns im Gebet, so wie Gott es für alle möchte, die zu ihm gehören.

[28] Das eine aber wissen wir: Wer Gott liebt, dem dient alles, was geschieht, zum Guten. Dies gilt für alle, die Gott nach seinem Plan und Willen zum neuen Leben erwählt hat. [29] Wen Gott nämlich auserwählt hat, der ist nach seinem Willen auch dazu bestimmt, seinem Sohn ähnlich zu werden, damit dieser der Erste ist unter vielen Brüdern und Schwestern. [30] Und wen Gott dafür bestimmt hat, den hat er auch in seine Gemeinschaft berufen; wen er aber berufen hat, den hat er auch von seiner Schuld befreit. Und wen er von seiner Schuld befreit hat, der hat schon im Glauben Anteil an seiner Herrlichkeit.

Gottes grenzenlose Liebe

[31] Kann man wirklich noch mehr erwarten? Wenn Gott für uns ist, wer kann dann gegen uns sein? [32] Gott hat seinen eigenen Sohn nicht verschont, sondern ihn für uns alle dem Tod ausgeliefert. Sollte er uns da noch etwas vorenthalten? [33] Wer könnte es wagen, die von Gott Auserwählten anzuklagen? Niemand, denn Gott selbst hat sie von aller Schuld freigesprochen. [34] Wer wollte es wagen, sie zu verurteilen? Keiner, denn Christus ist für sie gestorben, ja noch mehr: Er ist vom Tod auferweckt worden und hat seinen Platz an Gottes rechter Seite eingenommen. Dort tritt er jetzt vor Gott für uns ein.

[35] Was also könnte uns von Christus und seiner Liebe trennen? Leiden und Angst vielleicht? Verfolgung? Hunger? Armut? Gefahr oder gewaltsamer Tod? [36] Man geht wirklich mit uns um, wie es schon in der Heiligen Schrift beschrieben wird: »Weil wir zu dir, Herr, gehören, werden wir überall verfolgt und getötet – wie Schafe werden wir geschlachtet!«[a]

[37] Aber dennoch: Mitten im Leid triumphieren wir über alles durch die Verbindung mit Christus, der uns so geliebt hat. [38] Denn ich bin ganz sicher: Weder Tod noch Leben, weder Engel noch Dämonen[b], weder Gegenwärtiges noch Zukünftiges, noch irgendwelche Gewalten, [39] weder Hohes noch Tiefes[c] oder sonst irgendetwas können uns von der Liebe Gottes trennen, die er uns in Jesus Christus, unserem Herrn, schenkt.

Israel, das von Gott erwählte Volk

9 Christus ist mein Zeuge, und der Heilige Geist bestätigt es mir in meinem Gewissen, dass es wahr ist, wenn ich euch versichere: [2] Ich bin voller Trauer und empfinde tiefen Schmerz, [3] wenn ich an Israel denke. Käme es meinen Brüdern und Schwestern, meinem eigenen Volk, zugute, ich würde es auf mich nehmen, verflucht und von Christus getrennt zu sein. [4] Gott hat doch die Israeliten dazu auserwählt, seine Kinder zu sein. Er hat sich diesem Volk in seiner Macht und Herrlichkeit offenbart. Immer wieder hat er mit ihnen Bündnisse geschlossen, er hat ihnen seine Gebote gegeben. Sie dienen Gott im Tempel, und ihnen gelten seine Zusagen. [5] Abraham, Isaak und Jakob sind ihre Vorfahren, und Christus selbst stammt aus ihrem Volk. Ihn, der Gott ist und über alles regiert, preisen wir in alle Ewigkeit. Amen.

---

[a] Psalm 44,23
[b] Wörtlich: Mächte.
[c] Wörtlich: weder Höhe noch Tiefe.

8,28 Eph 1,11 **8,29–30** Eph 1,4–5; Hebr 2,10–12; 1 Petr 1,2 **8,33–34** Jes 50,8–9; Hebr 7,25; 1 Joh 2,1–2 **8,34** Mk 16,19; Lk 22,69; Apg 7,55–56; Eph 1,19–23; Kol 3,1; Hebr 8,1; 10,12; 12,2; 1 Petr 3,22 **8,38–39** 5,5; Kol 2,14–15; 1 Petr 3,22; 1 Joh 4,9–10 **9,3** 2 Mo 32,32 **9,4** 5 Mo 7,6–8; 2 Mo 19,5–6*; 24,7–8* **9,5** Mt 1,1–2

Wer gehört zu Gottes Volk?

[6] Gottes Zusagen haben nach wie vor ihre Gültigkeit, auch wenn nicht alle aus dem Volk Israel zu Gottes auserwähltem Volk gehören. [7] Nicht alle Nachkommen Abrahams sind auch wirklich seine Kinder. Denn Gott hatte zu Abraham gesagt: »Nur die Nachkommen deines Sohnes Isaak werden das auserwählte Volk sein.«[a] [8] Das bedeutet: Nicht alle, die auf natürliche Weise von Abraham abstammen, gehören zu Gottes Volk und damit zu seinen Kindern. Nur der zählt dazu, wer – so wie Isaak – Gottes Zusage hat. [9] Denn das hatte Gott Abraham zugesagt: »Nächstes Jahr um diese Zeit komme ich wieder zu euch, und dann wird Sara einen Sohn haben.«[b]

[10] Aber nicht nur Abrahams Frau Sara erging es so. Rebekka war von unserem Stammvater Isaak mit Zwillingen schwanger. [11/12] Noch ehe ihre Söhne Esau und Jakob geboren waren, das heißt, noch ehe sie etwas Gutes oder Böses getan haben konnten, hatte Gott zu ihr gesagt: »Der Ältere wird dem Jüngeren dienen.«[c] Damit gab Gott ganz klar zu erkennen, dass seine Zusagen ausschließlich auf seinem Willen beruhen; sie sind also unverdientes Geschenk und nicht von den Leistungen des Menschen abhängig. [13] So sagt Gott ausdrücklich: »Ich habe nur Jakob geliebt, aber Esau gehasst.«[d]

Kein Anspruch auf Gottes Barmherzigkeit

[14] Bedeutet das etwa, dass Gott ungerecht ist? Auf keinen Fall! [15] Denn Gott hat einmal zu Mose gesagt: »Ich erweise meine Güte, wem ich will. Und über wen ich mich erbarmen will, über den werde ich mich erbarmen.«[e] [16] Entscheidend ist also nicht, wie sehr sich jemand anstrengt und müht, sondern dass Gott sich über ihn erbarmt. [17] Wie erging es dem Pharao? Die Heilige Schrift berichtet, dass Gott zu ihm sagte: »Ich habe dich nur deshalb als König über Ägypten eingesetzt, um durch dich meine Macht zu zeigen und meinen Namen in der ganzen Welt bekannt zu machen.«[f] [18] Gott schenkt also seine Barmherzigkeit, wem er will, aber er macht Menschen auch hart und gleichgültig, wenn er es will.

[19] Sicher werdet ihr mich jetzt fragen: »Wie kann Gott dann noch von unserer Schuld sprechen? Wer kann denn etwas gegen Gottes Willen unternehmen?« [20] Darauf kann ich nur antworten: Wer seid ihr denn eigentlich, ihr Menschen, dass ihr meint, Gott zur Rechenschaft ziehen zu können? Glaubt ihr wirklich, dass ein Gefäß aus Ton den Töpfer fragt: »Warum hast du mich so gemacht?« [21] Der Töpfer hat schließlich die Freiheit, aus ein und demselben Klumpen Lehm zwei verschiedene Gefäße zu machen: ein kostbares zum Schmuck und ein gewöhnliches für den Abfall.

[22] Genauso wollte Gott an denen, die für das Verderben bestimmt sind, seinen Zorn und seine Macht sichtbar werden lassen. Und obwohl sie ihrem Untergang nicht entgehen konnten, hat er große Geduld mit ihnen gehabt. [23] An den Menschen, die an seiner Herrlichkeit teilhaben sollen, wollte er dagegen seine Barmherzigkeit beweisen. So möchte er an ihnen in reichem Maße seine Herrlichkeit zeigen.

[24] Zu diesen Menschen gehören auch wir. Und er hat uns nicht nur aus dem jüdischen Volk, sondern aus allen Völkern

---

[a] 1. Mose 21,12
[b] 1. Mose 18,10.14
[c] 1. Mose 25,23
[d] Maleachi 1,2–3
[e] 2. Mose 33,19
[f] 2. Mose 9,16

9,6 2,28–29 **9,7–9** Gal 3,6–9.16.26–29; 4,23 **9,16** Eph 2,8–9 **9,18** 2 Mo 9,12* **9,20–21** Jes 45,9*; Jer 18,6

berufen. [25] Schon im Buch des Propheten Hosea sagt Gott: »Einmal werde ich die mein Volk nennen, die bisher nicht dazugehörten; und ich werde die auserwählen, die bisher nicht meine Auserwählten waren.«[a] [26] Und wo ihnen gesagt wurde: »›Ihr seid nicht mein Volk‹, da werden sie ›Kinder des lebendigen Gottes‹ heißen.«[b]

[27] Und der Prophet Jesaja sagte über Israel: »Selbst wenn es so viele Israeliten wie Sand am Meer gibt, werden doch nur wenige von ihnen gerettet. [28] Denn der Herr wird sein Urteil auf der Erde bald vollstrecken.«[c] [29] So hat es Jesaja schon vorher gesagt: »Hätte der Herr, der allmächtige Gott, nicht einen kleinen Rest von uns gerettet, dann wären wir alle umgekommen wie damals die Leute von Sodom und Gomorra.«[d]

Der falsche Weg

[30] Was will ich nun damit sagen? Menschen aller Völker, die sich nicht darum bemüht haben, bei Gott Anerkennung zu finden, wurden von ihm angenommen, und zwar durch ihren Glauben an Jesus Christus. [31] Israel aber, das sich so sehr bemühte, Gottes Gebote zu erfüllen, um dadurch vor Gott bestehen zu können, hat dieses Ziel nicht erreicht. [32] Warum eigentlich nicht? Weil die Israeliten nicht durch den Glauben an Christus, sondern durch ihre eigenen Leistungen Anerkennung bei Gott finden wollten. Deshalb wurde ihnen Christus zum Stein des Anstoßes. [33] So steht es schon in der Heiligen Schrift: »Seht her, ich lege in Jerusalem einen Stein, über den man stolpern wird, und einen Fels, über den sie stürzen werden. Wer aber an ihn glaubt, steht fest und sicher.«[e]

Christus hat die Herrschaft des Gesetzes beendet

10 Liebe Brüder und Schwestern, ich wünsche mir sehnlichst und bitte Gott inständig, dass auch mein Volk gerettet wird. [2] Denn ich kann bezeugen, dass die Israeliten Gott dienen wollen, mit viel Eifer, aber ohne Einsicht. [3] Sie haben nämlich nicht erkannt, wie sie Gottes Anerkennung finden können, und versuchen immer noch, durch eigene Leistungen vor ihm zu bestehen. Deshalb lehnen sie ab, was Gott ihnen schenken will. [4] Christus hat das Gesetz erfüllt und damit die Herrschaft des Gesetzes beendet. Wer ihm vertraut, wird von Gott angenommen.

[5] Wer dennoch durch das Gesetz vor Gott bestehen will, für den gilt, was Mose geschrieben hat: »Wer alle Forderungen des Gesetzes erfüllt, wird dadurch leben.«[f]

[6] Aber wer den Weg zu Gott durch den Glauben an Christus gefunden hat, über den sagt die Heilige Schrift: »Du brauchst nicht länger darüber nachzudenken, wie du in den Himmel steigen willst« – um Christus herabzuholen. [7] Ebenso brauchst du nicht mehr zu fragen: »Wer will hinabsteigen zu den Toten?« – um Christus von dort heraufzuholen. [8] Stattdessen heißt es: »Gottes Wort ist dir ganz nahe; es ist in deinem Mund und in deinem Herzen.«[g] Das ist nämlich das Wort vom Glauben, das wir verkünden.

[9] Denn wenn du mit deinem Mund bekennst: »Jesus ist der Herr!«, und wenn du von ganzem Herzen glaubst, dass Gott ihn von den Toten auferweckt hat, dann wirst du gerettet werden. [10] Wer also von Herzen glaubt, wird von Gott angenom-

---

[a] Vgl. Hosea 2,25
[b] Hosea 2,1
[c] Vgl. Jesaja 10,22–23
[d] Jesaja 1,9
[e] Vgl. Jesaja 8,14; 28,16
[f] 3. Mose 18,5
[g] Vgl. 5. Mose 30,11–14

9,29 1 Mo 19,24–25* **9,30–31** 10,11–13.20–21; 11,7 **9,32** Gal 2,16* **10,1–2** Apg 22,3 **10,3** 9,32; Phil 3,9 **10,4** 3,31; 7,1–6; Gal 2,16*; 3,23–25 **10,5** Gal 3,10–14 **10,9** Mt 10,32

men; und wer seinen Glauben auch bekennt, der findet Rettung. [11]So heißt es schon in der Heiligen Schrift: »Wer auf ihn vertraut, steht fest und sicher.«[a] [12]Da gibt es auch keinen Unterschied zwischen Juden und anderen Völkern: Gott ist ein und derselbe Herr, der aus seinem Reichtum alle beschenkt, die ihn darum bitten. [13]»Denn jeder, der den Namen des Herrn anruft, der wird von ihm gerettet.«[b]

Israel nimmt Gottes Angebot nicht an

[14]Wie aber sollen die Menschen zu Gott beten, wenn sie nicht an ihn glauben? Wie sollen sie zum Glauben an ihn kommen, wenn sie nie von ihm gehört haben? Und wie können sie von ihm hören, wenn ihnen niemand Gottes Botschaft verkündet? [15]Wer aber soll Gottes Botschaft verkünden, ohne dazu beauftragt zu sein? Gerade dies ist schon in der Heiligen Schrift vorausgesagt: »Was für ein herrlicher Augenblick, wenn ein Bote kommt, der eine gute Nachricht bringt!«[c] [16]Aber nicht jeder hört auf diese rettende Botschaft. So klagte schon der Prophet Jesaja: »Herr, wer glaubt schon unserer Botschaft?«[d]

[17]Doch es bleibt dabei: Der Glaube kommt aus dem Hören der Botschaft; und diese gründet sich auf das, was Christus gesagt hat. [18]Wie ist das nun bei den Juden? Haben sie etwa Gottes Botschaft nicht zu hören bekommen? Doch, natürlich! Es heißt ja in der Heiligen Schrift: »Auf der ganzen Erde hört man diese Botschaft, sie erreicht noch die fernsten Länder.«[e]

[19]Ich frage nun: Hat Israel sie vielleicht nicht verstanden? Doch! Denn schon bei Mose heißt es: »Ich will mein Volk eifersüchtig machen auf Menschen, die bisher nicht zu mir gehörten, und ihr werdet zornig sein auf ein Volk, das mich jetzt noch nicht kennt.«[f] [20]Später wagte Jesaja sogar ganz offen zu sagen: »Die mich gar nicht gesucht haben, die haben mich gefunden, und ich habe mich denen gezeigt, die niemals nach mir fragten.«[g] [21]Aber zu seinem eigenen Volk muss Gott sagen: »Den ganzen Tag habe ich meine Hände nach dem Volk ausgestreckt, das sich nichts sagen lässt und gegen meinen Willen handelt!«[h]

Hat Gott sein Volk aufgegeben?

11 Ich frage jetzt: Will Gott von seinem Volk nichts mehr wissen? Davon kann keine Rede sein! Auch ich bin ja ein Israelit, ein Nachkomme Abrahams aus dem Stamm Benjamin. [2]Wie könnte Gott sein Volk, das er sich einmal erwählt hat, einfach aufgeben? Oder habt ihr vergessen, was in der Heiligen Schrift berichtet wird? Elia beklagte sich bei Gott über Israel: [3]»Herr, alle deine Propheten haben sie ermordet, und deine Altäre haben sie niedergerissen. Nur ich bin übrig geblieben, ich allein, und nun trachten sie auch mir nach dem Leben.«[i]

[4]Und was antwortete Gott damals? »Mit dir lasse ich noch 7000 Menschen in Israel am Leben, die nicht vor dem Götzen Baal auf die Knie gefallen sind.«[j] [5]So war es damals, und so ist es auch noch heute. In seiner Barmherzigkeit hat Gott einen Teil des Volkes Israel auserwählt

---

[a] Jesaja 28,16
[b] Joel 3,5
[c] Jesaja 52,7
[d] Jesaja 53,1
[e] Psalm 19,5
[f] 5. Mose 32,21
[g] Jesaja 65,1
[h] Jesaja 65,2
[i] 1. Könige 19,10
[j] 1. Könige 19,18

10,12–13 3,29–30; Apg 15,9; Gal 3,28–29; 5,6 **10,17** 16,26; Joh 17,20 **10,19** 11,11 **10,20** Röm 9,30
11,1 Phil 3,5 **11,2** Jer 31,37 **11,5** 9,27–28

und gerettet. [6]Wenn das aber ein unverdientes Geschenk war, dann hatte es nichts mit eigenen Leistungen zu tun. Sonst wäre ja sein Geschenk nicht mehr unverdient.

[7]Was heißt das also? Israel hat nicht erreicht, worum es sich mit aller Kraft bemühte. Das wurde nur einem kleinen, von Gott auserwählten Teil des Volkes geschenkt. Alle übrigen aber sind verhärtet und taub für Gottes Botschaft. [8]Von ihnen sagt die Heilige Schrift: »Gott hat einen Geist über sie kommen lassen, der sie wie in tiefen Schlaf versetzt hat. Mit ihren Augen sehen sie nichts, mit ihren Ohren hören sie nichts – und das bis auf den heutigen Tag.«[a] [9]Auch König David sagt: »Ihre Opferfeste sollen ihnen zu einer Falle werden, in der sie sich selbst fangen und der Strafe Gottes ausliefern. [10]Lass sie blind werden, damit sie nichts mehr sehen können, und beuge für immer ihren Rücken unter der schweren Last.«[b]

Warnung vor Überheblichkeit

[11]War es nun Gottes Absicht, dieses Volk fallen zu lassen, weil er sich endgültig von ihm abwenden wollte? Nie und nimmer! Weil das Volk Israel die rettende Botschaft abgelehnt hat, wurde der Weg bereitet, um den übrigen Völkern diese Botschaft zu bringen. Ihrem Beispiel soll Israel nun nacheifern. [12]Bedenken wir aber, welchen Segen schon die ablehnende Haltung und die Schuld Israels allen anderen Völkern brachte, wie groß wird erst der Segen sein, wenn das ganze Israel für Christus gewonnen ist!

[13]Euch, die ihr keine Juden seid, möchte ich sagen: Gott hat mich gerade zu euch geschickt, um euch die rettende Botschaft zu verkünden. Darauf bin ich stolz. [14]Vielleicht eifern dadurch auch einige aus meinem Volk eurem Beispiel nach, so dass sie doch noch gerettet werden. [15]Denn kam es schon zur Versöhnung der Völker mit Gott, als er sich von Israel abwandte, wie herrlich muss es werden, wenn Gott sich seinem Volk wieder zuwendet! Dann werden alle vom Tod zu neuem Leben erwachen. [16]Mit dem ersten Brot, das Gott zum Opfer gebracht wird, ist nämlich die ganze Ernte Gott geweiht; und sind die Wurzeln eines Baumes gut[c], dann sind es auch die Zweige.

[17]Einige Zweige dieses Baumes sind herausgebrochen worden. An ihrer Stelle wurdet ihr als Zweige eines wilden Ölbaums aufgepfropft. So lebt ihr von den Wurzeln und Säften des edlen Ölbaums. [18]Bildet euch aber deshalb nicht ein, besser als die herausgebrochenen Zweige zu sein! Denn nicht ihr tragt die Wurzel, sondern die Wurzel trägt euch.

[19]Freilich könnte jemand einwenden: »Man hat die Zweige doch herausgebrochen, damit ich dort Platz habe.« [20]Das ist richtig, sie wurden herausgebrochen, weil sie nicht glaubten. Und ihr seid an ihrer Stelle, weil ihr glaubt. Seid deshalb nicht hochmütig, sondern passt auf, dass es euch nicht genauso ergeht[d]. [21]Denn hat Gott die Zweige des edlen Ölbaums nicht verschont, wird er euch erst recht nicht schonen.

[22]Zweierlei sollt ihr daran erkennen: Gottes Güte und seine Strenge. Gottes Strenge seht ihr an denen, die ihm untreu geworden sind. Gütig aber ist er zu euch, wenn ihr euch immer auf seine Güte verlasst. Sonst werdet auch ihr wie jene Zweige herausgebrochen. [23]Umgekehrt werden alle aus dem Volk Israel wieder eingepfropft, die den Glauben nicht länger ablehnen. Gott hat die Macht dazu. [24]Immerhin hat er euch als Zweige eines wilden Ölbaumes dem guten Ölbaum aufgepfropft, was sonst niemand tun wür-

---

[a] Jesaja 29,10; 5. Mose 29,3
[b] Psalm 69,23–24
[c] Wörtlich: heilig.
[d] Wörtlich: sondern fürchtet euch.

11,6 4,4–5 **11,7** 9,31 **11,11** 11,29; 10,19 **11,13** 1,5; 1 Kor 9,19–21 **11,16** 4 Mo 15,17–21 **11,18** Joh 4,22 **11,20** Eph 2,11–13; 1 Kor 10,12 **11,22** Joh 15,1–4

de. Wie viel mehr wird Gott bereit sein, die Juden als die herausgebrochenen Zweige wieder auf den Ölbaum zu pfropfen, auf den sie ursprünglich gehörten.

Gott hält seine Zusagen

[25] Damit ihr nicht auf die Juden herabseht, liebe Brüder und Schwestern, möchte ich euch ein Geheimnis anvertrauen: Ein Teil des jüdischen Volkes ist verhärtet und verschlossen für die rettende Botschaft. Aber das wird nur so lange dauern, bis die volle Zahl von Menschen aus den anderen Völkern den Weg zu Christus gefunden hat. [26] Danach wird ganz Israel gerettet, so wie es in der Heiligen Schrift heißt: »Aus Jerusalem[a] wird der Retter kommen. Er wird die Nachkommen Jakobs von ihrem gottlosen Leben befreien. [27] Und das ist der Bund, den ich, der Herr, mit ihnen schließe: Ich werde ihnen ihre Sünden vergeben.«[b]

[28] Indem sie die rettende Botschaft ablehnen, sind viele Juden zu Feinden Gottes geworden. Aber gerade dadurch wurde für euch der Weg zu Christus frei. Doch Gott hält seine Zusagen, und weil er ihre Vorfahren erwählt hat, bleiben sie sein geliebtes Volk. [29] Denn Gott fordert weder seine Gaben zurück, noch widerruft er die Zusage, dass er jemanden auserwählt hat.

[30] Früher habt *ihr* Gott nicht gehorcht. Aber weil die Juden Christus ablehnten, hat Gott euch seine Barmherzigkeit erfahren lassen. [31] Jetzt wollen die *Juden* nicht glauben, dass Gott jedem Menschen durch Christus barmherzig ist, obwohl sie es doch an euch sehen. Aber auch sie sollen schließlich Gottes Barmherzigkeit erfahren. [32] Denn Gott hat alle Menschen ihrem Unglauben überlassen, weil er allen seine Barmherzigkeit schenken will.

Gott ist unbegreiflich groß

[33] Wie groß ist doch Gott! Wie unendlich sein Reichtum, seine Weisheit, wie tief seine Gedanken! Wie unbegreiflich für uns seine Entscheidungen[c] und seine Pläne! [34] Denn »wer könnte jemals Gottes Absichten erkennen? Wer könnte ihn beraten?«[d] [35] »Wer hätte Gott jemals etwas gegeben, das er nun von ihm zurückfordern könnte?«[e] [36] Denn alles kommt von ihm, alles lebt durch ihn, alles vollendet sich in ihm. Ihm sei Lob und Ehre für immer und ewig! Amen.

Das ganze Leben – ein Gottesdienst

12 Weil ihr Gottes Barmherzigkeit erfahren habt, fordere ich euch auf, liebe Brüder und Schwestern, mit eurem ganzen Leben für Gott da zu sein. Seid ein lebendiges Opfer, das Gott dargebracht wird und ihm gefällt. Ihm auf diese Weise zu dienen ist die angemessene Antwort auf seine Liebe. [2] Passt euch nicht dieser Welt an, sondern ändert euch, indem ihr euch von Gott völlig neu ausrichten lasst. Nur dann könnt ihr beurteilen, was Gottes Wille ist, was gut und vollkommen ist und was ihm gefällt.

[3] In der Vollmacht,[f] die mir Gott als Apostel gegeben hat, warne ich euch: Überschätzt euch nicht, sondern bleibt bescheiden. Keiner von euch soll sich etwas anmaßen, was über die Kraft des Glaubens hinausgeht, die Gott ihm geschenkt hat.

[4] Unser Körper besteht aus vielen Tei-

---

[a] Wörtlich: Zion.
[b] Jesaja 59,20–21; Jeremia 31,34
[c] Wörtlich: Gerichte.
[d] Jesaja 40,13
[e] Hiob 41,3
[f] Wörtlich: Durch die Gnade.

11,28 5 Mo 7,8 **11,29** 4 Mo 23,19; 1 Sam 15,29; Mal 3,6; Hebr 6,18 **11,33** 16,25–26; Eph 3,6–12 **11,36** 1 Kor 8,6; Kol 1,15–17 **12,1** 6,13; 1 Petr 2,5 **12,2** Eph 4,17–24; Kol 3,10; 1 Thess 5,21–22 **12,3** 2 Kor 10,8; 1 Kor 12,4–6 **12,4–8** 1 Kor 12,12–31; 1 Petr 4,10–11

len, die ganz unterschiedliche Aufgaben haben. [5]Ebenso ist es mit uns Christen. Gemeinsam bilden wir alle den Leib Christi, und jeder Einzelne ist auf die anderen angewiesen.

[6]Gott hat jedem von uns unterschiedliche Gaben geschenkt. Hat jemand die Gabe, in Gottes Auftrag prophetisch zu reden, dann muss dies mit der Lehre unseres Glaubens übereinstimmen. [7]Wem Gott einen praktischen Dienst übertragen hat, der soll ihn gewissenhaft ausführen. Wer die Gemeinde im Glauben unterweist, soll diesem Auftrag gerecht werden. [8]Wer andere ermutigen kann, der nutze diese Gabe. Wer beauftragt ist, die Armen zu versorgen, soll das gerecht und unparteiisch tun. Wer eine Gemeinde zu leiten hat, der setze sich ganz für sie ein. Wer Kranke und Alte zu pflegen hat, der soll es gern tun.[a]

Ermutigung zu einem Leben aus Gottes Geist

[9]Eure Liebe soll aufrichtig sein. Und wie ihr das Böse hassen müsst, sollt ihr das Gute lieben. [10]Seid in herzlicher Liebe miteinander verbunden, gegenseitige Achtung soll euer Zusammenleben bestimmen. [11]Bewältigt eure Aufgaben mit Fleiß, und werdet nicht nachlässig. Lasst euch ganz von Gottes Geist durchdringen, und dient Gott, dem Herrn. [12]Seid fröhlich in der Hoffnung darauf, dass Gott seine Zusagen erfüllt. Seid standhaft, wenn ihr verfolgt werdet. Und lasst euch durch nichts vom Gebet abbringen.

[13]Helft anderen Christen, die in Not geraten sind, und seid gastfreundlich! [14]Bittet Gott um seinen Segen für alle, die euch verfolgen, ja, betet für sie, anstatt sie zu verfluchen. [15]Freut euch mit den Fröhlichen! Weint aber auch mit den Trauernden! [16]Seid einmütig untereinander! Strebt nicht hoch hinaus, und seid euch auch für geringe Aufgaben nicht zu schade. Hütet euch vor Selbstüberschätzung und Besserwisserei.

[17]Vergeltet niemals Unrecht mit neuem Unrecht. Euer Verhalten soll bei allen Menschen als ehrbar gelten. [18]Soweit es irgend möglich ist und von euch abhängt, lebt mit allen Menschen in Frieden. [19]Liebe Freunde, verschafft euch nicht selbst Recht. Überlasst vielmehr Gott das Urteil[b], denn er hat ja in der Heiligen Schrift gesagt: »Es ist allein meine Sache, euch zu rächen. Ich, der Herr, werde ihnen alles vergelten.«[c]

[20]Handelt so, wie es die Heilige Schrift von euch verlangt: »Wenn dein Feind hungrig ist, dann gib ihm zu essen; ist er durstig, gib ihm zu trinken. So wirst du ihn beschämen.«[d] [21]Lass dich nicht vom Bösen besiegen, sondern besiege das Böse durch das Gute.

Der Christ und die staatliche Ordnung

13 Jeder soll sich den bestehenden staatlichen Gewalten unterordnen. Denn es gibt keine staatliche Macht, die nicht von Gott kommt; jede ist von Gott eingesetzt. [2]Wer sich also den Regierenden widersetzt, handelt gegen die von Gott eingesetzte Ordnung und wird dafür von ihm verurteilt werden.

[3]Wer gut und richtig handelt, braucht die staatliche Macht ohnehin nicht zu fürchten; das muss nur, wer Böses tut. Wollt ihr also ohne Angst vor Bestrafung leben, dann tut, was richtig und gut ist,

---

[a] Wörtlich: Wer Barmherzigkeit übt, der tue dies mit Freude.
[b] Wörtlich: das Zorngericht.
[c] 5. Mose 32,35
[d] Wörtlich: So wirst du glühende Kohlen auf sein Haupt häufen. Vgl. Sprüche 25,21–22

12,7 1 Petr 4,11 **12,9** Am 5,15 **12,10** Joh 13,34–35; Gal 5,13–15; Eph 4,2–3; Phil 2,1–5; Kol 3,12–15; 1 Thess 4,9; Hebr 13,1; 2 Petr 1,7 **12,11** Kol 3,23–24; 1 Thess 5,19 **12,12** 5,3–5; 1 Thess 5,16–18 **12,13** 2 Kor 8,12–14; Gal 6,10; 1 Petr 4,9* **12,14** Mt 5,44*; Lk 6,27–28 **12,15** 1 Kor 12,26 **12,16** Phil 2,2–5; Spr 26,12 **12,17–18** Eph 2,10*; 1 Thess 5,15; Hebr 12,14; 1 Petr 3,9–12 **12,19** 1 Kor 6,1–7 **12,20–21** Mt 5,44*; 2 Mo 23,4–5; 2 Kön 6,21–23; Lk 6,27 **13,1–7** Joh 19,11; Apg 5,27–29; Tit 3,1; 1 Petr 2,13–17

und euer Verhalten wird Anerkennung finden. [4]Die öffentliche Gewalt steht im Dienst Gottes zum Nutzen jedes Einzelnen. Wer aber Unrecht tut, muss sie fürchten, denn Gott hat ihr nicht ohne Grund die Macht übertragen, Strafen zu verhängen. Sie handelt im Auftrag Gottes, wenn sie alle bestraft, die Böses tun. [5]Es sind also zwei Gründe, weshalb ihr euch der staatlichen Macht unterordnen müsst: Zum einen ist es das drohende Urteil Gottes, zum anderen aber auch euer Gewissen.

[6]Und weil die Vertreter des Staates ihren Dienst im Auftrag Gottes ausüben, zahlt ihr Steuern. [7]Gebt also jedem, was ihr ihm schuldig seid. Zahlt die Steuern, die man von euch verlangt, ebenso den Zoll. Unterstellt euch der staatlichen Macht, und erweist denen, die Anspruch darauf haben, den notwendigen Respekt.

Das wichtigste Gebot

[8]Bleibt keinem etwas schuldig! Eine Verpflichtung allerdings könnt ihr nie ein für alle Mal erfüllen: eure Liebe untereinander. Nur wer seine Mitmenschen liebt, der hat Gottes Gesetz erfüllt. [9]Die Gebote: »Du sollst nicht die Ehe brechen; du sollst nicht töten; du sollst nicht stehlen; begehre nicht, was anderen gehört«[a] und alle anderen Gebote lassen sich in einem Satz zusammenfassen: »Liebe deinen Mitmenschen wie dich selbst.«[b] [10]Denn wer seinen Mitmenschen liebt, tut ihm nichts Böses. So wird durch die Liebe das ganze Gesetz erfüllt.

Leben im Licht Gottes

[11]Liebt also eure Mitmenschen, denn ihr wisst doch, dass es Zeit ist, aus aller Gleichgültigkeit aufzuwachen. Unserer endgültigen Erlösung sind wir jetzt näher als zu Beginn unseres Glaubens. [12]Bald ist die Nacht vorüber, und der Tag bricht an. Deshalb wollen wir uns von den finsteren Taten der Nacht trennen und uns stattdessen mit den Waffen des Lichts rüsten. [13]Lasst uns ein gutes Leben führen, so wie es zum hellen Tag passt, ohne Fressgelage und Saufereien, ohne sexuelle Zügellosigkeit und Ausschweifungen, ohne Streit und Eifersucht. [14]Jesus Christus soll der Herr eures Lebens sein.[c] Passt auf, dass sich nicht alles um eure Wünsche und Begierden dreht!

Einander annehmen

14 Nehmt auch den ohne Vorbehalte an, dessen Glaube noch schwach ist. Verwirrt ihn nicht noch dadurch, dass ihr über unterschiedliche Ansichten streitet. [2]So essen die einen guten Gewissens alles, während andere meinen, kein Fleisch essen zu dürfen. [3]Niemand sollte deswegen auf die verächtlich herabschauen, die bestimmte Speisen meiden. Diese wiederum dürfen niemanden verurteilen, weil er das Fleisch der Opfertiere isst. Denn Gott hat den einen wie den anderen in seine Gemeinschaft aufgenommen. [4]Du bist nicht der Herr deines Mitmenschen. Mit welchem Recht willst du ihn also verurteilen? Ob er im Glauben standfest bleibt oder ob er fällt, ist eine Sache zwischen ihm und Gott, seinem Herrn. Und er wird im Glauben festbleiben, denn der Herr hält ihn.

[5]Für manche Leute sind bestimmte Tage von besonderer Bedeutung. Für andere wieder sind alle Tage gleich. Jeder soll nach seiner Überzeugung leben. [6]Wer nämlich Fastentage einhält, der will damit Gott, den Herrn, ehren. Und wer an solchen Tagen isst, der ehrt auch Gott,

---

[a] 2. Mose 20,13–17
[b] 3. Mose 19,18
[c] Wörtlich: Zieht den Herrn Jesus Christus an.

13,5 2,15 **13,7** Mt 22,16–21 **13,8–10** Joh 13,34–35; 1 Kor 13,1–13; Gal 6,9–10; 1 Tim 1,5
13,9 Mt 22,34–40 **13,11–14** Eph 2,10*; 1 Kor 7,29–31; 1 Thess 5,1–11; Eph 5,6–11; 6,10–17
13,14 1 Kor 9,27; Gal 5,16 **14,1–3** 14,14–23; 1 Kor 8,1–13* **14,4** Lk 6,36–38; Jak 4,12
14,5–6 Kol 2,16–17; 3,17

denn im Gebet dankt er ihm für das Essen. Fastet aber jemand an diesen Tagen, dann fastet er aus Liebe zu Gott, und auch er dankt Gott im Gebet und erweist ihm dadurch die Ehre.

[7] Niemand von uns lebt für sich selbst, und niemand stirbt für sich selbst. [8] Leben wir, dann leben wir für den Herrn, und sterben wir, dann sterben wir für den Herrn. Ganz gleich also, ob wir leben oder sterben: Wir gehören dem Herrn. [9] Denn Christus ist gestorben und zu neuem Leben auferstanden, um der Herr der Toten und der Lebenden zu sein.

[10] Mit welchem Recht verurteilst du also einen anderen Christen? Und warum schaust du auf ihn herab, nur weil er sich anders verhält? Wir werden alle einmal vor Gott stehen, und er wird über uns urteilen. [11] So steht es in der Heiligen Schrift: »So wahr ich lebe, spricht der Herr: Vor mir werden alle niederknien, und alle werden bekennen, dass ich der Herr bin!«[a] [12] So wird also jeder für sich selbst vor Gott Rechenschaft ablegen müssen.

Füreinander verantwortlich

[13] Deshalb wollen wir uns nicht länger gegenseitig verurteilen. Keiner soll durch sein Verhalten den anderen in Gewissensnot bringen oder in seinem Glauben verunsichern. [14] Ich weiß, und Jesus, der Herr, bestätigt es mir, dass uns keine Speise von Gott trennt, weil sie unrein wäre. Wer aber etwas für unrein hält, für den ist es tatsächlich unrein.

[15] Wenn du aber durch das, was du isst, einen anderen Christen verwirrst oder ihn sogar dazu verführst, gegen sein Gewissen zu handeln, dann bist du lieblos. Wegen irgendwelcher Speisen dürft ihr auf keinen Fall den Glauben eines anderen gefährden, für den doch Christus auch gestorben ist. [16] Was Gott euch geschenkt hat, soll nicht in Verruf geraten. [17] Wo Gottes neue Welt beginnt, geht es nicht mehr um Essen und Trinken. Es geht darum, dass wir gut und richtig miteinander umgehen und dass Gott uns durch seinen Heiligen Geist mit Frieden und Freude erfüllt. [18] Wer Christus in dieser Weise dient, über den freut sich Gott und den achten die Menschen. [19] Deshalb wollen wir uns mit allen Kräften darum bemühen, in Frieden miteinander zu leben und einander im Glauben zu stärken.

[20] Gott hat eure Gemeinde aufgebaut. Zerstört nicht sein Werk wegen irgendwelcher Speisevorschriften. Zwar sind in Gottes Augen alle Speisen rein. Manche Christen aber kommen in Gewissensnöte, wenn sie bestimmte Speisen essen. Damit schaden sie sich selbst.

[21] Deswegen isst du besser kein Fleisch, trinkst keinen Wein und vermeidest überhaupt alles, was einen anderen Christen zu Fall bringt.

[22] Wovon du persönlich überzeugt bist, ist eine Sache zwischen dir und Gott. Glücklich ist, wer mit seiner Überzeugung vor dem eigenen Gewissen bestehen kann und sich nicht selbst verurteilen muss.

[23] Wer aber beim Essen zweifelt, ob es richtig ist, was er tut, der ist schon verurteilt. Denn er handelt nicht im Vertrauen auf Christus. Alles aber, was wir nicht in diesem Vertrauen tun, ist Sünde.

Das Vorbild: Jesus Christus

15 Wir, die einen starken Glauben haben, sind dazu verpflichtet, auf die Schwachheit der anderen Rücksicht zu nehmen und nicht an uns selbst zu denken. [2] Jeder von uns soll sich so verhalten, dass er seinen Mitmenschen zum Guten ermutigt und ihn im Glauben stärkt.

[3] Auch Christus lebte nicht für sich

---

[a] Jesaja 45,23

14,7–9 2 Kor 5,15; Gal 2,19–20; Phil 1,21–23 **14,10–12** 2,16; 2 Kor 5,10*; Gal 6,5 **14,11** Phil 2,10–11 **14,13** Jak 4,12; 1 Kor 8,9 **14,14–23** 14,1–3; 1 Kor 8,1–13* **14,19** 12,18; 15,2; Hebr 12,14 **14,21** 1 Kor 10,24 **14,23** 14,14 **15,1** 14,1; Gal 6,2 **15,2** 1 Kor 11,1*; Hebr 6,12

selbst. Von ihm heißt es: »Die Anfeindungen, die dir, Gott, galten, haben mich getroffen.«[a] [4]Und aus dem, was in der Heiligen Schrift vorausgesagt wurde, sollen wir lernen. Sie ermutigt und tröstet uns, damit wir unsere Hoffnung auf ihre Zusagen setzen und daran festhalten.

[5]Gott aber, der uns immer wieder neuen Mut und Trost schenkt, helfe euch, einmütig zu sein, so wie es euch Jesus Christus gezeigt hat. [6]Dann könnt ihr alle wie aus einem Mund Gott, den Vater unseres Herrn Jesus Christus, loben und preisen.

Alle Völker werden Gott loben

[7]Nehmt einander an, so wie Christus euch angenommen hat. Auf diese Weise wird Gott geehrt. [8]Christus kam doch in diese Welt, um seinem Volk Israel zu dienen. Er zeigte ihnen, wie treu Gott seine Zusagen hält, die er ihren Vorfahren gegeben hat. [9]Auch die anderen Völker können Gott für seine Barmherzigkeit danken. So steht es schon in der Heiligen Schrift: »Ich will dich loben, alle Völker sollen es hören. Zu deiner Ehre will ich singen.«[b] [10]Ebenso heißt es: »Jubelt, ihr Völker, zusammen mit seinem Volk Israel!«[c] [11]An einer anderen Stelle können wir lesen: »Lobt den Herrn, alle Völker; preist ihn, alle Nationen!«[d] [12]Und Jesaja prophezeite: »Der Trieb, der aus der Wurzel Davids[e] hervorsprießt, wird groß werden und über die Völker herrschen. Er wird ihre einzige Hoffnung sein.«[f]

[13]Deshalb wünsche ich für euch alle, dass Gott, der diese Hoffnung schenkt, euch in eurem Glauben mit großer Freude und vollkommenem Frieden erfüllt, damit eure Hoffnung durch die Kraft des Heiligen Geistes wachse.

Paulus beschreibt seinen Auftrag

[14]Liebe Brüder und Schwestern! Ich bin fest davon überzeugt, dass ihr aufrichtig und gütig seid, weil ihr selbst wisst, wie viel Gott euch geschenkt hat. Deshalb könnt ihr euch auch gegenseitig ermahnen. [15]Trotzdem habe ich mir die Freiheit genommen, euch an einige Dinge zu erinnern, wobei ich stellenweise sehr deutlich geworden bin. Das habe ich getan, weil Gott mich beauftragt hat, [16]als Diener Jesu Christi allen Menschen die rettende Botschaft zu verkünden. Wie ein Priester im Tempel Gott dient und ihm opfert, so sehe ich meinen Auftrag. Durch den Heiligen Geist sollen Menschen aus allen Völkern zu Gott gehören und so eine Opfergabe werden, die ihm gefällt.

[17]Ich bin vor Gott stolz auf alles, was Jesus Christus durch mich getan hat. [18]Hätte nicht er es bewirkt, dass Menschen aus vielen Völkern zum Glauben gekommen und Gott gehorsam geworden sind, würde ich es nicht wagen, auch nur davon zu reden. So aber wirkte Gott durch meine Predigt und meinen Einsatz [19]und bestätigte dies alles durch Zeichen und Wunder seines Geistes. Von Jerusalem bis hin zur Provinz Illyrien habe ich die rettende Botschaft von Christus verbreitet und ihr Geltung verschafft. [20]Dabei war es mein großes Anliegen, nur dort zu predigen, wo man noch nichts von Jesus Christus gehört hatte. Denn ich wollte nicht auf einem Fundament aufbauen, das jemand anders gelegt hatte. [21]Ich folgte damit den Worten der Heiligen Schrift: »Gerade die sollen ihn sehen, denen er nicht angekündigt war, und die noch nichts von ihm gehört haben, werden ihn begreifen.«[g]

---

[a] Psalm 69,10
[b] Psalm 18,50
[c] 5. Mose 32,43
[d] Psalm 117,1
[e] Im Griechischen steht hier der Name von Davids Vater Isai.
[f] Jesaja 11,10
[g] Jesaja 52,15

15,4 2 Tim 3,15–17 **15,7–8** 14,1; Mt 20,25–28 **15,15–16** 1,5; Gal 2,9 **15,18–19** 1 Kor 1,31; 2 Kor 3,5 **15,20** 1 Kor 3,10–11

Reisepläne

[22] Weil ich damit so beschäftigt war, bin ich auch bisher noch nicht bei euch gewesen. [23] Aber jetzt habe ich meine Arbeit hier beendet, und wie ich es mir schon seit Jahren sehnlichst wünsche, möchte ich nun zu euch kommen. [24] Ich habe vor, nach Spanien zu reisen, und bei dieser Gelegenheit hoffe ich, euch in Rom persönlich kennen zu lernen. Wenn ich dann in der Gemeinschaft mit euch neue Kraft geschöpft habe, könntet ihr mich vielleicht auf meiner Weiterreise begleiten.

[25] Im Augenblick bin ich auf dem Weg nach Jerusalem, um der Gemeinde dort zu helfen. [26] Denn die Christen in den Provinzen Mazedonien und Achaja haben für die Armen der Gemeinde von Jerusalem Geld gesammelt. [27] Sie haben das gern getan, weil sie gerade dieser Gemeinde viel Dank schulden. Denn von Jerusalem aus hat sie die rettende Botschaft erreicht, und insofern ist es nur recht und billig, dass sie jetzt der Jerusalemer Gemeinde in ihrer Not helfen. [28] Sobald man mir dort bestätigt hat, dass ich das Geld ordnungsgemäß abgeliefert habe, kann ich auf dem Weg nach Spanien zu euch kommen. [29] Ich weiß, dass ich euch dann den reichen Segen Jesu Christi weitergeben werde.

[30] Liebe Brüder und Schwestern, im Namen Jesu Christi und weil wir in der Liebe des Heiligen Geistes miteinander verbunden sind, bitte ich euch: Helft mir bei meinem Kampf, indem ihr für mich betet. [31] Bittet Gott, dass er mich vor denen in Judäa bewahrt, die nicht auf die rettende Botschaft hören wollen. Und betet darum, dass meine Hilfe von den Christen in Jerusalem dankbar angenommen wird. [32] Dann erst kann ich frohen Herzens zu euch kommen und – so Gott will – mich über die Gemeinschaft mit euch freuen. [33] Gott aber, von dem aller Friede kommt, sei mit euch allen. Amen.

Grüße

16 Unserer Schwester Phöbe, die im Dienst der Gemeinde von Kenchreä steht, dürft ihr vertrauen. [2] Nehmt sie freundlich auf, wie es für Christen selbstverständlich ist. Ihr tut es ja für den Herrn. Steht ihr bei, wo immer sie eure Hilfe braucht. Sie selbst hat auch vielen geholfen, die in Not waren, nicht zuletzt mir.

[3] Grüßt Priszilla und Aquila, die mit mir zusammen Jesus Christus dienen. [4] Sie haben ihr Leben für mich gewagt, und ich bin nicht der Einzige, der ihnen zu Dank verpflichtet ist. Auch die nichtjüdischen Gemeinden verdanken ihnen viel. [5] Grüßt die ganze Gemeinde von mir, die sich in ihrem Haus versammelt.

Grüßt meinen lieben Epänetus, der als Erster in der Provinz Asia zum Glauben an Jesus Christus kam. [6] Grüßt Maria von mir, die sich so viel Mühe um euch gemacht hat. [7] Herzliche Grüße auch an Andronikus und Junia, meine jüdischen Landsleute, die mit mir wegen ihres Glaubens im Gefängnis waren. Beide sind ja noch vor mir Christen geworden und sind als Apostel hoch angesehen[a].

[8] Grüßt Ampliatus, mit dem ich mich im Glauben verbunden weiß, [9] unseren Mitarbeiter Urbanus sowie den lieben Stachys. [10] Grüßt ebenso Apelles, diesen im Glauben bewährten Mann. Meine besten Wünsche gelten denen, die im Haus des Aristobul leben. [11] Grüßt meinen Landsmann Herodion und die Christen im Haus des Narzissus.

[12] Viele Grüße auch an Tryphäna und Tryphosa sowie meine liebe Persis, die alle so unermüdlich für den Herrn arbeiten. [13] Grüßt Rufus, den der Herr zu seinem Dienst auserwählt hat, und seine liebe Mutter, die auch mir eine Mutter gewesen ist. [14] Herzliche Grüße außerdem an Asynkritus, Phlegon, Hermes, Patrobas, Hermas und die anderen Christen bei ihnen.

---

[a] Oder: und sind bei den Aposteln hoch angesehen.

15,22–23 1,10–13; Apg 19,21 **15,25** Apg 19,21 **15,26–27** Gal 2,10* **15,30** Kol 4,3–4* **15,31** Apg 21,17–20 **16,3–5** Apg 18,2–3.18–19; 1 Kor 16,19 **16,13** Mk 15,21

[15] Schließlich möchte ich noch Philologus, Julia, Nereus und dessen Schwester grüßen sowie Olympas und alle Christen, die bei ihnen sind. [16] Grüßt einander mit dem Friedenskuss. Alle Gemeinden hier lassen euch grüßen.

Abschließende Ermahnung

[17] Zum Schluss, meine lieben Brüder und Schwestern, muss ich euch noch vor Leuten warnen, die eure Gemeinde spalten und durcheinander bringen. Sie verbreiten eine andere Lehre und widersprechen dem, was ihr gelernt habt. Mit solchen Leuten sollt ihr nichts zu tun haben. [18] Denn sie dienen nicht unserem Herrn Christus. Es geht ihnen nur um die Erfüllung ihrer persönlichen Wünsche und Begierden. Mit schönen Worten und Schmeicheleien verführen sie ihre arglosen Zuhörer.

[19] Von euch allerdings hört man nur Gutes. Jeder weiß, dass ihr tut, was Gott von euch möchte. Darüber freue ich mich. Ich wünsche, dass ihr auch in Zukunft voller Weisheit beim Guten bleibt und euch nicht vom Bösen verderben lasst. [20] Denn Gott, von dem aller Friede kommt, wird bei euch den Satan bald endgültig besiegt haben. Die Gnade unseres Herrn Jesus Christus sei mit euch!

[21] Mein Mitarbeiter Timotheus und meine Landsleute Luzius, Jason und Sosipater schicken euch viele Grüße.

[22] Auch ich, Tertius, möchte euch als meine Mitchristen herzlich grüßen. Paulus hat mir diesen Brief an euch diktiert.

[23] Gajus lässt ebenfalls herzlich grüßen. Ich bin sein Gast, und die ganze Gemeinde trifft sich hier in seinem Haus. Erastus, der Stadtkämmerer, und unser Freund Quartus schicken euch viele Grüße. [24] Die Gnade unseres Herrn Jesus Christus sei mit euch allen! Amen.[a]

Lob Gottes

[25] Gott sei gelobt! Er gibt euch Kraft und Stärke durch die rettende Botschaft von Jesus Christus. Durch meine Predigt habt ihr davon gehört, und nun lässt diese Botschaft euch erkennen, was seit ewigen Zeiten verborgen war. [26] Schon die Propheten haben in den Heiligen Schriften davon gesprochen, und nach dem Willen des ewigen Gottes sollen nun Menschen aus allen Völkern die rettende Botschaft hören, Gott vertrauen und tun, was ihm gefällt. [27] Dem allein weisen Gott, den wir durch Jesus Christus kennen, ihm gehören Lob und Ehre in alle Ewigkeit. Amen!

---

[a] In anderen Textzeugen steht nach dem 23. Vers unmittelbar Vers 25.

16,17 Mt 7,15–16; Kol 2,8; Tit 3,10–11; 2 Joh 10 **16,18** Phil 3,17–19; Kol 2,8 **16,19** 1,8
16,21 Apg 16,1–3* **16,25–26** 1,5; Eph 3,2–12 **16,27** 1 Tim 1,17

Der erste Brief des Paulus an die Christen in Korinth

Anschrift und Gruß

1 Paulus, den Gott zum Apostel Jesu Christi berufen hat, und sein Mitarbeiter Sosthenes schreiben diesen Brief [2] an die Gemeinde Gottes in Korinth, an alle, die durch Jesus Christus zu Gott gehören.

Gott hat euch dazu berufen, so zu leben, wie es ihm gefällt. Unser Brief richtet sich auch an alle anderen, die Jesus Christus auf der ganzen Welt als unseren gemeinsamen Herrn anbeten. [3] Ich wünsche euch Gnade und Frieden von Gott, unserem Vater, und unserem Herrn Jesus Christus.

Dank für Gottes Geschenk

[4] Immer wieder danke ich Gott dafür, dass er euch durch Jesus Christus seine unverdiente Güte geschenkt hat. [5] Durch ihn seid ihr in allem reich geworden, er hat euch in reichem Maß befähigt, seine Botschaft zu verkünden und zu verstehen. [6] Die Botschaft von Christus ist der feste Grund eures Glaubens. [7] Darum fehlt bei euch keine der Gaben, die Gottes Geist den Glaubenden schenkt.

So wartet ihr darauf, dass Jesus Christus, unser Herr, für alle sichtbar kommt. [8] Er wird euch die Kraft geben, im Glauben festzubleiben und das Ziel zu erreichen, so dass ihr vor ihm bestehen könnt, wenn er kommt. [9] Darauf könnt ihr euch verlassen, denn Gott steht zu seinem Wort. Er selbst hat euch ja zur Gemeinschaft mit seinem Sohn, unserem Herrn Jesus Christus, berufen.

Warnung vor Spaltungen

[10] Liebe Brüder und Schwestern, im Auftrag unseres Herrn Jesus Christus möchte ich euch aber bitten: Hört auf, euch zu streiten! Duldet keine Spaltungen in der Gemeinde, sondern steht fest zusammen, seid einig in allem, was ihr glaubt und entscheidet! [11] Von Leuten aus dem Haus der Chloë habe ich erfahren, dass ihr Streit miteinander habt. [12] Es soll einige bei euch geben, die sagen: »Wir gehören zu Paulus«, während andere erklären: »Wir halten uns an Apollos!« Die Nächsten meinen: »Nur was Petrus sagt, ist richtig!«; und die letzte Gruppe behauptet schließlich: »Wir gehören allein zu Christus!«

[13] Was soll das? Wollt ihr etwa Christus zerteilen? Bin denn ich, Paulus, für euch gekreuzigt worden? Oder wurdet ihr auf meinen Namen getauft? [14] Ich danke Gott dafür, dass ich außer Krispus und Gajus niemanden von euch getauft habe. [15] Sonst würdet ihr vielleicht noch behaupten, ich hätte euch getauft, damit ihr *mir* nachfolgt[a]! [16] Da fällt mir ein, dass ich auch Stephanas getauft habe und alle, die in seinem Haus leben. Von anderen aber weiß ich nichts.

[17] Christus hat mich nicht beauftragt, die Menschen zu taufen, sondern die rettende Botschaft zu verkünden. Dabei geht es mir nun wirklich nicht darum,

---

[a] Wörtlich: ihr wäret auf meinen Namen getauft.

1,1 Apg 9,15* **1,2** Eph 3,6 **1,4** Eph 2,8–9 **1,5** 2 Kor 8,9 **1,6** 1,23; 3,11 **1,7** 12,4–11; Tit 2,13* **1,8** Phil 1,6.9–11; 1 Thess 3,13 **1,9** Röm 8,38–39; 1 Thess 5,24; Hebr 10,23 **1,10** 11,18–19; Phil 2,1–5 **1,12** 3,3–8.22; Apg 18,24–28* **1,13** Gal 3,27 **1,14** Apg 18,8 **1,16** 16,15–18 **1,17** Apg 9,15–16; 1 Kor 2,2

meine Zuhörer durch menschliche Weisheit zu beeindrucken. Denn sonst wäre die Botschaft, dass Christus am Kreuz für uns starb, nicht mehr der Mittelpunkt unseres Glaubens.

Die Botschaft vom Kreuz und die menschliche Weisheit

[18]Dass Jesus Christus am Kreuz für uns starb, muss freilich all denen, die verloren gehen, unsinnig erscheinen. Wir aber, die gerettet werden, erfahren gerade durch diese Botschaft vom Kreuz die ganze Macht Gottes.

[19]Denn Gott spricht in der Heiligen Schrift: »Bei mir zählt nicht die Weisheit der Welt, nicht die Klugheit der Klugen. Ich werde sie verwerfen.«[a] [20]Was aber haben sie dann noch zu sagen, all diese Philosophen, die Kenner der heiligen Schriften, die redegewandten Leute dieser Welt? Hat Gott ihre Weisheiten nicht als Unsinn entlarvt? [21]Denn Gott in seiner Weisheit hat es den Menschen unmöglich gemacht, mit Hilfe ihrer eigenen Weisheit Gott zu erkennen. Stattdessen beschloss er, alle zu retten, die einer scheinbar so unsinnigen Botschaft glauben.

[22]Die Juden wollen Wunder sehen, und die Griechen suchen nach Weisheit. [23]Wir aber sagen den Menschen, dass Christus am Kreuz für uns sterben musste, auch wenn das für die Juden eine Gotteslästerung ist und für die Griechen blanker Unsinn. [24]Und dennoch erfahren alle, die von Gott berufen sind – Juden wie Griechen –, dass sich gerade in diesem gekreuzigten Christus Gottes Kraft und Gottes Weisheit zeigen. [25]Was Gott getan hat, übersteigt alle menschliche Weisheit, auch wenn es unsinnig erscheint; und was bei ihm wie Schwäche aussieht, übertrifft alle menschliche Stärke.

[26]Schaut euch selbst an, liebe Brüder und Schwestern! Sind unter euch, die Gott berufen hat, wirklich viele, die man als gebildet und einflussreich bezeichnen könnte oder die aus einer vornehmen Familie stammen? [27]Nein, denn Gott hat sich die aus menschlicher Sicht Törichten ausgesucht, um so die Klugen zu beschämen. Gott nahm sich der Schwachen dieser Welt an, um die Starken zu demütigen. [28]Wer von Menschen geringschätzig behandelt, ja verachtet wird, wer bei ihnen nichts zählt, den will Gott für sich haben. Aber alles, worauf Menschen so großen Wert legen, das hat Gott für null und nichtig erklärt. [29]Vor Gott kann sich niemand etwas auf sein Können einbilden.

[30]Auch ihr verdankt alles, was ihr seid, der Gemeinschaft mit Jesus Christus. Er ist Gottes Weisheit für uns. Durch ihn haben wir Anerkennung vor Gott gefunden, durch ihn können wir ein Leben führen, wie es Gott gefällt, und durch ihn sind wir auch befreit von unserer Schuld.[b] [31]So trifft nun zu, was die Heilige Schrift sagt: »Wenn jemand stolz sein will, soll er auf das stolz sein, was Gott für ihn getan hat!«[c]

Erste Predigt in Korinth

2 Liebe Brüder und Schwestern! Als ich zu euch kam und euch Gottes Botschaft brachte, die bisher noch nicht bekannt war, habe ich das nicht mit geschliffener Rede und menschlicher Weisheit getan. [2]Ich wollte von nichts anderem sprechen als von Jesus Christus und seinem Tod am Kreuz. [3]Dabei war ich schwach und elend und zitterte vor Angst. [4]Was ich euch sagte und predigte,

---

[a] Jesaja 29,14
[b] Wörtlich: … Jesus Christus, der uns geworden ist von Gott: Weisheit, Gerechtigkeit, Heiligkeit, Erlösung.
[c] Jeremia 9,23

1,18 2 Kor 4,3 **1,19–21** Röm 1,21–22 **1,22** Mt 12,38; Apg 17,19–21 **1,23** 2,14; Mt 26,65; Gal 5,11 **1,24** 2,5; Röm 1,16; Kol 2,2–3 **1,25** 2 Kor 13,4 **1,26** Jak 2,1–5 **1,29–31** Röm 3,27; 15,17–18; 2 Kor 3,5; Eph 2,8–10 **1,30** Röm 1,17; 2 Kor 5,21 **2,2** 1,17–18; Gal 6,14 **2,3** Gal 4,13–14 **2,4–5** 4,20; 1 Thess 1,5

geschah nicht mit ausgeklügelter Überredungskunst, durch mich sprach Gottes Geist und wirkte seine Kraft. [5] Denn euer Glaube sollte sich nicht auf Menschenweisheit gründen, sondern auf Gottes rettende Kraft.

Gottes Weisheit

[6] Dennoch erkennt jeder im Glauben gereifte Christ, wie wahr und voller Weisheit diese Botschaft ist, auch wenn diese Welt und ihre Machthaber das nicht als Weisheit gelten lassen wollen. Aber die Welt mit all ihrer Macht wird untergehen. [7] Die Weisheit, die wir verkünden, ist Gottes Weisheit. Sie bleibt ein Geheimnis und vor den Augen der Welt verborgen. Und doch hat Gott, noch ehe er die Welt schuf, beschlossen, uns an seiner Weisheit und Herrlichkeit teilhaben zu lassen. [8] Von den Herrschern dieser Welt hat das keiner erkannt. Sonst hätten sie Christus, den Herrn der Herrlichkeit, nicht ans Kreuz geschlagen. [9] Es ist vielmehr das eingetreten, was schon in der Heiligen Schrift vorausgesagt ist: »Was kein Auge jemals sah, was kein Ohr jemals hörte und was sich kein Mensch vorstellen kann, das hält Gott für die bereit, die ihn lieben.«[a]

[10] Uns aber hat Gott durch seinen Geist sein Geheimnis enthüllt. Denn der Geist Gottes weiß alles, er kennt auch Gottes tiefste Gedanken. [11] So wie jeder Mensch nur ganz allein weiß, was in ihm vorgeht, so weiß auch nur der Geist Gottes, was Gottes Gedanken sind. [12] Wir haben nicht den Geist dieser Welt bekommen, sondern den Geist Gottes. Und deshalb können wir auch erkennen, was Gott für uns getan hat.

[13] Was wir euch verkünden, kommt nicht aus menschlicher Klugheit, sondern wird uns vom Geist Gottes eingegeben. Und so können wir Gottes Geheimnisse verstehen, weil wir uns von seinem Geist leiten lassen. [14] Der Mensch kann mit seinen natürlichen Fähigkeiten nicht erfassen, was Gottes Geist sagt. Für ihn ist das alles Unsinn, denn Gottes Geheimnisse erschließen sich nur durch Gottes Geist. [15] Der von Gottes Geist erfüllte Mensch kann alles beurteilen, er selbst aber ist keinem menschlichen Urteil unterworfen. [16] Es steht ja schon in der Heiligen Schrift: »Wer kann die Gedanken des Herrn erkennen, oder wer könnte gar Gottes Ratgeber sein?«[b] Nun, wir haben den Geist Christi empfangen und können ihn verstehen.[c]

Einer ist so notwendig wie der andere

3 Liebe Brüder und Schwestern! Ich konnte allerdings zu euch nicht wie zu Menschen reden, die sich vom Geist Gottes leiten lassen[d] und im Glauben erwachsen sind. Ihr wart noch wie kleine Kinder, die ihren eigenen Wünschen folgen.[e] [2] Darum habe ich euch nur Milch und keine feste Nahrung gegeben, denn die hättet ihr gar nicht vertragen. Selbst jetzt vertragt ihr diese Nahrung noch nicht; [3] denn ihr lebt immer noch so, als würdet ihr Christus nicht kennen[f]. Beweisen Neid und Streit unter euch nicht, dass ihr immer noch wie alle anderen Menschen denkt und lebt?

[4] Wenn die einen unter euch sagen: »Ich gehöre zu Paulus!«, und andere: »Ich zu Apollos!«, dann benehmt ihr euch, als hätte Christus euch nicht zu

---

[a] Jesaja 64,3; vgl. Jesaja 65,17
[b] Jesaja 40,13
[c] Wörtlich: Wir aber haben den Sinn Christi.
[d] Wörtlich: wie zu Geistbegabten.
[e] Wörtlich: (Ihr wart noch) Fleischliche.
[f] Wörtlich: denn ihr seid noch fleischlich.

2,6–7 1,24–25; Mt 11,25; Röm 16,25; Eph 1,4–5 **2,8** Joh 7,47–49 **2,10–11** Kol 1,26–27 **2,12** Joh 16,13 **2,15** 12,10; 14,29; 1 Thess 5,21 **2,16** Röm 8,16 **3,1–2** Hebr 5,11–14; 1 Petr 2,2 **3,3** 1,10–11; 11,18; Jak 3,14–18 **3,3–5** 1,10–13

neuen Menschen gemacht. [5]Wer ist denn schon Apollos oder Paulus, dass ihr euch deshalb streitet? Wir sind doch nur Diener Gottes, durch die ihr zum Glauben gekommen seid. Jeder von uns hat lediglich getan, was ihm von Gott aufgetragen wurde. [6]Ich habe gepflanzt, Apollos hat begossen, aber Gott hat euren Glauben wachsen lassen. [7]Es ist nicht so wichtig, wer pflanzt und wer begießt; wichtig ist allein Gott, der euren Glauben wachsen lässt. [8]Von Gottes Mitarbeitern ist einer so notwendig wie der andere, ob er nun das Werk beginnt oder weiterführt. Jeder wird von Gott den gerechten Lohn für seine Arbeit bekommen.

Jeder Mitarbeiter ist Gott verantwortlich

[9]Wir sind Gottes Mitarbeiter, ihr aber seid Gottes Ackerland und sein Bauwerk. [10]Gott hat mir in seiner Gnade den Auftrag und die Fähigkeit gegeben, wie ein guter Bauleiter das Fundament zu legen. Doch andere bauen nun darauf weiter. Und jeder muss darauf achten, dass er wirklich sorgfältig arbeitet. [11]Das Fundament, das bei euch gelegt wurde, ist Jesus Christus. Niemand kann ein anderes oder gar besseres Fundament legen.

[12]Nun kann man mit den unterschiedlichsten Materialien weiterbauen. Manche verwenden Gold, Silber, kostbare Steine, andere nehmen Holz, Schilf oder Stroh. [13]Doch an dem Tag, an dem Christus sein Urteil spricht, wird sich zeigen, womit jeder gebaut hat. Dann nämlich wird alles im Feuer auf seinen Wert geprüft, und es wird sichtbar, wessen Arbeit dem Feuer standhält. [14]Hat jemand fest und dauerhaft auf dem Fundament Christus weitergebaut, wird Gott ihn belohnen. [15]Verbrennt aber sein Werk, wird er alles verlieren. Er selbst wird zwar gerettet werden, aber nur mit knapper Not, so wie man jemanden aus dem Feuer zieht.

[16]Denkt also daran, dass ihr Gottes Tempel seid und dass Gottes Geist in euch wohnt! [17]Wer diesen Tempel zerstört, den wird Gott richten. Denn Gottes Tempel ist heilig, und dieser Tempel seid ihr!

Warnung vor Überheblichkeit

[18]Macht euch doch nichts vor! Wer sich einbildet, in dieser Welt besonders klug und weise zu sein, der muss den Mut aufbringen, als töricht zu gelten. Nur dann wird er wirklich weise. [19]Denn alle Weisheit dieser Welt ist in den Augen Gottes blanker Unsinn. So steht es schon in der Heiligen Schrift: »Er fängt die Klugen mit ihrer eigenen List.«[a] [20]Und außerdem heißt es: »Der Herr durchschaut die menschlichen Gedanken und weiß: Sie sind oberflächlich und hohl.«[b]

[21]Merkt ihr, wie unsinnig es ist, sich auf das Können von Menschen etwas einzubilden? Euch gehört doch ohnehin alles: [22]Paulus, Apollos und Petrus, ja die ganze Welt, das Leben wie der Tod, die Gegenwart wie die Zukunft – alles gehört euch! [23]Ihr selbst aber gehört Christus, und Christus gehört Gott.

Überlasst das Urteil Gott!

4 Seht in uns Diener Christi und Boten, die Gottes Geheimnisse verkünden. [2]Von solchen Boten verlangt man vor allem Zuverlässigkeit. [3]Wie es bei mir damit steht? Mir ist es nicht so wichtig, wie ihr oder irgendein menschliches Gericht in diesem Punkt über mich urteilen. Ich maße mir auch über mich selbst kein Urteil an. [4]Zwar bin ich mir keiner Schuld bewusst, aber damit bin ich noch nicht freigesprochen. Entscheidend ist allein Gottes Urteil. [5]Deshalb urteilt niemals

---

[a] Hiob 5,13
[b] Psalm 94,11

3,6 16,12; Apg 19,1 **3,8** Eph 4,11–12 **3,9** Eph 2,20–22 **3,10** Apg 18,1–8 **3,11** 1,6; Apg 4,11–12 **3,13** 4,5 **3,14** 3,8; 4,5; 15,58 **3,16** 6,19; Röm 8,9 **3,18–19** 1,19–21 **3,21** 1,31 **3,22** 1,12 **4,1** 3,5–8 **4,2** Mt 25,21 **4,5** Röm 2,16; 2 Kor 5,10; Ps 26,2*; 1 Kor 3,8

voreilig! Wenn Christus kommt, wird er alles ans Licht bringen, auch unsere geheimsten Wünsche und Gedanken. Dann wird Gott jeden so loben, wie er es verdient hat.

[6]Liebe Brüder und Schwestern, ich habe jetzt nur von Apollos und mir gesprochen. An unserem Beispiel sollt ihr lernen, was der Satz bedeutet: »Geht nicht über das hinaus, was in der Heiligen Schrift steht.« Seid nicht überheblich, und spielt darum nicht einen von uns gegen den anderen aus! [7]Woher nimmst du dir das Recht dazu? Bist du etwas Besonderes? Alles, was du besitzt, hat Gott dir doch geschenkt. Hat er dir aber alles geschenkt, wie kannst du dann damit prahlen, als wäre es dein eigenes Verdienst?

Noch nicht am Ziel

[8]Aber ihr seid ja so satt und selbstzufrieden. Ihr haltet euch für so reich, dass ihr anscheinend nichts mehr braucht. Ihr bildet euch ein, schon jetzt herrschen zu können, als ob Christus bereits wiedergekommen wäre. Uns braucht ihr dabei nicht.[a] Ich wünschte, ihr würdet wirklich schon mit Christus herrschen. Dann wären auch wir am Ziel unseres Glaubens und könnten mit euch regieren. [9]Doch ich meine, dass Gott uns, seine Apostel, auf den letzten Platz verwiesen hat, dem Tod näher als dem Leben. Wie in einer Arena kämpfen wir vor den Augen der ganzen Welt. Menschen und Engel beobachten gespannt, wie dieser Kampf ausgehen wird. [10]Uns hält man für Narren, weil wir an Christus glauben; euch aber hält man aus dem gleichen Grund für klug. Wir sind schwach; ihr aber seid stark. Ihr werdet geachtet und geehrt; wir aber werden ausgelacht.

[11]Bis heute leiden wir Hunger und Durst, und unsere Kleider sind kaum mehr als Lumpen. Wir werden geschlagen und herumgestoßen, nirgendwo haben wir ein Zuhause. [12]Wir arbeiten hart für unseren Lebensunterhalt. Wenn man uns beleidigt, dann segnen wir. Verfolgt man uns, wehren wir uns nicht dagegen; [13]und wenn man uns verhöhnt, antworten wir freundlich. Wir waren schon immer die Sündenböcke für die ganze Welt, der Müllhaufen, auf dem jeder seinen Unrat ablädt.

[14]Ich schreibe das alles nicht, um euch zu beschämen. Vielmehr möchte ich euch, meine geliebten Kinder, ermahnen und wieder auf den rechten Weg bringen. [15]Selbst wenn ihr zehntausend Erzieher hättet, die euch im Glauben unterweisen, so habt ihr doch nicht viele Väter. Denn ich habe euch die rettende Botschaft von Jesus Christus gebracht, und dadurch habt ihr das Leben empfangen.[b] [16]Darum bitte ich euch: Folgt meinem Beispiel!

[17]Weil mir so viel daran liegt, habe ich Timotheus zu euch geschickt. Durch den Glauben ist er mir ein lieber und treuer Sohn geworden. Er wird euch daran erinnern, wie ich in der Verbindung mit Christus lebe. So lehre ich es auch in allen anderen Gemeinden.

[18]Einige von euch behaupten lautstark, ich würde es gar nicht mehr wagen, selbst nach Korinth zu kommen. [19]Aber ich werde bald bei euch sein, wenn der Herr es zulässt! Dann interessieren mich nicht die großen Sprüche dieser aufgeblasenen Leute, sondern was dahinter steckt[c]. [20]Denn Gott gründet seine neue Welt nicht auf Worte, sondern auf seine Kraft. [21]Entscheidet also selbst: Soll ich den Stock bei euch gebrauchen oder mit Liebe und Freundlichkeit zu euch kommen?

Missstände in der Gemeinde

5 Ich habe gehört, dass ihr in eurer Gemeinde Leute duldet, die verbotene

---

[a] Wörtlich: Ohne uns seid ihr zur Herrschaft gekommen.
[b] Wörtlich: Ich habe euch gezeugt in Christus Jesus durch das Evangelium.
[c] Wörtlich: sondern die Kraft.

4,6–7 Röm 12,3 **4,8** Offb 3,17.21 **4,9–13** 2 Kor 4,9–11; 11,23–29; 1 Thess 2,9 **4,12** 9,13–15 **4,15** 1 Tim 1,2 **4,16** 11,1* **4,17** Apg 16,1–3* **4,19** 16,5–8 **4,20** 2,4–5 **4,21** 2 Kor 2,4 **5,1** 3 Mo 18,7–8

sexuelle Beziehungen eingegangen sind, und zwar soll einer von euch mit seiner Stiefmutter zusammenleben. So etwas ist nicht einmal bei den Menschen erlaubt, die Gott nicht kennen! [2]Ihr aber seid auch noch eingebildet. Müsstet ihr nicht stattdessen traurig und beschämt diesen Mann aus der Gemeinde ausschließen? [3]Ich selbst bin zwar nicht persönlich, aber doch im Geist bei euch. Und so habe ich – als wäre ich mitten unter euch – bereits mein Urteil über den Schuldigen gefällt.

[4]Wenn ihr im Namen Jesu Christi zusammenkommt, werde ich im Geist bei euch sein. Dann wollen wir gemeinsam in der Kraft unseres Herrn Jesus [5]diesen Mann dem Satan ausliefern. Er soll die zerstörende Macht des Bösen an seinem Leib erfahren, damit sein Geist am Tag des Gerichts gerettet werden kann.

[6]Ihr habt wirklich nicht den geringsten Grund zur Überheblichkeit. Wisst ihr nicht, dass schon ein wenig Sauerteig genügt, um den ganzen Teig zu durchsäuern? [7]Entfernt jeden Rest des alten Sauerteigs, damit ihr ein neuer, ungesäuerter Teig werdet. Ihr seid doch rein, weil Jesus Christus als unser Passahlamm geopfert wurde. [8]Darum lasst uns das Passahfest feiern: nicht mit Brot aus dem alten Sauerteig von Sünde und Bösem, sondern mit ungesäuertem Brot der Reinheit und Wahrhaftigkeit.

[9]Ich habe euch schon einmal geschrieben, dass ihr nichts mit Leuten zu tun haben sollt, die sexuell zügellos leben. [10]Damit habe ich freilich nicht alle auf der Welt gemeint, die zügellos leben, habgierig sind, die Götzen anbeten oder stehlen. Sonst müsstet ihr ja die Welt verlassen. [11]Nein, ich meinte, dass ihr euch von all denen trennen sollt, die sich Christen nennen und trotzdem verbotene sexuelle Beziehungen eingehen, Götzen anbeten, die geldgierig sind, Gotteslästerer, Trinker oder Diebe. Mit solchen Leuten sollt ihr keinerlei Gemeinschaft haben[a]. [12/13]Es ist nicht unsere Aufgabe, Leute zu verurteilen, die nicht zur Gemeinde gehören. Das wird Gott tun. Aber für das, was in der Gemeinde geschieht, tragt ihr die Verantwortung. »Entfernt den Bösen aus eurer Mitte!«, heißt es schon bei Mose.[b]

Rechtsstreit unter Christen?

6 Wie ist es möglich, dass ihr als Christen eure Streitigkeiten vor ungläubigen Richtern austragt, statt die Gemeinde um Rat zu bitten! [2]Wisst ihr denn nicht, dass wir als Christen einmal über die Welt richten werden? Dann müsstet ihr doch auch diese Kleinigkeiten unter euch selbst regeln können. [3]Habt ihr vergessen, dass wir sogar die Engel richten werden? Müsstet ihr dann nicht erst recht eure alltäglichen Streitigkeiten schlichten können? [4]Aber ihr lauft damit zu Richtern, die in der Gemeinde nichts zu sagen haben.[c]

[5]Traurig, dass ich darüber reden muss! Gibt es denn in der ganzen Gemeinde keinen Einzigen, der Streit zwischen euch schlichten kann? [6]Stattdessen zieht ein Christ den anderen vor Gericht und verklagt ihn vor den Ungläubigen.

[7]Schlimm genug, dass ihr überhaupt Streit miteinander habt! Weshalb ertragt ihr nicht lieber Unrecht, und warum nehmt ihr nicht eher Nachteile in Kauf, anstatt auf euer Recht zu pochen? [8]Doch ihr tut selbst Unrecht und betrügt andere; sogar eure Brüder und Schwestern in der Gemeinde!

[9]Habt ihr vergessen, dass für Menschen, die Unrecht tun, in Gottes neuer Welt kein Platz sein wird? Täuscht euch nicht: Wer verbotene sexuelle Beziehungen eingeht, andere Götter anbetet, die

---

[a] Wörtlich: nicht einmal zusammen essen.
[b] 5. Mose 13,6
[c] Oder: Dabei könnte jeder in der Gemeinde ein besserer Richter sein als sie.

5,3–5 1 Tim 1,20; 1 Kor 3,15; 11,31–32 **5,6–7** Röm 16,17; Tit 3,10–11; 2 Mo 12,15; Joh 1,29* **5,9–11** Eph 5,5–7; 1 Thess 5,22; 2 Thess 3,6 **6,2–3** Röm 5,17; 2 Tim 2,12 **6,7** Mt 5,38–41; Röm 12,19; 1 Thess 5,15 **6,9–10** Gal 5,19–21; Eph 5,5; 1 Tim 6,9–10; Offb 22,15; 3 Mo 18,22

Ehe bricht, wer sich von seinen Begierden treiben lässt und homosexuell verkehrt, wird nicht in Gottes neue Welt kommen; [10]auch kein Dieb, kein Ausbeuter, kein Trinker, kein Gotteslästerer oder Räuber. [11]Und all das sind einige von euch gewesen. Aber jetzt sind eure Sünden abgewaschen. Ihr gehört nun ganz zu Gott; durch Jesus Christus und durch den Geist unseres Gottes seid ihr freigesprochen.

Unser Körper gehört Gott

[12]»Es ist alles erlaubt«, sagt ihr[a]. Das mag stimmen, aber es ist nicht alles gut für euch. Mir ist alles erlaubt, aber ich will mich nicht von irgendetwas beherrschen lassen. [13]Wenn ihr schreibt: »Das Essen ist für den Bauch, und der Bauch für das Essen«, dann ist das schon richtig. Und ebenso gewiss hat Gott beides – das Essen wie den Bauch – zur Vergänglichkeit bestimmt. Aber das bedeutet nicht, dass Gott uns den Körper gab, damit wir sexuell zügellos leben! Vielmehr wurde auch unser Körper zum Dienst für den Herrn geschaffen. Deshalb ist es Gott nicht gleichgültig, wie wir damit umgehen. [14]Denn Gott wird uns durch seine Kraft vom Tod zum ewigen Leben auferwecken, so wie er Christus auferweckt hat.

[15]Wisst ihr denn nicht, dass auch euer Körper zum Leib Jesu Christi gehört? Wollt ihr wirklich den Leib Christi mit dem einer Hure vereinigen? Niemals! [16]Denn wer sich mit einer Hure einlässt, der wird ein Leib mit ihr. So heißt es schon in der Heiligen Schrift von Mann und Frau: »Die zwei werden eins sein mit Leib und Seele.«[b] [17]Wenn ihr dagegen in enger Verbindung mit dem Herrn lebt, werdet ihr mit ihm eins sein durch seinen Geist. [18]Deshalb warne ich euch eindringlich vor jeder verbotenen sexuellen Beziehung! Denn mit keiner anderen Sünde vergeht man sich so sehr am eigenen Körper wie mit sexueller Zügellosigkeit.[c] [19]Oder habt ihr etwa vergessen, dass euer Körper ein Tempel des Heiligen Geistes ist, der in euch wohnt und den euch Gott gegeben hat? Ihr gehört also nicht mehr euch selbst. [20]Gott hat euch freigekauft, damit ihr ihm gehört; nun dient auch mit eurem Körper dem Ansehen Gottes in der Welt.

Heiraten oder ledig bleiben?

7 Nun zu der Frage, die ihr mir in eurem Brief gestellt habt. Ihr sagt[d]: »Es ist gut für einen Mann, überhaupt nicht zu heiraten.« [2]Ja, aber damit niemand zu einem sexuell zügellosen Leben verleitet wird, ist es besser, wenn jeder Mann seine Frau und jede Frau ihren Mann hat. [3]Der Mann soll seine Frau nicht vernachlässigen, und die Frau soll sich ihrem Mann nicht entziehen, [4]denn weder die Frau noch der Mann dürfen eigenmächtig über ihren Körper verfügen; sie gehören einander. [5]Keiner soll sich dem Ehepartner verweigern, außer beide wollen eine Zeit lang verzichten, um für das Gebet frei zu sein. Danach kommt wieder zusammen, damit euch der Satan nicht in Versuchung führen kann, weil ihr euch nicht enthalten könnt.

[6]Ich sage euch dies als Rat, nicht als Befehl. [7]Ich wünschte zwar, jeder würde wie ich ehelos leben. Aber jeder hat von Gott eine besondere Gabe bekommen: Die einen leben nach seinem Willen in der Ehe, die anderen bleiben unverheiratet.

[8]Den Unverheirateten und Verwitweten rate ich, lieber ledig zu bleiben, wie

---

[a] »sagt ihr« ist sinngemäß ergänzt, ebenso »Wenn ihr schreibt« in Vers 13.
[b] 1. Mose 2,24
[c] Wörtlich: Jede Sünde, die der Mensch tut, ist außerhalb seines Leibes. Wer aber hurt, sündigt gegen seinen eigenen Leib.
[d] »Ihr sagt« ist sinngemäß ergänzt.

6,11 Tit 3,4–7; 1 Petr 4,3–4 **6,12** 10,23–24 **6,13** Röm 12,1 **6,14** Röm 8,11; 1 Kor 15,35–49 **6,15–18** 5,9; 12,27; Röm 8,9–13 **6,19** 3,16 **6,20** 7,23; Mt 20,28; Gal 2,20 **7,1** Mt 19,10 **7,2** 6,13; 1 Thess 4,3–5; Hebr 13,4 **7,7** Mt 19,11–12

ich es bin. [9]Wenn ihnen das Alleinsein aber zu schwer fällt, sollen sie heiraten. Denn das ist besser, als von unerfülltem Verlangen beherrscht zu werden.

Über die Ehescheidung

[10]Was ich jetzt den Verheirateten sage, ist kein persönlicher Rat, sondern ein Gebot unseres Herrn: Keine Frau darf sich von ihrem Mann scheiden lassen. [11]Hat sie sich aber doch von ihm getrennt, soll sie unverheiratet bleiben oder sich wieder mit ihrem Mann versöhnen. Dasselbe gilt für den Mann.

[12]Für alle anderen Fälle gibt es keinen ausdrücklichen Befehl des Herrn. Deshalb rate ich: Wenn ein Christ eine ungläubige Frau hat, die bei ihm bleiben will, soll er sich nicht von ihr trennen. [13]Und wenn eine Christin einen ungläubigen Mann hat, der bei ihr bleiben will, soll sie ihn nicht verlassen. [14]Denn der ungläubige Mann steht durch seine gläubige Frau unter dem Einfluss Gottes, ebenso die ungläubige Frau durch ihren gläubigen Mann. Sonst würden ja auch eure Kinder fern von Gott sein. Doch auch sie stehen unter Gottes Segen.

[15]Wenn aber der ungläubige Partner auf einer Trennung besteht, dann willigt in die Scheidung ein. In einem solchen Fall ist der christliche Partner nicht länger an den anderen gebunden. Denn Gott will, dass ihr in Frieden lebt. [16]Es ist ja nicht sicher, ob du als Frau deinen Mann zu Christus führen kannst oder ob du als Mann deiner Frau zum Glauben verhelfen wirst.

Jeder an seinem Platz

[17]Grundsätzlich möchte ich sagen: Jeder soll in der Lebensform bleiben, in der er lebte, als er Christ wurde. So ordne ich es in allen Gemeinden an.

[18]Darum soll jemand, der nach jüdischem Gesetz beschnitten wurde, sich auch als Christ zu seiner Beschneidung bekennen. Wurde er aber nicht beschnitten, soll er die Beschneidung auch nicht nachholen. [19]Denn Gott kommt es nicht darauf an, ob wir beschnitten sind oder nicht. Bei ihm zählt allein, ob wir nach seinen Geboten leben.

[20]Jeder soll Gott an dem Platz dienen, an dem ihn Gottes Ruf erreichte. [21]Bist du als Sklave ein Christ geworden? Mach dir deswegen keine Sorgen! Kannst du aber frei werden, dann nutze die Gelegenheit.[a] [22]Wer als Sklave Christus gehört, der ist von ihm aus der Sklaverei der Sünde freigekauft worden. Ein freier Mann aber, der dem Herrn gehört, ist dadurch ein Sklave Christi. [23]Christus hat euch freigekauft; ihr gehört jetzt allein ihm. Lasst euch nicht wieder von Menschen versklaven!

[24]Deshalb, liebe Brüder und Schwestern, soll jeder an dem Platz bleiben, an dem er war, als Gott ihn zum Glauben rief. Dort soll er ihm dienen.

Verliert euch nicht an diese Welt!

[25]Für die Unverheirateten hat der Herr keine ausdrückliche Anweisung gegeben. Aber ich bin vom Herrn in seiner Gnade dazu bestimmt worden, vertrauenswürdig zu sein. Darum möchte ich euch meine Meinung sagen.

[26]Wenn ich daran denke, welch schwere Zeiten uns bevorstehen, scheint es mir das Beste zu sein, wenn man unverheiratet bleibt. [27]Hast du dich allerdings schon an eine Frau gebunden, dann sollst du diese Bindung nicht lösen. Bist du aber noch frei, dann suche nicht nach einer Frau. [28]Wenn du heiratest, begehst du jedoch keine Sünde. Das gilt für Männer wie für Frauen. Nur werdet ihr als Verheiratete besonderen Belastungen

---

[a] Andere Übersetzungsmöglichkeit: Selbst wenn du frei werden kannst, lebe lieber als Sklave weiter, und mach das Beste daraus.

7,9 1 Tim 5,14 **7,10–11** 7,39–40; Mt 19,1–9 **7,15** Röm 12,18 **7,16** 1 Petr 3,1–2 **7,18–19** Röm 2,28–29; Gal 5,2–6; 6,15; Kol 2,11 **7,21** Gal 3,28; Phlm 16 **7,22** Eph 6,5–9 **7,23** 6,20; Mt 20,28 **7,26** Mt 24,19 **7,28** 7,2

ausgesetzt sein, und das würde ich euch gern ersparen.

[29] Denn eins steht fest, Brüder und Schwestern: Wir haben nicht mehr viel Zeit. Deshalb soll von nun an für die Verheirateten ihr Partner nicht das Wichtigste im Leben sein. [30] Wer weint, soll sich von seiner Trauer nicht gefangen nehmen lassen, und wer sich freut, lasse sich dadurch nicht vom Wesentlichen abbringen. Wenn ihr etwas kauft, betrachtet es so, als könntet ihr es nicht behalten.[a] [31] Verliert euch nicht an diese Welt, auch wenn ihr in ihr lebt. Denn diese Welt mit allem, was wir haben, wird bald vergehen.

[32] Ich möchte euch unbelastet und ohne Sorgen wissen. Wer unverheiratet ist, kann sich uneingeschränkt darum kümmern, wie er dem Herrn gefällt. [33] Ist aber jemand verheiratet, so kümmert er sich um viele Dinge und will seiner Frau gefallen. [34] Darum ist seine Aufmerksamkeit geteilt.

Eine unverheiratete Frau sorgt sich uneingeschränkt darum, mit Leib und Seele zum Herrn zu gehören. Aber eine verheiratete Frau sorgt sich um menschliche Belange und will ihrem Mann gefallen.

[35] Ich sage dies alles nicht, um euch durch irgendwelche Vorschriften einzuengen, sondern um euch zu helfen. Ich möchte, dass ihr ein vorbildliches Leben führt und unbeirrt nur das eine Ziel verfolgt, beim Herrn zu bleiben. [36] Wenn aber jemand meint, es sei Unrecht, seine Braut nicht zu heiraten, und wenn sein Verlangen nach ihr zu stark ist, so soll er tun, was er für richtig hält. Die beiden können heiraten, es ist keine Sünde. [37] Wer aber die innere Bereitschaft zur Ehelosigkeit aufbringt, wer sich selbst beherrschen kann und fest entschlossen ist, nicht zu heiraten, der tut gut daran. [38] Wer also heiratet, der handelt richtig; wer nicht heiratet, handelt besser.

[39] Solange ein Mann lebt, ist seine Frau an ihn gebunden. Wenn er aber stirbt, darf sie wieder heiraten, wen sie will. Nur sollte sie darauf achten, dass sie dabei im Einklang mit Gottes Willen handelt. [40] Allerdings bliebe sie besser allein und würde nicht noch einmal heiraten. Dies ist kein Befehl, sondern ein Rat, doch ich habe schließlich auch Gottes Geist empfangen.

Grenzen christlicher Freiheit

8 Nun wolltet ihr wissen, ob wir das Opferfleisch essen dürfen, das den Göttern geweiht wurde. Wir wissen zwar, dass wir alle die Fähigkeit haben zu erkennen, was richtig ist. Doch richtige Erkenntnis allein führt leicht zum Hochmut, Liebe dagegen baut die Gemeinde auf. [2] Wenn sich einer also einbildet, alles zu wissen, so weiß er gerade nicht, worauf es ankommt. [3] Wer aber Gott liebt, dem wendet sich Gott in Liebe zu[b].

[4] Dürfen wir also Opferfleisch essen oder nicht? Wir wissen doch alle, dass es außer dem *einen* Gott gar keine anderen Götter gibt. [5] Und wenn auch so genannte Götter im Himmel und auf der Erde leben – und es gibt ja tatsächlich viele Mächte und Gewalten –, [6] so haben *wir* doch nur *einen* Gott, den Vater, der alles erschaffen hat und für den wir leben. Und wir haben auch nur *einen* Herrn, Jesus Christus, durch den alles geschaffen wurde. Durch ihn sind wir zu neuen Menschen geworden.[c] [7] Einige Christen haben das aber noch nicht erkannt. Bisher waren sie davon überzeugt, dass es wirklich Götter gibt. Wenn sie nun vom Op-

---

[a] Wörtlich: Von nun an sollen die, die Frauen haben, so sein, als hätten sie keine; und die weinen, als weinten sie nicht; und die sich freuen, als freuten sie sich nicht; und die kaufen, als behielten sie es nicht.

[b] Wörtlich: der ist von ihm erkannt.

[c] Wörtlich: durch den alles (ist) und wir durch ihn.

7,29 Röm 13,11; Lk 14,26–27 **7,30–31** 1 Joh 2,15–17 **7,36–38** 7,2; Mt 19,11–12 **7,39–40** 7,10–11; Röm 7,2–3; 1 Tim 5,11–14 **8,1–13** 10,25 – 11,1; Mt 15,11; Apg 15,29; Röm 14,1–3.14–23; 1 Tim 4,2–5; Hebr 13,9 **8,4** 5 Mo 4,35* **8,5–6** 10,19–20; Eph 1,21; Kol 1,15–17

ferfleisch essen, fürchten sie, damit die Götter anzuerkennen, und bekommen ein schlechtes Gewissen.

[8] Was wir essen, entscheidet nicht darüber, wie wir vor Gott dastehen. Vor ihm sind wir weder besser noch schlechter, ob wir nun das Fleisch essen oder nicht. [9] Trotzdem solltet ihr darauf achten, dass ihr mit eurer neu gewonnenen Freiheit dem nicht schadet, dessen Glaube noch schwach ist. [10] Angenommen, du isst in einem heidnischen Tempel Opferfleisch, weil du erkannt hast, dass der Genuss einer Speise dich nicht von Gott trennen kann[a]. Wenn nun dein Bruder, dessen Glaube noch schwach ist, dich dabei sieht – wird er dann nicht ermutigt, es dir nachzumachen, obwohl er dabei gegen sein Gewissen handelt? [11] Und so würde an deiner durchaus richtigen Erkenntnis dein im Glauben schwacher Bruder zugrunde gehen, für den doch Christus gestorben ist. [12] Wenn ihr euch euren Brüdern gegenüber so verhaltet und ihr Gewissen verletzt, so versündigt ihr euch an Christus. [13] Darum: Wenn ich befürchten muss, dass mein Bruder zur Sünde verführt wird, weil ich bedenkenlos Opferfleisch esse, dann will ich lieber mein Leben lang überhaupt kein Fleisch mehr essen, als ihm das anzutun!

Nur ein Starker kann verzichten

9 Wie halte ich es denn selbst in solchen Dingen? Bin ich nicht ein freier Mann? Habe ich nicht unseren Herrn Jesus mit eigenen Augen gesehen? Hat er mich denn nicht zu seinem Apostel berufen? Dass ihr Christen geworden seid, zeigt deutlich, dass ich für den Herrn gearbeitet habe. [2] Mögen die anderen auch behaupten, ich sei kein Apostel Christi, ihr könnt das nicht sagen! Denn ihr seid zum Glauben an Jesus Christus gekommen, und das ist die Bestätigung für meinen Dienst.

[3] Denen, die meine Vollmacht in Frage stellen, habe ich dies zu sagen: [4] Hätten meine Mitarbeiter und ich nicht das Recht, uns auf Kosten der Gemeinde versorgen zu lassen? [5] Dürften nicht auch wir eine Ehefrau mit auf die Reise nehmen, wie es die anderen Apostel tun, die Brüder des Herrn und auch Petrus[b]? [6] Müssen etwa nur Barnabas und ich unseren Lebensunterhalt selbst verdienen? [7] Wo zahlt je ein Soldat seinen eigenen Sold, und wer würde einen Weinberg anlegen, ohne die Trauben auch zu ernten? Oder welcher Hirte würde nicht von der Milch seiner Tiere trinken?

[8] Das ist nicht nur allgemein so üblich; das verlangt auch das Gesetz des Mose. [9] Dort heißt es doch: »Wenn ihr mit einem Ochsen Getreide drescht, dann bindet ihm nicht das Maul zu!«[c] Hat Gott dies etwa angeordnet, weil er sich um die Ochsen sorgt? [10] Ohne Frage dachte er dabei an uns! Denn wir sind gemeint, wenn es dort heißt, dass alle, die pflügen und das Getreide dreschen, ihren Anteil an der Ernte erwarten dürfen.

[11] Wir haben nun unter euch die geistliche Saat ausgesät – die Botschaft von Jesus Christus[d]. Wäre es wirklich zu viel von euch verlangt, uns dafür mit dem zu versorgen, was wir zum Leben brauchen? [12] Ihr unterstützt doch auch noch andere Prediger, und das ist richtig so. Aber hätten wir nicht ein größeres Anrecht darauf? Dennoch haben wir dieses Recht nie eingefordert. Wir haben darauf verzichtet, um der Botschaft von Jesus Christus keine Steine in den Weg zu legen.

[13] Ihr wisst doch genau, dass alle, die im Tempel Dienst tun, etwas von den Tem-

---

a »dass … kann« ist sinngemäß ergänzt. Wörtlich: weil du Erkenntnis hast.
b Wörtlich: Kephas.
c 5. Mose 25,4
d »die … Christus« ist sinngemäß ergänzt.

8,8 Röm 14,17 **8,9** Röm 14,13 **8,11–12** 8,1; Röm 14,15.23; 15,1–2 **8,13** Röm 14,21
9,1 Apg 9,3–5.15* **9,2** 4,15; 2 Kor 12,12 **9,4–15** Lk 10,7; Apg 20,33–35; Gal 6,6; 2 Thess 3,7–10
9,9 1 Tim 5,17–18 **9,13** 4 Mo 18,8–19*.21–24*

pelgaben bekommen. Und wer am Altar den Opferdienst übernimmt, erhält auch einen Teil von den Opfertieren. [14]Ebenso hat der Herr angeordnet: Wer die rettende Botschaft verkündet, soll von diesem Dienst auch leben können. [15]Trotzdem habe ich darauf verzichtet und nie auch nur eine Kleinigkeit von euch verlangt. Ich schreibe das nicht, weil ich in Zukunft etwas von euch haben möchte. Lieber würde ich verhungern, als dass ich mir meinen Grund, mich zu rühmen, von irgendjemandem nehmen ließe.

[16]Dass ich die rettende Botschaft verkünde, ist allerdings kein Anlass, mich zu loben; ich muss es tun! Dieser Aufgabe kann ich mich unmöglich entziehen. Sonst würde Gottes Strafe mich treffen. [17]Hätte ich die Aufgabe freiwillig übernommen, so könnte ich dafür Lohn beanspruchen. Doch Gott hat mich dazu beauftragt, ich habe keine andere Wahl. [18]Aber worin besteht denn nun mein Lohn? Darin, dass ich jedem die Botschaft von Jesus verkünde, und zwar ohne Bezahlung und ohne auf meine Rechte zu pochen.

Kompromissloser Einsatz

[19]Ich bin also frei und von niemandem abhängig. Aber um möglichst viele für Christus zu gewinnen, habe ich mich zum Sklaven aller Menschen gemacht. [20]Damit ich die Juden für Christus gewinne, lebe ich wie ein Jude: Wo man alle Vorschriften des jüdischen Gesetzes genau befolgt, lebe ich auch danach, obwohl sie für mich nicht mehr gelten. Denn ich möchte auch die Leute gewinnen, die sich dem Gesetz unterworfen haben. [21]Bin ich aber bei Menschen, die ohne diese Gesetze leben, dann passe ich mich ihnen genauso an, um sie für Christus zu gewinnen. Das bedeutet aber nicht, dass ich mich gegen Gottes Gebote stelle. Ich befolge das Gesetz, das Christus uns gegeben hat.

[22]Wenn ich bei Menschen bin, deren Glaube noch schwach und unsicher ist, achte ich sorgfältig darauf, ihnen nicht zu schaden. Ich möchte mich allen gleichstellen, um auf jede erdenkliche Weise wenigstens einige Menschen zu retten und für Christus zu gewinnen. [23]Dies alles tue ich für die rettende Botschaft, damit auch ich Anteil an dem Segen erhalte, den sie verspricht.

[24]Ihr kennt das doch: Von allen Läufern, die im Stadion zum Wettlauf starten, gewinnt nur einer den Siegeskranz. Lauft so, dass ihr ihn gewinnt! [25]Wer im Wettkampf siegen will, setzt dafür alles ein. Ein Athlet verzichtet auf vieles, um zu gewinnen. Und wie schnell ist sein Siegeskranz verwelkt! Wir dagegen kämpfen um einen unvergänglichen Preis. [26]Ich weiß genau, wofür ich kämpfe. Ich laufe nicht irgendeinem ungewissen Ziel entgegen. Wenn ich kämpfe, geht mein Schlag nicht ins Leere. [27]Ich gebe alles für diesen Sieg und hole das Letzte aus meinem Körper heraus. Er muss sich meinem Willen fügen. Denn ich will nicht andere zum Kampf des Glaubens auffordern und selbst untauglich sein.

Israel als warnendes Beispiel

10 Liebe Brüder und Schwestern, erinnert euch daran, was unsere Vorfahren während ihrer Wüstenwanderung erlebten. Ihnen zog eine Wolke voraus, und so leitete Gott sie sicher durch das Rote Meer. [2]Alle wurden im Meer und unter der Wolke auf Mose getauft. [3]Gott gab ihnen allen dasselbe Brot vom Himmel zu essen [4]und dasselbe Wasser aus einem Felsen zu trinken. Dieser Felsen hatte eine besondere Bedeutung: Er

---

9,14 Lk 10,7 **9,15** Apg 20,33–35 **9,16** Apg 4,20 **9,17** Apg 9,15* **9,19** Röm 15,1; 1 Kor 10,33 **9,20** 10,33; Apg 16,3; Röm 11,13–14 **9,21** Gal 6,2 **9,22** 8,13; 2 Kor 11,29 **9,24–27** Phil 3,12–16; 1 Tim 6,12; 2 Tim 4,7–8 **10,1** 2 Mo 13,21–22*; 14,19–22 **10,3** 2 Mo 16,14–15* **10,4** 2 Mo 17,6; 4 Mo 20,7–11

kam mit ihnen, und durch ihn war Christus selbst bei ihnen.[a] [5] Aber es gefiel Gott nicht, wie die meisten von ihnen lebten. Deshalb kamen sie in der Wüste um. [6] Das soll uns eine Warnung sein, damit wir uns nicht wie sie vom Bösen beherrschen lassen.

[7] Werdet nicht zu Menschen, die Götzen anbeten, so wie manche von ihnen. Die Heilige Schrift berichtet: »Sie ließen sich nieder, um zu essen und zu trinken, und dann feierten sie ein rauschendes, ausschweifendes Fest.«[b] [8] Lasst euch auch nicht wie sie zu sexueller Zügellosigkeit verleiten, sondern denkt daran, dass an einem einzigen Tag dreiundzwanzigtausend Menschen dafür mit dem Tod bestraft wurden. [9] Stellt die Güte und Geduld des Herrn nicht auf die Probe. Sie taten es damals, wurden von Schlangen gebissen und starben. [10] Lehnt euch nicht gegen Gott auf wie einige von ihnen. Gott vernichtete sie durch seinen Todesengel.

[11] Alle diese Ereignisse sind uns als Beispiel gegeben. Sie wurden niedergeschrieben, damit wir gewarnt sind; denn das Ende der Welt ist nahe. [12] Deshalb seid vorsichtig! Gerade wer meint, er stehe besonders sicher, muss aufpassen, dass er nicht fällt. [13] Was eurem Glauben bisher an Prüfungen zugemutet wurde, überstieg nicht eure Kraft. Gott steht zu euch. Er lässt nicht zu, dass die Versuchung größer ist, als ihr es ertragen könnt. Wenn euer Glaube auf die Probe gestellt wird, schafft Gott auch die Möglichkeit, sie zu bestehen.

Abendmahl oder Götzendienst

[14] Darum, liebe Freunde, hütet euch vor jedem Götzendienst! [15] Als Christen wisst ihr doch, worum es geht. Überlegt einmal selbst: [16] Haben wir durch den Abendmahlskelch, über dem wir das Dankgebet sprechen, nicht Anteil am Blut, das Christus für uns vergossen hat? Haben wir durch das Brot, das wir brechen und gemeinsam essen, nicht Anteil an seinem Leib?

[17] Es gibt beim Abendmahl nur *ein* Brot. Und obwohl wir so viele sind, sind wir doch *ein* Leib, weil wir alle von dem *einen* Brot essen. [18] Seht euch doch einmal an, wie das Volk Israel Gott verehrt! Alle haben Gemeinschaft mit Gott, weil sie gemeinsam vom Fleisch der Opfertiere essen.[c]

[19] Was will ich damit sagen? Dass es doch Götter gibt oder dass die Opfer, die ihnen gebracht werden, irgendeine Bedeutung haben? [20] Natürlich nicht! Was die Götzenanbeter auf dem Altar darbringen, opfern sie den Dämonen, nicht etwa Gott.[d] Ich will aber nicht, dass ihr Gemeinschaft mit dämonischen Mächten habt.

[21] Ihr könnt unmöglich aus dem Kelch des Herrn und zugleich aus dem Kelch der Dämonen trinken. Ihr könnt nicht Gäste am Tisch des Herrn sein und auch noch am Tisch der Dämonen essen. [22] Oder wollen wir etwa den Herrn herausfordern? Bilden wir uns wirklich ein, stärker zu sein als er?

---

[a] Verse 3 und 4 wörtlich: Sie aßen alle dieselbe geistliche Speise und tranken alle denselben geistlichen Trank. Sie tranken nämlich aus einem geistlichen Felsen, der ihnen folgte. Der Fels aber war Christus.
[b] 2. Mose 32,6
[c] Wörtlich: Sind nicht die Opfer Essenden die Anteilhabenden des Altars?
[d] Vgl. 5. Mose 32,17

10,5 4 Mo 26,64–65 **10,7–8** 4 Mo 25,1–9 **10,9** 4 Mo 21,4–9 **10,10** 4 Mo 14,35–37 **10,12** Gal 6,1 **10,13** 2 Petr 2,9; Hebr 4,14–16 **10,14** Kol 3,5; 1 Joh 5,21 **10,16** 11,23–25; Mt 26,26–28 **10,17** 12,27; Röm 12,5 **10,18** 5 Mo 12,17–18; 27,7 **10,19–20** 8,4–7; 3 Mo 17,7 **10,21** Mt 6,24; 2 Kor 6,14–17

Rücksicht auf das Gewissen der andern

[23] Ihr lebt nach dem Grundsatz:[a] »Alles ist erlaubt!« Ich antworte darauf: Aber nicht alles, was erlaubt ist, ist auch gut. Alles ist erlaubt, aber nicht alles baut die Gemeinde auf. [24] Denkt bei dem, was ihr tut, nicht nur an euch. Denkt vor allem an die anderen und daran, was für sie gut ist.

[25] Kauft unbesorgt das Fleisch, das auf dem Markt angeboten wird, und macht euch kein Gewissen daraus, ob es von Opfertieren stammt. [26] Denn »die Erde und alles, was auf ihr lebt, gehört dem Herrn.«[b] [27] Lädt euch jemand, der kein Christ ist, zum Essen ein und ihr wollt hingehen, so esst, was aufgetragen wird, ohne eine Gewissensfrage daraus zu machen, wo es herkommt. [28] Sollte euch aber jemand ausdrücklich sagen: »Dieses Fleisch stammt vom Götzenopfer!«, dann esst es seinetwegen nicht, damit ihr das Gewissen nicht belastet. [29] Es geht dabei nicht um euer eigenes Gewissen, sondern um das des anderen.

Nun mag jemand einwenden:[c] »Weshalb soll ich denn meine persönliche Freiheit vom Gewissen eines anderen einengen lassen? [30] Wenn ich an einem Festmahl teilnehme und Gott für das Essen danke, warum wird mir mein Verhalten dann zum Vorwurf gemacht? Schließlich habe ich Gott doch für die Speise gedankt!«

[31] Darauf will ich antworten: Was immer ihr tut, was ihr auch esst oder trinkt, alles soll zur Ehre Gottes geschehen. [32] Seid für niemanden ein Hindernis zum Glauben, weder für die Juden noch für die Nichtjuden und auch nicht für die Mitchristen in der Gemeinde. [33] Das ist auch mein Grundsatz. Ich versuche, allen in jeder Beziehung gerecht zu werden. Dabei geht es nicht um mich, sondern darum, dass möglichst viele Menschen gerettet werden.

11 Folgt meinem Beispiel, so wie ich dem Vorbild folge, das Christus uns gegeben hat.

Verhalten der Frauen im Gottesdienst

[2] Ich freue mich darüber, dass ihr immer an mich denkt und euch nach den Anweisungen richtet, die ich euch weitergegeben habe.

[3] Ich will aber, dass ihr auch Folgendes wisst: Jeder Mann untersteht Christus, die Frau dem Mann, und Christus untersteht Gott. [4] Ein Mann entehrt Christus, wenn er im Gottesdienst öffentlich betet oder im Auftrag Gottes prophetisch redet und dabei eine Kopfbedeckung trägt. [5] Trägt dagegen eine Frau keine Kopfbedeckung, wenn sie im Gottesdienst betet oder im Auftrag Gottes prophetisch redet, dann entehrt sie sich selbst. Das wäre genauso, als wenn sie kahl geschoren herumliefe. [6] Will eine Frau ihren Kopf nicht bedecken, kann sie sich auch gleich die Haare abschneiden lassen. Aber weil es jede Frau entehrt, wenn ihr das Haar kurz geschnitten oder der Kopf kahl geschoren ist, soll sie ihren Kopf bedecken.

[7] Ein Mann aber soll im Gottesdienst keine Kopfbedeckung tragen, denn er ist nach Gottes Bild und zu seiner Ehre geschaffen, die Frau dagegen zur Ehre des Mannes. [8] Denn Adam, der erste Mensch, wurde nicht aus einer Frau erschaffen, aber Eva, die erste Frau, wurde aus dem Mann erschaffen. [9] Der Mann wurde auch nicht für die Frau geschaffen, sondern die Frau für den Mann. [10] Deshalb soll sie im Gottesdienst eine Kopfbedeckung tragen

---

a »Ihr lebt nach dem Grundsatz« ist sinngemäß ergänzt, ebenso »Ich antworte darauf«.
b Psalm 24,1
c »Nun mag jemand einwenden« ist sinngemäß ergänzt.

10,23 6,12 **10,24** 8,13; Röm 15,2; Phil 2,3–4; Kol 3,13–14 **10,25–11,1** 8,1–13* **10,30** 1 Tim 4,4 **10,31** Kol 3,17 **10,32** Röm 14,13; Kol 4,5; 1 Petr 3,15–16 **10,33** 9,19–23 **11,1** 4,16; Röm 15,2; Phil 3,17; 4,9; 1 Thess 1,6–7; 2 Tim 3,10; Tit 2,7; 1 Petr 5,3 **11,3** 1 Mo 3,16; Eph 5,21–24 **11,7** 1 Mo 1,27 **11,8–9** 1 Mo 2,20–23

als Zeichen dafür, dass sie dem Mann untersteht. Auch wegen der Engel, die über Gottes Ordnungen wachen,[a] sollte sie dies tun.

[11]Vor dem Herrn sind jedoch Mann und Frau gleichermaßen füreinander da. [12]Denn obwohl Eva aus Adam geschaffen wurde, so werden doch alle Männer von Frauen geboren. Beide aber, Mann und Frau, sind Geschöpfe Gottes.

[13]Urteilt doch selbst: Gehört es sich für eine Frau, ohne Kopfbedeckung öffentlich zu beten? [14]Lehrt euch nicht schon die Natur, dass lange Haare für den Mann eine Schande sind, [15]aber eine Ehre für die Frau? Das lange Haar ist ihr als Schleier gegeben. [16]Doch wer es darüber zum Streit kommen lassen will, dem möchte ich nur sagen: *Wir* kennen die Sitte nicht, dass Frauen ohne Kopfbedeckung am Gottesdienst teilnehmen, und die anderen Gemeinden Gottes auch nicht.

Wie Christen das Abendmahl feiern sollen

[17]Was ich euch jetzt noch zu sagen habe, ist kein Lob. Wie ihr eure Gottesdienste feiert, kann ich wirklich nicht gutheißen. Sie scheinen eurer Gemeinde mehr zu schaden als zu nützen. [18]Zunächst höre ich da von Uneinigkeit bei euren Versammlungen. Etwas Wahres muss wohl daran sein. [19]Allerdings muss es auch zu Spaltungen unter euch kommen, denn nur so wird sichtbar, wer sich im Glauben bewährt hat.

[20]Was ihr in euren Gottesdiensten feiert, ist gar nicht das Mahl des Herrn. [21]Weil jeder das isst und trinkt, was er mitgebracht hat, bleibt der eine hungrig und durstig, während der andere sich betrinkt. [22]Könnt ihr denn nicht zu Hause essen und trinken? Oder bedeutet euch die Gemeinde so wenig, dass ihr diejenigen geringschätzig behandelt, die arm sind und kein Essen mitbringen konnten? Soll ich euch dafür auch noch loben? Darauf könnt ihr lange warten!

[23]Denn Folgendes habe ich vom Herrn empfangen und euch überliefert:

In der Nacht, in der unser Herr Jesus verraten wurde, nahm er das Brot, [24]dankte Gott dafür, brach es und sprach: »Das ist mein Leib, der für euch hingegeben wird. So oft ihr dieses Brot esst, denkt an mich und an das, was ich für euch getan habe!«

[25]Nach dem Essen nahm er den Kelch und sprach: »Dieser Kelch ist der neue Bund zwischen Gott und euch, der durch mein Blut besiegelt wird. So oft ihr aus diesem Kelch trinkt, denkt an mich und an das, was ich für euch getan habe!«

[26]Denn jedes Mal, wenn ihr dieses Brot esst und aus diesem Kelch trinkt, verkündet ihr, was der Herr durch seinen Tod für uns getan hat, bis er kommt. [27]Wer aber gedankenlos und leichtfertig[b] von diesem Brot isst und aus dem Kelch des Herrn trinkt, der wird schuldig am Leib und am Blut unseres Herrn.

[28]Darum soll sich jeder prüfen, ehe er von dem Brot isst und aus dem Kelch trinkt. [29]Denn wer davon nimmt, ohne zu bedenken, dass es hier um den Leib Christi geht, der liefert sich selbst dem Gericht Gottes aus. [30]Deshalb sind so viele von euch schwach und krank, und etliche sind schon gestorben. [31]Wenn wir uns selbst prüfen, wird Gott uns nicht auf diese Weise bestrafen. [32]Straft uns aber der Herr, so will er uns erziehen, damit wir nicht zusammen mit der gottlosen Welt verurteilt werden.

[33]Darum, meine Brüder und Schwestern, wartet aufeinander, wenn ihr zusammen das Abendmahl feiert. [34]Wer hungrig ist, soll vorher zu Hause etwas essen; sonst bringt euch dieses Mahl nicht Gottes Segen, sondern seine Strafe. Alles

---

[a] »die … wachen« ist sinngemäß ergänzt. Die Deutung dieses Satzes ist umstritten.
[b] Wörtlich: unwürdig (auf unwürdige Weise). Vgl. Verse 20–22

11,11 Gal 3,28 **11,18–19** 1,10–12; 1 Joh 2,19 **11,21** Jud 12–13 **11,22** Jak 2,5–6 **11,23–25** 10,16–17; Mt 26,26–28; Mk 14,22–24; Lk 22,19–20 **11,25** 2 Mo 24,8; Jer 31,31–34*; 2 Kor 3,6; Hebr 8,6–13 **11,26** Mt 26,29 **11,29** 10,16

andere werde ich klären, wenn ich bei euch bin.

Gott gibt jedem seine Gabe

12 Nun möchte ich euch, liebe Brüder und Schwestern, nicht länger im Unklaren lassen über die Gaben, die der Geist Gottes schenkt.

[2] Ihr wisst, dass es euch mit unwiderstehlicher Gewalt zu den stummen Götzen gezogen hat, als ihr noch keine Christen wart. [3] Ich erkläre euch aber ausdrücklich: Wenn in einem Menschen der Geist Gottes wirkt, kann er nicht mehr sagen: »Verflucht sei Jesus!« Und keiner kann bekennen: »Jesus ist der Herr!«, wenn er nicht den Heiligen Geist hat.

[4] So verschieden die Gaben auch sind, die Gott uns gibt, sie stammen alle von ein und demselben Geist. [5] Und so unterschiedlich auch die Aufgaben in der Gemeinde sind, so dienen wir doch alle dem einen Herrn. [6] Es gibt verschiedene Wirkungen des Geistes Gottes; aber in jedem Fall ist es Gott selbst, der alles bewirkt.

[7] Wie auch immer sich die Gaben des Geistes bei jedem Einzelnen von euch zeigen, sie sollen der ganzen Gemeinde nützen. [8] Dem einen schenkt er im rechten Augenblick das richtige Wort. Ein anderer kann durch den Geist die Weisheit Gottes klar erkennen und weitersagen. [9] Wieder anderen schenkt Gott durch seinen Geist unerschütterliche Glaubenskraft und dem Nächsten die Gabe, Kranke zu heilen. [10] Manchen ist es gegeben, Wunder zu wirken. Einige sprechen in Gottes Auftrag prophetisch; andere sind fähig zu unterscheiden, was vom Geist Gottes kommt und was nicht. Einige reden in unbekannten Sprachen, und manche schließlich können das Gesagte für die Gemeinde auslegen.

[11] Dies alles bewirkt ein und derselbe Geist. Und so empfängt jeder die Gabe, die der Geist ihm zugedacht hat.

Jeder wird gebraucht

[12] So wie unser Leib aus vielen Gliedern besteht und diese Glieder einen Leib bilden, so besteht auch die Gemeinde Christi aus vielen Gliedern und ist doch ein einziger Leib. [13] Wir haben alle denselben Geist empfangen und gehören durch die Taufe zu dem einen Leib Christi, ganz gleich, ob wir nun Juden oder Griechen, Sklaven oder Freie sind; alle sind wir mit demselben Geist erfüllt.

[14] Nun besteht ein Körper aus vielen einzelnen Gliedern, nicht nur aus einem einzigen. [15] Selbst wenn der Fuß behaupten würde: »Ich gehöre nicht zum Leib, weil ich keine Hand bin!«, er bliebe trotzdem ein Teil des Körpers. [16] Und wenn das Ohr erklären würde: »Ich bin kein Auge, darum gehöre ich nicht zum Leib!«, es gehörte dennoch dazu. [17] Angenommen, der ganze Körper bestünde nur aus Augen, wie könnten wir dann hören? Oder der ganze Leib bestünde nur aus Ohren, wie könnten wir dann riechen?

[18] Deshalb hat Gott jedem einzelnen Glied des Körpers seine besondere Aufgabe gegeben, so wie er es wollte. [19] Was für ein sonderbarer Leib wäre das, der nur *einen* Körperteil hätte! [20] Aber so ist es ja auch nicht, sondern viele einzelne Glieder bilden gemeinsam den einen Leib.

[21] Darum kann das Auge nicht zur Hand sagen: »Ich brauche dich nicht!« Und der Kopf kann nicht zu den Füßen sagen: »Ihr seid überflüssig!« [22] Vielmehr sind gerade die Teile des Körpers, die schwach und unbedeutend erscheinen, besonders wichtig. [23] Wenn uns an unserem Körper etwas nicht gefällt, dann geben wir uns die größte Mühe, es schöner zu machen; und was uns anstößig erscheint, das kleiden wir besonders sorgfältig. [24] Denn was nicht anstößig ist, muss auch nicht besonders bekleidet werden. Gott aber hat unseren Leib so zusam-

---

12,2 Gal 4,8; 1 Thess 1,9 **12,3** Röm 10,9; 1 Joh 4,2–3 **12,4–6** Röm 12,4–6 **12,7–11** 12,28; 14,26; Röm 12,7–8; Eph 4,7 **12,12–13** Gal 3,26–28

mengefügt, dass die unwichtig erscheinenden Glieder in Wirklichkeit besonders wichtig sind.

[25] Unser Leib soll eine Einheit sein, in der jeder einzelne Körperteil für den anderen da ist. [26] Leidet ein Teil des Körpers, so leiden alle anderen mit, und wird ein Teil geehrt, freuen sich auch alle anderen.

[27] Ihr alle seid der *eine* Leib Christi, und jeder Einzelne von euch gehört als ein Teil dazu.

[28] Jedem hat Gott seine ganz bestimmte Aufgabe in der Gemeinde zugeteilt. Da sind zunächst die Apostel, dann die Propheten, die verkünden, was Gott ihnen eingibt, und drittens diejenigen, die Gottes Botschaft lehren. Dann gibt es Christen, die Wunder tun, und solche, die Kranke heilen oder Bedürftigen helfen. Einige leiten die Gemeinde, andere reden in unbekannten Sprachen.

[29] Sind sie nun etwa alle Apostel, Propheten oder Lehrer? Oder kann jeder von uns Wunder tun? [30] Kann jeder Kranke heilen, in unbekannten Sprachen reden und das Gesagte erklären? [31] Natürlich nicht. Aber jeder Einzelne soll sich um die Gaben bemühen, die der Gemeinde am meisten nützen.[a] Und jetzt zeige ich euch den einzigartigen Weg dahin.

Das Wichtigste ist die Liebe

13 Wenn ich in allen Sprachen der Welt, ja, mit Engelszungen reden kann, aber ich habe keine Liebe, so bin ich nur wie eine dröhnende Pauke oder ein lärmendes Tamburin.

[2] Wenn ich in Gottes Auftrag prophetisch reden kann, alle Geheimnisse Gottes weiß, seine Gedanken erkennen kann und einen Glauben habe, der Berge versetzt, aber ich habe keine Liebe, so bin ich nichts.

[3] Selbst wenn ich all meinen Besitz an die Armen verschenke und für meinen Glauben das Leben opfere[b], aber ich habe keine Liebe, dann nützt es mir gar nichts.

[4] Liebe ist geduldig und freundlich. Sie ist nicht verbissen, sie prahlt nicht und schaut nicht auf andere herab. [5] Liebe verletzt nicht den Anstand und sucht nicht den eigenen Vorteil, sie lässt sich nicht reizen und ist nicht nachtragend. [6] Sie freut sich nicht am Unrecht, sondern freut sich, wenn die Wahrheit siegt. [7] Liebe ist immer bereit zu verzeihen, stets vertraut sie, sie verliert nie die Hoffnung und hält durch bis zum Ende.

[8] Die Liebe wird niemals vergehen. Einmal wird es keine Prophetien mehr geben, das Reden in unbekannten Sprachen wird aufhören, und auch Erkenntnis wird nicht mehr nötig sein. [9] Denn unsere Erkenntnis ist bruchstückhaft, ebenso wie unser prophetisches Reden. [10] Wenn aber das Vollkommene da ist, wird alles Vorläufige vergangen sein.

[11] Als Kind redete, dachte und urteilte ich wie ein Kind. Jetzt bin ich ein Mann und habe das kindliche Wesen abgelegt. [12] Jetzt sehen wir nur ein undeutliches Bild wie in einem trüben Spiegel. Einmal aber werden wir Gott von Angesicht zu Angesicht sehen. Jetzt erkenne ich nur Bruchstücke, doch einmal werde ich alles klar erkennen, so deutlich, wie Gott mich jetzt schon kennt. [13] Was bleibt, sind Glaube, Hoffnung und Liebe. Die Liebe aber ist das Größte.

Gottes Geist schafft Klarheit

14 Die Liebe soll euer höchstes Ziel sein. Strebt nach den Gaben, die der Geist Gottes gibt; vor allem danach, in Gottes Auftrag prophetisch zu reden. [2] Wenn nämlich jemand in unbekannten

---

[a] Wörtlich: Strebt aber nach den höheren Gaben!
[b] Andere Textzeugen schreiben: opfere, um mich zu rühmen.

12,25–26 Röm 12,13–16; 2 Kor 11,29 **12,27** 10,16–17; Eph 2,16 **12,28–31** 12,7–10; Röm 12,3; Eph 4,11–12; 1 Petr 4,10–11 **13,1–13** Joh 13,34–35; Röm 13,8–10; 1 Tim 1,5 **13,2** Mt 7,22 **13,3** Mk 10,21 **13,5** 10,24; Phil 2,4 **13,7** Mt 18,21–22 **13,12** 2 Mo 33,20–23*; 2 Kor 5,7–8 **13,13** 1 Thess 5,8; 1 Joh 4,16 **14,1** 12,4–11; 2 Joh 5–6

Sprachen redet, dann spricht er nicht zu Menschen, denn niemand versteht ihn. Er spricht zu Gott, und was er durch Gottes Geist redet, ist ein Geheimnis. [3]Wer aber eine prophetische Botschaft von Gott empfängt, kann sie an andere Menschen weitergeben. Er hilft ihnen, er tröstet und ermutigt sie. [4]Wer in unbekannten Sprachen redet, stärkt seinen persönlichen Glauben. Wer aber in Gottes Auftrag prophetisch spricht, stärkt die ganze Gemeinde. [5]Ich will schon, dass ihr alle in unbekannten Sprachen redet. Aber noch besser wäre, ihr könntet alle in Gottes Auftrag prophetisch sprechen. Das ist wichtiger, als in unbekannten Sprachen zu reden, es sei denn, das Gesprochene wird erklärt, damit die ganze Gemeinde einen Gewinn davon hat.

[6]Stellt euch doch einmal vor, liebe Brüder und Schwestern, ich komme zu euch und rede in einer Sprache, die niemand kennt. Davon hättet ihr gar nichts. Ich will euch lieber klar sagen, was Gott mir offenbart hat; ich möchte euch helfen, seinen Willen zu erkennen, ich will in Gottes Auftrag prophetisch reden und euch unterweisen. [7]Es ist genauso wie bei Musikinstrumenten. Bei einer Flöte etwa oder einer Harfe muss man unterschiedliche Töne hören können, sonst erkennt keiner die Melodie. [8]Wenn der Trompeter nicht ein klares Signal gibt, wird sich kein Soldat auf den Kampf vorbereiten.

[9]Genauso ist es beim Reden in unbekannten Sprachen. Wenn ihr unverständlich redet, wird euch niemand verstehen. Ihr redet nur in den Wind. [10]Es gibt auf der Welt unzählige Sprachen, und alle haben ihren Sinn. [11]Wenn ich aber die Sprache eines anderen Menschen nicht kenne, können wir uns nicht verständigen. [12]So ist es auch mit euch: Wenn ihr euch schon so eifrig um die Gaben bemüht, die der Heilige Geist schenkt, dann setzt auch alles daran, dass die ganze Gemeinde etwas davon hat.

[13]Wer also in einer unbekannten Sprache redet, der soll den Herrn darum bitten, dass er sie auch auslegen kann. [14]Denn wenn ich in solchen Sprachen aus meinem Innersten heraus zu Gott bete, verstehe ich nicht, was ich rede.

[15]Wie verhalte ich mich nun richtig? Ich will beten, was Gottes Geist mir eingibt; aber ich will beim Beten auch meinen Verstand gebrauchen. Ich will Loblieder singen, die Gottes Geist mir schenkt, aber ebenso will ich beim Singen meinen Verstand einsetzen. [16]Wenn du Gott nur in unbekannten Sprachen anbetest, die sein Geist dir eingibt, wie soll jemand, der diese Sprache nicht versteht, dein Gebet mit einem »Amen« bekräftigen? Er weiß doch gar nicht, was du gesagt hast! [17]Da kann dein Gebet noch so gut und schön sein, dem anderen nützt es überhaupt nichts.

[18]Ich bin Gott dankbar, dass ich in unbekannten Sprachen reden kann, und zwar mehr als ihr alle! [19]In der Gemeinde aber will ich lieber fünf Worte mit Vernunft reden, damit ich die Zuhörer unterweisen kann, als zehntausend Worte in einer Sprache, die keiner versteht.

[20]Liebe Brüder und Schwestern, seid, was eure Vernunft betrifft, doch nicht wie kleine Kinder, die nicht verstehen, was man ihnen erklärt! Im Bösen, darin sollt ihr unerfahren sein wie Kinder; in eurer Vernunft aber sollt ihr reife, erwachsene Menschen sein. [21]In der Heiligen Schrift heißt es: »Ich will zu diesem Volk in fremden, unbekannten Sprachen reden. Aber sie wollen nicht auf mich hören, spricht der Herr.«[a] [22]Das Reden in unbekannten Sprachen ist also ein Zeichen Gottes, allerdings nicht für die Gläubigen, sondern für die Ungläubigen. Das prophetische Reden in Gottes Auftrag dagegen ist kein Zeichen für die Ungläubigen, sondern für die Gläubigen.

[23]Stellt euch vor, die Gemeinde versammelt sich, und jeder redet in einer anderen, unbekannten Sprache. Nun kommt jemand dazu, der das nicht kennt,

---

[a] Jesaja 28,11–12

14,5 14,27–28 **14,12** 10,23–24; 14,26 **14,20** Eph 4,13–14 **14,23** Apg 2,13

oder einer, der noch kein Christ ist. Wird er nicht sagen: »Ihr seid alle verrückt!«? [24]Wenn ihr dagegen alle in verständlichen Worten prophetisch redet und ein Ungläubiger oder Fremder kommt dazu, wird ihn dann nicht alles, was ihr sagt, von seiner Schuld überzeugen und in seinem Gewissen treffen? [25]Was er bis dahin sich selbst nie eingestanden hat, wird ihm jetzt plötzlich klar. Er wird auf die Knie fallen, Gott anbeten und bekennen: »Gott ist wirklich mitten unter euch!«

Regeln für den Gottesdienst

[26]Was bedeutet das nun für euch, liebe Brüder und Schwestern? Wenn ihr zusammenkommt, hat jeder etwas beizutragen: Einige singen ein Loblied, andere unterweisen die Gemeinde im Glauben. Einige geben weiter, was Gott ihnen offenbart hat, andere reden in unbekannten Sprachen, und wieder andere legen das Gesprochene für alle aus. Wichtig ist, dass alles die Gemeinde aufbaut.

[27]Während eines Gottesdienstes sollen höchstens zwei oder drei in unbekannten Sprachen reden, und zwar einer nach dem anderen. Was sie gesagt haben, soll gleich für alle erklärt werden. [28]Wenn dafür niemand da ist, sollen die Betreffenden schweigen. Sie können ja für sich allein beten; Gott wird sie hören.

[29]Auch von den Propheten, die Gottes Botschaften empfangen, sollen zwei oder drei sprechen; die anderen sollen das Gesagte deuten und beurteilen. [30]Der Prophet, der eine Botschaft von Gott bekommen hat, soll seine Rede unterbrechen, wenn Gott einem der Anwesenden eine neue Botschaft eingibt. [31]Ihr könnt doch alle der Reihe nach in Gottes Auftrag reden, damit alle lernen und alle ermutigt werden. [32]Wer eine Botschaft von Gott bekommt, hat sich dabei völlig in der Gewalt. [33]Denn Gott will keine Unordnung, er will Frieden.

Wie in allen Gemeinden [34]sollen auch bei euch die Frauen in den Gottesdiensten schweigen und dort nicht das Wort ergreifen. Stattdessen sollen sie sich unterordnen, wie es schon das Gesetz vorschreibt. [35]Wenn sie etwas wissen wollen, können sie zu Hause ihren Mann fragen. Denn es gehört sich nicht, dass Frauen in der Gemeinde das Wort führen.

[36]Ihr seid anderer Meinung? Bildet ihr euch etwa ein, Gottes Botschaft sei von euch in die Welt ausgegangen? Oder glaubt ihr, die Einzigen zu sein, die sie gehört haben? [37]Wenn einer meint, Gott rede durch ihn oder er sei von Gottes Geist erfüllt, dann muss er auch erkennen, dass alles, was ich hier anordne, dem Willen des Herrn entspricht. [38]Wer das aber nicht erkennt, den kennt auch Gott nicht.

[39]Also, meine Brüder und Schwestern, setzt alles daran, in Gottes Auftrag prophetisch zu sprechen, und hindert keinen, in unbekannten Sprachen zu reden. [40]Aber sorgt dafür, dass alles einwandfrei und geordnet vor sich geht.

Christus ist auferstanden

15 Liebe Brüder und Schwestern! Ich möchte euch an die rettende Botschaft erinnern, die ich euch verkündet habe. Ihr habt sie angenommen und darauf euer Leben gegründet. [2]Ganz gewiss werdet ihr durch diese Botschaft gerettet werden, vorausgesetzt, ihr bewahrt sie genau so, wie ich sie euch überliefert habe. Sonst glaubt ihr vergeblich und erreicht das Ziel nicht.

[3]Zuerst habe ich euch weitergegeben, was ich selbst empfangen habe: Christus ist für unsere Sünden gestorben. Das ist das Wichtigste, und so steht es schon in der Heiligen Schrift. [4]Er wurde begraben und am dritten Tag vom Tod auferweckt, wie es in der Heiligen Schrift vorausgesagt ist. [5]Er hat sich zuerst Petrus gezeigt und später allen zwölf Jüngern.

14,26 10,23–24; 14,12 **14,29** 1 Thess 5,19–21 **14,34–35** 11,5.13; 1 Tim 2,11–12 **14,37** 1 Joh 4,6 **15,1** 4,15 **15,2** 2 Kor 11,4 **15,3–4** Jes 53,4–12; Hos 6,2; Lk 24,44–46*; Apg 13,28–31; Röm 4,25; 8,34; 2 Kor 5,18–21* **15,5** Lk 24,34–36; Mt 28,16–17; Apg 1,21–22; 10,40–41

[6]Dann haben ihn mehr als fünfhundert Brüder zur gleichen Zeit gesehen, von denen die meisten noch heute leben; einige sind inzwischen gestorben. [7]Später ist er Jakobus und schließlich allen Aposteln erschienen.

[8]Zuletzt hat er sich auch mir gezeigt, der ich es am wenigsten verdient hatte[a]. [9]Ich bin der unbedeutendste unter den Aposteln und eigentlich nicht wert, Apostel genannt zu werden; denn ich habe die Gemeinde Gottes verfolgt. [10]Alles, was ich bin, bin ich allein durch Gottes vergebende Gnade. Und seine Gnade hat er mir nicht vergeblich geschenkt. Ich habe mich mehr als alle anderen eingesetzt, aber das war nicht meine Leistung, sondern Gott selbst hat alles in seiner Gnade bewirkt. [11]Doch ganz gleich, ob die anderen Apostel oder ich: Wir alle haben diese eine rettende Botschaft verkündet, und dadurch seid ihr zum Glauben gekommen.

Auch wir werden auferstehen

[12]Wenn wir nun gepredigt haben, dass Gott Christus von den Toten auferweckt hat, wie können da einige von euch behaupten: »Eine Auferstehung der Toten gibt es nicht!«

[13]Wenn es keine Auferstehung der Toten gibt, dann kann ja auch Christus nicht auferstanden sein. [14]Wäre aber Christus nicht auferstanden, so hätte unsere ganze Predigt keinen Sinn, und euer Glaube hätte keine Grundlage. [15]Mit Recht könnte man uns dann vorwerfen, wir seien Lügner und keine Zeugen Gottes. Denn wir behaupten doch: Gott hat Christus auferweckt. Das kann ja gar nicht stimmen, wenn mit dem Tod alles aus ist!

[16]Wie schon gesagt, wenn die Toten nicht auferstehen, dann ist auch Christus nicht auferstanden. [17]Wenn aber Christus nicht von den Toten auferweckt wurde, ist euer Glaube nichts als Selbstbetrug, und ihr seid auch von eurer Schuld nicht frei. [18]Ebenso wären auch alle verloren, die im Glauben an Christus gestorben sind. [19]Wenn der Glaube an Christus uns nur für dieses Leben Hoffnung gibt, sind wir die bedauernswertesten unter allen Menschen.

[20]Tatsächlich aber ist Christus als Erster von den Toten auferstanden. So können wir sicher sein, dass auch die übrigen Toten auferweckt werden. [21]Der Tod ist durch die Schuld eines einzigen Menschen in die Welt gekommen. Ebenso kommt auch durch einen einzigen die Auferstehung. [22]Alle Menschen müssen sterben, weil sie Nachkommen Adams sind. Ebenso werden alle durch die Verbindung mit Christus zu neuem Leben auferweckt.

[23]Die Auferstehung geht in einer bestimmten Reihenfolge vor sich: Als Erster ist Christus auferstanden. Wenn er kommt, werden alle auferstehen, die zu ihm gehören. [24]Danach kommt das Ende: Christus wird alles vernichten, was Gewalt und Macht für sich beansprucht, und wird Gott, seinem Vater, die Herrschaft über diese Welt übergeben. [25]Denn Christus wird so lange herrschen, bis er alle Feinde unterworfen hat.

[26]Als letzten Feind wird er den Tod vernichten, [27]denn es heißt in der Heiligen Schrift: »Alles hat Gott ihm zu Füßen gelegt.«[b] Wenn nun Christus der Herr über alles ist, dann bedeutet dies natürlich nicht, dass er auch Herr über Gott ist, von dem ja alle Macht ausgeht. [28]Wenn aber zuletzt Christus der Herr über alles ist, dann wird er als der Sohn Gottes sich seinem Vater unterordnen, der ihm diesen Sieg geschenkt hat. So wird Gott der Herr sein, der durch alles und in allem wirkt[c].

---

[a] Wörtlich: mir, der Fehlgeburt (oder: Frühgeburt). Vgl. Apostelgeschichte 9,1–9
[b] Psalm 8,7
[c] Wörtlich: damit Gott alles in allem sei.

15,7 Apg 15,13* **15,8** 9,1; Apg 9,3–6 **15,9–10** Eph 3,8; Apg 8,3* **15,11** Gal 2,6–9 **15,18–20** Kol 1,18; 1 Thess 4,14 **15,21–22** 1 Mo 3,17–19; 1 Kor 15,45–49; Röm 5,12–19 **15,23** 1 Thess 4,15–17 **15,24–25** Mt 22,41–44 **15,26** Offb 20,14; 21,4 **15,28** 3,23

[29]Bei euch haben sich einige stellvertretend für Menschen taufen lassen, die schon gestorben sind. Welchen Sinn hätte das, wenn die Toten gar nicht auferstehen? [30]Und warum begeben wir uns immer wieder in Gefahr, wenn wir Gottes Botschaft weitergeben? [31]Tag für Tag riskiere ich mein Leben. So gewiss ihr zum Glauben gekommen seid, kann ich vor Jesus Christus, unserem Herrn, stolz auf euch sein.

[32]Hätte ich mich wohl in Ephesus in Lebensgefahr begeben, wenn ich nicht an die Auferstehung glauben würde? Wenn die Toten nicht auferstehen, dann haben alle Recht, die sagen: »Lasst uns essen und trinken, denn morgen sind wir tot!« [33]Hütet euch vor solchen Sprüchen, denn: »Schlechter Umgang verdirbt gute Sitten!« [34]Kommt endlich zur Besinnung, und sündigt nicht länger. Denn zu eurer Schande muss ich feststellen, dass einige von euch Gott im Grunde noch gar nicht kennen.

Wie werden wir einmal auferstehen?

[35]Vielleicht werdet ihr jetzt fragen: »Wie werden die Toten denn auferstehen? Was für einen Körper werden sie haben?«

[36]Wisst ihr das denn immer noch nicht? Jedes Samenkorn, das gesät wird, muss vergehen, ehe neues Leben daraus wächst. [37]Und was wir säen, ist ja nicht schon die fertige Pflanze, sondern es sind nur Körner, sei es Weizen oder anderes Saatgut.

[38]Aus jedem Samenkorn lässt Gott eine Pflanze wachsen, die so aussieht, wie er es gewollt hat, und diese Pflanzen sind alle ganz verschieden. [39]Unterscheiden sich nicht auch alle Lebewesen in ihrem Aussehen? Menschen sehen anders aus als Tiere, Vögel anders als Fische. [40]Die Sterne am Himmel sind ganz anders beschaffen als die Geschöpfe auf der Erde; doch jeder Stern und jedes Lebewesen ist auf seine Weise schön. [41]Die Sonne hat ihren eigenen Glanz, anders als das Leuchten des Mondes oder das Glitzern der Sterne. Selbst die Sterne unterscheiden sich in ihrer Helligkeit voneinander.

[42]Genauso könnt ihr euch die Auferstehung der Toten vorstellen. Unser irdischer Körper ist wie ein Samenkorn, das einmal vergeht. Wenn er aber auferstehen wird, ist er unvergänglich. [43]Was begraben wird, ist unansehnlich und schwach, was aufersteht, ist herrlich und voller Kraft. [44]Begraben wird unser irdischer Körper; aber auferstehen werden wir mit einem Körper, der von unvergänglichem Leben erfüllt ist. Denn wie es einen sterblichen Körper gibt, so gibt es auch einen unsterblichen. [45]In der Heiligen Schrift heißt es ja, dass der erste Mensch, Adam, irdisches Leben in sich trug.[a] Aber der letzte Adam war erfüllt vom Geist Gottes, der unvergängliches Leben schenkt.[b]

[46]Zuerst kommt der irdische Körper, und dann erst der unvergängliche – nicht umgekehrt. [47]Adam, den ersten Menschen, erschuf Gott aus Erde; aber der neue Mensch, Christus, kommt vom Himmel. [48]Als Nachkommen Adams haben wir jetzt alle einen irdischen Körper. Nach der Auferstehung werden wir dann wie Christus einen himmlischen Leib haben. [49]Jetzt gleichen wir alle dem ersten Menschen, der aus Erde gemacht wurde. Aber einmal werden wir Christus gleichen, der vom Himmel gekommen ist.

Der Tod ist besiegt

[50]Eins steht fest, liebe Brüder und Schwestern: Menschen aus Fleisch und Blut können nicht in Gottes neue Welt kommen. Nichts Vergängliches wird in Gottes neuer Welt Platz haben. [51]Ich möchte euch aber ein Geheimnis anvertrauen: Wir werden nicht alle sterben,

---

[a] 1. Mose 2,7

[b] Wörtlich: Der erste Mensch, Adam, wurde zu einer lebendigen Seele, der letzte Adam wurde zu einem Leben schaffenden Geist.

15,30–31 2 Kor 11,23–33 **15,32** 2 Kor 1,8–10; Jes 22,13 **15,43–44** Phil 3,21; **15,47** 1 Mo 2,7; 3,19; Joh 1,1–2; 3,12–13 **15,50** Offb 21,4 **15,51–53** 2 Kor 5,4; Phil 3,21; 1 Thess 4,15–17; Mk 13,26–27

aber Gott wird uns alle verwandeln. [52]Das wird ganz plötzlich geschehen, von einem Augenblick zum anderen, wenn die Posaune das Ende ankündigt. Dann werden die Toten zum ewigen Leben auferweckt, und auch wir Lebenden werden verwandelt.

[53]Denn das Vergängliche muss mit Unvergänglichkeit und das Sterbliche mit Unsterblichkeit überkleidet werden. [54]Wenn aber dieser vergängliche und sterbliche Körper unvergänglich und unsterblich geworden ist, dann erfüllt sich, was die Propheten vorausgesagt haben:

»Das Leben hat den Tod überwunden! [55]Tod, wo ist dein Sieg? Tod, wo bleibt nun deine Macht[a]?«

[56]Der Tod hat Macht durch die Sünde, und die Sünde hat ihre Kraft durch das Gesetz. [57]Aber gelobt sei Gott, der uns den Sieg schenkt durch Jesus Christus, unseren Herrn!

[58]Meine lieben Brüder und Schwestern, bleibt fest und unerschütterlich in eurem Glauben! Setzt euch mit aller Kraft für den Herrn ein, denn ihr wisst: Nichts ist vergeblich, was ihr für ihn tut.

Geld für die Gemeinde in Jerusalem

16 Zum Schluss will ich noch etwas zur Geldsammlung für die Christen in Jerusalem sagen. Führt sie so durch, wie ich es auch für die Gemeinden in Galatien angeordnet habe. [2]An jedem Sonntag soll jeder von euch dafür so viel Geld zurücklegen, wie es ihm möglich ist. Dann braucht ihr mit dem Sammeln nicht erst anzufangen, wenn ich komme. [3]Gleich nach meiner Ankunft sollen dann ausgewählte, zuverlässige Männer aus eurer Gemeinde das Geld nach Jerusalem bringen. Die erforderlichen Beglaubigungsschreiben werde ich ihnen mitgeben. [4]Sollte es nötig sein, werde ich selbst mit ihnen reisen.

Weitere Reisepläne

[5]Ich werde zu euch kommen, sobald ich die Gemeinden in der Provinz Mazedonien besucht habe. Dort will ich mich nicht länger aufhalten; [6]aber bei euch möchte ich eine Zeit lang bleiben, vielleicht sogar den ganzen Winter über. Es wäre gut, wenn mich dann einige von euch für die Weiterreise versorgen könnten. [7]Diesmal möchte ich euch nicht nur kurz auf der Durchreise besuchen. Wenn der Herr es zulässt, hoffe ich, einige Zeit bleiben zu können. [8]Bis Pfingsten bleibe ich noch in Ephesus. [9]Hier hat mir Gott große Möglichkeiten gegeben, die rettende Botschaft zu verkünden; allerdings sind auch viele Gegner da.

[10]Wenn Timotheus zu euch kommt, sorgt bitte dafür, dass er sich bei euch wohl fühlt. Ermutigt ihn, denn er arbeitet wie ich für den Herrn. [11]Niemand darf ihn herablassend behandeln. Seht zu, dass er sich dann in Frieden von euch verabschieden kann und unbeschwert wieder zu mir zurückkommt, denn wir alle erwarten ihn hier. [12]Unseren Mitarbeiter Apollos habe ich immer wieder gebeten, euch mit den anderen Brüdern zu besuchen, aber er meinte, es sei jetzt nicht angebracht. Sobald sich eine andere Gelegenheit bietet, wird er kommen.

Grüße und Segenswünsche

[13]Bleibt wachsam, und steht fest im Glauben! Seid entschlossen und stark! [14]Bei allem, was ihr tut, lasst euch von der Liebe leiten.

[15]Noch eins, liebe Brüder und Schwestern: Ihr kennt doch Stephanas und alle, die bei ihm leben. Sie waren die ersten Christen in der Provinz Achaja und haben sich ganz für den Dienst in der Gemeinde zur Verfügung gestellt. [16]Hört

---

[a] Wörtlich: dein Stachel. Vgl. Jesaja 25,8; Hosea 13,14

15,52 Mt 24,31 **15,56** Röm 6,23; 7,7–13 **15,58** 3,8; 16,13; Kol 1,23; 2,7 **16,1–4** Gal 2,10* **16,5–7** 2 Kor 1,15–24 **16,8–9** Apg 19,1.8–10 **16,10–11** Apg 16,1–3* **16,12** Apg 18,24–28* **16,13** 15,58; Kol 1,23; 2,7 **16,14** Röm 12,9–16; Phil 2,1–5; Kol 3,14 **16,15** 1,16

auf solche Leute und auf alle anderen, die mitarbeiten und ihr Bestes geben. [17]Ich freue mich, dass Stephanas, Fortunatus und Achaikus zu mir gekommen sind. Sie haben mir darüber hinweggeholfen, dass ich nicht bei euch sein konnte. [18]Ja, sie haben uns neuen Mut gegeben, so wie sie auch euch ermutigt haben. Nehmt euch diese Männer zum Vorbild!

[19]Die Gemeinden der Provinz Asia senden euch herzliche Grüße. Aquila und Priszilla lassen euch im Namen Jesu ebenfalls grüßen, zusammen mit der Gemeinde, die sich in ihrem Haus versammelt.

[20]Auch die Brüder und Schwestern hier haben mich gebeten, euch zu grüßen. Grüßt euch mit dem Friedenskuss!

[21]Und hier noch mein Gruß an euch, den ich, Paulus, mit eigener Hand schreibe.

[22]Wer den Herrn nicht liebt, den soll Gottes Strafe treffen! Unser Herr, komm! [23]Die Gnade unseres Herrn Jesus soll immer mit euch sein!

[24]In seiner Liebe bleibe ich mit euch verbunden.

16,18 11,1* **16,19** Apg 18,2–3* **16,21** Gal 6,11

Der zweite Brief des Paulus an die Christen in Korinth

Anschrift und Gruß

1 Paulus, ein Apostel Jesu Christi, von Gott berufen, und sein Mitarbeiter Timotheus schreiben diesen Brief an die Gemeinde Gottes in Korinth und an alle in der Provinz Achaja, die zu Gott gehören.

[2] Ich wünsche euch Gnade und Frieden von Gott, unserem Vater, und unserem Herrn Jesus Christus.

Dank für Gottes Hilfe

[3] Gepriesen sei Gott, der Vater unseres Herrn Jesus Christus, der Vater voller Barmherzigkeit, der Gott, der uns in jeder Not tröstet! [4] In allen Schwierigkeiten ermutigt er uns und steht uns bei, so dass wir auch andere trösten können, die wegen ihres Glaubens leiden müssen. Wir trösten sie, wie Gott auch uns getröstet hat. [5] Weil wir Christus gehören und ihm dienen, müssen wir viel leiden, aber in ebenso reichem Maße erfahren wir auch seine Hilfe. [6] Deshalb kommt es euch zugute, wenn wir leiden; und wenn wir ermutigt werden, dann geschieht auch das zu eurem Besten. Das gibt euch Kraft, die gleichen Leiden wie wir geduldig zu ertragen.

[7] Darum sind wir zuversichtlich und haben keine Angst um euch. Denn ihr werdet zwar leiden müssen wie wir, aber ihr werdet auch von Gott getröstet werden. [8] Liebe Brüder und Schwestern! Ich meine, ihr solltet wissen, dass wir in der Provinz Asia Schweres erdulden mussten. Wir waren mit unseren Kräften am Ende und hatten schon mit dem Leben abgeschlossen. [9] Unser Tod schien unausweichlich. Aber Gott wollte, dass wir uns nicht auf uns selbst verlassen, sondern auf ihn, der die Toten zu neuem Leben erweckt. [10] Und tatsächlich hat Gott uns vor dem Tod gerettet und wird es auch in Zukunft tun. Wir vertrauen fest darauf, dass er uns immer wieder aus Todesgefahr befreit. [11] Denn auch ihr betet ja für uns. Und so werden nicht nur wir, sondern viele Gott dafür danken, dass er uns gnädig ist und uns bewahrt hat.

Paulus wehrt sich gegen falsche Anschuldigungen

[12] Wenn es etwas gibt, worauf wir stolz sein können, dann ist es unser gutes Gewissen: Wir leben so, wie Gott es will; wir haben euch nichts vorgemacht. Nicht eigensüchtige Überlegungen haben unser Handeln bestimmt, sondern allein Gottes Barmherzigkeit. So haben wir uns überall verhalten, und ganz besonders bei euch. [13] Auch unsere Briefe wollen nichts anderes sagen, als was ihr schwarz auf weiß lesen könnt. Ich hoffe, ihr werdet einmal voll und ganz verstehen, was ich meine. [14] Wenigstens zum Teil habt ihr schon verstanden, dass ihr auf uns stolz sein könnt, genauso wie wir auf euch, wenn Jesus, unser Herr, kommen wird.

[15] In dieser Zuversicht wollte ich zuerst zu euch kommen. Gerne hätte ich euch zweimal besucht und euch beide Male Gottes Liebe nahe gebracht – [16] sowohl auf dem Weg nach Mazedonien als auch auf der Rückreise von dort. Einige von

---

1,1 Apg 9,15*; 16,1–3* **1,3** Eph 1,3 **1,4** 7,6 **1,5** 4,9–11.17; 2 Tim 3,12* **1,6** 4,15 **1,8** 1 Kor 15,32 **1,10–11** Kol 4,3–4* **1,12** 2,17; 1 Kor 4,4 **1,14** 5,12; 1 Kor 15,31 **1,15–16** 1 Kor 16,5–7

euch hätten mich dann nach Judäa begleiten können. [17] Bin ich denn nun leichtfertig gewesen, als ich diese Reise plante? Entscheide ich etwa so, wie ich selbst es für richtig halte, ohne nach Gottes Willen zu fragen? Oder gehöre ich zu den unzuverlässigen Leuten, die »Ja« sagen, wenn sie »Nein« meinen?

[18] Gott ist mein Zeuge, dass wir niemals etwas anderes sagen, als wir wirklich meinen. [19] Auch Jesus Christus, der Sohn Gottes, den Silvanus, Timotheus und ich euch verkündet haben, war nicht gleichzeitig »Ja« und »Nein«. Er selbst ist in seiner Person das Ja Gottes zu uns, [20] denn alle Zusagen Gottes haben sich in ihm erfüllt. Und auf das, was Christus für uns getan hat, antworten wir zur Ehre Gottes mit Amen.

[21] Gott selbst hat unser und euer Leben auf ein festes Fundament gestellt, auf Christus, und uns mit seinem Geist erfüllt[a]. [22] So drückte er uns sein Siegel auf, wir sind sein Eigentum geworden. Das Geschenk des Geistes in unseren Herzen ist Gottes sicheres Pfand dafür, dass er uns noch viel mehr schenken wird.

[23] Warum bin ich dann doch nicht wie geplant nach Korinth gekommen? Nur um euch zu schonen, mit Rücksicht auf euch! Ich rufe Gott als Zeugen an; er soll mich strafen, wenn das nicht die Wahrheit ist. [24] Denn wir möchten nicht über euch und euren Glauben herrschen, sondern helfen, dass ihr euch freuen könnt. Im Glauben steht ihr ja bereits fest.

2 Ein Besuch bei euch schien mir nicht sinnvoll zu sein, weil er uns allen nur neuen Kummer gebracht hätte. [2] Denn wenn ich euch nur traurig mache, bleibt ja niemand, der mich wieder froh stimmen könnte. [3] Deshalb schrieb ich euch den letzten Brief, damit ihr eure Angelegenheiten in Ordnung bringt,[b] ehe ich zu euch komme. Ich wollte nämlich nicht über euch traurig sein, sondern mich über euch freuen. Denn ich hoffe doch, dass auch ihr euch freut, wenn ich mich freuen kann. [4] In großer Sorge, mit schwerem Herzen und unter Tränen hatte ich euch geschrieben. Aber ich wollte euch damit nicht verletzen. Im Gegenteil! Ihr solltet vielmehr erkennen, wie sehr ich gerade euch liebe.

Vergebung für einen Bestraften

[5] Wer anderen Kummer bereitet hat, der hat nicht nur mich traurig gemacht, sondern euch alle – oder doch fast alle, um nicht zu übertreiben. [6] Die meisten von euch haben sein Verhalten bestraft, damit soll es gut sein. [7] Jetzt müsst ihr ihm vergeben und ihn ermutigen, denn er soll nicht verzweifeln. [8] Zeigt ihm deshalb eure Liebe. [9] Der Zweck meines Briefes ist ja erreicht: Ich wollte sehen, ob ihr euch bewährt und meine Anweisungen befolgt. [10] Wem ihr vergebt, dem vergebe ich auch. Wenn ich etwas zu vergeben hatte, dann habe ich es um euretwillen vor Christus längst getan. [11] Denn wir kennen die Absichten Satans nur zu genau und wissen, wie er uns zu Fall bringen möchte. Aber das soll ihm nicht gelingen.

Mit Christus siegen

[12] Als ich nach Troas kam, um dort die rettende Botschaft von Christus zu verkünden, machte der Herr die Menschen sehr offen für diese Botschaft. [13] Trotzdem war ich beunruhigt, weil ich meinen Mitarbeiter Titus nicht antraf. Darum verabschiedete ich mich bald wieder von den Christen in Troas und reiste ihm nach Mazedonien entgegen. [14] Von ganzem Herzen danke ich Gott dafür, dass er uns überall im Triumphzug Christi mitführt. Wohin wir auch kommen, verbreitet sich

---

[a] Wörtlich: und uns gesalbt.

[b] »damit … bringt« ist sinngemäß ergänzt.

1,17 Jak 4,13–15; 5,12 **1,20** Lk 24,44–46*; Apg 17,3; 18,5; Offb 3,14 **1,22** 5,5; Röm 8,11.23; Eph 1,13–14 **1,23** 13,2; 1 Kor 16,5–7 **1,24** 4,5; 1 Petr 5,3 **2,1** 12,21 **2,3** 13,10; Phil 2,17–18 **2,4** 1 Kor 4,21 **2,7** Kol 3,13 **2,9** 7,12.15 **2,11** 1 Thess 2,18; 1 Petr 5,8 **2,12** Apg 16,8 **2,13** Tit 1,4*

die Erkenntnis Gottes wie ein angenehmer Duft, dem sich niemand entziehen kann. [15]Ob die Menschen nun die Botschaft annehmen und gerettet werden oder sie ablehnen und verloren gehen: Durch Christus sind wir ein Wohlgeruch für Gott. [16]Für die einen ist es ein Verwesungsgeruch, der ihnen den Tod bringt; für die anderen aber ein angenehmer Duft, der ihnen neues Leben gibt.

Wer aber ist für diese große Aufgabe geeignet? [17]Nun, wir machen jedenfalls mit Gottes Botschaft keine Geschäfte wie so manche andere. Wir reden in aller Aufrichtigkeit und in Gottes Auftrag, weil wir mit Christus eng verbunden sind und uns Gott verantwortlich wissen.

Alter und neuer Bund – Gesetz und Heiliger Geist

3 Wollen wir damit etwa schon wieder für uns selbst werben? Sollen wir euch etwa, wie es gewisse Leute tun, Empfehlungsschreiben vorzeigen oder uns solche von euch geben lassen? [2]Ihr selbst seid doch der beste Empfehlungsbrief für uns. Er ist in unser Herz geschrieben und kann von allen gelesen werden. [3]Jeder weiß, dass ihr selbst ein Brief Christi seid, den wir in seinem Auftrag geschrieben haben; nicht mit Tinte, sondern mit dem Geist des lebendigen Gottes; nicht auf steinerne Gesetzestafeln wie bei Mose, sondern in menschliche Herzen.

[4]Das wagen wir nur deshalb zu sagen, weil wir Gott vertrauen, der uns durch Christus beauftragt hat. [5]Wir bilden uns nicht ein, aus eigener Kraft irgendetwas tun zu können; nein, Gott hat uns Kraft gegeben. [6]Nur durch ihn können wir die rettende Botschaft verkünden, den neuen Bund, den Gott mit uns Menschen geschlossen hat. Wir verkünden nicht länger die Herrschaft des geschriebenen Gesetzes, sondern das neue Leben durch Gottes Geist. Denn der Buchstabe tötet, Gottes Geist aber schenkt Leben.

[7]Schon das Gesetz, das in Stein gehauen war und den Tod brachte, ließ etwas von Gottes Herrlichkeit erkennen. Nachdem Gott Mose das Gesetz gegeben hatte, lag da nicht ein Glanz auf Moses Gesicht – so stark, dass die Israeliten es nicht ertragen konnten? Doch wie schnell war dieser Glanz erloschen! [8]Wie viel herrlicher muss es dann sein, die rettende Botschaft von Christus zu verkünden, denn sie führt die Menschen durch Gottes Geist zum Leben! [9]Wenn schon der Auftrag, der schließlich alle zum Tod verurteilte, so sichtbar Gottes Herrlichkeit ausstrahlte, wie viel herrlicher ist dann der Auftrag, durch den die Menschen von ihrer Schuld vor Gott freigesprochen werden!

[10]Die Herrlichkeit des Gesetzes verblasst vor der Herrlichkeit der Botschaft von Jesus Christus. [11]Wenn schon das Gesetz, das doch nur für eine bestimmte Zeit galt, Gottes Herrlichkeit erstrahlen ließ, um wie viel mehr wird sich Gottes Herrlichkeit durch die Botschaft von Jesus Christus offenbaren, die ewig gilt! [12]Weil wir diese Hoffnung haben, können wir die rettende Botschaft voller Zuversicht verkünden. [13]Und wir brauchen auch nicht unser Gesicht mit einem Tuch zu verhüllen, wie Mose es getan hat, damit die Israeliten nicht sahen, wie der Glanz Gottes auf seinem Gesicht wieder erlosch. [14]Aber nicht nur das, sie sind verschlossen für Gottes Botschaft. Bis zum heutigen Tag ist das Alte Testament für sie wie mit einem Tuch verhüllt. Sie lesen es zwar, aber seinen Sinn verstehen sie nicht. Dieses Tuch wird erst dann weggenommen, wenn sie an Christus glauben. [15]Bis heute liegt es auf ihren Herzen, wenn aus den Büchern des Mose vorgelesen wird. [16]Aber wie es bei Mose war, so

---

2,15 Röm 10,16; 1 Kor 1,18 **2,17** 1,12; 4,2; Gal 1,10; 1 Tim 6,5 **3,1–2** Apg 9,2; 2 Kor 10,12.18 **3,3** 2 Mo 24,12; Jer 31,33 **3,5** Röm 15,18–19; Phil 2,13 **3,6** Röm 7,6; 1 Kor 11,25; Hebr 8,7–13 **3,7** 2 Mo 34,29–30 **3,9** 1 Kor 15,56; Gal 3,10; Hebr 10,28 **3,10–11** Röm 5,20–21; 10,4; Hebr 7,18 **3,13** 2 Mo 34,33 **3,14** Apg 28,26–27; Röm 11,25 **3,16** 2 Mo 34,34

ist es auch bei ihnen: Wenn sich Israel dem Herrn zuwendet, wird das Tuch weggenommen.

[17] Mit dem »Herrn« ist Gottes Geist gemeint. Und wo der Geist des Herrn ist, da ist Freiheit. [18] Wir alle aber stehen mit unverhülltem Gesicht vor Gott und spiegeln seine Herrlichkeit wider. Der Herr verändert uns durch seinen Geist, damit wir ihm immer ähnlicher werden und immer mehr Anteil an seiner Herrlichkeit bekommen.

Zeitliche Leiden – ewige Herrlichkeit

4 Weil Gott uns in seiner Barmherzigkeit die Aufgabe übertragen hat, seine Botschaft überall zu verkünden, verlieren wir nicht den Mut. [2] Wir halten uns fern von allen Heimlichkeiten, über die wir uns schämen müssten, wir täuschen niemanden und verfälschen auch nicht Gottes Botschaft. Im Gegenteil, wir sind Gott verantwortlich und verkünden frei und unverfälscht seine Wahrheit. Das ist unsere Selbstempfehlung! Jeder, der ehrlich ist zu sich selbst, wird mir Recht geben. [3] Die Botschaft, dass Jesus Christus unsere Rettung ist, bleibt nur für die dunkel, die verloren sind. [4] Diese Ungläubigen hat der Satan, der Herrscher dieser Welt,[a] so verblendet, dass sie das helle Licht dieser Botschaft und die Herrlichkeit Christi nicht sehen können. Und doch erkennen wir Gott selbst nur durch Christus, weil Christus Gottes Ebenbild ist. [5] Nicht wir sind der Mittelpunkt unserer Predigt, sondern Christus, der Herr! Wir sind nur eure Diener, aus Liebe zu Jesus.

[6] Denn so wie Gott einmal befahl: »Licht soll aus der Dunkelheit hervorbrechen!«, so hat sein Licht auch unsere Herzen erhellt. Durch uns sollen nun alle Menschen Gottes Herrlichkeit erkennen, die in Jesus Christus aufstrahlt. [7] Diesen kostbaren Schatz tragen wir in uns, obwohl wir nur zerbrechliche Gefäße sind. So wird jeder erkennen, dass die außerordentliche Kraft, die in uns wirkt, von Gott kommt und nicht von uns selbst. [8] Die Schwierigkeiten bedrängen uns von allen Seiten, und doch werden wir nicht von ihnen überwältigt. Wir sind oft ratlos, aber nie verzweifelt.

[9] Von Menschen werden wir verfolgt, aber bei Gott finden wir Zuflucht. Wir werden zu Boden geschlagen, aber wir kommen dabei nicht um. [10] Tagtäglich erfahren wir am eigenen Leib etwas vom Sterben, das Jesus durchlitten hat. So wird an uns auch etwas vom Leben des auferstandenen Jesus sichtbar. [11] Unser Leben lang sind wir um Jesu willen ständig dem Tod ausgeliefert; aber an unserem sterblichen Leib wird auch immer wieder sein Leben sichtbar. [12] Uns bringt der Dienst für Jesus ständig in Todesgefahr, euch dagegen hat er neues Leben gebracht. [13] Wir haben Gottes Geist, der uns auf Gott vertrauen lässt. Wie der Beter in der Heiligen Schrift können wir sagen: »Ich vertraue auf Gott, deshalb rede ich!«[b] Weil wir also an Jesus Christus glauben, müssen wir von ihm reden. [14] Wir wissen: Gott, der Jesus vom Tod auferweckt hat, wird auch uns auferwecken. Dann werden wir mit euch gemeinsam vor Gott stehen.

[15] Alle Entbehrungen aber ertragen wir für euch. Denn je mehr Menschen das unverdiente Geschenk der Güte Gottes annehmen, umso mehr werden Gott danken und ihn über alles ehren.

[16] Darum geben wir nicht auf. Wenn auch unsere körperlichen Kräfte aufgezehrt werden, wird doch das Leben, das Gott uns schenkt, von Tag zu Tag erneuert. [17] Was wir jetzt leiden müssen, dauert nicht lange und ist leicht zu ertra-

---

[a] Wörtlich: Diese Ungläubigen hat der Gott dieser Welt …
[b] Psalm 116,10

3,17 Lk 4,18; Röm 8,1–2 **3,18** 4,6; Röm 8,29 **4,2** 2,17; 1 Thess 2,3–6 **4,3** 1 Kor 1,18 **4,4** Joh 14,7–10; Kol 1,15; Hebr 1,3 **4,5** 1,24; 1 Kor 2,1–2 **4,6** 1 Mo 1,3; 1 Petr 2,9 **4,7** 5,1; 12,9 **4,9–11** 11,23–29; 1 Kor 4,9; 15,31; 2 Tim 3,12* **4,12** 1 Kor 4,10 **4,13** Apg 4,20; 1 Kor 9,16 **4,14** Röm 6,8; 8,11; 1 Kor 6,14; 15,20 **4,15** 1,6 **4,16** 1 Kor 9,27; Eph 3,16 **4,17–18** Röm 8,17–22; 2 Tim 3,12*

gen in Anbetracht der unendlichen, unvorstellbaren Herrlichkeit, die uns erwartet. [18]Deshalb lassen wir uns von dem, was uns zurzeit so sichtbar bedrängt, nicht ablenken, sondern wir richten unseren Blick auf Gottes neue Welt, auch wenn sie noch unsichtbar ist. Denn das Sichtbare vergeht, doch das Unsichtbare bleibt ewig.

Hoffnung auf eine neue Heimat

5 Das wissen wir: Wenn unser Leib einmal zerfällt wie ein Zelt, das abgebrochen wird, erhalten wir einen neuen Leib, eine Behausung, die nicht von Menschen errichtet ist. Gott hält sie im Himmel für uns bereit, und sie wird ewig bleiben. [2]Voll Verlangen sehnen wir uns danach, den neuen Leib anzuziehen wie ein Kleid, [3]damit wir nicht nackt, sondern bekleidet sind, wenn wir unseren irdischen Körper ablegen müssen. [4]Solange wir in diesem Körper leben, liegt eine schwere Last auf uns. Wir wünschen uns nicht etwa den Tod herbei, sondern wir möchten den neuen Leib überziehen, damit alles Vergängliche vom Leben überwunden wird. [5]Darauf hat uns Gott vorbereitet, indem er uns als sicheres Pfand dafür schon jetzt seinen Geist gegeben hat.

[6]Deshalb sind wir jederzeit zuversichtlich, auch wenn wir in unserem irdischen Leib noch nicht bei Gott zu Hause sind. [7]Jetzt glauben wir an ihn, auch wenn wir ihn noch nicht sehen können. [8]Aber wir rechnen fest damit und würden am liebsten diesen Leib verlassen, um endlich zu Hause beim Herrn zu sein.

[9]Ganz gleich, ob wir nun bei ihm sind oder noch auf dieser Erde leben, möchten wir in jedem Fall tun, was Gott gefällt. [10]Denn einmal werden wir uns alle vor Christus als unserem Richter verantworten müssen. Dann wird jeder das bekommen, was er für sein Tun auf dieser Erde verdient hat, mag es gut oder schlecht gewesen sein.

Friede mit Gott

[11]Weil ich weiß, dass ich mich einmal vor Gott verantworten muss, will ich möglichst viele für Christus gewinnen. Gott weiß, dass ich nur dies eine will, und ich hoffe, auch ihr unterstellt mir keine anderen Absichten.

[12]Das sage ich nun wirklich nicht, um mich selbst zu loben. Ich will euch nur ein paar Gründe nennen, warum ihr stolz auf mich sein dürft. Dann könnt ihr sie denen entgegenhalten, für die äußere Vorzüge wichtiger sind als innere Überzeugung. [13]Wenn ich, ergriffen vom Geist Gottes,[a] in Ekstase gerate, dann geschieht dies nur zur Ehre Gottes. Euch gegenüber rede ich dagegen immer mit Vernunft, und das kommt euch zugute.

[14]Was wir auch tun, wir tun es aus der Liebe, die Christus uns geschenkt hat – sie lässt uns keine andere Wahl. Wir sind davon überzeugt: Weil *einer* für *alle* Menschen starb, sind sie alle gestorben. [15]Und Christus ist deshalb für alle gestorben, damit alle, die leben, nicht länger für sich selbst leben, sondern für Christus, der für sie gestorben und auferstanden ist.

[16]Wir beurteilen auch niemanden mehr nach rein menschlichen Maßstäben. Selbst wenn wir Christus früher danach beurteilt haben, so gelten diese Maßstäbe jetzt nicht mehr. [17]Gehört jemand zu Christus, dann ist er ein neuer Mensch. Was vorher war, ist vergangen, etwas Neues hat begonnen. [18]All dies verdan-

[a] »ergriffen vom Geist Gottes« ist sinngemäß ergänzt.

5,1–4 Röm 8,23–25; 1 Kor 15,51–54; Phil 3,21 **5,5** 1,21–22; Eph 1,4; 4,30 **5,6** Hebr 11,13 **5,7–8** 2 Mo 33,20–23*; 1 Kor 13,12; Phil 1,23; 1 Petr 1,8–9 **5,10** Mt 25,31–32; Joh 5,22; 12,47–48; Röm 2,16; 14,10–12; 1 Kor 4,5; Phil 1,10–11; 2 Tim 4,8 **5,11** 1 Kor 9,19–23; Phil 1,18 **5,12** 1,14 **5,13** 1 Kor 14,19 **5,14** Röm 6,3; Gal 2,16*; 2 Kor 5,18–21* **5,15** Röm 14,7–9; Gal 2,19–20; Phil 1,21–23 **5,17** Röm 6,4; Gal 2,20; Eph 4,22–24 **5,18–21** 5,14; Mk 10,45; Lk 24,44–46*; Röm 3,21–26; 4,25; 5,8–10; 1 Kor 15,3; Kol 1,19–22; 1 Tim 2,5–6; Hebr 9,12–14; 1 Joh 2,1–2; Jes 52,13–15; 53,4–12

ken wir Gott, der durch Christus mit uns Frieden geschlossen hat. Er hat uns beauftragt, diese Botschaft überall zu verkünden. [19]Denn Gott ist durch Christus selbst in diese Welt gekommen und hat Frieden mit ihr geschlossen, indem er den Menschen ihre Sünden nicht länger anrechnet. Gott hat uns dazu bestimmt, diese Botschaft der Versöhnung in der ganzen Welt zu verbreiten. [20]Als Botschafter Christi fordern wir euch deshalb im Namen Gottes auf: Lasst euch mit Gott versöhnen! Wir bitten euch darum im Auftrag Christi. [21]Denn Gott hat Christus, der ohne jede Sünde war, mit all unserer Schuld beladen und verurteilt, damit wir freigesprochen sind und Menschen werden, die Gott gefallen.

Bewährung im Dienst für Gott

6 Als Gottes Mitarbeiter bitten wir euch: Lasst die Gnade, die Gott euch geschenkt hat, in eurem Leben nicht ohne Auswirkung bleiben. [2]Denn Gott hat gesagt: »Ich will dein Gebet erhören. Es wird eine Zeit der Gnade für dich geben, einen Tag, an dem du meine Hilfe erfährst!«[a] Genau diese Zeit ist jetzt da, der Tag der Rettung ist nun gekommen.

[3]Niemand soll uns persönlich etwas Schlechtes nachsagen können, damit nicht unser Auftrag in Verruf gerät. [4]In allem empfehlen wir uns als Gottes Mitarbeiter: Wir bleiben standhaft in Bedrängnissen, in Not und Angst, [5]auch wenn man uns schlägt und einsperrt, wenn wir aufgehetzten Menschen ausgeliefert sind, bis zur Erschöpfung arbeiten, uns kaum Schlaf gönnen und auf Nahrung verzichten. [6]Wir lassen uns nichts zuschulden kommen und erkennen Gottes Willen; wir sind geduldig und freundlich, Gottes Heiliger Geist wirkt durch uns, und wir lieben jeden Menschen aufrichtig. [7]Wir verkünden Gottes Wahrheit und leben aus seiner Kraft. Zum Angriff wie zur Verteidigung gebrauchen wir die Waffen Gottes: das richtige Verhalten vor Gott und den Menschen. [8]Dabei lassen wir uns nicht beirren: weder durch Lob noch Verachtung, weder durch gute Worte noch böses Gerede. Man nennt uns Lügner, und wir sagen doch die Wahrheit. [9]Für die Welt sind wir Unbekannte, aber Gott kennt uns. Wir sind Sterbende, und dennoch leben wir. Wir werden geschlagen und kommen doch nicht um. [10]In allen Traurigkeiten bleiben wir fröhlich. Wir sind arm und beschenken doch viele reich. Wir haben nichts und besitzen doch alles.

[11]Ihr lieben Christen in Korinth! Wir haben sehr offen zu euch gesprochen und euch dabei in unser Herz blicken lassen. [12]Der Platz in unserem Herzen ist euch sicher, auch wenn ihr euch uns gegenüber verschließt. [13]Ich rede zu euch wie ein Vater zu seinen Kindern. Schenkt mir doch dasselbe Vertrauen, das ich euch entgegenbringe, und öffnet mir eure Herzen!

Warnung vor falschen Wegen

[14]Zieht nicht an einem Strang mit Leuten, die nicht an Christus glauben. Was haben denn Gottes Gerechtigkeit und die Gesetzlosigkeit dieser Welt miteinander zu tun? Wie passen Licht und Finsternis zusammen? [15]Was hat Christus mit dem Teufel gemeinsam? Oder was verbindet einen Glaubenden mit einem Ungläubigen? [16]Was haben die Götzenfiguren mit dem Tempel Gottes zu tun?

Vergesst nicht: Wir selbst sind der Tempel des lebendigen Gottes. So hat Gott gesagt: »Ich will mitten unter ihnen leben. Ich will ihr Gott sein, und sie sollen mein Volk sein!«[b] [17]Darum befiehlt

---

[a] Jesaja 49,8
[b] 3. Mose 26,12

5,20 Lk 24,47; Röm 10,15–16; 1 Tim 2,7; 2 Tim 1,1; Jes 53,1 **5,21** Röm 8,34 **6,3** 1 Tim 3,7 **6,4–10** 4,8–13; 11,23–29; 1 Kor 4,9–13; 2 Tim 3,12* **6,5** 1 Kor 9,27 **6,7** 4,6–7 **6,9** Apg 14,19–20 **6,10** Phil 4,11–13; 1 Tim 6,6–8 **6,11–13** Phil 1,8; 1 Kor 4,15 **6,14–17** Mt 6,24; 1 Kor 10,21; Eph 5,6–11

Gott: »Verlasst sie, und trennt euch von ihnen! Rührt nichts Unreines an! Dann will ich euch annehmen. [18] Ich werde euer Vater sein, und ihr werdet meine Söhne und Töchter sein. So spricht der Herr, der allmächtige Gott.«[a]

7 Meine lieben Freunde! All dies hat uns Gott versprochen. Darum wollen wir uns auch von allem trennen, was unseren Körper oder unseren Geist verunreinigt. In Ehrfurcht vor Gott wollen wir immer mehr so leben, wie es ihm gefällt.

Bitte um Vertrauen

[2] Vertraut uns doch! Wir haben ja keinem von euch Unrecht getan. Wir haben niemanden zugrunde gerichtet und keinen von euch betrogen. [3] Ich sage das nicht, um euch zu verurteilen. Denn ich habe euch ja vorhin gesagt, wie sehr ich euch liebe. Wir sind untrennbar miteinander verbunden, im Leben und im Sterben. [4] Ich vertraue euch in jeder Beziehung und bin sogar stolz auf euch. Trotz aller Schwierigkeiten bin ich getröstet, und meine Freude ist unbeschreiblich groß.

Umkehr einer Gemeinde

[5] Als wir nach Mazedonien kamen, waren wir sehr beunruhigt. Überall gab es Schwierigkeiten. Wir mussten alle möglichen Anfeindungen ertragen und waren zudem selber voller Angst und Sorgen. [6] Aber Gott hilft den Mutlosen. Er hat uns durch die Ankunft des Titus getröstet; [7] und das nicht nur, weil Titus endlich wieder bei uns war. Noch mehr haben wir uns darüber gefreut, dass Titus bei euch so viel Gutes erfahren hat. Er hat mir davon berichtet, wie sehr ihr auf meinen Besuch wartet, wie leid euch das Geschehene tut und mit welchem Eifer ihr euch für mich einsetzt. Ich kann euch gar nicht sagen, wie sehr ich mich darüber gefreut habe.

[8] Jetzt bereue ich auch nicht, dass ich euch den Brief geschrieben habe, der euch so erschüttert hat. Zwar dachte ich schon, ich hätte ihn gar nicht abschicken sollen – eben weil ihr wegen des Briefes traurig gewesen seid, [9] doch jetzt bin ich froh, dass ich ihn geschrieben habe. Natürlich nicht, weil ihr traurig gewesen seid, sondern weil euch dies zum Nachdenken und zur Umkehr gebracht hat. Genau das war Gottes Absicht, und deshalb hat euch unser Brief auch nicht geschadet. [10] Denn die von Gott bewirkte Traurigkeit führt zur Umkehr und bringt Rettung. Und wer sollte das jemals bereuen! Nur die Traurigkeit, die nicht zur Umkehr führt, bewirkt den Tod. [11] Bedenkt doch nur, was Gott alles durch eure Traurigkeit erreicht hat! Wie viel guten Willen zeigt ihr jetzt, wie bereitwillig habt ihr euch entschuldigt, und wie sehr bemüht ihr euch zu beweisen, dass ihr euch nicht mitschuldig machen wollt! Jetzt seid ihr über das Vorgefallene empört, wie groß ist eure Furcht vor den Folgen! Ihr wünscht euch sehr, mich wiederzusehen. Eure Entschlossenheit hat dazu geführt, dass der Schuldige bestraft wurde. Ihr habt damit bewiesen, dass diese Sache bereinigt ist.

[12] Ich habe euch meinen Brief nicht geschrieben, weil es mir um den ging, der Unrecht getan hat, oder den, dem Unrecht geschehen ist. Es kam mir allein darauf an, dass ihr vor Gott zeigen konntet, wie sehr ihr euch für uns einsetzt. [13] Deshalb sind wir nun getröstet, und das umso mehr, als mir Titus voller Freude berichtete, wie er von euch ermutigt worden ist. [14] Ich hatte ihm so viel Gutes von euch erzählt, und ihr habt mich nicht enttäuscht. So wie ich euch gegenüber immer die Wahrheit gesagt habe, so konnte mir Titus nun auch bestätigen, dass ich zu Recht auf euch stolz bin. [15] Er liebt euch

---

[a] Jesaja 52,11; 2. Samuel 7,14; Jesaja 43,6

7,1 Phil 2,12; 1 Petr 1,17 **7,2–4** 6,11–13 **7,5–6** 2,13; Apg 20,1 **7,7–9** 2,1–4 **7,11** 2,5 **7,12** 2,9 **7,14** 8,24

jetzt noch mehr, denn er hat eure Bereitschaft zum Gehorsam gesehen, nachdem ihr ihn voller Angst und Bangen aufgenommen habt. [16]Ich freue mich, dass ich euch so ganz und gar vertrauen kann.

Mit anderen teilen

8 Nun will ich euch berichten, was Gott in seiner Güte in den Gemeinden der Provinz Mazedonien bewirkt hat. [2]Die Christen dort haben wegen ihres Glaubens viele Schwierigkeiten standhaft ertragen. Und doch waren sie voller Freude und haben trotz ihrer großen Armut reichlich für andere gegeben. [3]Ich kann bezeugen, dass sie von sich aus gaben, was sie nur konnten, und sogar mehr als das. [4]Sie haben es sogar als ein Vorrecht angesehen, sich an der Hilfe für die Christen in Jerusalem beteiligen zu dürfen. [5]Sie haben sehr viel mehr getan, als wir jemals erwarten konnten, denn sie schenkten sich geradezu selbst, zuerst dem Herrn, danach auch uns. So gehorchten sie Gott.

[6]Nach dieser Erfahrung habe ich Titus zugeredet, dass er auch bei euch die Sammlung, mit der er bereits begonnen hat, zum Abschluss bringt. [7]Ihr seid in so vielem überaus reich gesegnet: in eurem Glauben, in der Predigt und dem Verständnis der Botschaft Gottes, in eurem Einsatz für den Herrn und durch die Liebe, die wir in euch geweckt haben. Lasst diesen Reichtum nun auch sichtbar werden, indem ihr der Gemeinde in Jerusalem helft.

[8]Natürlich will ich euch nichts befehlen. Aber angesichts der Opferbereitschaft der anderen würde ich gern sehen, wie echt eure Liebe ist. [9]Denkt daran, was unser Herr Jesus Christus in seiner Liebe für euch getan hat. Er war reich und wurde doch arm, um euch durch seine Armut reich zu machen. [10]Nach meiner Meinung kann es nur gut für euch sein, wenn ihr die Sammlung durchführt. Ihr habt sie euch ja vor einem Jahr vorgenommen und auch schon damit begonnen. [11]Nur solltet ihr diesmal die Sache auch tatsächlich zu Ende bringen, damit es nicht bei guten Vorsätzen bleibt. Gebt so viel, wie es euren Möglichkeiten entspricht!

[12]Wenn ihr etwas geben wollt, dann wird eure Gabe dankbar angenommen, sei es viel oder wenig – entsprechend dem, was ihr habt. [13]Ihr sollt nicht selbst in Not geraten, weil ihr anderen aus der Not helft. Es geht nur um einen gewissen Ausgleich. [14]Heute habt ihr so viel, dass ihr ihnen helfen könnt. Ein andermal werden sie euch von ihrem Überfluss abgeben, wenn es nötig ist. Das meine ich mit Ausgleich. [15]Erinnert euch daran, was die Heilige Schrift dazu sagt: »Wer viel eingesammelt hatte, der hatte nicht zu viel; und wer nur wenig aufgelesen hatte, dem fehlte nichts.«[a]

Gewissenhafter Umgang mit Geld

[16]Ich danke Gott, dass er Titus dazu bereitgemacht hat, sich für euch einzusetzen. [17]Er war gleich einverstanden, zu euch zu reisen, ohne dass ich ihn erst lange darum bitten musste. [18]Mit ihm kommt noch ein anderer Bruder, den alle Gemeinden sehr schätzen, weil er die rettende Botschaft verkündet. [19]Die Gemeinden haben ihn ausdrücklich dazu bestimmt, gemeinsam mit uns das gesammelte Geld nach Jerusalem zu bringen. Das war auch unser Wunsch, damit alles zur Ehre Gottes geschieht. [20]So soll allen Verdächtigungen vorgebeugt werden – es handelt sich immerhin um eine recht hohe Geldsumme. [21]Wir wollen uns nämlich nicht nur Gott, sondern auch den Menschen gegenüber gewissenhaft verhalten.

[22]Zusammen mit den beiden schicken wir noch einen anderen Bruder zu euch. Wir haben ihn bei vielen Gelegenheiten

---

[a] 2. Mose 16,18

8,1–15 9,1–15; Gal 2,10* **8,4** Gal 6,10 **8,7** 1 Kor 1,5 **8,9** Phil 2,6–7 **8,12** Mk 12,41–44 **8,17** 8,6 **8,18** 12,18 **8,19–20** 9,1–15; Gal 2,10*

als überaus tatkräftigen und zuverlässigen Christen kennen gelernt. Weil er schon so viel Gutes von euch gehört hat, kommt er besonders gern zu euch. [23]Titus ist mein Freund und Mitarbeiter, die beiden anderen Brüder wurden von den Gemeinden für diese Aufgabe ausgewählt und machen mit ihrem Leben Christus alle Ehre. [24]Nehmt sie deshalb in Liebe auf, und beweist damit vor allen Gemeinden, dass wir euch zu Recht so sehr gelobt haben.

9 Über die Sammlung für die Gemeinde in Jerusalem brauche ich wohl keine weiteren Worte zu verlieren. [2]Eure Bereitschaft zu helfen ist mir ja bekannt. Ich habe euch deswegen in den mazedonischen Gemeinden schon gelobt und berichtet, dass ihr in der Provinz Achaja bereits im vorigen Jahr mit der Sammlung begonnen habt. Euer Beispiel hat viele angespornt. [3]Ihr könnt jetzt beweisen, dass ich eure Hilfsbereitschaft richtig eingeschätzt habe. Damit eure Sammlung auch wirklich abgeschlossen wird, wie ich es überall erzählt habe, schicke ich diese Männer zu euch. [4]Dann brauche ich den Leuten aus Mazedonien, wenn sie mit mir nach Korinth kommen, nicht beschämt einzugestehen, dass wir uns geirrt haben, weil es mit eurer Opferbereitschaft nicht weit her ist. Doch im Grunde müsstet ihr euch dann schämen. [5]Deshalb habe ich lieber die Brüder vorausgeschickt, damit sie dafür sorgen, dass die von euch zugesagte Spende auch wirklich bereitliegt. Es soll doch eine reiche Gabe sein und kein Almosen von Geizhälsen.

Wie Christen geben sollen

[6]Ich bin davon überzeugt: Wer wenig sät, der wird auch wenig ernten; wer aber viel sät, der wird auch viel ernten. [7]So soll jeder für sich selbst entscheiden, wie viel er geben will, und zwar freiwillig und nicht aus Pflichtgefühl. Denn Gott liebt den, der fröhlich gibt. [8]Er wird euch dafür alles schenken, was ihr braucht, ja mehr als das. So werdet ihr nicht nur selbst genug haben, sondern auch noch anderen von eurem Überfluss weitergeben können. [9]Schon in der Heiligen Schrift heißt es ja von dem Mann, den Gott reich beschenkt hat: »Großzügig schenkt er den Bedürftigen, was sie brauchen; auf seine barmherzige Liebe kann man immer zählen.«[a]

[10]Gott aber, der dem Sämann Saat und Brot schenkt, wird auch euch Saatgut geben. Er wird es wachsen lassen und dafür sorgen, dass eure Opferbereitschaft Früchte trägt. [11]Ihr werdet alles so reichlich haben, dass ihr unbesorgt weitergeben könnt. Wenn wir dann eure Gabe überbringen, werden viele Menschen Gott dafür danken.

[12]Eure Gabe hätte demnach zwei gute Auswirkungen: Sie wäre nicht nur eine Hilfe für die notleidenden Christen in Jerusalem, sie würde auch bewirken, dass viele Menschen Gott danken. [13]Durch eure Unterstützung zeigt sich, wie sich euer Glaube bewährt. Dann werden die Beschenkten Gott loben, weil ihr euch so treu zur rettenden Botschaft von Christus bekennt und so bereitwillig mit ihnen und mit allen anderen teilt. [14]Sie werden für euch beten und wären gern mit euch zusammen, weil sich an euch die Gnade Gottes auf so wunderbare Weise gezeigt hat. [15]Wir aber danken Gott für seine unaussprechlich große Gabe.

Abwehr persönlicher Angriffe

10 Ich, Paulus, möchte mit euch noch eine persönliche Angelegenheit klären, im Geist der Liebe und Güte Christi. Einige von euch sagen mir nach, ich sei feige und ängstlich, solange ich bei euch bin, aber mutig und zu allem ent-

---

[a] Wörtlich: Seine Gerechtigkeit bleibt in Ewigkeit. Psalm 112,9

8,24 7,14–15 **9,1–15** 8,1–15.19.20; Gal 2,10* **9,2** 8,19 **9,3** 8,23 **9,7** 8,8; Phlm 14 **9,8** Phil 4,19 **9,11** 1,11; 4,15 **9,13** 8,8 **10,1** 1 Kor 2,1–5

schlossen, wenn ich mich nur weit genug von euch entfernt habe. [2]Zwingt mich bitte nicht dazu, tatsächlich hart durchgreifen zu müssen, wenn ich zu euch komme. Auf jeden Fall werde ich entschieden gegen alle vorgehen, die mir allzu menschliche Absichten unterstellen.

[3]Natürlich bin auch ich nur ein Mensch, aber ich kämpfe nicht mit menschlichen Mitteln. [4]Ich setze nicht die Waffen dieser Welt ein, sondern die Waffen Gottes. Sie sind mächtig genug, jede Festung zu zerstören, jedes menschliche Gedankengebäude niederzureißen, [5]einfach alles zu vernichten, was sich stolz gegen Gott und seine Wahrheit erhebt. Alles menschliche Denken nehmen wir gefangen und unterstellen es Christus, weil wir ihm gehorchen wollen. [6]In diesem Sinn werden wir auch jeden Ungehorsam strafen, aber zuerst müsst ihr als Gemeinde zum Gehorsam bereit sein.

[7]Seht doch den Tatsachen ins Auge! Ist jemand davon überzeugt, zu Christus zu gehören, dann soll er uns das nicht absprechen. [8]Immerhin könnte ich noch für mich in Anspruch nehmen, dass Gott mir als Apostel besondere Vollmacht gegeben hat. Damit würde ich nicht einmal übertreiben. Doch mein Auftrag ist, euch zu helfen, nicht euch zu schaden.

[9]Ihr sollt aber nicht denken, ich wollte euch mit meinen Briefen einschüchtern. [10]Das könnte man fast annehmen, wenn ihr sagt: »In seinen Briefen gebraucht er große Worte, doch bei uns ist er ängstlich und zaghaft. Und wen beeindruckt schon, was er sagt?« [11]Wer das von mir behauptet, der soll wissen: Genauso wie ich in meinen Briefen mit euch rede, werde ich handeln, wenn ich bei euch bin.

[12]Wir würden es natürlich niemals wagen, uns mit denen zu vergleichen, die sich überall selbst empfehlen, oder uns gar auf eine Stufe mit ihnen zu stellen. Wie unverständig sie doch sind! Sie stellen ihre eigenen Maßstäbe auf, um sich dann selbst daran zu messen. [13]Wir dagegen überschätzen uns nicht so maßlos. Wir möchten ausschließlich mit Gottes Maß gemessen werden, und dazu gehört auch unsere Arbeit bei euch. [14]Wir sind bis zu euch gekommen und haben euch die rettende Botschaft von Christus gebracht; daher sind wir auch nicht maßlos, wenn wir uns rühmen. [15]Dabei schmücken wir uns keineswegs mit fremden Federn. Wenn ihr erst einmal im Glauben fest und stark geworden seid, hoffen wir sogar, unsere Missionsarbeit noch weiter ausdehnen zu können[a]. [16]Denn wir wollen auch den Menschen die rettende Botschaft bringen, die jenseits eurer Grenzen leben. Sonst würden wir uns ja mit einer Arbeit brüsten, die andere bereits getan haben.

[17]Es heißt doch: »Wer sich rühmen will, der rühme das, was Gott getan hat.«[b] [18]Niemand ist schon deshalb ein bewährter Diener Gottes, weil er sich selbst empfiehlt. Entscheidend ist, dass Gott ihm ein gutes Zeugnis ausstellt.

Paulus verteidigt sich gegen falsche Apostel

11 Ihr gestattet mir sicher, dass ich mich jetzt auch einmal töricht verhalte. [2]Ich werbe geradezu eifersüchtig um euch, so wie Gott um euch wirbt. Wie ein Vater seine Tochter einem einzigen Mann anvertraut, so möchte ich euch mit Christus verloben, damit ihr ihm allein gehört. [3]Zur Zeit aber fürchte ich, dass mir dies nicht gelingt. Denn wie schon am Anfang die Schlange Eva mit ihrer List verführte, so könntet auch ihr davon abgebracht werden, einzig und allein Christus zu lieben und an ihn zu glauben. [4]Ihr lasst euch leicht verführen. Wenn jemand daherkommt und etwas anderes über Jesus sagt, als wir euch ge-

[a] Wörtlich: groß zu werden nach unserem Maßstab bis zum Übermaß.
[b] Vgl. Jeremia 9,22–23

10,2 13,1–2; 1 Kor 4,21 **10,4–5** 6,7; Eph 6,10–17 **10,8** 13,10; Röm 12,3 **10,9–11** 1 Kor 2,1–5 **10,14** 1 Kor 9,2 **10,16** Röm 15,20 **10,18** 1 Kor 4,4 **11,1** 10,12 **11,2** Eph 5,24–27 **11,3** 1 Mo 3,1–6 **11,4** 1 Kor 15,1–2; Gal 1,6–9

lehrt haben, dann schenkt ihr ihm bereitwillig Glauben. Ihr empfangt einen anderen Geist als den Geist Gottes und nehmt eine andere Botschaft an als die, die wir euch gebracht haben. [5]Ich stehe diesen großartigen Aposteln, vor denen ihr solchen Respekt habt, in nichts nach. Das weiß ich. [6]Vielleicht bin ich kein besonders geschickter Redner, aber was meine Erkenntnis der rettenden Botschaft betrifft, nehme ich es gern mit ihnen auf. Das habe ich in aller Öffentlichkeit zu jeder Zeit bewiesen.

[7]Habe ich etwa ein Unrecht begangen, als ich euch die rettende Botschaft verkündet habe, ohne etwas für meinen Lebensunterhalt zu erwarten? Zu euren Gunsten habe ich auf alles verzichtet. [8]Um euch ungehindert dienen zu können, habe ich andere Gemeinden geradezu beraubt und Geld von ihnen genommen. [9]Auch als ich während meines Aufenthaltes bei euch in Not geriet, habt ihr nichts für mich zahlen müssen. Versorgt haben mich die Gemeinden aus Mazedonien, so dass ich euch niemals zur Last gefallen bin. Und dabei wird es auch in Zukunft bleiben. [10]So wahr Christus in mir lebt und die Wahrheit ist: Niemand in der ganzen Provinz Achaja wird mir diesen Ruhm nehmen können! [11]Sage ich dies etwa, weil ich euch nicht liebe? Gott weiß, wie sehr ich euch liebe! [12]Trotzdem will ich auch in Zukunft kein Geld von euch annehmen. Keiner von diesen anderen soll sich länger als Apostel ausgeben dürfen. Wir unterscheiden uns in vielen Dingen! [13]Denn sie sind falsche Apostel, Betrüger, die lediglich behaupten, sie seien Apostel Christi. [14]Aber das ist nicht weiter verwunderlich! Gibt sich nicht sogar der Satan als Engel Gottes aus? [15]Kein Wunder, wenn auch seine Helfer als Diener Gottes auftreten! Doch sie werden ihr verdientes Ende finden.

Leiden für die rettende Botschaft

[16]Ich sage es noch einmal: Niemand soll mich für einen Narren halten. Wenn ihr es aber doch tut, dann lasst mich auch den Narren spielen, damit ich ein wenig prahlen kann. [17]Was ich jetzt sage, ist allerdings nicht im Sinn unseres Herrn. Ich bin mir bewusst, dass ich damit wie ein Narr rede. Aber ich sage es trotzdem, wenn wir schon einmal beim Prahlen sind. [18]Wie die anderen dauernd ihre guten Seiten herausstellen, will ich es auch einmal tun. [19]Ihr seid ja so klug, dass ihr bereitwillig hinter jedem Narren herlauft. [20]Und ihr habt ja nichts dagegen, wenn man euch schindet und ausnutzt, wenn man euch einfängt, euch von oben herab behandelt oder gar ins Gesicht schlägt. [21]Zu meiner Schande muss ich gestehen: Im Vergleich zu diesen großartigen Aposteln waren wir geradezu Schwächlinge!

Aber da ich mich nun einmal entschlossen habe, wie ein Narr zu reden: Womit diese Leute sich brüsten, damit kann ich schon lange dienen. [22]Sie sind Hebräer? Das bin ich auch! Sie sind Israeliten? Das bin ich auch! Sie sind Nachkommen Abrahams? Ich etwa nicht? [23]Sie sind Diener Christi? Was ich jetzt entgegne, kann wirklich nur noch ein Narr sagen: Ich habe Christus weit mehr gedient und viel mehr auf mich genommen als sie. Ich bin öfter im Gefängnis gewesen und häufiger ausgepeitscht worden. Unzählige Male hatte ich den Tod vor Augen.

[24]Fünfmal habe ich von den Juden die neununddreißig Schläge[a] erhalten. [25]Dreimal wurde ich von den Römern ausgepeitscht, und einmal hat man mich gesteinigt. Dreimal habe ich Schiffbruch erlitten; einmal trieb ich sogar einen Tag und eine ganze Nacht hilflos auf dem Meer. [26]Auf meinen vielen Reisen bin

---

[a] Vgl. 5. Mose 25,1–3

11,5 10,12 **11,6** Eph 3,4 **11,7–9** 12,13; Apg 20,33–35; Phil 4,15–17; 1 Thess 2,9 **11,12–15** 2,17; Apg 20,29–30; Phil 3,2; Offb 2,2 **11,16** 12,6 **11,20** 1 Kor 7,23 **11,22** Röm 11,1 **11,23–33** 4,9–12; 6,4–10; 1 Kor 4,11–13; 15,30–32 **11,25** Apg 16,22; 14,19

ich immer wieder in Gefahr geraten durch reißende Flüsse und durch Räuber. Gefahr drohte mir von meinem eigenen Volk ebenso wie von den Nichtjuden. In den Städten wurde ich verfolgt, in der Wüste und auf dem Meer bangte ich um mein Leben. Und wie oft wollten mich falsche Brüder verraten!

[27] Mein Leben bestand aus Mühe und Plage, aus durchwachten Nächten, aus Hunger und Durst. Ich habe oft gefastet und war schutzlos der Kälte ausgesetzt. [28] Aber das ist noch längst nicht alles. Tag für Tag lässt mich die Sorge um alle Gemeinden nicht los. [29] Wenn einer schwach ist, dann trage ich ihn mit; wird jemand zum Bösen verführt, versuche ich ihm unter Einsatz aller meiner Kraft zu helfen. [30] Wenn ich mich also schon selbst loben muss, dann will ich mit meinen Leiden prahlen. [31] Gott weiß, dass dies alles wahr ist. Ihm, dem Vater unseres Herrn Jesus Christus, sei Lob und Ehre in Ewigkeit.

[32] Einmal, es war in Damaskus, ließ der Statthalter des Königs Aretas die Stadttore bewachen, um mich festzunehmen. [33] Dort hat man mich in einem Korb durch eine Luke in der Stadtmauer hinuntergelassen, und nur so konnte ich entkommen.

Gottes Kraft und unsere Schwachheit

12 Freilich ist solches Eigenlob im Grunde Unsinn und nützt niemandem. Trotzdem muss ich jetzt diese Gedanken zu Ende führen und von Visionen und Offenbarungen berichten, die der Herr schenkt. [2] Ich kenne einen Menschen, der mit Christus eng verbunden ist. Vor vierzehn Jahren wurde er in den dritten Himmel entrückt. Gott allein weiß, ob dieser Mensch leibhaftig oder mit seinem Geist dort war. [3] Und wenn ich auch nicht verstehe, wie er dorthin kam – auch das weiß allein Gott –, [4] er war im Paradies und hat dort Worte gehört, die für Menschen unaussprechlich sind. [5] Was dieser Mensch erlebt hat, das will ich rühmen. Bei mir selbst aber lobe ich nur meine Schwachheit. [6] Doch auch wenn ich mich selbst loben würde, wäre ich noch lange nicht verrückt, schließlich sage ich die Wahrheit. Ich verzichte aber darauf, denn ihr sollt mich nicht überschätzen, sondern mich nur nach dem beurteilen, was ihr an meinem Leben sehen und aus meinen Worten hören könnt. [7] Gott selbst hat dafür gesorgt, dass ich mir auf die unbeschreiblichen Offenbarungen, die ich gesehen habe, nichts einbilde. Deshalb hat er mir ein quälendes Leiden auferlegt.[a] Es ist, als ob ein Engel des Satans mich mit Fäusten schlägt, damit ich nicht überheblich werde. [8] Dreimal schon habe ich Gott angefleht, mich davon zu befreien. [9] Aber er hat zu mir gesagt: »Meine Gnade ist alles, was du brauchst! Denn gerade wenn du schwach bist, wirkt meine Kraft ganz besonders an dir.« Darum will ich vor allem auf meine Schwachheit stolz sein. Dann nämlich erweist sich die Kraft Christi an mir. [10] Und so trage ich alles, was Christus mir auferlegt hat – alle Misshandlungen und Entbehrungen, alle Verfolgungen und Ängste. Denn ich weiß: Gerade wenn ich schwach bin, bin ich stark.

Paulus wirbt um Vertrauen

[11] Ihr habt mich gezwungen, mich wie ein Narr aufzuführen. Denn nicht ich sollte mich loben, sondern ihr solltet es tun. Obwohl ich ein »Nichts« bin, kann ich es mit euren großartigen Aposteln aufnehmen. [12] Durch meine unermüdliche Arbeit bei euch und durch Zeichen, Wunder und andere machtvolle Taten habe ich bewiesen, dass ich wirklich ein Apostel bin. [13] Habe ich euch etwa schlechter be-

---

[a] Wörtlich: Deshalb ist mir ein Dorn ins Fleisch gegeben worden.

11,27 6,5; 1 Thess 2,9 **11,28** Apg 20,31 **11,29** 1 Kor 9,22; 12,25–26; Gal 6,2 **11,30** 12,5 **11,32–33** Apg 9,23–25 **12,1** Apg 26,16 **12,5** 11,30 **12,9** 4,7; Phil 4,13; Jes 40,29–31 **12,11** 11,5 **12,12** 1 Kor 4,15; 9,2 **12,13–14** 11,7–9; Apg 20,33–35

handelt als andere Gemeinden, nur weil ich euch kein Geld abnahm? Dann verzeiht mir dieses »Unrecht«!

[14] Ich werde jetzt zum dritten Mal zu euch kommen, und auch diesmal nicht auf eure Kosten leben. Schließlich geht es mir nicht um euer Geld, sondern um euch selbst. Außerdem versorgen in der Regel nicht die Kinder ihre Eltern, sondern die Eltern ihre Kinder. [15] Für euch würde ich alles hingeben, sogar mein Leben. Sollte ich tatsächlich von euch weniger geliebt werden, weil ich euch so sehr liebe?

[16] Nun gut, ich habe von euch kein Geld genommen. Aber vielleicht denkt ihr sogar, ich sei ganz besonders listig gewesen und hätte euch auf hinterhältige Weise ausgenutzt. [17] Haben euch meine Mitarbeiter ausgebeutet, die ich zu euch schickte? [18] Titus etwa, den ich selbst beauftragt habe, oder der von den Gemeinden entsandte Bruder? Natürlich nicht, das ist ausgeschlossen! Denn in dieser Sache sind wir vollkommen einer Meinung und gehen denselben Weg. [19] Ihr meint wohl, wir wollen uns vor euch nur verteidigen. Ganz und gar nicht; denn als Christen sind wir allein Gott verantwortlich. Mit allem, was wir euch gesagt haben, liebe Brüder und Schwestern, wollen wir euch doch nur weiterhelfen. [20] Denn ich befürchte, dass ich euch bei meiner Ankunft nicht so antreffen werde, wie ich es erhoffe. Und dann – fürchte ich – werdet auch ihr von mir enttäuscht sein. Hoffentlich erwarten mich bei euch nicht wieder Streit, Neid, Zorn und hässliche Auseinandersetzungen! Hoffentlich gibt es nicht wieder Verleumdung und bösartiges Gerede, Hochmut und Unfrieden! [21] Ich habe Angst, dass Gott mich aufs Neue bei euch demütigen könnte und ich über viele von euch traurig sein müsste, die nicht bereit waren, von ihrem zügellosen, ausschweifenden Leben umzukehren.

Abschließende Bitte und Grüße

13 Jetzt werde ich zum dritten Mal zu euch kommen. Denkt daran: »Jeder Streitfall soll durch die Aussage von zwei oder drei Zeugen entschieden werden.«[a] [2] Schon bei meinem zweiten Besuch habe ich euch gewarnt. Ich sage es jetzt in diesem Brief noch einmal unmissverständlich: Ich werde, wenn ich wieder bei euch bin, ohne Nachsicht gegen alle vorgehen, die Schuld auf sich geladen haben.

[3] Ihr selbst wollt ja den Beweis, dass Christus durch mich spricht. Nun, Christus ist euch gegenüber nicht schwach, sondern stark und mächtig. [4] Als er gekreuzigt wurde, war er schwach; aber jetzt lebt er aus der Kraft Gottes. Auch wir sind schwach, weil wir mit Christus verbunden sind; doch euch gegenüber wird sich zeigen, dass wir mit Christus aus der Kraft Gottes leben.

[5] Prüft euch! Stellt selbst fest, ob euer Glaube noch lebendig ist! Oder ist bei euch nichts mehr davon zu merken, dass Jesus Christus unter euch lebt? Dann allerdings hättet ihr diese Prüfung nicht bestanden. [6] Ich hoffe aber, ihr werdet erkennen, dass wir diese Probe bestanden haben.

[7] Wir beten zu Gott, dass ihr nichts Böses tut; und zwar nicht, damit wir bestätigt werden, sondern allein damit ihr das Gute tut, selbst wenn man uns für Versager hält. [8] Gegen Gottes Wahrheit können wir ohnehin nichts ausrichten, wir können nur für sie eintreten. [9] Gern wollen wir schwach sein, wenn ihr nur stark seid. Darum beten wir, dass ihr immer mehr so lebt, wie es Gott gefällt.

[10] Ich habe euch das alles aus der Ferne geschrieben, ehe ich zu euch komme, damit ich nicht zu streng mit euch sein muss, wenn ich bei euch bin. Denn Gott hat mir seine Vollmacht gegeben, um

---

[a] Vgl. 5. Mose 19,15

12,15 1 Thess 2,8 **12,17–18** 7,2; 8,18–19 **12,19** 3,1 **12,21** 2,1–2 **13,1** 1 Tim 5,19 **13,2** 10,2 **13,4** 1 Kor 1,25; Hebr 2,9 **13,5** Röm 8,9 **13,9** 7,1; Kol 1,9–10 **13,10** 10,8; Röm 12,3; 1 Kor 4,21

euch aufzubauen, nicht um euch zu zerstören.

[11] Zum Schluss, meine lieben Brüder und Schwestern, noch einmal meine Bitte: Freut euch! Kehrt von euren falschen Wegen um! Hört auf alles, was ich euch geschrieben habe. Haltet fest zusammen, und lebt in Frieden miteinander. Dann wird Gott, der ein Gott der Liebe und des Friedens ist, bei euch sein. [12] Grüßt euch mit dem Friedenskuss. Die Gemeinde hier lässt euch grüßen.

[13] Die Gnade unseres Herrn Jesus Christus, die Liebe Gottes und die Gemeinschaft des Heiligen Geistes sei mit euch allen.

13,11 Phil 3,1; 4,4; Röm 15,5

Der Brief des Paulus an die Christen in Galatien

Botschaft und Gruß

1 Diesen Brief schreibt Paulus, der Apostel. Ich bin weder von Menschen berufen noch durch sie ausgesandt worden. Jesus Christus selbst hat mich zu seinem Apostel bestimmt und Gott, unser Vater, der Jesus von den Toten auferweckte. [2] Im Namen aller Brüder und Schwestern, die hier bei mir sind, grüße ich die Gemeinden in Galatien.

[3] Euch allen wünschen wir Gnade und Frieden von Gott, unserem Vater, und dem Herrn Jesus Christus. [4] Er hat sein Leben für unsere Sünden hingegeben. Er hat uns davon befreit, so leben zu müssen, wie es in dieser vergänglichen, vom Bösen beherrschten Welt üblich ist. Damit erfüllte er den Willen Gottes, unseres Vaters. [5] Ihn wollen wir in alle Ewigkeit loben und ehren. Amen.

Es gibt nur einen Weg zu Gott

[6] Ich wundere mich sehr über euch. Gott hat euch doch in seiner Gnade das neue Leben durch Jesus Christus geschenkt, und ihr seid so schnell bereit, ihm wieder den Rücken zu kehren. Ihr meint, einen anderen Weg zur Rettung gefunden zu haben? [7] Doch es gibt keinen anderen! Es gibt nur gewisse Leute, die unter euch Verwirrung stiften, indem sie die Botschaft von Christus verfälschen.

[8] Wer euch aber einen anderen Weg zum Heil zeigen will als die rettende Botschaft, die wir euch verkündet haben, den wird Gottes Urteil treffen – auch wenn wir selbst das tun würden oder gar ein Engel vom Himmel. [9] Ich sage es noch einmal: Wer euch eine andere Botschaft verkündet, als ihr angenommen habt, den wird Gottes Urteil treffen!

[10] Rede ich den Menschen nach dem Munde, oder geht es mir darum, Gott zu gefallen? Erwarte ich, dass die Menschen mir Beifall klatschen? Dann würde ich nicht länger Christus dienen.

Paulus – von Gott selbst berufen

[11] Ihr könnt sicher sein, liebe Brüder und Schwestern: Die rettende Botschaft, die ich euch gelehrt habe, ist keine menschliche Erfindung. [12] Ich habe sie ja auch von keinem Menschen übernommen, und kein Mensch hat sie mich gelehrt. Jesus Christus selbst ist mir erschienen und hat mir seine Botschaft offenbart. [13] Ihr wisst sicherlich, wie ich als strenggläubiger Jude gelebt habe, dass ich die Christen überall mit glühendem Hass verfolgte und ihre Gemeinden zerstören wollte. [14] Mein Einsatz für den jüdischen Glauben übertraf den aller meiner Altersgenossen in unserem Volk. Mehr als alle anderen setzte ich mich dafür ein, dass die überlieferten Gesetze unserer Vorfahren buchstabengetreu erfüllt würden.

[15] Aber Gott hatte mich in seiner Gnade schon vor meiner Geburt dazu bestimmt, ihm einmal zu dienen. Als die Zeit dafür gekommen war, [16] ließ er mich seinen Sohn erkennen. Die anderen Völker sollten durch mich von ihm erfahren. Ohne Zögern habe ich diesen Auftrag angenommen und keinen Menschen um Rat gefragt. [17] Ich bin nicht einmal nach

---

1,1 1,11–12; Apg 9,15* **1,4** Mt 26,27–28; Hebr 2,17; 2 Kor 5,18–21*; Röm 12,2; 1 Joh 5,19 **1,7** 2,4–5; 5,10; Apg 15,1–2 **1,8–9** 1 Kor 15,1–2; 2 Kor 11,4; Phil 4,9 **1,10** 1 Thess 2,4–6 **1,11** 1 Thess 2,13 **1,12** Apg 9,3–6; 26,13–19 **1,13–14** Apg 8,3* **1,15** Jer 1,5 **1,16** Apg 9,15*; Röm 1,5

Jerusalem gereist, um die nach ihrer Meinung zu fragen, die schon vor mir Apostel waren. Nein, ich bin sofort nach Arabien gezogen und von dort wieder nach Damaskus zurückgekehrt.

[18] Erst drei Jahre später kam ich nach Jerusalem, weil ich Petrus[a] kennen lernen wollte. Fünfzehn Tage bin ich damals bei ihm geblieben. [19] Von den anderen Aposteln habe ich bei diesem Aufenthalt keinen gesehen, außer Jakobus, den Bruder unseres Herrn. [20] Gott weiß, dass alles wahr ist, was ich euch schreibe.

[21] Danach bin ich in den Gebieten von Syrien und Zilizien gewesen. [22] Die christlichen Gemeinden in Judäa haben mich damals noch nicht persönlich gekannt. [23] Nur vom Hörensagen wussten sie: »Der Mann, der uns früher verfolgt hat, ruft jetzt selbst zu dem Glauben auf, den er einst so erbittert bekämpfte.« [24] Und sie dankten Gott für alles, was er an mir getan hat.

Paulus – von den anderen Aposteln anerkannt

2 Erst vierzehn Jahre später bin ich zusammen mit Barnabas wieder nach Jerusalem gekommen. Auch Titus nahm ich mit. [2] Gott selbst hatte sich mir offenbart und mir den Auftrag zu dieser Reise gegeben. In Jerusalem habe ich erklärt, welche Botschaft ich den Menschen aus anderen Völkern verkünde. Ich trug dies der versammelten Gemeinde vor und in einem weiteren Gespräch ihren führenden Männern. Denn ich wollte vermeiden, dass meine Arbeit abgelehnt wird und alle meine Mühe vergeblich ist. [3] Alle Verantwortlichen stimmten meiner Arbeit zu.[b] Nicht einmal von Titus, meinem griechischen Reisebegleiter, verlangte man, sich beschneiden zu lassen.

[4] Die Frage der Beschneidung wäre überhaupt nicht zum Problem geworden, hätten sich da nicht einige so genannte Christen hinter meinem Rücken in die Gemeinde eingeschlichen. Sie hegten ein tiefes Misstrauen gegenüber der Freiheit, die uns Christus schenkt, und wollten uns wieder dem jüdischen Gesetz unterwerfen. [5] Aber wir haben ihnen keinen Augenblick nachgegeben und ihnen in keinem einzigen Punkt zugestimmt. Denn für uns ist nur eins wichtig: dass euch die Wahrheit der rettenden Botschaft erhalten bleibt.

[6] Die verantwortlichen Männer in der Gemeinde haben mir jedenfalls keine Vorschriften gemacht – im Übrigen ist es mir ganz unwichtig, was sie früher einmal waren. Denn Gott schaut nicht auf Rang und Namen. [7] Diesen Leitern der Gemeinde ist klar geworden, dass Gott mir den Auftrag gegeben hat, den nichtjüdischen Völkern[c] die Botschaft von Christus zu verkünden, so wie er Petrus aufgetragen hat, sie den Juden[d] zu bringen. [8] Denn alle konnten sehen, dass meine Arbeit als Apostel ebenso von Gott bestätigt wurde wie die des Petrus.

[9] Jakobus, Petrus und Johannes, die als die Säulen der Gemeinde gelten, hatten erkannt, dass Gott mir diesen besonderen Auftrag gegeben hat. Da gaben sie mir und Barnabas die Hand zum Zeichen unserer Gemeinschaft. Wir einigten uns, dass sie die rettende Botschaft weiter unter den Juden verkünden sollten und wir unter den anderen Völkern. [10] Nur um eins haben sie uns gebeten: Wir sollten die Armen in der Gemeinde von Jerusalem nicht vergessen. Und dafür habe ich mich auch immer eingesetzt.

---

[a] Wörtlich: Kephas.
[b] »Alle ... zu.« ist sinngemäß ergänzt.
[c] Wörtlich: den Unbeschnittenen.
[d] Wörtlich: der Beschneidung.

1,19 Mt 13,55; Apg 15,13* **1,21** Apg 9,30; 11,25 **2,1–10** Apg 15,1–29 **2,3** Tit 1,4* **2,4** 1,7; Apg 15,1.24 **2,7** Apg 9,15*; Röm 1,5 **2,10** Apg 24,17; Röm 15,25–28.31; 1 Kor 16,1–4; 2 Kor 8,1–15.19–20; 9,1–15

Auseinandersetzung zwischen Paulus und Petrus

[11] Als aber Petrus später nach Antiochia kam, musste ich ihm vor allen widersprechen, denn er hatte sich eindeutig falsch verhalten. [12] Zunächst hatte er ohne Bedenken mit den Christen, die keine Juden waren, an den gemeinsamen Mahlzeiten teilgenommen. Als aber einige jüdische Christen aus dem Kreis um Jakobus dazukamen, zog er sich zurück und wollte nicht mehr wie bisher mit allen zusammen sein. Er fürchtete nämlich die Vorwürfe der jüdischen Christen.

[13] So wie Petrus handelten auch die anderen Juden in der Gemeinde gegen ihre Überzeugung, und schließlich verleiteten sie sogar Barnabas dazu, den gemeinsamen Mahlzeiten fernzubleiben.

[14] Als ich merkte, dass sie nicht ehrlich waren und von der Wahrheit der rettenden Botschaft abwichen, stellte ich Petrus vor der ganzen Gemeinde zur Rede: »Obwohl du als Jude geboren wurdest, befolgst du jetzt das jüdische Gesetz nicht mehr, weil du Christ geworden bist. Weshalb verlangst du dann von den Christen, die aus den nichtjüdischen Völkern stammen, dass sie nach den Regeln des jüdischen Gesetzes leben sollen?

[15] Zwar sind wir beide durch unsere Geburt Juden und stammen nicht aus einem anderen Volk, das Gott nicht kennt. [16] Trotzdem wissen wir inzwischen sehr genau, dass wir nicht durch Taten, wie das Gesetz sie von uns fordert, vor Gott bestehen können, sondern allein durch den Glauben an Jesus Christus. Wir sind doch deshalb Christen geworden, weil wir davon überzeugt sind, dass wir allein durch den Glauben an Christus von unserer Schuld freigesprochen werden; nicht aber, weil wir die Forderungen des Gesetzes erfüllen. Denn wie die Heilige Schrift sagt, findet kein Mensch durch gute Werke Gottes Anerkennung.«[a]

[17] Wenn aber auch wir Juden allein durch den Glauben an Christus Anerkennung bei Gott finden wollen, dann sind wir ebenso wie die Menschen aus anderen Völkern, nämlich ohne jedes Gesetz.[b] Bedeutet dies nun, dass Christus zum Komplizen[c] der Sünde wird, wenn durch den Glauben an ihn das Gesetz aufgehoben ist[d]? Auf gar keinen Fall! [18] Nicht Christus, sondern ich selbst bin ein Komplize der Sünde, wenn ich dem Gesetz wieder Geltung verschaffen will, das ich vorher als nutzlos erkannt habe.

[19] Durch das Gesetz nämlich war ich zum Tode verurteilt. So bin ich nun für das Gesetz tot, damit ich für Gott leben kann. Mein altes Leben ist mit Christus am Kreuz gestorben. [20] Darum lebe nicht mehr ich, sondern Christus lebt in mir! Mein vergängliches Leben auf dieser Erde lebe ich im Glauben an Jesus Christus, den Sohn Gottes, der mich geliebt und sein Leben für mich gegeben hat. [21] Niemals werde ich dieses unverdiente Geschenk Gottes ablehnen. Könnte ich nämlich durch das Befolgen des Gesetzes von Gott angenommen werden, dann hätte Christus nicht zu sterben brauchen.

Gesetz oder Glaube?

3 Warum wollt ihr Christen in Galatien das denn nicht endlich begreifen! Wer konnte euch bloß so durcheinander bringen? Habe ich euch das Sterben Jesu Christi am Kreuz nicht so geschildert, als hättet ihr alles mit eigenen Augen gesehen? [2] Beantwortet mir nur diese eine

---

[a] Vgl. Psalm 143,2
[b] Wörtlich: Wenn aber auch wir selbst durch Christus gerechtfertigt werden möchten, dann sind wir Sünder.
[c] Wörtlich: Diener.
[d] »wenn … aufgehoben ist« ist sinngemäß ergänzt.

2,12 Apg 10,10–43; 11,1–4 **2,13** 2,1; Apg 4,36* **2,15** 2 Kor 11,22 **2,16** 3,10–14; Röm 3,20.28; 4,5; 9,32; 10,4; Eph 2,8–9; 2 Kor 5,18–21* **2,17** 3,10–11; Apg 15,10–11 **2,19–20** Röm 6,3–11; 7,4; 8,10; 2 Kor 5,14–15; 2 Tim 2,11 **3,1** 1 Kor 2,2 **3,2** 4,6–7; Eph 1,13–14

Frage: Wodurch habt ihr den Geist Gottes empfangen? Indem ihr die Forderungen des Gesetzes erfüllt habt oder weil ihr die Botschaft des Glaubens gehört und angenommen habt?

[3]Wie könnt ihr nur so blind sein! Wollt ihr jetzt etwa aus eigener Kraft zu Ende führen, was Gottes Geist in euch begonnen hat? [4]Ihr habt doch so Großes mit Gott erfahren. Soll das wirklich alles vergeblich gewesen sein? Das kann ich einfach nicht glauben! [5]Ich frage euch darum noch einmal: Warum schenkt Gott euch seinen Geist und lässt Wunder bei euch geschehen? Weil ihr das Gesetz erfüllt oder weil ihr von Christus gehört habt und an ihn glaubt?

[6]Erinnert euch einmal daran, was von Abraham gesagt wird: »Abraham glaubte Gott, und so fand er bei ihm Anerkennung.«[a] [7]Das bedeutet doch: Die wirklichen Nachkommen Abrahams sind alle, die glauben. [8]Die Heilige Schrift selbst hat schon längst darauf hingewiesen, dass Gott auch die anderen Völker durch den Glauben retten wird. Gott verkündete schon Abraham die gute Botschaft: »Durch dich sollen alle Völker gesegnet werden.«[b] [9]Mit Abraham, der unerschütterlich Gott vertraute, werden alle gesegnet, die ebenso glauben wie er.

[10]Wer dagegen darauf vertraut, von Gott angenommen zu werden, weil er das Gesetz erfüllt, der steht unter einem Fluch. Die Heilige Schrift sagt ganz klar: »Jeden soll der Fluch treffen, der nicht in allen Punkten Gottes Gesetz erfüllt.«[c] [11]Dass aber niemand durch das Gesetz Anerkennung bei Gott finden kann, ist ebenfalls klar. Denn schon der Prophet Habakuk sagt: »Nur wer Gott vertraut, wird leben.«[d] [12]Das Gesetz aber fragt nicht nach dem Glauben. Hier gilt: »Nur wer seine Forderungen erfüllt, wird leben.«[e]

[13]Von diesem Fluch des Gesetzes hat uns Christus erlöst. Als er am Kreuz starb, hat er diesen Fluch auf sich genommen, wie es vorausgesagt war: »Wer so aufgehängt wird, ist von Gott verflucht.«[f] [14]Der Segen, den Gott Abraham zugesagt hatte, sollte durch den Tod Jesu am Kreuz allen Völkern geschenkt werden. Und durch den Glauben an Christus werden wir alle den Geist Gottes empfangen, wie Gott es versprochen hat.

Das Gesetz und die Zusagen Gottes

[15]Liebe Brüder und Schwestern! Ich möchte einmal ein ganz alltägliches Beispiel gebrauchen. Ist ein Testament einmal ausgefertigt und rechtsgültig, dann kann niemand etwas hinzufügen oder gar das Testament selbst für ungültig erklären. [16]So ist es auch mit den Zusagen Gottes an Abraham. Betrachten wir sie genauer, dann stellen wir fest: Gott gab sein Versprechen Abraham und seinem Nachkommen. Es heißt nicht: »Abraham und seinen Nachkommen«, als ob viele gemeint wären. Gott sagt ausdrücklich: »deinem Nachkommen«, also einem einzigen. Dieser eine ist Christus.

[17]Ich will damit sagen: Gottes Versprechen an Abraham ist rechtsgültig wie ein Testament, und das Gesetz des Mose, das erst 430 Jahre später gegeben wurde, ändert daran nichts. Gottes Versprechen wird deshalb nicht ungültig. [18]Würde Gott jetzt seine Zusage von der Erfüllung des Gesetzes abhängig machen, so wäre sein früheres Versprechen aufgehoben. Aber Gott hat Abraham seine Zusage ausdrücklich ohne jede Bedingung gegeben.

---

[a] 1. Mose 15,6
[b] 1. Mose 12,3; 18,18
[c] 5. Mose 27,26
[d] Wörtlich: Der Gerechte wird durch den Glauben leben. Habakuk 2,4
[e] 3. Mose 18,5
[f] Wörtlich: Verflucht ist jeder, der am Holz hängt. Vgl. 5. Mose 21,22–23

3,6–9 Röm 4,9–12.16 **3,10** Hebr 10,28; Jak 2,10 **3,11** Röm 1,17 **3,12** Röm 4,15; 10,5 **3,13** 1 Kor 15,56; 2 Kor 5,18–21* **3,14** 3,2.5 **3,17** 2 Mo 12,40 **3,18** Röm 4,13

Welche Aufgabe hat das Gesetz?

[19] Was aber soll dann noch das Gesetz? Gott hat es zusätzlich gegeben, damit wir das Ausmaß unserer Sünden erkennen. Dieses Gesetz – von den Engeln durch den Vermittler Mose zu uns gebracht – sollte auch nur so lange gelten, bis der Nachkomme Abrahams da wäre, an dem Gott sein Versprechen erfüllen wollte. [20] Bei dieser Zusage war kein Vermittler notwendig, sondern Gott, der Eine, hat selbst zu Abraham gesprochen.

[21] Soll man nun daraus schließen, dass die Zusagen Gottes und das Gesetz einander widersprechen? Auf keinen Fall! Es gibt ja schließlich kein Gesetz, das uns neues Leben schenkt. Nur dann käme unsere Anerkennung vor Gott tatsächlich aus dem Gesetz. [22] Aber in der Heiligen Schrift heißt es eindeutig, dass wir alle Gefangene der Sünde sind und dass wir allein durch den Glauben an Jesus Christus befreit werden. Denn in Christus hat sich Gottes Versprechen erfüllt.

[23] Bevor aber der Glaube kam, hielt das Gesetz uns gefangen. Das dauerte so lange, bis die Zeit da war, in der der Glaube an Christus uns befreien sollte. [24/25] Bis dahin hatte das Gesetz für uns die Aufgabe eines strengen Erziehers. Seit Christus aber finden wir durch den Glauben die Anerkennung Gottes und sind dem Gesetz, diesem strengen Erzieher, nicht mehr unterstellt. [26] Denn durch den Glauben an Jesus Christus seid ihr nun alle zu Kindern Gottes geworden. [27] Ihr gehört zu Christus,[a] weil ihr auf seinen Namen getauft seid. [28] Jetzt ist es nicht mehr wichtig, ob ihr Juden oder Griechen, Sklaven oder Freie, Männer oder Frauen seid: In Christus seid ihr alle eins. [29] Gehört ihr aber zu Christus, dann seid auch ihr Nachkommen Abrahams. Als seine Erben bekommt ihr alles, was Gott ihm zugesagt hat.

Nicht mehr Gefangene des Gesetzes, sondern Kinder Gottes

4 Überlegt einmal: Solange der Erbe noch nicht volljährig ist, besteht zwischen ihm und einem Sklaven kein Unterschied, obwohl ihm als Erben schon alles gehört. [2] Bis zu dem vom Vater festgesetzten Zeitpunkt bestimmen sein Vormund und seine Vermögensverwalter über den Besitz.

[3] Genauso ging es auch uns. Wie Unmündige waren wir allen Mächten und Zwängen dieser Welt ausgeliefert. [4] Aber zu der von Gott festgesetzten Zeit sandte er seinen Sohn zu uns. Christus wurde wie wir als Mensch geboren und den Forderungen des Gesetzes unterstellt. [5] Er sollte uns befreien, die wir Gefangene des Gesetzes waren, damit Gott uns als seine Kinder annehmen konnte.

[6] Weil ihr nun seine Kinder seid, schenkte euch Gott seinen Geist, denselben Geist, den auch der Sohn hat. Deshalb dürft ihr jetzt im Gebet zu Gott sagen: »Lieber Vater!« [7] Ihr seid nicht länger Gefangene des Gesetzes, sondern Kinder Gottes. Und als Kinder Gottes seid ihr auch seine Erben, euch gehört alles, was Gott versprochen hat.

Paulus sorgt sich um seine Gemeinden

[8] Als ihr von Gott noch nichts wusstet, habt ihr so genannten Göttern gedient, die in Wirklichkeit gar keine sind. [9] Nachdem ihr nun aber Gott kennt und liebt – genauer gesagt, nachdem Gott euch kennt und liebt –, wie ist es da möglich, dass ihr euch diesen armseligen und kümmerlichen Vorstellungen wieder zuwendet und sogar sklavisch danach lebt? [10] Oder warum sonst legt ihr so großen Wert auf die Einhaltung bestimmter Tage, Monate, Feste und Jahre? [11] Ich

---

[a] Wörtlich: Ihr habt Christus angezogen.

3,19 Röm 3,20; 5,20; 7,7–9; Apg 7,53; Hebr 2,2; 5 Mo 5,5 **3,21** Röm 7,10; 8,1–4 **3,23–25** Röm 7,1–6; 10,4 **3,26–28** Joh 1,12; Röm 8,14–15*; 6,3–4; 10,12–13; 1 Kor 12,12–13; Kol 3,11 **3,29** 3,7–9; Röm 9,7–8 **4,4–5** Joh 1,14; Röm 8,3; Eph 1,9–11; Phil 2,5–8 **4,6–7** 3,2; Röm 8,14–15* **4,8** 1 Kor 12,2; 8,4 **4,10** Kol 2,16.20–23

mache mir Sorgen um euch! Ist denn meine ganze Arbeit bei euch sinnlos gewesen?

[12] Liebe Brüder und Schwestern, ich bitte euch: Folgt meinem Beispiel, erwartet eure Rettung nicht vom Gesetz[a]. Denn auch ich habe mich nach euch gerichtet, und ihr habt mich bisher noch nie gekränkt. [13] Ihr erinnert euch sicherlich daran, als ich das erste Mal bei euch war und euch die rettende Botschaft verkündete. Damals wurde ich krank, [14] und obwohl meine Krankheit für euch nicht leicht zu ertragen war, habt ihr mich weder verachtet noch abgewiesen. Im Gegenteil, ihr habt mich wie einen Engel Gottes aufgenommen, ja, wie Jesus Christus selbst. [15] Wie glücklich und dankbar wart ihr doch damals! Und heute? Ich bin sicher, zu der Zeit hättet ihr sogar eure Augen für mich hergegeben. [16] Bin ich jetzt euer Feind geworden, weil ich euch die volle Wahrheit sage?

[17] Vielleicht liegt es an den Leuten, die euch zurzeit so umschmeicheln. Doch sie meinen es nicht ehrlich mit euch. Sie wollen nur erreichen, dass ihr euch von mir abwendet und ihnen nacheifert. [18] Nun habe ich gar nichts dagegen, wenn ihr andere zum Vorbild nehmt. Besser wäre es allerdings, ihr würdet mir nacheifern, und das nicht nur, wenn ich bei euch bin.

[19] Euretwegen, meine lieben Kinder, leide ich noch einmal alle Schmerzen und Ängste, wie sie eine Mutter bei der Geburt ihres Kindes auszustehen hat. Wenn man doch endlich an euch erkennen könnte, dass Christus euer Herr ist und euer Leben bestimmt! [20] Könnte ich doch nur bei euch sein und mit meinen Worten euer Herz erreichen! Ich weiß wirklich nicht, was ich noch mit euch machen soll!

Das Beispiel von Hagar und Sara

[21] Ihr wollt also nach dem Gesetz leben. Wisst ihr denn eigentlich, was im Gesetz steht? [22] Dort heißt es, dass Abraham zwei Söhne hatte: einen von der Sklavin Hagar und einen von seiner Frau Sara, die als Freie geboren war. [23] Der Sohn der Sklavin wurde geboren, weil Abraham endlich einen Sohn haben wollte, der Sohn der Freien dagegen, weil Gott ihn versprochen hatte.[b]

[24] Am Beispiel dieser beiden Frauen will uns Gott zeigen, wie verschieden seine beiden Bündnisse mit den Menschen sind. Den einen Bund, für den Hagar steht, schloss Gott auf dem Berg Sinai mit dem Volk Israel, als er ihm das Gesetz gab. Dieses Gesetz aber versklavt uns. [25] Hagar weist auf den Berg Sinai in Arabien hin. Er entspricht dem Jerusalem unserer Zeit, denen, die am Gesetz festhalten und deshalb nie frei werden.

[26] Die andere Frau aber, von der wir abstammen, ist frei. Sie weist auf das neue Jerusalem im Himmel hin. [27] Von ihr spricht schon der Prophet Jesaja: »Sei fröhlich, du Unfruchtbare, auch wenn du nie ein Kind geboren hast. Juble und jauchze, du Kinderlose. Denn du, die du allein bist, wirst mehr Kinder haben als die Frau, die einen Mann hat.«[c] [28] Liebe Brüder und Schwestern, ihr verdankt euer Leben wie Isaak der Zusage Gottes.

[29] Allerdings verfolgte schon damals der Sohn der Sklavin – der geboren wurde, weil Menschen es so wollten – den Sohn der Freien, der geboren wurde, weil Gott es wollte. Genauso ist es auch noch heute. [30] Aber was sagt die Heilige Schrift dazu? »Jag die Sklavin und ihren Sohn fort! Denn nicht er, sondern der Sohn der Freien soll dein Erbe sein!«[d] [31] Wir

---

[a] »erwartet … Gesetz« ist sinngemäß ergänzt.

[b] Wörtlich: Doch der Sohn der Sklavin wurde nach dem Fleisch gezeugt, der Sohn der Freien aber durch das Versprechen.

[c] Jesaja 54,1

[d] 1. Mose 21,10

4,12 2,21; 1 Kor 11,1* **4,17** 1,7; 2,4–5; 6,12 **4,18** 1 Kor 11,1* **4,19** Röm 8,4; 2 Thess 3,5 **4,22** 1 Mo 16,15; 21,1–3 **4,23** Röm 9,7–9; 1 Mo 16,1–2; 17,15–16 **4,24** 2 Mo 24,1–8 **4,26** Hebr 12,22; Offb 21,2 **4,29** 1 Mo 21,9

aber, meine lieben Brüder und Schwestern, sind nicht die Kinder der Sklavin, sondern der Freien!

Bewahrt die Freiheit, die Christus euch schenkt!

5 Durch Christus sind wir frei geworden, damit wir als Befreite leben. Jetzt kommt es darauf an, dass ihr euch nicht wieder vom Gesetz versklaven lasst.

[2]Ich, Paulus, sage euch deshalb in aller Deutlichkeit: Wenn ihr euch beschneiden lasst, ist alles nutzlos, was Christus für euch getan hat. [3]Und noch einmal erkläre ich jedem Einzelnen von euch: Wer sich beschneiden lässt, der muss das ganze Gesetz mit allen seinen Forderungen befolgen. [4]Wenn ihr aber durch das Gesetz vor Gott bestehen wollt, dann habt ihr euch von Christus losgesagt und Gottes Gnade verspielt.

[5]Wir aber vertrauen darauf, dass wir durch den Glauben an Jesus Christus von Gott angenommen werden. Er hat uns ja durch seinen Geist diese Hoffnung geschenkt.[a] [6]Wenn wir mit Jesus Christus verbunden sind, ist es völlig gleich, ob wir beschnitten oder unbeschnitten sind. Bei ihm gilt allein der Glaube, der sich in Taten der Liebe zeigt.

[7]Es hat so gut mit euch angefangen! Wer konnte euch nur so beeinflussen, dass ihr der Wahrheit nicht mehr folgen wollt? [8]Gott bestimmt nicht! Er hat euch ja auf diesen Weg des Glaubens geführt! [9]Wie ihr wisst, genügt schon ein wenig Sauerteig, um den ganzen Teig zu durchsäuern. [10]Aber ich verlasse mich auf den Herrn; und ich vertraue euch, dass ihr in dieser Frage mit mir übereinstimmen werdet. Wer euch aber im Glauben durcheinander bringt, wird seiner Strafe nicht entgehen, wer er auch sein mag.

[11]Liebe Brüder und Schwestern! Manche Leute behaupten, ich selbst würde alle Christen dazu drängen, sich beschneiden zu lassen. Würden mich die Juden dann aber noch verfolgen? Dann brauchte auch niemand mehr Anstoß daran zu nehmen, dass ein Gekreuzigter der von Gott versprochene Retter ist. [12]Wenn diese Leute euch so hartnäckig die Beschneidung aufdrängen wollen, dann sollen sie sich doch gleich kastrieren lassen!

Leben durch die Kraft des Geistes

[13]Durch Christus wurde euch die Freiheit geschenkt, liebe Brüder und Schwestern! Das bedeutet aber nicht, dass ihr jetzt tun und lassen könnt, was ihr wollt. Dient vielmehr einander in Liebe. [14]Denn wer dieses eine Gebot befolgt: »Liebe deinen Mitmenschen wie dich selbst!«[b], der hat das ganze Gesetz erfüllt. [15]Wenn ihr aber wie die Wölfe übereinander herfallt, dann passt nur auf, dass ihr euch dabei nicht gegenseitig fresst!

[16]Darum rate ich euch: Lasst euer Leben von Gottes Geist bestimmen. Wenn er euch führt, werdet ihr allen selbstsüchtigen Wünschen widerstehen können. [17]Denn selbstsüchtig, wie wir sind, wollen wir immer das Gegenteil von dem, was Gottes Geist will. Doch der Geist Gottes duldet unsere Selbstsucht nicht. Beide kämpfen gegeneinander, so dass ihr das Gute, das ihr doch eigentlich wollt, nicht ungehindert tun könnt. [18]Wenn ihr aber aus der Kraft des Geistes lebt, seid ihr den Forderungen des Gesetzes nicht länger unterworfen.

[19]Gebt ihr dagegen euren selbstsüchtigen Wünschen nach, ist offensichtlich, wohin das führt: zu sexueller Zügellosigkeit, einem sittenlosen und ausschweifenden Leben, [20]zur Götzenanbetung und zu abergläubischem Vertrauen auf über-

---

[a] Wörtlich: Denn wir erwarten durch den Geist aus Glauben die erhoffte Gerechtigkeit.
[b] 3. Mose 19,18

5,1 2,4; 4,5 **5,2** 2,21; Apg 15,1–2 **5,3** 3,10; Hebr 10,28; Jak 2,10 **5,5** Röm 5,1 **5,6** 6,15; Röm 2,28–29; 1 Kor 7,19; Phil 3,3 **5,9** 1 Kor 5,6–7 **5,11** 6,12; 1 Kor 1,18.23 **5,12** Phil 3,2 **5,13–14** Röm 12,10*; 15,1; Phil 2,1–5 **5,16** Röm 8,4–5 **5,17** Röm 7,21–23 **5,18** Röm 6,14; 7,1–6 **5,19–21** 1 Kor 6,9–10; Eph 5,5; Kol 3,5; Offb 22,15

sinnliche Kräfte. Feindseligkeit, Streitsucht, Eifersucht, Wutausbrüche, Intrigen, Uneinigkeit und Spaltungen bestimmen dann das Leben ebenso [21] wie Neid, Trunksucht, üppige Gelage und vieles andere. Ich habe es schon oft gesagt und warne euch hier noch einmal: Wer so lebt, wird niemals in Gottes neue Welt kommen.

[22] Dagegen bringt der Geist Gottes in unserem Leben nur Gutes hervor: Liebe und Freude, Frieden und Geduld, Freundlichkeit, Güte und Treue, [23] Besonnenheit und Selbstbeherrschung. Ist das bei euch so? Dann kann kein Gesetz mehr etwas von euch fordern!

[24] Es ist wahr: Wer zu Christus gehört, der hat sein selbstsüchtiges Wesen mit allen Leidenschaften und Begierden ans Kreuz geschlagen. [25] Durch Gottes Geist haben wir neues Leben, darum lasst uns jetzt auch unser Leben in der Kraft des Geistes führen! [26] Wir wollen nicht mit unseren vermeintlichen Vorzügen prahlen und dadurch Kränkungen und Neid hervorrufen.

Tragt die Lasten gemeinsam!

6 Brüder und Schwestern, wenn einer von euch vom richtigen Weg abkommt, dann sollt ihr, die von Gottes Geist geleitet werden, ihn liebevoll wieder zurechtbringen. Seht aber zu, dass ihr dabei nicht selbst zu Fall kommt. [2] Jeder soll dem anderen helfen, seine Last zu tragen. Auf diese Weise erfüllt ihr das Gesetz, das Christus uns gegeben hat. [3] Wer sich einbildet, besser zu sein als die anderen, der betrügt sich selbst. [4] Darum soll jeder sich selbst genau prüfen. Dann wird er sich über seine guten Taten freuen können, aber keinen Grund zur Überheblichkeit haben. [5] Denn jeder ist für sein eigenes Tun vor Gott verantwortlich. Das ist schon schwer genug!

[6] Wer in der Heiligen Schrift unterwiesen wird, soll auch zum Lebensunterhalt seines Lehrers beitragen, so gut er kann.

[7] Glaubt nur nicht, ihr könntet euch über Gott lustig machen! Ihr werdet genau das ernten, was ihr gesät habt. [8] Wer sich nur auf sich selbst verlässt, den erwartet der ewige Tod. Wer sich aber durch den Geist Gottes führen lässt, dem wird Gott das ewige Leben schenken.

[9] Werdet nicht müde, Gutes zu tun. Es wird eine Zeit kommen, in der ihr eine reiche Ernte einbringt. Gebt nur nicht vorher auf! [10] Solange uns noch Zeit bleibt, wollen wir allen Menschen Gutes tun; vor allem aber denen, die mit uns an Jesus Christus glauben.

Alles durch Christus!

[11] Wie ihr an den großen Buchstaben sehen könnt, schreibe ich diesen Brief eigenhändig zu Ende.

[12] Leute, denen es nur um ihr Ansehen und ihre Geltung vor Menschen geht, bedrängen euch, ihr müsstet euch noch beschneiden lassen. Dabei haben sie nur Angst, verfolgt zu werden, wenn sie sich einzig und allein zum gekreuzigten Jesus Christus bekennen. [13] Doch obwohl sie selbst beschnitten sind, erfüllen sie die Forderungen des Gesetzes nicht. Sie wollen nur damit prahlen, dass sie euch zur Beschneidung überredet haben.

[14] Ich aber kenne nur *einen* Grund zum Rühmen: das Kreuz unseres Herrn Jesus Christus. Weil er starb, starb auch diese Welt für mich, und ich bin tot für ihre Ansprüche und Forderungen. [15] Vor Gott ist es vollkommen gleichgültig, ob wir beschnitten oder unbeschnitten sind. Wichtig ist allein, dass wir durch Christus neue Menschen geworden sind. [16] Wer sich daran hält, dem möge Gott seinen Frieden und seine Barmherzigkeit schenken –

5,22–23 2 Kor 6,6; Eph 5,9–11; Phil 1,11; 1 Tim 6,11 **5,25** 5,16; Röm 8,4–5 **5,26** Phil 2,3
6,1–2 Mt 18,15; Kol 4,6; 1 Thess 5,14–15; 2 Thess 3,11–15 **6,3** Phil 2,3 **6,4** 1 Kor 4,7 **6,5** Röm 14,12
6,6 Lk 10,7; Apg 20,33–35; 1 Kor 9,4–15 **6,8** Röm 8,6 **6,9** 2 Thess 3,13; Eph 2,10*
6,10 Joh 13,34–35; Röm 12,13; 2 Kor 8,12–14 **6,11** Kol 4,18; 2 Thess 3,17 **6,12** 5,11 **6,13** 5,3
6,14 2,19; Röm 6,11; 1 Kor 1,29–31 **6,15–16** 3,26–28; 1 Kor 12,12–13; 2 Kor 5,17

ihm und allen, die zu Gottes auserwähltem Volk gehören.

[17] Bitte belastet mich nicht noch mehr! Im Dienst für Jesus habe ich genug gelitten, wie die Narben an meinem Körper zeigen. [18] Die Gnade unseres Herrn Jesus Christus sei mit euch allen[a], liebe Brüder und Schwestern. Amen!

---

[a] Wörtlich: mit eurem Geist.
6,17 2 Kor 4,10

Der Brief des Paulus an die Christen in Ephesus

Anschrift und Gruß

1 Paulus, ein Apostel Jesu Christi, von Gott berufen, schreibt diesen Brief an alle in Ephesus, die an Jesus Christus glauben und ganz zu Gott gehören. [2] Ich wünsche euch Gnade und Frieden von Gott, unserem Vater, und unserem Herrn Jesus Christus.

Dank für Gottes Erlösung

[3] Lob und Dank sei Gott, dem Vater unseres Herrn Jesus Christus! Er hat uns mit seinem Geist reich beschenkt, und durch Christus haben wir Zugang zu Gottes himmlischer Welt erhalten.[a]

[4] Schon vor Beginn der Welt, von allem Anfang an, hat Gott uns, die wir mit Christus verbunden sind, auserwählt. Wir sollten zu ihm gehören, befreit von aller Sünde und Schuld. Aus Liebe zu uns [5] hat er schon damals beschlossen, dass wir durch Jesus Christus seine eigenen Kinder werden sollten. Dies war sein Plan, und so gefiel es ihm.

[6] Darum wollen wir Gottes herrliche, unverdiente Güte preisen, die wir durch seinen geliebten Sohn erfahren haben. [7] Denn durch sein Blut, das er am Kreuz vergossen hat, sind wir erlöst, sind unsere Sünden vergeben. Und das verdanken wir allein Gottes unermesslich großer Gnade. [8] In seiner Liebe beschenkte er uns mit Weisheit und Erkenntnis seines Willens. [9] Er hat uns seinen Plan für diese Welt gezeigt. Was bis dahin geheim war, wollte er durch Christus ausführen. [10] So soll, wenn die Zeit dafür gekommen ist, alles im Himmel und auf der Erde unter der Herrschaft Christi vereint werden. [11] Weil wir nun zu Christus gehören, hat Gott uns schon im Voraus als seine Erben eingesetzt; denn was Gott einmal beschlossen hat, das führt er auch aus.

[12] Jetzt sollen wir mit unserem Leben Gottes Herrlichkeit für alle sichtbar machen, wir, die wir schon lange auf unseren Retter gewartet haben. [13] Das gilt aber auch für euch, die ihr erst jetzt das Wort der Wahrheit gehört habt, die gute Botschaft von eurer Rettung. Nachdem ihr diese Botschaft im Glauben angenommen habt, gehört ihr nun Gott. Er hat euch sein Siegel aufgedrückt, als er euch den Heiligen Geist schenkte, den er jedem Glaubenden zugesagt hat. [14] Diesen Geist hat Gott uns als ersten Anteil an unserem himmlischen Erbe gegeben. Er verbürgt uns das vollständige Erbe, die vollkommene Erlösung. Und dann werden wir Gott in seiner Herrlichkeit loben und preisen.

Christus, der Herr über alles

[15] Seitdem ich von eurem Glauben an den Herrn Jesus und von eurer Liebe zu allen Christen gehört habe, höre ich nicht auf, [16] Gott dafür zu danken und für euch zu beten. [17] Ihn, den Gott unseres Herrn Jesus Christus, den Vater, dem alle Herrlichkeit gehört, bitte ich darum, euch durch seinen Geist Weisheit zu geben, dass ihr ihn immer besser erkennt und er euch seinen Plan zeigt. [18] Er öffne euch

---

[a] Wörtlich: der uns gesegnet hat mit allem geistlichen Segen in den himmlischen Bereichen in Christus.

1,3 2,6; 1 Petr 1,3–5 **1,4** 3,11; 2 Thess 2,13–14; 2 Petr 1,10–11 **1,5** Joh 1,12; Röm 8,14–15*; 1 Joh 3,1–3 **1,7** 2,8; 2 Kor 5,18–21* **1,9–11** Gal 4,4; 1 Petr 1,20–21 **1,10** Röm 8,19–22 **1,13–14** 4,30; 2 Kor 1,22; 5,5; Gal 3,2 **1,17** Kol 1,9–10 **1,18** Hebr 9,15

die Augen, damit ihr seht, wozu ihr berufen seid, worauf ihr hoffen könnt und welch unvorstellbar reiches Erbe auf alle wartet, die zu Gott gehören.

[19] Ihr sollt erfahren, mit welch unermesslich großer Kraft Gott in uns, den Glaubenden, wirkt. Ist es doch dieselbe Kraft, [20] mit der er Christus von den Toten auferweckte und ihm den Ehrenplatz an seiner rechten Seite gab! [21] Mit ihr hat Gott ihn zum Herrscher eingesetzt über alle Mächte und Gewalten, über alle Kräfte und Herrschaften dieser und der zukünftigen Welt. [22] Alles hat Gott ihm zu Füßen gelegt und ihn zum Haupt seiner Gemeinde gemacht. [23] Sie ist sein Leib: Der Schöpfer und Vollender aller Dinge lebt in ihr mit seiner ganzen Fülle.

Das neue Leben

2 Aber wie sah euer Leben früher aus? Ihr wart Gott ungehorsam und wolltet von ihm nichts wissen. In seinen Augen wart ihr tot. [2] Ihr habt gelebt, wie es in dieser Welt üblich ist, und wart dem Satan verfallen, der seine Macht ausübt zwischen Himmel und Erde. Sein böser Geist beherrscht auch heute noch das Leben aller Menschen, die Gott nicht gehorchen. [3] Zu ihnen haben wir früher auch gehört, damals, als wir eigensüchtig unser Leben selbst bestimmen wollten. Wir haben den Leidenschaften und Verlockungen der Sünde nachgegeben, und wie alle anderen Menschen waren wir dem Zorn Gottes ausgeliefert.

[4/5] Aber Gottes Barmherzigkeit ist groß. Wegen unserer Sünden waren wir in Gottes Augen tot. Doch er hat uns so sehr geliebt, dass er uns mit Christus neues Leben schenkte. Denkt immer daran: Alles verdankt ihr allein der Gnade Gottes. [6] Durch den Glauben an Christus sind wir mit ihm auferstanden und haben einen Platz in Gottes neuer Welt[a]. [7] So will Gott in seiner Liebe zu uns, die in Jesus Christus sichtbar wurde, für alle Zeiten die Größe seiner Gnade zeigen.

[8] Denn nur durch seine unverdiente Güte seid ihr vom Tod errettet worden. Ihr habt sie erfahren, weil ihr an Jesus Christus glaubt. Dies alles ist ein Geschenk Gottes und nicht euer eigenes Werk. [9] Durch eigene Leistungen kann man bei Gott nichts erreichen. Deshalb kann sich niemand etwas auf seine guten Taten einbilden. [10] Gott hat etwas aus uns gemacht: Wir sind sein Werk, durch Jesus Christus neu geschaffen, um Gutes zu tun. Damit erfüllen wir nur, was Gott schon im Voraus für uns vorbereitet hat.

Versöhnt mit Gott und miteinander

[11] Vergesst nie, dass ihr früher verächtlich »Unbeschnittene« genannt wurdet, weil ihr zu den nichtjüdischen Völkern gehört. Die Juden wollten sich als »Beschnittene« von euch unterscheiden, obwohl ihre Beschneidung nur von Menschen durchgeführt wird. [12] Ihr habt damals ohne Christus gelebt und wart ausgeschlossen von Gottes Volk. Darum galten für euch die Zusagen nicht, die Gott seinem Volk gab, als er seinen Bund mit ihnen schloss. Ohne jede Hoffnung und ohne Gott habt ihr in dieser Welt gelebt. [13] Aber weil Jesus Christus am Kreuz sein Blut vergossen hat, gehört ihr jetzt zu ihm. Ihr seid ihm jetzt nahe, obwohl ihr vorher so weit von ihm entfernt lebtet.

[14] Durch Christus haben wir Frieden. Er hat Juden und Nichtjuden in seiner Gemeinde vereint und die Mauer zwischen ihnen niedergerissen. Durch sein Sterben [15] hat er das jüdische Gesetz mit all seinen Geboten und Forderungen endgültig außer Kraft gesetzt. Durch Christus leben wir nicht länger voneinan-

---

[a] Wörtlich: und sind in die Himmel versetzt in Christus Jesus.

1,19–20 Röm 8,34*; Kol 3,1–2; 1 Petr 3,22 **1,21–22** Mt 28,18; Phil 2,9–11 **1,22–23** 4,15–16 **2,1** 4,17–19; Kol 2,13 **2,2–3** Röm 1,18; 5,9–10; 1 Thess 1,10; 1 Petr 3,12 **2,7** 1,7 **2,8–9** Röm 3,24; 9,16; Tit 3,4–6; Gal 2,16* **2,10** Röm 12,17; Gal 6,9–10; 1 Thess 5,15; Tit 3,14; Hebr 13,16; 1 Petr 4,19; Mt 6,1; Lk 6,33–35 **2,11–12** Gal 6,15–16; Röm 9,4 **2,13** Offb 5,9 **2,14** Röm 3,29–30; 4,10–11; 10,12–13 **2,15** Hebr 7,18–19; Gal 3,28

der getrennt, der eine als Jude, der andere als Nichtjude. Als Christen sind wir eins.[a] So hat er zwischen uns Frieden gestiftet. [16] Christus ist für alle Menschen am Kreuz gestorben, damit wir alle Frieden mit Gott haben. In seinem neuen Leib, der Gemeinde Christi, können wir nun als Versöhnte miteinander leben.

[17] Christus ist gekommen und hat seine Friedensbotschaft allen gebracht: euch, die ihr fern von Gott lebtet, und allen, die nahe bei ihm waren. [18] Durch Christus dürfen jetzt alle, Juden wie Nichtjuden, vereint in *einem* Geist, zu Gott, dem Vater, kommen.

[19] So seid ihr nicht länger Fremde und Heimatlose; ihr gehört jetzt als Bürger zum Volk Gottes, ja sogar zu seiner Familie. [20] Als Gemeinde Jesu Christi steht ihr auf dem Fundament der Apostel und Propheten. Doch der Stein, der dieses Gebäude trägt und zusammenhält, ist Jesus Christus selbst. [21] Durch ihn sind die Bauteile untereinander fest verbunden und wachsen zu einem Tempel des Herrn heran. [22] Weil ihr zu Christus gehört, seid auch ihr ein Teil dieses Baus, in dem Gottes Geist wohnt.

Gottes Auftrag für Paulus

3 Weil ich, Paulus, euch Nichtjuden diese rettende Botschaft verkündete, bin ich nun im Gefängnis. Als Gefangener Jesu Christi bete ich für euch. [2] Sicher wisst ihr, dass Gott mir den Auftrag gegeben hat, gerade euch, den Menschen aus anderen Völkern, von seiner Gnade zu erzählen. [3] Gott selbst hat mir dieses Geheimnis offenbart. Ich habe es eben schon kurz erwähnt, [4] und wenn ihr meinen Brief lest, werdet ihr merken, welche Einsichten in das Geheimnis Christi mir Gott gegeben hat. [5] Kein Mensch wusste früher etwas von diesem Geheimnis; jetzt aber ist es seinen berufenen Aposteln und Propheten durch seinen Geist offenbart worden. [6] Durch Christus bekommen die nichtjüdischen Völker zusammen mit den Juden Anteil an dem Erbe, das Gott uns versprochen hat; sie gehören zur Gemeinde Jesu Christi, und auch für sie gelten die Zusagen, die Gott seinem auserwählten Volk gab. Das ist die rettende Botschaft.

[7] Dieser Botschaft diene ich, weil Gott mir in seiner großen Gnade und unbegrenzten Macht einen Auftrag gegeben hat. [8] Ausgerechnet ich, der geringste unter allen Christen, darf anderen Völkern verkünden, welch unermesslichen Reichtum Christus für jeden von uns bereithält. [9] Allen darf ich erklären, was Gott, der das Weltall geschaffen hat, von Anfang an mit uns Menschen vorhatte und was bisher verborgen blieb. [10] Jetzt sollen alle Mächte und Gewalten der himmlischen Welt an der Gemeinde die unendliche Weisheit Gottes erkennen.

[11] Alle sollen nun wissen, dass Gott seinen ewigen Plan durch unseren Herrn Jesus Christus verwirklicht hat. [12] Jetzt können wir zu jeder Zeit furchtlos und voller Zuversicht zu Gott kommen, weil wir an ihn glauben. [13] Darum bitte ich euch: Werdet durch meine Gefangenschaft nicht mutlos. Was ich hier für euch leide, soll euch zugute kommen[b].

Fürbitte und Anbetung

[14] Darum knie ich nieder vor Gott, dem Vater, und bete ihn an, [15] ihn, dem alle Geschöpfe im Himmel und auf der Erde ihr Leben verdanken und den sie als Vater zum Vorbild haben. [16] Ich bitte Gott, dass er euch aus seinem unerschöpflichen Reichtum Kraft schenkt, damit ihr durch seinen Geist innerlich stark werdet [17] und Christus durch den

---

[a] Wörtlich: dass er die zwei (Juden und Nichtjuden) in ihm zu *einem* neuen Menschen schaffe.
[b] Wörtlich: soll zu eurer Verherrlichung dienen.

2,16 1 Kor 12,12–13 **2,19** 3,6; Phil 3,20; Hebr 12,22–23 **2,20–22** 1 Kor 3,9–17; 1 Petr 2,4–8
3,1 4,1; Phil 1,7; Kol 4,18 **3,2** Apg 9,15* **3,5–6** 2,18–19; Röm 16,25–26; Hebr 12,22–23
3,7 2 Tim 1,11 **3,8** 1 Kor 15,9–10; Apg 9,1–2 **3,9–10** 1,21–22; Kol 1,15–16 **3,11** 1,4–10; Kol 1,26–27
3,12 2,18; Röm 8,15; Hebr 4,16; 10,19 **3,16** Phil 4,13 **3,17–19** 5,2; Kol 2,2

Glauben in euch lebt. In seiner Liebe sollt ihr fest verwurzelt sein; auf sie sollt ihr bauen. [18]Denn nur so könnt ihr mit allen anderen Christen das ganze Ausmaß seiner Liebe erfahren, [19]die wir doch mit unserem Verstand niemals fassen können. Dann wird diese göttliche Liebe euch immer mehr erfüllen.

[20]Gott aber kann viel mehr tun, als wir jemals von ihm erbitten oder uns auch nur vorstellen können. So groß ist seine Kraft, die in uns wirkt. [21]Deshalb wollen wir ihn mit der ganzen Gemeinde durch Jesus Christus ewig und für alle Zeiten loben und preisen. Amen.

Die Einheit der Gemeinde und die Vielfalt der Aufgaben

4 Vergesst nicht, dass ich für den Herrn im Gefängnis bin. Als sein Gefangener bitte ich euch: Lebt so, wie Gott es von denen erwartet, die er zu seinen Kindern berufen hat. [2]Überhebt euch nicht über andere, seid freundlich und geduldig! Geht in Liebe aufeinander ein! [3]Setzt alles daran, dass die Einheit, wie sie der Geist Gottes schenkt, bestehen bleibt durch den Frieden, der euch verbindet.

[4]Gott hat uns in seine Gemeinde berufen. Darum sind wir *ein* Leib. In uns wirkt *ein* Geist, und uns erfüllt ein und dieselbe Hoffnung. [5]Wir haben *einen* Herrn, *einen* Glauben und *eine* Taufe. [6]Und wir haben *einen* Gott. Er ist der Vater, der über uns allen steht, der durch uns alle und in uns allen wirkt.

[7]Jedem Einzelnen von uns aber hat Christus besondere Gaben geschenkt, so wie er sie in seiner Gnade jedem zugedacht hat. [8]Nicht ohne Grund heißt es von Christus: »Er ist in den Himmel hinaufgestiegen, er hat Gefangene im Triumphzug mitgeführt und den Menschen Gaben geschenkt.«[a] [9]Wenn es aber heißt: »Er ist in den Himmel hinaufgestiegen«, so bedeutet dies doch, dass er vorher zu uns auf die Erde gekommen ist. [10]Der zu uns herabkam, ist derselbe, der auch wieder hinaufgestiegen ist. Jetzt ist er Herr über den Himmel und erfüllt das ganze Weltall mit seiner Macht.

[11]Einige hat er zu Aposteln gemacht, einige reden in Gottes Auftrag prophetisch, und andere gewinnen Menschen für Christus. Wieder andere leiten die Gemeinde oder unterweisen sie im Glauben. [12]Sie alle sollen die Christen für ihren Dienst ausrüsten, damit die Gemeinde Jesu aufgebaut und vollendet wird. [13]Dadurch werden wir im Glauben immer mehr eins werden und den Sohn Gottes immer besser kennen lernen. Wir sollen zu mündigen Christen heranreifen, zu einer Gemeinde, in der Christus mit der ganzen Fülle seiner Gaben wirkt.

[14]Dann sind wir nicht länger wie unmündige Kinder, die sich von jeder beliebigen Lehrmeinung aus der Bahn werfen lassen und die leicht auf geschickte Täuschungsmanöver hinterlistiger Menschen hereinfallen. [15]Stattdessen wollen wir die Wahrheit in Liebe leben und zu Christus hinwachsen, dem Haupt der Gemeinde. [16]Er versorgt den Leib und verbindet die Körperteile miteinander. Jedes Einzelne leistet seinen Beitrag. So wächst der Leib und wird aufgebaut in Liebe.

Wie Christen leben sollen

[17]Darum hat mir der Herr aufgetragen, euch zu sagen: Lebt nicht länger wie Menschen, die Gott nicht kennen! Ihr Denken ist verkehrt und führt ins Leere, [18]ihr Verstand ist verdunkelt. Sie wissen nicht, was es bedeutet, mit Gott zu leben, und ihre Herzen sind hart und gleichgültig. [19]Ihr Gewissen ist abgestumpft, deshalb leben sie ihre Leidenschaften aus. Sie sind zügellos und in ihrer Habgier unersättlich.

---

[a] Psalm 68,19

3,20 1,19 **4,1** 3,1; Röm 12,1; 1 Thess 2,11–12 **4,2–3** Röm 12,10*; Phil 2,2–5 **4,4–6** 1 Kor 8,5–6; 12,4–6.12–13 **4,7** 1 Kor 12,7 **4,8** Kol 2,15; Apg 2,33 **4,9–10** Joh 1,14–15; Gal 4,4 **4,11–12** 1 Kor 12,28–31 **4,13** Kol 1,28 **4,14** 1 Kor 14,20 **4,15–16** 1,22–23

[20] Aber ihr habt gelernt, dass solch ein Leben mit Christus nichts zu tun hat. [21] Was Jesus wirklich von uns erwartet, habt ihr gehört – ihr seid es ja gelehrt worden: [22] Ihr sollt euer altes Leben wie alte Kleider ablegen. Folgt nicht mehr euren Leidenschaften, die euch in die Irre führen und euch zerstören. [23] Gottes Geist will euch durch und durch erneuern. [24] Zieht das neue Leben an, wie ihr neue Kleider anzieht. Ihr seid neue Menschen geworden, die Gott selbst nach seinem Bild geschaffen hat. Ihr gehört zu Gott und lebt so, wie es ihm gefällt.

[25] Belügt einander also nicht länger, sondern sagt die Wahrheit. Wir sind doch als Christen die Glieder eines Leibes, der Gemeinde Jesu. [26] Wenn ihr zornig seid, dann ladet nicht Schuld auf euch, indem ihr unversöhnlich bleibt. Lasst die Sonne nicht untergehen, ohne dass ihr einander vergeben habt. [27] Gebt dem Teufel keine Gelegenheit, Unfrieden zu stiften. [28] Wer früher von Diebstahl lebte, der soll sich jetzt eine ehrliche Arbeit suchen, damit er auch noch Notleidenden helfen kann. [29] Redet nicht schlecht voneinander. Was ihr sagt, soll für jeden gut und hilfreich sein, eine Wohltat für alle. [30] Beleidigt nicht den Heiligen Geist. Als Gott ihn euch schenkte, hat er euch sein Siegel aufgedrückt. Er ist doch euer Bürge dafür, dass der Tag der Erlösung kommt.

[31] Mit Bitterkeit, Jähzorn und Wut sollt ihr nichts mehr zu tun haben. Schreit einander nicht an, redet nicht schlecht über andere, und vermeidet jede Feindseligkeit. [32] Seid vielmehr freundlich und barmherzig, und vergebt einander, so wie Gott euch durch Jesus Christus vergeben hat.

Leben im Licht

5 Ihr seid Gottes geliebte Kinder, daher sollt ihr in allem seinem Vorbild folgen. [2] Geht liebevoll miteinander um, so wie auch Christus euch seine Liebe erwiesen hat. Aus Liebe hat er sein Leben für uns gegeben. Und Gott hat dieses Opfer angenommen.

[3] Ihr gehört zu Gott. Da passt es selbstverständlich nicht mehr, sexuell zügellos zu leben, über die Stränge zu schlagen oder alles haben zu wollen. Ihr sollt nicht einmal darüber reden! [4] Genauso wenig ist Platz für Klatsch, Sticheleien und zweideutiges Gerede. Vielmehr sollt ihr Gott danken und ihn loben. [5] Denn eins ist klar: Wer ein ausschweifendes, schamloses Leben führt, für den ist kein Platz in der neuen Welt, in der Gott und Christus herrschen werden. Das gilt auch für alle, die von Habgier besessen sind; denn solche Menschen beten ihre eigenen Götzen an.

[6] Lasst euch von niemandem verführen, der euch durch sein leeres Geschwätz einreden will, dass dies alles harmlos sei. Gottes Zorn wird alle treffen, die ihm nicht gehorchen. [7] Darum meidet solche Leute! [8] Früher habt auch ihr in Dunkelheit gelebt; aber heute ist das anders: Durch den Herrn seid ihr im Licht. Darum lebt nun auch wie Kinder des Lichts! [9] Ein solches Leben führt zu aufrichtiger Güte, Gerechtigkeit und Wahrheit. [10] Prüft in allem, was ihr tut, ob es Gott gefällt. [11] Lasst euch auf keine finsteren Machenschaften ein, die keine gute Frucht hervorbringen; im Gegenteil: helft sie aufzudecken.

[12] Denn was manche im Verborgenen treiben, ist so abscheulich, dass man nicht einmal davon reden soll. [13] Doch wenn das Licht Gottes auf diese Dinge fällt, werden sie erst richtig sichtbar. [14] Was Gott ans Licht bringt, wird hell. Deshalb heißt es auch: »Erwache aus deinem Schlaf! Erhebe dich von den Toten! Und Christus wird dein Licht sein.« [15] Achtet also genau darauf, wie ihr lebt: nicht wie

4,21–22 Röm 8,12–13; Kol 3,9 **4,23** 1 Thess 5,19–22 **4,24** Kol 3,10 **4,25** Sach 8,16; Röm 12,5 **4,26** Mt 5,20–26; Jak 1,19–20 **4,28** 2 Mo 20,15; 1 Thess 4,11–12 **4,29** 5,4; Mt 12,33–37 **4,30** 1,13–14 **4,32** Kol 3,12–15; Phil 2,2–5 **5,1** Röm 8,14–15* **5,3–5** Kol 3,5–6 **5,4** 4,29 **5,5** 1 Kor 6,9–11; 1 Tim 6,9–10 **5,6–7** Phil 3,17–20 **5,8** 1 Thess 5,5 **5,9–11** 1 Thess 5,19–22; 2 Kor 6,14 **5,12–14** Joh 3,19–21; Röm 13,12–14 **5,14** Joh 8,12

unwissende, sondern wie weise Menschen. [16] Dient Gott, solange ihr es noch könnt, denn wir leben in einer schlimmen Zeit. [17] Seid nicht verbohrt; sondern begreift, was der Herr von euch will! [18] Betrinkt euch nicht; das führt nur zu einem ausschweifenden Leben. Lasst euch vielmehr von Gottes Geist erfüllen. [19] Singt miteinander Psalmen, und lobt den Herrn mit Liedern, wie sie euch sein Geist schenkt. Singt für den Herrn, und jubelt aus vollem Herzen! [20] Im Namen unseres Herrn Jesus Christus dankt Gott, dem Vater, zu jeder Zeit, überall und für alles!

Die christliche Ehe

[21] Ordnet euch einander unter; so ehrt ihr Christus.

[22] Ihr Frauen, ordnet euch euren Männern unter, so wie ihr euch dem Herrn unterordnet. [23] Denn wie Christus als Haupt für seine Gemeinde verantwortlich ist, die er erlöst hat, so ist auch der Mann für seine Frau verantwortlich. [24] Und wie sich die Gemeinde Christus unterordnet, so sollen sich auch die Frauen in allem ihren Männern unterordnen.

[25] Ihr Männer, liebt eure Frauen so, wie Christus seine Gemeinde liebt, für die er sein Leben gab, [26] damit sie ihm ganz gehört. Durch sein Wort und durch das Wasser der Taufe[a] hat er sie von aller Schuld gereinigt. [27] Wie eine Braut soll seine Gemeinde sein: schön und makellos, ohne Flecken, Falten oder einen anderen Fehler, weil sie allein Christus gehören soll.

[28] Darum sollen auch die Männer ihre Frauen lieben wie ihren eigenen Körper. Wer nun seine Frau liebt, der liebt sich selbst. [29] Niemand hasst doch seinen eigenen Körper. Vielmehr hegt und pflegt er ihn. So sorgt auch Christus für seine Gemeinde; [30] denn wir sind Glieder seines Leibes. [31] Erinnert euch an das Wort: »Ein Mann verlässt seine Eltern und verbindet sich so eng mit seiner Frau, dass die beiden eins sind mit Leib und Seele.«[b] [32] Das ist ein großes Geheimnis. Ich deute dieses Wort auf die Verbindung zwischen Christus und seiner Gemeinde. [33] Es gilt aber auch für euch: Ein Mann soll seine Frau so lieben wie sich selbst. Und die Frau soll ihren Mann achten.

Eltern und Kinder

6 Ihr Kinder, gehorcht euren Eltern! So erwartet es der Herr von euch. [2] »Ehre deinen Vater und deine Mutter!« Dies ist das erste Gebot, das Gott mit einer Zusage verbunden hat: [3] »… damit es dir gut geht und du lange auf dieser Erde lebst.«[c]

[4] Ihr Väter, behandelt eure Kinder nicht ungerecht! Sonst fordert ihr sie nur zum Widerspruch heraus. Eure Erziehung soll sie vielmehr in Wort und Tat zu Gott, dem Herrn, hinführen.

Sklaven und Herren

[5] Ihr Sklaven, gehorcht euren Herren, ehrt und achtet sie! Dient ihnen so aufrichtig, wie ihr Christus dient. [6] Tut dies nicht nur vor ihren Augen, um von ihnen anerkannt zu werden. Ihr sollt vielmehr als Diener Christi bereitwillig und gern den Willen Gottes erfüllen. [7] Arbeitet mit Freude als Christen, die nicht den Menschen dienen, sondern dem Herrn. [8] Er wird jedem den verdienten Lohn geben, ganz gleich, ob jemand Sklave ist oder frei. [9] Auch ihr Herren, behandelt eure Sklaven, wie es Gott gefällt. Schüchtert sie nicht mit Drohungen ein. Denkt

---

[a] Wörtlich: durch das Wasserbad im Wort.
[b] 1. Mose 2,24
[c] 5. Mose 5,16

5,16 Kol 4,5 **5,19–20** Kol 3,16–17 **5,21** Mt 20,26–28 **5,22–24** Kol 3,18; 1 Petr 3,1–6 **5,23** 1,22 **5,26–27** 1,4; 2 Kor 11,2; Kol 1,22 **5,28–33** Kol 3,19; 1 Thess 4,4; 1 Petr 3,7 **5,30** 1 Kor 12,12 **5,32** Offb 19,7 **6,1–3** Kol 3,20; Lk 2,51 **6,4** Kol 3,21 **6,5–8** Kol 3,22–25; 1 Tim 6,1–2; Tit 2,9–10; 1 Petr 2,18 **6,9** Kol 4,1; Röm 3,23

immer daran, dass ihr denselben Herrn im Himmel habt wie sie. Vor ihm sind alle Menschen gleich.

Ausgerüstet zum Kampf

[10] Für euch alle gilt: Werdet stark, weil ihr mit dem Herrn verbunden seid, mit seiner Macht und seiner Stärke! [11] Greift zu den Waffen Gottes, damit ihr alle heimtückischen Anschläge des Teufels abwehren könnt! [12] Denn wir kämpfen nicht gegen Menschen, sondern gegen Mächte und Gewalten des Bösen, die über diese gottlose Welt herrschen und im Unsichtbaren ihr unheilvolles Wesen treiben. [13] Darum nehmt die Waffen Gottes! Nur gut gerüstet könnt ihr den Mächten des Bösen widerstehen, wenn es zum Kampf kommt. Nur so könnt ihr das Feld behaupten und den Sieg erringen.

[14] Rüstet euch gut für diesen Kampf! Die Wahrheit ist euer Gürtel und Gerechtigkeit euer Brustpanzer. [15] Macht euch auf den Weg, und verkündet überall die rettende Botschaft, dass Gott Frieden mit uns geschlossen hat. [16] Verteidigt euch mit dem Schild des Glaubens, an dem die Brandpfeile des Teufels wirkungslos abprallen. [17] Die Gewissheit, dass euch Jesus Christus gerettet hat, ist euer Helm, der euch schützt. Und nehmt das Wort Gottes. Es ist das Schwert, das euch sein Geist gibt.

[18] Hört nie auf, zu bitten und zu beten! Gottes Geist wird euch dabei leiten. Bleibt wach und bereit. Bittet Gott inständig für alle Christen. [19] Betet auch für mich, damit Gott mir zur rechten Zeit das rechte Wort gibt und ich überall das Geheimnis der rettenden Botschaft frei und offen verkünden kann. [20] Auch hier im Gefängnis will ich das tun. Betet darum, dass ich auch in Zukunft diese Aufgabe mutig erfülle, so wie Gott sie mir aufgetragen hat.

Grüße und Segenswünsche

[21] Ich möchte gern, dass ihr auch erfahrt, wie es mir ergangen ist. Tychikus, mein lieber Bruder und treuer Mitarbeiter im Dienst für den Herrn, wird euch von mir berichten. [22] Ich schicke ihn zu euch, damit ihr wisst, wie es uns geht. Er soll euch ermutigen.

[23] Gott schenke euch seinen Frieden, meine lieben Brüder und Schwestern. Er gebe euch Liebe und bewahre euren Glauben an ihn, den Vater, und unseren Herrn Jesus Christus. [24] Gottes Gnade sei mit allen, die unseren Herrn Jesus Christus lieben, und schenke ihnen unvergängliches Leben.

6,10 1,19–20; 1 Joh 2,14 **6,11–13** Röm 13,11–12; 8,38–39; Kol 2,14–15 **6,14–17** Jes 59,17; 1 Thess 5,8 **6,17** Hebr 4,12; Lk 4,1–13 **6,18** Mk 14,38; Röm 8,26–27 **6,19–20** Kol 4,3–4* **6,21–22** Kol 4,7*

Der Brief des Paulus an die Christen in Philippi

Anschrift und Gruß

1 Diesen Brief schreiben Paulus und Timotheus, die Jesus Christus dienen, an alle in Philippi, die an Jesus Christus glauben und ganz zu Gott gehören, an die Leiter der Gemeinde und die Diakone.
[2] Wir wünschen euch Gnade und Frieden von Gott, unserem Vater, und unserem Herrn Jesus Christus.

Ich bete für euch

[3] Immer bin ich meinem Gott dankbar, wenn ich an euch denke, [4] und das tue ich in jedem meiner Gebete mit großer Freude. [5] Denn ihr habt euch vom ersten Tag an bis heute mit mir für die rettende Botschaft eingesetzt. [6] Deshalb bin ich auch ganz sicher, dass Gott sein Werk, das er bei euch begonnen hat, zu Ende führen wird, bis zu dem Tag, an dem Jesus Christus kommt.

[7] Es ist ja nicht erstaunlich, dass ich so von euch denke, denn ihr liegt mir ganz besonders am Herzen. Daran ändert sich nichts, auch wenn ich jetzt im Gefängnis bin und vor Gericht die Wahrheit der rettenden Botschaft verteidigen und bezeugen muss. Ihr alle habt Anteil an der Gnade, die Gott mir damit erweist.

[8] Gott allein weiß, wie sehr ich mich nach euch allen sehne; liebe ich euch doch so, wie auch Jesus Christus euch liebt.

[9] Ich bete darum, dass eure Liebe immer reicher und tiefer wird und dass ihr immer mehr Weisheit und Einsicht erlangt. [10] So lernt ihr entscheiden, wie ihr leben sollt, um am Gerichtstag Jesu Christi untadelig und ohne Schuld vor euren Richter treten zu können. [11] Alles Gute, was Christus in einem von Schuld befreiten Leben schafft, wird dann bei euch zu finden sein. Und das alles zu Gottes Ehre und zu seinem Lob!

Jeder soll erfahren, wer Christus ist!

[12] Meine lieben Brüder und Schwestern! Ihr sollt wissen, dass meine Gefangenschaft die Ausbreitung der rettenden Botschaft nicht hinderte. Im Gegenteil! [13] Allen meinen Bewachern hier und auch den übrigen Prozessteilnehmern ist inzwischen klar geworden, dass ich nur deswegen eingesperrt bin, weil ich an Christus glaube. [14] Außerdem haben durch meine Gefangenschaft viele Christen neuen Mut und Zuversicht gewonnen. Furchtlos und ohne Scheu predigen sie jetzt Gottes Botschaft.

[15] Zwar verkünden manche nur deswegen die Botschaft von Christus, weil sie neidisch sind und mir eine erfolgreiche Missionsarbeit nicht gönnen; andere aber lassen sich bei ihrer Predigt von den besten Absichten leiten. [16] Sie handeln aus Liebe, weil sie wissen, dass ich im Gefängnis bin, um für die rettende Botschaft einzutreten. [17] Die anderen aber reden von Jesus Christus nur aus Eigennutz. Sie meinen es nicht ehrlich und wollen mir noch zusätzlich Kummer bereiten.

[18] Doch was macht das schon! Wichtig ist allein, dass die rettende Botschaft von Jesus Christus verbreitet wird; mag das nun mit Hintergedanken oder in ehr-

1,1 2,19; Apg 16,1–3* **1,6** 2,13; 3,12–16 **1,7** Eph 3,1; Kol 4,18 **1,8** 2 Kor 6,11–13 **1,9** Röm 12,2; Phlm 6 **1,10** 1 Kor 1,8; 2 Kor 5,10* **1,11** Joh 15,8 **1,12** Apg 9,15–16 **1,13** 2 Tim 2,8–9 **1,15** 2 Kor 2,17

licher Absicht geschehen. Wenn nur jeder erfährt, wer Jesus Christus ist! Darüber freue ich mich, und ich werde mich auch in Zukunft darüber freuen!

[19] Weil ihr für mich betet und Jesus Christus mir durch seinen Geist beisteht, vertraue ich darauf, dass hier alles zum Besten[a] für mich ausgehen wird. [20] Ich hoffe und bin zuversichtlich, dass ich während meiner Gefangenschaft nicht schwach werde und versage, sondern dass Jesus Christus wie bisher, so auch jetzt durch mich bekannt gemacht und geehrt wird, sei es durch mein Leben oder durch meinen Tod.

[21] Denn Christus ist mein Leben und das Sterben für mich nur Gewinn. [22] Weil ich aber mehr für Christus erreichen kann, wenn ich am Leben bleibe, weiß ich nicht, was ich mir wünschen soll. [23] Beides erscheint mir verlockend: Manchmal würde ich am liebsten schon jetzt sterben, um bei Christus zu sein. Gibt es etwas Besseres? [24] Andererseits habe ich bei euch noch eine wichtige Aufgabe zu erfüllen. [25] Deshalb bin ich auch davon überzeugt, dass ich am Leben bleiben und zu euch zurückkommen werde. Dann will ich euch helfen, damit euer Glaube wächst und eure Freude noch größer wird. [26] Wenn ich erst wieder bei euch bin, werdet ihr noch mehr loben und danken können für alles, was Jesus Christus durch mich getan hat.

Das Vorrecht, für Christus zu leiden

[27] Vor allem ist wichtig, dass ihr als ganze Gemeinde so lebt, wie es der rettenden Botschaft entspricht. Ob ich nun bei euch sein kann und es mit eigenen Augen sehe oder ob ich nur davon höre, ich möchte, dass ihr alle durch Gottes Geist verbunden seid und einmütig für die Ausbreitung dieser Botschaft kämpft. [28] Lasst euch auf keinen Fall von euren Gegnern einschüchtern! Euer Mut wird ihnen zeigen, dass sie verloren sind, ihr aber von Gott gerettet werdet. [29] Ihr habt nicht nur das Vorrecht, an Christus zu glauben, ihr dürft sogar für ihn leiden. [30] Damit kämpft ihr nun denselben Kampf wie ich. Und wie dieser Kampf aussieht, habt ihr ja früher selbst mit angesehen. Jetzt kann ich euch davon nur berichten.

Seht auf Jesus Christus!

2 Es gibt über euch so viel Gutes zu berichten: Ihr ermutigt euch als Christen gegenseitig und seid zu liebevollem Trost bereit. Man spürt bei euch etwas von der Gemeinschaft, die der Geist Gottes bewirkt, und herzliche, mitfühlende Liebe verbindet euch. [2] Darüber freue ich mich sehr. Vollkommen aber ist meine Freude, wenn ihr euch ganz einig seid, in der einen Liebe miteinander verbunden bleibt und fest zusammenhaltet. [3] Weder Eigennutz noch Streben nach Ehre sollen euer Handeln bestimmen. Im Gegenteil, seid bescheiden, und achtet den anderen mehr als euch selbst. [4] Denkt nicht an euren eigenen Vorteil, sondern habt das Wohl der anderen im Auge. [5] Seht auf Jesus Christus:

[6] Obwohl er in göttlicher Gestalt war,
hielt er nicht selbstsüchtig daran fest,
Gott gleich zu sein.

[7] Nein, er verzichtete darauf und wurde
einem Sklaven gleich: Er nahm menschliche Gestalt an und wurde wie jeder andere Mensch geboren.

[8] Er erniedrigte sich selbst und war Gott
gehorsam bis zum Tod, ja, bis zum
schändlichen Tod am Kreuz.

[9] Darum hat ihn Gott erhöht und ihm den
Namen gegeben, der über allen Namen
steht.

[10] Vor Jesus werden einmal alle auf die

---

[a] Wörtlich: zum Heil.

1,19 Kol 4,3–4* **1,20** 2,17 **1,21** Röm 14,9; 2 Kor 5,15 **1,23** 2 Kor 5,7–9 **1,25** 2,24 **1,27** 4,9; Röm 12,10*; 1 Kor 1,10 **1,28** 2 Thess 1,4–5 **1,29–30** 2 Tim 3,12* **2,1–5** Röm 12,10*.13–16; 1 Kor 10,24; Gal 5,13–16 **2,3** Gal 5,26 **2,5–6** Joh 1,14; 17,5 **2,7** Röm 8,3; 2 Kor 8,9; Gal 4,4 **2,8** Mt 26,39; Hebr 5,8 **2,9–11** Mt 28,18; Eph 1,21–22; Hebr 1,3; Röm 14,11

Knie fallen: alle im Himmel, auf der Erde und im Totenreich.
[11] Und jeder ohne Ausnahme soll zur Ehre Gottes, des Vaters, bekennen: Jesus Christus ist der Herr!

Viel Grund zur Freude

[12] Meine lieben Freunde! Ihr habt immer befolgt, was ich euch geraten habe. Hört aber nicht nur auf mich, wenn ich bei euch bin, sondern erst recht während meiner Abwesenheit. Arbeitet mit Furcht und Zittern an eurer Rettung. [13] Und doch ist es Gott allein, der beides in euch bewirkt: Er schenkt euch den Willen und die Kraft, ihn auch so auszuführen, wie es ihm gefällt.

[14] Bei allem, was ihr tut, hütet euch vor Nörgeleien und Zweifel. [15] Dann wird euer Leben hell und makellos sein, und ihr werdet als Gottes vorbildliche Kinder mitten in dieser verdorbenen und dunklen Welt leuchten wie Sterne in der Nacht. [16] Dazu müsst ihr unerschütterlich an der Botschaft Gottes festhalten, die euch das Leben bringt. Wenn Jesus Christus dann kommt, kann ich stolz auf euch sein, dass ich nicht umsonst zu euch gekommen bin und mich nicht vergeblich um euch gemüht habe.

[17] Und selbst wenn ich sterben muss und mein Blut wie Opferblut vergossen wird im Dienst für euren Glauben, so bin ich doch voller Freude. Ja, ich freue mich mit euch allen. [18] Freut ihr euch ebenso, freut euch mit mir!

Zuverlässige Mitarbeiter

[19] Im Vertrauen auf unseren Herrn Jesus hoffe ich, dass ich Timotheus bald zu euch schicken kann. Könnte er mir doch endlich berichten, wie es euch geht, denn das würde auch mir neuen Mut geben! [20] Mit niemandem bin ich im Glauben so verbunden wie mit Timotheus, und kein anderer wird sich so aufrichtig um euch kümmern wie er. [21] Alle anderen beschäftigen sich mit ihren eigenen Angelegenheiten und nicht mit dem, was Jesus Christus will. [22] Aber ihr wisst ja selbst, wie zuverlässig Timotheus ist. Wie ein Kind seinem Vater hilft, so hat er sich eingesetzt und mit mir die rettende Botschaft verkündet. [23] Ich will ihn zu euch schicken, sobald ich weiß, wie es hier mit mir weitergeht. [24] Im Übrigen hat mir der Herr die Zuversicht geschenkt, dass ich bald selbst zu euch kommen kann.

[25] Ich hielt es für notwendig, Epaphroditus zu euch zurückzuschicken. Er hat mir eure Gaben überbracht und hat mir beigestanden. Nun, er ist mir wirklich ein Bruder, ein guter Mitarbeiter und Mitkämpfer geworden. [26] Inzwischen aber hat er große Sehnsucht nach euch allen. Es hat ihn sehr beunruhigt, dass ihr von seiner Krankheit erfahren habt. [27] Tatsächlich war er todkrank, aber Gott hatte Erbarmen mit ihm und auch mit mir. Er wollte mir zusätzliche Trauer ersparen.

[28] Jetzt soll Epaphroditus so schnell wie möglich zu euch zurückkehren. Ihr sollt ihn gesund wiedersehen und euch über ihn freuen. Dann werde auch ich eine Sorge weniger haben. [29] Nehmt ihn voller Freude als euren Bruder auf. Menschen wie ihn sollt ihr achten und ehren. [30] Denn als er die Botschaft von Jesus Christus verkündete, setzte er sein Leben aufs Spiel. Weil ihr nichts für mich tun konntet, hat er mir an eurer Stelle geholfen und wäre dabei selbst fast gestorben.

Was Christus getan hat, das zählt

3 Was auch immer geschehen mag, meine lieben Brüder und Schwestern: Freut euch, weil ihr zum Herrn gehört! Ich werde nicht müde, euch das immer und immer wieder zu sagen; weiß ich doch, dass es euch Gewissheit gibt.

2,12 2 Kor 7,1; 1 Petr 1,17 **2,13** 1,6; 2 Thess 1,11 **2,15** Mt 5,14; Eph 5,8–9; Röm 8,14–15* **2,16** 1 Thess 2,19–20 **2,17** 1,21–22; 2 Tim 4,6–8 **2,18** 3,1; 4,4 **2,19–23** 1,1; Apg 16,1–3* **2,21** Gal 5,16–17 **2,24** 1,25 **2,25** 4,18 **3,1** 2,18; 4,4

[2]Hütet euch aber vor allen, die eure Gemeinde zerstören wollen. Sie sind wie bösartige Hunde, diese falschen Lehrer, die euch einreden wollen, dass ihr euch beschneiden lassen müsst. [3]Nicht durch die Beschneidung sind wir Gottes Volk, sondern weil Gott uns seinen Geist geschenkt hat und wir ihm dienen. Wir verlassen uns auf Jesus Christus und nicht länger auf das, was wir selbst tun können.

[4]Ich selbst könnte mich mit größerem Recht als manch anderer auf diese Vorzüge berufen, wenn es wirklich auf die Beschneidung ankäme. [5]Ich wurde acht Tage nach meiner Geburt beschnitten, wie es das Gesetz vorschreibt. Ich stamme aus dem Volk Israel und sogar aus dem Stamm Benjamin. Von Geburt an bin ich Hebräer wie schon alle meine Vorfahren. Außerdem gehörte ich zu den Pharisäern, der Gruppe, die am strengsten darauf achtet, dass Gottes Gesetz eingehalten wird. [6]Ich habe die christliche Gemeinde mit fanatischem Eifer verfolgt und die Regeln des Gesetzes bis in alle Einzelheiten erfüllt. Gemessen an dem, was das Gesetz fordert, brauchte ich mir nichts vorzuwerfen.

[7]Aber seit ich Christus kenne, ist für mich alles wertlos, was ich früher für so wichtig gehalten habe. [8]Denn das ist mir klar geworden: Gegenüber dem unvergleichlichen Gewinn, dass Jesus Christus mein Herr ist, hat alles andere seinen Wert verloren. Ja, alles andere ist für mich nur noch Dreck, wenn ich bloß Christus habe. [9]Zu ihm will ich gehören. Durch meine Leistung kann ich vor Gott nicht bestehen, selbst wenn ich das Gesetz genau befolge. Was Gott durch Christus für mich getan hat, das zählt. Darauf will ich vertrauen. [10]Um Christus allein geht es mir. Ihn will ich immer besser kennen lernen und die Kraft seiner Auferstehung erfahren, aber auch seine Leiden möchte ich mit ihm teilen und seinen Tod mit ihm sterben. [11]Dann werde ich auch mit allen, die an Christus glauben, von den Toten auferstehen.

Unterwegs zum Ziel

[12]Dabei ist mir klar, dass ich dies alles noch lange nicht erreicht habe, dass ich noch nicht am Ziel bin. Doch ich setze alles daran, das Ziel zu erreichen, damit der Siegespreis einmal mir gehört, wie ich jetzt schon zu Jesus Christus gehöre. [13]Wie gesagt, meine lieben Brüder und Schwestern, ich weiß genau: Noch habe ich den Preis nicht in der Hand. Aber eins steht fest: Ich will alles vergessen, was hinter mir liegt, und schaue nur noch auf das Ziel vor mir. [14]Mit aller Kraft laufe ich darauf zu, um den Siegespreis zu gewinnen, das Leben in Gottes Herrlichkeit. Denn dazu hat uns Gott durch Jesus Christus berufen.

[15]Wir alle, die wir auf dem Weg zum Ziel sind,[a] wollen uns so verhalten. Wenn ihr in dem einen oder anderen Punkt nicht meiner Meinung seid, wird Gott euch noch Klarheit und Einsicht schenken. [16]Doch an dem, was ihr schon erreicht habt, müsst ihr auf jeden Fall festhalten. Bleibt nicht auf halbem Wege stehen!

[17]Liebe Brüder und Schwestern, nehmt euch ein Beispiel an mir und an den Menschen, die so leben wie ich. [18]Ich habe es euch schon oft gesagt, und jetzt beschwöre ich euch unter Tränen: Hütet euch vor allen, die sich Christen nennen, aber durch ihr Leben erkennen lassen, dass sie Feinde des Kreuzes Jesu Christi sind.

[19]Ihr Weg führt unausweichlich ins Verderben. Im Grunde leben sie nur für ihre Triebe und Begierden, und statt sich dafür zu schämen, sind sie auch noch stolz darauf. Sie denken an nichts ande-

[a] Wörtlich: die vollkommen sind.

3,2 Gal 5,12 **3,3** Röm 3,28–29; Gal 5,6 **3,4–5** 3 Mo 12,3; Apg 22,3; 23,6; Röm 11,1 **3,6** Apg 8,3*; Gal 1,14 **3,7–8** Mt 16,25–26 **3,9** Röm 9,32; 10,3–4; Gal 2,16*; Eph 2,8–9 **3,10–11** Röm 8,17; 2 Kor 4,10–11 **3,12–14** 1 Kor 9,24–27; 1 Tim 6,12 **3,17** 1 Kor 11,1* **3,18** Eph 5,6–7 **3,19** Röm 16,18

res als an das Leben auf dieser Erde. [20] Wir dagegen haben unsere Heimat im Himmel. Von dort erwarten wir auch Jesus Christus, unseren Retter. [21] Dann wird unser hinfälliger, sterblicher Leib verwandelt und seinem auferstandenen, unvergänglichen Leib gleich werden. Denn Christus hat die Macht, alles seiner Herrschaft zu unterwerfen.

Wie Christen leben sollen

4 Meine lieben Brüder und Schwestern, ich habe große Sehnsucht nach euch, denn ihr seid meine ganze Freude, die Krönung meiner Arbeit. Bleibt nur fest in eurem Glauben an den Herrn!

[2] Evodia und Syntyche sollen sich wieder vertragen. Sie glauben doch beide an den Herrn Jesus Christus. [3] Vielleicht kannst du, Syzygus, mein treuer Mitarbeiter, den Frauen dabei helfen! Schließlich haben die beiden gemeinsam mit Klemens und meinen anderen Mitarbeitern für die Verbreitung der rettenden Botschaft gekämpft. Gott hat ihre Namen in das Buch des Lebens eingetragen.

[4] Freut euch Tag für Tag, dass ihr zum Herrn gehört. Und noch einmal will ich es sagen: Freut euch! [5] Alle Menschen sollen eure Güte und Freundlichkeit erfahren. Der Herr kommt bald! [6] Macht euch keine Sorgen! Ihr dürft Gott um alles bitten. Sagt ihm, was euch fehlt, und dankt ihm! [7] Und Gottes Friede, der all unser Verstehen übersteigt, wird eure Herzen und Gedanken im Glauben an Jesus Christus bewahren.

[8] Schließlich, meine lieben Brüder und Schwestern, orientiert euch an dem, was wahrhaftig, gut und gerecht, was redlich und liebenswert ist und einen guten Ruf hat, an dem, was auch bei euren Mitmenschen als Tugend gilt und Lob verdient. [9] Haltet an der Botschaft fest, die ihr von mir gehört und angenommen habt. Richtet euch nach dem, was ich euch gelehrt habe, und lebt nach meinem Vorbild. Dann wird Gott bei euch sein und euch seinen Frieden schenken.

Dank für die Hilfe der Philipper

[10] Ich habe mich sehr gefreut und bin dem Herrn von Herzen dankbar, dass es euch wieder möglich war, mich finanziell zu unterstützen. Ihr wart zwar immer dazu bereit, aber wurdet in letzter Zeit durch die ungünstigen Umstände daran gehindert.

[11] Ich sage das nicht, um euch auf meine Not aufmerksam zu machen. Schließlich habe ich gelernt, in jeder Lebenslage zurechtzukommen. [12] Ob ich nun wenig oder viel habe, beides ist mir durchaus vertraut, und so kann ich mit beidem fertig werden: Ich kann satt sein und hungern; ich kann Mangel leiden und Überfluss haben. [13] Alles kann ich durch Christus, der mir Kraft und Stärke gibt.

[14] Trotzdem war es sehr freundlich von euch, mir in meiner Notlage zu helfen. [15] Ihr wisst ja, dass ich mich von keiner anderen Gemeinde als von euch in Philippi habe unterstützen lassen. Gleich von Anfang an, als ich von Mazedonien weiterzog, um die rettende Botschaft zu verkünden, wart ihr die Einzigen, von denen ich als Gegenleistung für meinen Dienst Geld annahm. [16] Ihr habt schon an meinen Lebensunterhalt gedacht, als ich in Thessalonich war, und danach habt ihr mir noch mehrmals geholfen. [17] Dabei geht es mir gar nicht um das Geschenk, sondern um die Frucht, die daraus erwächst: Gott wird euch für eure Liebe und Fürsorge belohnen.

[18] Ich habe alles bekommen, was mir

3,20 Joh 14,2–3; Eph 2,19; Kol 3,2; Hebr 12,22–23; Tit 2,13* **3,21** 1 Kor 15,51–53 **4,1** 1 Thess 2,20 **4,2** 2,2; Röm 12,16 **4,3** Offb 13,8* **4,4** 2,18; 3,1 **4,5** Mt 24,44; Röm 13,11–12; 1 Thess 5,2; Hebr 10,25; Offb 22,20 **4,6** Mt 6,25–34; 1 Petr 5,7 **4,7** Joh 14,27; Kol 3,15 **4,9** Gal 1,8–9; 1 Kor 11,1* **4,10** 2,25 **4,11–12** 2 Kor 6,10; 1 Tim 6,6–8 **4,13** Eph 3,16 **4,14–16** 2 Kor 11,9 **4,18** 2,25

Epaphroditus von euch überbrachte. Nun habe ich alles, was ich brauche, ja, mehr als das! Eure Gabe ist wie ein wohlriechendes Opfer, das Gott gefällt. [19] Aus seinem Reichtum wird euch Gott, dem ich gehöre, durch Jesus Christus alles geben, was ihr zum Leben braucht. [20] Gott, unserem Vater, sei Lob und Ehre in Ewigkeit. Amen.

Herzliche Grüße

[21] Grüßt alle Christen in Philippi von mir. Herzliche Grüße von den Brüdern, die bei mir sind. [22] Auch alle anderen Christen hier grüßen euch, besonders die im kaiserlichen Dienst.

[23] Die Gnade unseres Herrn Jesus Christus sei mit euch allen!

Der Brief des Paulus an die Christen in Kolossä

Anschrift und Gruß

1 Paulus, ein Apostel Jesu Christi, von Gott berufen, und sein Mitarbeiter Timotheus [2]senden diesen Brief an die Brüder und Schwestern in Kolossä, die zu Gott gehören und mit denen wir im Glauben verbunden sind. Wir wünschen euch Gnade und Frieden von Gott, unserem Vater.

Wir beten für euch

[3]Jedes Mal wenn wir für euch beten, danken wir Gott, dem Vater unseres Herrn Jesus Christus. [4]Wir haben von eurem Glauben an Jesus Christus gehört und davon, wie ihr allen Christen in Liebe verbunden seid. [5]Dazu seid ihr fähig, weil ihr wisst, dass sich eure Hoffnung im Himmel erfüllen wird. Von dieser Hoffnung habt ihr gehört, als man euch das Wort der Wahrheit, die rettende Botschaft von Jesus Christus, verkündete.

[6]Diese Botschaft wird nicht nur bei euch, sondern auch in der ganzen Welt verbreitet. Immer mehr Menschen hören sie, nehmen sie an, und so trägt sie reiche Frucht. Auch bei euch ist es vom ersten Tag an so gewesen, als ihr erkannt habt, wie barmherzig Gott ist. [7]Euch brachte unser lieber Mitarbeiter Epaphras diese rettende Botschaft. Wir wissen, dass er Christus dient und dass er euch ein treuer und guter Lehrer war. [8]Er hat uns auch davon berichtet, welche Liebe untereinander der Geist Gottes in euch geweckt hat.

[9]Seitdem haben wir nicht aufgehört, für euch zu beten und Gott darum zu bitten, dass ihr seinen Willen erkennt und sein Geist euch mit Weisheit und Einsicht erfüllt. [10]Dann nämlich könnt ihr so leben, dass der Herr dadurch geehrt wird. Er hat Gefallen daran, wenn ihr immer mehr Gutes tut. Ihr sollt ihn immer besser kennen lernen [11/12]und seine göttliche Kraft erfahren, damit ihr geduldig und ausdauernd euren Weg gehen könnt.

Ihr habt wirklich allen Grund, Gott, dem Vater, voll Freude dafür zu danken, dass ihr einmal mit allen anderen Christen bei ihm sein dürft, in seinem Reich des Lichts. [13]Er hat uns aus der Gewalt der Finsternis befreit, und nun leben wir in der neuen Welt seines geliebten Sohnes Jesus Christus. [14]Durch ihn sind wir erlöst, unsere Sünden sind vergeben.

Christus, der Ursprung allen Lebens

[15]Christus ist das Ebenbild des unsichtbaren Gottes, er war als Erster vor Beginn der Schöpfung da.

[16]Durch ihn ist alles erschaffen, was im Himmel und auf der Erde ist: Sichtbares und Unsichtbares, Königreiche und Mächte, Herrscher und Gewalten. Alles ist durch ihn und für ihn geschaffen.

[17]Denn Christus war vor allem anderen; und alles besteht durch ihn.

[18]Er ist das Haupt der Gemeinde, die sein Leib ist. Er ist der Ursprung allen Lebens, der auch als Erster von den Toten zu neuem Leben auferstand, damit er in jeder Hinsicht der Erste sei.

[19]Denn Gott hat beschlossen, mit seiner ganzen Fülle in ihm zu wohnen.

1,1 Apg 16,1–3* **1,3** Röm 1,8 **1,5** 1,27; 1 Petr 1,3–4 **1,6** Mk 13,10 **1,7** Phlm 23 **1,9–10** Eph 1,15–17; Phil 1,9 **1,11–12** Hebr 12,28 **1,13** 2,15; Apg 26,18; Eph 1,21–23 **1,14** Eph 1,7 **1,15–17** Röm 11,36; 1 Kor 8,6; Hebr 1,2–3 **1,15** 2 Kor 4,4 **1,16** Offb 3,14 **1,18** Eph 1,19–23; 4,15–16; Offb 1,5 **1,19–20** 2,9; 2 Kor 5,18–21*

[20] Alles im Himmel und auf der Erde sollte durch Christus mit Gott wieder versöhnt werden, alles hat Frieden gefunden, als er am Kreuz sein Blut vergoss.

[21] Auch ihr wart einmal weit weg von Gott, ihr wart seine Feinde durch alles Böse, das ihr gedacht und getan habt. [22] Durch seinen Tod hat euch Christus mit Gott versöhnt. Jetzt steht ihr ohne Sünde und ohne jeden Makel vor Gott. [23] Bleibt nur fest und unerschütterlich in eurem Glauben, und lasst euch durch nichts davon abbringen! Keine Macht der Erde soll euch die Hoffnung dieser rettenden Botschaft rauben, die ihr gehört habt und die überall in der Welt verkündet worden ist. Im Auftrag Gottes sage ich, Paulus, diese Botschaft weiter.

Paulus verkündet die Botschaft im Auftrag Gottes

[24] Was ich auch immer für euch erleiden muss, nehme ich gern auf mich; ich freue mich sogar darüber. Das Maß der Leiden, die ich für Christus auf mich nehmen muss, ist noch nicht voll. Und ich leide für seinen Leib, für seine Gemeinde. [25] Gott hat mir aufgetragen, seiner Gemeinde zu dienen und euch seine Botschaft ohne Abstriche zu verkünden. [26] Ihr habt erfahren, was von Anfang der Welt, was allen Menschen vor euch verborgen war: ein Geheimnis, das jetzt allen Christen enthüllt worden ist. [27] Ihnen wollte Gott zeigen, wie unbegreiflich und wunderbar dieses Geheimnis ist, das allen Menschen auf dieser Erde gilt: Christus lebt mitten unter euch. Er hat euch die Hoffnung auf die Herrlichkeit Gottes geschenkt.

[28] Diesen Christus verkünden wir euch. Mit aller Weisheit, die Gott mir gegeben hat, ermahne ich die Menschen und unterweise sie im Glauben, damit jeder Einzelne durch die Verbindung mit Christus reif und mündig wird. [29] Das ist das Ziel meiner Arbeit, dafür kämpfe ich, und dafür mühe ich mich ab. Christus, der mit seiner Macht in mir wirkt, schenkt mir die Kraft dazu.

2 Ihr sollt wissen, wie sehr ich um euch kämpfe, auch um die Gemeinde in Laodizea und um all die anderen, die mich persönlich noch gar nicht kennen. [2] Gott möge euch Mut und Kraft geben und euch in der Liebe Christi zusammenhalten. Er schenke euch tiefes Verstehen, damit ihr die ganze Größe seines Geheimnisses erkennt. Dieses Geheimnis ist Christus. [3] In ihm sind alle Schätze der Weisheit und Erkenntnis verborgen.

[4] Ich sage das, damit ihr euch von niemandem durch wohlklingende Worte auf einen falschen Weg bringen lasst. [5] Zwar bin ich weit von euch entfernt, aber im Geist bin ich mit euch allen verbunden. Ich bin glücklich, wenn ich sehe, wie fest ihr zusammensteht und wie unerschütterlich ihr an Christus glaubt.

Bleibt mit Christus verbunden

[6] Ihr habt Jesus Christus als euren Herrn angenommen; nun lebt auch in der Gemeinschaft mit ihm. [7] Wie ein Baum in der Erde, so sollt ihr in Christus fest verwurzelt bleiben, und nur er soll das Fundament eures Lebens sein. Haltet fest an dem Glauben, den man euch lehrte. Für das, was Gott euch geschenkt hat, könnt ihr gar nicht dankbar genug sein.

[8] Fallt nicht auf Weltanschauungen und Hirngespinste herein. All das haben sich Menschen ausgedacht; aber hinter ihren Gedanken stehen dunkle Mächte und nicht Christus. [9] Nur in Christus ist Gott wirklich zu finden, denn in ihm lebt er in seiner ganzen Fülle. [10] Deshalb lebt Gott auch in euch, wenn ihr mit Christus verbunden seid. Er ist der Herr über alle Mächte und Gewalten.

1,21–22 Röm 1,18; 5,9–10; Tit 2,14 **1,23** 2,7; 1 Kor 15,58 **1,24** Mk 13,9; Phil 1,29–30; 2 Tim 3,12* **1,26** Eph 3,11 **1,27** 2,2; Joh 14,6; Tit 2,13* **1,28** Eph 4,13 **2,2** 1,26–27; Eph 3,17–19; 5,2; 1 Tim 3,16 **2,3** 1 Kor 1,23–25.30 **2,4** Röm 16,17–18 **2,6–7** 1,23; Eph 3,17 **2,8** Mt 7,15; Röm 16,17; Tit 3,10–11 **2,9** 1,19; Joh 1,14 **2,10** Eph 1,21; Phil 2,9–11

[11]Durch euren Glauben an Christus habt ihr euer altes, sündiges Leben aufgegeben, seid auch ihr Beschnittene. Zwar nicht durch eine Beschneidung, wie sie der Priester im Tempel durchführt, sondern durch die Beschneidung, wie ihr sie durch Christus erfahren habt.

[12]Denn durch die Taufe ist euer altes Leben beendet; ihr wurdet mit Christus begraben. Aber ihr seid auch mit ihm zu einem neuen Leben auferweckt worden durch den Glauben an die Kraft Gottes, der Christus von den Toten auferstehen ließ. [13]Früher wart ihr unbeschnitten, denn eure Schuld trennte euch von Gott. In seinen Augen wart ihr tot, aber er hat euch mit Christus lebendig gemacht und alle Schuld vergeben.

[14]Gott hat den Schuldschein, der uns mit seinen Forderungen so schwer belastete, eingelöst und auf ewig vernichtet, indem er ihn ans Kreuz nagelte. [15]Auf diese Weise wurden die finsteren dämonischen Mächte entmachtet und in ihrer Ohnmacht bloßgestellt, als Christus über sie am Kreuz triumphierte.

Freiheit durch Christus

[16]Darum lasst euch keine Vorschriften machen über eure Ess- und Trinkgewohnheiten oder bestimmte Feiertage, über den Neumondtag und über das, was man am Sabbat tun darf oder nicht. [17]Das alles sind nur schwache Abbilder, ein Schatten von dem, was in Christus Wirklichkeit geworden ist.

[18]Lasst euch deshalb durch niemanden von eurem Ziel abbringen. Schon gar nicht von solchen Leuten, die sich in falsch verstandener Demut gefallen, zu Engeln beten und sich dabei stolz auf ihre Visionen berufen! Diese Menschen haben nicht den geringsten Grund, sich derart aufzuspielen. Sie drehen sich ja doch nur um sich selbst [19]und halten sich nicht mehr an Christus, der doch das Haupt der Gemeinde ist. Denn nur von ihm her kann die Gemeinde als sein Leib zusammengehalten werden und so wachsen und gedeihen, wie Gott es will[a].

[20]Wenn ihr nun mit Christus gestorben seid, dann habt ihr euch auch vom Wesen dieser Welt und ihren Mächten losgesagt. Weshalb unterwerft ihr euch dann von neuem ihren Forderungen und lebt so, als wäre diese Welt für euch maßgebend? [21]Weshalb lasst ihr euch vorschreiben: »Du darfst dieses nicht anfassen, jenes nicht essen und ganz bestimmte Dinge nicht berühren«? [22]Sie alle sind doch dazu da, dass man sie für sich nutzt und verzehrt. Warum also lasst ihr euch noch Vorschriften von Menschen machen? [23]Möglich, dass manche, die danach leben, den Anschein von Weisheit erwecken, zumal sie fromm wirken, sich bescheiden geben und bei asketischen Übungen ihren Körper nicht schonen. Doch das alles bringt uns Gott nicht näher, sondern es dient ausschließlich menschlichem Ehrgeiz und menschlicher Eitelkeit.

3

Wenn ihr nun mit Christus zu einem neuen Leben auferweckt worden seid, dann richtet euer ganzes Leben nach ihm aus. Seht dahin, wo Christus ist, auf dem Ehrenplatz an Gottes rechter Seite. [2]Richtet eure Gedanken auf Gottes unsichtbare Welt und nicht auf das, was die irdische Welt zu bieten hat. [3]Denn für sie seid ihr gestorben, aber Gott hat euch mit Christus bereits ewiges Leben geschenkt, auch wenn das jetzt noch verborgen ist. [4]Doch wenn Christus, unser Leben, erscheinen wird, dann wird in Herrlichkeit sichtbar werden, dass ihr mit ihm lebt.

---

[a] Wörtlich: und – gestützt durch Gelenke und Bänder – so wachsen und gedeihen, wie Gott es will.

2,11 Röm 2,29 **2,12** Röm 6,3–4; Kol 3,1 **2,13** Eph 2,1 **2,14–15** 1 Petr 2,24; 1 Joh 4,9–10; Röm 8,38–39 **2,16–17** Röm 14,1–6; Gal 4,9–11; Hebr 9,10 **2,19** 1,18 **2,20–21** Gal 4,9–11 **2,22** Mk 7,14–15 **2,23** 1 Tim 4,8 **3,1** 2,12; Röm 8,34*; Eph 1,19–20 **3,2–3** Röm 2,7; 6,2; Gal 2,19–20 **3,4** 1 Joh 3,2

Wie Christen leben sollen

[5] Also trennt euch ganz entschieden von allen selbstsüchtigen Wünschen, wie sie für diese Welt kennzeichnend sind! Trennt euch von sexueller Zügellosigkeit und von ausschweifendem Leben, von Leidenschaften und Lastern, aber auch von der Habgier, die den Besitz für das Wichtigste hält und ihn zu ihrem Gott macht! [6] Wer diese Dinge in seinem Leben duldet, wird Gottes Zorn zu spüren bekommen.

[7] Auch ihr habt früher so gelebt. [8] Aber jetzt ist es Zeit, das alles abzulegen. Lasst euch nicht mehr von Zorn und Hass beherrschen. Schluss mit aller Bosheit! Redet nicht schlecht übereinander, und beleidigt niemanden! [9] Hört auf, euch gegenseitig zu belügen. Ihr habt doch euer früheres Leben mit allem, was dazugehörte, wie alte Kleider abgelegt. [10] Jetzt habt ihr neue Kleider an, denn ihr seid neue Menschen geworden. Gott hat euch erneuert, und ihr entsprecht immer mehr dem Bild, nach dem er euch geschaffen hat. So habt ihr Gemeinschaft mit Gott und versteht immer besser, was ihm gefällt. [11] Dann ist unwichtig, ob einer Grieche oder Jude ist, beschnitten oder unbeschnitten, ob er aus einem Volk ohne hohe Kultur kommt, ob er aus einem Nomadenvolk stammt, ob er ein Sklave oder Herr ist. Wichtig ist einzig und allein Christus, der in allen lebt.

[12] Ihr seid von Gott auserwählt und seine geliebten Kinder, die zu ihm gehören. Darum sollt ihr euch untereinander auch herzlich lieben mit Barmherzigkeit, Güte, Bescheidenheit, Nachsicht und Geduld. [13] Ertragt einander, und seid bereit, einander zu vergeben, selbst wenn ihr glaubt, im Recht zu sein. Denn auch Christus hat euch vergeben. [14] Wichtiger als alles andere ist die Liebe. Wenn ihr sie habt, wird euch nichts fehlen. Sie ist das Band, das euch verbindet. [15] Und der Friede, den Christus schenkt, soll euer ganzes Leben bestimmen. Gott hat euch dazu berufen, als Gemeinde Jesu in diesem Frieden ein Leib zu sein. Dankt Gott dafür!

[16] Lasst die Botschaft von Christus ihren ganzen Reichtum bei euch entfalten. Unterweist und ermahnt euch gegenseitig mit aller Weisheit, und dankt Gott von ganzem Herzen mit Psalmen, Lobgesängen und Liedern, die euch Gottes Geist schenkt. Ihr habt doch Gottes Gnade erfahren![a] [17] All euer Tun – euer Reden wie euer Handeln – soll zeigen, dass Jesus euer Herr ist. Weil ihr mit ihm verbunden seid, könnt ihr Gott, dem Vater, für alles danken.

[18] Ihr Frauen, ordnet euch euren Männern unter. So erwartet es Christus, der Herr, von euch. [19] Ihr Männer, liebt eure Frauen und kränkt sie nicht. [20] Ihr Kinder, seid euren Eltern in allen Dingen gehorsam; denn das gefällt dem Herrn. [21] Ihr Väter, behandelt eure Kinder nicht zu streng, damit sie nicht ängstlich und mutlos werden.

[22] Ihr Sklaven, gehorcht in allem euren Herren! Tut dies nicht nur, wenn sie euch dabei beobachten und ihr von ihnen anerkannt werden wollt. Verrichtet eure Arbeit aufrichtig und in Ehrfurcht vor Gott. [23] Denkt bei allem daran, dass ihr für den Herrn und nicht für die Menschen arbeitet. [24] Als Lohn dafür wird Gott euch das Erbe geben, das er versprochen hat. Das wisst ihr ja. Denn Jesus Christus ist euer wahrer Herr! [25] Wer allerdings Unrecht tut, wird auch dafür den entsprechenden Lohn bekommen. Gott beurteilt alle Menschen gleich, egal, welches Ansehen sie genießen.

4 Ihr Herren, behandelt eure Sklaven gerecht und anständig. Denkt immer

---

[a] Wörtlich: die euch Gottes Geist schenkt, in Gnade. Oder: mit Danksagung.

3,5–6 Eph 5,3–5 **3,8** Eph 4,29–32 **3,9–10** Röm 12,2; Gal 1,4; Eph 4,21–24; 1 Thess 5,21–22 **3,11** Röm 3,29–30; 10,12–13 **3,12** Röm 8,14–15*; 1 Joh 4,19–21 **3,13–14** Röm 12,9–16; 1 Kor 10,24; Eph 4,1–3; Phil 2,2–5 **3,15** Joh 14,27; 16,33; Phil 4,7 **3,16–17** Eph 5,19–20 **3,18** Eph 5,22–23; 1 Petr 3,1–6 **3,19** Eph 5,28–33; 1 Thess 4,4; 1 Petr 3,7 **3,20** 2 Mo 20,12*; Lk 2,51; Eph 6,1–3 **3,21** Eph 6,4 **3,22–24** Eph 6,5–8; 1 Tim 6,1–2; Tit 2,9–10; 1 Petr 2,18 **3,25** 2 Kor 5,10* **4,1** Eph 6,9

daran, dass ihr denselben Herrn im Himmel habt wie sie.

Für andere leben

[2] Lasst euch durch nichts vom Gebet abbringen, und vergesst dabei nicht, Gott zu danken. [3] Betet auch für uns, damit Gott uns eine Möglichkeit gibt, sein Geheimnis zu verkünden: die Botschaft von Christus, für die ich hier im Gefängnis sitze. [4] Und betet, dass ich frei und offen von dem reden kann, was mir aufgetragen wurde.

[5] Verhaltet euch klug und besonnen denen gegenüber, die keine Christen sind. Nutzt die wenige Zeit, die euch noch bleibt! [6] Redet mit jedem Menschen freundlich; alles, was ihr sagt, soll gut und hilfreich sein[a]. Bemüht euch darum, für jeden die richtigen Worte zu finden.

Persönliche Grüße und Wünsche

[7] Unser lieber Bruder Tychikus wird euch ausführlich berichten, wie es mir geht. Er ist mein treuer Mitarbeiter und dient dem Herrn. [8] Ich schicke ihn gerade deshalb zu euch, damit ihr erfahrt, wie es uns geht, und damit er euch ermutigt und weiterhilft. [9] Mit ihm zusammen schicke ich Onesimus, der ja zu euch gehört. Auch ihn schätze ich als treuen und lieben Bruder. Beide werden euch alles erzählen, was hier geschehen ist.

[10] Aristarch, der zusammen mit mir im Gefängnis ist, lässt euch grüßen, ebenso Markus, der Vetter von Barnabas. Seinetwegen hatte ich euch ja schon geschrieben. Ich bitte euch noch einmal, ihn freundlich aufzunehmen, wenn er zu euch kommt. [11] Auch Jesus Justus schickt euch seine Grüße. Diese drei Männer sind die einzigen Christen jüdischer Herkunft, die sich mit mir für Gottes neue Welt einsetzen. Sie sind mir Trost und Hilfe zugleich.

[12] Epaphras, der zu euch gehört, grüßt euch ebenfalls sehr herzlich. Er dient Jesus Christus und lässt nicht nach, für euch zu beten. Inständig bittet er Gott darum, dass ihr reife Christen werdet und bereit, in allen Dingen Gottes Willen zu erfüllen. [13] Ich kann bezeugen, wie viel Mühe er auf sich nimmt für euch, für die Christen in Laodizea und die in Hierapolis. [14] Freundliche Grüße auch von dem Arzt Lukas, den wir alle sehr schätzen, und von Demas. [15] Grüßt alle Christen in Laodizea von mir, vor allem Nympha und alle, die sich in ihrem Haus versammeln.

[16] Wenn ihr diesen Brief gelesen habt, dann gebt ihn an die Gemeinde in Laodizea weiter. Lest auch den Brief, den ich dorthin geschrieben habe. [17] Und sagt Archippus: Erfüll den Auftrag, den dir der Herr gegeben hat, treu und gewissenhaft!

[18] Und hier noch mein persönlicher Gruß an euch; ich, Paulus, schreibe ihn mit eigener Hand. Vergesst nicht, dass ich im Gefängnis bin!

Gottes Gnade sei mit euch!

---

[a] Wörtlich: mit Salz gewürzt sein.

4,2 Joh 15,7*; Röm 8,26–27; Phil 4,6; 1 Thess 5,17 **4,3–4** Röm 15,30; 2 Kor 1,11; Eph 6,19–20; Phil 1,19; 1 Thess 5,25; 2 Thess 3,1–2; Hebr 13,18–19 **4,5** Eph 5,15–16; 1 Thess 4,12 **4,6** Eph 4,29; 1 Petr 3,15–16 **4,7** Apg 20,4; Eph 6,21–22; 2 Tim 4,12; Tit 3,12 **4,9** Phlm 10–12 **4,10** Apg 19,29; 27,2; 12,25*; 15,37–40 **4,12** Phlm 23 **4,13** 2,1 **4,14** 2 Tim 4,10 **4,18** Eph 3,1; 4,1; Phil 1,7; Gal 6,11

Der erste Brief des Paulus an die Christen in Thessalonich

Anschrift und Gruß

1 Paulus, Silvanus und Timotheus schreiben diesen Brief an die Gemeinde in Thessalonich, die sich zu Gott, dem Vater, und dem Herrn Jesus Christus bekennt. Gott möge euch seine Gnade und seinen Frieden schenken.

Vorbildlicher Glaube

[2]Wir danken Gott von ganzem Herzen für euch alle, jedes Mal wenn wir für euch beten. [3]Vor Gott, unserem Vater, werden wir daran erinnert, mit welcher Selbstverständlichkeit ihr euren Glauben in die Tat umsetzt, mit welcher Liebe ihr für andere sorgt und mit welcher Hoffnung und Geduld ihr auf das Kommen unseres Herrn Jesus Christus wartet. [4]Wir wissen, liebe Brüder und Schwestern, dass Gott euch liebt und auserwählt hat.

[5]Denn wir haben euch die rettende Botschaft verkündet, nicht allein mit Worten, sondern Gottes Macht wirkte durch uns. Sein Heiliger Geist stand uns bei, und so hatten wir große Überzeugungskraft. Ihr wisst selbst, wie wir uns verhielten, während wir bei euch waren: Alles, was wir getan haben, geschah für euch.

[6]Nun seid ihr unserem Beispiel und dem unseres Herrn gefolgt. Und obwohl ihr deswegen viel leiden musstet, habt ihr Gottes Botschaft mit einer solchen Freude aufgenommen, wie sie nur der Heilige Geist schenken kann. [7]So seid ihr für die Christen in ganz Mazedonien und in der Provinz Achaja zum Vorbild geworden.

[8]Aber nicht nur dort hat sich die Botschaft des Herrn durch euch verbreitet, auch an vielen anderen Orten spricht man von eurem Glauben, so dass wir darüber nichts mehr berichten müssen. [9]Im Gegenteil! Überall erzählt man, wie freundlich ihr uns aufgenommen habt, dass ihr nicht länger die toten Götzenstatuen anbetet, sondern zu dem lebendigen, wahren Gott umgekehrt seid und ihm allein dient. [10]Jeder weiß auch, wie sehr ihr auf Gottes Sohn wartet, auf Jesus, den er von den Toten auferweckt hat und der für alle sichtbar kommen wird. Er allein rettet uns vor Gottes Zorn im kommenden Gericht.

Wie alles angefangen hat

2 Ihr wisst ja selbst, liebe Brüder und Schwestern, dass unsere Mühe nicht vergeblich war, als wir zum ersten Mal Gottes Botschaft bei euch verkündeten. [2]Und ihr wisst auch, dass wir vorher in Philippi viel zu leiden hatten und misshandelt worden waren. Aber Gott hat uns den Mut und die Kraft gegeben, euch seine rettende Botschaft zu verkünden – trotz aller Widerstände, mit denen wir fertig werden mussten. [3]Wir erzählen euch keine Märchen, machen euch nichts vor und führen niemanden hinters Licht. [4]Im Gegenteil, Gott selbst hält uns für würdig, die rettende Botschaft zu verkünden – deshalb und nur deshalb reden wir. Wir wollen nicht Menschen damit gefallen, sondern Gott. Ihn können wir nicht täuschen, denn er kennt unser Herz.

[5]Ihr wisst auch, dass wir euch niemals

1,1 Apg 17,1–10 **1,3** 5,8; 1 Kor 13,13 **1,4** 2 Thess 2,13; Eph 1,4 **1,5** 2,8–12; 1 Kor 2,4–5; 4,20 **1,6–7** 1 Kor 11,1* **1,8** Röm 1,8 **1,9** 1 Kor 12,2 **1,10** Tit 2,13*; 1 Thess 5,9–10 **2,1** 1,5 **2,2** Apg 16,16–24 **2,3–4** 2 Kor 4,1–2 **2,5** 2 Thess 3,8

mit Schmeicheleien einfangen wollten und dass es uns nicht um unseren eigenen Vorteil ging. Dafür ist Gott unser Zeuge. [6]Niemals wollten wir bei euch oder anderen Leuten persönliches Ansehen gewinnen.

[7]Als Apostel Jesu Christi hätten wir bei euch auf unsere besondere Autorität pochen können; stattdessen waren wir liebevoll zu euch wie eine stillende Mutter zu ihrem Kind. [8]Aus Liebe zu euch waren wir nicht nur dazu bereit, euch Gottes rettende Botschaft zu verkünden, sondern auch uns selbst, unser ganzes Leben mit euch zu teilen. So sehr hatten wir euch lieb gewonnen.

[9]Liebe Brüder und Schwestern, erinnert euch doch nur einmal daran, wie hart wir damals für unseren Lebensunterhalt gearbeitet haben! Tag und Nacht haben wir uns geplagt; denn wir wollten euch Gottes rettende Botschaft bringen, ohne jemandem zur Last zu fallen. [10]Gott weiß es, und ihr wisst es auch, wie sehr wir in der Gemeinde darauf geachtet haben, so zu leben, wie es Gott gefällt; wir waren vorbildlich und ließen uns nichts zuschulden kommen. [11]Denkt ihr noch daran, dass ich für euch gesorgt habe wie ein Vater für seine Kinder? Dass ich jeden Einzelnen von euch ermahnt und ermutigt, [12]ja, beschworen habe, so zu leben, dass Gott geehrt wird? Denn als seine Kinder hat er euch dazu berufen, in seiner neuen Welt zu leben und seine Herrlichkeit mit ihm zu teilen.

Gottes Kraft wirkt

[13]Immer wieder danken wir Gott dafür, dass ihr unsere Predigt[a] nicht als Menschenwort aufgenommen und verstanden habt, sondern als das, was sie ja tatsächlich ist, als Gottes Wort. Dieses Wort verändert jeden, der daran glaubt. [14]Ihr, liebe Brüder und Schwestern, wurdet wegen eures Glaubens genauso verfolgt wie die Christen in Judäa. Sie hatten von den Juden dasselbe zu erleiden wie ihr von euren Landsleuten. [15]Die Juden haben Jesus Christus getötet, wie sie vorher schon ihre Propheten töteten, und jetzt verfolgen sie auch uns. So missfallen sie Gott. Mit aller Welt sind sie verfeindet, [16]und auch uns wollen sie mit allen Mitteln daran hindern, den Nichtjuden die rettende Botschaft von Jesus Christus zu verkünden. Das Maß ihrer Sünden ist voll; Gottes Zorn lässt sich nicht mehr abwenden. Er wird sie in ganzer Härte treffen.

[17]Liebe Brüder und Schwestern, auch wenn wir uns eine Zeit lang nicht sehen konnten, waren wir in Gedanken doch immer bei euch. Weil wir euch aber unbedingt wiedersehen wollten, haben wir alles Mögliche unternommen, um zu euch zu reisen. [18]Ich, Paulus, versuchte es sogar mehrmals. Aber bisher hat der Satan alle diese Pläne durchkreuzt. [19]Doch wir werden nicht aufgeben. Denn seid ihr nicht unsere Hoffnung und Freude, der Siegespreis, auf den wir stolz sein können, wenn Jesus, unser Herr, kommt? [20]Ja, ihr seid wirklich unser Stolz und unsere Freude!

Besuch des Timotheus in Thessalonich

3 Wir hielten es einfach nicht länger aus, ohne Nachricht von euch zu sein. Deswegen entschlossen wir uns, allein in Athen zu bleiben [2]und unseren Bruder Timotheus zu euch zu schicken. Er dient ja Gott, indem er die rettende Botschaft von Christus verkündet. Timotheus nun sollte euch ermutigen und in eurem Glauben stärken, [3]damit ihr bei allem, was ihr augenblicklich erleiden müsst, standhaft bleibt. Ihr wisst ja selbst, dass wir als Christen leiden müssen. [4]Das haben wir euch schon gesagt, als wir bei

---

[a] Wörtlich: das Wort, das aus dem Hören (auf Gott) kommt.

2,9 Apg 18,3; 2 Thess 3,7–9 **2,10–12** Röm 12,1–2; Eph 4,1–32 **2,13** Gal 1,11–12 **2,14** Apg 17,4–9
2,15 Mt 23,37; Apg 7,52; Röm 11,28 **2,16** Apg 13,44–45; 14,2 **2,17–18** 3,10; Röm 1,13
2,19–20 Phil 2,16; 4,1 **3,2** Apg 16,1–3* **3,3–4** Apg 14,22; 2 Tim 3,12*

euch waren. Und jetzt wisst ihr es aus eigener Erfahrung.

[5]Nun wollte ich aber genau wissen, wie es euch geht, und darum habe ich Timotheus zu euch geschickt. Er sollte mir berichten, ob euer Glaube all diesen Angriffen standgehalten hat oder ob euch der Versucher zu Fall bringen konnte. Dann allerdings wäre all unsere Arbeit vergeblich gewesen.

[6]Doch jetzt ist Timotheus zurückgekehrt. Er hat uns gute Nachrichten von eurem Glauben und eurer Liebe gebracht und uns erzählt, dass ihr uns nicht vergessen habt, ja, dass ihr euch ein Wiedersehen ebenso sehnlich wünscht wie wir. [7]Von eurem Glauben zu hören hat uns in unserer eigenen Not und Bedrängnis getröstet. [8]Jetzt haben wir wieder neuen Lebensmut, weil ihr unbeirrt beim Herrn bleibt. [9]Wie sollen wir Gott nur dafür danken, dass er uns durch euch so viel Freude schenkt! [10]Tag und Nacht bitten wir ihn um ein Wiedersehen mit euch. Denn wie gern würden wir euch helfen, dass ihr im Glauben weiter vorankommt.

[11]So warten wir jetzt darauf, dass Gott, unser Vater, und Jesus, unser Herr, uns recht bald zu euch führen. [12]Euch aber schenke der Herr immer größere Liebe zueinander und zu allen anderen Menschen; eine Liebe, wie wir sie auch für euch empfinden. [13]So werdet ihr innerlich stark, ihr lebt ganz für Gott, unseren Vater, und könnt frei von aller Schuld vor ihn treten, wenn Jesus, unser Herr, kommt mit allen, die zu ihm gehören.

Wie Christen leben sollen

4 Um eins möchte ich euch noch bitten, liebe Brüder und Schwestern. Wir haben euch bereits gesagt, wie ihr leben sollt, damit Gott Freude an euch hat. Wir wissen auch, dass ihr unseren Anweisungen folgt. Doch nun bitten wir euch eindringlich im Namen unseres Herrn Jesus: Gebt euch mit dem Erreichten nicht zufrieden, sondern macht noch mehr Fortschritte! [2]Ihr kennt ja die Gebote, die wir euch in seinem Auftrag gegeben haben.

[3]Gott will, dass ihr ganz und gar ihm gehört. Deshalb soll niemand unerlaubte sexuelle Beziehungen eingehen. [4]Jeder soll mit seiner Ehefrau so zusammenleben, wie es Gott gefällt, und auf sie Rücksicht nehmen.[a] [5]Ungezügelte Leidenschaft ist ein Kennzeichen der Menschen, die Gott nicht kennen. [6]Keiner von euch darf seinen Mitmenschen betrügen oder auf irgendeine Weise übervorteilen. Denn wir haben es euch bereits mit allem Nachdruck gesagt: Wer so etwas tut, wird in Gott einen unbestechlichen Richter finden. [7]Gott hat uns nicht zu einem ausschweifenden Leben berufen, sondern wir sollen ihn mit unserem Leben ehren. [8]Wer sich darüber hinwegsetzt, der verachtet nicht Menschen; er verachtet Gott, dessen Heiliger Geist in euch wohnt.

[9]Dass ihr als Christen einander lieben sollt, brauchen wir euch nicht mehr zu sagen. Gott selbst hat euch gezeigt, wie ihr einander lieben sollt. [10]Ihr beweist diese Liebe ja auch an euren Brüdern und Schwestern in ganz Mazedonien. Trotzdem, gebt euch damit nicht zufrieden; denn eure Liebe kann nie groß genug sein. [11]Achtet darauf, dass ihr ruhig und besonnen lebt. Kümmert euch um eure eigenen Angelegenheiten, und sorgt selbst für euren Lebensunterhalt, so wie wir es euch schon immer aufgetragen haben. [12]Auf diese Weise seid ihr von niemandem abhängig, und die Menschen außerhalb der Gemeinde werden euch achten und euch vertrauen.

Hoffnung über den Tod hinaus

[13]Und nun, liebe Brüder und Schwestern, möchten wir euch nicht im Unklaren da-

---

[a] Wörtlich: Jeder von euch soll sein eigenes Gefäß in Heiligkeit und in Ehren halten.

3,7 2 Kor 7,13 **3,12–13** 4,9–10; Kol 1,10–12; 2 Thess 1,10 **4,1** 4,10 **4,3** 1 Kor 6,13 **4,4** Kol 3,19; 1 Petr 3,7 **4,5** 1 Petr 1,14–16 **4,6–8** Röm 14,10–12; 2 Kor 5,9–10; 1 Kor 6,19–20 **4,9** Joh 13,34–35; Röm 12,10*; Phil 2,1–5 **4,11** Eph 4,28; 2 Thess 3,6–8 **4,12** Kol 4,5

rüber lassen, was mit den Christen ist, die schon gestorben sind. Ihr sollt nicht trauern wie die Menschen, denen die Hoffnung auf das ewige Leben fehlt. [14]Wir glauben doch, dass Jesus gestorben und auferstanden ist. Darum vertrauen wir auch darauf, dass Gott alle, die im Glauben an Jesus Christus gestorben sind, auferwecken wird. Wenn er kommt, werden sie dabei sein.

[15]Denn das hat uns der Herr ganz gewiss zugesagt: Wir, die beim Kommen des Herrn noch am Leben sind, werden gegenüber den Toten nichts voraushaben. [16]Auf den Befehl Gottes werden die Stimme des höchsten Engels und der Schall der Posaune ertönen, und Christus, der Herr, wird vom Himmel herabkommen. Als Erste werden die auferstehen, die im Glauben an Christus gestorben sind. [17]Dann werden wir, die wir zu diesem Zeitpunkt noch leben, mit ihnen zusammen unserem Herrn auf Wolken entgegengeführt, um ihm zu begegnen. So werden wir für immer bei ihm sein. [18]Tröstet euch also gegenseitig mit dieser Hoffnung.

Wir warten auf Christus

5 Wann das alles sein wird, zu welcher Zeit und Stunde, brauchen wir euch, liebe Brüder und Schwestern, nicht zu schreiben. [2]Ihr wisst ja, dass der Tag, an dem der Herr kommt, so unerwartet eintreffen wird wie ein Dieb in der Nacht. [3]Wenn sich die Leute in Sicherheit wiegen und sagen werden: »Überall ist Ruhe und Frieden«, wird sie das Ende so plötzlich überfallen wie die Wehen eine schwangere Frau. Es wird für niemanden mehr einen Ausweg geben.

[4]Doch ihr, liebe Brüder und Schwestern, lebt ja nicht in der Finsternis. Also kann euch der Tag, an dem der Herr kommt, auch nicht wie ein Dieb in der Nacht überraschen. [5]Als Christen sind wir Kinder des Lichts, Kinder des hellen Tages; wir gehören nicht zur Nacht mit ihrer Finsternis. [6]Darum lasst uns nicht schlafen wie die anderen! Wir wollen hellwach und nüchtern bleiben! [7]Denn die Müden schlafen in der Nacht, und die Säufer feiern nachts ihre Trinkgelage.

[8]Wir aber haben uns für den Tag entschieden und wollen wach, nüchtern und kampfbereit sein. Dazu brauchen wir als Brustpanzer den Glauben und die Liebe. Die Hoffnung auf Erlösung wird uns wie ein Helm schützen. [9]Denn Gott will uns nicht seinem Zorn und Gericht aussetzen; wir sollen vielmehr durch unseren Herrn Jesus Christus gerettet werden. [10]Christus ist für uns gestorben, damit wir – ganz gleich, ob wir nun leben oder schon gestorben sind – mit ihm ewig leben. [11]So ermutigt und tröstet einander, wie ihr es ja auch bisher getan habt.

Anweisungen für die Gemeinde

[12]Liebe Brüder und Schwestern! Ich bitte euch darum, all die besonders zu achten und anzuerkennen, die sich für euch einsetzen, die eure Gemeinde leiten und euch vor falschen Wegen bewahren wollen. [13]Für ihre Mühe sollt ihr sie lieben und ihnen dankbar sein. Vor allem aber lebt in Frieden miteinander.

[14]Außerdem, ihr Lieben, weist die zurecht, die ihr Leben nicht ordnen. Baut die Mutlosen auf, helft den Schwachen, und bringt für jeden Menschen Geduld und Nachsicht auf. [15]Keiner von euch soll Böses mit Bösem vergelten; bemüht euch vielmehr darum, einander wie auch allen anderen Menschen Gutes zu tun. [16]Freut euch zu jeder Zeit! [17]Hört niemals auf zu beten. [18]Dankt Gott für alles. Denn das erwartet Gott von euch, weil ihr zu Jesus Christus gehört.

4,14 Röm 4,25; 1 Kor 15,3–5; Röm 8,11; Joh 11,25 **4,15–17** Mk 13,26–27; 1 Kor 15,51–52 **5,1–4** Mt 24,42–44; Mk 13,32–37; Phil 4,5; Offb 22,20; Tit 2,13* **5,2** Mt 24,44 **5,5–7** Röm 13,11–14; Eph 5,8–11 **5,8** 1,3; Jes 59,17; Eph 6,10–17 **5,9** 1,10 **5,10** 4,14; Röm 14,8–9 **5,11** Hebr 3,13 **5,12–13** 1 Tim 5,17; Hebr 13,17 **5,14** Gal 6,1; 2 Thess 3,11–15 **5,15** Röm 12,17–18; Eph 2,10*; Hebr 12,14; 1 Petr 3,9–12 **5,16** Phil 4,4 **5,17–18** Eph 5,20; Phil 4,6; Kol 4,2

[19] Lasst den Geist Gottes ungehindert wirken! [20] Wenn jemand unter euch in Gottes Auftrag prophetisch redet, so weist ihn nicht ab. [21] Prüft alles, und behaltet das Gute! [22] Das Böse aber – ganz gleich in welcher Form – sollt ihr meiden.

Herzliche Grüße

[23] Möge Gott euch mit seinem Frieden erfüllen und euch helfen, ohne jede Einschränkung ihm zu gehören. Er bewahre euch, damit ihr fehlerlos seid an Geist, Seele und Leib, wenn unser Herr Jesus Christus kommt. [24] Gott hat euch ja dazu auserwählt; er ist treu, und was er verspricht, das hält er auch.

[25] Betet auch in Zukunft für uns, liebe Brüder und Schwestern, [26] und grüßt alle in der Gemeinde mit dem Friedenskuss. [27] Im Namen unseres Herrn bitte ich euch dringend, diesen Brief allen in der Gemeinde vorzulesen.

[28] Die Gnade unseres Herrn Jesus Christus sei mit euch.

5,19 Röm 12,11 **5,20** 1 Kor 14,29–33 **5,21–22** Röm 12,2; Kol 3,10 **5,25** Kol 4,3–4*

Der zweite Brief des Paulus an die Christen in Thessalonich

Anschrift und Gruß

1 Paulus, Silvanus und Timotheus schreiben diesen Brief an die Gemeinde in Thessalonich, die sich zu Gott, unserem Vater, und zu unserem Herrn Jesus Christus bekennt.

[2] Wir wünschen euch Gnade und Frieden von Gott, dem Vater, und dem Herrn Jesus Christus.

Christus, der Retter und Richter

[3] Liebe Brüder und Schwestern! Immer wieder müssen wir Gott für euch danken; wir können gar nicht anders, denn euer Glaube wächst ständig, ebenso eure Liebe zueinander. [4] Wir sind stolz auf euch und stellen euch den anderen Gemeinden als leuchtendes Vorbild hin. Wie treu und standhaft ertragt ihr doch alle Verfolgungen und Leiden! [5] Sie sind ein Vorzeichen für das kommende Gericht. Gott ist ein gerechter Richter. Er wird euch in seine neue Welt aufnehmen, für die ihr hier leidet.

[6] Ja, Gottes Urteil ist gerecht. Deshalb wird er alle bestrafen, die euch jetzt verfolgen. [7] Er wird eure Not beenden, und auch wir werden nicht länger leiden müssen, wenn Jesus als der Herr mit allen seinen mächtigen Engeln vom Himmel kommen wird. [8] Wie ein vernichtendes Feuer wird sein Urteil alle treffen, die von Gott nichts wissen wollen und die rettende Botschaft von Jesus, unserem Herrn, ablehnen. [9] Sie werden dem ewigen Verderben ausgeliefert sein; für immer von unserem Herrn getrennt, ausgeschlossen aus seinem herrlichen Reich. [10] Die aber zu ihm gehören, werden ihn an jenem Tag anbeten, und alle, die an ihn glauben, werden ihm voller Freude zujubeln. Und auch ihr werdet dabei sein, weil ihr der Botschaft vertraut habt, die wir euch gebracht haben.

Wir beten für euch

[11] Deshalb beten wir immer wieder für euch, dass ihr so lebt, wie man es von Menschen erwarten kann, die von Gott auserwählt sind. Wir bitten Gott, dass es nicht bei eurem guten Willen bleibt, sondern dass ihr auch Taten folgen lasst. Alles, was ihr im Glauben begonnen habt, sollt ihr durch Gottes Kraft auch vollenden. [12] Dann wird durch euch der Name unseres Herrn Jesus gerühmt und geehrt. Und ebenso gelangt ihr auch bei ihm zu Ehren, denn unser Gott und unser Herr Jesus Christus haben euch Barmherzigkeit erwiesen.

Der Feind Gottes

2 Ihr wisst, liebe Brüder und Schwestern, dass unser Herr Jesus Christus kommen wird und wir für alle Zeiten bei ihm sein werden. Wir bitten euch nun aber: [2] Lasst euch nicht verwirren und erschrecken, wenn Leute behaupten, der Tag, an dem der Herr kommt, sei schon da. Sie werden euch von angeblichen Offenbarungen Gottes erzählen. Glaubt ihnen nicht, selbst wenn sie euch Briefe mit derartigen Behauptungen zeigen, die wir geschrieben haben sollen.

1,1 1 Petr 5,12; Apg 16,1–3* **1,4–5** 1 Thess 1,7; Phil 1,28–30; 2 Tim 3,12* **1,6** Röm 12,19 **1,7** Mt 25,31–33; Tit 2,13*; Offb 21,3–4 **1,8–9** 1 Petr 4,17–19; 2 Petr 3,7 **1,10** 1 Thess 3,12–13; 1 Joh 3,2–3; Offb 7,9–10 **1,11** 1 Thess 1,3; 2,11–12; Phil 1,6; 2,13 **2,1** 1 Thess 4,15–18 **2,2** Mt 24,4–6

[3] Lasst euch von niemandem so etwas einreden! Denn bevor Christus kommt, werden sich sehr viele Menschen von Gott abwenden. Dann wird ein Mann auftreten, der die Gebote Gottes mit Füßen tritt. Doch er ist dem Untergang geweiht. [4] Er ist der Feind Gottes und wähnt sich größer als jeder Gott und alles, was als heilig verehrt wird. Ja, er wird sich in den Tempel Gottes setzen und sich selbst als Gott verehren lassen.

[5] Erinnert ihr euch nicht daran, dass ich euch das alles schon gesagt habe, als ich noch bei euch war? [6] Ihr wisst doch auch, was den Feind Gottes daran hindert, schon jetzt zu erscheinen, noch vor seiner Zeit. [7] Zwar spüren wir schon überall, wie sich die Mächte des Bösen regen, aber noch werden sie von dem einen aufgehalten. Doch dann macht der Feind Gottes den Weg für sie frei [8] und erscheint in aller Öffentlichkeit. Wenn aber Jesus, der Herr, kommt, wird er diesen Mann vernichten. Ein Hauch seines Mundes genügt.

[9] Vorher wird der Feind Gottes mit Hilfe des Satans machtvolle Taten, Zeichen und Wunder vollbringen. Und doch ist alles durch und durch verlogen. [10] Mit seinen Verführungskünsten wird er alle auf seine Seite bringen, die verloren sind. Denn sie wollten die Wahrheit nicht anerkennen, die ihre Rettung gewesen wäre. [11] Deshalb lässt Gott sie auf diesen Irrtum hereinfallen, und sie werden der Lüge Glauben schenken. [12] So wird jeder gerichtet, der nicht an die Wahrheit glaubt, sondern das Böse liebt.

Bleibt fest im Glauben!

[13] Euch aber, vom Herrn geliebte Brüder und Schwestern, hat Gott von Anfang an dazu bestimmt, gerettet zu werden. Dafür müssen wir ihm immer wieder danken. Durch den Geist Gottes führt ihr nun euer Leben nach Gottes Willen, und ihr glaubt an die Wahrheit. [14] Dazu seid ihr von Gott berufen durch die rettende Botschaft, die wir euch gebracht haben. Ihr sollt an der Herrlichkeit unseres Herrn Jesus Christus teilhaben. [15] Bleibt also standhaft, liebe Brüder und Schwestern. Haltet euch an die Überlieferungen, die wir euch mündlich und schriftlich gelehrt haben.

[16] Unser Herr Jesus Christus aber und Gott, unser Vater, der uns seine Liebe geschenkt und in seiner Barmherzigkeit einen Trost und eine Hoffnung für alle Zeiten gegeben hat, [17] er ermutige euch und gebe euch Kraft, Gutes zu tun in Wort und Tat.

Betet für uns

3 Außerdem, liebe Brüder und Schwestern, betet bitte für uns, damit die Botschaft des Herrn sich verbreitet und überall mit Dank gegen Gott angenommen wird – wie schon bei euch. [2] Bittet Gott auch darum, er möge uns vor den Angriffen niederträchtiger und boshafter Menschen schützen; denn nicht jeder will dem Herrn vertrauen.

[3] Gott aber ist treu. Er wird euch Mut und Kraft geben und euch vor allem Bösen bewahren. [4] Im Glauben an den Herrn vertrauen wir darauf, dass ihr euch jetzt und in Zukunft an alle unsere Anweisungen haltet. [5] Wir beten zum Herrn, dass die Liebe zu Gott euer Leben bestimmt und dass ihr standhaft im Glauben an Christus bleibt.

Wer nicht arbeiten will, der soll auch nicht essen

[6] Liebe Brüder und Schwestern! Im Namen unseres Herrn Jesus Christus fordern wir euch noch einmal auf: Trennt euch von all den Menschen in eurer Gemeinde, die ihre Arbeit vernachlässigen und nicht so leben, wie wir es euch ge-

---

2,3 1 Tim 4,1 **2,8–10** Offb 19,15–21; Mt 24,24 **2,10–11** 2 Kor 4,3–4; 2 Tim 4,3–4 **2,12** Joh 12,48 **2,13–14** Eph 1,4; 3,11; 1 Thess 1,4; 2 Petr 1,10–11 **2,16** 1 Petr 5,10 **3,1–2** Kol 4,3–4* **3,4** 2,15 **3,6** 1 Kor 5,11; Gal 6,1; 1 Thess 5,14

lehrt und aufgetragen haben. [7]Ihr wisst doch genau, dass ihr auch darin unserem Beispiel folgen sollt. Denn wir haben uns nicht vor der Arbeit gedrückt. [8]Oder haben wir jemals auf Kosten anderer gelebt? Im Gegenteil: Tag und Nacht haben wir gearbeitet und uns abgemüht, um niemandem von euch zur Last zu fallen. [9]Wir hätten zwar von euch Unterstützung verlangen können, doch wir wollten euch ein Vorbild sein, dem ihr folgen sollt. [10]Schon damals haben wir euch den Grundsatz eingeschärft: Wer nicht arbeiten will, der soll auch nicht essen.

[11]Trotzdem haben wir gehört, dass einige von euch ein ungeordnetes Leben führen, nicht arbeiten und sich nur herumtreiben. [12]Sie alle fordern wir im Namen Jesu Christi auf, einer geregelten Arbeit nachzugehen und für ihren Lebensunterhalt selbst zu sorgen.

[13]Euch aber, liebe Brüder und Schwestern, bitten wir: Werdet nicht müde, Gutes zu tun! [14]Sollte sich jemand unter euch weigern, den Anweisungen in diesem Brief zu folgen, dann brecht jede Verbindung mit ihm ab, damit er sich schämt. [15]Doch behandelt ihn nicht als euren Feind, sondern ermahnt ihn als Bruder.

Abschließende Grüße

[16]Unser Herr, von dem aller Friede kommt, schenke euch seinen Frieden immer und überall. Er sei mit euch allen!

[17]Und hier noch mein Gruß an euch, den ich, Paulus, mit eigener Hand schreibe. So schließe ich alle meine Briefe, damit ihr erkennt, dass sie auch wirklich von mir sind.

[18]Die Gnade unseres Herrn Jesus Christus sei mit euch allen!

3,7–8 1 Thess 2,9–10; Apg 18,3; 1 Kor 4,12 **3,9** 1 Kor 9,6–15; Apg 20,33–35 **3,10** 1 Thess 4,11 **3,13** Gal 6,9; Eph 2,10* **3,14** Tit 3,10 **3,15** 1 Thess 5,14; Mt 18,15–17; Jak 5,19–20 **3,17** Gal 6,11; Kol 4,18

Der erste Brief des Paulus an Timotheus

Anschrift und Gruß

1 Diesen Brief schreibt Paulus, ein Apostel Jesu Christi. Von Gott, unserem Retter, und Jesus Christus, der unsere Hoffnung ist, bin ich zum Apostel berufen.

[2] Ich grüße dich, lieber Timotheus. Du bist durch mich zum Glauben gekommen und stehst mir deshalb so nahe wie ein Sohn. Ich wünsche dir Gnade, Barmherzigkeit und Frieden von Gott, unserem Vater, und unserem Herrn Jesus Christus.

Warnung vor falschen Lehren

[3] Als ich nach Mazedonien reiste, bat ich dich, in Ephesus zu bleiben. Du solltest verhindern, dass dort bestimmte Leute falsche Lehren verbreiten. [4] Sie sollen endlich mit diesem sinnlosen Nachforschen in Legenden und Abstammungstafeln aufhören; das führt zu nichts als zu nutzlosem Gerede und Streit. Es lenkt uns ab von der Aufgabe, die Gott uns gegeben hat und die wir im Glauben ausführen. [5] Die Unterweisung in der Lehre unseres Glaubens hat nur das eine Ziel: die Liebe, die aus einem reinen Herzen, einem guten Gewissen und einem ungeheuchelten Glauben kommt. [6] Doch es gibt Leute, die das bestreiten und sich lieber mit nutzlosem Geschwätz abgeben. [7] Sie bilden sich ein, Lehrer des Gesetzes zu sein; dabei verstehen sie nicht einmal das, was sie selbst reden, und haben keine Ahnung von dem, was sie so kühn behaupten.

[8] Wir dagegen wissen: Das Gesetz des Mose ist gut, wenn es nur richtig gebraucht wird. [9] Aber für wen gilt denn das Gesetz? Doch nicht für Menschen, die nach Gottes Willen leben, sondern für solche, die gegen das Recht verstoßen und sich gegen Gott und seine Gebote auflehnen: Es gilt für Menschen, die von Gott nichts wissen wollen und Schuld auf sich laden, für Niederträchtige und Gewissenlose, für Leute, die Vater und Mutter töten, [10] unerlaubte sexuelle Beziehungen eingehen, homosexuell verkehren, für Menschenhändler, für solche, die lügen und Meineide schwören oder in irgendeiner anderen Weise gegen die gesunde Lehre unseres Glaubens verstoßen. [11] So lehrt es die rettende Botschaft, die Gott mir anvertraut hat und die Gottes Herrlichkeit zeigt.

Gottes unverdiente Güte

[12] Ich danke unserem Herrn Jesus Christus immer wieder, dass er gerade mich für vertrauenswürdig erachtet hat, ihm zu dienen, und dass er mir dafür auch die Kraft schenkte. [13] Früher habe ich ihn verhöhnt, ich habe Christus und seine Gemeinde mit blindem Hass verfolgt und bekämpft. Aber Gott hat sich über mich erbarmt und mir alles vergeben. Denn in meinem Unglauben wusste ich nicht, was ich tat. [14] Umso reicher habe ich dann die unverdiente Güte des Herrn erfahren. Er hat mir den Glauben und die Liebe geschenkt, wie sie nur in der Gemeinschaft mit Jesus Christus zu finden sind.

[15] Denn das steht unumstößlich fest, darauf dürfen wir vertrauen: Jesus Christus ist auf diese Welt gekommen, um uns gottlose Menschen zu retten. Ich selbst

---

1,2 Apg 16,1–3* **1,3** Apg 20,1 **1,5** Joh 13,34–35; Röm 12,10* **1,5–7** 6,3–5 **1,8–10** Röm 7,12; Gal 5,22–23 **1,11** 2 Kor 3,10–12 **1,13** Apg 8,3* **1,15** Lk 19,10; Röm 5,8

bin der Schlimmste von ihnen. [16]Doch gerade deshalb war Gott mir ganz besonders barmherzig. An mir wollte Jesus Christus zeigen, wie groß seine Geduld mit uns Menschen ist. An meinem Beispiel soll jeder erkennen, dass wirklich alle durch den Glauben an Christus ewiges Leben finden können. [17]Gott aber, der ewige König, der unsterblich und unsichtbar ist, dieser einzig wahre Gott möge bis in alle Ewigkeit gelobt und geehrt werden. Amen!

[18]Mein lieber Timotheus! Du bist für mich wie ein eigener Sohn. Dir vertraue ich jetzt diese Botschaft an. So ist es dir früher schon durch Prophetien gesagt worden, damit du tapfer und unerschrocken kämpfen kannst. [19]Bleib in deinem Glauben fest, und bewahr dir ein reines Gewissen. Denn wie du weißt, haben einige ihr Gewissen zum Schweigen gebracht, und deshalb hat ihr Glaube Schiffbruch erlitten. [20]Hymenäus und Alexander gehören zu ihnen. Ich habe sie dem Satan ausgeliefert, damit sie zur Besinnung kommen und Gott nicht länger verhöhnen.

Betet für alle Menschen!

2 Am wichtigsten ist, dass die Gemeinde nicht aufhört zu beten. Betet für alle Menschen; bringt eure Bitten, Wünsche, eure Anliegen und euren Dank für sie vor Gott. [2]Betet besonders für alle, die in Regierung und Staat Verantwortung tragen, damit wir in Ruhe und Frieden leben können, ehrfürchtig vor Gott und aufrichtig unseren Mitmenschen gegenüber. [3]So soll es sein, und so gefällt es Gott, unserem Retter. [4]Denn er will, dass alle Menschen gerettet werden und seine Wahrheit erkennen.

[5]Es gibt nur einen einzigen Gott und nur einen Einzigen, der zwischen Gott und den Menschen vermittelt und Frieden schafft. Das ist der Mensch Jesus Christus. [6]Er hat sein Leben hingegeben, um uns alle aus der Gewalt des Bösen zu befreien. Diese Botschaft soll nun verkündet werden, denn die Zeit, die Gott festgelegt hat, ist gekommen. [7]Und mich hat Gott zu seinem Apostel und Botschafter berufen. Das ist die Wahrheit, ich lüge nicht. Ich soll die Nichtjuden im Glauben unterweisen und ihnen Gottes Wahrheit verkünden.

[8]Ich will, dass die Männer in allen Gemeinden beten, mit reinem Gewissen; sie sollen gegen niemanden Groll hegen und nicht im Streit leben. [9]Die Frauen sollen unauffällig und schlicht gekleidet zum Gottesdienst kommen. Sie sollen sich weder durch besondere Frisuren noch durch Goldschmuck, Perlen oder auffällige Kleider hervortun. [10]Der wahre Schmuck der Frauen ist es, Gutes zu tun. Damit zeigen sie, dass sie Gott lieben und ehren.

[11]Die Frau soll lernen, sich in der Gemeinde unterzuordnen und still zuzuhören. [12]Einer Frau erlaube ich nicht, öffentlich zu lehren oder sich über den Mann zu erheben. Sie soll vielmehr still und zurückhaltend sein. [13]Denn Gott hat zuerst Adam geschaffen, den Mann, und danach Eva, die Frau. [14]Außerdem ließ sich nicht Adam von der Schlange verführen, sondern Eva. Sie hat Gottes Gebot übertreten. [15]Doch auch sie wird gerettet werden, wenn sie ihre Aufgabe als Frau und Mutter erfüllt, vorausgesetzt, sie vertraut auf Gott, bleibt in seiner Liebe und tut besonnen seinen Willen.

Wer eine Gemeinde leiten kann

3 Das ist wahr: Wer eine Gemeinde leiten will, der ist bereit, eine schöne und große Aufgabe zu übernehmen. [2]Allerdings muss ein solcher Mann ein vorbildliches Leben führen; das heißt, er soll

---

1,16 Joh 6,37; Apg 13,38–39; Röm 10,16 **1,17** 6,15–16; Röm 16,27 **1,18** 4,14; 2 Tim 1,6–7 **1,19** 1,5; 3,9; Eph 4,19 **1,20** 2 Tim 2,17 **2,1** Eph 5,20; Phil 4,6; Kol 4,2; 1 Thess 5,17–18 **2,2** Jer 29,7 **2,4** 4,10; Mt 28,19; Tit 1,1; 2 Petr 3,9 **2,5–6** Mk 10,45; Lk 24,44–46; 2 Kor 5,18–21*; Hebr 8,6–7 **2,7** Apg 9,15*; 2 Kor 5,20; 2 Tim 1,1 **2,9–10** 1 Petr 3,3–6 **2,11–12** 1 Kor 14,34–35 **2,14** 1 Mo 3,13 **2,15** 5,14; Tit 2,3–5 **3,1–7** Apg 20,28–31; Tit 1,5–9; 1 Petr 5,1–4 **3,2** 1 Petr 4,9*

nur *eine* Frau haben, nüchtern und besonnen sein und keinen Anstoß erregen. Ihn muss Gastfreundschaft auszeichnen, und er soll andere gut im Glauben unterweisen können. [3] Außerdem darf er weder ein Trinker sein noch gewalttätig oder streitsüchtig; vielmehr soll er gütig und friedfertig seine Arbeit tun und nicht am Geld hängen.

[4] Sein Familienleben soll geordnet sein, die Kinder sollen ihn achten und auf ihn hören. [5] Denn wie kann jemand, dem schon seine eigene Familie über den Kopf wächst, die Gemeinde Gottes leiten? [6] Er soll nicht erst vor kurzem Christ geworden sein; er könnte sonst schnell überheblich werden, und so hätte der Teufel ihn dahingebracht, dass Gott sein Urteil über ihn sprechen muss. [7] Ein Gemeindeleiter soll auch bei Nichtchristen in einem guten Ruf stehen, damit er nicht ins Gerede kommt und der Teufel ihn so zu Fall bringen kann.

Wer Diakon werden kann

[8] Auch die Diakone in der Gemeinde sollen geachtete Leute sein, ehrlich und glaubwürdig in ihrem Reden; sie sollen nicht zu viel Wein trinken und sich nicht auf Kosten anderer bereichern. [9] Denn das Geheimnis, das ihnen mit dem Glauben anvertraut wurde, können sie nur in einem reinen Gewissen bewahren. [10] Auch die Diakone müssen sich zuerst bewähren. Nur wenn an ihnen nichts auszusetzen ist, darf man sie zum Dienst zulassen. [11] Ebenso sollen die Diakoninnen[a] vorbildlich leben, keine Klatschmäuler sein, sondern besonnen und in allen Dingen zuverlässig. [12] Auch Diakone sollen nur mit *einer* Frau verheiratet sein und müssen ein vorbildliches Familienleben führen. [13] Wer sich aber in seinem Dienst als Diakon bewährt, den wird die Gemeinde achten, und er selbst wird die Zuversicht und Freude ausstrahlen, wie sie der Glaube an Jesus Christus schenkt.

Das Geheimnis des Glaubens

[14] Ich habe dir, lieber Timotheus, das alles geschrieben, obwohl ich hoffe, bald selbst zu dir zu kommen. [15] Aber falls sich mein Besuch noch hinauszögern sollte, weißt du nun, wie man sich im Haus Gottes, in seiner Gemeinde, zu verhalten hat. Die Gemeinde des lebendigen Gottes ist der tragende Pfeiler und das Fundament der Wahrheit.

[16] Eins steht ohne jeden Zweifel fest: Groß und einzigartig ist das Geheimnis unseres Glaubens:

In die Welt kam Christus als ein Mensch, und der Geist Gottes bestätigte seine Würde. Er wurde gesehen von den Engeln und gepredigt den Völkern der Erde. In aller Welt glaubt man an ihn, und er wurde aufgenommen in Gottes Herrlichkeit.

Warnung vor falsch verstandener Frömmigkeit

4 Gottes Geist sagt uns ausdrücklich, dass sich in Zukunft manche von Gott abwenden werden, weil sie falschen Propheten hinterherlaufen und teuflischen Lehren glauben. [2] Diese Verführer sind durch und durch verlogen, ihr Gewissen haben sie zum Schweigen gebracht[b]. [3] Sie verbieten, zu heiraten oder bestimmte Speisen zu essen. Dabei hat Gott doch alles geschaffen, damit jeder, der an ihn glaubt und seine Wahrheit erkannt hat, auch diese Dinge dankbar von ihm annimmt. [4] Denn alles, was Gott geschaffen hat, ist gut; und nichts ist schlecht, für das wir Gott danken. [5] Durch das Wort Gottes und das Gebet wird alles rein; nichts kann uns da von Gott trennen.

---

[a] Oder: Auch ihre Frauen sollen …

[b] Wörtlich: ihr Gewissen ist mit einem Brandmal versehen.

3,8 Apg 6,3 **3,9** 1,19 **3,10** Lk 16,10 **3,11** 5,13; Jak 1,26 **3,12** 3,2; Tit 1,6 **3,16** Gal 4,4; Joh 1,14; Apg 1,9; Mk 16,19 **4,1** 2 Thess 2,3 **4,3–5** Mt 15,17–20; 1 Kor 8,1–13*; Kol 2,20–23

Ratschläge für den Dienst

[6]Wenn du, lieber Timotheus, der Gemeinde das alles so weitergibst, bist du ein guter Diener Jesu Christi. Du lebst nach der Botschaft des Glaubens und richtest dich nach der wahren Lehre, zu der du dich schon immer bekannt hast. [7]Gib dich nicht mit dem gottlosen Geschwätz dieser falschen Prediger ab, sondern diene Gott mit ganzer Kraft. [8]Wie ein Asket zu leben ist ganz gut und schön, aber auf Gott zu hören ist besser. Denn damit werden wir dieses und das zukünftige Leben gewinnen. [9]Das steht unumstößlich fest, darauf dürfen wir vertrauen. [10]Für nichts anderes arbeiten und kämpfen wir. Auf den lebendigen Gott haben wir unsere Hoffnung gesetzt. Er ist der Retter aller Menschen, besonders derjenigen, die an ihn glauben. [11]Das alles sollst du die Gemeinde lehren.

[12]Niemand hat ein Recht, auf dich herabzusehen, weil du noch so jung bist. Allerdings musst du in jeder Beziehung ein Vorbild sein: in allem, was du sagst und tust, in der Liebe, im Glauben und in Selbstbeherrschung. [13]Solange ich nicht wieder bei euch bin, lies du in der Gemeinde aus der Heiligen Schrift vor, ermutige die Christen und unterweise sie im Glauben. [14]Setz die Gabe ein, die Gott dir schenkte. Er hat dich ja durch eine Prophetie für diese Aufgabe bestimmt, und die Leiter der Gemeinde haben dir die Hände aufgelegt und dich gesegnet. [15]Gebrauch *deine Gabe und übe dich darin*, dann wird jeder erkennen, wie du Fortschritte machst. [16]Achte auf dich selbst; sieh zu, dass du die Lehre von Jesus Christus rein und unverfälscht weitergibst. Lass dich auf keinen Fall davon abbringen. Dann wirst du selbst gerettet und alle, die auf dich hören.

5 Einen älteren Mann fahre nicht hart an, wenn du ihn ermahnen musst, sondern rede mit ihm wie mit einem Vater. Die jungen Männer behandle als deine Brüder. [2]Sei zu den älteren Frauen wie zu deiner Mutter und zu den jüngeren wie zu Schwestern, aufrichtig und zurückhaltend.

Wie die Gemeinde für ihre Witwen sorgen soll

[3]Sorge für die Witwen, wenn sie keine Angehörigen haben, die sie unterstützen. [4]Sind aber Kinder oder Enkel da, dann sollen diese lernen, zuerst in der eigenen Familie Gottes Willen zu tun und ihre Angehörigen zu versorgen. Es gefällt Gott, wenn sie auf diese Weise ihre Dankbarkeit zeigen für das, was sie von ihnen empfangen haben. [5]Eine Witwe dagegen, die ganz allein ist, hat gelernt, ihre Hoffnung auf Gott zu setzen und Tag und Nacht zu ihm zu flehen und zu beten. [6]Andere wieder wollen sich nur noch vergnügen. Sie sind schon tot, auch wenn sie noch leben. [7]Davor sollst du die Witwen warnen, damit man ihnen nichts nachsagen kann. [8]Wer sich aber weigert, seine Angehörigen zu versorgen – vor allem die eigenen Familienmitglieder –, der verleugnet damit seinen Glauben; er ist schlimmer als einer, der von Gott nichts wissen will.

[9]Eine Frau sollte erst dann in die Liste der Witwen eingetragen und von der Gemeinde versorgt werden, wenn sie mindestens sechzig Jahre alt ist und nur *einen* Mann hatte. [10]Außerdem sollte sie dafür bekannt sein, dass sie viel Gutes getan hat. Hat sie ihre Kinder gut erzogen? War sie gastfreundlich? Hat sie anderen Christen selbstlos geholfen und Notleidenden beigestanden? Hat sie sich auch sonst überall eingesetzt, um anderen zu helfen?

[11]Junge Witwen dürfen nicht in die Liste aufgenommen werden. Denn wenn ihre Leidenschaft groß ist und sie eines Tages doch wieder heiraten wollen, hal-

---

4,6 2 Tim 2,15 **4,7** 6,20; 2 Tim 2,16–18 **4,8** Kol 2,21–23 **4,12** 1 Kor 16,10–11; 2 Tim 2,22; Tit 2,7.15 **4,14–15** 2 Tim 1,6 **4,16** Apg 20,28–32 **5,1** 3 Mo 19,32; Tit 2,2 **5,3** Jak 1,27 **5,4** 5,16 **5,5** Lk 2,37 **5,8** Tit 1,16; 2 Mo 20,12* **5,10** 1 Petr 4,9*

ten sie ihr Versprechen nicht, Christus allein zu dienen. [12] Auf ihnen lastet dann der Vorwurf, ihr Versprechen Christus gegenüber gebrochen zu haben. [13] Außerdem gewöhnen sie sich daran, bei anderen Leuten herumzusitzen und träge und geschwätzig zu werden. Neugierig beschäftigen sie sich mit Dingen, die sie überhaupt nichts angehen.

[14] Deshalb möchte ich, dass die jungen Witwen wieder heiraten, Kinder bekommen und sich um ihren eigenen Haushalt kümmern. Dann wird keiner unserer Gegner an ihrem Lebenswandel etwas aussetzen können. [15] Leider aber haben sich schon einige von Christus abgewandt und folgen jetzt dem Satan.

[16] Wenn aber eine Christin in ihrer Verwandtschaft Witwen hat, dann soll sie für diese sorgen. Auf keinen Fall darf die Gemeinde damit belastet werden. Denn die Gemeinde soll sich nur um die Witwen kümmern, die gar keine Angehörigen haben.

Die Leiter der Gemeinde

[17] Alle, die der Gemeinde als Leiter verantwortungsvoll dienen, sollen nicht nur gut versorgt, sondern auch hoch geachtet werden; vor allem, wenn sie Gottes Botschaft verkünden und die Gemeinde im Glauben unterweisen. [18] Denn in der Heiligen Schrift heißt es: »Wenn ihr mit einem Ochsen Getreide drescht, dann bindet ihm nicht das Maul zu!«,[a] und an anderer Stelle: »Wer arbeitet, soll auch seinen Lohn bekommen.«[b]

[19] Nimm eine Klage gegen einen Gemeindeleiter nur an, wenn mindestens zwei oder drei Zeugen sie bestätigen. [20] Sollte sich einer tatsächlich etwas zuschulden kommen lassen, dann weise ihn vor allen anderen[c] zurecht, damit auch sie gewarnt sind. [21] Vor Gott, dem Herrn Jesus Christus und seinen heiligen Engeln ermahne ich dich: In solchen Fällen musst du ohne jedes Vorurteil und unparteiisch handeln.

[22] Leg niemandem vorschnell die Hände auf, um ihm eine wichtige Aufgabe in der Gemeinde zu übertragen[d]. Sonst machst du dich mitschuldig, wenn er sich in Sünden verstrickt. Dulde auch keine Sünde in deinem eigenen Leben.

[23] Nun gebe ich dir noch einen persönlichen Rat: Trink nicht länger nur Wasser. Du bist so oft krank, und da würde etwas Wein deinem Magen gut tun.

[24] Im Übrigen erinnere dich daran: Die Sünden mancher Menschen kann jeder sehen; sie sind schon vor dem Gerichtstag Gottes allen offenkundig. Die Sünden anderer wieder bleiben uns verborgen und werden erst später aufgedeckt. [25] Genauso ist es auch mit den guten Taten der Menschen: Manche sind schon jetzt für jedermann sichtbar, während wir andere überhaupt nicht erkennen. Doch auch sie werden nicht für immer verborgen bleiben.

Anweisungen für Sklaven

6 Wer sich als Sklave seinem Herrn unterordnen muss, der soll ihn achten, damit der Name Gottes und die Lehre unseres Glaubens nicht durch sein schlechtes Verhalten in Verruf geraten. [2] Das gilt auch, wenn der Herr selbst ein Christ ist. Der Sklave soll sich nicht mit ihm auf eine Stufe stellen, nur weil sie durch den Glauben Brüder sind. Im Gegenteil, er soll ihm umso bereitwilliger dienen. Weil der Herr an Christus glaubt und von ihm geliebt wird, ist er auch be-

---

[a] 5. Mose 25,4
[b] Lukas 10,7; 1. Korinther 9,9
[c] Wahrscheinlich: vor allen Gemeindeleitern
[d] »um … übertragen« ist sinngemäß ergänzt.

5,13 2 Thess 3,11; Jak 1,26 **5,14** 2,15 **5,16** 5,3–4 **5,17–18** 1 Kor 9,11–14; 1 Thess 5,12–13
5,19 5 Mo 19,15 **5,20** Mt 18,15–17; Gal 2,14 **5,22** 3,10; 4,14; 2 Tim 1,6; Apg 6,6; 13,3
6,1–2 Eph 6,5–8; Kol 3,22–25; Tit 2,9–10; 1 Petr 2,18

reit, Gutes zu tun. Das sollst du lehren, und daran sollst du alle erinnern.

Warnung vor geldgierigen Irrlehrern

[3] Wer aber etwas anderes behauptet, wer sich nicht an die heilsamen Worte unseres Herrn Jesus Christus hält und die Lehre unseres Glaubens in den Wind schlägt, [4] der nimmt nur sich selbst wichtig, weiß aber überhaupt nichts. Solche Leute sind aufgeblasen und zetteln fruchtlose Streitgespräche an. So entstehen Neid, Zank, böses Gerede und gemeine Verdächtigungen. Ja, diese Leute sind wie von einer Seuche befallen. [5] Ständig sind sie in Streitereien verwickelt. Man könnte meinen, sie hätten den Verstand verloren und die Wahrheit nie gehört; sie versuchen sogar, mit dem Glauben an Jesus Christus Geschäfte zu machen. [6] Dabei ist doch jeder reich, der an Gott glaubt und mit dem zufrieden ist, was er hat. [7] Denn wir sind ohne Besitz auf diese Welt gekommen, und genauso werden wir sie auch wieder verlassen. [8] Wenn wir zu essen haben und uns kleiden können, sollen wir zufrieden sein. [9] Wie oft erliegen Menschen, die um jeden Preis reich werden wollten, den Versuchungen des Teufels, wie oft verfangen sie sich in seinen Netzen! Solche unsinnigen und schädlichen Wünsche stürzen die Menschen in den Untergang und ins Verderben. [10] Denn alles Böse wächst aus der Habgier. Schon so mancher ist ihr verfallen und hat dadurch *seinen Glauben* verloren. Wie viel Not und Leid hätte er sich ersparen können!

Seelsorgerliche Ratschläge

[11] Du aber, mein lieber Timotheus, gehörst Gott und dienst ihm. Deshalb meide all diese Dinge. Bemüh dich vielmehr mit aller Kraft darum, das Richtige zu tun, Gott zu dienen, ihm zu vertrauen und deine Mitmenschen von ganzem Herzen zu lieben. Begegne ihnen mit Geduld und Freundlichkeit. [12] Kämpfe den guten Kampf des Glaubens! Erringe so das ewige Leben. Dazu hat dich Gott berufen, und das hast du vor vielen Zeugen bekannt.

[13] Vor Gott, der alles Leben gibt, und vor Christus Jesus, der sich vor Pontius Pilatus zu Gott bekannte, ermahne ich dich nun eindringlich: [14] Führ deinen Auftrag so aus, dass niemand etwas daran auszusetzen hat, bis unser Herr Jesus Christus kommt. [15] Die Zeit dafür bestimmt Gott selbst, der einzige und allmächtige Gott, der König aller Könige, der Herr aller Herren. [16] Er allein ist unsterblich, er lebt in einem Licht, das niemand sonst ertragen kann, kein Mensch hat ihn je gesehen. Ihm allein gehören Ehre und ewige Herrschaft. Amen.

[17] Den Reichen musst du unbedingt einschärfen, sich nichts auf ihren irdischen Besitz einzubilden oder sich auf etwas so Unsicheres wie den Reichtum zu verlassen. Sie sollen vielmehr auf Gott hoffen, der uns mit allem reich beschenkt, damit wir es genießen können. [18] Sie sollen Gutes tun und gern von ihrem Reichtum abgeben, um anderen zu helfen. So werden sie wirklich reich sein [19] und sich ein gutes Fundament für die Zukunft schaffen, um das wahre Leben zu gewinnen.

[20] Lieber Timotheus, bewahre sorgfältig, was Gott dir anvertraut hat! Halte dich fern von allem gottlosen Geschwätz und dem leeren Gerede von Leuten mit ihrer angeblich so neuen Erkenntnis. [21] Manche sind schon vom Glauben abgekommen, weil sie sich darauf eingelassen haben.

Gottes Gnade sei mit euch allen!

6,3–5 1,5–7; 2 Tim 2,23; Tit 3,10–11; 2 Petr 2,2–3 **6,6–8** 4,8; 2 Kor 6,10; Phil 4,11–13; Hebr 13,5; Spr 30,7–9 **6,9–10** Mt 13,22; Lk 12,15–21; Eph 5,5 **6,11** 2 Tim 2,22 **6,12** 2 Tim 4,7–8; 1 Kor 9,24–27; Phil 3,12–14 **6,15** Mt 24,36 **6,16** 2 Mo 33,20–23*; Joh 1,18; 1 Joh 1,5 **6,17** Mt 6,19–21; Lk 12,15–21; Jak 1,10–11 **6,18** Lk 16,9; Eph 2,10* **6,20–21** 4,7; 2 Tim 2,16–18.23

Der zweite Brief des Paulus an Timotheus

Anschrift und Gruß

1 Diesen Brief schreibt Paulus, ein Apostel Jesu Christi, von Gott berufen. In Gottes Auftrag verkünde ich das Leben, wie es uns durch Jesus Christus geschenkt wird. [2] Ich grüße dich, lieber Timotheus. Du bist mir lieb wie ein eigener Sohn, und ich wünsche dir Gnade, Barmherzigkeit und Frieden von Gott, unserem Vater, und unserem Herrn Jesus Christus.

Gott hat uns viel gegeben

[3] Immer wenn ich für dich bete, danke ich Gott. Ihm diene ich mit reinem Gewissen wie schon meine Vorfahren. Tag und Nacht denke ich an dich in meinen Gebeten. [4] Wenn ich mich an deine Abschiedstränen erinnere, dann sehne ich mich danach, wieder bei dir zu sein. Darüber würde ich mich sehr freuen. [5] Ich weiß, wie aufrichtig du glaubst; genauso war es schon bei deiner Großmutter Lois und deiner Mutter Eunike. Ich bin überzeugt, dass dieser Glaube auch in dir lebt.

[6] Darum bitte ich dich: Lass Gottes Gabe voll in dir wirksam werden. Du hast sie bekommen, als ich dir segnend die Hände auflegte. [7] Denn Gott hat uns keinen Geist der Furcht gegeben, sondern sein Geist erfüllt uns mit Kraft, Liebe und Besonnenheit.

Bekenntnis zu Christus auch im Leiden

[8] Schäm dich also nicht, dich in aller Öffentlichkeit zu unserem Herrn Jesus Christus zu bekennen. Halte auch weiter zu mir, obwohl ich jetzt für ihn im Gefängnis bin. Sei auch du bereit, für die rettende Botschaft zu leiden. Gott wird dir die Kraft dazu geben. [9] Er hat uns gerettet und uns dazu berufen, ganz zu ihm zu gehören. Nicht etwa, weil wir das verdient hätten, sondern aus Gnade und freiem Entschluss. Denn noch ehe diese Welt bestand, war es Gottes Plan, uns in seinem Sohn Jesus Christus seine erbarmende Liebe zu schenken. [10] Das ist jetzt Wirklichkeit geworden, denn unser Retter Jesus Christus ist gekommen. Das ist die rettende Botschaft: Er hat dem Tod die Macht genommen und das Leben – unvergänglich und ewig – ans Licht gebracht. [11] Diese Botschaft soll ich bekannt machen, in Gottes Auftrag verkünden und lehren.

[12] Darum hat man mich auch ins Gefängnis geworfen. Aber ich schäme mich nicht, denn ich weiß genau, an wen ich glaube. Ich bin ganz sicher, dass Christus mich und all das, was er mir anvertraut hat, bis zum Tag seines Kommens bewahren wird. [13] Halte dich genau an die Lehre, wie du sie von mir gehört hast. Halte dich an den Glauben und die Liebe, die wir in Jesus Christus haben. [14] Bewahr diese kostbare Gabe, die dir anvertraut ist. Die Kraft dazu wird dir der Heilige Geist geben, der in uns wohnt.

[15] Wie du weißt, haben mich alle Christen aus der Provinz Asia im Stich gelassen, sogar Phygelus und Hermogenes. [16] Ich bitte den Herrn darum, dass er Onesiphorus und allen in seinem Haus barmherzig ist. Denn Onesiphorus hat

---

1,1 1 Tim 2,7; Apg 9,15* **1,2** Apg 16,1–3* **1,4** 4,9 **1,6** 1 Tim 4,14–15 **1,7** Röm 8,15; 1 Joh 4,18 **1,8** Mt 10,32–33; Röm 1,16; 2 Tim 3,12*; 1 Petr 4,16 **1,9** Tit 3,5–6; Eph 1,4–11 **1,10** Röm 6,9–10; Hebr 2,14 **1,11** Apg 9,15*; Eph 3,7 **1,12** 2,9 **1,13** 3,14 **1,15** 4,16 **1,16–18** 4,19; Mt 25,36

mir immer wieder geholfen. Er hielt treu zu mir, obwohl ich im Gefängnis war. [17] Als er nach Rom kam, ließ er nichts unversucht, bis er mich fand. [18] Der Herr möge ihm am Tag des Gerichts sein Erbarmen schenken. Gerade du weißt ja, wie viel er auch in Ephesus für mich getan hat.

Für Christus kämpfen und leiden

2 Mein lieber Timotheus! Werde stark im Glauben durch die Kraft, die Jesus Christus dir schenkt. [2] Was du von mir in Gegenwart vieler Zeugen gehört hast, das gib jetzt an zuverlässige Christen weiter, die fähig sind, auch andere im Glauben zu unterweisen.

[3] Als ein guter Kämpfer Jesu Christi musst du so wie ich bereit sein, auch für ihn zu leiden. [4] Kein Soldat, der in den Krieg zieht, darf sich von seinen alltäglichen Sorgen ablenken lassen, wenn sein Befehlshaber mit ihm zufrieden sein soll. [5] Ein Sportler kann einen Siegeskranz nur gewinnen, wenn er sich an die Wettkampfregeln hält. [6] Ein Bauer, der schwer arbeitet, darf als Erster die Früchte seiner Arbeit genießen. [7] Denk darüber nach, was das heißt. Im Übrigen wird dir der Herr in allen Dingen die richtige Einsicht geben.

[8] Vergiss nie: Jesus Christus, ein Nachkomme Davids, wurde durch Gott von den Toten auferweckt.

Das ist die rettende Botschaft, die ich verkünde. [9] Dafür leide ich, und *allein deswegen* hat man mich wie einen Verbrecher ins Gefängnis geworfen. Aber Gottes Botschaft lässt sich nicht einsperren. [10] Doch ich nehme die Gefangenschaft gerne auf mich für alle, die Gott auserwählt hat, damit sie durch Jesus Christus gerettet werden und für immer in Gottes Herrlichkeit sein dürfen. [11] Das steht unwiderruflich fest:

Sind wir mit Christus gestorben, werden wir auch mit ihm leben.

[12] Leiden wir hier mit ihm, werden wir auch mit ihm herrschen. Verleugnen wir ihn, wird er uns auch verleugnen.

[13] Sind wir untreu, bleibt er treu, denn er kann sich selbst nicht untreu werden.

Warnung vor Irrlehrern

[14] An dieses Bekenntnis sollst du alle immer wieder erinnern. Weise sie vor Gott eindringlich darauf hin, dass sie endlich mit diesen sinnlosen Streitereien um Worte aufhören, was keinem nützt, aber viele durcheinander bringt. [15] Setz alles daran, dass du in deiner Arbeit zuverlässig bist und dich für nichts schämen musst. Sorg dafür, dass Gottes wahre Botschaft richtig und klar verkündet wird.

[16] Beteilige dich nicht an dem heillosen, leeren Geschwätz gewisser Leute. Sie entfernen sich dadurch nur immer weiter von Gott. [17] Wie ein todbringendes Krebsgeschwür breitet sich ihre falsche Lehre aus. Zu ihnen gehören auch Hymenäus und Philetus. [18] Sie setzen sich über die Wahrheit einfach hinweg und behaupten, die Auferstehung sei schon geschehen. Auf diese Weise haben sie schon manchen vom Glauben abgebracht. [19] Aber das feste Fundament, das Gott gelegt hat, können sie nicht erschüttern. Es trägt die Aufschrift: »Der Herr kennt alle, die zu ihm gehören«, und ebenso: »Wer sich zum Herrn bekennt, der darf nicht länger Unrecht tun.«

[20] Nun gibt es selbst in einem reichen Haushalt nicht nur goldene und silberne Gefäße, sondern auch solche aus Holz oder Ton. Während die einen bei Festen und großen Feiern auf den Tisch kommen, gebraucht man die anderen für den Abfall. [21] Wer sich von diesen Schwätzern fern hält, der wird wie eins der edlen Ge-

---

2,1 Eph 6,10 **2,3–5** 1,8; 3,12*; 4,5–8; 1 Tim 6,12; 1 Kor 9,24–27 **2,6** 1 Kor 9,7–10 **2,8–9** Mt 1,1*; Phil 1,13 **2,10** Kol 1,24 **2,11** Röm 5,2; 6,8 **2,12** Röm 8,17; 1 Kor 6,2–4; Mt 10,32–33 **2,13** Röm 3,3–4; 11,29 **2,15** 1 Tim 4,6; Tit 2,8 **2,16–17** 2,23; 1 Tim 4,7; 6,20–21 **2,19** Mt 7,22–23; Joh 10,14 **2,21** Ps 1,1; 2 Kor 6,17–18

fäße sein: rein und wertvoll, nützlich für den Hausherrn, geeignet für alles, was gut ist und Gott gefällt.

[22] Widerstehe den Verlockungen und Leidenschaften, die jungen Menschen zu schaffen machen. Setz vielmehr alles daran, dass du das Richtige tust, dass dein Glaube fest wird und du in Liebe und Frieden mit allen lebst, die den Herrn aufrichtig anbeten. [23] Lass dich nicht auf törichte und nutzlose Auseinandersetzungen ein. Du weißt ja, dass sie nur zu Streit führen. [24] Wer Gott dienen will, soll sich nicht herumstreiten, sondern allen Menschen freundlich begegnen, ein geduldiger Lehrer sein, bereit, auch Böses zu ertragen.

[25] Er soll versuchen, alle, die sich der rettenden Botschaft widersetzen, mit Güte auf den richtigen Weg zu bringen. Denn vielleicht führt Gott sie ja zur Einsicht, dass sie umkehren und die Wahrheit erkennen. [26] Dann können sie wieder frei werden von den Schlingen des Teufels, in denen sie sich verfangen hatten und sich von ihm für seine Zwecke missbrauchen ließen.

Zeichen der letzten Zeit

3 Das eine sollst du noch wissen: In den letzten Tagen dieser Welt werden schreckliche Zeiten kommen. [2] Dann werden die Menschen nur sich selbst und ihr Geld lieben. Sie werden sich wichtig tun und sich selbst überschätzen, einander verleumden und sich gegen die Eltern auflehnen, weder Dank noch Ehrfurcht kennen. [3] Lieblos und unversöhnlich werden sie sein, ihre Mitmenschen verleumden und hemmungslos leben, brutal und rücksichtslos. Sie hassen alles Gute, [4] Verräter sind sie, unbeherrscht und aufgeblasen; nur ihr Vergnügen haben sie im Kopf und wollen von Gott nichts wissen. [5] Nach außen tun sie zwar fromm, aber von der Kraft des wirklichen Glaubens wissen sie nichts. Hüte dich vor solchen Menschen!

[6] Einige gehen sogar von Haus zu Haus und versuchen dort vor allem gewisse Frauen auf ihre Seite zu ziehen. Diese Frauen sind mit Sünden beladen und werden nur von ihren Leidenschaften getrieben, [7] sie wollen jederzeit etwas Neues hören, sind aber unfähig, die Wahrheit zu erkennen.

[8] So wie sich die ägyptischen Zauberer Jannes und Jambres gegen Mose auflehnten, so widersetzen sich diese falschen Lehrer der Wahrheit. Ihre Ansichten sind verdreht und wirr, ihr Glaube hält keiner Prüfung stand. [9] Auf die Dauer werden sie aber ihr Unwesen nicht treiben können. Mit der Zeit wird jeder ihre Dummheit durchschauen. Genauso ist es den beiden ägyptischen Zauberern ergangen.

Wer glaubt, muss mit Widerstand rechnen

[10] Du aber, Timotheus, bist bei dem geblieben, was ich dich gelehrt habe. Du hast dir mein Leben, mein Ziel, meinen Glauben zum Vorbild genommen, dazu auch meine Geduld, meine Liebe und Ausdauer. [11] Du weißt, welche Verfolgungen und Leiden ich in Antiochia, in Ikonion und Lystra ertragen musste. Wie unerbittlich hat man mich dort verfolgt! Aber der Herr hat mich aus allen Gefahren gerettet. [12] Doch vergiss nicht: Jeder, der an Jesus Christus glaubt und so leben will, wie es Gott gefällt, muss mit Verfolgung rechnen. [13] Die Verführer aber und die Betrüger werden sich immer stärker in die Sünde verstricken. Sie verführen andere und werden auch selbst verführt.

[14] Darum bitte ich dich: Halte am Glauben fest, so wie du ihn kennen gelernt hast. Von seiner Wahrheit bist du ja überzeugt. Schließlich weißt du genau, wer deine Lehrer waren. [15] Außerdem bist du

---

2,22 1 Tim 4,12; 6,11 **2,23** 1 Tim 4,7 **3,2–5** Mt 10,21; Tit 1,16; Jud 18–19 **3,8–9** 2 Mo 7,11–12.22; 8,14–15 **3,10** 1 Kor 11,1* **3,11** Apg 13,50–51; 14,5–6.19 **3,12** Mk 8,34–35; 13,9.13; Joh 15,18–20; Apg 14,22; Röm 5,3; 8,18; 2 Kor 4,17; Phil 1,29–30; Kol 1,24; 1 Thess 3,3–4; 2 Thess 1,4–5; 1 Petr 4,1 **3,14** 1,13 **3,15–16** 1,5; Joh 5,39; Röm 15,4; 2 Petr 1,19–21

von frühester Kindheit an mit der Heiligen Schrift vertraut. Sie zeigt dir den einzigen Weg zur Rettung, den Glauben an Jesus Christus. [16]Denn die ganze Heilige Schrift ist von Gott eingegeben. Sie soll uns unterweisen; sie hilft uns, unsere Schuld einzusehen, wieder auf den richtigen Weg zu kommen und so zu leben, wie es Gott gefällt. [17]So werden wir reife Christen und als Diener Gottes fähig, in jeder Beziehung Gutes zu tun.

Der Auftrag und das Vermächtnis des Paulus

4 Vor Gott und vor unserem Herrn Jesus Christus, der kommen wird, um über die Lebenden und die Toten Gericht zu halten und seine Herrschaft anzutreten, bitte ich dich eindringlich: [2]Verkünde den Menschen Gottes Botschaft. Setz dich dafür ein, ob es den Menschen passt oder nicht! Rede ihnen ins Gewissen, weise sie zurecht, und ermutige sie, wo es nötig ist. Lehre sie in aller Geduld.

[3]Denn es wird eine Zeit kommen, in der die Menschen von der gesunden Lehre nichts mehr wissen wollen. Sie werden sich nach ihrem eigenen Geschmack Lehrer aussuchen, die ihnen nur nach dem Munde reden. [4]Und weil ihnen die Wahrheit nicht gefällt, folgen sie allen möglichen Legenden. [5]Doch du sollst wachsam und besonnen bleiben! Sei bereit, für Christus zu leiden. Predige unerschrocken die rettende Botschaft, und führ deinen Dienst treu und gewissenhaft aus.

[6]Ich sage dir das, weil ich mit dem Todesurteil rechnen muss[a] und mein Leben nun bald für Gott geopfert wird. [7]Doch ich habe mit vollem Einsatz gekämpft; jetzt ist das Ziel erreicht, und ich bin im Glauben treu geblieben. [8]Nun hält der Herr für mich auch den Siegespreis bereit. Er, der gerechte Richter, wird mir den Preis am Tag des Gerichts geben; aber nicht mir allein, sondern allen, die wie ich voller Sehnsucht auf sein Kommen warten.

Persönliche Bitten und Anliegen

[9]Nun bitte ich dich: Komm doch so schnell wie möglich zu mir! [10]Demas hat mich im Stich gelassen und ist nach Thessalonich gereist, weil ihm die Dinge dieser Welt wichtiger waren. Kreszens ist in Galatien und Titus in Dalmatien. [11]Nur Lukas ist bei mir geblieben. Wenn du kommst, bring Markus mit, denn er könnte mir hier viel helfen. [12]Tychikus habe ich nach Ephesus geschickt. [13]Bring mir aus Troas meinen Mantel mit, den ich bei Karpus zurückgelassen habe, ebenso die Bücher, vor allem aber die Pergamentrollen.

[14]Der Schmied Alexander hat mir viel Böses angetan. Er wird dafür vom Herrn die gerechte Strafe erhalten. [15]Hüte dich vor ihm, denn er hat unsere Botschaft von Jesus Christus erbittert bekämpft.

[16]Bei meiner ersten Gerichtsverhandlung stand mir niemand bei. Alle ließen mich im Stich. Gott möge ihnen verzeihen. [17]Der Herr aber war bei mir. Er hat mir Kraft gegeben, dass ich selbst an diesem Ort die rettende Botschaft von Jesus verkünden konnte und Menschen aus aller Welt sie hörten. Er hat mich vor dem sicheren Tod[b] bewahrt. [18]Auch in Zukunft wird mich der Herr vor allen bösen Angriffen schützen und in seine neue Welt im Himmel aufnehmen. Ihm gehört für immer alle Ehre. Amen.

[19]Grüß bitte Priszilla und Aquila und alle im Haus des Onesiphorus. [20]Erastus ist in Korinth geblieben, und Trophimus

---

[a] Wörtlich: Die Zeit meines Todes ist da.
[b] Wörtlich: aus dem Rachen des Löwen.

4,1 Joh 5,22–23; Apg 17,31; Röm 2,16 **4,2** Apg 4,20 **4,3–4** 2 Kor 4,3–4; 2 Thess 2,9–11 **4,5** 2,2–3; 3,12* **4,6** Apg 20,24; Phil 1,21–22; 2,17 **4,7** 1 Tim 6,12 **4,8** 1 Kor 9,24–27; Phil 3,12–14; Kol 2,18; Jak 1,12; 2 Kor 5,10* **4,10** Kol 4,14; Tit 1,4* **4,11** Apg 12,25* **4,12** Kol 4,7* **4,16** 1,15 **4,19** Apg 18,2–3*; 2 Tim 1,16–18 **4,20** Apg 19,22; 20,4; 21,29

habe ich krank in Milet zurücklassen müssen. [21] Beeil dich, dass du noch vor Beginn des Winters hier bist.

Eubulus lässt dich herzlich grüßen, ebenso Pudens, Linus, Klaudia und alle anderen Brüder und Schwestern hier.

[22] Unser Herr Jesus Christus sei mit dir und seine Gnade mit euch allen!

Der Brief des Paulus an Titus

Anschrift und Gruß

1 Diesen Brief schreibt Paulus, ein Diener Gottes und Apostel Jesu Christi. Ich habe den Auftrag, alle, die Gott auserwählt hat, im Glauben zu stärken. Viele Menschen sollen noch die Wahrheit erkennen und so leben, wie es Gott gefällt. [2] Wir hoffen auf das ewige Leben, das Gott uns vor allen Zeiten zugesagt hat. Und Gott lügt nicht. [3] Jetzt ist die Zeit gekommen, dass alle Menschen von seiner Zusage erfahren sollen. Gott, unser Retter, hat mir deshalb den Auftrag gegeben, diese Botschaft überall zu verkünden.

[4] Ich grüße dich, lieber Titus. Durch unseren gemeinsamen Glauben bist du mir lieb wie ein eigener Sohn. Ich wünsche dir Gnade und Frieden von Gott, unserem Vater, und unserem Retter Jesus Christus.

Wer eine Gemeinde leiten kann

[5] Ich habe dich auf Kreta zurückgelassen, damit du die Arbeit zu Ende führst, die wir dort gemeinsam begonnen haben. Vor allem sollst du in den einzelnen Städten geeignete Männer als Leiter der Gemeinden einsetzen. [6] Es müssen Männer sein, die ein vorbildliches Leben führen. Sie dürfen nur *eine* Frau haben. Ihre Kinder sollen an Jesus Christus glauben und nicht als zügellos und ungehorsam bekannt sein.

[7] Ein Gemeindeleiter muss tatsächlich in jeder Beziehung vorbildlich leben, denn er trägt die Verantwortung für die Gemeinde Gottes. Darum darf er weder rechthaberisch noch jähzornig oder gewalttätig sein, kein Trinker, und er soll nicht darauf aus sein, sich durch unehrliche Geschäfte zu bereichern. [8] Vielmehr soll er gastfreundlich sein, das Gute lieben und besonnen sein, gerecht urteilen, ganz für Gott da sein und sich selbst beherrschen können. [9] Außerdem muss er sich an die zuverlässige Botschaft Gottes halten, so wie sie ihm gelehrt worden ist. Denn nur so kann er die Gemeinde im Glauben festigen und andere, die einer falschen Lehre verfallen sind, von ihrem Irrweg abbringen.

Dulde keine Irrlehre!

[10] Denn es gibt viele, die sich gegen Gott auflehnen, Schwätzer und Verführer, besonders unter getauften Juden. [11] Man muss ihnen unbedingt das Maul stopfen; denn es ist ihnen schon gelungen, ganze Familien vom rechten Glauben abzubringen. Sie verbreiten ihre falschen Lehren und lassen sich auch noch teuer dafür bezahlen!

[12] Einer von ihren Landsleuten muss geradezu ein Prophet gewesen sein, als er sagte: »Alle Leute auf Kreta lügen. Sie sind faul und gefräßig und benehmen sich wie wilde Tiere.« [13] Dieser Mann hat die Wahrheit gesagt. Darum weise sie scharf zurecht, damit sie wieder zu einem gesunden Glauben zurückfinden. [14] Keiner soll diese jüdischen Legenden glauben und sich nach den Vorschriften von Leuten richten, die der Wahrheit den Rücken gekehrt haben.

1,1 Apg 9,15*; Eph 1,4; 2 Petr 3,9 **1,2–3** 1 Petr 1,3–5; Röm 3,4 **1,4** 2 Kor 2,13; 7,6–7; 8,16–17.23; Gal 2,1.3; 2 Tim 4,10 **1,5–9** 1 Tim 3,1–7; 1 Petr 5,1–4; Apg 20,28–31 **1,6** 1 Tim 3,2.12 **1,8** 1 Petr 4,9* **1,11** 1 Tim 6,5; 1 Petr 5,2

[15]Wen Gott von seiner Schuld rein gemacht hat, für den ist alles rein. Wer aber noch mit Schuld beladen ist und nicht auf Gott hören will, für den ist nichts rein. Sein ganzes Denken und Fühlen ist beschmutzt. [16]Zwar behaupten diese Leute, Gott zu kennen, aber ihr Leben beweist das Gegenteil. Sie widersetzen sich Gottes Weisungen und sind zu nichts Gutem fähig. Was sie tun, kann man nur verabscheuen.

Wie Christen leben sollen

2 Du aber sollst dich in allem, was du sagst, nach der unverfälschten Lehre richten. [2]Den älteren Männern sag, dass sie maßvoll, ehrbar und besonnen leben sollen; dabei treu in ihrem Glauben, voller Liebe und Geduld. [3]Von den älteren Frauen verlange, dass sie ein Leben führen, wie es Gott Ehre macht. Sie sollen nicht klatschen und tratschen noch sich betrinken, sondern in allen Dingen mit gutem Beispiel vorangehen. [4]So können sie die jungen Frauen dazu anleiten, dass sie ihre Männer und Kinder lieben, [5]besonnen und anständig sind, ihren Haushalt gut versorgen, sich liebevoll und gütig verhalten und sich ihren Männern unterordnen, damit Gottes Botschaft durch sie nicht in Verruf gerät. [6]Ebenso musst du die jungen Männer ermahnen, beherrscht und maßvoll zu leben. [7]Vor allem sei du ihnen in jeder Hinsicht ein gutes Vorbild. Die Lehre sollst du unverfälscht und mit Würde weitergeben. [8]Was immer du sagst, soll wahr und überzeugend sein. Nur so werden unsere Gegner beschämt und können nichts Nachteiliges gegen uns vorbringen. [9]Sag den Sklaven, dass sie sich ihren Herren in jeder Beziehung unterordnen, und zwar freiwillig und nicht widerstrebend. [10]Sie sollen nichts unterschlagen, sondern zuverlässig sein, damit ihr Beispiel die Menschen von der Botschaft Gottes, unseres Retters, überzeugt.

Im Alltag für Gott leben

[11]Denn Gottes Barmherzigkeit ist sichtbar geworden, mit der er alle Menschen retten will. [12]Sie bringt uns dazu, dass wir uns von aller Gottlosigkeit und allen selbstsüchtigen Wünschen trennen, dafür besonnen und rechtschaffen leben, wie es Gott gefällt. [13]Denn wir warten darauf, dass sich unsere Hoffnung bald erfüllt: dass unser großer Gott und Retter Jesus Christus in seiner ganzen Herrlichkeit erscheinen wird. [14]Er hat sein Leben für uns gegeben und uns von aller Schuld befreit. So sind wir sein Volk geworden; bereit, von ganzem Herzen Gutes zu tun.

[15]Das sollst du lehren; ermahne und weise mit ganzer Autorität zurecht. Niemand darf auf dich herabsehen.

Der Christ in Staat und Gesellschaft

3 Erinnere die Christen daran, dass sie sich dem Staat und allen Regierenden unterzuordnen haben. Sie sollen die Gesetze des Staates befolgen und sich tatkräftig für die Menschen einsetzen. [2]Kein Christ darf gehässig über andere reden oder gar Streit suchen. Er soll vielmehr jedem freundlich und liebevoll begegnen.

[3]Vergessen wir nicht: Auch wir wussten es früher nicht besser. Wir waren Gott ungehorsam, kannten den richtigen Weg nicht und wurden von allen möglichen Wünschen und Leidenschaften beherrscht. Bosheit und Neid bestimmten unser Leben. Wir hassten alle, und alle hassten uns.

[4]Aber dann wurde die Liebe und Güte Gottes, unseres Befreiers, sichtbar. [5]Er

---

1,15 Mt 15,11; Röm 14,14 **1,16** 2 Tim 3,2–5; Jud 18–19 **2,1** 2 Tim 1,13 **2,2** 3 Mo 19,32; 1 Tim 5,1 **2,3–5** 1 Tim 5,14; 1 Petr 3,1–6 **2,6** 1 Tim 2,8; 1 Petr 3,7 **2,7** 1 Kor 11,1* **2,8** 2 Tim 2,15; 1 Petr 2,12.15 **2,9–10** Eph 6,5–8; Kol 3,22–25; 1 Tim 6,1–2; 1 Petr 2,18 **2,11** 3,4 **2,13** Mt 24,43–44; Röm 5,9–10; 1 Kor 1,7–8; Phil 3,20; 1 Thess 1,10; 5,2–4; 2 Petr 3,13–14 **2,14** 1 Tim 2,5–6; Kol 1,21–22; Eph 2,10*; 2 Tim 3,17 **2,15** 1 Tim 4,12 **3,1** Röm 13,1–7* **3,2** Phil 4,5; Kol 4,6 **3,3** Eph 2,1–3 **3,4–6** Röm 3,24; 9,16; Eph 2,4–10; 2 Tim 1,9

rettete uns – nicht, weil wir etwas geleistet hätten, womit wir seine Liebe verdienten; nein, seine Barmherzigkeit hat uns durch eine neue Geburt und die Taufe[a] zu neuen Menschen gemacht. Das wirkte der Heilige Geist, [6]den Gott uns durch unseren Retter Jesus Christus in reichem Maße geschenkt hat.

[7]So sind wir allein durch seine unverdiente Güte von aller Schuld befreit und warten voller Hoffnung auf das ewige Leben, das wir als seine Kinder erben werden. [8]Darauf können wir vertrauen.

Irrlehrer in der Gemeinde

Ich will, dass du dies alles mit Nachdruck weitergibst. Denn alle, die zum Glauben an Gott gekommen sind, sollen sich darum bemühen, Gutes zu tun. Das ist nützlich und hilfreich für alle Menschen. [9]Wo aber nur leeres Stroh gedroschen wird und man völlig sinnlos über Abstammungslinien und Geschlechtsregister streitet, da hast du nichts zu suchen. Beteilige dich nicht an dem Gezänk über bestimmte religiöse Vorschriften. Das führt zu nichts und hat gar keinen Wert.

[10]Wer falsche Lehren verbreitet, den sollst du ein- oder zweimal zurechtweisen. Kommt er trotzdem nicht zur Einsicht, dann trenn dich von ihm. [11]Du weißt doch: Den Menschen, die ihre Sünde nicht einsehen wollen, kann man nicht helfen. Sie sprechen sich selbst das Urteil.

Bitten und Grüße

[12]Sobald Artemas oder Tychikus bei dir sind, komm so schnell wie möglich zu mir nach Nikopolis. Dort will ich den ganzen Winter über bleiben. [13]Den Rechtsanwalt Zenas und auch Apollos rüste mit allem aus, was sie für die Reise brauchen, damit ihnen unterwegs nichts fehlt. [14]Alle, die sich zu Jesus Christus bekennen, müssen lernen, überall da zu helfen, wo es nötig ist. Denn sonst bleibt ihr Glaube fruchtlos.

[15]Meine Mitarbeiter lassen dich herzlich grüßen. Viele Grüße an alle Christen, die uns in Liebe verbunden sind.

Die Gnade Gottes sei mit euch allen!

---

[a] Wörtlich: durch das Bad der Wiedergeburt.

3,7 2,13*; Röm 5,9–10; 8,14–15*.24–25 **3,8** Eph 2,10* **3,9** 1 Tim 1,4; 2 Tim 2,14
3,10–11 Mt 7,15–16; Röm 16,17; 1 Kor 5,9–11; Kol 2,8; 2 Thess 3,14–15; 2 Joh 10 **3,12** Kol 4,7*
3,13 Apg 18,24–28* **3,14** Eph 2,10*

Der Brief des Paulus an Philemon

Anschrift und Gruß

Paulus, der im Gefängnis ist, weil er die rettende Botschaft von Jesus Christus verkündet, und der Bruder Timotheus schreiben diesen Brief an ihren lieben Freund und Mitarbeiter Philemon, [2]an unsere Schwester Aphia, an Archippus, der sich wie wir mit aller Kraft für die rettende Botschaft einsetzt, und an alle anderen Christen, die sich in Philemons Haus treffen. [3]Wir wünschen euch allen Gnade und Frieden von Gott, unserem Vater, und unserem Herrn Jesus Christus.

Ein Glaube, der ermutigt

[4]Lieber Philemon! Ich danke meinem Gott immer wieder, wenn ich an dich denke und für dich bete. [5]Denn ich habe erfahren, mit welcher Liebe du allen Christen begegnest und wie fest du an unseren Herrn Jesus glaubst. [6]Ich bete, dass der Glaube, der uns miteinander verbindet, in dir weiter wächst und du immer mehr erkennst, wie reich uns Jesus Christus beschenkt hat. [7]Durch deine Liebe habe ich viel Freude und Ermutigung erfahren, denn ich weiß, wie oft du andere Christen in ihrem Glauben gestärkt hast.

Fürsprache für einen geflohenen Sklaven

[8]Aus diesem Grund möchte ich dich jetzt um etwas bitten, was ich als Apostel Jesu Christi auch mit gutem Recht von dir verlangen könnte. [9]Doch um der Liebe willen möchte ich dir nichts befehlen, sondern dich schlicht und einfach bitten als ein alter Mann, den man ins Gefängnis geworfen hat, weil er die rettende Botschaft von Jesus Christus verkündet.

[10]Es geht um deinen Sklaven Onesimus, der hier durch mich zum Glauben an Christus gefunden hat und für mich wie ein Sohn geworden ist. [11]Möglich, dass er früher seinem Namen keine Ehre gemacht hat und für dich nicht besonders nützlich war.[a] Aber wie viel Nutzen kann er nun dir und mir bringen!

[12]Ich schicke ihn jetzt zu dir zurück und mit ihm mein eigenes Herz. [13]Wie gern hätte ich ihn noch bei mir behalten, solange ich für die rettende Botschaft im Gefängnis sein muss. Er hätte mir helfen können, so wie du selbst es tun würdest. [14]Aber ich wollte ihn nicht ohne deine Einwilligung hier behalten. Denn eine gute Tat sollte nicht erzwungen sein, sondern freiwillig geschehen.

[15]Vielleicht ist dir Onesimus nur deshalb für eine kurze Zeit genommen worden, damit er für immer zu dir zurückkehrt. [16]Nun kommt er nicht nur als dein Sklave wieder, du wirst viel mehr an ihm haben: einen geliebten Bruder. Das ist er für mich gewesen. Wie viel mehr wird er es für dich sein; er gehört ja zu dir – als Mensch und nun auch als Christ.

[17]Wenn ich also dein Freund und Bruder bin, dann nimm Onesimus auf, als würde ich selbst zu dir kommen. [18]Sollte dir durch seine Flucht irgendein Schaden entstanden sein, oder sollte er dir etwas schulden, dann stell es mir in Rechnung. [19]Ich werde es bezahlen. Dafür bürge ich hier mit meiner Unterschrift. Was du mir

---

[a] Onesimus bedeutet »der Nützliche«.

1 1,9; Eph 3,1; Phil 1,7.13; Apg 16,1–3* **2** Kol 4,17 **5** Phil 2,1–5; Hebr 6,10 **6** Eph 1,3 **10** Kol 4,9; 1 Tim 1,2 **14** 2 Kor 9,7

allerdings schuldest, weil du durch mich zum Glauben an Jesus Christus gefunden hast, davon will ich hier gar nicht reden.[a] [20] Lieber Philemon! Bereite mir doch diese Freude und sei mir von Nutzen! Erfülle meine Bitte, weil wir beide an den Herrn glauben und durch Jesus Christus verbunden sind.

[21] Ich schreibe dir im Vertrauen darauf, dass du dich nach mir richten wirst. Ja, ich bin sicher, du wirst noch mehr tun, als ich von dir erbitte.

[22] Übrigens rechne ich damit, dass Gott eure Gebete erhört und ich bald zu euch kommen kann. Dann halte bitte eine Unterkunft für mich bereit.

Herzliche Grüße

[23] Epaphras lässt dich herzlich grüßen. Er ist mit mir für Jesus Christus im Gefängnis. [24] Herzliche Grüße auch von meinen Mitarbeitern Markus, Aristarch, Demas und Lukas.

[25] Die Gnade unseres Herrn Jesus Christus sei mit euch!

---

[a] Wörtlich: Ich, Paulus, schreibe es mit eigener Hand: Ich werde es bezahlen – um dir nicht zu sagen, dass du mir dich selbst schuldest.

22 Phil 1,25; 2,24 **23** Kol 1,7; 4,12 **24** Apg 12,25*; 19,29; 2 Tim 4,10; Kol 4,14; 2 Tim 4,11

Der Brief an die Hebräer

Gott spricht durch seinen Sohn

1 Immer wieder hat Gott schon vor unserer Zeit auf vielfältige Art und Weise durch die Propheten zu unseren Vorfahren gesprochen. [2] Doch jetzt, in dieser letzten Zeit, sprach Gott durch seinen Sohn zu uns. Durch ihn schuf Gott Himmel und Erde, und ihn hat er auch zum Erben über alles eingesetzt. [3] In dem Sohn zeigt sich die göttliche Herrlichkeit seines Vaters, denn er ist ganz und gar Gottes Ebenbild. Sein Wort ist die Kraft, die das Weltall zusammenhält. Durch seinen Tod hat er uns von der Last unserer Schuld befreit und nun den Ehrenplatz im Himmel eingenommen, an der rechten Seite Gottes, dem alle Macht gehört.

Christus – höher als die Engel

[4] Gott hat Christus seinen Sohn genannt und ihn damit weit über alle Engel gestellt. [5] Zu welchem Engel hätte Gott wohl jemals gesagt: »Du bist mein Sohn. Heute setze ich dich zum König ein«?[a] Und zu keinem Engel hat Gott je gesagt: »Ich werde sein Vater sein, und er wird mein Sohn sein.«[b] [6] Als Gott seinen erstgeborenen Sohn in diese Welt sandte, erfüllte sich das Wort: »Alle Engel sollen ihn anbeten.«[c]

[7] Von den Engeln heißt es in der Heiligen Schrift: »Gottes Engel sind Boten, die schnell sind wie der Wind, und seine Diener sind wie die Flammen eines Feuers.«[d] [8] Von dem Sohn aber heißt es: »Gott, deine Herrschaft bleibt immer und ewig bestehen. In deinem Reich herrscht die Gerechtigkeit. [9] Denn du liebst das Recht und hasst das Unrecht. Darum hat dich dein Gott als Herrscher eingesetzt und mehr als alle anderen mit Freude beschenkt.«[e]

[10] Christus ist gemeint, wenn gesagt wird: »Am Anfang hast du, Herr, alles geschaffen. Die Erde und der Himmel, alles ist das Werk deiner Hände. [11] Sie werden vergehen, du aber bleibst. Wie alte Kleider werden sie zerfallen, [12] wie ein abgetragenes Gewand wirst du sie zur Seite legen und sie wie alte Kleidung durch neue auswechseln. Du aber bleibst ein und derselbe, du wirst immer und ewig leben.«[f]

[13] Oder hat Gott jemals zu einem Engel gesagt: »Setze dich auf den Ehrenplatz an meiner rechten Seite, bis ich dir alle deine Feinde unterworfen habe, bis du deinen Fuß auf ihren Nacken setzt«[g]? [14] Alle Engel sind nur Wesen, die Gott dienen. Er sendet sie aus, damit sie allen helfen, denen er Rettung schenken will.

Verfehlt nicht das Ziel!

2 Deshalb müssen wir umso mehr auf das achten, was wir gehört haben. Sonst verfehlen wir noch das Ziel! [2] Denn

---

[a] Wörtlich: Heute habe ich dich gezeugt. – »Gezeugt« ist ein bildlicher Ausdruck für die Einsetzung des Königs in sein Amt. Psalm 2,7
[b] 2. Samuel 7,14
[c] Psalm 97,7
[d] Psalm 104,4
[e] Psalm 45,7–8
[f] Psalm 102,26–28
[g] Psalm 110,1

1,2 Joh 1,3; 1 Kor 8,6; Kol 1,16; Röm 8,17 **1,3** Joh 14,7–10; 2 Kor 4,4; Kol 1,15; 2 Kor 5,18–21*; Hebr 9,12–14; 10,22; Ps 110,1; Mk 16,19; Eph 1,20–21 **1,4** Mt 3,17; Phil 2,9 **1,5** 5,5 **1,6** Joh 3,16 **1,14** Ps 34,8; 91,11–12; Mt 4,11 **2,1** 4,1.11; 6,9.11; 12,1–2; Phil 1,6; 1 Petr 1,9 **2,2** 10,28; Apg 7,53; Gal 2,19; 3,19

schon das Gesetz, das die Engel Mose überbrachten, war für alle verbindlich; und jeder, der diese Gebote Gottes übertrat, erhielt seine gerechte Strafe. [3]Wie viel weniger werden wir der Strafe entkommen, wenn wir Gottes unvergleichliches Rettungsangebot ausschlagen! Jesus Christus selbst hat es zuerst bekannt gemacht, und es wurde uns von Zeugen bestätigt, die unseren Herrn mit eigenen Ohren gehört haben. [4]Darüber hinaus hat Gott diese Botschaft beglaubigt durch Zeichen und Wunder, durch seine machtvollen Taten und durch die Gaben des Heiligen Geistes, die er nach seinem Willen austeilt.

Christus führt zu Gott

[5]Über die zukünftige Welt, von der wir hier reden, werden keine Engel herrschen. [6]An einer Stelle der Heiligen Schrift heißt es dazu: »Was ist schon der Mensch, dass du an ihn denkst? Und was ist der Menschensohn, dass du dich so um ihn kümmerst? [7]Für eine kurze Zeit hast du ihm zwar eine niedrige Stellung gegeben – niedriger als die Engel. Aber dann hast du ihn mit Ruhm und Ehre gekrönt. [8]Alles hast du ihm zu Füßen gelegt.«[a]

Wenn Gott aber seinen Sohn zum Herrscher eingesetzt hat, dann hat er ihm die Herrschaft über alles gegeben – ohne jede Ausnahme. Freilich können wir das jetzt noch nicht in vollem Umfang sehen. [9]Aber wir sehen, dass Gott seinen Sohn Jesus, der für eine kurze Zeit niedriger war als die Engel, mit Ruhm und Ehre gekrönt hat. Dies war der Lohn für sein Sterben am Kreuz. Denn Gott hat die Menschen so sehr geliebt, dass Jesus für alle den Tod erlitten hat.

[10]So ist es auch kein Widerspruch, dass Gott – für den alles geschaffen wurde und durch den alles ist – seinen Sohn durch das Leiden am Kreuz zur Vollendung gelangen ließ. Dadurch hat Jesus den Weg für viele Menschen gebahnt, die er als Gottes Kinder in sein herrliches Reich führt. [11]Jetzt haben sie alle den einen Vater: sowohl Jesus, der die Menschen in die Gemeinschaft mit Gott führt, als auch die Menschen, die durch Jesus zu Gott geführt werden. Darum schämt sich Jesus auch nicht, sie seine Brüder und Schwestern zu nennen, [12]wenn er sagt:

»Ich will meinen Brüdern deinen Namen bekannt machen, vor der ganzen Gemeinde will ich dich loben und ehren.«[b] [13]Er sagt auch: »Gott allein will ich vertrauen!« Und weiter: »Hier bin ich, und hier sind die Kinder, die Gott mir gegeben hat.«[c]

[14]Die Kinder aber sind wir, Menschen aus Fleisch und Blut. Christus ist nun auch ein Mensch geworden wie wir, um durch seinen Tod dem Teufel – als dem Herrscher über den Tod – die Macht zu entreißen. [15]So hat er alle befreit, die aus Furcht vor dem Tod ihr ganzes Leben hindurch Gefangene des Teufels waren.

[16]Denn Jesus geht es ja nicht um die Engel. Ihm geht es um die Menschen, um die Nachkommen Abrahams. [17]Deshalb musste er uns, seinen Brüdern und Schwestern, auch in allem gleich sein. Dadurch konnte er ein barmherziger und zuverlässiger Hoherpriester für uns werden und sich selbst als Sühneopfer für unsere Sünden Gott darbringen. [18]Denn weil er selbst gelitten hat und denselben Versuchungen ausgesetzt war wie wir Menschen, kann er uns in allen Versuchungen helfen.

---

[a] Psalm 8,5–7
[b] Psalm 22,23
[c] Jesaja 8,17–18

2,3 10,29; 12,25; Gal 2,21; Apg 1,21–22 **2,4** Apg 2,22; 5,12; 2 Kor 12,2; 1 Kor 12,7–11 **2,6–7** Dan 7,13–14 **2,8** 1 Kor 15,27 **2,9–10** 2 Kor 5,18–21*; 13,4; Phil 2,6–11 **2,11–12** Joh 17,20–21; Röm 8,29–30; Eph 1,4–5; 1 Petr 1,2 **2,14–15** Mk 10,45; Apg 2,24; 2 Tim 1,10; 1 Joh 3,8; Offb 1,18 **2,17–18** 4,14–15; Röm 8,3; Gal 4,4–5

Christus – höher als Mose

3 Euch, meine lieben Brüder und Schwestern, hat Gott dazu bestimmt, ihm zu gehören. Seht deshalb auf Jesus, den Gesandten Gottes und Hohenpriester, zu dem wir uns bekennen. [2] Er ist seinem Vater, der ihn dazu beauftragt hat, ebenso treu gewesen wie Mose dem Volk Gottes treu gedient hat. [3] Und doch ist Christus viel höher zu ehren als Mose; ein Baumeister genießt ja auch ein größeres Ansehen als das Haus selbst. [4] Jedes Haus hat seinen Baumeister. Gott aber ist der Baumeister, der alle Dinge geschaffen hat.

[5] Mose war Gottes treuer *Diener* im Volk Israel, dem Haus, das ihm der Herr anvertraut hatte. So wurde er zum Hinweis für die Botschaft, die jetzt verkündet wird. [6] Christus dagegen ist Gottes treuer *Sohn* in seinem eigenen Haus. Dieses Haus sind wir, seine Gemeinde, wenn wir bis zum Ende entschlossen und freudig auf Christus vertrauen und uns durch nichts von der Hoffnung abbringen lassen, die unser Glaube uns schenkt.

Verschließt euch nicht vor Gott!

[7] Deshalb fordert uns der Heilige Geist auf: »Heute, wenn ihr meine Stimme hört, [8/9] dann verschließt eure Herzen nicht, wie es eure Vorfahren getan haben; damals, als sie mich in der Wüste herausforderten und sich erbittert gegen mich auflehnten. Vierzig Jahre lang haben sie jeden Tag erlebt, dass ich sie führte. Und trotzdem haben sie immer wieder neue Beweise meiner Macht von mir verlangt. [10] Voller Zorn über dieses Volk habe ich deshalb gesagt: ›Ihr ganzes Wünschen und Wollen ist verkehrt und führt sie in die Irre. Die Wege, die ich sie führen will, verstehen sie nicht.‹ [11] Ich habe geschworen in meinem Zorn: ›Niemals sollen sie in das verheißene Land kommen, nie die Ruhe finden, die ich ihnen geben wollte.‹«[a]

[12] Achtet deshalb darauf, liebe Brüder und Schwestern, dass ihr euch nicht ebenso durch eure Widerspenstigkeit zum Unglauben verleiten lasst und euch – wie eure Vorfahren – von dem lebendigen Gott abwendet. [13] Ermahnt und ermutigt einander immer wieder, solange jenes »Heute« gilt und Gott zu euch redet. Nur so seid ihr sicher, dass ihr euch nicht vor ihm verschließt und die Sünde euch nicht betrügen kann. [14] Denn nur wenn wir wirklich bis zuletzt an der Zuversicht festhalten, die der Glaube uns schenkt, gehören wir zu Christus. [15] Darum gilt, was Gott gesagt hat: »Heute, wenn ihr meine Stimme hört, dann verschließt eure Herzen nicht wie eure Vorfahren, als sie sich erbittert gegen mich auflehnten.«

[16] Wer hat denn Gottes Worte gehört und sich trotzdem gegen ihn aufgelehnt? Es waren doch dieselben Leute, die Mose aus Ägypten geführt hatte! [17] Und wer forderte vierzig Jahre lang Gottes Zorn heraus? Waren es nicht dieselben, die sich gegen Gott auflehnten und deshalb in der Wüste so elend umkamen? [18] Wem hatte Gott geschworen, dass sie niemals in das verheißene Land gelangen und zur Ruhe kommen sollten? Doch nur denen, die nicht auf ihn hören wollten. [19] Das alles zeigt uns ganz klar: Sie konnten ihr Ziel, das von Gott verheißene Land, nicht erreichen, weil sie Gott nicht vertrauen wollten.

Gott will uns Ruhe schenken

4 Deshalb müssen wir alles daransetzen, das Ziel nicht zu verfehlen. Denn Gottes Zusage, uns seine Ruhe zu schenken, ist noch nicht erfüllt. [2] Auch uns gilt ja diese gute Botschaft, die Gott unseren Vorfahren gab. Ihnen freilich nutzte dies nichts; denn sie haben Gottes Zusage zwar gehört, aber sie vertrauten

---

[a] Psalm 95,8–11

3,1 4,14 **3,2** 4 Mo 12,7; Mt 26,39 **3,6** 10,21; 1 Petr 2,5–6 **3,8–9** 2 Mo 14,11–12* **3,11** 4 Mo 14,29–35 **3,12** 12,25 **3,13** 1 Thess 5,11 **3,14** 6,11–12; Jak 1,12; Offb 2,10 **3,16–17** 1 Kor 10,1–6 **3,18** 4 Mo 14,22–24.29–30 **3,19** 4,6 **4,1** 2,1* **4,2** 3,19

Gott nicht. [3]Doch wir, die wir ihm vertrauen, werden in sein Reich des Friedens kommen.

Gott hat gesagt: »In meinem Zorn über ihren Unglauben habe ich geschworen: Niemals sollen sie in das verheißene Land kommen, nie die Ruhe finden, die ich ihnen geben wollte.«[a] Und das sagte Gott, obwohl es diese Ruhe von allem Anfang an gab, als Gott die Welt geschaffen hatte. [4]Es heißt doch vom siebten Schöpfungstag: »Nachdem Gott alles geschaffen hatte, ruhte er am siebten Tag von seiner Arbeit.«[b] [5]Dennoch schwört Gott: »Niemals sollen sie in das verheißene Land kommen, nie die Ruhe finden, die ich ihnen geben wollte.« [6]Das bedeutet: Gottes Angebot, uns in sein Reich des Friedens aufzunehmen, besteht auch heute noch. Zuerst galt dieses Versprechen ja unseren Vorfahren. Doch sie haben seine Erfüllung nicht erlebt, weil sie sich Gottes Willen widersetzten. [7]Darum hat Gott einen neuen Tag festgesetzt, an dem er sein Versprechen erfüllen will. Dieser Tag heißt *Heute.* Lange Zeit später ließ er durch König David sagen: »Heute, wenn ihr meine Stimme hört, dann verschließt eure Herzen nicht.«[c] [8]Hätte Josua unsere Vorfahren tatsächlich zum Ort der Ruhe geführt, würde Gott später nicht von einem anderen Tag sprechen.

[9]Gottes Volk erwartet also bis heute die Zeit der Ruhe, den wahren Sabbat. [10]Wer zu dieser Ruhe gefunden hat, wird von aller seiner Arbeit ausruhen können, so wie Gott am siebten Schöpfungstag von seinen Werken ruhte. [11]Darum lasst uns alles daransetzen, zu dieser Ruhe Gottes zu gelangen, damit niemand durch Ungehorsam das Ziel verfehlt. Unsere Vorfahren sind uns darin ein warnendes Beispiel.

[12]Gottes Wort ist voller Leben und Kraft. Es ist schärfer als die Klinge eines beidseitig geschliffenen Schwertes; dringt es doch bis in unser Innerstes, bis in unsere Seele und unseren Geist, und trifft uns tief in Mark und Bein. Dieses Wort ist ein unbestechlicher Richter über die Gedanken und geheimsten Wünsche unseres Herzens. [13]Gottes Augen bleibt nichts verborgen; vor ihm ist alles sichtbar und offenkundig. Jeder Mensch muss Gott Rechenschaft geben.

Christus ist der einzig wahre Hohepriester

[14]Lasst uns also unerschütterlich an unserem Bekenntnis zu Jesus Christus festhalten, denn in ihm haben wir einen großen Hohenpriester, der vor Gott für uns eintritt. Er, der Sohn Gottes, ist durch den Himmel bis zu Gottes Thron gegangen. [15]Doch er gehört nicht zu denen, die unsere Schwächen nicht verstehen und zu keinem Mitleiden fähig sind. Jesus Christus musste mit denselben Versuchungen kämpfen wie wir, doch im Gegensatz zu uns hat er nie gesündigt. [16]Er tritt für uns ein, daher dürfen wir mit Zuversicht und ohne Angst zu Gott kommen. Er wird uns seine Barmherzigkeit und Gnade zuwenden, wenn wir seine Hilfe brauchen.

5 Jeder Mensch, der zum Hohenpriester ernannt wird, ist zum Dienst für Gott eingesetzt: Stellvertretend für alle Menschen muss er Gott Gaben und Opfer darbringen, um die Schuld zu sühnen. [2]Und weil er selbst ein Mensch ist mit all seinen Schwächen, kann er die Menschen verstehen, die unwissend sind und Irrwege gehen. [3]Doch gerade deshalb muss er nicht nur für die Sünden anderer opfern, sondern auch für seine eigenen. [4]Niemand kann sich selbst zum Hohen-

---

[a] Wörtlich: Wie ich schwor in meinem Zorn, sie sollen nicht zu meiner Ruhe eingehen. Psalm 95,11
[b] 1. Mose 2,2
[c] Psalm 95,8

4,6 Röm 11,28–30 **4,7** 3,7–9 **4,8** 5 Mo 31,7; Jos 21,43–44 **4,9–10** Phil 1,23; Offb 14,13 **4,11** 2,1*; 1 Kor 1,8 **4,12** Eph 6,17; Jer 23,29 **4,13** Ps 26,2*; Mk 4,22 **4,14** 6,19–20 **4,15** 2,17–18; 1 Kor 10,13; 2 Petr 2,9 **4,16** 10,19; Röm 8,15; Eph 2,18; 3,12 **5,1** 2,17; 3 Mo 16,32 **5,2** 7,28 **5,3** 7,27; 9,7; 3 Mo 16,11.17 **5,4** 2 Mo 28,1

priester ernennen. Gott beruft in diese Aufgabe, so wie er es mit Aaron getan hat. [5]Auch Christus hat sich nicht die Würde des Hohenpriesters angemaßt. In diese Aufgabe hat Gott ihn berufen, als er zu ihm sprach: »Du bist mein Sohn, heute setze ich dich zum König ein.«[a] [6]Oder wie Gott an anderer Stelle sagt: »In alle Ewigkeit sollst du ein Priester sein, so wie es Melchisedek war.«[b] [7]Als Jesus unter uns Menschen lebte, schrie er unter Tränen zu Gott, der ihn allein vom Tod retten konnte. Und Gott erhörte sein Gebet, weil Jesus den Vater ehrte und ihm gehorsam war. [8]Dennoch musste auch Jesus, der Sohn Gottes, durch sein Leiden Gehorsam lernen. [9]Nachdem er zu Gottes Thron zurückgekehrt ist, ist er für alle, die ihm gehorsam sind, zum Retter und Erlöser geworden. [10]Gott selbst hat ihn für uns zum Hohenpriester eingesetzt, so wie Melchisedek.

Werdet endlich im Glauben erwachsen!

[11]Darüber hätten wir euch noch sehr viel mehr zu sagen. Aber weil ihr so wenig hinhört, ist es schwer, euch etwas zu erklären. [12]Eigentlich müsstet ihr es in eurem Glauben schon zum Meister gebracht haben und andere unterweisen. Tatsächlich aber seid ihr erst wie Lehrlinge, denen man die allerersten Grundlagen von Gottes Botschaft beibringen muss. Wie Säuglingen kann man euch nur Milch geben, weil ihr feste Nahrung noch nicht vertragt. [13]Wer noch Milch braucht, ist ein kleines Kind und versteht nicht, was die Erwachsenen reden. [14]Ein Erwachsener kann feste Nahrung zu sich nehmen. Nur wer seine Urteilsfähigkeit geschult hat, der kann auch zwischen Gut und Böse unterscheiden.

6 Darum wollen wir jetzt aufhören, euch immer wieder in den einfachsten Grundlagen eures Glaubens an Christus zu unterweisen. Wir möchten vielmehr darüber sprechen, was Christen wissen müssen, die in ihrem Glauben erwachsen sind. Es geht jetzt also nicht mehr darum, das alte Leben hinter sich zu lassen, das letztlich zum Tod führt; auch nicht darum, wie notwendig es ist, zu Gott umzukehren und ihm zu vertrauen. [2]Ebenso wenig wollen wir euch lehren über die Taufe[c], die Handauflegung, die Auferstehung der Toten und über Gottes letztes Gericht. [3]Wenn Gott es will, dann wollen wir lieber Schritte nach vorn tun.

[4]Doch dies eine möchte ich euch jetzt noch sagen: Für alle, die Gott schon mit seinem hellen Licht erleuchtet hat, die an sich selbst erfahren haben, wie herrlich Gottes himmlische Gaben sind, und denen der Heilige Geist geschenkt wurde, [5]die Gottes gute Botschaft aufnahmen und dadurch etwas von der Kraft der ewigen Welt spürten, – [6]für all diese Menschen ist es unmöglich, wieder zu Gott zurückzukehren, wenn sie sich bewusst von ihm abgewendet haben und ihm untreu geworden sind. Ihre Untreue würde nichts anderes bedeuten, als dass sie den Sohn Gottes noch einmal ans Kreuz schlagen und ihn dem Spott seiner Feinde ausliefern.

[7]Wer für Gott ein guter Acker ist, der wird von ihm gesegnet. Er nimmt den Regen auf, der immer wieder über ihm niedergeht und nützliche Pflanzen wachsen lässt. Schließlich bringt er eine gute Ernte. [8]Wer aber einem schlechten Acker gleicht, dem droht Gottes Fluch. Auf ihm wachsen nichts als Dornen und Disteln, und am Ende wird er abgebrannt. [9]Das mussten wir euch, liebe

---

[a] Wörtlich: Heute habe ich dich gezeugt. »Gezeugt« ist ein bildlicher Ausdruck für die Einsetzung des Königs in sein Amt. Psalm 2,7
[b] Psalm 110,4
[c] Wörtlich: Taufen (oder: Waschungen).

5,5 1,5 **5,6** 7,1–10 **5,7–8** Mt 26,36–46; Phil 2,8 **5,10** 7,1–10; Ps 110,4 **5,11–14** 1 Kor 3,1–2; Eph 4,13–14; 1 Petr 2,2; 1 Thess 5,21–22 **6,4–6** 10,26–31; Gal 2,21; 2 Tim 2,11–13; 2 Petr 2,20–22; 1 Joh 5,10–12 **6,7** Mt 13,8.23 **6,8** Mt 13,30 **6,9** 2,1*

Freunde, ganz offen und unmissverständlich sagen. Trotzdem sind wir überzeugt, dass ihr gerettet werdet und das Ziel erreicht. [10] Denn Gott ist nicht ungerecht. Er vergisst nicht, was ihr getan habt und wie ihr aus Liebe zu ihm anderen Christen geholfen habt und immer noch helft.

[11] Wir haben nur einen Wunsch: Jeder von euch soll mit diesem Eifer an der Hoffnung festhalten, dass sich einmal alles erfüllt, was Gott versprochen hat. Ja, haltet daran fest, bis ihr das Ziel erreicht! [12] Werdet in eurem Glauben nicht träge und gleichgültig, sondern folgt dem Beispiel der Christen, die durch ihr Vertrauen zum Herrn standhaft geblieben sind und alles erhalten werden, was Gott zugesagt hat.

Gott hält, was er verspricht

[13] Als Gott Abraham sein Versprechen gab, da bekräftigte er seine Zusage mit einem Eid. Und weil niemand über Gott steht und diesen Eid Gottes beglaubigen konnte, schwor Gott bei seinem eigenen Namen. [14] Er versprach Abraham: »Du kannst dich fest darauf verlassen: Ich will dich mit Segen überschütten, und du sollst viele Nachkommen haben.«[a] [15] Abraham wartete geduldig; und schließlich ging in Erfüllung, was Gott ihm versprochen hatte.

[16] Menschen schwören einen Eid, um ihre Aussage zu bekräftigen und um mögliche Zweifel auszuräumen. Dabei berufen sie sich auf eine Autorität über ihnen. [17] Auch Gott hat sein Versprechen mit einem Eid bekräftigt. So haben wir, denen seine Zusagen gelten, die unumstößliche Gewissheit, dass er sie auch einlöst. [18] Und weil Gott niemals lügt, haben wir jetzt zwei Tatsachen, auf die wir uns verlassen können. Gottes Zusage und sein Eid ermutigen und stärken alle, die an der von Gott versprochenen Hoffnung festhalten. [19] Diese Hoffnung ist für uns ein sicherer und fester Anker, der hineinreicht in den himmlischen Tempel, bis ins Allerheiligste hinter dem Vorhang. [20] Dorthin ist uns Jesus vorausgegangen. Er ist unser Hoherpriester für alle Zeiten – wie es Melchisedek war.

Melchisedek und das jüdische Priestertum

7 Melchisedek war König von Salem und ein Priester des höchsten Gottes. Als Abraham aus der Schlacht gegen die Könige siegreich zurückkehrte, ging ihm Melchisedek entgegen und segnete ihn.[b] [2] Abraham gab ihm damals den zehnten Teil seiner ganzen Kriegsbeute. Melchisedek bedeutet eigentlich »König der Gerechtigkeit.« Er heißt aber auch König von Salem, das bedeutet »König des Friedens.« [3] Weder der Vater noch die Mutter Melchisedeks sind bekannt, auch keiner seiner Vorfahren. Man weiß nicht, wann er geboren, auch nicht, wann er gestorben ist; sein Leben war gewissermaßen ohne Anfang und ohne Ende. Er gleicht dem Sohn Gottes und bleibt Priester für alle Zeit.

[4] Wie mächtig muss dieser König und Priester gewesen sein, dem Abraham, der Stammvater Israels, den zehnten Teil seiner Siegesbeute übergab! [5] Zwar haben die jüdischen Priester als Nachkommen Levis ein Anrecht darauf, von den Angehörigen ihres Volkes den zehnten Teil vom Ernteertrag zu bekommen; und das, obwohl sie ihre Brüder sind und wie diese von Abraham abstammen. [6] Melchisedek aber gehörte gar nicht zu Abrahams Volk. Dennoch nahm er den zehnten Teil der Beute an und segnete Abraham, dem Gott seine Zusagen gegeben hatte.

[7] Nun steht ohne jede Frage der Segnende über dem, der den Segen empfängt. [8] Die jüdischen Priester, die den

---

[a] 1. Mose 22,17
[b] Vgl. 1. Mose 14,17–20

6,10 10,32–34; Gal 6,10; Phlm 5 **6,11** 2,1* **6,12** Röm 15,2; 1 Kor 11,1* **6,13** 1 Mo 22,16 **6,18** 4 Mo 23,19; 1 Sam 15,29; Röm 11,29 **6,19–20** 4,14–16; 3 Mo 16,2–3.12–13 **7,3** 5,6; Ps 110,4 **7,5** 1 Mo 28,22; 3 Mo 27,30–33*; 4 Mo 18,21–24*; Mal 3,8–10

zehnten Teil der Ernte erhalten, sind sterbliche Menschen. Mit Melchisedek aber nahm einer den zehnten Teil entgegen, von dem die Heilige Schrift bezeugt, dass er weiterlebt. [9]Indem Abraham dem Melchisedek ein Zehntel der Beute gab, hat dies sozusagen auch Levi getan, obwohl er als Priester doch selbst den zehnten Teil empfängt. [10]Zwar war Levi damals noch gar nicht geboren, aber bei der Begegnung Abrahams mit Melchisedek stand schon fest, dass Levi zu Abrahams Nachkommen zählen würde. [11]Das Priestertum der Leviten – über das im Gesetz klare Bestimmungen vorliegen – konnte uns offensichtlich nicht ans Ziel bringen und mit Gott versöhnen. Sonst hätte Gott doch nicht einen ganz anderen Priester vom Rang Melchisedeks zu uns schicken müssen. Dann hätte auch ein Priester vom Rang Aarons genügt.

Christus, der Hohepriester des neuen Bundes

[12]Setzt Gott nun aber ein anderes Priestertum ein, dann muss auch das Gesetz geändert werden. [13]Immerhin kommt ja Christus, von dem hier die Rede ist, aus einem Stamm unseres Volkes, von dem nie einer als Priester am Altar Gottes gedient hat. [14]Denn wie jeder weiß, gehört unser Herr Jesus Christus zum Stamm Juda, obwohl Mose nie gesagt hat, dass aus diesem Stamm Priester kommen werden.

[15]Schickt Gott also einen anderen Priester, einen vom Rang des Melchisedek zu uns, dann wird ganz klar, dass er damit eine besondere Absicht verfolgt. [16]Denn Christus ist nicht aufgrund menschlicher Verordnungen und Gesetze Hoherpriester geworden, sondern weil in ihm unzerstörbares, ewiges Leben ist. [17]So heißt es ja von Christus: »In alle Ewigkeit sollst du ein Priester sein, so wie es Melchisedek war.«[a]

[18]Die alte Ordnung ist damit ungültig geworden; sie war wirkungslos und brachte keinen Nutzen. [19]Das Gesetz, so wie es uns von Mose übergeben wurde, konnte uns nicht ans Ziel bringen und mit Gott versöhnen. Doch jetzt haben wir die Gewissheit, dass wir wirklich zu Gott kommen dürfen.

[20]Gott hat das neue Priestertum durch einen Eid bekräftigt; die Leviten aber sind ohne Schwur Priester geworden. [21]Nur zu Christus hat Gott gesagt: »Der Herr hat es geschworen, und diesen Schwur wird er niemals bereuen: ›In alle Ewigkeit sollst du Priester sein!‹«[b] [22]So wurde Jesus für uns zum Bürgen eines neuen, besseren Bundes mit Gott. [23]Zur Zeit des alten Bundes musste es außerdem viele Priester geben, denn sie waren alle sterbliche Menschen. [24]Christus aber lebt in alle Ewigkeit; sein Priesteramt wird nie von einem anderen eingenommen. [25]Und weil Jesus Christus ewig lebt und für uns bei Gott eintritt, wird er auch alle endgültig retten, die durch ihn zu Gott kommen.

[26]Er allein ist der Hohepriester, den wir brauchen: Er ist heilig und ohne jede Schuld, rein und ohne Fehler, von Gott hoch erhoben auf den Ehrenplatz im Himmel. [27]Christus muss nicht – wie die anderen Hohenpriester – an jedem Tag zuerst wegen der eigenen Sünden für sich selbst ein Opfer darbringen, ehe er für sein Volk opfert. Als Jesus Christus am Kreuz für unsere Schuld starb, hat er ein Opfer dargebracht, das ein für alle Mal gilt. [28]Das Gesetz des Mose bestimmte Menschen mit all ihren Schwächen und Fehlern zu Hohenpriestern. Doch dieses Gesetz gilt nicht mehr, seit Gott seinen eigenen Sohn mit einem Schwur als unseren Hohenpriester eingesetzt hat. Und das wird er bleiben – für alle Zeiten in göttlicher Vollkommenheit.

---

[a] Psalm 110,4
[b] Psalm 110,4

7,14 Mt 1,3; Offb 5,5 **7,18–19** Röm 8,2; 10,4; Eph 2,15 **7,22** 8,6–7; 12,24; Mt 26,28; 2 Kor 3,6 **7,25** Röm 8,34*; 1 Tim 2,5–6; 1 Joh 2,1–2 **7,26** 9,7; 3 Mo 16,11.17 **7,27** 10,14*

Christus, der Vermittler des neuen Bundes

8 Das Wichtigste aber ist: Wir haben einen Hohenpriester, der auf dem Ehrenplatz rechts neben dem Thron des allmächtigen Gottes sitzt. [2] Er dient dort als Priester in dem einzig wahren Heiligtum, das vom Herrn selbst und nicht von Menschen errichtet worden ist.

[3] So wie jeder Hohepriester dazu eingesetzt ist, Gott Opfer und Gaben darzubringen, muss auch Christus etwas haben, was er opfern kann. [4] Freilich, hier auf der Erde könnte Christus kein Priester sein; denn hier gibt es schon genügend Priester, die den Opferdienst nach dem Gesetz leisten.

[5] Sie dienen allerdings in einem Tempel, der nur eine schwache Nachbildung, ein unvollkommenes Abbild des himmlischen Heiligtums ist. Als Mose das heilige Zelt errichten sollte, befahl ihm Gott: »Achte genau darauf, dass alles nach dem Vorbild angefertigt wird, das ich dir hier auf dem Berg gezeigt habe.«[a]

[6] Nun hat Christus eine viel größere Aufgabe erhalten als alle anderen Priester auf der Erde. Deshalb hat er auch als Vermittler zwischen Gott und uns Menschen einen weitaus besseren Bund geschlossen, der außerdem auf festeren Zusagen beruht als der alte Bund. [7] Wenn dieser alte Bund vollkommen gewesen wäre, hätte ein neuer Bund nicht geschlossen werden müssen. [8] Es lag doch ein starker Tadel darin, als Gott zu seinem Volk sagte: »Es kommt die Zeit, in der ich mit dem Volk Israel und dem Volk von Juda einen neuen Bund schließe. [9] Er ist nicht mit dem zu vergleichen, den ich damals mit ihren Vorfahren schloss, als ich sie mit starker Hand aus Ägypten befreite. Denn sie haben sich nicht an meinen Bund gehalten. Deshalb habe ich mich von ihnen abgewandt«, spricht der Herr. [10] »Aber nach dieser Zeit werde ich mit dem Volk Israel einen neuen Bund schließen. Und der wird ganz anders aussehen: Ich schreibe mein Gesetz in ihr Herz, es soll ihr ganzes Denken und Handeln bestimmen. Ich werde ihr Gott sein, und sie werden mein Volk sein. [11] Niemand muss dann den anderen noch belehren, keiner braucht seinem Bruder mehr zu sagen: ›Erkenne doch den Herrn!‹ Denn alle – vom Kleinsten bis zum Größten – werden erkennen, wer ich bin. [12] Ich vergebe ihnen ihre Schuld und denke nicht mehr an ihre Sünden.«[b]

[13] Gott selbst hat hier von einem neuen Bund gesprochen. Das bedeutet, dass der erste Bund nicht mehr gilt. Was aber alt und überholt ist, wird bald nicht mehr bestehen.

Das Opfer im alten Bund

9 Auch im ersten Bund gab es Regeln und Vorschriften für den Gottesdienst und das Heiligtum, das Menschen hier auf der Erde für Gott errichtet hatten. [2] Im vorderen Teil des Heiligtums standen ein Leuchter und ein Tisch mit den Broten, die Gott geweiht waren. Diesen Teil des Zeltes nannte man das Heilige. [3] Dahinter lag ein zweiter Raum, durch einen Vorhang abgetrennt. Dies war das Allerheiligste. [4] Hier befanden sich der goldene Räucheropferaltar und eine rundum mit Gold beschlagene Truhe, die so genannte Bundeslade. Darin lagen der goldene Krug mit dem Manna, der Stab Aarons, der Knospen getrieben hatte, und die Steintafeln mit den Zehn Geboten. [5] Über der Bundeslade breiteten die Cherub-Engel, die auf Gottes Herrlichkeit hinweisen, ihre Flügel aus und bedeckten so diese Stätte der Vergebung und Versöhnung. Doch nun genug von diesen Einzelheiten. [6] Das Hei-

---

[a] 2. Mose 25,40
[b] Jeremia 31,31–34

8,1 10,12; 12,2; Röm 8,34* **8,5** Kol 2,17 **8,6** 7,22; 12,24; 1 Tim 2,5 **8,7–13** 9,15; 10,14–18; 2 Mo 24,7–8; Jer 31,31–34*; 1 Kor 11,25; 2 Kor 3,6 **8,13** Röm 10,4 **9,1–7** 2 Mo 26,31–37 **9,2** 2 Mo 25,23–31 **9,4** 2 Mo 30,1–6; 25,10–16; 16,32–34 **9,5** 2 Mo 25,17–22

ligtum besteht also aus zwei Räumen: In dem ersten Raum verrichten die Priester täglich ihren Dienst. [7]Den anderen Raum, das Allerheiligste, darf aber nur der Hohepriester betreten, und auch das nur ein einziges Mal im Jahr. Hier bringt er das Blut eines Tieres als Opfer dar, damit Gott ihm seine eigene Schuld und auch die Sünden seines Volkes vergibt.

[8]Der Heilige Geist wollte auf diese Weise sichtbar werden lassen: Solange das irdische Heiligtum noch steht, bleibt uns der Zugang zum Allerheiligsten, zu Gott, verschlossen. [9]Das irdische Heiligtum ist nichts anderes als ein Bild für unsere gegenwärtige Zeit. Dort werden zwar Gaben und Opfer dargebracht, aber nichts davon kann uns vollkommen mit Gott versöhnen und uns ein gutes Gewissen schenken. [10]Denn in einem solchen Gottesdienst werden doch nur Vorschriften befolgt, die das äußere Leben regeln. Es geht dabei um Essen und Trinken oder bestimmte Reinigungsvorschriften. Diese Anordnungen galten aber nur solange, bis Gott die neue Ordnung in Kraft setzte.

Christus – das einmalige Opfer

[11]Seit Christus gilt diese neue Ordnung. Er ist der Hohepriester, durch den sich Gottes Zusagen an uns erfüllt haben. Seinen Dienst verrichtet er in einem Heiligtum – größer und vollkommener als jedes andere, das je von Menschen betreten wurde. Dieses Heiligtum ist nicht von Menschenhand errichtet, es gehört nicht zu dieser Welt. [12]Christus opferte auch nicht das Blut von Böcken und Kälbern für unsere Sünden. Vielmehr opferte er im Allerheiligsten sein eigenes Blut ein für alle Mal. Damit hat er uns für immer und ewig von unserer Schuld vor Gott befreit.

[13]Schon nach den Regeln des alten Bundes wurde jeder, der nach den religiösen Vorschriften unrein geworden war, wieder äußerlich rein, wenn er mit dem Blut von Böcken und Stieren oder mit der Asche einer geopferten Kuh besprengt wurde. [14]Wie viel mehr wird das Blut Jesu Christi uns innerlich erneuern und von unseren Sünden reinwaschen![a] Erfüllt von Gottes ewigem Geist, hat er sich selbst für uns als fehlerloses Opfer Gott dargebracht. Darum sind unsere Sünden vergeben, die letztlich nur zum Tod führen, und unser Gewissen ist gereinigt. Jetzt sind wir frei, dem lebendigen Gott zu dienen.

Der neue Bund zwischen Gott und den Menschen

[15]So hat Christus den neuen Bund zwischen Gott und uns Menschen vermittelt: Er starb, damit die Sünden aufgehoben werden, die unter dem alten Bund geschehen sind. Nun können alle, die Gott berufen hat, das von Gott zugesagte unvergängliche Erbe empfangen, das ewige Leben bei Gott. [16]Beim neuen Bund ist es wie bei einem Testament: Ein Testament wird erst eröffnet, wenn der Tod seines Verfassers nachgewiesen ist. [17]Solange er lebt, ist es ohne jede Rechtskraft. Erst durch seinen Tod wird es gültig. [18]So wurde auch schon der alte Bund erst rechtskräftig, nachdem er mit Blut besiegelt war. [19]Als Mose dem Volk Israel alle Gebote des Gesetzes mitgeteilt hatte, nahm er das Blut von Kälbern und Böcken, vermengte es mit Wasser und besprengte mit Hilfe von Ysopzweigen und roter Wolle das Gesetzbuch und das ganze Volk. [20]Dann sagte er: »Dieses Blut besiegelt den Bund, den Gott mit euch geschlossen hat.«[b] [21]Ebenso besprengte Mose das heilige Zelt und alle

---

[a] Wörtlich: Wie viel mehr wird das Blut des Christus … unser Gewissen reinigen von toten Werken.
[b] 2. Mose 24,8

9,7 2 Mo 30,10; 3 Mo 16,11.17 **9,8** 10,20 **9,9** 7,19; 10,1–4 **9,10** Kol 2,16–17 **9,12** 10,14*; 2 Kor 5,18–21* **9,13** 3 Mo 17,11; 4 Mo 19,1–20 **9,14** 2 Kor 5,18–21*; 1 Petr 3,18; 1 Joh 1,7; 2,1–2 **9,15** 8,6; 12,24; Eph 1,18; 1 Tim 2,5–6 **9,18–22** 2 Mo 24,4–8 **9,21** 3 Mo 8,15; 4 Mo 7,1

Gefäße und Werkzeuge für den Opferdienst. [22] Nach den Bestimmungen des alten Bundes wird fast alles mit Blut gereinigt. Denn ohne Blut ist eine Vergebung der Schuld nicht möglich.

Christus setzt sich für uns ein

[23] Deshalb musste das heilige Zelt, das als Abbild des himmlischen Heiligtums hier auf der Erde stand, durch das Blut von Tieren gereinigt werden. Als es aber um das himmlische Heiligtum ging, war ein besseres Opfer nötig. [24] Schließlich ging Christus nicht in ein von Menschen erbautes Heiligtum, das ja nur ein Abbild des wahren Heiligtums ist. Er betrat den Himmel selbst, um sich bei Gott für uns einzusetzen. [25] Christus brauchte sich nur ein einziges Mal zu opfern. Der Hohepriester dagegen muss jedes Jahr aufs Neue ins Allerheiligste gehen und Gott das Blut eines Tieres opfern. [26] Wie oft hätte Christus dann seit Beginn der Welt schon leiden müssen! Aber er ist jetzt, am Ende der Zeit, erschienen, um ein für alle Mal durch seinen Opfertod die Sünden zu tilgen. [27] Jeder Mensch muss einmal sterben und kommt danach vor Gottes Gericht. [28] So ist auch Christus ein einziges Mal gestorben, um alle Menschen von ihren Sünden zu erlösen. Wenn er zum zweiten Mal kommen wird, dann nicht, um uns noch einmal von unserer Schuld zu befreien. Dann kommt er, um alle, die auf ihn warten, in seine neue Welt aufzunehmen.

Ein für alle Mal von Gott angenommen

10 Das Gesetz des alten Bundes war lediglich ein matter Abglanz und Vorgeschmack all dessen, was Gott für uns bereithält. Es brachte uns noch nicht in eine enge Gemeinschaft mit Gott. Denn die Opfer der alten Ordnung konnten keinen Menschen für immer von seiner Schuld befreien. Jahr für Jahr musste man erneut Opfer bringen. [2] Niemand hätte mehr ein Opfer gebracht, wenn alle schon nach dem ersten Opfer von ihren Sünden befreit worden wären. Dann hätte ja auch die Schuld ihr Gewissen nicht länger belastet. [3] Aber gerade durch diese Opfer werden sie Jahr für Jahr aufs Neue an ihre Sünde und Schuld erinnert. [4] Dabei können wir durch das Blut von Stieren und Böcken unmöglich von unserer Schuld befreit werden.

[5] Deshalb sprach Christus zu Gott, als er in die Welt kam: »Schlachtopfer und andere Gaben wolltest du nicht. Aber du hast mir einen Leib gegeben; er soll das Opfer sein. [6] Dir gefällt nicht, dass man dir Tiere schlachtet und zur Sühne auf dem Altar verbrennt. [7] Deshalb habe ich gesagt: ›Ich komme, um deinen Willen, mein Gott, zu erfüllen. So heißt es von mir bereits in der Heiligen Schrift.‹«[a] [8] Obwohl das Gesetz diese Opfer verlangte, hat Christus gesagt: »Schlachtopfer und andere Gaben hast du nicht gewollt. Sie gefallen dir so wenig wie die Brandopfer und die Sündopfer.« [9] Außerdem sagte er: »Ich komme, mein Gott, um deinen Willen zu erfüllen.« So hebt Christus die alte Ordnung auf und setzt eine neue in Kraft. [10] Er hat mit seinem Tod am Kreuz diesen Willen Gottes erfüllt; und deshalb gehören wir durch sein Opfer ein für alle Mal zu Gott.

[11] Der Priester aber muss jeden Tag neu den Altardienst verrichten und Gott immer wieder Opfer darbringen. Dennoch können diese Opfer keinen Menschen für immer von seiner Schuld befreien. [12] Jesus Christus dagegen hat ein einziges Opfer für alle Sünden gebracht. Jetzt sitzt er für immer auf dem Ehrenplatz an der rechten Seite Gottes. [13] Dort wartet er, bis ihm alle seine Feinde unterworfen sind und er seinen Fuß auf ihren Nacken setzt. [14] Für immer und ewig hat Christus

---

[a] Psalm 40,7–9

9,22 3 Mo 17,11 **9,23** 8,5 **9,24** 9,11 **9,25–26** 7,27; 9,12; 10,14* **9,27** 2 Kor 5,10* **9,28** 10,12.14*; 1 Kor 15,23; 1 Thess 4,15–17 **10,1** 9,9; Kol 2,16–17 **10,10** Joh 17,19 **10,12** 9,25–27; Röm 8,34* **10,14** 7,27; 9,12.25–28; Röm 6,10; 1 Petr 3,18

mit dem einen Opfer alle Menschen, die zu Gott gehören sollen, in eine vollkommene Gemeinschaft mit ihm gebracht.

[15] Das bezeugt uns auch der Heilige Geist. Denn nachdem der Herr gesagt hatte: [16] »Dies ist der Bund, den ich mit meinem Volk Israel schließen werde«, sprach er: »Ich schreibe mein Gesetz in ihr Herz, es soll ihr ganzes Denken und Handeln bestimmen. [17] Ich vergebe ihnen ihre Schuld und denke nicht mehr an ihre Sünden.«[a] [18] Sind aber die Sünden vergeben, dann ist kein Opfer mehr nötig.

Haltet an der Hoffnung fest!

[19] Und so, liebe Brüder und Schwestern, können wir jetzt durch das Blut, das Jesus Christus am Kreuz für uns vergossen hat, frei und ungehindert in Gottes Heiligtum eintreten. [20] Christus hat sein Leben geopfert und damit den Vorhang niedergerissen, der uns von Gott trennte. So hat er uns einen neuen Weg gebahnt, der zum Leben führt. [21] Er ist unser Hoherpriester und herrscht nun über das Haus Gottes, seine Gemeinde. [22] Darum wollen wir uns Gott nähern mit aufrichtigem Herzen und im festen Glauben; denn das Blut Jesu Christi hat uns von unserem schlechten Gewissen befreit, und unser Körper wurde mit reinem Wasser von aller Schuld reingewaschen. [23] Haltet an dieser Hoffnung fest, zu der wir uns bekennen, und lasst euch durch nichts davon abbringen. Ihr könnt euch felsenfest auf sie verlassen, weil Gott sein Wort hält.

[24] Lasst uns aufeinander achten! Wir wollen uns zu gegenseitiger Liebe ermutigen und einander anspornen, Gutes zu tun. [25] Versäumt nicht die Zusammenkünfte eurer Gemeinde, wie es sich einige angewöhnt haben. Ermahnt euch gegenseitig dabeizubleiben. Ihr seht ja, dass der Tag nahe ist, an dem der Herr kommt.

[26] Wir haben in Christus die Wahrheit erkannt. Sündigen wir aber auch jetzt noch mutwillig weiter, gibt es kein Opfer mehr, das uns von unseren Sünden befreien kann. [27] Dann bleibt nichts als das schreckliche Warten auf das Gericht, in dem Gottes verzehrendes Feuer alle seine Feinde vernichten wird.

[28] Wenn jemand gegen das Gesetz des Mose verstößt und dieses Vergehen von zwei oder drei Zeugen bestätigt wird, kann er keine Gnade erwarten. Er muss sterben! [29] Was meint ihr, um wie viel härter die Strafe für den sein wird, der den Sohn Gottes gleichsam mit Füßen tritt, dem das Blut des neuen Bundes nichts mehr bedeutet, durch das er doch Gemeinschaft mit Gott haben konnte! Ein solcher Mensch beleidigt Gottes Geist, von dem er nichts als Gnade und Barmherzigkeit erfahren hat. [30] Wir alle kennen doch den, der gesagt hat: »Ich werde Rache nehmen und Vergeltung üben!« Von ihm heißt es auch: »Der Herr wird über sein Volk das Urteil sprechen.«[b] [31] Wie furchtbar wird es allen ergehen, die dem lebendigen Gott in die Hände fallen!

Glaube muss sich bewähren

[32] Erinnert euch nur einmal an die Zeit, kurz nachdem ihr die Wahrheit kennen gelernt habt und Christen geworden seid. Damals musstet ihr euch in einem schweren und leidvollen Kampf bewähren. [33] Viele von euch wurden in aller Öffentlichkeit verspottet und gequält; andere halfen denen, die so leiden mussten. [34] Ihr habt mit den Gefangenen gelitten, und ihr habt es sogar mit Freuden ertragen, wenn man euch euer Hab und Gut wegnahm. Denn ihr wisst, dass ihr durch

---

[a] Jeremia 31,33–34
[b] Vgl. 5. Mose 32,35–36

10,19–20 9,8; Mt 27,51; Röm 5,1–2 **10,22** 4,16; Röm 8,15 **10,23** 4,14; 1 Kor 1,9; 1 Thess 5,24 **10,24** 13,1; Eph 2,10* **10,25** Röm 13,11–12 **10,26–27** 6,9–10; 2 Tim 2,11–13; 1 Joh 5,10–13 **10,28** 1 Kor 15,56; Jak 2,10 **10,29** 2,3; 12,25 **10,31** 10,22; 12,29 **10,32–34** 2 Tim 3,12* **10,34** Mt 6,19–21; Phil 3,7

Christus etwas viel Besseres besitzt, einen bleibenden Wert.

[35] Werft nun euer Vertrauen nicht weg! Es wird sich erfüllen, worauf ihr hofft.[a] [36] Aber ihr müsst standhaft bleiben und tun, was Gott von euch erwartet. Er wird euch alles geben, was er zugesagt hat. [37] Denn das steht fest: »Schon bald wird der kommen, der angekündigt ist. Er wird nicht mehr lange auf sich warten lassen. [38] Nur wer mir, Gott, vertraut, wird leben. Wer aber zurückweicht und aufgibt, an dem werde ich keinen Gefallen finden.«[b] [39] Doch wir gehören nicht zu denen, die zurückweichen und verloren gehen. Wir gehören zu denen, die am Glauben festhalten und das ewige Leben gewinnen.

Vorbilder des Glaubens

11 Der Glaube ist der tragende Grund für das, was man hofft: Im Vertrauen zeigt sich jetzt schon, was man noch nicht sieht. [2] Unsere Vorfahren lebten diesen Glauben. Deshalb hat Gott sie als Vorbilder für uns hingestellt.

[3] Durch unseren Glauben verstehen wir, dass die ganze Welt durch Gottes Wort geschaffen wurde; dass alles Sichtbare aus Unsichtbarem entstanden ist.

[4] Weil *Abel* an Gott glaubte, war sein Opfer besser als das seines Bruders Kain. Gott nahm sein Opfer an, und Abel fand Gottes Anerkennung.[c] Obwohl Abel schon lange tot ist, zeigt er uns noch heute, was es heißt, Gott zu vertrauen.

[5] Weil *Henoch* glaubte, musste er nicht sterben. Gott nahm ihn zu sich; er war plötzlich nicht mehr da. Die Heilige Schrift bestätigt, dass Henoch so gelebt hat, wie es Gott gefiel.[d] [6] Denn Gott hat nur an den Menschen Gefallen, die ihm fest vertrauen. Ohne Glauben ist das unmöglich. Wer nämlich zu Gott kommen will, muss darauf vertrauen, dass es ihn gibt und dass er alle belohnen wird, die ihn suchen.

[7] Auch *Noah* glaubte Gott und befolgte gehorsam seine Anweisungen. Er baute ein großes Schiff, obwohl weit und breit keine Gefahr zu sehen war. Deshalb wurde er mit seiner ganzen Familie gerettet. Durch seinen Glauben wurde der Unglaube der anderen Menschen erst richtig deutlich. Und durch diesen Glauben fand Noah auch Gottes Anerkennung.[e]

[8] Auch *Abraham* glaubte fest an Gott und hörte auf ihn. Als Gott ihm befahl, in ein Land zu ziehen, das ihm erst viel später gehören sollte, verließ er seine Heimat.[f] Dabei wusste er überhaupt nicht, wohin er kommen würde. [9] Er vertraute Gott. Das gab ihm die Kraft, als Fremder in dem Land zu leben, das Gott ihm versprochen hatte. Wie Isaak und Jakob, denen Gott dieselbe Zusage gegeben hatte, wohnte er nur in Zelten. [10] Denn Abraham wartete auf die Stadt, die wirklich auf festen Fundamenten steht und deren Gründer und Erbauer Gott selbst ist.

[11] Und *Sara*, Abrahams Frau, die eigentlich unfruchtbar war, glaubte unerschütterlich an Gottes Zusage, dass sie noch ein Kind bekommen würde. Sie wusste, dass Gott alle seine Zusagen einhält. Und tatsächlich wurde sie schwanger, obwohl sie dafür schon viel zu alt war.[g] [12] So erhielt Abraham, der eigentlich schon gar keine Kinder mehr zeugen konnte, Nachkommen so zahlreich wie der Sand am Meer und die Sterne am Himmel.

---

a Wörtlich: Werft nun eure Zuversicht nicht weg, die ja einen großen Lohn hat.
b Vgl. Habakuk 2,3–4
c Vgl. 1. Mose 4,3–10
d Vgl. 1. Mose 5,21–24
e Vgl. 1. Mose 6,13–22; 1. Petrus 3,20
f Vgl. 1. Mose 12,1–2
g Vgl. 1. Mose 17,19; 18,11–14; 21,1–2

10,36–39 2,1*; Mt 16,26; Lk 21,19; Offb 22,12 **11,1** Röm 8,24–25; 2 Kor 4,18; 5,6–8 **11,2** 1 Kor 11,1* **11,3** 1 Mo 1,1 – 2,4; Ps 33,6–9; Jes 48,13 **11,9** 1 Mo 26,2–3 **11,10** 13,14 **11,11** 1 Mo 11,30 **11,12** 1 Mo 12,2*; 15,5; Röm 4,18–22

[13] Alle, die hier erwähnt wurden, haben sich ganz auf Gott verlassen. Doch sie starben, ohne dass sich Gottes Zusage zu ihren Lebzeiten erfüllte. Lediglich aus der Ferne haben sie etwas davon gesehen und sich darüber gefreut; denn sie sprachen darüber, dass sie auf dieser Erde nur Gäste und Fremde seien. [14] Wer aber zugibt, hier nur ein Fremder zu sein, der sagt damit auch, dass er seine wirkliche Heimat noch sucht. [15] Unsere Vorfahren betrachteten das Land, aus dem sie weggezogen waren, nicht als ihre Heimat; dorthin hätten sie ja jederzeit zurückkehren können. [16] Nein, sie sehnten sich nach einer besseren Heimat, nach der Heimat im Himmel. Deshalb bekennt sich Gott zu ihnen und schämt sich nicht, ihr Gott genannt zu werden; denn für sie hat er seine Stadt im Himmel gebaut.

Glaube, der Mut verleiht

[17] *Abraham* glaubte so unerschütterlich an Gott, dass er sogar bereit war, seinen einzigen Sohn Isaak zu opfern, als Gott ihn auf die Probe stellte.[a] Und das, obwohl ihm Gott ein Versprechen gegeben [18] und gesagt hatte: »Von Isaak wird deine gesamte Nachkommenschaft abstammen.«[b] [19] Abraham traute es Gott zu, dass er Isaak sogar von den Toten auferwecken könnte, und bildlich gesprochen hat Gott Isaak das Leben ja auch noch einmal geschenkt.

[20] Auch *Isaak* vertraute Gott. Darum segnete er seine Söhne Jakob und Esau im Blick auf die Zukunft.[c]

[21] *Jakob* segnete kurz vor seinem Tod in festem Glauben die beiden Söhne Josefs. Auf seinen Stab gestützt, betete er Gott an.[d]

[22] Weil *Josef* an Gottes Zusagen glaubte, konnte er vor seinem Tod voraussagen, dass die Israeliten Ägypten eines Tages wieder verlassen würden. Er rechnete so fest damit, dass er anordnete, sie sollten bei ihrem Weggang seine Gebeine mitnehmen.[e]

[23] Weil die *Eltern des Mose* unerschütterlich an Gott glaubten, hatten sie keine Angst, gegen den Befehl des Pharaos zu handeln: Sie hatten ein schönes Kind bekommen und versteckten es drei Monate lang.[f]

[24] Auch *Mose* vertraute Gott. Denn als er erwachsen war, weigerte er sich, noch länger als Sohn der Pharaonentochter zu gelten. [25] Lieber wollte er gemeinsam mit Gottes Volk Unterdrückung und Verfolgung erleiden, als für kurze Zeit das gottlose Leben am Königshof zu genießen.[g] [26] Für ihn waren alle Schätze Ägyptens nicht so viel wert wie Schimpf und Schande, die er für Christus auf sich nahm. Denn er wusste, wie reich Gott ihn belohnen würde.

[27] Im Vertrauen auf Gott verließ er später Ägypten, ohne den Zorn des Königs zu fürchten. Er rechnete so fest mit Gott, als könnte er ihn sehen. Deshalb gab er nicht auf.[h]

[28] Weil er Gott glaubte, hielt Mose die Passahfeier und ließ die Türpfosten mit dem Blut eines Lammes bestreichen. So blieben alle Israeliten am Leben, als der Todesengel die ältesten Söhne der Ägypter tötete.[i] [29] Auch das *Volk Israel* bewies seinen Glauben, als es durch das Rote Meer wie über trockenes Land ging. Das

---

[a] Vgl. 1. Mose 22,1–19
[b] 1. Mose 21,12
[c] Vgl. 1. Mose 27,27–40
[d] Vgl. 1. Mose 47,31 – 48,20
[e] Vgl. 1. Mose 50,24–25; 2. Mose 13,19
[f] Vgl. 2. Mose 1,22; 2,2
[g] Vgl. 2. Mose 2,10–12
[h] Vgl. 2. Mose 12,41
[i] Vgl. 2. Mose 12,1–14

11,13 1 Mo 23,4; 47,9; 2 Kor 5,6 **11,14–16** 13,14; Ps 39,13; Phil 3,20; 1 Petr 2,11
11,22 1 Mo 50,24–25* **11,24–25** Apg 7,20–23 **11,28** 2 Mo 12,29* **11,29** 2 Mo 14,21–22*.23–29

ägyptische Heer verfolgte die Israeliten und versank in den Fluten.[a]

[30] Allein der Glaube des Volkes Israel war es, der die Mauern Jerichos einstürzen ließ, nachdem die Israeliten sieben Tage lang um die Stadt gezogen waren.[b]

[31] Nur weil die Prostituierte *Rahab* Gott vertraute und die Kundschafter Israels freundlich aufnahm, wurde sie nicht getötet wie alle anderen Bewohner Jerichos, die sich Gottes Willen widersetzt hatten.[c]

Glaube, der zum Ziel führt

[32] Es wären noch viele andere zu nennen. Nur würde die Zeit wohl nicht ausreichen, wollte ich sie alle aufzählen: Gideon und Barak, Simson, Jeftah, David, Samuel und die Propheten. [33] Weil sie Gott vertrauten, konnte er Großes durch sie tun. Sie bezwangen Königreiche, sorgten für Recht und Gerechtigkeit und erlebten, wie sich Gottes Zusagen erfüllten. Vor dem Rachen des Löwen wurden sie bewahrt, [34] und selbst das Feuer konnte ihnen nichts anhaben. Sie entgingen dem Schwert ihrer Verfolger. Als sie schwach waren, gab Gott ihnen neue Kraft. Weil sie sich auf Gott verließen, vollbrachten sie wahre Heldentaten und schlugen die feindlichen Heere in die Flucht. [35] Und einige Frauen erlebten, wie ihre verstorbenen Angehörigen von Gott auferweckt wurden.

Andere, die auch Gott vertrauten, wurden gequält und zu Tode gefoltert. Sie verzichteten lieber auf ihre Freiheit, als ihren Glauben zu verraten. Die Hoffnung auf ihre Auferstehung gab ihnen Kraft. [36] Wieder andere wurden verhöhnt und misshandelt, weil sie an Gott festhielten. Man legte sie in Ketten und warf sie ins Gefängnis. [37] Sie wurden gesteinigt, mit der Säge qualvoll getötet oder mit dem Schwert hingerichtet. Heimatlos, nur mit einem Schafpelz oder Ziegenfell bekleidet, zogen sie umher, hungrig, verfolgt und misshandelt. [38] Sie irrten in Wüsten und im Gebirge umher und mussten sich in einsamen Tälern und Höhlen verstecken – Menschen, zu schade für diese Welt.

[39] Sie alle haben Gott vertraut, deshalb hat er sie als Vorbilder für uns hingestellt. Und doch erfüllte sich die Zusage Gottes zu ihren Lebzeiten noch nicht. [40] Denn Gott hatte einen besseren Plan: Sie sollten mit uns zusammen ans Ziel kommen.

Gott erzieht seine Kinder

12 Da wir nun so viele Zeugen des Glaubens um uns haben, lasst uns alles ablegen, was uns in dem Wettkampf behindert, den wir begonnen haben – auch die Sünde, die uns immer wieder fesseln will. Mit zäher Ausdauer wollen wir auch noch das letzte Stück bis zum Ziel durchhalten. [2] Dabei wollen wir nicht nach links oder rechts schauen, sondern allein auf Jesus. Er hat uns den Glauben geschenkt und wird ihn bewahren, bis wir am Ziel sind. Weil große Freude auf ihn wartete, erduldete Jesus den verachteten Tod am Kreuz. Jetzt hat er als Sieger den Platz an der rechten Seite Gottes eingenommen. [3] Vergesst nicht, wie viel Hass und Anfeindung er von gottlosen Menschen ertragen musste, damit auch ihr in Zeiten der Verfolgung nicht den Mut verliert und aufgebt. [4] Bis jetzt hat euch der Kampf gegen die Sünde noch nicht das Letzte abverlangt, es ging noch nicht um Leben und Tod. [5] Trotzdem werdet ihr schon mutlos. Ihr

---

[a] Vgl. 2. Mose 14,21–30
[b] Vgl. Josua 6
[c] Vgl. Josua 2; 6,20–25

11,31 Jak 2,25 **11,32** Ri 6,14; 4,6–7; 13,3–5.24; 11,4–6; 2 Sam 8,1–15; 1 Sam 3,19–21 **11,33** Dan 6,1–24 **11,34** Dan 3,1–27 **11,35** 1 Kön 17,17–24; 2 Kön 4,18–37 **11,36** 1 Kön 22,27–28; Jer 20,1–3; 37,15–16 **11,37** 2 Chr 24,20–22 **11,38** 1 Kön 17,1–5; 18,3–4 **12,1–2** 2,1*; 1 Kor 9,24; Eph 5,6; Phil 3,12–14 **12,2** 8,1; 10,12; Röm 8,34*; 2 Kor 5,18–21*; Phil 2,8 **12,3** Mt 26,67–68; 2 Tim 3,12*

habt wohl vergessen, was Gott euch als seinen Kindern sagt: »Mein Sohn, wenn der Herr dich zurechtweist, dann sei nicht entrüstet, sondern nimm es an, [6]denn darin zeigt sich seine Liebe. Wie ein Vater seinen Sohn erzieht, den er liebt, so schlägt der Herr jeden, den er als sein Kind annimmt.«[a]

[7]Wenn ihr also leiden müsst, dann will Gott euch erziehen. Er behandelt euch als seine Kinder. Welcher Sohn wird von seinem Vater nicht streng erzogen und auch einmal bestraft? [8]Viel schlimmer wäre es, wenn Gott anders mit euch umginge. Dann nämlich wärt ihr gar nicht seine rechtmäßigen Kinder. [9]Außerdem: Haben wir nicht unsere leiblichen Väter geachtet, die uns auch gestraft haben? Wie viel mehr müssten wir dann die Erziehung unseres göttlichen Vaters[b] annehmen, der uns ja auf das ewige Leben vorbereitet. [10]Unsere leiblichen Väter haben uns eine bestimmte Zeit nach bestem Wissen und Gewissen erzogen. Gott aber weiß wirklich, was zu unserem Besten dient. Denn wir sind seine Kinder und sollen ganz zu ihm gehören. [11]Natürlich freut sich niemand darüber, wenn er gestraft wird; denn Strafe tut weh. Aber später zeigt sich, wozu das alles gut war. Wer nämlich auf diese Weise Ausdauer gelernt hat, der tut, was Gott gefällt, und ist von seinem Frieden erfüllt.

Lasst uns neu beginnen!

[12]Darum heißt es: »Stärkt die kraftlosen Hände! Lasst die zitternden Knie wieder fest werden!«[c] [13]Bleibt auf dem geraden Weg, damit die Schwachen nicht fallen, sondern neuen Mut fassen und wieder gesund werden.

[14]Setzt alles daran, mit jedem Menschen Frieden zu haben und mit eurem ganzen Leben Gott zu gehören. Sonst werdet ihr den Herrn niemals sehen. [15]Achtet darauf, dass keiner von euch an Gottes Gnade gleichgültig vorübergeht, damit sich das Böse nicht bei euch breit macht und die ganze Gemeinde vergiftet. [16]Keiner von euch soll ein zügelloses Leben führen wie Esau, der Gott den Rücken gekehrt hatte. Für ein Linsengericht verschleuderte er das Vorrecht, als ältester Sohn das Erbe und den besonderen Segen seines Vaters zu erhalten. [17]Später wollte er alles wieder rückgängig machen und flehte seinen Vater unter Tränen um diesen Segen an. Doch da war es zu spät.[d]

[18]Ihr habt noch Größeres erlebt als damals die Israeliten. Der Berg Sinai, zu dem sie gekommen waren, war ein irdischer Berg. Sie sahen ihn im Feuer lodern, als Mose von Gott die Gebote erhielt. Dann wurde es finster wie in der Nacht, ein Sturm brach los, [19]und nach einem lauten Fanfarenstoß hörten die Israeliten eine mächtige Stimme wie das Rollen des Donners. Erschrocken bat das Volk, diese Stimme nicht länger hören zu müssen.[e] [20]Sie konnten nicht ertragen, dass Gott ihnen befahl: »Jedes Tier, das diesen Berg auch nur berührt, soll gesteinigt werden.«[f] [21]Was sich vor ihren Augen und Ohren ereignete, war so furchterregend, dass sogar Mose bekannte: »Ich zittere vor Angst und Schrecken!«[g] [22]Ihr dagegen seid zum himmlischen Berg Zion gekommen und in die Stadt des lebendigen Gottes. Das ist das himmlische Jerusalem, wo ihr Gott zusammen mit seinen vielen tausend Engeln bei einem großen Fest anbetet. [23]Ihr

---

[a] Sprüche 3,11–12
[b] Wörtlich: unseres Vaters der Geister.
[c] Jesaja 35,3
[d] Vgl. 1. Mose 25,29–34; 27,30–40
[e] Vgl. 2. Mose 19,16; 20,18–19
[f] 2. Mose 19,13
[g] 5. Mose 9,19

12,7 5 Mo 8,5–6 **12,11** Jak 1,12 **12,14** Röm 12,17–18; 14,19; 1 Thess 5,15; 1 Petr 3,9–12 **12,15** 10,25 **12,22** Gal 4,26; Offb 21,2 **12,23** 2,10; Röm 8,14–17; Eph 3,5–6; Phil 3,20; 1 Petr 1,2

gehört zu seinen Kindern, die er besonders gesegnet hat[a] und deren Namen im Himmel aufgeschrieben sind. Ihr habt eure Zuflucht zu Gott genommen, der alle Menschen richten wird. Ihr gehört zu derselben großen Gemeinde wie alle diese Vorbilder des Glaubens, die bereits am Ziel sind und Gottes Anerkennung gefunden haben.[b]

[24] Ja, ihr seid zu Jesus selbst gekommen, der als Vermittler zwischen Gott und uns Menschen den neuen Bund in Kraft gesetzt hat. Um euch von euren Sünden zu reinigen, hat Christus am Kreuz sein Blut vergossen. Das Blut Abels, der von seinem Bruder umgebracht wurde, schrie nach Rache, aber das Blut Christi spricht von der Vergebung.[c]

[25] Hört also auf den, der jetzt zu euch redet. Weigert euch nicht – wie damals das Volk Israel –, auf seine Stimme zu hören. Sie sind ihrer Strafe nicht entgangen, weil sie am Berg Sinai Gott nicht gehorchen wollten. Uns wird die Strafe noch viel härter treffen, wenn wir den zurückweisen, der jetzt vom Himmel her zu uns spricht. [26] Damals hat seine Stimme nur die Erde erbeben lassen. Doch jetzt kündigt er an: »Noch einmal werde ich die Erde erschüttern und auch den Himmel!«[d] [27] Dieses »Noch einmal« bedeutet: Alles, was Gott geschaffen hat, wird er dann von Grund auf verändern. Bleiben wird allein das Ewige, das nicht erschüttert werden kann. [28] Auf uns wartet also eine neue Welt, die niemals erschüttert wird. Dafür wollen wir Gott von Herzen danken und ihm voller Ehrfurcht dienen, damit er Freude an uns hat. [29] Denn unser Gott ist wie ein Feuer, dem nichts standhalten kann.

Wie Christen leben sollen

13 Liebt einander weiter als Brüder und Schwestern. [2] Vergesst nicht, Gastfreundschaft zu üben! Denn ohne es zu wissen haben manche auf diese Weise Engel bei sich aufgenommen. [3] Kümmert euch um alle, die wegen ihres Glaubens gefangen sind. Sorgt für sie wie für euch selbst. Steht den Christen bei, die verhört und misshandelt werden. Leidet mit ihnen, als würden die Schläge euch treffen. [4] Achtet die Ehe, und haltet euch als Ehepartner die Treue. Gott wird jeden verurteilen, der sexuell zügellos lebt und die Ehe bricht. [5] Seid nicht hinter dem Geld her, sondern seid zufrieden mit dem, was ihr habt. Denn Gott hat uns versprochen: »Ich lasse dich nicht im Stich, nie wende ich mich von dir ab.«[e] [6] Deshalb können wir voller Vertrauen bekennen: »Der Herr hilft mir, und ich brauche mich vor nichts und niemandem zu fürchten. Was kann mir ein Mensch schon antun?«[f]

[7] Denkt an die Leiter eurer Gemeinden, die euch Gottes Botschaft weitersagten! Vergesst nicht, wie sie Gott bis zu ihrem Lebensende die Treue gehalten haben. Nehmt euch ihren Glauben zum Vorbild. [8] Jesus Christus ist und bleibt derselbe, gestern, heute und für immer. [9] Darum lasst euch nicht durch alle möglichen Lehren in die Irre führen. Es ist das Größte, wenn jemand seine ganze Hoffnung auf Gottes Gnade setzt und sich durch nichts davon abbringen lässt. Fest im Glauben wird man nicht, indem man auf bestimmte Speisen verzichtet. Das hat noch niemandem genützt. [10] Wir haben einen Altar, das Kreuz, an dem Jesus seinen Leib als Opfer darbrachte.

---

[a] Wörtlich: zur Gemeinde der Erstgeborenen.
[b] Wörtlich: (Ihr seid gekommen) zu den Geistern der vollendeten Gerechten.
[c] Wörtlich: (Ihr seid gekommen) zum Blut der Reinigung, das da besser redet als das Blut Abels.
[d] Haggai 2,6
[e] Josua 1,5; 5. Mose 31,6
[f] Psalm 118,6

12,24 1 Tim 2,5–6; 1 Mo 4,8–10; Lk 22,20 **12,25** 2,3; 10,29 **12,27–28** Kol 1,11–12; 1 Petr 1,3–4 **12,29** 2 Mo 24,16–17; 5 Mo 4,24 **13,1** Joh 13,34–35; Röm 12,10*; Phil 2,1–5; 2 Petr 1,7 **13,2** 1 Petr 4,9* **13,3** 10,34; Mt 25,36 **13,4** 1 Kor 7,2–4; 1 Thess 4,3–8 **13,5** 2 Kor 6,10; Phil 4,11–13; 1 Tim 6,6–8; Spr 30,7–9 **13,7** 1 Kor 11,1* **13,8** Offb 1,8.17–18; 22,13 **13,9** 1 Kor 8,1–13*

Daran haben die keinen Anteil, die ihre Rettung von den Opfern im jüdischen Heiligtum erwarten.[a] [11] Einmal im Jahr – am großen Versöhnungstag – bringt der Hohepriester das Blut von Opfertieren in das Allerheiligste, um die Sünden des Volkes zu sühnen. Die Tiere selbst werden aber außerhalb der Stadt verbrannt. [12] So starb auch Jesus außerhalb der Stadt, um durch sein Blut die Menschen von ihrer Schuld zu befreien. [13] Lasst uns zu ihm hinausgehen und die Verachtung mittragen, die ihn getroffen hat. [14] Denn auf dieser Erde gibt es keine Stadt, in der wir für immer zu Hause sein können. Sehnsüchtig warten wir auf die Stadt, die im Himmel für uns erbaut ist. [15] Wir wollen nicht aufhören, Gott im Namen Jesu zu loben und ihm zu danken. Das sind unsere Opfer, mit denen wir uns zu Gott bekennen. [16] Und vergesst nicht, Gutes zu tun und mit anderen zu teilen. An solchen Opfern hat Gott Freude.

[17] Hört auf die Leiter eurer Gemeinden und folgt ihrem Rat. Sie müssen einmal Rechenschaft über euch ablegen, denn sie sind für euch verantwortlich. Macht ihnen das nicht zu schwer; sie sollen doch ihre Aufgabe mit Freude tun und sie nicht als eine bedrückende Last empfinden. Dies würde euch nur selber schaden.

[18] Betet für uns! Wir haben ein gutes Gewissen, denn wir wollen in jeder Weise ein Leben führen, das Gott gefällt. [19] Betet vor allem darum, dass ich bald wieder zu euch kommen kann.

Segenswunsch und Grüße

[20/21] Ich wünsche euch nun von Herzen, dass Gott selbst euch hilft, das Gute zu tun und seinen Willen zu erfüllen. Er ist es ja, der uns seinen Frieden schenkt. Er hat unseren Herrn Jesus Christus von den Toten auferweckt. Ihn, durch dessen Blut der neue und ewig gültige Bund geschlossen wurde, ihn hat er zum wahren Hirten seiner Herde gemacht. Jesus Christus wird euch die Kraft geben, das zu tun, was Gott gefällt. Ihn wollen wir bis in alle Ewigkeit loben und ehren. Amen.

[22] Ich bitte euch, liebe Brüder und Schwestern: Lasst euch von meinem Brief ermahnen und ermutigen! Ich habe euch ja nur kurz geschrieben.

[23] Zum Schluss möchte ich euch noch mitteilen, dass unser Bruder Timotheus freigelassen worden ist. Sobald er kommt, wollen wir euch gemeinsam besuchen.

[24] Viele Grüße sende ich an eure Gemeinden und an alle ihre Leiter. Die Christen aus Italien lassen euch grüßen.

[25] Gottes Gnade sei mit euch allen!

---

[a] Wörtlich: Wir haben einen Altar, von dem diejenigen nicht essen dürfen, die dem Zelt dienen.

13,11 3 Mo 16,27 **13,12** Mt 27,33 **13,14** 12,22–23; Joh 14,2–3; Eph 2,19; Phil 3,20; Tit 2,13* **13,15** Eph 5,20; Kol 3,16–17 **13,16** Eph 2,10* **13,17** 13,7; 1 Thess 5,12 **13,18–19** Kol 4,3–4* **13,20–21** Eph 2,10*; Hebr 7,22; 8,6; 12,24; Joh 10,11 **13,23** Apg 16,1–3*

Der Brief des Jakobus

Anschrift und Gruß

1 Jakobus, der Gott und unserem Herrn Jesus Christus dient, grüßt mit diesem Brief die zwölf Stämme Israels, die über die ganze Welt zerstreut in der Fremde leben.

Durch Bewährungsproben wird der Glaube stark

[2] Liebe Brüder und Schwestern! Betrachtet es als Grund zur Freude, wenn euer Glaube immer wieder hart auf die Probe gestellt wird. [3] Denn durch solche Bewährungsproben wird euer Glaube fest und unerschütterlich. [4] Bis zuletzt sollt ihr so unerschütterlich festbleiben, damit ihr in jeder Beziehung zu reifen Christen werdet und niemand euch etwas vorwerfen kann oder etwas an euch zu bemängeln hat. [5] Wenn es jemandem von euch an Weisheit fehlt, soll er Gott darum bitten, und Gott wird sie ihm geben. Ihr wisst doch, dass er niemandem seine Unwissenheit vorwirft und dass er jeden reich beschenkt. [6] Betet aber in großer Zuversicht, und zweifelt nicht; denn wer zweifelt, gleicht den Wellen im Meer, die vom Sturm hin- und hergetrieben werden. [7] Ein solcher Mensch kann nicht erwarten, dass Gott ihm etwas gibt. [8] In allem, was er tut, ist er unbeständig und hin- und hergerissen.

Der Reichtum der Armen

[9] Wer arm ist und wenig beachtet wird, soll sich darüber freuen, dass er vor Gott hoch angesehen ist. [10] Ein Reicher dagegen soll niemals vergessen, wie wenig sein irdischer Besitz vor Gott zählt.[a] Wie eine Blume auf dem Feld wird er samt seinem Reichtum vergehen. [11] In der glühenden Mittagshitze verdorrt das Gras, die Blüten fallen ab, und alle Schönheit ist dahin. Ebenso wird es den Reichen ergehen. All ihre Geschäftigkeit bewahrt sie nicht vor Tod und Verderben.

Was unseren Glauben gefährdet

[12] Glücklich ist, wer die Bewährungsproben besteht und im Glauben festbleibt. Gott wird ihn mit dem Siegeskranz, dem ewigen Leben, krönen. Das hat er allen versprochen, die ihn lieben. [13] Niemand, der in Versuchung gerät, kann behaupten: »Diese Versuchung kommt von Gott.« Denn Gott kann nicht vom Bösen verführt werden, und er verführt auch niemanden zum Bösen. [14] Es sind vielmehr unsere eigenen selbstsüchtigen Wünsche, die uns immer wieder zum Bösen verlocken. [15] Geben wir ihnen nach, dann haben wir das Böse empfangen und bringen die Sünde zur Welt. Sie aber führt unweigerlich zum Tod. [16] Lasst euch also nichts vormachen, liebe Brüder und Schwestern! [17] Alles, was Gott uns gibt, ist gut und vollkommen. Er, der Vater des Lichts, ändert sich nicht; niemals wechseln bei ihm Licht und Finsternis. [18] Es war sein Wille, dass er uns durch das Wort der Wahrheit, durch die rettende Botschaft, neues Leben geschenkt hat. So sind wir der Anfang einer neuen Schöpfung geworden.

---

[a] Wörtlich (Vers 9 und 10a): Es rühme sich aber der Bruder, der arm ist, seiner Höhe, der Reiche aber seiner Niedrigkeit.

1,1 Apg 15,13* **1,2–4** Apg 5,41; 2 Tim 3,12*; 1 Petr 1,6–7; 4,12–13 **1,5** Spr 1,7*; 2,2–6 **1,6–8** Mt 7,11; Mk 11,24; Joh 15,7* **1,9** 2,5 **1,10–11** Mt 6,19–21; Lk 12,15–21; 1 Tim 6,17–19; 1 Petr 1,24; Ps 39,5–7* **1,12** 1 Kor 9,24–27; Phil 3,12–14; Kol 2,18; 1 Petr 5,4 **1,13** 1 Kor 10,13 **1,14–15** Mk 7,20–23; 1 Joh 2,16–17 **1,17** 1 Tim 6,16; 1 Joh 1,5; Offb 22,5 **1,18** 2 Kor 5,17

Echte und falsche Frömmigkeit

[19] Denkt daran, liebe Brüder und Schwestern: Seid immer sofort bereit, jemandem zuzuhören; aber überlegt genau, bevor ihr selbst redet. Und hütet euch vor unbeherrschtem Zorn! [20] Denn im Zorn tun wir niemals, was Gott gefällt. [21] Deshalb trennt euch von aller Schuld und allem Bösen. Nehmt vielmehr bereitwillig Gottes Botschaft an, die er wie ein Samenkorn in euch gelegt hat. Sie hat die Kraft, euch zu retten. [22] Allerdings genügt es nicht, seine Botschaft nur anzuhören; ihr müsst auch danach handeln. Alles andere ist Selbstbetrug! [23] Wer Gottes Botschaft nur hört, sie aber nicht in die Tat umsetzt, dem geht es wie einem Mann, der in den Spiegel schaut. [24] Er betrachtet sich, geht wieder weg und hat auch schon vergessen, wie er aussieht. [25] Ganz anders ist es dagegen bei dem, der nicht nur hört, sondern immer wieder danach handelt. Er beschäftigt sich gründlich mit Gottes Gesetz, das vollkommen ist und frei macht. Er kann glücklich sein, denn Gott wird alles segnen, was er tut.

[26] Wer sich für fromm hält, aber seine Zunge nicht zügeln kann, der macht sich selbst etwas vor. Seine Frömmigkeit ist nichts wert. [27] Witwen und Waisen in ihrer Not zu helfen und sich vom gottlosen Treiben dieser Welt nicht verführen zu lassen: das ist wirkliche Frömmigkeit, mit der man Gott, dem Vater, dient.

Falsche Maßstäbe

2 Liebe Brüder und Schwestern! Wenn ihr an den Herrn Jesus Christus glaubt, dem allein alle Herrlichkeit zusteht, dann lasst euch nicht vom Rang und Ansehen der Menschen beeindrucken! [2] Stellt euch einmal vor, in eure Gemeinde kommt ein vornehm gekleideter Mann mit einem goldenen Ring am Finger. Zur selben Zeit kommt einer, der arm und schäbig gekleidet ist. [3] Wie würdet ihr euch verhalten? Ihr würdet euch von dem Reichen beeindrucken lassen und ihm eilfertig anbieten: »Hier ist noch ein guter Platz für Sie!« Aber zu dem Armen würdet ihr sicherlich sagen: »Bleib stehen, oder setz dich neben meinem Stuhl auf den Fußboden.« [4] Habt ihr da nicht mit zweierlei Maß gemessen und euch in eurem Urteil von menschlicher Eitelkeit leiten lassen?

[5] Hört mir gut zu, liebe Brüder und Schwestern: Hat Gott nicht gerade die erwählt, die vor der Welt arm sind? Sie sollen im Glauben reich werden, und Gott wird sie in seine neue Welt aufnehmen, die er allen zugesagt hat, die ihn lieben. [6] Ihr dagegen behandelt die Armen geringschätzig. Habt ihr denn noch nicht gemerkt, dass es gerade die Reichen sind, die euch unterdrücken und vor die Gerichte schleppen? [7] Wie oft sind gerade sie es, die Jesus Christus verhöhnen, auf dessen Namen ihr getauft seid![a]

[8] Lebt nach dem wichtigsten Gebot in Gottes neuer Welt: »Liebe deinen Mitmenschen wie dich selbst!«[b] Wenn ihr das in die Tat umsetzt, handelt ihr richtig. [9] Beurteilt ihr dagegen Arme und Reiche nach unterschiedlichen Maßstäben, dann verstoßt ihr gegen Gottes Gebot und werdet schuldig. [10] Es hilft dann nichts, wenn ihr alle anderen Gebote Gottes genau einhaltet. Wer nämlich auch nur gegen ein einziges seiner Gebote verstößt, der hat das ganze Gesetz übertreten.

[11] Denn Gott, der gesagt hat: »Du sollst nicht ehebrechen!«, der hat auch bestimmt: »Du sollst nicht töten!« Wenn du nun zwar nicht die Ehe brichst, aber einen Menschen tötest, so hast du Gottes Gesetz übertreten.

---

[a] Wörtlich: Sind nicht sie es, die den guten Namen lästern, der über euch angerufen wurde?
[b] 3. Mose 19,18

1,19–20 Spr 29,20; Mt 12,36; 5,21–26; Eph 4,26 **1,21** Eph 4,29–32; Kol 3,8; 1 Petr 2,1 **1,22–24** Mt 7,21–23; Röm 2,13; Eph 2,10* **1,25** 2,12 **1,26** 1 Petr 3,10 **1,27** 1 Tim 5,3; 2 Mo 22,21–22* **2,1–6** Mt 5,3; 1 Kor 1,26–27 **2,8** Mt 22,34–40 **2,9** 3 Mo 24,22*; 2 Chr 19,7; Röm 2,11; Eph 6,9 **2,10** Gal 3,10; Hebr 10,28 **2,11** 2 Mo 20,13–14

[12] Maßstab eures Redens und Handelns soll das Gesetz Gottes sein, das euch Freiheit schenkt. Danach werdet ihr einmal gerichtet. [13] Ohne Gnade wird dann über den das Urteil gesprochen, der selbst kein Erbarmen gehabt hat. Wer aber barmherzig ist, braucht das Gericht nicht zu fürchten.

Der Glaube muss sich durch die Tat beweisen

[14] Liebe Brüder und Schwestern! Welchen Wert hat es, wenn jemand behauptet, an Christus zu glauben, aber an seinen Taten ist das nicht zu erkennen! Kann ihn ein solcher Glaube vor Gottes Urteil retten? [15] Stellt euch vor, in eurer Gemeinde sind einige in Not. Sie haben weder etwas anzuziehen noch genug zu essen. [16] Wenn nun einer von euch zu ihnen sagt: »Ich wünsche euch alles Gute! Hoffentlich bekommt ihr warme Kleider und könnt euch satt essen!«, was nützt ihnen das, wenn ihr ihnen nicht gebt, was sie zum Leben brauchen? [17] Genauso nutzlos ist ein Glaube, der sich nicht in der Liebe zum Mitmenschen beweist: Er ist tot.

[18] Nun könnte jemand sagen: »Der eine glaubt, und der andere tut Gutes.« Ihm müsste ich antworten: »Zeig doch einmal deinen Glauben her, der keine guten Taten hervorbringt! Meinen Glauben kann ich dir zeigen. Du brauchst dir nur anzusehen, was ich tue.« [19] Du glaubst, dass es nur einen einzigen Gott gibt? Gut und schön. Aber das glauben sogar die Dämonen – und zittern vor Angst.

[20] Wann endlich wirst du törichter Mensch einsehen, dass der Glaube nichts wert ist, wenn wir nicht auch *tun*, was Gott von uns will? [21] Erinnert euch an Abraham, unseren Stammvater! Sogar er fand vor Gott erst Anerkennung, nachdem er getan hatte, was Gott von ihm verlangt hatte. Er war bereit, seinen Sohn Isaak als Opfer auf den Altar zu legen. [22] Hier wird ganz deutlich: Bei ihm gehörten Glaube und Tun zusammen; und erst durch sein gehorsames Handeln wurde sein Glaube vollkommen. [23] Das meint auch die Heilige Schrift, wenn sie sagt: »Abraham glaubte Gott, und so fand er seine Anerkennung.«[a] Ja, er wurde sogar der »Freund Gottes«[b] genannt. [24] Ihr seht also: Wir werden nur dann von Gott angenommen, wenn unser Glaube auch Taten hervorbringt. Der Glaube allein genügt nicht.

[25] Auch die Prostituierte Rahab ist dafür ein Beispiel. Sie fand bei Gott Anerkennung, weil sie die Kundschafter der Israeliten bei sich versteckte und ihnen auf einem sicheren Weg die Flucht ermöglichte.[c] [26] So wie der Körper ohne den Geist tot ist, so auch der Glaube ohne Taten.

Warnung vor Geschwätzigkeit

3 Liebe Brüder und Schwestern! Es sollten sich nicht so viele in der Gemeinde danach drängen, andere im Glauben zu unterweisen. Denn ihr wisst ja: Wer andere lehrt, wird von Gott nach besonders strengen Maßstäben beurteilt. [2] Und machen wir nicht alle immer wieder Fehler? Wem es freilich gelingt, nie ein verkehrtes Wort zu sagen, den kann man als vollkommen bezeichnen. Denn wer seine Zunge im Zaum hält, der kann auch seinen ganzen Körper beherrschen. [3] So legen wir zum Beispiel den Pferden das Zaumzeug ins Maul und beherrschen sie damit. [4] Und selbst die großen Schiffe, die nur von starken Winden vorangetrieben werden können, lenkt der Steuermann mit einem kleinen Ruder, wohin er will.

[5] Genauso ist es mit unserer Zunge. So

---

[a] 1. Mose 15,6
[b] 2. Chronik 20,7; Jesaja 41,8
[c] Vgl. Josua 2

2,12–13 1,25; Mt 5,7; 18,23–35; 25,31–46; 2 Kor 5,10* **2,14–17** Mt 7,21–23; 25,31–46; 1 Joh 3,17 **2,20–24** Joh 8,39; Hebr 11,17–19; Röm 3,28; Gal 2,16*; Eph 2,10* **2,25** Jos 6,22–25; Hebr 11,31 **2,26** 2,17 **3,2** Spr 10,19

klein sie auch ist, so groß ist ihre Wirkung! Ein kleiner Funke setzt einen ganzen Wald in Brand. [6]Mit einem solchen Feuer lässt sich auch die Zunge vergleichen. Sie kann eine ganze Welt voller Ungerechtigkeit und Bosheit sein. Sie vergiftet uns und unser Leben, sie steckt unsere ganze Umgebung in Brand, und sie selbst ist vom Feuer der Hölle entzündet.

[7]Die Menschen haben es gelernt, wilde Tiere, Vögel, Schlangen und Fische zu zähmen und unter ihre Gewalt zu bringen. [8]Aber seine Zunge kann kein Mensch zähmen. Ungebändigt verbreitet sie ihr tödliches Gift.

[9]Mit unserer Zunge loben wir Gott, unseren Herrn und Vater, und mit derselben Zunge verfluchen wir unsere Mitmenschen, die doch nach Gottes Ebenbild geschaffen sind. [10]Segen und Fluch kommen aus ein und demselben Mund. Aber genau das, meine lieben Brüder und Schwestern, darf es bei euch nicht geben! [11]Fließt denn aus einer Quelle gleichzeitig frisches und ungenießbares Wasser? [12]Kann man Oliven von Feigenbäumen pflücken oder Feigen vom Weinstock? Ebenso wenig kann man aus einer salzigen Quelle frisches Wasser schöpfen.

Wirkliche Weisheit

[13]Hält sich jemand von euch für klug und weise? Dann soll das an seinem ganzen Leben abzulesen sein, an seiner Freundlichkeit und Güte. Sie sind Kennzeichen der wahren Weisheit. [14]Seid ihr aber voller Neid und Streitsucht, dann braucht ihr euch auf eure angebliche Weisheit nichts einzubilden. In Wirklichkeit verdreht ihr so die Wahrheit. [15]Eine solche Weisheit kann niemals von Gott kommen. Sie ist irdisch, ungeistlich, ja teuflisch. [16]Wo Neid und Streitsucht herrschen, da gerät alles in Unordnung; da wird jeder Gemeinheit Tür und Tor geöffnet.

[17]Die Weisheit aber, die von Gott kommt, ist vor allem aufrichtig; außerdem sucht sie den Frieden, sie ist freundlich, bereit nachzugeben und lässt sich etwas sagen. Sie hat Mitleid mit anderen und bewirkt Gutes; sie ist unparteiisch, ohne Vorurteile und ohne alle Heuchelei. [18]Nur wer selber Frieden schafft, wird die Gerechtigkeit ernten, die dort aufgeht, wo Frieden herrscht.

Freundschaft mit der Welt – Feindschaft mit Gott

4 Wieso gibt es denn bei euch so viel Kämpfe und Streitigkeiten? Kommt nicht alles daher, dass ihr euren Leidenschaften und Trieben nicht widerstehen könnt? [2]Ihr wollt alles haben und werdet nichts bekommen. Ihr seid voller Neid und tödlichem Hass; doch gewinnen werdet ihr dadurch nichts. Eure Streitigkeiten und Kämpfe nützen euch gar nichts. Solange ihr nicht Gott bittet, werdet ihr nichts empfangen. [3]Wenn ihr freilich Gott nur darum bittet, eure selbstsüchtigen Wünsche zu erfüllen, wird er euch nichts geben.

[4]Ihr Treulosen! Ist euch denn nicht klar, dass Freundschaft mit der Welt zugleich Feindschaft mit Gott bedeutet? Wer also ein Freund dieser Welt sein will, der wird zum Feind Gottes. [5]Oder meint ihr, die Heilige Schrift sagt ohne jeden Grund: »Leidenschaftlich wünscht sich Gott, dass der Geist, den er in uns wohnen lässt, ganz ihm gehört«?[a] [6]Aber was Gott uns schenken will, ist noch viel mehr. Darum heißt es auch: »Die Hochmütigen weist Gott von sich; aber er hilft denen, die wissen, dass sie ihn brauchen.«[b]

[7]Unterstellt euch Gott, und widersetzt

---

[a] Oder: Der Geist, der in uns wohnt, will uns ganz allein besitzen. – Vermutlich stammt das Zitat aus einer uns unbekannten Schrift.

[b] Sprüche 3,34

3,6 Ps 52,6; Spr 16,27; Mt 12,36–37 **3,8** Mt 15,11.18 **3,12** Mt 7,16–20 **3,14–18** Spr 1,7*; 1 Kor 1,18–21; Gal 5,19–23 **4,1–3** 1 Kor 3,3; 6,9–11; Eph 5,5; 1 Petr 2,11 **4,4** Mt 6,24; 1 Joh 2,15 **4,7** 1 Petr 5,8–9

euch dem Teufel. Dann muss er von euch fliehen. [8] Sucht die Nähe Gottes, dann wird er euch nahe sein. Wascht die Schuld von euren Händen, ihr Sünder, und lasst Gott allein in euren Herzen wohnen, ihr Unentschiedenen! [9] Seht doch endlich ein, wie groß eure Schuld ist; erschreckt und trauert darüber! Dann werdet ihr nicht mehr lachen, sondern weinen; und aus eurer Freude wird Traurigkeit. [10] Beugt euch vor dem Herrn! Erst dann wird Gott euch aufrichten.

Nicht über andere urteilen!

[11] Redet nicht schlecht übereinander, liebe Brüder und Schwestern! Denn wer jemandem Schlechtes nachsagt oder ihn verurteilt, der verstößt gegen Gottes Gesetz. Anstatt es zu befolgen, spielt er sich als Richter auf. [12] Gott allein ist beides: Gesetzgeber und Richter. Nur er kann verurteilen oder von Schuld freisprechen. Woher nimmst du dir also das Recht, deine Mitmenschen zu verurteilen?

Falsche Sicherheit

[13] Noch etwas will ich euch sagen. Manche von euch kündigen an: »Heute oder morgen wollen wir hier- und dorthin reisen. Wir wollen dort ein Jahr bleiben, gute Geschäfte machen und viel Geld verdienen.« [14] Dabei wisst ihr nicht einmal, was morgen geschieht! Was ist denn schon euer Leben? Nichts als ein leiser Hauch, der – kaum ist er da – auch schon wieder verschwindet. [15] Darum sollt ihr lieber sagen: »Wenn der Herr will und wir leben, wollen wir dieses oder jenes tun.« [16] Ihr aber seid stolz auf eure Pläne und gebt damit an. Eine solche Überheblichkeit ist verwerflich. [17] Wer Gelegenheit hat, Gutes zu tun, und tut es trotzdem nicht, der wird vor Gott schuldig.

Gottes Urteil über die Reichen

5 Nun zu euch, ihr Reichen! Weint und klagt über all das Elend, das über euch hereinbrechen wird! [2] Euer Reichtum verrottet, und die Motten zerfressen eure kostbaren Kleider. [3] Euer Gold und Silber verrostet. All das wird euch anklagen. Ihr selbst werdet vergehen wie euer Reichtum.[a] Warum seid ihr – so kurz vor dem Ende dieser Welt – nur auf Reichtum aus gewesen? [4] Der Herr, der allmächtige Gott, hat den Schrei eurer Erntearbeiter gehört, die ihr um ihren verdienten Lohn betrogen habt. [5] Euch dagegen ist es auf dieser Erde gut ergangen, ihr habt in Saus und Braus gelebt und euch doch nur für den Schlachttag gemästet. [6] Unschuldige habt ihr verurteilt und umgebracht, und sie haben sich nicht gegen euch gewehrt.

Lasst euch nicht entmutigen!

[7] Meine Brüder und Schwestern, wartet geduldig, bis der Herr kommt. Muss nicht auch der Bauer mit viel Geduld abwarten, bis er die Ernte einfahren kann? Er weiß, dass die Saat dazu den Herbstregen und den Frühlingsregen braucht. [8] Auch ihr müsst geduldig sein und dürft nicht mutlos werden, denn der Herr kommt bald. [9] Klagt nicht übereinander, liebe Brüder und Schwestern! Sonst wird Gott euch verurteilen. Bedenkt: Der Richter steht schon vor der Tür.

[10] Nehmt euch ein Beispiel an den Propheten, die im Auftrag des Herrn gesprochen haben. Wie vorbildlich und mit welcher Geduld haben sie alle Leiden ertragen! [11] Menschen, die so standhaft waren, sind wirklich glücklich zu nennen. Denkt doch nur an Hiob! Ihr habt alle schon gehört, wie geduldig er sein Leiden ertragen hat. Und ihr wisst, dass der Herr in seiner Barmherzigkeit und Liebe alles

---

[a] Wörtlich: Und ihr Rost wird Zeugnis gegen euch geben und euer Fleisch fressen wie Feuer.

4,10 1 Petr 5,6 **4,11–12** Lk 6,36–38; Röm 14,4.13; 1 Kor 8,9; Ps 7,12* **4,13–15** Ps 39,5–7*; Lk 12,18–20; Apg 18,21; 2 Kor 1,17 **4,17** Lk 12,47; Eph 2,10* **5,1–3** Mt 6,19–21; Lk 6,24–25; 12,32–34 **5,4** 3 Mo 19,13; 5 Mo 24,14–15 **5,5** Lk 16,25 **5,7–8** Tit 2,13*; Röm 13,11; Hebr 10,35–36 **5,9** 4,11–12 **5,10** Mt 5,12 **5,11** Hiob 1,21–22; 2,10

zu einem guten Ende führte. [12]Um eines möchte ich euch vor allem noch bitten, meine Brüder und Schwestern: Schwört nicht; weder beim Himmel noch bei der Erde, noch bei sonst etwas! Wenn ihr »Ja« sagt, dann muss man sich darauf verlassen können. Und wenn ihr »Nein« sagt, dann steht auch dazu. Sonst müsst ihr euch vor Gottes Gericht dafür verantworten.

Gebet für die Kranken

[13]Leidet jemand unter euch? Dann soll er beten! Hat einer Grund zur Freude? Dann soll er Gott Loblieder singen. [14]Wenn jemand von euch krank ist, soll er die Gemeindeleiter zu sich rufen, damit sie für ihn beten und ihn im Namen des Herrn mit Öl salben. [15]Wenn sie im festen Vertrauen beten, wird der Herr dem Kranken helfen. Er wird ihn aufrichten und ihm vergeben, wenn er Schuld auf sich geladen hat.

[16]Bekennt einander eure Sünden und betet füreinander, damit ihr geheilt werdet. Denn das Gebet eines Menschen, der nach Gottes Willen lebt, hat große Kraft. [17]Elia war ein Mensch wie wir. Er betete inständig, es möge nicht regnen, und tatsächlich fiel dreieinhalb Jahre kein Wassertropfen auf das Land. [18]Dann betete er um Regen. Da regnete es, und alles Land wurde grün und brachte wieder Früchte hervor.[a]

[19]Liebe Brüder und Schwestern! Wenn einer von euch vom rechten Weg abkommt, dann sollt ihr ihn zur Umkehr bewegen. [20]Ihr müsst nämlich wissen: Wer einen Sünder von seinem falschen Weg abbringt, der hat diesen Menschen vor dem sicheren Verderben gerettet, denn Gott hat ihm seine Sünden vergeben.

---

[a] Vgl. 1. Könige 17,1; 18,41–45

5,12 Mt 5,34–37 **5,14** Mk 6,13 **5,15** Ps 17,6*; Joh 15,7* **5,16** Ps 145,18–19 **5,19–20** Mt 18,15–17; 1 Thess 5,14; 2 Thess 3,14–15

Der erste Brief des Petrus

Anschrift und Gruß

1 Diesen Brief schreibt Petrus, den Jesus Christus zu seinem Apostel berufen hat, an alle Christen, die als Fremde überall in den Provinzen Pontus, Galatien, Kappadozien, Asia und Bithynien mitten unter Menschen leben, die nicht an Christus glauben.

[2] Ihr seid Gottes Kinder geworden, weil Gott, unser Vater, euch von Anfang an dazu auserwählt hat. Durch die Kraft des Heiligen Geistes könnt ihr jetzt Jesus Christus als euren Herrn anerkennen, weil er am Kreuz sein Blut für euch vergossen und euch von eurer Schuld befreit hat. Gott schenke euch immer mehr seine Gnade und seinen Frieden.

Die Hoffnung der Christen

[3] Gelobt sei Gott, der Vater unseres Herrn Jesus Christus! In seinem grenzenlosen Erbarmen hat er uns neues Leben geschenkt. Weil Jesus Christus von den Toten auferstanden ist, haben wir die Hoffnung auf ein neues, ewiges Leben. [4] Es ist die Hoffnung auf ein ewiges, von keiner Sünde beschmutztes und unzerstörbares Erbe, das Gott im Himmel für euch bereithält. [5] Bis dahin wird euch Gott durch seine Kraft bewahren, weil ihr ihm vertraut. Aber dann, am Ende der Zeit, werdet ihr selbst sehen, wie herrlich das unvergängliche Leben ist, das Gott schon jetzt für euch bereithält.

[6] Darüber freut ihr euch von ganzem Herzen, auch wenn ihr jetzt noch für eine kurze Zeit auf manche Proben gestellt werdet und viel erleiden müsst. [7] So wird sich euer Glaube bewähren und sich wertvoller und beständiger erweisen als pures Gold, das im Feuer vollkommen gereinigt wurde. Lob, Preis und Ehre werdet ihr dann an dem Tag empfangen, an dem Christus für alle sichtbar kommt. [8] Ihr habt ihn nie gesehen und liebt ihn doch. Ihr glaubt an ihn, obwohl ihr ihn auch jetzt nicht sehen könnt, und eure Freude ist grenzenlos, [9] denn ihr kennt das Ziel eures Glaubens: die Rettung für alle Ewigkeit.

[10] Schon die Propheten haben nach dieser Rettung gesucht und geforscht, und sie haben vorausgesagt, wie reich Gott euch beschenken würde. [11] In ihnen wirkte bereits der Geist Christi. Er zeigte ihnen, dass Christus leiden müsste und danach Ruhm und Herrlichkeit empfangen würde. Daraufhin forschten die Propheten, wann und wie dies geschehen sollte. [12] Gott ließ sie wissen, dass diese Offenbarungen nicht ihnen selbst galten, sondern euch. Nun sind sie euch verkündet worden, und zwar von denen, die euch die rettende Botschaft gebracht haben. Gott erfüllte sie dazu mit dem Heiligen Geist, den er vom Himmel zu ihnen sandte. Diese Botschaft ist so einzigartig, dass selbst die Engel gern mehr davon erfahren würden.

Ein neues Leben

[13] Darum seid bereit und stellt euch ganz und gar auf das Ziel eures Glaubens ein. Lasst euch nichts vormachen, seid nüchtern und richtet all eure Hoffnung auf Gottes Barmherzigkeit, die er euch in vollem Ausmaß an dem Tag erweisen wird, wenn Jesus Christus für alle sichtbar kommt. [14] Weil ihr Gottes Kinder

---

1,2 Röm 8,14–15*; Eph 1,4–5; 2 Kor 5,18–21* **1,3–5** Kol 1,5; 3,3–4; Tit 2,13* **1,6–7** 4,12–13; 1 Kor 1,8–9; 2 Kor 1,3–5; 2 Tim 3,12*; Jak 1,2–4 **1,8** Joh 20,27–29; 2 Kor 5,7–8 **1,9** Hebr 2,1* **1,10–12** Lk 1,70; 10,24; 24,44–46*; Röm 1,2 **1,13** Lk 12,35–37; 1 Thess 5,4–6 **1,14–16** Röm 6,6–7. 12–13; Eph 4,17–20; 1 Thess 4,5

seid, gehorcht ihm und lebt nicht mehr wie früher, als ihr euch von euren Leidenschaften beherrschen ließt und Gott noch nicht kanntet. [15] Der heilige Gott hat euch schließlich dazu berufen, ganz zu ihm zu gehören. Danach richtet euer Leben aus! [16] Genau das meint Gott, wenn er sagt: »Ihr sollt heilig sein, denn ich bin heilig.«[a]

[17] Ihr betet zu Gott als eurem Vater und wisst, dass er jeden von euch nach seinem Verhalten richten wird; er bevorzugt oder benachteiligt niemanden. Deswegen führt euer Leben in Ehrfurcht vor Gott, solange ihr als Fremde mitten unter den Menschen lebt, die nicht an Christus glauben. [18] Denkt daran, was es Gott gekostet hat, euch aus der Sklaverei der Sünde zu befreien, aus einem sinnlosen Leben, wie es schon eure Vorfahren geführt haben. Christus hat euch losgekauft, aber nicht mit vergänglichem Silber oder Gold, [19] sondern mit seinem eigenen kostbaren Blut, das er wie ein unschuldiges, fehlerloses Lamm für uns geopfert hat.

[20] Schon bevor Gott die Welt erschuf, hatte er beschlossen, Christus zu euch zu schicken. Aber erst jetzt, in dieser letzten Zeit, ist Christus euretwegen in die Welt gekommen. [21] Durch ihn habt ihr zum Glauben an Gott gefunden. Gott hat Jesus Christus von den Toten auferweckt und ihm seine göttliche Herrlichkeit gegeben, damit ihr an ihn glaubt und eure ganze Hoffnung auf ihn setzt.

[22] Ihr habt euch nun der Wahrheit, die Christus brachte, zugewandt und habt ihm gehorcht. Darum seid ihr fähig geworden, einander aufrichtig zu lieben. So handelt auch danach, und liebt einander von ganzem Herzen. [23] Ihr seid ja neu geboren worden. Und das verdankt ihr nicht euren Eltern, die euch das irdische Leben schenkten; nein, Gott selbst hat euch durch sein lebendiges und ewiges Wort neues, unvergängliches Leben geschenkt.[b] [24] Ja, es stimmt: »Die Menschen sind wie das Gras, und ihre Schönheit gleicht den Blumen: Das Gras verdorrt, die Blumen verwelken. [25] Aber das Wort des Herrn bleibt gültig für immer und ewig.«[c] Und genau dieses Wort ist die rettende Botschaft, die euch verkündet wurde.

Christen – das Volk Gottes

2 Hört auf mit aller Bosheit und allem Betrug! Heuchelei, Neid und Verleumdung darf es bei euch nicht länger geben. [2] Wie ein neugeborenes Kind nach Milch schreit, so sollt ihr nach der unverfälschten Lehre unseres Glaubens verlangen. Dann werdet ihr im Glauben wachsen und das Ziel, eure endgültige Rettung, erreichen. [3] Ihr habt ja selbst erfahren, wie gut der Herr ist.

[4] Zu ihm dürft ihr kommen. Er ist der lebendige Stein, den die Menschen weggeworfen haben. Aber in Gottes Augen ist er wertvoll und kostbar. [5] Lasst auch ihr euch als lebendige Steine zu einem Haus aufbauen, das Gott gehört. Darin sollt ihr als seine Priester dienen, die ihm als Opfer ihr Leben zur Verfügung stellen. Um Jesu willen nimmt Gott diese Opfer an.

[6] Es steht ja schon in der Heiligen Schrift: »Einen ausgewählten, kostbaren Grundstein werde ich in Jerusalem legen. Wer auf ihn baut und ihm vertraut, steht fest und sicher.«[d]

[7] Ihr habt durch euren Glauben er-

---

[a] 3. Mose 19,2
[b] Wörtlich: Ihr seid neu geboren worden, nicht aus vergänglichem, sondern aus unvergänglichem Samen.
[c] Jesaja 40,6–8
[d] Jesaja 28,16

1,17 2 Kor 5,10*; 7,1 **1,18–19** Röm 3,25–26; 1 Kor 6,20; 2 Kor 5,18–21*; Joh 1,29* **1,20** Gal 4,4; Eph 1,9–11 **1,21** Röm 4,24–25 **1,22** Joh 13,34; 15,12; Röm 12,10* **1,23** Joh 1,12–13; 3,3–8 **1,24–25** Jak 1,10–11 **2,1** Röm 13,12–14; Eph 4,22–23; Kol 3,8–9 **2,2** 1 Kor 3,1–2 **2,4–8** Ps 118,22; Mt 21,42; Apg 4,11 **2,5** Röm 6,13; 12,1; 1 Kor 3,16–17; Eph 2,21–22

kannt, wie wertvoll dieser Grundstein ist. Für alle aber, die nicht glauben, gilt das Wort: »Der Stein, den die Bauleute wegwarfen, weil sie ihn für unbrauchbar hielten, ist zum Grundstein des ganzen Hauses geworden.[a] [8] Er ist ein Stein, an dem sich die Menschen stoßen, ja, der sie zu Fall bringt.[b]« Denn sie stoßen sich nur deshalb daran, weil sie nicht auf Gottes Botschaft hören. Gott selbst hat sie dazu bestimmt.

[9] Ihr aber seid ein von Gott auserwähltes Volk, seine königlichen Priester, ihr gehört ganz zu ihm und seid sein Eigentum. Deshalb sollt ihr die großen Taten Gottes verkünden, der euch aus der Finsternis befreit und in sein wunderbares Licht geführt hat. [10] Früher habt ihr nicht zu Gottes Volk gehört. Aber jetzt seid ihr Gottes Volk! Früher kanntet ihr Gottes Barmherzigkeit nicht; doch jetzt habt ihr sie erfahren.[c]

Christen als Staatsbürger

[11] Meine lieben Freunde! Ihr wisst, dass ihr in dieser Welt Fremde seid; sie ist nicht eure Heimat. Deshalb bitte ich euch eindringlich: Gebt den Angeboten und Verlockungen dieser Welt nicht nach. Es geht in diesem Kampf um euren Glauben! [12] Lebt stattdessen so vorbildlich, dass die Menschen, die Gott nicht kennen, darauf aufmerksam werden. Durch euer Verhalten sollen selbst die überzeugt werden, die euch bösartig verleumden. Wenn Gott ihnen eines Tages die Augen öffnet, werden auch sie ihn noch ehren.

[13] Denkt daran: Der Herr will, dass ihr euch den menschlichen Ordnungen und Gesetzen fügt. Ordnet euch dem Kaiser unter, der das Land regiert, [14] und auch seinen Statthaltern. Denn sie haben den Auftrag, diejenigen zu bestrafen, die Gesetze übertreten, und die zu belohnen, die Gutes tun. [15] Gott will, dass ihr durch euer vorbildliches Verhalten alle überzeugt, die euch aus Unwissenheit oder Dummheit verleumden. [16] Das könnt ihr tun, weil ihr freie Menschen geworden seid. Aber missbraucht diese Freiheit nicht als Ausrede für euer eigenes Fehlverhalten! Denn ihr seid frei geworden, damit ihr Gott dient. [17] Achtet alle Menschen, und liebt eure Brüder und Schwestern! Habt Ehrfurcht vor Gott, und bringt dem Kaiser den schuldigen Respekt entgegen.

Unser Vorbild

[18] Ihr Sklaven, ordnet euch euren Herren mit der notwendigen Achtung unter, nicht nur den guten und freundlichen, sondern auch den ungerechten. [19] Es ist ein besonderes Geschenk Gottes, wenn jemand deshalb Böses erträgt und Unrecht erduldet, weil er in seinem Gewissen an Gott gebunden ist. [20] Kann denn jemand stolz darauf sein, wenn er die gerechte Strafe für sein böses Handeln auf sich nimmt? Erträgt aber jemand Leid, obwohl er nur Gutes getan hat, dann ist das ein Geschenk Gottes. [21] Dazu hat euch Gott berufen.

Denn auch Christus hat für euch gelitten, und er hat euch ein Beispiel gegeben, dem ihr folgen sollt. [22] Er hat keine Sünde getan; keine Lüge ist je über seine Lippen gekommen. [23] Beschimpfungen ertrug er ohne Widerspruch, gegen Misshandlungen wehrte er sich nicht; lieber vertraute er sein Leben Gott an, der ein gerechter Richter ist. [24] Christus hat unsere Sünden auf sich genommen und sie selbst zum

---

[a] Psalm 118,22
[b] Jesaja 8,14
[c] Vgl. Hosea 2,25

2,9 2 Kor 4,6; Eph 5,8–9 **2,10** Röm 9,24–26; Gal 3,7.26–29; 6,15–16 **2,11** Eph 2,19; Phil 3,20; Hebr 12,22–23 **2,12** Mt 5,16 **2,13–17** Röm 13,1–7* **2,16** Röm 6,18 **2,17** Röm 12,10* **2,18** Eph 6,5–8; Kol 3,22–25; 1 Tim 6,1–2; Tit 2,9–10 **2,20** 3,14; 4,14; Mt 5,10–12 **2,21** Mt 20,25–28; Joh 13,15 **2,22–23** 3,18; Jes 53,7–9 **2,24** Röm 6,13; Kol 2,14–15; 2 Kor 5,18–21*

Kreuz hinaufgetragen. Das bedeutet, dass wir für die Sünde tot sind und jetzt leben können, wie es Gott gefällt. Durch seine Wunden hat Christus uns geheilt. [25]Früher seid ihr herumgeirrt wie Schafe, die sich verlaufen hatten. Aber jetzt habt ihr zu eurem Hirten zurückgefunden, zu Christus, der euch auf den rechten Weg führt und schützt.

Mann und Frau in der Ehe

3 Ihr Frauen, ordnet euch euren Männern unter! Auch ohne viele Worte sollt ihr allein durch euer Vorbild eure Männer für Christus gewinnen, wenn sie bisher nicht auf seine Botschaft hören wollten. [2]Euer Vorbild und eure Ehrfurcht vor Gott überzeugen mehr als tausend Worte. [3]Nicht der äußerliche Schmuck – wie kunstvolle Frisuren, goldene Ketten oder aufwendige Kleidung – soll für euch Frauen wichtig sein. [4]Eure Schönheit soll von innen kommen! Schmückt euch mit Unvergänglichem wie Freundlichkeit und Güte. Das gefällt Gott. [5]So haben sich auch die gläubigen Frauen zur Zeit unserer Vorfahren geschmückt: Sie setzten ihre ganze Hoffnung auf Gott und ordneten sich ihren Männern unter. [6]Sara vertraute sich Abrahams Führung an und nannte ihn ihren Herrn. Ihr könnt euch als ihre Töchter betrachten, wenn ihr wie Sara das Gute tut und euch durch nichts davon abbringen lasst.

[7]Ihr Männer, nehmt Rücksicht auf eure Frauen, so wie sie es als die Schwächeren brauchen; achtet und ehrt sie. Vergesst nicht, dass Gott in seiner Gnade allen das ewige Leben schenkt, Männern wie Frauen. Nichts soll zwischen euch stehen, das euch am Beten hindert.

Vergeltet nicht Böses mit Bösem!

[8]Und noch etwas möchte ich euch sagen: Haltet fest zusammen! Nehmt Anteil am Leben des anderen, und liebt einander wie Geschwister! Geht barmherzig miteinander um, und seid nicht überheblich. [9]Vergeltet nicht Böses mit Bösem, bleibt freundlich, auch wenn man euch beleidigt, und bittet Gott um seinen Segen für den anderen. Denn ihr wisst ja, dass Gott auch euch dazu berufen hat, seinen Segen zu empfangen. [10]Es heißt doch in der Heiligen Schrift:

»Wer sich am Leben freuen und gute Tage erleben will, der achte auf das, was er sagt. Keine Lüge, kein gemeines Wort soll über seine Lippen kommen. [11]Vom Bösen soll er sich abwenden und das Gute tun. Er setze sich unermüdlich und mit ganzer Kraft für den Frieden ein. [12]Denn Gott sieht mit Freude auf solche Menschen und wird ihre Gebete erhören. Wer aber Böses tut, wird Gottes Zorn zu spüren bekommen.«[a]

[13]Und wer sollte euch Böses tun, wenn ihr euch mit ganzer Kraft für das Gute einsetzt? [14]Doch selbst wenn ihr leiden müsst, weil ihr nach Gottes Willen lebt, kann man euch glücklich nennen. Darum fürchtet euch nicht vor dem Leid, das euch die Menschen zufügen, und lasst euch von ihnen nicht einschüchtern. [15]Christus, der Herr, soll der Mittelpunkt eures Lebens sein.[b] Seid immer dazu bereit, denen Rede und Antwort zu stehen, die euch nach eurem Glauben und eurer Hoffnung fragen. [16]Begegnet ihnen freundlich und mit Respekt. Ihr sollt ein gutes Gewissen haben! Dann nämlich werden alle, die Lügen über euch verbreitet haben, beschämt sein. Sie werden erkennen, dass sie Menschen verleumdet

---

[a] Psalm 34,13–17
[b] Wörtlich: Den Herrn Christus heiligt in euren Herzen.

2,25 Jes 53,6; Joh 10,11–14 **3,1–6** Eph 5,22–24; Kol 3,18; 1 Tim 2,9–10; Tit 2,3–5 **3,7** Eph 5,25–28; Kol 3,19; 1 Thess 4,4; Gal 3,28 **3,8** Röm 12,10* **3,9–12** Mt 5,44*; Röm 12,17–18; 1 Thess 5,15; Hebr 12,14 **3,13–14** 2,20; 4,14; Mt 5,10–12 **3,15** Mt 10,28; Lk 12,11–12; Apg 4,20 **3,16** 2,12.15–17; 1 Kor 10,32; Kol 4,5–6

haben, die in der Verbundenheit mit Christus ein vorbildliches Leben führen. [17]Es ist doch besser – wenn Gott es so will –, für das Gute zu leiden als für etwas Schlechtes.

Gelegenheiten zur Umkehr

[18]Vergesst nicht, wie viel Christus für unsere Sünden leiden musste! Er, der frei von jeder Schuld war, starb für uns schuldige Menschen, und zwar ein für alle Mal. So hat er uns zu Gott geführt; sein Körper wurde am Kreuz getötet, der Geist Gottes aber erweckte ihn zu neuem Leben. [19]So ist er auch zu den Geistern in die Totenwelt[a] gegangen, um ihnen die Botschaft der Befreiung zu verkünden. [20]Er ging zu denen, die zur Zeit Noahs gelebt hatten und Gott ungehorsam gewesen waren. Geduldig hatte Gott gewartet, ob sie noch zu ihm umkehren würden, während Noah schon die Arche baute. Aber nur acht Menschen wurden in der Arche vor der Wasserflut gerettet.

[21]So wie diese acht Menschen damals erfahrt ihr heute eure Rettung in der Taufe. Denn in der Taufe soll ja nicht der Schmutz von eurem Körper abgewaschen werden. Vielmehr bitten wir Gott darum, uns ein reines Gewissen zu schenken. Und das ist möglich geworden, weil Jesus Christus auferstanden ist. [22]Er ist jetzt bei Gott im Himmel und hat den Ehrenplatz an seiner rechten Seite eingenommen. Alle Engel, alle Mächte und Gewalten unterstehen seiner Herrschaft.

Alle müssen sich vor Gott verantworten

4 Weil Christus gelitten hat, sollt auch ihr bereit sein, Leiden auf euch zu nehmen. Wer körperlich leiden musste, weil er zu Christus gehört, über den verliert die Sünde ihre Macht. [2]Solange ihr noch auf der Erde lebt, lasst euch nicht von menschlichen Leidenschaften, sondern von Gottes Willen leiten. [3]Lange genug habt ihr früher ein Leben in Saus und Braus geführt wie alle anderen, die Gott nicht kennen. Ihr habt euch gehen lassen, euch betrunken und rauschende Feste gefeiert, und ihr habt beim abscheulichen Götzendienst mitgemacht. [4]Natürlich können eure alten Freunde nicht verstehen, weshalb ihr von diesem haltlosen Leben auf einmal nichts mehr wissen wollt. Und deshalb verspotten sie euch. [5]Doch dafür werden sie sich verantworten müssen vor dem, der bald sein Urteil über alle Menschen sprechen wird, über die Lebenden wie über die Toten. [6]Denn auch den Toten ist die Botschaft der Rettung verkündet worden. Was sie getan hatten, brachte ihnen – wie allen Menschen – den Tod. Ihr Körper war gestorben, aber Gott wollte, dass ihr Geist ewig lebt.

Jeder soll Gott mit seiner Gabe dienen

[7]Bald wird das Ende dieser Welt kommen. Deshalb seid wachsam und nüchtern, werdet nicht müde zu beten. [8]Vor allem aber lasst nicht nach, einander zu lieben. Denn »Liebe sieht über Fehler hinweg«[b]. [9]Seid gastfreundlich, und klagt nicht über die vermehrte Arbeit. [10]Jeder soll dem anderen mit der Begabung dienen, die ihm Gott gegeben hat. Wenn ihr die vielen Gaben Gottes in dieser Weise gebraucht, setzt ihr sie richtig ein. [11]Bist du dazu berufen, vor der Gemeinde zu reden, dann soll Gott durch dich sprechen. Hat jemand in der Gemeinde die Aufgabe übernommen, anderen Menschen zu helfen, dann arbeite er in der

---

[a] Wörtlich: ins Gefängnis.
[b] Sprüche 10,12

3,17 2,20 **3,18** Röm 5,6–8; 6,10; Hebr 10,14* **3,19–20** 4,6; 1 Mo 7,5–23; 2 Petr 2,5 **3,21** 1 Kor 6,11; Hebr 10,22 **3,22** Röm 8,34*.38–39; Kol 2,14–15; 3,1–2 **4,1** 1,6; 2 Tim 3,12* **4,2–4** 1 Kor 6,11; Tit 3,3–6 **4,5** 2 Kor 5,10* **4,6** 3,19 **4,7** Eph 5,20; Phil 4,6; Kol 4,2; 1 Thess 5,17 **4,8** Röm 12,10* **4,9** Röm 12,13; 1 Tim 3,2; Tit 1,8; 3 Joh 5–8; Hebr 13,2 **4,10–11** Röm 12,4–8; 1 Kor 12,12–31; Eph 4,11–13

Kraft, die Gott ihm gibt. So ehren wir Gott mit allem, was wir sind und haben. Jesus Christus hat uns dies ermöglicht. Gott gehört alle Ehre und alle Macht für immer und ewig. Amen.

Leiden gehört zum Christsein

[12] Meine lieben Freunde! Wundert euch nicht über die heftigen Anfeindungen, die ihr jetzt erfahrt. Sie sollen euren Glauben prüfen und festigen und sind nichts Außergewöhnliches. [13] Freut euch vielmehr darüber, dass ihr mit Christus leidet; dann werdet ihr auch jubeln und euch mit ihm freuen, wenn er in all seiner Herrlichkeit erscheint.

[14] Ihr dürft euch glücklich nennen, wenn man euch angreift und verhöhnt, nur weil ihr Christen seid. Daran zeigt sich nämlich, dass der Geist Gottes, der Geist seiner Herrlichkeit, bei euch ist. [15] Freilich soll keiner von euch leiden, weil er als Mörder, Dieb oder wegen anderer Verbrechen bestraft werden musste oder weil er sich Rechte anmaßt, die ihm nicht zustehen. [16] Wer dagegen leidet, weil er ein Christ ist, der braucht sich nicht zu schämen. Er soll Gott dafür danken, dass er zu Christus gehört.

[17] Denn es ist Zeit für das Gericht Gottes, und es beginnt bei denen, die zu ihm gehören. Wenn aber schon wir gerichtet werden, welches Ende werden dann die nehmen, die Gottes rettende Botschaft ablehnen! [18] Wenn schon der nur mit knapper Not gerettet wird, der nach Gottes Willen lebt, wie wird es erst denen ergehen, die von Gott nichts wissen wollen und seine Gebote mit Füßen treten? [19] Wer nach Gottes Willen leiden muss, der soll sich nicht davon abbringen lassen, Gutes zu tun und seinem treuen Schöpfer sein Leben anzuvertrauen.

Die Gemeinde und ihre Leiter

5 Jetzt noch ein Wort an die Leiter eurer Gemeinden. Ich selbst habe die gleiche Aufgabe wie ihr, bin ein Zeuge der Leiden Christi und werde auch an seiner Herrlichkeit Anteil haben, wenn er kommt. Deshalb möchte ich euch bitten: [2] Versorgt die Gemeinde gut, die euch Gott anvertraut hat. Hütet die Herde Gottes als gute Hirten, und das nicht nur aus Pflichtgefühl, sondern aus freien Stücken. Das erwartet Gott. Seid nicht darauf aus, euch zu bereichern, sondern arbeitet gern, auch ohne Gegenleistung. [3] Spielt euch nicht als die Herren eurer Gemeinde auf, sondern seid ihre Vorbilder. [4] Nur dann werdet ihr den unvergänglichen, herrlichen Siegeskranz erhalten, wenn Christus kommt, der ja der oberste Hirte seiner Gemeinde ist.

[5] Den jungen Leuten unter euch sage ich: Ordnet euch den Leitern eurer Gemeinden[a] unter! Und für euch alle gilt: Hütet euch vor Hochmut! Denn »die Hochmütigen weist Gott von sich; aber er hilft denen, die wissen, dass sie ihn brauchen«[b]. [6] Deshalb beugt euch unter Gottes mächtige Hand. Gott wird euch aufrichten, wenn seine Zeit da ist.

[7] Ladet alle eure Sorgen bei Gott ab, denn er sorgt für euch. [8] Bleibt besonnen und wachsam! Denn der Teufel, euer Todfeind, läuft wie ein brüllender Löwe um euch herum. Er wartet nur auf ein Opfer, das er verschlingen kann. [9] Stark und fest im Glauben sollt ihr seine Angriffe abwehren. Und denkt daran, dass alle Christen in der Welt diese Leiden ertragen müssen.

[10] Gott aber, von dem ihr so viel unverdiente Güte erfahrt, hat euch durch Jesus Christus zugesagt, dass er euch nach dieser kurzen Leidenszeit in seine ewige

---

[a] Oder: den Älteren.

[b] Sprüche 3,34

4,12–16 1,6; 2,20–21; 3,14; Apg 5,40–41; Phil 1,29; 2 Tim 3,12* **4,17–18** 2 Kor 5,10*; 2 Thess 1,8–10 **4,19** Eph 2,10* **5,1** Lk 24,48; Röm 8,17; 2 Kor 1,7 **5,2** Joh 10,12; 21,15–17; Apg 20,28; 1 Tim 3,1–7; 6,5 **5,3** 1 Kor 11,1*; 2 Kor 1,24 **5,4** Jak 1,12; Offb 3,11 **5,5** Eph 5,21; Mt 23,12; Jak 4,6 **5,6** Jak 4,10 **5,7** Ps 55,23; Mt 6,25–34; Phil 4,6 **5,8** Lk 22,31; 2 Kor 2,11; 1 Thess 2,18; 5,6 **5,9** Röm 13,11–12; Eph 6,11; Jak 4,7; 2 Tim 3,12* **5,10** 1,5–6

Herrlichkeit aufnimmt. Er wird euch ans Ziel bringen, euch Kraft und Stärke geben, so dass ihr fest und sicher steht. [11] Ihm allein gehört alle Macht für immer und ewig. Amen.

Grüße und Segenswünsche

[12] Silvanus, den ich als treuen Bruder sehr schätze, hat mir geholfen, diesen kurzen Brief an euch zu schreiben. Damit wollte ich euch Mut machen und euch bezeugen, dass Gott barmherzig ist und euch wirklich liebt. Daran haltet fest!

[13] Die Gemeinde hier in Babylon[a], die genauso von Gott auserwählt ist wie ihr, sendet euch Grüße, ebenso Markus, den ich wie einen Sohn liebe. [14] Grüßt euch untereinander mit dem Kuss, der eure Liebe zueinander zeigt. Gottes Friede sei mit euch allen, die ihr mit Christus verbunden seid!

---

a Babylon ist vielleicht eine verschlüsselte Bezeichnung für Rom.

5,12 2 Thess 1,1 **5,13** Apg 12,25*

Der zweite Brief des Petrus

Anschrift und Gruß

1 Diesen Brief schreibt Simon Petrus, ein Diener und Apostel Jesu Christi, an alle, die denselben Glauben haben wie wir. Dieser kostbare Glaube wurde uns geschenkt, weil wir durch Jesus Christus, unseren Retter, von Gott angenommen sind.

[2] Ich wünsche euch, dass Gottes Gnade und sein Friede euch immer mehr erfüllen. Das wird geschehen, wenn ihr Gott und unseren Herrn Jesus Christus immer besser kennen lernt.

Bewährung im Glauben

[3] Gott hat uns alles geschenkt, was wir brauchen, um zu leben, wie es ihm gefällt. Denn wir haben ihn kennen gelernt; er hat uns in seiner Macht und Herrlichkeit zu einem neuen Leben berufen. [4] Dadurch hat er uns das Größte und Wertvollste überhaupt geschenkt: Er hat euch zugesagt, dass ihr an seinem ewigen Wesen und Leben Anteil haben werdet. Denn ihr seid dem Verderben entronnen, das durch die menschlichen Leidenschaften und Begierden in die Welt gekommen ist. [5] Deshalb setzt alles daran, Gott zu vertrauen, und zeigt das durch ein vorbildliches Leben. Jeder soll sehen, dass ihr Gott kennt. [6] Diese Erkenntnis Gottes zeigt sich in eurer Selbstbeherrschung. Selbstbeherrschung erfordert Ausdauer, und aus der wiederum erwächst wahre Liebe zu Gott. [7] Wer Gott liebt, wird auch seine Brüder und Schwestern lieben, und schließlich werden alle Menschen diese Liebe zu spüren bekommen.

[8] Wenn ihr diesen Weg geht und dabei weiter vorankommt, wird euer Glaube nicht leer und wirkungslos bleiben, sondern ihr werdet unseren Herrn Jesus Christus immer besser kennen lernen. [9] Wer aber nicht auf diesem Weg ist, der tappt wie ein Blinder im Dunkeln, denn er hat vergessen, dass er von seiner Schuld befreit wurde.

[10] Deshalb sollt ihr euch mit aller Kraft in dem bewähren, wozu Gott euch berufen und auserwählt hat. Dann werdet ihr nicht vom richtigen Weg abkommen, [11] und die Tür zur ewigen Welt unseres Herrn und Retters Jesus Christus wird euch weit offen stehen. [12] Ich will euch immer wieder an all dies erinnern, selbst wenn ich euch damit nichts Neues sage. Ihr seid ja längst davon überzeugt und in der Wahrheit gefestigt, die euch verkündet wurde. [13] Trotzdem halte ich es für meine Pflicht, euch immer wieder daran zu erinnern und euch wach zu halten, solange ich lebe. [14] Durch unseren Herrn Jesus Christus weiß ich aber, dass ich diese Erde bald verlassen muss. [15] Deswegen sorge ich dafür, dass ihr euch das alles auch nach meinem Tod in Erinnerung rufen könnt.

Zeugen der Wahrheit

[16] Wir haben doch keine schönen Märchen erzählt, als wir euch von der Macht unseres Herrn Jesus Christus und von seinem Erscheinen berichteten. Mit unseren eigenen Augen haben wir ihn in seiner ganzen Größe und Herrlichkeit ja selbst schon gesehen. [17/18] Gott, der Vater, hat ihm diese Ehre und Macht gegeben. Als Jesus mit uns auf dem Berg war, haben wir selber die Stimme des höchsten Got-

---

1,1 Mt 4,18–20; 10,2; Lk 2,11* **1,3** 1 Tim 6,12 **1,5** Mt 5,16; 1 Petr 2,12.15 **1,6** Gal 5,22 **1,7** Joh 13,34–35; Röm 12,10* **1,8** Joh 15,4 **1,9** 1 Joh 2,9–11 **1,10–11** Röm 2,7; 2 Thess 2,13–15; Hebr 12,28 **1,14** Joh 21,18–19

tes vom Himmel gehört: »Das ist mein geliebter Sohn, an dem ich meine Freude habe.«[a]

[19]Umso fester verlassen wir uns jetzt auf das, was Gott durch seine Propheten zugesagt hat. Auch ihr tut gut daran, wenn ihr darauf hört. Denn Gottes Zusagen leuchten wie ein Licht in der Dunkelheit, bis der Tag anbricht und der aufgehende Morgenstern in eure Herzen scheint.

[20]Doch vergesst nicht: Kein Mensch kann jemals die prophetischen Worte der Heiligen Schrift aus eigenem Wissen deuten. [21]Denn niemals haben sich die Propheten selbst ausgedacht, was sie verkündeten. Immer trieb sie der Heilige Geist dazu, das auszusprechen, was Gott ihnen eingab.

Gottes Gericht über die Irrlehrer

2 Doch schon damals hat es im Volk Israel falsche Propheten gegeben. Solche Leute werden auch bei euch auftreten und Lehren verbreiten, die euch ins Verderben stürzen sollen. Damit verleugnen sie Christus, den Herrn, der sie doch von ihren Sünden freigekauft hat. Aber sie sollen ein schnelles Ende finden! [2]Trotzdem werden viele auf sie hören und sich ihrem zügellosen Leben anschließen. Diese Leute bringen unseren Glauben, den wahren Weg zu Gott, in Verruf. [3]Sie können nie genug bekommen und werden euch belügen und betrügen, um euch das Geld aus der Tasche zu ziehen. Doch das Urteil über sie ist längst gefällt; sie werden ihrem Untergang nicht entgehen. [4]Gott hat nicht einmal die Engel, die sich gegen ihn auflehnten, vor der Strafe verschont, sondern sie in den tiefsten Abgrund gestoßen. Dort müssen sie – gefesselt in der Finsternis – auf den Gerichtstag warten. [5]Ebenso wenig hat er die Menschen[b] zu Noahs Zeiten geschont. Als die große Flut über die Gottlosen hereinbrach, kamen alle um; nur acht wurden gerettet: Noah, der die Menschen zur Umkehr aufrief, und sieben andere aus seiner Familie. [6]Auch die Städte Sodom und Gomorra hat Gott in Schutt und Asche sinken lassen und damit sein Urteil an ihnen vollstreckt. Dies sollte ein warnendes Beispiel für die Menschen aller Zeiten sein, die von Gott nichts wissen wollen. [7]Nur Lot hat er gerettet, der so lebte, wie es Gott gefällt, und durch das ausschweifende Leben der Bewohner Sodoms viel erleiden musste. [8]Für ihn, der nach Gottes Willen lebte, war es eine Qual, die Bosheit dieser Menschen Tag für Tag hören und sehen zu müssen.

[9]Denkt daran: Gott weiß genau, wie er alle, die nach seinem Willen leben, aus Versuchungen und Gefahren rettet. Aber ebenso gewiss lässt er alle, die seinen Willen missachten, ihre Strafe am Tag des Gerichts erwarten. [10]Sein Gericht wird vor allem die treffen, die sich von ihren Trieben und Leidenschaften beherrschen lassen und so tun, als gäbe es keinen Herrn, der sie zur Rechenschaft zieht.

Gefährliche Folgen der Irrlehre

Diese frechen und überheblichen Irrlehrer schrecken nicht davor zurück, höhere Mächte zu verspotten. [11]Das wagen nicht einmal die Engel, die doch viel stärker und mächtiger sind. Niemals würden sie diese Mächte vor Gott, dem Herrn, lächerlich machen und verurteilen.

[12]Diese falschen Lehrer haben genauso wenig Verstand wie das Vieh, das nur zum Fangen und Schlachten geboren wird. Sie verspotten, was sie gar nicht verstehen, aber ihre Bosheit wird ihnen zum Verhängnis werden. [13]Sie werden

---

[a] Matthäus 17,5

[b] Wörtlich: die frühere Welt.

1,19 Röm 13,12; Offb 10,7; Ps 119,105 **1,20–21** Röm 15,4; 2 Tim 3,15–16 **2,1** Mt 7,15; 24,11; Apg 20,29–30; 2 Kor 11,13–15 **2,2–3** 1 Tim 6,3–5; Jud 11 **2,4** Jud 6 **2,5** 1 Petr 3,19–20; 4,6; 1 Mo 7,5–23 **2,6** 1 Mo 19,24–25* **2,7–8** 1 Mo 19,1–22 **2,9** 1 Kor 10,13; Hebr 2,17–18; 4,14–16 **2,10–11** Jud 8–9 **2,12** Jud 10 **2,13** Jud 12

für ihren Unglauben und ihre Verdorbenheit bezahlen müssen. Besteht doch ihr ganzes Vergnügen darin, von früh bis spät die üppigsten Gelage zu veranstalten. Ein Schandfleck sind sie in eurer Gemeinde; denn sie verbreiten selbst dann noch ihre betrügerischen Irrlehren, wenn sie mit euch zusammen essen.

[14] Ständig machen sie Frauen schöne Augen, die zum Seitensprung bereit sind. Unersättlich geben sie sich der Sünde hin. Sie verführen alle, die leicht zu beeinflussen sind. Habgier hat alles andere aus ihrem Herzen verdrängt. Gottes Fluch wird sie treffen. [15] Den richtigen Weg haben sie verlassen und gehen in die Irre; genauso wie Bileam, der Sohn Beors. Er war bereit, für Geld Unrecht zu tun. [16] Aber Bileam wurde von seinem Unrecht überführt. Ein Esel war es, der mit menschlicher Stimme zu ihm sprach und den Propheten hinderte, sein wahnwitziges Unternehmen auszuführen. [17] Diese falschen Lehrer sind wie Brunnen ohne Wasser, wie Wolken, die vom Wind vertrieben werden, ohne den ersehnten Regen zu bringen. In der tiefsten Finsternis werden sie einmal für ihre Bosheit büßen müssen. [18] Sie schwingen große Reden, doch es ist nichts als hohles Geschwätz. Noch schlimmer ist, dass sie mit ihrem zügellosen Leben alle wieder in die Sünde hineinreißen, die gerade erst den falschen Weg verlassen haben und mit knapper Not entkommen sind. [19] Sie versprechen anderen die Freiheit, sind aber selbst Gefangene ihrer Leidenschaften. Denn von wem ich mich überwältigen lasse, dessen Gefangener werde ich. [20] Viele haben Jesus Christus als ihren Herrn und Retter kennen gelernt und sich von der Verdorbenheit dieser Welt getrennt. Wenn sie sich aber dann wieder von der Sünde überwinden und gefangen nehmen lassen, so sind sie schlimmer dran als je zuvor. [21] Es wäre besser, sie hätten nie etwas von Christus[a] erfahren! Denn so haben sie ihn zwar kennen gelernt, sich dann aber doch wieder von den heiligen Geboten, die sie empfangen haben, abgewandt. [22] Ihr kennt sicher das Sprichwort: »Der Hund frisst noch einmal, was er eben herausgewürgt hat.« Oder das andere: »Auch ein gewaschenes Schwein wälzt sich wieder im Dreck.« Nichts anderes tun diese Menschen.

Christus kommt wieder

3 Das ist nun mein zweiter Brief an euch, liebe Freunde. Ich wollte euch wieder an so manches erinnern, damit ihr auch in Zukunft aufrichtig und standhaft bleibt. [2] Vergesst nicht, was schon die Propheten Gottes vor langer Zeit gesagt haben! Erinnert euch an die Weisungen unseres Herrn und Retters Jesus Christus, die euch die Apostel weitergegeben haben.

[3] Vor allen Dingen müsst ihr wissen, dass in dieser letzten Zeit Menschen auftreten werden, denen nichts heilig ist. Über alles machen sie sich lustig und lassen sich nur von ihren Begierden treiben. [4] Spöttisch werden sie euch fragen: »Wo ist denn nun euer Christus? Hat er nicht versprochen, dass er wieder kommt? Schon unsere Vorfahren haben vergeblich gewartet. Sie sind längst gestorben, und alles ist so geblieben, wie es von Anfang an war!« [5/6] Dabei wollen sie nicht wahrhaben, dass Gott schon einmal durch eine große Flut diese Erde zerstörte, die er durch sein Wort am Anfang der Welt aus dem Wasser erschaffen hatte[b]. [7] Auch unser Himmel und unsere Erde werden nur so lange bestehen, wie Gott es will. Dann aber, am Tag des Gerichts, wird er sein Urteil über alle Gottlosen sprechen, und auf sein Wort hin wird das Feuer Himmel und Erde vernichten.

[8] Doch eins dürft ihr dabei nicht ver-

---

[a] Wörtlich: vom Weg der Gerechtigkeit.

[b] Wörtlich: eine Erde aus Wasser und im Wasser bestehend.

2,14 Mt 5,27–28; Eph 5,5; 1 Tim 6,10 **2,15** 4 Mo 22,5* **2,16** 4 Mo 22,28–30 **2,17** Jud 12–13 **2,19** Joh 8,34; Röm 6,16 **2,20–22** 1 Joh 5,10–12 **2,22** Spr 26,11 **3,3–4** Mt 24,23–24; 1 Tim 4,1–2; Jud 18–19 **3,5–6** 1 Mo 7,5–23 **3,7** 1 Petr 4,17–19; Offb 21,1 **3,8** Ps 90,4

gessen, liebe Freunde: Was für uns ein Tag ist, das ist für Gott wie tausend Jahre; und was für uns tausend Jahre sind, das ist für ihn wie ein Tag. [9]Wenn manche also behaupten, Gott würde seine Zusage nicht einhalten, dann stimmt das einfach nicht. Gott kann sein Versprechen jederzeit einlösen. Aber er hat Geduld mit euch und will nicht, dass auch nur einer von euch verloren geht. Jeder soll Gelegenheit haben, zu Gott umzukehren.

Ein neuer Himmel und eine neue Erde

[10]Doch der Tag, an dem der Herr sein Urteil spricht, wird so plötzlich und unerwartet da sein wie ein Dieb. Krachend werden dann die Himmel zerbersten, die Elemente werden sich auflösen und im Feuer verglühen, und die Erde wird verbrennen mit allem, was auf ihr ist[a]. [11]Wenn aber alles in dieser Weise zugrunde gehen wird, müsst ihr euch erst recht darauf vorbereiten, das heißt, ihr müsst ein Leben führen, das Gott gefällt und allein auf ihn ausgerichtet ist.

[12]So erwartet ihr diesen Tag, an dem Gott kommt, und tut alles dazu, dass er nicht mehr lange auf sich warten lässt. Dann werden die Himmel im Feuer verbrennen und die Elemente in der Glut zerschmelzen. [13]Wir alle aber warten auf den neuen Himmel[b] und die neue Erde, die Gott uns zugesagt hat. Wir warten auf diese neue Welt, in der es endlich Gerechtigkeit gibt.

Ermahnungen und Segenswünsche

[14]Ich weiß, dass ihr, meine Freunde, voller Hoffnung darauf wartet, deshalb ermahne ich euch: Lebt so, dass ihr dem Herrn ohne Schuld und mit einem reinen Gewissen im Frieden gegenübertreten könnt. [15]Erkennt doch: Der Herr bringt euch so viel Geduld entgegen, damit ihr gerettet werdet! Das hat euch ja auch schon unser lieber Bruder Paulus gesagt, dem Gott in all diesen Fragen viel Weisheit geschenkt hat. [16]Er schreibt in seinen Briefen mehrfach darüber. Allerdings ist manches davon nur schwer zu verstehen. Und deshalb haben Leute, die entweder unwissend oder im Glauben noch nicht gefestigt sind, vieles verdreht und verfälscht. So machen sie es ja auch mit den anderen Heiligen Schriften und stürzen sich damit selbst ins Verderben. [17]Ihr aber, meine Lieben, wisst nun, wie gefährlich diese Irrlehrer sind. Hütet euch vor ihnen! Lasst euch nicht von eurem festen Glauben abbringen, und geht nicht mit ihnen in die Irre. [18]Ich wünsche euch vielmehr, dass ihr in eurem Leben immer mehr die unverdiente Liebe unseres Herrn und Retters Jesus Christus erfahrt und ihn immer besser kennen lernt. Denn ihm allein gehört alle Ehre – jetzt und in Ewigkeit! Amen.

---

[a] Verschiedene Textzeugen geben den griechischen Text unterschiedlich wieder. Am besten bezeugt ist: »und die Erde mit allem, was auf ihr ist, wird gefunden werden.« Unter Berücksichtigung des Zusammenhanges (Verse 7 und 12) wurde diese Übersetzung gewählt.
[b] Wörtlich: auf neue Himmel.

3,9 1 Tim 2,4; Tit 1,1 **3,10** 1 Thess 5,2; Mt 24,29; Offb 20,11; 21,1 **3,13** Röm 8,20–22; Eph 1,10 **3,14** Tit 2,13* **3,15** 3,9; Röm 2,4 **3,17** 1 Kor 10,12 **3,18** Lk 2,11*

Der erste Brief des Johannes

Das Wort, das zum Leben führt

1 Das Wort, das zum Leben führt, war von Anfang an da. Wir haben es selbst gehört. Ja, wir haben es sogar mit unseren eigenen Augen gesehen und mit unseren Händen berührt. [2]Dieses Leben hat sich uns gezeigt. Wir haben es gesehen und können es bezeugen. Deshalb verkünden wir die Botschaft vom ewigen Leben. Es ist von Gott, dem Vater, gekommen, und er hat es uns gezeigt.

[3]Was wir nun selbst gesehen und gehört haben, das geben wir euch weiter, damit ihr mit uns im Glauben verbunden seid. Gemeinsam gehören wir zu Gott, dem Vater, und zu seinem Sohn Jesus Christus. [4]Wir schreiben euch das, damit wir uns von ganzem Herzen freuen können[a].

Leben im Licht Gottes

[5]Das ist die Botschaft, die wir von Christus gehört haben und die wir euch weitersagen: Gott ist Licht. Bei ihm gibt es keine Finsternis. [6]Wenn wir also behaupten, dass wir zu Gott gehören, und dennoch in der Finsternis leben, dann lügen wir und widersprechen mit unserem Leben der Wahrheit. [7]Leben wir aber im Licht, so wie Gott im Licht ist, dann haben wir Gemeinschaft miteinander. Und das Blut, das sein Sohn Jesus Christus für uns vergossen hat, befreit uns von aller Schuld.

[8]Wenn wir behaupten, sündlos zu sein, betrügen wir uns selbst. Dann ist kein Fünkchen Wahrheit in uns. [9]Wenn wir aber unsere Sünden bekennen, dann erfüllt Gott seine Zusage treu und gerecht: Er wird unsere Sünden vergeben und uns von allem Bösen reinigen. [10]Doch wenn wir behaupten, wir hätten gar nicht gesündigt, dann machen wir Gott zum Lügner und zeigen damit nur, dass seine Botschaft in uns keinen Raum hat.

Woran man einen Christen erkennt

2 Meine geliebten Kinder, ich schreibe euch, damit ihr nicht länger sündigt. Sollte aber doch jemand Schuld auf sich laden, dann tritt einer beim Vater für uns ein, der selbst ohne jede Sünde ist: Jesus Christus. [2]Denn Christus hat unsere Sünden, ja, die Sünden der ganzen Welt auf sich genommen; er hat sie gesühnt.

[3]Wenn wir uns an Gottes Gebote halten, zeigt uns dies, dass wir Gott kennen. [4]Wenn jemand behauptet: »Ich kenne Gott«, hält sich aber nicht an seine Gebote, so ist er ein Lügner; die Wahrheit ist nicht bei ihm zu finden. [5]Doch wer nach dem lebt, was Gott gesagt hat, an dem zeigt sich Gottes ganze Liebe. Daran ist zu erkennen, ob wir wirklich mit Christus verbunden sind. [6]Wer von sich sagt, dass er zu Christus gehört, der soll auch so leben, wie Christus gelebt hat.

Das alte und das neue Gebot

[7]Was ich euch jetzt schreibe, meine Lieben, ist kein neues Gebot, sondern die Botschaft Gottes, die ihr von Anfang an gehört habt. [8]Und trotzdem ist dieses Gebot neu, weil Christus es verwirklicht hat und ihr jetzt danach lebt. Denn die Finsternis schwindet, weil das wahre Licht für uns leuchtet.

---

[a] Andere Textzeugen schreiben: damit ihr euch von ganzem Herzen freuen könnt.

1,1 Joh 1,1–2 **1,2** Joh 1,4.14; 15,27 **1,3** Joh 20,31 **1,4** Joh 15,11 **1,5** Joh 8,12; 1 Tim 6,16 **1,6** 2,4.9; Joh 3,21 **1,7** Hebr 9,14; 1 Petr 1,18–19 **1,9** Ps 32,1–5 **2,1** Röm 6,1–2; 8,34; Hebr 7,24–25 **2,2** Joh 1,29* **2,4** 1,6 **2,5** 5,3; Joh 14,15 **2,6** Joh 13,15 **2,7–8** Joh 13,34*

[9] Wenn nun jemand behauptet, in diesem Licht zu leben, hasst aber seinen Bruder oder seine Schwester, dann lebt er in Wirklichkeit immer noch in der Finsternis. [10] Nur wer seine Geschwister liebt, der lebt wirklich im Licht. An ihm lässt sich nichts Anstößiges finden.[a] [11] Wer dagegen seinen Bruder oder seine Schwester hasst, der lebt ganz und gar in der Finsternis und weiß nicht, wohin er geht. Er ist wie ein Blinder, der nichts sehen kann in all der Dunkelheit, die ihn umgibt.

[12] Dies schreibe ich euch, meine geliebten Kinder, weil ich weiß, dass eure Schuld durch Jesus Christus vergeben ist. [13] Euch Vätern schreibe ich, weil ihr den kennt, der von Anfang an da gewesen ist. Ich schreibe aber auch euch, ihr jungen Leute; denn ihr habt den Bösen besiegt. [14] Euch Kindern schreibe ich, weil ihr den Vater kennt; ebenso habe ich euch Vätern geschrieben, weil ihr den kennt, der von Anfang an da war. Und euch, ihr jungen Leute, habe ich geschrieben, weil ihr in eurem Glauben stark geworden seid. Gottes Wort wohnt in euch, und ihr habt den Bösen besiegt. [15] Liebt nicht diese Welt, und hängt euer Herz nicht an irgendetwas, das zu dieser Welt gehört. Denn wer die Welt liebt, kann nicht zugleich Gott, den Vater, lieben. [16] Was gehört nun zum Wesen dieser Welt? Selbstsüchtige Wünsche, die Gier nach allem, was einem ins Auge fällt, Selbstgefälligkeit und Hochmut. All dies kommt nicht von Gott, unserem Vater, sondern gehört zur Welt. [17] Die Welt aber mit ihren Verlockungen wird vergehen. Nur wer tut, was Gott gefällt, wird ewig leben.

Nichts soll euch von Christus trennen

[18] Das Ende dieser Welt ist nahe, meine geliebten Kinder! Ihre letzte Stunde ist angebrochen. Ihr wisst, dass zu dieser Zeit der Feind Christi, der Antichrist, kommen wird. Schon jetzt sind viele Antichristen aufgetreten. Daran können wir erkennen, dass die Welt ihrem Ende entgegengeht. [19] Diese Feinde Christi kommen zwar aus unseren eigenen Reihen, in Wirklichkeit aber haben sie nie zu uns gehört. Denn wären sie wirklich Christen gewesen, hätten sie sich niemals so weit von uns entfernt. Nun aber ist für jedermann sichtbar geworden, dass sie gar nicht zu uns gehören.

[20] Doch euch hat Christus seinen Heiligen Geist gegeben, und deshalb kennt ihr die Wahrheit. [21] Ich schreibe euch also nicht, weil ich meinte, ihr müsstet die Wahrheit über Gott erst noch erfahren. Ihr kennt diese Wahrheit sehr gut und wisst auch, dass aus ihr keine verlogene Irrlehre kommen kann.

[22] Wenn nun jemand behauptet, Jesus sei gar nicht Christus, der von Gott gesandte Retter, muss der nicht ein Lügner sein? Wer den Vater und den Sohn leugnet, ist ohne jeden Zweifel ein Antichrist. [23] Denn wer sich gegen den Sohn stellt, der stellt sich auch gegen den Vater. Doch wer sich zum Sohn bekennt, der hat auch Gemeinschaft mit dem Vater.

[24] Lasst euch also nicht von dem abbringen, was ihr von Anfang an gehört habt. Wenn ihr daran festhaltet, dann werdet ihr für immer mit Gott, dem Vater, und mit seinem Sohn Jesus Christus verbunden sein. [25] Denn genau das hat uns Gott zugesagt: ewiges Leben bei ihm.

[26] Das müsst ihr über diese Leute wissen, die euch vom richtigen Weg abbringen wollen. [27] Doch der Heilige Geist[b], den euch Christus gegeben hat, er bleibt in euch. Deshalb braucht ihr keine anderen Lehrer, der Heilige Geist selbst ist euer Lehrer. Was er euch sagt, ist wahr und ohne Lüge. Haltet also an dem fest, was euch der Geist lehrt, und bleibt bei Christus.

---

[a] Oder: In ihm gibt es nichts, wodurch er (selbst) zu Fall kommen könnte.

[b] Wörtlich: die Salbung; oder: das Salböl.

2,9 4,20 **2,13** 1,1; Joh 1,1–2 **2,15** Jak 4,4 **2,16** Röm 13,14; Gal 5,19–21 **2,17** 1 Kor 7,31 **2,18** Mt 24,24; 1 Petr 4,7 **2,19** Apg 20,30 **2,20** Joh 15,26* **2,23** Joh 5,23 **2,24** 2,7–8; 3,11 **2,25** Joh 11,25 **2,27** Joh 16,13

[28]Meine Kinder, lasst euch durch nichts von Christus trennen. Dann werden wir ihm voll Zuversicht entgegengehen und brauchen sein Urteil nicht zu fürchten, wenn er kommt. [29]Ihr wisst, dass Christus so gelebt hat, wie es Gott gefällt. Also könnt ihr davon ausgehen, dass jeder, der ebenso lebt, zu seinen Kindern gehört.

Was es bedeutet, Gottes Kind zu sein

3 Seht doch, wie groß die Liebe ist, die der Vater uns schenkt! Denn wir dürfen uns nicht nur seine Kinder nennen, sondern wir sind es wirklich. Als seine Kinder sind wir Fremde für diese Welt, weil Gott für sie ein Fremder ist. [2]Meine Lieben! Wenn wir schon jetzt Kinder Gottes sind, was werden wir erst sein, wenn Christus kommt! Dann werden wir ihm ähnlich sein, denn wir werden ihn sehen, wie er wirklich ist. [3]Wer diese Hoffnung hat, der meidet jede Schuld, so wie Christus ohne Schuld war.

[4]Wer sündigt, lehnt sich gegen Gott und seine Gebote auf, denn sündigen heißt: Gottes Gebote missachten. [5]Doch ihr wisst ja, dass Christus Mensch wurde, um uns von unseren Sünden zu befreien, und er selbst war ohne jede Sünde. [6]Wer mit Christus verbunden bleibt, der wird nicht länger sündigen. Wer aber weiter sündigt, der weiß nichts von Christus und kennt ihn nicht.

[7]Meine geliebten Kinder! Lasst euch durch niemanden vom richtigen Weg abbringen! Ihr dürft nur dem vertrauen, der wie Christus ein Leben führt, das Gott gefällt. [8]Wer sich aber gegen Gott auflehnt, gehört dem Teufel. Denn der Teufel hat sich von Anfang an gegen Gott aufgelehnt. Doch der Sohn Gottes ist gerade deswegen zu uns gekommen, um die Werke des Teufels zu zerstören.

[9]Wer von Gott neues Leben bekommen hat und zu seinen Kindern gehört, der sündigt nicht; denn Gott hat ihm seine Kraft geschenkt, die in ihm wirkt[a]. Weil er ein Kind Gottes ist, kann er nicht länger als Sünder leben. [10]Daran kann also jeder erkennen, wer ein Kind Gottes oder wer ein Kind des Teufels ist. Alle, die Unrecht tun und ihren Bruder oder ihre Schwester nicht lieben, sind niemals Gottes Kinder.

Der Maßstab für unsere Liebe

[11]Von Anfang an habt ihr gehört: Wir sollen einander lieben. [12]Nicht Kain darf unser Vorbild sein. Er war ein Kind des Teufels und tötete seinen Bruder Abel. Und warum hat er ihn ermordet? Weil seine eigenen Taten böse waren, aber das Leben seines Bruders Gott gefiel.

[13]Genau aus demselben Grund hasst euch die Welt. Wundert euch also nicht darüber, liebe Brüder und Schwestern. [14]Wir wissen, dass wir vom ewigen Tod gerettet wurden und jetzt neues Leben haben. Das zeigt sich an der Liebe zu unseren Brüdern und Schwestern. Wer nicht liebt, der bleibt dem Tod ausgeliefert. [15]Jeder, der seinen Bruder oder seine Schwester hasst, ist ein Mörder. Und das wisst ihr: Ein Mörder hat das ewige Leben nicht. [16]Die Liebe Christi haben wir daran erkannt, dass er sein Leben für uns opferte. Ebenso müssen auch wir bereit sein, unser Leben für unsere Geschwister hinzugeben. [17]Denn wie kann Gottes Liebe in einem Menschen bleiben, dem die Not seines Bruders oder seiner Schwester gleichgültig ist, obwohl er selbst alles im Überfluss besitzt?

Gott ist größer als unser Gewissen

[18]Deshalb, meine Kinder, lasst uns einander lieben: nicht mit leeren Worten, sondern mit tatkräftiger Liebe und in aller

---

[a] Wörtlich: weil sein (Gottes) Samen in ihm bleibt.

2,28 3,21; 4,17 **2,29** 3,7–10 **3,1** Joh 1,12; Röm 8,16; Gal 3,26 **3,2** Röm 8,17; Phil 3,21; Kol 3,4 **3,5** Joh 8,46; 2 Kor 5,21 **3,6** 1,9; Röm 6,11.14 **3,8** Joh 8,44; 12,31 **3,9** 5,18 **3,11** Joh 13,34* **3,12** 1 Mo 4,8 **3,13** Joh 15,18–20 **3,14** Joh 5,24 **3,15** Mt 5,21–22 **3,16** Joh 10,11; 15,13 **3,17** Jak 2,15–17

Aufrichtigkeit. [19]Daran zeigt sich, dass die Wahrheit unser Leben bestimmt. So können wir mit einem guten Gewissen vor Gott treten. [20]Doch auch wenn unser Gewissen uns schuldig spricht, dürfen wir darauf vertrauen, dass Gott größer ist als unser Gewissen. Er kennt uns ganz genau. [21]Kann uns also unser Gewissen nicht mehr verurteilen, meine Lieben, dann dürfen wir voller Freude und Zuversicht zu Gott kommen. [22]Er wird uns geben, worum wir ihn bitten; denn wir richten uns nach seinen Geboten und leben, wie es ihm gefällt. [23]Und so lautet Gottes Gebot: Wir sollen seinem Sohn Jesus Christus vertrauen und einander so lieben, wie Christus es uns aufgetragen hat. [24]Wer sich an seine Gebote hält, der bleibt mit Gott verbunden, und Gott bleibt in ihm wohnen. Wir wissen, dass Gott in uns lebt; das bestätigt der Geist, den er uns geschenkt hat.

Der Geist der Wahrheit und der Geist der Lüge

4 Meine Lieben! Glaubt nicht jedem, der behauptet, dass er Gottes Geist hat. Prüft vielmehr genau, ob er wirklich von Gottes Geist erfüllt ist. Es hat in dieser Welt schon viele falsche Propheten gegeben. [2]Den Geist Gottes erkennt ihr daran: Er bekennt, dass Jesus Christus als Mensch aus Fleisch und Blut zu uns gekommen ist. [3]Ein Geist, der das leugnet, ist nicht der Geist Gottes, sondern der Geist des Antichristen. Dass dieser kommen wird, habt ihr schon gehört, ja er ist schon jetzt in der Welt.

[4]Doch ihr, meine geliebten Kinder, gehört zu Gott. Ihr habt diese Lügenpropheten durchschaut und besiegt. Denn der Geist Gottes, der in euch wirkt, ist stärker als der Geist der Lüge, von dem die Welt beherrscht wird. [5]Die falschen Propheten gehören ganz zu dieser Welt. Deshalb verbreiten sie nichts als menschliche Vorstellungen und Gedanken, und alle Welt hört auf sie. [6]Wir dagegen gehören zu Gott. Jeder, der Gott kennt, wird auf uns hören. Wer aber nicht zu Gott gehört, wird uns ablehnen. Daran erkennen wir den Geist der Wahrheit und den Geist der Täuschung.

Gottes Liebe und die Liebe zum Mitmenschen

[7]Meine Freunde! Lasst uns einander lieben, denn die Liebe kommt von Gott. Wer liebt, ist ein Kind Gottes und kennt Gott. [8]Wer aber nicht liebt, der weiß nichts von Gott; denn Gott ist Liebe. [9]Gottes Liebe zu uns ist für alle sichtbar geworden, als er seinen einzigen Sohn in die Welt sandte, damit wir durch ihn leben können. [10]Das Einzigartige an dieser Liebe ist: Nicht wir haben Gott geliebt, sondern er hat uns seine Liebe geschenkt. Er gab uns seinen Sohn, der alle Schuld auf sich nahm, um uns von unserer Schuld freizusprechen.

[11]Meine Freunde, wenn uns Gott so sehr liebt, dann müssen auch wir einander lieben. [12]Niemand hat Gott jemals gesehen. Doch wenn wir einander lieben, bleibt Gott in uns und seine Liebe erfüllt uns ganz.

[13]Ich sage es noch einmal: Dass wir mit Gott verbunden bleiben und er mit uns, wissen wir, weil er uns seinen Geist gegeben hat. [14]Wir haben es selbst erlebt, und darum bezeugen wir: Gott, der Vater, hat seinen Sohn in diese Welt gesandt, um sie zu retten. [15]Wer bekennt, dass Jesus der Sohn Gottes ist, der bleibt in Gott und Gott in ihm. [16]Das haben wir erkannt, und wir vertrauen fest auf Gottes Liebe. Gott ist Liebe, und wer in dieser Liebe bleibt, der bleibt in Gott und Gott in ihm.

[17]Wenn Gottes Liebe uns ganz erfüllt, können wir dem Tag des Gerichts voller Zuversicht entgegengehen. Denn wir leben in dieser Welt so, wie Christus es

3,20 Jes 55,7–9 **3,21** Hebr 4,16 **3,22** Joh 15,7* **3,23** Joh 6,29; 13,34* **3,24** 4,13; Röm 8,9
4,1 Mt 24,24; 1 Thess 5,21 **4,2** Joh 1,14; Gal 4,4 **4,3** 2,18.22 **4,4** Lk 11,21–22 **4,6** Joh 8,47
4,9–10 Joh 3,16 **4,11** Joh 13,34* **4,13** 3,24 **4,14** 1,1–2; Joh 3,17 **4,16** 3,24 **4,17** 3,21

getan hat. Wirkliche Liebe ist frei von Angst. [18] Ja, wenn die Liebe uns ganz erfüllt, vertreibt sie sogar die Angst. Wer sich also fürchtet und vor der Strafe zittert, der kennt wirkliche Liebe noch nicht.

[19] Wir lieben, weil Gott uns zuerst geliebt hat. [20] Sollte nun jemand behaupten: »Ich liebe Gott«, und dabei seinen Bruder oder seine Schwester hassen, dann ist er ein Lügner. Wenn er schon seine Geschwister nicht liebt, die er sehen kann, wie will er dann Gott lieben, den er nicht sieht? [21] Vergesst nicht, dass Christus selbst uns aufgetragen hat: Wer Gott liebt, der muss auch seinen Bruder und seine Schwester lieben.

Ein Glaube, der Widerstände überwindet

5 Wer glaubt, dass Jesus der von Gott versprochene Retter ist, der ist ein Kind Gottes. Kinder aber, die ihren Vater lieben, die lieben auch ihre Brüder und Schwestern. [2] Dass wir wirklich Gottes Kinder lieben, erkennen wir an unserer Liebe zu Gott und daran, dass wir nach seinen Geboten leben. [3] Denn Gott lieben heißt nichts anderes als seine Gebote befolgen; und seine Gebote sind nicht schwer. [4] Jedes Kind Gottes kann den Sieg erringen über alles, was sich in dieser Welt Gott widersetzt. Ja, unser Glaube hat diese Welt bereits besiegt. [5] Denn nur wer daran glaubt, dass Jesus der Sohn Gottes ist, kann diesen Sieg erringen.

Drei Zeugen für Jesus Christus

[6] Jesus Christus kam zu uns. Er wurde getauft und hat sein Blut für uns am Kreuz vergossen. Nicht allein das Wasser seiner Taufe, sondern auch sein Blut bestätigen ihn als Sohn Gottes.[a] Das bezeugt auch Gottes Geist. Und Gottes Geist ist die Wahrheit. [7] Für Jesus Christus als den Sohn Gottes sprechen also drei Zeugen: [8] Gottes Geist, das Wasser der Taufe und das Blut, das Jesus am Kreuz vergossen hat. Alle drei Zeugen stimmen in ihrer Aussage völlig überein.

[9] Wenn wir schon den Zeugenaussagen von Menschen Glauben schenken, wie viel mehr müssen wir dann dem vertrauen, was Gott selbst bezeugt. Und Gott hat bezeugt, dass Jesus Christus sein Sohn ist. [10] Wer an den Sohn Gottes glaubt, der ist in seinem Innersten von der Wahrheit dieser Aussage überzeugt. Wer Gott nicht glaubt, stellt ihn als Lügner hin; denn er behauptet ja, Gottes Aussage über Jesus Christus sei falsch. [11] Gott aber hat ganz eindeutig bezeugt, dass er uns das ewige Leben schenkt, und zwar nur durch seinen Sohn. [12] Wer also dem Sohn vertraut, der hat das Leben; wer aber dem Sohn nicht vertraut, der hat auch das Leben nicht. [13] Ich weiß, dass ihr an den Sohn Gottes glaubt. Mein Brief sollte euch noch einmal versichern, dass ihr das ewige Leben habt.

Gott erhört unsere Gebete

[14] Wir dürfen uns darauf verlassen, dass Gott unser Beten erhört, wenn wir ihn um etwas bitten, was seinem Willen entspricht. [15] Und weil Gott solche Gebete ganz gewiss erhört, dürfen wir auch darauf vertrauen, dass er uns gibt, worum wir ihn bitten.

[16] Wenn jemand von euch merkt, dass ein anderer Christ eine Sünde begeht, die nicht zum Tod führt, soll er für ihn beten. Dann wird Gott diesem Menschen das Leben schenken. Das gilt aber nicht für die Sünde, die den Tod zur Folge hat. Wenn jemand diese Schuld auf sich lädt, sollt ihr nicht für ihn beten. [17] Natürlich ist jedes Unrecht Sünde. Aber nicht jede Sünde führt in den Tod.

---

[a] Wörtlich: Dieser ist es, der gekommen ist durch Wasser und Blut: Jesus Christus; nicht im Wasser allein, sondern im Wasser und im Blut.

4,18 Röm 8,15 **4,20** 2,4.9 **4,21** Mt 22,37–39 **5,1** Röm 10,9–10 **5,3** Mt 11,30; Joh 14,15 **5,4** Joh 16,33 **5,5** Röm 8,37–39 **5,6** Mt 3,16–17; Joh 19,34–35 **5,9** Joh 5,31–38 **5,10** Röm 8,16 **5,11** Joh 5,24 **5,12** Joh 3,36 **5,14** Joh 15,7*

[18] Wir wissen: Wer ein Kind Gottes ist, der sündigt nicht, weil der Sohn Gottes ihn bewahrt. Darum kann der Teufel ihn nicht zu Fall bringen. [19] Wir gehören zu Gott, auch wenn die ganze Welt um uns herum vom Teufel beherrscht wird.

[20] Doch wir wissen, dass der Sohn Gottes zu uns gekommen ist, damit wir durch ihn Gott kennen lernen, der die Wahrheit ist. Nun sind wir eng mit dem wahren Gott verbunden, weil wir mit seinem Sohn Jesus Christus verbunden sind. Ja, Jesus Christus ist selbst der wahre Gott. Er ist das ewige Leben. [21] Darum, meine Kinder, hütet euch davor, anderen Göttern nachzulaufen!

5,18 3,9; Joh 17,15 **5,19** Gal 1,4; Kol 1,13 **5,20** Joh 1,18; 17,3 **5,21** 1 Kor 10,14

Der zweite Brief des Johannes

Anschrift und Gruß

Als verantwortlicher Leiter wende ich mich heute an eure von Gott erwählte Gemeinde und an jeden Einzelnen von euch.[a] Ich liebe euch in aller Aufrichtigkeit; aber nicht nur ich, sondern auch alle anderen, die in Christus die Wahrheit erkannt haben. [2] Diese Wahrheit bleibt in uns und wird für immer und ewig mit uns sein. [3] Gnade, Erbarmen und Frieden wird uns geschenkt von Gott, unserem Vater, und seinem Sohn Jesus Christus; so bleiben wir in Gottes Wahrheit und in seiner Liebe.

Aufrichtiger Glaube und die Liebe zum Mitmenschen

[4] Ich freue mich sehr, dass ich in eurer Gemeinde einige kennen gelernt habe, die ihren Glauben aufrichtig leben, so wie Gott es uns geboten hat. [5] Eure ganze Gemeinde möchte ich jetzt an das wichtigste Gebot erinnern: Wir sollen einander lieben. Ihr wisst ja, dass ich damit nichts Neues sage, sondern nur wiederhole, was Gott uns von Anfang an aufgetragen hat. [6] Diese Liebe zeigt sich darin, dass wir nach Gottes Geboten leben. Von Anfang an ist euch das gesagt worden, damit ihr euer Leben danach ausrichtet.

Warnung vor falschen Lehrern

[7] Überall begegnen wir Menschen, die in der ganzen Welt ihre Irrlehren verbreiten. Sie behaupten, dass Jesus Christus nicht als Mensch aus Fleisch und Blut zu uns gekommen ist. Diese Leute sind Werkzeuge des größten Verführers und schlimmsten Feindes Christi, des Antichristen. [8] Seht euch vor, dass ihr nicht alles verliert, wofür ihr euch bisher eingesetzt habt[b], sondern dass ihr von Gott den vollen Lohn für eure Arbeit erhaltet.

[9] Wer über das hinausgeht, was Christus uns gelehrt hat, der wendet sich von Gott ab. Nur wer sich an die Lehre von Christus hält, bleibt mit dem Vater und mit dem Sohn verbunden. [10] Sollte also jemand zu euch kommen, der euch etwas anderes erzählen will, den nehmt nicht bei euch auf und wünscht ihm auch nicht Gottes Segen. [11] Denn wer diesen Verführern auch nur Gutes wünscht, unterstützt ihre bösen Absichten und macht sich mitschuldig.

[12] Ich habe noch so vieles auf dem Herzen, aber das möchte ich euch lieber persönlich sagen und nicht schreiben. Ich hoffe, bald bei euch zu sein. Dann können wir alles miteinander besprechen, und nichts wird unsere Freude trüben.

[13] Alle, die hier zu der von Gott erwählten Gemeinde gehören, lassen euch herzlich grüßen.[c]

---

[a] Wörtlich: Der Älteste an die auserwählte Herrin und ihre Kinder.
[b] Andere Textzeugen schreiben: wofür wir uns eingesetzt haben.
[c] Wörtlich: Es grüßen dich die Kinder deiner auserwählten Schwester.

1 3 Joh 1 **3** 1 Tim 1,2; 2 Tim 1,2 **4** 3 Joh 3–4 **5** Joh 13,34* **6** Joh 14,15; 1 Joh 5,3 **7** 1 Joh 4,1–3 **9** Joh 7,16; 12,49; 1 Joh 2,23 **10** Röm 16,17 **12** 3 Joh 13–14

Der dritte Brief des Johannes

Anschrift und Gruß

Als verantwortlicher Gemeindeleiter schreibe ich an meinen Freund Gajus, den ich in aller Aufrichtigkeit liebe. [2] Lieber Gajus! Ich hoffe, dass es dir gut geht und du an Leib und Seele so gesund bist wie in deinem Glauben.

Vorbildliches Verhalten

[3] Ich habe mich sehr gefreut, als einige Brüder zu mir kamen und berichteten, wie aufrichtig dein Glaube ist und wie du dein Leben nach ihm ausrichtest. [4] Für mich gibt es keine größere Freude, als zu hören, dass alle, die durch mich Christen geworden sind, ihren Glauben aufrichtig leben.

[5] Mein lieber Freund! Es ist gut, dass du dich für die Brüder, die eure Gemeinde besuchen, so tatkräftig einsetzt. [6] Sie selbst haben uns vor der ganzen Gemeinde deine Liebe bestätigt. Es ist gut und richtig, wenn du ihnen alles gibst, was sie für ihre Weiterreise benötigen, so wie es ihnen als Dienern Gottes zusteht. [7] Denn sie wagen diese Reisen, um die Botschaft von Jesus Christus zu verkünden. Sie wollen auf keinen Fall von denen, die nicht an Gott glauben, etwas für ihren Lebensunterhalt annehmen. [8] Darum ist es unsere Aufgabe, diese Männer zu unterstützen. So helfen wir mit, dass Gottes Wahrheit weitergetragen wird.

Ein schlechtes Beispiel

[9] Ich habe bereits an eure Gemeinde geschrieben. Aber Diotrephes, der bei euch gern die führende Rolle spielen möchte, will nicht auf uns hören. [10] Wenn ich zu euch komme, muss ich seine Machenschaften aufdecken; denn er bringt uns mit seinen Verdächtigungen und Lügen überall in Verruf. Doch damit noch nicht genug: Er ist auch nicht bereit, durchreisende Brüder aufzunehmen, ja, er schließt sogar die Leute aus der Gemeinde aus, die das tun. [11] Doch du, mein lieber Freund, sollst diesem schlechten Beispiel nicht folgen, sondern dem guten. Denn nur wer das Gute tut, ist ein Kind Gottes. Wer das Böse tut, kennt Gott nicht.

[12] Von Demetrius aber hört man überall nur Gutes, und das entspricht voll und ganz der Wahrheit. Auch wir können dies bestätigen. Und wie du weißt, ist unsere Empfehlung gut und richtig.

[13] Es gibt noch so vieles, was ich dir gern mitteilen würde. Aber ich möchte es nicht schriftlich tun. [14] Ich hoffe, dich bald zu sehen, und dann können wir über alles ausführlich sprechen.

[15] Ich wünsche dir Frieden. Die Freunde von hier lassen dich grüßen. Grüße auch du bitte jeden Einzelnen unserer Freunde!

---

1 2 Joh 1 **3–4** 2 Joh 4 **6** 1 Kor 9,4.9–10; Tit 3,13 **8** Mt 10,40; Hebr 13,2 **11** 1 Joh 2,29; 3,10 **13–14** 2 Joh 12

Der Brief des Judas

Anschrift und Gruß

Judas, der Jesus Christus dient, ein Bruder des Jakobus, schreibt diesen Brief an alle, die Gott zum Glauben berufen hat. Gott, der Vater, liebt euch alle, und Jesus Christus wird euch sicher ans Ziel bringen. [2] Ich wünsche euch, dass Gottes Barmherzigkeit, sein Friede und seine Liebe euch immer mehr erfüllen.

Warnung vor falschen Lehren

[3] Liebe Freunde! Eigentlich wollte ich euch über die Rettung schreiben, die Gott uns gemeinsam geschenkt hat. Das liegt mir sehr am Herzen. Doch nun muss ich in meinem Brief ermahnen und warnen. Setzt euch entschlossen für den Glauben ein, wie er denen, die zu Gott gehören, ein für alle Mal überliefert ist.

[4] Bei euch haben sich einige Leute eingeschlichen, über die schon längst das Urteil gefällt wurde. Sie wollen von Gott nichts wissen und missbrauchen seine Gnade als Freibrief für ihr zügelloses Leben; ja, sie verraten Jesus Christus, der doch allein unser Herr und Herrscher ist.

[5] Was ich jetzt sage, ist euch allen längst bekannt. Und doch möchte ich euch daran erinnern: Zwar befreite Gott das ganze Volk Israel aus Ägypten. Trotzdem vernichtete er später alle, die sich von ihm abgewandt hatten. [6] Gott bestrafte auch die Engel, die ihren Auftrag missachtet und den Platz verlassen hatten, der ihnen von Gott zugewiesen war. Bis zum Tag des letzten Gerichts hält er sie mit unlösbaren Ketten in der Finsternis eingeschlossen. [7] Vergesst auch nicht Sodom und Gomorra und die umliegenden Städte. Sie verhielten sich ähnlich wie jene Engel. Denn auch sie führten ein Leben voll sexueller Zügellosigkeit und wollten sich mit Wesen anderer Art einlassen. Sie sind ein warnendes Beispiel: Jetzt müssen sie die Qualen des ewigen Feuers erleiden.

[8] Genauso lassen sich in euren Gemeinden Leute von falschen Visionen leiten und vergehen sich am eigenen Körper. Sie leugnen Gott als ihren Herrn und lästern alle höheren Mächte. [9] Das wagte nicht einmal Michael, und er ist doch ein Fürst der Engel. Als der Teufel ihm den Leichnam des Mose streitig machen wollte, sagte er nur: »Der Herr soll dich bestrafen!« Er beschimpfte und verurteilte den Teufel nicht. [10] Diese Leute aber spotten über Dinge, die sie überhaupt nicht kennen. Ohne jede Vernunft, wie die Tiere, folgen sie nur ihren Trieben. Damit richten sie sich selbst zugrunde. [11] Wehe ihnen! Sie folgen dem Beispiel Kains, der seinen Bruder umbrachte. Wie Bileam sind sie für Geld zu allem bereit. Und wie Korach gehen sie an ihrer Aufsässigkeit zugrunde. [12] Wenn ihr euch zu euren Mahlzeiten versammelt, schlagen sie sich hemmungslos die Bäuche voll. Ein Schandfleck sind sie für eure Gemeinde! Sie sind wie Wolken, die der Wind vor sich hertreibt, ohne dass sie den ersehnten Regen bringen; wie verdorrte Bäume, auf denen man zur Erntezeit die Früchte vergeblich sucht. Sie sind vollkommen tot und entwurzelt. [13] Sie sind wie die wilden Meereswogen, die ihren Schmutz und Unrat ans Ufer werfen. Sie gleichen Sternen, die aus der Bahn geraten sind, und werden in der ewigen Finsternis versinken.

---

1 Mt 13,55; Jak 1,1; 1 Kor 1,2; Hebr 2,1* **4** Mt 7,15–16; 2 Petr 2,1–3 **5** 4 Mo 14,27–35 **6** 2 Petr 2,4 **7** 1 Mo 19,24–25*; 6,1–4 **8–9** 2 Petr 2,10–11 **10** 2 Petr 2,12 **11** 1 Tim 6,3–5; 2 Petr 2,2–3; 1 Mo 4,8; 4 Mo 16,1–35; 22,5* **12–13** 1 Kor 11,20–22; 2 Petr 2,13.17

[14] Henoch, der in der siebten Generation nach Adam lebte, hatte schon damals über solche Leute vorausgesagt: »Seht, der Herr kommt mit vielen tausend heiligen Engeln, [15] um über alle Menschen Gericht zu halten. Alle, die von Gott nichts wissen wollen und sich gegen ihn auflehnen, wird er dann verurteilen. Ja, sie bekommen ihre Strafe für ihr gottloses Treiben und ihr höhnisches Geschwätz.« [16] Diese Leute sind ständig unzufrieden und beklagen voller Selbstmitleid ihr Schicksal. Sie lassen sich von ihren Begierden antreiben, schwingen einerseits große Reden und kriechen andererseits vor den Leuten, wenn sie nur irgendeinen Vorteil davon haben.

Lasst euch im Glauben nicht beirren!

[17] Ihr aber, meine lieben Freunde, sollt daran denken, was euch die Apostel unseres Herrn Jesus Christus schon vor langer Zeit gesagt haben. [18] Sie warnten euch davor, dass in den letzten Tagen dieser Welt Spötter auftreten werden, die von Gott nichts wissen wollen und sich nur von ihren selbstsüchtigen Begierden leiten lassen. [19] Sie spalten die Gemeinde. Ihr ganzes Tun und Denken ist auf diese Welt ausgerichtet; aber Gottes Geist ist nicht in ihnen.

[20] Doch für euch, meine lieben Freunde, ist der Glaube, den Gott euch selbst geschenkt hat,[a] wie ein festes Fundament: Baut euer Leben darauf! Betet in der Kraft des Heiligen Geistes! [21] Bleibt fest in der Liebe Gottes, und wartet geduldig auf den Tag, an dem euch unser Herr Jesus Christus in seiner Barmherzigkeit zum ewigen Leben führen wird. [22] Kümmert euch liebevoll um alle, die im Glauben Zweifel haben. [23] Helft ihnen, und reißt sie aus den Flammen des Gerichts. Auch allen anderen Menschen sollt ihr mit Güte begegnen. Aber nehmt euch in Acht, dass ihr euch nicht von ihrer Zügellosigkeit anstecken lasst.[b]

Lob Gottes

[24] Gott allein kann uns davor bewahren, dass wir vom rechten Weg abirren. So können wir von Schuld befreit und voller Freude vor ihn treten.

[25] Ihm, dem einzigen Gott, der uns durch Jesus Christus, unseren Herrn, gerettet hat, gehören Ehre, Ruhm, Macht und Herrlichkeit. So war es schon immer, so ist es jetzt und wird es in alle Ewigkeit sein. Amen.

---

[a] Wörtlich: euer heiligster Glaube.

[b] Wörtlich: Aber hasst sogar das vom Fleisch befleckte Kleid.

14 1 Mo 5,21–24 **18** Mt 7,15–16; Röm 16,17–18; Kol 2,8; 2 Tim 3,1–5 **19** 1 Kor 1,10; [illegible]
20 1 Kor 3,9–11; Röm 8,26–27 **21** Jak 5,7

Die Offenbarung an Johannes

Gott offenbart die Zukunft

1 In diesem Buch enthüllt Jesus Christus die Zukunft. Gott gab ihm den Auftrag, seinen Dienern zu zeigen, was schon bald geschehen wird. Christus schickte seinem Diener Johannes einen Engel, der ihm alles übermitteln sollte.

[2] Alles, was er gesehen und gehört hat, gibt Johannes hier weiter. Er bezeugt, was Gott gesagt und Jesus Christus ihm gezeigt und bestätigt hat. [3] Glücklich ist, wer die prophetischen Worte dieses Buches liest, auf sie hört und danach handelt. Denn schon bald wird dies alles in Erfüllung gehen.

Grüße an sieben Gemeinden

[4] Dies schreibt Johannes an die sieben Gemeinden in der Provinz Asia: Ich wünsche euch Gnade und Frieden von Gott, der immer da ist, der von Anfang an war und der kommen wird; Gnade und Frieden auch von den sieben Geistern vor Gottes Thron [5] und von Jesus Christus, der uns zuverlässig Gottes Wahrheit bezeugt. Er ist als Erster von den Toten auferstanden und herrscht über alle Könige dieser Erde. Er liebt uns und hat sein Blut für uns vergossen, um uns von unserer Schuld zu befreien, [6] er gibt uns Anteil an seiner Herrschaft und hat uns zu Priestern gemacht, die Gott, seinem Vater, dienen. Ihm gehören Ehre und alle Macht für immer und ewig. Amen!

[7] Seht! Jesus Christus wird in den Wolken kommen. Alle Menschen werden ihn sehen, auch die, die ihn ans Kreuz geschlagen haben. Dann werden alle Völker dieser Erde jammern und klagen. Das ist ganz sicher. Amen!

[8] Gott, der Herr, spricht: »Ich bin der Anfang, und ich bin das Ziel, das A und O.«[a] Ja, er ist immer da, von allem Anfang an, und er wird kommen: der Herr über alles!

»Schreib alles auf!«

[9] Ich bin Johannes, euer Bruder, und teile mit euch Bedrängnis und Verfolgung. Wie ihr warte auch ich geduldig und standhaft darauf, dass Jesus Christus kommt; dann werde ich mit euch an seiner neuen Welt teilhaben. Weil ich Gottes Botschaft verkündet und Jesus öffentlich bezeugt habe, wurde ich auf die Insel Patmos verbannt.

[10] An einem Sonntag ergriff mich Gottes Geist. Ich hörte hinter mir eine gewaltige Stimme, durchdringend wie eine Posaune: [11] »Schreib alles auf, was du siehst, und sende das Buch an die sieben Gemeinden: nach Ephesus, Smyrna und Pergamon, nach Thyatira, Sardes, Philadelphia und Laodizea.«

[12] Ich drehte mich um, weil ich sehen wollte, wer zu mir sprach. Da sah ich sieben goldene Leuchter. [13] Mitten zwischen ihnen stand einer, der wie ein Mensch[b] aussah. Er hatte ein langes Gewand an, und um die Brust trug er einen goldenen Gürtel. [14] Seine Haare waren so hell wie reine Wolle, ja leuchtend weiß wie Schnee. Seine Augen glühten wie die Flammen eines Feuers, [15] die Füße glänzten wie flüssiges Gold im Schmelzofen,

---

»A und O« stehen für Alpha und Omega, den ersten und den letzten Buchstaben des griechischen Alphabetes.

Wörtlich: Menschensohn.

1–3 22,6–7 **1,4** 4,8; 11,17; 16,5; 2 Mo 3,14 **1,5** Kol 1,18; Hebr 9,14 **1,6** 5,10; 1 Petr 2,9 Dan 7,13; Sach 12,10; Mt 24,30 **1,8** Jes 44,6* **1,10** Mk 16,2.6 **1,13** 14,14; Dan 7,13 2,18; 19,12; Dan 7,9 **1,15** Hes 1,24

und seine Stimme dröhnte wie ein tosender Wasserfall. [16]In seiner rechten Hand hielt er sieben Sterne, und aus seinem Mund kam ein scharfes, doppelschneidiges Schwert. Sein Gesicht leuchtete strahlend hell wie die Sonne.

[17]Als ich das sah, fiel ich wie tot vor seinen Füßen nieder. Aber er legte seine rechte Hand auf mich und sagte: »Fürchte dich nicht! Ich bin der Erste und der Letzte, [18]und ich bin der Lebendige. Ich war tot, doch nun lebe ich für immer und ewig, und ich habe Macht über den Tod und das Totenreich.

[19]Schreib alles auf, was du gesehen hast, was jetzt geschieht und was in Zukunft geschehen wird.

[20]Die sieben Sterne in meiner Hand und die sieben goldenen Leuchter, die du gesehen hast, haben folgende Bedeutung: Die sieben Sterne sind die Engel der sieben Gemeinden, und die sieben Leuchter sind diese Gemeinden selbst.«

Der Brief an die Gemeinde in Ephesus

2 »Schreib an den Engel[a] der Gemeinde in *Ephesus:*

Der in seiner rechten Hand die sieben Sterne hält und zwischen den sieben goldenen Leuchtern umhergeht, der lässt dieser Gemeinde sagen: [2]Ich weiß, wie viel Gutes du tust, weiß von all deiner Arbeit, und ich kenne auch deine Standhaftigkeit. Es ist gut, dass du die Bösen in eurer Mitte nicht duldest und die als Lügner entlarvst, die sich als Apostel ausgeben und es doch nicht sind. [3]Geduldig hast du für mich Schweres ertragen und niemals aufgegeben.

[4]Aber das eine habe ich gegen dich: Deine Liebe ist nicht mehr so stark wie früher. [5]Erinnere dich daran, mit welcher Hingabe du einmal begonnen hast. Was ist davon geblieben? Kehre um, und handle wieder so wie zu Beginn.[b] Sonst werde ich kommen und deinen Leuchter von seinem Platz stoßen. [6]Eins aber will ich dir zugute halten: Dir ist das Treiben der Nikolaïten[c] ebenso verhasst wie mir.

[7]Hört genau hin, und achtet darauf, was Gottes Geist den Gemeinden sagt. Denn wer durchhält und den Sieg erringt, dem will ich die Früchte vom Baum des Lebens zu essen geben, der in Gottes Paradies steht.«

Der Brief an die Gemeinde in Smyrna

[8]»An den Engel der Gemeinde in *Smyrna* schreibe:

Diese Botschaft kommt von dem, der zugleich der Erste und der Letzte ist, der tot war und nun wieder lebt.

[9]Ich kenne alle deine Leiden und weiß, in welcher Armut du lebst; doch in Wirklichkeit bist du reich. Mir ist auch nicht entgangen, wie bösartig euch die Leute verleumden, die sich als fromme Juden ausgeben, in Wirklichkeit aber Gehilfen des Satans sind. [10]Fürchte dich nicht vor dem, was dir noch bevorsteht. Der Teufel wird einige von euch ins Gefängnis bringen, um euch auf die Probe zu stellen. Zehn Tage lang werdet ihr leiden müssen. Doch wenn du mir treu bleibst bis zum Tod, werde ich dir als Siegespreis das ewige Leben geben.

[11]Hört genau hin, und achtet darauf, was Gottes Geist den Gemeinden sagt. Wer durchhält und den Sieg erringt, dem wird der zweite, der ewige Tod nichts anhaben können.«

---

[a] Das griechische Wort kann auch »Bote« bedeuten.
[b] Wörtlich: Gedenke nun, von welcher Höhe du gefallen bist, und kehre um, und tue wieder die ersten Werke.
[c] Irrlehrer, deren Oberhaupt wohl Nikolaus hieß.

1,16 2,12.16; 19,15.21; Hebr 4,12 **1,17** 1,8; Dan 8,18 **1,18** 1 Kor 15,25–26.55 **2,1** 1,13.16.20; Eph 1,1 **2,2** 2 Kor 11,13; 1 Joh 4,1 **2,4** 1 Joh 4,16 **2,6** 2,15 **2,7** 22,2; 1 Mo 2,8–9; 3,22 **2,8** 1,17–18 **2,9** Lk 6,20; 2 Kor 6,10; Jak 2,5 **2,10** Mt 10,28; Jak 1,12 **2,11** 20,6.14; 21,8

Der Brief an die Gemeinde in Pergamon

[12]»Schreib an den Engel der Gemeinde in *Pergamon:*

Das lässt dir der sagen, der das scharfe, doppelschneidige Schwert trägt. [13]Ich weiß, dass du in einer Stadt wohnst, die vom Satan regiert wird. Trotzdem bekennst du dich treu zu mir und hast deinen Glauben nicht widerrufen; selbst dann nicht, als Antipas, mein treuer Zeuge, in dieser Hochburg des Satans getötet wurde.

[14]Und doch habe ich etwas an dir auszusetzen: Du duldest in eurer Mitte Leute, die an der Lehre Bileams festhalten. Aber Bileam brachte Balak dazu, das Volk Israel ins Verderben zu stürzen. Er verführte sie, das Fleisch von Götzenopfern zu essen, und verleitete sie zu sexueller Zügellosigkeit. [15]Es gibt unter euch Leute, die den Nikolaïten und ihrer Irrlehre folgen.[a] [16]Kehr zu mir um, sonst werde ich sehr schnell zu dir kommen und gegen diese Leute mit dem Schwert aus meinem Mund kämpfen.

[17]Hört genau hin, und achtet darauf, was Gottes Geist den Gemeinden sagt. Wer durchhält und den Sieg erringt, wird Brot vom Himmel[b] essen. Als Zeichen des Sieges werde ich ihm einen weißen Stein geben. Darauf steht ein neuer Name, den nur der kennt, der ihn erhält.«

Der Brief an die Gemeinde in Thyatira

[18]»Schreib an den Engel der Gemeinde in *Thyatira:*

Dies sagt dir der Sohn Gottes, dessen Augen wie die Flammen eines Feuers glühen und dessen Füße wie flüssiges Golderz glänzen. [19]Ich sehe alles, was du tust. Ich weiß, mit welcher Liebe du mir dienst und mit welcher Treue du am Glauben festhältst. Ich kenne deinen Dienst für andere und deine Geduld. Und heute setzt du dich noch mehr ein als früher.

[20]Trotzdem habe ich etwas an dir auszusetzen: Du unternimmst nichts gegen Isebel, die sich als Prophetin ausgibt. Durch ihre Lehre verführt sie die Gläubigen zu sexueller Zügellosigkeit und ermuntert sie, ohne Bedenken das Fleisch der Götzenopfer zu essen. [21]Diese Frau hat genug Zeit gehabt, ihr Leben zu ändern. Aber sie weigert sich, zu mir umzukehren. [22]Darum werfe ich sie aufs Bett, zusammen mit all ihren Liebhabern. Dort werden sie leiden müssen, wenn sie nicht ihr böses Treiben beenden. [23]Isebels Kinder werde ich dem Tod ausliefern. Dann werden alle Gemeinden wissen, dass ich die Menschen durch und durch kenne, selbst ihre geheimsten Gedanken und Wünsche. Und jeder wird den Lohn von mir bekommen, den er verdient.

[24]Allen anderen in Thyatira, die der Irrlehre nicht gefolgt sind und sich auf diese so genannten tiefen Erkenntnisse über den Satan nicht eingelassen haben, will ich keine zusätzlichen Lasten auferlegen. [25]Haltet nur unerschütterlich an dem fest, was ihr habt, bis ich komme.

[26]Denn wer durchhält und den Sieg erringt, wer bis zuletzt nach meinem Willen lebt und handelt, dem werde ich Macht über die Völker der Erde geben. [27]Mit eiserner Strenge wird er über sie herrschen und sie zerschlagen wie Tongefäße. [28]Und wie mein Vater mir Macht und Herrschaft gab, will ich sie auch jedem geben, der im Glauben festbleibt. Als Zeichen der Macht schenke ich ihm den Morgenstern.

[29]Hört genau hin, und achtet darauf, was Gottes Geist den Gemeinden sagt.«

---

[a] Vgl. Kapitel 2,6
[b] Wörtlich: von dem verborgenen Manna. Vgl. 2. Mose 16; 4. Mose 11

2,12 1,16 **2,14** 4 Mo 31,16; 25,1–3 **2,18** 1,14–15 **2,19** Hebr 6,10 **2,20** 1 Kön 16,31; 2 Kön 9,22 **2,23** Ps 7,10; Mt 16,27 **2,25** 3,11 **2,26–27** Ps 2,8–9 **2,28** 22,16

Der Brief an die Gemeinde in Sardes

3 »Schreib an den Engel der Gemeinde in *Sardes:*

Das sagt der, dem die sieben Geister Gottes dienen und der die sieben Sterne in seiner Hand hält.

Ich weiß alles, was du tust. Du giltst als lebendige Gemeinde, aber in Wirklichkeit bist du tot. [2] Wach auf und stärke die wenigen, deren Glaube noch lebendig ist, bevor auch ihr Glaube stirbt. Denn so, wie du bisher gelebt hast, kannst du vor Gott nicht bestehen. [3] Hast du denn ganz vergessen, wie du Gottes Botschaft gehört und aufgenommen hast? Besinn dich wieder darauf, und kehr um zu Gott. Wenn du nicht wach wirst, werde ich plötzlich da sein, unerwartet wie ein Dieb. Und du wirst nicht wissen, wann ich komme.

[4] Aber auch bei euch in Sardes sind einige, denen der Schmutz dieser Welt nichts anhaben konnte. Sie werden immer bei mir sein und weiße Kleider tragen; denn sie sind es wert.

[5] Wer durchhält und den Sieg erringt, der wird solch ein weißes Kleid tragen. Ich werde seinen Namen nicht aus dem Buch des Lebens streichen, sondern mich vor meinem Vater und seinen Engeln zu ihm bekennen.

[6] Hört genau hin, und achtet darauf, was Gottes Geist den Gemeinden sagt!«

Der Brief an die Gemeinde in Philadelphia

[7] »Schreib an den Engel der Gemeinde in *Philadelphia:*

Das sagt dir der eine, der heilig und wahrhaftig ist. Er allein hat als Nachkomme Davids den Schlüssel zum Heil. Wo er aufschließt, kann niemand mehr zuschließen; wo er aber zuschließt, kann niemand mehr öffnen.

[8] Ich weiß, was du getan und geleistet hast. Sieh, ich habe dir eine Tür geöffnet, die niemand verschließen kann. Deine Kraft ist klein; doch du hast an dem, was ich gesagt habe, festgehalten und dich unerschrocken zu mir bekannt. [9] Achte jetzt auf alles, was geschehen wird: Es werden Leute zu dir kommen, die sich als fromme Juden ausgeben. Aber sie lügen; in Wirklichkeit sind sie Anhänger des Satans. Diese Männer werde ich dazu bewegen, dass sie vor dir auf die Knie fallen; denn sie sollen erkennen, dass ich dich liebe.

[10] Du hast meine Aufforderung befolgt, geduldig auszuhalten. Deshalb will ich dich auch in der schweren Prüfung bewahren, die über die ganze Erde kommen wird, um alle Menschen auf die Probe zu stellen. [11] Ich komme schnell und unerwartet. Darum halte fest, was du hast, damit dir niemand deinen Siegespreis nehmen kann.

[12] Denn wer durchhält und den Sieg erringt, den werde ich zu einer Säule im Tempel meines Gottes machen; er wird dort immer bleiben. Und er soll den Namen meines Gottes tragen und wird ein Bürger des neuen Jerusalem sein, der Stadt, die Gott vom Himmel herabkommen lässt. Auch meinen eigenen neuen Namen wird er erhalten.

[13] Hört genau hin, und achtet darauf, was Gottes Geist den Gemeinden sagt.«

Der Brief an die Gemeinde in Laodizea

[14] »An den Engel der Gemeinde in *Laodizea* schreibe:

Dies sagt dir der eine, der die Erfüllung aller Zusagen Gottes ist.[a] Christus ist Gottes treuer und wahrhaftiger Zeuge. Er ist der Ursprung von allem, was Gott geschaffen hat.

[15] Ich kenne dich genau und weiß alles, was du tust. Du bist weder kalt noch heiß. Ach, wärst du doch das eine oder das an-

---

a Wörtlich: So spricht, der Amen heißt.

3,1 1,4.16 **3,3** 16,15; Mt 24,43–44; 1 Thess 5,2 **3,4** 6,11 **3,5** 13,8*; Mt 10,32 **3,7** 5,5; 22,16; Jes 22,22 **3,9** 2,9; Jes 49,23; 60,14 **3,10** 2 Petr 2,9 **3,11** 2,25; 22,7; 1 Kor 9,24–25 **3,12** 14,1; 22,4; 21,2 **3,14** 2 Kor 1,20; Kol 1,15–16

dere! [16] Aber du bist lau, und deshalb werde ich dich ausspucken. [17] Du bildest dir ein: ›Ich bin reich und habe alles, was ich brauche!‹ Da machst du dir selbst etwas vor! Du merkst gar nicht, wie jämmerlich du in Wirklichkeit dran bist: arm, blind und nackt. [18] Darum solltest du dich endlich um den wahren Reichtum bemühen, um das reine Gold, das im Feuer geläutert wurde. Nur dieses Gold macht dich reich, und nur von mir kannst du es bekommen. Lass dir auch die weißen Kleider von mir geben, damit du nicht länger nackt und bloß dastehst. Kauf dir Augensalbe, die deine blinden Augen heilt. [19] Bei allen, die ich liebe, decke ich die Schuld auf und erziehe sie mit Strenge. Nimm dir das zu Herzen, und kehr um zu Gott!

[20] Merkst du es denn nicht? Noch stehe ich vor deiner Tür und klopfe an. Wer jetzt auf meine Stimme hört und mir die Tür öffnet, zu dem werde ich hineingehen und Gemeinschaft mit ihm haben[a].

[21] Wer durchhält und den Sieg erringt, wird mit mir auf meinem Thron sitzen, so wie auch ich mich als Sieger auf den Thron meines Vaters gesetzt habe.

[22] Hört genau hin, und achtet darauf, was Gottes Geist den Gemeinden sagt.«

Gottes Thron

4 Danach, als ich aufblickte, sah ich am Himmel eine offene Tür. Dieselbe Stimme, die schon vorher zu mir gesprochen hatte, gewaltig wie der Schall einer Posaune, sagte: »Komm herauf! Ich will dir zeigen, was in Zukunft geschehen wird.« [2] Sofort ergriff mich Gottes Geist, und dann sah ich: Im Himmel stand ein Thron, auf dem jemand saß. [3] Die Gestalt leuchtete wie ein Edelstein, wie ein Jaspis oder Karneol. Und um den Thron strahlte ein Regenbogen, schimmernd wie lauter Smaragde.

[4] Dieser Thron war von vierundzwanzig anderen Thronen umgeben, auf denen vierundzwanzig Älteste saßen. Sie trugen weiße Gewänder und auf dem Kopf goldene Kronen. [5] Blitze, Donner und gewaltige Stimmen gingen von dem Thron aus. Davor brannten sieben Fackeln: Das sind die sieben Geister Gottes.[b] [6] Gleich vor dem Thron war so etwas wie ein Meer, durchsichtig wie Glas, klar wie Kristall.

In der Mitte und um den Thron herum standen vier mächtige Lebewesen, die überall Augen hatten. [7] Die erste dieser Gestalten sah aus wie ein Löwe, die zweite glich einem Stier; die dritte hatte ein Gesicht wie ein Mensch, und die vierte glich einem fliegenden Adler. [8] Jede dieser Gestalten hatte sechs Flügel. Auch die Flügel waren innen und außen voller Augen. Unermüdlich, Tag und Nacht, rufen sie: »Heilig, heilig, heilig ist der Herr, der allmächtige Gott, der schon immer war, der heute da ist und der kommen wird!«

[9] Diese vier Lebewesen loben und preisen den, der vor ihnen auf dem Thron sitzt und immer und ewig leben wird. [10] Und jedes Mal fallen die vierundzwanzig Ältesten dabei vor ihm nieder und beten den an, dem alle Macht gegeben ist und der ewig lebt. Sie legen ihre Kronen vor seinem Thron nieder und rufen:

[11] »Dich, unseren Herrn und Gott, beten wir an. Du allein bist würdig, dass wir dich ehren und rühmen, uns deiner Macht unterordnen. Denn du hast alles erschaffen. Nach deinem Willen entstand die Welt und alles, was auf ihr lebt.«

Das Buch mit sieben Siegeln

5 Ich sah, dass der auf dem Thron in seiner rechten Hand eine Buchrolle hielt. Sie war innen und außen beschrie-

---

a Wörtlich: zu dem werde ich hineingehen und mit ihm essen und er mit mir.
b Vgl. Kapitel 1,4; 3,1

3,17 1 Kor 4,8 **3,18** 19,8* **3,19** Spr 3,11–12; 1 Kor 11,32; Hebr 12,5–6 **3,20** Lk 12,35–36; Joh 14,23 **3,21** Mt 19,28; Hebr 12,2 **4,1** 1,10 **4,2** 20,11; Jes 6,1; Hes 1,26 **4,4** Jes 24,23; Offb 19,8* **4,5** 2 Mo 19,16; Hes 1,13–14 **4,6** 15,2 **4,7** Hes 1,10; Offb 6,1.3.5.7 **4,8** Jes 6,2–3; Hes 10,12–13 **5,1** 4,2–3; Hes 2,9–10

ben und mit sieben Siegeln verschlossen. [2]Und ich sah einen mächtigen Engel, der mit gewaltiger Stimme rief: »Wer ist würdig, dieses Buch zu öffnen und seine Siegel zu brechen?« [3]Doch es war niemand da, der es öffnen und hineinsehen konnte; niemand im Himmel, niemand auf der Erde und auch niemand im Totenreich. [4]Da weinte ich sehr, weil niemand da war, der würdig gewesen wäre, das Buch zu öffnen und hineinzusehen. [5]Doch einer von den Ältesten sagte zu mir: »Weine nicht! Einer hat gesiegt; er kann das Buch öffnen und seine sieben Siegel brechen. Es ist der Löwe aus dem Stamm Juda, der Nachkomme König Davids.«

[6]Und dann sah ich es: In der Mitte vor dem Thron, umgeben von den vier mächtigen Gestalten und den Ältesten, stand ein Lamm, das aussah, als ob es geschlachtet wäre. Es hatte sieben Hörner und sieben Augen. Das sind die sieben Geister Gottes, die in die ganze Welt ausgesandt worden sind. [7]Das Lamm ging zu dem, der auf dem Thron saß, und empfing das Buch aus dessen rechter Hand. [8]Im selben Augenblick fielen die vier Gestalten und die vierundzwanzig Ältesten vor dem Lamm nieder. Jeder von ihnen hatte eine Harfe und goldene Schalen voller Weihrauch. Das sind die Gebete aller, die zu Gott gehören. [9]Und alle sangen ein neues Lied:

»Du allein bist würdig, das Buch zu nehmen, nur du darfst seine Siegel brechen. Denn du bist als Opfer geschlachtet worden, und mit deinem Blut hast du Menschen für Gott freigekauft; Menschen aller Stämme und Sprachen, aus allen Völkern und Nationen.

[10]Durch dich sind sie jetzt Könige und Priester unseres Gottes, und sie werden über die ganze Erde herrschen.«

[11]Danach sah ich viele Tausende und Abertausende von Engeln, eine unzählbare Menge, und ich hörte, wie sie gemeinsam etwas riefen. Sie standen um den Thron, um die vier Gestalten und um die Ältesten. [12]Gewaltig ertönte ihre Stimme:

»Allein dem Lamm, das geopfert wurde, gehören alle Macht und aller Reichtum. Ihm allein gehören Weisheit und Kraft, Ehre, Herrlichkeit und Anbetung!«

[13]Dann hörte ich, wie auch alle anderen Geschöpfe einstimmten. Alle im Himmel und auf der Erde, die Toten unter der Erde wie die Geschöpfe des Meeres, sie alle riefen:

»Lob und Ehre, alle Herrlichkeit und Macht gehören dem, der auf dem Thron sitzt, und dem Lamm für immer und ewig!«

[14]Die vier Gestalten bekräftigten dies mit ihrem »Amen«. Und die vierundzwanzig Ältesten fielen nieder und beteten Gott an.

Die ersten sechs Siegel

6 Nun sah ich, wie das Lamm das erste der sieben Siegel aufbrach. Da hörte ich eine der vier Gestalten mit Donnerstimme rufen: »Los!« [2]Und als ich mich umsah, erblickte ich ein weißes Pferd. Sein Reiter trug einen Bogen und erhielt die Krone des Siegers. Er kam als Sieger, um erneut zu siegen.

[3]Als das Lamm das zweite Siegel aufbrach, hörte ich die zweite der mächtigen Gestalten sagen: »Los!« [4]Diesmal kam ein Reiter auf einem feuerroten Pferd. Ihm wurde ein großes Schwert gegeben. Damit sollte er den Frieden von der Erde nehmen. Erbarmungslos würden sich die Menschen gegenseitig umbringen.

[5]Dann brach das Lamm das dritte Siegel auf, und ich hörte die dritte Gestalt sagen: »Los!« Und nun sah ich ein schwarzes Pferd. Sein Reiter hielt eine Waage in der Hand. [6]Da rief eine der vier Gestalten: »Für den Lohn eines ganzen Arbeitstages gibt es nur noch ein Kilo

---

5,5 1 Mo 49,9–10; Jes 11,1 **5,6** 7,14.17; 12,11; 13,8; Joh 1,29* **5,8** 8,3–4 **5,9** Ps 40,4*; 1 Petr 1,18–19 **5,10** 1,6; 1 Petr 2,9 **5,11–12** 7,11–12; Dan 7,10; Hebr 12,22 **5,13** 7,10; Phil 2,10 **5,14** 4,9–10; 19,4 **6,2–8** Sach 1,8; 6,1–7 **6,2** 19,11–16

Weizen oder drei Kilo Gerste. Nur Öl und Wein gibt es zum alten Preis!«

[7]Nachdem das vierte Siegel aufgebrochen war, hörte ich die vierte Gestalt sagen: »Los!« [8]Da sah ich ein Pferd von aschfahler Farbe. Sein Reiter hieß Tod, und ihm folgte das ganze Totenreich. Sie hatten die Macht über ein Viertel der Erde, um die Menschen durch Kriege, Hungersnöte, Seuchen und wilde Tiere dahinzuraffen.

[9]Jetzt brach das Lamm das fünfte Siegel auf. Ich sah unten am Altar all die Menschen, die man getötet hatte, weil sie sich treu an Gottes Wort gehalten und bis zuletzt ihren Glauben bekannt hatten. [10]Laut riefen sie: »Du heiliger und wahrhaftiger Gott! Wann endlich sprichst du dein Urteil über all die Menschen auf der Erde, die uns verfolgt und getötet haben? Wann wirst du sie dafür bestrafen?« [11]Jeder von ihnen bekam ein weißes Gewand, und ihnen wurde gesagt: »Wartet noch so lange, bis sich das Schicksal eurer Geschwister und Leidensgefährten auf der Erde erfüllt hat, die auch noch getötet werden müssen.«

[12]Als das Lamm das sechste Siegel öffnete, gab es ein gewaltiges Erdbeben. Die Sonne wurde schwarz wie ein Trauerkleid und der Mond rot wie Blut. [13]Und die Sterne fielen vom Himmel auf die Erde, so wie der Feigenbaum seine reifen Früchte abwirft, wenn er vom Sturm geschüttelt wird. [14]Der Himmel verschwand vor meinen Augen wie eine Buchrolle, die man zusammenrollt. Die Berge wankten und stürzten in sich zusammen, und die Inseln versanken. [15]Angst und Schrecken ergriff die Mächtigen und Herrscher der Erde, die Heerführer, die Reichen und die Starken, die Herren ebenso wie ihre Sklaven. Sie alle suchten Schutz in Höhlen und zwischen den Felsen der Berge. [16]Und alle schrien zu den Bergen: »Stürzt doch auf uns herab! Verbergt uns vor den Augen dessen, dem alle Macht gehört! Bewahrt uns vor dem Zorn des Lammes! [17]Der Tag, an dem sie Gericht halten, ist jetzt gekommen. Wer kann da bestehen?«

Wer trägt das Zeichen Gottes?

7 Dann sah ich in jeder der vier Himmelsrichtungen einen Engel stehen. Sie hielten die Winde und Stürme zurück. Kein Lufthauch war zu spüren, weder auf der Erde noch auf dem Meer; nicht ein Blättchen raschelte an den Bäumen. [2]Aus dem Osten, da wo die Sonne aufgeht, sah ich einen anderen Engel heraufsteigen; der trug das Siegel des lebendigen Gottes. Den vier Engeln, die von Gott die Macht erhalten hatten, das Verderben über Land und Meer zu bringen, rief er mit lauter Stimme zu: [3]»Wartet! Bringt noch kein Unheil über das Land, das Meer und die Bäume. Erst wollen wir allen, die zu Gott gehören und ihm dienen, sein Siegel auf die Stirn drücken.«

[4]Dann hörte ich, wie viele dieses Zeichen erhielten. Es waren 144000; sie kamen aus allen Stämmen Israels: [5–8]je zwölftausend aus den Stämmen Juda, Ruben, Gad, Asser, Naftali, Manasse, Simeon, Levi, Issaschar, Sebulon, Josef und Benjamin.

Die Auserwählten aus allen Völkern

[9]Jetzt sah ich eine riesige Menschenmenge, so groß, dass niemand sie zählen konnte. Die Menschen kamen aus allen Nationen, Stämmen und Völkern; alle Sprachen der Welt waren zu hören. Sie standen vor dem Thron und vor dem Lamm. Alle hatten weiße Gewänder an und trugen Palmenzweige in der Hand. [10]Mit lauter Stimme riefen sie: »Heil und Rettung kommen allein von unserem Gott, der auf dem Thron sitzt, und von dem Lamm!« [11]Alle Engel standen um den Thron, um die Ältesten und die vier

6,8 Jer 15,2–3; Hes 14,21 **6,9** 1,9; 20,4 **6,10** 19,2; Ps 79,10 **6,11** 19,8*; Hebr 11,40 **6,12** Hes 38,19–20; Joel 2,10 **6,13–14** Jes 34,4 **6,15** Jes 2,19.21 **6,16** Lk 23,30 **6,17** Joel 1,15* **7,3** 9,4; Hes 9,4.6 **7,4** 14,1.3 **7,9** 19,8* **7,10** 5,13 **7,11–12** 5,11–12

mächtigen Gestalten. Sie fielen vor dem Thron nieder und beteten Gott an. [12]»Ja, das steht fest«, sagten sie, »Anbetung und Herrlichkeit, Weisheit und Dank, Ehre, Macht und Kraft gehören unserem Gott für immer und ewig. Amen!«

[13]Da fragte mich einer der Ältesten: »Weißt du, wer diese Menschen mit den weißen Kleidern sind und wo sie herkommen?« [14]»Nein, Herr«, antwortete ich, »aber du weißt es. Sag es mir doch!« Da antwortete er mir: »Sie kommen aus Verfolgung, Leid und Bedrängnis. Im Blut des Lammes haben sie ihre Kleider rein gewaschen. [15]Deshalb stehen sie hier vor dem Thron Gottes und dienen ihm Tag und Nacht in seinem Tempel. Gott, der auf dem Thron sitzt, wird bei ihnen wohnen! [16]Sie werden nie wieder Hunger oder Durst leiden; keine Sonnenglut oder sonst etwas wird sie jemals wieder quälen. [17]Denn das Lamm, das vor dem Thron steht, wird ihr Hirte sein. Er wird sie zu den Quellen führen, aus denen das Wasser des Lebens entspringt. Und Gott wird ihnen alle Tränen abwischen!«

Das siebte Siegel

8 Als das Lamm das siebte Siegel aufbrach, wurde es im Himmel ganz still, etwa eine halbe Stunde lang. [2]Ich sah die sieben Engel vor Gott stehen, und sie erhielten sieben Posaunen. [3]Dann kam ein anderer Engel. Mit einem goldenen Weihrauchgefäß trat er vor den Altar. Ihm wurde viel Weihrauch gereicht; er sollte ihn auf dem Altar vor Gottes Thron als Opfer darbringen, zusammen mit den Gebeten der Menschen, die zu Gott gehören. [4]Und so geschah es auch. Der Duft des Weihrauchs stieg aus der Hand des Engels zu Gott auf, zusammen mit den Gebeten der Menschen. [5]Jetzt füllte der Engel das Weihrauchgefäß mit Feuer vom Altar und schleuderte es auf die Erde. Da begann es zu blitzen und zu donnern, und die Erde bebte.

Die ersten vier Posaunen

[6]Nun machten sich die sieben Engel bereit, die sieben Posaunen zu blasen. [7]Als die Posaune des ersten Engels ertönte, fielen Hagel und Feuer, mit Blut vermischt, auf die Erde. Ein Drittel der Erde, ein Drittel der Bäume und alles grüne Gras verbrannte.

[8]Jetzt blies der zweite Engel seine Posaune. Etwas, das wie ein großer feuerglühender Berg aussah, stürzte brennend ins Meer. Da wurde ein Drittel des Meeres zu Blut, [9]ein Drittel aller Lebewesen im Meer starb, und ein Drittel aller Schiffe wurde zerstört. [10]Dann ertönte die Posaune des dritten Engels. Ein riesiger Stern fiel wie eine brennende Fackel vom Himmel. Er stürzte auf ein Drittel aller Flüsse und Quellen. [11]Dieser Stern heißt »Bitterkeit«. Er vergiftete ein Drittel des Wassers auf der Erde. Viele Menschen starben, nachdem sie von dem bitteren Wasser getrunken hatten.

[12]Jetzt hörte ich die Posaune des vierten Engels. Schlagartig erloschen ein Drittel der Sonne und des Mondes; auch ein Drittel aller Sterne verfinsterte sich. Das Licht des Tages wurde um ein Drittel schwächer, und die Finsternis der Nacht nahm um ein Drittel zu.

[13]Ich blickte auf und bemerkte einen Adler, der hoch oben am Himmel flog und laut schrie: »Wehe! Wehe euch Menschen auf der Erde! Bald werden die drei anderen Engel ihre Posaune blasen. Und dann wird Furchtbares geschehen!«

Die fünfte Posaune

9 Da stieß der fünfte Engel in seine Posaune. Ich sah einen Stern, der vom

7,14 5,6; 22,14; 1 Joh 1,7 **7,15** 21,3 **7,16–17** Jes 49,9–10 **7,17** Hes 34,11–16*; Offb 21,6.4 **8,1** Hab 2,20; Zef 1,7 **8,2** Mt 24,31 **8,3** 2 Mo 30,1–7 **8,5** 3 Mo 16,12 **8,7** 2 Mo 9,23–25 **8,8** 2 Mo 7,20–21 **8,10** Jes 14,12 **8,12** 2 Mo 10,21–23 **9,1** 20,1

Himmel auf die Erde gefallen war. Diesem Stern wurde der Schlüssel zum Abgrund der Hölle gegeben. [2]Er öffnete den Abgrund, und heraus quollen Rauch und beißender Qualm wie aus einem riesigen Schmelzofen. Die Luft war vom Rauch so verpestet, dass man die Sonne nicht mehr sehen konnte.

[3]Aus dem Rauch quollen Heuschrecken und überfielen die Erde. Ihre Stiche waren giftig wie die von Skorpionen. [4]Doch sie durften weder dem Gras noch den Bäumen oder irgendeiner Pflanze auf der Erde Schaden zufügen. Sie sollten nur die Menschen quälen, die nicht das Siegel Gottes auf ihrer Stirn trugen. [5]Aber sie durften die Menschen nicht töten, sondern sie mussten ihnen fünf Monate lang qualvolle Schmerzen zufügen, wie sie der Stich eines Skorpions hervorruft. [6]In dieser Zeit werden sich die Menschen verzweifelt den Tod wünschen, aber er wird sie nicht erlösen. Sie wollen nur noch sterben, aber der Tod wird vor ihnen fliehen.

[7]Die Heuschrecken sahen aus wie Streitrosse, die in den Kampf ziehen. Auf ihren Köpfen glänzte es, als würden sie goldene Kronen tragen, und ihre Gesichter hatten menschliche Züge. [8]Sie hatten eine Mähne wie Frauenhaar und Zähne wie Löwen. [9]Brustschilde hatten sie wie Eisenpanzer, und ihre Flügelschläge dröhnten wie Streitwagen, die mit vielen Pferden bespannt in die Schlacht ziehen. [10]Sie hatten Schwänze und Stacheln wie Skorpione. Mit ihrem Gift konnten sie die Menschen fünf Monate lang quälen. [11]Als König herrschte über sie ein Engel der Hölle. Die Juden nennen ihn Abaddon, bei den Griechen heißt er Apollyon. Das bedeutet: Zerstörer.

[12]Aber das ist noch nicht alles. Diesem ersten Unheil werden noch zwei weitere folgen.

Die sechste Posaune

[13]Jetzt blies der sechste Engel seine Posaune. Ich hörte eine Stimme von allen vier Hörnern des goldenen Altars, der vor dem Thron Gottes steht. [14]Diese Stimme forderte den sechsten Engel auf: »Befrei die vier Engel, die am Euphratstrom gefangen sind!« [15]Und die vier Engel wurden befreit. Auf dieses Jahr, diesen Monat, diesen Tag, ja, genau auf diese Stunde hatten sie gewartet, um ein Drittel der Menschheit zu töten. [16]Sie führten ein riesiges Heer. Ich hörte, dass es zweihundert Millionen Reiter waren.

[17]Und dann sah ich diese Vision: Die Pferde trugen ebenso wie ihre Reiter feuerrot, himmelblau und schwefelgelb glänzende Rüstungen. Mächtig wie Löwenköpfe waren die Köpfe der Pferde. Feuer, Rauch und brennender Schwefel schossen aus ihren Mäulern. [18]Mit diesen drei Waffen töteten sie ein Drittel der Menschheit. [19]Aber nicht nur aus ihren Mäulern kamen Tod und Zerstörung, auch mit ihren Schwänzen konnten sie die Menschen umbringen. Denn ihre Schwänze sahen aus wie Schlangen. Sie bissen zu und töteten.

[20]Doch trotz all dieser entsetzlichen Katastrophen dachten die Überlebenden nicht daran, sich zu ändern und zu Gott umzukehren. Nach wie vor beteten sie die Dämonen an und ihre selbst gemachten Götzen aus Gold, Silber, Bronze, Stein oder Holz, die weder hören noch sehen, noch laufen können. [21]Ja, die Menschen kehrten nicht um. Sie hörten nicht auf, einander umzubringen, Zauberei zu treiben, sexuell zügellos zu leben und einander zu bestehlen.

Das kleine Buch

10 Dann sah ich einen anderen mächtigen Engel vom Himmel herabkommen. Eine Wolke umgab ihn, und

9,2 1 Mo 19,28 **9,3** 2 Mo 10,12–15 **9,4** 7,2–3 **9,6** 6,16 **9,7–9** Joel 1,6; 2,4–5 **9,13** 8,3 **9,14–16** 16,12 **9,15** 8,7–12 **9,20–21** 16,9.11; Am 4,6.8–11 **9,20** Ps 115,4–7 **9,21** 2 Mo 20,13–15; 5 Mo 18,10 **10,1** 5,2; 8,3

über seinem Kopf wölbte sich ein Regenbogen. Sein Gesicht leuchtete wie die Sonne, und seine Beine glichen lodernden Feuersäulen. [2]In seiner Hand hielt er ein kleines, aufgeschlagenes Buch. Seinen rechten Fuß setzte er auf das Meer, seinen linken auf das Land. [3]Wie Löwengebrüll dröhnte seine Stimme, und laut krachend antworteten ihm sieben Donnerschläge. [4]Doch als ich aufschreiben wollte, was ich hörte, rief mir eine Stimme vom Himmel zu: »Schreib nicht auf, was die sieben Donner geredet haben. Behalt es für dich!«

[5]Jetzt erhob der Engel, den ich mit einem Fuß auf dem Meer und mit dem anderen auf dem Land stehen sah, seine rechte Hand zum Himmel. [6]Und er schwor bei dem, der immer und ewig lebt, der den Himmel, die Erde, das Meer und alles Leben geschaffen hat: »Die Zeit geht zu Ende! [7]Denn wenn der siebte Engel seine Posaune bläst, wird Gott seinen geheimen Plan vollenden, so wie er es seinen Dienern, den Propheten, zugesagt hat.«

[8]Noch einmal sprach die Stimme vom Himmel zu mir und forderte mich auf: »Geh und nimm das aufgeschlagene Buch aus der Hand des Engels, der auf dem Meer und auf dem Land steht!« [9]Da ging ich zu dem Engel und bat ihn um das kleine Buch. Er antwortete mir: »Nimm das Büchlein, und iss es auf! Es schmeckt süß wie Honig, aber du wirst Magenschmerzen davon bekommen.« [10]So nahm ich das kleine Buch aus seiner Hand und aß es. Es schmeckte wirklich süß wie Honig; aber dann lag es mir schwer im Magen.

[11]Da sagte mir jemand: »Gott wird dir noch einmal zeigen, was er mit den Völkern, Nationen, Stämmen und ihren Herrschern vorhat. Das sollst du auch noch bekannt machen!«

Der Auftrag der beiden Zeugen

11 Nun erhielt ich einen Messstab, der wie ein langes Rohr aussah, und jemand forderte mich auf: »Steh auf und miss den Tempel Gottes aus und den Altar. Zähl alle, die dort beten. [2]Nur den Vorhof draußen vor dem Tempel sollst du nicht messen. Denn ihn werden die Nichtjuden besetzen, wenn sie Gottes heilige Stadt zweiundvierzig Monate lang belagern und zerstören. [3]Ich werde ihnen meine zwei Zeugen schicken. Sie kommen in Trauerkleidung und werden in diesen 1260 Tagen verkünden, was Gott ihnen eingegeben hat.«

[4]Diese beiden Zeugen sind die zwei Ölbäume und die zwei Leuchter, die vor dem Herrn der Welt stehen. [5]Wer es wagt, sie anzugreifen, wird durch Feuer aus ihrem Mund getötet. Ja, wer sich an ihnen vergreift, der wird sterben. [6]Sie haben die Macht, den Himmel zu verschließen, damit es nicht regnet, solange sie im Auftrag Gottes sprechen. Ebenso liegt es in ihrer Macht, jedes Gewässer in Blut zu verwandeln und Unheil über die Erde zu bringen, so oft sie wollen.

[7]Wenn sie Gottes Auftrag ausgeführt haben, wird aus dem Abgrund der Hölle ein Tier heraufsteigen und gegen sie kämpfen. Es wird siegen und die beiden Zeugen töten. [8]Ihre Leichen wird man auf dem Platz der großen Stadt zur Schau stellen, in der auch ihr Herr gekreuzigt wurde. Diese Stadt ist wie ein neues »Sodom« oder »Ägypten«. [9]Menschen aus allen Völkern, Stämmen, Sprachen und Nationen werden die Toten sehen, die dort dreieinhalb Tage lang liegen. Denn man wird es nicht erlauben, die Toten zu bestatten. [10]Alle Menschen auf der Erde werden über den Tod der beiden Zeugen so erleichtert sein, dass sie Freudenfeste feiern und sich gegenseitig Geschenke

---

10,3 Jer 25,30–31 **10,4** Dan 12,4.9 **10,6** 1,4; Dan 12,7 **10,7** 11,15; Am 3,7; Apg 3,21 **10,9–10** Hes 2,8 – 3,3 **11,1** Hes 40,3.5; 41,22; 42,15; Sach 2,5–6 **11,2** Lk 21,24; Dan 7,25; 12,7 **11,3** 12,6 **11,4** Sach 4,1–3.11–14 **11,6** 1 Kön 17,1; 2 Mo 7,20–21 **11,7** 13,1–8 **11,8** Lk 13,33–34; 1 Mo 18,20

machen. Denn diese beiden Propheten haben großes Leid über die Menschen auf der ganzen Welt gebracht.

[11]Nach dreieinhalb Tagen aber gab Gottes Geist ihnen neues Leben, und sie standen wieder auf! Alle, die das sahen, waren wie gelähmt vor Angst und Schrecken. [12]Dann forderte eine gewaltige Stimme vom Himmel die beiden Zeugen auf: »Kommt herauf!« Vor den Augen ihrer Feinde wurden sie in einer Wolke zum Himmel hinaufgehoben. [13]In demselben Augenblick gab es ein schweres Erdbeben. Ein Zehntel der Stadt stürzte ein, und siebentausend Menschen kamen ums Leben. Die Überlebenden waren entsetzt. Sie fürchteten sich und unterwarfen sich endlich der Herrschaft Gottes.

[14]Aber das Unheil ist noch immer nicht vorüber. Der zweiten Schreckenszeit wird sehr bald eine dritte folgen.

Die siebte Posaune

[15]Jetzt ertönte die Posaune des siebten Engels. Und im Himmel erklangen mächtige Stimmen: »Von jetzt an gehört die Herrschaft über die Welt unserem Herrn und seinem Sohn Jesus Christus. Sie werden für immer und ewig herrschen!« [16]Die vierundzwanzig Ältesten, die vor Gott auf ihren Thronen sitzen, warfen sich vor ihm nieder. Sie lobten Gott [17]und beteten:

»Wir danken dir, Herr, du großer, allmächtiger Gott, der du bist und immer warst. Du hast deine große Macht bewiesen und die Herrschaft übernommen.

[18]Die Völker haben sich im Zorn von dir abgewandt. Darum trifft sie jetzt dein Zorn. Die Zeit des Gerichts ist gekommen, und die Toten wirst du richten. Allen wirst du ihren Lohn geben: deinen Dienern, den Propheten, allen, die dir gehören und Ehrfurcht vor dir haben, den Großen wie den Kleinen. Ohne Ausnahme wirst du alle vernichten, die unsere Erde ins Verderben gestürzt haben.«

[19]Da öffnete sich der Tempel Gottes im Himmel, und die Bundeslade war zu sehen. Blitze zuckten über den Himmel, und Donner, gewaltige Stimmen, Erdbeben und schwere Hagelstürme erschütterten die Erde.

Die Frau und der Drache

12 Am Himmel sah man jetzt eine gewaltige Erscheinung: eine Frau, die mit der Sonne bekleidet war und den Mond unter ihren Füßen hatte. Auf dem Kopf trug sie eine Krone aus zwölf Sternen. [2]Sie war hochschwanger und schrie unter den Geburtswehen vor Schmerz. [3]Dann gab es noch eine Erscheinung am Himmel: Plötzlich sah ich einen großen, feuerroten Drachen mit sieben Köpfen, sieben Kronen und zehn Hörnern. [4]Mit seinem Schwanz fegte er ein Drittel aller Sterne vom Himmel und schleuderte sie auf die Erde. Der Drache stellte sich vor die Frau; denn er wollte ihr Kind verschlingen, sobald es geboren war. [5]Die Frau brachte einen Sohn zur Welt, der einmal mit eiserner Strenge über die Völker der Erde herrschen sollte. Das Kind wurde von Gott aufgenommen und vor seinen Thron gebracht. [6]Die Frau aber floh in die Wüste, wo Gott selbst einen Zufluchtsort für sie vorbereitet hatte. 1260 Tage sollte sie dort versorgt werden.

[7]Dann brach im Himmel ein Kampf aus: Michael und seine Engel griffen den Drachen an. Der Drache schlug mit seinem Heer von Engeln zurück; [8]doch er verlor den Kampf und durfte nicht länger im Himmel bleiben. [9]Der große Drache ist niemand anders als der Teufel oder Satan, der als listige Schlange schon immer die ganze Welt zum Bösen verführt hat. Er wurde mit allen seinen Engeln aus dem Himmel auf die Erde hinuntergestürzt.

11,11 Hes 37,5.10 **11,12** Apg 1,9 **11,15** 10,7; Dan 2,44* **11,16** 4,4.10 **11,18** Ps 2,1.5 **11,19** 1 Kön 8,1.6
12,3–4 Dan 7,7; 8,10 **12,5** 19,15; Ps 2,8–9 **12,6** 11,3 **12,7** Dan 10,13; 12,1; Jud 9
12,9 1 Mo 3,1.14; Lk 10,18

[10] Jetzt hörte ich eine gewaltige Stimme im Himmel rufen:
»Nun hat Gott den Sieg errungen, er hat seine Stärke gezeigt und seine Herrschaft aufgerichtet! Alle Macht liegt in den Händen seines Sohnes Jesus Christus. Denn der Ankläger ist endgültig gestürzt, der unsere Brüder und Schwestern Tag und Nacht vor Gott beschuldigte.

[11] Sie haben ihn besiegt durch das Blut des Lammes und weil sie sich zu Gott bekannt haben. Sie haben ihr Leben für Gott eingesetzt und den Tod nicht gefürchtet.

[12] Darum freut euch nun, ihr Himmel und alle, die ihr darin wohnt! Aber wehe euch, Erde und Meer! Der Teufel wurde auf euch losgelassen. Er schnaubt vor Wut; denn er weiß, dass ihm nicht mehr viel Zeit bleibt.«

[13] Als der Drache merkte, dass er auf der Erde war, verfolgte er die Frau, die den Sohn geboren hatte. [14] Doch Gott gab der Frau die starken Flügel eines Adlers. So konnte sie an ihren Zufluchtsort in der Wüste fliehen. Dreieinhalb Jahre wurde sie hier versorgt und war vor den Angriffen des Drachens, der bösen Schlange, sicher. [15] Doch die Schlange gab nicht auf. Eine gewaltige Wasserflut schoss aus ihrem Rachen, und die Frau geriet in große Gefahr. [16] Aber die Erde half der Frau. Sie öffnete sich und verschlang das Wasser, das der Drache ausspuckte. [17] Darüber wurde der Drache so wütend, dass er jetzt alle anderen Nachkommen dieser Frau bekämpfte. Das sind die Menschen, die nach Gottes Geboten leben und sich zu Jesus bekennen. [18] Und der Drache begab sich an den Strand des Meeres.

Das Tier aus dem Meer: der Antichrist

13 Ich sah ein Tier aus dem Meer auftauchen. Es hatte sieben Köpfe und zehn Hörner; auf jedem Horn trug es eine Krone. Auf den Köpfen standen Namen, die Gott beleidigten. [2] Das Tier sah aus wie ein Panther, aber es hatte die Tatzen eines Bären und den Rachen eines Löwen. Der Drache gab ihm seine ganze Macht, setzte es auf den Herrscherthron und übertrug ihm alle Befehlsgewalt. [3] An einem Kopf des Tieres sah ich eine tödliche Wunde; aber diese Wunde wurde geheilt. Alle Welt lief dem Tier voller Bewunderung nach. [4] Und die Menschen fielen vor dem Drachen nieder und beteten ihn an, weil er seine Macht dem Tier gegeben hatte. Auch das Tier beteten sie an und riefen: »Wo auf der ganzen Welt ist jemand, der sich mit ihm vergleichen kann? Wer wagt es, den Kampf mit ihm aufzunehmen?«

[5] Das Tier wurde ermächtigt, große Reden zu schwingen und dabei Gott zu lästern. Zweiundvierzig Monate lang durfte es seinen Einfluss ausüben. [6] Wenn das Tier sein Maul aufriss, beleidigte es Gott. Es verhöhnte seinen Namen, sein Heiligtum und alle, die im Himmel wohnen. [7] Nichts und niemand hinderte das Tier daran, gegen die Menschen zu kämpfen, die zu Gott gehören, und sie sogar zu besiegen. Das Tier herrschte uneingeschränkt über alle Völker und Stämme, über die Menschen aller Sprachen und Nationen. [8] Und alle Menschen auf der Erde werden das Tier verehren und anbeten: alle, deren Namen nicht schon seit Beginn der Welt im Lebensbuch des geschlachteten Lammes stehen.

[9] Hört genau hin und achtet darauf: [10] Wer dazu bestimmt ist, ins Gefängnis zu kommen, der wird auch gefangen genommen. Und wer durch das Schwert sterben soll, der wird auch mit dem Schwert getötet. Hier muss sich die Standhaftigkeit und die Treue aller bewähren, die zu Christus gehören.

12,10 11,15; Hiob 1,9–11; Sach 3,1 **12,11** 5,6; Röm 8,37; 1 Joh 1,7 **12,12** Jes 49,13 **12,17** 11,7; 13,7 **13,1** 11,7; Dan 7,3.7 **13,2** 12,3; Lk 4,5–6; 2 Thess 2,9 **13,3** 17,8 **13,4** Jer 10,6–7 **13,5–6** Dan 7,8.25 **13,7** 11,7; Dan 7,21 **13,8** 3,5; 17,8; 20,12.15; 21,27; 2 Mo 32,32; Lk 10,20; Phil 4,3 **13,10** 12,17; 14,12

Das zweite Tier: der Lügenprophet

[11] Aus der Erde sah ich dann ein anderes Tier aufsteigen. Es hatte zwei Hörner wie ein Lamm und eine Stimme wie ein Drache. [12] Dieses Tier übte dieselbe Macht aus wie das erste und erhielt von ihm seine Aufträge. Es brachte alle Bewohner der Erde dazu, das erste Tier, dessen tödliche Wunde geheilt war, wie einen Gott zu verehren und anzubeten.

[13] Dieses zweite Tier vollbrachte große Wunder. Vor den Augen der Menschen ließ es sogar Feuer vom Himmel auf die Erde fallen. [14] Und immer wenn das erste Tier dabei war, verführte das zweite die Menschen durch solche Wunder. Es forderte sie auf, eine Statue zu Ehren des ersten Tieres zu errichten, das durchs Schwert tödlich getroffen und dann wieder lebendig geworden war. [15] Doch das war noch nicht alles. Es gelang ihm sogar, der Statue Leben einzuhauchen. Sie begann zu sprechen und verlangte, dass jeder getötet werden sollte, der sie nicht verehrte und anbetete. [16] Jeder – ob groß oder klein, reich oder arm, ob Herr oder Sklave – wurde gezwungen, auf der rechten Hand oder der Stirn ein Zeichen zu tragen. [17] Ohne dieses Zeichen konnte niemand etwas kaufen oder verkaufen. Und dieses Zeichen war nichts anderes als der Name des Tieres, in Buchstaben geschrieben oder in Zahlen ausgedrückt. [18] Doch um das zu ergründen, ist Gottes Weisheit nötig. Wer Einsicht und Verstand hat, wird herausfinden, was die Zahl des Tieres bedeutet. Hinter ihr verbirgt sich ein Mensch. Es ist die Zahl 666.

Das Lied der Befreiten

14 Ich sah das Lamm auf dem Berg Zion stehen, umgeben von 144 000 Menschen. Auf ihrer Stirn stand sein Name und der Name seines Vaters. [2] Jetzt hörte ich Stimmen vom Himmel – gewaltig wie ein rauschender Wasserfall und wie heftige Donnerschläge und doch so zart und schön wie Harfenspiel. [3] Vor dem Thron Gottes, vor den vier Gestalten und den vierundzwanzig Ältesten sangen sie ein neues Lied. Aber nur die 144 000, die das Lamm durch sein Opfer von der Erde losgekauft hat, können dieses Lied singen. [4] Sie sind ihrem Herrn treu geblieben und haben sich nicht durch Götzendienst verunreinigt.[a] Sie sind rein und folgen dem Lamm überallhin. Als erste von allen Menschen sind sie von ihrer Schuld freigekauft und ganz Gott und dem Lamm geweiht. [5] Weder Lüge noch Falschheit gibt es bei ihnen; sie sind ohne Tadel, und niemand kann ihnen etwas vorwerfen.

Drei Engel verkünden das Gericht

[6] Jetzt sah ich einen Engel hoch am Himmel fliegen. Er hatte die Aufgabe, allen Menschen auf der Erde, allen Stämmen und Völkern, den Menschen aller Sprachen und Nationen eine ewig gültige rettende Botschaft zu verkünden. [7] Laut rief er: »Fürchtet Gott und gebt ihm die Ehre! Denn jetzt wird er Gericht halten. Betet den an, der alles geschaffen hat: den Himmel und die Erde, das Meer und die Wasserquellen.«

[8] Diesem Engel folgte ein zweiter. Er rief: »Babylon ist gefallen, die große Stadt! Sie hat alle Völker der Erde betrunken gemacht mit ihrem Wein der Verführung. Die Menschen konnten nicht genug davon bekommen.« [9] Nun kam ein dritter Engel. Er rief: »Wehe allen, die das Tier aus dem Meer und seine Statue verehren und anbeten, die das Kennzeichen des Tieres an ihrer Stirn oder Hand tragen![b] [10] Denn sie werden den Kelch, der mit Gottes Zorn gefüllt ist, bis zur bitteren Neige leeren müssen.

---

[a] Wörtlich: Sie haben sich nicht mit Frauen befleckt, denn sie sind jungfräulich.
[b] Vgl. Kapitel 13,15–18

13,12 13,3 **13,13** Mt 24,24; 2 Thess 2,9 **13,14** 19,20; 20,4 **13,15** Dan 3,5–6 **13,16–17** 14,9–11; 16,2; 19,20; 20,4 **14,1** Jes 4,5; Joel 3,5; Hebr 12,22; Offb 7,1–8 **14,3** 4,4.6; 5,9; Ps 40,4* **14,4** Joh 10,4 **14,8** 18,2; Jes 21,9; Jer 51,7–8 **14,10** 16,19; Jer 25,15*

In Gegenwart der heiligen Engel und vor den Augen des Lammes werden sie in Feuer und Schwefel qualvoll leiden. [11] Dieses Feuer wird niemals verlöschen; immer und ewig steigt sein Rauch auf. Niemals werden die Ruhe finden, die das Tier und seine Statue angebetet und sein Zeichen angenommen haben. [12] Hier müssen alle, die zu Gott gehören, ihre Standhaftigkeit beweisen; denn nur die können bestehen, die nach Gottes Geboten leben und dem Glauben an Jesus treu bleiben.«

[13] Dann hörte ich eine Stimme vom Himmel, die mich aufforderte: »Schreib: Ab jetzt kann sich jeder freuen, der im Vertrauen auf den Herrn stirbt!« »Ja«, antwortete der Geist, »sie dürfen von ihrer Arbeit und ihrem Leiden ausruhen. Der Lohn für all ihre Mühe ist ihnen gewiss!«

Gottes Ernte

[14] Danach sah ich eine weiße Wolke. Darauf saß einer, der wie ein Mensch aussah. Er trug eine goldene Krone auf dem Kopf und hielt in der Hand eine scharfe Sichel. [15] Nun kam ein Engel aus dem Tempel und rief ihm zu: »Nimm deine Sichel, und fang an zu ernten! Denn die Erntezeit ist gekommen, und die Erde ist reif dafür.« [16] Und der auf der Wolke saß, schwang seine Sichel über die Erde, und die Ernte wurde eingebracht. [17] Ein anderer Engel trat aus dem Tempel im Himmel. Auch er hatte eine scharfe Sichel. [18] Dazu kam noch ein Engel vom Altar, der Gewalt über das Feuer hatte. Er rief dem Engel mit der Sichel zu: »Nimm deine scharfe Sichel, und schneide die Trauben vom Weinstock der Erde; sie sind reif.« [19] Da schleuderte der Engel seine Sichel auf die Erde und erntete die Trauben. Er warf sie in die große Weinpresse des Zornes Gottes. [20] Draußen vor der Stadt wurde der Saft aus den Trauben gekeltert. Ein riesiger Blutstrom ergoss sich aus der Weinpresse: dreihundert Kilometer weit und so hoch, dass er den Pferden bis an die Zügel reichte.

Die sieben letzten Katastrophen

15 Danach sah ich am Himmel eine andere große und gewaltige Erscheinung: Sieben Engel waren dort, und jeder brachte eine neue Katastrophe auf die Erde. Erst damit sollte Gottes Gericht zu Ende gehen. [2] Ich sah so etwas wie ein Meer, durchsichtig wie Glas und leuchtend wie Feuer. An seinem Ufer standen alle, die Sieger geblieben waren über das Tier, die seine Statue nicht angebetet und die Zahl seines Namens nicht angenommen hatten[a]. In ihren Händen hielten sie Harfen, die Gott ihnen gegeben hatte. [3] Sie sangen das Siegeslied, das schon Mose, der Diener Gottes, gesungen hatte, und das Lied des Lammes:

»Groß und wunderbar sind deine Taten, Herr, du allmächtiger Gott! Gerecht und zuverlässig sind deine Wege, du König aller Völker!

[4] Wer sollte dich, Herr, nicht anerkennen, und wer deinen Namen nicht rühmen und ehren? Nur du allein bist heilig! Alle Völker werden kommen und dich anbeten, denn alle werden deine Gerechtigkeit erkennen!«

[5] Dann sah ich, wie im Himmel der Tempel, das heilige Zelt, weit geöffnet wurde. [6] Aus dem Tempel kamen die sieben Engel, die sieben Katastrophen über die Erde bringen sollten. Sie trugen strahlend weiße Leinengewänder und ein goldenes Band um die Brust. [7] Eine von den vier mächtigen Gestalten gab den sieben Engeln sieben goldene Schalen. Jede von ihnen war gefüllt mit dem Zorn des Gottes, der ewig lebt. [8] Die Wolke der Herrlichkeit und Macht Gottes erfüllte den Tempel. Und niemand konnte

---

[a] Vgl. Kapitel 13,15–18

14,11 19,3 **14,12** 13,10 **14,13** Phil 1,23; Hebr 4,9–10 **14,14** 1,13; Dan 7,13 **14,15** Joel 4,13 **14,19–20** 19,15; Jes 63,1–6 **15,1** 16,1 **15,2** 4,6; 13,14–16 **15,3** 2 Mo 15,1–18; Ps 111,2; 145,17 **15,4** Jes 45,22–24* **15,5** 11,19 **15,7** 4,6 **15,8** 2 Mo 40,34–35; 1 Kön 8,10–11; Hes 44,4

den Tempel betreten, bevor die sieben Engel die sieben Katastrophen zum Abschluss gebracht hatten.

Die Schalen mit dem Zorn Gottes

16 Jetzt hörte ich, wie eine gewaltige Stimme aus dem Tempel den sieben Engeln zurief: »Geht und überschüttet die Erde mit den sieben Schalen des Zornes Gottes.«

[2] Da ging der erste Engel und goss seine Schale auf die Erde. Sofort bildeten sich bösartige und schmerzhafte Geschwüre bei allen Menschen, die das Zeichen des Tieres trugen und seine Statue angebetet hatten. [3] Der zweite Engel goss seine Schale in das Meer. Da wurde das Wasser zu Blut. Es war wie das Blut von einem Toten. Und alle Lebewesen im Meer verendeten.

[4] Der dritte Engel goss seine Schale über die Flüsse und Quellen. Alles wurde zu Blut. [5] Dabei hörte ich, wie der Engel, der über das Wasser herrscht, sagte: »Du hast dein Urteil gesprochen, du heiliger Gott, der du bist und immer warst. Dein Urteil ist richtig und gerecht. [6] Sie haben alle getötet, die an dich glaubten, und sie haben das Blut deiner Propheten vergossen. Deshalb hast du ihnen dieses Blut zu trinken gegeben. Das haben sie verdient!« [7] Und ich hörte, wie eine Stimme vom Altar her sagte: »Ja, Herr, du allmächtiger Gott! Deine Urteile sind wahr und gerecht.« [8] Dann goss der vierte Engel seine Schale über die Sonne. Von nun an quälte sie die Menschen mit ihrem Feuer. [9] Alle Menschen litten unter der sengenden Glut. Doch keiner kehrte um und erkannte Gott als den Herrn an. Sie verfluchten vielmehr seinen Namen und lehnten sich weiter gegen ihn auf, der sie mit solch schrecklichen Katastrophen heimsuchte. [10] Der fünfte Engel schüttete seine Schale über dem Thron des Tieres aus. Da versank das Reich des Tieres in tiefste Finsternis. Die Menschen dort zerbissen sich vor Schmerzen die Zunge. [11] Aber auch sie bereuten nichts und kehrten nicht um, sondern verfluchten Gott, weil sie solche Schmerzen und qualvollen Geschwüre ertragen mussten.

[12] Der sechste Engel goss seine Schale in den großen Fluss, den Euphrat. Der Fluss trocknete aus, so dass die Könige aus dem Osten ungehindert mit ihren Armeen in das Land eindringen konnten. [13] Ich sah, wie aus dem Maul des Drachen, des Tieres und des falschen Propheten drei unreine Geister krochen, die wie Frösche aussahen. [14] Es sind dämonische Geister, die Wunder vollbringen und die Herrscher dieser Erde für sich gewinnen wollen. Alle sollen sich mit ihnen zum Kampf gegen den allmächtigen Gott verbünden, wenn der große Tag der Entscheidung kommt.

[15] »Doch vergiss nicht«, sagt Christus, »ich komme plötzlich und unerwartet wie ein Dieb! Nur wer wach bleibt und bereit ist, wird an diesem Tag glücklich sein. Nur wer seine Kleider griffbereit hat, muss dann nicht nackt umherlaufen und sich schämen.«

[16] Die dämonischen Geister versammelten die Heere der Welt an dem Ort, der auf Hebräisch »Harmagedon« heißt.

[17] Der siebte Engel schüttete seine Schale in die Luft. Da erklang vom Thron des Tempels im Himmel eine gewaltige Stimme: »Es ist geschehen!« [18] Blitze zuckten über den Himmel, der Donner krachte, und gewaltige Stimmen dröhnten. Die Erde bebte so heftig wie noch nie seit Menschengedenken. [19] Die große Stadt Babylon zerbrach in drei Teile, und die Städte der Welt sanken in Trümmer. Gott hatte Babylon und ihre Sünden nicht vergessen. Nun musste auch sie den Kelch, der mit Gottes Zorn gefüllt ist, bis zur bitteren Neige leeren. [20] Die Inseln versanken, und die Berge stürzten in sich zusammen. [21] Riesige zentner-

---

16,1 15,1 **16,2** 13,14–16; 2 Mo 9,10 **16,3–4** 8,8–9; 2 Mo 7,17–21 **16,6** 18,24; Ps 79,10; Jes 49,26 **16,7** 19,2 **16,9** 9,20–21 **16,10** 13,1–2; 2 Mo 10,21–22 **16,12** 9,14–16; Jes 44,27 **16,13** 12,3; 13,1.11 **16,14** 13,13; 19,19 **16,15** 3,3; Mt 24,43–44 **16,19** 14,8.10 **16,21** 2 Mo 9,22–23; Offb 16,9.11

schwere Hagelbrocken fielen vom Himmel auf die Menschen. Sie verfluchten Gott wegen dieser furchtbaren Katastrophe.

Babylon – die große Hure

17 Nun kam einer von den sieben Engeln, die sieben Schalen erhalten hatten, zu mir und sagte: »Komm mit, ich will dir zeigen, wie Gott die große Hure straft, die an den vielen Wasserläufen so sicher thront. [2] Die Mächtigen dieser Welt haben sich mit ihr eingelassen. Alle Menschen waren berauscht von dem Wein der Verführung, den sie ihnen eingoss.«

[3] Jetzt nahm mich der Engel und versetzte mich im Geist in die Wüste. Dort sah ich eine Frau auf einem grellroten Tier, das sieben Köpfe und zehn Hörner hatte. Es war überall beschrieben mit Beleidigungen Gottes. [4] Die Frau trug purpur- und scharlachrote Kleider, dazu kostbaren, goldenen Schmuck mit wertvollen Edelsteinen und Perlen. In ihrer Hand hielt sie einen Becher aus Gold, der bis an den Rand gefüllt war mit ihrer Bosheit, ihrer Verführung und ihrem Götzendienst. [5] Auf ihrer Stirn stand ein geheimnisvoller Name: »Die große Babylon, die Mutter aller Verführung und allen Götzendienstes auf der Erde!« [6] Und ich sah, wie sie sich berauschte an dem Blut all der Menschen, die Gott gehörten und getötet wurden, weil sie Jesus die Treue hielten. Ich war tief erschüttert von all dem, was ich sah. [7] »Warum bist du so fassungslos?«, fragte mich der Engel. »Ich will dir erklären, wer diese Frau ist und was das Tier mit den sieben Köpfen und den zehn Hörnern bedeutet, auf dem sie sitzt. [8] Das Tier, das du gesehen hast, war einmal da, auch wenn es jetzt verschwunden ist. Aber es wird aus dem Abgrund aufsteigen, und dann führt sein Weg in den endgültigen Untergang. Und den Menschen auf der Erde, deren Namen nicht schon seit Beginn der Welt im Buch des Lebens stehen, wird es beim Anblick dieses Tieres die Sprache verschlagen. Sie werden sich wundern, dass es zuerst da war, dann verschwand und plötzlich wieder auftauchte.

[9] Um das zu begreifen, ist Weisheit und Verständnis nötig: Die sieben Köpfe bedeuten sieben Hügel, von denen aus die Frau ihre Macht ausübt. Zugleich sind sie auch ein Bild für sieben Könige. [10] Fünf von ihnen sind schon gefallen. Der sechste regiert jetzt, und der siebte wird noch kommen. Aber seine Regierungszeit wird nur kurz sein. [11] Das Tier, das früher da war und jetzt nicht da ist, dieses Tier ist ein achter König; und er gehört zu den sieben anderen. Auch sein Weg führt in den Untergang.

[12] Die zehn Hörner, die du gesehen hast, bedeuten zehn Könige, die noch nicht an die Macht gekommen sind. Aber wie Könige werden sie mit dem Tier herrschen, wenn auch nur für kurze Zeit[a]. [13] Sie ziehen an einem Strang, haben ein gemeinsames Ziel und stellen sich mit ihrer Macht und ihrem Einfluss dem Tier zur Verfügung. [14] Gemeinsam werden sie gegen das Lamm kämpfen. Aber das Lamm wird sie besiegen. Denn es ist der Herr über alle Herren, der König über alle Könige. Und mit ihm siegen alle, die von ihm berufen und auserwählt wurden und ihm treu sind.«

[15] Weiter sprach der Engel zu mir: »Die Wasserläufe, die du gesehen hast und an denen die Hure sitzt, sind ein Bild für die Völker aller Rassen, Nationen und Sprachen. [16] Das Tier und seine zehn Hörner, die du auch gesehen hast, werden die Hure hassen. Sie werden sie völlig ausplündern, so dass sie nackt und bloß dasteht. Ihr Fleisch werden sie fressen und alles andere im Feuer verbrennen. [17] Damit aber erfüllen sie nur die Absicht Gottes. Er sorgt dafür, dass sie alles gemeinsam

---

[a] Wörtlich: für eine Stunde.

17,1 16,1; Jer 51,13 **17,2** 14,8; 18,3 **17,3** 13,1–2 **17,4** 18,16 **17,6** 18,24 **17,8** 13,8* **17,9** 13,18 **17,12** Dan 7,24 **17,14** 19,17–21 **17,16** 18,8

tun und ihre ganze Macht und ihren ganzen Einfluss dem Tier überlassen, bis alles erfüllt ist, was Gott gesagt hat. [18]Die Frau, die du gesehen hast, ist die große Stadt, die über alle Könige der Erde herrscht.«

Das Ende Babylons

18 Danach sah ich, wie ein anderer Engel vom Himmel herabkam. Er hatte besondere Macht, und von seinem Glanz erstrahlte die ganze Erde. [2]Mit gewaltiger Stimme rief er: »Gefallen ist Babylon, die große Stadt! Ja, sie ist gefallen! Dämonen und böse Geister hausen jetzt dort, in ihren Ruinen leben abscheuliche Vögel, die als unrein gelten. [3]Alle Völker haben sich mit ihrem Wein der Verführung betrunken. Sie konnten gar nicht genug bekommen! Auch die Herrscher dieser Erde haben sich mit ihr eingelassen. Und durch ihren Reichtum sind die Händler auf der ganzen Welt reich geworden.«

[4]Dann hörte ich eine andere Stimme vom Himmel her rufen: »Verlass diese Stadt, du mein Volk! Sonst wirst du mit hineingezogen in ihre Sünden, und dann wird Gottes Gericht auch dich treffen. [5]Denn ihre Sünden reichen bis an den Himmel. Aber Gott hat nicht eine einzige ihrer Schandtaten vergessen. [6]Gebt ihr zurück, was sie euch angetan hat. Ja, zahlt es ihr doppelt heim! Gab sie euch *einen* Kelch ihres Weines zu trinken, so schenkt ihr doppelt ein! [7]So wie sie einst in Saus und Braus gelebt hat, soll sie jetzt Qual und Leid ertragen. Insgeheim denkt sie noch: ›Ich bin Königin und werde weiter herrschen. Ich bin keine hilflose Witwe; Not und Trauer werde ich niemals erfahren. Ich doch nicht!‹ [8]Aber an einem einzigen Tag wird alles über sie hereinbrechen: Hunger, Trauer und Tod. Im Feuer wird sie verbrennen. Denn Gott, der Herr, der mit ihr abrechnet, ist stark und mächtig.

[9]All die Mächtigen der Erde, die ihr nachgelaufen sind und sich mit ihr eingelassen haben, werden jammern und klagen, wenn sie den Rauch der brennenden Stadt sehen. [10]Zitternd vor Angst werden sie aus großer Entfernung alles mit ansehen und laut schreien: ›Ach, Babylon! Du großes, du starkes Babylon! Von einem Augenblick zum anderen ist das Gericht über dich hereingebrochen!‹

[11]Auch die Kaufleute der Erde weinen und trauern; denn niemand kauft mehr ihre Waren: [12]all das Gold und Silber, die Edelsteine und Perlen, feine Leinwand, Seide, purpur- und scharlachrote Stoffe; edle Hölzer, Gefäße aus Elfenbein, kostbare Schnitzereien, Kupfer, Eisen und Marmor; [13]Zimt, duftende Salben, Räucherwerk, Myrrhe und Weihrauch, Wein und Olivenöl, feinstes Mehl und Weizen, Rinder und Schafe, Pferde und Wagen, ja sogar Menschen. [14]Auch die Früchte, die du so sehr liebtest, gibt es nicht mehr. Aller Glanz und alle Pracht sind dahin. Nie mehr wird dieser Reichtum wiederkehren.

[15]So werden die Kaufleute, die durch ihren Handel mit Babylon reich geworden sind, alles von ferne mit ansehen, weil sie Angst haben vor den Qualen dieser Stadt. Weinend und jammernd [16]werden sie rufen: ›Welch ein Elend hat dich getroffen, du mächtige Stadt! Wo sind all deine Schätze, die kostbare Leinwand, die Purpur- und Scharlachstoffe? Du strahltest doch in goldenem Glanz und warst geschmückt mit Gold, Edelsteinen und Perlen! [17]Und in einem Augenblick ist alles vernichtet!‹

Auch Kapitäne und Steuermänner mit ihren Schiffsbesatzungen schauten von weitem zu. [18]Als sie den Rauch der brennenden Stadt sahen, riefen sie: ›Was auf der Welt konnte man mit dieser Stadt vergleichen?‹ [19]In ihrer Trauer streuten sie sich Staub auf den Kopf und klagten laut weinend: ›Welch ein Jammer um diese mächtige Stadt! Durch ihre Schätze

---

18,1 17,1 **18,2** Jes 21,9 **18,3** 17,2 **18,4** 1 Mo 19,12–13; Jes 48,20; Jer 51,6; 2 Kor 6,17 **18,5** 1 Mo 18,20–21 **18,6** Ps 137,8; Jer 50,15.29 **18,7–8** Jes 49,7–9 **18,16** 17,4

sind alle reich geworden, die Schiffe auf dem Meer haben. Und so schnell ist sie nun zerstört worden!‹

[20] Doch du, Himmel, freu dich darüber! Freut euch, die ihr Gott vertraut! Freut euch, ihr Apostel und Propheten! Gott hat sein Urteil an ihr vollstreckt für alles Unrecht, das ihr erleiden musstet.«

[21] Dann hob ein mächtiger Engel einen Stein auf, so groß wie ein Mühlstein. Den warf er ins Meer und rief: »So wie dieser Stein wird auch das große Babylon untergehen. Nichts wird davon übrig bleiben. [22] Nie wieder wird dort Musik erklingen: keine Harfen, keine Sänger, weder Flöten noch Trompeten. Nie mehr wird ein Handwerker in dieser Stadt arbeiten, und ihre Getreidemühlen werden für immer stillstehen. [23] Alle Lichter werden verlöschen, und die fröhlichen Hochzeitsfeste sind für alle Zeiten vorbei.

Du hattest die besten Kaufleute, sie beherrschten die ganze Erde. Durch deine Zauberei hast du alle Völker verführt. [24] Du bist schuldig am Tod der Propheten und der Menschen, die zu Gott gehörten. Ja, du bist verantwortlich für den Tod aller Menschen, die auf der Erde umgebracht wurden.«

Siegesjubel im Himmel

19 Da hörte ich im Himmel viele Stimmen wie von einer großen Menschenmenge. Sie riefen:

»Halleluja! Lobt den Herrn! In ihm allein ist alles Heil, ihm gehören alle Herrlichkeit und Macht!

[2] Er ist der unbestechliche und gerechte Richter. Denn er hat sein Urteil über die große Hure vollstreckt, die mit ihrem verlockenden Zauber[a] die ganze Welt verführte. Für das Blut seiner Diener, das sie vergossen hatte, zog er sie zur Rechenschaft.«

[3] Immer wieder riefen sie: »Halleluja! Lobt den Herrn! Für alle Zeiten wird der Rauch dieser brennenden Stadt zum Himmel aufsteigen.« [4] Da fielen die vierundzwanzig Ältesten und die vier mächtigen Gestalten vor dem Thron Gottes nieder. Sie beteten Gott an und riefen laut: »Amen! Lobt den Herrn. Halleluja!«

[5] Jetzt erklang vom Thron eine Stimme: »Rühmt unseren Gott! Alle, ob groß oder klein, die ihr zu ihm gehört und ihm dient!«

[6] Und wieder hörte ich viele Stimmen wie von einer großen Menschenmenge: mächtig wie Wassermassen, die zu Tal stürzen, und wie das Grollen des Donners. Sie riefen:

»Halleluja! Lobt den Herrn! Denn der allmächtige Gott, unser Herr, hat seine Herrschaft angetreten.

[7] Wir wollen uns darüber freuen, jubeln und Gott ehren. Jetzt ist der große Hochzeitstag des Lammes gekommen; seine Braut ist bereit!

[8] In feines, strahlend weißes Leinen durfte sie sich kleiden.« Das Leinen ist ein Bild für die gerechten Taten der Menschen, die zu Gott gehören.

[9] Dann befahl mir der Engel: »Schreib: ›Glücklich, wer zum Hochzeitsfest des Lammes eingeladen ist!‹« Und er fügte hinzu: »Gott selber hat das gesagt, und seine Worte sind zuverlässig!« [10] Da fiel ich vor dem Engel nieder und wollte ihn anbeten. Aber er wehrte ab und sagte: »Nein, tu das nicht! Ich bin nichts anderes als du und deine Brüder, ein Diener, der von Jesus beauftragt wurde. Bete allein Gott an! Wenn wir die Botschaft von Jesus verkünden, dann schenkt uns sein Geist prophetische Worte.«

Der Reiter auf dem weißen Pferd

[11] Da öffnete sich der Himmel vor meinen Augen, und ich sah ein weißes Pferd. Der

---

[a] Wörtlich: mit ihrer Hurerei.

18,20 Jer 51,48 **18,21** Jer 51,63–64 **18,22** Jes 24,8; Jer 25,10 **18,24** 17,6; 19,2; Ps 79,10 **19,2** 6,10; 17,6 **19,3** 14,11 **19,4** 4,4.6; 5,14 **19,7** 21,2.9; Mt 22,2 **19,8** 3,4–5.18; 4,4; 6,11; 7,9.13–14; 15,6; 16,15; 19,14 **19,9** Lk 14,15; Jes 25,6 **19,10** 22,8–9; Apg 10,25–26; 14,15 **19,11** 6,2; 3,14

darauf saß, heißt: »der Treue und Wahrhaftige«. Es ist der gerechte Richter, der für die Gerechtigkeit kämpft! [12]Seine Augen leuchteten wie flammendes Feuer, und sein Kopf war mit vielen Kronen geschmückt. Der Reiter trug einen Namen, den nur er selber kannte.

[13]Sein Gewand war voller Blut, und man nannte ihn: »Das Wort Gottes.« [14]Die Heere des Himmels folgten ihm auf weißen Pferden. Sie alle trugen Gewänder aus reinem, strahlend weißem Leinen. [15]Aus dem Mund des Reiters kam ein scharfes Schwert, mit dem er die Völker besiegt. Er wird sie mit eiserner Strenge regieren. Und wie beim Keltern der Saft aus den Trauben gepresst wird, so wird er sie zertreten, und sie werden den furchtbaren Zorn des allmächtigen Gottes zu spüren bekommen. [16]Auf seinem Gewand, an der Hüfte, stand der Name: »König über alle Könige! Herr über alle Herren!«

[17]Dann sah ich einen Engel, umstrahlt vom Sonnenlicht. Mit lauter Stimme rief er allen Vögeln zu, die am Himmel flogen: »Kommt her! Versammelt euch zum großen Schlachtfest Gottes. [18]Stürzt euch auf das Fleisch der Könige, der Heerführer und aller Mächtigen dieser Erde. Fresst das Fleisch der Pferde und ihrer Reiter, das Fleisch der Herren und der Sklaven, der Großen und der Kleinen.«

[19]Und ich sah das Tier und die Herrscher der Erde. Mit ihren Armeen waren sie angetreten, um gegen den Reiter auf dem weißen Pferd und gegen sein Heer zu kämpfen. [20]Doch das Tier wurde ergriffen und mit ihm der Lügenprophet. Der hatte im Auftrag des Tieres die Wunder getan und damit alle verführt, die das Zeichen des Tieres angenommen und seine Statue angebetet hatten. Bei lebendigem Leib wurden beide – das Tier und der Lügenprophet – in einen See voller brennendem Schwefel geworfen. [21]Die anderen wurden mit dem Schwert getötet, das aus dem Mund des Reiters auf dem weißen Pferd kam. Und alle Vögel fraßen sich satt an ihrem Fleisch.

Die tausendjährige Herrschaft

20 Danach sah ich einen Engel vom Himmel herabkommen. In seiner Hand hielt er den Schlüssel zum Abgrund und eine schwere Kette. [2]Er ergriff den Drachen, die alte Schlange – sie ist nichts anderes als der Teufel oder Satan –, und legte ihn für tausend Jahre in Fesseln. [3]Der Engel warf ihn in den Abgrund, verschloss den Eingang und versiegelte ihn. Nun konnte der Satan die Völker nicht mehr verführen, bis die tausend Jahre vorüber waren. Nach dieser Zeit muss er noch einmal für kurze Zeit freigelassen werden.

[4]Und ich sah mehrere Thronsessel. Auf ihnen nahmen alle Platz, die den Auftrag hatten, über andere Gericht zu halten. Ich sah die Seelen der Menschen, die man enthauptet hatte, weil sie sich treu zu Jesus und zu Gottes Botschaft bekannt hatten. Sie hatten das Tier und seine Statue nicht angebetet, hatten sein Zeichen nicht auf ihrer Stirn oder Hand getragen. Jetzt lebten sie mit Christus und herrschten mit ihm tausend Jahre lang. [5]Dies ist die erste Auferstehung. Die anderen Toten wurden erst wieder lebendig, nachdem die tausend Jahre vorüber waren. [6]Glücklich und von Gott angenommen sind alle, die an der ersten Auferstehung teilhaben. Über sie hat der zweite Tod[a] keine Macht. Als Priester Gottes und Christi werden sie tausend Jahre mit ihm herrschen.

Der Sieg über den Satan

[7]Wenn die tausend Jahre vorüber sind, wird der Satan für kurze Zeit aus sei-

---

[a] Vgl. Verse 12–15

19,12 1,14; 3,12 **19,13** Jes 63,1–3; Joh 1,1 **19,14** 19,8* **19,15** 1,16; Ps 2,9; Joel 4,13 **19,16** 17,14 **19,17–18** Hes 39,17–20 **19,19** 16,14; 17,12–14; Ps 2,2 **19,20** 13,1–2.11–15; 2 Thess 2,8 **19,21** 1,16 **20,1** 9,1 **20,2** 12,9; 1 Mo 3,1 **20,4** 13,14–16; Mt 19,28; 1 Kor 6,2–3 **20,6** 21,8

nem Gefängnis freigelassen. [8] Dann wird er alle Völker der Welt, Gog und Magog,[a] zum Kampf anstiften und aufmarschieren lassen. So zahlreich wie der Sand am Meer werden sie sein. [9] Sie zogen herauf, überrannten die ganze Erde und umzingelten das Lager des Gottesvolkes und die geliebte Stadt Gottes. Doch da fiel Feuer vom Himmel und vernichtete die Heere des Satans. [10] Er selbst, der sie verführt hatte, wurde nun auch in den See mit brennendem Schwefel geworfen zu dem Tier und dem Lügenpropheten. Immer und ewig müssen sie dort Tag und Nacht schreckliche Qualen erleiden.

Das letzte Gericht

[11] Ich sah einen großen, weißen Thron und den, der darauf saß. Erde und Himmel konnten seinen Blick nicht ertragen, sie verschwanden im Nichts. [12] Und ich sah alle Toten vor dem Thron Gottes stehen: die Mächtigen und die Namenlosen. Nun wurden Bücher geöffnet, auch das Buch des Lebens. Über alle Menschen wurde das Urteil gesprochen, und zwar nach ihren Taten, wie sie in den Büchern beschrieben waren. [13] Das Meer gab seine Toten zurück, ebenso der Tod und sein Reich. Alle, ohne jede Ausnahme, wurden entsprechend ihren Taten gerichtet. [14] Der Tod und das ganze Totenreich wurden in den See aus Feuer geworfen. Das ist der zweite Tod. [15] Und alle, deren Namen nicht im Buch des Lebens aufgeschrieben waren, wurden ebenfalls in den Feuersee geworfen.

Die neue Welt Gottes

21 Dann sah ich einen neuen Himmel und eine neue Erde. Denn der vorige Himmel und die vorige Erde waren vergangen, und auch das Meer war nicht mehr da. [2] Ich sah, wie die Stadt Gottes, das neue Jerusalem, von Gott aus dem Himmel herabkam: festlich geschmückt wie eine Braut an ihrem Hochzeitstag. [3] Eine gewaltige Stimme hörte ich vom Thron her rufen: »Hier wird Gott mitten unter den Menschen sein! Er wird bei ihnen wohnen, und sie werden sein Volk sein. Ja, von nun an wird Gott selbst in ihrer Mitte leben. [4] Er wird alle ihre Tränen trocknen, und der Tod wird keine Macht mehr haben. Leid, Klage und Schmerzen wird es nie wieder geben; denn was einmal war, ist für immer vorbei.«

[5] Der auf dem Thron saß, sagte: »Sieh, ich schaffe alles neu!« Und mich forderte er auf: »Schreib auf, was ich dir sage, alles ist zuverlässig und wahr.« [6] Und weiter sagte er: »Alles ist in Erfüllung gegangen. Ich bin der Anfang, und ich bin das Ziel, das A und O[b]. Allen Durstigen werde ich Wasser aus der Quelle des Lebens schenken. [7] Wer durchhält und den Sieg erringt, wird dies alles besitzen. Ich werde sein Gott sein, und er wird mein Kind sein. [8] Furchtbar aber wird es denen ergehen, die mich feige verleugnen und mir den Rücken gekehrt haben, den Mördern und denen, die sexuell zügellos leben, allen, die Zauberei treiben und anderen Göttern nachlaufen, den Lügnern und Betrügern. Sie alle werden in den See aus brennendem Schwefel geworfen. Das ist der zweite, der ewige Tod.«

---

[a] Schon die Propheten des Alten Testaments haben das Erscheinen des Königs Gog angekündigt, der mit seinem Volk Magog die ganze Erde mit Krieg überziehen wird. Vgl. Hesekiel 38 und 39

[b] »A und O« stehen für Alpha und Omega, den ersten und den letzten Buchstaben des griechischen Alphabetes.

20,10 19,20 **20,11** 4,2; Mt 25,31; 2 Petr 3,10.12 **20,12** 3,5; Dan 7,10 **20,13** Joh 5,28–29 **20,14** Jes 25,8; 1 Kor 15,26.54–55 **20,15** 13,8* **21,1** 20,11; Jes 65,17; 66,22; 2 Petr 3,13 **21,2** Gal 4,26; Hebr 11,16; 12,22 **21,3** 3 Mo 26,11–12; Hes 37,27; 43,7; 2 Kor 6,16 **21,4** Jes 25,8; 35,10 **21,5** 4,2–3; Jes 43,18–19 **21,6** 1,8; Joh 7,37; Offb 22,1 **21,7** 2 Sam 7,14* **21,8** 22,15; Eph 5,5

Die neue Stadt Gottes

[9] Dann kam einer der sieben Engel, die in ihren Schalen die letzten sieben Katastrophen gebracht hatten, zu mir und sagte: »Komm, ich will dir die Braut zeigen, die Frau des Lammes!« [10] Gottes Geist ergriff mich und führte mich auf einen großen, hohen Berg. Dort zeigte er mir die heilige Stadt Jerusalem, wie sie von Gott aus dem Himmel herabkam. [11] Die Stadt erstrahlte im Glanz der Herrlichkeit Gottes. Sie leuchtete wie ein Edelstein, wie ein kristallklarer Jaspis.

[12] Die hohe und breite Mauer rund um die Stadt hatte zwölf Tore, die von zwölf Engeln bewacht wurden. An den Toren standen die Namen der zwölf Stämme Israels. [13] Auf jeder Seite – im Norden, Süden, Osten und Westen – gab es drei Tore. [14] Die Mauer ruhte auf zwölf Grundsteinen, auf denen standen die Namen der zwölf Apostel des Lammes.

[15] Der Engel, der mit mir redete, hielt in seiner Hand einen goldenen Messstab, um die Stadt, ihre Tore und Mauern auszumessen. [16] Die Stadt hatte die Form eines Vierecks und war ebenso lang wie breit. Mit seinem Messstab hatte der Engel gemessen, dass die Stadt etwa zweitausendvierhundert Kilometer[a] lang, breit und hoch ist. [17] Dann maß er auch die Mauer der Stadt. Nach unseren heutigen Maßen war sie siebzig Meter hoch[b] [18] und bestand ganz und gar aus Jaspis. Die Stadt war aus reinem Gold gebaut, klar und durchsichtig wie Glas.

[19] Die Grundsteine der Stadtmauer schmückten die verschiedensten Edelsteine. Der erste Grundstein war ein Jaspis, der zweite ein Saphir, der dritte ein Chalzedon, der vierte ein Smaragd, [20] der fünfte ein Sardonyx, der sechste ein Karneol, der siebte ein Chrysolith, der achte ein Beryll, der neunte ein Topas, der zehnte ein Chrysopras, der elfte ein Hyazinth und der zwölfte ein Amethyst. [21] Die zwölf Tore bestanden aus zwölf Perlen, jedes Tor aus einer einzigen Perle. Und die Straßen waren aus reinem Gold, klar und durchsichtig wie Glas.

[22] Nirgendwo in der Stadt sah ich einen Tempel. Ihr Tempel ist der Herr selbst, der allmächtige Gott, und mit ihm das Lamm. [23] Die Stadt braucht als Lichtquelle weder Sonne noch Mond, denn in ihr leuchtet die Herrlichkeit Gottes und das Licht des Lammes. [24] In diesem Licht werden die Völker der Erde leben, und die Herrscher der Welt werden kommen und ihre Reichtümer in die Stadt bringen. [25] Weil es keine Nacht gibt, werden die Tore niemals geschlossen; sie stehen immer offen. [26] Die Völker werden all ihre Schätze und Kostbarkeiten in die Stadt bringen. [27] Doch wer Böses tut und die Sünde liebt, wer lügt und betrügt, der darf diese Stadt niemals betreten. Nur wer im Lebensbuch des Lammes steht, wird eingelassen.

22 Nun zeigte mir der Engel den Fluss, in dem das Wasser des Lebens fließt. Er entspringt am Thron Gottes und des Lammes, und sein Wasser ist so klar wie Kristall. [2] An beiden Ufern des Flusses, der neben der großen Straße der Stadt fließt, wachsen Bäume des Lebens. Sie tragen zwölfmal im Jahr Früchte, jeden Monat aufs Neue. Mit den Blättern dieser Bäume werden die Völker geheilt. [3] In der Stadt wird nichts und niemand mehr unter dem Fluch Gottes stehen. Denn der Thron Gottes und des Lammes steht in ihr, und alle Einwohner werden Gott dienen. [4] Sie werden Gott von Angesicht zu Angesicht sehen, und seinen Namen werden sie auf ihrer Stirn tragen. [5] Dort wird es keine Nacht

---

[a] Wörtlich: zwölftausend Stadien.

[b] Wörtlich: einhundertvierundvierzig Ellen nach Menschenmaß, das auch das Maß der Engel ist.

21,9 16,1; 19,7 **21,10** 21,2; Hes 40,2 **21,11** Jes 60,1–3.19 **21,12** 7,5–8; Hes 48,30–35 **21,14** Hebr 11,10; Eph 2,20 **21,16** Hes 48,16–17 **21,18–21** Jes 54,11–12 **21,23** 22,5; Jes 60,19–20 **21,24** Jes 60,3.5 **21,25** Jes 60,11; Sach 14,7 **21,27** 22,15; 1 Kor 6,9–10; Offb 13,8* **22,1** Hes 47,1–12; Sach 14,8 **22,2** 2,7; 1 Mo 2,8–9; 3,22 **22,3** Sach 14,11; Gal 3,13 **22,4** 2 Mo 33,20; Ps 17,15; Mt 5,8 **22,5** 21,22–25; Jes 60,19; Dan 7,18.27

geben, und man braucht weder Lampen noch das Licht der Sonne. Denn Gott, der Herr, wird ihr Licht sein, und sie werden immer und ewig mit ihm herrschen.

Jesus Christus kommt

[6]Danach sprach der Engel[a] zu mir: »Diesen Worten kannst du vertrauen; sie sind zuverlässig und wahr. Gott, der Herr, dessen Geist durch den Mund der Propheten spricht, hat seinen Engel geschickt; durch ihn sollen alle, die Gott dienen, erfahren, was bald geschehen muss. [7]Jesus sagt: Macht euch bereit! Ich komme bald. Wirklich glücklich ist, wer sich an die prophetischen Worte dieses Buches hält!« [8]Dies alles habe ich, Johannes, gehört und gesehen. Ich fiel vor dem Engel, der mir alles gezeigt hatte, nieder und wollte ihn anbeten. [9]Aber er wehrte ab und sagte: »Nein, tu es nicht! Ich diene Gott ebenso wie du und deine Brüder, die Propheten, und wie all die anderen, die nach den Worten dieses Buches leben. Gott allein sollst du anbeten!« [10]Dann sagte Jesus zu mir: »Halte die prophetischen Worte nicht geheim, die du aufgeschrieben hast, denn bald wird alles in Erfüllung gehen. [11]Wer dennoch weiter Unrecht tun will, der soll es tun. Wer mit Schuld beladen bleiben will, der soll es bleiben. Doch wer ein Leben führt, wie es Gott gefällt, der soll weiterhin so leben. Und wer Gott gehört, der soll bei ihm bleiben. [12]Macht euch bereit! Ich komme schnell und unerwartet und werde jedem den verdienten Lohn geben. [13]Ich bin der Erste und der Letzte, der Anfang und das Ziel, das A und das O[b]. [14]Glücklich werden alle sein, die ihre Kleider rein gewaschen haben. Sie dürfen durch die Tore in die Stadt hineingehen und die Früchte von den Bäumen des Lebens essen. [15]Draußen vor den Toren der Stadt müssen alle Feinde Gottes bleiben: alle, die sich mit Zauberei abgeben, die sexuell zügellos leben, die Mörder, alle, die anderen Göttern nachlaufen, die gerne lügen und betrügen.

[16]Ich, Jesus, habe meinen Engel zu dir gesandt, damit du den Gemeinden alles mitteilst. Ich bin die Wurzel und der Nachkomme aus der Familie Davids. Ich bin der helle Morgenstern.«

[17]Der Geist und die Braut sagen: »Komm!« Und wer das hört, soll auch rufen: »Komm!« Wer durstig ist, der soll kommen. Jedem, der es haben möchte, wird Gott das Wasser des Lebens schenken.

[18]Wer auch immer die prophetischen Worte dieses Buches hört, den warne ich nachdrücklich: Wer diesen Worten etwas hinzufügt, dem wird Gott all das Unheil zufügen, das in diesem Buch beschrieben wurde. [19]Und wer etwas von diesen prophetischen Worten wegnimmt, dem wird Gott auch seinen Anteil an den Bäumen des Lebens und an der heiligen Stadt wegnehmen, die in diesem Buch beschrieben sind.

[20]Der alle diese Dinge bezeugt, der sagt: »Ja, ich komme bald!« Amen! Ja, komm, Herr Jesus!

[21]Möge unser Herr Jesus euch allen seine Gnade schenken!

---

a Wörtlich: Und er sprach zu mir.

b »A und O« stehen für Alpha und Omega, den ersten und den letzten Buchstaben des griechischen Alphabetes.

22,6–7 1,1–3 **22,8–9** 19,10 **22,10** Dan 12,4 **22,11** Hes 3,27; Dan 12,10 **22,12** 20,12–13; Röm 2,6 **22,13** 1,8; Jes 44,6* **22,14** 7,13–14; Ps 118,19–20 **22,15** 21,27; Eph 5,5 **22,16** 5,5; Jes 11,1; Lk 1,78 **22,17** Jes 55,1; Joh 7,37 **22,18–19** 5 Mo 4,2 **22,19** 2,7 **22,20** 1 Kor 16,22

[illegible]

Sacherklärungen

Abendmahl Das Abendmahl geht zurück auf die letzte Mahlzeit Jesu mit seinen Jüngern während der Passahfeier (↗Passahfest) in Jerusalem. Jesus selbst hat die Bedeutung des Abendmahls erklärt: Indem er seinen Jüngern Brot und Wein reichte, gab er ihnen Anteil an seinem Leib und Blut, als Zeichen der Besiegelung des Neuen ↗Bundes (Matthäus 26,26–30). Christen feiern dieses Mahl auch heute, um zu bezeugen, dass Jesus für unsere Sünden gelitten hat und gestorben ist (1. Korinther 11,23–26).

Abendopfer / Morgenopfer Am heiligen ↗Zelt in der Wüste, später am Heiligtum in Silo und danach am ↗Tempel in Jerusalem wurde täglich am frühen Morgen und abends vor Einbruch der Dunkelheit ein Brandopfer (↗Opfer) dargebracht (2. Mose 29,38–42).

Abib ↗Monate

Achaja bezeichnet eine römische Provinz im Gebiet des heutigen Griechenland. Die damalige Hauptstadt war Korinth.

Alabaster Gelblich schimmerndes Kalkgestein.

Allerheiligstes Der innerste Raum des heiligen Zeltes bzw. des Jerusalemer Tempels. In ihm stand die ↗Bundeslade. Das Allerheiligste hatte keine Fenster und war vom davor liegenden Raum, dem so genannten Heiligen, durch einen Vorhang abgetrennt. Am ↗Versöhnungstag durfte der Hohepriester es betreten. Er hatte die Aufgabe, das Allerheiligste, das durch die Sünde des Volkes verunreinigt und entheiligt worden war, zu reinigen, indem er den Raum mit dem Blut eines Opfertieres besprengte (3. Mose 16).

Aloe Ein wohlriechendes Harz, das man aus dem Saft des in Indien heimischen Aloebaumes gewann. Es wurde verwendet, um in Grabstätten den Leichengeruch zu überdecken. Nach jüdischer Sitte wurde der Leichnam zusammen mit Aloe und anderen wohlriechenden Stoffen in Tücher gewickelt.

Alraune Wild wachsendes Kraut aus der Familie der Nachtschattengewächse, das im Frühjahr duftende, gelbe, apfelähnliche Früchte bringt. Ihnen wurde fruchtbarkeitsfördernde Wirkung zugeschrieben.

Altar In allen Religionen des Alten Orients gab es Altäre. Sie waren Stätten der Gottesverehrung und dienten zur Darbringung verschiedener ↗Opfer. Es gab mehrere Arten von Altären: Man schüttete Erde auf, schichtete unbehauene Steine übereinander oder gebrauchte große Felsblöcke. Oft stand der Altar in der Nähe eines Heiligtums. Als das Volk Israel durch die Wüste zog, begleiteten zwei tragbare Altäre das heilige ↗Zelt: Der eine stand vor dem Heiligtum; auf ihm wurden ↗Opfer verbrannt (2. Mose 27, 1–8). Der zweite stand im heiligen Zelt und war für das Räucheropfer bestimmt (2. Mose 30,1–10). Später ließ Salomo zwei Altäre am Tempel in Jerusalem aufstellen, einen für die verschiedenen Feueropfer (2. Chronik 4,1), den anderen für das Räucheropfer (1. Könige 7,48).

Ältester Im Alten Testament werden Älteste als Vorsteher von Sippen, Ortschaften oder Stämmen erwähnt. Sie vertraten deren politische und rechtliche Interessen. In der Königszeit wurde ihr Einfluss durch die Hofbeamten zurückgedrängt. Während und nach der Zeit der Gefangenschaft der Israeliten in Babylonien (↗Verbannung) gewann das Ältestenamt wieder neue Bedeutung. Im 3./2. Jahrhundert v. Chr. übernahm dann der ↗Hohe Rat die politische und richterliche Funktion der Ältesten.

In den ersten christlichen Gemeinden wurden nach dem Vorbild des Alten Testaments Männer eingesetzt, die Leitungsaufgaben wahrnahmen.

Amen Das Wort »Amen« ist aus der hebräischen Sprache übernommen und bedeutet »gewiss«, »wahrhaftig«, »so ist es!«. In der Bibel bekräftigt das Wort »Amen« eine Aussage, einen Eid, einen Bundesschluss oder ein Gebet.

Amethyst ↗Edelsteine

Apostel Das Wort »Apostel« ist aus der griechischen Sprache übernommen und bedeutet »Gesandter«. Der Gesandte kommt im Auftrag seines Herrn und spricht in dessen Namen. Als Apostel werden zunächst die zwölf Jünger bezeichnet, die mit Jesus gelebt haben und die er selbst berufen hat (Matthäus 10,1–4). Er hat sie beauftragt, seine rettende ↗Botschaft auf der ganzen Welt zu verkünden (Matthäus 28,18–20). Später wählten die Christen in Jerusalem Matthias zum Apostel als Nachfolger von Judas, der Jesus verraten und sich das Leben genommen hatte (Apostelgeschichte 1,12–26). In den ersten christlichen Gemeinden gab es außerdem noch einige wenige Apostel, die von Jesus selbst berufen wurden. Auch Paulus betont in vielen seiner Briefe, von Christus selbst beauftragt zu sein (Römer 1,1; 1. Korinther 1,1; Galater 1,1.15–17; vgl. Apostelgeschichte 9,1–19).

Aramäisch Das Aramäische gehört zum westlichen Zweig der semitischen Sprachen. Es ist dem Hebräischen verwandt. Seit dem 9. Jahrhundert v. Chr. diente das Aramäische im neuassyrischen, neubabylonischen und persischen Reich auch als Diplomaten- und Handelssprache. Im Alten Testament sind Daniel 2,4 – 7,28 und einige Abschnitte des Buches Esra in aramäischer Sprache geschrieben. Zur Zeit Jesu sprach die Bevölkerung in Palästina einen aramäischen Dialekt.

Areopag Ein Felshügel unterhalb der Akropolis von Athen. Hier traf sich der Gerichtshof der Stadt, der über Fragen der Bildung und der Religion zu entscheiden hatte. An dieser Stelle hielt Paulus seine Rede, die in Apostelgeschichte 17,16–34 überliefert ist. Heute ist diese Rede auf einer Bronzeplatte am Areopag in Athen eingraviert.

Artemis Der Name einer Göttin, die in Griechenland verehrt wurde; die Römer nannten sie Diana. Man stellte sich vor, dass sie die Herrscherin über Wald, Feld, Sümpfe und Quellen sei. Sie wurde auch als die Göttin der menschlichen Fruchtbarkeit angesehen.

Die Artemis von Ephesus (Apostelgeschichte 19,23–40) hatte eine besondere Rolle: Sie wurde als Muttergöttin betrachtet und mit vielen Brüsten dargestellt. Ihre Statue stand in einem Tempel in Ephesus, der als eines der sieben Weltwunder galt.

Aschera Eine in Phönizien und Kanaan verehrte Fruchtbarkeitsgöttin; sie galt als Gattin ↗Baals. Grüne Bäume oder Holzpfähle wurden als Erscheinungsform der Göttin betrachtet und darum auch »Aschera« genannt. Die Verehrung dieser Göttin war oft mit sexueller Ausschweifung verbunden.

Astarte Westsemitische Fruchtbarkeitsgöttin, in Babylonien unter dem Namen Ischtar bekannt. Ihre Verehrung war mit sexueller Ausschweifung und Prostitution an besonderen Orten (»Höhenheiligtümer«) verbunden.

Auferstehung Der Tod wird schon im Alten Testament nicht als bloßes Naturereignis betrachtet, sondern gilt als Auswirkung von Gottes Zorn (Psalm 90,7–9). Doch weil Gott Macht über Leben und Tod hat, besteht auch die Hoffnung auf eine Überwindung des Todes (Jesaja 25,8).

Im Neuen Testament wird diese Hoffnung Wirklichkeit: Durch die Auferstehung Jesu von den Toten besiegt Gott den Tod und schafft neues, unzerstörbares Leben (Matthäus 28,1–10). Wer Jesus vertraut, hat bereits Anteil an diesem neuen Leben, auch wenn er noch sterben muss (Johannes 11,21–27). Der Apostel Paulus geht in seinem ersten Brief an die Korinther in einem großen Abschnitt auf Fragen zur Auferstehung ein (1. Korinther 15). Im letzten Buch der Bibel wird von der zukünftigen Auferstehung aller Menschen berichtet. Dann wird der Tod endgültig überwunden sein (Offenbarung 20,11 – 21,4).

Aussatz Ein Sammelbegriff für schwere Hauterkrankungen, die in Form von Geschwüren und Schuppen, evtl. auch in Form von Fäulnis auftraten. Der Kranke galt als unrein (↗rein / unrein) und musste sich von der Gemeinschaft der Gesunden fern halten. Von einer Behandlung Aussätziger berichtet die Bibel nichts. Wenn ein Kranker geheilt war, musste er sich dem Priester zeigen, der dieses zu bestätigen hatte (3. Mose 13–14). Als Aussatz wird auch Schimmel oder Pilzbefall an Häusern und anderen Gegenständen bezeichnet.

Baal Das Wort »Baal« bedeutet »Herr« oder »Besitzer«. Doch ist es seit dem 2. Jahrtausend v. Chr. auch der Name einer syrisch-kanaanäischen Wetter- und Fruchtbarkeitsgottheit. Mit Ortsnamen verbunden konnte Baal auch eine örtlich verehrte Gottheit bezeichnen, z. B. »Baal-Peor« (»Herr von Peor«), »Baal-Sebub« (»Herr der Fliegen«). Nach ihrer Einwanderung in Kanaan ließen die Israeliten sich immer wieder dazu verführen, außer Gott, dem Herrn und Schöpfer, auch noch Baal zu verehren (Hosea 2,9–10).

Babylon Die Hauptstadt des babylonischen Reiches, das im Vorderen Orient im 6. Jahrhundert v. Chr. die mächtigste Nation war und Nachbarvölker unterwarf. Der babylonische König Nebukadnezar II. eroberte und zerstörte 587/6 v. Chr. Jerusalem und verschleppte die Israeliten nach Babylonien (↗Verbannung). Im Neuen Testament wurde der Name der Stadt Babylon zum Symbol der Menschen und Mächte, die sich gegen Gott auflehnen (Offenbarung 17).

Balsam Ein aromatisches Harz; es wurde als Salbe zur Schönheitspflege, Wundbehandlung oder Balsamierung von Toten verwendet. Ein besonders kostbares Balsamharz ist das Bedellion.

Bedellion ↗Balsam

Bel Name oder Titel der babylonischen Hauptgottheit Marduk.

Beryll ↗Edelsteine

Beschneidung Die Beschneidung, d. h. die Abtrennung der Vorhaut am männlichen Glied, wurde nicht nur im Volk Israel durchgeführt. Auch einige Nachbarvölker Israels kannten sie. Für Israel war sie das Zeichen des Bundes zwischen Gott und seinem Volk (1. Mose 17,10–14). Die Beschneidung sollte beim neugeborenen Kind am 8. Tag vollzogen werden.

Im Neuen Testament vertraten einige Judenchristen die Auffassung, dass Nichtjuden, die Christen werden wollten, sich vorher beschneiden lassen und so Glieder des jüdischen Bundesvolkes werden sollten. Auf dem Apostelkonzil in Jerusalem wurde dies von Petrus, Paulus und Jakobus abgelehnt: Wer zum Neuen ↗Bund gehören wollte, musste nicht zuvor die Gesetze Israels erfüllen (Apostelgeschichte 15).

Blut Dem Blut kommt im Alten Testament eine besondere Bedeutung zu: »Im Blut ist das Leben« (5. Mose 12,23). Deshalb durfte es nicht verzehrt werden, ebenso wenig das Fleisch von Tieren, die bei der Schlachtung nicht ausgeblutet waren. Blut durfte nur im Zusammenhang mit dem Opferdienst verwendet werden. Das Blut der Opfertiere bewirkte ↗Sühne für die Sünde der Menschen, es stellte die Gemeinschaft mit Gott wieder her (3. Mose 5,5–10).

Von daher wird deutlich, welche Bedeutung das Blut Christi im Neuen Testament hat: War der Bund des Volkes Israel auf das Blut von Opfertieren angewiesen, so wurde der Neue Bund gestiftet durch das Blut Jesu. Es hat reinigende und sühnende Kraft (Epheser 1,7). Dass Gott Menschen vergibt, ist möglich durch das Kreuz, an dem das Blut Jesu vergossen wurde. Dies wird besonders im Hebräerbrief hervorgehoben (Hebräer 9,12).

Blutrache Sie wird im Alten Testament auf die Weisung Gottes an Noah zurückgeführt: »Wer einen Menschen tötet, darf selbst nicht am Leben bleiben; er soll hingerichtet werden. Denn ich

habe den Menschen als mein Ebenbild geschaffen« (1. Mose 9,6). Ein Mord durfte nicht ungestraft bleiben, wenn der Mörder bekannt war. Der nächste männliche Verwandte des Ermordeten hatte die Pflicht, den Täter zu töten und so den Mord zu rächen (4. Mose 35,16–18). In einer Stammesgesellschaft ohne zentrale staatliche Rechtsinstanz diente das Gesetz der Blutrache dazu, ein wahlloses Töten von Angehörigen des Mörders zu vermeiden. Um die Blutrache einzudämmen und Menschen zu schützen, die versehentlich jemanden getötet hatten, wurden in Israel Zufluchtsstädte eingerichtet (4. Mose 35,10–13).
In der Bergpredigt wendet Jesus sich gegen jede Form von Rache (Matthäus 5,38–48). Auch der Apostel Paulus fordert die Christen dazu auf, das Böse durch das Gute zu besiegen (Römer 12,17–21).

Botschaft, rettende Die rettende Botschaft spricht von dem, was Jesus Christus getan hat: Gottes Sohn kam als Mensch in diese Welt, um uns durch seinen Tod am Kreuz und durch seine Auferstehung von unserer Schuld zu befreien. Jesus selbst hat diese Botschaft den Menschen in Israel, die sich um ihn versammelten, verkündet und viele Kranke geheilt (Matthäus 9,35). Er hat auch seine Jünger mit der Weitergabe der rettenden Botschaft beauftragt (Matthäus 10,1–8). Der Apostel Paulus wurde von Gott dazu berufen, den nichtjüdischen Völkern die Botschaft von Jesus Christus zu verkünden (Galater 2,7).

Brautpreis Eine Zahlung, die der Vater des Bräutigams oder dieser selbst dem Vater der Braut zu entrichten hatte. Sie konnte in Geld, Edelmetallen oder als Arbeitsleistung erfolgen (1. Mose 34,11–12). Der Brautpreis ist nicht als Kaufpreis zu verstehen, sondern einerseits als Gegenleistung zur Mitgift der Brauteltern und andererseits als Sicherheit im Falle einer Scheidung. Er zeigt, dass die Ehe im Alten Testament als öffentliche, rechtliche Beziehung betrachtet wurde.

Bund Der Bund ist ein Rechtsverhältnis zwischen zwei Parteien und beinhaltet gegenseitige Verpflichtungen. Weil Gott beim Schließen eines Bundes als Zeuge angerufen wurde, galt jede Übertretung als Sünde gegen Gott.
Auf dem Berg Sinai schloss Gott selbst einen Bund mit Israel (2. Mose 24). Obwohl Israel sich oft aus der Gemeinschaft und der Beziehung mit Gott entfernte, erneuerte er immer wieder seinen Bund. Die Propheten kündigten an, dass Gott einen neuen Bund schließen werde (Jeremia 31, 31–34), der dann in Jesus Christus Wirklichkeit geworden ist. Durch seinen Tod hat er den Neuen Bund eingesetzt. Nun gilt dieser Bund nicht mehr Israel allein, sondern allen, die Jesus Christus vertrauen (Hebräer 12,24).

Bundeslade Ein Kasten aus Akazienholz, der mit Gold überzogen war. An den Seiten waren Ringe befestigt, durch die Tragstangen geschoben wurden. Der Deckel bestand aus einer Goldplatte, an deren Stirnseiten je eine Engelfigur aufragte (2. Mose 25,10–22).
In der Lade wurden die Tafeln mit dem Bundesgesetz aufbewahrt. Während der Wüstenwanderung führten die Israeliten die Bundeslade mit sich als ein sichtbares Zeichen der Gegenwart Gottes. Nachdem die Israeliten das Land Kanaan eingenommen hatten, stand sie längere Zeit in Silo. David ließ sie später nach Jerusalem überführen (2. Samuel 6), wo sie unter der Herrschaft Salomos einen Platz im ↗Allerheiligsten des Tempels bekam. Die Bundeslade ist möglicherweise bei der Eroberung Jerusalems durch Nebukadnezar 587/6 v. Chr. zerstört worden.

Chalzedon ↗Edelsteine

Cherub-Engel Engelwesen, die bewachen und schützen (1. Mose 3,24; Psalm 99,1). Sie werden im Unterschied zu anderen Engeln mit Flügeln dargestellt. Die beiden Engelfiguren

an der ↗Bundeslade waren als Cherub-Engel gestaltet.

Christus Das griechische Wort Christus bedeutet wie das hebräische Wort Messias »Gesalbter«. In Israel wurden Könige und Priester durch eine ↗Salbung in ihr Amt eingesetzt, indem man Öl über ihren Kopf goss.
Die Propheten kündigten einen Messias an, der Priester und König in einer Person sein und dauerhaften Frieden bringen würde (Psalm 110; Jesaja 11,1–10).
Jesus von Nazareth hat durch sein Reden und Handeln gezeigt, dass er dieser im Alten Testament versprochene Messias ist. Daher trägt er auch den Namen Christus (Matthäus 11,2–6).

Chrysolith ↗Edelsteine

Chrysopras ↗Edelsteine

Dämon Die Bibel versteht unter Dämonen unsichtbare, personhafte Wesen, die sich mit dem ↗Satan gegen Gott stellen. In den Evangelien wird häufig von Menschen erzählt, die von einem bösen Geist, einem Dämon, besessen sind. Jesus hat Macht über die Dämonen und gibt auch seinen Nachfolgern Vollmacht, in seinem Namen Dämonen auszutreiben (Lukas 10,17–20).

Diakon Diakone waren zusammen mit den Gemeindeleitern für eine Gemeinde verantwortlich. Die Diakone wurden wohl in erster Linie mit praktischen Aufgaben betraut wie z.B. mit der Versorgung der Witwen und dem Tischdienst bei gemeinsamen Mahlzeiten der Gemeinde (Apostelgeschichte 6,1–7). Wer Diakon werden wollte, musste ein vorbildliches Leben führen (1. Timotheus 3,8–13).

Drache Im Alten Testament hat das hebräische Wort für »Drache« mehrere Bedeutungen: Es kann eine Schlange, ein Krokodil oder auch ein gefräßiges Tier meinen. Es symbolisiert immer einen Feind Gottes oder einen Feind des Volkes Israel. Im Neuen Testament berichtet die Offenbarung an Johannes von einem Drachen, der ein Bild für den ↗Satan ist (Offenbarung 12,9).

dreschen Das Dreschen von Getreide dient der Trennung des Korns von der Schale oder Hülse (Spreu). Auf einer Tenne, einem festen und glatten Untergrund, breitete man das Getreide aus. Dann wurde eine Walze oder ein Dreschschlitten, ein mit scharfkantigen Steinen versehenes Brett, darüber gezogen, um das Korn aus der Ähre zu lösen. Mit einer Schaufel warf man das Getreide in die Luft, damit der Wind die leichtere Spreu fortwehen konnte. So blieb nur das Weizenkorn zurück.

Edelsteine Die längste Liste von (Halb-)Edelsteinen im Alten Testament findet sich in der Beschreibung der Brusttasche des Hohenpriesters (2. Mose 28,17–20). Im Neuen Testament werden zwölf Edelsteine erwähnt, die das Fundament des himmlischen Jerusalem schmücken (Offenbarung 21,19–20). Viele der genannten Steinarten kommen in mehr als einer Farbe vor. Manche Steine lassen sich nicht genau bestimmen. Auch ist die damalige Bezeichnung nicht immer mit der heutigen deckungsgleich.
Achat: durchscheinender Halbedelstein mit verschiedenfarbigen Bändern.
Amethyst: violetter Halbedelstein.
Beryll: entspricht wohl dem ↗Chrysolith.
Chalzedon: im Altertum ein grünlicher Edelstein. Heute Bezeichnung für ein bläuliches oder weißgraues Mineral in vielen Varianten.
Chrysolith: entspricht dem heutigen Topas.
Chrysopras: wahrscheinlich eine Unterart des Chalzedon.
Hyazinth: im Altertum ein blauer Stein.
Jaspis: durchscheinender grüner Stein.
Karneol: durch Eisenoxide rot bis gelb gefärbter Schmuckstein.
Lapislazuli: blauer Schmuckstein (↗Saphir).
Nephrit: grünlich durchscheinender Stein.
Onyx: wahrscheinlich durchscheinender Achat.

Rubin: roter Edelstein.
Saphir: die antike Bezeichnung für Lapislazuli, ein tiefblauer, wertvoller Stein. Der heutige Saphir war im Altertum wohl unbekannt.
Sarder: roter Edelstein, eine Art Karneol.
Sardonyx: gebänderter Edelstein, eine Art Achat.
Smaragd: leuchtend grüner durchsichtiger Edelstein.
Topas: wahrscheinlich gelber Bergkristall oder Chrysolith.

Engel sind Wesen, die bei Gott leben und ihm dienen. Sie sind seine Boten und begleiten Menschen in Schwierigkeiten (Psalm 91,11), sie kündigen Ereignisse an und richten Zusagen Gottes aus. Der Ausdruck »Engel des Herrn« kann entweder einen Boten Gottes bezeichnen oder an einigen Stellen auch Gott selbst, der sich in menschlicher Art und Weise offenbart (1. Mose 18,1–5.9–10). Die Bibel berichtet auch von Engeln, die sich von Gott losgesagt haben und dem ↗Satan nachfolgen (Judas 6).

Epikureer Der griechische Philosoph Epikur gründete im 4. Jahrhundert v. Chr. in Athen eine Philosophenschule. Die Epikureer hatten ein festes ethisches System, dessen höchstes Ziel ein ruhiges, ungestörtes Leben war. In die Natur und die Geschichte glaubte man nicht eingreifen zu können. Götter spielten bei ihnen keine große Rolle. Als hohes Ideal für ein gemeinsames Zusammenleben galt die Freundschaft. Paulus begegnete den Epikureern in Athen (Apostelgeschichte 17,18).

Erbe Besitz an Grund und Boden, der dem Einzelnen nur als Teil der Sippe gehörte. Darum durfte der Besitz nicht an Außenstehende verkauft werden, weil sonst die Lebensgrundlage des Sippenverbandes geschmälert würde. Der älteste Sohn erbte doppelt so viel wie jeder seiner jüngeren Brüder (5. Mose 21,15–17).
Im Neuen Testament ist der Anteil an der Auferstehung und an der neuen Welt Gottes fest zugesagter Erbbesitz der Menschen, die Christus vertrauen. Doch solange sie dieses Erbe noch nicht empfangen haben, gilt: »[Seinen] Geist hat Gott uns als ersten Anteil an unserem himmlischen Erbe gegeben. Er verbürgt uns das vollständige Erbe, die vollkommene Erlösung. Und dann werden wir Gott in seiner Herrlichkeit loben und preisen« (Epheser 1,14).

Erlassjahr In jedem 50. Jahr sollte in Israel ein allgemeiner Schuldenerlass durchgeführt werden (3. Mose 25, 8–55): Wer seinen Grund und Boden verpfändet hatte, bekam ihn wieder zurück, und wer wegen hoher Schulden zum ↗Sklaven geworden war, wurde wieder freigelassen. Begründet wurde dies mit dem Hinweis, dass nicht die Israeliten Eigentümer des Landes waren, sondern Gott, der Herr, allein (3. Mose 25,23).

Erlösung Dieses Wort bedeutet im Alten Testament so viel wie »Loskauf« oder »Freikauf«. Sklaven konnten freigekauft, Eigentum konnte wieder zurückerworben werden. Israels große Erlösung war die Rettung aus der Sklaverei in Ägypten. Als die Israeliten Ägypten verlassen hatten und Gott mit ihnen am Berg Sinai einen ↗Bund schloss, wurden sie zu Gottes Volk (2. Mose 20,2; 24,1–8).
Im Neuen Testament wird die Befreiung aus Ägypten als Bild für die Erlösung durch Jesus Christus gesehen. Durch seinen Tod am Kreuz hat er uns von unserer Schuld erlöst (Epheser 1,7). Mit der Auferstehung von den Toten und dem Leben in der neuen Welt Gottes wird die Erlösung vollkommen sein (Römer 8,20–23).

Erstgeborener Jeder älteste Sohn einer Familie und jedes erstgeborene männliche Tier waren Gott geweiht. Wenn es sich um ein Tier handelte, wurde es als Opfer Gott dargebracht. Anstelle des ältesten Sohnes wurde ein fehlerloses Tier geopfert (2. Mose 13,11–16). Der älteste Sohn hatte eine bevorzugte

Stellung innerhalb der Familie. Er war auch der Haupterbe des väterlichen Besitzes (1. Mose 25,29–34).

Essig Der in der Bibel erwähnte Essig war ein mit Wasser verdünnter saurer Wein, der gut den Durst stillte. Er war daher das bevorzugte Getränk der Arbeiter und Soldaten.

ewig / Ewigkeit bedeutet in der Bibel eine lange oder eine unbegrenzte Zeit. Meistens ist es der Ausdruck für einen nicht begrenzten Zeitraum, der sowohl in die Vergangenheit als auch in die Zukunft reicht. Gott ist ewig: Er war schon immer da und wird es auch immer sein, er ist unvergänglich (Jesaja 40,28). Das ewige Leben, von dem die Bibel redet, bedeutet ein Teilhaben an Gottes Ewigkeit und ↗Herrlichkeit. Dies beginnt damit, dass Menschen Jesus Christus kennen lernen (Johannes 17,3); es wird aber erst in Gottes neuer Welt vollendet.

Fasten heißt, aus religiösen Gründen für eine begrenzte Zeit auf Essen oder Trinken zu verzichten. Fasten kann Ausdruck eines Sündenbekenntnisses, aber auch ein Zeichen der Trauer sein (Jona 3,6–9).
Als wichtigster Fastentag galt in Israel der »Jom Kippur«, der große ↗Versöhnungstag, an dem der Priester im Heiligtum Opfer für die Sünden des ganzen Volkes darbrachte (3. Mose 16,29–31).

Fluch ↗Segen

Freiheitskämpfer gehörten zu einer jüdischen Partei, die sich aus religiösen Gründen der Unterwerfung durch die Römer widersetzte. Deshalb lehnten sie z.B. die Entrichtung von Steuern ab. Sie kämpften mit Waffengewalt für die Freiheit Israels und hofften, auf diese Weise dem ↗Messias den Weg zu bereiten. Mindestens einer der zwölf Jünger Jesu war ein ehemaliger Freiheitskämpfer (Lukas 6,15).

Friede bezeichnet zunächst Wohlbefinden, Wohlstand sowie gute mitmenschliche Beziehungen. Solcher Friede ist eine Gabe Gottes (Jesaja 48,18). Friede bedeutet dann auch ein heiles und ungestörtes Verhältnis zu Gott. Im Alten Testament hatte Gott den Menschen die Möglichkeit gegeben, durch Opfer immer wieder neu den Frieden mit ihm herzustellen. Dort findet sich aber auch die Erwartung eines vollkommenen und endgültigen Friedens (Jesaja 9,5–6). Sie erfüllt sich im Neuen Testament: »Denn Gott ist durch Christus selbst in diese Welt gekommen und hat Frieden mit ihr geschlossen, indem er den Menschen ihre Sünden nicht länger anrechnet. Gott hat uns dazu bestimmt, diese Botschaft der Versöhnung in der ganzen Welt zu verbreiten. Als Botschafter Christi fordern wir euch deshalb im Namen Gottes auf: Lasst euch mit Gott versöhnen! Wir bitten euch darum im Auftrag Christi« (2. Korinther 5,19–20).

Fronarbeit Unbezahlte Arbeit, die man seinem Herrn oder König zu leisten hatte. Zeitweise wurden große Bauvorhaben wie z.B. der Jerusalemer Tempel mit Hilfe von Fronarbeit ausgeführt, zu der jeder Bürger herangezogen werden konnte (1. Könige 5,27–31).

Gabriel Der Engel Gabriel begegnet im Alten Testament dem Propheten Daniel. Er deutet seine Visionen und erklärt ihm eine Prophetie Jeremias (Daniel 8,16; 9,21). Im Neuen Testament kündigt er die Geburt Johannes des Täufers und die Geburt Jesu an (Lukas 1,19.26).

Galbanum Ein Harz, das aus dem Milchsaft eines in Syrien, Persien und Afghanistan heimischen Strauches gewonnen wurde. Man gab es der im heiligen Zelt verwendeten Weihrauchmischung bei (2. Mose 30,34–35). Es diente im Altertum auch als Heilmittel.

Gebetsriemen Zur Zeit Jesu pflegten die Pharisäer den Brauch, vier Abschnitte aus dem Gesetz des Mose auf kleine Pergamentstücke zu schreiben. Diese wurden dann in Kapseln verschlossen und mit Riemen an die Arme und um

die Stirn gebunden. Die Pharisäer wollten damit die Anweisungen aus 5. Mose 6,8 und 11,18 wörtlich befolgen. Jesus aber machte ihnen den Vorwurf, ihre Gebetsriemen extra breit anzufertigen, um ihre Gesetzestreue zur Schau zu stellen (Matthäus 23,5).

Gedenkstein / Steinsäule Gedenksteine dienten zur Erinnerung an besondere Ereignisse (1. Mose 28,18; 31,51). Die Nachbarvölker Israels richteten Steinsäulen auf und verehrten dort ihre Götter. Gott befahl den Israeliten, sich davon fern zu halten (3. Mose 26,1).

Geist, böser ↗Dämon

Geist Gottes / Heiliger Geist Das hebräische und griechische Wort für »Geist« bedeutet ursprünglich »Wind« und »Hauch«. Es bezeichnet die schöpferische Kraft Gottes, die den Menschen Lebensatem und Lebenskraft gibt. Der Geist Gottes bewirkt Verständigkeit und Weisheit, Kraft und Mut und rüstet mit besonderen Fähigkeiten aus (Nehemia 9,20). Im Alten Testament wurde bereits angekündigt, dass Gott seinen Geist einmal seinem ganzen Volk geben werde (Joel 3,1–2).
Das Neue Testament berichtet, dass Jesus vom Geist Gottes erfüllt war und ihn allen, die an ihn glaubten und ihm gehorchten, versprach (Johannes 14,15–17). Am Pfingsttag hat sich diese Verheißung erfüllt (Apostelgeschichte 2,4). Der Heilige Geist bewegt Menschen dazu, zu Gott umzukehren und ihm zu vertrauen. Er gibt Christen die Gewissheit, dass Jesus Christus bei ihnen ist, und wirkt ein neues, verändertes Leben (Galater 5,22–23). Er stärkt sie in Zweifeln und steht ihnen in Schwierigkeiten bei. Durch den Heiligen Geist ist Jesus Christus selbst in seiner Gemeinde anwesend. Der Heilige Geist wird wie Gott und Jesus als »der Herr« bezeichnet (2. Korinther 3,17–18).

Geldwechsler Die Geldwechsler hatten im Judentum ihren festen Platz im Vorhof des Tempels. Sie tauschten die offizielle Währung gegen tyrische Schekel ein, mit denen die ↗Tempelsteuer bezahlt werden musste.

Gelübde bezeichnet ein Gott freiwillig gegebenes Versprechen. Man konnte Gott eine Gabe versprechen, wenn er eine Bitte erhören oder aus einer Not retten würde (1. Samuel 1,10–11). Ein Israelit konnte auch das Gelübde ablegen, sich selbst für eine gewisse Zeit Gott zu weihen (4. Mose 6,1–21). Da die Gelübde in jedem Fall bindend waren, wird in der Bibel vor unüberlegten Versprechen gewarnt (5. Mose 23,22–24).

Gerechtigkeit Wenn im Alten Testament von Gottes Gerechtigkeit geredet wird, steht dahinter der Gedanke an den ↗Bund Gottes mit Israel: Gott ist gerecht, indem er das Recht vorgibt, das die Grundlage des Bundes ist, und indem er sich an die Zusagen seines Bundes hält. Gottes Gerechtigkeit ist also zugleich seine Treue gegenüber den Menschen (5. Mose 32,4). Entsprechend bezieht sich die Gerechtigkeit des Menschen auf sein Verhältnis zu Gott: Gott nimmt den Menschen an, nicht weil er vollkommen ist, sondern weil er Gott vertraut und sich zu ihm hält (1. Mose 15,6).
Auch im Neuen Testament beschreibt Gerechtigkeit das rechte Verhältnis von Mensch und Gott. Dieses Verhältnis gründet sich auf den Glauben an Jesus Christus. Wer ihm vertraut, den spricht Gott von aller ↗Schuld frei, weil Jesus sie gesühnt hat: »Um unsere Schuld zu sühnen, hat Gott seinen Sohn am Kreuz für uns verbluten lassen. Das erkennen wir im Glauben, und darin zeigt sich, wie Gottes Gerechtigkeit aussieht« (Römer 3,25). Nun kann der Mensch in einer neuen, heilen Beziehung zu Gott leben. Er ist nicht aus sich selbst heraus gerecht, sondern durch den ↗Glauben an Jesus Christus.

Gericht Im Alten Testament heißt »richten« in seiner Grundbedeutung »das Recht wiederherstellen«. Wenn einem Menschen Unrecht geschehen war,

mussten die ↗Ältesten ihm in einer Gerichtsversammlung Recht verschaffen. Immer wieder griff auch Gott selbst ein, um Einzelnen oder seinem ganzen Volk zum Recht zu verhelfen (Psalm 119,84).
Weil die Menschen durch ihre ↗Sünde das Recht Gottes verletzen, fordern sie Gottes Gericht heraus. Aus dieser Lage können sie sich nicht selbst befreien. Darum hat Gott gehandelt: Er hat die Sünde der Menschen verurteilt und gerichtet, indem er Jesus am Kreuz sterben ließ (Johannes 5,24). Dadurch ist Rettung aus dem Gericht möglich für alle, die sich mit Gott versöhnen lassen. Die Bibel kennt ein letztes Gericht Gottes, in dem sich jeder Mensch vor ihm verantworten muss (Apostelgeschichte 17,31). Aus diesem Gericht wird gerettet, wer Jesus Christus vertraut.

Gesetz Das Gesetz spielte im Alten Testament eine wichtige Rolle. Es war den Israeliten durch Mose von Gott gegeben und stellte die Ordnung dar, nach der Gottes Volk leben sollte (2. Mose 19–20). Im Lauf der Geschichte wurde das Gesetz von den ↗Pharisäern und ↗Schriftgelehrten mit vielen Zusatzordnungen versehen. Dem widerspricht Jesus deutlich und stellt das Gesetz in seiner ursprünglichen Klarheit wieder her. Kein Mensch kann es vollkommen erfüllen. Das Gesetz zeigt ihm, dass er ein Sünder (↗Sünde) ist und ↗Erlösung braucht. Paulus betont, dass Menschen nicht durch die Erfüllung des Gesetzes vor Gott bestehen können. Allein durch den ↗Glauben an Jesus Christus finden sie Gottes Anerkennung (Römer 3,27–28).

Glaube Der Glaube ist im Alten Testament die Antwort des Menschen auf einen Ruf oder eine Zusage Gottes. So folgte Abraham dem Ruf Gottes, seine Heimat zu verlassen und in ein unbekanntes Land zu ziehen (1. Mose 12,4). Er glaubte der Zusage Gottes, dass er und seine Frau in ihrem hohen Alter noch einen Sohn bekommen würden (1. Mose 15,1–6). Glauben bedeutet also nicht nur ein Für-wahr-Halten, dass es Gott gibt, sondern die vertrauensvolle Zuwendung zu ihm.
Dies gilt auch für das Neue Testament: Wer glaubt, hat erkannt, dass Jesus der ↗Christus ist, der im Alten Testament angekündigte Retter (Matthäus 16, 13–17). Er schenkt Jesus sein Vertrauen und lässt sein Leben von ihm bestimmen. Paulus betont, dass die Rettung und die Befreiung von ↗Schuld nicht durch das Erfüllen des ↗Gesetzes zu erreichen sind, sondern allein durch das Vertrauen auf Jesus Christus (Römer 1,16–17).

Gleichnis Eine kurze Erzählung, die anhand einer alltäglichen Situation eine Botschaft an die Hörer weitergeben will. Das Gleichnis greift Bilder des täglichen Lebens auf und nimmt dabei oft eine überraschende Wendung.
Wenn Jesus über die neue ↗Welt Gottes sprach, verwendete er häufig Gleichnisse, um seine Zuhörer zu einer eigenen Stellungnahme herauszufordern (Matthäus 13,2–3).

Gnade Im Alten Testament wird der Begriff Gnade in verschiedenen Bedeutungen gebraucht. Zum einen bezeichnet er die Hilfe und Zuwendung Gottes gegenüber seinem Volk, das durch den ↗Bund zu ihm gehört (Jesaja 63,7). Zum anderen bedeutet Gnade das unverdiente Erbarmen Gottes (Psalm 40,12). Diese zweite Bedeutung liegt meistens vor, wenn im Neuen Testament von Gnade gesprochen wird: Durch die Erfüllung des ↗Gesetzes kann man Gottes Anerkennung nicht erlangen. Dass Gott dem Menschen Rettung aus dem ↗Gericht anbietet und der Mensch diese im ↗Glauben annehmen kann, ist allein Gottes unverdientes Geschenk. Die Gnade steht im Gegensatz zur Erfüllung des Gesetzes: Was der Mensch nicht leisten kann, wird ihm durch Gottes Gnade gegeben (Epheser 2,4–5).

Gottessöhne sind ↗Engel, die Gott wie ein himmlischer Hofstaat umgeben

(Hiob 1,6; Psalm 29,1). Die in 1. Mose 6,1–4 erwähnten Gottessöhne waren möglicherweise Engel, die entgegen der göttlichen Ordnung in den Lebensbereich der Menschen eindrangen.

Granatäpfel wachsen in Israel an strauchähnlichen, viel verzweigten Bäumen. Die Frucht hat eine lederähnliche Haut, unter der in Fächern Reihen von rötlichen Beeren sitzen. In der israelitischen Kunst waren Nachbildungen von Granatäpfeln sehr verbreitet.

Hebräer Mit diesem Namen bezeichneten Ausländer die Israeliten oder diese sich selbst im Umgang mit Ausländern (1. Mose 39,14; 2. Mose 3,18). Die Israeliten sprachen bis zur babylonischen Gefangenschaft hebräisch (↗Verbannung). Das Alte Testament ist überwiegend in dieser Sprache abgefasst.

Heil bedeutet Rettung, Befreiung und Sieg. Wer zur Zeit des Alten Testaments Gott vertraute, verließ sich darauf, dass Gott in allen Situationen helfen kann, sowohl dem Einzelnen (Psalm 7,2) als auch dem ganzen Volk Israel (2. Mose 14,30). Die Glaubenden erhofften aber noch mehr: Sie vertrauten auf die Zusage, dass Gott das zerbrochene Verhältnis zwischen ihm und den Menschen heilen würde. Dies ist auch die Botschaft des Neuen Testaments. Durch das Leben, das Sterben und die Auferstehung Jesu hat Gott das versprochene Heil geschenkt: Er hat das zerbrochene Verhältnis zwischen Gott und Mensch geheilt und die ↗Sünde vergeben. Wer Jesus vertraut, erfährt schon jetzt das Heil Gottes (Galater 1,4). Er erwartet, dass Gott sein Heil vollendet, indem er einen neuen Himmel und eine neue Erde schafft (Offenbarung 7,9–10).

heilig / Heiligkeit Gott ist heilig. Sein Wesen unterscheidet sich völlig von dem des Menschen. Der Mensch kann ihm nicht ohne weiteres begegnen (2. Mose 15,11). Alles, was zu Gott gehört, wird in der Bibel als heilig bezeichnet: das Volk Gottes, der ↗Tempel, die ↗Bundeslade, die ↗Opfer und anderes mehr. Auch einzelne Menschen, die in besonderer Weise Gott dienen (↗Hoherpriester), werden heilig genannt.

Doch bleibt immer ein Abstand zwischen dem Menschen und Gott. Gottes Gebot »Ihr sollt heilig sein« kann der Mensch von sich aus nicht erfüllen. Durch Jesus aber kommt Gott selbst in seiner Heiligkeit den Menschen nahe. Wer sein Leben Jesus anvertraut und ihm glaubt, hat Gemeinschaft mit dem heiligen Gott. Die Bibel bezeichnet einen solchen Menschen als heilig (1. Petrus 1,15–16; 2,9). Er ist nicht sündlos, aber er erfährt, dass Gott ihn angenommen hat und ihn zunehmend verändert.

Heilige Schrift Wenn die Verfasser des Neuen Testaments die Begriffe »Heilige Schrift«, »Schriften« oder »Schrift« verwendeten, meinten sie damit das Alte Testament oder Teile davon. Das Alte Testament gliedert sich in drei große Teile: die geschichtlichen, die dichterischen und die prophetischen Bücher.

In den christlichen Kirchen gilt auch das Neue Testament selbst als Heilige Schrift. Es lässt sich ebenfalls in drei Abschnitte teilen: die vier Evangelien sowie die Apostelgeschichte als Geschichtsbücher, die Briefe und das prophetische Buch der Offenbarung. Die Heilige Schrift des Alten und Neuen Testaments hat viele Verfasser, die aber eines gemeinsam haben: Sie alle schrieben unter der Leitung des Heiligen Geistes (↗Geist Gottes). Das bedeutet: In der Heiligen Schrift spricht Gott zu uns (2. Timotheus 3,16). Aus diesem Grund ist sie zuverlässig und wahr.

Hermes In der griechischen Sage der Götterbote des Zeus. Die Römer nannten ihn Merkur. Paulus wurde wegen seiner Redegabe in Lystra für Hermes gehalten (Apostelgeschichte 14,12).

Herr Der Titel »Herr« wird in der Bibel gelegentlich als höfliche Anrede für

höher gestellte Personen verwendet. In der überwiegenden Zahl der Fälle bezieht er sich jedoch auf Gott. Zur Zeit Jesu war es im Judentum üblich, beim Lesen alttestamentlicher Texte den Gottesnamen »Jahwe« aus Ehrfurcht nicht auszusprechen, sondern stattdessen »der Herr« zu sagen. Der Name »Jahwe« wird in 2. Mose 3, 13–15 vom hebräischen Wort »sein« hergeleitet und bedeutet demgemäß: »Ich bin.«

Auch die griechische Übersetzung des Alten Testaments, die im 3. Jahrhundert v. Chr. entstand, gibt »Jahwe« mit »der Herr« wieder. In den meisten deutschen Übersetzungen des Alten Testaments wird »Jahwe« ebenfalls mit »der Herr« wiedergegeben. Die Verfasser des Neuen Testaments verfuhren auf die gleiche Weise, wenn sie das Alte Testament zitierten oder selbst von Gott sprachen. Im Neuen Testament bezieht sich der Titel »Herr« in gleicher Weise auf Gott wie auch auf Jesus (1. Korinther 12,3) und den Heiligen Geist (↗Geist Gottes; 2. Korinther 3,17–18).

Herrlichkeit Herrlichkeit Gottes bedeutet in der Bibel seine Hoheit, Majestät und Macht. Sie spiegelt sich in der Schöpfung wider: Gott hat alles herrlich geschaffen (Psalm 8,2). Die Israeliten erlebten Gottes Herrlichkeit, als er sich ihnen am Sinai offenbarte.

Im Neuen Testament wird von Jesus berichtet: »Im Sohn zeigt sich die göttliche Herrlichkeit seines Vaters« (Hebräer 1,3). Jesu Wirken, sein Sterben und seine Auferstehung machen die Herrlichkeit und Macht Gottes sichtbar. Gottes Herrlichkeit wird in ihrer ganzen Größe offenbar, wenn Jesus Christus kommt (Matthäus 16,27).

Himmelskönigin Fruchtbarkeitsgöttin, die wohl mit der babylonischen Ischtar gleichzusetzen ist. Ihre Verehrung war unter den Juden während der babylonischen Gefangenschaft (↗Verbannung) verbreitet (Jeremia 7,18).

Hoffnung bezeichnet nicht eine unbestimmte Erwartung, sondern ein begründetes Vertrauen auf die kommende neue ↗Welt Gottes. Diese Hoffnung stützt sich auf die Zusagen Gottes, dass wir durch den Glauben an Jesus Christus von Gott angenommen werden (Galater 5,5). Sie umfasst auch die Erwartung auf das ewige Leben, weil Jesus von den Toten auferstanden ist (1. Petrus 1,3).

Hoherpriester Der Hohepriester bekleidete das höchste religiöse Amt in Israel: Er vertrat das Volk vor Gott. Er hatte strenge Reinheitsvorschriften zu beachten, die seinem besonderen Verhältnis zu Gott entsprachen; er durfte am großen ↗Versöhnungstag als Einziger das ↗Allerheiligste betreten und sich Gott nähern (3. Mose 16).

Als ersten Hohenpriester berief Gott Aaron, den Bruder des Mose (2. Mose 28,1). Das Amt wurde weitervererbt: Wenn der Vater gestorben war, erhielt der älteste Sohn die Würde des Hohenpriesters. In der Zeit der Makkabäer legten sich die Hohenpriester auch gleichzeitig die Königswürde zu. Als die Römer Israel erobert hatten, verlor der Hohepriester jedoch einige Vorrechte: Das Amt wurde nicht mehr auf Lebenszeit verliehen und konnte auch nicht mehr an den Sohn vererbt werden. Der Hohepriester war gleichzeitig der Vorsitzende des ↗Hohen Rates. Wenn die Evangelien von »den Hohenpriestern« reden, ist eine führende Gruppe des Hohen Rates gemeint.

Hoher Rat Zur Zeit des Neuen Testaments die oberste Behörde im Judentum. Der Vorsitzende dieses aus 71 Männern bestehenden Rates war der ↗Hohepriester. Die weiteren Mitglieder des Rates kamen aus den Reihen der ↗Priester und ↗Schriftgelehrten.

Unter der römischen Besatzung waren die Vollmachten des Rates eingeschränkt: Politische Entscheidungen durften nur begrenzt getroffen werden, Todesurteile bedurften der Genehmigung durch die römische Verwaltung.

Nur in religiösen Fragen hatte der Hohe Rat volle Autorität.

Hölle Wenn das Neue Testament von Hölle spricht, ist ein Ort gemeint, an dem der Mensch für immer von Gott getrennt ist. Wer zu Lebzeiten von Gott nichts wissen will, der wird auch nach dem Tod von ihm getrennt sein.

Holzblock Ein Holzgestell, in das ein Sträfling mit den Füßen, den Händen und dem Kopf eingespannt wurde (Jeremia 20,2).

Horeb ↗Sinai

Hyazinth ↗Edelsteine

Israel lautet der Ehrenname, den Jakob nach seinem Kampf mit Gott am Jabbok erhielt (1. Mose 32,29). Der Name bedeutet »Gotteskämpfer«. Israel werden auch die zwölf Stämme genannt, die von den zwölf Söhnen Jakobs abstammen. Später wurde das ganze Königreich mit diesem Namen bezeichnet. Nach der Teilung des Reiches trugen die zehn Nordstämme den Namen Israel, während man das Südreich Juda nannte.

Jaspis ↗Edelsteine

Jesus Der Name Jesus ist die lateinische Fassung des hebräischen Wortes »jehoschua« oder »jeschua«. Es bedeutet »Der Herr (ist die) Rettung« (↗Sohn Gottes, ↗Christus).

Joch Ein Holzbalken, mit dem zwei Tiere vor den Pflug oder Wagen gespannt wurden. Das Joch ruhte quer auf dem Nacken der Zugtiere, wurde mit einem Strick am Hals befestigt und mit einer Zugdeichsel verbunden. »Joch« wird in der Sprache der Bibel zum Bild für die Herrschaft, der sich jemand freiwillig oder gezwungen beugt (Jeremia 27,1–8).

Juda Einer der zwölf Söhne Jakobs. Auf ihn geht der Stamm Juda zurück, dessen Gebiet von Jerusalem nach Süden bis in den Negev reichte. Nach der Teilung des Reiches bezeichnete Juda den südlichen Teil Israels mit Jerusalem als Hauptstadt. Dort regierten die Nachkommen Davids. In römischer Zeit war »Judäa« eine Provinz, deren Bewohner, die »Juden«, unter römischer Verwaltung standen.

Jünger Im Judentum war es üblich, dass erfahrene und gelehrte Männer eine Gruppe von jüngeren Männern um sich sammelten, um sie in der ↗Heiligen Schrift zu unterweisen. Diese gelehrten Männer nannte man »Rabbi«, d.h. Lehrer oder Meister, die Schüler wurden als Jünger bezeichnet.
Auch Johannes der Täufer und Jesus hatten Jünger. Unter den Jüngern, die Jesus nachfolgten, mit ihm lebten und von ihm lernten, befanden sich im Gegensatz zur sonstigen jüdischen Praxis auch einige Frauen (Lukas 8,2).
In den ersten christlichen Gemeinden wurden dann alle Menschen als Jünger bezeichnet, die an Jesus glaubten.

Kalmus bezeichnet eine aus Vorderindien stammende Schilfart, die zur Herstellung wohlriechender Öle verwendet wird. Kalmus war ein Bestandteil des heiligen Salböls (2. Mose 30,23), mit dem der Hohepriester gesalbt und die Gefäße und Werkzeuge des Heiligtums besprengt wurden.

Kanaan bedeutet wahrscheinlich »Land des Purpurs«. Es bezeichnete ursprünglich die phönizische Küste und das dazugehörige Hinterland. In der Bibel ist es das Land, das die Israeliten von seinen ursprünglichen Bewohnern, den Kanaanitern, übernahmen.

Karneol ↗Edelsteine

Kassia Getrocknete Blüten und Blätter des aus Ostasien stammenden Zimtbaumes. Sie wurden als Gewürz zur Herstellung des heiligen Salböls verwendet (2. Mose 30,24).

Kelter In den Felsen gehauene Wanne, in der Weintrauben mit den Füßen zertreten wurden. Der Saft floss durch eine Rinne in ein tiefer gelegenes Becken und wurde von dort in Krüge gefüllt. »Die Kelter treten« wird in der Bibel oft als Bild für das Gericht Gottes verwendet (Jesaja 63,1–3; Offenbarung 14,19–20).

Kemosch Hauptgottheit der Moabiter. Der judäische König Josia beseitigte

ein Höhenheiligtum des Kemosch östlich von Jerusalem, das Salomo errichtet hatte (1. Könige 11,7; 2. Könige 23,13).

Kewan Assyrisch-babylonische Sterngottheit, die wie ↗Sakkut Saturn verkörpert. Nach Amos 5,26 verehrten die Israeliten diese Gottheit bereits in der Zeit, als sie in der Wüste umherzogen.

Kreuz Das Wort »Kreuz« ist besonders in den neutestamentlichen Briefen ein zentraler Begriff. Paulus bezeichnet die ganze rettende ↗Botschaft von Christus im Kern als »die Botschaft vom Kreuz« (1. Korinther 1,18): Gottes Sohn ist am Kreuz gestorben, damit Menschen von Sünde und Tod frei werden können. Durch den Tod Jesu am Kreuz sind wir mit Gott versöhnt (Epheser 2,16). Noch heute erinnert das Zeichen des Kreuzes in den Kirchen an das Sterben Jesu.

Ladanum ist wie Mastix und Tragakant ein Gewürzstoff, der aus dem Saft von Bäumen und Sträuchern gewonnen und der Weihrauchmischung für das Heiligtum beigegeben wurde.

Laubhüttenfest Im Herbst, nach Abschluss der Ernte, feierten die Israeliten sieben Tage lang das Laubhüttenfest. Während dieser Zeit wohnten sie in Hütten aus Laub und Zweigen. Dieses fröhliche Erntefest erinnerte zugleich daran, dass sie während ihres Auszugs aus Ägypten in provisorischen Hütten aus Zweigen gewohnt hatten (3. Mose 23,33–44).
Das Laubhüttenfest war – zusammen mit dem ↗Passah- und dem ↗Wochenfest – ein Wallfahrtsfest, an dem die Israeliten zum Heiligtum zogen.

Legion Eine Abteilung der römischen Armee. Sie umfasste 10 Kohorten zu je 400–600 Mann, das heißt 4000–6000 Soldaten. An mehreren Stellen im Neuen Testament wird der Begriff im übertragenen Sinn gebraucht und bezeichnet dann eine sehr große Menge.

Leviatan Ein drachenartiges Ungeheuer. Es steht als Bild für gottfeindliche Mächte (Psalm 74,14). In Hiob 40, 25–32 bezeichnet Leviatan wahrscheinlich ein Krokodil.

Leviten Die Nachkommen des Stammvaters Levi, eines Sohnes Jakobs. Die Leviten hatten eine besondere Aufgabe unter den zwölf Stämmen Israels: Sie dienten Gott am Tempel, einige von ihnen, Aarons Nachkommen, auch als Priester. Gott selbst hatte die Leviten zu seinem besonderen Eigentum erwählt und zu ihrem Dienst beauftragt (4. Mose 3).

Lose, heilige ↗Tummim

Manna Die Nahrung der Israeliten in der Wüste, mit der Gott sein Volk auf wunderbare Weise versorgte. Die Israeliten konnten das körnige Manna jeden Morgen aufsammeln und daraus Brot und andere Speisen zubereiten (2. Mose 16).

Marduk ↗Bel

Mastix ↗Ladanum

Melchisedek Priester und König der Stadt Salem (Jerusalem). Er begegnete Abraham (1. Mose 14,18–20). Sein Priesteramt wird im Hebräerbrief als prophetisches Bild für das Priesteramt Jesu Christi gedeutet (Hebräer 7).

Menschensohn Im Alten Testament wird dieser Begriff gelegentlich als Umschreibung für »Mensch« gebraucht.
Jesus verwendet den Ausdruck häufig, wenn er von sich selbst redet. Er macht damit deutlich, dass er ein wirklicher Mensch ist. Indem er dies aber betont, weist er zugleich darauf hin, dass damit noch nicht alles über ihn gesagt ist. Schon das Alte Testament spricht von »einem, der aussieht wie ein Menschensohn«, aber doch mehr ist als ein gewöhnlicher Mensch, nämlich der ↗Messias, der ewig die ganze Welt regieren wird (Daniel 7,13–14). Diese Prophetie bezieht Jesus auf sich (Matthäus 26,64). Durch das Kommen des Menschensohnes in diese Welt lässt Gott seine neue ↗Welt beginnen.

Messias ↗Christus

Michael Ein Engelfürst (↗Engel), der in Gottes Auftrag für Israel kämpft

(Daniel 10,13). Michael und seine Engel stürzen den ↗Satan aus dem Himmel (Offenbarung 12,7–9).

Milkom Gottheit der Ammoniter.

Moloch Eine bei den Nachbarvölkern Israels verehrte Gottheit, der man Kinderopfer darbrachte. In 3. Mose 18,21; 20,1–5 wird den Israeliten die Verehrung des Moloch untersagt.

Monate Nur vier der althebräischen Monatsnamen sind bekannt:
Etanim: Herbstmonat, im September/Oktober;
Bul: Regenmonat, im Oktober/November;
Abib: Ährenmonat, im März/April;
Siw: Blumenmonat, im April/Mai.
Israel richtete seinen Kalender nach dem Mondjahr, d.h. es gab 12 Monate von wechselnd 29 und 30 Tagen. Weil das Mondjahr um 11 Tage hinter dem Sonnenjahr zurückblieb, mussten in unregelmäßiger Folge Schalttage oder -monate eingefügt werden. Das Jahr hat – ausgehend von der Landwirtschaft – wohl ursprünglich im Herbst begonnen (2. Mose 23,16). Nachdem die Israeliten Ägypten verlassen hatten, wurde der Beginn des gottesdienstlichen Jahres auf das Frühjahr verlegt (2. Mose 12,2; 13,4).
Von der späten Königszeit an wurden die Monate mehr und mehr mit den babylonischen Namen bezeichnet:
1. Nisan, im März/April;
2. Ijar, im April/Mai;
3. Siwan, im Mai/Juni;
4. Tammuz, im Juni/Juli;
5. Ab [Tab], im Juli/August;
6. Elul, im August/September;
7. Tischri, im September/Oktober;
8. Marcheschwan, im Oktober/November;
9. Kislew, im November/Dezember;
10. Tebet, im Dezember/Januar;
11. Schebat, im Januar/Februar;
12. Adar, im Februar/März;
13. We-Adar war der Name des Schaltmonats.

Morgenopfer ↗Abendopfer

Morgenstern Der Planet Venus. In der Bibel dient er als Bild für den König von Babylonien, der als vom Himmel herabgestürzter Morgenstern bezeichnet wird (Jesaja 14,12). Er symbolisiert aber auch Christus, der in Macht und Herrlichkeit wiederkommen wird (Offenbarung 22,16).

Myrrhe Das Harz eines immergrünen Baumes. Es eignete sich gut zur Herstellung von Parfüm und Salböl. Man konnte es mit Öl mischen und so eine wohlriechende Salbe gewinnen. Man verwendete es auch in Gräbern, um den Leichengeruch zu überdecken. Als Zugabe in den Wein steigerte es die berauschende Wirkung des Alkohols.

Myrte Ein in Palästina und Syrien wild oder kultiviert an feuchten Stellen wachsender Strauch mit immergrünen, dunkel glänzenden Blättern. Nach Nehemia 8,15 sollten die Israeliten unter anderem Myrtenzweige zum Bau der Hütten beim Laubhüttenfest verwenden.

Name Gottes Gott offenbarte sich dem Volk Israel mit seinem Namen »Jahwe« (↗Herr). Er gab ihnen damit die Möglichkeit, zu ihm zu rufen und ihn anzureden. Der Name gibt auch einen Hinweis auf Gottes Wesen: Gott offenbart sich als ewiger Gott, der immer für sein Volk da ist (2. Mose 3,13–15).

Name Jesu Christi Jesus hat seinen Namen von Gott empfangen (Matthäus 1,21; Philipper 2,9). Nachdem er von den Toten auferstanden war, übertrug Gott ihm die Herrschaft über die ganze Welt (Hebräer 2,8–9). Wird etwas »im Namen Jesu« getan, dann ist Jesus Christus selbst am Werk. Im Neuen Testament werden Menschen im Namen Jesu getauft (↗Taufe). Damit gehören sie ganz zu Jesus Christus.

Narde Aus der Wurzel der in Indien heimischen Nardenpflanze, einem Baldriangewächs, bereitete man das kostbare, duftende Nardenöl. Es wurde in kleinen Fläschchen aufbewahrt und gern zur Balsamierung von Toten verwendet. Im Altertum war Tarsus ein

wichtiges Zentrum der Nardengewinnung.

Nebo 1. Babylonische Gottheit, die als Sohn ↗Bels galt; 2. Berg in Moab, von dem aus Mose das Land Kanaan sehen durfte (5. Mose 32,49); 3. Stadt in Moab (4. Mose 32,38); 4. Stadt in Juda (Esra 2,29).

Neumond(fest) Im Alten Orient wurde der Tag, an dem sich die Sichel des zunehmenden Mondes erstmals zeigte (Neumond), als Feiertag begangen (Psalm 81,4; 1. Samuel 20,5). Der Neumondtag war als Monatsanfang für die Berechnung der Feste und Feiertage wichtig.

Offenbarung Wenn die Bibel von Offenbarung spricht, so bedeutet dies: Gott, der verborgen ist, gibt sich zu erkennen. Das geschieht auf vielerlei Art und Weise:

Gott offenbart sich in seiner Schöpfung. Weil Gott alles herrlich geschaffen hat, haben die Menschen schon immer seine göttliche Macht und Größe sehen können (Römer 1,20).

Gott offenbart sich auch durch sein Handeln in der Geschichte. Seine Taten zeigen, wer er ist (Psalm 105).

Gott teilte Mose und dem Volk Israel seinen ↗Namen mit und offenbarte sich dadurch (2. Mose 3,13–15).

In den Geboten, die Gott Mose und den Israeliten gab, offenbarte er seinen Willen (2. Mose 20,1–20).

Später redete er durch die Worte der Propheten (Jeremia 1,4–5).

Vor allem aber offenbarte sich Gott durch seinen Sohn, in ihm wurde er ein Mensch. In Jesus zeigt Gott seine ganze Liebe und Barmherzigkeit und damit sich selbst (Hebräer 1,1–3).

Die Verborgenheit Gottes wird am Ende der Zeit aufhören. Jesus Christus wird sichtbar als Herr dieser Welt wiederkommen (Matthäus 24,30). Im letzten Buch der Bibel, der »Offenbarung an Johannes«, wird dargestellt, was vor und nach seinem Kommen geschieht.

Öl Wenn nicht anders bezeichnet, handelt es sich um Olivenöl. Man erntete die Oliven im Spätsommer, presste sie in einer Ölkelter und filterte das Öl. Es war für die Ernährung in Israel der wichtigste Fettlieferant, wurde außerdem für Lampen, als Beigabe zu Opfern, für Kosmetik oder Medizin verwendet. Der Name des Gartens Gethsemane (»Ölkelter«) kommt von den Steinpressen, die es dort gab. In dichterischer Sprache rufen die Worte Öl und Wein den Beiklang der Freude und Festlichkeit hervor.

Ölberg Der Ölberg gehört zu einem Höhenzug, der Jerusalem von Norden und Osten umgibt. Er liegt etwa einen Kilometer von Jerusalem entfernt.

Onyx ↗Edelsteine

Opfer haben in den Religionen der Völker seit jeher eine wichtige Rolle gespielt. Man wollte durch sie Götter ehren, ihre Gunst gewinnen und Strafe oder Unheil abwenden.

Die Bibel berichtet, dass Opfer seit frühester Zeit dargebracht wurden: Kain opferte Feldfrüchte (1. Mose 4,3), Abel und Noah opferten Tiere (1. Mose 4,4; 8,20).

Auch im Leben des Volkes Israel spielten die Opfer eine wichtige Rolle. Ausführlich sind sie in 3. Mose 1–7 beschrieben. Man opferte auf einem ↗Altar, der sich in der Nähe des Heiligtums befand. Es gab unblutige Opfer: Gaben wie Früchte, Mehl, Brot, Öl, Wein und Weihrauch. Bei einem blutigen Opfer wurde ein ↗reines Tier geschlachtet und ganz oder teilweise auf dem Altar verbrannt. Als Opfertiere waren Rind, Kalb, Schaf, Ziege oder Taube erlaubt.

Die einzelnen Opfer unterschieden sich in ihrer Art und Bedeutung voneinander:

Beim *Brandopfer* (3. Mose 1) wurde ein fehlerloses Tier geschlachtet und auf dem Altar völlig verbrannt. Es symbolisierte die ganze Hingabe des Opfernden an Gott. Am Heiligtum sollte seit der Zeit des Mose täglich morgens und abends ein Brandopfer dargebracht werden.

Das *Speiseopfer* (3. Mose 2) bestand aus Mehl, Öl und Weihrauch. Ein Teil davon wurde auf dem Altar verbrannt, den Rest bekamen die Priester. Das Speiseopfer wurde meistens als Ergänzung zum Brandopfer dargebracht.

Das *Dankopfer* (3. Mose 3) geschah aus Dankbarkeit über die Gemeinschaft mit Gott: Ein reines Tier wurde geschlachtet, Blut und Fett gehörten ganz Gott und mussten am Altar ausgegossen, bzw. auf dem Altar verbrannt werden. Das Fleisch wurde vom Opfernden und seinen Angehörigen bei einem fröhlichen Festmahl verzehrt.

Das *Sündopfer* (3. Mose 4) – ebenfalls ein Tier – diente der ↗Sühne für Sünden, die nicht vorsätzlich, sondern versehentlich begangen worden waren.

Das *Schuldopfer* (3. Mose 5) glich dem Sündopfer. Auch hier wurde Sünde gesühnt (↗Sühne). Jedoch war der Opfernde verpflichtet, den Schaden, den er Gott oder seinem Nächsten zugefügt hatte, wieder gutzumachen.

Im Neuen Testament bezeugt besonders der Hebräerbrief, dass alle diese Opfer mit dem Tod Jesu hinfällig geworden sind. Weil Jesus am Kreuz unsere Schuld getragen hat, vergibt Gott unsere Sünde (Hebräer 9,14). »Sind aber die Sünden vergeben, dann ist kein Opfer mehr nötig« (Hebräer 10,18).

Orakel Ein Wahrsagespruch, in dem man den Willen der Götter zu erkennen glaubte. In der Umwelt Israels wurde der Wille der Götter auf vielfältige Weise erfragt: Man betrachtete die Leber frisch geschlachteter Tiere, achtete auf Vogelstimmen oder deutete hingeworfene Pfeile.

Orion Auch in unseren Breiten ein markantes Sternbild. Es ist an den drei Gürtelsternen gut zu erkennen (Hiob 38,31).

Paradies Das Wort stammt aus der persischen Sprache. Es bedeutet so viel wie »Park«, »eingezäunter Raum«. Die griechische Übersetzung des Alten Testaments gebrauchte es für den Garten Eden, in dem Gott die ersten Menschen wohnen ließ. Im Neuen Testament wird mit Paradies ein Ort der himmlischen Welt bezeichnet (Lukas 23,43; 2. Korinther 12,4; Offenbarung 2,7).

Passahfest Das Passahfest soll an die Befreiung des Volkes Israel aus Ägypten erinnern. In der Nacht, bevor die Israeliten aus dem Land zogen, ließ Gott alle ältesten Söhne der Ägypter sterben. Die Israeliten aber entgingen diesem Gericht Gottes, weil sie auf seinen Befehl hin das Blut eines Böckchens an die Türpfosten ihrer Häuser gestrichen hatten (2. Mose 12). Von da an wurde das Passahfest als Erinnerung an diese Geschehnisse jährlich gefeiert. Zum Fest gehörte das Passahmahl, bei dem ein Lamm oder ein Böckchen geschlachtet und verzehrt wurde. Das Passahfest war wie das ↗Wochen- und ↗Laubhüttenfest ein Wallfahrtsfest, an dem die Israeliten zum Heiligtum zogen.

An das Passahfest schloss sich das siebentägige »Fest der ungesäuerten Brote« an. Dieses erinnerte daran, dass die Israeliten Ägypten schnell verlassen mussten und keine Zeit mehr hatten, den Teig ihrer Brote durchsäuern zu lassen. Darum aßen die Israeliten an diesem Fest eine Woche lang nur Brot, das ohne ↗Sauerteig gebacken wurde.

Pfahl, geweihter ↗Aschera

Pfingstfest Das israelitische Pfingstfest wurde nach Abschluss der Getreideernte gefeiert, am 50. Tag nach dem Passahfest. Der Name Pfingsten bedeutet »fünfzig« und stammt aus der griechischen Sprache. In Israel nannte man das Pfingstfest auch »Wochenfest«, weil seit dem Passahfest und dem Beginn der Getreideernte sieben Wochen vergangen waren.

An dem ersten Wochenfest nach der Auferstehung Jesu empfingen die Jünger den Heiligen Geist (Apostelgeschichte 2; ↗Geist Gottes). Seitdem feiern Christen das Pfingstfest als Erinnerung an dieses Ereignis.

Pharisäer Der Name bedeutet wohl »die Abgesonderten«. Es handelte sich dabei um eine große und einflussreiche Gruppe jüdischer Gelehrter und Laien. Seit dem 3./2. Jahrhundert v. Chr. waren sie die stärkste religiöse Partei in Israel. Ihre größten Konkurrenten waren die ↗Sadduzäer. Die Pharisäer wachten mit großem Eifer über die Einhaltung des Gesetzes, um das Kommen des ↗Messias vorzubereiten. Nicht nur das Gesetz des Mose, sondern auch die ergänzenden Gebote und Regeln der jüdischen Ausleger sollten bis ins kleinste Detail beachtet werden.

Diese Haltung der Pharisäer gegenüber dem Gesetz war nach den Worten Jesu oft verbunden mit Selbstgerechtigkeit, Stolz und Heuchelei. Jesus hat demgegenüber auf den wahren Willen Gottes verwiesen. Er warf den Pharisäern vor, dass sie sich trotz aller Frömmigkeit hinter einer Mauer aus Vorschriften versteckten und nicht mehr nach dem eigentlichen Sinn der Gebote fragten, nämlich nach Gerechtigkeit, Barmherzigkeit und Glauben (Matthäus 23,23).

Unter den Pharisäern gab es jedoch auch aufrichtige Menschen. Einige von ihnen suchten den Kontakt zu Jesus und begannen, ihm zu glauben (Johannes 3).

Priester Im Alten Testament bestimmte Gott die Nachkommen Aarons aus dem Stamm Levi zu Priestern (2. Mose 28,1). Zu ihren Aufgaben gehörte es, im Tempel die ↗Opfer der Israeliten darzubringen, das Volk zu segnen, es im Gesetz des Mose zu unterweisen sowie die Einhaltung der Reinheitsvorschriften (↗rein / unrein) zu überwachen. Oberhaupt der Priester war der ↗Hohepriester.

In der neutestamentlichen Gemeinde gibt es keinen Unterschied mehr zwischen Priestern und Laien. Jesus Christus ist der Hohepriester, der ein für alle Mal sich selbst als Opfer hingegeben hat (Hebräer 9,11; 10,10). Alle Gläubigen sind zu Priestern berufen und aufgefordert, Gott und den Menschen mit ihren unterschiedlichen Gaben zu dienen (1. Petrus 2,9; 4,10).

Prophet Propheten sind Menschen, die Gott dazu beruft, Botschaften von ihm weiterzusagen (Jesaja 6). Prophetie bezieht sich dabei nicht nur auf zukünftige Ereignisse. Sie kann sehr vielfältig sein: Propheten decken Schuld auf, fordern dazu auf, zu Gott umzukehren, und warnen vor Gottes Gericht (2. Samuel 12,1–15); sie ermutigen Menschen in Not und kündigen Gottes Hilfe an (Jesaja 40,1–11). Ihre Botschaften können auf Visionen oder andere Formen göttlicher Eingebung zurückgehen. In allem, was sie sagen, werden sie vom Heiligen Geist (↗Geist Gottes) geleitet.

In der Zeit, als in Israel und Juda Könige regierten, bildeten die Propheten einen eigenen Berufsstand. Viele von ihnen passten sich den politischen Verhältnissen an und wurden so zu falschen Propheten. Immer gab es jedoch auch wahre Propheten, die kompromisslos dem Götzendienst, der sozialen Ungerechtigkeit und verkehrten politischen Entscheidungen widersprachen (Amos 5,7–17). Oft kam es zu scharfen Auseinandersetzungen zwischen ihnen und den Berufspropheten (Jeremia 28).

Die größte Zusage Gottes, die von den Propheten des Alten Testaments weitergegeben wurde, war: Gott werde eines Tages durch seinen ↗Messias aller Ungerechtigkeit ein Ende bereiten und ein ewiges Friedensreich schaffen (Jesaja 11,1–10).

Auch im Neuen Testament wird gesagt, dass es in den Gemeinden Propheten gibt (Epheser 4,11). Sie geben in konkreten Situationen eine Botschaft Gottes weiter, um die Gemeinde zu ermutigen, zu trösten und ihr zu helfen (1. Korinther 14,3.31). Wie die Propheten im Alten Testament decken auch die neutestamentlichen Propheten Schuld auf und sagen zukünftige Ereig-

nisse voraus (1. Korinther 14,24–25; Apostelgeschichte 21,10–11).

Quasten Aus Wollfäden geknüpfte Zipfel an den vier Enden des Obergewandes, das aus einem rechteckigen Stück Tuch bestand. Sie sollten den Träger an die Gebote Gottes erinnern (4. Mose 15,38–39).

Räfan Eine Sterngottheit, die in Israel zeitweilig verehrt wurde (Apostelgeschichte 7,43).

Rahab Seeungeheuer als Verkörperung gottfeindlicher Mächte (Hiob 26,12; Psalm 89,11), manchmal auch bildhaft für Ägypten verwendet (Psalm 87,4; Jesaja 30,7).

rein / unrein Wer zur Zeit des Alten Testaments mit Gott reden oder ihm im Gottesdienst begegnen wollte, musste rein sein. Die Reinheit des Menschen sollte der ↗Heiligkeit Gottes entsprechen. Man konnte sich in vielerlei Weise verunreinigen, so durch Berührung mit Gegenständen, die von Schimmelpilz befallen waren (3. Mose 14, 33–47), durch ↗Aussatz, durch Berührung von Aussätzigen oder Leichen (3. Mose 13,1–44; 4. Mose 19,14–16), durch den Verzehr von unreinen Tieren wie z. B. dem Schwein (3. Mose 11) und durch vieles andere mehr. Das Gesetz bestimmte, wie man Unreinheit vermeiden oder die Reinheit wiedererlangen konnte.

Im Gottesdienst und beim Opfer mussten sowohl die Priester als auch die Opfertiere besondere Voraussetzungen erfüllen: Die Priester sollten körperlich gesund und unversehrt sein (3. Mose 21,17–24); die Opfertiere mussten ein bestimmtes Alter haben und durften nicht krank oder schwächlich sein (4. Mose 28,3–4).

In späterer Zeit wurden die Reinheitsvorschriften von jüdischen Gelehrten verschärft und ausgeweitet. Jesus wendet sich gegen diese Haltung und betont: »Nicht, was ein Mensch zu sich nimmt, macht ihn unrein, sondern das, was er von sich gibt« (Markus 7,15).

Reinigungsopfer Wer aus irgendeinem Grund unrein geworden war (↗rein / unrein), musste zunächst bestimmte Reinigungsvorschriften erfüllen und zum Abschluss das Reinigungsopfer darbringen. Erst dann galt er wieder als rein (3. Mose 14). Wenn etwa ein Aussätziger von seiner Krankheit geheilt worden war, musste er sich dem Priester zeigen und dieses Opfer darbringen, um wieder am Gottesdienst teilnehmen zu können (Markus 1, 43–44).

Richter Die Rechtspflege lag in Israel seit alter Zeit in den Händen der ↗Ältesten, die im ↗Tor Recht sprachen. Als höchster irdischer Richter wurde der König betrachtet, dessen wichtigste Aufgabe in der Wahrung des Rechts bestand (1. Könige 3,16–28).

Bevor es in Israel Könige gab, nahmen die so genannten »Richter« Aufgaben der Leitung und Rechtsprechung wahr. Ihr Einflussbereich war meist auf einzelne Stammesgebiete begrenzt. Einige der Richter – wie Gideon, Jefta und Simson – führten das Volk im Kampf gegen fremde Unterdrücker an. Die Richter entstammten keiner Herrscherfamilie, sondern wurden von Gott berufen (Richter 6,11–24).

Rimmon (»Donnerer«), Bezeichnung des Wetter-Gottes Hadad, der von den Syrern verehrt wurde (2. Könige 5, 17–18).

Sabbat bedeutet wörtlich »Ruhe«; der Sabbat ist der siebte Tag der Woche. Das Alte Testament berichtet, dass Gott selbst diesen Tag als Ruhetag für den Menschen bestimmt hat (1. Mose 2,2–3; 2. Mose 20,8–11). Der Sabbat war ein wesentliches Unterscheidungsmerkmal Israels von den anderen Völkern. Mit der ↗Beschneidung gehörte er zu den sichtbaren Zeichen des ↗Bundes, den Gott mit Israel geschlossen hatte. Dadurch wurde der Sabbat zu einem Gott geweihten Tag (2. Mose 31,12–17).

Nachdem die Israeliten aus der Gefangenschaft in Babylonien zurückgekehrt waren, wurde das Sabbatgebot

von jüdischen Gesetzeslehrern ausgebaut und mit vielen Zusätzen versehen. Sie legten genau fest, welche Tätigkeiten am Sabbat verboten und welche erlaubt waren. Jesus ist mehrfach mit ↗ Pharisäern in Konflikt geraten, weil er die Sabbatgesetze übertrat, um Menschen zu helfen. Denn »der Sabbat wurde doch für den Menschen geschaffen und nicht der Mensch für den Sabbat« (Markus 2,27). So stellte Jesus Gottes Absicht, dem Menschen Ruhe und Gemeinschaft mit ihm zu ermöglichen, den Gesetzen der jüdischen Gelehrten entgegen.

Sadduzäer Die Sadduzäer bildeten etwa seit dem 2. Jahrhundert v. Chr. eine religiöse Partei in Israel. Ihr gehörten überwiegend einflussreiche und höher gestellte Familien, Priester und Adlige an. Sie waren politisch tätig und der hellenistischen Kultur gegenüber offen. Im Gegensatz zu den ↗ Pharisäern betrachteten sie nur die fünf Bücher Mose als verbindliche ↗ Heilige Schrift. Sie kümmerten sich wenig um die zusätzlichen Verordnungen, die von jüdischen Gesetzeslehrern aufgestellt worden waren. Sie glaubten – ebenfalls im Unterschied zu den Pharisäern – nicht an die Auferstehung von den Toten und an ein Weiterleben nach dem Tod (Matthäus 22,23–33). Im Neuen Testament erscheinen Pharisäer und Sadduzäer oft als gemeinsame Gegner Jesu (Matthäus 16,1).

Safran Wahrscheinlich die aus Indien stammende Gelbwurzel. Sie wurde zu Farbstoff, Gewürz oder Parfüm verarbeitet.

Sakkut Assyrisch-babylonische Sterngottheit, die wie ↗ Kewan den Saturn verkörperte.

Salbe / Salbung In Israel schätzte man wohlriechende Salben zur täglichen Körperpflege. Salben wurden meist aus Olivenöl unter Zusatz verschiedener Duftstoffe hergestellt.
Wenn ein Mensch für eine besondere Aufgabe geweiht werden sollte, wurde heiliges Salböl über seinen Kopf gegossen. Könige, Priester und Propheten setzte man so in ihr Amt ein (1. Samuel 16,12–13; 2. Mose 28,41; 1. Könige 19,15–16).
Zur Zeit des Neuen Testaments ehrte man besondere Gäste, indem man Öl über ihren Kopf goss (Lukas 7,44–46; Matthäus 26,6–7).

Samaria / Samarien 722 v. Chr. eroberten die Assyrer das Nordreich Israel mit der Hauptstadt Samaria. Einen Teil der Bewohner verschleppten sie nach Assyrien, Israel wandelten sie in die Provinz Samarien um. Sie siedelten dort Menschen aus Assyrien an, die sich mit den restlichen Israeliten vermischten (2. Könige 17,24–41). Diese so genannten Samariter wurden von den Bewohnern Judäas (↗ Juda) nie als vollwertige Israeliten anerkannt. Zur Zeit Jesu betrachteten die Juden sie als Abtrünnige, denn sie ließen nur die fünf Bücher Mose als ↗ Heilige Schrift gelten und bestritten, dass der Tempel in Jerusalem das alleinige Heiligtum Gottes war. Sie verehrten den Herrn auch auf dem Berg Garizim bei Sichem, den sie für heilig hielten.
Auch unter den Samaritern gab es Menschen, die offen waren für die rettende ↗ Botschaft von Jesus Christus (Lukas 17,11–19; Johannes 4,1–42). Sie gehörten zu den ersten nichtjüdischen Christen (Apostelgeschichte 8,4–8; 9,31).

Saphir ↗ Edelsteine

Sardonyx ↗ Edelsteine

Satan »Satan« ist ein aus der hebräischen Sprache übernommenes Wort und bedeutet »Feind«, »Widersacher«. Es bezeichnete ursprünglich den Ankläger vor Gericht, aber auch jeden, der anderen nachstellte und sie verleumdete. Die gleiche Bedeutung hat das griechische Wort »Diabolos«, von dem das deutsche Wort »Teufel« abgeleitet ist.
In der Bibel bezeichnen diese Begriffe den Feind und Widersacher Gottes, der sich an die Stelle Gottes setzen will. Der Satan ist damit auch ein

Feind aller Glaubenden (1. Petrus 5,8). Er stiftet zum Bösen an, er verklagt und verleumdet und versucht, die Verbreitung der rettenden Botschaft zu verhindern. Dabei versteht er es meisterhaft, sich zu verstellen (2. Korinther 11,14). Sein Schicksal ist durch die Auferstehung Jesu von den Toten bereits entschieden: Er hat nur noch die Macht, die Gott ihm lässt. Wenn Gottes Herrlichkeit und Macht für alle sichtbar wird, ist der Satan machtlos und wird im letzten ↗Gericht verurteilt (Offenbarung 20,7–10).

Sauerteig Beim Brotbacken setzte man dem Teig aus frischem Mehl jeweils etwas alten, gegorenen Teig hinzu, den man vom letzten Backen übrig behalten und in Wasser aufbewahrt hatte. Er wirkte als Treibmittel, durchsäuerte den ganzen Teig und machte das Brot locker. So wurde der Sauerteig zum Bild für eine durchdringende Wirkung, im Bösen wie im Guten (Matthäus 13,33; 16,6). Zur Erinnerung an die Befreiung des Volkes Israel aus Ägypten, bei der keine Zeit mehr blieb, den Teig durchsäuern zu lassen, musste am ↗Passahfest aller Sauerteig aus den Häusern entfernt werden.

Schriftgelehrte Jüdische Rechtsgelehrte, die das Gesetz des Mose verbindlich auslegen und in Strafprozessen anwenden durften. Sie mussten ein langjähriges Studium durchlaufen. In den letzten Jahrhunderten vor Christi Geburt ergänzten die Schriftgelehrten die biblischen Gebote mit vielen zusätzlichen Vorschriften. Auf diese Weise wollten sie bereits im Vorfeld verhindern, dass Gottes Gesetz übertreten wurde. Die Schriftgelehrten gehörten in der Mehrzahl zur Gruppe der ↗Pharisäer. Viele von ihnen waren Mitglieder des ↗Hohen Rates. Im Neuen Testament werden sie bis auf wenige Ausnahmen als Gegner Jesu geschildert (Matthäus 23,1–36).

Schuld ist das Ergebnis einer zerstörten Beziehung zwischen Gott und Mensch. Wer von Gott nichts wissen will, auf dem lastet Schuld (Römer 3,10–19). Durch seinen Tod am Kreuz nahm Jesus die Schuld der Menschen auf sich. »Gott hat den Schuldschein, der uns mit seinen Forderungen [...] belastete, eingelöst und auf ewig vernichtet, indem er ihn ans Kreuz nagelte« (Kolosser 2,14). Darum kann Schuld vergeben und das Verhältnis zu Gott geheilt werden. Jesus lehrt seine Jünger beten: »Vergib uns unsere Schuld, wie wir denen vergeben, die uns Unrecht getan haben« (Matthäus 6,12) (↗Sünde).

Segen und Fluch Wenn ein Mensch gesegnet wird, bewirkt der Segen, dass Gott diesen Menschen reich beschenkt. Die Kraft des Segens wird durch Wort und Handauflegung vermittelt (1. Mose 27,27–29; 48,14–16). Gott schenkt Glück und Gelingen, Wohlstand, Frieden und ein gutes Verhältnis zu den Mitmenschen. Der Fluch bewirkt genau das Gegenteil: Er bringt Unheil über Menschen.

Segen und Fluch waren wichtige Bestandteile des alttestamentlichen Gesetzes: Wer sich an Gottes Gebote hielt, dem versprach Gott seinen Segen (5. Mose 28,1–2). Der Fluch traf jeden, der sich darüber hinwegsetzte (5. Mose 28,15).

Gott berief Menschen, die in seinem Namen segnen sollten. Im Alten Testament sprach z. B. der ↗Priester den Segen über das Volk Israel (4. Mose 6,22–27).

Das Neue Testament sagt, dass alle Menschen auf Grund der ↗Sünde unter dem Fluch Gottes stehen. Diesen Fluch hat Jesus durchbrochen: »Als er am Kreuz starb, hat er diesen Fluch auf sich genommen, wie es vorausgesagt war: ›Wer so aufgehängt wird, ist von Gott verflucht.‹ Der Segen, den Gott Abraham zugesagt hatte, sollte durch den Tod Jesu am Kreuz allen Völkern geschenkt werden« (Galater 3,13–14).

Jesus ruft seine Jünger dazu auf, andere Menschen zu segnen, sogar ihre Feinde (Lukas 6,27–28).

sexuelle Zügellosigkeit Mit diesem Begriff bezeichnet die Bibel verbotene sexuelle Beziehungen: geschlechtliche Beziehungen unter Blutsverwandten, homosexuelle Handlungen, Ehebruch, Verkehr mit Tieren, Vergewaltigung, Verkehr mit einer Hure und Prostitution (3. Mose 18,1–23). An manchen Stellen in der Bibel wird Götzendienst als »Ehebruch« bezeichnet, weil dabei der Mensch Gott die Treue bricht (Hosea 2,6–10). Auch war Götzendienst oft mit sexueller Ausschweifung verbunden.
Im Neuen Testament wird häufig vor sexueller Zügellosigkeit gewarnt (Römer 13,13; 1. Korinther 6,13).

Siegel Das Siegel war eine Art Stempel aus Stein oder Halbedelstein, der Muster, Bildszenen, Schriftzeichen oder Namen in weiches Material einprägte. Ein Siegel hatte rechtliche Bedeutung. Es galt z.B. als Unterschrift (1. Könige 21,8), auch wurden mit ihm Urkunden verschlossen. Auf Gegenständen kennzeichnete es unmissverständlich den Besitzer.
Im Neuen Testament wird der Begriff Siegel gelegentlich im Zusammenhang mit dem Geschenk des Heiligen Geistes (↗Geist Gottes) gebraucht. Damit soll bildlich ausgedrückt werden, dass die Glaubenden ganz zu Gott gehören. So bestätigt Gott ihre ↗Erlösung (2. Korinther 1,21–22; Epheser 1,13).

Sinai Der Berg in der gleichnamigen Wüste, an dem sich Gott seinem Volk zur Zeit Moses geoffenbart und einen ↗Bund mit ihnen geschlossen hat (siehe 2. Mose 19,1.18–20; 24,1–18). In 5. Mose wird er Horeb genannt. Die genaue Identifizierung des Berges ist nicht möglich, doch spricht manches für die alte christliche Tradition, dass es sich um einen Berg auf dem Südteil der Sinaihalbinsel handelte, z.B. den Dschebel Musa oder den Dschebel Katarina.

Sklave Wie im ganzen Alten Orient gab es auch in Israel Sklaven. Sie wurden in Israel in der Regel besser behandelt als bei den Nachbarvölkern. Sie gehörten zwar zum Besitz, nahmen jedoch am Familienleben sowie am religiösen Leben teil. Die Sklaven standen unter dem Schutz ihres Herrn. Wenn sie Israeliten waren, mussten sie nach sechs Jahren freigelassen werden (2. Mose 21,2).
Im Neuen Testament gehören Sklaven und freie Bürger gleichberechtigt zur Gemeinde (Galater 3,28). Der Brief des Paulus an Philemon zeigt, dass Christen, auch wenn sie Herren und Sklaven sind, einander als Geschwister betrachten sollen.

Smaragd ↗Edelsteine

Sohn Gottes Im Alten Testament wird das Volk Israel »Sohn Gottes« genannt (2. Mose 4,22; Hosea 11,1), weil es in einem besonders engen Verhältnis zu Gott steht. Im gleichen Sinn wird der von Gott erwählte König als Sohn Gottes bezeichnet (2. Samuel 7,14).
Das Neue Testament nennt Jesus den »einzigen« Sohn Gottes. Er war von Anfang an bei Gott und war eins mit ihm (Johannes 1,1–3.14; Kolosser 1,15–20). Jesus tat, was Gott der Vater wollte: Gottes Plan war es, durch Jesu Tod am Kreuz allen Menschen den Weg zur Vergebung zu öffnen, damit sie wie Söhne und Töchter wieder zu ihrem Vater im Himmel zurückkehren können (Lukas 15,11–24).

Sprachen, unbekannte Reden in unbekannten Sprachen wird im Neuen Testament als Gabe des Heiligen Geistes (↗Geist Gottes) bezeichnet. Zum ersten Mal wurde diese Gabe der ersten Gemeinde in Jerusalem geschenkt, die sich zum Beginn des jüdischen Pfingstfestes versammelt hatte (Apostelgeschichte 2,1–13). Beim Reden in unbekannten Sprachen kann es sich um Fremdsprachen handeln, die auf dieser Erde gesprochen werden, oder um überirdische Sprachen (1. Korinther 13,1). Meistens können weder der Redende selbst noch seine Zuhörer das Gesagte verstehen (1. Korinther 14,2.9). Darum fordert Paulus die Ko-

rinther dazu auf, dafür zu beten, dass Gott dem Redenden oder einer anderen Person die Auslegung schenkt (1. Korinther 14,13.26–27). Das Reden in unbekannten Sprachen dient der Stärkung des persönlichen Glaubens. Wenn es ausgelegt wird, hat die ganze Gemeinde einen Gewinn davon (1. Korinther 14,4–5).

Stakte Ein Harz, das zu den Bestandteilen der Weihrauchmischung gehörte (2. Mose 30,34). Seine Herkunft ist nicht geklärt.

Statthalter Ein römischer Beamter. Er vertrat den römischen Staat und führte in Palästina den Titel Prokurator. Seine Aufgabe bestand vor allem darin, das Steuerwesen zu überwachen. Er verfügte über Truppen und war höchster Richter des Landes. Der Sitz des Statthalters war Cäsarea.

Steinigung Eine in Israel gebräuchliche Art der Hinrichtung, die bei schweren Vergehen wie z.B. der Gotteslästerung ausgeübt wurde (5. Mose 17,2–7). Zur Zeit des Neuen Testaments wurde der Verurteilte dabei rückwärts von einem Felsen oder einer Mauer gestoßen. Wenn er nach dem Sturz noch nicht tot war, wurden schwere Steine auf ihn herabgeworfen.

Im Neuen Testament erscheint die Steinigung als eine häufige Form von Lynchjustiz (Johannes 10,31–33; Apostelgeschichte 7,58).

Sterndeuter Im alten Babylonien war die Sterndeutung weit verbreitet. Man glaubte, aus dem Stand der Sterne und Planeten das Schicksal ablesen und vorhersagen zu können. Die Propheten des Alten Testaments warnten davor, die Sterne als Götter zu verehren und das eigene Schicksal von ihnen abhängig zu machen (Jesaja 47,12–14; Hesekiel 8,16–17).

Die babylonischen Sterndeuter, die Maria und Josef und das Kind in der Krippe aufsuchten, interpretierten möglicherweise das besonders dichte Zusammenstehen von Jupiter und Saturn im Jahr 6 v.Chr. dahingehend, dass ein besonderer König geboren sein müsse (Matthäus 2,1–11). Sie ließen sich davon leiten und fanden das Kind in der Krippe.

Stoiker Mitglieder einer Philosophenschule, die ca. 300 v.Chr. begründet wurde. Der Name Stoiker ist abgeleitet von einem Säulengang (Stoa) in Athen, wo der Gründer dieser Philosophenschule, Zenon von Kition, lehrte. Im Vordergrund der Philosophie stand die Ethik: Durch gutes und sittliches Handeln erreicht man ein glückliches Leben. Zum guten Handeln gehören Selbstbeherrschung, Gerechtigkeit, Mut und Pflichterfüllung. Diese stoischen Ideale wurden von Wanderlehrern in aller Welt verbreitet. Paulus begegnet den Stoikern in Athen (Apostelgeschichte 17,18).

Streitwagen bildeten seit der Mitte des 2. Jahrtausends v.Chr. einen immer wichtigeren Teil des Heeres im Orient. Die Wagen waren zweirädrig, hinten offen und wurden von zwei oder mehr Pferden gezogen. Sie hatten in der Regel drei Mann Besatzung: einen Wagenlenker, einen Schützen mit Bogen oder Speer und einen Schildträger.

Sühne ist die Leistung, mit der eine Schuld bezahlt und ein zerbrochenes Verhältnis wiederhergestellt wird (↗Opfer).

Mit seinem Tod am Kreuz hat Jesus ein für alle Mal das vollbracht, was kein Mensch tun kann: Er hat die Schuld aller Menschen gesühnt, er hat für ihre ↗Sünde bezahlt, ihre Schuld beglichen. Er trug die Strafe, die sie verdient hatten (Römer 3,25 ↗Versöhnung).

Sünde Der Begriff »Sünde« bezeichnet das zerstörte Verhältnis des Menschen zu Gott. Sünde ist Auflehnung gegen Gott und seinen Willen. Sie besteht nicht nur in der einzelnen Tat, sondern ganz grundsätzlich im Leben ohne ihn. Sünde ist eine Macht, die den Menschen bestimmt. Ihre Folge ist der Tod (Römer 6,19–23).

Das Neue Testament sagt, dass Jesus Christus durch seinen Tod die Strafe

für unsere Sünde erlitten und so die Macht der Sünde und des Todes gebrochen hat (2. Korinther 5,21). Wer Jesus vertraut, ist der zwingenden Gewalt der Sünde nicht mehr unterworfen (Römer 6,5–8). Dies bedeutet aber nicht, dass der Glaubende sündlos ist: Er bleibt im Gegenteil immer auf die ↗Vergebung angewiesen (1. Johannes 1,8–10).

Synagoge Das Versammlungshaus der jüdischen Gemeinde. Hier wurde am ↗Sabbat der Gottesdienst gehalten, in dem man betete, aus dem Gesetz vorlas und es auslegte. An den Wochentagen diente die Synagoge als Schule. Sie ist erst in der Zeit nach der Gefangenschaft der Israeliten in Babylonien entstanden. Bis heute feiern die Juden dort am Sabbat ihren Gottesdienst.

Tamburin Ein Rhythmusinstrument, das hauptsächlich für den Tanz verwendet wurde. Man spannte eine Membran aus Tierhaut über einen runden oder rechteckigen Holzrahmen und schlug darauf mit der Hand den Takt.

Tammuz Eine Gottheit; sie verkörperte die jährlich vergehende und wieder auflebende Vegetation.

Taufe »Taufen« bedeutet ursprünglich »untertauchen«. Religiöse Waschungen und Tauchbäder waren im Judentum verbreitet. Johannes der Täufer knüpfte daran an, als er die Menschen aufforderte, sich zum Zeichen ihrer Umkehr zu Gott im Jordan untertauchen zu lassen (Matthäus 3,1–6). Nachdem Jesus von den Toten auferstanden war, gab er seinen Jüngern den Auftrag, die rettende ↗Botschaft zu verkünden, Menschen in seine Nachfolge zu rufen und sie im Namen des Vaters, des Sohnes und des Heiligen Geistes (↗Geist Gottes) zu taufen (Matthäus 28,19). Seither übte die christliche Gemeinde die Taufe zum Zeichen der Aufnahme in die Gemeinschaft der Gläubigen aus. Der Täufling sprach ein Bekenntnis, dass Christus sein Herr sei. Dann wurde er auf den Namen Jesu Christi bzw. auf den Namen des Vaters, des Sohnes und des Heiligen Geistes getauft, indem er im Wasser untergetaucht wurde.
Die Berührung mit dem Wasser ist Zeichen der Reinigung von allen Sünden (Apostelgeschichte 22,16). Paulus legt im Römerbrief dar, dass die Taufe nicht nur ein Bekenntnis des Menschen ist, sondern ein Handeln Gottes. Der Vorgang des Untertauchens symbolisiert Begräbnis und Auferstehung, Ende des alten und Beginn eines neuen Lebens. Durch die Taufe ist der Täufling »mit Christus gestorben und begraben. Und wie Christus durch die Herrlichkeit und Macht seines Vaters von den Toten auferweckt wurde, so sollen auch wir ein neues Leben führen. Denn wie wir seinen Tod mit ihm geteilt haben, so haben wir auch Anteil an seiner Auferstehung« (Römer 6,4–5).

Tempel In der Bibel bezeichnet das Wort »Tempel« in der Regel das Heiligtum Gottes in Jerusalem. Gott wollte mitten unter seinem Volk wohnen. Bereits David hatte Baupläne entworfen und Material heranschaffen lassen. Sein Sohn Salomo führte den Bau innerhalb von sieben Jahren durch (1. Könige 6). Das Gebäude teilte sich in drei Räume auf: Die Vorhalle, das Heilige und das Allerheiligste. Nur einmal im Jahr durfte der ↗Hohepriester das ↗Allerheiligste betreten, wo die ↗Bundeslade stand. Der Salomonische Tempel wurde bei der Eroberung Jerusalems im Jahre 587/6 v. Chr. von den Babyloniern zerstört. Nach der Rückkehr der Juden aus der babylonischen Gefangenschaft (↗Verbannung) erlaubte der Perserkönig Kyros den Wiederaufbau. Unter dem Perserkönig Darius wurde der neue Tempel dann vollendet und 515 v. Chr. eingeweiht. Herodes der Große ließ den Tempel ab 31 v. Chr. umbauen und prachtvoll ausstatten. Die Bauarbeiten dauerten mehrere Jahrzehnte. Als die Römer im Jahr 70 n. Chr. Jerusalem eroberten, wurde der Tempel vollständig zerstört. Nach der

Einnahme Jerusalems durch die Araber im 7. Jahrhundert n. Chr. errichtete man an der Stelle, an der früher der Tempel stand, die Omar-Moschee (Felsendom).

empelsteuer Jeder Jude war seit der Zeit Nehemias aufgefordert, eine jährliche Steuer zu entrichten, die für den Unterhalt des ↗Tempels in Jerusalem bestimmt war (Nehemia 10,33–34). Die Tempelsteuer betrug zur Zeit des Neuen Testaments etwa zwei Tageslöhne. Sie war in tyrischen Schekeln zu bezahlen. Aus diesem Grund gab es im ↗Vorhof des Tempels ↗Geldwechsler, die die Landeswährung gegen tyrische Schekel eintauschten.

eufel ↗Satan

opas ↗Edelsteine

or Die Gassen der Städte im Alten Orient waren in der Regel eng. Nur vor dem Stadttor gab es genügend Platz. Dort spielte sich das öffentliche Leben ab: Man traf sich, um zu handeln, zu erzählen und zu beraten.

Das Stadttor war ein Gebäudekomplex mit mehreren Räumen. Dort fanden auch die Gerichtsverhandlungen statt.

otenklage Die Trauer um einen Verstorbenen war in Israel in feste Rituale eingebunden. Man kleidete sich in Sackleinen, stieß Klagerufe aus, schlug sich an Brust und Hüften und streute sich Erde auf den Kopf (Hiob 2, 12–13). Die eigentliche Leichenklage bei der Trauerfeier führten so genannte Klageweiber aus.

otenreich / Totenwelt Die Israeliten stellten sich das Totenreich als Ort unter der Erde vor, an den die Verstorbenen kamen (Hiob 26,5–6). Die Totenwelt wird als trostloser, dunkler Ort geschildert (Hiob 10,21–22). Es gibt dort »weder Tun noch Denken, weder Erkenntnis noch Weisheit« (Prediger 9,10). Die Verstorbenen in der Totenwelt sind von Gott verlassen (Psalm 88,6).

Die Hoffnung auf Überwindung des Todes leuchtet bereits bei den Propheten auf (Jesaja 25,8; 26,19). Im Neuen Testament wird bezeugt, dass Jesus den Toten die rettende Botschaft verkündet hat, um sie aus der Gewalt des Todes zu befreien (1. Petrus 3,19; 4,6). Durch die Auferstehung Jesu Christi wurde die Macht des Todes endgültig gebrochen: »Er hat dem Tod die Macht genommen und das Leben – unvergänglich und ewig – ans Licht gebracht« (2. Timotheus 1,10). Darum glauben Christen: »Als Erster ist Christus auferstanden. Wenn er kommt, werden alle auferstehen, die zu ihm gehören« (1. Korinther 15,23).

Tragakant ↗Ladanum

Tummim Zur Amtskleidung des ↗Hohenpriesters gehörte eine Brusttasche aus Leinen, in der sich zwei Lose befanden. Sie wurden Urim und Tummim genannt, üblicherweise mit »Licht« und »Recht« übersetzt (2. Mose 28, 29–30). Durch das Werfen der Lose sollte in schwierigen Fällen Gottes Willen erfragt, also »Licht« in eine dunkle Sache gebracht und in Zweifelsfällen »das Rechte« erkannt werden (1. Samuel 23,9–12).

ungesäuertes Brot Ein Brot, das ohne Beigabe von Sauerteig gebacken wurde (↗Sauerteig; ↗Passahfest).

Urim ↗Tummim

Verbannung Im Vorderen Orient waren die Assyrer die Ersten, die ganze Bevölkerungsschichten besiegter Nationen gefangen nahmen. Sie verschleppten die Oberschicht und einen Teil des Volkes in ferne Gebiete ihres Reiches und brachten im Gegenzug von dort Volksgruppen in die eroberten Länder. Auf diese Weise versuchten sie, die von ihnen beherrschten Nationen zu entwurzeln und zu schwächen.

Seit dem 8. Jahrhundert v. Chr. musste Israel ständig die leidvolle Erfahrung machen, dass ganze Städte und Landstriche von Feinden erobert und die Bewohner verschleppt wurden. 722 v. Chr. nahmen die Assyrer Samaria ein und machten das Nordreich Israel zur assyrischen Provinz ↗Samarien

(2. Könige 17,5–6). Ein Teil der Bevölkerung wurde nach Nordsyrien verbannt; dafür wurden Bewohner aus Medien und Elam (heute Iran) in Samarien angesiedelt (2. Könige 17, 23–24). 587/6 v. Chr. eroberten die Babylonier Juda und seine Hauptstadt Jerusalem und verschleppten einen Teil der Bevölkerung in den Großraum von Babylon. Dieses Ereignis ist als die »Babylonische Gefangenschaft« bekannt (2. Chronik 36,11–21). Die Verbannten wohnten in gemeinsamen Siedlungen und mussten für die Babylonier arbeiten; in gewissen Grenzen führten sie ein selbständiges Leben: Sie trieben Handel und konnten ihre Religion ausüben. Ein Brief des Propheten Jeremia an die Juden in Babylon wirft ein Licht auf die dortige Situation (Jeremia 29,1–23).

Vergebung Wenn die Bibel von Vergebung spricht, meint sie die Heilung des zerbrochenen Verhältnisses zwischen Gott und Mensch. Vergebung gewährt Gott jedem, der ihn darum bittet. Im Alten Testament war die Vergebung von ↗Schuld an ein ↗Opfer gebunden (3. Mose 5,5–6).

Mit Jesus brach eine neue Zeit an: Er suchte die Gemeinschaft mit Menschen, die Schuld auf sich geladen hatten, und vergab ihnen ihre ↗Sünden, weil Gott ihm die Macht dazu verliehen hatte. Während zur Zeit des Alten Testaments für jedes Vergehen wieder ein neues Opfer nötig wurde, hat Jesus Christus dagegen durch seinen Tod am ↗Kreuz ein einziges Opfer für alle Sünden gebracht. Damit ist die Sünde ein für alle Mal vergeben (Hebräer 9,26; 10,11–12) Wer von Gott Vergebung empfangen hat, der soll auch *bereit sein, seinem Mitmenschen*, der an ihm schuldig wird, zu vergeben (Matthäus 6,12).

Versöhnung bedeutet, dass eine vorhandene ↗Schuld wieder gutgemacht wird. Der Mensch, der durch seine ↗Sünde von Gott getrennt ist, kann jedoch seine Schuld nicht selbst begleichen. Im Alten Testament war dazu immer wieder ein ↗Opfer nötig: Ein fehlerloses Tier musste für den schuldigen Menschen sterben (↗Versöhnungstag). Das Neue Testament spricht von einer Versöhnung, die ein für alle Mal geschehen ist: »Als wir noch seine Feinde waren, hat Gott uns durch den Tod seines Sohnes mit sich selbst versöhnt« (Römer 5,10). Der Apostel Paulus fordert Menschen dazu auf: »Lasst euch mit Gott versöhnen! Wir bitten euch darum im Auftrag Christi« (2. Korinther 5,20).

Versöhnungstag Der höchste Feiertag im Judentum, »Jom Kippur« genannt. Er wird jeweils am 10. Tag des Monats Tischri (September/Oktober) begangen. Nach dem Alten Testament war vorgeschrieben, dass der ↗Hohepriester an diesem Fastentag bestimmte ↗Opfer darbringen musste. Nur so konnten seine eigenen ↗Sünden und die des ganzen Volkes von Gott vergeben werden (3. Mose 16).

Durch den Tod Jesu Christi hat Gott die Welt ein für alle Mal mit sich versöhnt (↗Versöhnung). Darum ist der alttestamentliche Opferdienst zum Ziel gekommen und aufgehoben (Hebräer 9,12).

Vorhof Ein abgegrenzter Bereich um das heilige ↗Zelt bzw. später um den ↗Tempel. Dort durften sich die Israeliten während des Gottesdienstes und des Opferns aufhalten. In neutestamentlicher Zeit hatte der Tempel mehrere Vorhöfe. Nichtjuden durften nur den äußeren betreten.

Weihrauch Ein durchsichtiges Harz, das aus Baumrinde gewonnen wird. Das flüssige Harz wird nach einiger Zeit fest, so dass es zu kleinen Kugeln zusammengedrückt werden kann. Diese Weihrauchklümpchen verbreiten beim Verbrennen einen angenehmen Geruch. Weihrauch war ein wichtiger Bestandteil verschiedener ↗Opfer (2. Mose 30,34–38; 3. Mose 2,1–16).

Welt Gottes, neue Mit der neuen Welt Gottes beschreibt die Bibel den Herr-

schaftsbereich Gottes: Schon die Propheten zur Zeit des Alten Testaments haben verkündet, dass der ↗Messias, ein Nachkomme König Davids, ein ewiges Friedensreich schaffen werde (Jesaja 11,1–10).
Dieser Messias ist Jesus. Mit ihm hat die neue Welt Gottes begonnen (Lukas 17,21). Wer ihm vertraut, lebt bereits unter Gottes guter Herrschaft. In dieser neuen Welt gelten neue Maßstäbe (Matthäus 5,1–12). Jesus hat die neue Welt Gottes in vielen ↗Gleichnissen beschrieben, zum Beispiel in Matthäus 13.
Doch erst in der Zukunft, wenn Jesus Christus wiederkommt, wird Gottes neue Welt ganz verwirklicht sein (Offenbarung 11,15).

Wochenfest ↗Pfingstfest

Ysop Wenn in der Bibel Ysop erwähnt wird, handelt es sich bei diesem Gewürzkraut wahrscheinlich nicht um den eigentlichen Ysop, sondern um eine Art Majoran. Ysopbüschel wurden im alttestamentlichen Opferdienst verwendet, um Blut oder Wasser zu versprengen (3. Mose 14,49–51). Bei der Kreuzigung Jesu wurde ein mit ↗Essigwasser getränkter Schwamm um einen Ysopstängel gelegt und ihm an den Mund gehalten (Johannes 19,29).

Zauberei und Wahrsagerei werden in der Bibel als Umgang mit magischen, dämonischen und übernatürlichen Kräften geschildert. Im alttestamentlichen Gesetz werden diese Praktiken streng verboten, weil das Vertrauen auf solche Kräfte das erste Gebot missachtet: »Ich bin der Herr, dein Gott; ich habe dich aus der Sklaverei in Ägypten befreit. Du sollst außer mir keine anderen Götter verehren« (2. Mose 20,2–3; 5. Mose 18,9–13). Auch das Neue Testament berichtet von der Auseinandersetzung der Jünger und Apostel mit Zauberei und bezeugt die Macht Gottes über die ↗Dämonen (Apostelgeschichte 8, 9–24; 13,6–12).

Zehn Städte Der Begriff bezeichnet einen Verband von zehn Städten im Ostjordanland. Dieser Städtebund war seit der Zeit Alexanders des Großen nach griechischem Vorbild organisiert. Die Bevölkerung war überwiegend nichtjüdisch.

Zehntel / zehnter Teil Der zehnte Teil von allem, was man erarbeitete oder erntete, sollte nach alttestamentlichem Gebot Gott gehören (3. Mose 27,30). Er wurde zum Unterhalt der ↗Leviten, des Heiligtums und der Armen verwendet (4. Mose 18,20–21).

Zelt, heiliges Das Heiligtum der Israeliten während der Zeit, als sie in der Wüste umherzogen. Sie hatten es am ↗Sinai errichtet, so wie Gott es ihnen befohlen hatte (2. Mose 26). Es handelte sich um eine zusammenlegbare Holzkonstruktion, über die ein Zeltdach gespannt wurde. Das heilige Zelt war der Ort, an dem Gott mitten unter seinem Volk wohnte (2. Mose 29, 43–46). Die Israeliten kamen dort zusammen und brachten ihre Opfer dar. Im ↗Allerheiligsten redete Gott mit Mose. Nachdem die Israeliten Kanaan eingenommen hatten, wurde das heilige Zelt in Silo, etwa 35 km nördlich von Jerusalem, aufgestellt (Josua 18,1). Zur Zeit Salomos ersetzte der ↗Tempel das Zelt.

Zeltmacher Paulus arbeitete auf seinen Missionsreisen als Zeltmacher, um sich seinen Lebensunterhalt zu verdienen. Er stellte Decken und Zelttuch her (Apostelgeschichte 18,3).

Zepter Verzierter Stab aus Stein oder Edelmetall als Zeichen der Würde und Macht eines Herrschers.

Zeus Oberste Gottheit in der griechischen Religion. Die Römer nannten ihn Jupiter.

Zimbel Musikalisches Begleitinstrument, das z.B. in der Tempelmusik verwendet wurde. Es bestand aus tellerförmigen, kupfernen Becken, die gegeneinander geschlagen wurden.

Zion Als David die Stadt Jerusalem von den Jebusitern erobert hatte, wurde sie Stadt Davids oder Zion genannt (2. Samuel 5,6–10). Später wurde der

Name auch für den Tempelberg gebraucht.
Zion war für die Israeliten zugleich der Inbegriff der Stadt Gottes.

Zolleinnehmer bildeten zur Zeit des Neuen Testaments einen Berufsstand, der mit den Römern zusammenarbeitete. Die Zolleinnehmer konnten einen Bezirk pachten und für die Römer Zölle eintreiben. Da sie nicht kontrolliert wurden, nahmen sie oft das Vielfache des angemessenen Betrags und ließen es in die eigene Tasche fließen. Die Zolleinnehmer besaßen aus diesem Grund den gleichen Ruf wie Diebe und Räuber (Matthäus 5,46; 9,9–13).

Zeittafel

Von der Patriarchenzeit bis zur Gründung des israelitischen Königtums

Zeit	Palästina	Zeitgeschichte
	um 2800 entstehen Stadtstaaten in Kanaan	2900–2200 Ägypten: Altes Reich
2000	Abraham kommt ins Land Kanaan Isaak Jakob Josef Israel lebt in Ägypten	2050–1950 3. Dynastie von Ur in Mesopotamien 2200–1990 1. Zwischenperiode in Ägypten 1990–1775 Ägypten: Mittleres Reich 1775–1570 2. Zwischenperiode
1300	um 1300 Auszug Israels aus Ägypten[a]; Wüstenwanderung; ab 1260 Eroberung Kanaans unter Josua; teilweise Vertreibung der kanaanitischen Bevölkerung; Ansiedlung	1570–1150 Ägypten: Neues Reich; ab 1300 kommen die Philister nach Kanaan und siedeln sich in der Küstenebene an; Eisenmonopol
1200	ca. 1240–1050 Richterzeit in Israel: Deborah, Gideon, Simson; um 1050 Samuel	

Vom Beginn des Königtums bis zur Zerstörung Jerusalems

Zeit	Palästina	Zeitgeschichte
	um 1020 Saul wird erster König Israels	
1000	1012 David wird König, Ausdehnung Israels 970–931 Salomo	Philisterkämpfe
950	967–961 Salomos Tempelbau 931 Teilung des Reiches[b]	

Zeit	Reich Juda		Reich Israel	
	Rehabeam	931–913	Jerobeam I.	931–910
	Abija	913–911	Nadab	910–909
900	Asa	911–870	Bascha	909–886
			Ela	886–885
			Simri	885
			Tibni	885–880
			Omri	880–874

[a] Einige Forscher datieren den Auszug früher (um 1450). Dann muss die Patriarchenzeit entsprechend früher angesetzt werden, ebenso die Zeit der Richter.

[b] Die Angaben ab dem Zeitpunkt der Reichsteilung richten sich nach der so genannten »langen Chronologie« von Thiele/Anderson. Andere datieren die Reichsteilung auf das Jahr 926 v. Chr. Entsprechend ändern sich dann die Regierungszeiten der Könige von David an bis zum Untergang Jerusalems.

Zeit	Reich Juda		Reich Israel		Zeitgeschichte
850	Joschafat	870–848	Ahab	874–853	
			Elia[a]		
	Joram	848–841	Ahasja	853–852	
	Ahasja	841	Joram	852–841	
	Obadja (?)		*Elisa*		
	Atalja	841–835	Jehu	841–814	
800	Joasch	835–796	Joahas	814–798	
	Joel (?)		Joasch	798–782	
	Amazja	796–767	*Jona, Hosea, Amos*		
	Asarja (Usija)	767–740	Jerobeam II.	782–753	
			Sacharja	753–752	
			Schallum 752 (1 Monat)		
750	Jotam	740–736	Menahem	752–742	
			Pekachja	742–740	
	Ahas	736–716	Pekach	740–732	734–732 Tiglat-Pileser III. (Pul)
	Micha		Hoschea	732–722	
	Jesaja		722 Eroberung Samarias durch Sargon II., Ende des Nordreichs Israel		722–705 Sargon II. von Assyrien
700	Hiskia	716–697			701 Sanherib von Assyrien belagert Jerusalem
	Manasse	697–643			
	Nahum				
650	Amon	643–641			
	Zefania				
	Josia	641–609			
	Jeremia				612 Die Babylonier erobern Ninive, die Hauptstadt des Assyrerreiches
	Joahas	609			605–562 Nebukadnezar von Babylonien
	Jojakim	609–598			
	Habakuk				
600	605 erste Belagerung Jerusalems durch Nebukadnezar				
	Jojachin	598–597			
	Zedekia	597–586			
	Hesekiel				
	597 erste Einnahme Jerusalems durch Nebukadnezar				
	588 Beginn der zweiten Belagerung Jerusalems				
	587/6 Eroberung Jerusalems, Zerstörung des Tempels, Deportation der Bevölkerung nach Babylonien				
	Daniel				

[a] Die kursiv gedruckten Namen sind die Namen der Propheten. Sie erscheinen in dieser Zeittafel entsprechend dem ungefähren Beginn ihrer Wirksamkeit.

Juda in persischer Zeit

Zeit	Palästina	Zeitgeschichte
550	seit 586 Babylonische Gefangenschaft des Volkes Israel	559 Kyrus begründet das persische Reich
	538 Erlass des Kyrus: Erste Heimkehr der Juden	539 Kyrus erobert Babylon
500	520–516 Wiederaufbau des Tempels *Haggai, Sacharja*	ab 525 Ägypten unter persischer Herrschaft; 521–486 Darius I. 486–465 Xerxes I. (Ahasveros) um 479/8 Esther Königin
450	458 Esra kehrt mit weiteren Verbannten zurück 445 Nehemia Statthalter in Juda, Wiederaufbau der Mauern Jerusalems *Maleachi*	464–424 Artaxerxes II. (Artasata)

Die Zeit zwischen Altem und Neuem Testament

Zeit	Palästina	Zeitgeschichte
400		400–320 Goldenes Zeitalter Griechenlands: Plato, Sokrates, Aristoteles
	332 Alexander der Große zieht in Jerusalem ein; Palästina unter griechischer Herrschaft 323–301 Palästina unter der Herrschaft der Nachfolger Alexanders	336 Alexander der Große ist König von Mazedonien 323–301 Machtkämpfe der Nachfolger Alexanders: Ptolemäer (Ägypten) gegen Seleukiden (Syrien)
300	301–198 Palästina unter ägyptischer Herrschaft (Ptolemäer)	nach 250 Das Alte Testament wird ins Griechische übersetzt (Septuaginta)
200	198 Palästina wird syrisches Herrschaftsgebiet (Seleukiden) 167 Makkabäeraufstand unter Judas Makkabäus	175–164 Antiochus Epiphanes IV. von Syrien unterdrückt die jüdische Religion
150	164 Friedensschluss, Reinigung und Wiedereinweihung des Tempels 142 syrische Besatzung wird vertrieben, Israel wird politisch selbständig	
100	141–63 Dynastie der Hasmonäer, Nachkommen der Makkabäer 63 Pompejus, römischer Feldherr, bringt Palästina unter römische Herrschaft	

Die Zeit des Neuen Testaments

Zeit	Palästina	Zeitgeschichte
	37–4 Herodes der Große	
	um 5 v. Chr. Geburt Jesu	30 v. Chr. – 14 n. Chr. Kaiser Augustus
25	um 26 n. Chr. Auftreten Johannes' des Täufers	14–37 n. Chr. Kaiser Tiberius
	um 26 Auftreten Jesu	
	30 Kreuzigung Jesu	26–36 Pilatus Statthalter in Judäa
	37 (32?) Bekehrung des Paulus	37–41 Kaiser Caligula
	Verfolgung der Gemeinde in Jerusalem	
	44 Hinrichtung des Apostels Jakobus	41–54 Kaiser Klaudius
	47/48 erste Missionsreise des Apostels Paulus	
	49 Zusammenkunft der Apostel in Jerusalem	48 Juden aus Rom vertrieben
50	49–52 zweite Missionsreise des Paulus mit Aufenthalt in Korinth	52–60 Antonius Felix, Statthalter von Judäa
	52–57 dritte Missionsreise des Paulus	54–68 Kaiser Nero
	57 Paulus in Jerusalem verhaftet, Gefangenschaft in Cäsarea	60 Porcius Festus wird Nachfolger von Antonius Felix
	59/60 Paulus wird nach Rom gebracht	64 Brand Roms, Christenverfolgung
	66–72 jüdischer Aufstand gegen die römische Besatzung	69–79 Kaiser Vespasian
	70 Zerstörung Jerusalems durch den römischen Feldherrn Titus	
100	132–135 Bar-Kochba-Aufstand, niedergeschlagen unter Hadrian	117–138 Kaiser Hadrian

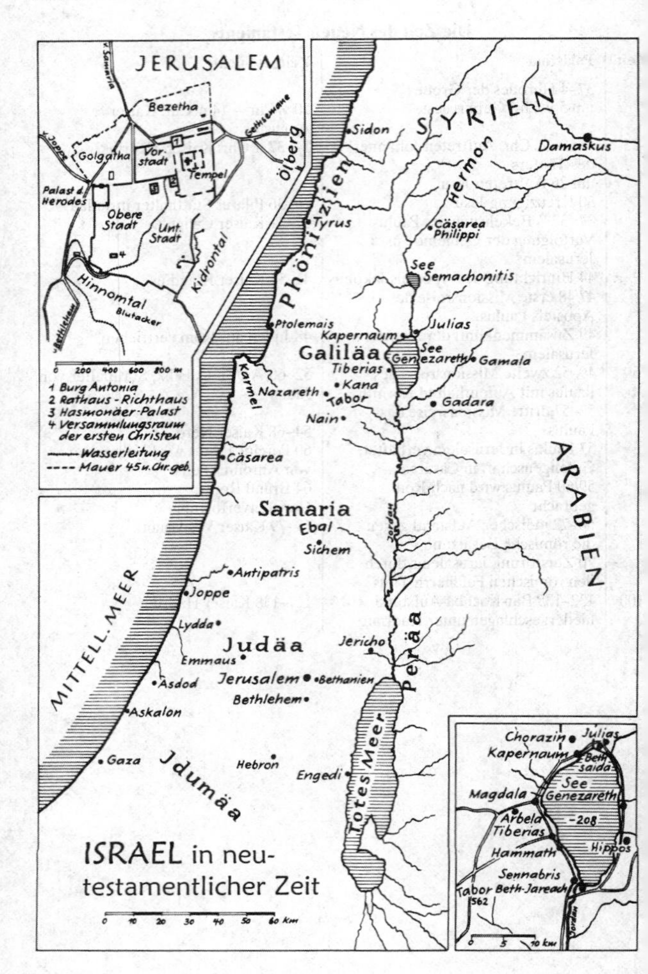
JERUSALEM
v. Samaria
Bezetha
Gethsemane
v. Joppe
Golgatha
Vorstadt
Tempel
Ölberg
Palast d. Herodes
Obere Stadt
Unt. Stadt
Kidrontal
Hinnomtal
Blutacker
v. Bethlehem
0 200 400 600 800 m
1 Burg Antonia
2 Rathaus - Richthaus
3 Hasmonäer-Palast
4 Versammlungsraum der ersten Christen
Wasserleitung
Mauer 45 n. Chr. geb.
Sidon
SYRIEN
Damaskus
Hermon
Phönizien
Tyrus
Cäsarea Philippi
See Semachonitis
Julias
Ptolemais
Kapernaum
Galiläa
See Genezareth
Gamala
Tiberias
Kana
Karmel
Nazareth
Tabor
Gadara
Nain
Cäsarea
ARABIEN
Samaria
Ebal
Sichem
Jordan
Antipatris
Joppe
MITTELL. MEER
Lydda
Judäa
Jericho
Peräa
Emmaus
Asdod
Jerusalem
Bethanien
Bethlehem
Askalon
Totes Meer
Gaza
Idumäa
Hebron
Engedi
ISRAEL in neutestamentlicher Zeit
0 10 20 30 40 50 60 km
Chorazin
Julias
Kapernaum
Bethsaida
See Genezareth
Magdala
Arbela
-208
Tiberias
Hippos
Hammath
Sennabris
Beth-Jareach
Tabor 562
Jordan
0 5 10 km

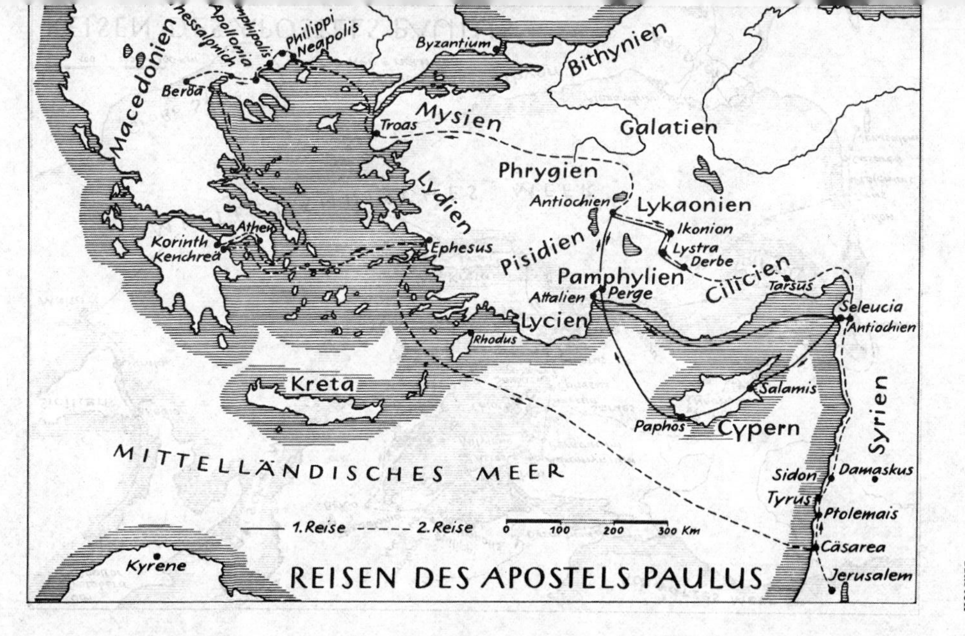
Macedonien
Thessalonich
Apollonia
Amphipolis
Philippi
Neapolis
Beröa
Byzantium
Bithynien
Troas
Mysien
Galatien
Phrygien
Lydien
Antiochien
Lykaonien
Ikonion
Lystra
Derbe
Athen
Korinth
Kenchreä
Ephesus
Pisidien
Pamphylien
Cilicien
Tarsus
Attalien
Perge
Seleucia
Antiochien
Lycien
Rhodus
Kreta
Salamis
Paphos
Cypern
Syrien
MITTELLÄNDISCHES MEER
Sidon
Damaskus
Tyrus
Ptolemais
1. Reise
2. Reise
0 100 200 300 Km
Cäsarea
Jerusalem
Kyrene
REISEN DES APOSTELS PAULUS

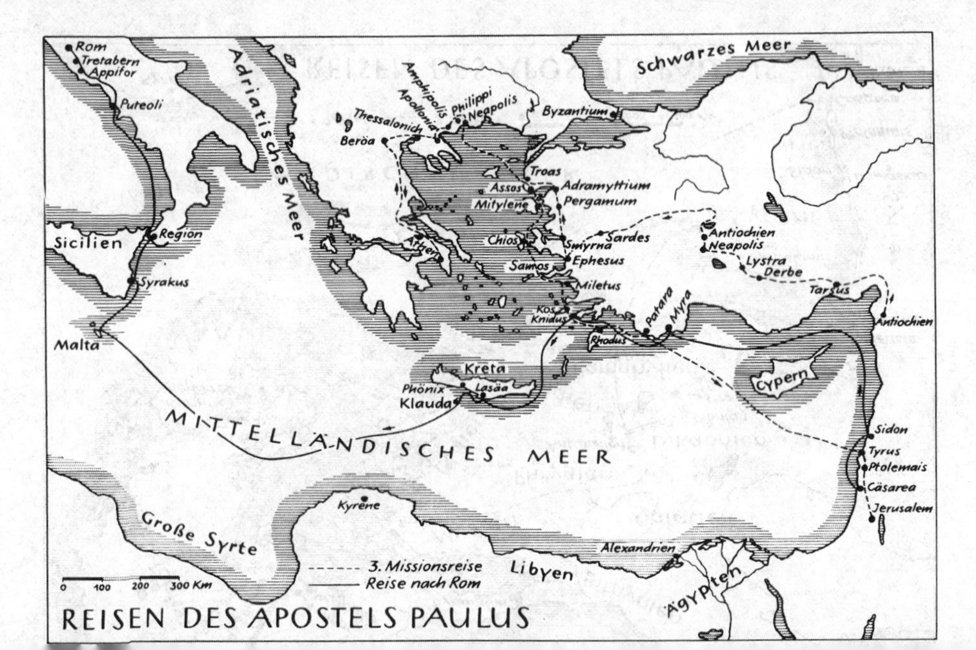
Schwarzes Meer
Adriatisches Meer
Rom
Tretabern
Appifor
Puteoli
Region
Sicilien
Syrakus
Malta
Thessalonich
Beröa
Amphipolis
Apollonia
Philippi
Neapolis
Byzantium
Troas
Assos
Adramyttium
Pergamum
Mitylene
Chios
Smyrna
Sardes
Ephesus
Samos
Athen
Miletus
Kos
Knidus
Rhodus
Patara
Myra
Antiochien
Neapolis
Lystra
Derbe
Tarsus
Antiochien
Kreta
Phönix
Lasäa
Klauda
Cypern
MITTELLÄNDISCHES MEER
Sidon
Tyrus
Ptolemais
Cäsarea
Jerusalem
Kyrene
Große Syrte
Alexandrien
Libyen
Ägypten
3. Missionsreise
Reise nach Rom
0 100 200 300 Km
REISEN DES APOSTELS PAULUS

Notizen

Notizen

Notizen